HARRAP'S
COMPACT

DICTIONNAIRE
Français-Espagnol/Espagnol-Français

HARRAP'S COMPACT

DICTIONNAIRE
Français-Espagnol/Espagnol-Français

HARRAP

Publié en France 2001 par
Chambers Harrap Publishers Ltd
7 Hopetoun Crescent
Edinburgh EH7 4AY

ISBN 0245 50367 6

Maquette et mise en page Chambers Harrap Publishers Ltd, Edinburgh
Imprimé en Italie par Rotolito Lombarda SpA

Rédactrice en chef/Editora
Laurence Larroche

Rédaction/Redacción
Talia Bugel
Anne Kansau
Georges Pilard
Mónica Tamariz

Espagnol d'Amérique latine/Español de América
Talia Bugel

Direction éditoriale/Dirección editorial
Patrick White

Maquette et mise en page/Diseño y composición
Helga Zunde

Table des matières/Contenido

Marques déposées

Les termes considérés comme des marques déposées sont signalés dans ce dictionnaire par le symbole ®. Cependant, la présence ou l'absence de ce symbole ne constitue nullement une indication quant à la valeur juridique de ces termes.

Marcas regsitradas

Las palabras consideradas marcas registradas vienen señaladas en este diccionario con una ®. Sin embargo, la presencia o la ausencia de tal distintivo no implica juicio alguno acerca de la situación legal de la marca registrada.

Préface

L'apprentissage de l'espagnol, que ce soit à l'école ou en cours du soir, à l'écrit ou à l'oral, peut poser toutes sortes de problèmes : vocabulaire, conjugaison, difficultés grammaticales, différences culturelles, etc. Avec ses 62 000 mots et expressions, le *Compact* français-espagnol Harrap a réponse à tout.

Vous y trouverez non seulement le vocabulaire de base, mais aussi celui du commerce, des affaires, de l'administration, de la politique et des nouveaux médias. A ceci viennent s'ajouter de nombreuses abréviations et proverbes dont le décodage est souvent essentiel à la compréhension des réalités culturelles.

La totalité des conjugaisons espagnoles figure également dans le *Compact*, sous forme de tableaux, avec des renvois dans le texte pour accéder immédiatement à la conjugaison appropriée.

Pour ce qui est de la grammaire, toutes les structures de base sont présentes pour vous aider à éviter les écueils que sont l'usage des prépositions ou celui des temps verbaux.

Enfin, Harrap a voulu dans cet ouvrage mettre l'accent sur les différentes variétés d'espagnol, avec pas moins de 20 étiquettes de provenance géographique allant de l'Espagne au Chili en passant par Cuba.

Avec le *Compact* Harrap, c'est tout le monde hispanophone qui est désormais à votre portée.

Prefacio

El aprendizaje del francés, ya sea en la enseñanza para niños y adolescentes o en la enseñanza para adultos, ya sea escrito u oral, puede plantear todo tipo de problemas: vocabulario, conjugación, dificultades gramaticales, diferencias culturales, etc. Con sus 65.000 palabras y expresiones, el *Compact* francés-español de Harrap tiene respuestas para todo. En él se encuentra no solamente el vocabulario básico, sino también el del comercio, los negocios, la administración, la política y los nuevos medios de comunicación. Además de numerosas abreviaturas y proverbios cuya decodificación es esencial para comprender las diferentes realidades culturales. Respecto a éstas, Harrap ha decidido llamar la atención en esta obra sobre las diferentes variedades del español, incluyendo aproximadamente 20 etiquetas de identificación geográfica, que abarcan de España a Chile, pasando por Cuba.

También incluimos en el *Compact* tablas con las conjugaciones francesas irregulares, con remisiones en el texto para acceder rápidamente a la conjugación apropiada.

En cuanto a la gramática, presentamos todas las estructuras básicas para ayudar a evitar los escollos que presenta el uso de las preposiciones o el de los tiempos verbales.

Con el *Compact* Harrap todo el mundo francófono está a su alcance.

Abréviations/Abreviaturas

abréviation	*abrév/abrev*	abreviatura
adjectif	*adj*	adjetivo
adverbe	*adv*	adverbio
espagnol d'Amérique latine	*Am*	español de América
anatomie	*Anat*	anatomía
espagnol des Andes	*Andes*	español de los Andes
architecture	*Archit/Arquit*	arquitectura
espagnol d'Argentine	*Arg*	español de Argentina
article	*art*	artículo
astrologie	*Astrol*	astrología
astronomie	*Astron*	astronomía
automobile	*Aut*	automóvil
auxiliaire	*aux*	auxiliar
aviation	*Av*	aviación
français de Belgique	*Belg*	francés de Bélgica
biologie	*Biol*	biología
espagnol de Bolivie	*Bol*	español de Bolivia
botanique	*Bot*	botánica
espagnol d'Amérique centrale	*CAm*	español de América Central
français du Canada	*Can*	francés de Canadá
espagnol des Antilles	*Carib*	español de las Antillas
espagnol du Chili	*Chile*	español de Chile
chimie	*Chim*	química
cinéma	*Cin*	cine
espagnol de Colombie	*Col*	español de Colombia
commerce	*Com*	comercio
conjonction	*conj*	conjunción
construction	*Constr*	construcción
espagnol du Cône sud (Chili, Argentine, Paraguay, Uruguay)	*CSur*	español del Cono Sur
espagnol de Cuba	*Cuba*	español de Cuba
cuisine	*Culin*	cocina
sport	*Dep*	deporte
droit	*Der*	derecho
défini	*det*	determinado
économie	*Écon/Econ*	economía
espagnol d'Équateur	*Ecuad*	español de Ecuador
génie électrique, électronique	*Él/Elec*	ingeniería eléctrica, electrónica

vocabulaire scolaire	*Esc*	vocabulario escolar
espagnol d'Espagne	*Esp*	español de España
exclamation	*exclam*	interjección
féminin	*f*	femenino
familier	*Fam*	familiar
chemins de fer	*Ferroc*	ferrocarril
figuré	*Fig*	figurado
philosophie	*Fil*	filosofía
finance	*Fin*	finanzas
physique	*Fís*	física
photographie	*Fot*	fotografía
géographie	*Géog/Geog*	geografía
grammaire	*Gram*	gramática
espagnol du Guatemala	*Guat*	español de Guatemala
histoire	*Hist*	historia
humoristique	*Hum*	humorístico
industrie	*Ind*	industria
indéfini	*indet*	indeterminado
informatique	*Informát*	informática
exclamation	*interj*	interjección
invariable	*inv*	invariable
ironique	*Iron/Irón*	irónico
journalisme	*Journ*	periodismo
vocabulaire juridique	*Jur*	vocabulario jurídico
linguistique	*Ling*	lingüística
littérature	*Lit*	literatura
littéraire	*Litt*	literario
littérature	*Littérat*	literatura
masculin	*m*	masculino
mathématiques	*Math/Mat*	matemáticas
médecine	*Méd/Med*	medicina
météorologie	*Météo/Met*	meteorología
espagnol du Mexique	*Méx*	español de México
masculin et féminin [dans la traduction, noms qui ont la même forme au masculin et au féminin, p. ex. **dentista** *nmf* dentiste *mf*]	*mf*	masculino y femenino [en la traducción, sustantivos que tienen la misma forma en masculino y en femenino, p. ej. **dentista** *nmf* dentiste *mf*]
masculin et féminin [dans la traduction, noms qui ont des formes différentes au masculin et au féminin, p. ex. **académico, -a** *nm,f* académicien(enne) *m,f*]	*m,f*	masculino y femenino [en la traducción, sustantivos que tienen una forma diferente en masculino y en femenino, p. ej. **académico, -a** *nm,f* académicien(enne) *m,f*]
vocabulaire militaire	*Mil*	vocabulario militar

musique	*Mus/Mús*	música
nom	*n*	nombre
nautisme	*Naut/Náut*	naútica
nom féminin	*nf*	nombre femenino
nom féminin pluriel	*nfpl*	nombre femenino plural
nom masculin	*nm*	nombre masculino
nom masculin et féminin [dans la langue source, noms qui ont la même forme au masculin et au féminin, p. ex. **dentista** *nmf*]	*nmf*	nombre masculino y femenino [en el idioma de partida, sustantivos que tienen la misma forma en masculino y en femenino, p. ej. **dentista** *nmf*]
nom masculin et féminin [dans la langue source, noms qui ont des formes différentes au masculin et au féminin, p. ex. **joueur, -euse** *nm,f*]	*nm,f*	nombre masculino y femenino [en el idioma de partida, sustantivos que tienen una forma diferente en masculino y en femenino, p. ej. **joueur, -euse** *nm,f*]
nom masculin ou féminin [dans la langue source, noms tels que **après-midi** *nm ou nf* ou **aleluya** *nm o nf*]	*nm ou nf/ nm o nf*	nombre masculino o femenino [en el idioma de partida, sustantivos como por ejemplo **après-midi** *nm ou nf* o **aleluya** *nm o nf*]
nom masculin pluriel	*nmpl*	nombre masculino plural
nom propre	*npr*	nombre propio
numéral	*núm*	número
informatique	*Ordinat*	informática
espagnol de Panama	*Pan*	español de Panamá
espagnol du Paraguay	*Par*	español de Paraguay
péjoratif	*Péj/Pey*	peyorativo
espagnol du Pérou	*Perú*	español de Perú
philosophie	*Phil*	filosofía
photographie	*Phot*	fotografía
physique	*Phys*	física
pluriel	*pl*	plural
politique	*Pol*	política
participe passé	*pp*	participio pasado
préfixe	*préf/pref*	prefijo
préposition	*prép/prep*	preposición
pronom	*pron*	pronombre
proverbe	*Prov*	proverbio
psychologie	*Psy/Psi*	psicología
quelque chose	*qch*	algo
quelqu'un	*qn*	alguien
chimie	*Quím*	química
radio	*Rad*	radio

religion	*Rel*	religión
espagnol du Río de la Plata (Argentine, Uruguay)	*RP*	español del Río de la Plata
vocabulaire scolaire	*Scol*	vocabulario escolar
sport	*Sp*	deporte
suffixe	*suff/suf*	sufijo
français de Suisse	*Suisse*	francés de Suiza
tauromachie	*Taurom*	tauromaquia
technique, technologie	*Tec/Tech*	técnica, tecnología
télécommunications	*Tél/Tel*	telecomunicaciones
thétre	*Th*	teatro
télévision	*TV*	televisión
université	*Univ*	universidad
espagnol d'Uruguay	*Urug*	español de Uruguay
verbe	*v*	verbo
espagnol du Venezuela	*Ven*	español de Venezuela
verbe intransitif	*vi*	verbo intransitivo
verbe pronominal	*vpr*	verbo pronominal
verbe transitif	*vt*	verbo transitivo
verbe transitif indirect	*vt ind*	verbo transitivo indirecto
vulgaire	*Vulg*	vulgar
zoologie	*Zool*	zoología

Guide de prononciation de l'espagnol

Pour la plupart des mots espagnols, vous pouvez déduire la prononciation à partir de l'orthographe en vous aidant du tableau ci-dessous. Cependant on ne donne dans le corps du dictionnaire la prononciation des mots que lorsqu'elle présente une difficulté particulière. Cette prononciation est donnée suivant l'alphabet phonétique international (cf 2ᵉ colonne du tableau ci-dessous).

Lettre en espagnol	Symbole API correspondant	Exemple en espagnol	Prononciation (exemple en français)
a	a	ala	lac
e	e	eme	été
i	i	iris	lis
o	o	oso	eau
u	u	uva	four
i dans les diphtongues ia, ie, io, iu	j	hiato, hielo, avión, viuda	bien, avion
u dans les diphtongues ua, ue, ui, uo	w	suave, fuego, luisa	foire, oui
b	b	bola *(en début de mot)*; bomba *(après "m")*	balle
	β	abajo *(tous les contextes sauf les précédents)*	consonne fricative prononcée seulement avec les lèvres, qu'on n'arrive pas à fermer complètement
c	θ	ceca *(devant "e")*; cinco *(devant "i")*	pointe de la langue entre incisives supérieures et inférieures; prononciation semblable à l'anglais thanks
	k	casa *(tous les contextes sauf les précédents)*	cacahuète
ch	tʃ	chaucha	tchèque, ciao

Lettre en espagnol	Symbole API correspondant	Exemple en espagnol	Prononciation (exemple en français)
d	d	dicho *(en début de mot)* ; donde *(après "n")* ; aldea (après "l")	**d**imanche
	ð	adorno *(tous les contextes sauf les précédents)*	la pointe de la langue s'appuie légèrement entre les incisives supérieures et inférieures ou contre le dos des supérieures ; semblable à l'anglais mo**th**er
f	f	furia	**f**eu
g	χ	gema *(devant "e")* ; girasol *(devant "i")*	la partie postérieure du dos de la langue s'approche du voile du palais ; semblable à l'allemand ma**ch**en
	g	gato *(début de mot)* ; lengua *(après "n")*	**g**affe
	ɣ	agua *(tous les contextes sauf les précédents)*	contrairement au **g**, ici le dos de la langue ne touche pas le voile du palais
j	χ	jabalí	r prononcé en rapprochant du voile du palais la partie postérieure du dos de la langue ; semblable à l'allemand ma**ch**en
l	l	lado	**l**ac
ll	j	lluvia	**l**ieu dans certaines régions d'Amérique latine, ce son est prononcé /ʒ/ comme dans **j**ouet
m	m	mano	**m**ain
n	n	nulo	**n**on
	ŋ	fango	parki**ng**
ñ	ɲ	ñato	campa**gn**e

Guide de prononciation de l'espagnol

Lettre en espagnol	Symbole API correspondant	Exemple en espagnol	Prononciation (exemple en français)
p	p	papa	**p**apa
q	k	queso	**c**ol
r	r	dorado *(entre voyelles)*; hablar *(fin de syllabe ou mot)*	**r** roulé
	r̄	rosa *(début de mot)*; alrededor *(après "l")*; enredo *(après "n")*	**r** très roulé
rr	r̄	arroyo	**r** très roulé
s	s	saco	**s**entir
sh	ʃ	show	**ch**acal
t	t	tela	**t**oile
v	b	vale *(en début de mot)*; invierno *(après "n")*	**b**alle
	β	oval *(tous les contextes sauf les précédents)*	consonne fricative prononcée seulement avec les lèvres, qu'on n'arrive pas à fermer complètement
x	ks	examen	e**x**tra
y	j	ayer	lieu
			dans certaines régions d'Amérique latine, ce son est prononcé /ʒ/ comme dans jouet
z	θ	zapato	pointe de la langue entre les incisives supérieures et inférieures ; prononciation semblable à l'anglais **th**anks
	s		en Amérique latine et en Espagne méridionale cette lettre est prononcée **s** comme dans **s**entir

Guía de pronunciación del francés

En este diccionario, todas las palabras francesas llevan pronunciación. Se representa mediante los símbolos del alfabeto fonético internacional (cf la columna del recuadro).

Símbolo API	Ejemplo en francés	Pronunciación (ejemplo en español)
a	chat	pañuelo
ɑ	âme	a más abierta que la española
e	été	reto
ə	repas	parecida al sonido de la e inglesa en *doctor, famous*
œ	feu	e pronunciada con la boca en forma de o
ɛ	beurre	e pronunciada con la boca en forma de o
e	père	e más abierta que la española
i	pizza	circo
ɔ	donner	o más abierta que la española
o	repos	color
u	coup	dulce
y	futile	i pronunciada con la boca en forma de o
ɑ̃	parent	a pronunciada haciendo pasar aire por la nariz
ɛ̃	requin	e pronunciada haciendo pasar aire por la nariz
ɔ̃	pont	ɔ pronunciada haciendo pasar aire por la nariz
œ̃	parfum	œ pronunciada haciendo pasar aire por la nariz
w	noir	fuego
j	merveille	hielo

Guía de pronunciación del francés

Símbolo API	Ejemplo en francés	Pronunciación (ejemplo en español)
ɥ	huit	i pronunciada con la boca en forma de o
b	table	buitre
ʃ	chaque	se pronuncia como sh inglesa, show
d	dictionnaire	dar
f	facile	fuente
g	argument	gato
ʒ	page	sonido similar al /ʒ/ de lluvia en la pronunciación del RP
k	raquette	paquete
l	livre	hilo
m	main	rama
n	reine	niño
ŋ	parking	fango
ɲ	campagne	paño
p	paradis	paraíso
r	dernier	entre la χ (jabalí) y la r (dorado)
s	style	resbalar
t	tortue	tonto
v	vie	f sonora
z	zèbre	s sonora

Français-Espagnol

Francés-Español

A

A, a [ɑ] *nm inv (lettre)* A *f*, a *f*; **prouver par a + b que...** demostrar matemáticamente que...; **de a à z** de pe a pa

A *(abrév* **ampère, autoroute***)* A

a *voir* **avoir**

à [a] *prép*

> à se une con los artículos determinados para formar las contracciones **au** (al) y **aux** (a los, a las).

  (a) *(introduit un complément d'objet indirect)* **parler à qn** hablar a alguien; **penser à qch** pensar en algo; **donner qch à qn** dar algo a alguien
  (b) *(indique la situation)* en; *(indique la direction)* a; **il a une maison à la campagne** tiene una casa en el campo; **il habite à Paris** vive en París; **aller à Paris** ir a París; **un voyage à Londres/aux Seychelles** un viaje a Londres/a las Seychelles
  (c) *(introduit un complément de temps)* **à lundi!** ¡hasta el lunes!; **à plus tard!** ¡hasta luego!; **au mois de février** en el mes de febrero
  (d) *(introduit la manière)* **à pied** a pie; **à bicyclette** en bicicleta; **à haute voix** en voz alta
  (e) *(introduit un chiffre)* **ils sont venus à dix** han venido diez; **un livre à 10 francs** un libro a 10 francos; **la vitesse est limitée à 50 km/h** la velocidad está limitada a 50 km/h
  (f) *(avec* **de***)* a; **de Paris à Londres** de París a Londres; **de 8 à 10 heures** de (las) 8 a (las) 10
  (g) *(indique l'appartenance)* **à moi** mío(a); *Fam* **un ami à lui** un amigo suyo
  (h) *(introduit une caractéristique)* **des chaussures à talons** zapatos de tacón
  (i) *(introduit le but, la fonction)* **une machine à écrire** una máquina de escribir; **le courrier à poster** el correo que hay que mandar

AB *(abrév* **assez bien***)* ≃ B

abaisser [abese] **1** *vt (rideau, voile)* bajar; *(taux, prix)* reducir; *(humilier)* degradar
  2 s'abaisser *vpr (vitre, barrière)* bajarse; *(s'humilier)* rebajarse; **s'a. à faire qch** rebajarse a hacer algo

abandon [abɑ̃dɔ̃] *nm (d'une personne, d'une maison)* abandono *m*; *(d'un droit)* renuncia *f* **(de** a); *(d'un bien)* cesión *f*; **à l'a.** abandonado(a); **avec a.** con despreocupación

abandonné, -e [abɑ̃dɔne] *adj* abandonado(a)

abandonner [abɑ̃dɔne] **1** *vt (quitter, négliger)* abandonar; *(renoncer à)* renunciar a; **a. qch à qn** *(céder)* ceder algo a alguien
  2 *vi (laisser tomber)* rendirse; **j'abandonne!** ¡me rindo!

abasourdi, -e [abazurdi] *adj (stupéfait)* atónito(a)

abat-jour [abaʒur] *nm inv* pantalla *f*

abats [aba] *nmpl (de volaille)* menudillos *mpl*; *(de bétail)* asaduras *fpl*, *CSur* achuras *fpl*

abattant [abatã] *nm* tapa *f*

abattement [abatmã] *nm (physique, moral)* abatimiento *m*; *(déduction)* deducción *f* ☆ *a. fiscal* deducción fiscal

abattoir [abatwar] *nm* matadero *m*

abattre [ll] [abatr] *vt (arbre)* talar; *(avion, mur)* derribar; *(tuer)* matar; *Fig (épuiser)* agotar; *(démoraliser)* desmoralizar

abbaye [abei] *nf* abadía *f*

abbé [abe] *nm (d'église)* padre *m*; *(de couvent)* abad *m*

abbesse [abɛs] *nf* abadesa *f*

abc [abese] *nm* **l'a. de qch** lo básico de algo

abcès [apsɛ] *nm* absceso *m*

abdiquer [abdike] **1** *vt* renunciar a **2** *vi (roi)* abdicar; *(abandonner)* claudicar

abdomen [abdomɛn] *nm* abdomen *m*

abdominaux [abdomino] *nmpl (muscles)* abdominales; **faire des a.** *(exercices)* hacer abdominales

abeille [abɛj] *nf* abeja *f*

aberrant, -e [abɛrã, -ãt] *adj* aberrante

abîme [abim] *nm* abismo *m*

abîmer [abime] **1** *vt* estropear **2 s'abîmer** *vpr (se détériorer)* estropearse; **s'a. les yeux** estropearse la vista

abject, -e [abʒɛkt] *adj* abyecto(a)

ablation [ablɑsjɔ̃] *nf* ablación *f*

aboiement [abwamã] *nm* ladrido *m*

abolir [abɔlir] *vt* abolir

abominable [abɔminabl] *adj (fait)* abominable; *(temps)* horrible ☆ *l'a. homme des neiges* el abominable hombre de las nieves

abondance [abɔ̃dɑ̃s] *nf* abundancia *f*; **en a.** en abundancia

abondant, -e [abɔ̃dã, -ãt] *adj* abundante; *(végétation)* frondoso(a)

abonder [abɔ̃de] *vi* abundar; **la région abonde en gibier** en la región abunda la caza; **a. dans le sens de qn** abundar en la misma opinión que alguien

abonné, -e [abɔne] *nm,f (à un journal)* suscriptor(ora) *m,f*; *(au gaz, au téléphone, au théâtre)* abonado(a) *m,f*; *(à une bibliothèque)* socio(a) *m,f*

abonnement [abɔnmã] *nm (à un journal)* suscripción *f*; *(au gaz, au téléphone, au théâtre)* abono *m*; *(à une bibliothèque)* carné *m* de socio

abonner [abɔne] **1** *vt* **a. qn à qch** *(à un journal)* suscribir a alguien a algo; *(au théâtre)* abonar a alguien a algo; *(à une bibliothèque)* hacer socio(a) a alguien de algo **2 s'abonner** *vpr* **s'a. à qch** *(journal)* suscribirse a algo; *(théâtre)* abonarse a algo; *(bibliothèque)* hacerse socio(a) de algo

abord [abɔr] *nm* **être d'un a. difficile/agréable** mostrarse inaccesible/accesible; **abords** *(environs)* inmediaciones *fpl*; **aux abords de** en las inmediaciones de; **d'a.** en primer lugar, primero; **tout d'a.** ante todo

abordable [abɔrdabl] *adj (prix, produit)* asequible; *(personne, lieu)* accesible

aborder [abɔrde] **1** *vt (personne, question)* abordar; *(virage)* entrar en; *(bateau)* abordar **2** *vi Naut* atracar

aborigène [abɔriʒɛn] *adj & nmf* aborigen *mf*

aboutir [abutir] *vi (réussir)* llegar a un resultado; **a. à/dans** *(sujet: chemin, escalier)* desembocar en; *(sujet: personne)* terminar en; *Fig* **a. à qch** *(sujet: efforts, recherches)* conducir a algo

aboyer [32] [abwaje] *vi (chien)* ladrar; *Fam (personne)* berrear

abrasif, -ive [abrazif, -iv] **1** *adj* abrasivo(a)
2 *nm* abrasivo *m*

abréger [59] [abreʒe] *vt (conversation)* acortar; *(texte)* resumir; *(mot)* abreviar

abreuvoir [abrœvwar] *nm* abrevadero *m*

abréviation [abrevjɑsjɔ̃] *nf* abreviatura *f*

abri [abri] *nm* abrigo *m*; **être à l'a. de qch** *(des intempéries)* estar al abrigo de algo; *Fig (de menaces, de soupçons)* estar libre de algo ☆ **a. antiatomique** refugio *m* atómico

Abribus® [abribys] *nm* = parada de autobús con marquesina

abricot [abriko] *nm* albaricoque *m*, *RP* damasco *m*

abrier [10] [abrije] **s'abrier** *vpr Can (s'habiller chaudement)* abrigarse

abriter [abrite] **1** *vt (protéger)* proteger; *(héberger)* alojar
2 s'abriter *vpr* resguardarse (**de de**)

abrupt, -e [abrypt] *adj (chemin, pente)* abrupto(a); *(ton, manières)* brusco(a)

abruti, -e [abryti] *adj & nm,f Fam* estúpido(a) *m,f*

abrutir [abrytir] *vt (abêtir)* embrutecer; *(étourdir)* aturdir

abrutissant, -e [abrytisɑ̃, -ɑ̃t] *adj (travail)* agotador(ora); *(jeu, feuilleton)* embrutecedor(ora); *(bruit)* ensordecedor(ora)

abscisse [apsis] *nf Math* abscisa *f*

absence [apsɑ̃s] *nf (d'une personne)* ausencia *f*; *(carence)* falta *f*; **avoir une a.** despistarse; **en l'a. de qn** en ausencia de alguien

absent, -e [apsɑ̃, -ɑ̃t] **1** *adj* ausente; **être a. de** estar ausente de
2 *nm,f* ausente *mf*; **les absents ont toujours tort** los ausentes siempre tienen la culpa

absenter [apsɑ̃te] **s'absenter** *vpr* ausentarse (**de de**)

absinthe [apsɛ̃t] *nf (boisson)* ajenjo *m*, absenta *f*

absolu, -e [apsɔly] *adj* absoluto(a)

absolument [apsɔlymɑ̃] *adv (à tout prix)* sin falta; *(totalement)* totalmente; *(oui)* por supuesto; **il faut a. qu'il vienne** tiene que venir sin falta; **il veut a. sortir** por fuerza quiere salir; **vous avez a. raison** tiene usted toda la razón; **a. pas** en absoluto

absorbant, -e [apsɔrbɑ̃, -ɑ̃t] *adj* absorbente

absorber [apsɔrbe] *vt* absorber; *(ingérer)* ingerir

abstenir [70] [apstənir] **s'abstenir** *vpr aussi Pol* abstenerse; **s'a. de faire qch** abstenerse de hacer algo

abstention [apstɑ̃sjɔ̃] *nf* abstención *f*

abstentionniste [apstɑ̃sjɔnist] *nmf* abstencionista *mf*

abstinence [apstinɑ̃s] *nf* abstinencia *f*

abstraction [apstraksjɔ̃] *nf* abstracción *f*; **a. faite de...** aparte de...

abstrait, -e [apstrɛ, -ɛt] **1** *adj* abstracto(a)
2 *nm* **dans l'a.** en abstracto

absurde [apsyrd] **1** *adj* absurdo(a)
2 *nm* **raisonnement par l'a.** reducción *f* al absurdo

absurdité [apsyrdite] *nf (parole, action)* disparate *m*; **l'a. de** *(situation, raisonnement)* lo absurdo de

abus [aby] *nm* abuso *m* ☆ **a. de confiance** abuso de confianza; **a. de pouvoir** abuso de poder

abuser [abyze] **1** *vi (exagérer)* abusar; **a. de** abusar de
2 s'abuser *vpr Litt ou Hum* **si je ne m'abuse** si no me equivoco

abusif, -ive [abyzif, -iv] *adj* abusivo(a)

acabit [akabi] *nm Péj* **du même a.** de la misma calaña

acacia [akasja] *nm* acacia *f*

académicien, -enne [akademisjɛ̃, -ɛn] *nm,f* miembro *m* de la Academia francesa

académie [akademi] *nf* academia *f*; *Scol & Univ* = distrito educativo en Francia ☆ *l'A. française* la Academia francesa

acajou [akaʒu] **1** *adj inv* (color) caoba *inv*
2 *nm* caoba *f*

acariâtre [akarjɑtr] *adj* desabrido(a)

accablant, -e [akɑblɑ̃, -ɑ̃t] *adj* abrumador(ora); *(travail, chaleur)* agobiante

accabler [akɑble] *vt (accuser)* confundir; **a. qn de qch** *(travail)* agobiar a alguien de algo; *(injures, reproches)* colmar a alguien de algo

accalmie [akalmi] *nf* calma *f*

accéder [34] [aksede] **accéder à** *vt ind* acceder a

accélérateur [akseleratœr] *nm* acelerador *m* ☆ **a. de particules** acelerador de partículas

accélération [akselerɑsjɔ̃] *nf (d'un mouvement, d'un véhicule)* aceleración *f*; *(d'un processus)* aceleramiento *m*

accélérer [34] [akselere] **1** *vt & vi* acelerar
2 *s'accélérer vpr* acelerarse

accent [aksɑ̃] *nm* acento *m*; *Fig* **mettre l'a. sur** poner énfasis en ☆ **a. aigu/grave/circonflexe** acento agudo/grave/circunflejo

accentuation [aksɑ̃tɥasjɔ̃] *nf* acentuación *f*

accentuer [aksɑ̃tɥe] **1** *vt* acentuar
2 *s'accentuer vpr* acentuarse

acceptable [aksɛptabl] *adj* aceptable

accepter [aksɛpte] *vt* aceptar; *(permettre)* admitir; **a. de faire qch** aceptar hacer algo; **il n'accepte pas que sa femme fasse ce travail** no consiente que su mujer haga ese trabajo

acception [aksɛpsjɔ̃] *nf* acepción *f*

accès [aksɛ] *nm (entrée)* entrada *f*; *(voie, crise)* acceso *m*; **a. interdit** *(sur panneau)* prohibida la entrada; **avoir a. à qch** tener acceso a algo; **cette porte donne a. au jardin** esta puerta da al jardín; **cette formation donne a. à...** esta carrera da acceso a...; **a. de colère** arrebato *m* de cólera; **a. de fièvre** acceso de fiebre

accessible [aksesibl] *adj (lieu, livre)* accesible; *(prix, produit)* asequible

accession [aksɛsjɔ̃] *nf* acceso *m* **(à** a)

accessoire [akseswar] **1** *adj* accesorio(a)
2 *nm (de théâtre, de cinéma)* atrezo *m*; *(de machine)* accesorio *m*; *(de mode)* complemento *m*

accident [aksidɑ̃] *nm* accidente *m*; **par a.** por casualidad ☆ **a. de la circulation** accidente de tráfico; **a. du travail** accidente laboral; **a. de voiture** accidente de automóvil

accidenté, -e [aksidɑ̃te] *adj & nm,f* accidentado(a) *m,f*

accidentel, -elle [aksidɑ̃tɛl] *adj (rencontre)* accidental, casual; *(mort)* por accidente

acclamation [aklamɑsjɔ̃] *nf* aclamación *f*

acclamer [aklame] *vt* aclamar

acclimater [aklimate] **1** *vt (animal, végétal)* aclimatar **(à** a)
2 *s'acclimater vpr* aclimatarse **(à** a)

accolade [akɔlad] *nf (signe graphique)* llave *f*; *(embrassade)* abrazo *m*

accommodant, -e [akɔmɔdɑ̃, -ɑ̃t] *adj (personne)* complaciente; *(caractère)* conciliador(ora)

accommoder [akɔmɔde] **1** *vt (viande, poisson)* preparar
2 *s'accommoder vpr* **s'a. de qch** conformarse con algo

accompagnateur, -trice [akɔ̃paɲatœr, -tris] *nm,f* acompañante *mf*
accompagnement [akɔ̃paɲmɑ̃] *nm (musical)* acompañamiento *m*; *(de plat)* guarnición *f*
accompagner [akɔ̃paɲe] **1** *vt* acompañar; **a. qch de qch** acompañar algo con algo
2 s'accompagner *vpr* **s'a. au piano/à la guitare** acompañarse al piano/a la guitarra; **s'a. de qch** *(aller de pair avec)* ir acompañado(a) de algo
accompli, -e [akɔ̃pli] *adj (parfait)* consumado(a)
accomplir [akɔ̃plir] **1** *vt* cumplir
2 s'accomplir *vpr* cumplirse
accord [akɔr] *nm (entente, traité)* acuerdo *m*; *(consentement)* aprobación *f*; *Mus* acorde *m*; *Gram* concordancia *f*; **donner son a. à** dar su aprobación a; **d'a.** de acuerdo; **être d'a. avec** estar de acuerdo con; **tomber** *ou* **se mettre d'a.** ponerse de acuerdo
accordéon [akɔrdeɔ̃] *nm* acordeón *m*; **en a.** *(chaussettes)* arrugado(a); *(papier)* doblado(a) como un acordeón
accordéoniste [akɔrdeɔnist] *nmf* acordeonista *mf*
accorder [akɔrde] **1** *vt (harmoniser)* combinar; *(instrument)* afinar; **a. qch à qn** conceder algo a alguien; **a. de l'importance/de la valeur à qch** conceder importancia/valor a algo; *Gram* **a. qch avec** concordar algo con
2 s'accorder *vpr Gram* concordar **(avec** con); **s'a. un répit/des vacances** tomarse un respiro/unas vacaciones; **tous s'accordent à dire que...** todos coinciden en decir que...
accoster [akɔste] **1** *vt (personne)* abordar; *Naut* atracar
2 *vi Naut* atracar
accotement [akɔtmɑ̃] *nm Esp* arcén *m*, *Méx* acotamiento *m*, *RP* banquina *f*

accouchement [akuʃmɑ̃] *nm* parto *m* ☆ **a. sans douleur** parto sin dolor
accoucher [akuʃe] **1** *vi* dar a luz; **a. de** dar a luz a; *Fam* **accouche!** ¡habla! **2** *vt* asistir al parto
accouder [akude] **s'accouder** *vpr* **s'a. à** apoyar los codos en
accoudoir [akudwar] *nm* brazo *m (de sillón)*
accouplement [akupləmɑ̃] *nm (d'animaux)* apareamiento *m*
accoupler [akuple] **s'accoupler** *vpr (animaux)* aparearse
accourir [22] [akurir] *vi* acudir *(rápidamente)*
accoutré, -e [akutre] *adj* vestido(a)
accoutrement [akutrəmɑ̃] *nm* atavío *m*
accoutumer [akutyme] **1** *vt* **a. qn à qch/à faire qch** acostumbrar a alguien a algo/a hacer algo
2 s'accoutumer *vpr* **s'a. à qch/à faire qch** acostumbrarse a algo/a hacer algo
accréditer [akredite] *vt* acreditar; **a. qn auprès de** acreditar a alguien ante
accroc [akro] *nm (déchirure)* desgarrón *m*; *(incident)* contratiempo *m*
accrochage [akrɔʃaʒ] *nm (accident)* choque *m*; *(dispute)* agarrada *f*
accrocher [akrɔʃe] **1** *vt (suspendre)* colgar (**à** en); *(attacher)* enganchar (**à** a); *(déchirer)* engancharse (**à** en o con); *(heurter)* chocar con; *(retenir l'attention de)* impactar
2 s'accrocher *vpr (s'agripper, se disputer)* agarrarse; *(persévérer)* esforzarse; **s'a. à qch/qn** agarrarse a algo/alguien; *Fig* aferrarse a algo/alguien; *Fam* **accroche-toi, c'est une histoire salée!** ¡agárrate, que es una historia escabrosa!
accroissement [akrwasmɑ̃] *nm* incremento *m*; **un a. des ventes** un incremento en las ventas

accroître [52] [akrwatr] **1** *vt* incrementar
2 s'accroître *vpr* incrementarse

accroupir [akrupir] **s'accroupir** *vpr* ponerse en cuclillas

accueil [akœj] *nm (façon de recevoir)* acogida *f*; *(comptoir)* recepción *f*; **faire bon/mauvais a. à qn** recibir bien/mal a alguien

accueillant, -e [akœjã, -ãt] *adj* acogedor(ora)

accueillir [5] [akœjir] *vt (recevoir)* acoger; *(héberger)* alojar, albergar

accumulateur [akymylatœr] *nm Él* acumulador *m*

accumulation [akymylɑsjɔ̃] *nf* acumulación *f*

accumuler [akymyle] **1** *vt* acumular
2 s'accumuler *vpr* acumularse

accusateur, -trice [akyzatœr, -tris] *adj & nm,f* acusador(ora) *m,f*

accusation [akyzɑsjɔ̃] *nf* acusación *f*

accusé, -e [akyze] **1** *nm,f* acusado(a) *m,f*
2 *nm* **a. de réception** acuse *m* de recibo

accuser [akyze] **1** *vt* acusar; *(accentuer)* resaltar; **a. qn de qch/de faire qch** acusar a alguien de algo/de hacer algo; **a. réception de qch** acusar recibo de algo; *Fam* **a. le coup** *(moralement)* estar afectado(a); *(physiquement)* resentirse
2 s'accuser *vpr (soi-même)* declararse culpable (**de** de); *(mutuellement)* acusarse

acerbe [asɛrb] *adj* hiriente

acéré, -e [asere] *adj (lame)* acerado(a); *(esprit)* incisivo(a)

achalandé, -e [aʃalãde] *adj (approvisionné)* **bien a.** bien surtido(a)

achaler [aʃale] *vt Can* fastidiar

acharné, -e [aʃarne] *adj (combat)* encarnizado(a); *(joueur)* empedernido(a); *(travail)* intenso(a)

acharnement [aʃarnəmã] *nm (obstination)* empeño *m* (**à faire qch** en hacer algo); *(rage)* ensañamiento *m*

acharner [aʃarne] **s'acharner** *vpr* **s'a. contre** *ou* **sur** *(ennemi, victime)* ensañarse con; *(sujet: malheur, sort)* perseguir; **s'a. à faire qch** obstinarse en hacer algo

achat [aʃa] *nm* compra *f*; **faire des achats** ir de compras

acheminer [aʃmine] **1** *vt* transportar
2 s'acheminer *vpr* **s'a. vers** encaminarse hacia; *Fig* ir camino de

acheter [6] [aʃte] **1** *vt aussi Fig* comprar; **a. qch à qn** comprar algo a alguien
2 s'acheter *vpr* **où est-ce que ça s'achète?** ¿dónde se compra eso?; **s'a. qch** comprarse algo

acheteur, -euse [aʃtœr, -øz] *nm,f* comprador(ora) *m,f*

achevé, -e [aʃve] *adj* **d'un ridicule a.** completamente ridículo(a)

achever [46] [aʃve] **1** *vt (terminer)* acabar; *(tuer, accabler)* acabar con
2 s'achever *vpr* acabarse

acide [asid] **1** *adj* ácido(a)
2 *nm* ácido *m*

acidité [asidite] *nf* acidez *f*; *(de propos)* acritud *f*

acidulé, -e [asidyle] *adj voir* **bonbon**

acier [asje] *nm* acero *m* ☆ **a. inoxydable** acero inoxidable

aciérie [asjeri] *nf* acería *f*

acné [akne] *nf* acné *m* ☆ **a. juvénile** acné juvenil

acolyte [akɔlit] *nm Péj* acólito *m*

acompte [akɔ̃t] *nm* anticipo *m*

Açores [asɔr] *nfpl* **les A.** las Azores

à-côté *(pl* à-côtés) [akote] *nm (gain d'appoint)* extra *m*

à-coup *(pl* à-coups) [aku] *nm* sacudida *f*; **par à-coups** a trompicones

acoustique [akustik] **1** *adj* acústico(a)
2 *nf* acústica *f*

acquéreur [akerœr] *nm* adquisidor(ora) *m,f*

acquérir [7] [akerir] **1** *vt* adquirir
2 s'acquérir *vpr* **elle s'est acquis une réputation d'intransigeance** tomó fama de intransigente

acquiescer [2] [akjese] *vi* asentir; **a. à** consentir en

acquis, -e [aki, -iz] **1** *pp voir* **acquérir**
2 *adj* **être a. à** ser adicto(a) a; **tenir qch pour a.** *(connu)* dar algo por sabido; *(décidé)* dar algo por hecho
3 *nm (droit établi)* derecho *m*
4 *nmpl (savoir)* conocimientos *mpl*

acquit [aki] *nm* recibo *m*; **pour a.** *(sur document)* recibí; **par a. de conscience** para mayor tranquilidad

acquittement [akitmã] *nm (d'un accusé)* absolución *f*

acquitter [akite] **1** *vt (accusé)* absolver; *(dette)* pagar
2 s'acquitter *vpr* **s'a. de qch** *(dette)* saldar algo; *(devoir)* cumplir algo

acre [akr] *nf Can* acre *m*

âcre [ɑkr] *adj* agrio(a)

acrobate [akrɔbat] *nmf* acróbata *mf*

acrobatie [akrɔbasi] *nf* acrobacia *f*

acrylique [akrilik] **1** *adj* acrílico(a)
2 *nm* acrílico *m*

acte [akt] *nm (action) & Th* acto *m*; *(de vente)* escritura *f*; **actes** *(d'un congrès)* actas *fpl*; **faire a. de présence** hacer acto de presencia; **prendre a. de qch** tomar nota de algo ☆ **a. d'accusation** acta *f* de acusación; **a. de décès** certificado *m* de defunción; **a. de mariage** certificado de matrimonio; **a. de naissance** partida *f* de nacimiento; **a. notarié** acta notarial

acteur, -trice [aktœr, -tris] *nm,f* actor(triz) *m,f*

actif, -ive [aktif, -iv] **1** *adj* activo(a)
2 *nm Fin* activo *m*; *Fig* **avoir qch à son a.** tener algo en su haber

action [aksjɔ̃] *nf aussi Fin* acción *f*; **entrer en a.** *(loi)* entrar en vigor; **met-** tre qch en a. poner algo en práctica; **passer à l'a.** ponerse en acción; **faire une bonne a.** hacer una buena acción

actionnaire [aksjɔnɛr] *nmf* accionista *mf*

actionner [aksjɔne] *vt* accionar

activement [aktivmã] *adv* activamente

activer [aktive] **1** *vt (travaux, processus)* acelerar; *(feu)* avivar, atizar
2 s'activer *vpr (s'affairer)* afanarse; *(se dépêcher)* apresurarse

activiste [aktivist] *adj & nmf* activista *mf*

activité [aktivite] *nf* actividad *f*; **en a.** *(volcan)* en actividad; *(fonctionnaire)* en activo

actrice [aktris] *nf voir* **acteur**

actualiser [aktɥalize] *vt* actualizar

actualité [aktɥalite] *nf* actualidad *f*; **l'a. politique/sportive** la actualidad política/deportiva; **les actualités** *(à la télé, à la radio)* el noticiario; **être d'a.** estar de actualidad

actuel, -elle [aktɥɛl] *adj* actual

actuellement [aktɥɛlmã] *adv* actualmente, en la actualidad

acuité [akɥite] *nf (intensité)* intensidad *f*; *(sensibilité)* agudeza *f*

acupuncture, acuponcture [akypɔ̃ktyr] *nf* acupuntura *f*

adage [adaʒ] *nm* adagio *m*

adaptateur, -trice [adaptatœr, -tris] **1** *nm,f (personne)* adaptador(ora) *m,f*
2 *nm El* adaptador *m*

adaptation [adaptasjɔ̃] *nf* adaptación *f*

adapter [adapte] **1** *vt (fixer)* acoplar; *(œuvre)* adaptar; **a. qch à** adaptar o adecuar algo a
2 s'adapter *vpr (s'habituer)* adaptarse (**à** a)

additif [aditif] *nm (à un texte)* cláusula *f* adicional; *(substance)* aditivo *m*

addition [adisjɔ̃] *nf (ajout)* adición *f*; *(calcul)* suma *f*; *(au restaurant)* cuenta *f*

additionner [adisjɔne] **1** *vt (calculer)* sumar; **a. qch d'eau** aguar algo **2 s'additionner** *vpr* sumarse (**à** a)

adepte [adɛpt] *nmf* adepto(a) *m,f*

adéquat, -e [adekwa, -at] *adj* adecuado(a)

adhérence [aderɑ̃s] *nf* adherencia *f*

adhérent, -e [aderɑ̃, -ɑ̃t] *nm,f (d'une association)* miembro *m*; *(d'un parti)* afiliado(a) *m,f*

adhérer [34] [adere] *vi (coller)* adherirse (**à** a); **a. à** *(association)* hacerse miembro de; *(parti)* afiliarse a; *(opinion, idéologie)* adherirse a

adhésif, -ive [adezif, -iv] **1** *adj* adhesivo(a) **2** *nm* adhesivo *m*

adhésion [adezjɔ̃] *nf (à un parti)* afiliación *f*; *(à une idée)* adhesión *f*; **adhésions** *(à un club)* nuevos miembros *mpl*

adieu [adjø] **1** *exclam* ¡adiós!; *Fig* **dire a. à qch** despedirse de algo **2** *nm* adiós *m*; **faire ses adieux à qn** despedirse de alguien

adjectif [adʒɛktif] *nm* adjetivo *m* ☆ **a. attribut** adjetivo atributivo; **a. épithète** adjetivo epíteto

adjoindre [43] [adʒwɛ̃dr] *vt* **a. qn à qn** asignar alguien a alguien

adjoint, -e [adʒwɛ̃, -ɛ̃t] **1** *adj* adjunto(a) **2** *nm,f* adjunto(a) *m,f* ☆ **a. au maire** teniente *m* de alcalde

adjudant [adʒydɑ̃] *nm* brigada *m*

adjuger [45] [adʒyʒe] **1** *vt (aux enchères)* adjudicar; **adjugé!** ¡adjudicado!; **a. qch à qn** *(décerner)* otorgar algo a alguien **2 s'adjuger** *vpr* **s'a. qch** adjudicarse algo

admettre [47] [admɛtr] *vt (accepter, accueillir)* admitir; *(autoriser)* autorizar; **je n'admets pas que tu me parles**

sur ce ton! ¡no te consiento que me hables en ese tono!; **admettons que cela soit vrai** supongamos que sea cierto; **être admis** *(à un examen, à un concours)* aprobar

administrateur, -trice [administratœr, -tris] *nm,f* administrador (ora) *m,f*

administratif, -ive [administratif, -iv] *adj* administrativo(a)

administration [administrasjɔ̃] *nf* administración *f*

administrer [administre] *vt* administrar

admirable [admirabl] *adj (personne, comportement)* admirable; *(paysage, spectacle)* maravilloso(a)

admiratif, -ive [admiratif, -iv] *adj (regard, remarque)* de admiración

admiration [admirasjɔ̃] *nf* admiración *f*; **être en a. devant qch/qn** admirar algo/a alguien

admirer [admire] *vt* admirar

admissible [admisibl] *adj (acceptable)* admisible; *Scol & Univ* = admitido a la última parte de un examen

admission [admisjɔ̃] *nf* admisión *f* (**à** a)

ADN [adeɛn] *nm (abrév* **acide désoxyribonucléique***)* ADN *m*

ado [ado] *nmf Fam* adolescente *mf*

adolescence [adɔlesɑ̃s] *nf* adolescencia *f*

adolescent, -e [adɔlesɑ̃, -ɑ̃t] *adj & nm,f* adolescente *mf*

adopter [adɔpte] *vt* adoptar; *(loi)* aprobar

adoptif, -ive [adɔptif, -iv] *adj* adoptivo(a)

adoption [adɔpsjɔ̃] *nf (d'un enfant)* adopción *f*; *(d'une loi)* aprobación *f*; **d'a.** *(famille, pays)* adoptivo(a)

adorable [adɔrabl] *adj* adorable

adorer [adɔre] *vt* adorar; **a. qch/faire qch** encantarle a uno algo/hacer algo; **j'adore le chocolat/nager** me encanta el chocolate/nadar

adosser [adose] **s'adosser** *vpr* **s'a. à** *ou* **contre qch** apoyarse en o contra algo

adoucir [adusir] **1** *vt* suavizar; *(eau)* descalcificar
  2 s'adoucir *vpr (climat)* suavizarse; *(personne)* serenarse

adoucissant, -e [adusisã, -ãt] **1** *adj* suavizante
  2 *nm* suavizante *m*

adresse [adrɛs] *nf (domicile) & Ordinat* dirección *f*; *(habileté) (physique)* maña *f*; *(intellectuelle)* ingenio *m*; **partir sans laisser d'a.** irse sin dejar señas; **une bonne a.** *(restaurant, magasin)* un buen sitio; **à l'a. de qn** dirigiéndose a alguien ☆ **a. électronique** dirección de correo electrónico

adresser [adrese] **1** *vt* **a. qch à qn** *(lettre, paquet)* remitir algo a alguien; *(reproche, compliment)* hacer algo a alguien; **a. la parole à qn** dirigir la palabra a alguien; **a. qn à qn** *(recommander)* mandar o enviar alguien a alguien
  2 s'adresser *vpr* **s'a. à qn** *(parler à)* dirigirse a alguien; *(être destiné à)* estar destinado(a) a alguien

Adriatique [adrijatik] *nf* **l'A.** el Adriático

adroit, -e [adrwa, -at] *adj (habile)* diestro(a); *(ingénieux)* hábil

adroitement [adrwatmã] *adv (avec dextérité)* con destreza; *(avec finesse)* con habilidad

aduler [adyle] *vt* adular

adulte [adylt] *adj & nmf* adulto(a) *m,f*

adultère [adyltɛr] **1** *nm* adulterio *m*
  2 *adj* adúltero(a)

advenir [70] [advənir] *v impersonnel (aux* être*)* **qu'adviendra-t-il de ce projet?** ¿qué será de este proyecto?

adverbe [advɛrb] *nm* adverbio *m*

adversaire [advɛrsɛr] *nmf* adversario(a) *m,f*

adverse [advɛrs] *adj (opposé)* opuesto(a); *Jur* **la partie a.** la parte contraria

aération [aerasjɔ̃] *nf* ventilación *f*

aérer [34] [aere] *vt (pièce)* ventilar; *(linge)* airear, orear; *Fig (texte)* airear

aérien, -enne [aerjɛ̃, -ɛn] *adj* aéreo(a)

aérobic [aerɔbik] *nm* aerobic *m*

aérodrome [aerɔdrom] *nm* aeródromo *m*

aérodynamique [aerɔdinamik] **1** *adj* aerodinámico(a)
  2 *nf* aerodinámica *f*

aérogare [aerɔgar] *nf (d'un aéroport)* terminal *f*

aéroglisseur [aeroglisœr] *nm* aerodeslizador *m*

aéronautique [aerɔnotik] **1** *adj* aeronáutico(a)
  2 *nf* aeronáutica *f*

aérophagie [aerɔfaʒi] *nf* aerofagia *f*

aéroport [aerɔpɔr] *nm* aeropuerto *m*

aérosol [aerɔsɔl] *nm* aerosol *m*

affable [afabl] *adj* afable

affaiblir [afeblir] **1** *vt* debilitar
  2 s'affaiblir *vpr* debilitarse

affaire [afɛr] *nf (question)* asunto *m*; *(marché avantageux)* ganga *f*; *(entreprise commerciale)* negocio *m*; *(scandale)* caso *m*; **affaires** *(activités commerciales)* negocios *mpl*; *(objets personnels)* cosas *fpl*; *Fam* **occupe-toi de tes affaires!** ¡ocúpate de tus asuntos!; **avoir a. à qn** *(traiter avec)* tener que tratar con alguien; **il aura a. à moi** tendrá que vérselas conmigo; **faire une (bonne) a.** hacer un buen negocio; **ça fera l'a.** con esto me (las) arreglo o *Esp* me apaño; **se tirer d'a.** salir de un aprieto ☆ **les Affaires étrangères** Asuntos exteriores

affairé, -e [afere] *adj* atareado(a)

affairer [afere] **s'affairer** *vpr* atarearse

affaisser [afese] **s'affaisser** *vpr (se creuser)* hundirse; *(tomber)* desplomarse

affaler [afale] **s'affaler** *vpr* repantingarse

affamé, -e [afame] *adj* hambriento(a)

affecté, -e [afɛkte] *adj* afectado(a)

affecter [afɛkte] *vt (toucher)* afectar; *(feindre)* fingir; **a. qch à qch** *(consacrer)* destinar algo a algo; **a. qn à** *(poste, lieu)* destinar a alguien a

affectif, -ive [afɛktif, -iv] *adj* afectivo(a)

affection [afɛksjɔ̃] *nf (sentiment)* afecto *m*; *Litt (maladie)* afección *f*; **avoir** *ou* **éprouver de l'a. pour qn** tenerle afecto a alguien, sentir afecto por alguien

affectueux, -euse [afɛktɥø, -øz] *adj* afectuoso(a)

affichage [afiʃaʒ] *nm (action d'afficher)* fijación *f*; *Ordinat* visualización *f*; **a. interdit** *(sur panneau)* prohibido fijar carteles ☆ **a. à cristaux liquides** pantalla *f* de cristal líquido

affiche [afiʃ] *nf Esp* cartel *m*, *Am* afiche *m*

afficher [afiʃe] **1** *vt (liste, poster)* fijar; *(sur écran)* visualizar; *Fig (montrer)* hacer alarde de
  2 s'afficher *vpr (s'exhiber)* exhibirse; *(sur écran)* aparecer

affilée [afile] **d'affilée** *adv* de un tirón

affiler [afile] *vt* afilar

affilier [73c] [afilje] **s'affilier** *vpr* **s'a. à** *(club)* hacerse socio(a) de; *(parti)* afiliarse a

affiner [afine] **1** *vt (silhouette)* afinar; *(analyse)* refinar; *(fromage)* madurar

  2 s'affiner *vpr (silhouette)* afinarse; *(goûts)* refinarse

affinité [afinite] *nf* afinidad *f*; **avoir des affinités avec qn** tener afinidades con alguien

affirmatif, -ive [afirmatif, -iv] **1** *adj (réponse)* afirmativo(a); *(ton)* categórico(a)
  2 *exclam Mil ou Fam* ¡sí!
  3 *nf* **dans l'affirmative** en caso afirmativo; **répondre par l'affirmative** responder afirmativamente

affirmation [afirmasjɔ̃] *nf* afirmación *f*

affirmer [afirme] *vt* afirmar

affleurer [aflœre] *vi* aflorar

affligeant, -e [afliʒɑ̃, -ɑ̃t] *adj* penoso(a)

affliger [45] [afliʒe] *vt (attrister)* afligir; **être affligé de qch** *(handicap)* estar aquejado(a) de algo

affluence [aflyɑ̃s] *nf* afluencia *f*

affluent [aflyɑ̃] *nm* afluente *m*

affluer [aflye] *vi* afluir

affolement [afɔlmɑ̃] *nm* confusión *f*

affoler [afɔle] **1** *vt (paniquer)* alarmar; *(troubler)* turbar
  2 s'affoler *vpr (paniquer)* perder la calma

affranchir [afrɑ̃ʃir] **1** *vt (timbrer)* franquear; *(esclave)* libertar
  2 s'affranchir *vpr* **s'a. de qch** liberarse de algo

affranchissement [afrɑ̃ʃismɑ̃] *nm (timbrage)* franqueo *m*; *(libération)* liberación *f*

affreux, -euse [afrø, -øz] *adj* horrible

affriolant, -e [afrijɔlɑ̃, -ɑ̃t] *adj* provocativo(a)

affront [afrɔ̃] *nm* afrenta *f*

affrontement [afrɔ̃tmɑ̃] *nm* enfrentamiento *m*

affronter [afrɔ̃te] **1** *vt (personne)* enfrentarse a o con; *(situation)* afrontar
  2 s'affronter *vpr* enfrentarse

affubler [afyble] *vt* **a. qn de qch** *(vêtements)* ataviar a alguien con algo; *(nom, surnom)* llamar a alguien algo

affût [afy] *nm* **être à l'a. (de qch)** estar al acecho (de algo)

affûter [afyte] *vt* afilar

afghan, -e [afgɑ̃, -an] **1** *adj* afgano(a)
2 *nm,f* **A.** afgano(a) *m,f*

Afghanistan [afganistɑ̃] *nm* **l'A.** Afganistán

afin [afɛ̃] **1 afin de** *prép* a fin de, con el fin de
2 afin que *conj* con el fin de que; **écris lisiblement a. que l'on puisse te lire** escribe de manera legible con el fin de que se pueda leer lo que escribes

a fortiori [afɔrsjɔri] *adv* con más razón

africain, -e [afrikɛ̃, -ɛn] **1** *adj* africano(a)
2 *nm,f* **A.** africano(a) *m,f*

Afrique [afrik] *nf* **l'A.** África; **l'A. noire** el África negra; **l'A. du Nord** África del Norte; **l'A. du Sud** Sudáfrica

after-shave [aftœrʃɛv] *nm inv* after-shave *m*

AG [aʒe] *nf* (*abrév* **assemblée générale**) J/G *f*

agaçant, -e [agasɑ̃, -ɑ̃t] *adj* irritante

agacer [16] [agase] *vt* irritar

âge [ɑʒ] *nm* edad *f*; **quel â. as-tu?** ¿cuántos años tienes?; **prendre de l'â.** hacerse mayor; **d'â. mûr** de edad madura; **d'un certain â.** de cierta edad; **en bas â.** muy pequeño(a) ☆ **l'â. ingrat** la edad del pavo; **â. mental** edad mental; **l'â. d'or de...** la edad de oro de...; **avoir l'â. de raison** tener uso de razón; **le troisième â.** la tercera edad

âgé, -e [ɑʒe] *adj* (*vieux*) mayor; **être â. de 20 ans** tener 20 años

agence [aʒɑ̃s] *nf* agencia *f* ☆ **a. immobilière** agencia inmobiliaria; **a. de publicité** agencia de publicidad; **a. de voyages** agencia de viajes

agencer [16] [aʒɑ̃se] *vt* (*éléments*) disponer; (*espace*) distribuir; (*texte*) estructurar

agenda [aʒɛ̃da] *nm* agenda *f* ☆ **a. électronique** agenda electrónica

agenouiller [aʒnuje] **s'agenouiller** *vpr* arrodillarse

agent [aʒɑ̃] *nm* (*employé*) agente *mf*; (*cause*) agente *m* ☆ **a. de change** agente de cambio y bolsa; **a. de police** guardia *m*, agente de policía; **a. secret** agente secreto

agglomération [aglɔmerasjɔ̃] *nf* (*ville*) núcleo *m* de población

aggloméré [aglɔmere] *nm* conglomerado *m*

agglomérer [34] [aglɔmere] **1** *vt* aglomerar, conglomerar
2 s'agglomérer *vpr* aglomerarse

agglutiner [aglytine] **s'agglutiner** *vpr* aglutinarse

aggraver [agrave] **1** *vt* agravar
2 s'aggraver *vpr* agravarse

agile [aʒil] *adj* ágil

agilité [aʒilite] *nf* agilidad *f*

agir [aʒir] **1** *vi* (*faire*) actuar; (*se comporter*) comportarse; (*être efficace*) surtir efecto
2 s'agir *v impersonnel* **de quoi s'agit-il?** ¿de qué se trata?; **il ne s'agit pas de ça** no se trata de eso; **il s'agit de ne pas faire d'erreurs** se trata de no cometer ningún error

agissements [aʒismɑ̃] *nmpl* artimañas *fpl*

agitation [aʒitasjɔ̃] *nf* agitación *f*

agité, -e [aʒite] *adj* agitado(a)

agiter [aʒite] **1** *vt* agitar
2 s'agiter *vpr* (*bouger*) moverse; *Fam* (*se dépêcher*) espabilar

agneau, -x [aɲo] *nm* (*animal, viande*) cordero *m*; (*fourrure*) piel *f* de cordero

agonie [agɔni] *nf* (*d'une personne*) agonía *f*; *Fig* (*déclin*) declive *m*; **aussi** *Fig* **être à l'a.** agonizar

agoniser [agɔnize] *vi* agonizar

agrafe [agraf] *nf Esp, Ven* grapa *f*, *RP* grampa *f*, *Chile* corchete *m*

agrafer [agrafe] *vt (papiers)* grapar; *(vêtement)* abrochar

agrafeuse [agraføz] *nf Esp, Ven* grapadora *f*, *RP* engrampadora *f*, *Chile* corchetera *f*

agraire [agrɛr] *adj* agrario(a)

agrandir [agrãdir] **1** *vt* ampliar
   2 s'agrandir *vpr* crecer

agrandissement [agrãdismã] *nm* ampliación *f*

agréable [agreabl] *adj* agradable

agréer [24] [agree] *vt (demande)* admitir; **veuillez a. mes salutations distinguées** *ou* **l'expression de mes sentiments distingués** *(dans une lettre)* le saluda atentamente

agrégation [agregɑsjɔ̃] *nf* = oposiciones para profesores de enseñanza secundaria y superior

agrégé, -e [agreʒe] *nm,f* catedrático(a) *m,f*

agrément [agremã] *nm Litt (caractère agréable)* encanto *m*; *(approbation)* consentimiento *m*; **voyage d'a.** viaje *m* de placer

agrémenter [agremãte] *vt* **a. qch de** decorar algo con

agrès [agrɛ] *nmpl (de gymnastique)* aparatos *mpl* de gimnasia

agresser [agrese] *vt* agredir

agresseur [agrɛsœr] *nm* agresor *m*

agressif, -ive [agrɛsif, -iv] *adj* agresivo(a)

agression [agrɛsjɔ̃] *nf* agresión *f*

agricole [agrikɔl] *adj* agrícola

agriculteur, -trice [agrikyltœr, -tris] *nm,f* agricultor(ora) *m,f*

agriculture [agrikyltyr] *nf* agricultura *f*

agripper [agripe] *vt* agarrar

agronome [agrɔnɔm] *nmf* ingeniero(a) *m,f* agrónomo(a)

agrumes [agrym] *nmpl* cítricos *mpl*

aguets [agɛ] **aux aguets** *adv* **être aux a.** estar al acecho

aguichant, -e [agiʃã, -ãt] *adj* provocativo(a)

ahuri, -e [ayri] **1** *adj (abasourdi)* asombrado(a)
   2 *nm,f (idiot)* atolondrado(a) *m,f*

ahurissant, -e [ayrisã, -ãt] *adj* pasmoso(a)

aide [ɛd] **1** *nf* ayuda *f*; **à l'a.!** ¡socorro!; **venir en a. à qn** venir en ayuda de alguien; **à l'a. de** con ayuda de
   ☆ **a. sociale** asistencia *f* social
   2 *nmf* ayudante *mf* ☆ **a. familiale** = asistente social que ayuda en las tareas del hogar y a cuidar a los niños de familias de pocos recursos; **a. ménagère** = asistente social que ayuda en las tareas del hogar a personas mayores

aide-mémoire [ɛdmemwar] *nm inv* cuaderno *m* de notas

aider [ede] **1** *vt* ayudar; **a. qn à faire qch** ayudar a alguien a hacer algo
   2 s'aider *vpr (mutuellement)* ayudarse; **s'a. de qch** valerse de algo

aide-soignant, -e *(mpl* **aides-soignants**, *fpl* **aides-soignantes)** [ɛdswaɲã, -ãt] *nm,f* auxiliar *mf* de clínica

aïe [aj] *exclam (de douleur)* ¡ay!; *(de désagrément)* ¡vaya!

aïeul, -e [ajœl] *nm,f Litt* abuelo(a) *m,f*, *Andes, Méx* papá grande *m*, mamá grande *f*

aïeux [ajø] *nmpl Litt* antepasados *mpl*

aigle [ɛgl] *nm* águila *f*

aigre [ɛgr] **1** *adj (saveur, propos)* agrio(a); *(odeur)* acre
   2 *nm* **tourner à l'a.** *(discussion, débat)* subir de tono

aigre-doux, -douce *(mpl* **aigres-doux**, *fpl* **aigres-douces)** [ɛgrədu, -dus] *adj aussi Fig* agridulce

aigrelet, -ette [ɛgrəlɛ, -ɛt] *adj (vin)* ligeramente agrio(a); *(voix)* agudo(a)

aigreur [ɛgrœr] *nf (d'un goût)* agrura *f*; *(de propos)* acritud *f* ☆ **aigreurs d'estomac** acidez *f* de estómago

aigri, -e [ɛgri] *adj* amargado(a)

aigu, -uë [egy] **1** *adj* agudo(a); *(lame) Esp* afilado(a), *Am* filoso(a) **2** *nm Mus* agudo *m*

aiguillage [egɥijaʒ] *nm Rail* cambio *m* de agujas

aiguille [egɥij] *nf* aguja *f*; *(sommet)* pico *m* ☆ **a. à coudre** aguja de coser; **a. de pin** aguja de pino; **a. à tricoter** aguja de punto

aiguiller [egɥije] *vt aussi Fig* encarrilar

aiguilleur [egɥijœr] *nm Rail* guardagujas *m inv* ☆ **a. du ciel** controlador(ora) *m,f* aéreo(a)

aiguiser [egize] *vt (outil)* afilar; *(sensation)* aguzar

ail [aj] *(pl* **ails**, *Vieilli* **aulx** [o]*) nm* ajo *m*

aile [ɛl] *nf* ala *f*; *(de moulin)* aspa *f*; *(de voiture, du nez)* aleta *f*

aileron [ɛlrɔ̃] *nm (de requin)* aleta *f*; *(d'avion)* alerón *m*

ailier [elje] *nm* extremo *m*

aille *etc voir* **aller**

ailleurs [ajœr] *adv* en otro lugar, en otra parte; **d'a.** *(de plus)* además; *(au fait)* por cierto; **il ne me plaît pas; d'a., c'est réciproque** no me gusta y además yo a él tampoco; **ah, d'a. je voulais t'en parler** por cierto, quería hablarte de ello; **par a.** *(d'autre part)* por otro lado, por otra parte; *(par d'autres côtés)* por lo demás

aimable [ɛmabl] *adj* amable

aimablement [ɛmabləmɑ̃] *adv* amablemente, con amabilidad

aimant¹ [ɛmɑ̃] *nm* imán *m*

aimant², -e [ɛmɑ̃, -ɑ̃t] *adj* cariñoso(a)

aimer [eme] **1** *vt (d'amour)* amar, querer; **j'aime peindre/le cinéma espagnol** me gusta pintar/el cine español; **il aime qu'on lui obéisse** le gusta que le obedezcan; **j'aime bien cuisiner/ton pull** me gusta cocinar/tu jersey; **j'aimerais bien un café** me tomaría un café; **j'aimerais qu'il s'en aille** me gustaría que se fuera; **a. mieux qch/faire qch (que)** preferir algo/hacer algo (a) **2 s'aimer** *vpr* amarse, quererse

aine [ɛn] *nf* ingle *f*

aîné, -e [ene] **1** *adj* mayor **2** *nm,f* mayor *mf*; **elle est mon aînée (de deux ans)** es (dos años) mayor que yo

ainsi [ɛ̃si] *adv* así; **a. donc** así pues; **et a. de suite** y así sucesivamente; **pour a. dire** por así decirlo; **a. que** *(de même que, et)* así como; **a. soit-il** así sea

air [ɛr] *nm* aire *m*; **au grand a.** al aire libre; **en l'a.** *(regarder, jeter)* al aire; *Fig (paroles, promesses)* vano(a); **en plein a.** al aire libre; **prendre l'a.** tomar el aire; **prendre de grands airs** darse muchos aires; **il a l'a. sérieux** tiene cara de serio; **il a l'a. de pleurer** parece que está llorando ☆ **a. conditionné** aire acondicionado

aire [ɛr] *nf* área *f*; *(nid)* aguilera *f* ☆ **a. de jeux** área de juegos; **a. de repos** área de descanso

aisance [ɛzɑ̃s] *nf (facilité)* facilidad *f*; *(richesse)* desahogo *m*; **vivre dans l'a.** vivir desahogadamente

aise [ɛz] **1** *nf* **être à l'a.** *(bien installé)* estar cómodo(a); *(financièrement)* tener dinero; **être mal à l'a.** estar incómodo(a); **mettre qn mal à l'a.** hacer que alguien se sienta a disgusto; **aimer ses aises** ser comodón(ona); **prendre ses aises** instalarse a sus anchas; *Fam* **à l'a.** *(facilement)* fácil **2** *adj Litt ou Hum* **j'en suis bien a.!** ¡cuánto me alegro!

aisé, -e [eze] *adj (facile)* fácil; *(riche)* acomodado(a)

aisément [ezemɑ̃] *adv* fácilmente

aisselle [ɛsɛl] *nf* axila *f*

AJ [aʒi] *nf (abrév* **auberge de jeunesse)** albergue *m* juvenil

ajonc [aʒɔ̃] *nm* aulaga *f*

ajourner [aʒurne] *vt (reporter)* aplazar; *(recaler)* suspender

ajout [aʒu] *nm* añadido *m*

ajouter [aʒute] **1** *vt* añadir (à a); **a. foi à qch** dar crédito a algo
2 s'ajouter *vpr* **s'a. à qch** sumarse a algo

ajuster [aʒyste] *vt (pièce, vêtement)* ajustar (à a); *(coiffure, cravate)* arreglar; *(tir)* apuntar

alarme [alarm] *nf* alarma *f*; **donner l'a.** dar la alarma

alarmer [alarme] **1** *vt* alarmar
2 s'alarmer *vpr* alarmarse

albanais, -e [albanɛ, -ɛz] **1** *adj* albanés(esa)
2 *nm,f* **A.** albanés(esa) *m,f*

Albanie [albani] *nf* **l'A.** Albania

albâtre [albɑtr] *nm* alabastro *m*

albatros [albatros] *nm* albatros *m inv*

albinos [albinos] *adj & nmf* albino(a) *m,f*

album [albɔm] *nm* álbum *m* ☆ **a. (de) photos** álbum de fotos

albumine [albymin] *nf* albúmina *f*

alcool [alkɔl] *nm* alcohol *m* ☆ **a. à 90** alcohol de 90; **a. à brûler** alcohol de quemar

alcoolique [alkɔlik] *adj & nmf* alcohólico(a) *m,f*

alcoolisé, -e [alkɔlize] *adj* alcohólico(a)

alcoolisme [alkɔlism] *nm* alcoholismo *m*

Alcootest®, Alcotest® [alkɔtɛst] *nm (appareil)* alcoholímetro *m*; **faire passer l'A. à qn** hacer la prueba de alcoholemia a alguien

aléatoire [aleatwar] *adj* aleatorio(a)

alémanique [alemanik] *adj voir* **Suisse**

alentours [alɑ̃tur] *nmpl (abords)* alrededores *mpl*; **aux a. de** *(dans l'espace)* cerca de; *(dans le temps, environ)* alrededor de

alerte [alɛrt] **1** *adj (physiquement)* ágil; *(esprit)* vivo(a)
2 *nf* alarma *f*; **donner l'a.** dar la alarma ☆ **a. à la bombe** alarma de bomba; **fausse a.** falsa alarma

alerter [alɛrte] *vt (alarmer)* alertar; *(informer) (police, pompiers)* avisar; *(presse)* poner sobre alerta

alevin [alvɛ̃] *nm* alevín *m*

alexandrin [alɛksɑ̃drɛ̃] *nm* verso *m* alejandrino

algèbre [alʒɛbr] *nf* álgebra *f*

Alger [alʒe] *n* Argel

Algérie [alʒeri] *nf* **l'A.** Argelia

algérien, -enne [alʒerjɛ̃, -ɛn] **1** *adj* argelino(a)
2 *nm,f* **A.** argelino(a) *m,f*

algérois, -e [alʒerwa, -az] **1** *adj* argelino(a) *(de Argel)*
2 *nm,f* **A.** argelino(a) *m,f (de Argel)*

algue [alg] *nf* alga *f*, *Chile* huiro *m*

alibi [alibi] *nm* coartada *f*

aliénation [aljenɑsjɔ̃] *nf (asservissement)* alienación *f*; *Jur* enajenación *f* ☆ *Psy* **a. mentale** enajenación mental

aliéné, -e [aljene] **1** *adj (asservi)* alienado(a); *Jur & Psy* enajenado(a)
2 *nm,f* enajenado(a) *m,f*

aliéner [34] [aljene] **1** *vt (asservir)* alienar; *(renoncer à)* renunciar a
2 s'aliéner *vpr* **s'a. qch** perder algo

alignement [aliɲmɑ̃] *nm (disposition)* alineación *f*; **être dans l'a. de qch** estar alineado(a) con algo

aligner [aliɲe] **1** *vt (disposer en ligne)* alinear; **a. qch sur qch** *(adapter)* ajustar algo a algo
2 s'aligner *vpr (se mettre en rang)* ponerse en fila; **s'a. sur qch** *(se conformer à)* alinearse con algo

aliment [alimɑ̃] *nm* alimento *m*

alimentaire [alimɑ̃tɛr] *adj (produit)* alimenticio(a); *(industrie)* alimentario(a); **c'est un travail purement a.** trabajo en eso porque tengo que comer

alimentation [alimɑ̃tɑsjɔ̃] *nf (nourriture)* alimentación *f*; *(approvisionnement)* abastecimiento *m*, suministro *m* (**en** de); *(épicerie)* comestibles *mpl* ☆ *Ordinat* **a. papier** alimentación de papel

alimenter [alimɑ̃te] *vt (nourrir)* alimentar; *Fig (entretenir)* dar pie a; **a. une ville en eau/électricité** abastecer a una ciudad de agua/electricidad

alinéa [alinea] *nm (retrait de ligne)* sangría *f*; *(paragraphe)* párrafo *m*

aliter [alite] **s'aliter** *vpr* encamarse; **être alité** guardar cama

allaitement [alɛtmɑ̃] *nm* lactancia *f*

allaiter [alete] *vt* amamantar

alléchant, -e [aleʃɑ̃, -ɑ̃t] *adj (nourriture, odeur)* apetitoso(a); *(proposition)* tentador(ora)

allécher [34] [aleʃe] *vt (sujet: nourriture, odeur)* atraer; *(sujet: proposition)* tentar

allée [ale] *nf (de parc)* paseo *m*; *(de jardin)* camino *m*; *(de cinéma, d'avion)* pasillo *m (entre sillas o butacas)* ☆ **allées et venues** idas *fpl* y venidas

allégé, -e [aleʒe] *adj (aliment)* light *inv*

alléger [59] [aleʒe] *vt (poids)* aligerar; *Fig (impôts)* reducir; *(douleur)* aliviar

allégorie [alegɔri] *nf* alegoría *f*

allégresse [alegrɛs] *nf* júbilo *m*

Allemagne [almaɲ] *nf* l' A. Alemania; *Anciennement* l'A. de l'Est/ l'Ouest Alemania Oriental/Occidental

allemand, -e [almɑ̃, -ɑ̃d] **1** *adj* alemán(ana)
2 *nm,f* **A.** alemán(ana) *m,f*
3 *nm (langue)* alemán *m*

aller [8] [ale] **1** *nm* ida *f* ☆ *a.* **simple** billete *m* de ida; *a.* **(et) retour** billete *m* de ida y vuelta
2 *vi (aux être)* **(a)** *(se déplacer)* ir; *a.* **faire qch** ir a hacer algo; *a.* **chercher les enfants à l'école** ir a buscar a los niños a la escuela
(b) *(indique un état)* estar; *a.* **bien/ mieux** estar bien/mejor; *(comment)* **ça va? - ça va** ¿qué tal? - bien; **ça ne va pas très bien en anglais** no me va muy bien en inglés; **ça va (comme ça), merci** *(à table)* ya vale, gracias; *Fam* **ça va pas, non?** ¿estás idiota o qué?
(c) *(s'accorder)* **a. avec qch** ir con algo; **cette robe te va bien** este vestido te va o sienta bien
(d) *(expressions)* **allez!** ¡venga!; **allons!** *(pour apaiser)* ¡venga!; **allons bon!** ¡vaya, hombre!; **allons-y!** ¡vamos!; **cela va de soi** eso cae por su propio peso; **cela va sans dire** no hay ni que decirlo; **il en va de même pour...** pasa lo mismo con...; **il y va de votre vie** su vida está en juego
3 *v aux (exprime le futur proche)* **je vais arriver en retard** voy a llegar tarde
4 s'en aller *vpr* irse; **allez-vous-en!** ¡iros!, ¡marchaos!

allergie [alɛrʒi] *nf* alergia *f* (à a)

allergique [alɛrʒik] *adj* alérgico(a) (à a)

alliage [aljaʒ] *nm* aleación *f*

alliance [aljɑ̃s] *nf (union)* alianza *f*; *(anneau)* anillo *m* de boda; *(mariage)* enlace *m*; **par a.** *(parent)* político(a) ☆ **l'A. française** la Alianza francesa, = institución encargada de la enseñanza y promoción de la lengua y cultura francesas en el extranjero

allié, -e [alje] *nm,f* aliado(a) *m,f*

allier [alje] **1** *vt (unir)* aliar (à a o con); *(métaux)* alear
2 s'allier *vpr* aliarse (à con)

alligator [aligatɔr] *nm* aligátor *m*

allô [alo] *exclam (en décrochant)* ¿diga?; *(en appelant)* ¿oiga?

allocation [alɔkɑsjɔ̃] *nf (aide)* subsidio *m* ☆ *a. (de) chômage* subsidio de desempleo; *allocations familiales* prestación *f* familiar; *a. (de) logement* = ayuda económica estatal para la vivienda

allocution [alɔkysjɔ̃] *nf* alocución *f*

allonger [45] [alɔ̃ʒe] **1** *vt (vêtement, silhouette)* alargar; *(étendre) (membre)* estirar; *(personne)* tender; *Culin (sauce)* aclarar; *Fam (argent)* apoquinar; *Fam (coup)* largar **2** *vi (jours)* alargarse **3** *s'allonger vpr (se coucher)* echarse; *(devenir plus long)* alargarse

allumage [alymaʒ] *nm aussi Aut* encendido *m*

allume-cigare (*pl* **allume-cigares**) [alymsigar] *nm* encendedor *m (de automóvil)*

allume-gaz [alymgɑz] *nm inv* encendedor *m (de cocina)*

allumer [alyme] **1** *vt* encender; *Fam (exciter)* provocar **2** *s'allumer vpr* encenderse

allumette [alymɛt] *nf Esp* cerilla *f*, *Am* fósforo *m*, *Méx* cerillo *m*

allumeuse [alymøz] *nf Fam Péj* provocadora *f*

allure [alyr] *nf (apparence)* aspecto *m*; *(prestance)* porte *m*; *(vitesse)* velocidad *f*; **avoir de l'a.** tener clase; **à toute a.** a toda marcha

allusion [alyzjɔ̃] *nf* alusión *f*; **faire a. à** referirse a

alluvions [alyvjɔ̃] *nfpl* aluviones *mpl*

almanach [almana] *nm* almanaque *m*

alors [alɔr] *adv* entonces; **a., qu'est-ce qu'on fait?** bueno, ¿qué hacemos?; **et a., qu'est-ce qui s'est passé?** y, ¿qué pasó?; **il va se mettre en colère - et a.?** se va a enfadar - ¿y

qué?; **ou a.** o si no; **ça a.!** ¡vaya!; **a. que** *(pendant que)* cuando, mientras que; *(exprime l'opposition)* aunque; **l'orage éclata a. que nous étions dehors** la tormenta estalló cuando estábamos fuera; **on m'accuse a. que je suis innocent** me acusan aunque soy inocente

alouette [alwɛt] *nf* alondra *f*

alourdir [32] [alurdir] *vt (véhicule, paquet)* volver pesado(a); *Fig (impôts, charges)* incrementar; *(phrase, style)* recargar

aloyau, -x [alwajo] *nm* solomillo *m*

Alpes [alp] *nfpl* **les A.** los Alpes

alphabet [alfabɛ] *nm* alfabeto *m*

alphabétique [alfabetik] *adj* alfabético(a)

alphabétiser [alfabetize] *vt* alfabetizar

alpin, -e [alpɛ̃, -in] *adj* alpino(a)

alpinisme [alpinism] *nm* alpinismo *m*

alpiniste [alpinist] *nmf* alpinista *mf*

Alsace [alzas] *nf* **l'A.** Alsacia

alsacien, -enne [alzasjɛ̃, -ɛn] **1** *adj* alsaciano(a) **2** *nm,f* **A.** alsaciano(a) *m,f*

altercation [altɛrkɑsjɔ̃] *nf* altercado *m*

alter ego [altɛrego] *nm inv* alter ego *m inv*

altérer [34] [altere] **1** *vt* alterar **2** *s'altérer vpr* alterarse

alternance [altɛrnɑ̃s] *nf* alternancia *f*; **en a.** alternativamente

alternatif, -ive [altɛrnatif, -iv] **1** *adj (périodique)* alterno(a); *(solution, médecine)* alternativo(a) **2** *nf* **alternative** alternativa *f*

alterner [altɛrne] **1** *vt* alternar **2** *vi* alternarse (**avec** con); **faire a. qch et qch** alternar algo con algo

altier, -ère [altje, -ɛr] *adj* altanero(a)

altitude [altityd] *nf* altura *f*, altitud *f*;

le village est situé à 1 500 m d'a. el pueblo está a l.500 m de altitud; **en a.** en las alturas

alto [alto] **1** *nm (violon)* viola *f* **2** *nf (chanteuse)* contralto *f*

aluminium [alyminjɔm] *nm* aluminio *m*

alvéole [alveɔl] *nm ou nf* celdilla *f*; *Anat* alvéolo *m*

amabilité [amabilite] *nf* amabilidad *f*; **avoir l'a. de faire qch** tener la amabilidad de hacer algo

amadouer [amadwe] *vt* engatusar

amaigrir [amegrir] *vt* **la maladie l'a beaucoup amaigri** la enfermedad lo ha dejado muy flaco

amaigrissant, -e [amegrisɑ̃, -ɑ̃t] *adj* adelgazante

amalgame [amalgam] *nm* amalgama *f*; **il ne faut pas faire l'a. entre ces deux situations** no hay que mezclar las dos situaciones

amalgamer [amalgame] *vt* amalgamar

amande [amɑ̃d] *nf* almendra *f*

amandier [amɑ̃dje] *nm* almendro *m*

amant [amɑ̃] *nm* amante *m*; **avoir/ prendre un a.** tener/echarse un amante

amarre [amar] *nf* amarra *f*

amarrer [amare] *vt* amarrar

amas [amɑ] *nm* montón *m*

amasser [amɑse] *vt* amontonar, *Andes, Carib* arrumar

amateur [amatœr] **1** *nm (par plaisir)* aficionado(a) *m,f* (**de** a); *Sp* amateur *mf*; **en a.** como afición; *Péj* **c'est un travail d'a.** es un trabajo de aficionados; **trouver (un) a.** *(un acheteur)* encontrar comprador **2** *adj (non professionnel)* aficionado(a)

Amazone [amazon] *nm ou nf* **l'A.** el Amazonas

Amazonie [amazɔni] *nf* **l'A.** la Amazonia

amazonien, -enne [amazɔnjɛ̃, -ɛn] *adj* amazónico(a)

ambassade [ɑ̃basad] *nf* embajada *f*

ambassadeur, -drice [ɑ̃basadœr, -dris] *nm,f* embajador(ora) *m,f*

ambiance [ɑ̃bjɑ̃s] *nf* ambiente *m*; **musique d'a.** música *f* de fondo

ambiant, -e [ɑ̃bjɑ̃, -ɑ̃t] *adj* ambiente

ambigu, -uë [ɑ̃bigy] *adj* ambiguo(a)

ambiguïté [ɑ̃bigɥite] *nf* ambigüedad *f*

ambitieux, -euse [ɑ̃bisjø, -øz] *adj & nm,f* ambicioso(a) *m,f*

ambition [ɑ̃bisjɔ̃] *nf* ambición *f*; **avoir l'a. de faire qch** tener la ambición de hacer algo

ambivalent, -e [ɑ̃bivalɑ̃, -ɑ̃t] *adj* ambivalente

ambre [ɑ̃br] *nm* ámbar *m*

ambulance [ɑ̃bylɑ̃s] *nf* ambulancia *f*

ambulant, -e [ɑ̃bylɑ̃, -ɑ̃t] *adj* ambulante

âme [ɑm] *nf* alma *f*; **de toute mon â.** con toda mi alma; *Litt* **rendre l'â.** perecer ☆ *il a enfin trouvé l'â. sœur* por fin encontró a su alma gemela

amélioration [ameljɔrasjɔ̃] *nf* mejora *f*

améliorer [ameljɔre] **1** *vt* mejorar **2 s'améliorer** *vpr* mejorar

amen [amɛn] *adv* amén; **dire a. à qch** decir amén a algo

aménagement [amenaʒmɑ̃] *nm (d'un lieu)* habilitación *f*, acondicionamiento *m*; *(du temps de travail)* reforma *f* ☆ *a. du territoire* ordenación *f* territorial

aménager [45] [amenaʒe] *vt (lieu)* habilitar, acondicionar; *(emploi du temps)* reorganizar

amende [amɑ̃d] *nf* multa *f*; **faire a. honorable** pedir perdón

amender [amɑ̃de] **1** vt (projet de loi) enmendar; (sol) abonar

  2 s'amender vpr enmendarse

amener [46] [amne] **1** vt (emmener) llevar; (faire venir) traer; Fig (occasionner) acarrear; **a. qn à faire qch** inducir a alguien a hacer algo

  2 s'amener vpr Fam venir

amenuiser [amənɥize] **1** vt (économies, espoir) disminuir

  2 s'amenuiser vpr disminuir

amer, -ère [amɛr] adj amargo(a)

américain, -e [amerikɛ̃, -ɛn] **1** adj americano(a)

  2 nm,f **A.** americano(a) m,f

  3 nm (langue) (inglés) americano m

amérindien, -enne [amerɛ̃djɛ̃, -ɛn] **1** adj amerindio(a)

  2 nm,f **A.** amerindio(a) m,f

Amérique [amerik] nf **l'A.** América; **l'A. centrale** América Central, Centroamérica; **l'A. latine** América Latina, Latinoamérica; **l'A. du Nord** América del Norte, Norteamérica; **l'A. du Sud** América del Sur, Sudamérica

amertume [amɛrtym] nf (goût) amargor m; (rancœur) amargura f

améthyste [ametist] nf amatista f

ameublement [amœbləmɑ̃] nm mobiliario m

ami, -e [ami] **1** nm,f amigo(a) m,f ☆ **a. d'enfance** amigo de la infancia; **(petit) a.** novio m; **(petite) amie** novia f

  2 adj **être a. avec qn** ser amigo(a) de alguien

amiable [amjabl] **à l'amiable** adv (arrangement) amistoso(a); (s'arranger) amistosamente

amiante [amjɑ̃t] nm amianto m

amical, -e, -aux, -ales [amikal, -o] **1** adj amistoso(a)

  2 nf **amicale** asociación f

amidon [amidɔ̃] nm almidón m

amidonner [amidɔne] vt almidonar

amincissant, -e [amɛ̃sisɑ̃, -ɑ̃t] adj adelgazante

amiral, -aux [amiral, -o] nm almirante m

amitié [amitje] nf (rapports) amistad f; (affection) afecto m; **avoir** ou **éprouver de l'a. pour qn** sentir aprecio por alguien; **prendre qn en a.** hacerse amigo(a) de alguien; **amitiés** (dans une lettre) un cordial saludo; **faire ses amitiés à qn** dar recuerdos a alguien

ammoniaque [amɔnjak] nf amoníaco m

amnésie [amnezi] nf amnesia f

amnésique [amnezik] adj amnésico(a)

amnistie [amnisti] nf amnistía f

amnistier [amnistje] vt amnistiar

amoindrir [amwɛ̃drir] vt disminuir

amonceler [9] [amɔ̃sle] **1** vt amontonar; (accumuler) acumular

  2 s'amonceler vpr amontonarse; (s'accumuler) acumularse

amont [amɔ̃] nm curso m alto; **en a.** (d'une rivière) río arriba; Fig antes; **en a. de Toulouse** antes de llegar a Toulouse

amoral, -e, -aux, -ales [amɔral, -o] adj (qui ignore la morale) amoral; (débauché) inmoral

amorce [amɔrs] nf (d'un explosif, d'un hameçon) cebo m; Fig (commencement) inicio m

amorcer [16] [amɔrse] vt (explosif, hameçon) cebar; Fig (commencer) iniciar

amorphe [amɔrf] adj (personne) amuermado(a); (matériau) amorfo(a)

amortir [amɔrtir] vt (choc, bruit) amortiguar; (dette, achat) amortizar

amortisseur [amɔrtisœr] nm (de voiture) amortiguador m

amour [amur] nm amor m; **faire l'a.** hacer el amor

amoureux, -euse [amurø, -øz] **1** *adj (personne)* enamorado(a) **(de** de); *(geste)* amoroso(a); *(regard)* de amor; **tomber a. de** enamorarse de **2** *nm,f* **un a./une amoureuse de qch** un/una amante de algo **3** *nm* novio *m*, *Andes* enamorado *m*; **un couple d'a.** una pareja de enamorados

amour-propre [amurprɔpr] *nm* amor propio *m*

amovible [amɔvibl] *adj* amovible

ampère [ãpɛr] *nm* amperio *m*

amphétamine [ãfetamin] *nf* anfetamina *f*

amphi [ãfi] *nm Fam* anfiteatro *m*

amphibie [ãfibi] *adj* anfibio(a)

amphithéâtre [ãfiteatr] *nm* anfiteatro *m*

ample [ãpl] *adj* amplio(a); **pour de plus amples informations** para más información

amplement [ãpləmã] *adv* **a. suffisant** más que suficiente

ampleur [ãplœr] *nf (d'un vêtement)* holgura *f*; *(d'un mouvement)* amplitud *f*; *Fig (d'un événement)* importancia *f*

ampli [ãpli] *nm Fam* ampli *m*

amplificateur [ãplifikatœr] *nm* amplificador *m*

amplifier [ãplifje] **1** *vt (son)* amplificar; *(problème)* agravar **2 s'amplifier** *vpr (problème)* agravarse

amplitude [ãplityd] *nf* amplitud *f* ☆ **a. thermique** rango *m* de temperaturas

ampoule [ãpul] *nf (d'une lampe) Esp* bombilla *f*, *CAm, Col, Ven* bombillo *m*, *Bol, Perú* foco *m*, *CSur* bombita *f*; *(sur la peau, de médicament)* ampolla *f*

amputer [ãpyte] *vt aussi Fig* amputar

Amsterdam [amstɛrdam] *n* Amsterdam

amulette [amylɛt] *nf* amuleto *m*

amusant, -e [amyzã, -ãt] *adj* gracioso(a)

amuse-gueule [amyzgœl] *nm inv* pinchito *m*

amuser [amyze] **1** *vt* divertir **2 s'amuser** *vpr (se distraire)* divertirse; **tu t'es bien amusé?** ¿te lo has pasado bien?; **il s'amusait à regarder les gens qui passaient** se dedicaba a mirar a la gente que pasaba; *Fam* **je ne vais pas m'a. à tout recompter** no voy a ponerme ahora a contarlo todo de nuevo

amygdale [amidal] *nf* amígdala *f*

an [ã] *nm* año *m*; **avoir sept ans** tener siete años

anabolisant [anabɔlizã] *nm* anabolizante *m*

anachronique [anakrɔnik] *adj* anacrónico(a)

anachronisme [anakrɔnism] *nm* anacronismo *m*

anagramme [anagram] *nf* anagrama *m*

anal, -e, -aux, -ales [anal, -o] *adj* anal

analgésique [analʒezik] **1** *adj* analgésico(a) **2** *nm* analgésico *m*

anallergique [analɛrʒik] *adj* hipoalergénico(a)

analogie [analɔʒi] *nf* analogía *f*

analogique [analɔʒik] *adj* analógico(a)

analogue [analɔg] *adj* análogo(a) **(à** a)

analphabète [analfabɛt] *adj & nmf* analfabeto(a) *m,f*

analyse [analiz] *nf* análisis *m inv*; *Psy* psicoanálisis *m inv*

analyser [analize] *vt* analizar; *Psy* psicoanalizar

analyste [analist] *nmf* analista *mf*; *Psy* psicoanalista *mf*

analyste-programmeur, -euse *(mpl* **analystes-programmeurs**, *fpl*

analystes-programmeuses) [analist-prɔgramœr, -øz] *nm,f* analista *mf* programador(ora)

analytique [analitik] *adj* analítico(a); *Psy* psicoanalítico(a)

ananas [anana(s)] *nm* piña *f*

anarchie [anarʃi] *nf* anarquía *f*

anarchiste [anarʃist] *adj & nmf* anarquista *mf*

anatomie [anatɔmi] *nf* anatomía *f*

anatomique [anatɔmik] *adj* anatómico(a)

ancêtre [ɑ̃sɛtr] *nm (ascendant)* antepasado *m*; *Fig (forme première)* predecesor *m*; **ancêtres** *(aïeux)* ancestros *mpl*

anchois [ɑ̃ʃwa] *nm (frais)* boquerón *m*; *(mariné)* anchoa *f*

ancien, -enne [ɑ̃sjɛ̃, -ɛn] **1** *adj* antiguo(a); **l'a. ministre** el exministro **2** *nm,f (ancien élève)* antiguo(a) alumno(a) *m,f*

anciennement [ɑ̃sjɛnmɑ̃] *adv* antiguamente

ancienneté [ɑ̃sjɛnte] *nf* antigüedad *f*

ancre [ɑ̃kr] *nf* ancla *f*; **jeter/lever l'a.** echar/levar anclas

andalou, -ouse [ɑ̃dalu, -uz] **1** *adj* andaluz(uza) **2** *nm,f* **A.** andaluz(uza) *m,f*

Andalousie [ɑ̃daluzi] *nf* **l'A.** Andalucía

Andes [ɑ̃d] *nfpl* **les A.** los Andes

andorran, -e [ɑ̃dɔrɑ̃, -an] **1** *adj* andorrano(a) **2** *nm,f* **A.** andorrano(a) *m,f*

Andorre [ɑ̃dɔr] *nf* **(la principauté d')A.** (el principado de) Andorra

andouille [ɑ̃duj] *nf (charcuterie)* = embutido a base de tripas de cerdo; *Fam (personne)* imbécil *mf*, *Chile* huevón(ona) *m,f*

âne [ɑn] *nm* asno *m*, burro *m*; *Fam (personne)* burro *m*

anéantir [aneɑ̃tir] *vt (ville, efforts)* aniquilar; *(démoraliser)* asolar

anecdote [anɛkdɔt] *nf* anécdota *f*

anémie [anemi] *nf Méd* anemia *f*

anémique [anemik] *adj Méd* anémico(a)

anémone [anemɔn] *nf* anémona *f* ☆ **a. de mer** anémona de mar

ânerie [ɑnri] *nf Fam* burrada *f*

ânesse [ɑnɛs] *nf* asna *f*, burra *f*

anesthésie [anɛstezi] *nf* anestesia *f* ☆ **a. générale** anestesia general; **a. locale** anestesia local

anesthésier [anɛstezje] *vt Méd* anestesiar

anesthésique [anɛstezik] *nm* anestésico *m*

ange [ɑ̃ʒ] *nm* ángel *m*; **être aux anges** estar en la gloria ☆ **a. gardien** ángel de la guarda

angélus [ɑ̃ʒelys] *nm* ángelus *m inv*

angine [ɑ̃ʒin] *nf* angina *f* ☆ **a. de poitrine** angina de pecho

anglais, -e [ɑ̃glɛ, -ɛz] **1** *adj* inglés (esa); **filer à l'anglaise** despedirse a la francesa **2** *nm,f* **A.** inglés(esa) *m,f* **3** *nm (langue)* inglés *m* **4** *nfpl* **anglaises** *(boucles)* tirabuzones *mpl*

angle [ɑ̃gl] *nm* ángulo *m*; *(coin)* esquina *f* ☆ **a. droit** ángulo recto; **être à a. droit avec** ser perpendicular a; **a. mort** *(en voiture)* ángulo muerto

Angleterre [ɑ̃glətɛr] *nf* **l'A.** Inglaterra

anglican, -e [ɑ̃glikɑ̃, -an] *adj & nm,f* anglicano(a) *m,f*

anglophone [ɑ̃glɔfɔn] *adj & nmf* anglófono(a) *m,f*

anglo-saxon, -onne *(mpl* anglo-saxons, *fpl* anglo-saxonnes) [ɑ̃glɔsaksɔ̃, -ɔn] **1** *adj* anglosajón(ona) **2** *nm,f* **A.** anglosajón(ona) *m,f*

angoissant, -e [ɑ̃gwasɑ̃, -ɑ̃t] *adj* angustioso(a)

angoisse [ɑ̃gwas] *nf* angustia *f*; *Fam* **c'est l'a.!** ¡qué rollo!

angoisser [ãgwase] **1** *vt* angustiar **2** *vi Fam (s'inquiéter)* agobiarse

anguille [ãgij] *nf* anguila *f*; **il y a a. sous roche** aquí hay gato encerrado

anguleux, -euse [ãgylø, -øz] *adj* anguloso(a)

anicroche [anikrɔʃ] *nf* obstáculo *m*; **sans anicroches** sin problemas

animal, -e, -aux, -ales [animal, -o] **1** *nm aussi Fig* animal *m* ☆ *a. domestique* animal doméstico; *a. sauvage* animal salvaje **2** *adj (propre à l'animal)* animal; *Fig (instinctif)* instintivo(a)

animalerie [animalri] *nf Can* tienda *f* de animales

animateur, -trice [animatœr, -tris] *nm,f* animador(ora) *m,f*; *(de radio, de télé)* presentador(ora) *m,f*

animation [animasjɔ̃] *nf* animación *f*; *(spectacle)* actuación *f*

animé, -e [anime] *adj* animado(a)

animer [anime] **1** *vt (conversation, fête)* animar; *(émission)* presentar **2** *s'animer vpr* animarse

animosité [animozite] *nf* animosidad *f*

anis [ani(s)] *nm* anís *m*

ankyloser [ãkiloze] *s'ankyloser vpr* anquilosarse

annales [anal] *nfpl* anales *mpl*; **a. du bac** = manual que recopila anualmente temas y modelos de ejercicios del examen final del bachillerato francés

anneau, -x [ano] *nm (de rideau)* anilla *f*; *(bague, de reptile)* anillo *m*; *(de chaîne)* eslabón *m*; **les anneaux** *(en gymnastique)* las anillas

année [ane] *nf* año *m*; **bonne a.!** ¡feliz año nuevo! ☆ *a. fiscale* año fiscal; *a. scolaire* curso *m* escolar

année-lumière *(pl années-lumière)* [anelymjɛr] *nf* año-luz *m*

annexe [anɛks] **1** *adj* adicional **2** *nf* anexo *m*

annexer [anɛkse] *vt (pays)* anexionar; **a. qch à qch** *(joindre)* adjuntar algo a algo

annihiler [aniile] *vt* aniquilar

anniversaire [aniversɛr] **1** *nm (d'une naissance)* cumpleaños *m inv*; *(d'un événement)* aniversario *m*; **bon** *ou* **joyeux a.!** ¡feliz cumpleaños! **2** *adj* **le jour a. de** el aniversario de

annonce [anɔ̃s] *nf* anuncio *m* ☆ *petite a.* anuncio por palabras

annoncer [16] [anɔ̃se] **1** *vt* anunciar **2** *s'annoncer vpr* **s'a. bien/mal** presentarse fácil/difícil

Annonciation [anɔ̃sjasjɔ̃] *nf* **l'A.** la Anunciación

annoter [anɔte] *vt* anotar

annuaire [anɥɛr] *nm* anuario *m* ☆ *a. (téléphonique)* guía *f* telefónica

annuel, -elle [anɥɛl] *adj* anual

annuité [anɥite] *nf (paiement)* anualidad *f*

annulaire [anɥlɛr] *nm* anular *m*

annulation [anɥlasjɔ̃] *nf* anulación *f*

annuler [anɥle] *vt* anular

anoblir [anɔblir] *vt* ennoblecer

anode [anɔd] *nf* ánodo *m*

anodin, -e [anɔdɛ̃, -in] *adj* anodino(a)

anomalie [anɔmali] *nf* anomalía *f*

ânon [ɑnɔ̃] *nm* borriquillo *m*, borriquito *m*

ânonner [ɑnɔne] **1** *vt* balbucir **2** *vi* balbucear

anonymat [anɔnima] *nm* anonimato *m*; **garder l'a.** mantener el anonimato

anonyme [anɔnim] *adj (sans nom)* anónimo(a); *(impersonnel)* impersonal

anorak [anɔrak] *nm* anorak *m*

anorexie [anɔrɛksi] *nf* anorexia *f*

anorexique [anɔrɛksik] *adj* anoréxico(a)

anormal, -e, -aux, -ales [anɔrmal, -o] **1** *adj* anormal; *Vieilli (handicapé)*

subnormal; **il est a. que...** *(intolé-rable)* no es normal que...
2 *nm,f Vieilli (handicapé)* subnormal*mf*

ANPE [aɛnpeə] *nf (abrév* Agence nationale pour l'emploi) = instituto nacional de empleo francés, ≃ INEM *m*; **s'inscrire à l'A.** darse de alta en el INEM

anse [ɑ̃s] *nf (d'ustensile)* asa *f (de un objeto redondo)*; *(crique)* ensenada*f*

antagoniste [ɑ̃tagɔnist] *adj & nmf* antagonista*mf*

antarctique [ɑ̃tarktik] **1** *adj* antártico(a)
2 *nm* **l'A.** *(continent)* la Antártida; *(océan)* el océano Antártico

antécédent [ɑ̃tesedɑ̃] *nm* antecedente *m*

antenne [ɑ̃tɛn] *nf (d'un insecte, de télévision, de radio)* antena *f*; *(succursale)* delegación *f*; *TV* **être à l'a.** estar en antena ☆ **a. parabolique** antena parabólica

antérieur, -e [ɑ̃terjœr] *adj* anterior (à a)

antérieurement [ɑ̃terjœrmɑ̃] *adv* anteriormente; **a. à** antes de

anthologie [ɑ̃tɔlɔʒi] *nf* antología *f*; *Fig* **morceau d'a.** pieza *f* de antología

anthracite [ɑ̃trasit] **1** *nm* antracita *f*
2 *adj inv* **(gris) a.** gris antracita

anthropologie [ɑ̃trɔpɔlɔʒi] *nf* antropología *f*

anthropophage [ɑ̃trɔpɔfaʒ] *adj & nmf* antropófago(a) *m,f*

antibiotique [ɑ̃tibiɔtik] **1** *nm* antibiótico *m*
2 *adj* antibiótico(a)

antibrouillard [ɑ̃tibrujar] *adj inv & nm* **(phare) a.** faro *m* antiniebla

anticipation [ɑ̃tisipɑsjɔ̃] *nf* anticipación *f*; **film/roman d'a.** película *f*/novela *f* de ciencia ficción

anticipé, -e [ɑ̃tisipe] *adj* anticipado(a); *(paiement)* por adelantado

anticiper [ɑ̃tisipe] **1** *vt* anticipar
2 *vi* anticiparse (**sur** a)

anticoagulant [ɑ̃tikɔagylɑ̃] *nm* anticoagulante *m*

anticorps [ɑ̃tikɔr] *nm* anticuerpo *m*

anticyclone [ɑ̃tisiklon] *nm* anticiclón *m*

antidépresseur [ɑ̃tideprɛsœr] **1** *nm* antidepresivo *m*
2 *adj m* antidepresivo(a)

antidote [ɑ̃tidɔt] *nm aussi Fig* antídoto *m* (à de)

antigel [ɑ̃tiʒɛl] *nm* anticongelante *m*

anti-inflammatoire [ɑ̃tiɛ̃flamatwar] *nm* antiinflamatorio *m*

antillais, -e [ɑ̃tijɛ, -ɛz] **1** *adj* antillano(a)
2 *nm,f* **A.** antillano(a) *m,f*

Antilles [ɑ̃tij] *nfpl* **les A.** las Antillas

antilope [ɑ̃tilɔp] *nf* antílope *m*

antimilitariste [ɑ̃timilitarist] *adj & nmf* antimilitarista *mf*

antimite [ɑ̃timit] *nm* matapolillas *m inv*

antipathie [ɑ̃tipati] *nf* antipatía *f*; **éprouver de l'a. pour qn** sentir antipatía hacia o por alguien

antipathique [ɑ̃tipatik] *adj* antipático(a)

antipelliculaire [ɑ̃tipelikylɛr] *adj voir* **shampoing**

antipode [ɑ̃tipɔd] *nm Géog* antípoda *f*; **être aux antipodes de** estar en las antípodas de; *Fig (à l'opposé)* ser el polo opuesto de

antiquaire [ɑ̃tikɛr] *nmf* anticuario(a) *m,f*

antique [ɑ̃tik] *adj* antiguo(a); *Péj (vieux)* del año de la nana

antiquité [ɑ̃tikite] *nf* antigüedad *f*; **l'A.** la Antigüedad

antirides [ɑ̃tirid] *adj voir* **crème**

antirouille [ɑ̃tiruj] **1** *adj inv* antioxidante
2 *nm* anticorrosivo *m*

antisémite [ãtisemit] adj & nmf antisemita mf

antisémitisme [ãtisemitism] nm antisemitismo m

antiseptique [ãtisɛptik] 1 adj antiséptico(a)
  2 nm antiséptico m

antithèse [ãtitɛz] nf antítesis f inv

antivol [ãtivɔl] 1 adj inv antirrobo inv
  2 nm antirrobo m

antre [ãtr] nm antro m

anus [anys] nm ano m

anxiété [ãksjete] nf ansiedad f

anxieux, -euse [ãksjø, -øz] adj ansioso(a); être a. de faire qch estar ansioso de hacer algo

AOC [aɔse] nf (abrév appellation d'origine contrôlée) denominación f de origen controlada

aorte [aɔrt] nf aorta f

août [u(t)] nm agosto m; voir aussi septembre

apaiser [apeze] 1 vt (personne) aplacar, apaciguar; (conscience) acallar; (douleur) calmar; (faim) aplacar
  2 s'apaiser vpr (personne) apaciguarse; (tempête, douleur) calmarse; (faim) aplacarse

apanage [apanaʒ] nm être l'a. de ser privilegio exclusivo de

aparté [aparte] nm aparte m; prendre qn en a. llevarse a alguien aparte

apartheid [apartɛd] nm apartheid m

apathique [apatik] adj apático(a)

apatride [apatrid] adj & nmf apátrida mf

apercevoir [60] [apɛrsəvwar] 1 vt divisar
  2 s'apercevoir vpr s'a. de qch/que darse cuenta de algo/de que; sans s'en a. sin querer

apéritif [aperitif] nm aperitivo m; prendre l'a. tomar el aperitivo

apéro [apero] Fam = apéritif

apesanteur [apəzãtœr] nf ingravidez f

à-peu-près [apøprɛ] nm inv aproximación f

apeuré, -e [apœre] adj atemorizado(a)

aphone [afɔn] adj afónico(a)

aphrodisiaque [afrɔdizjak] 1 adj afrodisíaco(a)
  2 nm afrodisíaco m

aphte [aft] nm afta f

apiculteur, -trice [apikyltœr, -tris] nm,f apicultor(ora) m,f

apiculture [apikyltyr] nf apicultura f

apitoyer [32] [apitwaje] 1 vt inspirar compasión a
  2 s'apitoyer vpr apiadarse (sur de); s'a. sur son sort apiadarse de su suerte

aplanir [aplanir] vt allanar

aplati, -e [aplati] adj aplastado(a)

aplatir [aplatir] 1 vt (écraser) aplastar; (cheveux) alisar
  2 s'aplatir vpr (s'écraser) aplastarse; s'a. sur le sol tirarse al suelo; s'a. contre un mur ponerse contra una pared

aplomb [aplɔ̃] nm (stabilité) aplomo m; (audace) desfachatez f; être d'a. (meuble) estar derecho(a); je ne me sens pas d'a. aujourd'hui hoy no me encuentro del todo bien

apocalypse [apɔkalips] nf apocalipsis m inv; d'a. (scène) apocalíptico(a)

apogée [apɔʒe] nm apogeo m

apologie [apɔlɔʒi] nf apología f

apoplexie [apɔplɛksi] nf apoplejía f

a posteriori [apɔsterjɔri] adv a posteriori

apostrophe [apɔstrɔf] nf (signe graphique) apóstrofo m; (interpellation) apóstrofe m o f

apostropher [apɔstrɔfe] vt (interpeller) increpar

apothéose [apɔteoz] nf apoteosis f inv

apôtre [apotr] nm aussi Fig apóstol m

apparaître [20] [aparɛtr] *(aux* être) **1** *vi (se montrer, se manifester)* aparecer; *Fig (se dévoiler)* salir a la luz **2** *v impersonnel* **il apparaît que...** parece ser que...

apparat [apara] *nm* aparato *m*, pompa *f*; **d'a.** *(dîner, habit)* de gala; *(discours)* solemne

appareil [aparɛj] *nm* aparato *m*; *(téléphone)* teléfono *m*; **qui est à l'a.?** ¿quién es?; **Nicolas Redon à l'a.** soy Nicolas Redon ☆ **a. digestif** aparato digestivo; **a. photo** cámara *f* fotográfica

appareillage [aparɛjaʒ] *nm (équipement)* utillaje *m*; *Naut (départ)* salida *f (de un barco)*

appareiller [apareje] *vi Naut* zarpar

apparemment [aparamã] *adv* aparentemente, al parecer

apparence [aparãs] *nf* apariencia *f*; **malgré les** *ou* **en dépit des apparences** a pesar de las apariencias; **sauver les apparences** guardar las apariencias; **en a.** en apariencia; **il ne faut pas se fier aux apparences** las apariencias engañan

apparent, -e [aparã, -ãt] *adj* aparente; *(couture, poutre)* a la vista

apparenté, -e [aparãte] *adj* **a. à** *(similaire, lié par parenté)* emparentado(a) con

apparenter [aparãte] **s'apparenter** *vpr* **s'a. à qch** semejarse a algo

appariteur [aparitœr] *nm* bedel *m (de facultad)*

apparition [aparisjõ] *nf* aparición *f*; **faire son a.** *(phénomène)* hacer su aparición

appart [apart] *Fam* = appartement

appartement [apartəmã] *nm* piso *m*

appartenir [70] [apartənir] **appartenir à** *vt ind* pertenecer a; **il ne m'appartient pas de prendre cette décision** no me corresponde tomar esta decisión

appât [apɑ] *nm (à la pêche)* cebo *m*;

Fig (attrait) afán *m*; **l'a. du gain** el afán de lucro

appauvrir [apovrir] **1** *vt* empobrecer **2 s'appauvrir** *vpr* empobrecerse

appel [apɛl] *nm (cri) Esp* llamada *f, Am* llamado *m*; *Jur* apelación *f*, recurso *m*; *Jur* **faire a.** apelar, recurrir; **faire a. à qn** recurrir a alguien; **faire a. à qch** *(exiger)* requerir algo; *(invoquer)* apelar a algo; *Scol* **faire l'a.** pasar lista; **sans a.** inapelable ☆ **a. d'offres** licitación *f*; **faire un a. de phares** dar luces; **a. au secours** llamada de socorro; **a. (téléphonique)** *Esp, RP, Ven* llamada (telefónica), *CAm, Méx* llamado (telefónico)

appelé [aple] *nm Mil* recluta *m*

appeler [9] [aple] **1** *vt* llamar; *(exiger)* requerir; **être appelé à faire qch** tener que hacer algo; **en a. à qch** apelar a algo; **la violence appelle la violence** la violencia engendra violencia **2 s'appeler** *vpr* llamarse; **comment t'appelles-tu?** ¿cómo te llamas?; **je m'appelle Sandrine** me llamo Sandrine

appellation [apelɑsjõ] *nf* denominación *f* ☆ **a. d'origine contrôlée** denominación *f* de origen controlada

appendice [apɛ̃dis] *nm* apéndice *m*

appendicite [apɛ̃disit] *nf* apendicitis *f inv*

appentis [apãti] *nm* cobertizo *m*

appesantir [apəzãtir] **1** *vt* entorpecer **2 s'appesantir** *vpr* **s'a. sur qch** *(insister)* alargarse en algo

appétissant, -e [apetisã, -ãt] *adj (nourriture)* apetitoso(a); *(personne)* apetecible

appétit [apeti] *nm* apetito *m*; **bon a.!** ¡buen provecho!; **couper l'a. à qn** quitar el apetito a alguien; **manger de bon a.** comer con mucho apetito

applaudir [aplodir] **1** *vt* aplaudir

2 *vi* aplaudir; *Fig* **a.** à **qch** aplaudir algo

applaudissements [aplodismã] *nmpl* aplausos *mpl*

application [aplikasjɔ̃] *nf aussi Ordinat* aplicación *f*; **mettre qch en a.** *(conseils, connaissances)* poner algo en práctica

applique [aplik] *nf (lampe)* aplique *m*

appliquer [aplike] **1** *vt* aplicar (**sur** **en**)
2 s'appliquer *vpr (s'efforcer)* aplicarse; **s'a.** à *(convenir à, concerner)* aplicarse a

appoint [apwɛ̃] *nm (monnaie)* suelto *m*; **faire l'a.** dar cambio; **d'a.** *(radiateur, siège)* adicional; **un salaire d'a.** un sobresueldo

appointements [apwɛ̃tmã] *nmpl* sueldo *m*

apport [apɔr] *nm (de capital)* aportación *f*; *(de chaleur, de calories)* aporte *m*; *Fig (contribution)* contribución *f*; **un a. en vitamines** un aporte vitamínico

apporter [apɔrte] *vt (objet)* traer (à a); *(raison, preuve)* aportar; *(changement, amélioration)* acarrear; **ce stage ne m'a pas apporté grand-chose** este cursillo no me ha aportado mucho; **cela ne nous a apporté que des ennuis** eso no nos trajo más que problemas

apposer [apoze] *vt (affiche)* fijar; **a. sa signature à qch** firmar algo

apposition [apozisjɔ̃] *nf* aposición *f*; **en a.** en aposición

appréciable [apresjabl] *adj* apreciable

appréciation [apresjasjɔ̃] *nf (estimation)* apreciación *f*; *(jugement)* juicio *m*; *Scol* opinión *f*

apprécier [apresje] *vt* apreciar

appréhender [apreãde] *vt (craindre)* temer; *(arrêter)* aprehender; **a. de faire qch** tener miedo de hacer algo

appréhension [apreãsjɔ̃] *nf* aprensión *f*

apprendre [58] [aprãdr] *vt (étudier)* aprender; *(être informé de)* enterarse de (**que que**); **a.** à **faire qch** aprender a hacer algo; **a. qch à qn** *(enseigner)* enseñar algo a alguien; *(informer)* informar de algo a alguien; **a.** à **qn** à **faire qch** enseñar a alguien a hacer algo

apprenti, -e [aprãti] *nm,f* aprendiz (iza) *m,f*

apprentissage [aprãtisaʒ] *nm* aprendizaje *m*

apprêter [aprete] **1** *vt (nourriture, restes)* preparar
2 s'apprêter *vpr (s'habiller)* arreglarse; **s'a.** à **faire qch** *(se préparer)* disponerse a hacer algo

apprivoiser [aprivwaze] *vt (animal)* domesticar; *(personne)* domar

approbateur, -trice [aprɔbatœr, -tris] *adj* de aprobación

approbation [aprɔbasjɔ̃] *nf* aprobación *f*

approche [aprɔʃ] *nf (d'un événement)* proximidad *f*; *(point de vue)* enfoque *m*; **approches** *(alentours)* alrededores *mpl*; **à l'a. de** *(lieu)* al acercarse a; *(événement, date)* al aproximarse

approcher [aprɔʃe] **1** *vt (rapprocher)* acercar (**de** a); **a. qn** *(contacter)* dirigirse a alguien
2 *vi* acercarse (**de** a)
3 s'approcher *vpr* acercarse (**de** a)

approfondir [aprɔfɔ̃dir] *vt (creuser)* hacer más profundo(a); *(développer)* profundizar en

approprié, -e [aprɔprije] *adj* apropiado(a), adecuado(a) (**à** a)

approprier [66] [aprɔprije] **1** *vt Belg (nettoyer)* limpiar
2 s'approprier *vpr* apropiarse de

approuver [apruve] *vt* aprobar

approvisionnement [aprɔvizjɔnmã] *nm* abastecimiento *m* (**en** de)

approvisionner [aprɔvizjɔne] **1** *vt* *(ville, magasin)* abastecer **(en** de); *(compte en banque)* ingresar dinero en
2 s'approvisionner *vpr* abastecerse **(en** de)

approximatif, -ive [aprɔksimatif, -iv] *adj* aproximado(a)

approximation [aprɔksimasjɔ̃] *nf* aproximación *f*

approximativement [aprɔksimativmɑ̃] *adv* aproximadamente

appt *(abrév* **appartement)** apto.

appui [apɥi] *nm* apoyo *m*

appui-tête *(pl* **appuis-tête)** [apɥitɛt] *nm* reposacabezas *m inv*

appuyé, -e [apɥije] *adj (regard)* insistente; *(plaisanterie)* pesado(a)

appuyer [32] [apɥije] **1** *vt* apoyar
2 *vi* **a. sur qch** *(presser sur)* apretar algo; *(insister sur)* hacer hincapié en algo
3 s'appuyer *vpr* **s'a. à** *ou* **contre** apoyarse en o contra; **s'a. sur qch** *(se baser sur)* basarse en algo; **s'a. sur qn** *(se reposer sur)* apoyarse en alguien; *Fam* **s'a. qch/qn** *(supporter)* apechugar con algo/alguien

âpre [ɑpr] *adj (goût, ton)* áspero(a); *(concurrence)* duro(a); *(combat)* cruel; *(discussion)* violento(a)

après [aprɛ] **1** *prép* **(a)** *(dans le temps)* después de; **a. quoi** después de lo cual; **a. que** después de que; **c'est arrivé a. que tu es partie** llegó después de que tú te fueras; **je le verrai a. qu'il aura fini** lo veré después de que termine; **a. coup** después; **a. tout** después de todo
(b) *(indique l'attachement, l'hostilité)* **aboyer a. qn** ladrar a alguien; **être toujours a. qn** estar todo el día detrás de alguien; **se fâcher a. qn** enfadarse con alguien
(c) **d'a.** *(selon)* según; **d'a. moi** en mi opinión
2 *adv* después; **un mois a.** un mes

después; **la rue/le mois d'a.** la calle/el mes siguiente; **et a.?** *(et ensuite?)* ¿y después?; *(exprime l'indifférence)* ¿y qué?

après-demain [aprɛdmɛ̃] *adv* pasado mañana

après-guerre *(pl* **après-guerres)** [aprɛgɛr] *nm ou nf* posguerra *f*

après-midi [apremidi] *nm inv ou nf inv* tarde *f*

après-rasage *(pl* **après-rasages)** [aprɛrazaʒ] **1** *adj inv* para después del afeitado
2 *nm* loción *f* para después del afeitado

après-ski *(pl* **après-skis)** [apreski] *nm* bota *f* après-ski

après-vente [aprɛvɑ̃t] *adj inv voir* **service**

a priori [aprijɔri] **1** *adv* a priori
2 *nm inv* prejuicio *m*

apr. J.-C. *(abrév* **après Jésus-Christ)** d. de JC, d. JC

à-propos [aprɔpo] *nm inv* pertinencia *f*; **avoir le sens de l'à.** intervenir de manera oportuna

apte [apt] *adj* **a. à qch/à faire qch** apto(a) para algo/para hacer algo; *Mil* **a. (au service)** apto para el servicio militar

aptitude [aptityd] *nf* aptitud *f*; **avoir des aptitudes pour les langues** tener aptitudes para los idiomas

aquarelle [akwarɛl] *nf* acuarela *f*

aquarium [akwarjɔm] *nm* acuario *m*

aquatique [akwatik] *adj* acuático(a)

aqueduc [akdyk] *nm* acueducto *m*

aqueux, -euse [akø, -øz] *adj* acuoso(a)

Aquitaine [akitɛn] *nf* l'A. Aquitania

arabe [arab] **1** *adj* árabe
2 *nmf* **A.** árabe *mf*
2 *nm (langue)* árabe *m*

arabesque [arabɛsk] *nf* arabesco *m*

Arabie [arabi] *nf* l'A. Arabia; **l'A. saoudite** Arabia Saudí

arachide [araʃid] *nf Esp* cacahuete *m*, *CAm*, *Méx* cacahuate *m*, *Andes*, *RP*, *Ven* maní *m*

Aragon [aragɔ̃] *nm* l'**A**. Aragón

aragonais, -e [aragɔnɛ, -ɛz] 1 *adj* aragonés(esa)
  2 *nm,f* **A**. aragonés(esa) *m,f*

araignée [areɲe] *nf* araña *f* ☆ *a. de mer* centolla *f*, centollo *m*

arbitrage [arbitraʒ] *nm aussi Jur* arbitraje *m*

arbitraire [arbitrɛr] *adj* arbitrario(a)

arbitre [arbitr] *nm* árbitro *m*

arbitrer [arbitre] *vt* arbitrar

arbre [arbr] *nm* árbol *m*; *(axe)* eje *m* ☆ *a. à cames* árbol de levas; *a. fruitier* árbol frutal; *a. généalogique* árbol genealógico; *a. de Noël* árbol de Navidad; *a. de transmission* eje de transmisión

arbuste [arbyst] *nm* arbusto *m*

arc [ark] *nm* arco *m* ☆ *a. de cercle* arco de circunferencia; *a. de triomphe* arco de triunfo

arcade [arkad] *nf (pilier)* arcada *f*; **arcades** *(d'une place, d'une rue)* soportales *mpl* ☆ *a. sourcilière* arco *m* de la ceja

arc-bouter [arkbute] **s'arc-bouter** *vpr* s'**a**. contre apoyarse en

arceau, -x [arso] *nm Archit* arco *m* de bóveda; *(métallique)* aro *m*

arc-en-ciel (*pl* **arcs-en-ciel**) [arkɑ̃sjɛl] *nm* arco iris *m inv*

archaïque [arkaik] *adj* arcaico(a)

arche [arʃ] *nf Archit* arco *m* ☆ *l'a. de Noé* el arca *f* de Noé

archéologie [arkeɔlɔʒi] *nf* arqueología *f*

archéologique [arkeɔlɔʒik] *adj* arqueológico(a)

archéologue [arkeɔlɔg] *nmf* arqueólogo(a) *m,f*

archet [arʃɛ] *nm* arco *m*

archevêque [arʃəvɛk] *nm* arzobispo *m*

archipel [arʃipɛl] *nm* archipiélago *m*

architecte [arʃitɛkt] *nmf* arquitecto(a) *m,f*

architecture [arʃitɛktyr] *nf (d'un bâtiment)* arquitectura *f*; *Fig (structure)* estructura *f*

archives [arʃiv] *nfpl (documents)* archivos *mpl*; *(bibliothèque)* archivo *m*

archiviste [arʃivist] *nmf* archivero(a) *m,f*

arctique [arktik] 1 *adj* ártico(a)
  2 *nm* l'**A**. el Ártico

ardent, -e [ardɑ̃, -ɑ̃t] *adj* ardiente

ardeur [ardœr] *nf* ardor *m*; *(au travail)* dinamismo *m*

ardoise [ardwaz] *nf* pizarra *f*; *Fam* il a une a. au Bar des Sports le fían en el Bar des Sports

ardu, -e [ardy] *adj* arduo(a)

are [ar] *nm* área *f*

aréna [arena] *nf Can* = centro deportivo con pista de patinaje sobre hielo

arène [arɛn] *nf* ruedo *m*; **arènes** *(pour courses de taureaux)* plaza *f* de toros

arête [arɛt] *nf (de poisson)* espina *f*; *(d'un toit)* caballete *m*; *(d'une montagne)* cresta *f*; *(du nez)* línea *f*

argent [arʒɑ̃] 1 *adj inv* plateado(a)
  2 *nm (métal, couleur)* plata *f*; *(monnaie)* dinero *m* ☆ *a. liquide* dinero en metálico; *a. de poche* dinero de bolsillo, dinero para gastos menudos; *(que donnent les parents)* paga *f*

argenté, -e [arʒɑ̃te] *adj* plateado(a)

argenterie [arʒɑ̃tri] *nf* plata *f* (*vajilla y cubertería*)

argentin, -e [arʒɑ̃tɛ̃, -in] 1 *adj* argentino(a)
  2 *nm,f* **A**. argentino(a) *m,f*

Argentine [arʒɑ̃tin] *nf* l'**A**. (la) Argentina

argile [arʒil] *nf* arcilla *f*

argileux, -euse [arʒilø, -øz] *adj* arcilloso(a)

argot [argo] *nm (langue populaire)* argot *m*; *(jargon)* jerga *f*

argotique [argɔtik] *adj* de argot

argument [argymã] *nm* argumento *m* ☆ *a. de vente* argumento (de venta)

argumentation [argymãtɑsjɔ̃] *nf* argumentación *f*

argus [argys] *nm* être coté à l'a. (de l'automobile) = aparecer en la lista oficial de precios de los coches de ocasión

aride [arid] *adj aussi Fig* árido(a)

aridité [aridite] *nf aussi Fig* aridez *f*

aristocrate [aristɔkrat] *nmf* aristócrata *mf*

aristocratie [aristɔkrasi] *nf* aristocracia *f*

aristocratique [aristɔkratik] *adj* aristocrático(a)

arithmétique [aritmetik] **1** *adj* aritmético(a) **2** *nf* aritmética *f*

armagnac [armaɲak] *nm* armañac *m*

armateur [armatœr] *nm* armador *m*

armature [armatyr] *nf* armazón *m*; *Fig (base)* estructura *f*

arme [arm] *nf* arma *f*; **armes** *(blason)* armas *fpl*; **faire ses premières armes** hacer sus pinitos; **prendre les armes** tomar las armas ☆ *a. blanche* arma blanca; *a. à feu* arma de fuego

armée [arme] *nf (troupes)* ejército *m*; **être à l'a.** *(service militaire)* hacer la mili ☆ *l'a. de l'air* el ejército del aire; *l'A. du Salut* el Ejército de Salvación; *l'a. de terre* el ejército de tierra

armement [arməmã] *nm* armamento *m*; **l'industrie de l'a.** la industria armamentista

armer [arme] **1** *vt (personne, groupe)* armar; *(fusil)* cargar; *(appareil photo)* arrastrar; *Fig* **être armé pour qch/pour faire qch** estar preparado(a) para algo/para hacer algo

2 s'armer *vpr* s'a. de qch *(pistolet, couteau)* tomar algo; *Fig* s'a. de courage/patience armarse de valor/paciencia

armistice [armistis] *nm* armisticio *m*

armoire [armwar] *nf* armario *m*; *Fig* c'est une a. à glace! ¡está cuadrado!; ☆ *a. à pharmacie* armarito *m*

armoiries [armwari] *nfpl* escudo *m* de armas

armure [armyr] *nf* armadura *f*

armurier [armyrje] *nm* armero *m*

ARN [aɛrɛn] *nm (abrév* **acide ribonucléique)** ARN *m*

arnaque [arnak] *nf Fam* estafa *f*, *Am* calote *m*

arnaquer [arnake] *vt Fam* timar

aromate [arɔmat] *nm* especia *f*

aromatisé, -e [arɔmatize] *adj* a. à con sabor a

arôme [arom] *nm (odeur) (d'un plat)* olor *m*; *(d'un vin)* bouquet *m*; *(d'une fleur)* fragancia *f*; *(goût)* aroma *m*

arpège [arpɛʒ] *nm* arpegio *m*

arpenter [arpãte] *vt (parcourir)* recorrer *(a grandes pasos)*

arqué, -e [arke] *adj* arqueado(a)

arr. *(abrév* **arrondissement)** = división administrativa de París, Lyon y Marsella

arrache-pied [araʃpje] **d'arrache-pied** *adv* sin descanso

arracher [araʃe] **1** *vt* arrancar; a. qch **(des mains) à qn** quitar algo a alquien (de las manos); a. qn à qch *(pensées, occupations)* sacar a alguien de algo **2 s'arracher** *vpr* on s'arrache son nouveau disque la gente se pelea por su nuevo disco

arrangeant, -e [arãʒã, -ãt] *adj* acomodaticio(a)

arrangement [arãʒmã] *nm (entente)* & *Mus* arreglo *m*; *(disposition)* colocación *f*

arranger [45] [arãʒe] **1** *vt (ordonner, réparer)* arreglar; *(organiser)* concertar; *Mus* hacer los arreglos de; **ça ne m'arrange pas** no me viene bien

2 s'arranger *vpr (s'améliorer)* arreglarse; *(se mettre d'accord)* ponerse de acuerdo; **s'a. pour faire qch** arreglárselas para hacer algo

arrestation [arɛstɑsjɔ̃] *nf* detención *f*; **être en état d'a.** estar detenido(a)

arrêt [arɛ] *nm (d'un mouvement, sur une ligne de bus, de métro)* parada *f*; *(interruption)* interrupción *f*, suspensión *f*; *Jur* fallo *m*; **être à l'a.** *(véhicule)* estar parado(a); **tomber en a.** *devant qch* quedarse parado(a) ante algo; **sans a.** *(sans répit)* sin cesar; *(tout le temps)* todo el tiempo ☆ *a. maladie* baja *f* por enfermedad; *a. de travail* baja (laboral)

arrêté [arete] *nm (décision administrative)* orden *f* gubernativa ☆ *a. municipal* decreto *m* municipal

arrêter [arete] **1** *vt (véhicule, machine)* parar; *(études, activité)* dejar; *(voleur)* detener; *(date)* fijar; **a. son choix sur qch** decidirse por algo; **on n'arrête pas le progrès** el progreso es imparable

2 *vi (cesser)* parar; **a. de faire qch** dejar de hacer algo

3 s'arrêter *vpr* pararse; **s'a. à des détails** pararse en detalles; **s'a. de faire qch** dejar de hacer algo

arrhes [ar] *nfpl* paga y señal *f*; **verser des a.** *(location)* dejar una fianza o un depósito; *(achat)* dejar una señal o *Am* seña

arrière [arjɛr] **1** *adj inv* trasero(a) **2** *nm (de véhicule)* parte *f* de atrás; *Sp* defensa *m*; **à l'a.** en la parte de atrás, detrás; **assurer ses arrières** protegerse las espaldas; **retourner/rester en a.** volver/quedarse atrás; **tomber en a.** caerse hacia atrás; **en a. de** detrás de

arriéré, -e [arjere] **1** *adj Péj (personne)* retrasado(a); *(idées)* anti-

cuado(a); *(pays, région)* atrasado(a) **2** *nm (de paiement)* atraso *m*

arrière-boutique *(pl* arrière-boutiques*)* [arjɛrbutik] *nf* trastienda *f*

arrière-goût *(pl* arrière-goûts*)* [arjɛrgu] *nm* regusto *m*

arrière-grand-mère *(pl* arrière-grands-mères*)* [arjɛrgrɑ̃mɛr] *nf* bisabuela *f*

arrière-grand-père *(pl* arrière-grands-pères*)* [arjɛrgrɑ̃pɛr] *nm* bisabuelo *m*

arrière-grands-parents [arjɛrgrɑ̃parɑ̃] *nmpl* bisabuelos *mpl*

arrière-pays [arjɛrpei] *nm inv* interior *m*

arrière-pensée *(pl* arrière-pensées*)* [arjɛrpɑ̃se] *nf* segunda intención *f*; **sans a.** de buena fe

arrière-petite-fille *(pl* arrière-petites-filles*)* [arjɛrpətitfij] *nf* bisnieta *f*

arrière-petit-fils *(pl* arrière-petits-fils*)* [arjɛrpətifis] *nm* bisnieto *m*

arrière-petits-enfants [arjɛrpətizɑ̃fɑ̃] *nmpl* bisnietos *mpl*

arrière-plan *(pl* arrière-plans*)* [arjɛrplɑ̃] *nm* segundo plano *m*

arrière-saison *(pl* arrière-saisons*)* [arjɛrsɛzɔ̃] *nf* final *m* del otoño

arrière-train *(pl* arrière-trains*)* [arjɛrtrɛ̃] *nm Fam* trasero *m*

arrimer [arime] *vt* estibar

arrivage [arivaʒ] *nm (de marchandises)* arribada *f*

arrivée [arive] *nf (venue)* llegada *f*; *(d'air, d'essence)* entrada *f*

arriver [arive] **1** *vi (venir)* llegar **(à/ de** a/de**)**; *(réussir)* triunfar; **j'arrive!** ¡ya voy!; **a. à qch/à faire qch** *(réussir)* conseguir algo/hacer algo

2 *v impersonnel* pasar, suceder; **il arrive à tout le monde de se tromper** todos podemos equivocarnos; **il m'est arrivé une drôle d'aventure** me ha pasado una cosa curiosa; **il arrive qu'en mai il fasse frais** puede (suceder) que en mayo haga frío; **quoi qu'il arrive** pase lo que pase

arriviste [arivist] *adj & nmf* arribista *mf*

arrogance [arɔgãs] *nf* arrogancia *f*

arrogant, -e [arɔgã, -ãt] *adj* arrogante

arroger [45] [arɔʒe] **s'arroger** *vpr* **s'a. le droit de faire qch** arrogarse el derecho de hacer algo

arrondir [arɔ̃dir] *vt* redondear; **a. ses fins de mois** redondear el sueldo

arrondissement [arɔ̃dismã] *nm* = en Francia, división administrativa intermedia entre el departamento y el 'canton'; *(dans une grande ville)* distrito *m* municipal

arroser [aroze] *vt (plante, jardin)* regar; *(sujet: rivière)* bañar; *Fam (célébrer)* remojar; **un repas bien arrosé** una comida acompañada de vino abundante; **un café arrosé** un carajillo

arrosoir [arozwar] *nm* regadera *f*

arsenal, -aux [arsənal, -o] *nm* arsenal *m*

arsenic [arsənik] *nm* arsénico *m*

art [ar] *nm* arte *m* o *f*; *Iron* **avoir l'a. de** tener el don de ☆ **a. dramatique** arte dramático; **arts plastiques** artes plásticas; **le septième a.** el séptimo arte

artère [artɛr] *nf* arteria *f*; **grande a.** *(rue)* gran arteria

artériel, -elle [arterjɛl] *adj* arterial

arthrite [artrit] *nf* artritis *f inv*

arthrose [artroz] *nf* artrosis *f inv*

artichaut [artiʃo] *nm* alcachofa *f*, *CSur* alcaucil *m*

article [artikl] *nm* artículo *m*; **à l'a. de la mort** in articulo mortis ☆ **a. défini** artículo determinado; **a. de fond** artículo de fondo; **a. indéfini** artículo indeterminado

articulation [artikylɑsjɔ̃] *nf (des os)* articulación *f*; *Fig (liaison)* estruc-

turación *f*; *(prononciation)* vocalización *f*

articuler [artikyle] **1** *vt* articular; **articulez!** ¡vocalice!
2 s'articuler *vpr* **s'a. autour de** *(idées, axe)* articularse alrededor de

artifice [artifis] *nm voir* **feu**

artificiel, -elle [artifisjɛl] *adj* artificial

artificiellement [artifisjɛlmã] *adv* de manera artificial

artillerie [artijri] *nf* artillería *f*

artisan [artizã] *nm* artesano(a) *m,f*; *Fig* artífice *mf*

artisanal, -e, -aux, -ales [artizanal, -o] *adj* artesanal

artisanat [artizana] *nm (art)* artesanía *f*; *(ensemble des artisans)* artesanado *m*

artiste [artist] **1** *nmf* artista *mf* ☆ **a. peintre** pintor(ora) *m,f*
2 *adj* artístico(a)

artistique [artistik] *adj* artístico(a)

as¹ *voir* **avoir**

as² [as] *nm aussi Fig* as *m*

ascendant, -e [asãdã, -ãt] **1** *adj* ascendente
2 *nm* ascendiente *m*

ascenseur [asãsœr] *nm* ascensor *m*, *Méx* elevador *m*

ascension [asãsjɔ̃] *nf (montée)* ascensión *f*; *(réussite)* ascenso *m*; **l'a. de l'Everest** la ascensión al Everest; **l'A., le jeudi de l'A.** *(fête)* la Ascensión

aseptisé, -e [asɛptize] *adj (impersonnel)* aséptico(a)

aseptiser [asɛptize] *vt* desinfectar

asiatique [azjatik] **1** *adj* asiático(a)
2 *nmf* **A.** asiático(a) *m,f*

Asie [azi] *nf* **l'A.** Asia; **l'A. centrale** Asia central; **l'A. du Sud-Est** el Sureste asiático

asile [azil] *nm (refuge)* asilo *m*; *(psychiatrique)* manicomio *m* ☆ **a. politique** asilo político

asocial, -e, -aux, -ales [asɔsjal, -o] **1** *adj* antisocial **2** *nm,f* inadaptado(a) *m,f*

aspartam(e) [aspartam] *nm* = tipo de edulcorante artificial

aspect [aspɛ] *nm* aspecto *m*

asperge [aspɛrʒ] *nf* espárrago *m*

asperger [45] [aspɛrʒe] *vt* **a. qch/qn de qch** salpicar algo/a alguien de algo

aspérité [asperite] *nf* aspereza *f*

asphalte [asfalt] *nm* asfalto *m*

asphyxie [asfiksi] *nf* asfixia *f*

asphyxier [asfiksje] **1** *vt* asfixiar **2 s'asphyxier** *vpr* asfixiarse

aspirateur [aspiratœr] *nm* aspirador *m*

aspiration [aspirasjɔ̃] *nf* aspiración *f*

aspirer [aspire] **1** *vt* aspirar **2** *vi* **a. à qch/à faire qch** aspirar a algo/a hacer algo

aspirine [aspirin] *nf* aspirina *f*

assagir [asaʒir] **1** *vt* *(personne)* volver juicioso(a); *(passion)* moderar **2 s'assagir** *vpr* sentar la cabeza

assaillant [asajɑ̃] *nm* asaltante *m*

assaillir [35] [asajir] *vt* asaltar; **a. qn de questions/reproches** acosar a alguien a o con preguntas/reproches

assainir [asenir] *vt* sanear

assaisonnement [asɛzɔnmɑ̃] *nm* aliño *m*

assaisonner [asɛzɔne] *vt* aliñar

assassin, -e [asasɛ̃, -in] **1** *adj* *(regard)* asesino(a); *(critique)* mordaz **2** *nm* asesino(a) *m,f*

assassinat [asasina] *nm* asesinato *m*

assassiner [asasine] *vt* asesinar

assaut [aso] *nm* asalto *m*; **donner l'a. à** asaltar; **monter à l'a. de** lanzarse al asalto de; **prendre qch d'a.** tomar algo por asalto

assécher [34] [aseʃe] *vt* *(terre)* desecar; *(réserve d'eau)* desaguar

ASSEDIC [asedik] *nfpl* *(abrév* **Association pour l'emploi dans l'industrie et le commerce)** = asociación francesa que asigna los subsidios de desempleo; **toucher les A.** cobrar el paro

assemblage [asɑ̃blaʒ] *nm* *(montage)* montaje *m*; *(réunion)* combinación *f*; *Tech* ensamblaje *m*

assemblée [asɑ̃ble] *nf* *(public)* reunión *f*; *(réunion)* junta *f*; *Pol* asamblea *f* ☆ *a.* **générale** asamblea general; **l'Assemblée nationale** el Congreso de los diputados

assembler [asɑ̃ble] **1** *vt* *(monter)* montar; *(réunir)* reunir; *Tech* ensamblar **2 s'assembler** *vpr* *(personnes)* congregarse

assener [46], **asséner** [34] [asene] *vt* *(coup)* asestar

asseoir [10a] [aswar] **1** *vt* *(sur un siège)* sentar; *(réputation)* consolidar **2** *vi* **faire a. qn** sentar a alguien **3 s'asseoir** *vpr* sentarse

assermenté, -e [asɛrmɑ̃te] *adj* *(fonctionnaire, traducteur)* jurado(a); *(témoin)* juramentado(a)

asservir [asɛrvir] *vt* esclavizar

asseyais *etc voir* **asseoir**

assez [ase] *adv* *(suffisamment)* suficiente; *(plutôt)* bastante; **a.!** *(exprime l'agacement)* ¡basta!; **a. de chaises** suficientes sillas; **a. de lait** suficiente leche; **en avoir a. de** estar harto(a) de; **il roule a. vite** conduce bastante rápido

assidu, -e [asidy] *adj* *(élève)* asiduo(a); *(travail)* constante

assiduité [asidɥite] *nf* *(zèle)* perseverancia *f*; *(fréquence)* asiduidad *f*; **poursuivre qn de ses assiduités** tirar los tejos a alguien

assied *etc voir* **asseoir**

assiéger [59] [asjeʒe] *vt* asediar

assiéra *etc voir* **asseoir**

assiette [asjɛt] *nf* plato *m*; *(d'impôt)* base *f* imponible; *Fig* **ne pas être dans son a.** no encontrarse bien

☆ *a. anglaise* entremeses *mpl* variados; *a. creuse ou à soupe* plato hondo *o* sopero; *a. à dessert* plato de postre

assigner [asiɲe] *vt (fonds, tâche)* asignar; *Jur* **a. qn en justice** citar a alguien a juicio; **a. qn à résidence** condenar a alguien a arresto domiciliario

assimiler [asimile] **1** *vt (aliment, connaissances)* asimilar; *(confondre)* confundir (à con); *(intégrer)* integrar
2 s'assimiler *vpr (s'intégrer)* integrarse

assis, -e [asi, -iz] **1** *pp voir* **asseoir**
2 *adj* sentado(a)

assise [asiz] *nf (base)* cimientos *mpl*; **assises** *(tribunal)* sala *f* de lo penal; *(congrès)* congreso *m*

assistance [asistɑ̃s] *nf* asistencia *f*; *(auditoire)* audiencia *f*; **prêter a. à qn** prestar asistencia a alguien ☆ *l'A. publique* la Asistencia social

assistant, -e [asistɑ̃, -ɑ̃t] *nm,f (auxiliaire)* asistente *mf*; *(enseignant)* auxiliar *mf* de conversación ☆ *assistante sociale* asistente *f* social

assister [asiste] **1** *vi* **a. à qch** asistir a algo
2 *vt (seconder)* ayudar; *(porter secours à)* prestar asistencia a

association [asɔsjasjɔ̃] *nf* asociación *f* ☆ *a. d'idées* asociación de ideas

associé, -e [asɔsje] **1** *adj* asociado(a)
2 *nm,f* socio(a) *m,f*

associer [asɔsje] **1** *vt (personnes, idées)* asociar (à con); **a. qn à qch** *(faire participer)* hacer participar a alguien en algo
2 s'associer *vpr (collaborer)* asociarse (à *ou* avec con); *(se combiner)* combinarse (à con); **s'a. à qch** *(participer)* participar en algo

assoiffé, -e [aswafe] *adj (d'eau)* sediento(a); *Fig (de pouvoir, d'argent)* ávido(a)

assombrir [asɔ̃brir] **1** *vt* oscurecer; *Fig (attrister)* ensombrecer
2 s'assombrir *vpr (devenir sombre)* oscurecerse; *Fig (s'attrister)* ensombrecerse

assommer [asɔme] *vt (en frappant)* tumbar; *(ennuyer)* aburrir; *(accabler)* agobiar

Assomption [asɔ̃psjɔ̃] *nf* l'A. la Asunción

assorti, -e [asɔrti] *adj (coordonné)* combinado(a) (à con); *(approvisionné)* surtido(a); **ce couple est bien a.** hacen buena pareja; **chocolats assortis** bombones *mpl* surtidos

assortiment [asɔrtimɑ̃] *nm (choix)* surtido *m*

assortir [asɔrtir] *vt (objets)* combinar (à con)

assoupir [asupir] **s'assoupir** *vpr* dar una cabezada

assouplir [asuplir] **1** *vt (corps)* dar flexibilidad a; *(matière)* ablandar; *(règlement)* hacer flexible; *(caractère)* suavizar
2 s'assouplir *vpr (physiquement)* adquirir flexibilidad; *(moralement)* suavizarse

assouplissant [asuplisɑ̃], **assouplisseur** [asuplisœr] *nm* suavizante *m*

assourdir [asurdir] *vt (personne)* ensordecer; *(bruit)* amortiguar

assouvir [asuvir] *vt Litt (faim)* saciar; *(passions)* satisfacer

assoyant *voir* **asseoir**

assujettir [asyʒetir] *vt (fixer)* fijar; **a. qn à qch** someter a alguien a algo

assumer [asyme] **1** *vt (accepter)* asumir; *(fonctions)* desempeñar
2 s'assumer *vpr* aceptarse a sí mismo(a)

assurance [asyrɑ̃s] *nf* seguridad *f*; *(contrat)* seguro *m*; **j'ai reçu l'a. qu'on m'aiderait** me han asegurado que me ayudarían; **veuillez recevoir l'a. de mes sentiments distingués** *(dans une*

lettre) le saluda atentamente ☆ *a.*
maladie seguro de enfermedad; *a.*
tous risques seguro a todo riesgo
assurance-vie *(pl* **assurances-vie)**
[asyrãsvi] *nf* seguro *m* de vida
assuré, -e [asyre] *nm,f* asegurado(a)
m,f ☆ *a.* *social* beneficiario *m* de la
Seguridad Social
assurer [asyre] **1** *vt* asegurar; **il m'a**
assuré de sa bonne foi/qu'il viendrait
me aseguró que era de buena fe/
que vendría; **a. à qn des revenus fi-**
xes/une retraite confortable garantizar a alguien unos ingresos fijos/
una buena pensión de jubilación
2 *vi Fam* dar la talla
3 s'assurer *vpr* asegurarse **(contre**
contra); **s'a. de qch/que** *(confirmer)*
asegurarse de algo/de que; **s'a. qch**
(obtenir) asegurarse algo
astérisque [asterisk] *nm* asterisco *m*
asthme [asm] *nm* asma *m*
asticot [astiko] *nm* gusano *m* blanco
astiquer [astike] *vt* sacar brillo a
astre [astr] *nm* astro *m*
astreignant, -e [astrɛɲã, -ãt] *adj*
esclavizante
astreindre [54] [astrɛ̃dr] **1** *vt* **a. qn à**
qch/à faire qch obligar a alguien a al-
go/a hacer algo
2 s'astreindre *vpr* **s'a. à qch/à**
faire qch someterse a algo/a hacer
algo
astringent, -e [astrɛ̃ʒã, -ãt] *adj* astringente
astrologie [astrɔlɔʒi] *nf* astrología *f*
astrologue [astrɔlɔg] *nmf* astrólo-
go(a) *m,f*
astronaute [astronot] *nmf* astronauta *mf*
astronome [astrɔnɔm] *nmf* astró-
nomo(a) *m,f*
astronomie [astrɔnɔmi] *nf* astronomía *f*
astronomique [astrɔnɔmik] *adj*
aussi Fig astronómico(a)

astuce [astys] *nf (ingéniosité)* astucia *f; (ruse)* truco *m*; *(plaisanterie)*
broma *f*
astucieux, -euse [astysjø, -øz] *adj*
(personne) astuto(a), *Méx* abusa-
do(a); *(idée)* ingenioso(a)
asymétrique [asimetrik] *adj* asimé-
trico(a)
atelier [atəlje] *nm (d'un artisan, dans*
une usine) taller *m*; *(de peintre)* estudio *m*
athée [ate] *adj & nmf* ateo(a) *m,f*
Athènes [atɛn] *n* Atenas
athlète [atlɛt] *nmf* atleta *mf*
athlétisme [atletism] *nm* atletismo
m
atlantique [atlãtik] **1** *adj* atlánti-
co(a)
2 *nm* **l'A.** el Atlántico
atlas [atlɑs] *nm* atlas *m*
atmosphère [atmɔsfɛr] *nf Géog* atmósfera *f; (air)* aire *m*; *(ambiance)*
ambiente *m*
atmosphérique [atmɔsferik] *adj*
atmosférico(a)
atoca [atɔka] *nm Can* arándano *m*
atome [atom] *nm* átomo *m*; *Fig* **pas**
un a. de ni pizca de
atomique [atɔmik] *adj* atómico(a)
atomiseur [atɔmizœr] *nm* pulverizador *m*
atone [atɔn] *adj (voyelle)* átono(a);
(regard) inexpresivo(a)
atours [atur] *nmpl Litt ou Hum*
atuendo *m*
atout [atu] *nm (carte)* triunfo *m; Fig*
(ressource) ventaja *f*, baza *f*; **a. car-**
reau/cœur triunfo de diamantes/co-
razones
âtre [ɑtr] *nm Litt* hogar *m (chimenea)*
atriqué, -e [atrike] *adj Can* vesti-
do(a)
atroce [atrɔs] *adj (crime)* atroz;
(souffrance, temps) espantoso(a)
atrocité [atrɔsite] *nf* atrocidad *f*
atrophie [atrɔfi] *nf* atrofia *f*

atrophier [atrɔfje] **1** *vt* atrofiar
  2 s'atrophier *vpr* atrofiarse
attabler [atable] **s'attabler** *vpr* sentarse a la mesa
attachant, -e [ataʃɑ̃, -ɑ̃t] *adj* entrañable
attache [ataʃ] *nf* atadura *f*; **attaches** *(relations)* vínculos *mpl*; *(poignets et chevilles)* = muñecas y tobillos
attaché, -e [ataʃe] *nm,f* agregado(a) *m,f* ☆ **a. d'ambassade** agregado diplomático; **a. culturel** agregado cultural; **a. de presse** responsable *mf* de prensa
attaché-case (*pl* attachés-cases) [ataʃekɛz] *nm* maletín *m*
attacher [ataʃe] **1** *vt (animal, paquet)* atar; *(ceinture, manteau)* abrochar; **a. qch à qch** atar algo a algo
  2 *vi* pegarse
  3 s'attacher *vpr (se fermer)* abrocharse; **s'a. à** *(se prendre d'affection)* encariñarse con; **s'a. à qch/à faire qch** *(s'appliquer)* esmerarse en algo/en hacer algo
attaquant, -e [atakɑ̃, -ɑ̃t] *adj & nm,f* atacante *mf*
attaque [atak] *nf* ataque *m*; **avoir une a.** tener un ataque; **je ne me sens pas d'a. (pour...)** no me siento con fuerzas (para...) ☆ **a. à main armée** atraco *m* a mano armada
attaquer [atake] **1** *vt* atacar; *Jur (jugement)* impugnar; *Fam (commencer)* liarse con; **a. qn en justice** llevar a alguien a los tribunales; *Fam* **on attaque?** ¿vamos al lío?
  2 s'attaquer *vpr* **s'a. à qch/qn** atacar algo/a alguien
attardé, -e [atarde] **1** *adj* retrasado(a)
  2 *nm,f* retrasado(a) *m,f* (mental)
attarder [atarde] **s'attarder** *vpr* tardar; **s'a. à des détails** pararse en detalles
atteindre [54] [atɛ̃dr] *vt (toucher,*

s'élever à)* alcanzar; *(affecter)* afectar; *(arriver à)* llegar a; **la balle l'a atteint à l'épaule** la bala le dio en el hombro
atteint, -e [atɛ̃, -ɛ̃t] *adj (touché)* afectado(a); *Fam (fou)* tocado(a); **être a. de qch** *(malade)* tener algo
atteinte [atɛ̃t] *nf* **hors d'a.** fuera de alcance; **porter a. à qch** atentar contra algo
attelage [atlaʒ] *nm (chevaux, bœufs)* tiro *m*
atteler [9] [atle] *vt* **1** *(animal)* uncir; *(véhicule)* enganchar
  2 s'atteler *vpr* **s'a. à la tâche** ponerse manos a la obra
attelle [atɛl] *nf* tablilla *f*
attenant, -e [atnɑ̃, -ɑ̃t] *adj* contiguo(a); **a. à qch** lindante con algo
attendre [atɑ̃dr] **1** *vt* esperar; **j'attends que la pluie cesse** espero que deje de llover; **j'attends de recevoir une réponse** estoy esperando recibir una respuesta; **a. qch de qch/qn** esperar algo de algo/de alguien
  2 *vi* esperar; **en attendant** mientras tanto
  3 s'attendre *vpr* **s'a. à qch** esperarse algo; **s'a. à ce que** esperarse que; **il s'attendait à ce qu'elle lui donne cette réponse** se esperaba que le diera esa respuesta
attendrir [atɑ̃drir] **1** *vt (personne)* enternecer, ablandar; *(viande)* macerar
  2 s'attendrir *vpr* enternecerse **(sur** por)
attendrissant, -e [atɑ̃drisɑ̃, -ɑ̃t] *adj (personne)* enternecedor(ora); *(geste)* conmovedor(ora)
attendu, -e [atɑ̃dy] **1** *pp voir* **attendre**
  2 *adj* **très a.** muy esperado(a)
  3 *nm Jur* considerando *m*
  4 *conj* **a. que** en vista de que
attentat [atɑ̃ta] *nm* atentado *m* ☆ **a. à la bombe** atentado con bomba; **a. à la pudeur** atentado contra la moral

attente [atãt] *nf (action d'attendre)* espera *f; (espoir)* expectativa *f;* **contre toute a.** contra todo pronóstico; **répondre à l'a.** de qn responder a las expectativas de alguien

attenter [atãte] **attenter à** *vt ind* **a. à qch** atentar contra algo; **a. à ses jours** atentar contra su vida

attentif, -ive [atãtif, -iv] *adj* atento(a) (**à** a)

attention [atãsjõ] **1** *nf* atención *f;* **à l'a. de** a la atención de; **faire a. que** vigilar que; **faire a. à qch** tener cuidado con algo; *(détail)* poner atención en algo **2** *exclam* ¡cuidado!

attentionné, -e [atãsjɔne] *adj* considerado(a); **a. avec qn** atento(a) con alguien

attentivement [atãtivmã] *adv* atentamente

atténuant, -e [atenɥã, -ãt] *adj voir* **circonstance**

atténuer [atenɥe] **1** *vt* atenuar **2 s'atténuer** *vpr* atenuarse

atterrir [aterir] *vi (avion)* aterrizar; *Fam (arriver)* ir a parar

atterrissage [aterisaʒ] *nm* aterrizaje *m;* **à l'a.** al aterrizar ☆ **a. forcé** aterrizaje forzoso

attestation [atɛstasjõ] *nf (certificat)* certificado *m*

attester [atɛste] *vt (confirmer)* atestiguar; *(certifier)* testificar

attifé, -e [atife] *adj Fam* ataviado(a)

attirail [atiraj] *nm Fam* trastos *mpl*

attirant, -e [atirã, -ãt] *adj* atractivo(a)

attirer [atire] **1** *vt* atraer; **a. qn à** *ou* **vers soi** atraer a alguien hacia sí; **a. des ennuis à qn** acarrear problemas a alguien; **a. l'attention de qn (sur qch)** llamar la atención a alguien (sobre algo) **2 s'attirer** *vpr (estime, critiques)* ganarse; **s'a. des ennuis** tener problemas

attiser [atize] *vt (feu)* atizar; *Fig (sentiment)* avivar

attitré, -e [atitre] *adj (représentant, fournisseur)* acreditado(a); *(place)* reservado(a); *Hum (habituel)* habitual

attitude [atityd] *nf (posture)* postura *f; (comportement)* actitud *f*

attouchements [atuʃmã] *nmpl* caricias *fpl*

attraction [atraksjõ] *nf* atracción *f; (centre d'intérêt)* (centro *m* de) atracción ☆ **l'a. terrestre** la gravedad terrestre

attrait [atrɛ] *nm* atracción *f*

attrape-nigaud (*pl* **attrape-nigauds**) [atrapnigo] *nm* engañabobos *m inv*

attraper [atrape] *vt (saisir) Esp* coger, *Am* agarrar; *(prendre au piège)* atrapar; *(surprendre)* pillar; *(train, avion)* pillar por los pelos; *(maladie) Esp* coger, *Am* agarrar; *(gronder)* reñir; *(tromper)* engañar

attrayant, -e [atrɛjã, -ãt] *adj* atrayente

attribuer [atribɥe] **1** *vt* **a. qch à** *(qualité, mérite, échec)* atribuir algo a; *(prix, privilège)* otorgar algo a; *(rôle)* asignar algo a **2 s'attribuer** *vpr (mérite, privilège)* atribuirse

attribut [atriby] *nm* atributo *m*

attribution [atribysjõ] *nf (d'un prix)* adjudicación *f* (**à** a); *(d'une tâche, d'une place, d'un rôle)* asignación *f* (**à** a); *(d'un échec, d'un succès)* atribución *f* (**à** a); **attributions** *(compétences)* competencias *fpl;* **cela n'entre pas dans mes attributions** eso no entra dentro de mis competencias

attrister [atriste] **1** *vt* entristecer **2 s'attrister** *vpr* entristecerse (**de** por)

attroupement [atrupmã] *nm* aglomeración *f*

attrouper [atrupe] **s'attrouper** *vpr* aglomerarse

au [o] *voir* à

aubaine [obɛn] *nf* ganga *f*

aube [ob] *nf* alba *f*; **à l'a.** de madrugada; *Fig* **à l'a.** de en los albores de

aubépine [obepin] *nf* espino *m* blanco

auberge [obɛrʒ] *nf* hostal *m* ☆ **a. de jeunesse** albergue *m* juvenil

aubergine [obɛrʒin] **1** *nf* berenjena *f*; *Fam (contractuelle)* = agente de control del aparcamiento
2 *adj inv (couleur)* color berenjena *inv*

aubergiste [obɛrʒist] *nmf* posadero(a) *m,f*

auburn [obœrn] *adj inv* trigueño(a)

aucun, -e [okœ̃, -yn] **1** *adj* **(a)** *(sens négatif)* ninguno(a); **il n'y a aucune boutique ici** no hay ninguna tienda aquí
(b) *(sens positif)* cualquier; **il lit plus qu'a. autre enfant** lee más que cualquier otro niño
2 *pron* **(a)** *(sens négatif)* ninguno(a); **il n'en veut a.** no quiere ninguno; **a. d'entre nous** ninguno de nosotros
(b) *(sens positif)* cualquiera; **il parle mieux allemand qu'a. de nous** habla mejor alemán que cualquiera de nosotros; *Litt* **d'aucuns** algunos

audace [odas] *nf (hardiesse)* audacia *f*; *(insolence)* osadía *f*; *(innovation)* atrevimiento *m*

audacieux, -euse [odasjø, -øz] *adj (hardi)* audaz; *(insolent)* atrevido(a)

au-dedans [odədɑ̃] *adv* (por) dentro; **a. de** dentro de

au-dehors [odəɔr] *adv* (por) fuera; **a. de** fuera de

au-delà [odla] **1** *adv (plus loin)* más allá **(de** de); *(davantage)* más **(de** de)
2 *nm* **l'a.** el más allá

au-dessous [odsu] *adv (en bas)* debajo **(de** de); **a. de 20 000 francs** por debajo de 20.000 francos; **les enfants a. de trois ans** los niños de menos de tres años

au-dessus [odsy] *adv (en haut)* encima **(de** de); **a. de 150 francs** por encima de 150 francos; **les enfants a. de sept ans** los niños de más de siete años

au-devant [odvɑ̃] **au-devant de** *prép* **aller a. de qn** ir al encuentro de alguien; **aller a. des ennuis** buscar problemas

audible [odibl] *adj* audible

audience [odjɑ̃s] *nf* audiencia *f*

Audimat® [odimat] *nm (audimètre)* = audímetro televisivo francés; *(taux d'audience)* audiencia *f*

audionumérique [odjonymerik] *adj* audionumérico(a)

audiovisuel, -elle [odjovizɥɛl] **1** *adj* audiovisual
2 *nm* **l'a.** *(secteur)* imagen *f* y sonido; *(techniques)* medios *mpl* audiovisuales

audit [odit] *nm* auditoría *f*

auditeur, -trice [oditœr, -tris] **1** *nm,f (de conférence)* asistente *mf*; *(de radio)* radioyente *mf* ☆ *Univ* **a. libre** oyente *mf*
2 *nm* *Fin* auditor(ora) *m,f*

audition [odisjɔ̃] *nf* audición *f*; *(pour un rôle)* prueba *f*

auditoire [oditwar] *nm* auditorio *m*

auditorium [oditɔrjɔm] *nm* auditórium *m*, auditorio *m*

auge [oʒ] *nf* comedero *m*

augmentation [ɔgmɑ̃tasjɔ̃] *nf* aumento *m*; *(d'un taux)* incremento *m*; *(des prix)* subida *f* ☆ **a. (de salaire)** aumento de sueldo

augmenter [ɔgmɑ̃te] **1** *vt* aumentar; *(durée)* alargar; *(prix, salaire)* subir; **a. qn** conceder un aumento (de sueldo) a alguien, subirle el sueldo a alguien
2 *vi* aumentar

augure [ogyr] *nm* augurio *m*; **de bon/mauvais a.** de buen/mal augurio

aujourd'hui [oʒurdɥi] *adv (ce jour)* hoy; *(à notre époque)* hoy, hoy en día

aumône [omon] *nf* limosna *f*; **faire l'a. à qn** dar limosna a alguien; **elle lui a fait l'a. d'un regard** se dignó mirarle

auparavant [oparavɑ̃] *adv* antes

auprès [oprɛ] **auprès de** *prép (près de)* junto a; *(comparé à)* al lado de; *(dans l'opinion de, en s'adressant à)* ante

auquel [okɛl] *voir* **lequel**

aura *etc voir* **avoir**

auréole [oreɔl] *nf* aureola *f*

auriculaire [orikylɛr] **1** *adj* auricular **2** *nm* (dedo) meñique *m*

aurore [orɔr] *nf (aube)* aurora *f*; **se lever aux aurores** levantarse de madrugada ☆ **a. boréale** aurora boreal

ausculter [ɔskylte] *vt* auscultar

auspices [ɔspis] *nmpl* **sous les a. de qn** bajo los auspicios de alguien; **sous d'heureux a.** con buenos auspicios

aussi [osi] **1** *adv* (a) *(pareillement, en plus)* también; **moi a.** yo también; **il parle anglais et a. espagnol** habla inglés y también español (b) *(dans une comparaison)* **il n'est pas a. intelligent que son frère** no es tan inteligente como su hermano; **tu le sais a. bien que moi** lo sabes tan bien como yo; **je n'ai jamais rien vu d'a. beau** nunca he visto nada tan bonito; **j'aurais pu (tout) a. bien refuser** también habría podido negarme; **cela peut être a. bien lui qu'elle** puede ser tanto él como ella; **a. incroyable que cela puisse paraître** por muy increíble que parezca **2** *conj (c'est pourquoi)* por lo tanto; **a. décida-t-elle de déménager** por lo tanto decidió mudarse

aussitôt [osito] *adv* en seguida; **a. que** tan pronto como; **a. arrivé, il se**

servit un whisky nada más llegar, se sirvió un whisky

austère [ɔstɛr] *adj* austero(a)

austérité [ɔsterite] *nf* austeridad *f*

austral, -e, -als *ou* **aux, -ales** [ɔstral, -o] *adj* austral

Australie [ɔstrali] *nf* l'A. Australia

australien, -enne [ɔstraljɛ̃, -ɛn] **1** *adj* australiano(a) **2** *nm,f* A. australiano(a) *m,f*

autant [otɑ̃] *adv* (a) *(comparatif)* **a. que** tanto como; **ça me déplaît a. qu'à toi** me desagrada tanto como a ti; **a. que possible** en la medida de lo posible; **a. de... que** tanto... como; **il y a a. de femmes que d'hommes** hay tantas mujeres como hombres (b) *(à un tel point, en si grande quantité)* tanto(a); **je ne pensais pas qu'ils seraient a.** no pensaba que fueran tantos; **a. de** tanto(a); **a. de patience** tanta paciencia (c) *(expressions)* **elle ne peut pas en dire a.** ella no puede decir lo mismo; **j'aimerais bien en faire a.** me gustaría hacer lo mismo; **a. dire la vérité** más vale decir la verdad; **cela augmente d'a. nos intérêts** esto aumenta nuestros intereses otro tanto; **d'a. que** más aún cuando; **d'a. moins/plus que** menos/más aún cuando; **je ne suis pas d'accord pour a.** sin embargo, yo no estoy de acuerdo; **(pour) a. que je sache** que yo sepa

autarcie [otarsi] *nf* autarquía *f*

autel [otɛl] *nm* altar *m*

auteur [otœr] *nm* autor(ora) *m,f*

authentique [otɑ̃tik] *adj (document, œuvre)* auténtico(a); *(sentiment)* verdadero(a); *(événement, histoire)* real

autiste [otist] **1** *adj* autista, autístico(a) **2** *nmf* autista *mf*

auto [oto] *nf* Esp coche *m*, Am carro *m*, RP auto *m* ☆ **autos tamponneuses** autos *mpl* de choque

autobiographie [ɔtɔbjɔgrafi] *nf* autobiografía *f*

autobronzant, -e [ɔtɔbrɔ̃zɑ̃, -ɑ̃t] *adj* autobronceador(ora)

autobus [ɔtɔbys] *nm Esp* autobús *m, Arg* colectivo *m, CAm, Méx* camión *m, Chile* micro *m, Col, Ecuad, Ven* buseta *f, Cuba* guagua *f, Urug* ómnibus *m*

autocar [ɔtɔkar] *nm* autocar *m,* autobús *m (de línea regular)*

autochtone [ɔtɔktɔn] *adj & nmf* autóctono(a) *m,f*

autocollant, -e [ɔtɔkɔlɑ̃, -ɑ̃t] **1** *adj* adhesivo(a)
   2 *nm* pegatina *f*

autocouchettes [ɔtɔkuʃɛt] *adj voir* train

autocritique [ɔtɔkritik] *nf* autocrítica *f*

autocuiseur [ɔtɔkɥizœr] *nm* olla *f* a presión

autodéfense [ɔtɔdefɑ̃s] *nf* autodefensa *f*

autodétruire [18] [ɔtɔdetrɥir] **s'autodétruire** *vpr* autodestruirse

autodidacte [ɔtɔdidakt] *adj & nmf* autodidacta *mf*

auto-école (*pl* **auto-écoles**) [ɔtɔekɔl] *nf* autoescuela *f*

autofocus [ɔtɔfɔkys] **1** *adj* autofocus *inv*
   2 *nm (appareil)* autofocus *m inv*

autographe [ɔtɔgraf] *nm* autógrafo *m*

automate [ɔtɔmat] *nm* robot *m*

automatique [ɔtɔmatik] **1** *adj* automático(a)
   2 *nm (pistolet)* (pistola *f*) automática *f*

automatiser [ɔtɔmatize] *vt* automatizar

automatisme [ɔtɔmatism] *nm (de machine)* automatismo *m; (réflexe)* reflejo *m*

automne [ɔtɔn] *nm* otoño *m*

automobile [ɔtɔmɔbil] **1** *adj* automóvil; *(industrie)* del automóvil
   2 *nf Vieilli (voiture)* automóvil *m*

automobiliste [ɔtɔmɔbilist] *nmf* automovilista *mf*

autonome [ɔtɔnɔm] *adj* autónomo(a); *(personne)* independiente

autonomie [ɔtɔnɔmi] *nf* autonomía *f*

autonomiste [ɔtɔnɔmist] *adj & nmf* autonomista *mf*

autopsie [ɔtɔpsi] *nf* autopsia *f*

autoradio [ɔtɔradjo] *nm* autorradio *m*

autoreverse [ɔtɔrivɛrs] **1** *adj* autorreverse *inv*
   2 *nm* autorreverse *m*

autorisation [ɔtɔrizasjɔ̃] *nf* autorización *f;* **avoir l'a. de faire qch** estar autorizado(a) a hacer algo; **donner à qn l'a. de faire qch** autorizar a alguien a hacer algo

autorisé, -e [ɔtɔrize] *adj* autorizado(a); **les milieux autorisés** los medios autorizados

autoriser [ɔtɔrize] *vt* autorizar; *(donner la possibilité de)* dar cabida a; **a. qn à faire qch** autorizar a alguien a hacer algo

autoritaire [ɔtɔritɛr] *adj* autoritario(a)

autorité [ɔtɔrite] *nf* autoridad *f;* **faire a.** sentar cátedra

autoroute [ɔtɔrut] *nf* autopista *f*

auto-stop [ɔtɔstɔp] *nm* autostop *m,* autoestop *m;* **faire de l'a.** hacer autostop *o* autoestop

autostoppeur, -euse [ɔtɔstɔpœr, -øz] *nm,f* autostopista *mf,* autoestopista *mf*

autour [otur] *adv* alrededor; **a. de** *(en cercle)* en torno a; *(près de, environ)* alrededor de

autre [otr] **1** *adj indéfini* otro(a); **un a. homme** otro hombre; **l'un et l'a. projet** uno y otro proyecto; **c'est un**

(tout) a. homme depuis qu'il a arrêté de boire desde que ha dejado de beber es otro hombre; **nous autres** nosotros(as); **vous autres** vosotros(as) **2** *pron indéfini* el (la) otro(a); **je ne les apprécie ni l'un ni l'a.** no me gustan ni el uno ni el otro; **il faut vous aider l'un l'a./les uns les autres** tenéis que ayudaros el uno al otro/los unos a los otros; **les autres** *(les gens)* los demás; **nul a.** ningún (ninguna) otro(a); **quelqu'un d'a.** otra persona; **rien d'a.** nada más; **entre autres** entre otras cosas

autrefois [otrəfwa] *adv* antaño

autrement [otrəmɑ̃] *adv (différemment)* de otro modo; *(sinon)* si no; *(beaucoup plus)* mucho más; **je n'ai pas pu faire a. que d'y aller** no tuve más remedio que ir; **obéis, a. tu seras puni** obedece si no te van a castigar; **c'est a. mieux** es mucho mejor; **a. dit** dicho de otro modo

Autriche [otriʃ] *nf* l'A. Austria

autrichien, -enne [otriʃjɛ̃, -ɛn] **1** *adj* austríaco(a) **2** *nm,f* A. austríaco(a) *m,f*

autruche [otryʃ] *nf* avestruz *m*

autrui [otrɥi] *pron* el prójimo

auvent [ovɑ̃] *nm (en toile)* toldo *m*; *(en dur)* tejadillo *m*

aux [o] *voir* à

auxiliaire [ɔksiljɛr] **1** *adj* auxiliar **2** *nmf (assistant)* ayudante *mf* **3** *nm* Gram auxiliar *m*

auxquels, auxquelles [okɛl] *voir* lequel

av. *(abrév* **avenue)** Avda.

avachi, -e [avaʃi] *adj (vêtement, chaussure)* deformado(a); **être a. dans un fauteuil/devant la télé** estar tirado(a) en un sillón/delante de la tele

avais *etc voir* **avoir**

aval¹ [aval] *nm (d'un cours d'eau)* curso *m* bajo; **en a.** *(d'une rivière)* río abajo; *Fig* después; **en a. de Toulouse** después de Toulouse

aval² *nm (caution)* aval *m*; **donner son a. à qch/qn** avalar algo/a alguien

avalanche [avalɑ̃ʃ] *nf (en montagne)* alud *m*; *Fig* **une a. de** una avalancha de

avaler [avale] *vt (manger)* engullir; *Fam (croire)* tragarse; *Fam (supporter)* tragar

avance [avɑ̃s] *nf (progression)* avance *m*; *(avantage) (dans l'espace)* ventaja *f*; *(dans le temps)* adelanto *m*; *(somme d'argent)* adelanto *m*, anticipo *m*; **faire des avances à qn** hacer proposiciones a alguien; **à l'a.** *(réserver, remercier)* por adelantado; **une heure à l'a.** una hora antes; **arriver à l'a.** llegar antes de tiempo; **d'a.** *(remercier, payer)* por adelantado; **une heure d'a.** una hora de adelanto; **avoir 3 km d'a.** llevar 3 km de ventaja; **être/arriver en a.** ir/llegar adelantado(a); **être en a. sur** *(époque, concurrence)* ir por delante de; *(horaire, programme)* ir adelantado(a) en; **par a.** de antemano

avancement [avɑ̃smɑ̃] *nm (déroulement)* progreso *m*; *(promotion)* ascenso *m*

avancer [16] [avɑ̃se] **1** *vt (dans l'espace, dans le temps)* adelantar; *(tête, main)* alargar; *(idée, théorie)* proponer; **a. qch à qn** *(argent)* adelantar algo a alguien **2** *vi (progresser)* avanzar; *(faire saillie)* sobresalir; *(montre, horloge)* adelantar; **a. d'une minute** *(montre)* adelantar un minuto; **ça ne t'avancera à rien** con eso no adelantarás nada **3 s'avancer** *vpr (s'approcher)* acercarse **(vers** a); *(prendre de l'avance)* adelantarse; *(s'engager)* comprometerse

avant [avɑ̃] **1** *prép* antes de; **a. les vacances** antes de las vacaciones; **a. moi** antes que yo; **a. de faire qch** antes de hacer algo; **a. que** antes de que; **a. tout** ante todo

2 *adv* antes ; **la semaine d'a.** la semana anterior ; **en a.** hacia adelante ; **en a. de** por delante de
3 *nm (d'un véhicule)* delantera *f; Sp* delantero *m*; **à l'a.** delante
4 *adj inv* delantero(a)

avantage [avɑ̃taʒ] *nm* ventaja *f*; **se montrer à son a.** mostrarse en su mejor aspecto ; **tirer a. de qch** sacar provecho de algo

avantager [45] [avɑ̃taʒe] *vt* favorecer

avantageux, -euse [avɑ̃taʒø, -øz] *adj (profitable, économique)* ventajoso(a) ; *(flatteur)* favorecedor(ora)

avant-bras [avɑ̃bra] *nm inv* antebrazo *m*

avant-centre (*pl* **avants-centres**) [avɑ̃sɑ̃tr] *nm* delantero *m* centro

avant-coureur (*pl* **avant-coureurs**) [avɑ̃kurœr] *adj m voir* **signe**

avant-dernier, -ère (*mpl* **avant-derniers,** *fpl* **avant-dernières**) [avɑ̃dɛrnje, -ɛr] *adj* penúltimo(a)

avant-garde (*pl* **avant-gardes**) [avɑ̃gard] *nf* vanguardia *f*; **d'a.** *(technique)* de vanguardia ; *(idée)* vanguardista

avant-goût (*pl* **avant-goûts**) [avɑ̃gu] *nm* anticipo *m*

avant-hier [avɑ̃tjɛr] *adv* anteayer

avant-première (*pl* **avant-premières**) [avɑ̃prəmjɛr] *nf* preestreno *m*

avant-propos [avɑ̃prɔpo] *nm inv* prólogo *m*

avant-veille (*pl* **avant-veilles**) [avɑ̃vɛj] *nf* **l'a. (de)** la antevíspera (de)

avare [avar] **1** *adj* avaro(a) ; **être a. de compliments** ser parco(a) en cumplidos
2 *nmf* avaro(a) *m,f*

avarice [avaris] *nf* avaricia *f*

avarie [avari] *nf* avería *f*

avarié, -e [avarje] *adj (nourriture)* estropeado(a)

avatars [avatar] *nmpl (mésaventures)* avatares *mpl*

avec [avɛk] **1** *prép* con ; **et a. ça?** ¿desea algo más?
2 *adv* con él/ella/*etc* ; **tiens mon sac, je ne peux pas courir a.** toma mi bolso, no puedo correr con él

avenant, -e [avnɑ̃, -ɑ̃t] **1** *adj (personne)* afable
2 *nm Jur* cláusula *f* adicional ; **à l'a.** al paso

avènement [avɛnmɑ̃] *nm (d'un roi)* llegada *f* al trono ; *Fig & Rel* advenimiento *m*

avenir [avnir] *nm* futuro *m*; *(de personne)* porvenir *m*; **d'a.** *(domaine, métier)* con futuro ; **à l'a.** en lo sucesivo

Avent [avɑ̃] *nm* **l'A.** el adviento

aventure [avɑ̃tyr] *nf* aventura *f*

aventurer [avɑ̃tyre] **s'aventurer** *vpr* aventurarse ; **s'a. à faire qch** arriesgarse a hacer algo

aventureux, -euse [avɑ̃tyrø, -øz] *adj (personne, caractère)* aventurado(a) ; *(projet)* arriesgado(a) ; *(vie)* azaroso(a)

aventurier, -ère [avɑ̃tyrje, -ɛr] *nm,f* aventurero(a) *m,f*

avenue [avny] *nf* avenida *f*

avérer [34] [avere] **s'avérer** *vpr* resultar ; **la situation s'avère difficile** la situación resulta difícil

averse [avɛrs] *nf* chaparrón *m*
☆ *Can* **a. de neige** nevada *f*

averti, -e [avɛrti] *adj (expérimenté)* sagaz ; **être a. de qch** estar al corriente de algo

avertir [avɛrtir] *vt (mettre en garde)* advertir ; *(prévenir)* avisar (**de** de)

avertissement [avɛrtismɑ̃] *nm (menace)* & *Sp* amonestación *f*; *(à l'école)* aviso *m*; *(préambule)* preámbulo *m*

avertisseur [avɛrtisœr] *nm (Klaxon)* claxon *m*; **a. d'incendie** alarma *f* de incendios

aveu, -x [avø] *nm* confesión *f*; **de l'a. de** según el testimonio de; **faire un a. à qn** confesarle algo a alguien

aveugle [avœgl] *adj & nmf* ciego(a) *m,f*

aveuglément [avœglemã] *adv* ciegamente

aveugler [avœgle] *vt (priver de la vue)* cegar; *(éblouir)* deslumbrar; *Fig (troubler)* ofuscar

aveuglette [avœglɛt] **à l'aveuglette** *adv* a ciegas

aviateur, -trice [avjatœr, -tris] *nm,f* aviador(ora) *m,f*

aviation [avjɑsjɔ̃] *nf* aviación *f*

avide [avid] *adj* ávido(a) **(de qch** de algo); **a. de faire qch** ansioso(a) por hacer algo

avidité [avidite] *nf* avidez *f*

aviez *voir* **avoir**

avilir [avilir] **1** *vt* envilecer **2 s'avilir** *vpr* envilecerse

aviné, -e [avine] *adj (haleine)* que huele a vino

avion [avjɔ̃] *nm* avión *m*; **en a.** en avión; **par a.** *(courrier)* por vía aérea ☆ **a. de chasse** caza *m*; **a. à réaction** avión a reacción, reactor *m*

avions *voir* **avoir**

aviron [avirɔ̃] *nm* remo *m*

avironner [avirɔne] *vi Can* remar

avis [avi] *nm (opinion)* opinión *f*, parecer *m*; *(annonce, message)* aviso *m*; **changer d'a.** cambiar de opinión; **être d'a. que** ser del parecer o de la opinión que; **à mon a.** a mi parecer, en mi opinión; **sauf a. contraire** salvo objeciones ☆ **a. de décès** notificación *f* de defunción; **a. de virement** aviso de transferencia

avisé, -e [avize] *adj* prudente; **être bien/mal a. de faire qch** hacer bien/mal en hacer algo

aviser [avize] **1** *vt* **a. qn de qch** informar a alguien de algo **2** *vi* decidir

3 s'aviser *vpr* **s'a. que** *(s'apercevoir)* percatarse de que; **et ne t'avise pas de recommencer!** ¡no se te ocurra volver a empezar!

aviver [avive] *vt* avivar

av. J.-C. *(abrév* **avant Jésus-Christ)** a. de JC, a. JC

avocat¹, -e [avɔka, -at] *nm,f Jur* abogado(a) *m,f*; *Fig (défenseur)* defensor(ora) *m,f* ☆ **a. d'affaires** abogado de empresa; **a. de la défense** abogado de la defensa; **a. général** fiscal *mf* del Tribunal Supremo

avocat² *nm (fruit)* aguacate *m*, *Andes, RP* palta *f*

avoine [avwan] *nf* avena *f*

avoir [l] [avwar] **1** *vt* **(a)** tener; **il a une fille/une Mercedes** tiene una hija/un mercedes; **elle a vingt ans** tiene veinte años; **a. du chagrin** sentir dolor; **a. de la sympathie pour qn** tenerle simpatía a alguien; **a. faim/sommeil** tener hambre/sueño

(b) *(obtenir)* obtener; **a. son permis de conduire** sacarse el carnet de conducir; **a. sa licence** licenciarse

(c) *(expressions)* **en a. après qn** tener algo contra alguien; **j'en ai pour cinq minutes** sólo serán cinco minutos; *Fam* **se faire a.** dejarse engañar

2 *v aux* haber; **je l'ai vu la semaine dernière** lo vi la semana pasada

3 avoir à *vt ind (devoir)* tener que; **tu n'avais pas à lui parler sur ce ton** no tenías que haberle hablado en este tono; **tu n'avais qu'à me le demander** no tenías más que preguntármelo; **tu n'as qu'à y aller toi-même** ve tú mismo

4 *nm* haber *m*

5 il y a *v impersonnel* **(a)** *(il existe)* hay; **il y a des problèmes** hay problemas; **qu'est-ce qu'il y a?** ¿qué pasa?

(b) *(dans le temps)* hace; **il y a dix ans (que)** hace diez años (que)

(c) **il n'y a qu'à lui demander** no hay más que preguntarle

avoisinant, -e [avwazinã, -ãt] *adj*

(lieu, maison) próximo(a); *(sens, couleur)* parecido(a)

avons *voir* **avoir**

avortement [avɔrtəmɑ̃] *nm* aborto *m*; *Fig (d'un projet)* fracaso *m*

avorter [avɔrte] **1** *vi* abortar; *Fig (échouer)* fracasar
2 *vt* **se faire a.** abortar

avorton [avɔrtɔ̃] *nm Péj (nabot)* engendro *m*

avoué [avwe] *nm Jur* = abogado adscrito a un tribunal de apelación

avouer [avwe] **1** *vt (confesser)* confesar; *(admettre)* reconocer, admitir
2 s'avouer *vpr* **s'a. coupable** declararse culpable; **s'a. vaincu** darse por vencido(a)

avril [avril] *nm* abril *m* ☆ **le premier a.** ≃ el Día de los Inocentes; *voir aussi* **septembre**

axe [aks] *nm* eje *m*; *(d'une politique)* línea *f*; **dans l'a. de** *(dans le prolongement de)* en la misma línea que ☆ **grand a. (routier)** carretera *f* troncal

axer [akse] *vt* **a. qch sur qch** centrar algo en algo

axiome [aksjom] *nm* axioma *m*

ayant *etc voir* **avoir**

azalée [azale] *nf* azalea *f*

azimut [azimyt] **tous azimuts** *adv Fam (débat, arrestations, négociations)* a todos los niveles

azote [azɔt] *nm* nitrógeno *m*

aztèque [aztɛk] **1** *adj* azteca
2 *nmf* **A.** azteca *mf*

azur [azyr] *nm Litt (couleur)* azur *m*; *(ciel)* firmamento *m*

B

B, b [be] *nm inv (lettre)* B *f*, b *f*
B (*abrév* **bien**) ≃ B
baba¹ [baba] *nm* **b. au rhum** (bizcocho *m*) borracho *m* (*de ron*)
baba² *adj Fam* **en rester b.** quedarse con la boca abierta
babines [babin] *nfpl* belfos *mpl*
bâbord [babɔr] *nm* babor *m*; **à b.** a babor
babouin [babwɛ̃] *nm* zambom *m* (*mono*)
baboune [babun] *nf Can* **faire la b.** estar de morros
baby-foot [babifut] *nm* futbolín *m*
baby-sitter (*pl* **baby-sitters**) [bebisitœr] *nmf* canguro *mf*
baby-sitting [bebisitiŋ] *nm* **faire du b.** *Esp* hacer de canguro, *Am* cuidar niños
bac¹ [bak] *Fam* = **baccalauréat**
bac² *nm* (*bateau*) transbordador *m*; (*de réfrigérateur*) bandeja *f*; (*d'évier*) pila *f* ☆ *Ordinat* **b. d'alimentation** bandeja del papel; **b. à glace** bandeja para los cubitos de hielo; **b. à légumes** verdulero *m*
baccalauréat [bakalɔrea] *nm* = examen y/o título de enseñanza secundaria que permite el acceso a los estudios superiores, ≃ selectividad *f*; **passer son b.** ≃ examinarse de selectividad ☆ **b. blanc** = examen de prueba previo al examen oficial de estudios secundarios; **b. L ou Littéraire** bachillerato *m* de letras; **b. S ou Scientifique** bachillerato de ciencias
bâche [baʃ] *nf* cubierta *f* de lona
bachelier, -ère [baʃəlje, -ɛr] *nm,f* = persona que ha aprobado el examen de enseñanza secundaria
bachot [baʃo] *Vieilli* = **baccalauréat**
bâcler [bakle] *vt* hacer deprisa y corriendo; **c'est du travail bâclé** es una chapuza
bactérie [bakteri] *nf* bacteria *f*
badaud [bado] *nm* mirón *m*
badge [badʒ] *nm* (*de fantaisie*) chapa *f*; (*d'identification*) tarjeta *f*
badigeonner [badiʒɔne] *vt* (*mur*) encalar; (*plaie*) cubrir (**de** de); (*tarte*) recubrir (**de** de)
badiner [badine] *vi* **ne pas b. avec qch** no jugar con algo
badminton [badmintɔn] *nm* bádminton *m*
bâdrant, -e [badrã, -ãt] *adj Can* molesto(a)
bâdrer [badre] *vt Can* molestar
baffe [baf] *nf Fam* torta *f* (*bofetada*)
baffle [bafl] *nm* bafle *m*
bafouiller [bafuje] *vt & vi* farfullar
bâfrer [bafre] *vi Fam* engullir
bagage [bagaʒ] *nm* (*valises, sacs*) equipaje *m*; (*connaissances*) bagaje *m*; **b. intellectuel/culturel** bagaje intelectual/cultural ☆ **b. à main** bulto *m* de mano

bagagiste [bagaʒist] *nm* mozo *m* de equipajes

bagarre [bagar] *nf* pelea *f*

bagarrer [bagare] **se bagarrer** *vpr* *Fam* pelearse; **se b. pour faire qch** (*se démener*) afanarse para hacer algo

bagatelle [bagatɛl] *nf* (*objet sans valeur*) bagatela *f*; (*petite somme d'argent*) cuatro perras *fpl*; *Fig* (*chose futile*) tontería *f*; *Iron* **ça coûte la b. de 10 000 francs** cuesta la friolera de 10.000 francos

bagnard [baɲar] *nm* presidiario *m*

bagne [baɲ] *nm* (*prison*) presidio *m*; *Fig* **c'est le b. ici!** ¡qué suplicio!

bagnole [baɲɔl] *nf Fam* coche *m*, *Am* carro *m*

bagou(t) [bagu] *nm* labia *f*

bague [bag] *nf* (*bijou*) anillo *m*, sortija *f*; (*de cigare*) vitola *f*; (*de serrage*) manguito *m*; (*d'oiseau*) anilla *f* ☆ **b. de fiançailles** sortija de compromiso

baguette [bagɛt] *nf* (*pain*) barra *f* (de pan); (*petit bâton*) varilla *f*; (*pour manger*) palillo *m*; (*de chef d'orchestre*) batuta *f*; (*de tambour*) baqueta *f* ☆ **b. magique** varita *f* mágica

bahut [bay] *nm* (*buffet*) aparador *m*; (*coffre*) arca *f*; *Fam* (*lycée*) cole *m*

baie¹ [bɛ] *nf* (*fruit*) baya *f*

baie² *nf* (*crique*) bahía *f*

baie³ *nf* **b. vitrée** ventanal *m*

baignade [bɛɲad] *nf* (*action*) baño *m*; (*lieu*) = lugar donde uno puede bañarse; **b. interdite** (*sur panneau*) prohibido bañarse

baigner [bɛɲe] **1** *vt* bañar; **le visage baigné de larmes/de sueur** el rostro empapado en lágrimas/en sudor
2 *vi* **b. dans** (*être immergé dans*) nadar en
3 se baigner *vpr* bañarse

baigneur, -euse [bɛɲœr, -øz] **1** *nm,f* bañista *mf*
2 *nm* (*poupée*) muñeco *m*

baignoire [bɛɲwar] *nf* (*de salle de bains*) bañera *f*, *Arg* bañadera *f*, *CAm, Col, Méx* tina *f*; (*au théâtre*) palco *m* de platea

bail [baj] (*pl* **baux** [bo]) *nm Jur* contrato *m* de arrendamiento; *Fam Fig* **ça fait un b. que...** hace un siglo que...

bâillement [bɑjmɑ̃] *nm* bostezo *m*

bâiller [bɑje] *vi* (*personne*) bostezar; (*vêtement*) dar de sí

bâillon [bɑjɔ̃] *nm* mordaza *f*

bâillonner [bɑjɔne] *vt* (*mettre un bâillon à*) amordazar; *Fig* acallar

bain [bɛ̃] *nm* baño *m*; **prendre un b.** tomar un baño, bañarse; **prendre un b. de soleil** tomar el sol; *Fam* **être dans le b.** estar en la onda ☆ **b. de mer** baño de mar; **b. moussant** baño de espuma; **b. de pieds** pediluvio *m*

bain-marie (*pl* **bains-marie**) [bɛ̃mari] *nm* baño *m* María; **au b.** al baño María

baïonnette [bajɔnɛt] *nf* bayoneta *f*

baisemain [bɛzmɛ̃] *nm* besamanos *m inv*; **faire le b. à qn** besar la mano a alguien

baiser [beze] **1** *nm* beso *m*
2 *vt* (*embrasser*) besar; *Vulg* (*coucher avec*) follar con; *Vulg* (*tromper*) dar por el culo a
2 *vi Vulg* follar

baisse [bɛs] *nf* bajada *f*; (*de température*) descenso *m*; **être/revoir qch à la b.** estar/revisar algo a la baja; **être en b.** estar a la baja

baisser [bese] **1** *vt* bajar
2 *vi* (*température, prix*) descender, bajar; (*vue, talent*) debilitarse; **le jour baisse** anochece
3 se baisser *vpr* agacharse

bajoues [baʒu] *nfpl* (*d'animal*) carrilladas *fpl*; *Péj* (*de personne*) mofletes *mpl*

bal [bal] *nm* baile *m* ☆ **b. masqué** ou **costumé** baile de máscaras o de disfraces; **b. populaire** ou **musette** baile popular

balade [balad] *nf Fam* paseo *m*; **faire une b.** dar un paseo; **partir en b.** salir de paseo

balader [balade] *Fam* **1** *vt (traîner avec soi)* cargar con; *(emmener en promenade)* pasear
  2 *vi* **envoyer b. qch** *(bousculer)* lanzar algo por los aires; *Fig* **envoyer b. qn** mandar a alguien a paseo
  3 se balader *vpr* darse una vuelta

baladeur, -euse [baladœr, -øz] **1** *adj Fam* **avoir les mains baladeuses** ser un pulpo
  2 *nm* Walkman® *m*

balafre [balafr] *nf* cuchillada *f (en la cara)*

balafré, -e [balafre] *adj* marcado(a)

balai [balɛ] *nm (pour nettoyer)* escoba *f; (d'essuie-glace)* escobilla *f; Fam (an)* taco *m*; **il a cinquante balais** tiene cincuenta tacos

balai-brosse *(pl* **balais-brosses)** [balɛbrɔs] *nm* cepillo *m (para fregar)*

balance [balɑ̃s] *nf* balanza *f; (état d'équilibre)* equilibrio *m*; *Astrol* **B.** libra *f*; **être B.** ser libra ☆ **b. commerciale** balanza comercial; **b. des paiements** balanza de pagos

balancer [16] [balɑ̃se] **1** *vt (bouger)* balancear; *Fam (lancer)* tirar; *Fam (mettre à la poubelle)* tirar a la basura; *Fam (dénoncer)* chivar; **b. qch à qn** *(objet)* tirar algo a alguien; *(gifle)* dar algo a alguien
  2 *vi (hésiter)* vacilar
  3 se balancer *vpr (sur une chaise)* balancearse; *(sur une balançoire)* columpiarse; *Fam* **je m'en balance!** ¡me importa un bledo!

balancier [balɑ̃sje] *nm (de pendule)* péndulo *m*; *(de funambule)* balancín *m*

balançoire [balɑ̃swar] *nf* columpio *m*

balayer [53] [baleje] *vt (nettoyer)* barrer; *Fig (écarter)* desechar; *(su-*

jet: caméra, projecteur) dar una pasada por; *(sujet: radar)* barrer

balayette [balɛjɛt] *nf* escobilla *f*

balayeur, -euse [balɛjœr, -øz] **1** *nm,f* barrendero(a) *m,f*
  2 *nf* **balayeuse** *Can (aspirateur)* aspirador *m*, aspiradora *f*

balbutier [balbysje] **1** *vi* balbucear
  2 *vt* balbucir

balcon [balkɔ̃] *nm (de maison)* balcón *m; (de théâtre)* palco *m; (de cinéma)* anfiteatro *m*

baldaquin [baldakɛ̃] *nm* dosel *m*, baldaquino *m*

Baléares [balear] *nfpl* **les B.** (las) Baleares

baleine [balɛn] *nf* ballena *f* ☆ **b. blanche** ballena blanca, beluga *f*; **b. bleue** ballena azul

balise [baliz] *nf (marque, dispositif)* baliza *f; Ordinat* etiqueta *f*

baliser [balize] **1** *vt* balizar
  2 *vi Fam (avoir peur)* tener canguelo

balivernes [balivɛrn] *nfpl* paplinas *fpl*

ballade [balad] *nf* balada *f*

ballant, -e [balɑ̃, -ɑ̃t] *adj* **les bras ballants** con los brazos colgando

balle [bal] *nf (d'arme, de marchandises)* bala *f; (de jeu, de sport)* pelota *f; Fam (franc)* pela *f* ☆ **b. perdue** bala perdida

ballerine [balrin] *nf (danseuse, chaussure)* bailarina *f*

ballet [balɛ] *nm* ballet *m; Fig (activité intense)* baile *m*

ballon [balɔ̃] *nm (de sport)* balón *m; (jouet, montgolfière)* globo *m; Fam (verre de vin)* vaso *m* ☆ **b. d'eau chaude** termo *m* de agua caliente; **b. d'oxygène** botella *f* de oxígeno

ballonné, -e [balɔne] *adj* hinchado(a)

ballot [balo] *nm (de marchandises)* fardo *m; (imbécile)* memo(a) *m,f*

ballottage [balɔtaʒ] *nm Pol* = empate entre candidatos en la primera vuelta de una votación; **en b.** = que no ha obtenido la mayoría

ballotter [balɔte] **1** *vt (secouer)* sacudir **2** *vi* traquetear

balluchon [balyʃɔ̃] = baluchon

balnéaire [balneɛr] *adj* costero(a)

balourd, -e [balur, -urd] *adj & nm,f* palurdo(a) *m,f*

balte [balt] **1** *adj* báltico(a); **les pays Baltes** los países bálticos **2** *nmf* **B.** báltico(a) *m,f*

Baltique [baltik] *nf* **la B.** el Báltico

baluchon [balyʃɔ̃] *nm* petate *m*; *Fig* **faire son b.** liar el petate

balustrade [balystrad] *nf Archit* balaustrada *f*; *(rambarde)* barandilla *f*

bambin [bɑ̃bɛ̃] *nm* chiquillo(a) *m,f*

bambou [bɑ̃bu] *nm* bambú *m*; *Fam* **c'est le coup de b.** *(c'est cher)* cuesta un ojo de la cara

ban [bɑ̃] *nm (applaudissements)* aplauso *m*; **bans** *(de mariage)* amonestaciones *fpl*; **publier les bans** publicar las amonestaciones; **mettre qn au b. de la société** marginar a alguien de la sociedad

banal, -e, -als, -ales [banal] *adj* banal; *Fam* **c'est pas b.!** ¡es extraordinario!

banalisé, -e [banalize] *adj (voiture de police)* sin marcas

banalité [banalite] *nf (caractère trivial)* trivialidad *f*; *(lieu commun)* tópico *m*

banane [banan] *nf (fruit)* plátano *m*; *(sac)* riñonera *f*; *(coiffure)* tupé *m*

bananier [bananje] *nm (arbre)* plátano *m*; *(cargo)* bananero *m*

banc [bɑ̃] *nm* banco *m* ☆ **le b. des accusés** el banquillo de los acusados; **b. d'essai** banco de pruebas; *Can* **b. de neige** = nieve amontonada por el viento; **b. de sable** banco de arena

bancaire [bɑ̃kɛr] *adj* bancario(a)

bancal, -e, -als, -ales [bɑ̃kal] *adj (meuble)* cojo(a); *Fig (raisonnement, idée)* errado(a); *(phrase)* mal estructurado(a)

bandage [bɑ̃daʒ] *nm* vendaje *m*

bande [bɑ̃d] *nf (de tissu, de papier)* tira *f*; *(de film, d'enregistrement)* cinta *f*; *(bandage)* venda *f*; *(groupe)* pandilla *f*; *Naut* escora *f*; *(de billard) & Rad* banda *f*; **sortir en b.** salir en pandilla; **il fait toujours b. à part** siempre va por su cuenta ☆ **b. d'arrêt d'urgence** carril *m* de emergencia; **b. dessinée** cómic *m*; **b. de fréquence** banda de frecuencia; **b. magnétique** cinta magnética; **b. sonore** banda sonora; **b. Velpeau** venda

bande-annonce *(pl* **bandes-annonces)** [bɑ̃danɔ̃s] *nf* trailer *m*, avances *mpl*

bandeau, -x [bɑ̃do] *nm (sur les yeux)* venda *f*; *(dans les cheveux)* cinta *f*

bander [bɑ̃de] **1** *vt (plaie)* vendar; *(arc)* tensar; **b. les yeux à qn** vendar los ojos a alguien **2** *vi Vulg* empalmarse

banderole [bɑ̃drɔl] *nf* banderola *f*

bande-son *(pl* **bandes-son)** [bɑ̃dsɔ̃] *nf* banda *f* sonora

bandit [bɑ̃di] *nm (hors-la-loi)* bandido(a) *m,f*; *(escroc)* estafador(ora) *m,f*

bandoulière [bɑ̃duljɛr] *nf* bandolera *f*; **en b.** en bandolera

banjo [bɑ̃dʒo] *nm* banjo *m*

banlieue [bɑ̃ljø] *nf* afueras *fpl* ☆ **la grande b.** el área metropolitana

banlieusard, -e [bɑ̃ljøzar, -ard] *nm,f* = habitante de las afueras de París

bannière [banjɛr] *nf* estandarte *m*

bannir [banir] *vt* desterrar

banque [bɑ̃k] *nf (établissement)* banco *m*; *(activité, au jeu)* banca *f*

☆ **b. d'affaires** banco de negocios ; *Ordinat* **b. de données** banco de datos ; **la B. de France** = el banco nacional de Francia ; **b. en ligne** telebanca *f* ; **b. d'organes** banco de órganos ; **b. du sang** banco de sangre ; **b. du sperme** banco de esperma

banqueroute [bãkrut] *nf (faillite)* bancarrota *f* ; **faire b.** quebrar

banquet [bãkɛ] *nm* banquete *m*

banquette [bãkɛt] *nf* banqueta *f* ; **b. avant/arrière** *(d'une voiture)* asiento *m* delantero/trasero

banquier, -ère [bãkje, -ɛr] *nm,f* banquero(a) *m,f* ; *(au jeu)* banca *f*

banquise [bãkiz] *nf* banco *m* de hielo

baptême [batɛm] *nm (sacrement)* bautismo *m* ; *(cérémonie)* bautizo *m* ☆ **b. de l'air** bautismo del aire

baptiser [batize] *vt* bautizar

baquet [bakɛ] *nm* cubeta *f*

bar¹ [bar] *nm (café)* bar *m* ; **au b.** *(au comptoir)* en la barra ☆ *Suisse* **b. à café** cafetería *f*

bar² *nm (poisson)* lubina *f*

bar³ *nm (unité de pression)* bar *m*

baragouiner [baragwine] *vt Fam* chapurrear ; **mais qu'est-ce qu'il baragouine?** pero, ¿qué dice ése?

baraque [barak] *nf (cabane)* barraca *f* ; *Fam (maison)* casa *f* ; *Fam* **casser la b.** *(avoir un succès fou)* ser un exitazo

baraqué, -e [barake] *adj Fam* **être b.** estar cachas *inv*

baraquement [barakmã] *nm* zona *f* de barracas

baratin [baratɛ̃] *nm Fam* charlatanería *f*

baratiner [baratine] *vt Fam* camelar

barbant, -e [barbã, -ãt] *adj Fam* pesado(a)

barbare [barbar] **1** *adj (invasion, peuple)* bárbaro(a) ; *Péj (crime, mœurs)* salvaje

2 *nmf aussi Péj* bárbaro(a) *m,f*

Barbarie [barbari] *n voir* **orgue**

barbarie [barbari] *nf* barbarie *f*

barbe [barb] *nf* barba *f* ; *Fam* **quelle ou la b.!** ¡qué lata! ☆ **b. à papa** algodón *m* (de azúcar)

barbecue [barbəkju] *nm* barbacoa *f*

barbelé, -e [barbəle] **1** *adj voir* **fil**

2 *nm* alambre *m* de espino ; **barbelés** *(clôture)* alambrada *f* de espino

barbiche [barbiʃ] *nf* perilla *f*

Barbie [barbi] *voir* **poupée**

barbier [barbje] *nm Can (coiffeur pour hommes)* barbero *m*

barbiturique [barbityrik] *nm* barbitúrico *m*

barboter [barbɔte] **1** *vi (se baigner)* chapotear

2 *vt Fam (voler)* birlar

barboteuse [barbɔtøz] *nf* pelele *m (prenda)*

barbouiller [barbuje] *vt (salir)* embadurnar ; *Péj (peindre, écrire sur)* pintarrajear ; *(donner la nausée à)* revolver el estómago a ; **être barbouillé, avoir l'estomac barbouillé** tener el estómago revuelto

barbu, -e [barby] **1** *adj* barbudo(a)

2 *nm (personne)* barbudo *m*

barcelonais, -e [barsəlɔnɛ, -ɛz] **1** *adj* barcelonés(esa)

2 *nm,f* **B.** barcelonés(esa) *m,f*

Barcelone [barsəlɔn] *n* Barcelona

barder¹ [barde] *vt Culin* enalbardar ; *Fig* **être bardé de qch** *(décorations, diplômes)* estar cargado(a) de algo

barder² *vi Fam* **ça va b.!** ¡se va a armar (una)!

barème [barɛm] *nm* baremo *m*

baril [baril] *nm* barril *m*

bariolé, -e [barjɔle] *adj* abigarrado(a)

barman [barman] *(pl* **barmans** *ou* **barmen** [barmɛn]) *nm* barman *m*

baromètre [barɔmɛtr] *nm* barómetro *m*

baron, -onne [barɔ̃, -ɔn] *nm,f* barón(onesa) *m,f*

baroque [barɔk] *adj (style)* barroco(a); *(idée)* extravagante

barque [bark] *nf* barca *f*

barquette [barkɛt] *nf (tartelette)* tartaleta *f; (de fruits)* cestita *f; (de congélation)* bandeja *f*

barrage [baraʒ] *nm (sur une rivière)* embalse *m, Esp* presa *f, Am* represa *f; (sur la route)* barrera *f* ☆ *b. de police* cordón *m* policial

barre [bar] *nf (de bois)* vara *f; (de métal, de chocolat)* barra *f; (gouvernail)* timón *m; (trait)* raya *f; Jur* barra *f;* **la b. du t** el palote de la t; **être à la b.** *Naut* estar al timón; *Fig (diriger)* llevar la batuta; *Jur* **appeler qn à la b.** llamar a alguien al estrado (a declarar) ☆ *Ordinat* **b.** *d'espacement* espaciador *m;* **b.** *fixe* barra fija; *Ordinat* **b.** *d'outils* barra de herramientas; ***barres parallèles*** (barras) paralelas *fpl*

barreau, -x [baro] *nm (de métal, de bois)* barrote *m; Jur* **le b.** el Colegio de Abogados

barrer [bare] **1** *vt (rue, route)* cortar; *(mot, phrase)* tachar; *(chèque)* barrar; *(bateau)* llevar el timón de; *Can (fermer à clef)* cerrar (con llave); **b. la route à qn** cerrar el paso a alguien

2 se barrer *vpr Fam (partir)* abrirse

barrette [barɛt] *nf (à cheveux)* pasador *m*

barreur, -euse [barœr, -øz] *nm,f* timonel *mf*

barricade [barikad] *nf* barricada *f*

barricader [barikade] **1** *vt (rue)* obstruir con una barricada; *(porte)* atrancar

2 se barricader *vpr* atrincherarse

barrière [barjɛr] *nf* barrera *f* ☆ *b. douanière* barrera arancelaria

barrique [barik] *nf* barrica *f; Fam* **être plein** *ou* **rond comme une b.** estar borracho(a) como una cuba

bar-tabac (*pl* **bars-tabacs**) [bartaba] *nm* = bar con estanco

baryton [baritɔ̃] *nm* barítono *m*

bas¹, basse [ba, bas] **1** *adj* bajo(a)

2 *nm (partie inférieure)* parte *f* de abajo, parte *f* inferior; **au b. de** en la parte inferior de; **de b. en haut** de abajo a arriba

3 *adv* bajo; **parler b.** hablar bajo; **mettre b.** parir; **à b. la dictature!** ¡abajo la dictadura!; **en b.** abajo; **en b. de** abajo de; **il l'attend en b. de chez elle** la espera abajo; **en b. de l'étagère** en el estante de abajo

bas² *nm (vêtement)* media *f* ☆ ***des b. résille*** medias de rejilla

basalte [bazalt] *nm* basalto *m*

basané, -e [bazane] *adj* moreno(a)

bas-côté (*pl* **bas-côtés**) [bakote] *nm Esp* arcén *m, Méx* acotamiento *m, RP* banquina *f*

bascule [baskyl] *nf (balance)* báscula *f; (balançoire)* balancín *m*

basculer [baskyle] **1** *vi* oscilar, bascular; *Fig* **b. dans qch** *(sujet: vie, film)* dar un vuelco hacia o a algo

2 *vt (renverser) Esp* tumbar, *Am* volcar, voltear; *(appel)* pasar

base [baz] *nf* base *f; (de colonne)* basa *f;* **à b. de qch** a base de algo; **de b.** *(connaissances)* básico(a); *(salaire)* base; **sur la b. de 80 francs de l'heure** sobre una base de 80 francos la hora ☆ *Ordinat* **b.** *de données* base de datos

base-ball [bɛzbol] *nm* béisbol *m*

baser [baze] **1** *vt* **b. qch sur** basar algo en; *Mil* **être basé à** estar destacado en

2 se baser *vpr* **se b. sur qch** basarse en algo

bas-fond (*pl* **bas-fonds**) [bafɔ̃] *nm (dans l'océan)* bajío *m*, bajo *m;* **les bas-fonds** *(de la société)* los bajos fondos; *(quartiers pauvres)* los barrios bajos

basilic [bazilik] *nm (plante)* albahaca*f*

basilique [bazilik] *nf* basílica*f*

basique [bazik] *adj* básico(a)

basket [baskɛt] **1** *nm (sport)* balon-cesto*m*
   2 *nm ou nf (chaussure)* zapatilla*f* de deporte; *Fam* **lâche-moi les baskets!** ¡déjame en paz!

basket-ball [baskɛtbol] *nm* balon-cesto*m*

basque¹ [bask] **1** *adj* vasco(a)
   2 *nmf* **B.** vasco(a) *m,f*
   3 *nm (langue)* vasco*m*, euskera*m*

basque² *nf (de vêtement)* faldón *m*; **être toujours pendu aux basques de qn** estar siempre pegado a las faldas de alguien

bas-relief *(pl* **bas-reliefs)** [barəljɛf] *nm* bajorrelieve *m*

basse [bas] **1** *adj voir* **bas**
   2 *nf (en musique)* bajo*m*

basse-cour *(pl* **basses-cours)** [bas-kur] *nf (volaille)* aves *fpl* de corral; *(partie de ferme)* corral*m*

basset [basɛ] *nm* basset*m*

bassin [basɛ̃] *nm (cuvette)* barreño *m*; *(pièce d'eau)* estanque*m*; *(de pis-cine)* piscina*f*, *Méx* alberca*f*, *RP* pi-leta *f*; *Anat* pelvis *f inv*; *Géog* cuenca *f* ☆ **grand b.** piscina para adultos; *petit b.* piscina para niños; **le B. parisien** la depresión parisina

bassine [basin] *nf* barreño *m*

bassiste [basist] *nmf (guitariste)* ba-jo*m*, bajista*mf*

basson [basɔ̃] *nm (instrument)* ba-jón *m*, fagot *m*; *(musicien)* bajonista *mf*

bastingage [bastɛ̃gaʒ] *nm* borda*f*

bastion [bastjɔ̃] *nm aussi Fig* bastión *m*

bas-ventre *(pl* **bas-ventres)** [bavãtr] *nm* bajo vientre *m*

bât [ba] *nm* albarda*f*; *Fig* **c'est là que le b. blesse** ése es tu/su/*etc* punto débil

bataille [bataj] *nf (militaire)* batalla *f*; *(bagarre)* riña *f*; *(jeu de cartes)* guerrilla*f*; **en b.** *(cheveux)* desgreña-do(a) ☆ *b. navale (jeu)* barcos *mpl*

bataillon [batajɔ̃] *nm* batallón *m*

bâtard, -e [batar, -ard] **1** *adj* bastar-do(a); *Péj (hybride)* híbrido(a)
   2 *nm,f Péj (enfant illégitime)* bas-tardo(a) *m,f*
   3 *nm (pain)* barra*f* de cuarto corta; *(chien)* chucho *m*

bateau, -x [bato] **1** *nm* barco *m*; *(de trottoir)* vado *m*; *Fam Fig* **mener qn en b.** quedarse con alguien ☆ *b. à moteur (petit)* barca *f* a motor; *(grand)* barco a motor; *b. de pêche (petit)* barca de pesca; *(grand)* (bar-co) pesquero *m*; *b. à voile* barco de vela
   2 *adj inv (encolure, lit)* barco *inv*; *(sujet, argument)* trillado(a)

bateau-mouche *(pl* **bateaux-mou-ches)** [batomuʃ] *nm* = barco que da paseos por el Sena en París

bâti, -e [bati] **1** *adj* edificado(a); **bien/mal b.** *(personne)* bien/mal pro-porcionado(a)
   2 *nm (en couture)* hilván *m*; *Constr* armazón *m o f*

batifoler [batifɔle] *vi* retozar

bâtiment [batimã] *nm (édifice)* edi-ficio*m*; *(navire)* navío *m*; **il est** *ou* **tra-vaille dans le b.** trabaja en la construcción

bâtir [batir] *vt (construire)* cons-truir; *(en couture)* hilvanar; *(théo-rie)* elaborar; *(fortune)* labrarse

bâtisse [batis] *nf* caserón *m*

bâton [batɔ̃] *nm (canne)* bastón *m*; *(morceau) (de bois)* palo *m*; *(de rouge à lèvres, de craie, de réglisse)* barra *f*; *Fam (dix mille francs)* 10.000 francos; *Fig* **mettre des bâ-tons dans les roues à qn** poner trabas a alguien; **à bâtons rompus** sin orden ni concierto ☆ *b. de ski* bastón *(pa-ra esquiar)*

bâtonnet [bɑtɔnɛ] *nm* bastoncillo *m*

batracien [batrasjɛ̃] *nm* batracio *m*

battage [bataʒ] *nm* **faire du b.** autour de qch armar un gran revuelo con algo

battant, -e [batɑ̃, -ɑ̃t] **1** *adj* **sous une pluie battante** bajo un chaparrón; **le cœur b.** con el corazón palpitante
  2 *nm,f (personne)* luchador(ora) *m,f*
  3 *nm (de porte, de fenêtre)* batiente *m*; *(de cloche)* badajo *m*

batte [bat] *nf (de base-ball, de cricket)* bate *m*

battement [batmɑ̃] *nm (mouvement, bruit)* golpeteo *m*; *(intervalle de temps)* tiempo *m* libre; **une heure de b.** una hora libre ✩ **b. d'ailes** aleteo *m*; **b. de cils** parpadeo *m*; **b. de cœur** latido *m*

batterie [batri] *nf* batería *f*; *Fig* **recharger ses batteries** cargar las pilas ✩ **b. de cuisine** batería de cocina

batteur, -euse [batœr, -øz] **1** *nm,f (musicien)* batería *mf*; *(au cricket, au base-ball)* bateador(ora) *m,f*
  2 *nm (appareil ménager)* batidora *f*
  3 *nf* **batteuse** *(machine agricole)* trilladora *f*

battre [ll] [batr] **1** *vt (frapper) (personne)* pegar; *(tapis)* sacudir; *(vaincre)* ganar; *(en politique)* derrotar; *Culin* batir; *(cartes)* barajar; **b. les blancs en neige** batir las claras a punto de nieve
  2 *vi (cœur)* latir; *(porte, volet)* golpetear; **b. des mains** tocar palmas; *Fig* **b. de l'aile** ir o andar de capa caída; **b. son plein** estar en su apogeo; **b. en retraite** batirse en retirada
  3 se battre *vpr (combattre)* pelearse (**contre** *ou* **avec** con); *(s'acharner)* luchar (**pour/contre** por/contra)

battue [baty] *nf* batida *f*

baume [bom] *nm* bálsamo *m*; **mettre du b. au cœur à qn** ser (como) un bálsamo para las penas de alguien

baux [bo] *voir* **bail**

bavard, -e [bavar, -ard] *adj & nm,f* charlatán(ana) *m,f*

bavardage [bavardaʒ] *nm* charloteo *m*; **puni pour b.** castigado por hablar; **bavardages** *(racontars)* habladurías *fpl*

bavarder [bavarde] *vi* charlar; *(jaser)* cotillear

bave [bav] *nf* baba *f*

baver [bave] *vi* babear; *(stylo)* chorrear; *Fam* **en b.** pasarlas canutas

bavette [bavɛt] *nf (viande)* lomo *m* bajo; *(de tablier)* peto *m*; *(bavoir)* babero *m*; *Fam* **tailler une b. (avec qn)** pegar la hebra (con alguien), estar de palique (con alguien)

baveux, -euse [bavø, -øz] *adj (qui bave)* baboso(a); *(omelette)* poco hecho(a)

bavoir [bavwar] *nm* babero *m*

bavure [bavyr] *nf (tache)* tinta *f* corrida; *(erreur)* error *m* ✩ **b. policière** error policial

bazar [bazar] *nm (boutique)* bazar *m*; *Fam (attirail)* bártulos *mpl*; *Fam* **quel b.!** *(désordre)* ¡vaya leonera!; *(bruit)* ¡qué escándalo!

bazarder [bazarde] *vt Fam* quitar de en medio

BCBG [besebeʒe] *adj inv (abrév* **bon chic bon genre)** *Fam* pijo(a)

BCG [beseʒe] *nm (abrév* **bacille Calmette-Guérin)** vacuna *f* de la tuberculosis

BD [bede] *nf (abrév* **bande dessinée)** **une BD** un tebeo o cómic, *RP* una tira cómica; **la BD** el cómic, *RP* la tira cómica

bd *(abrév* **boulevard)** bulevar *m*

béant, -e [beɑ̃, -ɑ̃t] *adj* muy abierto(a)

béat, -e [bea, -at] *adj (heureux)* plácido(a); *(niais)* beatífico(a)

beau, belle (*mpl* **beaux**) [bo, bɛl]

Delante de los nombres masculinos que empiezan por vocal o h muda se utiliza **bel** en lugar de **beau**.

1 *adj* hermoso(a); *(personne)* guapo(a); *(important)* bueno(a); *Iron* **j'ai attrapé une belle grippe!** ¡he pillado una buena gripe!; **un b. jour** un buen día; **c'était bel et bien lui** sí que era él
2 *adv* **il fait b.** hace buen tiempo; **j'ai b. essayer, je n'y arrive pas** por más o mucho que lo intente, no lo consigo
3 *nm* **le temps s'est remis au b.** vuelve a hacer buen tiempo; **être au b. fixe** *(temps)* mantenerse; **avoir le moral au b. fixe** tener la moral muy alta; **faire le b.** *(chien)* ponerse a cuatro patas
4 *nf* **belle** *(dans un jeu)* desempate *m*; *Fam* **se faire la belle** tomar las de Villadiego; **de plus belle** con más fuerza que antes

beaucoup [boku] **1** *adv* mucho; **il boit b.** bebe mucho; **c'est b. mieux** es mucho mejor; **b. de** mucho(a); **b. de gens** mucha gente; **il n'a pas b. de temps** no tiene mucho tiempo; **b. d'accidents** muchos accidentes; **de b.** con diferencia; **il s'en faut de b.** ni mucho menos
2 *pron inv* muchos(as); **nous sommes b. à penser que...** somos muchos los que pensamos que...

beauf [bof] *nm Fam (beau-frère)* cuñado *m*; *Péj (Français moyen)* hortera *mf*, = ciudadano medio, conservador y sin amplitud de miras

beau-fils (*pl* **beaux-fils**) [bofis] *nm (gendre)* yerno *m*; *(après remariage)* hijastro *m*

beau-frère (*pl* **beaux-frères**) [bofrɛr] *nm* cuñado *m*

beau-père (*pl* **beaux-pères**) [bopɛr] *nm (père du conjoint)* suegro *m*; *(après remariage)* padrastro *m*

beauté [bote] *nf* belleza *f*; **de toute b.** bellísimo(a); **en b.** *(magnifiquement)* triunfalmente; **être en b.** estar guapísimo(a); **se refaire une b.** retocarse el maquillaje

beaux-arts [bozar] *nmpl* bellas artes *fpl*

beaux-parents [boparã] *nmpl* suegros *mpl*

bébé [bebe] **1** *nm (enfant)* bebé *m*; *(mammifère)* cachorro *m*; *(oiseau)* polluelo *m*; *Péj (personne immature)* crío(a) *m,f* ☆ **b. phoque** cachorro de foca
2 *adj inv* crío(a)

bébé-éprouvette (*pl* **bébés-éprouvette**) [bebeepruvɛt] *nm* bebé probeta *m*

bec [bɛk] *nm (d'oiseau)* pico *m*; *(d'instrument de musique)* boquilla *f*; *(de cruche, d'éprouvette)* pitorro *m*; *Can & Suisse (baiser)* beso *m*; *Fam* **ouvrir le b.** *(pour parler)* abrir el pico; *Fam* **clouer le b. à qn** cerrar el pico a alguien ☆ **b. de gaz** farol *m* de gas; **b. verseur** pitorro *m*

bécane [bekan] *nf Fam (bicyclette)* bici *f*; *(moto)* moto *f*; *(machine)* máquina *f*; *(ordinateur)* ordenador *m*, computadora *f*

bécarre [bekar] **1** *nm* becuadro *m*
2 *adj* becuadro

bécasse [bekas] *nf (oiseau)* becada *f*; *Fam (femme sotte)* pava *f*

bec-de-lièvre (*pl* **becs-de-lièvre**) [bɛkdəljɛvr] *nm* labio *m* leporino

béchamel [beʃamɛl] *nf* **(sauce) b.** bechamel *f*

bêche [bɛʃ] *nf* laya *f*

bêcher [beʃe] *vt (terrain)* layar

bécoter [bekɔte] *Fam* **1** *vt* besuquear
2 se bécoter *vpr* besuquearse

bedaine [bədɛn] *nf Fam* barrigón *m*

bédé [bede] = BD

bedonnant, -e [bədɔnã, -ãt] *adj* barrigón(ona)

bée [be] *adj f voir* **bouche**

bégayer [53] [begeje] **1** *vi* tartamudear

2 *vt (excuses)* mascullar

bégonia [begɔnja] *nm* begonia *f*

bègue [bɛg] *adj & nmf* tartamudo(a) *m,f*

béguin [begɛ̃] *nm Fam* **avoir le b. pour** estar encaprichado(a) con

beige [bɛʒ] **1** *adj* beige *inv*

2 *nm* beige *m*

beigne [bɛɲ] *nf Can (beignet)* rosquilla *f*; *Fam (coup)* galleta *f*

beignet [bɛɲɛ] *nm* buñuelo *m*

bel [bɛl] *voir* **beau**

bêler [bele] *vi* balar

belette [bəlɛt] *nf* comadreja *f*

belge [bɛlʒ] **1** *adj* belga

2 *nmf* **B.** belga *mf*

Belgique [bɛlʒik] *nf* **la B.** Bélgica

bélier [belje] *nm (animal)* carnero *m*; *(poutre)* ariete *m*; *Astrol* **B.** aries *m*; **être B.** ser aries

belle [bɛl] *voir* **beau**

belle-fille (*pl* **belles-filles**) [bɛlfij] *nf (épouse du fils)* nuera *f*; *(après remariage)* hijastra *f*

belle-mère (*pl* **belles-mères**) [bɛlmɛr] *nf (mère du conjoint)* suegra *f*; *(après remariage)* madrastra *f*

belle-sœur (*pl* **belles-sœurs**) [bɛlsœr] *nf* cuñada *f*

belliqueux, -euse [belikø, -øz] *adj* belicoso(a)

belote [bəlɔt] *nf* = juego de naipes

belvédère [bɛlvedɛr] *nm* mirador *m*

bémol [bemɔl] **1** *adj* bemol

2 *nm* bemol *m*

bénédiction [benediksjɔ̃] *nf Rel* bendición *f*; *(assentiment)* beneplácito *m*

bénéfice [benefis] *nm* beneficio *m*; **au b. de** *(au profit de)* a beneficio de; **accorder à qn le b. du doute** conceder a alguien el beneficio de la duda

bénéficiaire [benefisjɛr] **1** *adj* **être b.** *(entreprise)* haber obtenido beneficios

2 *nmf (personne)* beneficiario(a) *m,f*

bénéficier [benefisje] **bénéficier de** *vt ind (obtenir, avoir)* disfrutar de; *(tirer profit de)* sacar provecho de

bénéfique [benefik] *adj* beneficioso(a)

Benelux [benelyks] *nm* **le B.** el Benelux

bénévole [benevɔl] **1** *adj (travail)* voluntario(a)

2 *nmf (personne)* voluntario(a) *m,f*

bénin, -igne [benɛ̃, -iɲ] *adj (maladie, accident)* leve; *(tumeur)* benigno(a)

bénir [benir] *vt* bendecir

bénit, -e [beni, -it] *adj voir* **eau**

bénitier [benitje] *nm* pila *f* (del agua bendita)

benjamin, -e [bɛ̃ʒamɛ̃, -in] *nm,f* benjamín(ina) *m,f*; *Sp* **benjamins** infantiles *mpl*

benne [bɛn] *nf (de camion)* volquete *m*; *(de grue)* pala *f*; *(de téléphérique)* cabina *f*; *(wagonnet)* vagoneta *f* ☆ *b.* **à ordures** camión *m* de la basura

BEP [beape] *nm (abrév* **brevet d'études professionnelles)** = diploma de estudios profesionales que se obtiene a los dieciesiete años

béquille [bekij] *nf (pour marcher)* muleta *f*; *(de deux-roues)* patilla *f*

berce [bɛrs] *nf Belg* cuna *f*

berceau, -x [bɛrso] *nm (lit d'enfant, lieu d'origine)* cuna *f*; *Archit* bóveda *f* de cañón

bercer [16] [bɛrse] **1** *vt (bébé)* acunar

2 se bercer *vpr* **se b. d'illusions** hacerse ilusiones

berceuse [bɛrsøz] *nf (chanson)* nana *f*, canción *f* de cuna; *(morceau de musique)* nana *f*; *Can (fauteuil)* mecedora *f*

béret [berɛ] *nm* boina *f*

berge¹ [bɛrʒ] *nf (bord)* orilla *f*

berge² *nf Fam (an)* taco *m*; **il a cinquante berges** tiene cincuenta tacos

berger, -ère [bɛrʒe, -ɛr] **1** *nm,f (personne)* pastor(ora) *m,f*
  2 *nm* **b. allemand** pastor *m* alemán; **b. des Pyrénées** pastor del Pirineo
  3 *nf* **bergère** *(fauteuil)* poltrona *f*

bergerie [bɛrʒəri] *nf* aprisco *m*

Berlin [bɛrlɛ̃] *n* Berlín

berlingot [bɛrlɛ̃go] *nm (bonbon)* = caramelo en forma de rombo; *(de Javel, de lait)* bolsa *f*

berlinois, -e [bɛrlinwa, -az] **1** *adj* berlinés(esa)
  2 *nm,f* **B.** berlinés(esa) *m,f*

berlue [bɛrly] *nf* **avoir la b.** ver visiones

bermuda [bɛrmyda] *nm* bermudas *fpl*

Berne [bɛrn] *n* Berna

berne [bɛrn] *nf* **en b.** a media asta

berner [bɛrne] *vt* engañar

besogne [bəzɔɲ] *nf* trabajo *m*

besoin [bəzwɛ̃] *nm* necesidad; **avoir b. de** necesitar; **avoir b. de faire qch** necesitar hacer algo; **au b.** en caso de necesidad; **être dans le b.** estar en la indigencia; **faire ses besoins** hacer uno sus necesidades

bestial, -e, -aux, -ales [bɛstjal, -o] *adj* bestial

bestiole [bɛstjɔl] *nf* bicho *m*

bétail [betaj] *nm* ganado *m*

bête [bɛt] **1** *adj (stupide)* tonto(a); **c'est tout b.** *(simple)* es muy fácil; **c'est b.!** *(regrettable)* ¡qué tonto!, ¡qué tontería!
  2 *nf* bestia *f* ☆ **c'est ma b. noire** es lo que más odio; **b. de somme** bestia de carga

bêtise [betiz] *nf* tontería *f*, *CAm, Méx* babosada *f*, *RP* bobada *f*; *Can (injure)* insulto *m*

béton [betɔ̃] *nm* hormigón *m* ☆ **b. armé** hormigón armado

betterave [bɛtrav] *nf* remolacha *f* ☆ **b. fourragère** remolacha forrajera; **b. sucrière** *ou* **à sucre** remolacha azucarera

beugler [bøgle] *vi (bovin)* mugir; *Fam (personne, radio)* berrear

beur [bœr] *nmf* = francés de origen magrebí

beurre [bœr] *nm* mantequilla *f*; **avoir un œil au b. noir** tener un ojo morado; *Fam* **compter pour du b.** ser pan y manteca; *Fam* **faire son b.** *(s'enrichir)* hacer su agosto; **mettre du b. dans les épinards** redondear el presupuesto; **vouloir le b. et l'argent du b.** querer el oro y el moro ☆ **b. de cacahouètes** mantequilla de cacahuete; **b. de cacao** manteca *f* de cacao

beurrer [bœre] *vt* untar con mantequilla

beurrier [bœrje] *nm* mantequera *f*

beuverie [bœvri] *nf* cogorza *f*

bévue [bevy] *nf* metedura *f* de pata; **commettre une b.** meter la pata

biais [bjɛ] *nm (en couture)* bies *m inv*; *(point de vue)* ángulo *m*; *(moyen détourné)* truco *m*; **de** *ou* **en b.** en diagonal; *(en couture)* al sesgo; **regarder qn de b.** mirar de reojo a alguien; **par le b. de** por medio de

biaiser [bjeze] *vi* andarse con rodeos

bibelot [biblo] *nm* bibelot *m*

biberon [bibrɔ̃] *nm Esp* biberón *m*, *Am* mamadera *f*; **donner le b. à** dar el biberón a

bibi [bibi] *pron Fam* mi menda

bible [bibl] *nf* biblia *f*; **la B.** la Biblia

bibliographie [biblijɔgrafi] *nf* bibliografía *f*

bibliothécaire [biblijɔtekɛr] *nmf* bibliotecario(a) *m,f*

bibliothèque [biblijɔtɛk] *nf (meuble)* librería *f*, biblioteca *f*;

(lieu) & *Ordinat* biblioteca *f* ☆ *b. de prêt* biblioteca de préstamo

Bic® [bik] *nm* boli *m*

bicarbonate [bikarbɔnat] *nm* bicarbonato *m* ☆ *b. de soude* bicarbonato sódico

biceps [bisɛps] *nm* bíceps *m inv*

biche [biʃ] *nf* cierva *f*

bicolore [bikɔlɔr] *adj* bicolor

bicoque [bikɔk] *nf Fam* casucha *f*

bicyclette [bisiklɛt] *nf* bicicleta *f*

bide [bid] *nm Fam (ventre)* barriga *f*; *(échec)* fracaso *m*

bidet [bidɛ] *nm* bidé *m*

bidon [bidɔ̃] **1** *nm (récipient)* bidón *m*; *Fam (ventre)* barriga *f* **2** *adj inv Fam (faux)* falso(a)

bidonville [bidɔ̃vil] *nm* barrio *m* de chabolas

bidule [bidyl] *nm Fam* chisme *m*; **j'ai vu..., tu sais, B....** he visto a... ¿cómo se llama?...

bielle [bjɛl] *nf* biela *f*

bien [bjɛ̃] **1** *adj inv* **(a)** *(satisfaisant)* bueno(a); **il est b., ce bureau** está bien este despacho; **il est b. comme prof** es buen profesor **(b)** *(à l'aise)* **on est b. au soleil** se está bien al sol; **être b. avec qn** *(en bons termes)* llevarse bien con alguien **(c)** *(en forme)* **je ne me sens pas très b.** no me encuentro muy bien **(d)** *(beau)* bonito(a); **une robe drôlement b.** un vestido muy bonito **(e)** *(moral)* bueno(a); **ce n'est pas b. de mentir** no está bien mentir **2** *nm* bien *m*; **biens** *(possessions)* bienes *mpl*; **dire du b. de** hablar bien de; **en tout b. tout honneur** con buenas intenciones; **faire du b. à** sentar bien a ☆ *biens de consommation* bienes de consumo **3** *adv* **(a)** *(de manière satisfaisante)* bien; **on mange b. ici** se come bien aquí; **c'est b. fait pour toi** te lo has merecido **(b)** *(beaucoup)* mucho; *(très)* muy;

b. de mucho(a); **il a b. de la chance** tiene mucha suerte; **b. souvent** muy a menudo; **b. plus tard** mucho más tarde; **elle est b. jolie** es muy bonita; **en es-tu b. sûr?** ¿estás completamente seguro?; **on a b. ri** nos hemos reído mucho **(c)** *(au moins)* **il y a b. trois heures que j'attends** hace por lo menos tres horas que espero **(d)** *(sert à conclure ou à introduire)* **b., c'est fini pour aujourd'hui** bueno, se acabó por hoy; **b., je t'écoute** bien o bueno, te escucho **(e)** *(en effet)* **c'est b. lui** efectivamente es él; **c'est b. ce que je disais** es justo lo que yo decía **(f)** *(pourtant)* **il faut b. que quelqu'un le fasse** alguien tiene que hacerlo; **il doit b. y avoir un moyen** debe de haber una manera de hacerlo **(g)** *(expressions)* **b. entendu** desde luego, por supuesto; **b. que** aunque; **b. qu'il ait terminé son travail, il ne sortira pas** aunque ha terminado su trabajo, no saldrá; **b. sûr** desde luego, por supuesto

bien-aimé, -e *(mpl* **bien-aimés,** *fpl* **bien-aimées)** [bjɛ̃neme] **1** *adj* querido(a) **2** *nm,f* amado(a) *m,f*

bien-être [bjɛ̃nɛtr] *nm* bienestar *m*

bienfaisant, -e [bjɛ̃fəzɑ̃, -ɑ̃t] *adj* beneficioso(a)

bienfait [bjɛ̃fɛ] *nm (faveur)* favor *m*; *(effet bénéfique)* efecto *m* benéfico

bienfaiteur, -trice [bjɛ̃fɛtœr, -tris] *nm,f* benefactor(ora) *m,f*

bien-fondé [bjɛ̃fɔ̃de] *nm* pertinencia *f*

bienheureux, -euse [bjɛ̃nœrø, -øz] *adj* dichoso(a)

bientôt [bjɛ̃to] *adv* pronto; **à b.** hasta pronto

bienveillance [bjɛ̃vɛjɑ̃s] *nf* benevolencia *f*

bienveillant, -e [bjɛ̃vɛjɑ̃, -ɑ̃t] *adj* benevolente

bienvenu, -e [bjɛ̃vny] **1** *adj (qui arrive à propos)* oportuno(a) **2** *nm,f* **un café serait le b.** un café sería bienvenido; **soyez la bienvenue** sea usted bienvenida **3** *nf* **bienvenue** bienvenida *f*; **souhaiter la bienvenue à qn** dar la bienvenida a alguien; *Can* **bienvenue!** *(de rien)* ¡de nada!

bière¹ [bjɛr] *nf (boisson)* cerveza *f* ✫ *b.* **blonde** cerveza rubia; *b.* **brune** cerveza negra; *b.* **pression** cerveza de barril

bière² *nf (cercueil)* ataúd *m*

bifteck [biftɛk] *nm* bistec *m*

bifurcation [bifyrkɑsjɔ̃] *nf* bifurcación *f*

bifurquer [bifyrke] *vi (route, voie ferrée)* bifurcarse; *(voiture)* girar; *Fig* *b.* **vers** *(personne)* orientarse hacia

bigamie [bigami] *nf* bigamia *f*

bigarré, -e [bigare] *adj* abigarrado(a)

bigorneau, -x [bigɔrno] *nm* bígaro *m*

bigoudi [bigudi] *nm* bigudí *m*

bijou, -x [biʒu] *nm* joya *f* ✫ *bijoux* **fantaisie** bisutería *f*

bijouterie [biʒutri] *nf* joyería *f*

bijoutier, -ère [biʒutje, -ɛr] *nm,f* joyero(a) *m,f*

bikini [bikini] *nm* bikini *m*

bilan [bilɑ̃] *nm* balance *m*; **déposer son b.** declararse en quiebra; *aussi Fig* **faire le b. de qch** hacer (el) balance de algo ✫ *b.* **de santé** chequeo *m*

bilatéral, -e, -aux, -ales [bilateral, -o] *adj (contrat, décision)* bilateral; *(stationnement)* a ambos lados *(de la calzada)*

bile [bil] *nf* bilis *f inv*; *Fam* **se faire de la b.** preocuparse

bilingue [bilɛ̃g] *adj* bilingüe

billard [bijar] *nm (jeu)* billar *m*; *(table de jeu)* mesa *f* de billar

bille [bij] *nf (de verre) Esp* canica *f*, *Am* bolita *f*; *(de billard)* bola *f*; *(de bois)* madero *m*; *Fam (tête)* careto *m*

billet [bijɛ] *nm* billete *m*; *(de cinéma, de théâtre)* entrada *f* ✫ *b.* **d'avion** billete de avión; *b.* **(de banque)** billete (de banco); *b.* **de train** billete de tren

billetterie [bijɛtri] *nf (guichet) (de gare, de théâtre) Esp* taquilla *f*, *Am* boletería *f* ✫ *b.* **automatique** *(de banque)* cajero *m* automático; *(de gare)* máquina *f* (expendedora) de billetes

billot [bijo] *nm* tajo *m*

bimensuel, -elle [bimɑ̃sɥɛl] **1** *adj* bimensual **2** *nm* bimensual *m*

binaire [binɛr] *adj* binario(a)

binocles [binɔkl] *nmpl Fam* lentes *mpl*

binôme [binom] *nm Math* binomio *m*

bio [bjo] *adj inv* orgánico(a); *(yaourt)* bio *inv*

biocarburant [bjɔkarbyrɑ̃] *nm* biocarburante *m*

biochimie [bjɔʃimi] *nf* bioquímica *f*

biodégradable [bjɔdegradabl] *adj* biodegradable

biographie [bjɔgrafi] *nf* biografía *f*

biologie [bjɔlɔʒi] *nf* biología *f*

biologique [bjɔlɔʒik] *adj* biológico(a)

biopsie [bjɔpsi] *nf* biopsia *f*

bipède [bipɛd] **1** *adj* bípedo(a) **2** *nm* bípedo *m*

birman, -e [birmɑ̃, -an] **1** *adj* birmano(a) **2** *nm,f* **B.** birmano(a) *m,f*

Birmanie [birmani] *nf* **la B.** Birmania

bis [bis] **1** *adv (numéro)* bis **2** *exclam* **b.! b.!** ¡otra! ¡otra! **3** *nm* bis *m*

biscornu, -e [biskɔrny] *adj (objet)* de forma irregular; *(idée)* retorcido(a)

biscotte [biskɔt] *nf* biscote *m*

biscuit [biskɥi] *nm (gâteau sec)* galleta *f*; *(porcelaine)* porcelana *f* sin esmaltar ☆ **b. à la cuiller** bizcocho *m*; **biscuits salés** galletas saladas

bise¹ [biz] *nf (vent)* cierzo *m*

bise² *nf Fam (baiser)* beso *m*; **faire la b. à qn** dar dos besos a alguien; **grosses bises** *(dans une lettre)* muchos besos

biseau, -x [bizo] *nm* bisel *m*; **en b.** *(vitre)* biselado(a)

bisexuel, -elle [bisɛksɥɛl] *adj* bisexual

bison [bizɔ̃] *nm* bisonte *m*; **B. Futé =** servicio de información sobre el tráfico

bisou [bizu] *nm Fam* besito *m*; **gros bisous** *(dans une lettre)* un beso muy fuerte

bisque [bisk] *nf* **b. de homard** crema *f* de bogavante

bissextile [bisɛkstil] *adj* **année b.** año *m* bisiesto

bistouri [bisturi] *nm* bisturí *m*

bistro(t) [bistro] *nm Fam* bar *m*

bit [bit] *nm Ordinat* bit *m*

bitume [bitym] *nm (revêtement)* asfalto *m*

bivouac [bivwak] *nm* vivaque *m*

bivouaquer [bivwake] *vi* acampar

bizarre [bizar] *adj* extraño(a), raro(a)

bizutage [bizytaʒ] *nm* novatada *f*

blafard, -e [blafar, -ard] *adj* pálido(a)

blague [blag] *nf (plaisanterie)* chiste *m*; *(farce)* broma *f*; **sans b.?** ¿de verdad?

blaguer [blage] *vi Fam (plaisanter)* bromear

blaireau, -x [blɛro] *nm (animal)* tejón *m*; *(pour se raser)* brocha *f* de afeitar

blairer [blere] *vt Fam* **je ne peux pas le b.** no lo soporto

blâme [blɑm] *nm (désapprobation)* censura *f*; *(sanction)* sanción *f*

blâmer [blame] *vt (désapprouver)* censurar

blanc, blanche [blɑ̃, blɑ̃ʃ] **1** *adj* blanco(a); *(page, nuit)* en blanco *inv*; **b. comme un linge** blanco(a) como un papel
2 *nm,f* **B.** *(personne)* blanco(a) *m,f*
3 *nm (couleur, linge)* blanco *m*; *(sur papier)* espacio *m* en blanco; *(dans la conversation)* silencio *m*; *(de volaille)* pechuga *f*; *(d'œuf)* clara *f*; *(vin)* vino *m* blanco; **le b.** *(linge de maison)* = mantería, toallas y ropa de cama; **à b.** *(chauffer)* al rojo blanco; *(tirer)* al blanco ☆ **b. cassé** color hueso
4 *nf* **blanche** *Mus* blanca *f*

blanc-bec *(pl* **blancs-becs)** [blɑ̃bɛk] *nm* mocoso *m*

blanchâtre [blɑ̃ʃɑtr] *adj* blanquecino(a)

blanche [blɑ̃ʃ] *voir* **blanc**

Blanche-Neige [blɑ̃ʃnɛʒ] *npr* Blancanieves

blancheur [blɑ̃ʃœr] *nf* blancura *f*

blanchir [blɑ̃ʃir] **1** *vt (mur, tissu, argent)* blanquear; *(linge)* lavar; *(légumes)* escaldar; *Fig (accusé)* exculpar; **b. à la chaux** blanquear con cal
2 *vi (cheveux)* encanecer

blanchisserie [blɑ̃ʃisri] *nf* lavandería *f*

blanchisseur, -euse [blɑ̃ʃisœr, -øz] *nm,f* lavandero(a) *m,f*

blasé, -e [blaze] *adj* hastiado(a)

blason [blazɔ̃] *nm* blasón *m*

blasphème [blasfɛm] *nm* blasfemia *f*

blasphémer [34] [blasfeme] *vi* blasfemar

blatte [blat] *nf* cucaracha *f*

blazer [blazɛr] *nm Esp* americana *f, Am* saco *m*

blé [ble] *nm (céréale)* trigo *m*; *Fam (argent)* pasta *f* ☆ *Can* **b.** *d'Inde* maíz *m*

blême [blɛm] *adj* pálido(a)

blessant, -e [blɛsɑ̃, -ɑ̃t] *adj* hiriente

blessé, -e [blese] *nm,f* herido(a) *m,f*

blesser [blese] **1** *vt (physiquement)* herir, hacer una herida a; *(sujet: souliers)* hacer daño a; *(moralement)* herir; **b. qn au bras** herir a alguien en el brazo
2 se blesser *vpr* hacerse una herida; **se b. au bras** hacerse una herida en el brazo

blessure [blesyr] *nf* herida *f*

bleu, -e [blø] **1** *adj* azul; *(peu cuit)* poco hecho(a)
2 *nm (couleur)* azul *m*; *(meurtrissure)* cardenal *m*, morado *m*; *(fromage)* queso *m* azul; *Fam (novice)* recluta *m* ☆ **b. ciel** azul celeste; **b. marine** azul marino; **b. de travail** mono *m* de trabajo

bleuet [bløɛ] *nm* aciano *m*; *Can (baie)* arándano *m*

bleuté, -e [bløte] *adj* azulado(a), *Méx* azuloso(a)

blindé, -e [blɛ̃de] **1** *adj (véhicule, porte)* blindado(a); *Fam Fig (personne)* curtido(a)
2 *nm* vehículo *m* blindado

blizzard [blizar] *nm* ventisca *f*

bloc [blɔk] *nm* bloque *m*; *(groupe)* coalición *f*; *(bloc-notes)* bloc *m*; **visser à b.** atornillar bien; **en b.** en bloque ☆ **b. opératoire** quirófano *m*

blocage [blɔkaʒ] *nm (des prix, des salaires)* congelación *f*; *(d'une roue)* bloqueo *m*; *Psy* bloqueo *m* (mental)

blockhaus [blɔkos] *nm* blocao *m*

bloc-moteur *(pl* **blocs-moteurs)** [blɔkmɔtœr] *nm* bloque *m* del motor

bloc-notes *(pl* **blocs-notes)** [blɔknɔt] *nm* bloc *m* de notas

blocus [blɔkys] *nm* bloqueo *m*

blond, -e [blɔ̃, blɔ̃d] **1** *adj & nm,f* rubio(a) *m,f, Bol* choco(a) *m,f, Col* mono(a) *m,f, Méx* güero(a) *m,f, Ven* catire(a) *m,f*; **b. cendré/platine/vénitien** rubio ceniza/platino/bermejo
2 *nf* **blonde** *(cigarette)* rubio *m*; *(bière)* rubia *f*; *Can (petite amie)* novia *f*

bloquer [blɔke] **1** *vt* bloquear; *(prix, salaires)* congelar; *(jours de congé)* juntar; *Can (examen)* suspender; *Belg Fam (étudier)* empollar
2 se bloquer *vpr* bloquearse

blottir [blɔtir] **se blottir** *vpr* acurrucarse

blouse [bluz] *nf (de travail, d'écolier)* bata *f*; *(chemisier)* blusa *f* ☆ **b. blanche** bata blanca

blouson [bluzɔ̃] *nm Esp* cazadora *f, CSur* campera *f*

blue-jean [bludʒin] *(pl* **blue-jeans** [bludʒins]) *nm Vieilli* vaqueros *mpl*

blues [bluz] *nm (musique)* blues *m inv*; *Fam* **avoir le b.** estar depre

bluff [blœf] *nm (aux cartes)* farol *m*; *Fig* fantasmada *f*

bluffer [blœfe] *vi aussi Fig* tirarse un farol

blush [blœʃ] *nm* colorete *m*

boa [bɔa] *nm* boa *f* ☆ **b. constricteur** boa constrictor

bobard [bɔbar] *nm Fam* trola *f*

bobine [bɔbin] *nf (de fil)* bobina *f*; *(de ruban, de film)* carrete *m*; *Fam (visage)* jeta *f*

bobsleigh [bɔbslɛg] *nm* bobsleigh *m*

bocage [bɔkaʒ] *nm* = paisaje rural de campos rodeados por setos o árboles

bocal, -aux [bɔkal, -o] *nm* tarro *m* ☆ **b. à poissons** pecera *f*

body [bɔdi] *nm (vêtement)* body *m*

body-building [bɔdibildiŋ] *nm* body-building *m*

bœuf [bœf, *pl* bø] **1** *nm (animal)*

buey *m*; *(viande)* vaca *f* ☆ *b. bour-*
guignon guiso *m* de carne de vaca
2 *adj inv Fam* faire un effet b. quedar imponente

bof [bɔf] *exclam Fam* ¡bah!

Bogota [bɔgɔta] *n* Bogotá

bogue¹ [bɔg] *nf (de châtaigne)* =
cáscara externa espinosa de la castaña

bogue² *nm Ordinat* error *m*

bohème [bɔɛm] *adj & nmf* bohe-
mio(a) *m,f*

bohémien, -enne [bɔemjɛ̃, -ɛn]
nm,f (gitan) gitano(a) *m,f*

boire [12] [bwar] 1 *vt* beber; *(sujet:*
plante, roche poreuse) chupar; **b. les**
paroles de qn escuchar con fervor a
alguien
2 *vi* beber

bois [bwa] 1 *nm (forêt)* bosque *m*;
(matériau de construction) madera *f*
☆ *b. (de chauffage)* leña *f*; *b. mort*
madera seca; *petit b.* leña menuda
2 *nmpl (instruments de musique)*
instrumentos *mpl* de viento; *(cor-*
nes) cornamenta *f*

boisé, -e [bwaze] *adj* poblado(a) de
árboles

boiseries [bwazri] *nfpl* carpintería *f*

boisson [bwasɔ̃] *nf* bebida *f* ☆ *b. al-*
coolisée bebida alcohólica; *b. ga-*
zeuse bebida con gas; *b. non*
alcoolisée bebida sin alcohol

boîte [bwat] *nf (récipient)* caja *f*;
Fam (entreprise) empresa *f*; *Fam*
(discothèque) discoteca *f*; **en b.** *(en*
conserve) en lata ☆ *b. de conserve*
lata *f* de conservas; *b. à gants* guantera *f*; *b. aux lettres* buzón *m*; *b. à*
musique caja de música; *b. postale*
apartado *m* de correos; *b. de vites-*
ses caja de cambios

boiter [bwate] *vi* cojear

boiteux, -euse [bwatø, -øz] *adj &*
nm,f cojo(a) *m,f*

boîtier [bwatje] *nm* caja *f*; *(d'appa-*
reil photo) cuerpo *m*

boive *etc voir* **boire**

bol [bɔl] *nm* tazón *m*, bol *m*; *Fam*
(chance) suerte *f*; **prendre un b. d'air**
tomar el aire; *Fam* **avoir du b.** tener
suerte

bolide [bɔlid] *nm* bólido *m*

Bolivie [bɔlivi] *nf* la B. Bolivia

bolivien, -enne [bɔlivjɛ̃, -ɛn] 1 *adj*
boliviano(a)
2 *nm,f* **B.** boliviano(a) *m,f*

bombardement [bɔ̃bardəmɑ̃] *nm*
bombardeo *m* ☆ *b. aérien* bombardeo

bombarder [bɔ̃barde] *vt Mil* bombardear; *Fig (nommer)* nombrar de
sopetón *(para un cargo)*; *Fig* **b. qn**
de qch *(accabler)* bombardear a alguien de algo

bombe [bɔ̃b] *nf (projectile)* bomba
f; *(atomiseur)* espray *m*; *(de cava-*
lier) gorra *f (de jinete)* ☆ *b. ato-*
mique bomba atómica; *b. incen-*
diaire bomba incendiaria; *b. à*
retardement bomba de efecto re-
tardado

bombé, -e [bɔ̃be] *adj* abombado(a)

bombonne [bɔ̃bɔn] = **bonbonne**

bon¹ [bɔ̃] *nm (coupon)* bono *m* ☆ *b.*
de commande nota *f* de pedido, orden *f*; *b. du Trésor* bono del Tesoro,
obligación *f* del Estado

bon², bonne [bɔ̃, bɔn] 1 *adj* **(a)**
(agréable, bien fait) bueno(a) **(b)**
(dans l'expression d'un souhait) **b. an-**
niversaire! ¡feliz cumpleaños!;
bonne soirée!, bon après-midi!
¡adiós!
(c) *(doué)* bueno(a); **elle est bonne**
en espagnol/en dessin se le da bien el
español/el dibujo
(d) *(exact) (réponse, solution)* co-
rrecto(a)
(e) *(bénéfique)* bueno(a); **il serait b.**
de... convendría...; **c'est b. à savoir**
está bien saberlo
(f) *(adéquat)* adecuado(a); **arriver**
au b. moment llegar en un momento

oportuno; **être b. à jeter** estar para tirar; *Fam* **être b. pour qch/pour faire qch** *(être condamné)* no escaparse de algo/de hacer algo
(g) *(valable) (ticket, abonnement)* válido(a)
(h) *(en intensif)* **deux bonnes heures** dos horas largas; **j'ai attrapé un b. rhume** he pillado un buen resfriado
(i) *(généreux, gentil)* bueno(a)
2 *adv* **il fait b.** hace buen tiempo; **sentir b.** oler bien
3 *exclam* ¡bueno!; **ah b.?** ¡vaya!
4 *nm,f (personne)* **un b. à rien** un inútil; **les bons et les méchants** los buenos y los malos
5 *nm* **ça a du b.** tiene cosas buenas; **pour de b.** de verdad

bonbon [bɔ̃bɔ̃] **1** *nm (friandise)* caramelo *m*; *Belg (biscuit)* galleta *f* ☆ **b. acidulé** caramelo
2 *adv Fam* **coûter b.** costar un ojo de la cara

bonbonne [bɔ̃bɔn] *nf (de gaz)* bombona *f*; *(de vin, d'huile)* garrafa *f*

bonbonnière [bɔ̃bɔnjɛr] *nf* bombonera *f*

bond [bɔ̃] *nm* brinco *m*; **faire un b.** *(bondir)* dar un brinco; *(progresser)* dar un salto; **se lever d'un b.** levantarse de un salto; **faire faux b. à qn** fallarle a alguien

bonde [bɔ̃d] *nf (d'évier)* desagüe *m*; *(bouchon)* tapón *m*

bondé, -e [bɔ̃de] *adj* abarrotado(a)

bondir [bɔ̃dir] *vi (sauter)* brincar; *(s'élancer)* abalanzarse; *Fig (réagir violemment)* saltar; **b. sur** saltar sobre

bonheur [bɔnœr] *nm (félicité)* felicidad *f*; *(chance)* suerte *f*; **faire le b. de qn** *(le rendre heureux)* hacer feliz a alguien; *(lui être utile)* resolver la papeleta a alguien; **porter b. (à)** dar suerte (a); **par b.** por suerte

bonhomme [bɔnɔm] *(pl* **bonshommes** [bɔ̃zɔm]) *nm (représentation)* muñeco *m*; *(petit garçon)* hombrecito *m*; *Fam (homme)* tío *m* ☆ **b. de neige** muñeco de nieve

bonjour [bɔ̃ʒur] **1** *nm* **dire b. à qn** saludar a alguien
2 *exclam (le matin)* ¡buenos días!, *Am* ¡buen día!; *(l'après-midi)* ¡buenas tardes!; *(en général)* ¡hola!

bon marché [bɔ̃marʃe] *adj inv* barato(a)

bonne [bɔn] **1** *adj voir* **bon**
2 *nf Esp* criada *f*, *Bol, CSur* mucama *f*

bonnement [bɔnmɑ̃] *adv* **tout b.** lisa y llanamente

bonnet [bɔnɛ] *nm (chapeau)* gorro *m*; *(de soutien-gorge)* copa *f* ☆ **b. de bain** gorro de baño

bonneterie [bɔnɛtri] *nf (industrie)* industria *f* de géneros de punto; *(marchandise)* géneros *mpl* de punto; *(magasin)* tienda *f* de géneros de punto, mercería *f*

bonsoir [bɔ̃swar] **1** *nm* **dire b. à qn** saludar a alguien *(de tarde o de noche)*
2 *exclam (l'après-midi)* ¡buenas tardes!; *(la nuit)* ¡buenas noches!; *(en général)* ¡hola!

bonté [bɔ̃te] *nf* bondad *f*; **avoir la b. de faire qch** tener la bondad de hacer algo

bonus [bɔnys] *nm (supplément)* plus *m*; *(d'assurance automobile)* bonificación *f*

bord [bɔr] *nm (extrémité, côté)* borde *m*; *(rivage)* orilla *f*; *(lisière)* lindero *m*; *(bordure) (de vêtement)* ribete *m*; *(de chapeau)* ala *f*; **au b. de** al borde de; **au b. de la mer** a orillas del mar; *(vacances)* en la playa, en la costa; **être au b. des larmes** estar a punto de llorar; **à b. de** *(bateau, avion)* a bordo de; **passer par-dessus b.** caer por la borda; **être du même b. (que)** *(politique)* estar del mismo lado (que)

Bordeaux [bɔrdo] *n* Burdeos

bordeaux [bɔrdo] **1** *adj (couleur)* burdeos *inv*
2 *nm (vin, couleur)* burdeos *m inv*

bordée [bɔrde] *nf Can* b. (de neige) nevada *f*

bordel [bɔrdɛl] *nm très Fam (maison close)* burdel *m*; *Fig (désordre)* follón *m*.

bordelais, -e [bɔrdəlɛ, -ɛz] **1** *adj* bordelés(esa)
2 *nm,f* B. bordelés(esa) *m,f*

border [bɔrde] *vt (être en bordure de)* bordear; *(lit)* remeter; *(personne au lit)* arropar; *Naut* costear; **bordé de** *(sujet: route)* bordeado(a) de; *(sujet: col, poignet)* ribeteado(a) con

bordereau, -x [bɔrdəro] *nm (liste)* relación *f* detallada; *(formulaire)* impreso *m*

bordure [bɔrdyr] *nf (bord)* borde *m*; *(de fleurs)* bordura *f*; *(de vêtement)* ribete *m*; **en b. de qch** al borde de algo

borgne [bɔrɲ] **1** *adj (personne)* tuerto(a); *Fig (hôtel)* de mala muerte
2 *nmf* tuerto(a) *m,f*

borne [bɔrn] *nf (marque)* mojón *m*; *Fam (kilomètre)* kilómetro *m*; *Fig* **dépasser les bornes** pasarse de la raya; **sans bornes** sin límites ☆ **b. kilométrique** mojón

borné, -e [bɔrne] *adj Péj (obtus)* corto(a) de alcances

borner [bɔrne] **1** *vt* limitar
2 se borner *vpr* **se b. à qch/à faire qch** limitarse a algo/a hacer algo

bosniaque [bɔsnjak] **1** *adj* bosnio(a)
2 *nmf* B. bosnio(a) *m,f*

Bosnie [bɔsni] *nf* **la B.(-Herzégovine)** Bosnia Herzegóvina

bosquet [bɔskɛ] *nm* bosquecillo *m*

bosse [bɔs] *nf (à la suite d'un coup)* chichón *m*; *(de bossu, de chameau)* giba *f*, joroba *f*; *(de terrain)* montículo *m*; *Fam* **elle a roulé sa b.** ha visto mucho mundo

bosser [bɔse] *vi Fam* currar

bossu, -e [bɔsy] *adj & nm,f* jorobado(a) *m,f*

bot [bo] *adj voir* **pied**

botanique [bɔtanik] **1** *adj* botánico(a)
2 *nf* botánica *f*

botte [bɔt] *nf (chaussure)* bota *f*; *(de foin, de légumes)* manojo *m*; *(en escrime)* estocada *f* ☆ **bottes de** ou **en caoutchouc** botas de goma

botter [bɔte] *vt Fam* **b. les fesses à qn** dar una patada en el culo a alguien; *Vieilli* **ça me botte** me chifla

bottillon [bɔtijɔ̃] *nm* bota *f*

Bottin® [bɔtɛ̃] *nm Fam (annuaire téléphonique)* guía *f* telefónica

bottine [bɔtin] *nf* botín *m*

bouc [buk] *nm (animal)* macho *m* cabrío; *(barbe)* perilla *f* ☆ **b. émissaire** chivo *m* expiatorio

boucan [bukɑ̃] *nm Fam* jaleo *m*

boucane [bukan] *nf Can* humo *m*

bouche [buʃ] *nf* boca *f*; **rester b. bée** quedarse boquiabierto(a); **de b. à oreille** de boca en boca ☆ **b. d'égout** alcantarilla *f*; **b. d'incendie** boca de incendios; **b. de métro** boca de metro

bouché, -e [buʃe] *adj (obstrué)* atascado(a); *(vin, cidre)* embotellado(a); *(oreille)* taponado(a); *Fam (stupide)* bobo(a)

bouche-à-bouche [buʃabuʃ] *nm inv* boca a boca *m*; **faire du b. à qn** hacer el boca a boca a alguien

bouchée [buʃe] *nf* bocado *m*; *(au chocolat)* bombón *m (grande)* ☆ **b. à la reine** = hojaldre relleno de ave y bechamel

boucher¹ [buʃe] *vt (bouteille, trou, vue)* tapar; *(passage)* interceptar

boucher², -ère [buʃe, -ɛr] *nm,f* carnicero(a) *m,f*

boucherie [buʃri] *nf* carnicería *f* ☆ **b. chevaline** carnicería de carne de caballo

bouche-trou (*pl* **bouche-trous**) [buʃtru] *nm* (*personne*) figurante(a) *m,f*; (*objet*) relleno *m*

bouchon [buʃɔ̃] *nm* (*de bouteille, de flacon*) tapón *m*, *Am* tapa *f*; (*de canne à pêche*) flotador *m*; (*embouteillage*) *Esp* atasco *m*, *Col* trancón *m*, *Méx* atorón *m*, *RP* embotellamiento *m*

boucle [bukl] *nf* (*de ceinture, de soulier*) hebilla *f*; (*de cheveux, looping*) rizo *m*; (*de fleuve*) meandro *m*; *Ordinat* bucle *m*; *Fig* **la b. est bouclée** estamos en el punto de partida ☆ **b. d'oreille** *Esp* pendiente *m*, *Am* aro *m*, *Urug* caravana *f*, *Ven* zarcillo *m*

bouclé, -e [bukle] *adj* (*cheveux*) rizado(a); **un petit garçon tout b.** un niño con el pelo rizado

boucler [bukle] **1** *vt* (*attacher*) abrocharse; (*cheveux*) rizar, *Méx* enchinar, *RP* enrular; *Fam* (*fermer*) cerrar; *Fam* (*enfermer*) encerrar; (*quartier*) acordonar; *Fam* (*terminer*) acabar; *Fam* **boucle-la!** ¡cierra el pico!
2 *vi* (*cheveux*) rizarse, *Méx* enchinarse, *RP* enrularse

bouclier [buklije] *nm* escudo *m*; *Fig* **se faire un b. de qch** escudarse en algo

bouddhisme [budism] *nm* budismo *m*

bouddhiste [budist] *adj & nmf* budista *mf*

bouder [bude] **1** *vi* (*être renfrogné*) enfurruñarse
2 *vt* (*personne*) esquivar; (*chose*) pasar de

boudeur, -euse [budœr, -øz] *adj* enfurruñado(a)

boudin [budɛ̃] *nm* morcilla *f*; *Fam Péj* (*femme laide*) feto *m* ☆ **b. blanc** = embutido de carne blanca y leche

boudoir [budwar] *nm* (*biscuit*) bizcocho *m*

boue [bu] *nf* (*terre*) barro *m*; *Fig* **traîner qn dans la b.** arrastrar a alguien por el lodo

bouée [bwe] *nf* boya *f* ☆ **b. de sauvetage** salvavidas *m inv*

boueux, -euse [bwø, -øz] *adj* fangoso(a)

bouffant, -e [bufɑ̃, -ɑ̃t] *adj* (*manches*) amplio(a) y recogido(a) en el puño; (*pantalon*) amplio(a) y recogido(a) en el tobillo

bouffe [buf] *nf Fam* comida *f*

bouffée [bufe] *nf* (*d'air*) bocanada *f*; (*de parfum*) tufarada *f*; (*de cigarette*) calada *f*; (*accès*) arrebato *m* ☆ **b. de chaleur** sofoco *m*

bouffer [bufe] *vt & vi Fam* comer

bouffi, -e [bufi] *adj* (*yeux, visage*) abotargado(a)

bouge [buʒ] *nm* (*taudis*) cuchitril *m*; (*café*) antro *m*

bougeoir [buʒwar] *nm* palmatoria *f*

bougeotte [buʒɔt] *nf Fam* **avoir la b.** ser (un) culo de mal asiento

bouger [45] [buʒe] **1** *vt* mover
2 *vi* moverse; **je n'ai pas bougé de chez moi aujourd'hui** hoy no me he movido de casa
3 se bouger *vpr Fam* moverse

bougie [buʒi] *nf* (*chandelle*) vela *f*; (*de moteur*) bujía *f*

bougonner [bugɔne] *vi* refunfuñar

bouillant, -e [bujɑ̃, -ɑ̃t] *adj* (*eau, café*) hirviendo; *Fig* (*tempérament, personne*) ardiente

bouillie [buji] *nf* (*pour bébé*) papilla *f*; **réduire qch en b.** hacer puré de algo; *Fam Fig* **réduire qn en b.** hacer papilla a alguien

bouillir [13] [bujir] *vi* (*liquide*) hervir; **faire b. qch** hervir algo; *Fig* **b. de colère** estar poseído(a) de cólera; **b. d'impatience** estar muerto(a) de impaciencia

bouilloire [bujwar] *nf* hervidora *f*

bouillon [bujɔ̃] *nm* (*soupe*) caldo *m*;

(bulle) borbotón *m*; **à gros bouillons** a borbotones; *Fam Fig* **boire un b.** *(en nageant)* tragar agua

bouillonner [bujɔne] *vi (liquide, torrent)* borbotear, borbollar; *Fig (s'agiter)* hervir

bouillotte [bujɔt] *nf* bolsa *f* de agua caliente

boul. *(abrév* **boulevard)** bulevar *m*

boulanger, -ère [bulɑ̃ʒe, -ɛr] *nm,f* panadero(a) *m,f*

boulangerie [bulɑ̃ʒri] *nf* panadería *f*; **b.-pâtisserie** panadería-confitería *f*

boule [bul] *nf* bola *f*; *(de loto)* ficha *f*; **se rouler en b.** hacerse una bola; *Fam* **perdre la b.** volverse majareta ☆ **b. de neige** bola de nieve; *Fig* **faire b. de neige** hacerse una bola de nieve

bouleau, -x [bulo] *nm* abedul *m*

bouledogue [buldɔg] *nm* buldog *m*

boulet [bulɛ] *nm (de canon)* bala *f*; *(de forçat)* grillete *m*; *Fig (fardeau)* cruz *f*

boulette [bulɛt] *nf (de pain, de papier)* bolita *f*; *(de viande)* albóndiga *f*; *Fam* **faire une b.** *(bévue)* meter la pata

boulevard [bulvar] *nm (rue)* bulevar *m*; **le (théâtre de) b.** la comedia ligera

bouleversant, -e [bulvɛrsɑ̃, -ɑ̃t] *adj* conmovedor(ora)

bouleversement [bulvɛrsəmɑ̃] *nm (émotion)* conmoción *f*; *(changement)* alteración *f*, trastorno *m*

bouleverser [bulvɛrse] *vt (émouvoir)* conmocionar, trastornar; *(modifier)* perturbar, trastornar

boulier [bulje] *nm* ábaco *m*

boulimie [bulimi] *nf* bulimia *f*

boulon [bulɔ̃] *nm* perno *m*

boulonner [bulɔne] **1** *vt (visser)* empernar **2** *vi Fam (travailler)* currar

boulot [bulo] *nm Fam* trabajo *m*

bouquet [bukɛ] *nm (de fleurs)* ramo *m*; *(d'un vin)* buqué *m*; *Fig* **ça c'est le**

b.! ¡lo que faltaba! ☆ **b. (final)** *(de feu d'artifice)* castillo *m (de fuegos artificiales)*; **b. garni** ramillete *m* de hierbas aromáticas

bouquin [bukɛ̃] *nm Fam* libro *m*

bouquiner [bukine] *vt & vi Fam* leer

bouquiniste [bukinist] *nmf* = librero de viejo

bourbier [burbje] *nm* barrizal *m*; *Fig (situation)* lodazal *m*

bourde [burd] *nf (baliverne)* bola *f (mentira)*; **faire une b.** *(gaffe)* meter la pata

bourdon [burdɔ̃] *nm (insecte)* abejorro *m*; *(cloche)* campana *f* mayor; *Fam* **avoir le b.** tener morriña

bourdonnement [burdɔnmɑ̃] *nm (d'insecte, de moteur)* zumbido *m*; *(de voix)* murmullo *m*

bourdonner [burdɔne] *vi* zumbar

bourgeois, -e [burʒwa, -az] **1** *adj* burgués(esa); *(cuisine)* casero(a) **2** *nm,f* burgués(esa) *m,f*

bourgeoisie [burʒwazi] *nf* burguesía *f* ☆ **la haute b.** la alta burguesía

bourgeon [burʒɔ̃] *nm* yema *f*, brote *m*

Bourgogne [burgɔɲ] *nf* **la B.** Borgoña

bourguignon, -onne [burgiɲɔ̃, -ɔn] *adj* de Borgoña

bourlinguer [burlɛ̃ge] *vi Fam Fig* correr mundo

bourrage [buraʒ] *nm (de coussin)* relleno *m* ☆ *Fam* **b. de crâne** lavado *m* de cerebro

bourrasque [burask] *nf* borrasca *f*

bourratif, -ive [buratif, -iv] *adj Fam* pesado(a)

bourré, -e [bure] *adj très Fam (ivre)* *Esp* pedo *(inv)*, *CAm* bolo(a), *Méx* cuete *(inv)*, *RP* en cuete, en pedo; **b. de qch** *(plein)* lleno(a) de algo

bourreau, -x [buro] *nm* verdugo *m* ☆ *Hum* **b. des cœurs** rompecorazones *m inv*

bourrelet [burlɛ] *nm (de graisse)* michelín *m; (sous une porte)* burlete *m*

bourrer [bure] **1** *vt (coussin)* rellenar; *(valise)* abarrotar; *(fusil, pipe)* cargar; **b. qn de qch** *(nourriture)* atiborrar a alguien de algo; **b. qn de coups de poing** machacar a alguien a puñetazos; **ça bourre!** *(nourriture)* ¡cómo llena esto!
   2 se bourrer *vpr* **se b. de bonbons/ de gâteaux** atiborrarse de caramelos/de pasteles

bourrique [burik] *nf (ânesse)* burra *f; Fam (personne)* burro(a) *m,f*

bourru, -e [bury] *adj* huraño(a)

bourse [burs] *nf (porte-monnaie)* monedero *m; (d'études)* beca *f; Fin* **la B.** la Bolsa ☆ *B. de commerce* bolsa de comercio, lonja *f; B. des valeurs* bolsa de valores

boursier, -ère [bursje, -ɛr] **1** *adj (élève)* becario(a); *Fin* bursátil
   2 *nm,f (étudiant)* becario(a) *m,f; Fin* bolsista *mf*

boursouflé, -e [bursufle] *adj* hinchado(a)

bous *voir* **bouillir**

bousculade [buskylad] *nf (cohue)* avalancha *f; (précipitation)* prisa *f*

bousculer [buskyle] *vt (pousser)* empujar, dar un empujón a; *(presser)* meter prisa a; *Fig (idées reçues, habitudes)* tirar, hacer caer

bouse [buz] *nf* **b. (de vache)** boñiga *f* (de vaca)

bousiller [buzije] *vt Fam* cargarse

boussole [busɔl] *nf* brújula *f*

bout [bu] *nm (extrémité)* punta *f; (fin)* final *m; (morceau)* trozo *m; Fam* **ça fait un b. de temps que...** hace bastante que...; **au b. de trois jours** al cabo de tres días; **b. à b.** uno(a) al lado de otro(a); **d'un b. à l'autre** de punta a punta, de cabo a rabo; **jusqu'au b.** hasta el final; **être à b. d'arguments** quedarse sin argumentos;

être à b. *(physiquement, nerveusement)* estar exhausto(a); **pousser qn à b.** sacar a alguien de sus casillas; **venir à b. de** acabar con

boutade [butad] *nf* broma *f*

boute-en-train [butãtrɛ̃] *nm inv* alma *f*

bouteille [butɛj] *nf* botella *f; (de gaz)* bombona *f*

boutique [butik] *nf* tienda *f*

bouton [butɔ̃] *nm (de vêtement, interrupteur)* botón *m; (de porte)* tirador *m; (sur la peau)* grano *m; (bourgeon)* botón *m*, yema *f* ☆ **b. de manchette** gemelo *m*

bouton-d'or *(pl* **boutons-d'or)** [butɔ̃dɔr] *nm* botón *m* de oro

boutonner [butɔne] **1** *vt* abrochar
   2 se boutonner *vpr* abrocharse

boutonnière [butɔnjɛr] *nf* ojal *m*

bouton-pression *(pl* **boutons-pression)** [butɔ̃presjɔ̃] *nm* cierre *m*, presilla *f*

bouture [butyr] *nf* esqueje *m*

bouvreuil [buvrœj] *nm* camachuelo *m*

bovin, -e [bɔvɛ̃, -in] **1** *adj* bovino(a), vacuno(a); *Fig (regard)* bovino(a)
   2 *nm* bovino *m*

bowling [buliŋ] *nm (jeu)* bolos *mpl; (lieu)* bolera *f*

box *(pl* **boxes)** [bɔks] *nm (d'une écurie)* box *m; (pour voiture)* cochera *f*, garaje *m* ☆ **le b. des accusés** el banquillo de los acusados

boxe [bɔks] *nf Esp* boxeo *m, Am* box *m*

boxer¹ [bɔkse] *vi* boxear

boxer² [bɔksɛr] *nm (chien)* bóxer *m*

boxeur [bɔksœr] *nm* boxeador *m*

boyau, -x [bwajo] *nm (chambre à air)* tubular *m; (corde)* cuerda *f* (de tripa); *(galerie)* galería *f* estrecha; **boyaux** *(intestins)* tripas *fpl*

boycotter [bɔjkɔte] *vt* boicotear

BP [bepe] *(abrév* **boîte postale)** Apdo.

bracelet [braslɛ] *nm (bijou)* pulsera *f; (de montre)* correa *f*

bracelet-montre *(pl* **bracelets-montres)** [braslɛmɔ̃tr] *nm* reloj *m* de pulsera

braconner [brakɔne] *vi (chasser)* practicar la caza furtiva; *(pêcher)* practicar la pesca furtiva

braconnier, -ère [brakɔnje, -ɛr] *nm,f (chasseur)* cazador(ora) *m,f* furtivo(a); *(pêcheur)* pescador(ora) *m,f* furtivo(a)

brader [brade] *vt* liquidar

braderie [bradri] *nf (soldes)* liquidación *f*

braguette [bragɛt] *nf* bragueta *f*

braille [brɑj] *nm* braille *m*

brailler [brɑje] **1** *vi* berrear **2** *vt (chanson)* cantar a grito pelado

braire [28] [brɛr] *vi* rebuznar

braise [brɛz] *nf* brasa *f*

bramer [brɑme] *vi* bramar; *Fig* berrear

brancard [brɑ̃kar] *nm (civière)* camilla *f; (d'attelage)* varal *m*

brancardier, -ère [brɑ̃kardje, -ɛr] *nm,f* camillero(a) *m,f*

branchage [brɑ̃ʃaʒ] *nm* ramaje *m;* **des branchages** ramas *fpl* cortadas

branche [brɑ̃ʃ] *nf (d'arbre)* rama *f; (de lunettes)* patilla *f; (de compas)* pierna *f; (secteur, discipline)* ramo *m;* **en branches** *(épinards, céleri)* en rama

branché, -e [brɑ̃ʃe] *adj Fam (à la mode)* moderno(a)

branchement [brɑ̃ʃmɑ̃] *nm* conexión *f*

brancher [brɑ̃ʃe] *vt (à une prise)* enchufar; *(à un réseau)* conectar; *Fam* **b. qn sur qch** orientar a alguien hacia algo; *Fam* **ça te branche de venir au ciné?** ¿te molaría venir al cine?

branchies [brɑ̃ʃi] *nfpl* branquias *fpl*

brandir [brɑ̃dir] *vt* blandir

branlant, -e [brɑ̃lɑ̃, -ɑ̃t] *adj (meuble)* cojo(a)

branle-bas [brɑ̃lbɑ] *nm inv* **b. (de combat)** revuelo *m*

braquage [brakaʒ] *nm Aut* giro *m (del volante); Fam (attaque)* atraco *m*

braquer [brake] **1** *vt Fam (attaquer)* atracar; **b. qch sur qch/qn** *(arme)* apuntar a algo/alguien con algo; *(lampe)* dirigir algo hacia algo/alguien; *(regard)* fijar algo en algo/alguien **2** *vi (en voiture)* girar **3 se braquer** *vpr (personne)* rebotarse

bras [brɑ] *nm* brazo *m;* **b. dessus, b. dessous** del brazo; **à b. ouverts** con los brazos abiertos; **avoir le b. long** tener mucha influencia ☆ *Fig* **b. droit** brazo derecho, mano *f* derecha; **b. de fer** *(jeu)* pulso *m;* **faire un b. d'honneur à qn** hacer un corte de mangas a alguien; **b. de mer** brazo de mar

brasier [brɑzje] *nm* hoguera *f*

bras-le-corps [brɑlkɔr] **à bras-le-corps** *adv* por la cintura

brassage [brasaʒ] *nm (de bière)* braceado *m; Fig (mélange)* mezcla *f*

brassard [brasar] *nm* brazalete *m*

brasse [bras] *nf (nage)* braza *f;* **nager la b.** nadar a braza ☆ **b. papillon** mariposa *f*

brassée [brase] *nf* brazada *f*

brasser [brase] *vt (mélanger)* remover; **b. la bière** elaborar cerveza; *Fig* **b. de l'argent** manejar dinero

brasserie [brasri] *nf (café-restaurant)* café restaurante *m; (usine de bière)* cervecería *f*

brassière [brasjɛr] *nf (de bébé)* camisita *f; Can (soutien-gorge)* sujetador *m*

brave [brav] *adj (courageux)* valiente; *(naïf)* inocentón(ona); **un b. homme** un buen hombre

braver [brave] *vt (défier)* desafiar; *(mépriser)* afrontar

bravo [bravo] **1** *exclam* ¡bravo!
  2 *nm (applaudissement)* bravo *m*
bravoure [bravur] *nf* valentía *f*
break [brɛk] *nm* furgoneta *f*
brebis [brəbi] *nf* oveja *f* ☆ *Fig b. galeuse* oveja negra
brèche [brɛʃ] *nf* brecha *f*
bredouille [brəduj] *adj* **être/rentrer b.** tener/volver con las manos vacías
bredouiller [brəduje] *vi & vt* balbucear
bref, brève [brɛf, brɛv] **1** *adj* breve
  2 *adv* resumiendo, en resumen; **en b.** en pocas palabras
  3 *nf* **brève** *Journ* noticia *f* breve
Brésil [brezil] *nm* **le B.** (el) Brasil
brésilien, -enne [breziljɛ̃, -ɛn] **1** *adj* brasileño(a), *CSur* brasilero(a)
  2 *nm,f* **B.** brasileño(a) *m,f*, *CSur* brasilero(a) *m,f*
Bretagne [brətaɲ] *nf* **la B.** (la) Bretaña
bretelle [brətɛl] *nf (de vêtement)* tirante *m*; *(de fusil)* bandolera *f*; *(d'autoroute)* enlace *m*; **bretelles** *(pour pantalon) Esp* tirantes *mpl*, *CSur* tiradores *mpl*
breton, -onne [brətɔ̃, -ɔn] **1** *adj* bretón(ona)
  2 *nm,f* **B.** bretón(ona) *m,f*
  3 *nm (langue)* bretón *m*
breuvage [brœvaʒ] *nm* brebaje *m*
brève [brɛv] *voir* **bref**
brevet [brəvɛ] *nm (certificat, diplôme)* diploma *m*; *(d'invention)* patente *f* ☆ *b. des collèges* = examen escolar que se realiza a los quince años; *b. de technicien* diploma técnico
breveter [42] [brəvte] *vt* patentar
bréviaire [brevjɛr] *nm* breviario *m*
bribes [brib] *nfpl* **saisir des b. de conversation** oír una conversación a medias
bric-à-brac [brikabrak] *nm inv* batiburrillo *m*; *(boutique)* tienda *f* de objetos de segunda mano

bricolage [brikɔlaʒ] *nm (travail manuel)* bricolaje *m*; *(réparation provisoire, travail bâclé)* chapuza *f*
bricole [brikɔl] *nf (objet)* tontería *f*; *Fig (fait insignifiant)* menudencia *f*
bricoler [brikɔle] **1** *vi (faire des travaux manuels)* hacer bricolaje; *Fam (faire divers métiers)* hacer un poco de todo
  2 *vt Fam (réparer)* arreglar; *(fabriquer)* hacer
bricoleur, -euse [brikɔlœr, -øz] *adj* mañoso(a)
  2 *nm,f* manitas *mf inv*
bride [brid] *nf (de cheval)* brida *f*; *(de chaussure)* cinta *f*; *(boutonnière)* presilla *f*; **à b. abattue** a rienda suelta
bridé, -e [bride] *adj* **avoir les yeux bridés** tener los ojos rasgados
bridge [bridʒ] *nm (jeu de cartes)* bridge *m*; *(prothèse dentaire)* puente *m*
brie [bri] *nm* brie *m*
brièvement [brijɛvmɑ̃] *adv* brevemente
brigade [brigad] *nf Mil* destacamento *m*; *(d'ouvriers, d'employés)* brigada *f* ☆ *b. antigang* = unidad de policía encargada de la lucha contra el crimen organizado
brigand [brigɑ̃] *nm (bandit)* bandolero *m*; *(homme malhonnête)* sinvergüenza *m*
brillamment [brijamɑ̃] *adv* brillantemente
brillant, -e [brijɑ̃, -ɑ̃t] **1** *adj* brillante, *Méx* brilloso(a)
  2 *nm (diamant)* brillante *m*; *(éclat)* brillo *m*
briller [brije] *vi* brillar
brimer [brime] *vt* humillar
brin [brɛ̃] *nm (de paille, de muguet)* brizna *f*; *(fil)* hilo *m*; *Fig* **un b. de** *(petite quantité)* una pizca de; **faire un b. de toilette** lavarse un poco por encima; **ne pas avoir un b. de jugeote** no

tener dos dedos de frente ☆ **b. d'herbe** brizna de hierba

brindille [brɛ̃dij] *nf* ramita *f*

bringue [brɛ̃g] *nf Fam (fête)* **faire la b.** salir de marcha

bringuebaler [brɛ̃gbale], **brinquebaler** [brɛ̃kbale] *vi* bambolearse

brio [brijo] *nm (talent)* ingenio *m*; **avec b.** brillantemente

brioche [brijɔʃ] *nf (pâtisserie)* brioche *m*, bollo *m*; *Fam* **avoir/prendre de la b.** *(du ventre)* tener/echar barriga

brioché, -e [brijɔʃe] *adj* de brioche

brique [brik] **1** *nf (de construction)* ladrillo *m*; *(emballage)* tetrabrik® *m*; *Fam (10 000 francs)* 10.000 francos
  2 *adj inv (couleur)* teja *inv*

briquer [brike] *vt* dar lustre a, sacar brillo a

briquet [brikɛ] *nm* encendedor *m*, mechero *m*

brise [briz] *nf* brisa *f*

brise-lames [brizlam] *nm inv* rompeolas *m inv*

briser [brize] **1** *vt (objet, grève)* romper; *(carrière, espoir)* destrozar; *(résistance, orgueil)* vencer; **b. le cœur à qn** romperle el corazón a alguien
  2 se briser *vpr* romperse; *(espoir)* venirse abajo

briseur, -euse [brizœr, -øz] *nm,f* **b. de grève** esquirol *m*

bristol [bristɔl] *nm (papier)* bristol *m*

britannique [britanik] **1** *adj* británico(a)
  2 *nmf* **B.** británico(a) *m,f*

broc [bro] *nm* jarra *f*

brocante [brɔkɑ̃t] *nf (activité)* venta *f* de objetos usados o viejos; *(magasin)* baratillo *m*, cacharrería *f*

brocanteur, -euse [brɔkɑ̃tœr, -øz] *nm,f* anticuario(a) *m,f*

broche [brɔʃ] *nf (bijou)* broche *m*; *(pour rôtir)* pincho *m*, brocheta *f*; *Méd* clavo *m*; *Él* enchufe *m* macho; **cuire à la b.** asar en el espetón

broché, -e [brɔʃe] *adj (tissu)* briscado(a); *(livre)* en rústica

brochet [brɔʃɛ] *nm* lucio *m*

brochette [brɔʃɛt] *nf* pincho *m*; *Fig (groupe)* ramillete *m*

brochure [brɔʃyr] *nf* folleto *m*

brocoli [brɔkɔli] *nm* brécol *m*

broder [brɔde] **1** *vt (tissu)* bordar
  2 *vi (exagérer)* exagerar

broderie [brɔdri] *nf* bordado *m* ☆ **b. anglaise** = bordado con calados

broie *voir* **broyer**

bromure [brɔmyr] *nm* bromuro *m*

broncher [brɔ̃ʃe] *vi* rechistar; **sans b.** sin rechistar

bronches [brɔ̃ʃ] *nfpl* bronquios *mpl*

bronchite [brɔ̃ʃit] *nf* bronquitis *f inv*

bronzage [brɔ̃zaʒ] *nm* bronceado *m*

bronze [brɔ̃z] *nm* bronce *m*

bronzé, -e [brɔ̃ze] *adj* bronceado(a), moreno(a)

bronzer [brɔ̃ze] *vi* broncearse

brosse [brɔs] *nf* cepillo *m*; *(pinceau)* brocha *f*; **en b.** *(coiffure)* al cepillo ☆ **b. à cheveux** cepillo para el pelo; **b. à dents** cepillo de dientes

brosser [brɔse] **1** *vt (cheveux, habits)* cepillar; *(portrait)* bosquejar; *Belg Fam* **b. un cours** hacer novillos
  2 se brosser *vpr (se nettoyer)* cepillarse; **se b. les cheveux/les dents** cepillarse el pelo/los dientes; *Fam* **tu peux toujours te b.!** ¡puedes esperar sentado(a)!

broue [bru] *nf Can Fam* **faire de la b.** fanfarronear

brouette [bruɛt] *nf* carretilla *f*

brouhaha [bruaa] *nm* guirigay *m*

brouillard [brujar] *nm* niebla *f*; *Fig* **être dans le b.** no enterarse

brouille [bruj] *nf* desavenencia *f*

brouillé, -e [bruje] *adj (teint)* turbado(a); **il est b. avec son père** ha reñido con su padre; *Hum* **il est b. avec les mathématiques** no le entran las matemáticas

brouiller [bruje] **1** *vt (vue)* nublar; *(teint)* turbar; *(émission)* interferir en **2 se brouiller** *vpr (se fâcher)* pelearse (**avec** con); *(vue)* nublarse; *(devenir confus)* confundirse

brouillon, -onne [brujɔ̃, -ɔn] **1** *adj (élève)* desordenado(a); *(travail)* sucio(a) **2** *nm* borrador *m*; **au b.** en sucio

broussaille [brusaj] *nf* **b.**, **broussailles** maleza *f*; **en b.** *(cheveux)* enmarañado(a)

brousse [brus] *nf* sabana *f*

brouter [brute] **1** *vt* pacer **2** *vi (animal)* pacer; *(embrayage)* vibrar

broutille [brutij] *nf* tontería *f*

broyer [32] [brwaje] *vt* moler; **b. du noir** estar deprimido(a)

bru [bry] *nf Vieilli* nuera *f*

brugnon [brynɔ̃] *nm* nectarina *f*

bruine [brɥin] *nf* llovizna *f*, *Am* garúa *f*

bruiner [brɥine] *v impersonnel* **il bruine** está chispeando

bruissement [brɥismã] *nm (de la soie)* roce *m*

bruit [brɥi] *nm* ruido *m*; *(rumeur)* rumor *m*; **faire du b.** hacer ruido; *Fig (faire sensation)* dar mucho de que hablar; **sans b.** sin hacer ruido; **le b. court que...** corre el rumor de que... ☆ **b. de fond** ruido de fondo

bruitage [brɥitaʒ] *nm* efectos *mpl* de sonido

brûlant, -e [brylã, -ãt] *adj (objet)* que quema; *(soleil)* abrasador(ora); *(main, front)* que arde; *(amour)* ardiente; *(question)* candente; **la soupe est brûlante** la sopa quema

brûle-pourpoint [brylpurpwɛ̃] **à brûle-pourpoint** *adv* a quemarropa

brûler [bryle] **1** *vt (détruire)* quemar; *(sujet: soleil)* abrasar; *(sujet: fumée, piment)* irritar; *(feu rouge)* saltarse **2** *vi (être détruit)* quemarse; **b. de désir/d'impatience** arder de deseo/de impaciencia; *Litt* **b. de faire qch** arder en deseos de hacer algo **3 se brûler** *vpr* quemarse

brûleur [brylœr] *nm (d'une cuisinière à gaz)* quemador *m*

brûlot [brylo] *nm Can (moustique)* = mosquito cuya picadura escuece mucho

brûlure [brylyr] *nf (lésion, marque)* quemadura *f*; *(sensation)* ardor *m*; **b. au premier/troisième degré** quemadura de primer/tercer grado; **avoir des brûlures d'estomac** tener ardor de estómago

brume [brym] *nf* bruma *f*

brumeux, -euse [brymø, -øz] *adj (temps)* nuboso(a)

brun, -e [brœ̃, bryn] **1** *adj (cheveux, personne)* moreno(a), *Andes, RP* morocho(a); *(bière, tabac)* negro(a) **2** *nm,f (personne)* moreno(a) *m,f* **3** *nm (couleur)* castaño *m* **4** *nf* **brune** *(cigarette)* cigarrillo *m* negro; *(bière)* cerveza *f* negra

brunir [brynir] **1** *vt (peau)* tostar; *(métal)* bruñir **2** *vi (cheveux)* oscurecerse; *(peau, personne)* tostarse

Brushing® [brœʃiŋ] *nm* marcado *m*

brusque [brysk] *adj* brusco(a)

brusquement [bryskəmã] *adv* bruscamente

brusquer [bryske] *vt (presser)* precipitar; *(traiter sans ménagement)* ser duro(a) con

brut, -e [bryt] *adj (pétrole, toile)* crudo(a); *(pierre, minerai)* en bruto; *(champagne, cidre)* seco(a); *Fig (donnée, fait)* desnudo(a); *(salaire, produit)* bruto(a)

brutal, -e, -aux, -ales [brytal, -o] *adj (violent)* brutal, violento(a); *(soudain)* repentino(a); **être b. avec qn** comportarse como un animal con alguien

brutaliser [brytalize] *vt* maltratar

brute [bryt] *nf (personne violente)* animal *m*

Bruxelles [brysɛl] *n* Bruselas

bruxellois, -e [brysɛlwa, -az] **1** *adj* bruselense **2** *nm,f* **B.** bruselense *mf*

bruyamment [brɥijamɑ̃] *adv* ruidosamente

bruyant, -e [brɥijɑ̃, -ɑ̃t] *adj* ruidoso(a)

bruyère [bryjɛr, brɥijɛr] *nf (plante)* brezo *m*; *(lande)* brezal *m*

BTP [betepe] *nm (abrév* **bâtiment et travaux publics)** = sector de la construcción y obras públicas

BTS [beteɛs] *nm (abrév* **brevet de technicien supérieur)** = diploma de técnico superior que se realiza en dos años de estudios después del bachillerato

bu, -e *pp voir* **boire**

buanderie [bɥɑ̃dri] *nf* lavadero *m*

Bucarest [bykarɛst] *n* Bucarest

buccal, -e, -aux, -ales [bykal, -o] *adj (cavité)* bucal; *(voie)* oral

bûche [byʃ] *nf* tronco *m*; *Fam* **prendre** *ou* **ramasser une b.** *(tomber)* pegarse un batacazo ☆ **b. de Noël** tronco de Navidad, brazo *m* de gitano

bûcher¹ [byʃe] *nm (supplice)* hoguera *f*; *(funéraire)* pira *f*

bûcher² *vt & vi Fam (étudier)* empollar

bûcheron [byʃrɔ̃] *nm* leñador *m*

bûcheur, -euse [byʃœr, -øz] *adj & nm,f (Fam)* empollón(ona) *m,f*

bucolique [bykɔlik] *adj* bucólico(a)

Budapest [bydapɛst] *n* Budapest

budget [bydʒɛ] *nm* presupuesto *m*

budgétaire [bydʒetɛr] *adj* presupuestario(a)

buée [bɥe] *nf* vaho *m*

Buenos Aires [bɥenɔzɛr] *n* Buenos Aires

buffet [byfɛ] *nm (meuble)* aparador *m*; *(réception)* bufé *m* ☆ **b. de gare** bar-restaurante *m* de estación

buffle [byfl] *nm* búfalo *m*

buis [bɥi] *nm* boj *m*

buisson [bɥisɔ̃] *nm* matorral *m*

buissonnière [bɥisɔnjɛr] *adj f voir* **école**

bulbe [bylb] *nm* bulbo *m*

bulgare [bylgar] **1** *adj* búlgaro(a) **2** *nmf* **B.** búlgaro(a) *m,f* **3** *nm (langue)* búlgaro *m*

Bulgarie [bylgari] *nf* **la B.** Bulgaria

bulldozer [buldozœr] *nm Esp* bulldozer *m*, *CSur* topadora *f*

bulle [byl] *nf (d'air, de gaz) & Méd* burbuja *f*; *(bande dessinée)* bocadillo *m*; *Rel* bula *f*; *Fam Scol (zéro)* roscom ☆ **b. de savon** pompa *f* de jabón

bulletin [byltɛ̃] *nm (publication, imprimé)* boletín *m*; *Scol* notas *fpl*; *(certificat)* recibo *m* ☆ **b. météo** parte *m* meteorológico; **b. de salaire** *ou* **de paie** nómina *f*; **b. de santé** parte médico; **b. de vote** papeleta *f*

bulletin-réponse *(pl* **bulletins-réponse)** [byltɛ̃repɔ̃s] *nm* cupón *m* de respuesta

bureau, -x [byro] *nm (lieu de travail, service)* oficina *f*; *(meuble)* mesa *f* de despacho; *(pièce)* despacho *m*; *(comité directeur)* comité *m* ☆ **b. de change** oficina de cambio; **b. d'études** gabinete *m* de estudios; **b. de poste** oficina de correos; **b. de tabac** estanco *m*; **b. de vote** colegio *m* electoral

bureaucrate [byrokrat] *nmf* burócrata *mf*

bureaucratie [byrokrasi] *nf* burocracia *f*

bureautique [byʀotik] *nf* ofimática *f*

burette [byʀɛt] *nf (de mécanicien)* aceitera *f*; *(de chimiste)* bureta *f*

burin [byʀɛ̃] *nm (outil)* buril *m*; *(gravure)* grabado *m* con buril

buriné, -e [byʀine] *adj (visage, traits)* surcado(a) por las arrugas

burlesque [byʀlɛsk] **1** *adj (comique, ridicule)* grotesco(a); *Th* burlesco(a)

    2 *nm* **le b.** el género burlesco

bus [bys] *nm (transport) Esp* autobús *m*, *Arg* colectivo *m*, *CAm, Méx* camión *m*, *Chile* micro *m*, *Col, Ecuad, Ven* buseta *f*, *Cuba* guagua *f*, *Urug* ómnibus *m*; *Ordinat* bus *m*

buse [byz] *nf (oiseau)* ratonero *m* común

buste [byst] *nm* busto *m*

bustier [bystje] *nm* bustier *m*

but [byt] *nm (objectif)* objetivo *m*, meta *f*; *(intention)* fin *m*; *(destination)* destino *m*; *Sp (point)* gol *m*; *Sp* **les buts** *(cage, poteaux)* la portería; **aller droit au b.** ir directo al grano; **toucher au b.** alcanzar la meta; **à b. non lucratif** con fines no lucrativos; **dans le b. de faire qch** con el fin de hacer algo; **de b. en blanc** de golpe y porrazo

butane [bytan] *nm* butano *m*

buté, -e [byte] *adj* terco(a)

buter [byte] **1** *vi* **b. sur** *ou* **contre qch** *(pierre)* tropezar con algo; *Fig (difficulté)* encallarse en algo

    2 *vt très Fam (tuer)* cargarse

    3 se buter *vpr* emperrarse

butin [bytɛ̃] *nm* botín *m*

butiner [bytine] *vt & vi* libar

butte [byt] *nf (colline)* loma *f*; **être en b. à qch** ser el blanco de algo

buvard [byvaʀ] *nm (papier)* papel *m* secante; *(sous-main)* secafirmas *m inv*

buvette [byvɛt] *nf (de gare, de théâtre)* bar *m*

buveur, -euse [byvœʀ, -øz] *nm,f* bebedor(ora) *m,f*

buviez *etc voir* **boire**

C

C, c [se] *nm inv (lettre)* C *f*, c *f*

C (*abrév* **Celsius, centigrade**) C

c (*abrév* **centi**) c

c' *voir* ce²

ça [sa] *pron démonstratif (pour désigner un objet)* eso; *(le plus proche du locuteur)* esto; **ça y est** ya está; **ça vaut mieux** más vale; **c'est ça** eso es; **comment ça va?** ¿qué tal?; **où ça?** ¿dónde?; **quand ça?** ¿cuándo?; **qui ça?** ¿quién?

çà [sa] **çà et là** *adv* aquí y allá

caban [kabɑ̃] *nm (de marin)* impermeable *m*; *(longue veste)* chaquetón *m*

cabane [kaban] *nf (abri)* cabaña *f*, *CAm, Cuba* bohío *m*; *(remise)* caseta *f*; *Fam (prison)* chirona *f* ✿ **c. à lapins** conejera *f*

cabanon [kabanɔ̃] *nm* cabañita *f*

cabaret [kabarɛ] *nm* cabaret *m*

cabas [kabɑ] *nm* capacho *m*

cabillaud [kabijo] *nm* bacalao *m* fresco

cabine [kabin] *nf (de navire)* camarote *m*; *(d'avion, de fusée)* cabina *f*; *(de véhicule)* habitáculo *m* ✿ **c. de douche** ducha *f*; **c. d'essayage** probador *m*; **c. téléphonique** cabina telefónica

cabinet [kabinɛ] *nm (petite pièce)* & *Pol* gabinete *m*; *(toilettes)* retrete *m*, *Arg* inodoro *m*, *Urug* wáter *m*; *(dentaire, médical)* consultorio *m* ✿ **c.**

d'avocat bufete *m*, consultorio jurídico; **c. de toilette** cuarto *m* de baño

câble [kɑbl] *nm* cable *m*

cabosser [kabɔse] *vt* abollar

cabrer [kabre] **se cabrer** *vpr (cheval)* encabritarse; *Fig (s'irriter)* saltar

cabriole [kabrijɔl] *nf* cabriola *f*; **faire des cabrioles** hacer cabriolas

cabriolet [kabrijɔlɛ] *nm* cabriolé *m*

caca [kaka] *nm Fam* caca *f*; **faire c.** hacer caca; **c. d'oie** *(couleur)* caqui *inv*

cacahouète, cacahuète [kakawɛt] *nf Esp* cacahuete *m*, *CAm, Méx* cacahuate *m*, *Andes, RP, Ven* maní *m*

cacao [kakao] *nm* cacao *m*

cachalot [kaʃalo] *nm* cachalote *m*

cache [kaʃ] **1** *nf (cachette)* escondite *m*

2 *nm (d'appareil photo)* tapa *f* (del objetivo); *(sur un texte)* = plantilla para tapar una parte de un texto

cache-cache [kaʃkaʃ] *nm inv* **jouer à c.** jugar al escondite

cachemire [kaʃmir] *nm* cachemira *f*

cache-nez [kaʃne] *nm inv* bufanda *f*

cache-pot [kaʃpo] *nm inv* macetero *m*

cacher [kaʃe] **1** *vt* esconder; *(masquer)* tapar; **il m'a caché qu'il avait un fils** me ocultó que tenía un hijo; **je ne vous cache pas que...** no le niego que... + *subjonctif*

2 se cacher *vpr* esconderse; **je ne m'en cache pas** no lo niego

cachet [kaʃɛ] *nm (comprimé)* tableta *f; (sceau)* sello *m; (rétribution)* cachet *m;* **avoir du c.** tener carácter ☆ *c. de la poste* matasellos *m inv*

cacheter [42] [kaʃte] *vt (enveloppe)* cerrar; *(bouteille)* precintar

cachette [kaʃɛt] *nf* escondite *m;* **en c. (de qn)** a escondidas (de alguien)

cachot [kaʃo] *nm* calabozo *m*

cachotterie [kaʃɔtri] *nf* **faire des cachotteries (à qn)** andarse con tapujos (con alguien)

cachottier, -ère [kaʃɔtje, -ɛr] **1** *adj* que anda con tapujos
2 *nm,f* = persona que anda con tapujos

cactus [kaktys] *nm* cactus *m inv*

c.-à-d. *(abrév* **c'est-à-dire)** v. g., v. gr.

cadastre [kadastr] *nm* catastro *m*

cadavérique [kadaverik] *adj* cadavérico(a)

cadavre [kadɑvr] *nm* cadáver *m*

Caddie® [kadi] *nm (de supermarché)* carrito *m*

cadeau, -x [kado] *nm* regalo *m;* **faire c. de qch à qn** regalar algo a alguien; *Com* **en c. (avec)** de obsequio (con); *Fig* **ils ne se font pas de cadeaux** no se perdonan una

cadenas [kadnɑ] *nm* candado *m*

cadenasser [kadnase] *vt* cerrar con candado

cadence [kadɑ̃s] *nf (de musique)* cadencia *f; (de travail)* ritmo *m;* **en c.** al compás

cadencé, -e [kadɑ̃se] *adj* acompasado(a)

cadet, -ette [kadɛ, -ɛt] **1** *adj* menor
2 *nm,f (plus jeune)* menor *mf; Sp* juvenil *mf;* **être le c. de qn** ser más joven que alguien; **il est mon c. de deux ans** tiene dos años menos que yo

Cadix [kadiks] *n* Cádiz

cadran [kadrɑ̃] *nm (de montre)* esfera *f; (de téléphone)* disco *m; (de compteur)* frontal *m* de datos y lectura; *Can (réveil)* despertador *m* ☆ *c. solaire* reloj *m* de sol

cadre [kɑdr] *nm (bordure, contexte)* marco *m; (sur formulaire)* recuadro *m; (décor, milieu)* ambiente *m; (responsable)* ejecutivo *m;* **dans le c. de** en el marco de; **être rayé des cadres** ser despedido ☆ *c. moyen* cargo *m* intermedio; *c. supérieur* ejecutivo *m*

cadrer [kɑdre] **1** *vi (concorder)* concordar (**avec** con)
2 *vt Phot, Cin & TV* encuadrar

caduc, caduque [kadyk] *adj (feuille)* caduco(a); *(périmé)* obsoleto(a)

cafard [kafar] *nm (insecte)* cucaracha *f;* **avoir le c.** *(être triste)* estar deprimido(a)

café [kafe] *nm (plante, boisson)* café *m; (lieu)* bar *m, CSur* confitería *f* ☆ *c. crème* café con leche; *c. en grains* café en grano; *c. instantané* café instantáneo o soluble; *c. au lait* café con leche; *Suisse c. nature* café solo; *c. noir* café solo; *c. en poudre ou soluble* café instantáneo o soluble

caféine [kafein] *nf* cafeína *f*

café-théâtre *(pl* **cafés-théâtres)** [kafeteatr] *nm* café teatro *m*

cafetière [kaftjɛr] *nf* cafetera *f*

cafouiller [kafuje] *vi Fam (s'embrouiller)* no dar pie con bola; *(moteur)* fallar

cage [kaʒ] *nf (pour animaux)* jaula *f;* **mettre en c.** enjaular ☆ *c. d'ascenseur* hueco *m* del ascensor; *c. d'escalier* hueco de la escalera; *c. thoracique* caja *f* torácica

cageot [kaʒo] *nm (caisse)* banasta *f; Fam Péj (femme)* retaco *m*

cagibi [kaʒibi] *nm* cuartito *m*

cagneux, -euse [kaɲø, -øz] *adj (genoux)* torcido(a)

cagnotte [kaɲɔt] *nf* bote *m*

cagoule [kagul] *nf (passe-montagne)* pasamontañas *m inv*; *(de pénitent)* capirote *m*; *(de voleur)* verdugo *m*

cahier [kaje] *nm* cuaderno *m* ☆ *c. de brouillon* cuaderno de sucio; *c. des charges* pliego *m* de condiciones; *c. de textes* cuaderno de ejercicios

cahin-caha [kaɛ̃kaa] *adv* **aller c.** ir tirando

cahot [kao] *nm* bache *m*

cahoter [kaɔte] **1** *vi (véhicule)* renquear

　2 *vt (secouer)* sacudir, *Andes* remecer

cahute [kayt] *nf* choza *f*, *Andes* mediagua *f*

caille [kɑj] *nf* codorniz *f*

cailler [kɑje] **1** *vi (lait)* cuajarse; *(sang)* coagularse; *Fam (avoir froid)* estar helado(a); *Fam* **ça caille!** ¡qué frío!

　2 se cailler *vpr Fam* helarse

caillot [kajo] *nm* coágulo *m*

caillou, -x [kaju] *nm* piedra *f*; *Fam (crâne)* coco *m*

caillouteux, -euse [kajutø, -øz] *adj* pedregoso(a)

caïman [kaimɑ̃] *nm* caimán *m*

Caire [kɛr] *voir* **Le Caire**

caisse [kɛs] *nf* caja *f* ☆ *c. enregistreuse* caja registradora; *c. d'épargne* caja de ahorros; *c. primaire d'assurance maladie* = organismo francés de gestión de las prestaciones sanitarias de la Seguridad Social; *c. de retraite* caja de pensiones; *Mus* **grosse c.** bombo *m*

caissier, -ère [kesje, -ɛr] *nm,f (de banque, de magasin)* cajero(a) *m,f*; *(au cinéma) Esp* taquillero(a) *m,f*, *Am* boletero(a) *m,f*

cajoler [kaʒɔle] *vt* mimar, *Méx* apapachar

cajou [kaʒu] *nm voir* **noix**

cake [kɛk] *nm* bizcocho *m*

cal [kal] *nm* callo *m*

calamar [kalamar] *nm* calamar *m*

calamité [kalamite] *nf* catástrofe *f*

calandre [kalɑ̃dr] *nf Aut* rejilla *f* del radiador

calcaire [kalkɛr] **1** *adj* calcáreo(a)
　2 *nm* caliza *f*

calciner [kalsine] *vt* calcinar

calcium [kalsjɔm] *nm* calcio *m*

calcul¹ [kalkyl] *nm* cálculo *m* ☆ *c. mental* cálculo mental

calcul² *nm Méd* cálculo *m* ☆ *c. rénal* cálculo renal

calculateur, -trice [kalkylatœr, -tris] **1** *adj* calculador(ora)
　2 *nm Ordinat* ordenador *m*, computadora *f*
　3 *nf* **calculatrice** calculadora *f*; **calculatrice de poche** calculadora de bolsillo

calculer [kalkyle] **1** *vt* calcular
　2 *vi (faire des calculs)* calcular; *(dépenser avec parcimonie)* mirar por el dinero

calculette [kalkylɛt] *nf* minicalculadora *f*

cale [kal] *nf (de navire)* cala *f*; *(pour immobiliser)* taco *m*; *(pour mettre d'aplomb)* cuña *f*; **en c. sèche** en dique seco

calé, -e [kale] *adj Fam (personne)* empollado(a)

caleçon [kalsɔ̃] *nm (d'homme)* calzoncillos *mpl*, *Col* pantaloncillos *mpl*, *Ven* interiores *mpl*; *(de femme) Esp* mallas *fpl*, *Am* leggings *mpl*, medias *fpl* de gimnasia

calembour [kalɑ̃bur] *nm* juego *m* de palabras

calendrier [kalɑ̃drije] *nm (à accrocher)* almanaque *m*; *(planning)* agenda *f*; *(système)* calendario *m*

cale-pied *(pl* **cale-pieds)** [kalpje] *nm* calapiés *m inv*

calepin [kalpɛ̃] *nm* bloc *m* de notas

caler [kale] **1** vt *(immobiliser)* calzar; *(installer)* instalar; *Fam (estomac)* llenar
   2 vi *(moteur, véhicule)* calarse; *Fam (être bloqué)* rendirse; *Fam (être rassasié)* estar lleno(a)
calfeutrer [kalføtre] **1** vt *(porte, fenêtre)* tapar con burletes
   2 se calfeutrer vpr recluirse, encerrarse
calibre [kalibr] nm *(de fusil, de fruit) & Fig* calibre m; *Tech* calibrador m; *Fam (arme à feu)* pipa f
califourchon [kalifurʃɔ̃] **à califourchon** adv a horcajadas (**sur** en o sobre)
câlin, -e [kɑlɛ̃, -in] **1** adj *(personne)* mimoso(a); *(regard, ton)* acariciador(ora)
   2 nm mimo m
câliner [kɑline] vt mimar
calleux, -euse [kalø, -øz] adj calloso(a)
call-girl (pl **call-girls**) [kɔlgœrl] nf = prostituta con quien se concierta una cita por teléfono
calligraphie [kaligrafi] nf caligrafía f
calmant, -e [kalmɑ̃, -ɑ̃t] **1** adj *(piqûre)* calmante; *(infusion)* tranquilizante
   2 nm *(pour la douleur)* calmante m; *(pour l'anxiété)* tranquilizante m
calmar [kalmar] = **calamar**
calme [kalm] **1** adj tranquilo(a)
   2 nm calma f; **garder/perdre son c.** conservar/perder la calma ☆ *Naut* **c. plat** calma chicha; *Fig* **c'est le c. plat** está todo tranquilísimo
calmer [kalme] **1** vt calmar
   2 se calmer vpr calmarse; *(vent)* amainar
calomnie [kalɔmni] nf calumnia f
calomnier [kalɔmnje] vt calumniar
calorie [kalɔri] nf caloría f
calorifère [kalɔrifɛr] nm *Can (radiateur)* radiador m

calorique [kalɔrik] adj calórico(a)
calotte [kalɔt] nf *(bonnet)* bonete m; *Fam (gifle)* torta f ☆ **c. crânienne** bóveda f craneal; **c. glaciaire** casquete m glaciar
calque [kalk] nm *(papier)* papel m de calco; *(copie)* calco m; *Fig (imitation)* copia f
calquer [kalke] vt *(dessin)* calcar; *Fig (imiter)* copiar; **il a calqué son attitude sur celle de ses parents** ha imitado la actitud de sus padres
calvaire [kalvɛr] nm calvario m
calvitie [kalvisi] nf calvicie f
camaïeu [kamajø] nm = mezcla de varios tonos de un mismo color
camarade [kamarad] nmf *(ami)* compañero(a) m,f; *Pol* camarada mf ☆ **c. d'école** ou **de classe** compañero(a) de escuela o de clase
camaraderie [kamaradri] nf camaradería f
Cambodge [kɑ̃bɔdʒ] nm **le C.** Camboya
cambodgien, -enne [kɑ̃bɔdʒjɛ̃, -ɛn] **1** adj camboyano(a)
   2 nm,f **C.** camboyano(a) m,f
cambouis [kɑ̃bwi] nm grasa f *(de vehículo, máquina, etc)*
cambré, -e [kɑ̃bre] adj *(dos, reins)* arqueado(a); *(pieds)* con mucho puente
cambriolage [kɑ̃brijɔlaʒ] nm robo m
cambrioler [kɑ̃brijɔle] vt *(maison)* robar; **j'ai été cambriolé** han robado en mi casa
cambrioleur, -euse [kɑ̃brijɔlœr, -øz] nm,f ladrón(ona) m,f
camée [kame] nm *(bijou)* camafeo m
caméléon [kamuleɔ̃] nm camaleón m
camélia [kamelja] nm camelia f
camelote [kamlɔt] nf *Péj* baratija f
camembert [kamɑ̃bɛr] nm camembert m

camer [kame] **se camer** *vpr Fam* meterse

caméra [kamera] *nf* cámara *f*

cameraman [kameraman] (*pl* cameramans *ou* cameramen [kameramɛn]) *nm* cámara *m*

Caméscope® [kameskɔp] *nm* cámara *f* de vídeo, videocámara *f*

camion [kamjɔ̃] *nm* camión *m* ☆ *c. de déménagement* camión de mudanzas

camion-benne (*pl* camions-bennes) [kamjɔ̃bɛn] *nm* volquete *m*

camion-citerne (*pl* camions-citernes) [kamjɔ̃sitɛrn] *nm* camión *m* cisterna

camionnette [kamjɔnɛt] *nf* camioneta *f*

camionneur [kamjɔnœr] *nm* (*conducteur*) camionero(a) *m,f*; (*entrepreneur*) transportista *mf*

camisole [kamizɔl] *nf* **c. de force** camisa *f* de fuerza

camomille [kamɔmij] *nf* manzanilla *f*

camouflage [kamuflaʒ] *nm* (*déguisement*) & *Mil* camuflaje *m*; *Fig* (*de preuves*) ocultación *f*

camoufler [kamufle] *vt* (*dissimuler*) disimular; (*preuves, intentions*) ocultar; **ils ont camouflé le meurtre en suicide** han hecho que el asesinato parezca un suicidio

camp [kɑ̃] *nm* (*lieu où l'on campe*) campamento *m*; (*lieu d'internement*) campo *m* de prisioneros; (*dans un match*) campo *m*; (*parti*) bando *m* ☆ *c. de concentration* campo de concentración; *c. de vacances* colonias *fpl*

campagnard, -e [kɑ̃paɲar, -ard] **1** *adj* (*de la campagne*) campesino(a); *Péj* (*rustique*) del campo
2 *nm,f* campesino(a) *m,f*

campagne [kɑ̃paɲ] *nf* (*régions rurales*) campo *m*; *Mil, Com* & *Pol* campaña *f*; **faire c. pour qch** hacer

campaña a favor de algo ☆ *c. d'affichage* campaña de publicidad exterior; *c. électorale* campaña electoral; *c. de presse* campaña de prensa; *c. publicitaire* campaña publicitaria

campement [kɑ̃pmɑ̃] *nm* campamento *m*

camper [kɑ̃pe] **1** *vi* (*faire du camping*) hacer camping; *Fig* (*s'installer provisoirement*) quedarse, parar; **c. sur ses positions** seguir en sus trece
2 *vt* (*poser solidement*) plantar; *Fig* (*personnage, scène*) describir

campeur, -euse [kɑ̃pœr, -øz] *nm,f* campista *mf*

camphre [kɑ̃fr] *nm* alcanfor *m*

camping [kɑ̃piŋ] *nm* camping *m*; **faire du c.** hacer camping ☆ *c. à la ferme* = acampada en una granja, con autorización del propietario; *c. sauvage* acampada *f* libre

camping-car (*pl* camping-cars) [kɑ̃piŋkar] *nm* = furgoneta acondicionada para camping

campus [kɑ̃pys] *nm* campus *m*

Canada [kanada] *nm* **le C.** (el) Canadá

canadien, -enne [kanadjɛ̃, -ɛn] **1** *adj* canadiense
2 *nm,f* **C.** canadiense *mf*
3 *nf* **canadienne** (*veste*) = chaqueta forrada de piel

canaille [kanɑj] **1** *adj* (*coquin*) pícaro(a)
2 *nf* (*personne malhonnête*) canalla *m*

canal, -aux [kanal, -o] *nm* canal *m*; *Can* (*chaîne de télé*) canal *m*, cadena *f*; **le c. de Panama** el canal de Panamá

canalisation [kanalizɑsjɔ̃] *nf* (*conduit*) canalización *f*

canaliser [kanalize] *vt* (*cours d'eau*) canalizar; *Fig* (*foule, énergie*) encauzar

canapé [kanape] *nm* (*siège*) sofá *m*; *Culin* canapé *m*

canapé-lit (*pl* **canapés-lits**) [kanapeli] *nm* sofá cama *m*

canard [kanar] *nm* (*oiseau*) pato *m*; (*morceau de sucre*) = terrón de azúcar empapado en café o licor; *Fam* (*journal*) periódico *m* ☆ *c.* **laqué** = pato recubierto de una salsa agridulce

canari [kanari] **1** *nm* canario *m*
2 *adj inv* **jaune c.** amarillo canario *inv*

Canaries [kanari] *nfpl* **les C.** (las) Canarias

cancans [kɑ̃kɑ̃] *nmpl* cotilleos *mpl*; **colporter des c. sur qn** cotillear de alguien

cancer [kɑ̃sɛr] *nm Méd* cáncer *m*; *Astrol* **C.** cáncer *m*; **être C.** ser cáncer

cancéreux, -euse [kɑ̃serø, -øz] *adj & nm,f* canceroso(a) *m,f*

cancérigène [kɑ̃seriʒɛn] *adj* cancerígeno(a)

cancérologue [kɑ̃serɔlɔg] *nmf* cancerólogo(a) *m,f*

cancre [kɑ̃kr] *nm Fam* mal(a) estudiante *mf*

candélabre [kɑ̃delabr] *nm* candelabro *m*

candidat, -e [kɑ̃dida, -at] *nm,f* candidato(a) *m,f*

candidature [kɑ̃didatyr] *nf* candidatura *f*; **poser sa c. pour qch** presentar una candidatura para algo

candide [kɑ̃did] *adj* cándido(a)

cane [kan] *nf* pata *f* (*hembra del pato*)

caneton [kantɔ̃] *nm* anadón *m*

canette¹ [kanɛt] *nf* (*de boisson*) botellín *m*

canette² *nf* (*de machine à coudre*) canilla *f*

canevas [kanva] *nm* (*de broderie*) cañamazo *m*; *Fig* (*d'un livre, d'un exposé*) esquema *m*

caniche [kaniʃ] *nm* caniche *m*

canicule [kanikyl] *nf* canícula *f*

canif [kanif] *nm* navaja *f*

canin, -e [kanɛ̃, -in] *adj* canino(a)

canine [kanin] *nf* canino *m*

caniveau, -x [kanivo] *nm* alcantarilla *f*

canne [kan] *nf* (*bâton*) bastón *m*; *Fam* (*jambe*) pata *f* ☆ *c.* **à pêche** caña *f* de pescar; *c.* **à sucre** caña de azúcar

canné, -e [kane] *adj* de rejilla

cannelle [kanɛl] **1** *nf* (*aromate*) canela *f*
2 *adj inv* (*couleur*) canela *inv*

cannette [kanɛt] = **canette**

cannibale [kanibal] *adj & nmf* caníbal *mf*

canoë [kanɔe] *nm* canoa *f*

canoë-kayak (*pl* **canoës-kayaks**) [kanɔekajak] *nm* (*bateau*) kayak *m*; (*sport*) piragüismo *m*

canon¹ [kanɔ̃] *nm* (*arme, tube*) cañón *m*; *Fam* **boire un c.** (*verre de vin*) tomar un chato

canon² **1** *adj inv Fam* imponente
2 *nm* (*modèle, chanson*) & *Rel* canon *m*; *Fam* **Ginette, c'est un sacré c.** Ginette está buenísima; **chanter en c.** cantar en canon

canot [kano] *nm* bote *m*, lancha *f*; *Can* (*canoë*) piragua *f*, canoa *f* ☆ *c.* **pneumatique** bote neumático, lancha neumática; *c.* **de sauvetage** bote salvavidas, lancha salvavidas

cantatrice [kɑ̃tatris] *nf* cantante *f* (*de ópera*)

cantine [kɑ̃tin] *nf* (*réfectoire*) comedor *m*; (*malle*) baúl *m*

cantique [kɑ̃tik] *nm* cántico *m*

canton [kɑ̃tɔ̃] *nm* (*en France*) ≃ comarca *f*; (*en Suisse*) cantón *m*

cantonade [kɑ̃tɔnad] **à la cantonade** *adv* al foro

cantonner [kɑ̃tɔne] **se cantonner** *vpr* **se c. à** limitarse a

cantonnier [kɑ̃tɔnje] *nm* peón *m* caminero

canular [kanylar] *nm* broma *f*; **monter un c.** gastar una broma

CAO [seao] *nf* (*abrév* **conception assistée par ordinateur**) CAD *m*

caoutchouc [kautʃu] *nm* (*plante, substance*) caucho *m*; (*matériau artificiel*) goma *f*

CAP [seape] *nm* (*abrév* **certificat d'aptitude professionnelle**) = diploma que se obtiene a los diecisiete o dieciocho años, tras dos años de formación profesional, ≃ F.P. *f*

cap [kap] *nm* (*pointe de terre*) cabo *m*; (*direction*) rumbo *m*; *aussi Fig* **changer de c.** cambiar de rumbo; **mettre le c. sur** poner rumbo a; *Fig* **passer le c. de qch** atravesar el umbral de algo

capable [kapabl] *adj* (*compétent*) competente; **être c. de faire qch** ser capaz de hacer algo

capacité [kapasite] *nf* capacidad *f* ☆ **c. en droit** (*diplôme*) = diploma universitario de derecho al que pueden acceder los estudiantes que no aprobaron el bachillerato

cape [kap] *nf* capa *f*; *Fig* **rire sous c.** reír para sus adentros ☆ **film de c. et d'épée** película *f* de capa y espada

CAPES [kapɛs] *nm* (*abrév* **certificat d'aptitude au professorat de l'enseignement du second degré**) = título de profesor de enseñanza secundaria obtenido tras unas oposiciones del mismo nombre

capharnaüm [kafarnaɔm] *nm* leonera *f*

capillaire [kapilɛr] **1** *adj* capilar
2 *nm* (*fougère*) culantrillo *m*; *Anat* (*vaisseau*) capilar *m*

capitaine [kapitɛn] *nm* capitán *m*

capital, -e, -aux, -ales [kapital, -o]
1 *adj* capital
2 *nm* capital *m*; **capitaux** capital *m* ☆ **c. social** capital social
3 *nf* **capitale** (*ville*) capital *f*; (*majuscule*) mayúscula *f*

capitalisme [kapitalism] *nm* capitalismo *m*

capitaliste [kapitalist] *adj & nmf* capitalista *mf*

capitonner [kapitɔne] *vt* acolchar

capituler [kapityle] *vi* capitular (**devant** ante)

caporal, -aux [kapɔral, -o] *nm Mil* cabo *m*

capot [kapo] *nm* (*de voiture*) capó *m*; (*de machine*) tapa *f*

capote [kapɔt] *nf* (*de voiture, de landau*) capota *f*; (*manteau de soldat*) capote *m* ☆ *Fam* **c. (anglaise)** (*préservatif*) condón *m*

câpre [kɑpr] *nf* alcaparra *f*

caprice [kapris] *nm* capricho *m*; **faire un c.** tener un capricho

capricieux, -euse [kaprisjø, -øz] *adj* (*personne*) caprichoso(a); *Fig* (*temps, moteur*) inestable

capricorne [kaprikɔrn] *nm* algavaro *m*; *Astrol* **C.** capricornio *m*; **être C.** ser capricornio

capsule [kapsyl] *nf* (*de bouteille*) chapa *f* ☆ **c. (spatiale)** cápsula *f* (espacial)

capter [kapte] *vt* captar

captif, -ive [kaptif, -iv] **1** *adj* cautivo(a)
2 *nm,f* prisionero(a) *m,f*

captivant, -e [kaptivɑ̃, -ɑ̃t] *adj* cautivador(ora)

captiver [kaptive] *vt* cautivar

captivité [kaptivite] *nf* cautividad *f*; **en c.** en cautividad

capture [kaptyr] *nf* (*action*) captura *f*; (*prise*) presa *f*

capturer [kaptyre] *vt* capturar

capuche [kapyʃ] *nf* capucha *f*

capuchon [kapyʃɔ̃] *nm* capuchón *m*

capucine [kapysin] *nf* (*fleur*) capuchina *f*

caquet [kakɛ] *nm* (*de poule*) cacareo *m*; **rabattre** *ou* **rabaisser le c. à qn** cerrarle el pico a alguien

caqueter [42] [kakte] *vi (poule)* cacarear; *Péj (personne)* chismorrear
car¹ [kar] *nm* autocar *m*
car² *conj* puesto que
carabine [karabin] *nf* carabina *f*
Caracas [karakas] *n* Caracas
caractère [karaktɛr] *nm* carácter *m*; *(caractéristique)* rasgo *m*; *(d'écriture)* carácter *m*, letra *f*; **avoir du c.** tener carácter; **avoir bon/mauvais c.** tener buen/mal carácter; **en petits caractères** en letra pequeña; **en gros caractères** en grandes letras ☆ *c. d'imprimerie* letra de imprenta
caractériel, -elle [karakterjɛl] **1** *adj (personne)* con trastornos del comportamiento
  2 *nm,f* = persona con trastornos del comportamiento
caractériser [karakterize] **1** *vt* caracterizar
  2 se caractériser *vpr* **se c. par qch** caracterizarse por algo
caractéristique [karakteristik] **1** *adj* característico(a)
  2 *nf* característica *f*
carafe [karaf] *nf (récipient)* jarra *f*; *Fam* **rester en c.** quedarse colgado(a)
Caraïbes [karaib] *nfpl* **les C.** el Caribe
carambolage [karãbɔlaʒ] *nm (accident)* colisión *f* en cadena
caramel [karamɛl] *nm (sucre fondu)* caramelo *m* (líquido); *(bonbon)* caramelo *m (golosina)*
carapace [karapas] *nf* caparazón *m*
carat [kara] *nm* quilate *m*; **de l'or (à) 18 carats** oro de 18 quilates
caravane [karavan] *nf (de camping, du désert)* caravana *f*; *(cortège)* comitiva *f*
caravelle [karavɛl] *nf (bateau)* carabela *f*; *(avion)* caravelle *m*
carbone [karbɔn] *nm* carbono *m*; **(papier) c.** papel *m* carbón
carbonique [karbɔnik] *adj voir* **gaz, neige**
carboniser [karbɔnize] *vt* carbonizar
carburant [karbyrã] *nm* carburante *m*
carburateur [karbyratœr] *nm* carburador *m*
carcan [karkã] *nm (contrainte)* cortapisa *f*
carcasse [karkas] *nf (d'animal)* hueso *mpl*; *(de bateau, de voiture)* esqueleto *m*, armazón *m* o *f*; *Fam (de personne)* esqueleto *m*; **sauver sa c.** salvar el pellejo
cardiaque [kardjak] **1** *adj (personne)* enfermo(a) del corazón
  2 *nmf* enfermo(a) *m,f* del corazón
cardigan [kardigã] *nm* chaqueta *f* de punto, cárdigan *m*
cardinal, -e, -aux, -ales [kardinal, -o] **1** *adj (nombre, point)* cardinal; *(principal)* fundamental
  2 *nm Rel* cardenal *m*
cardiologue [kardjɔlɔg] *nmf* cardiólogo(a) *m,f*
cardio-vasculaire *(pl* **cardio-vasculaires)** [kardjɔvaskylɛr] *adj* cardiovascular
Carême [karɛm] *nm* Cuaresma *f*
carence [karãs] *nf Méd* carencia *f* (**en** de); *(d'une administration)* incompetencia *f*
carène [karɛn] *nf* carena *f*
caresse [karɛs] *nf* caricia *f*
caresser [karese] *vt* acariciar
cargaison [kargɛzɔ̃] *nf* cargamento *m*
cargo [kargo] *nm* carguero *m*
caricature [karikatyr] *nf* caricatura *f*
carie [kari] *nf* caries *f inv*
carié, -e [karje] *adj* cariado(a)
carillon [karijɔ̃] *nm (de cloche)* repique *m*; *(d'horloge)* toque *m*; *(de porte)* timbre *m*
carlingue [karlɛ̃g] *nf (d'avion)* carlinga *f*
carnage [karnaʒ] *nm* matanza *f*, masacre *f*

carnassier [karnasje] *nm* carnívoro *m*

carnaval [karnaval] *nm* carnaval *m*

carnet [karnɛ] *nm* cuadernillo *m*, libreta *f*; *(à feuilles détachables)* bloc *m* ☆ *c. d'adresses* agenda *f* de direcciones; *c. de chèques* talonario *m* de cheques; *c. de notes* boletín *m* (escolar); *c. de tickets (de métro)* bono *m* de metro; *(d'autobus)* bonobús *m*

carnivore [karnivɔr] **1** *adj* carnívoro(a) **2** *nm* carnívoro *m*

carotte [karɔt] **1** *nf* zanahoria *f* **2** *adj inv* **(roux)** c. color zanahoria

carpe [karp] *nf* carpa *f*

carpette [karpɛt] *nf (tapis)* alfombrilla *f*; *Fam Fig (personne)* gusano *m*

carré, -e [kare] **1** *adj* cuadrado(a); *(franc)* sincero(a); **être c. en affaires** ser honesto(a) en los negocios **2** *nm (quadrilatère)* cuadrado *m*; *(petit terrain)* parcela *f*; *(de cartes)* póker *m*; *Naut & Mil* comedor *m* de oficiales; **élever un nombre au c.** elevar un número al cuadrado ☆ *c. blanc* = cuadrado blanco que aparece en la parte inferior de la pantalla del televisor para indicar que una película no está autorizada para todos los públicos

carreau, -x [karo] *nm (carrelage)* azulejo *m*; *(sur le sol)* baldosa *f*; *(vitre)* cristal *m*; *(motif carré)* cuadro *m*; *(aux cartes)* diamante *m*; **à carreaux** a cuadros

carreauté, -e [karɔte] *adj Can* a cuadros

carrefour [karfur] *nm (de routes)* cruce *m*; *Fig (forum)* encuentro *m*; *(situation charnière)* encrucijada *f*

carrelage [karlaʒ] *nm (sur un mur)* azulejos *mpl*; *(par terre)* baldosas *fpl*

carrément [karemã] *adv (dire, agir)* claramente; *(complètement)* total-

mente; **c'est c. du vol!** ¡es un robo descarado!

carrière¹ [karjɛr] *nf (de pierre, de marbre)* cantera *f*

carrière² *nf (profession)* carrera *f*; **faire c. dans qch** hacer carrera en algo

carriole [karjɔl] *nf (charrette)* carreta *f*; *Can (traîneau)* trineo *m*

carrossable [karɔsabl] *adj* abierto(a) al tránsito rodado

carrosse [karɔs] *nm* carroza *f*

carrosserie [karɔsri] *nf* carrocería *f*

carrossier [karɔsje] *nm* carrocero(a) *m,f*

carrure [karyr] *nf (d'une personne)* anchura *f* de espaldas; *(d'un vêtement)* anchura *f* de hombros; *Fig (personnalité)* envergadura *f*

cartable [kartabl] *nm* cartera *f*

carte [kart] *nf (à jouer)* carta *f*, naipe *m*; *(géographique)* mapa *m*; *(au restaurant)* carta *f*; *(document)* tarjeta *f*, carné *m*; **manger à la c.** comer a la carta; **donner c. blanche à qn** dar carta blanca a alguien; *Fig* **jouer cartes sur table** actuar a las claras; **tirer les cartes à qn** echar las cartas a alguien ☆ *c. d'abonnement* tarjeta (de abono); *c. bancaire* tarjeta bancaria; *c. bleue* tarjeta bancaria; *c. de crédit* tarjeta de crédito; *c. d'état-major* = mapa del ejército; *c. d'étudiant* carné de estudiante; *Ordinat c. d'extension* tarjeta de expansión; *Ordinat c. graphique* tarjeta gráfica; *c. grise* permiso *m* de circulación; *c. d'identité* carné de identidad, documento *m* nacional de identidad; *Ordinat c. mémoire* tarjeta de memoria; *Ordinat c. mère* placa *f* madre; *C. Orange* = abono mensual para los transportes públicos de París; *c. postale* (tarjeta) postal *f*; *c. à puce* tarjeta inteligente; *c. routière* mapa de carreteras; *c. de séjour* permiso *m* de residencia; **C. Vermeil** = en Francia, tarjeta de reducción para mayores de 60 años, en el transporte público, los cines, etc; **c. verte** *(de voiture)* carta verde; **c. des vins** carta de vinos; **c. de visite** tarjeta de visita

cartilage [kartilaʒ] *nm* cartílago *m*

cartomancien, -enne [kartɔmɑ̃sjɛ̃, -ɛn] *nm,f* echador(ora) *m,f* de cartas

carton [kartɔ̃] *nm (matière)* cartón *m*; *(emballage)* caja *f* de cartón; *(cible)* blanco *m*; *(d'invitation)* tarjeta *f*; *Fam* **faire un c.** *(sur une cible)* tirar al blanco; *Fig (réussir)* tener gran éxito ☆ **c. à chapeaux** sombrerera *f*; **c. à dessin** carpeta *f* de dibujos; **c. jaune** tarjeta amarilla; **c. rouge** tarjeta roja

cartonné, -e [kartɔne] *adj* de cartón; *(livre)* en cartoné

carton-pâte *(pl* **cartons-pâtes)** [kartɔ̃pɑt] *nm* cartón *m* piedra

cartouche [kartuʃ] *nf (de fusil, de dynamite)* & *Ordinat* cartucho *m*; *(de stylo, de briquet)* recambio *m*; *(de cigarettes)* cartón *m*

cas [kɑ] *nm* caso *m*; **prends un parapluie, au c. où il pleuvrait** llévate un paraguas, por si llueve; *Fam* **au c. où** *(à tout hasard)* por si acaso; **en aucun c.** en ningún caso; **en c. de besoin** en caso de necesidad; **en tout c.** en todo caso; **le c. échéant** llegado el caso ☆ **c. de conscience** caso de conciencia; **c. social** = persona que vive en un entorno psicológicamente o socialmente desfavorable

casanier, -ère [kazanje, -ɛr] *adj* & *nm,f* hogareño(a) *m,f*, casero(a) *m,f*

cascade [kaskad] *nf (chute d'eau)* cascada *f*; *(au cinéma)* escena *f* de riesgo

cascadeur, -euse [kaskadœr, -øz] *nm,f (au cinéma)* doble *mf*, especialista *mf*

case [kɑz] *nf (sur un échiquier, un formulaire)* casilla *f*; *(de boîte, de tiroir)* compartimento *m*; *(habitation)* cabaña *f*; *Fam* **il lui manque une c.** le falta un tornillo; *Fig* **retour à la c. départ!** ¡estamos/estáis/etc como al principio!

caser [kaze] *Fam* **1** *vt (placer)* poner; *(loger)* alojar; *(trouver un emploi pour)* colocar; *(marier)* casar
2 se caser *vpr (se placer)* ponerse; *(se loger)* alojarse; *(trouver un emploi)* colocarse; *(se marier)* casarse

caserne [kazɛrn] *nf* cuartel *m*

cash [kaʃ] *adv* al contado

casier [kazje] *nm (de rangement)* casillero *m*; *(pour la pêche)* nasa *f* ☆ **c. à bouteilles** botellero *m*; **c. judiciaire** (certificado *m* de) antecedentes *mpl* penales; **avoir un c. judiciaire vierge** no tener antecedentes penales

casino [kazino] *nm* casino *m*

Caspienne [kaspjɛn] *nf* **la C.** el mar Caspio

casque [kask] *nm (de protection, à écouteurs)* casco *m*; *(séchoir à cheveux)* secador *m*

casquette [kaskɛt] *nf* gorra *f*

cassant, -e [kasɑ̃, -ɑ̃t] *adj (matière)* quebradizo(a); *(voix, ton)* tajante

cassation [kasasjɔ̃] *nf* voir **cour**

casse [kas] **1** *nm Fam (cambriolage)* robo *m* (en un establecimiento)
2 *nf (bris, dommage)* destrozos *mpl*; *(de voitures)* desguace *m*; *Fam* **il va y avoir de la c.** *(de la bagarre)* va a armarse la gorda o la marimorena

casse-cou [kasku] *nmf inv Fam* atrevido(a) *m,f*

casse-croûte [kaskrut] *nm inv* tentempié *m*; *Can (snack)* cafetería *f*

casse-noisettes [kasnwazɛt] *nm inv* cascanueces *m inv*

casse-noix [kasnwa] *nm inv* cascanueces *m inv*

casse-pieds [kaspje] *Fam* **1** *adj inv*

ce qu'il est c.! ¡qué peñazo de tío!
2 *nmf inv* peñazo *m*

casser [kɑse] 1 *vt* romper; *Jur* anular; *Fam* **à tout c.** *(tout au plus)* como máximo, como mucho; *Fam* **ça ne casse rien** no mola nada
2 *vi* romperse
3 **se casser** *vpr (se briser)* romperse; *Fam (partir)* largarse

casserole [kɑsrɔl] *nf* cacerola *f*

casse-tête [kɑstɛt] *nm inv (jeu)* rompecabezas *m inv*; *(problème)* quebradero *m* de cabeza

cassette [kɑsɛt] *nf (audio, vidéo)* casete *f*; *(coffret)* cofrecillo *m*

cassis [kasis] *nm (arbuste, liqueur)* casis *m inv*; *(fruit)* grosella *f* negra

cassoulet [kasulɛ] *nm* = guiso de judías blancas y carne

cassure [kɑsyr] *nf* rotura *f*; *Fig* ruptura *f*

castagnettes [kastaɲɛt] *nfpl* castañuelas *fpl*

caste [kast] *nf* casta *f*

castillan, -e [kastijɑ̃, -an] 1 *adj* castellano(a)
2 *nm,f* **C.** castellano(a) *m,f*
3 *nm (langue)* castellano *m*

Castille [kastij] *nf* **la C.** Castilla

castor [kastɔr] *nm* castor *m*

castrer [kastre] *vt* castrar

cataclysme [kataklism] *nm* cataclismo *m*

catalan, -e [katalɑ̃, -an] 1 *adj* catalán(ana)
2 *nm,f* **C.** catalán(ana) *m,f*
3 *nm (langue)* catalán *m*

Catalogne [katalɔɲ] *nf* **la C.** Cataluña

catalogue [katalɔg] *nm* catálogo *m*

cataloguer [katalɔge] *vt* catalogar; *Fig* tildar (**comme** de)

catalyseur [katalizœr] *nm* catalizador *m*

catalytique [katalitik] *adj voir* **pot**

catamaran [katamarɑ̃] *nm* catamarán *m*

cataplasme [kataplasm] *nm* cataplasma *f*

catapulter [katapylte] *vt* catapultar

cataracte [katarakt] *nf* catarata *f*

catastrophe [katastrɔf] *nf* catástrofe *f*; **partir en c.** salir a toda velocidad

catastrophé, -e [katastrɔfe] *adj* destrozado(a)

catastrophique [katastrɔfik] *adj* catastrófico(a)

catch [katʃ] *nm* lucha *f* libre

catéchisme [kateʃism] *nm* catecismo *m*

catégorie [kategɔri] *nf* categoría *f*

catégorique [kategɔrik] *adj* categórico(a)

cathédrale [katedral] *nf* catedral *f*

cathode [katɔd] *nf* cátodo *m*

catholicisme [katɔlisism] *nm* catolicismo *m*

catholique [katɔlik] *adj* católico(a); *Fam Fig* **pas très c.** turbio(a)

catimini [katimini] **en catimini** *adv* a escondidas, a hurtadillas

cauchemar [koʃmar] *nm aussi Fig* pesadilla *f*

cauchemardesque [koʃmardɛsk] *adj* de pesadilla

cause [koz] *nf* causa *f*; **à c. de** a causa de, debido a; *(par la faute de)* por culpa de; **être en c.** *(en jeu)* estar en juego; **votre honnêteté n'est pas en c.** nadie cuestiona su honradez; **pour c. de** por; **remettre qch en c.** poner algo en tela de juicio

causer¹ [koze] *vt (provoquer)* causar

causer² *vi Fam (parler)* charlar (**de** sobre); *(cancaner)* murmurar

caustique [kostik] *adj aussi Fig* cáustico(a)

cautériser [kɔterize] *vt* cauterizar

caution [kosjɔ̃] *nf (somme d'argent)* paga y señal *f*; *(personne)* fiador(ora) *m,f*; *(soutien)* aval *m*; **verser une c.** dejar paga y señal; **se porter c. pour qn** salir fiador de alguien

cautionner [kosjɔne] *vt (se porter garant pour)* salir fiador(ora) de; *Fig (soutenir)* avalar

cavalcade [kavalkad] *nf (de cavaliers)* cabalgata *f; Fam (d'enfants)* correteo *m*

cavalerie [kavalri] *nf* caballería *f*

cavalier, -ère [kavalje, -ɛr] **1** *adj (insolent)* insolente

  2 *nm,f* jinete *m*, amazona *f*

  3 *nm (aux échecs)* caballo *m*

cave [kav] **1** *nf (sous-sol)* sótano *m*; *(à vin)* bodega *f; (cabaret)* cabaret *m*

  2 *adj (yeux, joues)* hundido(a); *Anat (veine)* cava

caveau, -x [kavo] *nm (sépulture)* panteón *m; (cabaret)* cabaret *m*

caverne [kavɛrn] *nf* caverna *f*

caviar [kavjar] *nm* caviar *m*

cavité [kavite] *nf* cavidad *f*

CB [sibi] *nf (abrév* **citizen's band)** CB *f*

cc *(abrév* **charges comprises)** incluida comunidad

CCP [sesepe] *nm (abrév* **compte chèque postal, compte courant postal)** cuenta *f* corriente postal

CD [sede] *nm (abrév* **Compact Disc)** CD *m; (abrév* **chemin départemental)** carretera *f* comarcal

CDD [sedede] *nm (abrév* **contrat à durée déterminée)** contrato *m* temporal

CDI [sedei] *nm (abrév* **centre de documentation et d'information)** = biblioteca de un centro de enseñanza secundaria; *(abrév* **contrat à durée indéterminée)** contrato *m* fijo o indefinido

CD-Rom [sederɔm] *nm inv* CD-ROM *m*

CE [seə] **1** *nm (abrév* **comité d'entreprise)** comité *m* de empresa; *(abrév* **cours élémentaire)** **CE1** = curso de primaria que se realiza a los siete años, *Esp* ≃ segundo *m* de primaria;

CE2 = curso de primaria que se realiza a los ocho años, *Esp* ≃ tercero *m* de primaria

  2 *nf (abrév* **Communauté européenne)** CE *f*

ce¹, cet, cette [sə, sɛt] *(pl* **ces** [se])

> Antes de nombres masculinos que comienzan por vocal o h muda se utiliza **cet.**

adj démonstratif (proche) este (esta); *(éloigné)* ese (esa); **ce mois-ci** este mes; **cette année-là** aquel año

ce²

> Antes de e se utiliza **c'.**

pron démonstratif **c'est** es; **ce sont** son; **c'est mon bureau** es mi despacho; **ce sont mes enfants** son mis hijos; **qui est-ce?** ¿quién es?; **tu sais ce à quoi je pense** ya sabes en lo que pienso; **ce dont je me souviens** aquello de lo que me acuerdo; **faites ce pour quoi on vous paye** haga aquello por lo que le pagan; **ce que, ce qui** lo que; **ils ont obtenu ce qui leur revenait** han obtenido lo que les correspondía; **c'est ce que je lui ai dit** es lo que le he dicho; **ce qui est étonnant** lo asombroso; **c'est elle qui a obtenu le poste** ella fue la que obtuvo el puesto

ceci [səsi] *pron démonstratif* esto; **c. (étant) dit** dicho esto; **à c. près que** excepto que

cécité [sesite] *nf* ceguera *f*

céder [34] [sede] **1** *vt (donner)* ceder; *(vendre)* traspasar; **c. la parole à qn** ceder la palabra a alguien; **c. sa place à qn** dejar el sitio a alguien

  2 *vi (se soumettre, se rompre)* ceder; **c. à qch** *(demande, menace, avances)* ceder a o ante algo; *(tentation)* caer en algo; *(colère)* dejarse llevar por algo; **c. à qn** *(s'abandonner)* entregarse a alguien

Cedex [sedɛks] *nm (abrév* **courrier d'entreprise à distribution exception-**

nelle) = correo de empresa con reparto especial

cédille [sedij] *nf* cedilla *f (virgulilla)*

cèdre [sɛdr] *nm* cedro *m*

CEE [seɔə] *nf (abrév* **Communauté économique européenne)** CEE *f*

ceinture [sɛ̃tyr] *nf* cinturón *m; (taille)* cintura *f; Fig* **se serrer la c.** apretarse el cinturón ☆ *c. de sécurité* cinturón de seguridad

ceinturon [sɛ̃tyrɔ̃] *nm* cinto *m*

cela [səla] *pron démonstratif* eso; *(plus éloigné)* aquello; **il y a des années de c.** hace años de aquello; **après c.** después de eso; **et pourquoi c.?** ¿cómo es eso?; **c. (étant) dit** dicho esto

célèbre [selɛbr] *adj* famoso(a), célebre

célébrer [34] [selebre] *vt (anniversaire, messe)* celebrar; *Litt (faire l'éloge de)* alabar

célébrité [selebrite] *nf (renommée)* fama *f; (personne)* celebridad *f*

céleri [sɛlri] *nm* c. **(en branches)** apio *m;* **c.-rave** apio-nabo *m (raíz)*

céleste [selɛst] *adj (du ciel)* celeste

célibat [seliba] *nm* celibato *m*

célibataire [selibatɛr] *adj & nmf* soltero(a) *m,f*

celle [sɛl] *voir* **celui**

cellier [selje] *nm* bodega *f*

Cellophane® [selɔfan] *nf* celofán *m*

cellulaire [selylɛr] *adj* celular

cellule [selyl] *nf (de prisonnier, de moine)* celda *f; Biol & Pol* célula *f; (groupe)* comisión *f* ☆ *c. familiale* unidad *f* familiar; **c. photoélectrique** célula fotoeléctrica

cellulite [selylit] *nf* celulitis *f inv*

Celsius [sɛlsjys] *npr voir* **degré**

celui [səlɥi], **celle** [sɛl] *(mpl* **ceux** [sø], *fpl* **celles** [sɛl]) *pron démonstratif* el (la); **celle de devant** la de delante; **ceux d'entre nous qui...** aquellos de (entre) nosotros que...;

c. que vous voyez el que usted ve; **c'est celle qui te va le mieux** es la que mejor te sienta; **ceux que je connais** los que conozco

celui-ci [səlɥisi], **celle-ci** [sɛlsi] *(mpl* **ceux-ci** [søsi], *fpl* **celles-ci** [sɛlsi]) *pron démonstratif* éste (ésta); **ceux-ci** éstos; **celles-ci** éstas; **c...., celui-là...** *(le dernier..., le premier)* éste..., aquél...

celui-là [səlɥila], **celle-là** [sɛlla] *(mpl* **ceux-là** [søla], *fpl* **celles-là** [sɛlla]) *pron démonstratif* ése (ésa), aquél (aquella); **ceux-là** ésos, aquellos; **celles-là** ésas, aquellas; **celui-ci..., c....** *(le dernier..., le premier)* éste..., aquél...

cendre [sɑ̃dr] *nf* ceniza *f* ☆ *le mercredi des Cendres* el Miércoles de Ceniza

cendrier [sɑ̃drije] *nm* cenicero *m*

Cendrillon [sɑ̃drijɔ̃] *npr* Cenicienta

Cène [sɛn] *nf* **la C.** la Última Cena

censé, -e [sɑ̃se] *adj* **il est c. être à Paris** se supone que está en París; **elle n'est pas censée le savoir** no tiene por qué saberlo

censeur [sɑ̃sœr] *nm* censor(ora) *m,f; (de lycée)* jefe(a) *m,f* de estudios

censure [sɑ̃syr] *nf* censura *f*

censurer [sɑ̃syre] *vt* censurar

cent¹ [sɑ̃] **1** *adj* ciento; *(devant substantif)* cien; **c. deux francs** ciento dos francos; **quatre cents pages** cuatrocientas páginas; **c. personnes** cien personas; **c. mille francs** cien mil francos; **je te l'ai dit c. fois!** ¡te lo he dicho cien veces!
2 *nm inv (chiffre)* cien *m*; **trois pour c.** tres por ciento

cent² [sɛnt] *nm (monnaie du Canada et des États-Unis)* centavo *m*

centaine [sɑ̃tɛn] *nf* centena *f*, centenar *m*

centenaire [sɑ̃tnɛr] **1** *adj & nmf* centenario(a) *m,f*

2 *nm (centième anniversaire)* centenario *m*

centième [sãtjɛm] **1** *adj & nmf* centésimo(a) *m,f*

2 *nm* centésima parte *f*

3 *nf* Th centésima representación *f*; *voir aussi* **sixième**

centigrade [sãtigrad] *nm voir* **degré**

centigramme [sãtigram] *nm* centígramo *m*

centilitre [sãtilitr] *nm* centilitro *m*

centime [sãtim] *nm* céntimo *m*

centimètre [sãtimetr] *nm (mesure)* centímetro *m*; *(ruban)* cinta *f* métrica

central, -e, -aux, -ales [sãtral, -o] **1** *adj* central, céntrico(a); **un quartier très c.** un barrio muy céntrico

2 *nm (tennis)* pista *f* central ☆ *c. téléphonique* central *f* telefónica

3 *nf* **centrale** central *f* ☆ *centrale d'achat* central de compras; *centrale nucléaire* central nuclear; *centrale syndicale* central sindical

centraliser [sãtralize] *vt* centralizar

centre [sãtr] *nm* centro *m* ☆ *c. aéré* = centro de esparcimiento infantil, gestionado por los ayuntamientos; *c. commercial* centro comercial; *c. culturel* centro cultural; *c. de gravité* centro de gravedad; *c. de tri* oficina *f* de clasificación

centrer [sãtre] *vt* centrar

centre-ville *(pl* **centres-villes)** [sãtrəvil] *nm* centro *m* urbano

centrifugeuse [sãtrifyʒøz] *nf (pour jus de fruits)* licuadora *f*; *Tech* centrifugadora *f*

centuple [sãtypl] *nm* céntuplo *m*; **je te le rendrai au c.** te lo devolveré con creces

cep [sɛp] *nm* cepa *f*

cèpe [sɛp] *nm* seta *f* comestible

cependant [səpãdã] *conj* sin embargo

céramique [seramik] *nf* cerámica *f*

cerceau, -x [sɛrso] *nm (de tonneau)* cerco *m*; *(jouet)* aro *m*; *(de robe)* polisón *m*

cercle [sɛrkl] *nm* círculo *m*; *(de personnes)* corro *m* ☆ *c. vicieux* círculo vicioso

cercueil [sɛrkœj] *nm* ataúd *m*

céréale [sereal] *nf* cereal *m*

cérébral, -e, -aux, -ales [serebral, -o] *adj* cerebral

cérémonie [seremɔni] *nf (manifestation)* ceremonia *f*, acto *m*; *Fig (politesse)* cumplido *m*; **faire des cérémonies** hacer cumplidos

cérémonieux, -euse [seremɔnjø, -øz] *adj* ceremonioso(a)

cerf [sɛr] *nm* ciervo *m*

cerf-volant *(pl* **cerfs-volants)** [sɛrvɔlã] *nm (jouet)* cometa *f*; *(insecte)* ciervo *m* volante

cerise [sriz] **1** *nf* cereza *f*

2 *adj inv (couleur)* cereza *inv*

cerisier [srizje] *nm* cerezo *m*

cerner [sɛrne] *vt (encercler)* rodear; *Fig (problème, question)* delimitar, acotar

cernes [sɛrn] *nmpl (sous les yeux)* ojeras *fpl*

certain, -e [sɛrtɛ̃, -ɛn] **1** *adj* seguro(a); **c'est sûr et c.** segurísimo; **être c. de** estar seguro de; **être c. que** estar seguro de que

2 *adj indéfini* cierto(a); *(devant un nom de personne)* tal; **dans certains cas** en ciertos casos; **un c. temps** algún tiempo; **d'un c. âge** de cierta edad; **un c. Jean** un tal Juan

3 *pron indéfini* **certains, certaines** algunos(as) *m,fpl*

certainement [sɛrtɛnmã] *adv (probablement)* probablemente; *(certes)* por supuesto; **c'est c. un garçon intelligent** sin duda alguna es un chico inteligente

certes [sɛrt] *adv (indique une concession)* en efecto; *(en vérité)* desde luego

certificat [sɛrtifika] *nm (attestation)* certificado *m* ; *(diplôme)* diploma *m*

certifier [sɛrtifje] *vt (document)* compulsar ; **c. à qn que...** *(assurer)* asegurar a alguien que...

certitude [sɛrtityd] *nf* certeza *f* ; **avoir la c. que** tener la certeza de que

cerveau, -x [sɛrvo] *nm aussi Fig* cerebro *m*

cervelle [sɛrvɛl] *nf Anat & Culin* sesos *mpl* ; *(facultés mentales)* cerebro *m*

cervical, -e, -aux, -ales [sɛrvikal, -o] *adj* cervical

CES [seəɛs] *nm (abrév* **contrat emploi-solidarité)** = empleo subvencionado por el gobierno ; *Anciennement (abrév* **collège d'enseignement secondaire)** = antiguo nombre de los centros de enseñanza secundaria de primer ciclo

ces [se] *voir* **ce**

césarienne [sezarjɛn] *nf* cesárea *f*

cesse [sɛs] *nf* **sans c.** sin cesar, sin parar ; *Litt* **je n'aurai de c. qu'il n'admette qu'il a tort** no descansaré hasta que admita que se ha equivocado

cesser [sese] **1** *vt* suspender **2** *vi* cesar, terminar ; **ne pas c. de faire qch** no parar de hacer algo

cessez-le-feu [seselfø] *nm inv* alto *m* el fuego

cession [sɛsjɔ̃] *nf* cesión *f*

c'est-à-dire [sɛtadir] *conj (introduit une explication)* o sea, es decir ; **tu es libre ce soir? - c. que je suis déjà invitée ailleurs** ¿tienes la noche libre? - (la cosa) es que ya me han invitado

cet [sɛt] *voir* **ce**

cétacé [setase] *nm* cetáceo *m*

cette [sɛt] *voir* **ce**

ceux [sø] *voir* **celui**

cf. *(abrév* **confer)** cf.

CFA [seɛfa] *(abrév* **Communauté financière africaine)** franc C. = franco de las antiguas colonias francesas de África

CFC [seɛfse] *nm (abrév* **chlorofluoro-carbone)** CFC *m*

CFDT [seɛfdete] *nf (abrév* **Confédération française démocratique du travail)** = organización sindical francesa de orientación socialdemócrata

CFTC [seɛftese] *nf (abrév* **Confédération française des travailleurs chrétiens)** = organización sindical francesa que defiende los principios de la doctrina social cristiana

CGC [seʒese] *nf (abrév* **Confédération générale des cadres)** = organización sindical francesa de directivos

CGT [seʒete] *nf (abrév* **Confédération générale du travail)** = organización sindical francesa de orientación marxista

chacun, -e [ʃakœ̃, -yn] *pron indéfini* cada uno(a) ; **c. de nous/de vous/d'eux** cada uno de nosotros/de vosotros/de ellos ; **c. pour soi** cada cual a lo suyo ; **tout un c.** todos y cada uno

chagrin [ʃagrɛ̃] *nm* pena *f* ; **avoir du c.** estar triste

chagriner [ʃagrine] *vt* apenar

chahut [ʃay] *nm* jaleo *m* ; **faire du c.** armar jaleo

chahuter [ʃayte] **1** *vt (importuner)* abuchear ; *(bousculer)* incordiar **2** *vi* armar jaleo

chaîne [ʃɛn] *nf* cadena *f* ; **chaînes** *(pour pneus)* cadenas *fpl* ; *Fig & Litt (servitude)* lazos *mpl* ; **à la c.** en cadena ☆ **c. cryptée** cadena de emisión codificada ; **c. (hi-fi)** equipo *m* de música ; **c. de montage** cadena de montaje ; **c. de montagnes** cadena montañosa, cordillera *f* ; **c. stéréo** cadena, equipo de música

chaînon [ʃɛnɔ̃] *nm (maillon)* eslabón *m* ; *Fig* **le c. manquant** el vínculo que falta

chair [ʃɛr] **1** *nf (viande)* carne *f; (de fruit)* pulpa *f;* **avoir la c. de poule** tener la carne de gallina
2 *adj inv (couleur)* carne *inv*

chaire [ʃɛr] *nf (estrade) (de prédicateur)* púlpito *m; (de professeur)* tarima *f; Univ (poste)* cátedra *f*

chaise [ʃɛz] *nf* silla *f* ☆ *c. électrique* silla eléctrica; *c. longue* tumbona *f*

châle [ʃɑl] *nm* chal *m*, mantón *m*

chalet [ʃalɛ] *nm (de montagne)* chalet *m*, chalé *m; Can (maison de campagne)* casa *f* de campo

chaleur [ʃalœr] *nf* calor *m;* **en c.** en celo

chaleureux, -euse [ʃalœrø, -øz] *adj* caluroso(a)

chaloupe [ʃalup] *nf* bote *m*, chalupa *f*

chalumeau, -x [ʃalymo] *nm* soplete *m*

chalut [ʃaly] *nm (filet)* traína *f;* **pêche au c.** pesca *f* de arrastre

chalutier [ʃalytje] *nm (bateau)* trainera *f; (pêcheur)* pescador *m* de trainera

chamailler [ʃamɑje] **se chamailler** *vpr Fam* pelearse

chambouler [ʃãbule] *vt Fam (objets)* poner patas arriba; *(projets)* desbaratar

chambranle [ʃãbrãl] *nm (de porte, de fenêtre)* marco *m; (de cheminée)* faldón *m*

chambre [ʃãbr] *nf (de maison, d'hôtel)* cuarto *m*, habitación *f; (local)* cámara *f; Jur* sala *f* ☆ *c. à air* cámara de aire; *c. d'amis* cuarto de invitados; *la C. de commerce et d'industrie* la Cámara de Comercio e Industria; *c. à coucher* dormitorio *m; la C. des députés* la Cámara de los diputados; *c. double* habitación doble; *c. forte* cámara acorazada; *c. froide* cámara frigorífica; *c. à gaz* cámara de gas; *c. individuelle* habitación individual; *c. noire* cámara oscura

chambrée [ʃãbre] *nf* dormitorio *m* (colectivo)

chambrer [ʃãbre] *vt (vin)* poner del tiempo; *Fam (se moquer de)* cachondearse de

chameau, -x [ʃamo] *nm (mammifère)* camello *m; Fam Péj (personne)* mal bicho *m*

chamois [ʃamwa] *nm* gamuza *f*

champ [ʃã] *nm aussi Ordinat* campo *m* ☆ *c. de bataille* campo de batalla; *c. de courses* hipódromo *m*

champagne [ʃãpaɲ] *nm* champán *m* (francés)

champêtre [ʃãpɛtr] *adj* campestre

champignon [ʃãpiɲɔ̃] *nm (végétal)* seta *f; Biol & Méd* hongo *m; Fam (accélérateur)* acelerador *m*

champion, -onne [ʃãpjɔ̃, -ɔn] **1** *nm,f (sportif)* campeón(ona) *m,f; Fig (défenseur)* paladín *m*
2 *adj inv Fam (personne)* campeón(ona)

championnat [ʃãpjɔna] *nm* campeonato *m*

chance [ʃãs] *nf (sort)* suerte *f; (possibilité)* posibilidad *f*, probabilidad *f;* **avoir de la c.** tener suerte; **porter c.** traer suerte, dar (buena) suerte; **avoir des chances de faire qch** tener probabilidades de hacer algo; **bonne c.!** ¡buena suerte!

chanceler [9] [ʃãsle] *vi aussi Fig* tambalearse

chancelier [ʃãsəlje] *nm* canciller *m*

chanceux, -euse [ʃãsø, -øz] *adj* afortunado(a)

chandail [ʃãdaj] *nm* jersey *m*

Chandeleur [ʃãdlœr] *nf* Candelaria *f*

chandelier [ʃãdəlje] *nm* candelabro *m*

chandelle [ʃãdɛl] *nf* vela *f;* **dîner aux chandelles** cenar a la luz de las velas

change [ʃãʒ] *nm Fin* cambio *m; (couche de bébé)* pañal *m*

changeant, -e [ʃãʒã, -ãt] *adj (temps)* variable; *(humeur)* cambiante; *(couleur, étoffe)* tornasolado(a)

changement [ʃãʒmã] *nm* cambio *m*; *(en train, en métro)* transbordo *m*, trasbordo *m*

changer [45] [ʃãʒe] **1** *vt* cambiar **(contre** por); **c. qch en qch** *(monnaie)* cambiar algo en algo; *(transformer)* convertir algo en algo
2 *vi* cambiar; **c. de** *(adresse, vêtement)* cambiar de; *Iron* **pour c.** para variar
3 se changer *vpr (changer de vêtements)* cambiarse; **se c. en** *(se transformer)* convertirse en, transformarse en

chanson [ʃãsɔ̃] *nf* canción *f*; *Fig* **c'est toujours la même c.** siempre la misma canción *o* historia ☆ **c. à boire =** canción acerca de la bebida

chansonnier, -ère [ʃãsɔnje, -ɛr] *nm,f* cantautor(ora) *m,f* satírico

chant [ʃã] *nm* canto *m*; **apprendre le c.** estudiar canto ☆ **c. de Noël** villancico *m*

chantage [ʃãtaʒ] *nm* chantaje *m*; **faire du c. à qn** hacerle chantaje a alguien

chanter [ʃãte] **1** *vt* cantar; *Fam* **qu'est-ce que tu me chantes?** ¿qué me cuentas?
2 *vi* cantar; *Fig* **faire c. qn** hacerle chantaje a alguien

chanteur, -euse [ʃãtœr, -øz] *nm,f* cantante *mf*

chantier [ʃãtje] *nm (de construction)* obra *f*; *Fam (désordre)* leonera *f*; *Fig* **en c.** *(en cours)* en marcha ☆ **c. naval** astillero *m*

chantilly [ʃãtiji] *nf* **(crème) c.** nata *f* montada

chantonner [ʃãtɔne] **1** *vt* tararear
2 *vi* canturrear

chanvre [ʃãvr] *nm* cáñamo *m*

chaos [kao] *nm* caos *m inv*

chap. *(abrév* **chapitre)** C

chaparder [ʃaparde] *vt* sisar

chapeau, -x [ʃapo] *nm* sombrero *m*; *(de texte, d'article)* encabezamiento *m*; *aussi Iron* **c.!** ¡bravo!, ¡muy bien!

chapeauter [ʃapote] *vt (superviser)* controlar

chapelet [ʃaplɛ] *nm (pour prier)* rosario *m*; *Fig (d'injures)* retahíla *f*

chapelle [ʃapɛl] *nf (petite église)* capilla *f*

chapelure [ʃaplyr] *nf* pan *m* rallado

chaperon [ʃaprɔ̃] *nm* **le Petit C. rouge** Caperucita Roja *f*

chapiteau, -x [ʃapito] *nm (de colonne)* capitel *m*; *(de cirque)* carpa *f*

chapitre [ʃapitr] *nm (de livre)* capítulo *m*; *(sujet)* tema *m*; *(de budget)* partida *f*, asiento *m*; *Rel (assemblée)* cabildo *m*

chaque [ʃak] *adj indéfini* cada; **c. personne** cada persona; **ils coûtent 100 francs c.** cuestan 100 francos cada uno

char [ʃar] *nm (véhicule)* carro *m*; *(de carnaval)* carroza *f*; *Can (voiture) Esp* coche *m*, *Am* carro *m*, *RP* auto *m* ☆ **c. d'assaut** carro de combate

charabia [ʃarabja] *nm* galimatías *m inv*

charade [ʃarad] *nf* charada *f*

charbon [ʃarbɔ̃] *nm* carbón *m* ☆ **c. de bois** carbón de leña

charcuterie [ʃarkytri] *nf (magasin)* charcutería *f*, tienda *f* de embutidos; *(produits)* embutidos *mpl*

charcutier, -ère [ʃarkytje, -ɛr] *nm,f* charcutero(a) *m,f*

chardon [ʃardɔ̃] *nm (plante)* cardo *m*

charge [ʃarʒ] *nf* cargo *m*; *(fardeau, attaque)* carga *f*; **charges** *(d'appartement)* gastos *mpl* de comunidad; *(dépenses)* costes *mpl*; **être à la c. de qn** *(frais, travaux)* correr a cargo de alguien; *(personne)* estar a cargo de alguien; **prendre qch/qqn en c.** hacerse cargo de algo/de alguien ☆ *charges sociales* cargas sociales

chargé, -e [ʃarʒe] **1** *adj (personne, véhicule)* cargado(a); *(journée, emploi du temps)* ocupado(a), cargado(a); *(décoration)* recargado(a); **être c. de qch/de faire qch** *(responsable)* estar encargado(a) de algo/de hacer algo **2** *nm,f* **c. d'affaires** encargado(a) *m,f* de negocios; **c. de mission** delegado(a) *m, f*

chargement [ʃarʒəmã] *nm (de marchandises)* cargamento *m*; *(d'une arme, d'un appareil photo)* carga *f*

charger [45] [ʃarʒe] **1** *vt (véhicule, arme)* & *Ordinat* cargar; *(attaquer)* cargar contra; *Jur (déposer contre)* declarar en contra de; **c. qn de qch/de faire qch** encargar a alguien de algo/que haga algo **2 se charger** *vpr (porter une charge)* cargarse; **se c. de qch/qn** *(s'occuper de)* ocuparse de algo/alguien; **se c. de faire qch** encargarse de hacer algo

chargeur [ʃarʒœr] *nm (d'arme)* cargador *m*

chariot [ʃarjo] *nm (charrette)* carretilla *f*; *(table roulante)* carrito *m*; *(de machine à écrire, de supermarché)* carro *m*

charitable [ʃaritabl] *adj* caritativo(a)

charité [ʃarite] *nf (chrétienne)* caridad *f*; *(bonté)* bondad *f*

charlatan [ʃarlatã] *nm (vendeur)* charlatán(ana) *m,f*; *(médecin)* matasanos *mf inv*

charlotte [ʃarlɔt] *nf (gâteau)* charlota *f*

charmant, -e [ʃarmã, -ãt] *adj* encantador(ora); *Iron* **c'est c.!** ¡maravilloso!

charme¹ [ʃarm] *nm (attrait)* atracción *f*; *(envoûtement)* hechizo *m*

charme² *nm (arbre)* carpe *m*

charmer [ʃarme] *vt* cautivar; **(je suis) charmé de faire votre connaissance** encantado de conocerle

charmeur, -euse [ʃarmœr, -øz] **1** *adj* encantador(ora) **2** *nm,f* seductor(ora) *m,f* ☆ **c. de serpents** encantador *m* de serpientes

charnel, -elle [ʃarnɛl] *adj* carnal

charnier [ʃarnje] *nm* osario *m*

charnière [ʃarnjɛr] **1** *nf* bisagra *f* **2** *adj inv* decisivo(a)

charnu, -e [ʃarny] *adj* carnoso(a)

charognard [ʃarɔɲar] *nm (oiseau)* ave *f* carroñera

charogne [ʃarɔɲ] *nf (d'animal)* carroña *f*; *très Fam (crapule)* crápula *mf*

charpente [ʃarpãt] *nf (de bâtiment)* armazón *m*; *Fig (de personne)* osamenta *f*; *(de roman)* estructura *f*

charpentier [ʃarpãtje] *nm* carpintero(a) *m,f* de obra, carpintero(a) *m,f* de blanco

charrette [ʃarɛt] *nf* carreta *f*; *Suisse* **c. de Paul!** ¡caramba con Paul!

charrier [73c] [ʃarje] **1** *vt (entraîner)* arrastrar; *(transporter)* acarrear; *Fam (se moquer de)* pitorrearse de, chotearse de **2** *vi Fam (exagérer)* pasarse

charrue [ʃary] *nf* arado *m*; *Fig* **mettre la c. avant les bœufs** empezar la casa por el tejado

charte [ʃart] *nf* carta *f*

charter [ʃarter] *nm* chárter *m*

chas [ʃa] *nm* ojo *m (de aguja)*

chasse [ʃas] *nf (activité)* caza *f*; *(période)* temporada *f* de caza; *(poursuite)* caza *f*, persecución *f*; **la c. est ouverte** la veda está levantada; *Fig* **faire la c. à qch** perseguir algo; **prendre qn en c.** perseguir a alguien; **tirer la c.** *(des toilettes)* tirar de la cadena ☆ **c. à courre** montería *f*; **c. d'eau** cisterna *f*; **c. gardée** *(terrain)* coto *m* privado de caza; *Fig* terreno *m* reservado

chassé-croisé (*pl* **chassés-croisés**) [ʃasekrwaze] *nm* cruce *m*

chasse-neige [ʃasnɛʒ] *nm inv (véhicule)* quitanieves *m inv; (position des skis)* cuña *f*

chasser [ʃase] **1** *vt (animal)* cazar; *(faire partir) (personne)* expulsar; *(idées noires, soucis)* desechar; *(employé)* despedir
2 *vi (aller à la chasse)* cazar; *(roues)* patinar

chasseur, -euse [ʃasœr, -øz] **1** *nm,f* cazador(ora) *m,f*
2 *nm (d'hôtel)* botones *m inv; (avion)* avión *m* de caza ☆ *Mil* **c. alpin** cazador *m* de montaña

châssis [ʃasi] *nm (de fenêtre, de porte)* contramarco *m; (de véhicule)* chasis *m inv; (de machine)* bastidor *m*

chaste [ʃast] *adj* casto(a)

chasuble [ʃazybl] *nf* casulla *f*

chat, chatte [ʃa, ʃat] *nm,f* gato(a) *m,f*

châtaigne [ʃatɛɲ] *nf* castaña *f; Fam (coup de poing)* puñetazo *m*

châtaignier [ʃatɛɲe] *nm* castaño *m*

châtain [ʃatɛ̃] **1** *adj (couleur)* castaño(a)
2 *nm* castaño *m*

château, -x [ʃato] *nm* castillo *m; (vignoble)* viñedo *m;* **le c. de Versailles** el palacio de Versalles ☆ **c. d'eau** arca *f* de agua; **c. fort** fortaleza *f;* **c. de sable** castillo de arena

châtié, -e [ʃatje] *adj (langage)* pulido(a)

châtier [73c] [ʃatje] *vt Litt (punir)* castigar

châtiment [ʃatimɑ̃] *nm* castigo *m*

chaton [ʃatɔ̃] *nm (petit chat)* gatito *m; (sur un arbre)* amento *m,* candelilla *f; (de bague)* engaste *m*

chatouiller [ʃatuje] *vt (faire des chatouilles à)* hacer cosquillas a; *Fig (titiller)* cosquillear

chatouilles [ʃatuj] *nfpl* cosquillas *fpl;* **faire des c. à qn** hacerle cosquillas a alguien

chatoyant, -e [ʃatwajɑ̃, -ɑ̃t] *adj* tornasolado(a)

châtrer [ʃatre] *vt* castrar, capar

chatte [ʃat] *voir* **chat**

chaud, -e [ʃo, ʃod] **1** *adj* caliente; *(temps, voix)* cálido(a); *Fig (enthousiaste)* entusiasta; *(sensuel)* ardiente; **manger/servir qch c.** comer/servir algo caliente; **ne pas être très c. pour faire qch** no tener ánimos para hacer algo
2 *nm* calor *m;* **garder qch au c.** mantener algo caliente; **rester au c.** no salir (de casa); **avoir c.** tener calor; **il fait c.** hace calor; **tenir c.** *(vêtement)* abrigar

chaudement [ʃodmɑ̃] *adv (féliciter, recommander)* calurosamente; **être c. vêtu** llevar ropa de abrigo

chaudière [ʃodjɛr] *nf* caldera *f*

chaudron [ʃodrɔ̃] *nm* caldero *m*

chauffage [ʃofaʒ] *nm (système)* calefacción *f; (action de chauffer)* calentamiento *m* ☆ **c. central** calefacción central

chauffant, -e [ʃofɑ̃, -ɑ̃t] *adj voir* **couverture, plaque**

chauffard [ʃofar] *nm* **c'est un c.** conduce como un loco

chauffe-eau [ʃofo] *nm inv* calentador *m* de agua

chauffer [ʃofe] **1** *vt* calentar
2 *vi (devenir chaud)* calentarse; *(moteur)* calentar; *Fam* **ça va c.!** ¡se va a armar una buena!
3 se chauffer *vpr* calentarse; **se c. au gaz** tener calefacción de gas

chauffeur [ʃofœr] *nm* conductor(ora) *m,f; (domestique)* chófer *m,* chofer *m*

chaume [ʃom] *nm* paja *f*

chaumière [ʃomjɛr] *nf* choza *f*, *CAm* mediagua *f*

chaussée [ʃose] *nf* calzada *f*

chausse-pied (*pl* **chausse-pieds**) [ʃospje] *nm* calzador *m*

chausser [ʃose] **1** *vt* (*souliers, skis*) calzarse; (*lunettes*) calarse; (*enfant*) calzar
  2 *vi* **c. grand/petit** (*chaussures*) venir en tallas grandes/pequeñas; **c. du 40** calzar un 40
  3 se chausser *vpr* calzarse

chaussette [ʃosɛt] *nf* calcetín *m*

chausseur [ʃosœr] *nm* zapatero(a) *m,f*

chausson [ʃosɔ̃] *nm* (*pantoufle, chaussure de danse*) zapatilla *f*; (*de bébé*) peúco *m*; (*préparation salée*) empanadilla *f* ☆ **c. aux pommes** = pastel de manzana

chaussure [ʃosyr] *nf* zapato *m*; (**l'industrie de**) **la c.** la industria del calzado ☆ **c. basse** zapato plano; **c. de marche** calzado *m* de marcha; **c. montante** botín *m*; **c. de ski** bota *f* de esquí

chauve [ʃov] *adj & nmf* calvo(a) *m,f*

chauve-souris (*pl* **chauves-souris**) [ʃovsuri] *nf* murciélago *m*

chauvin, -e [ʃovɛ̃, -in] *adj & nm,f* chovinista *mf*

chauvinisme [ʃovinism] *nm* chovinismo *m*

chaux [ʃo] *nf* cal *f*

chavirer [ʃavire] **1** *vi* (*bateau, projet*) irse a pique
  2 *vt* (*bouleverser*) emocionar

chef [ʃɛf] *nm* jefe(a) *m,f*; (*dans un hôpital*) director(ora) *m,f* de servicio; (*cuisinier*) jefe(a) de cocina, chef *mf*; *Fam* (*champion*) campeón(ona) *m,f*; **en c.** jefe; *Mil* en jefe ☆ *Jur* **c. d'accusation** cargo *m*; **c. d'entreprise** empresario(a) *m, f*; **c. de famille** cabeza *mf* de familia; **c. de file** jefe de filas; **c. de gare** jefe de estación; **c. d'orchestre** direc-tor(ora) de orquesta; **c. de service** director(ora) de departamento

chef-d'œuvre (*pl* **chefs-d'œuvre**) [ʃɛdœvr] *nm* obra *f* maestra

chef-lieu (*pl* **chefs-lieux**) [ʃɛfljø] *nm* cabeza *f* (*de distrito, municipio, departamento*)

chemin [ʃəmɛ̃] *nm* camino *m*; **en c.** por el camino; *Fig* **faire du c.** (*progresser*) progresar

chemin de fer (*pl* **chemins de fer**) [ʃəmɛ̃dfɛr] *nm* ferrocarril *m*

cheminée [ʃəmine] *nf* chimenea *f*; (*en montagne*) = paso estrecho entre dos peñascos

cheminer [ʃəmine] *vi* (*personne*) caminar; *Fig* (*idée, pensée*) abrirse camino

cheminot [ʃəmino] *nm* ferroviario *m*

chemise [ʃəmiz] *nf* (*vêtement*) camisa *f*; (*dossier*) carpeta *f* ☆ **c. de nuit** camisón *m*

chemisette [ʃəmizɛt] *nf* (*d'homme*) camiseta *f*; (*d'enfant*) camisita *f*, camisola *f*

chemisier [ʃəmizje] *nm* (*vêtement*) blusa *f*

chenal, -aux [ʃənal, -o] *nm* canal *m*

chêne [ʃɛn] *nm* roble *m*

chenet [ʃənɛ] *nm* morillo *m*

chenil [ʃənil] *nm* perrera *f*; *Suisse* (*désordre*) leonera *f*

chenille [ʃənij] *nf* (*animal, de véhicule*) oruga *f*; (*tissu*) felpilla *f*

chèque [ʃɛk] *nm* cheque *m*, talón *m* ☆ **c. barré** cheque o talón cruzado; **c. en blanc** cheque en blanco; **c. en bois** *ou* **sans provision** cheque o talón sin fondos; **c. au porteur** cheque o talón al portador; **c. postal** cheque postal; **c. de voyage** cheque de viaje

chèque-restaurant (*pl* **chèques-restaurant**) [ʃɛkrɛstɔrɑ̃] *nm* ticket-restaurante *m*

chéquier [ʃekje] *nm* talonario *m* de cheques, *Am* chequera *f*

cher, chère [ʃɛr] **1** *adj (coûteux)* caro(a); *(aimé)* querido(a); *(dans une lettre)* estimado(a), querido(a) **2** *nm,f* **mon c.** querido; **ma chère** querida **3** *adv* caro; **coûter c.** costar caro

chercher [ʃɛrʃe] **1** *vt* buscar; **aller c. qch/qn** ir a buscar algo/a alguien; **venir c. qch/qn** venir a buscar algo/a alguien; *Fam* **tu me cherches?** ¿quieres pelea? **2 chercher à** *vt ind* **c. à faire qch** procurar hacer algo

chercheur, -euse [ʃɛrʃœr, -øz] *nm,f (scientifique)* investigador(ora) *m,f* ☆ **c. d'or** buscador *m* de oro

chère [ʃɛr] *voir* **cher**

chéri, -e [ʃeri] **1** *adj (aimé)* querido(a) **2** *nm,f (favori)* preferido(a) *m,f*; **mon c., ma chérie** cariño

chérir [ʃerir] *vt Litt (personne)* querer; *(chose, idée)* amar

chétif, -ive [ʃetif, -iv] *adj (enfant)* enclenque; *(arbre)* raquítico(a)

cheval, -aux [ʃəval, -o] *nm* caballo *m*; **faire du c.** hacer equitación, practicar la equitación; **être à c. sur qch** *(être assis sur)* estar sentado(a) a horcajadas en algo; *Fig (tenir à)* ser estricto(a) con respecto a algo o en algo; **être à c. sur deux siècles** estar a caballo entre dos siglos ☆ **c. d'arçon** potro *m*

chevalet [ʃəvalɛ] *nm (de peintre)* caballete *m*; *(de tisserand)* bastidor *m*; *(de menuisier)* banco *m*

chevalier [ʃəvalje] *nm* caballero *m*

chevalière [ʃəvaljɛr] *nf* sello *m (sortija)*

chevalin, -e [ʃəvalɛ̃, -in] *adj voir* **boucherie**

cheval-vapeur [ʃəvalvapœr] *(pl* **chevaux-vapeur** [ʃəvovapœr]) *nm Aut* caballo *m* de vapor

chevaucher [ʃəvoʃe] **1** *vt* montar **2 se chevaucher** *vpr (tuiles, dents)* encabalgarse, solaparse

chevelu, -e [ʃəvly] *adj* melenudo(a)

chevelure [ʃəvlyr] *nf* cabellera *f*; *(de comète)* cola *f*

chevet [ʃəvɛ] *nm (du lit)* cabecera *f*; **être au c. de qn** estar a la cabecera de alguien

cheveu, -x [ʃəvø] *nm* pelo *m*, cabello *m*; **avoir les cheveux longs/frisés** tener el pelo largo/rizado; **j'ai raté mon train d'un c.** se me escapó el tren por un pelo ☆ **c. blanc** cana *f*

cheville [ʃəvij] *nf (partie de la jambe)* tobillo *m*; *(pour consolider)* clavija *f*; *Fig (élément essentiel)* cabecilla *mf*; **être en c. avec qn** estar conchabado(a) con alguien ☆ *Fig* **c. ouvrière** alma *f*; **ce service est la c. ouvrière de l'entreprise** ese servicio es el alma de la empresa

chèvre [ʃɛvr] **1** *nf* cabra *f*; *Fam* **rendre qn c.** sacar de sus casillas a alguien **2** *nm* queso *m* de cabra

chevreau, -x [ʃəvro] *nm (animal)* cabrito *m*; *(peau)* cabritilla *f*

chèvrefeuille [ʃɛvrəfœj] *nm* madreselva *f*

chevreuil [ʃəvrœj] *nm (animal)* corzo *m*; *(viande)* ciervo *m*

chevronné, -e [ʃəvrɔne] *adj* veterano(a)

chevrotine [ʃəvrɔtin] *nf* posta *f*, perdigón *m*

chewing-gum *(pl* **chewing-gums)** [ʃwiŋɡɔm] *nm* chicle *m*

chez [ʃe] *prép (dans la maison de)* en casa de; **il est c. lui** está en su casa; **il va c. lui** va a su casa; **je reste c. moi** me quedo en casa; **aller c. le coiffeur/c. le médecin** ir a la peluquería/al médico; **c. lui** *(en ce qui le concerne)* en él; **ce que j'aime c. lui** lo que me gusta de él; **c. les Espagnols, on dîne tard** los españoles cenan tarde; **faites comme c. vous** ¡está en su casa!

chialer [ʃjale] *vi Fam* llorar

chic [ʃik] **1** *adj (élégant)* elegante, *Méx* elegantoso(a); *Vieilli* **un c. type** un gran tipo **2** *nm* **avoir du c.** *(élégance)* tener estilo; **avoir le c. pour faire qch** tener el don de hacer algo **3** *exclam Vieilli* **c. (alors)!** ¡qué bien!

chicorée [ʃikɔre] *nf (racine, boisson)* achicoria *f*; *(salade)* escarola *f*

chien¹, chienne [ʃjɛ̃, ʃjɛn] *nm,f (animal)* perro(a) *m,f* ☆ **c. d'aveugle** perro lazarillo; **c. de berger** perro pastor; **c. de chasse** perro de caza; **c. de garde** perro guardián; **c. policier** perro policía; **c. de race** perro de raza

chien² *nm (d'arme)* gatillo *m*; **en c. de fusil** acurrucado(a)

chiendent [ʃjɛ̃dɑ̃] *nm* grama *f*

chien-loup (*pl* **chiens-loups**) [ʃjɛ̃lu] *nm* perro *m* lobo

chienne [ʃjɛn] *voir* **chien**

chier [ʃje] *vi Vulg* cagar; **tu me fais c.!** ¡qué coñazo eres!; **faire c. qn** *(sujet: situation)* joder a alguien; **se faire c.** *(s'ennuyer)* aburrirse como una ostra

chiffon [ʃifɔ̃] *nm* trapo *m*; **parler chiffons** hablar de trapos

chiffonné, -e [ʃifɔne] *adj* arrugado(a); *Fig (contrarié)* preocupado(a)

chiffre [ʃifr] *nm (caractère)* cifra *f*; *(montant)* importe *m*; *(code secret)* clave *f* ☆ **c. d'affaires** volumen *m* de negocios; **chiffres arabes** números *mpl* arábigos; **chiffres romains** números romanos

chiffrer [ʃifre] *vt (évaluer)* calcular; *(numéroter)* numerar; *(message)* cifrar

chignole [ʃiɲɔl] *nf* taladradora *f*

chignon [ʃiɲɔ̃] *nm* moño *m*, *Méx* chongo *m*

Chili [ʃili] *nm* **le C.** Chile

chilien, -enne [ʃiljɛ̃, -ɛn] **1** *adj* chileno(a) **2** *nm,f* **C.** chileno(a) *m,f*

chimie [ʃimi] *nf* química *f*

chimiothérapie [ʃimjɔterapi] *nf* quimioterapia *f*

chimique [ʃimik] *adj* químico(a)

chimiste [ʃimist] *nmf* químico(a) *m,f*

chimpanzé [ʃɛ̃pɑ̃ze] *nm* chimpancé *m*

Chine [ʃin] *nf* **la C.** China

chiné, -e [ʃine] *adj* de mezclilla

chiner [ʃine] **1** *vt (taquiner)* fastidiar **2** *vi* buscar gangas

chinois, -e [ʃinwa, -az] **1** *adj* chino(a) **2** *nm,f* **C.** chino(a) *m,f* **3** *nm (langue)* chino *m*

chiot [ʃjo] *nm* cachorro *m*

chiottes [ʃjɔt] *nfpl très Fam* meódromo *m*, tigre *m*

chiper [ʃipe] *vt Fam* mangar

chipie [ʃipi] *nf* pillina *f*

chips [ʃips] *nfpl* patatas *fpl* fritas

chique [ʃik] *nf Belg (bonbon)* caramelo *m*

chiquenaude [ʃiknod] *nf* capirotazo *m*

chiquer [ʃike] *vt* mascar *(tabaco)*

chirurgical, -e, -aux, -ales [ʃiryrʒikal, -o] *adj* quirúrgico(a)

chirurgie [ʃiryrʒi] *nf* cirugía *f*

chirurgien [ʃiryrʒjɛ̃] *nm* cirujano(a) *m,f*

ch.-l. *(abrév* **chef-lieu)** cabeza *f (de distrito, municipio, departamento)*

chlore [klɔr] *nm* cloro *m*

chloroforme [klɔrɔfɔrm] *nm* cloroformo *m*

chlorophylle [klɔrɔfil] *nf* clorofila *f*

choc [ʃɔk] *nm (coup, conflit)* choque *m*; **image-c.** imagen *f* impresionante; **prix-chocs** *(sur une vitrine)* precios *mpl* de ganga ☆ **c. opératoire** shock *m* postoperatorio; **c. pétrolier** crisis *f* del petróleo

chocolat [ʃɔkɔla] **1** *nm* chocolate *m*; *(bonbon)* bombón *m* ☆ *c. chaud* chocolate a la taza; *c. glacé* bombón helado; *c. au lait* chocolate con leche; *c. noir ou à croquer* chocolate (a la taza)
   2 *adj inv (couleur)* chocolate *inv*

chœur [kœr] *nm* coro *m*

choisi, -e [ʃwazi] *adj (morceau, œuvre)* escogido(a); *(langage, style)* rebuscado(a); *(public)* selecto(a)

choisir [ʃwazir] *vt* elegir, escoger; *c. de faire qch* decidir hacer algo

choix [ʃwa] *nm (décision)* elección *f*; *(d'articles)* selección *f*; *avoir le c.* poder elegir; *laisser le c. à qn* dejar a alguien escoger; *nous n'avons pas le c.*, *il faut partir* no tenemos más remedio que irnos; *au c.* a elegir; *de premier/second c.* de primera/segunda calidad

choléra [kɔlera] *nm* cólera *m*

cholestérol [kɔlɛsterɔl] *nm* colesterol *m*

chômage [ʃomaʒ] *nm* desempleo *m*, *Esp* paro *m*, *CSur* cesantía *f*; *être au c.* estar en paro ☆ *être en c. technique* estar en paro forzoso

chômer [ʃome] *vi* **eh bien, tu n'as pas chômé!** ¡no has perdido el tiempo!

chômeur, -euse [ʃomœr, -øz] *nm,f* parado(a) *m,f*

chope [ʃɔp] *nf* jarra *f*

choper [ʃɔpe] *vt Fam (voleur, rhume)* pescar; *il s'est fait c.* lo han pescado

choquant, -e [ʃɔkã, -ãt] *adj* chocante

choquer [ʃɔke] *vt (scandaliser)* chocar; *(traumatiser)* afectar

chorale [kɔral] *nf* coral *f*

chorégraphie [kɔregrafi] *nf* coreografía *f*

choriste [kɔrist] *nmf* corista *mf*

chose [ʃoz] *nf* cosa *f*; *parler de choses et d'autres* charlar; *c'est (bien) peu de c. es poca cosa; *de deux choses l'une* una de dos

chou, -x [ʃu] **1** *nm (légume)* col *f*; *(pâtisserie)* petisú *m*; *Fam* **mon c.** *(personne)* cielito mío ☆ *c. à la crème* bocadito *m* de nata
   2 *adj inv Fam* mono(a)

chouchou, -oute [ʃuʃu, -ut] *nm,f Fam* ojito *m* derecho

choucroute [ʃukrut] *nf* choucroute *f*

chouette [ʃwɛt] **1** *nf* lechuza *f*
   2 *adj Fam (personne)* majo(a); *(chose)* guay
   3 *exclam* ¡(qué) guay!

chou-fleur *(pl* **choux-fleurs)** [ʃuflœr] *nm* coliflor *f*

CHR [seaʃɛr] *nm (abrév* **centre hospitalier régional)** = centro hospitalario regional

chrétien, -enne [kretjɛ̃, -ɛn] *adj & nm,f* cristiano(a) *m,f*

Christ [krist] *nm* **le C.** Cristo *m*; *c. (crucifix)* cristo *m*

christianisme [kristjanism] *nm* cristianismo *m*

chrome [krom] *nm* cromo *m*; **chromes** *(d'une voiture)* cromado *m*

chromé, -e [krome] *adj* cromado(a)

chromosome [krɔmozom] *nm* cromosoma *m*

chronique [krɔnik] **1** *adj* crónico(a)
   2 *nf* crónica *f*

chronologie [krɔnɔlɔʒi] *nf* cronología *f*

chronomètre [krɔnɔmɛtr] *nm* cronómetro *m*

chronométrer [34] [krɔnɔmetre] *vt* cronometrar

CHU [seaʃy] *nm (abrév* **centre hospitalo-universitaire)** hospital *m* universitario

chuchotement [ʃyʃɔtmã] *nm* cuchicheo *m*

chuchoter [ʃyʃɔte] *vt & vi* cuchichear

chut [ʃyt] *exclam* ¡chitón!

chute [ʃyt] *nf (accident)* caída *f; (de température, de tension)* bajada *f; (cascade)* catarata *f; (de tissu)* jirón *m* ☆ *c. d'eau* salto *m* de agua; *c. de neige* nevada *f; les chutes d'Iguaçu* las cataratas de Iguazú; *les chutes du Niagara* las cataratas del Niágara

Chypre [ʃipr] *n* Chipre

chypriote [ʃiprijɔt] **1** *adj* chipriota **2** *nmf* **C.** chipriota *mf*

ci [si] *adv* **cet homme-ci** este hombre; **de-ci de-là** por aquí y por allá

CIA [seia] *nf (abrév* **Central Intelligence Agency)** CIA *f*

ci-après [siaprɛ] *adv* más adelante; **l'exemple c.** el ejemplo siguiente

cible [sibl] *nf (d'un tir)* blanco *m; (d'une publicité)* objetivo *m*

ciblé, -e [sible] *adj Com* = dirigido a un sector de población restringido

ciboire [sibwar] *nm* copón *m*

ciboulette [sibulɛt] *nf* cebolleta *f*

cicatrice [sikatris] *nf* cicatriz *f*

cicatriser [sikatrize] *vi* cicatrizar

ci-contre [sikɔ̃tr] *adv* en la otra página; **le schéma c.** el esquema de la otra página

ci-dessous [sidəsu] *adv* más abajo; **l'exemple c.** el ejemplo siguiente

ci-dessus [sidəsy] *adv* más arriba; **l'exemple c.** el ejemplo anterior

cidre [sidr] *nm* sidra *f*

Cie *(abrév* **compagnie)** C

ciel [sjɛl] *nm* cielo *m;* **à c. ouvert** a cielo abierto

cierge [sjɛrʒ] *nm* cirio *m*

cieux [sjø] *nmpl Litt (paradis)* cielos *mpl*

cigale [sigal] *nf* cigarra *f*

cigare [sigar] *nm* cigarro *m* puro, puro *m*

cigarette [sigarɛt] *nf* cigarrillo *m*

ci-gît [siʒi] *adv* aquí yace

cigogne [sigɔɲ] *nf* cigüeña *f*

ci-joint, -e [siʒwɛ̃, -ɛ̃t] **1** *adj* adjunto(a) **2** *adv* **veuillez trouver c....** le adjunto...

cil [sil] *nm* pestaña *f*

cime [sim] *nf (d'un arbre)* copa *f; (d'une montagne)* cima *f*

ciment [simɑ̃] *nm (matériau)* cemento *m; Fig (lien)* cimientos *mpl*

cimetière [simtjɛr] *nm* cementerio *m*

ciné [sine] *nm Fam* cine *m*

cinéaste [sineast] *nmf* cineasta *mf*

ciné-club *(pl* **ciné-clubs)** [sineklœb] *nm* cine-club *m*

cinéma [sinema] *nm* cine *m; Fig* **faire du c.** *(de la comédie)* hacer teatro ☆ *c. muet* cine mudo

cinémathèque [sinematɛk] *nf* filmoteca *f*

cinéphile [sinefil] *adj & nmf* cinéfilo(a) *m,f*

cinglé, -e [sɛ̃gle] *adj & nm,f Fam* chiflado(a) *m,f*

cingler [sɛ̃gle] *vt* azotar

cinq [sɛ̃k] **1** *adj inv* cinco **2** *nm inv* cinco *m; voir aussi* **six**

cinquantaine [sɛ̃kɑ̃tɛn] *nf* cincuentena *f;* **avoir la c.** estar en los cincuenta

cinquante [sɛ̃kɑ̃t] **1** *adj inv* cincuenta **2** *nm inv* cincuenta *m; voir aussi* **six**

cinquantième [sɛ̃kɑ̃tjɛm] **1** *adj & nmf* quincuagésimo(a) *m,f* **2** *adj & nm* quincuagésimo *m,* quincuagésima parte *f; voir aussi* **sixième**

cinquième [sɛ̃kjɛm] **1** *adj & nmf* quinto(a) *m,f* **2** *nm* quinta parte *f,* quinto *m* **3** *nf (classe)* = curso de secundaria que se realiza a los doce años, *Esp* ≃ segundo *m* de ESO; *(vitesse)* quinta *f; voir aussi* **sixième**

cintre [sɛ̃tr] *nm (pour les vêtements)* percha *f*

cintré, -e [sɛ̃tre] *adj (vêtement)* entallado(a)

cirage [siraʒ] *nm* betún *m*

circoncis, -e [sirkɔ̃si, -iz] *adj* circunciso(a)

circonférence [sirkɔ̃ferɑ̃s] *nf* circunferencia *f*

circonflexe [sirkɔ̃flɛks] *adj voir* **accent**

circonscription [sirkɔ̃skripsjɔ̃] *nf* circunscripción *f* ☆ *c. électorale* circunscripción electoral

circonscrire [30] [sirkɔ̃skrir] *vt (incendie, épidémie)* localizar; *(sujet)* delimitar; *(figure géométrique)* circunscribir

circonspect, -e [sirkɔ̃spɛ, -ɛkt] *adj* circunspecto(a)

circonstance [sirkɔ̃stɑ̃s] *nf* circunstancia *f* ☆ *circonstances atténuantes* circunstancias atenuantes

circonstanciel, -elle [sirkɔ̃stɑ̃sjɛl] *adj* circunstancial

circuit [sirkɥi] *nm* circuito *m*; *(parcours)* ruta *f*; ☆ *c. (automobile)* circuito automovilístico; *Écon c. de distribution* canal *m* de distribución; *Él c. intégré* circuito integrado

circulaire [sirkylɛr] **1** *adj* circular **2** *nf* circular *f*

circulation [sirkylɑsjɔ̃] *nf* circulación *f*; *(trafic)* circulación *f*, tráfico *m*; *mettre qch en c.* poner algo en circulación

circuler [sirkyle] *vi* circular

cire [sir] *nf* cera *f*

ciré [sire] *nm* impermeable *m*

cirer [sire] *vt (meuble, parquet)* encerar; *(chaussures)* limpiar

cirque [sirk] *nm* circo *m*; *Fam Fig (désordre)* jaleo *m*; *Fam* **arrête ton c.!** ¡deja de hacer teatro!

cirrhose [siroz] *nf* cirrosis *f inv*

cisaille [sizaj] *nf (à métaux)* cizalla *f*; *(de jardinier)* podadora *f*, podadera *f*

ciseau, -x [sizo] *nm (de sculpteur, de menuisier)* cincel *m*; **ciseaux** tijeras *fpl*; **faire des ciseaux** *(en gymnastique)* hacer tijeretas; **sauter en ciseaux** saltar de tijeras

ciselé, -e [sizle] *adj* grabado(a)

citadelle [sitadɛl] *nf* ciudadela *f*

citadin, -e [sitadɛ̃, -in] **1** *adj* urbano(a) **2** *nm,f* habitante *mf* de la gran ciudad

citation [sitɑsjɔ̃] *nf (d'écrit, de propos)* cita *f*; *Jur & Mil* citación *f*

cité [site] *nf (ville)* ciudad *f*; *(de banlieue)* arrabal *m* ☆ *c. universitaire, Fam c. U* ciudad universitaria

cité-dortoir *(pl* **cités-dortoirs)** [sitedɔrtwar] *nf* ciudad *f* dormitorio

citer [site] *vt* citar

citerne [sitɛrn] *nf (réservoir d'eau)* cisterna *f*, aljibe *m*; *(cuve)* cuba *f*

citoyen, -enne [sitwajɛ̃, -ɛn] *nm,f* ciudadano(a) *m,f*

citron [sitrɔ̃] *nm* limón *m* ☆ *c. pressé* zumo *m* de limón natural; *c. vert* limón verde

citronnade [sitrɔnad] *nf* limonada *f*

citronnier [sitrɔnje] *nm* limonero *m*

citrouille [sitruj] *nf* calabaza *f*

civet [sivɛ] *nm* encebollado *m*

civière [sivjɛr] *nf* camilla *f*

civil, -e [sivil] **1** *adj* civil **2** *nm,f* civil *mf*; **dans le c.** en la vida civil; **en c.** de paisano

civilisation [sivilizɑsjɔ̃] *nf* civilización *f*

civilisé, -e [sivilize] *adj* civilizado(a)

civique [sivik] *adj* cívico(a)

civisme [sivism] *nm* civismo *m*

cl *(abrév* **centilitre(s))** cl

clafoutis [klafuti] *nm* torta *f* con frutas

clair, -e [klɛr] **1** *adj* claro(a); **c'est c. et net** está bien claro **2** *adv voir* **c.** ver claro **3** *nm* **tirer qch au c.** sacar algo en cla-

ro; **en c.** *(émission)* no codificado(a);
(en d'autres termes) o sea ☆ *c. de
lune* claro *m* de luna
clairement [klɛrmɑ̃] *adv* claramente
clairière [klɛrjɛr] *nf* claro *m*
clairon [klɛrɔ̃] *nm* corneta *f*, clarín *m*
clairsemé, -e [klɛrsəme] *adj (cheveux)* ralo(a); *(arbres)* poco frondo-
so(a)
clairvoyant, -e [klɛrvwajɑ̃, -ɑ̃t] *adj*
clarividente
clamer [klame] *vt* proclamar
clan [klɑ̃] *nm* clan *m*
clandestin, -e [klɑ̃dɛstɛ̃, -in] **1** *adj*
clandestino(a)
  2 *nm,f (résident)* ilegal *mf*; *(passager)* polizón *m*
clapier [klapje] *nm* conejera *f*
clapoter [klapɔte] *vi* chapotear
claquage [klakaʒ] *nm (de muscle)*
distensión *f*
claque [klak] *nf (gifle)* bofetada *f*,
Am cachetada *f*
claquer [klake] **1** *vt (fermer brusquement)* cerrar de un golpe; *Fam (dépenser)* pulirse; *Fam (fatiguer)* reventar; **c. la porte** dar un portazo; **c.
la porte au nez à qn** dar a alguien con
la puerta en las narices
  2 *vi (provoquer un claquement)* restallar; *Fam (mourir)* palmarla; **faire
c. ses doigts/sa langue** chasquear los
dedos/la lengua; **je claque des dents**
me castañean los dientes
claquettes [klakɛt] *nfpl* claqué *m*
clarifier [klarifje] *vt* clarificar
clarinette [klarinɛt] *nf* clarinete *m*
clarinettiste [klarinetist] *nmf* clari-
netista *mf*
clarté [klarte] *nf (lumière)* luz *f*;
(transparence) transparencia *f*; *Fig
(d'un raisonnement)* claridad *f*
classe [klɑs] **1** *nf* clase *f*; *(qualité)*
categoría *f*; *Mil (contingent)* reem-
plazo *m*; **aller en c.** ir a clase; *Mil* **faire**

ses classes hacer la instrucción militar ☆ *c. de mer* = colonia escolar en
la playa; *c. de neige* semana *f* blanca;
c. verte = colonia escolar en el campo; *première/seconde c. (en train)*
primera/segunda clase; *Mil (soldat
de) deuxième c.* soldado *m* raso
  2 *adj inv Fam* guay
classement [klɑsmɑ̃] *nm (rangement, classification)* clasificación *f*;
(liste) lista *f*
classer [klɑse] *vt (ranger, classifier)*
clasificar; *(dossier, affaire)* archivar;
un monument classé un monumento
nacional
classeur [klɑsœr] *nm (meuble)* archivador *m*; *(dossier à feuillets mobi-
les)* carpeta *f* de anillas
classification [klasifikɑsjɔ̃] *nf* clasificación *f*
classique [klasik] **1** *adj* clásico(a)
  2 *nm* clásico *m*; *(musique)* música *f*
clásica
clause [kloz] *nf* cláusula *f*
claustrophobe [klostrɔfɔb] *adj*
claustrofóbico(a)
clavecin [klavsɛ̃] *nm* clavicordio *m*
clavicule [klavikyl] *nf* clavícula *f*
clavier [klavje] *nm* teclado *m*
clé, clef [kle] *nf* llave *f*; *Mus* clave *f*;
fermer qch à c. cerrar algo con llave;
mettre qch sous c. guardar algo bajo
llave; **mot(-)/rôle(-)c.** palabra *f*/papel
m clave ☆ *c. de contact* llave de
contacto; *c. de fa* clave de fa; *c. à
molette* llave inglesa; *c. de sol* clave
de sol; *c. de voûte* clave de bóveda;
Fig piedra *f* angular
clément, -e [klemɑ̃, -ɑ̃t] *adj Litt (indulgent)* clemente; *(climat, saison)*
suave
clémentine [klemɑ̃tin] *nf* clementi-
na *f*
cleptomane [klɛptɔman] = **kleptomane**
clerc [klɛr] *nm* **c. de notaire** pasante
mf de notario

clergé [klɛrʒe] *nm* clero *m*

cliché [kliʃe] *nm (négatif)* negativo *m*, cliché *m*; *(photo)* fotografía *f*; *Fig (lieu commun)* cliché *m*

client, -e [klijã, -ãt] *nm,f* cliente *mf*

clientèle [klijãtɛl] *nf* clientela *f*

cligner [kliɲe] *vi* **c. de l'œil** guiñar el ojo

clignotant, -e [kliɲɔtã, -ãt] **1** *adj* parpadeante
2 *nm (de voiture) Esp* intermitente *m*, *Col, Méx* direccional *m*, *RP* señalero *m*

clignoter [kliɲɔte] *vi* parpadear

climat [klima] *nm aussi Fig* clima *m*

climatisation [klimatizasjɔ̃] *nf* climatización *f*

climatisé, -e [klimatize] *adj* climatizado(a)

clin d'œil (*pl* **clins d'œil**) [klɛ̃dœj] *nm* **faire un c. à qn** hacer un guiño a alguien, guiñar el ojo a alguien; **en un c.** en un abrir y cerrar de ojos

clinique [klinik] **1** *nf* clínica *f*
2 *adj* clínico(a)

clip [klip] *nm (vidéo)* videoclip *m*, clip *m*; *(boucle d'oreille)* pendiente *m* de clip

cliquer [klike] *vi Ordinat* hacer clic (**sur en**)

clitoris [klitɔris] *nm* clítoris *m inv*

clivage [klivaʒ] *nm (division)* división *f*

clochard, -e [klɔʃar, -ard] *nm,f* vagabundo(a) *m,f*

cloche [klɔʃ] **1** *nf (d'église)* campana *f*; *(couvercle)* tapadera *f*; *Fam (personne stupide)* lelo(a) *m,f* ☆ **c. à fromage** quesera *f*
2 *adj Fam (idiot)* lelo(a)

cloche-pied [klɔʃpje] **à cloche-pied** *adv* a la pata coja

clocher¹ [klɔʃe] *nm* campanario *m*

clocher² *vi* **il y a quelque chose qui cloche** hay algo que no encaja

clochette [klɔʃɛt] *nf* campanilla *f*

clodo [klodo] *nmf Fam* vagabundo(a) *m,f*, pobre *mf*

cloison [klwazɔ̃] *nf* tabique *m*

cloisonner [klwazɔne] *vt (pièce, maison)* tabicar, separar con tabiques; *Fig (fonctions, services)* compartimentar

cloître [klwatr] *nm* claustro *m*

cloîtrer [klwatre] **se cloîtrer** *vpr (s'isoler)* enclaustrarse

clone [klɔn] *nm Biol* clon *m*

clope [klɔp] *nf Fam* pito *m (cigarrillo)*

cloque [klɔk] *nf (sur la peau)* ampolla *f*; *(de peinture)* vejiga *f*; *très Fam* **être en c.** estar preñada

clore [15] [klɔr] *vt (fermer)* cerrar; *(entourer)* cercar; *(débat)* concluir

clôture [klotyr] *nf (en fil de fer)* alambrada *f*; *(en bois)* cerca *f*, valla *f*; *(fermeture)* (d'un scrutin, de la Bourse) cierre *m*; *(d'un compte)* liquidación *f*; *(d'un débat)* clausura *f*

clôturer [klotyre] *vt (terrain)* cercar; *(débat)* clausurar

clou [klu] *nm (pointe)* clavo *m*; **traverser dans les clous** cruzar por el paso de cebra; *Fam* **ne pas valoir un c.** no valer un pimiento; **le c. du spectacle** la atracción principal ☆ **c. de girofle** clavo de especia

clouer [klue] *vt* clavar; **cloué sur place** *(stupéfait)* clavado en el sitio

clouté, -e [klute] *adj voir* **passage**

clown [klun] *nm* payaso *m*; *Fig* **faire le c.** hacer el payaso

club¹ [klœb] *nm (groupe)* club *m*

club² *nm (de golf)* palo *m*

CM [seɛm] *nm (abrév* **cours moyen**) **CM1** = curso de primaria que se realiza a los nueve años, *Esp* ≃ cuarto *m* de primaria; **CM2** = curso de primaria que se realiza a los diez años, *Esp* ≃ quinto *m* de primaria

cm (*abrév* **centimètre(s)**) cm

CNRS [seɛnɛrɛs] *nm (abrév* **Centre**

national de la recherche scientifique)
≃ CSIC *m*

coaguler [kɔagyle] **1** *vi (sang)* coagularse; *(lait)* cuajarse

  2 se coaguler *vpr (sang)* coagularse; *(lait)* cuajarse

coalition [kɔalisjɔ̃] *nf (politique)*
coalición *f*

coasser [kɔase] *vi* croar

cobaye [kɔbaj] *nm (animal)* cobaya
f, conejillo *m* de Indias; *Fig (personne)* conejillo *m* de Indias

cobra [kɔbra] *nm* cobra *f*

Coca® [kɔka] *nm inv Fam* Coca-Co-
la® *f*

cocaïne [kɔkain] *nf* cocaína *f*

cocasse [kɔkas] *adj* gracioso(a)

coccinelle [kɔksinɛl] *nf (insecte)*
mariquita *f*; *(voiture)* escarabajo *m*

coccyx [kɔksis] *nm* coxis *f inv*

cocher¹ [kɔʃe] *nm* cochero *m*

cocher² *vt* marcar con una cruz

cochère [kɔʃɛr] *adj f voir* **porte**

cochon, -onne [kɔʃɔ̃, -ɔn] **1** *adj (obscène) Esp* guarro(a), *Am* cerdo(a)

  2 *nm,f Péj* cerdo(a) *m,f*, marrano(a)
m,f; *Fam* **jouer un tour de c. à qn** hacer
una jugarreta a alguien

  3 *nm (animal)* cerdo *m*, *Am* chancho
m ✿ **c. d'Inde** conejillo *m* de Indias,
cobaya *f*; **c. de lait** cochinillo *m*

cochonnerie [kɔʃɔnri] *nf Fam (saleté)* porquería *f*, guarrería *f*; *(obscénité)* guarrada *f*

cocker [kɔkɛr] *nm* cocker *m*

cocktail [kɔktɛl] *nm* cóctel *m*

coco [kɔko] *Fam Péj* **1** *nmf (communiste)* rojo(a) *m,f*

  2 *nm* **un drôle de c.** *(individu)* un ti-
pejo

cocon [kɔkɔ̃] *nm* capullo *m (de gusano)*; *Fig (nid)* caparazón *m*

cocorico [kɔkɔriko] **1** *exclam* quiquiriquí

  2 *nm* quiquiriquí *m*

cocotier [kɔkɔtje] *nm* cocotero *m*

cocotte¹ [kɔkɔt] *nf (marmite)* olla *f*

cocotte² *nf* **c. en papier** pajarita *f* de
papel

Cocotte-Minute® (*pl* **Cocottes-Mi-
nute**) [kɔkɔtminyt] *nf* olla *f* a presión

cocu, -e [kɔky] *adj & nm,f Fam* cor-
nudo(a) *m,f*

code [kɔd] *nm* código *m*; **passer le c.**
(pour le permis de conduire) hacer el
(examen) teórico; **codes** *(phares)*
luces *fpl* de cruce ✿ **c. à barres, c.-
barres** código de barras; **c. pénal**
código penal; **c. postal** código postal; **c. de la route** código de (la) circulación

coder [kɔde] *vt* codificar

coefficient [kɔefisjɑ̃] *nm* coeficiente *m*

cœur [kœr] *nm* corazón *m*; **opération
à c. ouvert** operación *f* a corazón
abierto; **au c. de la jungle/nuit** en plena selva/noche; **avoir bon c.** tener
buen corazón; **faire qch de bon
c.** hacer algo de buena gana; **appren-
dre/savoir qch par c.** aprender/saber
algo de memoria; **avoir mal au c.**
estar mareado(a); **pour en avoir le c.
net** para quedarse tranquilo(a), por
las dudas ✿ **c. d'artichaut** (corazón
de) alcachofa *f*; **c. de palmier** palmito *m*

coffre [kɔfr] *nm (meuble)* baúl *m*;
(de voiture) Esp maletero *m*, *Chile,
Perú* maletera *f*, *Col, RP* baúl *m*,
Méx cajuela *f*, *Ven* maleta *f*; *(de
banque)* caja *f* fuerte

coffre-fort (*pl* **coffres-forts**)
[kɔfrəfɔr] *nm* caja *f* fuerte

coffret [kɔfrɛ] *nm (petit coffre)* co-
frecito *m*; *(de disques, livres)* estuche *m* ✿ **c. à bijoux** joyero *m*

cognac [kɔɲak] *nm* coñac *m*, coñá *m*

cogner [l] [kɔɲe] **1** *vt Fam (battre)*
sacudir

  2 *vi (porte, volet)* golpear (**contre**
contra); **c. à la porte** aporrear la
puerta; *Fam* **c. sur qn** sacudir a

alguien; *Fam* **ça cogne** *(il fait chaud)* (el sol) pica

3 se cogner *vpr (se heurter)* darse un golpe (**à** *ou* **contre** contra); **se c. la tête** golpearse la cabeza

cohabitation [kɔabitasjɔ̃] *nf* convivencia*f*; *Pol* cohabitación*f*

cohérence [kɔerɑ̃s] *nf* coherencia*f*

cohérent, -e [kɔerɑ̃, -ɑ̃t] *adj* coherente

cohésion [kɔezjɔ̃] *nf* cohesión*f*

cohue [kɔy] *nf (foule)* tropel *m*; *(bousculade)* barullo *m*

coiffer [kwafe] **1** *vt (peigner)* peinar; *(diriger)* dirigir; **c. qn de qch** *(casquette, chapeau)* poner algo en la cabeza de alguien; **coiffé d'un chapeau** con sombrero

2 se coiffer *vpr (se peigner)* peinarse; **se c. de qch** *(casquette, chapeau)* tocarse con algo

coiffeur, -euse [kwafœr, -øz] **1** *nm,f* peluquero(a) *m,f*; **aller chez le c.** ir a la peluquería

2 *nf* **coiffeuse** *(meuble)* tocador *m*

coiffure [kwafyr] *nf (coupe de cheveux)* peinado *m*; *(chapeau)* sombrero *m*; *(profession)* peluquería*f*

coin [kwɛ̃] *nm (angle rentrant, endroit retiré)* rincón *m*; *(saillant)* esquina *f*; *(commissure)* comisura *f*; *(pour caler)* calzo *m*; *(pour fendre)* cuña *f*; **au c. du feu** junto al fuego; **du c. de l'œil** con el rabillo del ojo; *Fam* **il y a un hôpital dans le c.?** *(dans les environs)* ¿hay un hospital por aquí? ☆ *Fam* **le petit c.** el retrete

coincé, -e [kwɛ̃se] *adj Fam (complexé)* cortado(a)

coincer [16] [kwɛ̃se] **1** *vt (bloquer)* atrancar, atascar; *Fam (attraper, mettre en difficulté)* acorralar

2 se coincer *vpr* atrancarse, atascarse; **se c. les doigts dans la porte** pillarse los dedos con la puerta

coïncidence [kɔɛ̃sidɑ̃s] *nf* coincidencia*f*

coïncider [kɔɛ̃side] *vi* coincidir

coing [kwɛ̃] *nm* membrillo *m*

col [kɔl] *nm* cuello *m*; *(en montagne)* puerto *m* ☆ **c. du fémur** cuello del fémur; **c. montant** cuello alto; **c. roulé** cuello vuelto; **c. de l'utérus** cuello del útero; **c. en V** cuello de pico

colchique [kɔlʃik] *nm* cólquico *m*

colère [kɔlɛr] *nf (mauvaise humeur)* cólera*f*, ira*f*; **être en c.** estar enfadado(a) *o* enojado(a); **se mettre en c.** enfadarse, enojarse; **piquer une c.** agarrar una rabieta

coléreux, -euse [kɔlerø, -øz], **colérique** [kɔlerik] *adj* colérico(a)

colimaçon [kɔlimasɔ̃] **en colimaçon** *adv* de caracol

colin [kɔlɛ̃] *nm* merluza*f*

colique [kɔlik] *nf* cólico *m*; **avoir la c.** tener un cólico

colis [kɔli] *nm* paquete *m*

collaborateur, -trice [kɔlabɔratœr, -tris] *nm,f* colaborador(ora) *m,f*; *Hist (sous l'Occupation)* colaboracionista*mf*

collaboration [kɔlabɔrasjɔ̃] *nf* colaboración *f*; *Hist (sous l'Occupation)* colaboracionismo *m*; **en c. avec** en colaboración con

collaborer [kɔlabɔre] *vi* colaborar (**à** en)

collant, -e [kɔlɑ̃, -ɑ̃t] **1** *adj (étiquette)* adhesivo(a); *(vêtement)* ceñido(a); *Fam (personne)* pesado(a)

2 *nm (sous-vêtement féminin)* medias *fpl*, *Esp*, *Ven* panty *m*, *Col* mediapantalón *f*, *Méx* pantimedias *fpl*, *RP* cancanes *fpl o mpl*, *RP* medias *fpl* bombacha; *(de danse)* malla*f*

colle [kɔl] *nf (substance)* cola*f*, pegamento *m*; *Fam (question difficile)* pregunta*f* difícil; *Scol (retenue)* castigo *m*

collecte [kɔlɛkt] *nf* colecta *f*; **c. de vêtements** recogida*f* de ropa

collectif, -ive [kɔlɛktif, -iv] 1 *adj* colectivo(a)
2 *nm* colectivo *m*

collection [kɔlɛksjɔ̃] *nf* colección *f*; **timbre/pièce de c.** sello *m*/pieza *f* de colección

collectionner [kɔlɛksjɔne] *vt* coleccionar

collectionneur, -euse [kɔlɛksjɔnœr, -øz] *nm,f* coleccionista *mf*

collectivité [kɔlɛktivite] *nf* comunidad *f*; **les collectivités locales** = las administraciones locales y regionales en Francia

collège [kɔlɛʒ] *nm (établissement scolaire)* = colegio donde se imparten los cursos equivalentes a la segunda etapa de EGB; *(de personnes)* colegio *m*

collégien, -enne [kɔleʒjɛ̃, -ɛn] *nm,f* colegial(ala) *m,f*

collègue [kɔlɛg] *nmf* colega *mf*

coller [kɔle] 1 *vt* pegar; *Fam (mettre)* apalancar; *Fam (suivre partout)* pegarse a; *Fam (avec une question)* pillar; *Scol (punir)* castigar; *Fam c. qch à qn (gifle, punition)* soltar algo a alguien; **être collé à un examen** suspender un examen
2 *vi (adhérer)* pegarse; *Fam (bien se passer)* ir bien; *Fam c. avec qch (correspondre)* pegar con algo
3 **se coller** *vpr Fam (subir)* cargar con; **se c. contre** *(se plaquer)* arrimarse a

collet [kɔlɛ] *nm (piège)* lazo *m*; **être c. monté** ser estirado(a)

collier [kɔlje] *nm* collar *m*; *(barbe)* sotabarba *f*

colline [kɔlin] *nf* colina *f*

collision [kɔlizjɔ̃] *nf* colisión *f*; **entrer en c. avec** chocar contra

colloque [kɔlɔk] *nm* coloquio *m*

colmater [kɔlmate] *vt (fuite)* taponar; *(brèche)* tapar

colombe [kɔlɔ̃b] *nf* paloma *f*

Colombie [kɔlɔ̃bi] *nf* la C. Colombia

colombien, -enne [kɔlɔ̃bjɛ̃, -ɛn] 1 *adj* colombiano(a)
2 *nm,f* C. colombiano(a) *m,f*

colon [kɔlɔ̃] *nm* colono *m*

côlon [kolɔ̃] *nm* colon *m*

colonel [kɔlɔnɛl] *nm* coronel *m*

colonial, -e, -aux, -ales [kɔlɔnjal, -o] *adj* colonial

colonialisme [kɔlɔnjalism] *nm* colonialismo *m*

colonie [kɔlɔni] *nf* colonia *f* ☆ *c. de vacances* colonia de verano

colonisation [kɔlɔnizasjɔ̃] *nf* colonización *f*

coloniser [kɔlɔnize] *vt* colonizar; *Fig (envahir)* invadir

colonne [kɔlɔn] *nf* columna *f*; *(file)* fila *f*; **en c. par deux/trois** en fila de a dos/tres ☆ *c. vertébrale* columna vertebral

colorant, -e [kɔlɔrɑ̃, -ɑ̃t] 1 *adj* colorante
2 *nm* colorante *m*

colorer [kɔlɔre] *vt* dar color a

colorier [kɔlɔrje] *vt* colorear

coloris [kɔlɔri] *nm* colorido *m*

colossal, -e, -aux, -ales [kɔlɔsal, -o] *adj* colosal

colporter [kɔlpɔrte] *vt (marchandises)* vender *(de manera ambulante)*; *(bruits, nouvelles)* divulgar

colza [kɔlza] *nm* colza *f*

coma [kɔma] *nm* coma *m*; **être dans le c.** estar en coma

combat [kɔ̃ba] *nm (bataille)* combate *m*; *Fig (lutte)* lucha *f*; **engager le c. contre qch** emprender la lucha contra algo ☆ *c. de boxe* combate de boxeo

combatif, -ive [kɔ̃batif, -iv] *adj* combativo(a)

combattant, -e [kɔ̃batɑ̃, -ɑ̃t] 1 *adj* combatiente
2 *nm,f* combatiente *mf* ☆ *ancien c.* ex combatiente

combattre [ll] [kɔ̃batr] **1** vt *(adversaire)* combatir contra o con; *(chose, idée)* combatir
2 vi combatir, luchar

combien [kɔ̃bjɛ̃] **1** adv cuánto; **c. coûte ce livre?** ¿cuánto cuesta este libro?; **c. de** cuánto(a); **c. de temps vous faut-il?** ¿cuánto tiempo necesita?; **c. de pilules prenez-vous?** ¿cuántas pastillas toma?; *Litt* **c. cela a changé!** ¡cuánto ha cambiado!
2 nm inv **le c.?** *(jour)* ¿qué día?; **le c. sommes-nous?** ¿a qué día estamos?; **tous les c.?** ¿cada cuánto?

combinaison [kɔ̃binɛzɔ̃] nf combinación f; *(sous-vêtement)* enagua f, viso m, *Esp, Col* combinación f, *Méx, Ven* fondo m; *(vêtement) Esp* mono m, *Am* overol m ☆ **c. de plongée** traje m de submarinismo; **c. de ski** mono de esquí

combine [kɔ̃bin] nf *Fam* chanchullo m

combiné [kɔ̃bine] nm *(du téléphone)* auricular m; *(au ski)* combinado m

combiner [kɔ̃bine] **1** vt combinar; *(organiser)* organizar
2 se combiner vpr *Fam* resolverse

comble [kɔ̃bl] **1** nm colmo m; **c'est un ou le c.!** ¡es el colmo!; **les combles** *(grenier)* el desván, la buhardilla
2 adj abarrotado(a), atestado(a)

combler [kɔ̃ble] vt *(trou, fossé)* llenar; *(déficit, lacune)* subsanar; *(personne)* colmar **(de** de)

combustible [kɔ̃bystibl] **1** adj combustible
2 nm combustible m

combustion [kɔ̃bystjɔ̃] nf combustión f

comédie [kɔmedi] nf comedia f; *Fig (caprice)* teatro m ☆ **c. musicale** comedia musical

comédien, -enne [kɔmedjɛ̃, -ɛn] adj & nm,f comediante(a) m,f

comestible [kɔmɛstibl] adj comestible

comète [kɔmɛt] nf cometa m

comique [kɔmik] **1** adj cómico(a)
2 nm *(acteur)* cómico(a) m,f

comité [kɔmite] nm comité m; *Fig* **en petit c.** en petit comité ☆ **c. d'entreprise** comité de empresa

commandant [kɔmɑ̃dɑ̃] nm comandante m; *(dans la marine)* capitán m

commande [kɔmɑ̃d] nf *(de marchandises)* pedido m; *(d'une machine)* mando m; *Ordinat* comando m; **passer une c.** pasar un pedido; **sur c.** por encargo; *Fig* **prendre les commandes de qch** tomar las riendas de algo ☆ **c. à distance** mando a distancia; **c. numérique** comando numérico

commander [kɔmɑ̃de] **1** vt *(personne)* mandar a, dar órdenes a; *(opération)* dirigir; *(plat)* pedir; *(livre, meuble)* encargar; *(contrôler)* controlar
2 vi mandar; **c. à qn de faire qch** mandar a alguien que haga algo

commanditaire [kɔmɑ̃ditɛr] adj & nm comanditario(a) m,f

commando [kɔmɑ̃do] nm comando m

comme [kɔm] **1** conj **(a)** *(introduit la comparaison)* como; **il est médecin, c. son père** es médico como su padre; **il était c. fou** estaba como loco; **c. prévu/convenu** como estaba previsto/acordado; **les arbres c. le châtaignier** los árboles como el castaño
(b) *(exprime la manière)* como; **il faut faire c. ça** se hace así; **fais c. il te plaira** haz como te plazca, haz lo que te plazca
(c) *(ainsi que)* **les filles c. les garçons jouent au foot** tanto las chicas como los chicos juegan al fútbol
(d) *(en tant que)* como; **il est bien c. professeur** es un buen profesor; **qu'est-ce que vous avez c. desserts?** ¿qué tienen de postre? **qu'est-ce que tu aimes c. musique?** ¿qué tipo de música te gusta?

(e) *(introduit la cause)* como; **c. il pleuvait, nous sommes rentrés** como llovía, hemos vuelto **(f)** *(expressions) Fam* **c. ça!** *(excellent)* ¡genial!; **c. ci, c. ça** regular; **c. il faut** *(bien)* bien, como es debido; **des gens très c. il faut** gente bien; **c. quoi, ...** para que veas que...; **gentil/mignon c. tout** amabilísimo/monísimo **2** *adv* **c. c'est long!** ¡qué largo es!; **c. il nage bien!** ¡qué bien nada!; **c. tu as grandi!** ¡cómo has crecido!

commémorer [kɔmemɔre] *vt* conmemorar

commencement [kɔmãsmã] *nm* principio *m*

commencer [16] [kɔmãse] **1** *vt* empezar, comenzar **2** *vi* empezar, comenzar; *Iron* **ça commence bien!** ¡empezamos bien!; **c. à faire qch** empezar o comenzar a hacer algo; **c. par qch/par faire qch** empezar por algo/por hacer algo

comment [kɔmã] *adv* cómo; **c. vas-tu?** ¿cómo estás?; **c. cela** *ou* **ça?** ¿cómo es eso?; *Fam* **et c.!** ¡ya lo creo!

commentaire [kɔmãtɛr] *nm* comentario *m*

commentateur, -trice [kɔmãtatœr, -tris] *nm,f* comentarista *mf*

commenter [kɔmãte] *vt* comentar

commérages [kɔmeraʒ] *nmpl* comadreos *mpl*, cotilleos *mpl*

commerçant, -e [kɔmɛrsã, -ãt] **1** *adj* comercial; **être c.** *(aimable avec les clients)* ser buen comerciante **2** *nm,f* comerciante *mf*

commerce [kɔmɛrs] *nm* comercio *m*; **dans le c.** *(dans les magasins)* en los comercios ☆ **c. électronique** comercio electrónico; **c. équitable** comercio justo; **c. extérieur** comercio exterior; **le petit c.** los pequeños comerciantes

commercial, -e, -aux, -ales [kɔ.-mɛrsjal, -o] **1** *adj* comercial; *(droit)* mercantil **2** *nm,f* comercial *mf*

commercialiser [kɔmɛrsjalize] *vt* comercializar

commère [kɔmɛr] *nf Péj* cotilla *f*

commettre [47] [kɔmɛtr] *vt* cometer

commis, -e [kɔmi, -iz] **1** *pp voir* **commettre 2** *nm* dependiente *m* ☆ *Vieilli* **c. voyageur** viajante *m* (de comercio)

commissaire [kɔmisɛr] *nm* comisario *m*

commissaire-priseur *(pl* **commissaires-priseurs)** [kɔmisɛrprizœr] *nm* perito(a) *m,f* tasador(ora)

commissariat [kɔmisarja] *nm* comisaría *f*; *(organisme)* comisariado *m*

commission [kɔmisjɔ̃] *nf (délégation, rémunération)* comisión *f*; **faire une c. à qn** dar un recado a alguien; **travailler à la c.** trabajar a comisión; **commissions** *(achats)* compra *f*; **faire les commissions** hacer la compra

commissure [kɔmisyr] *nf* comisura *f*

commode¹ [kɔmɔd] *adj* cómodo(a); **il n'est pas c.** *(aimable)* no es nada fácil

commode² *nf (meuble)* cómoda *f*

commotion [kɔmosjɔ̃] *nf* conmoción *f* ☆ **c. cérébrale** conmoción cerebral

commun, -e [kɔmœ̃, -yn] *adj (collectif)* común; *(répandu)* corriente; *Péj (banal)* vulgar; *Péj (manières)* basto(a); **être c. à** ser común a; **avoir/mettre qch en c.** tener/poner algo en común

communal, -e, -aux, -ales [kɔmy-nal, -o] *adj* municipal

communauté [kɔmynote] *nf* comunidad *f*; *(de sentiments, de pensée)* afinidad *f*; **vivre en c.** vivir en comunidad ☆ **la C. d'États indépendants** la Comunidad de Estados Independientes; **la C. (économique)**

européenne la Comunidad (económica) Europea

commune [kɔmyn] *nf* municipio *m*

communément [kɔmynemã] *adv* comúnmente

communication [kɔmynikɑsjɔ̃] *nf* comunicación *f*; **j'ai une c. à vous faire** tengo algo que comunicarles; **c. (téléphonique)** *Esp* llamada *f*, *Am* llamado *m*; **être en c. avec qn** estar hablando con alguien por teléfono ☆ **c. locale** llamada *f* urbana o local

communier [73c] [kɔmynje] *vi* comulgar

communion [kɔmynjɔ̃] *nf* comunión *f*; **être en c. avec** estar en comunión con ☆ **c. solennelle** comunión solemne; **première c.** primera comunión

communiqué [kɔmynike] *nm* comunicado *m* ☆ **c. de presse** comunicado de prensa

communiquer [kɔmynike] **1** *vt* comunicar; *(chaleur)* transmitir; *(énergie, rire)* contagiar **2** *vi (pièces)* comunicar (**avec** con); *(personnes)* comunicarse (**avec** con)

communisme [kɔmynism] *nm* comunismo *m*

communiste [kɔmynist] *adj & nmf* comunista *mf*

commutateur [kɔmytatœr] *nm* conmutador *m*

compact, -e [kɔ̃pakt] **1** *adj* compacto(a) **2** *nm* disco *m* compacto, compact *m*

compagne [kɔ̃paɲ] *voir* **compagnon**

compagnie [kɔ̃paɲi] *nf* compañía *f*; **en c. de qn** en compañía de alguien; **tenir c. à qn** hacer compañía a alguien ☆ **c. aérienne** compañía aérea; **c. d'assurances** compañía de seguros

compagnon, compagne [kɔ̃paɲɔ̃, kɔ̃paɲ] **1** *nm,f* compañero(a) *m,f* **2** *nm (artisan)* oficial *m*

comparable [kɔ̃parabl] *adj* comparable (**à** a)

comparaison [kɔ̃parɛzɔ̃] *nf* comparación *f*; **en c. de qch** en comparación con algo; **par c. avec qch** en comparación con algo; **c'est sans (aucune) c.** no tiene comparación

comparaître [20] [kɔ̃parɛtr] *vi Jur* comparecer (**devant** ante)

comparatif, -ive [kɔ̃paratif, -iv] **1** *adj* comparativo(a) **2** *nm Gram* comparativo *m*

comparer [kɔ̃pare] *vt* comparar (**à** *ou* **avec** con)

compartiment [kɔ̃partimã] *nm* compartimento *m* ☆ **c. fumeurs** compartimento de fumadores; **c. non-fumeurs** compartimento de no fumadores

compas [kɔ̃pa] *nm* compás *m*; *Fig* **avoir le c. dans l'œil** tener buen ojo

compassion [kɔ̃pasjɔ̃] *nf* compasión *f*; **avoir de la c. pour qn** sentir compasión por alguien

compatible [kɔ̃patibl] *adj aussi Ordinat* compatible (**avec** con)

compatir [kɔ̃patir] *vi* **je compatis** te/lo/*etc* compadezco

compatriote [kɔ̃patrijɔt] *nmf* compatriota *mf*

compensation [kɔ̃pɑ̃sɑsjɔ̃] *nf* compensación *f*

compensé, -e [kɔ̃pɑ̃se] *adj* **semelle compensée** = suela gruesa que va desde la punta hasta el talón en una sola pieza

compenser [kɔ̃pɑ̃se] *vt* compensar

compétence [kɔ̃petɑ̃s] *nf* competencia *f*

compétent, -e [kɔ̃petɑ̃, -ɑ̃t] *adj* competente

compétitif, -ive [kɔ̃petitif, -iv] *adj* competitivo(a)

compétition [kɔ̃petisjɔ̃] *nf* competición *f*; **être en c. (avec)** competir (con)

compilation [kɔ̃pilasjɔ̃] nf compilación f

complaisant, -e [kɔ̃plɛzɑ̃, -ɑ̃t] adj complaciente ; Péj (satisfait de soi) satisfecho(a) de sí mismo(a) ; **un mari c.** un marido que consiente que su mujer le engañe

complément [kɔ̃plemɑ̃] nm complemento m ; **pour tout c. d'information...** para más información... ☆ **c. d'agent** complemento agente ; **c. d'objet direct** complemento directo ; **c. d'objet indirect** complemento indirecto

complémentaire [kɔ̃plemɑ̃tɛr] adj (caractères, couleurs) complementario(a) ; (supplémentaire) suplementario(a)

complet, -ète [kɔ̃plɛ, -ɛt] **1** adj completo(a) ; (pain, riz) integral ; (hôtel, théâtre) lleno(a) **2** nm **c.(-veston)** traje m

complètement [kɔ̃plɛtmɑ̃] adv completamente

compléter [34] [kɔ̃plete] **1** vt completar **2 se compléter** vpr complementarse

complexe [kɔ̃plɛks] **1** adj complejo(a) **2** nm complejo m ☆ **c. d'Œdipe** complejo de Edipo ; **c. sportif** polideportivo m

complexé, -e [kɔ̃plɛkse] adj acomplejado(a)

complexité [kɔ̃plɛksite] nf complejidad f

complication [kɔ̃plikasjɔ̃] nf (complexité) complejidad f ; (aggravation) complicación f ; Méd **complications** complicaciones

complice [kɔ̃plis] adj & nmf cómplice mf

complicité [kɔ̃plisite] nf complicidad f

compliment [kɔ̃plimɑ̃] nm cumplido m ; **faire ses compliments à qn** (le féliciter) felicitar a alguien

compliqué, -e [kɔ̃plike] adj complicado(a)

compliquer [kɔ̃plike] **1** vt complicar **2 se compliquer** vpr complicarse

complot [kɔ̃plo] nm complot m

comploter [kɔ̃plɔte] **1** vt (manigancer) tramar **2** vi (conspirer) conspirar ; Fig (intriguer) maquinar

comportement [kɔ̃pɔrtəmɑ̃] nm comportamiento m

comporter [kɔ̃pɔrte] **1** vt (être composé de) constar de ; (impliquer) conllevar **2 se comporter** vpr comportarse

composant [kɔ̃pozɑ̃] nm componente m

composante [kɔ̃pozɑ̃t] nf componente f

composé, -e [kɔ̃poze] **1** adj compuesto(a) **2** nm Chim & Ling compuesto m

composer [kɔ̃poze] **1** vt componer, formar ; (numéro de téléphone) Esp marcar, Andes, RP discar ; **être composé de** estar compuesto(a) de **2** vi (trouver un compromis) transigir **3 se composer** vpr **se c. de** componerse de, constar de

compositeur, -trice [kɔ̃pozitœr, -tris] nm,f (de musique) compositor(ora) m,f ; (typographe) cajista mf

composition [kɔ̃pozisjɔ̃] nf composición f ; (devoir sur table) ejercicio m ; (rédaction) redacción f ; **être de bonne c.** ser de buena pasta

composter [kɔ̃pɔste] vt (billet) picar

compote [kɔ̃pɔt] nf compota f

compréhensible [kɔ̃preɑ̃sibl] adj comprensible

compréhensif, -ive [kɔ̃preɑ̃sif, -iv] adj comprensivo(a)

compréhension [kɔ̃preɑ̃sjɔ̃] nf comprensión f

comprendre [58] [kɔ̃prɑ̃dr] **1** vt comprender, entender; *(comporter, inclure)* comprender
2 vi comprender, entender

compresse [kɔ̃prɛs] nf compresa f

compresseur [kɔ̃presœr] adj m voir **rouleau**

compression [kɔ̃presjɔ̃] nf *(de l'air)* compresión f; Fig *(réduction)* reducción f ✰ **c. de personnel** reducción de plantilla

comprimé, -e [kɔ̃prime] **1** adj comprimido(a)
2 nm comprimido m

comprimer [kɔ̃prime] vt comprimir; *(serrer)* apretar; Fig *(dépenses)* reducir

compris, -e [kɔ̃pri, -iz] **1** pp voir **comprendre**
2 adj *(situé)* comprendido(a); *(inclus)* incluido(a); **service non c.** servicio no incluido; **tout c.** todo incluido; **y c. les enfants** incluidos los niños; **mercredi (y) c.** miércoles inclusive

compromettre [47] [kɔ̃prɔmɛtr] **1** vt comprometer
2 se compromettre vpr involucrarse (**dans** en)

compromis, -e [kɔ̃prɔmi, -iz] **1** pp voir **compromettre**
2 nm compromiso m *(acuerdo)*

comptabilité [kɔ̃tabilite] nf *(technique)* contabilidad f; *(service)* departamento m de contabilidad

comptable [kɔ̃tabl] nmf Esp contable mf, Am contador(ora) m,f

comptant [kɔ̃tɑ̃] **1** adj m al contado
2 adv **payer** ou **régler c.** pagar o abonar al contado
3 nm **au c.** al contado

compte [kɔ̃t] nm cuenta f; **comptes** *(comptabilité)* cuentas fpl; **faire ses comptes** hacer cuentas; **être/se mettre à son c.** trabajar/establecerse por su cuenta o por cuenta propia; **faire le c. de qch** hacer el recuento

de algo; **prendre qch en c., tenir c. de qch** tener en cuenta algo; **rendre c. de qch (à qn)** dar cuenta de algo (a alguien); **se rendre c. de qch/que** darse cuenta de algo/de que; **au bout du c., en fin de c.** a o en fin de cuentas, después de todo; **tout c. fait** después de todo ✰ **c. bancaire** ou **en banque** cuenta bancaria; **c. chèques** = cuenta corriente con talonario; **c. courant** cuenta corriente; **c. de dépôt** cuenta de depósito; **c. (d')épargne** cuenta de ahorros; **c. d'exploitation** cuenta de explotación; **c. postal** cuenta de la caja postal; **c. à rebours** cuenta atrás

compte-gouttes [kɔ̃tgut] nm inv cuentagotas m inv

compter [kɔ̃te] **1** vt *(dénombrer)* contar; *(comprendre)* contar con; **je compte m'installer à Paris** pienso instalarme en París
2 vi contar; **c. sur** contar con; **c. parmi** contarse entre; **à c. de...** a partir de...

compte(-)rendu *(pl* **comptes(-)rendus)** [kɔ̃trɑ̃dy] nm informe m; *(d'un livre, d'un spectacle)* reseña f; *(d'une séance)* acta f

compte-tours [kɔ̃ttur] nm inv cuentarrevoluciones m inv

compteur [kɔ̃tœr] nm contador m

comptine [kɔ̃tin] nf canción f infantil

comptoir [kɔ̃twar] nm *(de bar)* barra f; *(de magasin)* mostrador m; Suisse *(foire)* feria f de muestras

comte, comtesse [kɔ̃t, kɔ̃tɛs] nm,f conde(esa) m,f

con, conne [kɔ̃, kɔn] très Fam **1** adj *(personne)* Esp gilipollas, CSur gil (la); **c'est c., j'ai oublié ma carte d'étudiant!** ¡qué tonto(a), me he dejado la tarjeta de estudiante!
2 nm,f gilipollas mf inv

concave [kɔ̃kav] adj cóncavo(a)

concéder [34] [kɔ̃sede] *vt (point, victoire)* conceder

concentration [kɔ̃sãtrasjɔ̃] *nf* concentración *f*

concentré, -e [kɔ̃sãtre] **1** *adj* concentrado(a)
2 *nm* concentrado *m*

concentrer [kɔ̃sãtre] **1** *vt* concentrar
2 se concentrer *vpr* concentrarse (sur en)

concentrique [kɔ̃sãtrik] *adj* concéntrico(a)

concept [kɔ̃sɛpt] *nm* concepto *m*

conception [kɔ̃sɛpsjɔ̃] *nf (d'un projet, d'un enfant)* concepción *f*; *(d'une machine)* diseño *m* ☆ *c. assistée par ordinateur* diseño asistido por ordenador *o Am* computadora

concerner [kɔ̃sɛrne] *vt* concernir; **il se sent très concerné par...** le preocupa mucho...; **en ce qui concerne...** en lo que se refiere a..., en lo que concierne a...; **en ce qui me concerne** por lo que a mí respecta

concert [kɔ̃sɛr] *nm* concierto *m*

concertation [kɔ̃sɛrtasjɔ̃] *nf* concertación *f*

concerter [kɔ̃sɛrte] **1** *vt* concertar
2 se concerter *vpr* ponerse de acuerdo

concertiste [kɔ̃sɛrtist] *nmf* concertista *mf*

concerto [kɔ̃sɛrto] *nm* concerto *m*

concession [kɔ̃sesjɔ̃] *nf* concesión *f*

concessionnaire [kɔ̃sesjɔnɛr] *nmf* concesionario(a) *m,f*

concevoir [60] [kɔ̃səvwar] *vt* concebir

concierge [kɔ̃sjɛrʒ] *nmf* portero(a) *m,f*

conciliant, -e [kɔ̃siljã, -ãt] *adj* conciliador(ora)

concilier [kɔ̃silje] *vt* **c. qch et** *ou* **avec qch** compaginar algo y *o* con algo

concis, -e [kɔ̃si, -iz] *adj* conciso(a)

concision [kɔ̃sizjɔ̃] *nf* concisión *f*

concitoyen, -enne [kɔ̃sitwajɛ̃, -ɛn] *nm,f* conciudadano(a) *m,f*

concluant, -e [kɔ̃klyã, -ãt] *adj* concluyente

conclure [17] [kɔ̃klyr] **1** *vt (affaire, marché)* cerrar; *(discours, écrit)* concluir; **j'en conclus que...** deduzco que...
2 conclure à *vt ind (innocence)* determinar; **la police a conclu à un suicide** la policía determinó que la causa de la muerte fue un suicidio

conclusion [kɔ̃klyzjɔ̃] *nf (fin, déduction)* conclusión *f*; **en c.** en conclusión

concombre [kɔ̃kɔ̃br] *nm* pepino *m*

concordance [kɔ̃kɔrdãs] *nf* concordancia *f* ☆ *c. des temps* concordancia de tiempos

concorder [kɔ̃kɔrde] *vi* concordar (avec con)

concourir [22] [kɔ̃kurir] *vi (à un concours)* presentarse; **c. à qch** *(contribuer)* contribuir a algo

concours [kɔ̃kur] *nm (examen)* examen *m* de selección; *(dans l'administration)* oposición *f*; *(compétition)* concurso *m*; *(collaboration)* colaboración *f* ☆ *c. de circonstances* cúmulo *m* de circunstancias; *c. hippique* concurso hípico

concret, -ète [kɔ̃krɛ, -ɛt] *adj* concreto(a)

concrétiser [kɔ̃kretize] **1** *vt (projet, souhait)* materializar; *(accord, offre)* concretar
2 se concrétiser *vpr (projet, souhait)* materializarse; *(accord, offre)* concretarse

conçu, -e *voir* **concevoir**

concubin, -e [kɔ̃kybɛ̃, -in] *nm,f (homme)* = hombre que convive con una mujer; *(femme)* concubina *f*

concubinage [kɔ̃kybinaʒ] *nm* concubinato *m*

concupiscent, -e [kɔ̃kypisɑ̃, -ɑ̃t] *adj* concupiscente

concurrence [kɔ̃kyrɑ̃s] *nf* competencia *f*

concurrent, -e [kɔ̃kyrɑ̃, -ɑ̃t] *adj & nm,f* competidor(ora) *m,f*

condamnation [kɔ̃danasjɔ̃] *nf* condena *f*

condamné, -e [kɔ̃dane] **1** *adj (malade)* desahuciado(a) **2** *nm,f (à une peine)* condenado(a) *m,f* ☆ *c. à mort* condenado(a) a muerte

condamner [kɔ̃dane] *vt* condenar; *(blâmer, dénoncer)* denunciar, condenar; *(fermer)* condenar, tapiar; **c. qn à qch/à faire qch** condenar a alguien a algo/a hacer algo

condensateur [kɔ̃dɑ̃satœr] *nm* condensador *m*

condensation [kɔ̃dɑ̃sasjɔ̃] *nf* condensación *f*

condensé, -e [kɔ̃dɑ̃se] **1** *adj* condensado(a) **2** *nm* resumen *m*

condenser [kɔ̃dɑ̃se] *vt (gaz)* condensar; *(récit, pensée)* resumir

condiment [kɔ̃dimɑ̃] *nm* condimento *m*

condition [kɔ̃disjɔ̃] *nf* condición *f*; *(état physique)* condiciones *fpl* físicas; **sans c.** sin condiciones; **à c. de** con la condición de; **à c. que** a condición de que ☆ *conditions atmosphériques* condiciones atmosféricas; *conditions de vie* condiciones de vida

conditionné, -e [kɔ̃disjɔne] *adj voir* **air**

conditionnel, -elle [kɔ̃disjɔnɛl] **1** *adj* condicional **2** *nm Gram* condicional *m*

conditionner [kɔ̃disjɔne] *vt (influencer) & Psy* condicionar; *(produit)* envasar

condoléances [kɔ̃dɔleɑ̃s] *nfpl* pésame *m*; **présenter ses c. à qn** dar el pésame a alguien

conducteur, -trice [kɔ̃dyktœr, -tris] **1** *adj Él* conductor(ora) **2** *nm,f (chauffeur)* conductor(ora) *m,f* **3** *nm Él* conductor *m*

conduire [18] [kɔ̃dɥir] **1** *vt* conducir; *(en voiture)* llevar en coche *o Am* carro *o RP* auto **2** *vi* **c. à qch** conducir *o* llevar a algo **3 se conduire** *vpr* portarse

conduit, -e [kɔ̃dɥi, -it] **1** *pp voir* **conduire** **2** *nm* conducto *m*

conduite [kɔ̃dɥit] *nf (d'un véhicule)* conducción *f*; *(d'une entreprise, d'un projet)* dirección *f*; *(comportement)* conducta *f*; *(canalisation)* conducto *m* ☆ *c. accompagnée* = conducción en la compañía de una persona con carné; *c. à gauche* conducción por la izquierda

cône [kon] *nm* cono *m*

confection [kɔ̃fɛksjɔ̃] *nf* confección *f*

confectionner [kɔ̃fɛksjɔne] *vt* confeccionar

confédération [kɔ̃federasjɔ̃] *nf* confederación *f*

conférence [kɔ̃ferɑ̃s] *nf* conferencia *f* ☆ *c. de presse* rueda *f* de prensa

conférer [34] [kɔ̃fere] *vt* **c. qch à qn** conferir algo a alguien

confesser [kɔ̃fese] **1** *vt* confesar **2 se confesser** *vpr* confesarse

confession [kɔ̃fesjɔ̃] *nf* confesión *f*

confessionnal, -aux [kɔ̃fesjɔnal, -o] *nm* confesionario *m*

confetti [kɔ̃feti] *nm* confeti *m*

confiance [kɔ̃fjɑ̃s] *nf* confianza *f*; **avoir c. en** tener confianza en, confiar en; **avoir c. en soi** tener confianza en uno mismo; **faire c. à** fiarse de

confiant, -e [kɔ̃fjɑ̃, -ɑ̃t] *adj* confiado(a)

confidence [kɔ̃fidɑ̃s] *nf* confidencia *f*

confidentiel, -elle [kɔ̃fidɑ̃sjɛl] *adj* confidencial

confier [kɔ̃fje] **1** *vt* **c. qch/qn à qn** *(donner)* confiar algo/a alguien a alguien; **c. qch à qn** *(dire)* confiar algo a alguien
  2 se confier *vpr* **se c. à qn** confiarse a alguien

configuration [kɔ̃figyrɑsjɔ̃] *nf Ordinat* configuración *f*

confins [kɔ̃fɛ̃] **aux confins de** *prép* en los confines de

confirmation [kɔ̃firmɑsjɔ̃] *nf* confirmación *f*

confirmer [kɔ̃firme] **1** *vt* confirmar
  2 se confirmer *vpr* confirmarse

confiserie [kɔ̃fizri] *nf (activité, magasin)* confitería *f*; **confiseries** *(sucreries)* golosinas *fpl*

confisquer [kɔ̃fiske] *vt (biens)* confiscar, decomisar; *(objet)* quitar

confit, -e [kɛ̃fi, -it] **1** *adj voir* **fruit**
  2 *nm (d'oie, de canard)* carne *f* en conserva *(en su propia grasa)*

confiture [kɔ̃fityr] *nf* mermelada *f*

conflit [kɔ̃fli] *nm* conflicto *m*; **être en c. avec** estar en conflicto con

confondre [24] [kɔ̃fɔ̃dr] *vt* confundir

conforme [kɔ̃fɔrm] *adj* **c. à qch** conforme a o con algo

conformément [kɔ̃fɔrmemɑ̃] *adv* **c. à qch** conforme a algo

conformer [kɔ̃fɔrme] **1** *vt* **c. qch à qch** ajustar algo a algo
  2 se conformer *vpr* **se c. à qch** *(s'adapter à)* adaptarse a algo; *(obéir à)* someterse a algo

conformiste [kɔ̃fɔrmist] *adj & nmf* conformista *mf*

conformité [kɔ̃fɔrmite] *nf* conformidad *f* (à con); **être en c. avec qch** estar en conformidad con algo

confort [kɔ̃fɔr] *nm* comodidad *f*, confort *m*; **tout c.** con todas las comodidades

confortable [kɔ̃fɔrtabl] *adj (fauteuil)* cómodo(a), confortable; *(vie)* desahogado(a); *(avance)* cómodo(a)

confrère [kɔ̃frɛr] *nm* colega *m*

confrontation [kɔ̃frɔ̃tɑsjɔ̃] *nf (face à face)* careo *m*; *(comparaison)* confrontación *f*, cotejo *m*

confronter [kɔ̃frɔ̃te] *vt (mettre face à face)* confrontar, enfrentar; *(comparer)* confrontar, cotejar; **être confronté à qch** enfrentarse a algo

confus, -e [kɔ̃fy, -yz] *adj (embrouillé)* confuso(a); **je suis vraiment c.** lo siento mucho

confusion [kɔ̃fyzjɔ̃] *nf* confusión *f*

congé [kɔ̃ʒe] *nm (vacances)* vacaciones *fpl*; *(arrêt de travail)* baja *f* laboral; **en c.** de vacaciones; **donner son c. à qn** despedir a alguien; **prendre c.** despedirse ✩ **c. (de) maladie** baja por enfermedad; **c. (de) maternité** baja por maternidad; **congés payés** vacaciones pagadas

congédier [kɔ̃ʒedje] *vt* despedir, *CSur* cesantear

congélateur [kɔ̃ʒelatœr] *nm* congelador *m*

congeler [39] [kɔ̃ʒle] *vt* congelar

congénital, -e, -aux, -ales [kɔ̃ʒenital, -o] *adj* congénito(a)

congère [kɔ̃ʒɛr] *nf* = nieve amontonada por el viento

congestion [kɔ̃ʒɛstjɔ̃] *nf* congestión *f* ✩ **c. pulmonaire** congestión pulmonar

Congo [kɔ̃go] *nm* **le C.** el Congo

congolais, -e [kɔ̃gɔlɛ, -ɛz] **1** *adj* congoleño(a)
  2 *nm,f* **C.** congoleño(a) *m,f*

congrès [kɔ̃grɛ] *nm* congreso *m*

conifère [kɔnifɛr] *nm* conífera *f*

conjecture [kɔ̃ʒɛktyr] *nf* conjetura *f*

conjoint, -e [kɔ̃ʒwɛ̃, -ɛ̃t] **1** *adj (demande)* conjunto(a)
  2 *nm,f* cónyuge *mf*

conjonction [kɔ̃ʒɔ̃ksjɔ̃] *nf* conjunción *f*

conjonctivite [kɔ̃ʒɔ̃ktivit] *nf* conjuntivitis *f inv*

conjoncture [kɔ̃ʒɔ̃ktyr] *nf* coyuntura *f*

conjugaison [kɔ̃ʒygɛzɔ̃] *nf* conjugación *f*

conjugal, -e, -aux, -ales [kɔ̃ʒygal, -o] *adj* conyugal

conjuguer [kɔ̃ʒyge] *vt* conjugar

connaissance [kɔnɛsɑ̃s] *nf* (*savoir, conscience*) conocimiento *m*; (*relation*) conocido(a) *m,f*; **à ma c.** que yo sepa; **en c. de cause** con conocimiento de causa; **perdre/reprendre c.** perder/recobrar el conocimiento; **prendre c. de qch** enterarse de algo; **faire c. (avec qn)** conocerse (con alguien)

connaisseur, -euse [kɔnɛsœr, -øz] *adj & nm,f* entendido(a) *m,f*

connaître [20] [kɔnɛtr] **1** *vt* conocer **2 se connaître** *vpr* (*personnes*) conocerse; **s'y c. en qch** saber de algo

connecter [kɔnɛkte] *vt* conectar

connerie [kɔnri] *nf très Fam* (*acte, parole*) tontería *f*, estupidez *f*; (*caractère stupide*) estupidez *f*

connexion [kɔnɛksjɔ̃] *nf* conexión *f*

connu, -e [kɔny] **1** *pp voir* **connaître** **2** *adj* conocido(a)

conquérant, -e [kɔ̃kerɑ̃, -ɑ̃t] *adj & nm,f* conquistador(ora) *m,f*

conquérir [7] [kɔ̃kerir] *vt* conquistar

conquête [kɔ̃kɛt] *nf* conquista *f*

conquis, -e *pp voir* **conquérir**

consacrer [kɔ̃sakre] **1** *vt* (*église*) consagrar; **c. qch à** (*employer*) dedicar algo a **2 se consacrer** *vpr* **se c. à** (*se vouer à*) consagrarse a; (*s'occuper de*) dedicarse a

consanguin, -e [kɔ̃sɑ̃gɛ̃, -in] *adj* consanguíneo(a)

conscience [kɔ̃sjɑ̃s] *nf* conciencia *f*; **avoir c. de qch** tener conciencia de algo, ser consciente de algo; **avoir bonne c.** tener la conciencia tranquila; **avoir mauvaise c.** tener mala conciencia; **perdre/reprendre c.** perder/recobrar el conocimiento ☆ **c. professionnelle** ética *f* profesional

consciencieux, -euse [kɔ̃sjɑ̃sjø, -øz] *adj* concienzudo(a)

conscient, -e [kɔ̃sjɑ̃, -ɑ̃t] *adj* consciente; **être c. de qch** ser consciente de algo

consécration [kɔ̃sekrɑsjɔ̃] *nf* consagración *f*

consécutif, -ive [kɔ̃sekytif, -iv] *adj* consecutivo(a); **c. à qch** (*résultant*) provocado(a) por algo

conseil [kɔ̃sɛj] *nm* (*avis, assemblée*) consejo *m*; (*conseiller*) asesor(ora) *m,f* (**en** de) ☆ **c. d'administration** consejo de administración; **c. de classe** junta *f* de evaluación; **c. de discipline** consejo de disciplina; **C. général** diputación *f* provincial; **c. des ministres** consejo de ministros; **c. municipal** concejo *m*, pleno *m* del Ayuntamiento

conseiller¹, -ère [kɔ̃seje, -ɛr] *nm,f* consejero(a) *m,f* ☆ **c. municipal** concejal *m*

conseiller² *vt* (*aider*) aconsejar; **c. qch/qn à qn** aconsejar algo/a alguien a alguien; **c. à qn de faire qch** aconsejar a alguien hacer algo

consensuel, -elle [kɔ̃sɑ̃sɥɛl] *adj* (*politique*) consensuado(a)

consentement [kɔ̃sɑ̃tmɑ̃] *nm* consentimiento *m*

consentir [64a] [kɔ̃sɑ̃tir] *vi* **c. à qch/à faire qch** consentir algo/en hacer algo; **je consens à ce qu'il parte** consiento que se marche

conséquence [kɔ̃sekɑ̃s] *nf* consecuencia *f*; **en c.** (*donc*) en o por consecuencia; **agir en c.** actuar en consecuencia; **ça ne porte pas à c.** no tiene importancia

conséquent [kɔ̃sekã] **par conséquent** adv por consiguiente, por lo tanto

conservateur, -trice [kɔ̃sɛrvatœr, -tris] **1** adj & nm,f conservador(ora) m,f

2 nm (produit) conservante m

conservation [kɔ̃sɛrvasjɔ̃] nf conservación f; (de bâtiments) mantenimiento m

conservatoire [kɔ̃sɛrvatwar] nm conservatorio m ☆ **c. d'art dramatique** escuela f de arte dramático; **c. de musique** conservatorio (de música)

conserve [kɔ̃sɛrv] nf conserva f; **mettre qch en c.** poner algo en conserva

conserver [kɔ̃sɛrve] **1** vt conservar; (bâtiment) mantener; **être bien conservé** conservarse bien, estar bien conservado(a)

2 se conserver vpr conservarse

considérable [kɔ̃siderabl] adj considerable

considération [kɔ̃siderasjɔ̃] nf consideración f; **en c. de qch** en consideración a algo; **prendre qch en c.** tomar algo en consideración; **se perdre en considérations** perderse en consideraciones

considérer [34] [kɔ̃sidere] vt (envisager) considerar; (observer) mirar; **c. que** considerar que; **elle est très bien considérée par ses collègues** está muy bien considerada entre sus colegas

consigne [kɔ̃siɲ] nf (ordre, à bagages) consigna f; (d'une bouteille) importe m del casco

consigner [kɔ̃siɲe] vt (bagage) dejar en consigna; (bouteille) = cobrar el importe del casco de (una botella); (écrire) anotar; Mil acuartelar

consistance [kɔ̃sistãs] nf consistencia f

consistant, -e [kɔ̃sistã, -ãt] adj consistente

consister [kɔ̃siste] vi **c. en qch** (se composer de) constar de algo; (équivaloir à) consistir en algo; **c. à faire qch** consistir en hacer algo

consœur [kɔ̃sœr] nf colega f

consolation [kɔ̃sɔlasjɔ̃] nf voir **lot**

console [kɔ̃sɔl] nf (table) & Ordinat consola f; Archit ménsula f

consoler [kɔ̃sɔle] vt consolar

consolider [kɔ̃sɔlide] vt consolidar

consommateur, -trice [kɔ̃sɔmatœr, -tris] nm,f Écon consumidor(ora) m,f; (d'un bar) cliente(a) m,f

consommation [kɔ̃sɔmasjɔ̃] nf (de papier, d'essence) consumo m; (boisson) consumición f

consommé [kɔ̃sɔme] nm consomé m, caldo m (de carne)

consommer [kɔ̃sɔme] **1** vt consumir; (accomplir) consumar

2 vi consumir

consonance [kɔ̃sɔnãs] nf (rime) & Mus consonancia f; **un mot à c. anglaise** una palabra que suena inglesa

consonne [kɔ̃sɔn] nf consonante f

conspiration [kɔ̃spirasjɔ̃] nf conspiración f

conspirer [kɔ̃spire] **1** vt maquinar

2 vi conspirar

constamment [kɔ̃stamã] adv constantemente

constant, -e [kɔ̃stã, -ãt] adj constante

constat [kɔ̃sta] nm (procès-verbal) (par un officiel) atestado m, acta f; (par un particulier) parte m; (constatation) constatación f

constatation [kɔ̃statasjɔ̃] nf constatación f

constater [kɔ̃state] vt (se rendre compte de) constatar; (consigner) hacer constar

constellation [kɔ̃stelasjɔ̃] nf constelación f

consterner [kɔ̃stɛrne] *vt* consternar

constipation [kɔ̃stipasjɔ̃] *nf* estreñimiento *m*

constipé, -e [kɔ̃stipe] *adj* estreñido(a); *Fam Fig* **avoir l'air c.** tener cara de pito

constituer [kɔ̃stitɥe] *vt* constituir; *(dossier)* elaborar

constitution [kɔ̃stitysjɔ̃] *nf* constitución *f*

constructeur, -trice [kɔ̃stryktœr, -tris] *nm,f (fabricant)* fabricante *mf*; *(bâtisseur)* constructor(ora) *m,f*

construction [kɔ̃stryksjɔ̃] *nf* construcción *f*

construire [18] [kɔ̃strɥir] *vt* construir

consul [kɔ̃syl] *nm* cónsul *m*

consulat [kɔ̃syla] *nm* consulado *m*

consultation [kɔ̃syltasjɔ̃] *nf* consulta *f*

consulter [kɔ̃sylte] **1** *vt* consultar; *(avocat)* consultar con
2 *vi (médecin)* tener consulta, visitar

contact [kɔ̃takt] *nm* contacto *m*; **être/entrer en c. avec** estar/ponerse en contacto con; **mettre/couper le c.** darle al/apagar el contacto

contacter [kɔ̃takte] *vt* ponerse en contacto con, contactar con

contagieux, -euse [kɔ̃taʒjø, -øz] *adj* contagioso(a)

contaminer [kɔ̃tamine] *vt* contaminar

conte [kɔ̃t] *nm* cuento *m* ☆ **c. de fées** cuento de hadas

contemplation [kɔ̃tɑ̃plasjɔ̃] *nf* **être en c. devant qch** contemplar algo

contempler [kɔ̃tɑ̃ple] *vt* contemplar

contemporain, -e [kɔ̃tɑ̃pɔrɛ̃, -ɛn] *adj & nm,f* contemporáneo(a) *m,f*

contenance [kɔ̃tnɑ̃s] *nf (d'une bouteille, d'un réservoir)* capacidad *f*; *(attitude)* compostura *f*; **perdre c.** perder la compostura

contenir [70] [kɔ̃tnir] **1** *vt (sujet: récipient, salle)* tener (una) capacidad para; *(inclure, retenir)* contener
2 se contenir *vpr* contenerse

content, -e [kɔ̃tɑ̃, -ɑ̃t] *adj* contento(a); **c. de qch/qn** contento con algo/alguien; **c. de faire qch** contento de hacer algo; **c. de soi** satisfecho(a) de sí mismo(a)

contenter [kɔ̃tɑ̃te] **1** *vt (personne)* contentar; *(caprice, besoin)* satisfacer
2 se contenter *vpr* **se c. de qch/de faire qch** contentarse con algo/con hacer algo

contentieux [kɔ̃tɑ̃sjø] *nm* contencioso *m*

contenu, -e [kɔ̃tny] **1** *pp voir* **contenir**
2 *nm* contenido *m*

conter [kɔ̃te] *vt* contar *(relatar)*

contestation [kɔ̃tɛstasjɔ̃] *nf* contestación *f*; **sans c. possible** indiscutiblemente

conteste [kɔ̃tɛst] **sans conteste** *adv* sin lugar a dudas

contester [kɔ̃tɛste] **1** *vt* discutir
2 *vi* protestar

conteur, -euse [kɔ̃tœr, -øz] *nm,f* narrador(ora) *m,f*

contexte [kɔ̃tɛkst] *nm* contexto *m*; **en c.** en contexto

contigu, -uë [kɔ̃tigy] *adj* contiguo(a) *(à* a)

continent [kɔ̃tinɑ̃] *nm* continente *m*

continental, -e, -aux, -ales [kɔ̃tinɑ̃tal, -o] *adj* continental

contingent [kɔ̃tɛ̃ʒɑ̃] *nm Mil* contingente *m*; *(de marchandises)* cupo *m*, contingente *m*

continu, -e [kɔ̃tiny] *adj* continuo(a); *Ordinat* **impression en c.** impresión *f* en papel continuo

continuation [kɔ̃tinɥasjɔ̃] *nf* continuación *f*; **bonne c.!** ¡que la cosa siga bien!

continuel, -elle [kɔ̃tinɥɛl] *adj* continuo(a)

continuer [kɔ̃tinɥe] **1** *vt* continuar **2** *vi* continuar, seguir; **c. à** *ou* **de faire qch** continuar o seguir haciendo algo **3 se continuer** *vpr* seguir

continuité [kɔ̃tinɥite] *nf* continuidad *f*

contorsionner [kɔ̃tɔrsjɔne] **se contorsionner** *vpr* contorsionarse

contour [kɔ̃tur] *nm (limite, silhouette)* contorno *m*

contourner [kɔ̃turne] *vt (obstacle)* rodear, salvar; *Fig (difficulté)* salvar, esquivar

contraceptif, -ive [kɔ̃trasɛptif, -iv] **1** *adj* anticonceptivo(a) **2** *nm* anticonceptivo *m*

contraception [kɔ̃trasɛpsjɔ̃] *nf* anticoncepción *f*, contracepción *f*

contracter [kɔ̃trakte] *vt* contraer

contraction [kɔ̃traksjɔ̃] *nf (d'un muscle)* contracción *f*

contractuel, -elle [kɔ̃traktɥɛl] *nm,f (chargé du stationnement)* = agente de policía encargado de sancionar los estacionamientos indebidos

contradiction [kɔ̃tradiksjɔ̃] *nf* contradicción *f*; **être en c. avec** estar en contradicción con, contradecirse con

contradictoire [kɔ̃tradiktwar] *adj (idées)* contradictorio(a); *(débat)* polémico(a)

contraignant, -e [kɔ̃trɛɲɑ̃, -ɑ̃t] *adj (devoir, travail)* apremiante; *(horaire)* exigente

contraindre [23] [kɔ̃trɛ̃dr] *vt* **c. qn à qch/à faire qch** obligar a alguien a algo/a hacer algo

contrainte [kɔ̃trɛ̃t] *nf (violence)* coacción *f*; *(obligation)* obligación *f*; **sous la c.** por coacción

contraire [kɔ̃trɛr] **1** *adj (opposé)* contrario(a) (**à** a) **2** *nm* contrario *m*; **au c. (de)** al contrario (de)

contrairement [kɔ̃trɛrmɑ̃] **contrairement à** *prép* contrariamente a

contrarier [kɔ̃trarje] *vt (irriter)* contrariar; *(contrecarrer)* oponerse a

contrariété [kɔ̃trarjete] *nf* contrariedad *f*

contraste [kɔ̃trast] *nm* contraste *m*

contraster [kɔ̃traste] *vi* contrastar

contrat [kɔ̃tra] *nm* contrato *m*; **être sous c.** estar bajo contrato ☆ **c. à durée déterminée** contrato temporal; **c. à durée indéterminée** contrato fijo o indefinido

contravention [kɔ̃travɑ̃sjɔ̃] *nf* multa *f*

contre [kɔ̃tr] *prép* contra; *(comparaison)* frente a; *(échange)* por; **je suis c.** estoy en contra; **élu à quinze voix c. neuf** elegido por quince votos a favor y nueve en contra; **troquer une bille c. une gomme** cambiar una canica por una goma; **par c.** en cambio

contre-attaque *(pl* **contre-attaques)** [kɔ̃tratak] *nf* contraataque *m*

contrebande [kɔ̃trəbɑ̃d] *nf* contrabando *m*

contrebandier, -ère [kɔ̃trəbɑ̃dje, -ɛr] *nm,f* contrabandista *mf*

contrebas [kɔ̃trəba] **en contrebas** *adv* más abajo (**de** de)

contrebasse [kɔ̃trəbas] *nf* contrabajo *m*

contrebassiste [kɔ̃trəbasist] *nmf* contrabajo *mf*

contrecarrer [kɔ̃trəkare] *vt* oponerse a

contrecœur [kɔ̃trəkœr] **à contrecœur** *adv* a regañadientes

contrecoup [kɔ̃trəku] *nm* consecuencia *f*

contre-courant [kɔ̃trəkurɑ̃] **à contre-courant** *adv* a contracorriente (**de** de)

contredire [27b] [kɔ̃trədir] **1** *vt* contradecir
2 se contredire *vpr* contradecirse

contre-espionnage [kɔ̃trɛspjɔnaʒ] *nm* contraespionaje *m*

contre-expertise (*pl* **contre-expertises**) [kɔ̃trɛkspɛrtiz] *nf* peritaje *m* de comprobación

contrefaçon [kɔ̃trəfasɔ̃] *nf (d'une marque)* imitación *f*; *(de billets, d'une signature)* falsificación *f*

contrefort [kɔ̃trəfɔr] *nm* contrafuerte *m*

contre-indication (*pl* **contre-indications**) [kɔ̃trɛ̃dikɑsjɔ̃] *nf* contraindicación *f*

contre-jour (*pl* **contre-jours**) [kɔ̃trəʒur] *nm* contraluz *f*; **à c.** a contraluz

contremaître [kɔ̃trəmɛtr] *nm* capataz *m*

contre-offensive (*pl* **contre-offensives**) [kɔ̃trɔfɑ̃siv] *nf* contraofensiva *f*

contrepartie [kɔ̃trəparti] *nf (compensation)* contrapartida *f*; **en c.** en contrapartida

contrepèterie [kɔ̃trəpɛtri] *nf* retruécano *m*

contre-pied [kɔ̃trəpje] *nm* **prendre le c. de qch** defender lo contrario de algo

contreplaqué [kɔ̃trəplake] *nm* contrachapado *m*

contre-pouvoir (*pl* **contre-pouvoirs**) [kɔ̃trəpuvwar] *nm* contrapoder *m*

contrer [kɔ̃tre] *vt (s'opposer à)* oponerse a; *(aux cartes)* doblar; *(au basket)* poner un tapón a

contresens [kɔ̃trəsɑ̃s] *nm* contrasentido *m*

contretemps [kɔ̃trətɑ̃] *nm* contratiempo *m*; **à c.** *Mus* a contratiempo; *Fig* a destiempo

contribuable [kɔ̃tribɥabl] *nmf* contribuyente *mf*

contribuer [kɔ̃tribɥe] *vi* **c. à qch/à faire qch** contribuir en algo/a hacer algo

contribution [kɔ̃tribysjɔ̃] *nf (somme d'argent)* contribución *f*; *(collaboration, participation)* colaboración *f* (**à** en), contribución *f* (**à** a); **mettre qn à c.** recurrir a alguien, echar mano de alguien ☆ **contributions directes** impuestos *mpl* directos; **contributions indirectes** impuestos indirectos

contrôle [kɔ̃trol] *nm* control *m*; **perdre le c. de qch** perder el control de algo ☆ *Scol & Univ* **c. continu** evaluación *f* continua; **c. d'identité** control de identidad; **être sous c. judiciaire** estar bajo vigilancia judicial; **c. des naissances** control de natalidad

contrôler [kɔ̃trole] **1** *vt (maîtriser, diriger)* controlar; *(vérifier)* comprobar
2 se contrôler *vpr* controlarse

contrôleur, -euse [kɔ̃trolœr, -øz] *nm,f (de métro, de train)* revisor(ora) *m,f*, interventor(ora) *m,f* ☆ **c. aérien** controlador *m* aéreo

contrordre [kɔ̃trɔrdr] *nm* contraorden *f*; **sauf c.** salvo contraorden

controverse [kɔ̃trɔvɛrs] *nf* controversia *f*

controversé, -e [kɔ̃trɔvɛrse] *adj* controvertido(a)

contusion [kɔ̃tyzjɔ̃] *nf* contusión *f*

convaincre [68] [kɔ̃vɛ̃kr] *vt* **c. qn de qch/de faire qch** convencer a alguien de algo/de que haga algo; *Jur* **c. qn de qch** *(reconnaître coupable)* declarar a alguien culpable de algo

convalescence [kɔ̃valesɑ̃s] *nf* convalecencia *f*; **être en c.** estar en período de convalecencia

convalescent, -e [kɔ̃valesɑ̃, -ɑ̃t] *adj & nm,f* convaleciente *mf*

convenable [kɔ̃vnabl] *adj (respectable)* decente; *(suffisant)* aceptable; *(approprié)* conveniente

convenance [kɔ̃vnɑ̃s] *nf* **à ma/sa c.** a mi/su conveniencia; **les convenances** las reglas de urbanidad

convenir [70] [kɔ̃vnir] **1** *vi* **c. de qch/ de faire qch** *(se mettre d'accord)* acordar algo/hacer algo; **c. à qn** *(satisfaire)* convenir a alguien; **c. à** *ou* **pour qch** ser adecuado(a) para algo; **c. que/de qch** *(admettre)* admitir o reconocer que/algo **2** *v impersonnel* **il convient d'y réfléchir** convendría pensárselo

convention [kɔ̃vɑ̃sjɔ̃] *nf (accord)* convenio *m*; *(assemblée)* convención *f*; **les conventions** los convencionalismos ☆ *c.* **collective** convenio colectivo

conventionné, -e [kɔ̃vɑ̃sjɔne] *adj (médecin)* = que aplica la tarifa establecida por la Seguridad Social en Francia

conventionnel, -elle [kɔ̃vɑ̃sjɔnɛl] *adj* convencional

convenu, -e [kɔ̃vny] *adj (décidé)* convenido(a); *Péj (stéréotypé)* convencional; **comme c.** según lo acordado

converger [45] [kɔ̃vɛrʒe] *vi* converger

conversation [kɔ̃vɛrsasjɔ̃] *nf* conversación *f*

conversion [kɔ̃vɛrsjɔ̃] *nf* conversión *f*

convertir [kɔ̃vɛrtir] **1** *vt* convertir (à/en a/en) **2 se convertir** *vpr* convertirse (à a)

convexe [kɔ̃vɛks] *adj* convexo(a)

conviction [kɔ̃viksjɔ̃] *nf* convicción *f*

convier [kɔ̃vje] *vt Litt* **c. qn à qch** convidar a alguien a algo

convive [kɔ̃viv] *nmf* comensal *mf*

convivial, -e, -aux, -ales [kɔ̃vivjal, -o] *adj* distendido(a); *Ordinat* de fácil manejo

convocation [kɔ̃vɔkasjɔ̃] *nf* convocatoria *f*

convoi [kɔ̃vwa] *nm* convoy *m* ☆ *c.* **funèbre** cortejo *m* fúnebre

convoiter [kɔ̃vwate] *vt* codiciar

convoquer [kɔ̃vɔke] *vt* convocar

convoyer [32] [kɔ̃vwaje] *vt* escoltar

convulsion [kɔ̃vylsjɔ̃] *nf* convulsión *f*

coopération [kɔɔperasjɔ̃] *nf* cooperación *f*

coopérer [34] [kɔɔpere] *vi* cooperar (à en)

coordination [kɔɔrdinasjɔ̃] *nf* coordinación *f*

coordonnées [kɔɔrdɔne] *nfpl Math & Géog* coordenadas *fpl*; *(adresse)* señas *fpl*

coordonner [kɔɔrdɔne] *vt* coordinar

copain [kɔpɛ̃], **copine** [kɔpin] *Fam* **1** *adj* **nous sommes copains** somos amigos **2** *nm,f Esp* colega *mf*, *Am* compañero(a) *m,f*; *(petit ami)* novio(a) *m,f*

copeau, -x [kɔpo] *nm* viruta *f*

Copenhague [kɔpɛnag] *n* Copenhague

copie [kɔpi] *nf (double, reproduction)* copia *f*; *(d'examen)* examen *m*; **rendre c. blanche** entregar el examen en blanco ☆ *c.* **double** = pliego de papel en el que los estudiantes hacen sus deberes; *Ordinat* **c. de sauvegarde** *ou* **secours** copia de seguridad

copier [kɔpje] **1** *vt* copiar **2** *vi* **c. sur qn** copiar de alguien

copieux, -euse [kɔpjø, -øz] *adj* copioso(a)

copilote [kɔpilɔt] *nmf* copiloto *m*

copine [kɔpin] *nf voir* **copain**

coproduction [kɔprɔdyksjɔ̃] *nf* coproducción *f*

copropriété [kɔprɔprijete] *nf* copropiedad *f*

copulation [kɔpylasjɔ̃] *nf* cópula *f*

coq [kɔk] *nm* gallo *m*; **sauter** *ou* **passer du c. à l'âne** saltar de un tema a otro ☆ *c.* **de bruyère** urogallo *m*; *c.* **au vin** guiso *m* de pollo y vino tinto

coque [kɔk] *nf (de noix, d'amande)* cáscara *f*; *(de navire)* casco *m*; *(coquillage)* berberecho *m*

coquelicot [kɔkliko] *nm* amapola *f*

coqueluche [kɔklyʃ] *nf* tos *f* ferina; *Fig* **être la c. de** hacer furor entre

coquet, -ette [kɔkɛ, -ɛt] *adj (élégant)* coqueto(a); *Hum* **la coquette somme de...** la bonita cantidad de...

coquetier [kɔktje] *nm* huevera *f*

coquillage [kɔkijaʒ] *nm (mollusque)* marisco *m (que tiene concha)*; *(coquille)* concha *f*

coquille [kɔkij] *nf (de mollusque)* concha *f*; *(d'œuf)* cáscara *f*; *(typographique)* gazapo *m*, errata *f* ☆ *c.* **Saint-Jacques** *(animal)* vieira *f*; *(enveloppe)* concha

coquin, -e [kɔkɛ̃, -in] **1** *adj* pícaro(a) **2** *nm,f (malicieux)* pícaro(a) *m,f*

cor¹ [kɔr] *nm (instrument)* trompa *f*; **à c. et à cri** a voz en grito

cor² *nm (au pied)* callo *m*

corail, -aux [kɔraj, -o] **1** *nm (animal, calcaire)* coral *m*; *(couleur)* color *m* coral **2** *adj inv (couleur)* de color coral

Coran [kɔrɑ̃] *nm* **le C.** el Corán

corbeau, -x [kɔrbo] *nm (oiseau)* cuervo *m*; *Fig (délateur)* autor(ora) *m,f* de anónimos

corbeille [kɔrbɛj] *nf (panier)* cesta *f*; *(au théâtre)* palco *m*; *(à la Bourse)* corro *m*; *Ordinat* papelera *f* ☆ *c.* **à papiers** papelera

corbillard [kɔrbijar] *nm* coche *m* fúnebre

cordage [kɔrdaʒ] *nm (de bateau)* cabo *m*; *(de raquette)* cordaje *m*

corde [kɔrd] *nf* cuerda *f*; **les cordes** *(d'un orchestre)* las cuerdas, los instrumentos de cuerda; **toucher la c.**

sensible tocar la fibra sensible ☆ *c.* **lisse** cuerda lisa *(sin nudos)*; *c.* **raide** cuerda floja; *Fig* **être sur la c. raide** estar en la cuerda floja; *c.* **à sauter** comba *f*; **cordes vocales** cuerdas vocales

cordial, -e, -aux, -ales [kɔrdjal, -o] *adj* cordial

cordillère [kɔrdijɛr] *nf* **la c. des Andes** la cordillera de los Andes

cordon [kɔrdɔ̃] *nm* cordón *m* ☆ *c.* **ombilical** cordón umbilical; *c.* **de police** cordón policial

cordon-bleu *(pl* **cordons-bleus)** [kɔrdɔ̃blø] *nm* cocinero(a) *m,f* excelente

cordonnerie [kɔrdɔnri] *nf* zapatería *f*

cordonnier, -ère [kɔrdɔnje, -ɛr] *nm,f* zapatero(a) *m,f*

Cordoue [kɔrdu] *n* Córdoba

Corée [kɔre] *nf* Corea; **la C. du Nord/ du Sud** Corea del Norte/del Sur

coréen, -enne [kɔreɛ̃, -ɛn] **1** *adj* coreano(a) **2** *nm,f* **C.** coreano(a) *m,f* **3** *nm (langue)* coreano *m*

coriace [kɔrjas] *adj (viande)* correoso(a); *Fig (caractère)* tenaz

cormoran [kɔrmɔrɑ̃] *nm* cormorán *m*

corne [kɔrn] *nf* cuerno *m*; *(matière)* asta *f*; *(callosité)* callosidades *fpl*, durezas *fpl* ☆ *c.* **de brume** sirena *f* de niebla

cornée [kɔrne] *nf* córnea *f*

corneille [kɔrnɛj] *nf* corneja *f*

cornemuse [kɔrnəmyz] *nf* gaita *f*

corner¹ [kɔrne] *vt (page)* doblar

corner² [kɔrnɛr] *nm Sp* córner *m*

cornet [kɔrnɛ] *nm* cucurucho *m* ☆ *c.* **à dés** cubilete *m*; *c.* **à pistons** cornetín *m*

corniche [kɔrniʃ] *nf* cornisa *f*

cornichon [kɔrniʃɔ̃] *nm* pepinillo *m*; *Fam Péj (imbécile)* burro(a) *m,f*

corolle [kɔrɔl] *nf* corola *f*

corporation [kɔrpɔrasjɔ̃] *nf* gremio *m*

corporel, -elle [kɔrpɔrɛl] *adj (besoins, exercice)* corporal; *Jur (bien)* material

corps [kɔr] *nm* cuerpo *m*; **faire c. avec** formar cuerpo con ☆ *c. d'armée* cuerpo de ejército; *c. à c.* cuerpo a cuerpo; *c. diplomatique* cuerpo diplomático; *c. enseignant* cuerpo docente

corpulent, -e [kɔrpylɑ̃, -ɑ̃t] *adj* corpulento(a)

correct, -e [kɔrɛkt] *adj* correcto(a)

correcteur, -trice [kɔrɛktœr, -tris] **1** *adj & nm,f* corrector(ora) *m,f* **2** *nm Ordinat* **c. orthographique** corrector *m* ortográfico

correction [kɔrɛksjɔ̃] *nf* corrección *f*; *(punition)* correctivo *m*

corrélation [kɔrelasjɔ̃] *nf* correlación *f*; **en c. avec** junto con

correspondance [kɔrɛspɔ̃dɑ̃s] *nf* correspondencia *f*; *(train, bus)* enlace *m*; **par c.** por correo

correspondant, -e [kɔrɛspɔ̃dɑ̃, -ɑ̃t] **1** *adj* correspondiente **2** *nm,f (par lettres)* correspondiente *mf*; *(au téléphone)* interlocutor(ora) *m,f*; *(journaliste)* corresponsal *mf*

correspondre [kɔrɛspɔ̃dr] *vi (par lettres)* cartearse (**avec** con); **c. à qch** corresponder a algo

corrida [kɔrida] *nf* corrida *f*; *Fam Fig (complications)* movida *f*

corridor [kɔridɔr] *nm* pasillo *m*, corredor *m*; *Géog* corredor *m*

corrigé [kɔriʒe] *nm* corrección *f*; **le c. de l'examen** el examen modelo

corriger [45] [kɔriʒe] *vt* corregir; *(battre)* pegar

corrompre [kɔrɔ̃pr] *vt* corromper

corrompu, -e [kɔrɔ̃py] **1** *pp voir* **corrompre** **2** *adj* corrupto(a)

corrosion [kɔrozjɔ̃] *nf* corrosión *f*

corruption [kɔrypsjɔ̃] *nf* corrupción *f*

corsage [kɔrsaʒ] *nm (chemisier)* blusa *f*; *(de robe)* cuerpo *m*

corsaire [kɔrsɛr] *nm (marin)* corsario *m*; *(pantalon)* pantalón *m* (de) pirata

Corse [kɔrs] *nf* **la C.** Córcega

corse [kɔrs] **1** *adj* corso(a) **2** *nmf* **C.** corso(a) *m,f* **3** *nm (langue)* corso *m*

corsé, -e [kɔrse] *adj (café)* fuerte; *(problème)* arduo(a)

corset [kɔrsɛ] *nm* corsé *m*

cortège [kɔrtɛʒ] *nm* cortejo *m*, séquito *m*

corvée [kɔrve] *nf* faena *f*

cosmétique [kɔsmetik] **1** *adj* cosmético(a) **2** *nm* cosmético *m*

cosmique [kɔsmik] *adj* cósmico(a)

cosmonaute [kɔsmɔnot] *nmf* cosmonauta *mf*

cosmopolite [kɔsmɔpɔlit] *adj* cosmopolita

cosmos [kɔsmos] *nm* cosmos *m*

cossin [kɔsɛ̃] *nm Can Fam* chisme *m*

cossu, -e [kɔsy] *adj (maison, intérieur)* señorial

costard [kɔstar] *nm Fam* traje *m*

Costa Rica [kɔstarika] *nm* **le C.** Costa Rica

costaud [kɔsto] *(f* **costaud** *ou* **costaude** [kɔstod]*) adj Fam (personne)* forzudo(a); *(exercice, problème)* recio(a)

costume [kɔstym] *nm* traje *m*

costumé, -e [kɔstyme] *adj voir* **bal**

cote [kɔt] *nf (niveau)* cota *f*, nivel *m*; *(d'un livre)* signatura *f*; *Fin* cotización *f*; *(d'une voiture)* valoración *f*; *(d'un cheval)* apuesta *f*; *Fam* **avoir la c. avec qn** contar con la estima de alguien ☆ *c. d'alerte (d'un cours d'eau)* nivel *o* cota de alerta; *Fig* punto *m* crítico; *c. de popularité* cota o nivel de popularidad

coté, -e [kɔte] *adj (estimé)* cotizado(a); *Fin* être c. en Bourse cotizar en Bolsa

côte [kot] *nf (os)* costilla *f*; *(de bœuf)* chuletón *m*; *(d'agneau, de porc)* chuleta *f*; *(pente)* cuesta *f*; *(littoral)* costa *f*; **c. à c.** uno(a) al lado del (de la) otro(a) ☆ *la C. d'Azur* la Costa Azul

côté [kote] *nm* lado *m*; *(flanc)* costado *m*, lado *m*; **les bons/mauvais côtés de** *(personne, situation)* el lado bueno/malo de; **à c. de** al lado de; **les voisins d'à c.** los vecinos de al lado; **être aux côtés de qn** estar al lado de alguien; **de l'autre c. de qch** al otro lado de algo; **elle est partie de ce c.** se fue por allí; **du c. de** *(aux environs de)* por; **regarder qn de c.** mirar a alguien de soslayo; **mettre qch de c.** guardar algo; **sur le c.** *(sur le flanc)* de costado, de lado

coteau, -x [kɔto] *nm (petite colline)* cerro *m*; *(versant)* ladera *f*

Côte d'Ivoire [kotdivwar] *nf* la C. Costa de Marfil

côtelé, -e [kotle] *adj voir* **velours**

côtelette [kotlɛt] *nf* chuleta *f*

côtier, -ère [kotje, -ɛr] *adj* costero(a)

cotisation [kɔtizasjɔ̃] *nf (à un club, à un parti)* cuota *f*; *(à la Sécurité sociale)* cotización *f*

cotiser [kɔtize] **1** *vi (à un club, à un parti)* pagar una cuota; *(à la Sécurité sociale)* cotizar
2 se cotiser *vpr* hacer una colecta

coton [kɔtɔ̃] *nm* algodón *m* ☆ *c. à démaquiller* algodón para desmaquillar; *c. hydrophile* algodón hidrófilo

Coton-Tige® *(pl* **Cotons-Tiges**) [kɔtɔ̃tiʒ] *nm* bastoncillo *m (de algodón)*

côtoyer [32] [kotwaje] *vt (fréquenter)* frecuentar

cou [ku] *nm* cuello *m*

couchage [kuʃaʒ] *nm voir* **sac**

couchant [kuʃɑ̃] **1** *adj m* soleil c. sol *m* poniente
2 *nm* poniente *m*

couche [kuʃ] *nf* capa *f*; *(de bébé)* pañal *m*; *(classe sociale)* clase *f*; *Vieilli* être en couches ir de parto ☆ *fausse c.* aborto *m* natural o espontáneo

couche-culotte *(pl* **couches-culottes**) [kuʃkylɔt] *nf* braga *f* pañal, pañal *m*

coucher [kuʃe] **1** *vt (enfant)* acostar; *(objet)* tumbar; *(blessé)* tender
2 *vi (dormir)* dormir; *Fam* c. avec qn *(avoir des rapports sexuels)* acostarse con alguien
3 *nm* au c. al acostarse ☆ *c. de soleil* puesta *f* de sol
4 se coucher *vpr (s'allonger)* tumbarse; *(se mettre au lit)* acostarse; *(se courber)* inclinarse; *(soleil)* ponerse

couchette [kuʃɛt] *nf* litera *f*

coucou [kuku] **1** *nm (oiseau)* cuco *m*, cuclillo *m*; *(pendule)* cucú *m*, reloj *m* de cuco
2 *exclam* ¡cucú!

coude [kud] *nm* codo *m*; *(d'un chemin, d'une rivière)* recodo *m*

coudre [21] [kudr] *vt & vi* coser

couette¹ [kwɛt] *nf (édredon)* funda *f* nórdica, plumón *m*

couette² *nf (coiffure)* coleta *f*

couffin [kufɛ̃] *nm (berceau)* cuco *m*, capacho *m*

couille [kuj] *nf Vulg* cojón *m*, huevo *m*

couiner [kwine] *vi (animal)* chillar; *Péj (personne)* lloriquear; *(porte, fenêtre)* rechinar

coulant, -e [kulɑ̃, -ɑ̃t] *adj (style)* fluido(a); *(camembert)* blando(a); *Fam* être c. (avec qn) enrollarse bien (con alguien)

coulée [kule] *nf (de lave, de boue)* río *m*; *(de métal)* colada *f*

couler [kule] **1** *vt (navire, entreprise)* hundir; *(métal, béton)* vaciar, colar **2** *vi (liquide)* correr; *(robinet)* gotear; *(bateau, personne)* hundirse; **avoir le nez qui coule** moquear; **mon stylo coule** a mi bolígrafo se le sale la tinta

couleur [kulœr] *nf* color *m*; *(linge)* ropa *f* de color; *(aux cartes)* palo *m*; **avoir des couleurs** *(au visage)* tener buen color; **en couleurs** en color; *Fig* **annoncer la c.** poner las cartas boca arriba

couleuvre [kulœvr] *nf* culebra *f*

coulis [kuli] *nm (de tomates, de fruits)* salsa *f*

coulisser [kulise] *vi* correr

coulisses [kulis] *nfpl (de théâtre)* bastidores *mpl*; *Fig (dessous)* entresijos *mpl*; *aussi Fig* **en c.** entre bastidores

couloir [kulwar] *nm* pasillo *m*; *Géog* corredor *m*; *Sp* calle *f* ☆ **c. aérien** pasillo o corredor aéreo

coup [ku] *nm* golpe *m*; *(d'horloge)* campanada *f*; *(d'arme à feu)* disparo *m*; *(action spectaculaire)* jugada *f*; *Fam (fois)* vez *f*; *Fam* **boire un c.** tomar una copa; **préparer un mauvais c.** preparar una mala pasada; **à c. sûr** seguro; **il l'aura oublié, à c. sûr** seguro que se le habrá olvidado; **du c., ...** resulta que...; **du premier c.** a la primera; **c. sur c.** uno(a) tras otro(a); **sous le c. de** *(sous l'effet de)* bajo el efecto de; *Fam* **avoir un c. dans l'aile** *ou* **dans le nez** estar un poco contentillo(a); *Fam* **être dans le c.** *(être au courant)* estar en el ajo; **passer un c. de balai** pasar la escoba; **donner un c. de main à qn** echar una mano a alguien; **jeter un c. d'œil à qch** echar un vistazo a algo; **j'ai pris un c. de soleil** me dio una insolación ☆ **c. de barre** *(fatigue)* bajón *m*; *Fam* **c'est le c. de barre** *(cher)* cuesta un ojo de la cara; **c. de colère** arrebato *m* de cólera; **c. de coude** codazo *m*; *Fam* **c. dur** duro

golpe; **c. d'État** golpe de Estado; **c. de feu** disparo; **c. de fil** telefonazo *m*; **passer un c. de fil (à qn)** dar un telefonazo (a alguien); **c. de foudre** flechazo *m*; **avoir le c. de foudre pour qn** enamorarse perdidamente de alguien; **c. de fouet** latigazo *m*; *Fig* empujón *m*; **c. franc** golpe franco; **c. de fusil** disparo (de fusil); **c. de grâce** golpe de gracia; **un c. de maître** un toque de maestría; **c. de marteau** martillazo *m*; **c. de pied** patada *f*, puntapié *m*; **c. de poing** puñetazo *m*; **c. de téléphone** telefonazo *m*; **donner** *ou* **passer un c. de téléphone** llamar por teléfono; **c. de théâtre** golpe de efecto; **c. de tonnerre** trueno *m*; **c. de vent** golpe de viento; **passer en c. de vent** hacer una visita fugaz

coupable [kupabl] **1** *adj (personne)* culpable; *(action, pensée)* censurable **2** *nmf* culpable *mf*

coupe [kup] *nf (à boire, sportive)* copa *f*; *(de cheveux, de vêtement)* corte *m*; *(d'arbres)* tala *f*; *(plan)* sección *f*; *(réduction)* recorte *m*

coupé, -e [kupe] **1** *adj* cortado(a); *(alcool, vin)* aguado(a) **2** *nm* cupé *m*

coupe-ongles [kupɔ̃gl] *nm inv* cortaúñas *m inv*

coupe-papier [kuppapje] *nm inv* abrecartas *m inv*

couper [kupe] **1** *vt* cortar; *(blé, herbe)* segar; *(traverser)* cruzar; *(vin)* aguar; *(aux cartes)* matar **2** *vi* cortar; *Fam* **tu ne vas pas c. à la vaisselle** no te vas a escaquear de lavar los platos **3 se couper** *vpr* cortarse; **se c. le doigt** cortarse el dedo

couple [kupl] *nm (de personnes, d'oiseaux)* pareja *f*; *Phys & Math* par *m*

coupler [kuple] *vt Tech* acoplar

couplet [kuplɛ] *nm* estrofa *f*; *Fig & Péj* cantinela *f*

coupole [kupɔl] *nf* cúpula *f*

coupon [kupɔ̃] *nm (de tissu)* retal *m*; *(ticket)* cupón *m*

coupon-réponse (*pl* **coupons-réponse**) [kupɔ̃repɔ̃s] *nm* cupón *m* respuesta

coupure [kupyr] *nf* corte *m*; *Fig (rupture)* interrupción *f*; *(billet de banque)* billete *m*; **grosses/petites coupures** billetes grandes/pequeños ☆ **c. de courant** apagón *m*; **c. (de presse)** recorte *m* (de prensa)

cour [kur] *nf (de maison, de ferme)* patio *m*; *(entourage)* corte *f*; *(tribunal)* tribunal *m*; **faire la c. à qn** cortejar a alguien ☆ **c. d'assises** ≃ audiencia *f* provincial; **la C. de cassation** el Tribunal Supremo; **la C. des comptes** el Tribunal de Cuentas; **c. de récréation** patio de recreo; **c. martiale** tribunal militar

courage [kuraʒ] *nm (bravoure)* valor *m*, valentía *f*; *(énergie)* ánimo *m*; **bon c.!** ¡ánimo!

courageux, -euse [kuraʒø, -øz] *adj* valiente

courailler [kuraje] *vi Can Fam* ser un don Juan

courant, -e [kurã, -ãt] **1** *adj* corriente
   2 *nm* corriente *f*; **être au c. (de qch)** estar al corriente (de algo); **mettre/tenir qn au c. (de qch)** poner/mantener a alguien al corriente (de algo); **c. février** durante el mes de febrero ☆ **c. d'air** corriente de aire; **c. de pensée** corriente de pensamiento

courbatures [kurbatyr] *nfpl* agujetas *fpl*

courbe [kurb] **1** *nf* curva *f* ☆ **c. de niveau** curva de nivel
   2 *adj* curvo(a)

courber [kurbe] **1** *vt (branche, tige)* curvar; *(tête, front)* inclinar
   2 se courber *vpr (branche, tige)* curvarse; *(se baisser)* inclinarse

courbette [kurbɛt] *nf* zalema *f*; *Fig*

faire des courbettes à qn hacer zalemas a o ante alguien

coureur, -euse [kurœr, -øz] *nm,f* corredor(ora) *m,f*; *Fam Péj (séducteur)* seductor(ora) *m,f* ☆ **c. automobile** piloto *mf* de carreras; **c. cycliste** ciclista *mf*

courge [kurʒ] *nf (légume)* calabaza *f*; *Fam (imbécile)* cabeza hueca *mf*

courgette [kurʒɛt] *nf* calabacín *m*

courir [22] [kurir] **1** *vt (course, risque)* correr; *(fréquenter)* frecuentar; **c. les magasins** ir de tiendas; *Fam* **c. les filles** andar detrás de las chicas
   2 *vi* correr; *Fig* **c. après qn** tirarle los tejos a alguien; *Fam* **tu peux toujours c.!** ¡ni lo sueñes!

couronne [kurɔn] *nf* corona *f*; *(pain)* rosco *m*

couronnement [kurɔnmã] *nm* coronación *f*

couronner [kurɔne] *vt* coronar; **et pour c. le tout, ...** para colmo de males, ...

courra *etc voir* **courir**

courre [kur] *voir* **chasse**

courrier [kurje] *nm* correo *m* ☆ **c. du cœur** consultorio *m* sentimental; **c. électronique** correo electrónico

courroie [kurwa] *nf* correa *f* ☆ **c. de transmission** correa de transmisión

courroucé, -e [kuruse] *adj Litt* enfurecido(a)

cours¹ [kur] *nm* curso *m*; *(leçon)* clase *f*; *(avenue)* paseo *m*; *Fin* cotización *f*; **avoir c. (monnaie)** tener curso legal; *Fig* practicarse; **au c. de** durante el transcurso de; **en c. (année)** en curso; *(affaire)* pendiente; **en c. de route** por el camino; **donner ou laisser libre c. à** dar rienda suelta a ☆ **c. d'eau** río *m*; **c. élémentaire 1** = curso de primaria que se realiza a los siete años, *Esp* ≃ 2° *m* de primaria; **c. élémentaire 2** = curso de primaria que se realiza a los ocho años,

Esp ≃ 3° *m* de primaria; *c. magistral* clase teórica; *c. moyen 1* = curso de primaria que se realiza a los nueve años, *Esp* ≃ 4° *m* de primaria; *c. moyen 2* = curso de primaria que se realiza a los diez años, *Esp* ≃ 5° *m* de primaria; *c. préparatoire* = curso de primaria que se realiza a los seis años, *Esp* ≃ 1° *m* de primaria

cours² *voir* **courir**

course [kurs] *nf (action de courir, compétition)* carrera *f*; *(d'un projectile)* trayectoria *f*; **c. contre la montre** carrera contrarreloj; **faire une c.** hacer un recado; **faire les courses** hacer la compra ☆ *c. automobile* carrera automovilística; *c. à pied* carrera pedestre; *courses (de chevaux)* carreras (de caballos); *courses de taureaux* corridas *fpl* (de toros)

coursier, -ère [kursje, -ɛr] *nm,f* mensajero(a) *m,f*

court¹, -e [kur, kurt] **1** *adj* corto(a) **2** *adv* **être à c. d'argent/d'idées** andar corto(a) de dinero/de ideas; **prendre qn de c.** pillar a alguien desprevenido(a)

court² *voir* **courir**

court-bouillon *(pl* **courts-bouillons)** [kurbujɔ̃] *nm* caldo *m* corto; **au c. en caldo corto**

court-circuit *(pl* **courts-circuits)** [kursikɥi] *nm* cortocircuito *m*

courtier, -ère [kurtje, -ɛr] *nm,f* corredor(ora) *m,f*

courtisan, -e [kurtizɑ̃, -an] *nm,f (à la cour)* cortesano(a) *m,f*

courtiser [kurtize] *vt (femme)* cortejar; *(flatter)* adular

court-métrage *(pl* **courts-métrages)** [kurmetraʒ] *nm* cortometraje *m*

courtois, -e [kurtwa, -az] *adj* cortés

courtoisie [kurtwazi] *nf* cortesía *f*

couru, -e [kury] **1** *pp voir* **courir** **2** *adj (fréquenté)* concurrido(a)

cousais *etc voir* **coudre**

couscous [kuskus] *nm (semoule, plat)* cuscús *m*

cousin, -e [kuzɛ̃, -in] *nm,f* primo(a) *m,f* ☆ *c. germain* primo(a) hermano(a)

coussin [kusɛ̃] *nm* cojín *m*; *Belg (oreiller)* almohada *f* ☆ *c. d'air* colchón *m* de aire

cousu, -e [kuzy] **1** *pp voir* **coudre** **2** *adj* cosido(a); *Fig* **c. de fil blanc** *(mensonge)* descarado(a)

coût [ku] *nm* coste *m*

coûtant [kutɑ̃] *adj m voir* **prix**

couteau, -x [kuto] *nm* cuchillo *m*; *(outil)* espátula *f*; *(coquillage)* navaja *f*; **à couper au c.** *(accent)* muy fuerte ☆ *c. à cran d'arrêt* navaja de muelle

coûter [kute] *vt & vi* costar; **ça coûte combien?** ¿cuánto cuesta?, ¿cuánto es?; **coûte que coûte** cueste lo que cueste

coûteux, -euse [kutø, -øz] *adj* costoso(a)

coutume [kutym] *nf* costumbre *f*

couture [kutyr] *nf* costura *f*; **battre qn à plate c.** *ou* **plates coutures** pegar una paliza a alguien

couturier, -ère [kutyrje, -ɛr] *nm,f* modisto(a) *m,f* ☆ *grand c.* modisto(a) de alta costura

couvent [kuvɑ̃] *nm* convento *m*

couver [kuve] **1** *vt (œuf, maladie)* incubar; *(enfant)* mimar, *Méx* apapachar **2** *vi (complot)* cocerse; *(feu)* arder con rescoldos

couvercle [kuvɛrkl] *nm* tapadera *f*

couvert, -e [kuvɛr, -ɛrt] **1** *pp voir* **couvrir** **2** *adj (habillé)* abrigado(a); *(ciel, temps)* nublado(a); **c. de qch** *(plein)* lleno(a) de algo **3** *nm (à table)* cubierto *m*; **mettre le c.** poner la mesa; **se mettre à c.** ponerse a cubierto

couverture [kuvɛrtyr] *nf (de lit)* manta *f*, *Am* cobija *f*, frazada *f*; *(de livre)* cubierta *f*, tapa *f*; *(de magazine)* portada *f*; *(protection)* & *Journ* cobertura *f*; *(d'une activité secrète)* tapadera *f*; *(toit)* cubierta *f* ☆ *c. chauffante* manta eléctrica; *c. sociale* cobertura de la Seguridad Social

couveuse [kuvøz] *nf (machine)* incubadora *f*; *(poule)* clueca *f*

couvre-chef (*pl* **couvre-chefs**) [kuvrəʃɛf] *nm Vieilli ou Hum* sombrero *m*

couvre-feu (*pl* **couvre-feux**) [kuvrəfø] *nm* toque *m* de queda

couvre-lit (*pl* **couvre-lits**) [kuvrəli] *nm* colcha *f*

couvrir [52] [kuvrir] **1** *vt* cubrir; *(vêtir)* abrigar; *(livre)* forrar; *(récipient, bruit)* tapar; **c. qn de qch** *(combler de)* cubrir a alguien de algo
2 se couvrir *vpr* cubrirse; *(se vêtir)* abrigarse

CP [sepe] *nm* (*abrév* **cours préparatoire**) = curso de primaria que se realiza a los seis años, *Esp* ≃ primero *m* de primaria

crabe [krab] *nm* cangrejo *m*

crachat [kraʃa] *nm* escupitajo *m*

cracher [kraʃe] **1** *vt* escupir
2 *vi* escupir; *(crépiter)* chisporrotear; *Fam Fig* **ne pas c. sur qch** no hacer ascos a algo

crachin [kraʃɛ̃] *nm* calabobos *m inv*

craie [krɛ] *nf (roche)* roca *f* caliza; *(pour écrire)* tiza *f*, *Méx* gis *m*

craindre [23] [krɛ̃dr] **1** *vt (redouter)* temer, tener miedo de; *(être sensible à)* ser muy sensible a; **c. les chatouilles** tener cosquillas; **c. de faire qch** temer hacer algo, tener miedo de hacer algo; **je crains que nous (n')ayons raté le train** me temo que hemos perdido el tren
2 *vi Fam* **ça craint!** *(ennuyeux)* ¡qué fastidio!; *(laid)* ¡es horrible!; *(louche)* ¡qué cutre!

craint, -e *pp voir* **craindre**

crainte [krɛ̃t] *nf* temor *m*; **de c. de** faire qch por temor a hacer algo; **de c. que** por temor a que; **de c. qu'il (ne) parte** por temor a que se vaya

craintif, -ive [krɛ̃tif, -iv] *adj* temeroso(a)

cramer [krame] *Fam* **1** *vt* & *vi* achicharrar
2 se cramer *vpr* achicharrarse; **se c. les doigts** achicharrarse los dedos

cramoisi, -e [kramwazi] *adj* rojo(a) carmesí

crampe [krɑ̃p] *nf* calambre *m* ☆ *c. d'estomac* retortijón *m* de estómago

crampon [krɑ̃pɔ̃] *nm (crochet)* gancho *m*; *(de chaussures)* taco *m*; *Fam (personne)* lapa *f*

cramponner [krɑ̃pɔne] **se cramponner** *vpr (s'agripper)* agarrarse (**à** a); *Fig (s'attacher)* aferrarse (**à** a)

cran [krɑ̃] *nm (de ceinture)* agujero *m*; *(entaille)* muesca *f*; *Fam (audace)* agallas *fpl*; *Fig* **baisser/monter d'un c.** bajar/subir un punto ☆ *(couteau à) c. d'arrêt* navaja *f* automática; *c. de sûreté* seguro *m*

crâne [krɑn] *nm* cráneo *m*

crâner [krɑne] *vi Fam* fardar

crânien, -enne [krɑnjɛ̃, -ɛn] *adj* craneal

crapaud [krapo] *nm* sapo *m*

crapule [krapyl] *nf* crápula *f*

craquement [krakmɑ̃] *nm* crujido *m*

craquer [krake] **1** *vi (faire un bruit)* crujir; *(se déchirer)* reventar; *(être effondré)* hundirse; *Fam (se laisser tenter)* rendirse; **il n'en peut plus, il va c.** no puede más, le va a dar algo; *Fam* **faire c. qn** *(lui plaire)* alucinarle a alguien
2 *vt (allumette)* frotar; *(déchirer)* desgarrar, romper

crasse [kras] **1** *nf (saleté)* mugre *f*; *Fam (mauvais tour)* jugarreta *f*

2 *adj (bêtise, ignorance)* craso(a)

crasseux, -euse [krasø, -øz] *adj* mugriento(a)

cratère [kratɛr] *nm* cráter m

cravache [kravaʃ] *nf* fusta f

cravate [kravat] *nf* corbata f

crawl [krol] *nm* crol m; **nager le c.** nadar a crol

crayon [krɛjɔ̃] *nm* lápiz m ☆ **c. de couleur** lápiz de color; **c. optique** lápiz óptico

créancier, -ère [kreɑ̃sje, -ɛr] *nm,f* acreedor(ora) m,f

créateur, -trice [kreatœr, -tris] *adj & nm,f* creador(ora) m,f

créatif, -ive [kreatif, -iv] *adj & nm,f* creativo(a) m,f

création [kreɑsjɔ̃] *nf* creación f

créature [kreatyr] *nf* criatura f

crèche [krɛʃ] *nf (garderie)* guardería f infantil; *(de Noël)* belén m

crédible [kredibl] *adj* creible

crédit [kredi] *nm* crédito m; **faire c. à qn** dar crédito a alguien; **acheter/ vendre (qch) à c.** comprar/vender (algo) a crédito

créditeur, -trice [kreditœr, -tris] *adj & nm,f* acreedor(ora) m,f

crédule [kredyl] *adj* crédulo(a)

créer [24] [kree] *vt* crear; **c. des ennuis à qn** crear problemas a alguien

crémaillère [kremajɛr] *nf (de cheminée)* llares *fpl*; *Tech* cremallera f; *Fig* **pendre la c.** inaugurar la casa con una fiesta

crème [krɛm] **1** *nf* crema f; *(du lait)* nata f ☆ **c. anglaise** crema inglesa; **c. antirides** crema antiarrugas; **c. fouettée** nata batida; **c. fraîche** nata; **c. glacée** helado m; **c. hydratante** crema hidratante; **c. à raser** crema de afeitar
2 *adj inv (couleur)* crema *inv*
3 *nm (café)* café m con leche

crémerie [kremri] *nf* mantequería f, lechería f

crémeux, -euse [kremø, -øz] *adj* cremoso(a)

crémier, -ère [kremje, -ɛr] *nm,f* mantequero(a) m,f

créneau, -x [kreno] *nm (de fortification)* almena f; *(horaire)* hueco m; *Com* segmento m de mercado; **faire un c.** *(en voiture)* aparcar

créole [kreɔl] **1** *adj* criollo(a) **2** *nmf* **C.** criollo(a) m,f **3** *nm (langue)* criollo m

crêpe [krɛp] **1** *nf* crepe f **2** *nm (tissu)* crespón m; *(caoutchouc)* crepé m

crêperie [krɛpri] *nf* crepería f

crépi [krepi] *nm* enlucido m

crépir [krepir] *vt* enlucir

crépiter [krepite] *vi* crepitar

crépon [krepɔ̃] *nm* **(papier) c.** papel m pinocho

crépu, -e [krepy] *adj* crespo(a)

crépuscule [krepyskyl] *nm* anochecer m

cresson [kresɔ̃, krəsɔ̃] *nm* berro m

Crète [krɛt] *nf* **la C.** Creta

crête [krɛt] *nf* cresta f

crétin, -e [kretɛ̃, -in] *adj & nm,f Fam* cretino(a) m,f

cretons [krətɔ̃] *nmpl Can* chicharrones *mpl*

creuser [krøze] **1** *vt (trou, sol)* cavar; *(bois)* vaciar; *Fig (sujet, idée)* profundizar en, ahondar en; **un visage creusé de rides** un rostro lleno de arrugas; **le visage creusé par la fatigue** el rostro marcado por el cansancio
2 *vi Fam* **ça creuse!** *(ça donne faim)* ¡esto abre el estómago!
3 se creuser *vpr (écart)* agrandarse; *Fam* **se c. (la tête** *ou* **la cervelle)** estrujarse los sesos

creux, -euse [krø, krøz] **1** *adj (vide)* hueco(a); *(période)* bajo(a); *(raisonnement)* vacío(a)
2 *nm* hueco m

crevaison [krəvɛzɔ̃] *nf* pinchazo m

crevasse [krəvas] *nf* grieta *f*

crever [krəve] **1** *vt aussi Fam* reventar

  2 *vi (éclater)* reventar; *(pneu)* pinchar; *Fam (mourir)* palmarla; *Fam Fig* **c. de jalousie/de faim** morirse de celos/de hambre

  3 se crever *vpr Fam (se fatiguer)* reventarse

crevette [krəvɛt] *nf Esp* gamba *f*, *Am* camarón *m* ✩ **c. grise** quisquilla *f*; **c. rose** camarón *m*

cri [kri] *nm (d'une personne, d'un animal)* grito *m*; *Fig* **c'est du dernier c.** es el último grito

criard, -e [krijar, -ard] *adj* chillón(ona)

crible [kribl] *nm* criba *f*; *Fig* **passer qch au c.** pasar algo por la criba

criblé, -e [krible] *adj* **c. de** *(troué de)* acribillado(a) de; *(parsemé de)* picado(a) de; **être c. de dettes** estar acribillado(a) de deudas

cric [krik] *nm* gato *m (herramienta)*

crier [66] [krije] **1** *vi* gritar; *(protester)* clamar; **c. contre** *ou* **après qn** clamar contra alguien

  2 *vt* gritar; **sans c. gare** sin avisar

crime [krim] *nm (meurtre, faute)* crimen *m*; *Jur (infraction)* delito *m*

criminalité [kriminalite] *nf* criminalidad *f*

criminel, -elle [kriminɛl] **1** *adj aussi Fig* criminal

  2 *nm,f* criminal *mf* ✩ **c. de guerre** criminal de guerra

crin [krɛ̃] *nm* crin *f*; **à tous crins** de tomo y lomo

crinière [krinjɛr] *nf (d'un lion, d'une personne)* melena *f*; *(d'un cheval)* crines *fpl*

crique [krik] *nf* cala *f*

criquet [krikɛ] *nm* langosta *f*, *CAm, Méx* chapulín *m*

crise [kriz] *nf (accès)* ataque *m*, crisis *f inv*; *(phase critique)* crisis *f inv* ✩ **c.**

cardiaque ataque cardíaco, crisis cardíaca; **c. de foie** ataque hepático, crisis hepática; **c. de nerfs** ataque de nervios

crisper [krispe] **1** *vt (visage)* crispar; *(personne)* crisparle los nervios a

  2 se crisper *vpr* crisparse

crisser [krise] *vi* rechinar

cristal, -aux [kristal, -o] *nm* cristal *m* ✩ **à cristaux liquides** de cristal líquido; **c. de roche** cristal de roca

cristallin, -e [kristalɛ̃, -in] **1** *adj* cristalino(a)

  2 *nm (de l'œil)* cristalino *m*

critère [kritɛr] *nm* criterio *m*

critique [kritik] **1** *adj* crítico(a)

  2 *nmf* crítico(a) *m,f*

  3 *nf* crítica *f*

critiquer [kritike] *vt* criticar

croasser [krɔase] *vi* graznar

croate [krɔat] **1** *adj* croata

  2 *nmf* **C.** croata *mf*

Croatie [krɔasi] *nf* **la C.** Croacia

croc [kro] *nm (crochet)* gancho *m*; *(canine)* colmillo *m*; *Fam* **avoir les crocs** *(avoir faim)* tener gusa

croc-en-jambe *(pl* **crocs-en-jambe)** [krɔkɑ̃ʒɑ̃b] *nm* zancadilla *f*; **faire un c. à qn** poner la zancadilla a alguien

croche [krɔʃ] *nf Mus* corchea *f*

croche-pied *(pl* **croche-pieds)** [krɔʃpje] *nm* zancadilla *f*; **faire un c. à qn** poner la zancadilla a alguien

crochet [krɔʃɛ] *nm* gancho *m*; *(ouvrage de tricot)* ganchillo *m*; *(signe graphique)* corchete *m*; *(détour)* rodeo *m*; **vivre aux crochets de qn** vivir a expensas de alguien

crochu, -e [krɔʃy] *adj (doigts, nez, bec)* ganchudo(a); *(ongles)* curvado(a)

crocodile [krɔkɔdil] *nm* cocodrilo *m*

croire [25] [krwar] **1** *vt* creer; **je le crois capable de tout** le creo capaz de cualquier cosa; **j'ai cru l'apercevoir hier** me pareció verlo ayer

2 *vi* creer (**à/en** en)
3 se croire *vpr* se **c. malin/drôle** creerse muy listo/gracioso; *Fam* **s'y c.** tenérselo muy creído
croisade [krwazad] *nf* cruzada *f*
croisé, -e [krwaze] **1** *adj (veste)* cruzado(a);
  2 *nm Hist* cruzado *m*
  3 *nf* **croisée** *(fenêtre)* ventana *f*; **à la croisée des chemins** en la encrucijada
croisement [krwazmã] *nm* cruce *m*
croiser [krwaze] **1** *vt (jambes, bras, espèces)* cruzar; *(route)* atravesar; *(passer à côté de)* cruzarse con
  2 *vi Naut* patrullar
  3 se croiser *vpr* cruzarse
croisière [krwazjɛr] *nf* crucero *m*
croissais *etc voir* **croître**
croissance [krwasɑ̃s] *nf* crecimiento *m* ☆ **c. économique** crecimiento económico
croissant, -e [krwasɑ̃, -ɑ̃t] **1** *adj* creciente
  2 *nm (demi-lune)* media luna *f*; *(gâteau)* croissant *m* ☆ **c. de lune** luna *f* creciente
croître [4b] [krwatr] *vi* crecer
croix [krwa] *nf* cruz *f*; *(signe graphique)* cruz *f*, aspa *f*; **en c.** en cruz ☆ **c. de guerre** medalla *f* al mérito militar; **la C.-Rouge** la Cruz Roja
croquant, -e [krɔkɑ̃, -ɑ̃t] *adj* crujiente
croque-madame [krɔkmadam] *nm inv* = sandwich caliente de jamón y queso con un huevo
croque-monsieur [krɔkməsjø] *nm inv* = sandwich caliente de jamón y queso
croquer [krɔke] **1** *vt (manger)* comer a mordiscos; *(dessiner)* bosquejar
  2 *vi* crujir; **c. dans qch** morder algo
croquette [krɔkɛt] *nf* croqueta *f*
croquis [krɔki] *nm* croquis *m inv*

cross [krɔs] *nm* cross *m inv*
crotte [krɔt] **1** *nf* caca *f*
  2 *exclam Fam* ¡córcholis!
crottin [krɔtɛ̃] *nm (de cheval)* cagajón *m*; *(fromage)* = queso de cabra pequeño de forma redonda
crouler [krule] *vi* **c. sous qch** *(poids)* hundirse por algo; *Fig (travail, responsabilités)* estar agobiado(a) por algo
croupe [krup] *nf* grupa *f*; **monter en c.** ir a la grupa
croupier [krupje] *nm* croupier *m*, crupier *m*
croupir [krupir] *vi (eau)* estancarse; *Fig (personne)* pudrirse
croustillant, -e [krustijɑ̃, -ɑ̃t] *adj (biscuit, pain)* crujiente; *(détail)* picante
croustiller [krustije] *vi* crujir
croûte [krut] *nf (de pain, de fromage)* corteza *f*; *(sur une plaie)* costra *f*; *Fam Péj (tableau)* mamarracho *m*; *Culin* **en c.** en hojaldre ☆ **c. terrestre** corteza terrestre
croûton [krutɔ̃] *nm (bout du pain)* pico *m*; *(pain frit)* picatoste *m*; *Fam* **un vieux c.** *(vieillard)* un carroza
croyais *etc voir* **croire**
croyance [krwajɑ̃s] *nf* creencia *f*
croyant, -e [krwajɑ̃, -ɑ̃t] *adj & nm,f* creyente *mf*
CRS [seɛrɛs] *nmpl (abrév* **Compagnie républicaine de sécurité**) antidisturbios *mpl*
cru¹, -e [kry] *pp voir* **croire**
cru², -e *adj (aliment)* crudo(a); *(lumière, couleur)* vivo(a); *(histoire)* verde; **monter à c.** montar a pelo
cru³ *nm (terroir)* viñedo *m*; *(vin)* caldo *m*; *Fig* **de mon/ton/etc c.** de mi/tu/etc propia cosecha
crû *pp voir* **croître**
cruauté [kryote] *nf* crueldad *f*
cruche [kryʃ] *nf (objet)* cántaro *m*; *Fam (personne)* zoquete *mf*

crucial, -e, -aux, -ales [krysjal, -o] *adj* crucial

crucifix [krysifi] *nm* crucifijo *m*

crucifixion [krysifiksjɔ̃] *nf* crucifixión *f*

crudités [krydite] *nfpl* = verduras crudas troceadas que se toman como entremeses

crue [kry] *nf* crecida *f*; **le fleuve est en c.** hay una crecida

cruel, -elle [kryɛl] *adj* cruel

crustacé [krystase] *nm* crustáceo *m*

crypte [kript] *nf* cripta *f*

crypté, -e [kripte] *adj voir* **chaîne**

Cuba [kyba] *n* Cuba

cubain, -e [kybɛ̃, -ɛn] **1** *adj* cubano(a)
2 *nm,f* **C.** cubano(a) *m,f*

cube [kyb] **1** *nm* cubo *m*; *Math* **au c.** al cubo
2 *adj Math* cúbico(a)

cubiste [kybist] **1** *adj* cubista
2 *nmf* *(peintre)* (pintor(ora) *m,f*) cubista *mf*; *(sculpteur)* (escultor(ora) *m, f*) cubista *mf*

cubitus [kybitys] *nm* cúbito *m*

cueillette [kœjɛt] *nf* cosecha *f*

cueillir [5] [kœjir] *vt (fruits, fleurs)* recoger, *Esp* coger; *Fam (personne)* pillar

cui-cui [kɥikɥi] *nm inv (langage enfantin)* píopío *m*

cuillère, cuiller [kɥijɛr] *nf* cuchara *f* ☆ **c. à café** cucharilla *f* de café; **c. à dessert** cuchara de postre; **c. à soupe** cuchara sopera; **petite c.** cucharilla

cuillerée [kɥijere] *nf* cucharada *f*

cuir [kɥir] *nm* cuero *m*, piel *f* ☆ **c. chevelu** cuero cabelludo; **c. véritable** piel genuina

cuirasse [kɥiras] *nf* coraza *f*

cuire [13] [kɥir] **1** *vt* cocer
2 *vi (aliment)* cocer; **faire c. qch** cocer algo

cuisais *etc voir* **cuire**

cuisine [kɥizin] *nf* cocina *f*; **faire la c.** cocinar

cuisiné, -e [kɥizine] *adj (tout prêt)* precocinado(a)

cuisiner [kɥizine] **1** *vt (aliments)* cocinar; *Fam (personne)* tirar de la lengua a
2 *vi* cocinar

cuisinier, -ère [kɥizinje, -ɛr] **1** *nm,f* cocinero(a) *m,f*
2 *nf* **cuisinière** *(appareil)* cocina *f* ☆ **cuisinière électrique** cocina eléctrica; **cuisinière à gaz** cocina de gas

cuisse [kɥis] *nf* muslo *m*

cuisson [kɥisɔ̃] *nf* cocción *f*

cuit, -e [kɥi, kɥit] **1** *pp voir* **cuire**
2 *adj* cocido(a); **bien c.** muy hecho(a)

cuite [kɥit] *nf Fam* borrachera *f*, pedo *m*; **prendre une c.** agarrar un pedo, ponerse ciego(a)

cuivre [kɥivr] *nm (métal)* cobre *m*; **les cuivres** *(d'un orchestre)* los metales

cuivré, -e [kɥivre] *adj* cobrizo(a)

cul [ky] *nm très Fam* culo *m*; *(sexualité)* sexo *m*

culbute [kylbyt] *nf (saut)* voltereta *f*; *(chute)* costalada *f*

cul-de-sac *(pl* **culs-de-sac**) [kydsak] *nm* callejón *m* sin salida

culinaire [kylinɛr] *adj* culinario(a)

culminant [kylminɑ̃] *adj voir* **point**

culminer [kylmine] *vi* **le mont Blanc culmine à 4 807 mètres** el Mont Blanc tiene 4.807 metros de altitud

culot [kylo] *nm (d'une ampoule)* casquillo *m*; *Fam (toupet)* morro *m*, *RP* tupé *m*

culotte [kylɔt] *nf (sous-vêtement féminin) Esp* bragas *fpl*, *Andes* calzón *m*, *RP* bombacha *f*, *Carib* blúmer *m*, *Méx, Ven* pantaleta *f* ☆ **c. de cheval** pantalones *mpl* de montar; *(cellulite)* pistoleras *fpl*

culotté, -e [kylɔte] *adj (pipe)* ennegrecido(a); *Fam* **être c.** *(personne)* tener jeta

culpabilité [kylpabilite] *nf* culpabilidad *f*

culte [kylt] *nm* culto *m*

cultivateur, -trice [kyltivatœr, -tris] *nm,f* labrador(ora) *m,f*

cultivé, -e [kyltive] *adj (plante, terre)* cultivado(a); *(personne)* culto(a)

cultiver [kyltive] *vt* cultivar

culture [kyltyr] *nf (instruction, civilisation)* cultura *f*; *(agricole)* cultivo *m* ☆ **c. générale** cultura general; **c. physique** cultura física

culturel, -elle [kyltyrɛl] *adj* cultural

cumin [kymɛ̃] *nm* comino *m*

cumuler [kymyle] *vt* acumular

cupide [kypid] *adj* codicioso(a)

cure [kyr] *nf* cura *f*; *Fig* **faire une c. de qch** darse un hartón de algo ☆ **c. de désintoxication** cura de desintoxicación; **c. de sommeil** cura de sueño; **c. thermale** cura termal

curé [kyre] *nm* cura *m*

cure-dents [kyrdɑ̃] *nm inv* mondadientes *m inv*, palillo *m* (de dientes)

curer [kyre] *vt (puits)* mondar; *(pipe)* limpiar

curieux, -euse [kyrjø, -øz] **1** *adj* curioso(a); **je serais c. de savoir si...** me gustaría saber si..., me pregunto si...
2 *nm,f* curioso(a) *m,f*

curiosité [kyrjozite] *nf* curiosidad *f*; **la c. est un vilain défaut** la curiosidad es un defecto muy feo

curriculum vitae [kyrikylɔmvite] *nm inv* currículum *m* vitae

curry [kyri] *nm* curry *m*

curseur [kyrsœr] *nm* cursor *m*

cutané, -e [kytane] *adj* cutáneo(a)

cuve [kyv] *nf* cuba *f*

cuvée [kyve] *nf (récolte)* cosecha *f*

cuver [kyve] *vt Fam* **c. (son vin)** dormir la mona

cuvette [kyvɛt] *nf (récipient)* palangana *f*; *(de lavabo)* lavabo *m*; *(de W-C)* taza *f*; *Géog* depresión *f*

CV [seve] *nm (abrév curriculum vitae)* currículum *m*; *(abrév* **cheval-vapeur***)* CV *m*

cyanure [sjanyr] *nm* cianuro *m*

cybercafé [sibɛrkafe] *nm Ordinat* cibercafé *m*

cyberespace [sibɛrɛspas] *nm Ordinat* ciberespacio *m*

cyclable [siklabl] *adj voir* **piste**

cycle [sikl] *nm* ciclo *m* ☆ **premier c.** *(au collège)* = los cuatro cursos que se realizan entre los once y los catorce años; *(à l'université)* primer ciclo; **second c.** *(au lycée)* = los tres cursos anteriores al "baccalauréat"; *(à l'université)* segundo ciclo; **troisième c.** *(à l'université)* tercer ciclo

cyclisme [siklism] *nm* ciclismo *m*

cycliste [siklist] *adj & nmf* ciclista *mf*

cyclomoteur [siklɔmɔtœr] *nm* ciclomotor *m*

cyclone [siklon] *nm* ciclón *m*

cyclotourisme [siklɔturism] *nm* cicloturismo *m*

cygne [siɲ] *nm* cisne *m*

cylindre [silɛ̃dr] *nm* cilindro *m*

cylindrique [silɛ̃drik] *adj* cilíndrico(a)

cymbales [sɛ̃bal] *nfpl* platillos *mpl*

cynique [sinik] *adj & nmf* cínico(a) *m,f*

cynisme [sinism] *nm* cinismo *m*

cyprès [siprɛ] *nm* ciprés *m*

cypriote [siprijɔt] **1** *adj* chipriota
2 *nmf* **C.** chipriota *mf*

cyrillique [sirilik] *adj* cirílico(a)

D

D, d [de] *nm inv (lettre)* D *f*, d *f*

D [de] *(abrév* **route départementale)** carretera *f* secundaria

d *(abrév* **déci)** d

d' *voir* **de**

DAB [dab] *nm (abrév* **distributeur automatique de billets)** cajero *m* automático

d'abord [dabɔr] *adv voir* **abord**

d'accord [dakɔr] *adv voir* **accord**

dactylo [daktilo] **1** *nmf (personne)* mecanógrafo(a) *m,f*
2 *nf (procédé)* mecanografía *f*

dactylographier [daktilɔgrafje] *vt* mecanografiar

dada [dada] *nm Fam (occupation favorite)* hobby *m*; *(idée favorite)* tema *m* predilecto

dahlia [dalja] *nm* dalia *f*

daigner [deɲe] *vi* **d. faire qch** dignarse a hacer algo

daim [dɛ̃] *nm (animal)* gamo *m*; *(peau)* ante *m*

dallage [dalaʒ] *nm* enlosado *m*

dalle [dal] *nf* losa *f*

dalmatien [dalmasjɛ̃] *nm* dálmata *m*

daltonien, -enne [daltɔnjɛ̃, -ɛn] *adj & nm, f* daltónico(a) *m,f*

dame [dam] *nf (femme)* señora *f*; *(aux cartes)* reina *f*; **dames** *(jeu)* damas *fpl*

damier [damje] *nm (de jeu de dames)* tablero *m* de damas, damero *m*; **à d.** *(motif)* de cuadros

damné, -e [dane] **1** *adj Fam (satané)* condenado(a)
2 *nm,f* condenado(a) *m,f*

damner [dane] *vt* condenar

dandiner [dɑ̃dine] **se dandiner** *vpr (canard)* balancearse; *(personne)* contonearse

Danemark [danmark] *nm* **le D.** Dinamarca

danger [dɑ̃ʒe] *nm* peligro *m*; **en d.** en peligro

dangereux, -euse [dɑ̃ʒrø, -øz] *adj* peligroso(a)

danois, -e [danwa, -az] **1** *adj* danés(esa)
2 *nm,f* **D.** danés(esa) *m,f*
3 *nm (langue)* danés *m*; *(chien)* gran danés *m*

dans [dɑ̃] *prép* **(a)** *(à l'intérieur de)* en; **d. la chambre** en la habitación
(b) *(pendant)* en; *(au bout de)* dentro de; **d. ma jeunesse** cuando era joven; **d. un mois** dentro de un mes; **ils sont arrivés d. la matinée** llegaron por la mañana
(c) *(indique l'état, la manière)* en; **vivre d. la misère** vivir en la miseria; **il est d. le commerce** se dedica al comercio
(d) *(environ)* **ça coûte d. les 100 francs** cuesta unos 100 francos

dansant, -e [dɑ̃sɑ̃, -ɑ̃t] *adj (musique, air)* para bailar, bailable

danse [dɑ̃s] *nf* baile *m*, danza *f* ☆ *d.* *classique* ballet *m* clásico; **d.** *contemporaine* ballet contemporáneo

danser [dɑ̃se] *vt & vi* bailar

danseur, -euse [dɑ̃sœr, -øz] *nm,f* bailarín(ina) *m,f*; **en danseuse** de pie sobre los pedales ☆ *d. étoile* primer(era) bailarín(ina)

dard [dar] *nm* aguijón *m*

date [dat] *nf* fecha *f*; **à quelle d.?** ¿qué día?; **en d. du** con fecha de ☆ *d. de naissance* fecha de nacimiento

dater [date] **1** *vt (lettre)* fechar; *(objet ancien)* datar
2 *vi (être démodé)* estar anticuado(a); **d. de** datar de; **à d. de** a partir de

datte [dat] *nf* dátil *m*

dattier [datje] *nm* palmera *f* datilera

dauphin [dofɛ̃] *nm (animal) & Hist* delfín *m*

daurade [dɔrad] *nf* dorada *f*

davantage [davɑ̃taʒ] *adv* más; **d. de loisirs/de patience** más distracciones/paciencia

DD *(abrév* **disque dur)** *Ordinat* DD

de [də]

> Antes de vocal o h muda se usa **d'**. **De** se une con los artículos determinados para formar las contracciones **du** (del) y **des** (de los, de las).

1 *prép* **(a)** *(indique la provenance)* de; **il est sorti de la maison** ha salido de casa; **revenir de Paris** volver de París
 (b) *(indique une progression)* de... à de... a; **d'une ville à l'autre** de una ciudad a otra; **il y avait de 20 à 30 personnes** había entre 20 y 30 personas; **errer de ville en ville** vagar de pueblo en pueblo
 (c) *(indique l'appartenance)* de; **la porte du salon** la puerta del salón
 (d) *(indique la nature, la matière)* de; **un bracelet d'argent** una pulsera de plata; **un verre d'eau** un vaso de agua
 (e) *(introduit une mesure)* de; **une ville de 500 000 habitants** una ciudad de 500.000 habitantes; **la terrasse fait 10 mètres de long** la terraza tiene 10 metros de largo; **35 francs de l'heure** 35 francos la hora
 (f) *(indique la manière)* con; **d'un air amusé** con aire divertido
 (g) *(introduit l'agent)* por, de; **accompagné de ses amis** acompañado de o por sus amigos; **armés de pierres** armados con piedras
 (h) *(parmi)* de; **l'un d'eux** uno de ellos; **le meilleur élève de la classe** el mejor alumno de la clase
 (i) *(avec un infinitif)* **ce n'est pas bien de mentir** no está bien mentir; **ils m'ont demandé de travailler pour eux** me han pedido que trabaje para ellos
2 *art partitif* **je prendrai du fromage** tomaré queso; **boire de l'eau** beber agua; **avez-vous du pain?** ¿tiene pan?
3 *art indéfini* **ils n'ont pas d'enfants** no tienen hijos

dé [de] *nm (à jouer, morceau)* dado *m* ☆ *d. à coudre* dedal *m*

dealer¹ [dile] *vi Fam* hacer de camello

dealer² [dilœr] *nm Fam* camello *m (de droga)*

déambuler [deɑ̃byle] *vi* deambular

débâcle [debɑkl] *nf (dégel)* deshielo *m*; *(débandade)* desbandada *f*; *(ruine)* debacle *f*

déballer [debale] *vt (marchandises)* desembalar; *Fam Fig (confier)* desembuchar

débandade [debɑ̃dad] *nf* desbandada *f*

débarbouiller [debarbuje] **1** *vt* lavar la cara a
 2 se débarbouiller *vpr* lavarse la cara

débarcadère [debarkadɛr] *nm* desembarcadero *m*

débardeur [debardœr] *nm (vêtement)* camiseta *f* de tirantes; *(ouvrier)* descargador *m*

débarquement [debarkəmã] *nm* desembarco *m*

débarquer [debarke] **1** *vt* desembarcar
  2 *vi (d'un bateau)* desembarcar; *Fam (arriver à l'improviste)* encajarse; *Fam (ne pas être au courant)* estar en babia

débarras [debara] *nm* trastero *m*; *Fam* **bon d.!** ¡adiós, muy buenas!

débarrasser [debarase] **1** *vt (pièce)* despejar; *(table)* quitar; **d. qn de qch** *(vêtement)* ayudar a alguien a quitarse algo; **débarrasse-moi de ces paquets** toma estos paquetes
  2 se débarrasser *vpr* **se d. de** deshacerse de; **il s'est débarrassé de son manteau** se quitó el abrigo

débat [deba] *nm* debate *m*; *Pol* **débats** debate

débattre [11] [debatr] **1** *vt* discutir
  2 *vi* **d. de qch** discutir sobre algo
  3 se débattre *vpr* debatirse; *Fig* **se d. contre qch** luchar contra algo

débauche [deboʃ] *nf* desenfreno *m*

débauché, -e [deboʃe] *adj & nm,f* libertino(a) *m,f*

débaucher [deboʃe] *vt (corrompre)* corromper, pervertir; *(licencier)* despedir

débile [debil] **1** *adj Fam Péj (personne)* subnormal; *(film, livre)* para subnormales
  2 *nmf Fam (idiot)* subnormal *mf*; *Méd* **d. (mental)** retrasado(a) *m,f* (mental)

débit¹ [debi] *nm (d'un fleuve)* caudal *m*; *(de marchandises)* salida *f*; *(élocution)* modo *m* de hablar

débit² *nm (en comptabilité)* débito *m*, debe *m*

débiter¹ [debite] *vt (marchandises)* despachar; *(couper)* cortar; *Fam Fig (prononcer)* soltar

débiter² *vt (compte bancaire)* cargar

débiteur, -trice [debitœr, -tris] *adj & nm,f* deudor(ora) *m,f*

déblayer [53] [debleje] *vt (passage, route)* despejar; *(décombres)* desescombrar; *Fig* **d. le terrain** despejar el terreno

débloquer [debloke] **1** *vt (machine)* desbloquear; *(salaires, prix)* descongelar
  2 *vi Fam (perdre la tête)* delirar

déboires [debwar] *nmpl* desengaños *mpl*

déboiser [debwaze] *vt* talar

déboîter [debwate] **1** *vt (épaule)* dislocar
  2 *vi (en voiture)* salirse de la fila
  3 se déboîter *vpr* **se d. l'épaule** dislocarse el hombro

débordé, -e [deborde] *adj* **être d. (de travail)** estar desbordado(a) de trabajo

déborder [deborde] *vi* desbordarse; *Fig* **d. de vie/d'imagination** estar rebosante de vida/de imaginación

débouché [debuʃe] *nm (professionnel, commercial)* salida *f*

déboucher [debuʃe] **1** *vt (bouteille)* destapar, abrir; *(lavabo, conduit)* desatascar; *(nez)* despejar
  2 *vi* desembocar (**sur** en)

débourser [deburse] *vt* desembolsar

déboussoler [debusole] *vt Fam* descontrolar

debout [dəbu] *adv* de pie; **tenir d.** *(bâtiment)* mantenerse en pie; *(argument)* tener fundamento; *aussi Fig* **ne pas tenir d.** no tenerse en pie; **allez, d.!** *(réveille-toi)* ¡venga, arriba!

déboutonner [debutone] *vt* desabotonar

débraillé, -e [debraje] *adj* descamisado(a)

débrancher [debrɑ̃ʃe] *vt* desenchufar

débrayage [debrɛjaʒ] *nm (en voiture)* desembrague *m*; *(du travail)* paro *m (huelga)*

débrayer [53] [debreje] *vi (en voiture)* desembragar; *(cesser le travail)* hacer un paro

débris [debri] *nm* pedazo *m*

débrouillard, -e [debrujar, -ard] *adj & nm,f* espabilado(a) *m,f*

débrouiller [debruje] **1** *vt (fils, cheveux)* desenredar; *(affaire, mystère)* esclarecer
  2 se débrouiller *vpr (s'arranger)* arreglárselas; *(dans une matière)* defenderse

débroussailler [debrusaje] *vt (terrain)* desbrozar; *Fig (sujet, problème)* preparar

début [deby] *nm* comienzo *m*, principio *m*; **d. avril** a principios de abril; **au d.** al principio; **au d. de** al principio de; *(d'année, de mois, de semaine)* a principios de; **du d. à la fin** de principio a fin; **faire ses débuts** debutar

débutant, -e [debytɑ̃, -ɑ̃t] *adj & nm,f* debutante *mf*

débuter [debyte] *vi* empezar, comenzar (**par** con); *(dans une carrière)* debutar

deçà [dəsa] **en deçà de** *prép* de este lado de; *Fig (en dessous de)* por debajo de

décacheter [42] [dekaʃte] *vt* abrir *(una carta)*

décadence [dekadɑ̃s] *nf* decadencia *f*

décadent, -e [dekadɑ̃, -ɑ̃t] *adj* decadente

décaféiné, -e [dekafeine] **1** *adj* descafeinado(a)
  2 *nm* descafeinado *m*

décalage [dekalaʒ] *nm (dans le temps)* desfase *m*; *(dans l'espace)* desajuste *m*; *Fig (différence)* distancia *f* ☆ **d. horaire** diferencia *f* horaria

décalcomanie [dekalkɔmani] *nf* calcomanía *f*

décaler [dekale] *vt (dans le temps)* aplazar; *(dans l'espace)* desplazar; **d. qch d'un mètre** desplazar algo un metro

décalitre [dekalitr] *nm* decalitro *m*

décalquer [dekalke] *vt* calcar

décamper [dekɑ̃pe] *vi* salir corriendo

décapant, -e [dekapɑ̃, -ɑ̃t] **1** *adj (produit)* decapante; *Fig (texte, humour)* corrosivo(a)
  2 *nm* decapante *m*

décaper [dekape] *vt* decapar

décapiter [dekapite] *vt (personne)* decapitar; *(arbre)* desmochar

décapotable [dekapɔtabl] **1** *adj* descapotable
  2 *nf* descapotable *f*

décapsuler [dekapsyle] *vt* abrir *(botella)*

décapsuleur [dekapsylœr] *nm* abrebotellas *m inv*, abridor *m* (de botellas)

décarcasser [dekarkase] **se décarcasser** *vpr Fam* romperse los cuernos

décati, -e [dekati] *adj* decrépito(a)

décédé, -e [desede] *adj* fallecido(a)

décéder [34] [desede] *vi* fallecer

déceler [39] [desle] *vt (repérer)* descubrir

décembre [desɑ̃br] *nm* diciembre *m*; *voir aussi* **septembre**

décemment [desamɑ̃] *adv (convenablement)* decentemente; *(raisonnablement)* razonablemente

décence [desɑ̃s] *nf* decencia *f*

décennie [deseni] *nf* decenio *m*

décent, -e [desɑ̃, -ɑ̃t] *adj* decente

décentralisation [desɑ̃tralizɑsjɔ̃] *nf* descentralización *f*

déception [desɛpsjɔ̃] *nf* decepción *f*

décerner [desɛrne] *vt* conceder

décès [dese] *nm* fallecimiento *m* ; *Jur* defunción *f*

décevant, -e [dɛsvã, -ãt] *adj* decepcionante

décevoir [60] [dɛsvwar] *vt (personne)* decepcionar ; *(confiance, espérances)* frustrar

déchaîné, -e [deʃene] *adj* desatado(a) ; *(mer)* encrespado(a)

déchaîner [deʃene] **1** *vt* desatar
   2 se déchaîner *vpr (tempête, éléments)* desatarse ; *Fig (personne)* enfurecerse, *Méx* enchilarse ; **se d. contre** ensañarse con

déchanter [deʃãte] *vi* desilusionarse

décharge [deʃarʒ] *nf (d'arme à feu)* descarga *f* ; *(dépotoir)* vertedero *m* ☆ *d. (électrique)* descarga (eléctrica)

décharger [45] [deʃarʒe] *vt (véhicule, marchandises)* descargar ; *(arme)* disparar ; **d. qn de qch** *(responsabilité)* descargar *o* eximir a alguien de algo

déchaussé, -e [deʃose] *adj (dent)* descarnado(a)

déchausser [deʃose] **1** *vt (enfant)* descalzar
   2 se déchausser *vpr (personne)* descalzarse ; *(dent)* descarnarse

dèche [dɛʃ] *nf Fam* miseria *f* ; **être dans la d.** estar sin blanca

déchéance [deʃeãs] *nf (déclin)* decadencia *f* ; *Jur (d'un droit)* privación *f*

déchet [deʃɛ] *nm (perte)* desecho *m* ; *Fig & Péj (personne)* escoria *f* ; **déchets** *(ordures)* restos *mpl*, residuos *mpl* ☆ **déchets radioactifs** residuos radiactivos

déchiffrer [deʃifre] *vt (énigme, inscription)* descifrar ; *(partition)* repentizar

déchiqueter [42] [deʃikte] *vt (déchirer)* despedazar ; *(détruire)* destrozar

déchirant, -e [deʃirã, -ãt] *adj* desgarrador(ora)

déchirer [deʃire] **1** *vt (tissu)* desgarrar ; *(papier)* rasgar ; *Fig (percer)* romper ; *(diviser)* dividir ; *(blesser moralement)* destrozar
   2 se déchirer *vpr (tissu)* rasgarse ; *(personnes)* enfrentarse continuamente ; *(vêtement)* desgarrarse ; **se d. un tendon** desgarrarse un tendón

déchirure [deʃiryr] *nf* desgarradura *f* ; *Fig (morale)* dolor *m* ☆ *d. musculaire* desgarro *m* muscular

déchu, -e [deʃy] *adj (ange)* caído(a) ; *(souverain)* destronado(a)

décibel [desibɛl] *nm* decibelio *m*

décidé, -e [deside] *adj (ton, personne)* resuelto(a) ; **d. à faire qch** resuelto(a) a hacer algo

décidément [desidemã] *adv* decididamente

décider [deside] **1** *vt* decidir ; **d. qn à faire qch** convencer a alguien para que haga algo
   2 *vi* decidir ; **d. de faire qch** decidir hacer algo ; **d. de qch** *(fixer)* determinar algo ; *(être la cause de)* decidir algo
   3 se décider *vpr* decidirse **(pour** por) ; **se d. à faire qch** decidirse a hacer algo

décigramme [desigram] *nm* decigramo *m*

décilitre [desilitr] *nm* decilitro *m*

décimal, -e, -aux, -ales [desimal, -o] **1** *adj* decimal
   2 *nf* **décimale** decimal *m*

décimer [desime] *vt* diezmar

décimètre [desimɛtr] *nm (dixième de mètre)* decímetro *m* ; *(règle)* regla *f* ☆ *double d.* = regla de veinte centímetros

décisif, -ive [desizif, -iv] *adj* decisivo(a)

décision [desizjɔ̃] *nf* decisión *f*

déclamer [deklame] *vt* declamar

déclaration [deklarɑsjɔ̃] *nf* declaración *f*; *(de vol, de perte)* denuncia *f* ☆ **d. de guerre** declaración de guerra; **d. d'impôts** declaración de la renta

déclarer [deklare] **1** *vt (annoncer)* declarar; *(vol, perte)* denunciar
2 se déclarer *vpr* declararse **(pour/contre** a favor de/en contra de)

déclencher [deklɑ̃ʃe] **1** *vt (mécanisme)* activar; *(conflit, crise, grève)* desencadenar
2 se déclencher *vpr (mécanisme)* activarse; *(conflit, crise)* desencadenarse

déclic [deklik] *nm (de mécanisme)* disparador *m*; *(bruit)* clic *m*; *Fig* **avoir un d.** tener una revelación

déclin [deklɛ̃] *nm (d'un pays)* decadencia *f*; *(de la population)* descenso *m*; *Litt (du jour, de la vie)* ocaso *m*

déclinaison [deklinɛzɔ̃] *nf Gram* declinación *f*

décliner [dekline] **1** *vi (pays)* estar en decadencia; *(santé)* debilitarse; *(jour)* declinar
2 *vt (refuser)* & *Gram* declinar; *(identité)* dar a conocer

décocher [dekɔʃe] *vt (flèche)* disparar; *Fig (remarque, œillade)* lanzar

décoder [dekɔde] *vt* descodificar

décodeur [dekɔdœr] *nm* descodificador *m*

décoiffer [dekwafe] **1** *vt* despeinar
2 se décoiffer *vpr* despeinarse

décoincer [16] [dekwɛ̃se] *vt (mécanisme)* desbloquear; *Fam Fig (personne)* relajar

déçois *etc voir* **décevoir**

décollage [dekɔlaʒ] *nm* despegue *m*; **au d.** al despegar

décoller [dekɔle] **1** *vt* & *vi* despegar
2 se décoller *vpr* despegarse

décolleté, -e [dekɔlte] **1** *adj* escotado(a)
2 *nm* escote *m*

décolonisation [dekɔlɔnizɑsjɔ̃] *nf* descolonización *f*

décolorer [dekɔlɔre] *vt* descolorar

décombres [dekɔ̃br] *nmpl* escombros *mpl*

décommander [dekɔmɑ̃de] **1** *vt* cancelar
2 se décommander *vpr* cancelar una cita

décomposé, -e [dekɔ̃poze] *adj* descompuesto(a)

décomposer [dekɔ̃poze] **1** *vt* descomponer; *(raisonnement, problème)* analizar
2 se décomposer *vpr* descomponerse; **se d. en** *(se diviser)* dividirse en

décomposition [dekɔ̃pozisjɔ̃] *nf* descomposición *f*; *(d'un raisonnement, d'un problème)* análisis *m inv*

décompresser [dekɔ̃prese] **1** *vt* descomprimir
2 *vi Fam* relajarse

décompte [dekɔ̃t] *nm* descuento *m*

déconcentrer [dekɔ̃sɑ̃tre] **1** *vt* desconcentrar
2 se déconcentrer *vpr* desconcentrarse

déconcerter [dekɔ̃sɛrte] *vt* desconcertar

déconfiture [dekɔ̃fityr] *nf* descalabro *m*

décongeler [39] [dekɔ̃ʒle] *vt* descongelar

décongestionner [dekɔ̃ʒɛstjɔne] *vt* descongestionar

déconnecter [dekɔnɛkte] *vt aussi Fig* desconectar

déconner [dekɔne] *vi très Fam (faire des bêtises)* hacer el gilipollas; *(dire des bêtises)* decir gilipolleces; *(mal fonctionner)* estar hecho(a) polvo; **tu déconnes!** ¿qué dices?

déconseiller [dekɔ̃seje] *vt* desaconsejar; **d. à qn de faire qch** desaconsejar a alguien que haga algo

décontenancer [16] [dekɔ̃tnɑ̃se] vt confundir

décontracté, -e [dekɔ̃trakte] adj (muscle) relajado(a); (personne) tranquilo(a); (allure, ambiance) distendido(a)

décontracter [dekɔ̃trakte] **1** vt relajar
  2 se décontracter vpr relajarse

décor [dekɔr] nm (décoration) decoración f; (de théâtre, de cinéma) decorado m; Fig (cadre) marco m (fondo); Fam **foncer dans le d.** (en voiture) salirse de la carretera

décorateur, -trice [dekɔratœr, -tris] nm,f decorador(ora) m,f

décoratif, -ive [dekɔratif, -iv] adj decorativo(a)

décoration [dekɔrasjɔ̃] nf decoración f; (insigne) condecoración f

décorer [dekɔre] vt (pièce) decorar; (personne) condecorar

décortiquer [dekɔrtike] vt (fruit) pelar; Fig (texte) desmenuzar

découcher [dekuʃe] vi dormir fuera de casa

découdre [21] [dekudr] **1** vt descoser
  2 vi **en d.** llegar a las manos
  3 se découdre vpr descoserse

découler [dekule] **découler de** vt ind derivarse de

découpage [dekupaʒ] nm (action) recorte m; (jeu d'enfants) recortable m; Cin guión m técnico ☆ **d. électoral** = división en circunscripciones electorales

découper [dekupe] vt (viande, tissu) cortar; (article, texte) recortar; **d. suivant le pointillé** (sur imprimé) cortar por la línea de puntos

décourageant, -e [dekuraʒɑ̃, -ɑ̃t] adj desalentador(ora)

décourager [45] [dekuraʒe] **1** vt (démoraliser) desalentar, desanimar; **d. qn de faire qch** disuadir a alguien de hacer algo
  2 se décourager vpr desanimarse

décousu, -e [dekuzy] adj descosido(a); Fig (conversation) deshilvanado(a)

découvert, -e [dekuvɛr, -ɛrt] **1** pp voir **découvrir**
  2 adj descubierto(a)
  3 nm **d. (bancaire)** descubierto m; **être à d.** tener un descubierto, estar en números rojos

découverte [dekuvɛrt] nf descubrimiento m

découvrir [52] [dekuvrir] **1** vt descubrir; (casserole) destapar; (apercevoir) divisar
  2 se découvrir vpr (en dormant) destaparse; (ôter son chapeau) descubrirse

décrasser [dekrase] vt Fam quitar la roña a

décrépit, -e [dekrepi, -it] adj (personne) decrépito(a); (bâtiment) deteriorado(a)

décret [dekrɛ] nm decreto m ☆ **d. ministériel** decreto ministerial

décréter [dekrete] vt **d. que** decidir que

décrire [30] [dekrir] vt describir

décrocher [dekrɔʃe] **1** vt (détacher) desenganchar; (tableau, téléphone) descolgar; Fam (obtenir) conseguir
  2 vi (au téléphone) descolgar; Fam (perdre le fil) desconectar
  3 se décrocher vpr (se détacher) desengancharse; (tableau) descolgarse

décroître [4a] [dekrwatr] vi decrecer

décrypter [dekripte] vt descifrar

déçu, -e [desy] **1** pp voir **décevoir**
  2 adj (personne) decepcionado(a); (espoir) frustrado(a)

déculotter [dekylɔte] **se déculotter** vpr (enlever son pantalon) quitarse los pantalones; (enlever son slip) quitarse las bragas/los calzoncillos

décupler [dekyple] vt multiplicar por diez, decuplicar; Fig (forces) multiplicar

dédaigner [dedeɲe] **1** *vt (mépriser)* desdeñar
2 *vi* **il ne dédaigne pas de fumer un cigare de temps en temps** no le hace ascos a un puro de vez en cuando

dédaigneux, -euse [dedɛɲø, -øz] *adj* desdeñoso(a)

dédain [dedɛ̃] *nm* desdén *m*

dédale [dedal] *nm* laberinto *m*

dedans [dədã] **1** *adv* dentro
2 *nm* interior *m*; **de d.** *(depuis l'intérieur)* desde dentro; **en d.** por dentro

dédicace [dedikas] *nf* dedicatoria *f*

dédicacer [16] [dedikase] *vt (livre, photo)* dedicar

dédier [dedje] *vt* dedicar

dédire [27b] [dedir] **se dédire** *vpr* desdecirse

dédommagement [dedɔmaʒmã] *nm (financier)* indemnización *f*; *(récompense)* compensación *f*

dédommager [45] [dedɔmaʒe] *vt (financièrement)* indemnizar; *(récompenser)* compensar

dédouanement [dedwanmã] *nm* despacho *m* de aduanas

dédoubler [deduble] **1** *vt* desdoblar
2 **se dédoubler** *vpr Psy* desdoblarse; *Fig & Hum* multiplicarse

déduction [dedyksjɔ̃] *nf* deducción *f*; **d. faite de...** excepción hecha de...

déduire [18] [deдɥir] *vt* deducir

déesse [deɛs] *nf* diosa *f*

défaillance [defajãs] *nf (d'une machine)* fallo *m*, avería *f*; *(faiblesse physique)* desfallecimiento *m*

défaillir [35] [defajir] *vi Litt (s'évanouir)* desfallecer; *(mémoire)* fallar

défaire [36] [defɛr] **1** *vt* deshacer; *(paquet)* abrir
2 **se défaire** *vpr* deshacerse (**de** de)

défait, -e [defɛ, -ɛt] **1** *pp voir* **défaire**
2 *adj (air, mine)* descompuesto(a)

défaite [defɛt] *nf* derrota *f*

défaitiste [defetist] *adj & nmf* derrotista *mf*

défaut [defo] *nm (imperfection)* defecto *m*; *(manque)* falta *f*; **à d. de** a falta de; **faire (cruellement) d.** hacer (mucha) falta; *Ordinat* **par d.** predefinido(a)

défavorable [defavɔrabl] *adj* desfavorable

défavorisé, -e [defavɔrize] *adj (pauvre)* desfavorecido(a)

défavoriser [defavɔrize] *vt* desfavorecer

défection [defɛksjɔ̃] *nf* deserción *f*

défectueux, -euse [defɛktɥø, -øz] *adj (machine, produit)* defectuoso(a)

défendre [defãdr] **1** *vt (personne, opinion)* defender; *(interdire)* prohibir; **d. qch à qn** prohibir algo a alguien; **d. à qn de faire qch** prohibir a alguien que haga algo
2 **se défendre** *vpr* defenderse; **il se défend d'être avare** niega que sea avaro; **ça se défend** se sostiene

défenestrer [defənɛstre] *vt* defenestrar

défense[1] [defãs] *nf (protection)* defensa *f*; *(interdiction)* prohibición *f*; **prendre la d. de qn** defender a alguien

défense[2] *nf (d'éléphant)* colmillo *m*

défenseur [defãsœr] *nm* defensor(ora) *m,f*

défensif, -ive [defãsif, -iv] **1** *adj* defensivo(a)
2 *nf* **défensive**: **être sur la défensive** estar a la defensiva

déferler [defɛrle] *vi (vagues)* romper; *Fig* **d. sur** *(personnes)* invadir

défi [defi] *nm* desafío *m*, reto *m*

déficient, -e [defisjã, -ãt] *adj* deficiente

déficit [defisit] *nm* déficit *m*; **être en d.** tener déficit

déficitaire [defisitɛr] *adj* deficitario(a)

défier [defje] **1** *vt (personne)* desafiar, retar; *(mort, danger)* desafiar;

d. qn de faire qch desafiar o retar a alguien a que haga algo; **d. l'imagination** resultar increíble; **des prix défiant toute concurrence** unos precios imbatibles
  2 se défier vpr Litt **se d. de** desconfiar de

défigurer [defigyre] vt (personne) desfigurar; (paysage) afear

défilé [defile] nm (gorge) desfiladero m; (parade, succession) desfile m

défiler [defile] **1** vi desfilar; Ordinat **faire d. un document (vers le bas/haut)** desplazarse (hacia abajo/arriba) en un documento
  2 se défiler vpr Fam escaquearse

définir [definir] vt definir

définitif, -ive [definitif, -iv] adj definitivo(a); **en définitive** en definitiva

définition [definisjɔ̃] nf definición f; ☆ **haute d.** alta definición

définitivement [definitivmã] adv definitivamente

déflagration [deflagrasjɔ̃] nf explosión f

déflation [deflɑsjɔ̃] nf Écon deflación f

déflationniste [deflasjɔnist] adj deflacionista

défoncer [16] [defɔ̃se] **1** vt (sommier, fauteuil) desfondar; (porte) echar abajo
  2 se défoncer vpr Fam (faire tout son possible) romperse los cuernos; **se d. à la cocaïne** meterse coca

déformation [defɔrmɑsjɔ̃] nf deformación f ☆ **d. professionnelle** deformación profesional

déformer [defɔrme] **1** vt deformar
  2 se déformer vpr deformarse

défouler [defule] **se défouler** vpr desquitarse (**sur** con)

défraîchi, -e [defreʃi] adj ajado(a)

défrayer [53] [defreje] vt **d. qn de qch** retribuir a alguien algo; **d. la chronique** ser noticia

défricher [defriʃe] vt desbrozar; Fig (domaine) despejar

défunt, -e [defœ̃, -œ̃t] **1** adj (personne) difunto(a); Litt (amour) pasado(a)
  2 nm,f difunto(a) m,f

dégagé, -e [degaʒe] adj (ciel, vue) despejado(a); (ton, air) desenvuelto(a)

dégager [45] [degaʒe] **1** vt (odeur) desprender, soltar; (crédits) liberar; (idée, blessé) sacar, extraer; (pièce, vue) despejar; **d. qn de qch** (responsabilités, obligations) liberar a alguien de algo
  2 vi Fam (partir) largarse
  3 se dégager vpr (ciel, nez) despejarse; (odeur, idée) desprenderse; **se d. de qch** (se libérer) liberarse de algo

dégainer [degene] vt (revolver) desenfundar; (épée) desenvainar

dégarni, -e [degarni] adj (personne) calvo(a)

dégâts [degɑ] nmpl daños mpl, estragos mpl; **faire des d.** causar estragos

dégel [deʒɛl] nm deshielo m; Écon & Pol desbloqueo m

dégeler [39] [deʒle] **1** vt (produit surgelé) & Écon descongelar; Fig (atmosphère) caldear
  2 vi descongelarse

dégénéré, -e [deʒenere] adj & nm,f degenerado(a) m,f

dégénérer [34] [deʒenere] vi degenerar (**en** en)

dégivrer [34] [deʒivre] vt descongelar

déglingué, -e [deglɛ̃ge] adj Fam escacharrado(a), hecho(a) polvo

déglutir [deglytir] vi deglutir

dégonfler [degɔ̃fle] **1** vt desinflar
  2 vi desinflarse
  3 se dégonfler vpr (objet) desinflarse; Fam (renoncer) rajarse

dégo(t)ter [degɔte] vt Fam encontrar

dégouliner [deguline] *vi* gotear

dégoupiller [degupije] *vt (grenade)* quitar el pasador a

dégourdi, -e [degurdi] *adj (vif)* despabilado(a)

dégourdir [32] [degurdir] **se dégourdir** *vpr* **se d. les jambes** estirar las piernas

dégoût [degu] *nm* asco *m* (**pour** por); *(lassitude)* hastío *m*

dégoûtant, -e [degutɑ̃, -ɑ̃t] **1** *adj (sale)* asqueroso(a); *(révoltant, grossier)* repugnante

2 *nm,f* asqueroso(a) *m,f*; **un vieux d.** un viejo verde

dégoûter [degute] *vt* dar asco a; **d. qn de qch** hacer aborrecer a alguien algo

dégradé [degrade] *nm (de couleurs)* gradación *f*; *(coiffure)* corte *m* a capas

dégrader [degrade] **1** *vt (humilier)* & *Mil* degradar; *(édifice, site)* deteriorar

2 se dégrader *vpr (situation)* degradarse; *(santé)* empeorar

dégrafer [degrafe] *vt* desabrochar

dégraisser [degrese] **1** *vt (vêtement)* limpiar *(las manchas de grasa)*; *Culin* retirar la capa de grasa de

2 *vi Fam (licencier)* hacer reducción de personal

degré [degre] *nm* grado *m*; *Litt (marche)* peldaño *m*; **prendre qch au premier d.** interpretar algo al pie de la letra ☆ **d. centigrade** *ou* **Celsius** grado centígrado o Celsius

dégressif, -ive [degresif, -iv] *adj* decreciente

dégriffé, -e [degrife] *adj* = que se vende a precio rebajado y sin la etiqueta de la marca

dégringoler [degrɛ̃gɔle] *Fam* **1** *vt (dévaler)* bajar corriendo; **d. l'escalier** *(tomber)* caerse (rodando) por las escaleras

2 *vi (personne)* caer rodando; *(prix, cours)* hundirse

dégrossir [32] [degrosir] *vt (pièce de bois)* desbastar; *Fig (travail)* preparar; *(personne)* ilustrar

déguerpir [degɛrpir] *vi* salir corriendo

dégueulasse [degœlas] *très Fam* **1** *adj* asqueroso(a); *(méchant)* cerdo(a); **c'est d., ce qu'il t'a fait!** ¡vaya putada te ha hecho!

2 *nmf (sale, pervers)* asqueroso(a) *m,f*; *(méchant)* cerdo(a) *m,f*

dégueuler [degœle] *vi très Fam* echar las papas

déguisement [degizmɑ̃] *nm* disfraz *m*

déguiser [degize] **1** *vt (personne)* disfrazar; *(voix, écriture)* disimular

2 se déguiser *vpr* disfrazarse (**en** de)

dégustation [degystɑsjɔ̃] *nf (de mets)* degustación *f*; *(de vin)* cata *f*

déguster [degyste] **1** *vt (mets)* saborear; *(vin)* catar

2 *vi Fam (souffrir)* pasarlas canutas; **qu'est-ce que je vais d. si je rentre tard!** ¡la que me espera si vuelvo tarde!

déhancher [deɑ̃ʃe] **se déhancher** *vpr* contonearse

dehors [dəɔr] **1** *adv* fuera; **jeter** *ou* **mettre qn d.** echar a alguien; **en d.** hacia fuera; **en d. de** *(à part)* aparte de

2 *nm* exterior *m*; **sous des d. aimables** bajo una apariencia amable

déjà [deʒa] *adv* ya; **je l'ai d. vu** ya lo he visto; **comment tu t'appelles, d.?** ¿cómo me has dicho que te llamas?; **c'est d. ça** no está tan mal, algo es algo; **d. que je n'en ai pas beaucoup, ...** encima de que no tengo mucho...

déjeuner [5] [deʒœne] **1** *vi (le matin)* desayunar; *(à midi)* comer, almorzar

2 *nm (repas du midi)* comida *f*, almuerzo *m*; *(repas du matin)*

desayuno *m*; *Can (dîner)* cena *f* ☆ *d. d'affaires* almuerzo de negocios

déjouer [deʒwe] *vt* desbaratar

délabré, -e [delabre] *adj* ruinoso(a)

délacer [16] [delase] *vt* desatar

délai [delɛ] *nm (temps accordé)* plazo *m*; *(sursis)* prórroga *f*; **sans d.** *(vite)* sin demora ☆ *d. de livraison* plazo de entrega

délaisser [delese] *vt* abandonar

délasser [delase] **1** *vt* relajar
   2 se délasser *vpr* relajarse

délation [delasjɔ̃] *nf* delación *f*

délavé, -e [delave] *adj* descolorido(a)

délayer [53] [deleje] *vt (diluer)* desleír, diluir; *Fig (exposer longuement)* diluir

délecter [delɛkte] **se délecter** *vpr* **se d. de qch/de faire qch** deleitarse con algo/haciendo algo

délégation [delegasjɔ̃] *nf* delegación *f*

délégué, -e [delege] **1** *adj* delegado(a)
   2 *nm,f* delegado(a) *m,f* ☆ *d. de classe* delegado(a) de clase

déléguer [34] [delege] *vt* delegar

délibération [deliberasjɔ̃] *nf* deliberación *f*

délibéré, -e [delibere] *adj (intentionnel)* deliberado(a)

délibérer [34] [delibere] *vi* deliberar **(de** sobre)

délicat, -e [delika, -at] *adj* delicado(a)

délicatement [delikatmɑ̃] *adv* delicadamente, con delicadeza

délicatesse [delikatɛs] *nf* delicadeza *f*

délice [delis] *nm* delicia *f*

délicieux, -euse [delisjø, -øz] *adj* delicioso(a)

délié, -e [delje] *adj (écriture)* menudo(a); *(doigts)* ágil

délimiter [delimite] *vt* delimitar

délinquance [delɛ̃kɑ̃s] *nf* delincuencia *f* ☆ *d. juvénile* delincuencia juvenil

délinquant, -e [delɛ̃kɑ̃, -ɑ̃t] **1** *adj* delincuente
   2 *nm,f* delincuente *mf*

délirant, -e [delirɑ̃, -ɑ̃t] *adj* delirante; *(joie)* loco(a); **c'est d.!** ¡es una locura!

délire [delir] *nm* delirio *m*; **en d.** *(public, foule)* delirante; *Fig* **c'est du d.!** ¡es una locura!

délirer [delire] *vi* delirar

délit [deli] *nm* delito *m*; **en flagrant d.** in fraganti

délivrance [delivrɑ̃s] *nf (d'un prisonnier)* liberación *f*; *(soulagement)* alivio *m*; *(d'un passeport, d'un certificat)* expedición *f*

délivrer [delivre] *vt (prisonnier, pays)* liberar; *(certificat, passeport)* expedir; *(marchandise)* entregar; *Fig* **d. qn de** *(débarrasser)* librar a alguien de

déloger [45] [delɔʒe] *vt* desalojar; *(décoincer)* desatascar

déloyal, -e, -aux, -ales [delwajal, -o] *adj* desleal

delta [dɛlta] *nm (d'un fleuve)* delta *m*

Delta-Plane® *(pl* **Delta-Planes**), **Deltaplane**® [dɛltaplan] *nm* ala *f* delta

déluge [delyʒ] *nm* diluvio *m*; *Rel* **le D.** el Diluvio

déluré, -e [delyre] *adj (malin)* avispado(a); *Péj (dévergondé)* desvergonzado(a)

démagogie [demagɔʒi] *nf* demagogia *f*

démagogique [demagɔʒik] *adj* demagógico(a)

démagogue [demagɔg] *nmf* demagogo(a) *m,f*

demain [dəmɛ̃] **1** *adv* mañana; **d. matin** mañana por la mañana
   2 *nm (jour suivant)* mañana *m*; *(avenir)* el día de mañana; **à d.!** ¡hasta mañana!

demande [dəmãd] *nf (souhait)* petición *f*; *(démarche, candidature)* solicitud *f*; *Écon & Jur* demanda *f* ☆ **d. d'emploi** solicitud de empleo; **d. en mariage** petición de mano

demandé, -e [dəmãde] *adj* **très d.** muy solicitado(a)

demander [dəmãde] **1** *vt (aide, argent)* pedir; *(nécessiter)* requerir; **d. qch à qn** *(interroger)* preguntarle algo a alguien; **elle m'a demandé si/quand/pourquoi...** me preguntó si/cuándo/por qué...; **d. à qn de faire qch** pedir a alguien que haga algo; **on te demande** te llaman; **ne pas d. mieux** no desear otra cosa

  2 demander à *vt ind* **d. à faire qch** preguntar si se puede hacer algo; **je ne demande qu'à vous croire** quiero creerle

  3 se demander *vpr* **se d. si/quand/pourquoi...** preguntarse si/cuándo/por qué...

demandeur¹, -euse [dəmãdœr, -øz] *nm,f* **d. d'asile** solicitante *mf* de asilo; **d. d'emploi** solicitante de empleo

demandeur², -eresse [dəmãdœr, -drɛs] *nm,f Jur* demandante *mf*

démangeaison [demãʒɛzõ] *nf* picazón *f*; **avoir des démangeaisons** sentir picazón

démanger [45] [demãʒe] *vt (gratter)* picar; *Fig* **ça me démange de...** tengo unas ganas de...

démanteler [39] [demãtle] *vt* desmantelar

démaquillant, -e [demakijã, -ãt] **1** *adj* desmaquillador(ora), desmaquillante

  2 *nm* desmaquillador *m*, desmaquillante *m*

démaquiller [demakije] **1** *vt* desmaquillar

  2 se démaquiller *vpr* desmaquillarse

démarchage [demarʃaʒ] *nm* **d. (à domicile)** venta *f* a domicilio

démarche [demarʃ] *nf (manière de marcher)* andares *mpl*; *(raisonnement)* enfoque *m*; *(requête)* gestión *f*, trámite *m*

démarcheur, -euse [demarʃœr, -øz] *nm,f* vendedor(ora) *m,f* a domicilio

démarque [demark] *nf* rebaja *f*

démarquer [demarke] **1** *vt (solder)* = cambiar o quitar la marca de un artículo para venderlo más barato

  2 se démarquer *vpr (se distinguer)* & *Sp* desmarcarse (**de** de)

démarrage [demaraʒ] *nm* arranque *m*; **au d.** al arrancar ☆ **d. en côte** arranque en una cuesta

démarrer [demare] **1** *vi* arrancar; **faire d. qch** poner en marcha algo

  2 *vt (voiture)* arrancar, poner en marcha; *Fig (travail, projet)* poner en marcha

démarreur [demarœr] *nm* arranque *m (mecanismo)*

démasquer [demaske] *vt* desenmascarar

démêlant, -e [demɛlã, -ãt] *adj* suavizante

démêlé [demele] *nm* altercado *m*; **avoir des démêlés avec la justice** tener líos con la justicia

démêler [demele] *vt (cheveux, fils)* desenredar; *Fig (affaire, mystère)* desembrollar

déménagement [demenaʒmã] *nm* mudanza *f*

déménager [45] [demenaʒe] **1** *vt (meuble)* trasladar

  2 *vi (changer d'adresse)* mudarse

déménageur [demenaʒœr] *nm (entrepreneur)* empresa *f* de mudanzas; *(employé)* mozo *m* de mudanzas

démener [46] [demne] **se démener** *vpr (s'agiter)* forcejear; *Fig (se donner du mal)* moverse

dément, -e [demã, -ãt] **1** *adj Méd* demente; *Fam (incroyable)* alucinante

  2 *nm,f Méd* demente *mf*

démenti [demãti] *nm* mentís *m inv*; **opposer un d. à qch** dar un mentís a algo

démentiel, -elle [demãsjɛl] *adj* demencial; *Fam (incroyable)* alucinante

démentir [64a] [demãtir] *vt* desmentir

démerder [demɛrde] **se démerder** *vpr très Fam (se débrouiller)* arreglárselas, apañárselas; *(se dépêcher)* darse prisa; **il se démerde pas mal en espagnol** se defiende bien en español

démesuré, -e [demazyre] *adj* desmesurado(a)

démettre¹ [47] [demɛtr] **1** *vt (articulation)* dislocar
2 se démettre *vpr* **se d. l'épaule** dislocarse el hombro

démettre² [47] **1** *vt* **d. qn de ses fonctions** destituir a alguien de sus funciones
2 se démettre *vpr* **se d. de ses fonctions** dimitir (de) su cargo

demeurant [dəmœrã] **au demeurant** *adv* por lo demás

demeure [dəmœr] *nf (manoir)* mansión *f*; *Litt (domicile)* residencia *f*; **à d.** para siempre; **mettre qn en d. de faire qch** obligar a alguien a hacer algo

demeuré, -e [dəmœre] *adj & nm,f Fam Péj* retrasado(a) *m,f* mental, subnormal *mf*

demeurer [dəmœre] *vi Litt (aux être) (rester)* quedarse, permanecer; *(aux avoir) (habiter)* residir

demi, -e [dəmi] **1** *adj* medio(a); **et d.** y medio; **une d.-cuillère de sucre** media cucharada de azúcar; **un d.-succès** un éxito a medias
2 *nm (bière)* caña *f*; *Sp* medio *m*
3 *nf* **demie: à la demie** a la media, a y media
4 *adv* **à d.** *(à moitié)* medio; *(en partie)* a medias; **à d. nu** medio desnu-

do; **faire les choses à d.** hacer las cosas a medias

demiard [dəmjar] *nm Can* = 0,284 litros

demi-cercle (*pl* demi-cercles) [dəmisɛrkl] *nm* semicírculo *m*

demi-douzaine (*pl* demi-douzaines) [dəmiduzɛn] *nf* media docena *f*

demi-écrémé, -e (*mpl* demi-écrémés, *fpl* demi-écrémées) [dəmiekreme] *adj* semidesnatado(a)

demi-finale (*pl* demi-finales) [dəmifinal] *nf* semifinal *f*

demi-frère (*pl* demi-frères) [dəmifrɛr] *nm* hermanastro *m*

demi-heure (*pl* demi-heures) [dəmijœr] *nf* media hora *f*

demi-journée (*pl* demi-journées) [dəmiʒurne] *nf* media jornada *f*

démilitariser [demilitarize] *vt* desmilitarizar

demi-litre (*pl* demi-litres) [dəmilitr] *nm* medio litro *m*

demi-mesure (*pl* demi-mesures) [dəmiməzyr] *nf (compromis)* parche *m*

demi-mot [dəmimo] **à demi-mot** *adv* **comprendre à d.** entender sin necesidad de palabras

déminer [demine] *vt* retirar las minas de

demi-pension (*pl* demi-pensions) [dəmipãsjõ] *nf* media pensión *f*

demi-pensionnaire (*pl* demi-pensionnaires) [dəmipãsjɔnɛr] *nmf* medio pensionista *mf*

demi-saison (*pl* demi-saisons) [dəmisɛzõ] *nf* entretiempo *m*

demi-sœur (*pl* demi-sœurs) [dəmisœr] *nf* hermanastra *f*

démission [demisjõ] *nf* dimisión *f*; **il a donné sa d.** presentó su dimisión

démissionner [demisjɔne] *vi* dimitir

demi-tarif (*pl* demi-tarifs) [dəmitarif] *nm* medio billete *m*

demi-tour (*pl* **demi-tours**) [dəmitur] *nm* media vuelta *f*; **faire d.** dar media vuelta

démocrate [demɔkrat] *adj & nmf* demócrata *mf*

démocratie [demɔkrasi] *nf* democracia *f* ☆ *d. parlementaire* democracia parlamentaria

démocratique [demɔkratik] *adj* democrático(a)

démodé, -e [demɔde] *adj* (*vêtement*) pasado(a) de moda; (*technique, théorie*) anticuado(a)

démographie [demɔgrafi] *nf* demografía *f*

démographique [demɔgrafik] *adj* demográfico(a)

demoiselle [dəmwazɛl] *nf* (*jeune fille*) señorita *f*; (*libellule*) libélula *f* ☆ *d. d'honneur* dama *f* de honor

démolir [demɔlir] *vt* (*édifice*) demoler; (*véhicule, objet*) destrozar; (*théorie, réputation*) arruinar; *Fam* (*personne*) moler a palos

démolition [demɔlisjɔ̃] *nf* demolición *f*

démon [demɔ̃] *nm* demonio *m*; (*enfant*) diablo *m*

démonstratif, -ive [demɔ̃stratif, -iv] **1** *adj Gram* demostrativo(a); (*personne*) expansivo(a) **2** *nm Gram* demostrativo *m*

démonstration [demɔ̃strasjɔ̃] *nf* demostración *f*

démonter [demɔ̃te] *vt* (*appareil*) desmontar; (*meuble*) desarmar; *Fig* (*troubler*) desmoronar

démontrer [demɔ̃tre] *vt* demostrar

démoralisant, -e [demɔralizɑ̃, -ɑ̃t] *adj* desmoralizador(ora)

démoraliser [demɔralize] *vt* desmoralizar

démordre [demɔrdr] *vi* **elle n'en démord pas** no da su brazo a torcer

démouler [demule] *vt* (*statue*) vaciar; (*gâteau, pâté*) desmoldar

démuni, -e [demyni] *adj* necesitado(a)

dénationaliser [denasjɔnalize] *vt* desnacionalizar

dénaturer [denatyre] *vt* (*goût*) alterar; (*paroles*) deformar; (*produit*) desnaturalizar

dénicher [denife] *vt* (*objet rare*) topar con

dénigrer [denigre] *vt* denigrar

dénivellation [denivɛlasjɔ̃] *nf* desnivel *m*

dénombrer [denɔ̃bre] *vt* contar

dénominateur [denɔminatœr] *nm Math* denominador *m* ☆ *aussi Fig d. commun* denominador común

dénomination [denɔminɑsjɔ̃] *nf* denominación *f*

dénoncer [16] [denɔ̃se] **1** *vt* denunciar **2 se dénoncer** *vpr* entregarse

dénoter [denɔte] *vt* denotar

dénouement [denumɑ̃] *nm* desenlace *m*

dénouer [denwe] *vt* (*nœud*) desanudar; *Fig* (*affaire*) desenmarañar

dénoyauter [denwajote] *vt* deshuesar

denrée [dɑ̃re] *nf* comestible *m* ☆ *denrées alimentaires* productos *mpl* alimenticios

dense [dɑ̃s] *adj* denso(a)

densité [dɑ̃site] *nf* densidad *f* ☆ *Ordinat double d.* doble densidad

dent [dɑ̃] *nf* diente *m*; **mordre à belles dents dans qch** morder algo con ganas; **en dents de scie** dentado(a), serrado(a); *Fig* (*humeur*) fluctuante; **avoir la d. dure** ser mordaz; **avoir les dents longues** ser ambicioso(a); *Fam* **avoir une d. contre qn** tenerle manía a alguien ☆ *d. de lait* diente de leche; *d. de sagesse* muela *f* del juicio

dentaire [dɑ̃tɛr] *adj* dental

dentelé, -e [dɑ̃tle] *adj* dentado(a)

dentelle [dɑ̃tɛl] *nf* encaje *m*

dentier [dɑ̃tje] *nm* dentadura *f* postiza

dentifrice [dɑ̃tifris] *nm* dentífrico *m*

dentiste [dɑ̃tist] *nmf* dentista *mf*

dentition [dɑ̃tisjɔ̃] *nf (dents)* dentadura *f*; *(croissance)* dentición *f*

dénuder [denyde] *vt (partie du corps)* dejar al descubierto; *(fil électrique)* pelar

dénué, -e [denɥe] *adj* **d. de** desprovisto(a) de

dénuement [denymɑ̃] *nm* indigencia *f*

déodorant [deɔdɔrɑ̃] *nm* desodorante *m*

dépannage [depanaʒ] *nm* reparación *f*

dépanner [depane] *vt (réparer)* reparar, *Am* refaccionar; *Fam Fig (aider)* echar una mano a

dépanneur [depanœr] *nm (de voiture)* mecánico(a) *m,f*, *Am* auxilio *m*; *(d'appareils)* técnico(a) *m,f*; *Can* = tienda de comestibles que abre hasta tarde

dépanneuse [depanøz] *nf* grúa *f*

dépareillé, -e [depareje] *adj (service)* dispar; *(chaussettes, gants)* desparejado(a)

départ [depar] *nm (d'une personne)* partida *f*; *(d'un train, d'un avion, d'une course)* salida *f*; *(d'un employé)* marcha *f*; *(début)* punto *m* de partida; **au d.** *(au début)* al principio

départager [45] [departaʒe] *vt (concurrents, candidats)* desempatar

département [departəmɑ̃] *nm (territoire)* departamento *m*, = división territorial en Francia; *(service)* departamento *m* ☆ **d. d'outre-mer** = provincia francesa de ultramar

départemental, -e, -aux, -ales [departəmɑ̃tal, -o] **1** *adj* departamental; *(route)* secundario(a)

2 *nf* **départementale** *(route)* carretera *f* secundaria

dépassé, -e [depɑse] *adj (périmé)* anticuado(a); *Fam* **être d. (par les événements)** verse desbordado(a) por los acontecimientos

dépassement [depɑsmɑ̃] *nm (en voiture)* adelantamiento *m*; *Fin* rebasamiento *m*

dépasser [depɑse] **1** *vt (voiture)* adelantar; *(en hauteur, en importance, en temps)* sobrepasar; *(prévisions, attentes)* superar; *(limite, cap)* rebasar, sobrepasar

2 *vi (en voiture)* adelantar; *(vêtement)* sobresalir

dépayser [depeize] *vt* cambiar de ambiente

dépecer [16/34] [depəse] *vt (animal de boucherie)* descuartizar; *(proie)* despedazar

dépêche [depɛʃ] *nf Journ* comunicado *m*; *(correspondance officielle)* despacho *m* ☆ **d. d'agence** comunicado de agencia

dépêcher [depeʃe] **1** *vt Litt (envoyer)* mandar

2 **se dépêcher** *vpr* darse prisa; **se d. de faire qch** apresurarse a hacer algo

dépendance [depɑ̃dɑ̃s] *nf* dependencia *f*

dépendre [depɑ̃dr] *vi* **d. de** depender de; **ça dépend** depende

dépens [depɑ̃] *nmpl Jur* costas *fpl*; **aux d. de qn** a costa de alguien

dépense [depɑ̃s] *nf* gasto *m*; **les dépenses publiques** el gasto público

dépenser [depɑ̃se] **1** *vt* gastar

2 **se dépenser** *vpr (physiquement)* cansarse; *(s'investir)* desvivirse

dépensier, -ère [depɑ̃sje, -ɛr] *adj* gastador(ora), derrochador(ora)

dépérir [deperir] *vi (personne)* depauperarse; *(santé, affaire)* decaer; *(plante)* marchitarse

dépêtrer [4] [depetre] **se dépêtrer** *vpr* **se d. de qch** *(chose encombrante)* deshacerse de algo; *(situation)* salir de algo; **se d. de qn** deshacerse de alguien

déphasé, -e [defɑze] *adj* desfasado(a)

dépilatoire [depilatwar] *adj* depilatorio(a)

dépistage [depistaʒ] *nm (d'une maladie)* control *m* de la incidencia

dépit [depi] *nm* despecho *m*; **par d.** por despecho; **en d. de** a pesar de

dépité, -e [depite] *adj* disgustado(a)

déplacé, -e [deplase] *adj (remarque, attitude)* fuera de lugar; *(population)* desplazado(a)

déplacement [deplasmɑ̃] *nm* desplazamiento *m*; *(voyage)* viaje *m*, desplazamiento *m*; **être en d.** estar de viaje; *Fig* **ça vaut le d.** vale la pena ir

déplacer [16] [deplase] **1** *vt (objet, meuble)* desplazar; *(fonctionnaire)* trasladar; *Fig (problème)* desviar
  2 se déplacer *vpr* desplazarse; **il s'est déplacé une vertèbre** se le ha desplazado una vértebra

déplaire [55a] [deplɛr] *vi* **d. à qn** *(ne pas plaire)* desagradar a alguien, no gustar a alguien

déplaisant, -e [deplɛzɑ̃, -ɑ̃t] *adj* desagradable

dépliant [deplijɑ̃] *nm* folleto *m*

déplier [66] [deplije] **1** *vt* desplegar, abrir
  2 se déplier *vpr* desplegarse

déploiement [deplwamɑ̃] *nm* despliegue *m*

déplorable [deplɔrabl] *adj* deplorable

déplorer [deplɔre] *vt* deplorar

déployer [32] [deplwaje] *vt* desplegar; *Fig (montrer)* dar muestra de

déporté, -e [depɔrte] *nm,f* deportado(a) *m,f*

déporter [depɔrte] *vt (prisonnier)* deportar; *(voiture, avion)* desviar

déposer [depoze] **1** *vt (personne, objet)* dejar; *(sédiments)* depositar; *(argent)* ingresar (**sur** en); *(marque, brevet)* registrar; *Jur (plainte)* presentar; *(monarque)* destituir; **d. son bilan** declararse en suspensión de pagos
  2 *vi Jur* deponer
  3 se déposer *vpr* depositarse

dépositaire [depoziter] *nmf Com* concesionario(a) *m,f*; *(d'un objet)* depositario(a) *m,f*

déposition [depozisjɔ̃] *nf Jur* declaración *f*

déposséder [34] [deposede] *vt* **d. qn de qch** desposeer a alguien de algo

dépôt [depo] *nm* depósito *m*; *(de bus)* cochera *f*; *(d'argent)* ingreso *m*, depósito *m*; *(prison)* calabozo *m* ☆ **d. de bilan** (declaración *f* de) suspensión *f* de pagos; **d. légal** depósito legal; **d. d'ordures** vertedero *m*

dépotoir [depɔtwar] *nm (décharge)* vertedero *m*; *Péj (lieu en désordre)* leonera *f*

dépouille [depuj] *nf (peau)* piel *f*; **d. (mortelle)** *(corps)* restos *mpl* (mortales)

dépouillement [depujmɑ̃] *nm (sobriété)* austeridad *f*; *(des votes)* escrutinio *m*

dépouiller [depuje] *vt (votes)* escrutar; **d. qn de qch** despojar a alguien de algo

dépourvu, -e [depurvy] *adj* **d. de** desprovisto(a) de; **prendre qn au d.** pillar a alguien desprevenido(a)

dépoussiérer [34] [depusjere] *vt* limpiar el polvo de; *Fig (rajeunir)* renovar

dépravé, -e [deprave] *adj* depravado(a)

dépréciation [depresjasjɔ̃] *nf* depreciación *f*

dépressif, -ive [depresif, -iv] *adj & nm,f* depresivo(a) *m,f*

dépression [depresjɔ̃] *nf* depresión *f*

☆ **d.** *(nerveuse)* depresión (nerviosa); **faire une d.** tener una depresión

déprimant, -e [deprimã, -ãt] *adj* deprimente

déprime [deprim] *nf Fam* depre *f*; **faire une d.** tener una depre

déprimé, -e [deprime] *adj* deprimido(a)

déprimer [deprime] **1** *vt* deprimir **2** *vi Fam* estar depre

dépuceler [9] [depysle] *vt Fam* desvirgar

depuis [dəpɥi] **1** *prép* desde; **d.... jusqu'à** desde... hasta; **d. la route, on pouvait voir la mer** desde la carretera se podía ver el mar; **il est parti d. hier** se marchó ayer; **d. dix ans** desde hace diez años; **d. combien de temps est-il là?** ¿cuánto tiempo hace que está aquí?; **d. que...** desde que...; **d. longtemps** desde hace tiempo; **d. toujours** desde siempre **2** *adv* desde entonces; **nous ne l'avons plus vu d.** desde entonces no lo hemos visto

député, -e [depyte] *nm,f* diputado(a) *m,f* ☆ **d. européen** eurodiputado(a) *m,f*

déraciner [derasine] *vt (arbre)* arrancar de cuajo, arrancar de raíz; *Fig (personne)* desarraigar

déraillement [derɑjmã] *nm* descarrilamiento *m*

dérailler [derɑje] *vi (train)* descarrilar; *Fam (montre, radio)* funcionar mal; *Fam (personne)* desvariar

dérailleur [derɑjœr] *nm* cambio *m* de marchas *(de bicicleta)*

dérangement [derãʒmã] *nm (gêne)* molestia *f*; **en d.** *(téléphone)* averiado(a) ☆ **d. intestinal** trastorno *m* estomacal

déranger [45] [derãʒe] **1** *vt (objets, pièce)* desordenar; *(personne)* molestar, importunar; *(esprit)* perturbar; **ça vous dérange si...?** ¿le molesta si...?

2 se déranger *vpr (se déplacer)* moverse; *(s'interrompre)* molestarse

dérapage [derapaʒ] *nm* derrape *m*; *Fig (erreur)* desliz *m*

déraper [derape] *vi (voiture)* derrapar; *Fig (économie, prix)* descontrolarse

déréglé, -e [deregle] *adj (vie, mœurs)* desordenado(a)

déréglementer [dereglǝmãte] *vt Écon* desregular, liberalizar

dérégler [34] [deregle] **1** *vt (mécanisme)* estropear; *(estomac)* destrozar **2 se dérégler** *vpr (mécanisme)* estropearse

dérision [derizjõ] *nf* escarnio *m*; **tourner qch en d.** hacer escarnio de algo

dérisoire [derizwar] *adj* irrisorio(a)

dérive [deriv] *nf (mouvement)* deriva *f*; *(de bateau)* orza *f*; *Fig* **aller à la d.** ir a la deriva

dérivé [derive] *nm Ling & Chim* derivado *m*

dériver [derive] **1** *vt* derivar **2** *vi (aller à la dérive)* derivar; **d. de qch** *(découler)* derivar o provenir de algo

dermatologie [dɛrmatɔlɔʒi] *nf* dermatología *f*

dermatologue [dɛrmatɔlɔg], **dermatologiste** [dɛrmatɔlɔʒist] *nmf* dermatólogo(a) *m,f*

dernier, -ère [dɛrnje, -ɛr] **1** *adj* último(a); **l'année dernière** el año pasado; **en d.** en último lugar **2** *nm,f* último(a) *m,f*; *(benjamin)* pequeño(a) *m,f*; **ce d.** éste, este último

dernièrement [dɛrnjɛrmã] *adv* últimamente

dérobade [derɔbad] *nf* espantada *f*

dérobé, -e [derɔbe] *adj (escalier, porte)* secreto(a)

dérober [derɔbe] **1** *vt* hurtar

2 se dérober *vpr (s'effondrer)* hundirse; *(ne pas répondre)* evitar responder

dérogation [derɔgɑsjɔ̃] *nf* derogación *f*

déroulant, -e [derulɑ̃, -ɑ̃t] *adj voir* menu

déroulement [derulmɑ̃] *nm Fig (d'événements)* desarrollo *m*; *(d'une bobine, d'un câble)* desenrollamiento *m*

dérouler [derule] **1** *vt (bobine de fil, câble)* desenrollar
2 se dérouler *vpr (événement)* desarrollarse

déroute [derut] *nf Mil* espantada *f*; *Fig (échec)* desastre *m*; **mettre en d.** poner en fuga

dérouter [derute] *vt (personne)* desconcertar; *(avion, navire)* desviar

derrière [dɛrjɛr] **1** *adv* detrás
2 *prép (en arrière de)* detrás de; *(au-delà de)* más allá de, detrás de
3 *nm (partie arrière)* parte *f* de atrás; *(fesses)* trasero *m*; **de d.** *(porte, pattes)* de atrás, de detrás

des [de] **1** *art indéfini voir* **un**
2 *prép voir* **de**

dès [dɛ] *prép (depuis)* desde; **d. l'enfance** desde niño(a); **d. maintenant** desde ahora, a partir de ahora; **d. demain** a partir de mañana; **d. mon retour, j'irai te voir** en cuanto vuelva, iré a verte; **d. lors** desde entonces; **d. lors que** ya que; **d. que** en cuanto + *subjonctif*; **d. que j'arriverai, je l'informerai** en cuanto llegue, le pondré al corriente; **d. que possible** cuanto antes

désabusé, -e [dezabyze] *adj* desengañado(a)

désaccord [dezakɔr] *nm* desacuerdo *m*

désaccordé, -e [dezakɔrde] *adj* desafinado(a)

désaffecté, -e [dezafɛkte] *adj* abandonado(a)

désagréable [dezagreabl] *adj* desagradable

désagréger [31a] [dezagreʒe] **1** *vt* disgregar
2 se désagréger *vpr* disgregarse

désagrément [dezagremɑ̃] *nm* disgusto *m*

désaltérer [8] [dezaltere] **1** *vt* quitar la sed a
2 *vi* quitar la sed
3 se désaltérer *vpr* beber

désamorcer [16] [dezamɔrse] *vt (arme)* descebar; *Fig (complot)* desarticular

désappointé, -e [dezapwɛ̃te] *adj* decepcionado(a)

désapprobation [dezaprɔbɑsjɔ̃] *nf* desaprobación *f*

désapprouver [dezapruve] *vt* desaprobar

désarçonner [dezarsɔne] *vt (faire tomber)* desmontar, tirar; *Fig (déconcerter)* desconcertar

désarmement [dezarməmɑ̃] *nm* desarme *m*

désarmer [dezarme] **1** *vt* desarmar; *(fusil)* desmontar
2 *vi* **ne pas d.** *(personne)* no rendirse

désarroi [dezarwa] *nm* desconcierto *m*

désastre [dezastr] *nm* desastre *m*

désastreux, -euse [dezastrø, -øz] *adj* desastroso(a)

désavantage [dezavɑ̃taʒ] *nm* desventaja *f*

désavantager [45] [dezavɑ̃taʒe] *vt* perjudicar

désavouer [dezavwe] *vt (renier)* negar; *(désapprouver)* desaprobar

désaxé, -e [dezakse] *adj & nm,f* desequilibrado(a) *m,f*

descendance [desɑ̃dɑ̃s] *nf* descendencia *f*

descendant, -e [desɑ̃dɑ̃, -ɑ̃t] *nm,f* descendiente *mf*

descendre [desɑ̃dr] **1** *vt (aux* **avoir)**

bajar; *Fam (tuer)* liquidar; *Fam (avion)* derribar; **d. la rivière** ir río abajo

2 *vi (aux* **être)** bajar; *(d'un véhicule)* bajar(se); *(être en pente)* ser empinado(a), estar en cuesta; *(séjourner)* alojarse; **d. de** *(être issu de)* descender de

descente [desɑ̃t] *nf (action, au ski)* descenso *m*; *(pente)* bajada *f* ✿ *d. de lit* alfombrilla *f* de cama; *d. (de police)* redada *f* (policial); *faire une d.* hacer una redada

descriptif, -ive [dɛskriptif, -iv] **1** *adj* descriptivo(a)
2 *nm* descripción *f* detallada

description [dɛskripsjɔ̃] *nf* descripción *f*

désemparé, -e [dezɑ̃pare] *adj* desamparado(a)

désenfler [dezɑ̃fle] *vi* deshincharse, desinflarse

déséquilibre [dezekilibr] *nm* desequilibrio *m*

déséquilibré, -e [dezekilibre] *nm,f* desequilibrado(a) *m,f*

déséquilibrer [dezekilibre] *vt* desequilibrar

désert, -e [dezɛr, -ɛrt] **1** *adj* desierto(a)
2 *nm* desierto *m*

déserter [dezɛrte] **1** *vt (endroit)* abandonar; *Fig (cause)* desertar de
2 *vi (soldat)* desertar

déserteur [dezɛrtœr] *nm* desertor *m*

désertion [dezɛrsjɔ̃] *nf* deserción *f*

désertique [dezɛrtik] *adj* desértico(a)

désespéré, -e [dezɛspere] *adj (regard)* de desesperación; *(personne, situation)* desesperado(a)

désespérément [dezɛsperemɑ̃] *adv* desesperadamente

désespérer [34] [dezɛspere] **1** *vt* desesperar
2 *vi* perder la esperanza; **d. de faire**

qch perder toda esperanza de hacer algo
3 se désespérer *vpr* desesperarse

désespoir [dezɛspwar] *nm* desesperación *f*; **faire le d. de qn** ser la desesperación de alguien; **en d. de cause** en último extremo

déshabillé [dezabije] *nm* deshabillé *m*, salto *m* de cama

déshabiller [dezabije] **1** *vt* desnudar
2 se déshabiller *vpr* desnudarse

désherbant [dezɛrbɑ̃] *nm* herbicida *m*

déshérité, -e [dezerite] *adj & nm,f* desheredado(a) *m,f*

déshériter [dezerite] *vt* desheredar

déshonneur [dezɔnœr] *nm* deshonor *m*, deshonra *f*

déshonorer [dezɔnɔre] *vt* deshonrar

déshydrater [dezidrate] **1** *vt* deshidratar
2 se déshydrater *vpr* deshidratarse

désigner [dezijne] *vt (choisir, signifier)* designar, nombrar; *(montrer)* señalar

désillusion [dezilyzjɔ̃] *nf* desilusión *f*

désinfectant, -e [dezɛ̃fɛktɑ̃, -ɑ̃t] **1** *adj* desinfectante
2 *nm* desinfectante *m*

désinfecter [dezɛ̃fɛkte] *vt* desinfectar

désinflation [dezɛ̃flɑsjɔ̃] *nf Écon* deflación *f*

désintégrer [34] [dezɛ̃tegre] **1** *vt* desintegrar
2 se désintégrer *vpr* desintegrarse

désintéressé, -e [dezɛ̃terese] *adj* desinteresado(a)

désintéresser [dezɛ̃terese] **se désintéresser** *vpr* **se d. de** desentenderse de

désintoxication [dezɛ̃tɔksikɑsjɔ̃] *nf* desintoxicación *f*

désintoxiquer [dezɛ̃tɔksike] **1** *vt* desintoxicar

2 se désintoxiquer *vpr* desintoxicarse

désinvolte [dezɛ̃vɔlt] *adj (à l'aise)* desenvuelto(a); *Péj (sans-gêne)* atrevido(a)

désinvolture [dezɛ̃vɔltyr] *nf* atrevimiento *m*

désir [dezir] *nm* deseo *m*

désirable [dezirabl] *adj (personne)* deseable

désirer [dezire] *vt* desear; **vous désirez?** *(dans un magasin)* ¿en qué puedo servirle?

désistement [dezistəmɑ̃] *nm* renuncia *f*

désister [deziste] **se désister** *vpr* desistir, retirarse

désobéir [dezɔbeir] *vi* desobedecer; **d. à qch/à qn** desobedecer algo/a alguien

désobéissance [dezɔbeisɑ̃s] *nf* desobediencia *f*

désobéissant, -e [dezɔbeisɑ̃, -ɑ̃t] *adj* desobediente

désobligeant, -e [dezɔbliʒɑ̃, -ɑ̃t] *adj* descortés

désodorisant, -e [dezɔdɔrizɑ̃, -ɑ̃t] **1** *adj* desodorante **2** *nm* ambientador *m*

désœuvré, -e [dezœvre] *adj* ocioso(a)

désolé, -e [dezɔle] *adj* **être d.** sentirlo (mucho); **je suis d., mais je dois m'en aller** lo siento (mucho) pero tengo que irme; **..., dit-elle d'un air d. ...,** lamentó

désopilant, -e [dezɔpilɑ̃, -ɑ̃t] *adj* desternillante

désordonné, -e [dezɔrdɔne] *adj* desordenado(a)

désordre [dezɔrdr] *nm (fouillis)* desorden *m*; *Fig (confusion)* confusión *f*; **désordres** *(troubles)* disturbios *mpl*; **en d.** desordenado(a)

désorienté, -e [dezɔrjɑ̃te] *adj* desorientado(a)

désormais [dezɔrmɛ] *adv* a partir de ahora, de ahora en adelante

désosser [dezɔse] *vt (viande)* deshuesar

despote [dɛspɔt] *nm* déspota *mf*

despotique [dɛspɔtik] *adj* despótico(a)

desquels, desquelles [dekɛl] *voir* **lequel**

dessécher [34] [deseʃe] **1** *vt (peau)* resecar; *Fig (cœur)* endurecer **2 se dessécher** *vpr (se déshydrater)* resecarse; *(maigrir)* secarse; *Fig (s'endurcir)* endurecerse

dessein [desɛ̃] *nm Litt* propósito *m*; **à d.** a propósito; **dans le d. de faire qch** con el propósito de hacer algo

desserrer [desere] *vt* aflojar

dessert [desɛr] *nm* postre *m*

desserte [desɛrt] *nf (meuble)* mesa *f* auxiliar; *(service d'autobus)* servicio *m* de transporte

desservir¹ [63] [desɛrvir] *vt (désavantager)* perjudicar; *(table)* quitar

desservir² [63] *vt (sujet: moyen de transport)* comunicar

dessin [desɛ̃] *nm* dibujo *m*; *Fig (contour) (d'une chose)* contorno *m*; *(du visage)* perfil *m* ☆ **d. animé** dibujos animados; **le d. industriel** el diseño industrial

dessinateur, -trice [desinatœr, -tris] *nm,f* dibujante *mf*

dessiner [desine] **1** *vt* dibujar; *(souligner)* resaltar **2** *vi* dibujar **3 se dessiner** *vpr (silhouette, solution)* dibujarse

dessous [dəsu] **1** *adv* debajo; **en d.** abajo; **agir par en d.** actuar de manera subrepticia; **regarder qn par en d.** mirar a alguien de soslayo o por el rabillo del ojo; **en d. de** debajo de; **en d. de zéro** bajo cero; **vous êtes très en d. de la vérité** está usted muy lejos de la verdad **2** *nm (partie inférieure)* parte *f* de abajo; **les voisins du d.** los vecinos de abajo

3 *nmpl (sous-vêtements féminins)* ropa *f* interior femenina; **les d. de qch** *(secrets)* los entresijos de algo

dessous-de-plat [dəsudpla] *nm inv* salvamanteles *m inv*

dessus [dəsy] **1** *adv* encima, arriba; **en d.** encima, arriba

2 *nm* parte *f* de encima; **les voisins du d.** los vecinos de arriba; **avoir le d.** ganar; **reprendre le d.** recuperarse

dessus-de-lit [dəsydli] *nm inv* colcha *f*, cubrecama *m*

déstabiliser [destabilize] *vt* desestabilizar

destin [dɛstɛ̃] *nm* destino *m*

destinataire [dɛstinatɛr] *nmf* destinatario(a) *m,f*

destination [dɛstinasjɔ̃] *nf* destino *m*; **à d. de** con destino a; **arriver à d.** llegar a destino

destinée [dɛstine] *nf* destino *m*

destiner [dɛstine] **1** *vt* **d. qch à** destinar algo a; **d. qn à qch** destinar a alguien a algo

2 se destiner *vpr* **se d. à la médecine/l'enseignement** ir a ser médico/profesor(ora)

destituer [dɛstitɥe] *vt* destituir

destructeur, -trice [dɛstryktœr, -tris] *adj* destructor(ora)

destruction [dɛstryksjɔ̃] *nf* destrucción *f*

désuet, -ète [dezɥɛ, -ɛt] *adj* anticuado(a)

désuétude [dezɥetyd] *nf* **tomber en d.** caer en desuso

détachable [detaʃabl] *adj* amovible; *(supplément, coupon)* recortable

détachant, -e [detaʃɑ̃, -ɑ̃t] **1** *adj* quitamanchas

2 *nm* quitamanchas *m inv*

détaché, -e [detaʃe] *adj (air)* indiferente

détachement [detaʃmɑ̃] *nm (indifférence)* indiferencia *f*; *Mil* destacamento *m*; **être en d.** *(fonctionnaire)* estar destinado(a) fuera

détacher¹ [detaʃe] **1** *vt (cheveux, chien)* soltar; *(liens)* desatar; *(découper)* recortar; *(fonctionnaire)* destinar provisionalmente

2 se détacher *vpr (défaire ses liens)* desatarse; *(se libérer)* librarse (**de** de); *Fig* **se d. de qn** *(se désintéresser)* apartarse de alguien; **se d. sur** *(ressortir)* recortarse en

détacher² *vt (nettoyer)* quitar las manchas de

détail [detaj] *nm* detalle *m*; **en d.** con todo detalle; *Com* **au d.** al por menor, al detalle

détaillant, -e [detajɑ̃, -ɑ̃t] *nm,f* minorista *mf*, detallista *mf*

détaillé, -e [detaje] *adj* detallado(a)

détaler [detale] *vi (personne)* salir pitando, irse por piernas; *(animal)* huir velozmente

détartrant, -e [detartrɑ̃, -ɑ̃t] **1** *adj* antical

2 *nm* antical *m*

détecter [detɛkte] *vt* detectar

détecteur [detɛktœr] *nm* detector *m* ☆ *Ordinat* **d. de virus** antivirus *m*

détection [detɛksjɔ̃] *nf* detección *f*

détective [detɛktiv] *nm* detective *mf* ☆ **d. privé** detective privado(a)

déteindre [54] [detɛ̃dr] *vi (changer de couleur)* desteñir; *Fig* **d. sur** *(influencer)* contagiar

détendre [detɑ̃dr] **1** *vt (personne)* relajar; *Fig (atmosphère)* hacer menos tenso(a)

2 se détendre *vpr (personne)* relajarse; *(corde, ressort)* aflojarse; *(atmosphère, relations)* volverse menos tenso(a), volverse menos tirante

détendu, -e [detɑ̃dy] *adj (personne)* relajado(a); *(corde, ressort)* flojo(a)

détenir [70] [detnir] *vt (objet, record)*

poseer; *(secret, vérité)* detentar; *(garder en captivité)* retener

détente [detɑ̃t] *nf (repos)* descanso *m*; *(d'un ressort)* & *Pol* distensión *f*; **avoir une bonne d.** tener un buen salto, saltar mucho

détenteur, -trice [detɑ̃tœr, -tris] *nm,f* poseedor(ora) *m,f*

détention [detɑ̃sjɔ̃] *nf (possession)* posesión *f*; *(emprisonnement)* detención *f* ☆ *Jur* **d. provisoire** prisión *f* preventiva

détenu, -e [detny] **1** *pp voir* **détenir** **2** *nm,f* detenido(a) *m,f*

détergent [detɛrʒɑ̃] *nm* detergente *m*

détérioration [deterjɔrasjɔ̃] *nf* deterioro *m*

détériorer [deterjɔre] **1** *vt* estropear **2 se détériorer** *vpr* deteriorarse

déterminant, -e [detɛrminɑ̃, -ɑ̃t] **1** *adj* determinante **2** *nm Gram* determinante *m*

détermination [detɛrminasjɔ̃] *nf (résolution)* determinación *f*, decisión *f*

déterminé, -e [detɛrmine] *adj (fixé)* determinado(a); *(air, personne)* determinado(a), decidido(a)

déterminer [detɛrmine] **1** *vt* determinar **2 se déterminer** *vpr* **se d. à faire qch** decidirse a hacer algo

déterrer [detere] *vt* desenterrar

détestable [detɛstabl] *adj* odioso(a), detestable

détester [detɛste] *vt* odiar, detestar; *(plat)* aborrecer

détonateur [detɔnatœr] *nm Tech* detonador *m*; *Fig (d'une crise)* detonante *m*

détonation [detɔnasjɔ̃] *nf* detonación *f*

détonner [detɔne] *vi* desentonar

détour [detur] *nm (déviation)* rodeo *m*; *(méandre)* recodo *m*; **sans d.** *(franchement)* sin rodeos

détourné, -e [deturne] *adj* indirecto(a)

détournement [deturnəmɑ̃] *nm* desvío *m* ☆ **d. d'avion** secuestro *m* aéreo; **d. de fonds** malversación *f*; **d. de mineur** corrupción *f* de menores

détourner [deturne] **1** *vt* desviar; *(avion)* secuestrar; *(regard)* desviar; *(tête)* volver; *(fonds)* malversar; *Fig* **d. qn de** *(écarter)* apartar a alguien de **2 se détourner** *vpr (tourner la tête)* apartar la vista; *Fig* **se d. de** *(se désintéresser)* apartarse de

détraqué, -e [detrake] *nm,f Fam (fou)* loco(a) *m, f*

détraquer [detrake] **1** *vt Esp* estropear, *Am* descomponer **2 se détraquer** *vpr Fam Esp* estropearse, *Am* descomponerse, *Perú* malograrse

détresse [detrɛs] *nf (sentiment)* desamparo *m*; *(situation)* miseria *f*

détriment [detrimɑ̃] **au détriment de** *prép* en detrimento de

détritus [detrity(s)] *nm* detritus *m inv*

détroit [detrwa] *nm* estrecho *m*; **le d. de Gibraltar** el estrecho de Gibraltar

détromper [detrɔ̃pe] **1** *vt* sacar del error **2 se détromper** *vpr* **détrompe-toi, …** no te engañes, …

détrôner [detrone] *vt* destronar

détruire [18] [detrɥir] *vt* destruir

dette [dɛt] *nf* deuda *f*

DEUG, Deug [dœg] *nm (abrév* **diplôme d'études universitaires générales)** = diploma que se obtiene tras dos años de estudios universitarios generales

deuil [dœj] *nm (mort)* deceso *m*, defunción *f*; *(tenue, période)* luto *m*; *(douleur)* duelo *m*; **en d.** de luto; **porter le d.** llevar luto

DEUST, Deust [dœst] *nm* (*abrév* diplôme d'études universitaires scientifiques et techniques) = diploma que se obtiene tras cursar dos años de estudios técnicos universitarios

deutsche Mark (*pl* **deutsche Marks**) [dɔjtʃmark, døtʃmark] *nm* marco *m* (alemán)

deux [dø] **1** *adj inv* dos
  2 *nm inv* dos *m*; **(tous) les d.** ambos(as); *voir aussi* **six**

deuxième [døzjɛm] *adj & nmf* segundo(a) *m,f*; *voir aussi* **sixième**

deuxièmement [døzjɛmmã] *adv* en segundo lugar

deux-pièces [døpjɛs] *nm inv* (*appartement*) piso *m* con un dormitorio y salón; (*maillot de bain*) bikini *m*

deux-points [døpwɛ̃] *nm inv* dos puntos *mpl*

deux-roues [døru] *nm inv* vehículo *m* de dos ruedas

dévaler [devale] *vt* bajar a toda prisa por

dévaliser [devalize] *vt* (*cambrioler*) desvalijar; *Fam Fig* (*vider*) saquear

dévaloriser [devalɔrize] **1** *vt* desvalorizar; (*personne*) menospreciar
  2 se dévaloriser *vpr* (*monnaie*) desvalorizarse; (*personne*) menospreciarse

dévaluation [devalɥasjɔ̃] *nf* devaluación *f*

dévaluer [devalɥe] **1** *vt* devaluar
  2 *vi* devaluar la moneda
  3 se dévaluer *vpr* devaluarse

devancer [16] [dəvãse] *vt* (*précéder*) adelantar; (*surpasser*) aventajar; (*anticiper*) anticiparse a

devant [dəvã] **1** *adv* delante
  2 *prép* (*en face de, en avant de*) delante de; (*en présence de, face à*) ante
  3 *nm* parte *f* de delante, delantera *f*; **de d.** (*pattes, roues*) de delante; **prendre les devants** tomar la delantera, adelantarse

devanture [dəvãtyr] *nf* escaparate *m*

dévaster [devaste] *vt* devastar

développement [devlɔpmã] *nm* desarrollo *m*; *Phot* revelado *m*; (*exposé*) exposición *f*; **les derniers développements** (*d'une affaire*) los últimos acontecimientos

développer [devlɔpe] **1** *vt* desarrollar; *Phot* revelar
  2 se développer *vpr* desarrollarse

devenir [70] [dəvnir] *vi* (*aux* **être**) (*involontairement*) volverse; (*après des efforts*) llegar a ser; **il est devenu sourd** se ha vuelto sordo; **il est devenu président** ha llegado a ser presidente; **que devient-elle?** ¿qué es de ella?, ¿qué ha sido de ella?

dévergondé, -e [devɛrgɔ̃de] *adj & nm,f* desvergonzado(a) *m,f*

déverser [devɛrse] *vt* verter; *Fig* (*sentiment, mauvaise humeur*) desahogar

devez *voir* **devoir**

déviation [devjasjɔ̃] *nf* (*d'une trajectoire*) desviación *f*; (*de la circulation*) desvío *m*

dévier [devje] **1** *vt* desviar
  2 *vi* **d. de** desviarse de; *Fig* (*doctrine, résolutions*) apartarse de

devin [dəvɛ̃] *nm* adivino(a) *m,f*

deviner [dəvine] *vt* adivinar

devinette [dəvinɛt] *nf* adivinanza *f*, acertijo *m*

devis [dəvi] *nm* presupuesto *m*

dévisager [45] [devizaʒe] *vt* mirar de hito en hito

devise [dəviz] *nf* divisa *f*

dévisser [devise] **1** *vt* desatornillar, destornillar
  2 *vi* (*en alpinisme*) despeñarse

dévoiler [devwale] *vt* desvelar; (*secret, intentions*) revelar

devoir [26] [dəvwar] **1** *nm* deber *m*; **se faire un d. de faire qch** sentirse obligado(a) a hacer algo

2 *vt* **(a)** *(argent, respect)* deber; **d. qch à qn** deber algo a alguien
(b) *(indique l'obligation)* *(matérielle)* deber, tener que; *(morale)* haber de; **je dois le faire** debo hacerlo; **je dois partir** tengo que irme; **tu dois travailler davantage** has de trabajar más; **tu n'aurais pas dû lui dire ça** no le debías haber dicho eso
(c) *(indique la probabilité)* deber de; **ça doit coûter cher** esto debe de costar caro
(d) *(indique l'intention)* **il doit commencer bientôt** empezará dentro de poco
3 se devoir *vpr* **se d. de faire qch** deber hacer algo

dévolu [devɔly] *nm* **jeter son d. sur** echar el ojo a

devons *voir* **devoir**

dévorer [devɔre] *vt* devorar

dévotion [devosjɔ̃] *nf* devoción *f*

dévoué, -e [devwe] *adj* devoto(a); **être d. à qn** estar dedicado(a) a alguien

dévouement [devumã] *nm* abnegación *f*

dévouer [devwe] **se dévouer** *vpr (se sacrifier)* sacrificarse; **se d. à** *(se consacrer)* consagrarse a

dévoyé, -e [devwaje] *adj* descarriado(a)

devra *etc voir* **devoir**

dextérité [dɛksterite] *nf (manuelle)* destreza *f*, habilidad *f*; *(de l'esprit)* soltura *f*

diabète [djabɛt] *nm* diabetes *f inv*

diabétique [djabetik] *adj & nmf* diabético(a) *m,f*

diable [djɑbl] *nm* diablo *m*; *(chariot)* carretilla *f*; **au d. l'avarice!** ¡no seamos rácanos!; **un pauvre d.** un pobre diablo

diabolique [djabɔlik] *adj* diabólico(a)

diabolo [djabɔlo] *nm* **d. grenadine/ menthe** = bebida a base de gaseosa y granadina/concentrado de menta

diadème [djadɛm] *nm* diadema *f*

diagnostic [djagnɔstik] *nm* diagnóstico *m*

diagnostiquer [djagnɔstike] *vt* diagnosticar

diagonal, -e, -aux, -ales [djagɔnal, -o] **1** *adj* diagonal
2 *nf* **diagonale** diagonal *f*; **en diagonale** en diagonal

diagramme [djagram] *nm* diagrama *m*

dialecte [djalɛkt] *nm* dialecto *m*

dialogue [djalɔg] *nm aussi Ordinat* diálogo *m*

dialoguer [djalɔge] *vi aussi Ordinat* dialogar

diamant [djamã] *nm (pierre)* diamante *m*; *(de tête de lecture)* aguja *f*

diamètre [djamɛtr] *nm* diámetro *m*

diapason [djapazɔ̃] *nm* diapasón *m*; *Fig* **se mettre au d.** hacer como todo el mundo

diapo [djapo] *Fam* = **diapositive**

diapositive [djapozitiv] *nf* diapositiva *f*

diarrhée [djare] *nf* diarrea *f*

dico [diko] *nm Fam* diccionario *m*

dictateur [diktatœr] *nm* dictador *m*

dictature [diktatyr] *nf* dictadura *f*

dictée [dikte] *nf* dictado *m*; **écrire qch sous la d. de qn** escribir algo al dictado de alguien

dicter [dikte] *vt* dictar

diction [diksjɔ̃] *nf* dicción *f*

dictionnaire [diksjɔnɛr] *nm* diccionario *m*

dicton [diktɔ̃] *nm* dicho *m*, refrán *m*

dièse [djɛz] **1** *adj* sostenido(a)
2 *nm* sostenido *m*

diesel [djezɛl] **1** *adj inv* diesel
2 *nm* diesel

diète [djɛt] *nf (régime)* dieta *f*; **être à la d.** estar a dieta

diététicien, -enne [djetetisjɛ̃, -ɛn] *nm,f* dietista *mf*

diététique [djetetik] *nf* dietética *f*

dieu, -x [djø] *nm* dios *m*; **D.** Dios *m*; **D. merci, ...** gracias a Dios, ...; **mon D.!** ¡Dios mío!; *très Fam* **nom de D.!** ¡maldita sea!

diffamation [difamɑsjɔ̃] *nf* difamación *f*; **procès en d.** juicio *m* por difamación

différé, -e [difere] **1** *adj* diferido(a) **2** *nm TV* **en d.** en diferido

différence [diferɑ̃s] *nf* diferencia *f*; **faire la d. entre** diferenciar entre; **à la d. de** a diferencia de

différencier [diferɑ̃sje] **1** *vt* **d. qch de qch** diferenciar algo de algo **2 se différencier** *vpr* **se d. de** diferenciarse de

différend [diferɑ̃] *nm* diferencia *f* *(desacuerdo)*; **avoir un d. avec qn** tener diferencias con alguien

différent, -e [diferɑ̃, -ɑ̃t] *adj (distinct)* diferente; **différentes personnes** varias personas, diferentes personas

différer¹ [34] [difere] *vt (retarder)* aplazar

différer² [34] [difere] *vi (être différent)* **d. de qch** diferir de algo

difficile [difisil] **1** *adj* difícil; **d. à faire/dire** difícil de hacer/decir **2** *nmf* **faire le/la d.** hacerse el/la difícil

difficilement [difisilmɑ̃] *adv* difícilmente

difficulté [difikylte] *nf* dificultad *f*; **en d.** en dificultades, en apuros; **faire des difficultés (pour faire qch)** poner dificultades (para hacer algo)

difforme [difɔrm] *adj* deforme

diffuser [difyze] *vt* difundir; *(émission)* emitir

diffusion [difyzjɔ̃] *nf* difusión *f*; *(d'émissions)* emisión *f*

digérer [34] [diʒere] *vt aussi Fig* digerir

digestif, -ive [diʒɛstif, -iv] **1** *adj* digestivo(a) **2** *nm* digestivo *m*

digestion [diʒɛstjɔ̃] *nf* digestión *f*

digital, -e, -aux, -ales [diʒital, -o] *adj (code, affichage)* digital

digne [diɲ] *adj* digno(a) **(de** de)

dignité [diɲite] *nf* dignidad *f*

digression [digresjɔ̃] *nf* digresión *f*

digue [dig] *nf* dique *m*

dilapider [dilapide] *vt* dilapidar

dilater [dilate] **1** *vt* dilatar **2 se dilater** *vpr* dilatarse

dilemme [dilɛm] *nm* dilema *m*

diluant [dilɥɑ̃] *nm* diluyente *m*

diluer [dilɥe] **1** *vt* diluir **2 se diluer** *vpr* diluirse

diluvien, -enne [dilyvjɛ̃, -ɛn] *adj* diluviano(a)

dimanche [dimɑ̃ʃ] *nm* domingo *m*; *voir aussi* **samedi**

dimension [dimɑ̃sjɔ̃] *nf (taille)* dimensión *f*; *Fig (ampleur)* magnitud *f*; *Fig (aspect, composante)* aspecto *m*; **prendre les dimensions de** tomar las medidas de

diminuer [diminɥe] **1** *vt* reducir **2** *vi* disminuir **3 se diminuer** *vpr (se rabaisser)* rebajarse

diminutif, -ive [diminytif, -iv] **1** *adj Ling* diminutivo(a) **2** *nm* diminutivo *m*

diminution [diminysjɔ̃] *nf* disminución *f*

dinde [dɛ̃d] *nf aussi Fig* pava *f*

dindon [dɛ̃dɔ̃] *nm* pavo *m*, *Méx* guajolote *m*

dîner [dine] **1** *vi (le soir)* cenar; *(à midi)* comer, almorzar **2** *nm (repas du soir)* cena *f*; *(repas de midi)* comida *f*, almuerzo *m*

dingue [dɛ̃g] *Fam* **1** *adj (fou)* chalado(a), chiflado(a); *(incroyable)* increíble **2** *nmf* chalado(a) *m,f*, chiflado(a) *m,f*; **un d. de moto/cinéma** un loco de las motos/del cine

dinosaure [dinozɔr] *nm* dinosaurio *m*

diphtongue [diftɔ̃g] *nf* diptongo *m*

diplomate [diplɔmat] **1** *adj* diplomático(a)
2 *nmf* diplomático(a) *m,f*
3 *nm (gâteau)* = pudding a base de bizcochos con licor, frutas confitadas y crema inglesa

diplomatie [diplɔmasi] *nf aussi Fig* diplomacia *f*

diplomatique [diplɔmatik] *adj* diplomático(a)

diplôme [diplom] *nm* diploma *m*

diplômé, -e [diplome] *adj & nm,f* diplomado(a) *m,f*

dire [27a] [dir] **1** *vt* decir; **d. à qn que...** decir a alguien que... ; **dis-lui de venir** dile que venga; **on dit que...** se dice que..., dicen que...; **on dirait que...** parece que...; **(et) d. que je n'étais pas là!** ¡y pensar que no estaba allí!; **que dirais-tu d'un pique-nique?** ¿qué me dices de un picnic?; **qu'en dis-tu?** ¿qué te parece?; **ça te dit ou dirait de...?** te apetece...?; **ça ne me dit rien** *(ça ne me plaît pas)* no me apetece nada; *(ça ne me rappelle rien)* no me suena; **vouloir d.** querer decir; **cela dit, ...** dicho esto, ...; **dis donc!** *(au fait)* por cierto; *(exprime la surprise)* ¡caramba!; *(pour réprimander)* **dis donc! tu aurais pu me prévenir** ¡tú también! podrías haberme avisado; **dis donc, pour qui tu te prends?** ¡eh, tú! ¿quién te has creído que eres?
2 se dire *vpr* decirse; **il s'est dit très satisfait** dijo estar muy satisfecho

direct, -e [dirɛkt] **1** *adj* directo(a)
2 *nm Sp & TV* directo *m*; **en d.** en directo

directement [dirɛktəmɑ̃] *adv* directamente

directeur, -trice [dirɛktœr, -tris] **1** *adj (comité)* director(ora); *(ligne, roue)* director(triz)
2 *nm,f (responsable)* director(ora) *m,f* ☆ **d. général** director(ora) general; **d. de thèse** director(ora) de tesis

direction [dirɛksjɔ̃] *nf* dirección *f*; **en d. de** *(train)* con destino a; **dans la d. de** en dirección de; **sous la d. de** bajo la dirección de

directive [dirɛktiv] *nf* directriz *f*

dirigeable [diriʒabl] *nm* dirigible *m*

dirigeant, -e [diriʒɑ̃, -ɑ̃t] **1** *adj* dirigente
2 *nm,f* dirigente *mf*; *(d'une entreprise)* directivo(a) *m,f*

diriger [45] [diriʒe] **1** *vt (entreprise, regard)* dirigir (**sur** hacia); *(véhicule)* conducir
2 se diriger *vpr aussi Fig* **se d. vers** dirigirse hacia

dis, disais *etc voir* **dire**

discernement [disɛrnəmɑ̃] *nm* discernimiento *m*

discerner [disɛrne] *vt (voir, entendre)* distinguir; *(différencier)* discernir

disciple [disipl] *nmf* discípulo(a) *m,f*

disciplinaire [disipliner] *adj* disciplinario(a)

discipline [disiplin] *nf* disciplina *f*

discipliner [discipline] *vt* disciplinar

discontinu, -e [diskɔ̃tiny] *adj* discontinuo(a)

discordant, -e [diskɔrdɑ̃, -ɑ̃t] *adj* discordante

discorde [diskɔrd] *nf* discordia *f*; **semer la d.** sembrar la discordia

discothèque [diskɔtɛk] *nf* discoteca *f*

discourir [22] [diskurir] *vi* **d. sur qch** extenderse sobre algo

discours [diskur] *nm* discurso *m* ☆ *Gram* **d. direct** discurso directo; **d. indirect** discurso indirecto

discréditer [diskredite] *vt* desacreditar

discret, -ète [diskrɛ, -ɛt] *adj* discreto(a)

discrètement [diskrɛtmã] *adv* discretamente, con discreción

discrétion [diskresjɔ̃] *nf* discreción *f*

discrimination [diskriminasjɔ̃] *nf* discriminación *f* ☆ *d. raciale* discriminación racial

discriminatoire [diskriminatwar] *adj* discriminatorio(a)

disculper [diskylpe] 1 *vt* probar la inocencia de
  2 **se disculper** *vpr* probar su inocencia

discussion [diskysjɔ̃] *nf (conversation)* conversación *f*; *(débat)* debate *m*; *(contestation, altercation)* discusión *f*

discutable [diskytabl] *adj* discutible

discuté, -e [diskyte] *adj* discutido(a)

discuter [diskyte] 1 *vt (débattre)* debatir; *(contester)* discutir
  2 *vi (converser)* hablar (**de** de); *(contester)* discutir

dise *etc voir* **dire**

disgrâce [disgras] *nf* desgracia *f (pérdida de favor)*; **tomber en d.** caer en desgracia

disgracieux, -euse [disgrasjø, -øz] *adj (visage)* poco agraciado(a)

disjoncteur [disʒɔ̃ktœr] *nm* disyuntor *m*

disloquer [disloke] 1 *vt (famille, empire)* desmembrar
  2 **se disloquer** *vpr* se d. l'épaule dislocarse el hombro

disparaître [20] [disparɛtr] *vi* desaparecer

disparate [disparat] *adj* discordante

disparité [disparite] *nf (d'âge, de salaire)* disparidad *f*; *(d'éléments, de couleurs)* discordancia *f*

disparition [disparisjɔ̃] *nf* desaparición *f*

disparu, -e [dispary] 1 *pp voir* **disparaître**

2 *nm,f* desaparecido(a) *m,f*; *(mort)* difunto(a) *m,f*

dispensaire [dispãser] *nm* dispensario *m*

dispense [dispãs] *nf* dispensa *f*

dispenser [dispãse] 1 *vt (soin)* dispensar; **d. qn de qch** dispensar a alguien de algo; **je te dispense de tes réflexions** puedes ahorrarte tus comentarios
  2 **se dispenser** *vpr* **tu pourrais te d. de ce genre de commentaire!** ¡excusabas de hacer ese comentario!

disperser [dispɛrse] 1 *vt* dispersar
  2 **se disperser** *vpr* dispersarse

disponibilité [disponibilite] *nf* disponibilidad *f*; *(d'un fonctionnaire)* excedencia *f*

disponible [disponibl] *adj* disponible

disposé, -e [dispoze] *adj* dispuesto(a); **être d. à faire qch** estar dispuesto a hacer algo; **être bien d. envers qn** tener buena disposición hacia alguien, estar bien dispuesto hacia alguien

disposer [dispoze] 1 *vt (arranger)* disponer, poner
  2 *vi* **d. de** disponer de; **vous pouvez d.** puede retirarse
  3 **se disposer** *vpr* **se d. à faire qch** disponerse a hacer algo

dispositif [dispozitif] *nm* dispositivo *m* ☆ *d. d'alarme* dispositivo de alarma; *d. antibuée* dispositivo antivaho

disposition [dispozisjɔ̃] *nf (arrangement)* distribución *f*, disposición *f*; **être/se mettre à la d. de qn** estar/ponerse a disposición de; **prendre ses dispositions** hacer los preparativos

disproportionné, -e [disproporsjone] *adj* desproporcionado(a)

dispute [dispyt] *nf* disputa *f*, discusión *f*

disputer [dispyte] 1 *vt* disputar; **d. qch à qn** disputar algo a alguien

2 se disputer vpr (se quereller) pelearse; (match, course) disputarse; **se d. qch** disputarse algo

disquaire [diskɛr] nmf vendedor(ora) m,f de discos

disqualifier [diskalifje] vt descalificar

disque [disk] nm disco m ☆ Ordinat **d. amovible** disco (duro) removible o extraíble; **d. compact** compact disc m, disco compacto; Ordinat **d. dur** disco duro; Ordinat **d. fixe** disco (duro) no removible o no extraíble; **d. laser** disco láser

disquette [diskɛt] nf disquete m ☆ Ordinat **d. système** disco m de sistema

dissection [disɛksjɔ̃] nf disección f

disséminer [disemine] vt diseminar

disséquer [34] [diseke] vt (cadavre, animal) disecar; Fig (ouvrage) desmenuzar

dissertation [disɛrtasjɔ̃] nf disertación f

dissident, -e [disidã, -ãt] adj & nm,f disidente mf

dissimuler [disimyle] 1 vt (cacher) disimular; (taire) ocultar
  2 se dissimuler vpr (se cacher) ocultarse, esconderse; (refuser de voir) cerrar los ojos a

dissiper [disipe] 1 vt disipar; (distraire) distraer
  2 se dissiper vpr (brouillard, doute) disiparse; (être inattentif) distraerse

dissocier [disɔsje] 1 vt disociar
  2 se dissocier vpr se d. de (opinion) alejarse de; (personne) alejarse de la opinión de

dissolution [disɔlysjɔ̃] nf disolución f

dissolvais etc voir **dissoudre**

dissolvant [disɔlvã] nm disolvente m; (à ongles) quitaesmalte m

dissoudre [3a] [disudr] 1 vt disolver
  2 se dissoudre vpr disolverse

dissuader [disɥade] vt **d. qn de faire qch** disuadir a alguien de hacer algo

dissuasion [disɥazjɔ̃] nf disuasión f

distance [distãs] nf distancia f; **à d.** a distancia; **garder ses distances** guardar las distancias

distancer [16] [distãse] vt dejar atrás; **il a largement distancé son rival** le ha sacado una amplia ventaja a su rival

distant, -e [distã, -ãt] adj distante

distillation [distilasjɔ̃] nf destilación f

distiller [distile] vt destilar

distinct, -e [distɛ̃, -ɛ̃kt] adj (séparé) distinto(a); (clair) claro(a)

distinctement [distɛ̃ktəmã] adv con claridad

distinctif, -ive [distɛ̃ktif, -iv] adj distintivo(a)

distinction [distɛ̃ksjɔ̃] nf distinción f; **faire la d. entre** distinguir entre

distingué, -e [distɛ̃ge] adj distinguido(a)

distinguer [distɛ̃ge] 1 vt distinguir
  2 se distinguer vpr distinguirse

distraction [distraksjɔ̃] nf distracción f

distraire [28] [distrɛr] 1 vt distraer
  2 se distraire vpr distraerse

distrait, -e [distrɛ, -ɛt] 1 pp voir **distraire**
  2 adj distraído(a)

distrayais etc voir **distraire**

distrayant, -e [distrɛjã, -ãt] adj distraído(a)

distribuer [distribɥe] vt repartir, distribuir; (produit, film) distribuir

distributeur, -trice [distribytœr, -tris] 1 nm,f repartidor(ora) m,f
  2 nm Com distribuidor(ora) m,f; (machine) máquina f expendedora ☆ **d. automatique** (de billets) cajero m automático

distribution [distribysjɔ̃] nf (répartition), Cin & Th reparto m; (disposition) & Com distribución f

district [distrikt] *nm* distrito *m*

dit, -e [di, dit] **1** *pp voir* **dire**
 2 *adj* Émile Fabre, d. Mimile Émile Fabre, llamado Mimile ; **à l'heure dite** a la hora prevista

diurétique [djyretik] **1** *adj* diurético(a)
 2 *nm* diurético *m*

divaguer [divage] *vi* divagar

divan [divã] *nm* diván *m*

divergence [divɛrʒãs] *nf* divergencia *f*, discrepancia *f*

diverger [45] [divɛrʒe] *vi (lignes, rayons)* divergir ; *Fig (opinions)* divergir, discrepar

divers, -e [divɛr, -ɛrs] **1** *adj (sujet pluriel)* diverso(a) ; *(sujet singulier)* variado(a)
 2 *adj indéfini* varios(as) ; **d. cas sont possibles** hay varios casos posibles

diversifier [divɛrsifje] **1** *vt* diversificar
 2 se diversifier *vpr* diversificarse

diversion [divɛrsjɔ̃] *nf* diversión *f* ; **créer une** *ou* **faire d.** desviar la atención

diversité [divɛrsite] *nf* diversidad *f*

divertir [divɛrtir] **1** *vt* divertir
 2 se divertir *vpr* divertirse

divertissement [divɛrtismã] *nm (passe-temps)* diversión *f* ; *Mus* intermedio *m*

dividende [dividãd] *nm* dividendo *m*

divin, -e [divɛ̃, -in] *adj aussi Fig* divino(a)

divinité [divinite] *nf* divinidad *f*

diviser [divize] **1** *vt* dividir
 2 se diviser *vpr* se d. en deux/trois dividirse en dos/tres

diviseur [divizœr] *nm Math* divisor *m*

division [divizjɔ̃] *nf* división *f* ☆ **d. blindée** división blindada

divorce [divɔrs] *nm* divorcio *m*

divorcé, -e [divɔrse] *nm,f* divorciado(a) *m,f*

divorcer [16] [divɔrse] *vi* divorciarse

divulguer [divylge] *vt* divulgar

dix [dis] **1** *adj inv* diez
 2 *nm inv* diez *m* ; *voir aussi* **six**

dix-huit [dizɥit] **1** *adj inv* dieciocho
 2 *nm inv* dieciocho *m* ; *voir aussi* **six**

dixième [dizjɛm] **1** *adj & nmf* décimo(a) *m,f*
 2 *nm* décimo *m*, décima parte *f* ; *voir aussi* **sixième**

dix-neuf [diznœf] **1** *adj inv* diecinueve
 2 *nm inv* diecinueve *m* ; *voir aussi* **six**

dix-sept [disɛt] **1** *adj inv* diecisiete
 2 *nm inv* diecisiete *m* ; *voir aussi* **six**

dizaine [dizɛn] *nf* decena *f* ; **une d. de** *(environ dix)* unos(as) diez

do [do] *nm inv Mus* do *m*

doberman [dɔbɛrman] *nm* dóberman *m*

doc. *(abrév* **document)** doc., docum.

docile [dɔsil] *adj* dócil

dock [dɔk] *nm (bassin)* dársena *f* ; *(hangar)* almacén *m*, depósito *m*

docker [dɔkɛr] *nm* descargador *m* de muelle

docteur [dɔktœr] *nm (médecin)* médico(a) *m,f*, doctor(ora) *m,f* ; **d. en biologie/philosophie** doctor(ora) en biología/filosofía

doctorat [dɔktɔra] *nm* doctorado *m*

doctrine [dɔktrin] *nf* doctrina *f*

document [dɔkymã] *nm* documento *m*

documentaire [dɔkymãtɛr] *nm* documental *m*

documentation [dɔkymãtasjɔ̃] *nf (technique)* documentación *f* ; *(documents)* papeles *mpl*

documenter [dɔkymãte] **se documenter** *vpr* documentarse

dodo [dodo] *nm (langage enfantin)* **faire d.** mimir ; **allez, au d.!** ¡venga, a la camita!

dodu, -e [dɔdy] *adj (enfant, bras)* regordete(a); *(animal)* cebado(a)

dogme [dɔgm] *nm* dogma *m*

dogue [dɔg] *nm* dogo *m*

doigt [dwa] *nm* dedo *m*; **un d. de** *(vin, alcool)* un dedo de; **être à deux doigts de qch/de faire qch** estar a un paso de algo/de hacer algo; **connaître qch sur le bout des doigts** saberse algo al dedillo; **obéir à qn au d. et à l'œil** estar siempre a las órdenes de alguien; *Fam* **faire qch les doigts dans le nez** hacer algo con los ojos cerrados ☆ **d. de pied** dedo del pie; **petit d.** dedo meñique, meñique *m*; *Fig* **ne pas lever le petit d.** no mover ni un dedo

doigté [dwate] *nm (adresse manuelle)* destreza *f*; *(tact)* tacto *m*

dois, doive *etc voir* **devoir**

dollar [dɔlar] *nm* dólar *m*

domaine [dɔmɛn] *nm (propriété)* dominio *m*; *(secteur, compétence)* campo *m* ☆ **d. skiable** pistas *fpl* esquiables

dôme [dom] *nm (d'un bâtiment)* cúpula *f*

domestique [dɔmɛstik] **1** *adj* doméstico(a)
2 *nmf Esp* criado(a) *m,f, Andes, RP* mucamo(a) *m,f, RP* empleada *f* (doméstica)

domestiquer [dɔmɛstike] *vt (animal)* domesticar; *(vent, marées)* dominar

domicile [dɔmisil] *nm* domicilio *m*; **à d.** a domicilio

domicilié, -e [dɔmisilje] *adj* domiciliado(a)

dominant, -e [dɔminã, -ãt] *adj* dominante

domination [dɔminɑsjɔ̃] *nf (autorité)* dominación *f*

dominer [dɔmine] **1** *vt* dominar
2 *vi (régner)* dominar; *(prédominer)* predominar; *(triompher)* ganar
3 se dominer *vpr* controlarse

domino [dɔmino] *nm* ficha *f* de dominó; **jouer aux dominos** jugar al dominó

dommage [dɔmaʒ] *nm (dégât)* daño *m*, desperfecto *m*; *(préjudice)* daño *m*; **(c'est) d.!** ¡qué pena!, ¡qué lástima! ☆ **dommages et intérêts** daños y perjuicios

dompter [dɔ̃te] *vt (animal)* domar; *(éléments)* domeñar; *(colère)* dominar

dompteur, -euse [dɔ̃tœr, -øz] *nm,f* domador(ora) *m,f*

DOM-TOM [dɔmtɔm] *nmpl (abrév départements d'outre-mer et territoires d'outre-mer)* = provincias y territorios franceses de ultramar

don [dɔ̃] *nm (cadeau)* donación *f*; *(talent, aptitude)* don *m*; **faire d. de qch à qn** donar algo a alguien; *aussi Iron* **avoir le d. de faire qch** tener el don de hacer algo ☆ **le d. du sang** la donación de sangre

donation [dɔnɑsjɔ̃] *nf* donación *f*

donc [dɔ̃k] *conj (marque la conséquence)* así pues, así que; *(après une digression, pour renforcer)* pues; **elle est malade et ne pourra d. pas venir** está enferma así que no podrá venir; **je disais d. que...** pues como decía...; **mais tais-toi d.!** ¡cállate ya!; **allons d.!** ¡venga, hombre!

donjon [dɔ̃ʒɔ̃] *nm* torreón *m*

donné, -e [dɔne] *adj (lieu, date, distance)* dado(a); **étant d. que** dado que

donnée [dɔne] *nf aussi Ordinat* dato *m*

donner [dɔne] **1** *vt* dar; *(nom)* poner; *(âge)* echar; *Fam (complice)* delatar; **d. l'heure à qn** decir la hora a alguien; **elle m'a donné un livre à lire** me ha dado un libro para que lo lea; **ça n'a rien donné** no ha dado resultado; **d. qch à qn** *(maladie, passion)* contagiar algo a alguien
2 *vi* **d. à penser que** dar a pensar que; **d. dans qch** *(s'adonner)* darse a

algo; **ne plus savoir où d. de la tête** no saber por dónde agarrarlo

3 se donner *vpr* **se d. du mal pour faire qch** esforzarse por hacer algo; **se d. à fond (à qch)** entregarse por completo (a algo)

donneur, -euse [dɔnœr, -øz] *nm,f* *(d'organe, de sang)* donante *mf*

dont [dɔ̃] *pron relatif* **(a)** *(complément de verbe ou d'adjectif) (relatif à un objet)* del (de la) que; *(relatif à une personne)* de quien; **l'accident d. il est responsable** el accidente del que es responsable; **les corvées d. il a été dispensé** las faenas de las que se ha liberado; **c'est quelqu'un d. on dit le plus grand bien** es una persona de quien se dicen muchas cosas buenas; **les personnes d. je parle...** las personas de quienes hablo...

(b) *(complément de nom ou de pronom)* cuyo(a); **un meuble d. le bois est vermoulu** un mueble cuya madera está carcomida; **c'est quelqu'un d. j'apprécie l'honnêteté** es alguien cuya honradez admiro; **celui d. les parents sont divorcés** aquél cuyos padres están divorciados

(c) *(indique la partie d'un tout)* de los (las) cuales; **j'ai vu plusieurs films, d. deux étaient intéressants** he visto varias películas, dos de las cuales eran interesantes

(d) *(parmi eux)* uno(a) de ellos(as); **plusieurs personnes ont téléphoné, d. ton frère** han llamado varias personas, una de ellas (era) tu hermano

dopage [dɔpaʒ] *nm* doping *m*

doper [dɔpe] **1** *vt* dopar

2 se doper *vpr* doparse

dorade [dɔrad] = **daurade**

doré, -e [dɔre] *adj* **1** dorado(a)

2 *nm* dorado *m*

dorénavant [dɔrenavɑ̃] *adv* en adelante, en lo sucesivo

dorer [dɔre] **1** *vt* dorar

2 *vi (gâteau)* dorarse; **faire d. qch** dorar algo

3 se dorer *vpr* **se d. au soleil** tomar el sol

dorloter [dɔrlɔte] *vt* mimar, *Méx* apapachar

dormir [29] [dɔrmir] *vi* dormir; **d. debout** quedarse dormido(a)

dortoir [dɔrtwar] *nm* dormitorio *m* común

dorure [dɔryr] *nf (processus)* doradura *f*, dorado *m*; *(ornement)* dorados *mpl*

DOS [dɔs] *nm (abrév* **Disc Operating System)** DOS *m*

dos [do] *nm (d'une personne, d'un vêtement)* espalda *f*; *(d'un siège)* respaldo *m*; *(d'un livre, d'un animal)* lomo *m*; *(verso)* dorso *m*; **à d. d'âne** en burro; **au d. de** *(papier, livre)* al dorso de; **je ne l'ai vu que de d.** sólo lo he visto por detrás; **étendu sur le d.** tendido(a) boca arriba; **tourner le d. à** dar la espalda a; **avoir bon d.** cargar siempre con las culpas

dosage [dozaʒ] *nm* dosificación *f*

dos-d'âne [dodɑn] *nm inv* badén *m*

dose [doz] *nf (de médicament)* dosis *f inv*; *(quantité)* ración *f*, dosis *f inv*

doser [doze] *vt* dosificar

dossard [dosar] *nm* dorsal *m*

dossier [dosje] *nm (d'un fauteuil)* respaldo *m*; *(documents)* dossier *m*; *(classeur)* carpeta *f*; *Fig (sujet)* tema *m*; *Ordinat* fichero *m* ☆ **d. médical** historial *m* (médico)

dot [dɔt] *nf* dote *f*

doté, -e [dɔte] *adj* **d. de** dotado(a) de

douane [dwan] *nf* aduana *f*

douanier, -ère [dwanje, -ɛr] *adj & nm,f* aduanero(a) *m,f*

doublage [dublaʒ] *nm (de dialogues)* doblaje *m*; *(par une doublure)* substitución *f*

double [dubl] **1** *adj* doble; **en d. exemplaire** por duplicado

2 *adv* doble

3 *nm* doble *m*; *(copie)* copia *f*; *(au*

tennis) dobles *mpl*; **en d.** por duplicado

doubler [duble] **1** *vt (multiplier)* duplicar; *Cin* doblar; *(vêtement)* forrar; *(véhicule)* adelantar; *Fam (trahir)* engañar
2 *vi (véhicule)* adelantar; *(être multiplié par deux)* duplicarse

doublure [dublyr] *nf (d'un vêtement)* forro *m*; *Th & Cin* doble *mf*

douce [dus] *voir* **doux**

doucement [dusmã] *adv (avec douceur)* con suavidad, con dulzura; *(lentement)* despacio, lentamente; *(bas)* bajo

douceur [dusœr] *nf* suavidad *f*; *(du caractère)* dulzura *f*; **douceurs** *(friandises)* dulces *mpl*; **en d.** con suavidad

douche [duʃ] *nf* ducha *f*, *Col, Méx, Ven* regadera *f*

doucher [duʃe] **1** *vt* duchar, dar una ducha a
2 se doucher *vpr* ducharse

doudoune [dudun] *nf* anorak *m*

doué, -e [dwe] *adj* dotado(a); **être d. pour qch** estar dotado para algo; **être d. de qch** tener algo

douillet, -ette [dujɛ, -ɛt] *adj (lit, canapé)* mullido(a); *(personne)* delicado(a)

douleur [dulœr] *nf* dolor *m*

douloureux, -euse [dulurø, -øz] *adj (blessure, événement)* doloroso(a); *(partie du corps)* dolorido(a)

Douro [duro] *nm* **le D.** el Duero

doute [dut] *nm* duda *f*; **sans aucun d.** sin duda alguna, sin ninguna duda; **sans d.** seguramente

douter [dute] **1** *vt* **d. de** dudar de; **d. que** dudar que
2 se douter *vpr* **je me doute que ça n'a pas été facile** me imagino que no ha sido fácil; **je m'en doutais** lo suponía, me lo imaginaba

douteux, -euse [dutø, -øz] *adj* dudoso(a); *(sale)* sucio(a)

doux, douce [du, dus] *adj* suave; *(personne, caractère)* dulce; *(climat)* templado(a); *Fam* **en douce** disimuladamente

douzaine [duzɛn] *nf (douze)* docena *f*; **une d. de** *(environ douze)* unos(as) doce

douze [duz] **1** *adj inv* doce
2 *nm inv* doce *m*; *voir aussi* **six**

douzième [duzjɛm] **1** *adj & nmf* doceavo(a) *m,f*, duodécimo(a) *m,f*
2 *nm* doceavo *m*, duodécima parte *f*; *voir aussi* **sixième**

doyen, -enne [dwajɛ̃, -ɛn] *nm,f* decano(a) *m,f*

Dr *(abrév* **Docteur)** Dr., Dra.

draconien, -enne [drakɔnjɛ̃, -ɛn] *adj* draconiano(a)

dragée [draʒe] *nf (confiserie)* peladilla *f*; *(comprimé)* gragea *f*

dragon [dragɔ̃] *nm (monstre)* dragón *m*; *Péj (femme autoritaire)* sargento *m*

draguer [drage] *vt (lac, fleuve)* dragar; *Fam (personne)* ligar con

dragueur, -euse [dragœr, -øz] **1** *nm,f Fam (personne)* ligón(ona) *m,f*
2 *nm* **d. de mines** dragaminas *m inv*

drainage [drɛnaʒ] *nm* drenaje *m*

drainer [drene] *vt (terrain, plaie)* drenar; *Fig (capitaux, main-d'œuvre)* atraer

dramatique [dramatik] **1** *adj* dramático(a)
2 *nf (émission)* dramático *m*

dramatiser [dramatize] *vt* dramatizar

dramaturge [dramatyrʒ] *nmf* dramaturgo(a) *m,f*

drame [dram] *nm* drama *m*

drap [dra] *nm (de lit)* sábana *f*; *(étoffe)* paño *m*; *Belg (serviette)* toalla *f* ☆ **d. de bain** toalla de baño

drapeau, -x [drapo] *nm* bandera *f*; *Fig* **être sous les drapeaux** servir a la bandera

draper [drape] *vt (tissu)* drapear

draperie [drapri] *nf (tenture)* colgaduras *fpl*

dresser [drese] **1** *vt (tête, échelle, tente)* levantar; *(liste, procès-verbal)* elaborar; *(statue, monument)* erigir; *(animal)* adiestrar; **d. qn contre qn** *(opposer)* poner a alguien en contra de alguien; **d. l'oreille** prestar atención
 2 se dresser *vpr (se mettre debout)* Esp levantarse, Am pararse; *(s'élever)* erguirse; *(apparaître)* surgir; Fig **se d. contre qch** *(s'insurger)* levantarse contra algo

dresseur, -euse [drɛsœr, -øz] *nm,f* domador(ora) *m,f*

dribbler [drible] *vi* regatear, driblar

drogue [drɔg] *nf* droga *f* ☆ **d. douce** droga blanda; **d. dure** droga dura

drogué, -e [drɔge] *nm,f* drogadicto(a) *m,f*

droguer [drɔge] **1** *vt* drogar
 2 se droguer *vpr* drogarse; **se d. à l'héroïne** inyectarse heroína

droguerie [drɔgri] *nf* droguería *f*

droguiste [drɔgist] *nmf* droguero(a) *m,f*

droit, -e¹ [drwa, drwat] **1** *adj (vertical)* derecho(a); *(rectiligne, honnête)* recto(a)
 2 *adv (selon une ligne droite)* recto; *(directement)* derecho, directo; **tout d.** todo recto
 3 *nf* **droite** recta *f*

droit, -e² **1** *adj (situé à droite)* derecho(a)
 2 *nf* **droite** derecha *f*; **à droite (de)** a la derecha (de); Pol **de droite** de derechas

droit³ *nm* derecho *m*; **avoir le d. de faire qch** tener derecho a hacer algo; **avoir d. à qch** tener derecho a algo; **être dans son d.** estar en su derecho; **être en d. de** estar en el derecho de ☆ **droits d'auteur** derechos de autor; **d. civil** derecho civil; **d. com-**

mercial derecho mercantil; **droits de douane** derechos de aduana; **droits d'inscription** matrícula *f*; **d. de vote** derecho al voto

droitier, -ère [drwatje, -ɛr] *adj & nm,f* diestro(a) *m,f (que usa la mano derecha)*

drôle [drol] *adj (amusant)* divertido(a); *(bizarre)* raro(a); **quelle d. d'idée!** ¡vaya idea!, ¡menuda idea!; Fam **elle a fait de drôles de progrès!** ¡menudos progresos ha hecho!

drôlement [drolmɑ̃] *adv (bizarrement)* de una manera muy rara; Fam *(très)* muy, super-; **il fait d. chaud** hace mogollón de calor

dromadaire [drɔmadɛr] *nm* dromedario *m*

dru, -e [dry] *adj* abundante

du [dy] *voir* **de**

dû, due [dy] **1** *pp voir* **devoir**
 2 *nm* **j'ai réclamé mon d.** reclamé lo que se me debía

Dublin [dyblɛ̃] *n* Dublín

duc [dyk] *nm* duque *m*

duchesse [dyʃɛs] *nf* duquesa *f*

duel [dɥɛl] *nm* duelo *m*

dune [dyn] *nf* duna *f*

duo [dɥo] *nm* dúo *m*

dupe [dyp] **1** *adj* **je ne suis pas d.** a mí no me engaña/engañan/etc
 2 *nf* **être la d. de qn** ser víctima de alguien

duper [dype] *vt* embancar

duplex [dyplɛks] *nm* dúplex *m inv*

duplicata [dyplikata] *nm inv* duplicado *m*

dur, -e [dyr] **1** *adj* duro(a); *(difficile)* difícil
 2 *nm,f* Fam tipo(a) *m,f* duro(a)
 3 *adv (avec force)* fuerte; *(avec ténacité)* duro

durable [dyrabl] *adj* duradero(a)

durant [dyrɑ̃] *prép* durante

durcir [dyrsir] **1** *vt* endurecer
 2 *vi* endurecerse

3 se durcir *vpr* endurecerse
durée [dyre] *nf* duración *f*
durement [dyrmã] *adv (violemment)* con fuerza; *(péniblement)* con rigor, con crudeza; *(sévèrement)* duramente
durer [dyre] *vi* durar
dureté [dyrte] *nf* dureza *f*; *(difficulté)* dificultad *f*
duvet [dyvɛ] *nm (plumes)* plumón *m*; *(sac de couchage)* saco *m* de dormir *(de plumón)*; *(poils fins)* bozo *m*; *Belg & Suisse (édredon)* edredón *m*

dynamique [dinamik] **1** *adj* dinámico(a)
2 *nf* dinámica *f*
dynamisme [dinamism] *nm* dinamismo *m*
dynamite [dinamit] *nf* dinamita *f*
dynamiter [dinamite] *vt* dinamitar
dynamo [dinamo] *nf* dinamo *f* o *m*
dynastie [dinasti] *nf* dinastía *f*
dyslexique [dislɛksik] *adj* disléxico(a)

E

E, e [ə] *nm inv (lettre)* E *f*, e *f*
E *(abrév* **est)** E

eau, -x [o] *nf* agua *f*; **prendre l'e.** calar; *Fig* **tomber à l'e.** irse a pique,
aguarse; **dans ces eaux-là** *(environ)*
por ahí ☆ **e. bénite** agua bendita; **e.
de Cologne** agua de Colonia; **e.
douce** agua dulce; **e. gazeuse** agua
con gas; **e. de mer** agua salada; **e.
minérale** agua mineral; **e. oxygénée**
agua oxigenada; **e. plate** agua sin
gas; **e. de toilette** (agua de) colonia *f*

eau-de-vie *(pl* **eaux-de-vie)** [odvi] *nf*
aguardiente *m*

ébahi, -e [ebai] *adj* atónito(a), bo-
quiabierto(a)

ébats [eba] *nmpl Litt ou Hum* reto-
zos *mpl*

ébauche [eboʃ] *nf (esquisse)* boceto
m; *Fig (commencement)* esbozo *m*

ébaucher [eboʃe] *vt (œuvre, plan)*
bosquejar; *Fig (geste, sourire)* esbozar

ébène [ebɛn] *nf* ébano *m*

ébéniste [ebenist] *nmf* ebanista *mf*

éberlué, -e [ebɛrlɥe] *adj* atónito(a)

éblouir [ebluir] *vt* deslumbrar

éblouissement [ebluismã] *nm* des-
lumbramiento *m*; *(vertige)* mareo *m*

éborgner [ebɔrɲe] *vt* dejar tuerto(a)

éboueur [ebwœr] *nm* basurero(a)
m,f

ébouillanter [ebujãte] **1** *vt* escaldar
2 s'ébouillanter *vpr* escaldarse

éboulement [ebulmã] *nm* desprendimiento *m*

éboulis [ebuli] *nm* desprendimiento
m

ébouriffé, -e [eburife] *adj* alborota-
do(a)

ébranler [ebrãle] *vt (faire trembler)*
estremecer, sacudir; *(santé, moral)*
quebrantar; *(gouvernement)* hacer
tambalear; *(opinion, conviction)* hacer temblar

Èbre [ɛbr] *nm* **l'È.** el Ebro

ébrécher [34] [ebreʃe] *vt (verre, assiette)* picar; *(lame, couteau)* mellar

ébriété [ebrijete] *nf* **conduite en état
d'é.** conducción *f* en estado de embriaguez

ébrouer [ebrue] **s'ébrouer** *vpr* sacudirse

ébruiter [ebrɥite] **1** *vt* divulgar
2 s'ébruiter *vpr* divulgarse

ébullition [ebylisjɔ̃] *nf* ebullición *f*;
en é. *(en effervescence)* en plena
ebullición

écaille [ekaj] *nf (de poisson, de reptile)* escama *f*; *(de peinture, de vernis)*
desconchón *m*; *(matière)* concha *f*

écailler [ekaje] **1** *vt (poisson)* escamar; *(huîtres)* abrir
2 s'écailler *vpr (peinture, vernis)*
desconcharse

écarlate [ekarlat] *adj* colorado(a)

écarquiller [ekarkije] *vt* **é. les yeux**
abrir los ojos como platos

écart [ekar] *nm (dans l'espace)* distancia *f*, separación *f*; *(dans le temps)* intervalo *m*; *(différence)* diferencia *f*; *(mouvement)* extraño *m*; **faire un é. à son régime** saltarse el régimen; **à l'é. (de)** *(d'un groupe)* separado(a) (de); *(isolé) (maison)* aislado(a) (de); **faire le grand é.** abrirse de piernas

écarteler [39] [ekartəle] *vt (torturer)* descuartizar; *Fig (tirailler)* dividir

écartement [ekartəmã] *nm* distancia *f*; *(des rails)* ancho *m*

écarter [ekarte] **1** *vt (bras, jambes, rideaux)* abrir; *(éloigner)* apartar; *(obstacle, danger)* eliminar; *(solution)* desechar
2 s'écarter *vpr (se mettre de côté)* apartarse

ecchymose [ekimoz] *nf* equimosis *f inv*

ecclésiastique [eklezjastik] **1** *adj* eclesiástico(a)
2 *nm* eclesiástico *m*

écervelé, -e [esɛrvəle] *adj & nm,f* atolondrado(a) *m,f*

échafaud [eʃafo] *nm* cadalso *m*; **monter à l'é.** subir al patíbulo

échafaudage [eʃafodaʒ] *nm (sur un bâtiment)* andamio *m*, andamiaje *m*; *(amas)* montón *m*, pila *f*

échalote [eʃalɔt] *nf* chalote *m*

échancré, -e [eʃãkre] *adj (vêtement)* escotado(a)

échancrure [eʃãkryr] *nf (d'un vêtement)* escote *m*

échange [eʃãʒ] *nm* intercambio *m*; **en é. (de)** a cambio (de)

échanger [45] [eʃãʒe] *vt (sourires, lettres, impressions)* intercambiar; **é. qch contre qch** cambiar algo por algo

échantillon [eʃãtijɔ̃] *nm* muestra *f*

échappatoire [eʃapatwar] *nf* escapatoria *f*

échappement [eʃapmã] *nm Aut* escape *m*

échapper [eʃape] **1** *vi* **é. à** escapar o escaparse de; **son nom m'échappe** no me sale ahora su nombre, no recuerdo su nombre; **laisser é. qch** *(occasion)* dejar escapar algo; *(mot)* soltar algo; **il a laissé é. une erreur** se le escapó un error
2 *vt* **l'é. belle** salvarse por los pelos
3 s'échapper *vpr* escaparse (**de** de), escapar (**de** de)

écharde [eʃard] *nf* astilla *f*

écharpe [eʃarp] *nf* bufanda *f*; **en é.** *(bras)* en cabestrillo

écharper [eʃarpe] *vt* despedazar

échasses [eʃas] *nfpl* zancos *mpl*

échassier [eʃasje] *nm* zancuda *f*

échauffement [eʃofmã] *nm (sportif)* calentamiento *m*

échauffer [eʃofe] **1** *vt* calentar; *(énerver)* irritar
2 s'échauffer *vpr* calentarse

échéance [eʃeãs] *nf (date de paiement)* vencimiento *m*; *(somme d'argent)* desembolso *m*; **à longue é.** a largo plazo; **arriver à é.** vencer

échéant [eʃeã] *adj m voir* **cas**

échec [eʃɛk] *nm* fracaso *m*; **échecs** *(jeu)* ajedrez *m*; **é. et mat** jaque mate
☆ **é. scolaire** fracaso escolar

échelle [eʃɛl] *nf (objet)* escalera *f*; *(ordre de grandeur)* escala *f*; *aussi Fig* **à petite/grande é.** a pequeña/gran escala; **faire la courte é. à qn** aupar a alguien

échelon [eʃlɔ̃] *nm (barreau)* escalón *m*, peldaño *m*; *Fig (niveau)* grado *m*, escalón *m*

échelonner [eʃlɔne] **1** *vt* escalonar
2 s'échelonner *vpr* escalonarse

échevelé, -e [eʃəvle] *adj (personne)* despeinado(a); *(course, rythme)* desenfrenado(a)

échevin [ɛʃvɛ̃] *nm Belg* teniente *m* de alcalde

échine [eʃin] *nf* espinazo *m*; *(de porc)* lomo *m*

échiquier [eʃikje] *nm (jeu)* tablero *m* de ajedrez; *Fig (politique)* tablero *m*

écho [eko] *nm* eco *m*

échographie [ekografi] *nf* ecografía *f*

échoir [14] [eʃwar] *vi (terme)* vencer; **é. à qn** *(être dévolu)* tocarle a alguien

échouer [eʃwe] *vi (ne pas réussir)* fracasar; *(navire)* encallar; *Fig (aboutir)* ir a parar; **é. à un examen** suspender un examen

éclabousser [eklabuse] *vt* salpicar

éclaboussures [eklabusyr] *nfpl* salpicaduras *fpl*

éclair [eklɛr] **1** *nm (de lumière)* relámpago *m*; *Fig (instant)* chispa *f*; *(gâteau)* = pastelito alargado relleno de crema de chocolate o de café **2** *adj inv* relámpago *inv*

éclairage [eklɛraʒ] *nm (des rues)* alumbrado *m*; *(d'un local)* iluminación *f*; *Fig (point de vue)* enfoque *m*

éclaircie [eklɛrsi] *nf* claro *m (entre nubes)*

éclaircir [eklɛrsir] **1** *vt* aclarar **2 s'éclaircir** *vpr* aclararse; *(cheveux) (devenir clairsemés)* enrarecer; **s'é. la voix** aclararse la voz

éclaircissement [eklɛrsismã] *nm* aclaración *f*

éclairer [eklere] **1** *vt (illuminer)* alumbrar, iluminar; **é. qn sur qch** *(renseigner)* aclarar a alguien sobre algo **2 s'éclairer** *vpr* alumbrarse; *Fig (visage)* iluminarse; *(situation, idées)* aclararse

éclaireur, -euse [eklɛrœr, -øz] *nm,f* explorador(ora) *m,f*

éclat [ekla] *nm (de lumière)* resplandor *m*; *(de couleur, des yeux)* brillo *m*; *(de verre, de pierre)* fragmento *m*; *(faste)* esplendor *m*; **faire un é.** *(scandale)* armar un escándalo; **rire aux éclats** reír a carcajadas; **voler en** éclats romperse en mil pedazos ☆ **é. de rire** carcajada *f*; **éclats de voix** gritos *mpl*

éclatant, -e [eklatã, -ãt] *adj (lumière, couleur, succès)* brillante; *(beauté)* resplandeciente; *(rire, voix)* sonoro(a)

éclater [eklate] **1** *vi* estallar; **é. de rire** echarse a reír; **é. en sanglots** echarse a llorar **2 s'éclater** *vpr Fam* pasárselo de miedo

éclectique [eklɛktik] *adj* ecléctico(a)

éclipse [eklips] *nf* eclipse *m* ☆ **é. de lune** eclipse lunar; **é. de soleil** eclipse solar

éclipser [eklipse] **1** *vt* eclipsar **2 s'éclipser** *vpr* eclipsarse

éclopé, -e [eklɔpe] *adj & nm,f* cojo(a) *m,f*

éclore [15] [eklɔr] *vi (fleur, œuf)* hacer eclosión

écluse [eklyz] *nf* esclusa *f*

écœurant, -e [ekœrã, -ãt] *adj* repugnante, asqueroso(a); *Fam (démoralisant)* asqueroso(a)

écœurer [ekœre] *vt* dar asco a; *Fam (décourager)* desmoralizar

école [ekɔl] *nf* escuela *f*, colegio *m*; *(éducation)* enseñanza *f*; **faire é.** hacer o crear escuela; **faire l'é. buissonnière** hacer novillos ☆ **é. maternelle** parvulario *m*; **l'École normale** = la antigua escuela de magisterio; **l'École normale supérieure** = la institución de enseñanza superior especializada en humanidades; **é. primaire** escuela de EGB; **l'é. privée** la enseñanza privada; **grande é.** = establecimiento de enseñanza superior de gran prestigio al que se accede por examen de ingreso

écolier, -ère [ekɔlje, -ɛr] *nm,f* escolar *mf*, colegial(ala) *m,f*

écolo [ekɔlo] *nmf Fam* ecologista *mf*; *Pol* **les écolos** los verdes

écologie [ekɔlɔʒi] *nf* ecología *f*

écologique [ekɔlɔʒik] *adj* ecológico(a)

écologiste [ekɔlɔʒist] *nmf* ecologista *mf*

éconduire [18] [ekɔ̃dɥir] *vt* rechazar

économe [ekɔnɔm] **1** *adj* ahorrador(ora); **être é. de qch** ahorrarse algo **2** *nmf* ecónomo(a) *m,f*

économie [ekɔnɔmi] *nf (science, système)* economía *f*; *(vertu, gain)* ahorro *m*; **économies** *(pécule)* ahorros *mpl*; **faire des économies** ahorrar; **faire des économies d'énergie** ahorrar energía

économique [ekɔnɔmik] *adj* económico(a)

économiser [ekɔnɔmize] *vt* ahorrar

économiste [ekɔnɔmist] *nmf* economista *mf*

écoper [ekɔpe] **1** *vt (dans un bateau)* achicar

2 *vi Fam (être puni)* pagar el pato; **é. de qch** *(sanction, corvée)* cargar con algo

écorce [ekɔrs] *nf* corteza *f*; *(d'agrume)* cáscara *f*, piel *f* ☆ **é. terrestre** corteza terrestre

écorché, -e [ekɔrʃe] *adj & nm,f* quisquilloso(a) *m,f*; **un é. vif** un quisquilloso

écorcher [ekɔrʃe] *vt (égratigner)* arañar; *(langue, nom)* destrozar; *(lapin)* despellejar

écorchure [ekɔrʃyr] *nf* arañazo *m*

écossais, -e [ekɔsɛ, -ɛz] **1** *adj* escocés(esa)

2 *nm,f* **É.** escocés(esa) *m,f*
3 *nm (tissu)* tela *f* escocesa

Écosse [ekɔs] *nf* **l' É.** Escocia

écosser [ekɔse] *vt* desgranar

écosystème [ekɔsistɛm] *nm* ecosistema *m*

écouler [ekule] **1** *vt* deshacerse de
2 **s'écouler** *vpr (liquide)* escurrirse; *(temps)* pasar

écourter [ekurte] *vt* acortar

écoute [ekut] *nf* **être à l'é.** *(radio)* estar a la escucha; *Fig* **être à l'é. de** *(personne, problèmes)* escuchar; **heure de grande é.** hora *f* de gran audiencia ☆ **écoutes téléphoniques** escuchas *fpl* telefónicas

écouter [ekute] **1** *vt* escuchar
2 **s'écouter** *vpr* **tu t'écoutes trop** eres un (una) hipocondriaco(a); **s'é. parler** creerse muy interesante

écouteur [ekutœr] *nm* auricular *m*

écrabouiller [ekrabuje] *vt Fam* espachurrar

écran [ekrɑ̃] *nm* pantalla *f* ☆ **le grand é.** *(le cinéma)* la pantalla grande; **le petit é.** *(la télévision)* la pequeña pantalla; *Ordinat* **é. tactile** pantalla táctil

écrasant, -e [ekrazɑ̃, -ɑ̃t] *adj (majorité, défaite)* aplastante

écraser [ekraze] **1** *vt (comprimer, vaincre)* aplastar; *(accabler)* agobiar, abrumar; *(piétiner, marcher sur)* pisar; *(renverser)* atropellar; **il s'est fait é. par une voiture** lo ha atropellado un automóvil
2 *vi Fam* **écrase!** ¡cállate ya!
3 **s'écraser** *vpr (avion, véhicule)* estrellarse; *Fam (se taire)* callarse

écrémé, -e [ekreme] *adj (lait)* desnatar

écrémer [34] [ekreme] *vt (prendre le meilleur de)* escoger lo mejor de

écrevisse [ekrəvis] *nf* cangrejo *m* de río; **être rouge comme une é.** estar más rojo(a) que un cangrejo

écrier [ekrije] **s'écrier** *vpr* exclamar

écrin [ekrɛ̃] *nm* joyero *m (estuche)*

écrire [30] [ekrir] **1** *vt* escribir
2 **s'écrire** *vpr (correspondre)* escribirse, cartearse; *(s'orthographier)* escribirse

écrit, -e [ekri, -it] **1** *pp voir* **écrire**
2 *nm (ouvrage, document)* escrito *m*; *(examen)* examen *m* escrito; **par é.** por escrito

écriteau, -x [ekrito] *nm* letrero *m*, cartel *m*

écriture [ekrityr] *nf (système de signes)* escritura *f*; *(graphie)* letra *f*; *(style)* estilo *m*; *Com* **tenir les écritures** llevar los libros ☆ **les (Saintes) Écritures** las (Sagradas) Escrituras

écrivain [ekrivẽ] *nm* escritor(ora) *m,f*

écrivais *etc voir* **écrire**

écrou [ekru] *nm* tuerca *f*

écrouer [ekrue] *vt* encarcelar

écroulé, -e [ekrule] *adj Fam* **être é.** **(de rire)** estar muerto(a) de risa

écrouler [ekrule] **s'écrouler** *vpr* derrumbarse, desplomarse

écru, -e [ekry] **1** *adj (couleur)* de color crudo(a) **2** *nm* color *m* crudo

ÉCU [eky] *nm (abrév European Currency Unit)* ECU *m*, ecu *m*

écu [eky] *nm* escudo *m*

écueil [ekœj] *nm aussi Fig* escollo *m*

écuelle [ekɥɛl] *nf* escudilla *f*

éculé, -e [ekyle] *adj aussi Fig* gastado(a)

écume [ekym] *nf (de mer, de bière)* espuma *f*; *(bave)* baba *f*, espumarajo *m*

écumoire [ekymwar] *nf* espumadera *f*

écureuil [ekyrœj] *nm* ardilla *f*

écurie [ekyri] *nf (bâtiment)* cuadra *f*, caballeriza *f*; *Fig (chevaux de courses)* cuadra *f*; *(voitures de course)* escudería *f*

écusson [ekysɔ̃] *nm (armoiries)* escudo *m*; *(badge)* insignia *f*

écuyer, -ère [ekɥije, -ɛr] *nm,f (de cirque)* caballista *mf*

eczéma [egzema] *nm* eczema *m*

édam [edam] *nm* edam *m*

éden [edɛn] *nm* edén *m*

édenté, -e [edɑ̃te] *adj* desdentado(a)

EDF [ədɛɛf] *nf (abrév* **Électricité de France)** = empresa nacional de electricidad francesa

édifice [edifis] *nm (construction)* edificio *m*; *Fig (ensemble organisé)* entramado *m*

édifier [edifje] *vt (bâtiment)* construir, edificar; *(théorie)* elaborar; *Iron (personne)* edificar

éditer [edite] *vt* editar

éditeur, -trice [editœr, -tris] *nm,f* editor(ora) *m,f*

édition [edisjɔ̃] *nf* edición *f* ☆ *é.* **électronique** edición electrónica

éditorial, -aux [editɔrjal, -o] *nm* editorial *m*

édredon [edrədɔ̃] *nm* edredón *m*

éducateur, -trice [edykatœr, -tris] *nm,f* educador(ora) *m,f* ☆ *é.* **spécialisé** = profesor en educación especial

éducatif, -ive [edykatif, -iv] *adj* educativo(a)

éducation [edykɑsjɔ̃] *nf* educación *f* ☆ *l'É.* **nationale** la Educación Nacional

édulcorant [edylkɔrɑ̃] *nm* edulcorante *m* ☆ *é.* **de synthèse** edulcorante sintético

éduquer [edyke] *vt* educar

effacé, -e [efase] *adj (personne, caractère)* discreto(a)

effacer [16] [efase] **1** *vt (supprimer)* & *Ordinat* borrar; *Fig (éclipser)* eclipsar **2** **s'effacer** *vpr (s'estomper)* borrarse; *(s'écarter)* apartarse

effarant, -e [efarɑ̃, -ɑ̃t] *adj* espantoso(a)

effarer [efare] *vt* espantar, asustar

effaroucher [efaruʃe] *vt* asustar

effectif, -ive [efɛktif, -iv] **1** *adj* efectivo(a) **2** *nm* **e.**, **effectifs** *Mil* efectivos *mpl*; *Scol* alumnado *m*

effectivement [efɛktivmɑ̃] *adv (réellement)* realmente; *(pour confirmer)* efectivamente

effectuer [efɛktɥe] *vt* efectuar

efféminé, -e [efemine] *adj* afeminado(a)

effervescent, -e [efɛrvesã, -ãt] *adj* efervescente

effet [efɛ] *nm* efecto *m*; *(impression produite)* efecto *m*, impresión *f*; **faire e.** *(médicament)* hacer efecto; **faire de l'e. à qn** *(nouvelle, remarque)* afectar a alguien; **sous l'e. de** bajo los efectos de; **en e.** en efecto, efectivamente ☆ *e. de serre* efecto (de) invernadero; *effets spéciaux (au cinéma)* efectos especiales

effeuiller [efœje] *vt* deshojar

efficace [efikas] *adj (remède, mesure)* eficaz; *(personne)* eficaz, eficiente

efficacité [efikasite] *nf* eficacia *f*

effigie [efiʒi] *nf* efigie *f*; **à l'e. de** con la imagen de

effilé, -e [efile] *adj (lame, couteau)* afilado(a); *(cheveux)* a capas; *(amandes)* fileteado(a)

effilocher [efiloʃe] **1** *vt* deshilachar **2 s'effilocher** *vpr* deshilacharse

efflanqué, -e [eflãke] *adj* flaco(a)

effleurer [eflœre] *vt (surface, visage)* rozar; *(problème, affaire)* tratar superficialmente; **cette pensée ne l'a jamais effleuré** nunca se le ha ocurrido esta idea

effluves [eflyv] *nmpl* efluvios *mpl*

effondré, -e [efɔ̃dre] *adj (accablé)* hundido(a)

effondrer [efɔ̃dre] **s'effondrer** *vpr aussi Fig* hundirse, desmoronarse

efforcer [16] [eforse] **s'efforcer** *vpr* **s'e. de faire qch** esforzarse en hacer algo

effort [efor] *nm* esfuerzo *m*; *Phys* fuerza *f*

effraction [efraksjɔ̃] *nf Jur* fractura *f*; **entrer par e.** entrar forzando la entrada

effrayant, -e [efrɛjã, -ãt] *adj* espantoso(a)

effrayer [53] [efreje] **1** *vt* asustar **2 s'effrayer** *vpr* asustarse (**de** de o **por**)

effréné, -e [efrene] *adj* desenfrenado(a)

effriter [efrite] **1** *vt* pulverizar **2 s'effriter** *vpr (mur, pierre)* reducirse a polvo; *Fig (majorité)* desmoronarse

effroi [efrwa] *nm* pavor *m*

effronté, -e [efrɔ̃te] *adj & nm,f* descarado(a) *m,f*

effronterie [efrɔ̃tri] *nf* descaro *m*

effroyable [efrwajabl] *adj* espantoso(a)

effusion [efyzjɔ̃] *nf (de sentiments)* efusión *f*; **avec e.** efusivamente ☆ *e. de sang* derramamiento *m* de sangre

égal, -e, -aux, -ales [egal, -o] **1** *adj (équivalent)* igual (**à** a o **que**); *(régulier)* regular; **ça m'est é.** me da lo mismo; **à prix é., ...** a igual precio,... **2** *nm,f* igual *mf*; **d'é. à é.** de igual a igual; **sans é.** sin igual

également [egalmã] *adv (aussi)* también; *(avec égalité)* con igualdad

égaler [egale] *vt Math* ser, dar; *(être à la hauteur de)* igualar; **deux plus trois égale cinq** dos y tres son cinco

égaliser [egalize] **1** *vt (rendre égal)* igualar **2** *vi (dans un match)* empatar

égalitaire [egaliter] *adj* igualitario(a)

égalité [egalite] *nf* igualdad *f*; *(au tennis)* deuce *m*; **être à é.** ir empatados(as)

égard [egar] *nm* respeto *m*; **être plein d'égards pour qn** colmar de atenciones a alguien; **à cet é.** a este respecto; **à l'é. de** respecto a; **par é. pour** por respeto hacia

égarer [egare] **1** *vt* extraviar **2 s'égarer** *vpr (objet, personne)* extraviarse; *(discussion)* desviarse; *Fig (divaguer)* divagar

égayer [53] [egeʒe] *vt* alegrar, animar

égide [eʒid] *nf* **sous l'é. de** bajo la égida de, bajo los auspicios de

églantine [eglɑ̃tin] *nf* gavanza *f*

église [egliz] *nf* iglesia *f*

égocentrique [egɔsɑ̃trik] *adj & nmf* egocéntrico(a) *m,f*

égoïsme [egɔism] *nm* egoísmo *m*

égoïste [egɔist] *adj & nmf* egoísta *mf*

égorger [egɔrʒe] *vt* degollar

égosiller [egozije] **s'égosiller** *vpr* desgañitarse

égout [egu] *nm* alcantarilla *f*; **les égouts** el alcantarillado

égoutter [egute] **1** *vt* escurrir; *(fromage)* desuerar
  2 s'égoutter *vpr* escurrirse

égouttoir [egutwar] *nm (à légumes)* escurridor *m*; *(à vaisselle)* escurridor *m*, escurreplatos *m inv*

égratigner [egratiɲe] **1** *vt* arañar; *Fig (vexer)* afectar
  2 s'égratigner *vpr* arañarse

égratignure [egratiɲyr] *nf* arañazo *m*, rasguño *m*; *Fig (vexation)* rasguño *m*

égrener [46] [egrəne] *vt* desgranar

égrillard, -e [egrijar, -ard] *adj* chocarrero(a)

Égypte [eʒipt] *nf* **l'É.** Egipto

égyptien, -enne [eʒipsjɛ̃, -ɛn] **1** *adj* egipcio(a)
  2 *nm,f* **É.** egipcio(a) *m,f*

eh [e] *exclam* eh; **eh bien, ...** *(en réponse)* bueno, ...;**eh bien!** *(exprime la surprise)* ¡caramba!; **eh bien, qu'en penses-tu?** y bien, ¿tú qué opinas?; **eh oui!** ¡pues sí!

éhonté, -e [eɔ̃te] *adj (tricheur, mensonge)* descarado(a)

éjaculer [eʒakyle] *vi* eyacular

éjectable [eʒɛktabl] *adj* eyectable

éjecter [eʒɛkte] *vt* eyectar; *Fam (personne)* echar; **il s'est fait é.** lo han echado

élaboration [elabɔrasjɔ̃] *nf* elaboración *f*

élaborer [elabɔre] *vt* elaborar

élaguer [elage] *vt (arbre)* podar; *Fig (texte, exposé)* recortar, expurgar

élan¹ [elɑ̃] *nm (animal)* alce *m*

élan² *nm (mouvement)* impulso *m*; **prendre de l'é.** *ou* **son é.** tomar impulso; **é. de générosité/de tendresse** arrebato *m* de generosidad/de ternura

élancé, -e [elɑ̃se] *adj* esbelto(a)

élancement [elɑ̃smɑ̃] *nm* punzada *f*

élancer [16] [elɑ̃se] **1** *vi* **ma jambe m'élance** tengo punzadas en la pierna
  2 s'élancer *vpr (se précipiter)* lanzarse; *(en sport)* tomar impulso

élargir [elarʒir] **1** *vt (route, vêtement)* ensanchar; *Fig (vocabulaire, connaissances)* ampliar
  2 s'élargir *vpr (route, vêtement)* ensancharse; *Fig (vocabulaire, connaissances)* ampliarse

élasticité [elastisite] *nf* elasticidad *f*

élastique [elastik] **1** *adj* elástico(a)
  2 *nm* elástico *m*, goma *f*

électeur, -trice [elɛktœr, -tris] *nm,f* elector(ora) *m,f*

élection [elɛksjɔ̃] *nf* elección *f*; **d'é.** *(choisi)* de elección ☆ **élections municipales** elecciones municipales; **é. présidentielle** elecciones presidenciales

électoral, -e, -aux, -ales [elɛktɔral, -o] *adj* electoral

électorat [elɛktɔra] *nm* electorado *m*

électricien, -enne [elɛktrisjɛ̃, -ɛn] *nm,f* electricista *mf*

électricité [elɛktrisite] *nf* electricidad *f* ☆ **é. statique** electricidad estática

électrique [elɛktrik] *adj* eléctrico(a); *Fig (ambiance)* electrizante

électrocardiogramme [elɛktrɔkardjɔgram] *nm* electrocardiograma *m*

électrochoc [elɛktrɔʃɔk] *nm* electrochoque *m*

électrocuter [elɛktrɔkyte] **1** *vt* electrocutar
  2 s'électrocuter *vpr* electrocutarse

électrode [elɛktrɔd] *nf* electrodo *m*

électroencéphalogramme [elɛktrɔãsefalɔgram] *nm* electroencefalograma *m*

électrogène [elɛktrɔʒɛn] *adj* **groupe é.** grupo electrógeno

électrolyse [elɛktrɔliz] *nf* electrólisis *f inv*

électroménager [elɛktrɔmenaʒe] **1** *adj m* **appareil é.** electrodoméstico *m*
  2 *nm* **l'é.** los electrodomésticos

électron [elɛktrɔ̃] *nm* electrón *m*

électronicien, -enne [elɛktrɔnisjɛ̃, -ɛn] *nm,f* técnico *mf* electrónico

électronique [elɛktrɔnik] **1** *adj* electrónico(a)
  2 *nf* electrónica *f*

électrophone [elɛktrɔfɔn] *nm* tocadiscos *m*

élégance [elegãs] *nf* elegancia *f*

élégant, -e [elegã, -ãt] *adj* elegante, *Méx* elegantoso(a)

élément [elemã] *nm* elemento *m*; *(de cuisine)* módulo *m*; **être dans son é.** estar en su elemento; **les quatre éléments** los cuatro elementos

élémentaire [elemãtɛr] *adj* elemental

éléphant [elefã] *nm* elefante *m*

élevage [ɛlvaʒ] *nm (activité)* cría *f*; *(installation)* criadero *m*

élevé, -e [ɛlve] *adj (haut, important)* elevado(a); **bien/mal é.** *(personne)* bien/mal educado(a)

élève [elɛv] *nmf* alumno(a) *m,f*; *Mil* cadete *mf*

élever [46] [ɛlve] **1** *vt (enfant)* educar; *(animaux)* criar; *(statue, pro-*testations*)* levantar; *(prix, niveau de vie)* subir; *(esprit)* elevar
  2 s'élever *vpr* elevarse; **s'é. contre** *(protester)* levantarse contra

éleveur, -euse [ɛlvœr, -øz] *nm,f* criador(ora) *m,f*

elfe [ɛlf] *nm* elfo *m*

éligible [eliʒibl] *adj* elegible

élimé, -e [elime] *adj* gastado(a), raído(a)

élimination [eliminasjɔ̃] *nf* eliminación *f*; **procéder par é.** proceder por eliminación

éliminatoire [eliminatwar] *adj (note, épreuve)* eliminatorio(a)

éliminer [elimine] **1** *vt* eliminar
  2 *vi* eliminar toxinas

élire [44] [elir] *vt* elegir

élite [elit] *nf* elite *f*; **d'é.** de elite

élitiste [elitist] *adj* elitista

elle [ɛl] *pron personnel* ella *f*; **e. est fatiguée** está cansada; **d'où est-e.?** ¿de dónde es?; **e. est jolie, Marie** es guapa, María; **Juliette, e., n'a pas aimé le film** pues a Juliette no le ha gustado la película; **je fais plus de sport qu'e.** yo hago más deporte que ella; **c'est à e.** es suyo(a); **e. l'a emporté avec e.** se lo llevó; **il a fait ça pour e.** lo ha hecho por ella

elle-même [ɛlmɛm] *pron personnel* ella (misma) *f*

elles [ɛl] *pron personnel* ellas *fpl*; **e. sont fatiguées** están cansadas; *voir aussi* **elle**

elles-mêmes [ɛlmɛm] *pron personnel* ellas (mismas) *fpl*

ellipse [elips] *nf Math* elipse *f*; *Ling* elipsis *f inv*

élocution [elɔkysjɔ̃] *nf* elocución *f*

éloge [elɔʒ] *nm* elogio *m*; **couvrir qn d'éloges** deshacerse en elogios con alguien; **faire l'é. de qch/de qn** elogiar algo/a alguien

élogieux, -euse [elɔʒjø, -øz] *adj* elogioso(a)

éloigné, -e [elwaɲe] *adj* alejado(a); *Fig* **être e. de** ser diferente de

éloigner [elwaɲe] **1** *vt* alejar
2 s'éloigner *vpr* alejarse

élongation [elɔ̃gɑsjɔ̃] *nf* distensión *f*

éloquence [elɔkɑ̃s] *nf* elocuencia *f*

éloquent, -e [elɔkɑ̃, -ɑ̃t] *adj* elocuente

élu, -e [ely] **1** *pp voir* **élire**
2 *nm,f (politique)* elegido(a) *m,f*; *Hum* **l'é. de son cœur** su amado(a)

élucider [elyside] *vt* dilucidar

éluder [elyde] *vt* eludir

Élysée [elize] *n* **l'É.** el Elíseo *(residencia oficial del presidente de la República Francesa)*

émacié, -e [emasje] *adj* demacrado(a)

émail, -aux [emaj, o] *nm* esmalte *m*; **en é.** esmaltado(a)

émaillé, -e [emaje] *adj* esmaltado(a); **é. de** *(parsemé de)* salpicado(e) de

émanation [emanasjɔ̃] *nf* emanación *f*

émancipé, -e [emɑ̃sipe] *adj* emancipado(a)

émanciper [emɑ̃sipe] **1** *vt* emancipar
2 s'émanciper *vpr (se libérer)* emanciparse; *(se dévergonder)* espabilarse

émaner [emane] **émaner de** *vt ind* emanar de

émasculer [emaskyle] *vt* emascular

emballage [ɑ̃balaʒ] *nm* embalaje *m*

emballer [ɑ̃bale] **1** *vt (objet, moteur)* embalar; *(cadeau)* envolver; *Fam (plaire à)* entusiasmar
2 s'emballer *vpr (personne, moteur)* embalarse; *(cheval)* desbocarse

embarcadère [ɑ̃barkadɛr] *nm* embarcadero *m*

embarcation [ɑ̃barkɑsjɔ̃] *nf* embarcación *f*

embardée [ɑ̃barde] *nf* bandazo *m*; **faire une e.** dar un bandazo

embargo [ɑ̃bargo] *nm* embargo *m*

embarquement [ɑ̃barkəmɑ̃] *nm (de marchandises)* embarque *m*; *(de passagers)* embarco *m*

embarquer [ɑ̃barke] **1** *vt (marchandises, passagers)* embarcar; *Fam (malfaiteur)* trincar; *Fam (emporter)* llevarse; *Fam* **e. qn dans qch** *(impliquer)* embarcar a alguien en algo
2 *vi* embarcarse
3 s'embarquer *vpr* embarcarse; *Fam Fig* **s'e. dans qch** embarcarse en algo

embarras [ɑ̃bara] *nm (situation difficile)* aprieto *m*, apuro *m*; *(confusion)* molestia *f*; **avoir l'e. du choix** tener mucho donde escoger; **être dans l'e.** *(financièrement)* estar en un aprieto o apuro; **mettre qn dans l'e.** poner a alguien en un compromiso; **tirer qn d'e.** sacar a alguien de un aprieto o apuro

embarrasser [ɑ̃barase] **1** *vt (encombrer)* estorbar; *(rendre confus)* poner en un compromiso
2 s'embarrasser *vpr* **s'e. de qch** *(s'encombrer)* cargar con algo; **il ne s'embarrasse pas de scrupules** no tiene ningún escrúpulo

embauche [ɑ̃boʃ] *nf* contratación *f*

embaucher [ɑ̃boʃe] *vt* contratar; *Fam (pour une tâche)* reclutar

embaumer [ɑ̃bome] **1** *vt (corps)* embalsamar; **les fleurs embaumaient la pièce** las flores perfumaban la habitación; **e. la lavande** oler a lavanda
2 *vi* desprender buen olor

embellir [ɑ̃belir] **1** *vt* embellecer; *Fig (histoire, vérité)* adornar
2 *vi* embellecerse

embêtant, -e [ɑ̃bɛtɑ̃, -ɑ̃t] *adj Fam (situation)* molesto(a); *(personne)* pesado(a)

embêtement [ɑ̃bɛtmɑ̃] *nm Fam* problema *m*

embêter [ãbete] **1** *vt Fam* molestar; **être bien embêté** estar en un buen aprieto **2 s'embêter** *vpr Fam (s'ennuyer)* aburrirse; **s'e. à faire qch** molestarse en hacer algo; *Hum* **tu ne t'embêtes pas!** no lo pasas mal, ¿eh?

emblée [ãble] **d'emblée** *adv* en seguida

emblème [ãblɛm] *nm* emblema *m*

emboîter [ãbwate] **1** *vt* **e. qch dans qch** encajar algo en algo; **e. le pas à qn** ir tras los pasos de alguien **2 s'emboîter** *vpr* encajar

embonpoint [ãbɔ̃pwɛ̃] *nm* gordura *f*; **avoir/prendre de l'e.** estar/ponerse de buen año

embouchure [ãbuʃyr] *nf (d'un fleuve)* desembocadura *f*; *(d'un instrument)* boquilla *f*, embocadura *f*

embourber [ãburbe] **s'embourber** *vpr* atascarse; *Fig (s'embrouiller)* liarse

embourgeoiser [ãburʒwaze] **s'embourgeoiser** *vpr* aburguesarse

embout [ãbu] *nm* contera *f*

embouteillage [ãbutɛjaʒ] *nm Esp* atasco *m*, *Col* trancón *m*, *Méx* atorón *m*, *RP* embotellamiento *m*

emboutir [ãbutir] *vt (voiture)* chocar contra; *Tech* embutir

embranchement [ãbrãʃmã] *nm (de chemins)* cruce *m*

embraser [ãbraze] **1** *vt (incendier)* abrasar; *(éclairer)* iluminar; *Fig & Litt (d'amour)* inflamar **2 s'embraser** *vpr (prendre feu)* abrasarse; *(s'éclairer)* iluminarse; *Fig & Litt (d'amour)* inflamarse

embrasser [ãbrase] **1** *vt (donner un baiser à)* besar; *Fig (englober)* abarcar; *(adopter) (religion, carrière)* abrazar **2 s'embrasser** *vpr* besarse

embrasure [ãbrazyr] *nf (de fenêtre, de porte)* hueco *m*

embrayage [ãbrɛjaʒ] *nm* embrague *m*

embrayer [53] [ãbreje] *vi Aut* embragar

embrocher [ãbrɔʃe] *vt* ensartar

embrouiller [ãbruje] **1** *vt* enredar **2 s'embrouiller** *vpr* liarse

embruns [ãbrœ̃] *nmpl* salpicaduras *fpl (de las olas)*

embryon [ãbrijɔ̃] *nm aussi Fig* embrión *m*

embûches [ãbyʃ] *nfpl* obstáculos *mpl*

embué, -e [ãbɥe] *adj* empañado(a)

embuscade [ãbyskad] *nf* emboscada *f*; **tendre une e. à qn** tender una emboscada a alguien

embusquer [ãbyske] **s'embusquer** *vpr* emboscarse

éméché, -e [emeʃe] *adj Fam* piripi

émeraude [ɛmrod] *nf* esmeralda *f*

émerger [45] [emɛrʒe] *vi (sortir de l'eau)* emerger; *Fig (apparaître)* surgir; *Fam (se réveiller)* despertarse

émeri [ɛmri] *nm* **papier é.** (papel *m* de) lija *f*

émerveiller [emɛrveje] **1** *vt* maravillar **2 s'émerveiller** *vpr* **je m'émerveille de...** me maravilla...

émetteur, -trice [emetœr, -tris] **1** *adj* emisor(ora) **2** *nm* emisor *m*

émettre [47] [emɛtr] *vt* emitir

émeus, émeut *voir* **émouvoir**

émeute [emøt] *nf* motín *m*

émeuve *etc voir* **émouvoir**

émietter [emjete] *vt (pain)* desmigar; *Fig (disperser)* dispersar

émigrant, -e [emigrã, -ãt] *nm,f* emigrante *mf*

émigré, -e [emigre] *adj & nm,f* emigrado(a) *m,f*

émigrer [emigre] *vi* emigrar

émincé, -e [emɛ̃se] **1** *adj (viande)* en lonchas, en lonjas; *(légumes)* en rodajas

2 *nm Culin* = lonchas de carne asada o hervida, cubiertas de salsa

éminent, -e [eminã, -ãt] *adj* eminente

émir [emir] *nm* emir *m*

émirat [emira] *nm* emirato *m*

émissaire [emisɛr] 1 *nm* emisario(a) *m,f*
  2 *adj voir* **bouc**

émission [emisjõ] *nf (de gaz, d'ondes)* emisión *f; (programme)* programa *m*

emmagasiner [ãmagazine] *vt* almacenar

emmanchure [ãmãʃyr] *nf* sisa *f*

emmêler [ãmele] 1 *vt (fils)* enredar; *Fig (idées, affaire)* embrollar
  2 **s'emmêler** *vpr (fils, idées)* enredarse; *Fam* **s'e. les pédales** *ou* **les pinceaux** liarse, hacerse un lío

emménager [45] [ãmenaʒe] *vi* instalarse

emmener [46] [ãmne] *vt* llevar

emmenthal [emɛtal] *nm* emental *m*

emmerdant, -e [ãmɛrdã, -ãt] *adj très Fam* **être e.** ser un coñazo

emmerder [ãmɛrde] *très Fam* 1 *vt* joder *(molestar)*
  2 **s'emmerder** *vpr* aburrirse; **s'e. à faire qch** tomarse el trabajo de hacer algo; *Hum* **tu ne t'emmerdes pas!** ¡qué vidorra te pegas!

emmerdeur, -euse [ãmɛrdœr, -øz] *nm,f très Fam* coñazo *mf*

emmitoufler [ãmitufle] **s'emmitoufler** *vpr* abrigarse

émoi [emwa] *nm Litt (agitation)* conmoción *f; (émotion)* emoción *f*

émotif, -ive [emɔtif, -iv] *adj* emotivo(a)

émotion [emosjõ] *nf* emoción *f;* **se remettre de ses émotions** recuperarse del golpe

émotionnel, -elle [emosjɔnɛl] *adj* emocional

émoussé, -e [emuse] *adj* desafilado(a)

émouvant, -e [emuvã, -ãt] *adj* emocionante

émouvoir [31a] [emuvwar] 1 *vt (attendrir)* emocionar; *(troubler)* conmover
  2 **s'émouvoir** *vpr (s'attendrir)* emocionarse; *(se troubler)* conmoverse

empailler [ãpaje] *vt (animal)* disecar; *(chaise)* empajar

empaler [ãpale] 1 *vt* empalar (**sur** en)
  2 **s'empaler** *vpr* **s'e. sur qch** empalarse en algo

empaqueter [42] [ãpakte] *vt* empaquetar

emparer [ãpare] **s'emparer** *vpr* **s'e. de qch** apoderarse de algo; *(ville)* tomar algo

empâter [ãpate] 1 *vt (visage, traits)* abotargar; *(bouche, langue)* poner pastoso(a)
  2 **s'empâter** *vpr (personne, traits)* engordar

empêchement [ãpeʃmã] *nm* impedimento *m*

empêcher [ãpeʃe] 1 *vt* impedir; **e. que** impedir que; **j'empêcherai qu'elle sorte** le impediré que salga; **e. qn de faire qch** impedir a alguien que haga algo; **e. qch de faire qch** impedir que algo haga algo; **(cela) n'empêche que...** eso no quita que...
  2 **s'empêcher** *vpr* **je n'ai pas pu m'e. de rire** no pude contener la risa

empereur [ãprœr] *nm* emperador *m*

empesé, -e [ãpəze] *adj (linge)* almidonado(a); *Fig (style)* afectado(a)

empester [ãpeste] 1 *vt (empuantir)* apestar; *(sentir)* apestar a
  2 *vi* apestar

empêtrer [ãpetre] **s'empêtrer** *vpr* liarse

emphase [ãfaz] *nf* énfasis *m inv*

empiéter [34] [ãpjete] *vi* **e. sur qch** *(déborder)* invadir algo; *Fig* inmiscuirse en algo

empiffrer [ãpifre] **s'empiffrer** *vpr Fam* atiborrarse

empiler [ãpile] **1** *vt* apilar
2 s'empiler *vpr* amontonarse

empire [ãpir] *nm* imperio *m*; *Litt (emprise)* dominio *m*

empirer [ãpire] *vi* empeorar

emplacement [ãplasmã] *nm* situación *f (localización)*; *(de parking)* plaza *f*

emplâtre [ãplɑtr] *nm (pommade)* emplasto *m*; *Fam Péj (incapable)* pasmarote *m*

emplettes [ãplɛt] *nfpl* **faire ses e.** hacer la compra

emplir [ãplir] *vt* llenar **(de** de)

emploi [ãplwa] *nm* empleo *m* ☆ *e. du temps* horario *m*

employé, -e [ãplwaje] *nm,f* empleado(a) *m,f* ☆ *e. de banque* empleado(a) de banca; *e. de bureau* oficinista *mf*

employer [32] [ãplwaje] **1** *vt (utiliser)* emplear; *(salarier)* dar empleo a, emplear
2 s'employer *vpr Litt* **s'e. à faire qch** emplearse a fondo en la tarea de hacer algo

employeur, -euse [ãplwajœr, -øz] *nm,f* jefe(a) *m,f*; *Com* empresa *f*

empocher [ãpɔʃe] *vt Fam* embolsarse

empoigner [ãpwaɲe] **1** *vt (saisir)* empuñar
2 s'empoigner *vpr (se battre)* llegar a las manos

empoisonner [ãpwazɔne] *vt* envenenar; *Fam (ennuyer)* dar la lata a; *(empuantir)* apestar

emporté, -e [ãpɔrte] *adj* arrebatado(a)

emporter [ãpɔrte] **1** *vt* llevarse; *(entraîner)* arrastrar; **à e.** *(plat)* para llevar; **l'e. sur** *(adversaire)* superar a; *Fig* prevalecer sobre
2 s'emporter *vpr* montar en cólera

empoté, -e [ãpɔte] *adj & nm,f Fam* zoquete *mf*

empreint, -e [ãprɛ̃, -ɛ̃t] *adj* **e. de** impregnado(a) de

empreinte [ãprɛ̃t] *nf* huella *f* ☆ *empreintes digitales* huellas digitales o dactilares

empressement [ãprɛsmã] *nm* diligencia *f*

empresser [ãprese] **s'empresser** *vpr* **s'e. de faire qch** apresurarse en hacer algo; **s'e. auprès de qn** mostrarse atento(a) con alguien

emprise [ãpriz] *nf* influencia *f*; **sous l'e. de** bajo la influencia de

emprisonner [ãprizɔne] *vt (incarcérer)* encarcelar; *(immobiliser)* aprisionar

emprunt [ãprœ̃] *nm* préstamo *m*; *Fig (imitation)* copia *f*, imitación *f* **(à** de); **faire un e.** pedir un préstamo

emprunté, -e [ãprœ̃te] *adj (gauche)* forzado(a); *(artificiel)* artificioso(a)

emprunter [ãprœ̃te] *vt (objet, argent)* pedir prestado(a); *(route)* tomar, *Esp* coger, *Am* agarrar; **e. qch à qn** *(argent)* pedir prestado algo a alguien; *Fig (expression)* tomar algo de alguien

ému, -e [emy] **1** *pp voir* **émouvoir**
2 *adj* emocionado(a)

émulation [emylɑsjɔ̃] *nf* emulación *f*

émule [emyl] *nmf* émulo(a) *m,f*; **faire des émules** tener imitadores

émulsion [emylsjɔ̃] *nf* emulsión *f*

en¹ [ã] *prép* (a) en; **en 1994/automne** en 1994/otoño; **arbres en fleur** árboles en flor; **sucre en morceaux** azúcar en terrones; **lait en poudre** leche en polvo; **dire qch en anglais** decir algo en inglés; **en vacances** de vacaciones; **agir en traître** actuar a traición; **il parle en expert** habla como experto; **je la préfère en vert** la prefiero (en) verde; **en avion/bateau/train** en avión/barco/tren; **compter en dollars** contar en dólares

(b) *(matière)* de; **une théière en argent** una tetera de plata

(c) *(devant un participe présent)* **en arrivant à Paris** al llegar a París; **il parlait en mangeant** hablaba mientras comía; **en faisant un effort** haciendo un esfuerzo; **elle répondit en souriant** respondió con una sonrisa

en² *pron* **(a)** *(de cela)* **nous en avons déjà parlé** ya hemos hablado (de ello); **j'ai du chocolat, tu en veux?** tengo chocolate, ¿quieres?; **j'en connais un/plusieurs** conozco uno/varios **(b)** *(de là)* de allí; **j'en viens à l'instant** acabo de llegar de allí

ENA [ena] *nf (abrév* **École nationale d'administration)** = prestigiosa escuela superior dedicada a la formación de altos funcionarios

encabaner [ɑ̃kabane] **s'encabaner** *vpr Can* encerrarse en casa

encadré [ɑ̃kadre] *nm* recuadro *m*

encadrement [ɑ̃kɑdrəmɑ̃] *nm (d'un tableau, d'une porte)* marco *m*; *(responsables) (d'une entreprise)* directivos *mpl*; *(d'un groupe)* responsables *mpl*; *Écon (des prix)* contención *f*

encadrer [ɑ̃kɑdre] *vt (photo, visage)* enmarcar; *(équipe, groupe)* dirigir; *(détenu)* flanquear; *Fam* **ne pas pouvoir e. qn** no tragar a alguien

encaissé, -e [ɑ̃kese] *adj* encajonado(a)

encaisser [ɑ̃kese] *vt (argent)* cobrar; *(chèque)* cobrar, hacer efectivo; *Fam (critique, coup)* encajar

encanailler [ɑ̃kɑnɑje] **s'encanailler** *vpr* encanallarse

encart [ɑ̃kar] *nm* encarte *m*

encastrer [ɑ̃kastre] **1** *vt* empotrar, encajar
2 s'encastrer *vpr* empotrarse

encaustique [ɑ̃kɔstik] *nf (cire)* encáustico *m*

enceinte¹ [ɑ̃sɛ̃t] *adj f* embarazada

enceinte² *nf (muraille)* muralla *f*; *(salle)* recinto *m*; **dans l'e. de** en el recinto de ☆ **e.** *(acoustique)* altavoz *m*

encens [ɑ̃sɑ̃] *nm* incienso *m*

encenser [ɑ̃sɑ̃se] *vt* enaltecer, glorificar

encensoir [ɑ̃sɑ̃swar] *nm* incensario *m*

encercler [ɑ̃sɛrkle] *vt (lieu, personne)* rodear; *(avec un stylo)* rodear con un círculo

enchaînement [ɑ̃ʃɛnmɑ̃] *nm* encadenamiento *m*; *(liaison)* enlace *m*

enchaîner [ɑ̃ʃene] **1** *vt* encadenar; *(idées)* enlazar
2 *vi* **e. sur qch** proseguir con algo
3 s'enchaîner *vpr (idées, épisodes)* enlazarse

enchanté, -e [ɑ̃ʃɑ̃te] *adj* encantado(a); **e. (de faire votre connaissance)** encantado (de conocerle)

enchantement [ɑ̃ʃɑ̃tmɑ̃] *nm (sortilège)* encantamiento *m*; *Fig (ravissement)* encanto *m*; *(merveille)* maravilla *f*; **comme par e.** como por arte de magia

enchanter [ɑ̃ʃɑ̃te] *vt* encantar

enchère [ɑ̃ʃɛr] *nf (offre)* puja *f*; *(au jeu)* apuesta *f*; **vendre qch aux enchères** subastar algo

enchevêtré, -e [ɑ̃ʃəvetre] *adj* enredado(a)

enclave [ɑ̃klav] *nf* enclave *m*

enclencher [ɑ̃klɑ̃ʃe] **1** *vt* poner en marcha
2 s'enclencher *vpr (mécanisme)* engranar; *Fig (processus)* iniciarse

enclin, -e [ɑ̃klɛ̃, -in] *adj* **e. à qch/à faire qch** propenso(a) a algo/a hacer algo

enclos [ɑ̃klo] *nm* cercado *m*

enclume [ɑ̃klym] *nf* yunque *m*

encoche [ɑ̃kɔʃ] *nf* muesca *f*

encoignure [ɑ̃kwaɲyr] *nf (coin)* rincón *m*

encolure [ɑ̃kɔlyr] *nf (d'un cheval)* cuello *m*; *(d'un vêtement)* escote *m*

encombrant, -e [ãkɔ̃brã, -ãt] *adj* *(colis)* voluminoso(a); *Fig* être e. *(personne)* ser un estorbo

encombre [ãkɔ̃br] **sans encombre** *adv* sin tropiezos

encombré, -e [ãkɔ̃bre] *adj* atestado(a); *Fig (ligne téléphonique)* saturado(a)

encombrement [ãkɔ̃brəmã] *nm* *(embouteillage)* atascom, embotellamiento *m*; *(volume)* volumen *m*; *Fig* *(de lignes téléphoniques)* saturación *f*

encombrer [ãkɔ̃bre] **1** *vt (pièce, passage)* obstruir, estorbar; *(personne)* agobiar

2 s'encombrer *vpr* s'e. de *(bagages, personne)* cargar con; **ne pas s'e. de scrupules** no tener escrúpulos

encontre [ãkɔ̃tr] **à l'encontre de** *prép* en contra de

encore [ãkɔr] *adv* (**a**) *(toujours)* todavía, aún; **e. un mois** un mes más; **pas e.** todavía no, aún no

(**b**) *(de nouveau)* otra vez, de nuevo; **tu manges e.!** ¡estás comiendo otra vez!; **il m'a e. menti** ha vuelto a mentirme; **e. une fois** una vez más; **et puis quoi e.!** *(exprime l'agacement)* ¿y qué más?

(**c**) *(plus)* *(avec un verbe)* (todavía) más, (aún) más; *(avec un adjectif)* aún; **baissez-le e.** bájelo aún más; **e. mieux/pire** aún mejor/peor; **e. plus** todavía más; **mais e.?** ¿y qué más?

(**d**) *(marque une restriction)* **il ne suffit pas d'être doué, e. faut-il être travailleur** no basta con tener dotes, además hay que ser trabajador; **et e.** *(tout au plus)* y aún así; **il y en a assez pour deux, et e.!** hay suficiente para dos, y aún así...!; **si e.** si al menos; **si e. tu conduisais, tu pourrais m'y emmener** si al menos condujeras, podrías llevarme; **e. que** aunque + *indicatif*; **j'aimerais y aller, e. qu'il soit très tard** me gustaría ir aunque es muy tarde

encourageant, -e [ãkuraʒã, -ãt] *adj* alentador(ora)

encourager [45] [ãkuraʒe] *vt (personne)* alentar, animar; *(activité)* fomentar; **e. qn à faire qch** alentar *o* animar a alguien a hacer algo *o* a que haga algo

encourir [64a] [ãkurir] *vt* exponerse a

encrasser [ãkrase] **1** *vt (appareil)* atascar

2 s'encrasser *vpr (appareil)* atascarse

encre [ãkr] *nf* tinta *f* ☆ **e. de Chine** tinta china; **calamars à l'e.** calamares *mpl* en su tinta

encrier [ãkrije] *nm* tintero *m*

encroûter [ãkrute] **s'encroûter** *vpr* *Fam* anquilosarse

encyclopédie [ãsiklɔpedi] *nf* enciclopedia *f*

encyclopédique [ãsiklɔpedik] *adj* enciclopédico(a)

endémique [ãdemik] *adj* endémico(a)

endetter [ãdete] **s'endetter** *vpr* endeudarse

endiablé, -e [ãdjable] *adj* endiablado(a)

endiguer [ãdige] *vt aussi Fig* encauzar

endimanché, -e [ãdimãʃe] *adj* endomingado(a)

endive [ãdiv] *nf* endibia *f*, endivia *f*

endoctriner [ãdɔktrine] *vt* adoctrinar

endolori, -e [ãdɔlɔri] *adj* dolorido(a)

endommager [45] [ãdɔmaʒe] *vt* dañar, deteriorar

endormi, -e [ãdɔrmi] **1** *adj* dormido(a)

2 *nm,f Fam* apático(a) *m,f*

endormir [29] [ãdɔrmir] **1** *vt* dormir; *(ennuyer, affaiblir)* adormecer; *(soupçons)* disipar

2 s'endormir *vpr* dormirse

endosser [ãdose] *vt (vêtement)* po- nerse; *(chèque)* endosar

endroit [ãdrwa] *nm (lieu, point)* sitio *m*; *(côté)* derecho *m*; **à quel e.?** ¿dónde?; **mettre qch à l'e.** poner algo del derecho; *Litt* **à l'e. de** *(à l'égard de)* para con, respecto a; **par en- droits** en algunos sitios

enduire [18] [ãdɥir] **1** *vt* **e. qch de** un- tar algo con
2 s'enduire *vpr* **s'e. de** untarse con

enduit, -e [ãdɥi, -it] **1** *pp voir* **enduire**
2 *nm* enlucido *m*

endurance [ãdyrãs] *nf (physique)* resistencia *f*; *(morale)* resistencia *f*, aguante *m*; **épreuve/course d'e.** prueba *f*/carrera *f* de resistencia

endurcir [ãdyrsir] **1** *vt (rendre dur, moins sensible)* curtir; **e. qn à** *(aguer- rir)* volver a alguien insensible a
2 s'endurcir *vpr* volverse insen- sible (**à** a)

endurer [ãdyre] *vt* aguantar

énergie [enɛrʒi] *nf* energía *f* ☆ **é. nucléaire** energía nuclear; **é. solaire** energía solar

énergique [enɛrʒik] *adj* enérgico(a)

énergumène [enɛrgymɛn] *nmf* energúmeno(a) *m,f*

énervant, -e [enɛrvã, -ãt] *adj* irri- tante

énerver [enɛrve] **1** *vt* poner nervio- so(a)
2 s'énerver *vpr* ponerse nervio- so(a)

enfance [ãfãs] *nf (âge)* infancia *f*, niñez *f*; *(enfants)* niños *mpl*

enfant [ãfã] *nmf (jeune)* niño(a) *m,f*; *(fils, fille)* hijo(a) *m,f* ☆ **e. de chœur** monaguillo *m*; **e. unique** hi- jo(a) único(a)

enfanter [ãfãte] *vt Litt* alumbrar

enfantin, -e [ãfãtɛ̃, -in] *adj (de l'en- fance)* infantil; *(facile)* para niños

enfarger [17] [ãfarʒe] *vi Can* trope- zar

enfer [ãfɛr] *nm* infierno *m*; **les Enfers** los infiernos *mpl*; *Fam* **d'e.** *(formi- dable)* genial, fantástico(a)

enfermer [ãfɛrme] **1** *vt* encerrar
2 s'enfermer *vpr* encerrarse

enfilade [ãfilad] *nf* fila *f*, hilera *f*; **en e.** en fila

enfiler [ãfile] **1** *vt (aiguille)* enhe- brar; *(perles)* ensartar; *(vêtement)* ponerse
2 s'enfiler *vpr Fam (avaler)* echarse entre pecho y espalda

enfin [ãfɛ̃] *adv (finalement)* por fin, al fin; *(dans une liste)* finalmente, por último; *(pour récapituler)* en fin; *(pour rectifier)* en fin, bueno

enflammer [ãflame] **1** *vt* incendiar; *Fig (personne, imagination)* encen- der
2 s'enflammer *vpr (bois)* incen- diarse; *Fig (personne, imagination)* encenderse

enflé, -e [ãfle] *adj* hinchado(a)

enfler [ãfle] **1** *vi* hincharse, inflarse
2 *vt* hinchar, inflar

enfoncer [16] [ãfɔ̃se] **1** *vt (clou, écharde)* clavar (**dans** en); *(défoncer)* derribar; *Fam Fig (humilier)* hundir; **e. qch dans** *(enfouir)* hundir algo en
2 s'enfoncer *vpr (s'affaisser)* hun- dirse; *Fig (s'enferrer)* enredarse; **s'e. dans** *(eau, boue)* hundirse en; *(forêt, ville)* adentrarse en; *(sujet: clou)* clavarse en

enfouir [ãfwir] *vt (ensevelir)* sepul- tar, enterrar; *(cacher)* esconder

enfourcher [ãfurʃe] *vt* montar (a horcajadas) en

enfourner [ãfurne] *vt (pour cuire)* hornear; *Fam (avaler)* zamparse

enfreindre [54] [ãfrɛ̃dr] *vt* infringir

enfuir [38] [ãfɥir] **s'enfuir** *vpr* huir; *Fig (temps)* pasar

enfumer [ãfyme] *vt* llenar de humo

enfuyais *etc voir* **enfuir**

engagé [ãgaʒe] *nm Mil* e. (volontaire) voluntario *m*

engageant, -e [ãgaʒã, -ãt] *adj* atrayente, atractivo(a)

engagement [ãgaʒmã] *nm (obligation) & Pol* compromiso *m*; *Mil* alistamiento *m*; *Sp* saque *m*; *Com* **sans e. (de votre part)** sin compromiso alguno (por su parte)

engager [45] [ãgaʒe] **1** *vt (lier, impliquer)* comprometer; *(embaucher)* contratar; *(faire entrer)* meter; *(capitaux)* invertir; *(négociation, débat)* entablar; **e. qn à faire qch** *(inciter)* animar a alguien a hacer algo
2 *vi Sp* sacar
3 s'engager *vpr (politiquement)* comprometerse; *(dans l'armée)* alistarse; **s'e. dans** *(s'avancer)* entrar en; **s'e. à faire qch** comprometerse a hacer algo

engelure [ãʒlyr] *nf* sabañón *m*

engendrer [ãʒãdre] *vt* engendrar

engin [ãʒɛ̃] *nm (machine)* artefacto *m*; *Mil (projectile)* misil *m*; *Fam Péj (objet)* trasto *m* ☆ **e. blindé** vehículo *m* blindado; **e. spatial** nave *f* espacial

englober [ãglɔbe] *vt* englobar

engloutir [ãglutir] *vt* engullir; *(fortune)* enterrar

engoncé, -e [ãgɔ̃se] *adj* **e. dans** embutido(a) en

engorger [45] [ãgɔrʒe] **1** *vt (obstruer)* atascar; *Méd* obstruir
2 s'engorger *vpr (s'obstruer)* atascarse; *Méd* obstruirse

engouement [ãgumã] *nm* entusiasmo *m*

engouffrer [ãgufre] **1** *vt Fam (dévorer)* tragar; *(dilapider)* enterrar
2 s'engouffrer *vpr* **s'e. dans** meterse en

engourdi, -e [ãgurdi] *adj (membre)* entumecido(a); *Fig (esprit)* aletargado(a)

engourdir [ãgurdir] **1** *vt (membre)* entumecer; *Fig (esprit)* aletargar

2 s'engourdir *vpr (membre)* entumecerse; *Fig (esprit)* abotargarse

engrais [ãgrɛ] *nm* abono *m*

engraisser [ãgrese] **1** *vt (animal)* cebar; *(terre)* abonar
2 *vi Fam* engordar

engrenage [ãgrənaʒ] *nm aussi Fig* engranaje *m*

engueulade [ãgœlad] *nf très Fam* bronca *f*

engueuler [ãgœle] *très Fam* **1** *vt* echar una bronca a; **si je rentre tard, je vais me faire e. par ma mère** si vuelvo tarde, mi madre me echará una bronca
2 s'engueuler *vpr* tener una bronca

enguirlander [ãgirlãde] *vt Fam* echar una bronca a; **il va se faire e.** le van a echar una bronca

enhardir [ãardir] **1** *vt* animar
2 s'enhardir *vpr* atreverse; **s'e. à faire qch** atreverse a hacer algo

énième [enjɛm] *adj* enésimo(a)

énigmatique [enigmatik] *adj* enigmático(a)

énigme [enigm] *nf (mystère)* enigma *f*; *(jeu)* adivinanza *f*

enivrant, -e [ãnivrã, -ãt] *adj* embriagador(ora)

enivrer [ãnivre] **1** *vt* embriagar
2 s'enivrer *vpr (se saouler)* embriagarse; *Fig* **s'e. de** embriagarse con

enjambée [ãʒãbe] *nf* zancada *f*; **marcher à grandes enjambées** caminar a grandes zancadas

enjamber [ãʒãbe] *vt (obstacle)* pasar por encima de; *Fig (vallée, cours d'eau)* atravesar

enjeu, -x [ãʒø] *nm (mise)* apuesta *f*; *Fig (but)* lo que está en juego

enjoindre [43] [ãʒwɛ̃dr] *vt Litt* **e. à qn de faire qch** ordenar a alguien que haga algo

enjôler [ãʒole] *vt* engatusar

enjoliver [ãʒɔlive] *vt* adornar

enjoliveur [ãʒɔlivœr] *nm* embellecedor *m*

enjoué, -e [ãʒwe] *adj* jovial

enlacer [16] [ãlɑse] **1** *vt* abrazar

  2 s'enlacer *vpr (s'embrasser)* abrazarse

enlaidir [ãledir] *vt* afear

enlèvement [ãlɛvmã] *nm (rapt)* rapto *m*; *(de bagages, d'ordures)* recogida *f*

enlever [46] [ãlve] *vt (ôter, supprimer)* quitar; *(emporter)* llevarse; *(ordures)* recoger; *(kidnapper)* raptar; **e. qch à qn** quitarle algo a alguien

enliser [ãlize] **s'enliser** *vpr (s'enfoncer)* hundirse; *Fig (stagner)* estancarse; *Fig (s'embrouiller)* enredarse

enluminure [ãlyminyr] *nf* iluminación *f*

enneigé, -e [ãneʒe] *adj* nevado(a), cubierto(a) de nieve

ennemi, -e [ɛnmi] *adj & nm,f* enemigo(a) *m,f*

ennui [ãnɥi] *nm (lassitude)* aburrimiento *m*; *(problème)* problema *m*

ennuyé, -e [ãnɥije] *adj (personne)* en un aprieto; *(air)* contrariado(a)

ennuyer [32] [ãnɥije] **1** *vt (lasser)* aburrir; *(contrarier)* molestar, *Esp* fastidiar, *Am* embromar; **ça vous ennuie si j'ouvre la fenêtre?** ¿le molesta que abra la ventana?

  2 s'ennuyer *vpr* aburrirse

ennuyeux, -euse [ãnɥijø, -øz] *adj (lassant)* aburrido(a); *(gênant)* molesto(a)

énoncé [enɔ̃se] *nm* enunciado *m*; *(d'un jugement)* lectura *f*

énoncer [16] [enɔ̃se] *vt (proposition, faits)* enunciar; *(jugement)* leer

enorgueillir [ãnɔrgœjir] **s'enorgueillir** *vpr* **s. de qch/de faire qch** enorgullecerse de algo/de hacer algo

énorme [enɔrm] *adj (immense)* enorme; *Fig (incroyable)* exagerado(a)

énormément [enɔrmemã] *adv* muchísimo; **é. de** muchísimo(a); **é. de gens** muchísima gente

énormité [enɔrmite] *nf (gigantisme)* enormidad *f*; *(propos absurde)* barbaridad *f*

enquête [ãkɛt] *nf (recherche) & Jur* investigación *f*; *(sondage)* encuesta *f*

enquêter [ãkete] *vi (policier)* llevar a cabo una investigación; *(sonder)* hacer una encuesta

enquiquiner [ãkikine] *Fam* **1** *vt* dar la lata a

  2 s'enquiquiner *vpr* **s'e. à faire qch** molestarse en hacer algo

enragé, -e [ãraʒe] *adj (chien)* rabioso(a); *Fig (joueur)* empedernido(a)

enrager [45] [ãraʒe] *vi* **elle enrageait de devoir lui obéir** le daba rabia tener que obedecerlo; **faire e. qn** hacer rabiar a alguien

enrayer [53] [ãreje] **1** *vt (épidémie)* detener; *(inflation, crise)* frenar

  2 s'enrayer *vpr (arme)* encasquillarse

enregistrement [ãrʒistrəmã] *nm (de son, d'images, de données)* grabación *f*; *(inscription)* inscripción *f*; *(lieu d'inscription)* registro *m* ☆ **e. (des bagages)** *(à l'aéroport)* facturación *f* (de equipajes)

enregistrer [ãrʒistre] *vt (son, images, données)* grabar; *(plainte, commande)* registrar; *(bagages)* facturar

enregistreur, -euse [ãrʒistrœr, -øz] *adj voir* **caisse**

enrhumé, -e [ãryme] *adj* resfriado(a)

enrhumer [ãryme] **s'enrhumer** *vpr* resfriarse

enrichir [ãriʃir] **1** *vt* enriquecer

  2 s'enrichir *vpr* enriquecerse

enrobé, -e [ãrɔbe] *adj Fam (personne)* rellenito(a); **e. de** *(bonbon, gâteau)* bañado(a) de

enrober [ãrɔbe] *vt* bañar (**de** con); *Fig (déguiser)* suavizar

enrôler [ɑ̃role] **1** *vt* alistar, enrolar
2 s'enrôler *vpr* alistarse, enrolarse

enroué, -e [ɑ̃rwe] *adj* ronco(a); **être e.** estar ronco

enrouer [ɑ̃rwe] **s'enrouer** *vpr* enronquecerse

enrouler [ɑ̃rule] **1** *vt* enrollar (**autour de** alrededor de)
2 s'enrouler *vpr* **s'e. sur/autour de qch** enrollarse en/alrededor de algo; **s'e. dans qch** *(se pelotonner)* envolverse en algo

ensabler [ɑ̃sable] **1** *vt* encallar
2 s'ensabler *vpr* encallar; *(port)* enarenarse

ensanglanté, -e [ɑ̃sɑ̃glɑ̃te] *adj* ensangrentado(a)

enseignant, -e [ɑ̃sɛɲɑ̃, -ɑ̃t] **1** *adj* docente
2 *nm,f* profesor(ora) *m,f*

enseigne [ɑ̃sɛɲ] *nf (de commerce)* letrero *m*; *(drapeau)* bandera *f*, estandarte *m*; **être logés à la même e.** estar en la misma situación ☆ **e. lumineuse** rótulo *m* o letrero luminoso

enseignement [ɑ̃sɛɲmɑ̃] *nm* enseñanza *f*; *Fig (leçon)* lección *f* ☆ **l'e. primaire** la enseñanza primaria; **l'e. secondaire** la enseñanza secundaria; **l'e. supérieur** la enseñanza superior; **l'e. technique** la enseñanza técnica

enseigner [ɑ̃seɲe] **1** *vt* enseñar; **e. qch à qn** enseñar algo a alguien
2 *vi* enseñar

ensemble [ɑ̃sɑ̃bl] **1** *adv (en collaboration)* juntos(as); *(en même temps)* a la vez; **aller e.** *(en harmonie)* ir bien, pegar
2 *nm* conjunto *m*; **l'e. des personnes présentes** la totalidad de los presentes; **dans l'e.** en conjunto ☆ **grand e.** = zona de edificios en las afueras de la ciudad

ensemencer [16] [ɑ̃smɑ̃se] *vt (terre)* sembrar; *(rivière)* repoblar

enserrer [ɑ̃sere] *vt* ceñir

ensevelir [ɑ̃səvlir] *vt* sepultar

ensoleillé, -e [ɑ̃sɔleje] *adj* soleado(a)

ensoleillement [ɑ̃sɔlɛjmɑ̃] *nm* insolación *f (horas de sol)*

ensommeillé, -e [ɑ̃sɔmeje] *adj* soñoliento(a)

ensorceler [9] [ɑ̃sɔrsəle] *vt* hechizar

ensuite [ɑ̃sɥit] *adv (plus tard)* después; *(plus loin)* a continuación; *(en second lieu)* y además

ensuivre [65a] [ɑ̃sɥivr] **s'ensuivre** *v impersonnel* **il s'en est suivi...** ha provocado...; **il s'ensuit que...** se sigue que...; **et tout ce qui s'ensuit** etcétera

entaille [ɑ̃taj] *nf (encoche)* muesca *f*; *(blessure)* corte *m*

entailler [ɑ̃taje] *vt* cortar

entamer [ɑ̃tame] *vt (nourriture, boisson)* empezar; *(conversation, négociations)* entablar; *(travail)* empezar, comenzar; *(économies, réputation)* mermar

entartrer [ɑ̃tartre] **1** *vt* cubrir de sarro
2 s'entartrer *vpr* cubrirse de sarro

entasser [ɑ̃tase] **1** *vt (objets)* amontonar; *(personnes)* apiñar
2 s'entasser *vpr (objets)* amontonarse; *(personnes)* apiñarse

entendre [ɑ̃tɑ̃dr] **1** *vt* oír; *(écouter)* escuchar; **e. dire que...** oír decir que...; **e. parler de qch** oír hablar de algo; **j'entends qu'on m'obéisse!** ¡exijo que se me obedezca!; **qu'est-ce que tu entends par là?** ¿qué quieres decir con eso?; **laisser e. à qn que...** dar a entender a alguien que...; **ne rien vouloir e.** no atender a razones
2 s'entendre *vpr (sympathiser)* llevarse bien (**avec** con); *(se mettre d'accord)* ponerse de acuerdo (**avec** con); **entendons-nous bien, ...** entendámonos, ...

entendu, -e [ɑ̃tɑ̃dy] **1** *pp voir* **entendre**

2 adj (sourire, air) cómplice; **(c'est) e.!** ¡de acuerdo!

entente [ãtãt] nf (harmonie) armonía f; (accord) acuerdo m; Pol alianza f

entériner [ãterine] vt ratificar

enterrement [ãtɛrmã] nm entierro m

enterrer [ãtere] **1** vt aussi Fig enterrar

2 s'enterrer vpr (s'isoler) aislarse

en-tête (pl **en-têtes**) [ãtɛt] nm membrete m; **papier à e.** papel m con membrete

entêté, -e [ãtete] adj terco(a)

entêter [ãtete] **s'entêter** vpr empeñarse; **s'e. à faire qch** empeñarse en hacer algo

enthousiasme [ãtuzjasm] nm entusiasmo m

enthousiasmer [ãtuzjasme] **1** vt entusiasmar

2 s'enthousiasmer vpr entusiasmarse; **il s'enthousiasme pour...** le entusiasma...

enthousiaste [ãtuzjast] adj entusiasta

enticher [ãtiʃe] **s'enticher** vpr **s'e. de** encapricharse por

entier, -ère [ãtje, -ɛr] adj entero(a); **en e.** en su totalidad

entièrement [ãtjɛrmã] adv totalmente

entonner [ãtɔne] vt (chant) entonar

entonnoir [ãtɔnwar] nm (instrument) embudo m; (cavité) hoyo m

entorse [ãtɔrs] nf esguince m

entortiller [ãtɔrtije] **1** vt enredar

2 s'entortiller vpr **s'e. autour de** enrollarse en

entourage [ãturaʒ] nm entorno m

entourer [ãture] **1** vt rodear; Fig **j'ai été très entourée** tuve el apoyo de mis familiares y amigos

2 s'entourer vpr **s'e. d'artistes** rodearse de artistas; **s'e. de précautions** tomar muchas precauciones

entourloupette [ãturlupɛt] nf Fam jugarreta f

entracte [ãtrakt] nm entreacto m

entraider [4] [ãtrede] **s'entraider** vpr ayudarse mutuamente

entrailles [ãtraj] nfpl entrañas fpl

entrain [ãtrɛ̃] nm ánimo m, animación f

entraînant, -e [ãtrɛnã, -ãt] adj alegre

entraînement [ãtrɛnmã] nm (d'un sportif) entrenamiento m; (préparation) práctica f; (d'un mécanisme) arrastre m

entraîner [ãtrene] **1** vt (emmener) & Tech arrastrar; (provoquer) suponer; (sportif) entrenar

2 s'entraîner vpr (sportif) entrenarse; (se préparer) practicar; **s'e. à faire qch** entrenarse para hacer algo

entraîneur [ãtrɛnœr] nm entrenador(ora) m,f

entrapercevoir [3|a] [ãtrapɛrsəvwar] vt entrever

entrave [ãtrav] nf traba f

entraver [ãtrave] vt (animal) trabar; Fig (action) poner trabas a

entre [ãtr] prép entre; **e. nous** entre nosotros; **certains d'e. nous/eux** algunos de nosotros/ellos

entrebâillé, -e [ãtrəbaje] adj entreabierto(a)

entrechoquer [ãtrəʃɔke] **1** vt entrechocar

2 s'entrechoquer vpr entrechocarse

entrecôte [ãtrəkot] nf entrecot m

entrecoupé, -e [ãtrəkupe] adj entrecortado(a) (**de** por)

entrecroiser [ãtrəkrwaze] **1** vt entrecruzar

2 s'entrecroiser vpr entrecruzarse

entrée [ãtre] nf entrada f; (plat) entrante m, primer plato m; Ordinat (touche) intro m; **e. libre** (sur panneau) entrada libre; **e. interdite** (sur *panneau)* entrada prohibida; **d'e. (de jeu)** de entrada ☆ *e. des artistes* entrada de artistas; *e. en matière* introducción *f*; *e. de service* entrada de servicio

entrefaites [ãtrəfɛt] *nfpl* **sur ces e.** en esto, en éstas

entrejambe [ãtrəʒãb] *nm* entrepierna *f*

entrelacer [16] [ãtrəlase] **1** *vt* entrelazar

  2 s'entrelacer *vpr* entrelazarse

entremêler [ãtrəmele] **1** *vt* entremezclar (**de** con), mezclar (**de** con), *CSur* entreverar (**de** con)

  2 s'entremêler *vpr* entremezclarse (**de** con), mezclarse (**de** con), *CSur* entreverarse (**de** con)

entremets [ãtrəmɛ] *nm* postre *m*

entremetteur, -euse [ãtrəmɛtœr, -øz] *nm,f* intermediario(a) *m,f*

entremise [ãtrəmiz] *nf* mediación *f*; **par l'e. de** por mediación de

entreposer [ãtrəpoze] *vt* depositar

entrepôt [ãtrəpo] *nm* almacén *m*

entreprendre [58] [ãtrəprãdr] *vt* *(commencer)* emprender; **e. de faire qch** proponerse a hacer algo; **e. qn sur qch** *(lui parler)* echar un sermón a alguien sobre algo

entrepreneur, -euse [ãtrəprənœr, -øz] *nm,f* *(en bâtiment)* contratista *mf*; *(patron)* empresario(a) *m,f*

entrepris, -e *pp voir* **entreprendre**

entreprise [ãtrəpriz] *nf* empresa *f* ☆ *la libre e.* la libre empresa

entrer [ãtre] **1** *vi* *(aux être)* *(pénétrer)* entrar; **entrez!** ¡adelante!; **faire e. qch dans qch** introducir algo en algo; **e. à** *(club, parti)* entrar en, ingresar en; **e. à l'hôpital** ingresar en el hospital; **e. à l'université** entrar en la universidad; **e. dans** entrar en; *(bain)* meterse en; **e. en scène** entrar en escena

  2 *vt* *(aux* **avoir)** *aussi Ordinat* introducir

entresol [ãtrəsɔl] *nm* entresuelo *m*

entre-temps [ãtrətã] *adv* mientras tanto

entretenir [70] [ãtrətnir] **1** *vt* *(paix, jardin, personne)* mantener; *(feu)* alimentar; *(amitié, relation)* cultivar; **e. qn de qch** *(lui parler)* conversar con alguien sobre algo

  2 s'entretenir *vpr* *(se parler)* conversar (**avec** con)

entretien [ãtrətjɛ̃] *nm* *(soins)* cuidado *m*, mantenimiento *m*; *(conversation)* conversación *f* ☆ *e. d'embauche* entrevista *f* para un trabajo

entre-tuer [ãtrətɥe] **s'entre-tuer** *vpr* matarse (unos a otros)

entrevoir [73a] [ãtrəvwar] *vt* entrever

entrevue [ãtrəvy] *nf* entrevista *f*

entrouvrir [52] [ãtruvrir] **1** *vt* entreabrir

  2 s'entrouvrir *vpr* entreabrirse

énumération [enymerasjɔ̃] *nf* enumeración *f*

énumérer [34] [enymere] *vt* enumerar

envahir [ãvair] *vt* invadir

envahissant, -e [ãvaisã, -ãt] *adj* *Fam (personne)* avasallador(ora)

envahisseur [ãvaisœr] *nm* invasor *m*

enveloppe [ãvlɔp] *nf* *(de lettre)* sobre *m*; *(d'emballage)* envoltura *f*; *(de graine)* vaina *f*; *(budget)* presupuesto *m*; **sous e.** en un sobre ☆ *e. autocollante* sobre autoadhesivo

enveloppé, -e [ãvlɔpe] *adj Hum* **(bien)** e. *(rond)* rellenito(a)

envelopper [ãvlɔpe] **1** *vt* envolver; **je vous l'enveloppe?** *(dans un magasin)* ¿se lo envuelvo?

  2 s'envelopper *vpr* **s'e. dans** envolverse en

envenimer [ãvnime] **1** *vt* *(blessure)* infectar; *Fig (querelle)* enconar; *(relation)* emponzoñar

2 s'envenimer vpr (blessure) infectarse; Fig (querelle) enconarse; (relation) emponzoñarse

envergure [ɑ̃vɛrgyr] nf envergadura f; **d'e.** de gran envergadura

enverrai etc voir **envoyer**

envers¹ [ɑ̃vɛr] prép (à l'égard de) (para) con; **e. et contre tout** contra viento y marea

envers² nm (de vêtement) revés m; Fig (face cachée) cara f oculta; Fig **l'e. du décor** la otra cara de la moneda; **à l'e.** al revés, del revés

envie [ɑ̃vi] nf (désir) ganas fpl; (jalousie) envidia f; (marque sur la peau) antojo m; **avoir e. de qch/de faire qch** tener ganas de algo/de hacer algo; **avoir e. de qn** desear a alguien; **faire e. à qn** apetecer a alguien

envier [ɑ̃vje] vt envidiar; **n'avoir rien à e. à** no tener nada que envidiarle a

envieux, -euse [ɑ̃vjø, -øz] adj & nm,f envidioso(a) m,f

environ [ɑ̃virɔ̃] adv aproximadamente, alrededor de

environnement [ɑ̃virɔnmɑ̃] nm (nature) medio ambiente m; (entourage) entorno m

environs [ɑ̃virɔ̃] nmpl alrededores mpl; **aux e. de** (lieu) en los alrededores de; (époque) alrededor de, por; (heure) a eso de; Fam **il y a un hôpital dans les e.?** ¿hay un hospital por aquí?

envisager [45] [ɑ̃vizaʒe] vt (considérer) considerar; (projeter) proyectar; **e. de faire qch** tener previsto hacer algo

envoi [ɑ̃vwa] nm envío m

envol [ɑ̃vɔl] nm (d'oiseau) vuelo m; (d'avion) despegue m; **prendre son e.** levantar el vuelo

envolée [ɑ̃vɔle] nf (poétique) vena f; Fig (d'une monnaie, des cours) subida f estrepitosa

envoler [ɑ̃vɔle] **s'envoler** vpr (oiseau) echar a volar, levantar el vue-

lo; (avion) despegar; (chapeau, ballon) volarse; Fam (disparaître) esfumarse

envoûter [ɑ̃vute] vt embrujar, hechizar

envoyé, -e [ɑ̃vwaje] **1** adj Fam **bien e.** (remarque) bien dirigido(a)
2 nm,f enviado(a) m,f

envoyer [33] [ɑ̃vwaje] **1** vt (paquet, lettre) enviar; (lancer) lanzar; **e. qch à qn** (transmettre) enviar algo a alguien; (lancer) lanzar algo a alguien; **e. qn faire qch** mandar a alguien a hacer algo; Fam **e. balader ou promener qch/qn** mandar algo/a alguien a paseo
2 s'envoyer vpr (échanger) enviarse; Fam **s'e. qch** (bouteille, gâteau) meterse algo entre pecho y espalda; très Fam **s'e. qn** tirarse a alguien

enzyme [ɑ̃zim] nm ou nf enzima f; **lessive aux enzymes** detergente m de acción biológica

épagneul [epaɲœl] nm epagneul m, spaniel m ☆ **é. breton** spaniel bretón

épais, -aisse [epɛ, -ɛs] adj (chose, personne, plaisanterie) grueso(a); (brouillard, sauce) espeso(a)

épaisseur [epɛsœr] nf (largeur) grosor m; (densité) espesura f; Fig (consistance) profundidad f

épaissir [epesir] **1** vt espesar
2 vi (sauce) espesarse; (taille) ensanchar
3 s'épaissir vpr (liquide, brouillard) espesarse; (taille) engordar; (mystère) oscurecerse

épanchement [epɑ̃ʃmɑ̃] nm (effusion) desahogo m; Méd derrame m

épancher [epɑ̃ʃe] **1** vt dar rienda suelta a
2 s'épancher vpr desahogarse

épanoui, -e [epanwi] adj (personne) realizado(a); (visage) risueño(a), alegre; (sourire) amplio(a)

épanouir [epanwir] **s'épanouir** vpr (fleur) abrirse; (visage) iluminarse

épargnant *(corps)* desarrollarse; *(personnalité)* realizarse

épargnant, -e [eparɲɑ̃, -ɑ̃t] *nm,f* ahorrador(ora) *m,f*

épargne [eparɲ] *nf* ahorro *m*

épargner [eparɲe] **1** *vt (argent)* ahorrar; *(personne)* perdonar la vida a; *(ne pas détruire)* respetar; **é. qch à qn** ahorrar algo a alguien **2** *vi* ahorrar

éparpiller [eparpije] **1** *vt* dispersar **2 s'éparpiller** *vpr* dispersarse

épars, -e [epar, -ars] *adj* disperso(a)

épatant, -e [epatɑ̃, -ɑ̃t] *adj Fam* estupendo(a), *Am* genial, sensacional, *Méx* padre, *Perú* bestial, *RP* bárbaro(a)

épaté, -e [epate] *adj (nez) Esp* chato(a), *Am* ñato(a); *Fam (étonné)* pasmado(a)

épater [epate] *vt Fam* dejar pasmado(a)

épaule [epol] *nf* hombro *m*; *Culin* paletilla *f*

épauler [epole] *vt (fusil)* encararse; *(aider)* respaldar

épaulette [epolɛt] *nf Mil* charretera *f*; *(rembourrage)* hombrera *f*

épave [epav] *nf (de navire)* restos *mpl*; *(voiture)* chatarra *f*; *Fig (personne)* ruina *f*

épée [epe] *nf* espada *f*

épeler [9] [eple] *vt* deletrear

éperdu, -e [epɛrdy] *adj (sentiment)* apasionado(a); **être é. de** *(personne)* estar loco(a) de

éperon [eprɔ̃] *nm (de cavalier)* espuela *f*; *(rocheux, de navire)* espolón *m*

éperonner [eprɔne] *vt* espolear

épervier [epɛrvje] *nm* gavilán *m*

éphémère [efemɛr] *adj* efímero(a)

éphéméride [efemerid] *nf (calendrier)* calendario *m*

épi [epi] *nm (de blé)* espiga *f*; *(de cheveux)* remolino *m*

épice [epis] *nf* especia *f*

épicé, -e [epise] *adj (plat)* sazonado(a)

épicéa [episea] *nm* picea *f*

épicerie [episri] *nf (magasin) Esp* tienda *f* de comestibles, *Méx* abarrotería *f*, *RP* almacén *m*; *(denrées)* comestibles *mpl* ☆ **é. fine** tienda de ultramarinos selectos

épicier, -ère [episje, -ɛr] *nm,f* tendero(a) *m,f (en tienda de comestibles)*; **aller chez l'é.** ir a la tienda

épidémie [epidemi] *nf* epidemia *f*

épiderme [epidɛrm] *nm* epidermis *f inv*

épier [epje] *vt (espionner)* espiar; *(observer)* atisbar

épilation [epilɑsjɔ̃] *nf* depilación *f*

épilepsie [epilɛpsi] *nf* epilepsia *f*

épiler [epile] **1** *vt* depilar **2 s'épiler** *vpr* depilarse

épilogue [epilɔg] *nm* epílogo *m*

épiloguer [epilɔge] *vi* **é. sur qch** comentar interminablemente algo

épinard [epinar] *nm* espinaca *f*

épine [epin] *nf (piquant)* espina *f* ☆ **é. dorsale** espina dorsal

épineux, -euse [epinø, -øz] *adj aussi Fig* espinoso(a)

épingle [epɛ̃gl] *nf* alfiler *m* ☆ **é. à cheveux** horquilla *f*; **é. de nourrice, é. de sûreté** imperdible *m*

épingler [epɛ̃gle] *vt (fixer)* prender con alfileres; *Fam (arrêter)* pescar

épinière [epinjɛr] *adj f voir* **moelle**

Épiphanie [epifani] *nf* **l'É.** la Epifanía

épique [epik] *adj* épico(a)

épiscopal, -e, -aux, -ales [episkɔpal, -o] *adj* episcopal

épisode [epizɔd] *nm (d'un feuilleton)* capítulo *m*; *(événement)* episodio *m*

épisodique [epizɔdik] *adj* episódico(a)

épistolaire [epistɔlɛr] *adj* epistolar

épitaphe [epitaf] *nf* epitafio *m*

épithète [epitɛt] *Gram* **1** *adj* epíteto
2 *nf* epíteto *m*

éploré, -e [eplɔre] *adj (personne)*
desconsolado(a); *(air, voix)* afligi-
do(a)

épluche-légumes [eplyʃlegym] *nm*
inv pelador *m*

éplucher [eplyʃe] *vt (légumes)* pelar; *Fig (texte, comptes)* espulgar

épluchure [eplyʃyr] *nf* mondadura *f*

éponge [epɔ̃ʒ] *nf* esponja *f*; *Fig* **passer l'é. (sur qch)** hacer borrón y cuenta nueva (respecto a algo)

éponger [45] [epɔ̃ʒe] **1** *vt (liquide)*
enjugar; *(surface)* secar con una esponja
2 s'éponger *vpr* **s'é. le front** enjugarse la frente

épopée [epɔpe] *nf* epopeya *f*; *Fig*
odisea *f*

époque [epɔk] *nf* época *f*; **à l'é.** *(en ce
temps-là)* en aquella época; **meuble
d'é.** mueble *m* de época

époumoner [epumɔne] **s'époumoner** *vpr* desgañitarse

épouse [epuz] *nf* esposa *f*

épouser [epuze] *vt (se marier avec)*
casarse con; *(suivre) (forme)* adaptarse a; *(idées, principes)* abrazar

épousseter [42] [epuste] *vt* quitar el
polvo de

époustouflant, -e [epustuflɑ̃, -ɑ̃t]
adj Fam pasmoso(a)

épouvantable [epuvɑ̃tabl] *adj* es-
pantoso(a)

épouvantail [epuvɑ̃taj] *nm aussi Fig*
espantajo *m*, espantapájaros *m inv*

épouvante [epuvɑ̃t] *nf* terror *m*

épouvanter [epuvɑ̃te] *vt* aterrorizar

époux [epu] *nm* esposo *m*

éprendre [58] [eprɑ̃dr] **s'éprendre**
vpr **s'é. de qn** prendarse de alguien

épreuve [eprœv] *nf* prueba *f*; **à l'é. de**
a prueba de; **à toute é.** a prueba de
bombas; **notre patience a été mise à**

rude é. puso/pusieron/*etc* a prueba
nuestra paciencia ☆ *Fig* **é. de force**
prueba de fuerza

éprouver [epruve] *vt (tester)* probar; *(faire souffrir)* afectar; *(ressentir)* sentir; *(difficulté)* sufrir; **être
éprouvé par** estar afectado(a) por

éprouvette [epruvɛt] *nf* probeta *f*

EPS [əpeɛs] *nf (abrév* **éducation physique et sportive)** = educación física

épuisé, -e [epɥize] *adj* agotado(a)

épuisement [epɥizmɑ̃] *nm* agotamiento *m*

épuiser [epɥize] *vt* agotar

épuisette [epɥizɛt] *nf* salabre *m*, sa-
cadera *f*

épuration [epyrɑsjɔ̃] *nf (des eaux
usées)* depuración *f*; *(politique)* purga *f*

équarrir [ekarir] *vt (poutre)* escua-
drar; *(animal)* descuartizar

Équateur [ekwatœr] *nm* **l'É.** Ecuador

équateur [ekwatœr] *nm* ecuador *m*

équation [ekwɑsjɔ̃] *nf* ecuación *f*; **é.
du premier/second degré** ecuación de
primer/segundo grado

équatorial, -e, -aux, -ales [ekwa-
tɔrjal, -o] *adj* ecuatorial

équatorien, -enne [ekwatɔrjɛ̃, -ɛn]
1 *adj* ecuatoriano(a)
2 *nm,f* **É.** ecuatoriano(a) *m,f*

équerre [ekɛr] *nf* escuadra *f*

équestre [ekɛstr] *adj* ecuestre

équilatéral, -e, -aux, -ales [ekɥila-
teral, -o] *adj* equilátero(a)

équilibre [ekilibr] *nm* equilibrio *m*;
(d'une situation) balance *m*; **mettre
qch/être en é.** poner algo/estar en
equilibrio; **perdre l'é.** perder el equilibrio

équilibré, -e [ekilibre] *adj* equili-
brado(a)

équilibrer [ekilibre] **1** *vt* equilibrar
2 s'équilibrer *vpr* equilibrarse

équilibriste [ekilibrist] *nmf* equilibrista *mf*

équinoxe [ekinɔks] *nm* equinoccio *m*

équipage [ekipaʒ] *nm* tripulación *f*

équipe [ekip] *nf* equipo *m*

équipé, -e [ekipe] *adj* equipado(a)

équipée [ekipe] *nf (aventure)* aventura *f*; *Hum (promenade)* escapada *f*

équipement [ekipmã] *nm (matériel)* equipo *m*; *(aménagement)* equipamiento *m* ☆ *équipements scolaires* equipamiento escolar; *équipements sportifs* equipamiento deportivo

équiper [ekipe] **1** *vt* equipar (**de** con)

2 s'équiper *vpr* equiparse (**de** con)

équipier, -ère [ekipje, -ɛr] *nm,f Sp* compañero(a) *m,f* de equipo

équitable [ekitabl] *adj* equitativo(a)

équitation [ekitasjɔ̃] *nf* equitación *f*; **faire de l'é.** practicar la equitación

équité [ekite] *nf* equidad *f*

équivalent, -e [ekivalã, -ãt] **1** *adj* equivalente

2 *nm* equivalente *m*

équivaloir [69] [ekivalwar] **équivaloir à** *vt ind* equivaler a

équivoque [ekivɔk] **1** *adj* equívoco(a)

2 *nf (ambiguïté)* equívoco *m*; **sans é.** *(réponse)* inequívoco(a)

érable [erabl] *nm* arce *m*

éradiquer [eradike] *vt* erradicar

érafler [erafle] **1** *vt* arañar

2 s'érafler *vpr* **s'é. le coude** arañarse el codo

éraflure [eraflyr] *nf* arañazo *m*

éraillé, -e [eraje] *adj (voix)* cascado(a)

ère [ɛr] *nf* era *f*

érection [erɛksjɔ̃] *nf* erección *f*

éreintant, -e [erɛ̃tã, -ãt] *adj* extenuante

éreinter [erɛ̃te] **1** *vt (fatiguer)* extenuar; *(critiquer)* vapulear

2 s'éreinter *vpr* **s'é. à faire qch** extenuarse haciendo algo

ergonomique [ɛrgɔnɔmik] *adj* ergonómico(a)

ériger [45] [eriʒe] **1** *vt (monument)* erigir; *Fig* **é. qn en** *(élever)* elevar a alguien a la categoría de

2 s'ériger *vpr* **s'é. en** erigirse en

ermite [ɛrmit] *nm* ermitaño *m*, eremita *m*

érogène [erɔʒɛn] *adj* erógeno(a)

érosion [erozjɔ̃] *nf* erosión *f*

érotique [erɔtik] *adj* erótico(a)

érotisme [erɔtism] *nm* erotismo *m*

errance [ɛrãs] *nf* vagabundeo *m*

errer [ɛre] *vi* errar, vagar

erreur [ɛrœr] *nf* error *m*, equivocación *f*; *Ordinat* error *m*; **par e.** por error; **l'e. est humaine** errar es humano ☆ *Ordinat* **message d'e.** mensaje *m* de error

erroné, -e [ɛrɔne] *adj* erróneo(a)

ersatz [ɛrzats] *nm inv* sucedáneo *m*

érudit, -e [erydi, -it] *adj & nm,f* erudito(a) *m,f*

éruption [erypsjɔ̃] *nf* erupción *f*; *(de joie, de colère)* acceso *m*; **entrer en é.** entrar en erupción

es *voir* **être**

ès [ɛs] *prép* en

escabeau, -x [ɛskabo] *nm (échelle)* escalerilla *f*

escadre [ɛskadr] *nf* escuadra *f*

escadrille [ɛskadrij] *nf* escuadrilla *f*

escadron [ɛskadrɔ̃] *nm* escuadrón *m*

escalade [ɛskalad] *nf* escalada *f*

escalader [ɛskalade] *vt* escalar

escalator [ɛskalatɔr] *nm* escaleras *fpl* mecánicas

escale [ɛskal] *nf* escala *f*; **faire e. à** hacer escala en

escalier [ɛskalje] *nm* escalera *f* ☆ *e. mécanique* escalera mecánica; *Can e. mobile* escaleras mecánicas; *e. roulant* escalera mecánica

escalope [ɛskalɔp] *nf* filete *m*, bistec *m*

escamotable [ɛskamɔtabl] *adj* plegable

escamoter [ɛskamɔte] *vt* escamotear; *(train d'atterrissage)* replegar

escapade [ɛskapad] *nf* escapada *f*

escargot [ɛskargo] *nm* caracol *m*

escarmouche [ɛskarmuʃ] *nf* escaramuza *f*

escarpé, -e [ɛskarpe] *adj* escarpado(a)

escarpin [ɛskarpɛ̃] *nm* zapato *m* de tacón

escient [esjɑ̃] *nm* **à bon e.** oportunamente; **à mauvais e.** inoportunamente

esclaffer [ɛsklafe] **s'esclaffer** *vpr* partirse de risa

esclandre [ɛsklɑ̃dr] *nm* escándalo *m*; **faire un e.** armar un escándalo

esclavage [ɛsklavaʒ] *nm* esclavitud *f*

esclave [ɛsklav] *adj & nmf* esclavo(a) *m,f*

escompte [ɛskɔ̃t] *nm* descuento *m*

escompter [ɛskɔ̃te] *vt* *(prévoir)* contar con; *Fin* descontar

escorte [ɛskɔrt] *nf* escolta *f*

escorter [ɛskɔrte] *vt* escoltar

escrime [ɛskrim] *nf* esgrima *f*

escrimer [ɛskrime] **s'escrimer** *vpr* **s'e. à faire qch** empeñarse en hacer algo

escroc [ɛskro] *nm* estafador *m*

escroquer [ɛskrɔke] *vt* *(tromper)* estafar; **e. qch à qn** sacar algo a alguien

escroquerie [ɛskrɔkri] *nf* estafa *f*

escudo [ɛskydo] *nm* escudo *m*

eskimo [ɛskimo] = **esquimau**

espace [ɛspas] *nm* espacio *m* ☆ **e. aérien** espacio aéreo; **e. vert** zona *f* verde

espacement [ɛspasmɑ̃] *nm* *(écart)* espacios *mpl*

espacer [16] [ɛspase] *vt* espaciar

espadon [ɛspadɔ̃] *nm* pez *m* espada

espadrille [ɛspadrij] *nf* alpargata *f*

Espagne [ɛspaɲ] *nf* l'E. España

espagnol, -e [ɛspaɲɔl] **1** *adj* español(ola)
  2 *nm,f* E. español(ola) *m,f*
  3 *nm* *(langue)* español *m*

espèce [ɛspɛs] *nf* *(minérale, animale, végétale)* especie *f*; *(sorte)* clase *f*; **une e. de** una especie de; **e. d'idiot!** ¡so imbécil!, ¡pedazo de imbécil!; **payer en espèces** pagar en efectivo *o* en metálico

espérance [ɛsperɑ̃s] *nf* esperanza *f* ☆ **e. de vie** esperanza de vida

espérer [34] [ɛspere] **1** *vt* esperar; **e. faire qch** esperar hacer algo; **e. que** esperar que
  2 *vi* tener confianza; **j'espère (bien)!** ¡espero que sí!

espiègle [ɛspjɛgl] *adj* travieso(a)

espion, -onne [ɛspjɔ̃, -ɔn] *nm,f* espía *mf*

espionnage [ɛspjɔnaʒ] *nm* espionaje *m*; **film/roman d'e.** película *f*/novela *f* de espionaje ☆ **e. industriel** espionaje industrial

espionner [ɛspjɔne] *vt* espiar

esplanade [ɛsplanad] *nf* esplanada *f*

espoir [ɛspwar] *nm* esperanza *f*; **un jeune e.** *(personne)* una joven promesa; **dans l'e. que...** con la esperanza de que...

esprit [ɛspri] *nm* *(entendement)* mente *f*; *(attitude, fantôme)* espíritu *m*; *(humour)* ingenio *m*; **avoir l'e. mal tourné** ser retorcido(a); **reprendre ses esprits** volver en sí; **avoir l'e. de contradiction** ser el espíritu de la contradicción ☆ **e. de compétition** espíritu de competición; **e. critique** espíritu crítico

esquimau, -aude, -x, -audes [ɛskimo, -od] **1** *adj* esquimal
  2 *nm,f* E. esquimal *mf*
  3 *nm* *(langue)* esquimal *m*
  4 *nm* E.® *(glace)* bombón *m* helado

esquinter [ɛskɛ̃te] *Fam* **1** *vt (abîmer)* escacharrar; *(critiquer)* poner de vuelta y media
2 s'esquinter *vpr* **s'e. la jambe** jorobarse la pierna; **s'e. à faire qch** matarse haciendo algo

esquisse [ɛskis] *nf (croquis)* apunte *m*, bosquejo *m*; *(projet)* esbozo *m*; *Fig (de geste, de sourire)* esbozo *m*, amago *m*

esquisser [ɛskise] *vt aussi Fig* esbozar

esquiver [ɛskive] **1** *vt* esquivar
2 s'esquiver *vpr* escabullirse

essai [esɛ] *nm (test)* prueba *f*; *(tentative)* intento *m*; *(étude, au rugby)* ensayo *m*; **à l'e.** a prueba

essaim [esɛ̃] *nm aussi Fig* enjambre *m*

essayage [esɛjaʒ] *nm* prueba *f*

essayer [53] [eseje] *vt (tester)* probar; *(vêtement)* probarse; *(tenter)* probar (con); **e. de faire qch** intentar hacer algo, tratar de hacer algo

essence [esɑ̃s] *nf (carburant)* gasolina *f*, *Chile* bencina *f*, *RP* nafta *f*; *(nature, concentré)* esencia *f*; *(d'arbre)* especie *f*; **par e.** por definición

essentiel, -elle [esɑ̃sjɛl] **1** *adj* esencial
2 *nm* **l'e.** lo esencial

esseulé, -e [esœle] *adj* abandonado(a)

essieu, -x [esjø] *nm* eje *m*

essor [esɔr] *nm (envol)* vuelo *m*; *(développement)* desarrollo *m*; **prendre son e.** levantar el vuelo

essorer [esɔre] *vt (manuellement)* escurrir; *(à la machine)* centrifugar

essoreuse [esɔrøz] *nf* secadora *f*

essoufflé, -e [esufle] *adj* sin aliento

essouffler [esufle] **1** *vt* dejar sin aliento
2 s'essouffler *vpr* perder el aliento; *Fig (artiste)* perder la inspiración; *(industrie, économie)* debilitarse

essuie-glace *(pl* **essuie-glaces)** [esɥiglas] *nm* limpiaparabrisas *m inv*

essuie-mains [esɥimɛ̃] *nm inv* toalla *f* de manos

essuie-tout [esɥitu] *nm inv* bayeta *f*

essuyer [32] [esɥije] **1** *vt (vaisselle, mains)* secar; *(poussière)* limpiar; *(échec)* sufrir
2 s'essuyer *vpr* secarse; *(fesses)* limpiarse

est¹ [ɛst] **1** *adj inv* este
2 *nm inv* este *m*; **à l'e.** en el este; **à l'e. de** al este de; **l'E.** el Este; **l'Allemagne de l'E.** Alemania oriental

est² *voir* **être**

estafette [ɛstafɛt] *nf* furgoneta *f*

estafilade [ɛstafilad] *nf* chirlo *m*

estaminet [ɛstaminɛ] *nm Belg* tasca *f*

estampe [ɛstɑ̃p] *nf* estampa *f*

est-ce que [ɛskə] *adv interrogatif* **e. tu viens?** ¿vienes?; **où e. tu es?** ¿dónde estás?

esthète [ɛstɛt] *adj & nmf* esteta *mf*

esthéticienne [ɛstetisjɛn] *nf* esteticista *f*

esthétique [ɛstetik] **1** *adj* estético(a)
2 *nf* estética *f*

estimation [ɛstimasjɔ̃] *nf* estimación *f*

estime [ɛstim] *nf* estima *f*; **avoir de l'e. pour qn** tener a alguien en gran estima; **baisser/monter dans l'e. de qn** ser menos/más apreciado(a) por alguien

estimer [ɛstime] **1** *vt (objet d'art)* valorar; *(résultat, somme)* calcular; *(respecter)* apreciar; **e. que** considerar que
2 s'estimer *vpr* **s'e. satisfait/lésé** considerarse satisfecho/perjudicado

estival, -e, -aux, -ales [ɛstival, -o] *adj* estival

estivant, -e [ɛstivɑ̃, -ɑ̃t] *nm,f* veraneante *mf*

estomac [ɛstɔma] *nm* estómago *m*

estomaqué, -e [ɛstɔmake] *adj* pasmado(a)

estomper [ɛstɔ̃pe] **1** *vt (contour)* difuminar; *(douleur, souvenir)* atenuar
2 s'estomper *vpr (contour)* difuminarse; *(douleur, souvenir)* atenuarse

Estonie [ɛstɔni] *nf* l'E. Estonia

estonien, -enne [ɛstɔnjɛ̃, -ɛn] **1** *adj* estonio(a)
2 *nm,f* E. estonio(a) *m,f*

estrade [ɛstrad] *nf* estrado *m*; *(à l'école)* tarima *f*

estragon [ɛstragɔ̃] *nm* estragón *m*

estropié, -e [ɛstrɔpje] *adj & nm,f* lisiado(a) *m,f*

estuaire [ɛstɥɛr] *nm* estuario *m*

esturgeon [ɛstyrʒɔ̃] *nm* esturión *m*

et [e] *conj* y; **Juan et María** Juan y María; **Juan et Isabel** Juan e Isabel

ét. *abrév* **étage**

ETA [ətea] *nf (abrév Euskadi Ta Askatasuna)* ETA *f*

étable [etabl] *nf* establo *m*

établi [etabli] *nm* banco *m*

établir [etablir] **1** *vt (installer, fonder)* establecer; *(liste, facture)* fijar; *(vérité, culpabilité)* asentar
2 s'établir *vpr* establecerse

établissement [etablismɑ̃] *nm* establecimiento *m* ☆ **é. hospitalier** establecimiento hospitalario; **é. scolaire** establecimiento escolar

étage [etaʒ] *nm (de bâtiment)* piso *m*; *(de fusée)* cuerpo *m*; **au premier/ troisième é.** en el primer/tercer piso

étagère [etaʒɛr] *nf (meuble)* estantería *f*; *(rayon)* estante *m*

étain [etɛ̃] *nm (métal)* estaño *m*; *(objet)* objeto *m* de estaño

étais, était *etc voir* **être**

étal (*pl* **étals**) [etal] *nm (éventaire)* puesto *m*; *(de boucher)* tabla *f* de carnicero

étalage [etalaʒ] *nm (marchandises)* muestrario *m*; *(devanture)* escaparate *m*; **faire é. de qch** hacer alarde de algo

étalagiste [etalaʒist] *nmf* escaparatista *mf*

étaler [etale] **1** *vt (marchandises)* exponer; *(papiers, journal)* desplegar; *(peinture)* extender; *(beurre, confiture)* untar; *(échelonner)* escalonar; *Péj (exhiber)* ostentar
2 s'étaler *vpr (peinture, beurre)* extenderse; *(dans le temps)* escalonarse; *Fam (tomber)* caerse al suelo

étalon [etalɔ̃] *nm (cheval)* semental *m*; *(mesure)* patrón *m*

étanche [etɑ̃ʃ] *adj (cloison)* estanco(a); *(toiture)* impermeable; *(montre)* sumergible

étancher [etɑ̃ʃe] *vt (larmes)* secar; **é. sa soif** saciar la sed

étang [etɑ̃] *nm* estanque *m*

étant *voir* **être**

étape [etap] *nf (distance, phase)* etapa *f*; *(halte)* parada *f*; **faire é. à** parar en; **brûler les étapes** quemar etapas

État [eta] *nm* Estado *m*

état [eta] *nm* estado *m*; *Vieilli (condition sociale)* condición *f*; **à l'é. neuf** nuevo(a); **à l'é. pur** en estado puro; **en bon/mauvais é.** en buen/ mal estado; *(appartement)* en buenas/malas condiciones; **remettre qch en é.** arreglar algo; **être en é./hors d'é. de faire qch** estar/no estar en condiciones de hacer algo; **être dans tous ses états** estar histérico(a); **en tout é. de cause** en todo caso ☆ **é. civil** estado civil; **é. d'esprit** estado de ánimo; **é. des lieux** = descripción del estado en que se encuentran los locales en el momento de arrendarlos; **é. de santé** estado de salud; **é. d'urgence** estado de emergencia

état-major (*pl* **états-majors**) [etamaʒɔr] *nm* estado *m* mayor

États-Unis [etazyni] *nmpl* **les É. (d'Amérique)** los Estados Unidos (de América)

étau, -x [eto] *nm* torno *m*

étayer [53] [eteje] *vt (mur, plafond)* apuntalar; *Fig (démonstration)* apoyar

etc. *(abrév* **et cetera)** etc.

et cætera, et cetera [ɛtsetera] *adv* etcétera

été¹ [ete] *pp voir* **être**

été² *nm* verano *m*

éteindre [54] [etɛ̃dr] **1** *vt* apagar; *Jur (droit)* anular; *(dette)* liquidar
2 s'éteindre *vpr* apagarse; *(bruit, souvenir)* extinguirse

étendard [etɑ̃dar] *nm* estandarte *m*

étendre [etɑ̃dr] **1** *vt (bras, aile, enduit)* extender; *(linge, blessé)* tender; *(vocabulaire, pouvoir)* extender, ampliar; *Fam* **se faire é.** *(à un examen)* catear
2 s'étendre *vpr (personne)* tenderse; *(plaine, paysage, épidémie)* extenderse; **s'é. sur qch** *(s'attarder)* extenderse sobre algo *(hablando)*

étendu, -e [etɑ̃dy] **1** *pp voir* **étendre**
2 *adj (plaine, pouvoirs)* extenso(a)
3 *nf* **étendue** extensión *f*

éternel, -elle [etɛrnɛl] *adj* eterno(a)

éterniser [etɛrnize] **s'éterniser** *vpr* eternizarse

éternité [etɛrnite] *nf* eternidad *f*

éternuer [etɛrnɥe] *vi* estornudar

êtes *voir* **être**

étêter [etete] *vt (arbre)* desmochar; *(clou, poisson)* descabezar

éther [etɛr] *nm* éter *m*

Éthiopie [etjɔpi] *nf* l'É. Etiopía

éthiopien, -enne [etjɔpjɛ̃, -ɛn] **1** *adj* etíope
2 *nm,f* **É.** etíope *mf*

éthique [etik] **1** *adj* ético(a)
2 *nf* ética *f*

ethnie [ɛtni] *nf* etnia *f*

ethnique [ɛtnik] *adj* étnico(a)

ethnologie [ɛtnɔlɔʒi] *nf* etnología *f*

éthylisme [etilism] *nm* etilismo *m*

étiez *voir* **être**

étincelant, -e [etɛ̃slɑ̃, -ɑ̃t] *adj (couleur, lumière)* relumbrante; *(regard, œil)* brillante

étinceler [9] [etɛ̃sle] *vi (étoile)* relumbrar; *(yeux)* brillar

étincelle [etɛ̃sɛl] *nf* chispa *f*; *Fig (d'intelligence)* destello *m*

étioler [etjɔle] **s'étioler** *vpr (plante)* marchitarse; *(personne, faculté)* debilitarse

étions *voir* **être**

étiqueter [42] [etikte] *vt* etiquetar; *Fig* poner una etiqueta a; **é. qn comme** tildar a alguien de

étiquette [etikɛt] *nf* etiqueta *f*

étirer [etire] **1** *vt* estirar
2 s'étirer *vpr* estirarse

étoffe [etɔf] *nf (tissu)* tela *f*; **avoir l'é. de** *(l'envergure de)* tener madera de

étoffer [etɔfe] *vt* dar cuerpo a

étoile [etwal] *nf* estrella *f*; **à la belle é.** al raso ☆ **l'é. du berger** *(le matin)* el lucero del alba; *(le soir)* el lucero de la tarde; **é. filante** estrella fugaz; **é. de mer** estrella de mar; **l'é. Polaire** la estrella polar

étoilé, -e [etwale] *adj* estrellado(a)

étole [etɔl] *nf* estola *f*

étonnant, -e [etɔnɑ̃, -ɑ̃t] *adj* asombroso(a)

étonnement [etɔnmɑ̃] *nm* asombro *m*

étonner [etɔne] **1** *vt* asombrar; **ça m'étonne qu'elle soit venue** me extraña que haya venido; *Fam* **alors ça, ça m'étonnerait!** ¡me extraña mucho!; **plus rien ne m'étonne** ya nada me sorprende
2 s'étonner *vpr* **s'é. de qch/que** extrañarse de algo/de que

étouffant, -e [etufɑ̃, -ɑ̃t] *adj* sofocante

étouffée [etufe] **à l'étouffée 1** *adj* estofado(a)
2 *adv* **cuire qch à l'é.** estofar algo

étouffer [etufe] **1** *vt* *(asphyxier)* ahogar; *(feu, révolte)* sofocar; *(bruit)* amortiguar; *(sentiment)* disimular; *Fig (scandale, affaire)* acallar

2 *vi (suffoquer)* sofocar; *Fig (être mal à l'aise)* ahogarse; **on étouffe ici** el ambiente es sofocante

3 s'étouffer *vpr (s'étrangler)* atragantarse

étourderie [eturdəri] *nf* despiste *m*

étourdi, -e [eturdi] *adj & nm,f* despistado(a) *m,f*

étourdir [eturdir] *vt (assommer)* aturdir; *(fatiguer)* atontar

étourdissement [eturdismã] *nm* mareo *m*

étrange [etrãʒ] *adj* extraño(a)

étranger, -ère [etrãʒe, -ɛr] **1** *adj (personne, langue)* extranjero(a); *(affaires, politique)* exterior; *(à part)* extraño(a); **être é. à qn** ser desconocido(a) para alguien; **être é. à qch** *(insensible à)* ser insensible a algo; *(extérieur à)* ser ajeno(a) a algo

2 *nm,f (d'un autre pays)* extranjero(a) *m,f*; *(inconnu)* desconocido(a) *m,f*

3 *nm* **à l'é.** en el extranjero

étranglé, -e [etrãgle] *adj (voix)* sofocado(a)

étrangler [etrãgle] **1** *vt (stranguler, comprimer)* estrangular; *Fig (ruiner)* ahogar

2 s'étrangler *vpr (s'étouffer)* atragantarse; *(voix, sanglots)* quebrarse

être [2] [ɛtr] **1** *nm* ser *m* ☆ **ê. humain** ser humano; **ê. vivant** ser vivo

2 *v aux* **(a)** *(forme les temps composés)* haber; **il est arrivé tard** ha llegado tarde; **il est parti ce matin** se ha ido esta mañana; **il est né en 1952** nació en 1952

(b) *(forme le passif)* ser; **il a été vu par un témoin** fue visto por un testigo

2 *vi* **(a)** *(indique l'état, la matière)* ser; **il est grand/heureux** es alto/

feliz; **il est médecin** es médico; **ma montre est en argent** mi reloj es de plata; **sois sage!** ¡pórtate bien!

(b) *(indique l'appartenance)* **ce livre est à mon frère** este libro es de mi hermano; **c'est à vous, cette moto?** ¿es vuestra esta moto?

(c) *(indique une situation)* estar; **il est à Paris** está en París; **nous sommes au printemps/en été** estamos en primavera/en verano; **je suis bien ici** estoy bien aquí; **où en es-tu?** *(dans un travail, un livre)* ¿por dónde vas?; **je ne sais plus où j'en suis** estoy aturdido(a)

(d) *(indique l'origine)* ser; **il est de Paris** es de París

(e) *(exister)* ser; *Litt* **il n'est plus** dejó de existir

(f) *(aller)* estar; **as-tu déjà été à Salamanque?** ¿has estado en Salamanca?

(g) *(indique l'obligation)* **c'est à vérifier** hay que comprobarlo; **cette chemise est à laver** esta camisa es para lavar

(h) *(indique la continuité)* **il est toujours à ne rien faire** está todo el día sin hacer nada

3 *v impersonnel* **(a)** *(dans l'expression du temps)* ser; **quelle heure est-il?** ¿qué hora es?; **il est dix heures dix** son las diez y diez

(b) *(suivi d'un adjectif)* ser; **il est inutile de...** es inútil...; **il serait bon de lui écrire/que tu viennes** sería conveniente escribirle/que vinieras

étreindre [54] [etrɛ̃dr] **1** *vt (serrer, embrasser)* abrazar; *Fig (tenailler)* oprimir, atenazar

2 s'étreindre *vpr* abrazarse

étreinte [etrɛ̃t] *nf (enlacement)* abrazo *m*; *(sexuelle)* acto *m* sexual

étrenner [etrene] *vt* estrenar

étrennes [etrɛn] *nfpl* = regalo o aguinaldo que se ofrece el primer día del año

étrier [etrije] *nm* estribo *m*; *Fig* **avoir le pied à l'é.** empezar a abrirse camino

étriller [etrije] *vt (cheval)* almohazar; *Fig (adversaire, film)* criticar duramente

étriper [etripe] **1** *vt* destripar; *Fam Fig* **si je l'attrape, je l'étripe!** ¡como lo pille, lo mato!

   2 s'étriper *vpr Fam* matarse

étriqué, -e [etrike] *adj (vêtement)* apretado(a); *(local)* exiguo(a); *(esprit)* limitado(a)

étroit, -e [etrwa, -at] *adj* estrecho(a); *Péj (esprit, vues)* limitado(a); **être à l'é.** estar apretado(a)

étude [etyd] *nf* estudio *m*; *(salle de travail)* sala *f* de estudios; *(de notaire)* notaría *f*; **à l'é.** *(proposition)* en estudio; **études** *(éducation)* estudios; **faire des études (de journalisme/de français)** estudiar (periodismo/francés) ☆ **é. de marché** estudio de mercado

étudiant, -e [etydjã, -ãt] **1** *adj* estudiantil
   2 *nm,f* estudiante *mf*

étudié, -e [etydje] *adj* estudiado(a)

étudier [etydje] *vt* estudiar

étui [etɥi] *nm* estuche *m* ☆ **é. à cigarettes** pitillera *f*; **é. à lunettes** estuche de gafas

étuve [etyv] *nf (local)* sauna *f*; *(appareil)* estufa *f*; *Fig* horno *m*

étuvée [etyve] **à l'étuvée 1** *adj* estofado(a)
   2 *adv* **cuire qch à l'é.** estofar algo

étymologie [etimɔlɔʒi] *nf* etimología *f*

eu, -e *pp voir* **avoir**

eucalyptus [økaliptys] *nm* eucalipto *m*

euh [ø] *exclam* pues

eunuque [ønyk] *nm* eunuco *m*

euphémisme [øfemism] *nm* eufemismo *m*

euphorie [øfɔri] *nf* euforia *f*

euro [øro] *nm* euro *m*

eurodevise [ørodəviz] *nf* eurodivisa *f*

euromissile [ørɔmisil] *nm* euromisil *m*

Europe [ørɔp] *nf* **l'E.** Europa; **l'E. centrale** Europa central; **l'E. de l'Est** Europa del Este, *Am* Europa oriental; **l'E. du Nord** *Esp* el Norte de Europa, *Am* Europa del Norte; **l'E. occidentale** *ou* **de l'Ouest** Europa occidental

européen, -enne [ørɔpeɛ̃, -ɛn] **1** *adj* europeo(a)
   2 *nm,f* **E.** europeo(a) *m,f*

euthanasie [øtanazi] *nf* eutanasia *f*

eux [ø] *pron personnel* ellos *mpl*; **les Espagnols, e., se couchent tard** pues los españoles se acuestan tarde; **c'est à e.** es de ellos; **ils l'ont emmenée avec e.** se la llevaron

eux-mêmes [ømɛm] *pron personnel* ellos (mismos) *mpl*

évacuer [evakɥe] *vt (lieu, personnes)* evacuar; *(eau)* verter; *Méd (éliminer)* eliminar

évadé, -e [evade] *nm,f* evadido(a) *m,f*

évader [evade] **s'évader** *vpr* evadirse (**de** de)

évaluation [evalɥasjɔ̃] *nf* evaluación *f*

évaluer [evalɥe] *vt (distance, risque)* evaluar; *(objet d'art)* valorar, evaluar

évangile [evãʒil] *nm* evangelio *m*

évanouir [evanwir] **s'évanouir** *vpr (personne)* desmayarse; *Fig (espoirs, souvenir)* desvanecerse

évanouissement [evanwismã] *nm* desmayo *m*, desvanecimiento *m*

évaporer [evapɔre] **s'évaporer** *vpr (liquide)* evaporarse; *(disparaître)* evaporarse, esfumarse

évasé, -e [evɑze] *adj (vase)* de boca ancha; *(vêtement)* acampanado(a)

évaser [evɑze] **s'évaser** *vpr* ensancharse

évasif, -ive [evazif, -iv] *adj* evasivo(a)

évasion [evazjɔ̃] *nf* evasión *f*

évêché [eveʃe] *nm* obispado *m*

éveil [evɛj] *nm* despertar *m*; **en é.** *(esprit)* en vilo

éveillé, -e [eveje] *adj (qui ne dort pas)* desvelado(a); *(vif)* despierto(a)

éveiller [eveje] **1** *vt* despertar
2 s'éveiller *vpr* despertarse; *Litt* **s'é. à qch** *(s'ouvrir à)* despertar a algo

événement, évènement [evɛnmã] *nm* acontecimiento *m*; **la suite des événements** el desarrollo de los acontecimientos

éventail [evãtaj] *nm aussi Fig* abanico *m*; **en é.** en abanico

éventaire [evãter] *nm (étalage)* puesto *m*

éventer [evãte] **1** *vt (personne)* abanicar; *(secret)* airear
2 s'éventer *vpr (personne)* abanicarse; *(parfum)* desvanecerse

éventrer [evãtre] *vt* destripar

éventualité [evãtɥalite] *nf* eventualidad *f*; **dans l'é. de...** en la eventualidad de...

éventuel, -elle [evãtɥɛl] *adj* eventual

éventuellement [evãtɥɛlmã] *adv* eventualmente

évêque [evɛk] *nm* obispo *m*

évertuer [evɛrtɥe] **s'évertuer** *vpr* **s'é. à faire qch** esforzarse en hacer algo

évidemment [evidamã] *adv* evidentemente

évidence [evidãs] *nf* evidencia *f*; **mettre qch en é.** poner algo en evidencia, evidenciar algo

évident, -e [evidã, -ãt] *adj* evidente

évider [evide] *vt* vaciar; *(arbre)* recortar; *(fruit)* quitar el corazón a

évier [evje] *nm* fregadero *m*

évincer [16] [evɛ̃se] *vt* excluir **(de** de)

éviter [evite] **1** *vt (coup, personne, problème)* evitar; **é. de faire qch** evitar hacer algo; **il faut é. qu'il le voie** hay que impedir que lo vea; **é. qch à qn** ahorrarle algo a alguien
2 s'éviter *vpr (personnes)* evitarse; **s'é. qch** ahorrarse algo

évocateur, -trice [evɔkatœr, -tris] *adj* evocador(ora)

évocation [evɔkasjɔ̃] *nf* evocación *f*

évolué, -e [evɔlɥe] *adj (société, pays)* evolucionado(a); *(personne, idées)* moderno(a)

évoluer [evɔlɥe] *vi* evolucionar

évolution [evɔlysjɔ̃] *nf* evolución *f*

évoquer [evɔke] *vt* evocar

ex [ɛks] *nmf Fam* ex *mf*

ex- [ɛks] *préf* ex-, antiguo(a)

exacerber [ɛgzaserbe] **1** *vt* exacerbar
2 s'exacerber *vpr* exacerbarse

exact, -e [ɛgzakt] *adj* exacto(a); *(ponctuel)* puntual; **oui, c'est e.** sí, exacto

exactement [ɛgzaktəmã] *adv* exactamente

exaction [ɛgzaksjɔ̃] *nf* exacción *f*

exactitude [ɛgzaktityd] *nf (justesse)* exactitud *f*; *(ponctualité)* puntualidad *f*

ex aequo [ɛgzeko] **1** *adj inv* **ils sont e.** han ganado ex aequo
2 *adv* ex aequo

exagération [ɛgzaʒerasjɔ̃] *nf* exageración *f*

exagérer [34] [ɛgzaʒere] *vt & vi* exagerar

exalté, -e [ɛgzalte] *adj & nm,f* exaltado(a) *m,f*

exalter [ɛgzalte] **1** *vt* exaltar
2 s'exalter *vpr* exaltarse

examen [ɛgzamɛ̃] *nm* examen *m* ☆ **e. blanc** examen de prueba; **e. d'entrée (à)** examen de ingreso (a);

e. médical examen o reconocimiento m médico

examinateur, -trice [εgzaminatœr, -tris] *nm,f* examinador(ora) *m,f*

examiner [εgzamine] *vt* examinar

exaspérer [34] [εgzaspere] *vt* exasperar

exaucer [16] [εgzose] *vt (personne)* oír; *(vœu, demande)* atender

excédent [εksedã] *nm* exceso *m*; *Écon* excedente *m*; **en e.** en exceso ☆ **e. de bagages** exceso de equipaje

excéder [34] [εksede] *vt (dépasser)* exceder a; *(exaspérer)* exasperar

excellence [εksεlãs] *nf* excelencia *f*; **par e.** por excelencia

excellent, -e [εksεlã, -ãt] *adj* excelente

exceller [εksele] *vi* **e. en** *ou* **dans qch** destacar en algo; **e. à faire qch** ser muy bueno(a) haciendo algo

excentré, -e [εksãtre] *adj* **c'est très e.** queda muy alejado del centro

excentrique [εksãtrik] **1** *adj* excéntrico(a); *(quartier)* periférico(a) **2** *nmf* excéntrico(a) *m,f*

excepté, -e [εksεpte] **1** *adj* exceptuado(a) **2** *prép* excepto

exception [εksεpsjõ] *nf* excepción *f*; **faire e.** ser una excepción; **à l'e. de** con o a excepción de; **sans e.** sin excepción

exceptionnel, -elle [εksεpsjonεl] *adj* excepcional

excès [εksε] *nm* exceso *m*; **sans e.** sin excesos ☆ **e. de vitesse** exceso de velocidad

excessif, -ive [εksesif, -iv] *adj (prix, rigueur)* excesivo(a); *(personne, caractère)* exagerado(a)

excitant, -e [εksitã, -ãt] **1** *adj* excitante **2** *nm* excitante *m*

excitation [εksitasjõ] *nf* excitación *f*

excité, -e [εksite] **1** *adj* excitado(a) **2** *nm,f* exaltado(a) *m,f*

exciter [εksite] **1** *vt* excitar; *(chien)* azuzar; **e. qn à qch** incitar a alguien a algo **2 s'exciter** *vpr* excitarse

exclamation [εksklamasjõ] *nf* exclamación *f*

exclamer [εksklame] **s'exclamer** *vpr* exclamar

exclu, -e [εkskly] **1** *adj* excluido(a); **c'est e.!** ¡ni hablar!; **il n'est pas e. que...** es posible que... **2** *nm,f* marginado(a) *m,f*

exclure [17] [εsklyr] *vt (expulser, être incompatible avec)* excluir; *(hypothèse)* excluir, descartar

exclusif, -ive [εksklyzif, -iv] *adj (droit, privilège)* exclusivo(a); *(personne)* posesivo(a)

exclusion [εksklyzjõ] *nf* exclusión *f*; **à l'e. de** con exclusión de

exclusivement [εksklyzivmã] *adv* exclusivamente

exclusivité [εksklyzivite] *nf* exclusiva *f*; *(des sentiments)* exclusividad *f*; **en e.** en exclusiva

excommunier [εkskɔmynje] *vt* excomulgar

excréments [εkskremã] *nmpl* excrementos *mpl*

excroissance [εkskrwasãs] *nf* excrecencia *f*

excursion [εkskyrsjõ] *nf* excursión *f*

excursionniste [εkskyrsjɔnist] *nmf* excursionista *mf*

excuse [εkskyz] *nf* excusa *f*; **faire** *ou* **présenter ses excuses à qn** presentar disculpas a alguien

excuser [εkskyze] **1** *vt* disculpar, excusar; *(dispenser)* excusar; **excusez-moi** disculpe, perdone; **excuse-moi de t'avoir dérangée** perdona por haberte molestado **2 s'excuser** *vpr* disculparse, excusarse; **s'e. de qch/de faire qch**

disculparse o excusarse por algo/ por hacer algo

exécrable [ɛgzekrabl] *adj* terrible

exécuter [ɛgzekyte] **1** *vt (projet)* llevar a cabo; *(tableau)* pintar; *(mettre à mort), Mus & Ordinat* ejecutar
2 s'exécuter *vpr* obedecer

exécutif, -ive [ɛgzekytif, -iv] **1** *adj* ejecutivo(a)
2 *nm* **l'e.** el ejecutivo

exécution [ɛgzekysjɔ̃] *nf* ejecución *f; (d'une promesse)* cumplimiento *m*; **mettre qch à e.** *(projet)* realizar algo; *(promesse)* cumplir algo

exemplaire [ɛgzɑ̃plɛr] **1** *adj* ejemplar
2 *nm* ejemplar *m*; **en trois exemplaires** por triplicado

exemple [ɛgzɑ̃pl] *nm* ejemplo *m*; **par e.** por ejemplo; **donner l'e.** dar ejemplo; **prendre e. sur qn** tomar ejemplo de alguien

exempt, -e [ɛgzɑ̃, -ɑ̃t] *adj* **être e. de qch** estar exento(a) de algo

exempter [ɛgzɑ̃te] *vt* **e. qn de** eximir a alguien de; **être exempté du service militaire** estar exento del servicio militar

exercer [16] [ɛgzɛrse] **1** *vt (métier, activité)* ejercer; *(droit)* ejercitar
2 s'exercer *vpr (s'entraîner)* ejercitarse; *(se manifester)* ejercerse; **s'e. à qch** ejercitarse en algo; **s'e. à faire qch** entrenarse para hacer algo

exercice [ɛgzɛrsis] *nm* ejercicio *m*; **en e.** en ejercicio

exhaler [ɛgzale] **1** *vt (odeur, soupir)* exhalar; *(plainte)* proferir
2 s'exhaler *vpr (odeur, soupir)* desprenderse

exhaustif, -ive [ɛgzostif, -iv] *adj* exhaustivo(a)

exhiber [ɛgzibe] **1** *vt* exhibir
2 s'exhiber *vpr* exhibirse

exhibitionniste [ɛgzibisjɔnist] *nmf* exhibicionista *mf*

exhorter [ɛgzɔrte] *vt* **e. qn à qch/à**

faire qch exhortar a alguien a algo/a hacer algo

exhumer [ɛgzyme] *vt (cadavre)* exhumar; *(trésor, passé)* desenterrar

exigeant, -e [ɛgziʒɑ̃, -ɑ̃t] *adj* exigente

exigence [ɛgziʒɑ̃s] *nf* exigencia *f*

exiger [45] [ɛgziʒe] *vt* exigir; **j'exige que tu rentres tôt** exijo que vuelvas temprano; **e. qch de qn** exigir algo de alguien

exigu, -uë [ɛgzigy] *adj* exiguo(a)

exil [ɛgzil] *nm* exilio *m*; **en e.** en el exilio

exilé, -e [ɛgzile] *nm,f* exiliado(a) *m,f*

exiler [ɛgzile] **1** *vt* exilar
2 s'exiler *vpr* exiliarse

existence [ɛgzistɑ̃s] *nf* existencia *f*

exister [ɛgziste] *vi* existir

exode [ɛgzɔd] *nm* éxodo *m*

exonération [ɛgzɔnerasjɔ̃] *nf* **e. fiscale** *ou* **d'impôts** exención *f* tributaria

exorbitant, -e [ɛgzɔrbitɑ̃, -ɑ̃t] *adj* desorbitante

exorciser [ɛgzɔrsize] *vt* exorcizar

exotique [ɛgzɔtik] *adj* exótico(a)

expansif, -ive [ɛkspɑ̃sif, -iv] *adj* expansivo(a)

expansion [ɛkspɑ̃sjɔ̃] *nf* expansión *f*

expansionniste [ɛkspɑ̃sjɔnist] *adj & nmf* expansionista *mf*

expatrié, -e [ɛkspatrije] *adj & nm,f* expatriado(a) *m,f*

expatrier [66] [ɛkspatrije] **s'expatrier** *vpr* expatriarse

expédier [ɛkspedje] *vt (envoyer)* expedir; *(se débarrasser de) (personne)* librarse de; *(travail, affaire)* despachar

expéditeur, -trice [ɛkspeditœr, -tris] *nm,f* remitente *mf*

expéditif, -ive [ɛkspeditif, -iv] *adj* expeditivo(a)

expédition [ɛkspedisjɔ̃] *nf* expedición *f*; **partir en e.** salir de expedición

expérience [ɛksperjãs] *nf (habitude)* experiencia *f; (essai)* experimento *m;* **avoir de l'e.** tener experiencia

expérimental, -e, -aux, -ales [ɛksperimãtal, -o] *adj* experimental

expérimenté, -e [ɛksperimãte] *adj* experimentado(a)

expérimenter [ɛksperimãte] *vt* experimentar

expert, -e [ɛkspɛr, -ɛrt] **1** *adj* experto(a)
 2 *nm* perito *m*

expert-comptable *(pl* **experts-comptables)** [ɛkspɛrkɔ̃tabl] *nm* censor *m* jurado de cuentas

expertise [ɛkspɛrtiz] *nf* peritaje *m*

expertiser [ɛkspɛrtize] *vt* peritar, realizar un examen pericial a

expier [ɛkspje] *vt* expiar

expiration [ɛkspirasjɔ̃] *nf (d'air)* espiración *f; (d'un contrat, d'un bail)* expiración *f*

expirer [ɛkspire] *vi (finir, mourir)* expirar; *(respirer)* espirar

explicatif, -ive [ɛksplikatif, -iv] *adj* explicativo(a)

explication [ɛksplikasjɔ̃] *nf* explicación *f* ☆ **e. de texte** comentario *m* de texto

explicite [ɛksplisit] *adj* explícito(a)

expliciter [ɛksplisite] *vt* explicitar

expliquer [ɛksplike] **1** *vt* explicar; *(texte)* comentar
 2 s'expliquer *vpr* explicarse; *(discuter)* hablar; *(devenir compréhensible)* explicarse, aclararse

exploit [ɛksplwa] *nm* hazaña *f*

exploitant, -e [ɛksplwatã, -ãt] *nm,f (de cinéma)* explotador(ora) *m,f* ☆ **e. agricole** agricultor *m*

exploitation [ɛksplwatasjɔ̃] *nf* explotación *f* ☆ **e. agricole** explotación agrícola

exploiter [ɛksplwate] *vt* explotar

explorateur, -trice [ɛksplɔratœr, -tris] *nm,f* explorador(ora) *m,f*

exploration [ɛksplɔrasjɔ̃] *nf* exploración *f*

explorer [ɛksplɔre] *vt* explorar

exploser [ɛksploze] *vi (bombe, personne)* explotar; *(colère, joie)* estallar

explosif, -ive [ɛksplozif, -iv] **1** *adj aussi Fig* explosivo(a)
 2 *nm* explosivo *m*

explosion [ɛksplozjɔ̃] *nf aussi Fig* explosión *f* ☆ **e. démographique** explosión demográfica

exportateur, -trice [ɛkspɔrtatœr, -tris] *adj & nm,f* exportador(ora) *m,f*

exportation [ɛkspɔrtasjɔ̃] *nf* exportación *f*

exporter [ɛkspɔrte] *vt aussi Ordinat* exportar

exposant, -e [ɛkspozã, -ãt] **1** *nm,f (dans une exposition)* expositor(ora) *m,f*
 2 *nm Math* exponente *m;* **en e.** en superíndice

exposé [ɛkspoze] *nm (compte-rendu)* informe *m; (à l'école)* exposición *f*

exposer [ɛkspoze] **1** *vt* exponer; *(orienter)* orientar
 2 s'exposer *vpr* **s'e. (au soleil)** exponerse al sol; **s'e. à un danger/aux critiques** exponerse a un peligro/a las críticas

exposition [ɛkspozisjɔ̃] *nf* exposición *f; (orientation)* orientación *f* ☆ **l'E. universelle** la Exposición Universal

exprès¹, -esse [ɛksprɛs] *adj (ordre, défense)* expreso(a)

exprès² *adj inv (lettre, colis)* urgente

exprès³ [ɛksprɛ] *adv* a propósito, adrede; *(spécialement)* expresamente; **faire qch e.** hacer algo a propósito; **sans le faire e.** sin querer

express [ɛksprɛs] **1** *adj inv (train, voie)* exprés
 2 *nm inv (train, café)* expreso *m*

expressément [εksprεsemã] *adv* expresamente

expressif, -ive [εkspresif, -iv] *adj* expresivo(a)

expression [εksprεsjɔ̃] *nf* expresión *f* ☆ *e. corporelle* expresión corporal; *e. toute faite* frase *f* hecha

exprimer [εksprime] **1** *vt (dire)* expresar
   2 s'exprimer *vpr* expresarse

exproprier [66] [εksprɔprije] *vt* expropiar

expulser [εkspylse] *vt* expulsar; *(locataire)* desahuciar

expulsion [εkspylsjɔ̃] *nf* expulsión *f*; *(d'un locataire)* desahucio *m*

expurger [45] [εkspyrʒe] *vt* expurgar

exquis, -e [εkski, -iz] *adj* exquisito(a)

exsangue [εgzãg, εksãg] *adj* exangüe

extase [εkstaz] *nf* éxtasis *m inv*; **être en e. devant** extasiarse ante

extasier [εkstazje] **s'extasier** *vpr* s'e. sur/devant extasiarse ante

extensible [εkstãsibl] *adj* extensible

extension [εkstãsjɔ̃] *nf* extensión *f*; **par e.** por extensión ☆ *Ordinat e. mémoire* ampliación *f* de memoria

exténuer [εkstenɥe] *vt* extenuar

extérieur, -e [εksterjœr] **1** *adj* exterior; *(apparent)* aparente
   2 *nm (dehors)* exterior *m*; **à l'e.** *(dehors)* en el exterior, fuera; *(à l'étranger)* en el extranjero, fuera del país; *Sp* fuera de casa; **à l'e. de qch** por fuera de algo

extérieurement [εksterjœrmã] *adv (dehors)* exteriormente; *(en apparence)* en apariencia

extérioriser [εksterjɔrize] **1** *vt* exteriorizar
   2 s'extérioriser *vpr* exteriorizarse

exterminer [εkstεrmine] *vt* exterminar

externat [εkstεrna] *nm (lycée)* externado *m*; *(en médecine)* rotatorio *m*

externe [εkstεrn] **1** *adj* externo(a)
   2 *nmf (élève)* externo(a) *m,f*; *(étudiant en médecine)* rotatorio(a) *m,f*

extincteur [εkstɛ̃ktœr] *nm* extintor *m*

extinction [εkstɛ̃ksjɔ̃] *nf* extinción *f* ☆ *e. de voix* afonía *f*

extirper [εkstirpe] **1** *vt (plante, secret)* arrancar; *Méd* extirpar; **e. qch/ qn de qch** sacar algo/a alguien de algo
   2 s'extirper *vpr* s'e. de qch salir de algo

extorquer [εkstɔrke] *vt* e. qch à qn sacar algo a alguien

extra [εkstra] **1** *adj inv (de qualité supérieure)* extra; *Fam (génial)* guay
   2 *nm inv (service occasionnel)* trabajito *m*; *(chose inhabituelle)* extra *m*

extra- [εkstra] *préf* extra-

extraction [εkstraksjɔ̃] *nf* extracción *f*

extrader [εkstrade] *vt* extraditar

extradition [εkstradisjɔ̃] *nf* extradición *f*

extraire [28] [εkstrεr] **1** *vt* extraer
   2 s'extraire *vpr* s'e. de qch salir de algo

extrait [εkstrε] *nm* extracto *m* ☆ *e. de naissance* partida *f* de nacimiento

extraordinaire [εkstraɔrdinεr] *adj* extraordinario

extrapoler [εkstrapɔle] *vi* extrapolar

extraterrestre [εkstratεrεstr] *adj & nmf* extraterrestre *mf*

extravagance [εkstravagãs] *nf* extravagancia *f*

extravagant, -e [εkstravagã, -ãt] *adj (idée, propos)* extravagante; *(prix, exigence)* desorbitado(a)

extraverti, -e [εkstravεrti] *adj &*
nm,f extrovertido(a) *m,f*, extraver-
tido(a) *m,f*

extrême [εkstrεm] **1** *adj* extre-
mo(a); *(solution, opinion)* extrema-
do(a)

     2 *nm* extremo *m* ; **d'un e. à l'autre** de
un extremo al otro

extrêmement [εkstrεmmã] *adv* ex-
tremadamente

extrême-onction *(pl* **extrêmes-onc-
tions)** [εkstrεmɔ̃ksjɔ̃] *nf* extremaunción *f*

Extrême-Orient [εkstrεmɔrjã] *nm*
l'E. el Extremo Oriente

extrémiste [εkstremist] *adj & nmf*
extremista *mf*

extrémité [εkstremite] *nf (bout)* extremidad *f*; *(situation critique)* extremo *m*

exubérant, -e [εgzyberã, -ãt] *adj*
exuberante

exulter [εgzylte] *vi* exultar

eye-liner *(pl* **eye-liners)** [ajlajnœr]
nm perfilador *m* de ojos

F

F, f [ɛf] *nm inv (lettre)* F *f*, *f f*; **un F2/F3** un piso de un dormitorio/dos dormitorios *(más el salón)*

F *(abrév* **franc(s), Fahrenheit)** F; *(abrév* **femme)** M

fa [fa] *nm inv Mus* fa *m*

fable [fɑbl] *nf* fábula *f*

fabricant, -e [fabrikɑ̃, -ɑ̃t] *nm,f* fabricante *mf*

fabrication [fabrikɑsjɔ̃] *nf* fabricación *f* ☆ **f. assistée par ordinateur** fabricación asistida por ordenador *o Am* computadora

fabrique [fabrik] *nf* fábrica *f*

fabriquer [fabrike] *vt (confectionner)* fabricar; *(inventer)* inventar; *Fam* **mais qu'est-ce que tu fabriques?** pero, ¿qué haces?

fabuleux, -euse [fabylø, -øz] *adj* fabuloso(a)

fac [fak] *nf Fam* facul *f*

façade [fasad] *nf* fachada *f*

face [fas] *nf (d'une personne, d'un objet)* cara *f*; *(aspect)* aspecto *m*; **de f.** de frente; **d'en f.** de enfrente; **en f.** de frente a; **f. à f.** cara a cara; **faire f. à qch** *(être devant)* dar a algo; *(affronter)* hacer frente a algo

face-à-face [fasafas] *nm inv* debate *m* cara a cara

facétie [fasesi] *nf* gracia *f (broma)*

facette [fasɛt] *nf* faceta *f*

fâché, -e [fɑʃe] *adj* enfadado(a); **être f. avec qn** estar enfadado(a)

con alguien; **je ne suis pas f. que ce soit terminé** no me importa nada que se haya terminado

fâcher [fɑʃe] **1** *vt (mettre en colère) Esp* enfadar, *Am* enojar
 2 se fâcher *vpr (se mettre en colère) Esp* enfadarse, *Am* enojarse (**contre** con); *(se brouiller)* enemistarse (**avec** con)

fâcheux, -euse [fɑʃø, -øz] *adj* enojoso(a)

faciès [fasjɛs] *nm Péj* facciones *fpl*

facile [fasil] *adj* fácil; **f. à faire/lire** fácil de hacer/leer; **c'est f. à dire!** ¡eso se dice fácilmente!

facilement [fasilmɑ̃] *adv (avec facilité)* fácilmente; *(au moins)* tranquilamente

facilité [fasilite] *nf* facilidad *f*; **avoir de la f. pour qch** tener facilidad para algo ☆ **facilités de paiement** facilidades de pago

faciliter [fasilite] *vt* facilitar

façon [fasɔ̃] *nf (manière)* manera *f*; *(travail)* trabajo *m*; **façons** *(comportement)* modales *mpl*; **faire des façons** *(minauder)* ser finústico(a); *(se faire prier)* hacerse de rogar; **sans façons** *(simple)* campechano(a); **non merci, sans façons!** ¡no gracias, de verdad!; **f. soie** imitación seda; **de f. à faire qch** con el fin de hacer algo; **de f. (à ce) que** con el fin de que; **de toute f.** de todos modos

façonner [fasɔne] *vt (travailler)* trabajar; *(fabriquer)* fabricar; *Fig (personne, caractère)* modelar

fac-similé *(pl* fac-similés) [faksimile] *nm* facsímil *m*, facsímile *m*

facteur [faktœr] *nm* factor *m*; *(des postes)* cartero(a) *m,f*; **le f. chance/temps** el factor suerte/tiempo

factice [faktis] *adj* facticio(a)

faction [faksjɔ̃] *nf (groupe)* facción *f*; *Mil* **être en** *ou* **de f.** estar de guardia

facture¹ [faktyr] *nf (note)* factura *f*

facture² *nf (style)* estilo *m*

facturer [faktyre] *vt* facturar

facultatif, -ive [fakyltatif, -iv] *adj* facultativo(a)

faculté [fakylte] *nf* facultad *f*; **f. de droit/de lettres/de médecine** facultad de derecho/de letras/de medicina

fade [fad] *adj* soso(a)

fagot [fago] *nm* gavilla *f*

fagoté, -e [fagɔte] *adj* mal vestido(a)

faible [fɛbl] **1** *adj* débil; *(élève)* flojo(a); *(quantité)* pequeño(a)
2 *nmf* **f. d'esprit** simple *mf*
3 *nm (préférence)* debilidad *f*; **avoir un f. pour** tener debilidad por

faiblement [fɛbləmɑ̃] *adv* débilmente

faiblesse [fɛblɛs] *nf* debilidad *f*; *(insignifiance)* escasez *f*

faiblir [feblir] *vi* debilitarse; *(vent)* amainar

faïence [fajɑ̃s] *nf* loza *f*

faille [faj] *nf Géol* falla *f*; *(défaut)* fallo *m*

faillir [35] [fajir] *vi* **f. à qch** *(manquer)* faltar a algo; **f. faire qch** *(être sur le point de)* estar a punto de hacer algo; **j'ai failli tomber** casi me caigo

faillite [fajit] *nf (financière)* quiebra *f*; *(échec)* fracaso *m*; **en f.** en quiebra; **faire f.** quebrar

faim [fɛ̃] *nf (besoin de manger)* hambre *f*; *(désir)* ganas *fpl*; **avoir f.** tener hambre; **avoir une f. de loup** tener un hambre canina; **rester sur sa f.** quedarse con hambre; *Fig* quedarse con las ganas

fainéant, -e [feneɑ̃, -ɑ̃t] *adj & nm,f* holgazán(ana) *m,f*

faire [36] [fɛr] **1** *vt* **(a)** *(fabriquer, s'occuper à, étudier)* hacer; **f. un gâteau/du café/un film** hacer un pastel/café/una película; **que fais-tu dimanche?** ¿qué haces este domingo?; **qu'est-ce qu'il fait dans la vie?** ¿a qué se dedica?; **qu'est-ce que je peux f. pour t'aider?** ¿qué puedo hacer para ayudarte?; **f. qch de qch/qn** hacer algo de algo/alguien; **il veut en f. un avocat** quiere hacer de él un abogado; **qu'est-ce que tu as fait de mon CD?** ¿qué has hecho con mi compacto?; **f. son droit/de l'anglais** hacer derecho/inglés; **f. le ménage/la lessive** hacer la limpieza/la colada; **ne f. que** *(faire sans cesse)* no parar de; *(faire juste)* no hacer más que; **je ne faisais que jeter un coup d'œil** sólo estaba echando un vistazo

(b) *(pratiquer)* *(tennis, basket)* jugar a; *(natation, équitation)* hacer; *(musique)* tocar; **f. du vélo/de la moto** montar en bicicleta/en moto

(c) *(occasionner)* **f. du mal à qn** hacer daño a alguien; **f. mal** *(sujet : blessure)* doler; **f. du bruit** hacer ruido; **f. de la peine à qn** dar pena a alguien; **f. plaisir à qn** complacer a alguien; **ça ne fait rien** no importa

(d) *(imiter)* hacerse; **f. le sourd/l'innocent** hacerse el sordo/el inocente

(e) *(dans les calculs, les mesures)* **un et un font deux** uno y uno son dos; **ça fait combien de kilomètres jusqu'à la mer?** ¿cuántos kilómetros hay hasta el mar?; **la table fait 2 mètres de long** la mesa tiene 2 metros de largo

(f) *(dire)* **certainement pas!, fit-elle** desde luego que no, dijo

(g) *(sembler)* **il fait jeune/anglais** parece joven/inglés

(h) *(suivi d'un infinitif)* hacer; **f. démarrer un camion** arrancar un camión; **f. tomber qch** hacer caer algo; **f. travailler qn** hacer trabajar a alguien; **f. réparer sa télé** llevar la tele a arreglar; **f. nettoyer ses vitres** mandar a limpiar los cristales

(i) *(remplace un autre verbe)* hacer; **je lui ai dit de prendre une échelle mais il ne l'a pas fait** le dije que tomara *o Esp* cogiera una escalera pero no lo hizo

2 *vi (agir)* **est-ce que j'ai bien fait?** ¿he hecho bien?; **pour bien f., il faudrait partir maintenant** lo ideal sería salir ahora; **tu ferais bien d'aller voir ce qui se passe** más vale que vayas a ver qué pasa; **il ferait mieux de travailler** sería mejor que trabajara, más le valdría trabajar

3 *v impersonnel* (a) *(indique un état)* **il fait beau/froid** hace buen tiempo/frío; **il fait jour/nuit** es de día/de noche; **il fait 20 degrés** estamos a 20 grados

(b) *(indique la durée, la distance)* **ça fait six mois que...** hace seis meses que...; **ça fait 30 kilomètres que...** hace 30 kilómetros que...

4 se faire *vpr* (a) *(avoir lieu)* hacerse; **finalement ça ne s'est pas fait** al final no se hizo; **ça se fait beaucoup cette année** *(c'est à la mode)* se lleva mucho este año; **ça ne se fait pas** *(ce n'est pas poli)* eso no se hace; **comment se fait-il que...?** ¿cómo es que...?

(b) *(se confectionner, acquérir)* hacerse; **se f. des amis** hacerse amigos; **se f. une idée sur qch** hacerse una idea de algo; **se f. mal** hacerse daño; **se f. du souci** preocuparse; **ne t'en fais pas** no te preocupes

(c) *(devenir)* **se f. vieux** hacerse viejo

(d) *(avec un infinitif)* **se f. couper les cheveux** cortarse el pelo; **il s'est fait écraser** lo han atropellado; **elle s'est fait opérer** la han operado

(e) **se f. à** *(s'habituer)* acostumbrarse a

(f) *(réciproque)* **se f. du mal/des cadeaux/des reproches** hacerse daño/regalos/reproches

faire-part [fɛrpar] *nm inv* participación *f* ☆ **f. de décès** esquela *f*

fais *etc voir* **faire**

faisable [fəzabl] *adj* factible

faisan [fəzɑ̃] *nm* faisán *m*

faisandé, -e [fəzɑ̃de] *adj (viande)* manido(a)

faisceau, -x [fɛso] *nm (rayon)* haz *m*; *(fagot)* manojo *m*

faisons *voir* **faire**

fait, -e [fɛ, fɛt] **1** *pp voir* **faire**

2 *adj* hecho(a); **bien/mal f.** bien/mal hecho; **être f. pour** estar hecho para; **ils sont faits l'un pour l'autre** están hechos el uno para el otro; *Litt* **c'en est f. de lui** está perdido

3 *nm* hecho *m*; **le f. de faire qch** el hecho de hacer algo; **au f.** a propósito; **être au f. de qch** estar al corriente de algo; **en f.** de hecho; **prendre qn sur le f.** pillar a alguien in fraganti, pillar a alguien con las manos en la masa; **les faits et gestes de** la vida y milagros de; **mettre qn devant le f. accompli** presentar a alguien el hecho consumado ☆ **f. divers** suceso *m*

faîte [fɛt] *nm (d'un toit)* techumbre *f*; *(d'un arbre)* copa *f*; *Fig (de la gloire)* cima *f*

faites *voir* **faire**

fait-tout *nm inv,* **faitout** *nm* [fɛtu] olla *f*

falaise [falɛz] *nf* acantilado *m*

fallacieux, -euse [falasjø, -øz] *adj* falaz

falloir [37] [falwar] **1** *v impersonnel (exprime une nécessité, une obligation)* hacer falta; **il faut regarder avant de traverser** hay que mirar antes de cruzar; **il faudrait te dépêcher**

deberías darte prisa; **il me faut du temps** necesito tiempo, me hace falta tiempo; **il vous faudra réunir les fonds nécessaires** tendréis que reunir el dinero necesario; **il faut que tu partes** tienes que irte; **s'il le faut** si no queda más remedio; **il n'est pas venu? il faut qu'il soit malade!** ¿no ha venido? ¡debe de estar muy enfermo!; *Fam* **faut le faire!** ¡es increíble!
  2 s'en falloir *v impersonnel* **il s'en faut de peu pour qu'il puisse acheter cette maison** no puede comprarse la casa por poco; **il s'en faut de beaucoup pour qu'il puisse réussir son examen** le falta mucho para poder aprobar este examen; **peu s'en est fallu qu'il démissionne** ha estado a punto de dimitir

falot, -e [falo, -ɔt] *adj* insulso(a)

falsifier [falsifje] *vt (document, comptes)* falsificar; *(fait, pensée)* falsear

famé, -e [fame] *adj* **mal f.** de mala fama

famélique [famelik] *adj* famélico(a)

fameux, -euse [famø, -øz] *adj (célèbre)* famoso(a); *Fam (délicieux) Esp* estupendo(a), *Am* delicioso; *Fam (remarquable)* bestial

familial, -e, -aux, -ales [familjal, -o] *adj* familiar

familiariser [familjarize] **1** *vt* **f. qn avec qch** familiarizar a alguien con algo
  2 se familiariser *vpr* **se f. avec qch** familiarizarse con algo

familiarité [familjarite] *nf (intimité)* intimidad *f*; *(désinvolture)* familiaridad *f*; **se permettre des familiarités avec qn** tomarse confianzas con alguien

familier, -ère [familje, -ɛr] **1** *adj* familiar
  2 *nm (d'une personne, d'un lieu)* parroquiano *m*

famille [famij] *nf* familia *f*; **en f.** en familia ☆ *f.* **nombreuse** familia numerosa

famine [famin] *nf* hambruna *f*

fan [fan] *nmf Fam* fan *mf*

fanal, -aux [fanal, -o] *nm* farol *m*

fanatique [fanatik] *adj & nmf* fanático(a) *m,f*

fanatisme [fanatism] *nm* fanatismo *m*

faner [fane] **1** *vi* marchitarse, ajarse
  2 se faner *vpr* marchitarse, ajarse

fanfare [fɑ̃far] *nf* fanfarria *f*; **en f.** *(réveil)* con gran estruendo

fanfaron, -onne [fɑ̃farɔ̃, -ɔn] *adj & nm,f* fanfarrón(ona) *m,f*

fange [fɑ̃ʒ] *nf Litt* fango *m*

fanion [fanjɔ̃] *nm* banderín *m*

fantaisie [fɑ̃tezi] *nf* fantasía *f*; *(extravagance)* extravagancia *f*; **elle n'en fait qu'à sa f.** hace lo que se le antoja

fantaisiste [fɑ̃tezist] *adj & nmf* fantasioso(a) *m,f*

fantasme [fɑ̃tasm] *nm* fantasma *m*

fantasque [fɑ̃task] *adj (personne)* lunático(a); *(humeur)* caprichoso(a)

fantassin [fɑ̃tasɛ̃] *nm* infante *m*, soldado *m* de infantería

fantastique [fɑ̃tastik] **1** *adj* fantástico(a)
  2 *nm* **le f.** *(genre)* el fantástico

fantoche [fɑ̃tɔʃ] *nm* fantoche *mf*; **gouvernement f.** gobierno *m* títere

fantôme [fɑ̃tom] **1** *nm* fantasma *m*
  2 *adj* fantasma

faon [fɑ̃] *nm* cervatillo *m*

faramineux, -euse [faraminø, -øz] *adj Fam* fabuloso(a); *(prix)* desorbitante

farce¹ [fars] *nf (garniture)* relleno *m*

farce² *nf (blague)* broma *f*; *(genre littéraire)* farsa *f* ☆ **farces et attrapes** artículos *mpl* de broma

farceur, -euse [farsœr, -øz] *adj & nm,f* bromista *mf*

farci, -e [farsi] *adj Culin* relleno(a); *Fam Fig* **f. de** *(plein)* atiborrado(a) de

farcir [farsir] **1** *vt (volaille)* rellenar; *Fam Fig* **f. qch de** *(remplir)* atiborrar algo de
  2 se farcir *vpr Fam* **je vais encore devoir me f. les courses!** ¡otra vez me toca hacer la compra!; **se f. qn** *(supporter)* aguantar a alguien

fard [far] *nm (de théâtre)* maquillaje *m* ☆ **f. à joues** colorete *m*; **f. à paupières** sombra *f* de ojos

fardeau, -x [fardo] *nm aussi Fig* carga *f*

farder [farde] **1** *vt* maquillar
  2 se farder *vpr* maquillarse

farfelu, -e [farfəly] *adj* estrafalario(a)

farfouiller [farfuje] *vi Fam* revolver

farine [farin] *nf* harina *f*

farouche [faruʃ] *adj (animal)* salvaje; *(personne)* arisco(a)

fascicule [fasikyl] *nm* fascículo *m*

fascinant, -e [fasinɑ̃, -ɑ̃t] *adj* fascinante

fasciner [fasine] *vt* fascinar

fascisme [faʃism] *nm* fascismo *m*

fasciste [faʃist] *adj & nmf* fascista *mf*

fasse *etc voir* **faire**

faste [fast] **1** *adj (jour)* de suerte
  2 *nm* fasto *m*, fastuosidad *f*

fast-food *(pl* **fast-foods**) [fastfud] *nm* = establecimiento de comida rápida

fastidieux, -euse [fastidjø, -øz] *adj* fastidioso(a)

fastueux, -euse [fastɥø, -øz] *adj* fastuoso(a)

fatal, -e, -als, -ales [fatal] *adj (coup, erreur)* fatal; *(inévitable)* inevitable

fataliste [fatalist] *adj & nmf* fatalista *mf*

fatalité [fatalite] *nf* fatalidad *f*

fatidique [fatidik] *adj* fatídico(a)

fatigant, -e [fatigɑ̃, -ɑ̃t] *adj (acti-* vité*)* cansado(a); *(personne)* cansino(a)

fatigue [fatig] *nf* cansancio *m*, fatiga *f*

fatigué, -e [fatige] *adj (personne, vue)* cansado(a); *Fam (vêtement)* gastado(a); **être f. de qch** estar cansado de algo

fatiguer [fatige] **1** *vt* cansar
  2 *vi (personne)* cansarse; *(moteur)* resentirse
  3 se fatiguer *vpr* cansarse **(de** de); **se f. à faire qch** cansarse haciendo algo

fatras [fatra] *nm* fárrago *m*

faubourg [fobur] *nm* arrabal *m*

fauché, -e [foʃe] *adj Fam (sans argent)* pelado(a)

faucher [foʃe] *vt (couper)* segar; *(renverser)* arrollar; *(atteindre par balle)* abatir; *Fam* **f. qch à qn** *(voler)* birlar algo a alguien

faucille [fosij] *nf* hoz *f*; **la f. et le marteau** la hoz y el martillo

faucon [fokɔ̃] *nm* halcón *m*

faudra *voir* **falloir**

faufiler [fofile] **1** *vt* hilvanar
  2 se faufiler *vpr* colarse

faune [fon] *nf aussi Fig & Péj* fauna *f*

faussaire [foser] *nmf* falsificador(ora) *m,f*

fausse [fos] *voir* **faux**

faussement [fosmɑ̃] *adv (à tort, de façon erronée)* erróneamente; *(de façon affectée)* falsamente

fausser [fose] *vt (clef, axe)* torcer; *(résultat, calcul)* falsear; **f. compagnie à qn** plantar a alguien

fausseté [foste] *nf* falsedad *f*

faut *voir* **falloir**

faute [fot] *nf (erreur)* falta *f*, error *m*; *(méfait, infraction)* falta *f*; *(responsabilité)* culpa *f*; **c'est de sa f.** es culpa suya; **prendre qn en f.** pillar a alguien in fraganti; **par la f. de qn** por culpa de alguien; **f. de** por falta de; **f. de**

mieux a falta de algo mejor; **sans f.** sin falta ☆ **f. d'étourderie** despiste *m*; **f. de frappe** error de máquina; **f. d'orthographe** falta de ortografía; **f. professionnelle** falta profesional

fauteuil [fotœj] *nm* sillón *m*, butaca *f*; *(de théâtre)* butaca *f*; *(d'académicien)* silla *f* ☆ **f. d'orchestre** butaca de patio o de platea; **f. roulant** silla de ruedas

fautif, -ive [fotif, -iv] **1** *adj (coupable)* culpable; *(erroné)* erróneo(a), equivocado(a)
2 *nm,f* culpable *mf*

fauve [fov] **1** *nm (animal)* fiera *f*; *(peintre)* fauvista *mf*
2 *adj (couleur)* leonado(a); *(en peinture)* fauvista

faux¹, fausse [fo, fos] **1** *adj* falso(a); *(barbe, dent)* postizo(a) ☆ **f. ami** *(mot)* falso amigo *m*; *Fam* **f. jeton** falso(a) *m,f*; **faire un f. mouvement** hacer un movimiento en falso; *aussi Fig* **fausse note** nota *f* discordante; **f. sens** error *m* de interpretación *(en un texto)*
2 *adv* **chanter f.** desafinar; **sonner f.** sonar desafinado(a); *Fig* sonar a falso
3 *nm (contrefaçon, imitation)* falsificación *f*; **distinguer le vrai du f.** distinguir lo verdadero de lo falso

faux² *nf* guadaña *f*

faux-filet *(pl* **faux-filets)** [fofilɛ] *nm* solomillo *m* bajo

faux-monnayeur *(pl* **faux-monnayeurs)** [fomɔnɛjœr] *nm* falsificador *m* (de dinero)

faux-sens [fosɑ̃s] *nm inv* error *m* de interpretación *(en un texto)*

faveur [favœr] *nf* favor *m*; **avoir la f. du public** gozar del favor del público; **à la f. de la nuit** aprovechando la oscuridad; **être en f. de** estar a favor de

favorable [favɔrabl] *adj* favorable; **être f. à** *(partisan de)* estar a favor de

favori, -ite [favɔri, -it] **1** *adj & nm,f* favorito(a) *m,f*
2 *nm Hist* valido *m*, privado *m*

favoriser [favɔrize] *vt* favorecer

fax [faks] *nm* fax *m* ☆ **f. modem** fax módem

faxer [fakse] *vt* enviar por fax

fébrile [febril] *adj* febril

fécond, -e [fekɔ̃, -ɔ̃d] *adj aussi Fig* fecundo(a)

fécondation [fekɔ̃dasjɔ̃] *nf* fecundación *f* ☆ **f. in vitro** fecundación in vitro

féconder [fekɔ̃de] *vt* fecundar

fécule [fekyl] *nf* fécula *f*

féculent [fekylɑ̃] *nm* alimento *m* feculento; **les féculents** las féculas

fédéral, -e, -aux, -ales [federal, -o] *adj* federal

fédération [federasjɔ̃] *nf* federación *f*

fée [fe] *nf* hada *f*

féerique [fe(e)rik] *adj* mágico(a)

feignais *etc voir* **feindre**

feignant, -e [fɛɲɑ̃, -ɑ̃t] *adj & nm,f Fam* gandul(ula) *m,f*

feindre [54] [fɛ̃dr] *vt* fingir; **f. de faire qch** fingir hacer algo

feinte [fɛ̃t] *nf* finta *f*

fêlé, -e [fele] *adj (assiette)* resquebrajado(a); *Fam (personne)* chiflado(a)

fêler [fele] **1** *vt* resquebrajar
2 se fêler *vpr* resquebrajarse

félicitations [felisitasjɔ̃] *nfpl* felicidades *fpl*; **toutes mes f.!** ¡muchas felicidades!

féliciter [felisite] **1** *vt* felicitar; **f. qn de qch/d'avoir fait qch** felicitar a alguien por algo/por haber hecho algo
2 se féliciter *vpr* **se f. de qch/d'avoir fait qch** alegrarse de algo/de haber hecho algo

félin, -e [felɛ̃, -in] **1** *adj* felino(a)
2 *nm* felino *m*

fêlure [felyr] *nf aussi Fig* grieta *f*

femelle [fəmɛl] **1** *adj (animal)* &
Tech hembra *inv*; *Bot* femenina
  2 *nf* hembra *f*

féminin, -e [feminɛ̃, -in] **1** *adj* fe-
menino(a)
  2 *nm Gram* femenino *m*

féminisme [feminism] *nm* feminismo *m*

féministe [feminist] *adj* & *nmf* feminista *mf*

femme [fam] *nf* mujer *f*; **elle est très
f.** es muy femenina ☆ **f. d'affaires**
mujer de negocios; **f. de chambre**
ayuda *f* de cámara; *(d'hôtel)* cama-
rera *f*; **f. au foyer** ama *f* de casa; **f.
de ménage** asistenta *f*

fémur [femyr] *nm* fémur *m*

fendre [fɑ̃dr] **1** *vt (bois)* partir; *(crevasser)* agrietar; *Fig (foule)* abrirse
paso entre; *(flots, air)* surcar
  2 se fendre *vpr (se fêler)* agrietarse; *Fam* **se f. de qch** *(somme)* aflojar; *Fam* **se f. la pipe** *ou* **la poire**
desternillarse (de risa)

fenêtre [fənɛtr] *nf aussi Ordinat*
ventana *f*

fenouil [fənuj] *nm* hinojo *m*

fente [fɑ̃t] *nf (fissure)* grieta *f*; *(interstice)* ranura *f*; *(d'une jupe)* abertura *f*

féodal, -e, -aux, -ales [feɔdal, -o]
adj feudal

fer [fɛr] *nm* hierro *m*; **croire à qch dur
comme f.** creerse algo a pies junti-
llas; **tomber les quatre fers en l'air** caer
de espaldas ☆ **f. à cheval** herradura
f; **f. forgé** hierro forjado; **f. à repasser** plancha *f (para la ropa)*; **f. à souder** soldador *m*

ferai *etc voir* **faire**

fer-blanc *(pl* **fers-blancs)** [fɛrblɑ̃] *nm*
hojalata *f*

férié, -e [ferje] *adj voir* **jour**

ferme¹ [fɛrm] **1** *adj (autoritaire)*
firme; *(consistant)* duro(a); *(achat,
vente)* en firme

  2 *adv (s'ennuyer)* mucho; *(discuter)*
enardecidamente

ferme² *nf Esp* granja *f, Andes, RP*
chacra *f*

ferment [fɛrmɑ̃] *nm* fermento *m*;
Fig germen *m*

fermenter [fɛrmɑ̃te] *vi* fermentar

fermer [fɛrme] **1** *vt* cerrar; *(rideau)*
correr; *(vêtement)* abrocharse; *Fam
(télévision, lumière)* apagar; **f. qch à
qn** *(carrière, possibilité)* cerrar las
puertas de algo a alguien; *Fig* **f. les
yeux sur qch** cerrar los ojos ante algo; *Fam* **je n'ai pas fermé l'œil de la
nuit** no he pegado ojo en toda la noche; *Fam* **ferme-la!** ¡cállate!
  2 *vi* cerrar; *(vêtement)* abrocharse
  3 se fermer *vpr* cerrarse; *(vêtement)* abrocharse

fermeté [fɛrməte] *nf (dureté)*
consistencia *f*, dureza *f*; *Fig (force,
autorité)* firmeza *f*

fermeture [fɛrmətyr] *nf* cierre *m*
☆ **f. annuelle** *(sur une vitrine)* cerrado por vacaciones; **f. Éclair®** cremallera *f*; **f. hebdomadaire** cierre
semanal

fermier, -ère [fɛrmje, -ɛr] **1** *nm,f Esp*
granjero(a) *m,f, Andes, RP* chacare-
ro(a) *m,f*
  2 *adj* de granja

fermoir [fɛrmwar] *nm* cierre *m*

féroce [ferɔs] *adj (animal)* feroz, fie-
ro(a); *(personne, appétit, désir)* feroz

ferraille [fɛraj] *nf (morceaux de fer)*
chatarra *f, Méx* grisalla *f*; *Fam (petite monnaie) Esp* calderilla *f, Méx*
sencillo *m, RP* cambio *m* chico

ferronnerie [fɛrɔnri] *nf (métier)* =
fabricación de objetos de hierro;
(atelier) fragua *f*

ferroviaire [fɛrɔvjɛr] *adj* ferrovia-
rio(a)

ferry [fɛri] *nm* transbordador *m*,
ferry *m*

ferry-boat *(pl* **ferry-boats)** [fɛribot]
nm transbordador *m*, ferry *m*

fertile [fɛrtil] *adj* fértil; *Fig (esprit, imagination)* fecundo(a), fértil; **f. en rebondissements/émotions** lleno(a) de acontecimientos/emociones

fertiliser [fɛrtilize] *vt* fertilizar

fertilité [fɛrtilite] *nf* fertilidad *f*

féru, -e [fery] *adj* **être f. de qch** ser un (una) apasionado(a) de algo

fervent, -e [fɛrvã, -ãt] **1** *adj* ferviente
  2 *nm,f* **un f. de** un entusiasta de

ferveur [fɛrvœr] *nf* fervor *m*

fesse [fɛs] *nf* nalga *f*; **les fesses** el culo

fessée [fese] *nf* zurra *f*

festin [fɛstɛ̃] *nm* festín *m*

festival, -als [fɛstival] *nm* festival *m*

festivités [fɛstivite] *nfpl* fiestas *fpl*

feston [fɛstɔ̃] *nm* festón *m*

fêtard, -e [fɛtar, -ard] *nm,f* juerguista *mf*

fête [fɛt] *nf* fiesta *f*; *(jour du saint)* santo *m*; *(kermesse)* verbena *f*, fiesta *f* popular; **les fêtes (de fin d'année)** las vacaciones de Navidad; **faire f. à qn** hacerle fiestas a alguien; **faire la f.** estar de juerga ☆ **f. foraine** feria *f*; **la f. des Mères** el día de la madre; **f. nationale** fiesta nacional; **la f. des Pères** el día del padre; **la f. des Rois** el día de Reyes; **la f. du Travail** el día del trabajo

fêter [fete] *vt (événement)* celebrar; *(personne)* festejar

fétiche [fetiʃ] *nm (objet de culte)* fetiche *m*; *(mascotte)* mascota *f*

fétichisme [fetiʃism] *nm* fetichismo *m*

fétide [fetid] *adj* fétido(a)

fétu [fety] *nm* **f. (de paille)** brizna *f* de paja

feu¹, -e [fø] *adj* **f. M. Bordier** el difunto señor Bordier

feu², -x *nm (flammes)* fuego *m*, candela *f*; *(signal lumineux)* semáforo *m*; *(de circulation)* luz *f*; **mettre le f. à qch** prender fuego a algo; **prendre f.** prenderse; **à f. doux/vif** a fuego lento/vivo; **à petit f.** a fuego lento; **au f.!** ¡fuego!; **avez-vous du f.?** ¿tiene fuego?; **être en f.** estar en llamas; **faire f.** abrir fuego; **ne pas faire long f.** no durar mucho; **mettre une ville à f. et à sang** asolar una ciudad ☆ **f. d'artifice** fuegos artificiales; **f. de camp** fuego de campamento; **f. de cheminée** lumbre *f*; **feux de croisement** luces de cruce; **feux de détresse** luces de emergencia; **feux de position** luces de posición; **f. rouge** semáforo en rojo; **feux de route** luces de carretera; **f. vert** semáforo en verde; *Fig* **donner le f. vert à** dar (la) luz verde a

feuillage [fœjaʒ] *nm* follaje *m*

feuille [fœj] *nf* hoja *f* ☆ **f. morte** hoja seca; **f. de paie** nómina *f*; **f. de papier** hoja de papel; **f. de soins** = impreso para solicitar a la Seguridad Social el reembolso de gastos médicos; **f. de vigne** hoja de parra; **f. volante** hoja suelta

feuillet [fœjɛ] *nm* hoja *f*

feuilleté, -e [fœjte] **1** *adj (pâte)* de hojaldre
  2 *nm* hojaldre *m* relleno

feuilleter [42] [fœjte] *vt* hojear

feuilleton [fœjtɔ̃] *nm (à la télévision, à la radio)* serial *m*, culebrón *m*; *(dans un journal)* folletín *m*

feutre [føtr] *nm (crayon)* rotulador *m*; *(étoffe)* fieltro *m*; *(chapeau)* sombrero *m* de fieltro

feutré, -e [føtre] *adj (garni de feutre)* cubierto(a) con fieltro; *(abîmé)* apelmazado(a); *(bruit, pas)* amortiguado(a), sordo(a)

fève [fɛv] *nf (légume)* haba *f*; *(de la galette des Rois)* sorpresa *f*; *Can (haricot) Esp* judía *f*, *Am* haba *f*, *RP* chaucha *f*

février [fevrije] *nm* febrero *m*; *voir aussi* **septembre**

FF (*abrév* **franc(s) français**) FF, franco(s) *m (pl)* francés(eses)

fiable [fjabl] *adj* fiable

fiacre [fjakr] *nm* simón *m*

fiançailles [fjãsaj] *nfpl (cérémonie)* pedida *f*; *(période)* noviazgo *m*

fiancé, -e [fjãse] **1** *adj* **être f. (à qn)** estar prometido(a) (con alguien) **2** *nm,f* novio(a) *m,f*

fiancer [16] [fjãse] **se fiancer** *vpr* prometerse

fiasco [fjasko] *nm* fiasco *m*

fibre [fibr] *nf* fibra *f*; **avoir la f. maternelle/patriotique** ser muy maternal/patriótico(a) ☆ **f. de verre** fibra de vidrio

ficeler [9] [fisle] *vt* atar; **bien/mal ficelé** *(conçu)* bien/mal estructurado(a); **mal ficelé** *(habillé)* hecho(a) un mamarracho

ficelle [fisɛl] *nf (fil)* cordel *m*; *(pain)* = barra de pan muy delgada de 125 gramos; *Fig* **les ficelles du métier** los gajes del oficio; *Fig* **tirer les ficelles** mover los hilos

fiche¹ [fiʃ] *nf (carte)* ficha *f*; *(électrique)* enchufe *m* ☆ **f. de paie** nómina *f (documento)*

fiche² = **ficher²**

ficher¹ [fiʃe] **1** *vt (enfoncer)* clavar **2 se ficher** *vpr (s'enfoncer)* clavarse

ficher² *Fam* **1** *vt (faire)* hacer; *(mettre, donner)* meter; **ne rien f.** no dar golpe; **f. qn à la porte** poner a alguien de patitas en la calle; **f. le camp** largarse; **ça la fiche mal** queda fatal **2 se ficher** *vpr* **se f. un coup** pegarse un golpe; **se f. de qn** *(se moquer)* tomar el pelo a alguien; **se f. de** *(ignorer)* pasar de; **je m'en fiche** me importa un pito; **se f. dedans** meter la pata

ficher³ *vt (inscrire)* fichar

fichier [fiʃje] *nm* fichero *m*; *Ordinat* archivo *m*

fichu¹, -e [fiʃy] *adj Fam (cassé, détruit)* escacharrado(a); *(mourant)* a punto de palmarla; **c'est f.** *(raté)* no hay nada que hacer; **cette fichue télé...!** ¡esta puñetera tele...!; **être mal f.** *(malade)* estar pachucho(a); *(mal conçu)* estar mal hecho(a); *(mal bâti) (personne)* ser deforme; **ne pas être f. de faire qch** no ser capaz de hacer algo

fichu² *nm* pañoleta *f*

fictif, -ive [fiktif, -iv] *adj* ficticio(a)

fiction [fiksjɔ̃] *nf* ficción *f*

fidèle [fidɛl] **1** *adj* fiel (**à** a); *(client)* asiduo(a) **2** *nmf Rel* fiel *mf*; **un f. de** *(adepte)* un incondicional de

fidélité [fidelite] *nf* fidelidad *f*

fief [fjɛf] *nm aussi Fig* feudo *m*

fiel [fjɛl] *nm aussi Fig* hiel *f*

fier¹, fière [fjɛr] *adj (orgueilleux)* orgulloso(a) (**de** de); *(allure, âme)* noble

fier² [fje] **se fier** *vpr* **se f. à** fiarse de

fierté [fjɛrte] *nf (amour-propre)* dignidad *f*; *(satisfaction)* orgullo *m*

fièvre [fjɛvr] *nf* fiebre *f*; **avoir 40 de f.** tener 40 de fiebre ☆ **f. jaune** fiebre amarilla

fiévreux, -euse [fjevrø, -øz] *adj* febril

fig. *(abrév* **figure)** fig.

figer [45] [fiʒe] **1** *vt (pétrifier)* paralizar; *(solidifier)* solidificar **2 se figer** *vpr (s'immobiliser)* helarse; *(se solidifier)* solidificarse

fignoler [fiɲɔle] *vt* perfilar

figue [fig] *nf* higo *m* ☆ **f. de Barbarie** higo chumbo

figuier [figje] *nm* higuera *f*

figurant, -e [figyrã, -ãt] *nm,f (de cinéma)* extra *mf*; *(de théâtre)* figurante *mf*, comparsa *mf*

figure [figyr] *nf* figura *f*; *(visage)* cara *f*; **faire f. de** pasar por; *Fam* **se casser la f.** caerse ☆ **f. de proue** mascarón *m* de proa; *Fig* líder *m*; **f. de style** figura retórica

figuré, -e [figyre] **1** *adj (sens)* figurado(a)

2 *nm* au f. en sentido figurado

figurer [figyre] **1** *vt* representar

2 *vi* f. dans/parmi figurar en/entre

3 se figurer *vpr (croire)* figurarse; **il est parti, figure-toi!** ¡se ha ido, fíjate!

figurine [figyrin] *nf* figurilla *f*

fil [fil] *nm (textile, enchaînement)* hilo *m; (électrique)* cable *m; (tranchant)* filo *m;* **perdre le f. (de qch)** perder el hilo (de algo); **au f. de** a lo largo de; **de f. en aiguille** poco a poco ☆ **f. à coudre** hilo (de coser); **f. de fer** alambre *m;* **f. de fer barbelé** alambre de espino; **f. à plomb** plomada *f*

filament [filamã] *nm* filamento *m; (de bave, de colle)* rebaba *f*

filandreux, -euse [filãdrø, -øz] *adj (viande)* fibroso(a)

filature [filatyr] *nf (usine)* hilandería *f,* hilatura *f; (fabrication)* hilado *m; (poursuite)* vigilancia *f (de la policía);* **prendre qn en f.** seguir la pista a alguien

file [fil] *nf* fila *f,* hilera *f;* **à la f.** *(d'affilée)* seguidos(as); **en f. (indienne)** en fila (india); **se garer en double f.** aparcar en doble fila ☆ **f. d'attente** cola *f; Ordinat (pour l'impression)* cola de impresión

filer [file] **1** *vt (textile)* hilar; *(suivre)* seguir la pista a; *Fam* **f. qch à qn** *(objet)* pasar algo a alguien

2 *vi (aller vite)* volar; *(temps)* pasar volando; *Fam (partir)* salir pitando; **mon collant a filé** se me ha hecho una carrera en las medias; **f. doux** estar suavísimo(a)

filet[1] [file] *nm (de pêche, au cirque, au tennis)* red *f* ☆ **f. à cheveux** redecilla *f;* **f. à provisions** bolsa *f* de malla

filet[2] *nm (de viande)* filete *m* ☆ **f. de bœuf** solomillo *m;* **f. de porc** solomillo, filete de lomo

filet[3] *nm (de liquide)* chorrito *m; (de lumière)* rayito *m; (trait fin)* filete *m; (de vis)* filete *m,* rosca *f*

filial, -e, -aux, -ales [filjal, -o] **1** *adj* filial

2 *nf* **filiale** filial *f*

filière [filjɛr] *nf (procédure)* trámites *mpl; (de trafiquants)* red *f; Scol* carrera *f;* **suivre la f.** seguir el escalafón

filiforme [filifɔrm] *adj* como un palillo

filin [filɛ̃] *nm* cabo *m*

fille [fij] *nf (enfant)* hija *f; (femme)* chica *f* ☆ *Vieilli* **f. mère** madre *f* soltera; **f. unique** hija única; **jeune f.** chica (joven), muchacha *f;* **petite f.** niña *f; Vieilli* **vieille f.** solterona *f*

fillette [fijɛt] *nf* niña *f, Esp* chiquilla *f, Méx* chamaca *f*

filleul, -e [fijœl] *nm,f* ahijado(a) *m,f*

film [film] *nm* película *f* ☆ **f. alimentaire** plástico *m* transparente *(para envolver alimentos);* **f. d'aventures** película de aventuras; **f. catastrophe** película de catástrofes; **f. culte** película de culto; **f. d'épouvante** *ou* **d'horreur** película de terror

filmer [filme] *vt* filmar

filon [filɔ̃] *nm (de cuivre, d'argent)* filón *m; Fam (situation lucrative)* chollo *m*

filou [filu] *nm (escroc)* timador *m; (enfant)* pícaro *m*

fils [fis] *nm* hijo *m* ☆ **f. de famille** niño *m* bien; **f. unique** hijo único

filtre [filtr] *nm aussi Ordinat* filtro *m* ☆ **f. à air** filtro del aire; **f. à café** filtro para el café

filtrer [filtre] **1** *vt* filtrar

2 *vi* filtrarse

fin[1]**, -e** [fɛ̃, fin] **1** *adj* fino(a); *(mets, vin)* selecto(a); *(esprit, personne)* agudo(a); **un f. connaisseur/gourmet** un gran conocedor/gourmet; **au f. fond de** en lo más recóndito de

2 *adv (couper, moudre)* finamente; **être f. prêt** estar listo

3 *nm* **le f. du f.** el no va más

fin² *nf (terme)* fin *m*, final *m* ; *(but)* fin *m* ; **mettre f. à qch** poner fin a algo ; **prendre f.** acabar ; **tirer** *ou* **toucher à sa f.** tocar a su fin ; **arriver** *ou* **parvenir à ses fins** cumplir sus propósitos ; **à la f.** *(finalement)* al fin, por fin ; **tu m'embêtes, à la f.!** ¡ya me estás empezando a molestar! ; **f. mars** a finales de marzo ; **à la f. de** al final de ; *(mois, année)* a finales de ; **en f. de** al final de ; **sans f.** sin fin ☆ **f. de série** restos *mpl* de serie

final, -e, -als *ou* **-aux, -ales** [final, -o] **1** *adj* final
   2 *nf* **finale** *(dernière épreuve)* final *f* ☆ **huitièmes de finale** octavos *mpl* de final ; **quarts de finale** cuartos *mpl* de final

finalement [finalmã] *adv* finalmente

finaliste [finalist] *nmf* finalista *mf*

finance [finãs] *nf* finanzas *fpl* ; **finances** *(d'une entreprise, d'un État)* fondos *mpl* ; *Fam (personnelles)* finanzas

financer [16] [finãse] *vt* financiar

financier, -ère [finãsje, -ɛr] **1** *adj* financiero(a)
   2 *nm Esp* financiero *m, Am* financista *m*

finaud, -e [fino, -od] *adj* ladino(a)

finesse [finɛs] *nf (délicatesse, minceur)* finura *f* ; *(perspicacité)* agudeza *f* ; **les finesses d'une langue/d'un raisonnement** las sutilezas de un idioma/de un razonamiento

fini, -e [fini] **1** *adj* acabado(a) ; *Péj (fieffé)* rematado(a), redomado(a) ; *Math* finito(a) ; **ce politicien est un homme f.** ese político está acabado
   2 *nm (d'un meuble, d'un objet)* acabado *m*

finir [finir] **1** *vt* acabar ; **nous avons fini la bouteille** nos hemos acabado la botella
   2 *vi* acabarse, acabar ; **mal f.** acabar mal ; **en f. (avec qch)** acabar de una

vez (con algo) ; **f. de faire qch** terminar de hacer algo ; **f. par faire qch** acabar o terminar por hacer algo

finition [finisjõ] *nf (action)* último toque *m* ; *(résultat)* acabado *m*

finlandais, -e [fẽlãdɛ, -ɛz] **1** *adj* finlandés(esa)
   2 *nm,f* **F.** finlandés(esa) *m,f*

Finlande [fẽlãd] *nf* **la F.** Finlandia

finnois [finwa] *nm (langue)* finlandés *m*, finés *m*

fiole [fjɔl] *nf* frasco *m*

fioriture [fjɔrityr] *nf* floritura *f*

fioul [fjul] *nm* fuel-oil *m*

firmament [firmamã] *nm Litt* firmamento *m*

firme [firm] *nf* firma *f (empresa)*

FIS [fis] *nm (abrév* **Front islamique du salut)** FIS *m*

fisc [fisk] *nm* fisco *m*

fiscal, -e, -aux, -ales [fiskal, -o] *adj* fiscal

fiscalité [fiskalite] *nf* fiscalidad *f*

fissure [fisyr] *nf* fisura *f*

fissurer [fisyre] **1** *vt* agrietar ; *Fig (groupe)* dividir
   2 se fissurer *vpr* agrietarse

fiston [fistõ] *nm Fam* chaval *m*

fixation [fiksasjõ] *nf* fijación *f* ; **faire une f. sur** tener una fijación con

fixe [fiks] **1** *adj* fijo(a)
   2 *nm (salaire)* sueldo *m* fijo

fixer [fikse] **1** *vt* fijar ; *(tableau)* colgar (**à** en) ; *(regarder)* mirar fijamente ; **f. son choix sur qch** decidirse por algo ; **être fixé sur qch** *(informé)* tener las ideas claras sobre algo
   2 se fixer *vpr (s'installer)* establecerse ; **se f. une limite/un objectif** fijarse un límite/un objetivo ; **se f. sur** *(regard)* detenerse en ; **son choix s'est fixé sur... eligió...**

fjord [fjɔrd] *nm* fiordo *m*

flacon [flakõ] *nm* frasco *m*

flageoler [flaʒɔle] *vi* flaquear

flageolet [flaʒɔlɛ] *nm (haricot)* judía *f* blanca

flagrant, -e [flagrã, -ãt] *adj* flagrante

flair [flɛr] *nm aussi Fig* olfato *m*

flairer [flere] *vt (odeur)* oler; *Fig (mensonge)* olerse

flamand, -e [flamã, -ãd] **1** *adj* flamenco(a)
  2 *nm,f* **F.** flamenco(a) *m,f*
  3 *nm (langue)* flamenco *m*

flamant [flamã] *nm* flamenco *m* ☆ **f. rose** flamenco rosa

flambant [flãbã] *adj* **f. neuf** flamante

flambeau, -x [flãbo] *nm* antorcha *f*; *Fig* **passer le f.** entregar el testigo

flamber [flãbe] **1** *vi (brûler)* arder; *Fam (dépenser)* jugarse una fortuna
  2 *vt (crêpe)* flamear; *(volaille)* soflamar

flamboyant, -e [flãbwajã, -ãt] *adj (étincelant)* brillante, *Am* brilloso(a); *Archit* flamígero(a)

flamboyer [32] [flãbwaje] *vi (incendie)* arder; *(regard)* brillar

flamme [flam] *nf (de bougie)* llama *f*; *Fig (ardeur)* ardor *m*; *Litt ou Hum* **déclarer sa f. à qn** declarar su pasión a alguien

flan [flã] *nm* flan *m*

flanc [flã] *nm (d'une personne, d'un animal)* costado *m*; *(d'un navire)* flanco *m*; *(d'une montagne)* ladera *f*, falda *f*

flancher [flãʃe] *vi Fam* flaquear

Flandre [flãdr] *nf* **la F., les Flandres** Flandes

flanelle [flanɛl] *nf* franela *f*

flâner [flɑne] *vi (se promener)* pasear

flâneur, -euse [flɑnœr, -øz] *nm,f* paseante *mf*

flanquer¹ [flãke] *vt Fam (lancer, jeter)* tirar, *Am* botar; *(donner) (gifle, coup)* soltar, arrear; *(peur)* meter; **f. qn dehors** largar a alguien

flanquer² *vt (accompagner)* flanquear; **être flanqué de qn** ir flanqueado(a) por alguien; **être flanqué de qch** estar flanqueado(a) por algo

flapi, -e [flapi] *adj Fam* reventado(a)

flaque [flak] *nf* charco *m*

flash [flaʃ] *nm (d'appareil photo)* flash *m* ☆ **f. d'information** flash informativo; **f. publicitaire** cuña *f*

flash-back [flaʃbak] *nm inv* flashback *m*

flasher [flaʃe] *vi Fam* **f. sur** flipar con; **faire f. qn** alucinar a alguien

flasque¹ [flask] *adj* fláccido(a)

flasque² *nf* petaca *f*

flatter [flate] **1** *vt (complimenter, faire plaisir à)* halagar; *(caresser)* acariciar; *(avantager)* favorecer
  2 se flatter *vpr* vanagloriarse; **se f. de faire qch** vanagloriarse de hacer algo

flatterie [flatri] *nf (compliment)* halago *m*; *(action de flatter)* adulación *f*

flatteur, -euse [flatœr, -øz] **1** *adj (compliment, comparaison)* halagüeño(a); *(portrait)* favorecedor(ora)
  2 *nm,f* adulador(ora) *m,f*

fléau, -x [fleo] *nm (calamité, personne)* plaga *f*; *(d'une balance)* astil *m*; *(pour le blé)* mayal *m*

flèche [flɛʃ] *nf (arme, signe graphique)* flecha *f*; *Fig (critique)* dardo *m*; *(d'église)* aguja *f*

fléché, -e [fleʃe] *adj (parcours)* marcado(a) o señalado(a) con flechas

fléchette [fleʃɛt] *nf* dardo *m*; **fléchettes** *(jeu)* dardos

fléchir [fleʃir] **1** *vt (membre, articulation)* doblar
  2 *vi (branche, membre)* doblarse; *Fig (détermination)* flaquear, aflojar; *(Bourse)* bajar

flegmatique [flɛgmatik] *adj* flemático(a)

flegme [flɛgm] *nm* flema *f*

flemmard, -e [flɛmar, -ard] *adj & nm,f Fam* vago(a) *m,f*, *CSur* atorrante *mf*

flemme [flɛm] *nf Fam* vagancia *f*, pereza *f*; **j'ai la f. d'y aller** me da pereza ir

flétrir [fletrir] **1** *vt (fleur)* marchitar
2 se flétrir *vpr (fleur)* marchitarse; *(visage, beauté)* ajarse

fleur [flœr] *nf* flor *f*; **à fleurs de flores**; **en f.** *ou* **fleurs** en flor; *Fam* **faire une f. à qn** hacerle un favor a alguien; **avoir les nerfs à f. de peau** tener los nervios a flor de piel ☆ **f. de lys** flor de lis

fleuret [flœrɛ] *nm* florete *m*

fleuri, -e [flœri] *adj (jardin, pré, style)* florido(a); *(vase)* con flores; *(tissu)* floreado(a), de flores; *(table, appartement)* adornado(a) con flores

fleurir [flœrir] **1** *vi (arbre)* florecer; *Fig (se multiplier)* proliferar
2 *vt* adornar con flores

fleuriste [flœrist] *nmf* florista *mf*

fleuron [flœrɔ̃] *nm (d'une collection)* joya *f*

fleuve [flœv] *nm* río *m*

flexible [flɛksibl] *adj* flexible

flic [flik] *nm Fam* poli *m*; **les flics** la pasma, la poli

flinguer [flɛ̃ge] *Fam* **1** *vt* freír a tiros
2 se flinguer *vpr* pegarse un tiro

flipper¹ [flipœr] *nm* flíper *m*

flipper² [flipe] *vi Fam (déprimer)* estar hecho(a) polvo; *(avoir peur)* cagarse

flirter [flœrte] *vi* flirtear, tontear; *Fig* **f. avec qch** coquetear con algo

FLN [ɛfɛlɛn] *nm (abrév* **Front de libération nationale)** FLN *m (en Argelia)*

FLNC [ɛfɛlɛnse] *nm (abrév* **Front de libération nationale de la Corse)** FLNC *m (grupo independentista corso)*

FLNKS [ɛfɛlɛnkaɛs] *nm (abrév* **Front de libération nationale kanak et socialiste)** FLNKS *m (grupo independentista de Nueva Caledonia)*

flocon [flɔkɔ̃] *nm* copo *m* ☆ **flocons d'avoine** copos de avena; **f. de neige** copo de nieve

flop [flɔp] *nm Fam* fracaso *m*; **faire un f.** ser un fracaso

flopée [flɔpe] *nf Fam* **une f.** *ou* **des flopées de qch** (un) mogollón de algo

floraison [flɔrɛzɔ̃] *nf* floración *f*; *Fig (prolifération)* proliferación *f*

floral, -e, -aux, -ales [flɔral, -o] *adj* floral

flore [flɔr] *nf* flora *f* ☆ **f. intestinale** flora intestinal

florin [flɔrɛ̃] *nm* florín *m*

florissant, -e [flɔrisɑ̃, -ɑ̃t] *adj (santé)* espléndido(a); *(économie)* floreciente

flot [flo] *nm (afflux)* raudal *m*; *Litt* **les flots** *(mer)* la mar; **un f. de gens** una multitud de gente; **être à f.** *(flotter)* estar a flote; *Fig* **remettre qn/ une entreprise à f.** sacar a flote a alguien/una empresa; **couler à flots** *(argent)* correr a raudales

flottant, -e [flɔtɑ̃, -ɑ̃t] *adj (objet, capitaux, dette)* flotante; *(cheveux)* ondeante; *(robe)* con vuelo; *(indécis)* fluctuante

flotte [flɔt] *nf Naut & Av* flota *f*; *Fam (eau)* agua *f*; *Fam (pluie)* lluvia *f*

flottement [flɔtmɑ̃] *nm (indécision)* vacilación *f*; *Écon (d'une monnaie)* fluctuación *f*

flotter [flɔte] **1** *vi (sur l'eau, dans l'air)* flotar **(sur** en); *(drapeau)* ondear; *(dans un vêtement)* bailar
2 *v impersonnel Fam (pleuvoir)* llover

flotteur [flɔtœr] *nm (de canne à pêche)* corcho *m*; *(d'hydravion)* flotador *m*; *(de chasse d'eau)* boya *f*

flou, -e [flu] **1** *adj (photo)* borroso(a), desenfocado(a); *(pensée)* confuso(a), impreciso(a)
2 *nm* imprecisión *f*

flouer [flue] *vt* timar

fluctuer [flyktɥe] *vi* fluctuar

fluet, -ette [flyɛ, -ɛt] *adj (personne)* endeble; *(voix)* débil

fluide [flɥid] **1** *adj* fluido(a); *(matière)* terso(a)
 2 *nm* fluido *m*

fluo [flyo] *adj inv Fam* fluorescente, fosforito *inv*

fluor [flyɔr] *nm* flúor *m*

fluorescent, -e [flyɔresã, -ãt] *adj* fluorescente

flûte [flyt] **1** *nf (instrument de musique)* flauta *f*; *(pain)* barra *f* ☆ **f. à bec** flauta dulce; **f. (à champagne)** copa *f* alta; **f. de Pan** flauta de pan; **f. traversière** flauta travesera
 2 *exclam Fam* ¡jolín!

flûtiste [flytist] *nmf* flautista *mf*

fluvial, -e, -aux, -ales [flyvjal, -o] *adj* fluvial

flux [fly] *nm* flujo *m*

FM [ɛfɛm] *nf (abrév* **frequency modulation)** FM *f*

FMI [ɛfɛmi] *nm (abrév* **Fonds monétaire international)** FMI *m*

FN [ɛfɛn] *nm (abrév* **Front national)** = partido francés a la extrema derecha del espectro político

FO [ɛfo] *nf (abrév* **Force ouvrière)** = sindicato obrero francés

focaliser [fɔkalize] **1** *vt* concentrar
 2 se focaliser *vpr* **se f. sur** centrarse en, concentrarse en

fœtal, -e, -aux, -ales [fetal, -o] *adj* fetal

fœtus [fetys] *nm* feto *m*

foi [fwa] *nf* fe *f*; **avoir f. en** tener fe en; **être de bonne/mauvaise f.** ser de buena/mala fe; **digne de f.** digno(a) de confianza; **ma f., oui** pues sí

foie [fwa] *nm* hígado *m*

foin [fwɛ̃] *nm* heno *m*; **faire les foins** hacer el heno

foire [fwar] *nf* feria *f*; *Fam (agitation)* guirigay *m*

foirer [fware] *vi Fam* irse al garete

fois [fwa] *nf (marque la répétition)* vez *f*; *(marque la multiplication)* por; **deux f. trois** dos por tres; **neuf f. sur dix** el noventa por ciento de las veces; **à la f.** a la vez; **cette f.** esta vez; *Fam* **des f.** a veces; **une autre f.** otra vez; **une f. que...** una vez que...; **une (bonne) f. pour toutes** de una vez por todas; **il était une f....** érase una vez...

foison [fwazɔ̃] **à foison** *adv* en abundancia

foisonner [fwazɔne] *vi* abundar; **f. en** *ou* **de** rebosar de

folâtrer [fɔlɑtre] *vi* juguetear

folie [fɔli] *nf* locura *f*; **faire une f.** *(achat inconsidéré)* hacer una extravagancia; **aimer qn/qch à la f.** querer algo/a alguien con locura; **c'est de la f.!** ¡es una locura!

folklore [fɔlklɔr] *nm* folclor *m*

folklorique [fɔlklɔrik] *adj* folclórico(a)

folle [fɔl] *voir* **fou**

follement [fɔlmã] *adv (de manière déraisonnable)* locamente; *(extrêmement)* tremendamente

foncé, -e [fɔ̃se] *adj* oscuro(a)

foncer [16] [fɔ̃se] **1** *vt* oscurecer
 2 *vi (teinte)* oscurecerse; *Fam (se dépêcher)* darle caña; **f. sur** *(se ruer)* arremeter contra; **f. dans un mur** chocar contra una pared

foncier, -ère [fɔ̃sje, -ɛr] *adj (impôt)* territorial; *(crédit)* hipotecario(a); *(fondamental)* innato(a)

foncièrement [fɔ̃sjɛrmã] *adv* en el fondo

fonction [fɔ̃ksjɔ̃] *nf (rôle)* función *f*; *(profession)* cargo *m*; **faire f. de** hacer las veces de; **voiture de f.** *Esp* coche *m o Am* carro *m o RP* auto *m* de empresa; **entrer en fonctions** tomar posesión de un cargo; **en f. de** con arreglo a ☆ **la f. publique** el funcionariado

fonctionnaire [fɔ̃ksjɔnɛr] *nmf* funcionario(a) *m,f*

fonctionnel, -elle [fɔ̃ksjɔnɛl] *adj* funcional

fonctionnement [fɔ̃ksjɔnmɑ̃] *nm* funcionamiento *m*

fonctionner [fɔ̃ksjɔne] *vi* funcionar

fond [fɔ̃] *nm* fondo *m*; **à f.** a fondo; **au f.** en el fondo; **au f. de** en el fondo de; **dans le f.** en el fondo; **de f. en comble** de arriba a abajo ☆ **f. d'artichaut** corazón *m* de alcachofa; **f. de teint** maquillaje *m*, crema *f* de base

fondamental, -e, -aux, -ales [fɔ̃damɑ̃tal, -o] *adj* fundamental

fondamentaliste [fɔ̃damɑ̃talist] *nmf* fundamentalista *mf*

fondant, -e [fɔ̃dɑ̃, -ɑ̃t] **1** *adj (poire, chocolat)* que se deshace en la boca
2 *nm (gâteau)* = pastel que se deshace en la boca

fondateur, -trice [fɔ̃datœr, -tris] *nm,f* fundador(ora) *m,f*

fondation [fɔ̃dɑsjɔ̃] *nf* fundación *f*; **fondations** *(d'un bâtiment)* cimientos *mpl*

fondé, -e [fɔ̃de] **1** *adj (justifié)* fundado(a); **non f.** infundado
2 *nm* **f. de pouvoir** apoderado *m*

fondement [fɔ̃dmɑ̃] *nm (base)* cimientos *mpl*; **sans f.** *(sans motif)* sin fundamento

fonder [fɔ̃de] **1** *vt (créer)* fundar; *(baser)* basar, cimentar (**sur** en); **f. des espoirs sur qn** fundar esperanzas en alguien
2 se fonder *vpr* **se f. sur qch** basarse en algo

fonderie [fɔ̃dri] *nf (usine)* fundición *f*

fondre [75] [fɔ̃dr] **1** *vt (métaux)* fundir; *(mélanger)* mezclar; **faire f. qch** *(neige, beurre)* derretir algo; *(sucre, sel)* disolver algo
2 *vi (neige, beurre)* derretirse; *(sucre, sel)* disolverse; *Fig (argent)* irse de las manos; *(s'attendrir)* derre-

tirse; *(maigrir)* adelgazar; **f. sur** *(se ruer)* abatirse sobre; **f. en larmes** deshacerse en lágrimas
3 se fondre *vpr* **se f. dans** *(se mélanger)* confundirse con

fonds¹ *voir* **fondre**

fonds² [fɔ̃] **1** *nm (bien immobilier)* finca *f*; *(capital)* fondo *m* ☆ **f. de commerce** comercio *m*
2 *nmpl (capitaux)* fondos *mpl*

fondu, -e [fɔ̃dy] **1** *pp voir* **fondre**
2 *nf* **fondue: fondue (savoyarde)** fondue *f* de queso; **fondue bourguignonne** fondue bourguignonne o de carne

font *voir* **faire**

fontaine [fɔ̃tɛn] *nf* fuente *f*

fonte [fɔ̃t] *nf (des neiges)* deshielo *m*; *(du métal)* fundición *f*; *(d'une statue)* vaciado *m*; *(alliage)* hierro *m* colado, fundición *f*

foot [fut] *nm Fam* fútbol *m*

football [futbol] *nm* fútbol *m*

footballeur, -euse [futbolœr, -øz] *nm,f* futbolista *mf*

footing [futiŋ] *nm* footing *m*

for [fɔr] *nm* **dans mon/son/etc f. intérieur** en mi/su/etc fuero interno

forage [fɔraʒ] *nm* perforación *f*

forain, -e [fɔrɛ̃, -ɛn] **1** *adj voir* **fête**
2 *nm* feriante *m*

forçat [fɔrsa] *nm* = presidiario condenado a trabajos forzados

force [fɔrs] *nf* fuerza *f*; **avoir f. de loi** tener fuerza de ley; **à f. de qch/de faire qch** a fuerza de algo/de hacer algo; **je suis à bout de forces** estoy al límite de mis fuerzas; **de f.** a la fuerza; **être de f. à faire qch** ser capaz de hacer algo; **de toutes mes/ses/etc forces** con todas mis/sus/etc fuerzas; **en f.** *(arriver)* en masa ☆ **les forces armées** las fuerzas armadas; **f. centrifuge** fuerza centrífuga; **les forces de police** ou **de l'ordre** las fuerzas del orden público; **f. de vente** fuerza de venta

forcément [fɔrsemã] *adv* seguro; **pas f.** no necesariamente

forceps [fɔrsɛps] *nm* fórceps *m inv*

forcer [16] [fɔrse] **1** *vt* forzar; **f. qn à qch/à faire qch** forzar a alguien a algo/a hacer algo; **f. l'admiration/le respect** inspirar admiración/respeto **2** *vi (appuyer, tirer)* forzar; *(se surmener)* esforzarse; *Fam* **f. sur qch** *(abuser)* pasarse con algo **3 se forcer** *vpr* hacer un esfuerzo; **se f. à faire qch** forzarse a hacer algo

forer [fɔre] *vt* perforar

forestier, -ère [fɔrɛstje, -ɛr] *adj* forestal

forêt [fɔrɛ] *nf* bosque *m*; **la f.** amazonienne la selva amazónica ☆ **f. vierge** selva *f* virgen

forfait¹ [fɔrfɛ] *nm (prix fixe)* tanto *m* alzado; *(de ski)* forfait *m*

forfait² *nm* **déclarer f.** *(dans un match)* abandonar; *Fig (renoncer)* decir basta

forfait³ *nm Litt (crime)* crimen *m*

forge [fɔrʒ] *nf* fragua *f*

forger [45] [fɔrʒe] **1** *vt (métal, caractère)* forjar; *(excuse)* inventar **2 se forger** *vpr (réputation, idéal)* forjarse

forgeron [fɔrʒərɔ̃] *nm* herrero *m*

formaliser [fɔrmalize] **se formaliser** *vpr* molestarse **(de** por)

formalité [fɔrmalite] *nf* trámite *m*, formalidad *f*

format [fɔrma] *nm aussi Ordinat* formato *m*

formater [fɔrmate] *vt Ordinat* formatear

formateur, -trice [fɔrmatœr, -tris] **1** *adj* formativo(a) **2** *nm,f* instructor(ora) *m,f*

formation [fɔrmasjɔ̃] *nf* formación *f* ☆ **f. continue** formación en la empresa; **f. professionnelle** formación profesional de adultos

forme [fɔrm] *nf* forma *f*; **formes** *(silhouette)* formas; *(manières)* modales *mpl*; **en (pleine) f.** en (plena) forma; **en f. de** en forma de; **sous f. de** en forma de

formel, -elle [fɔrmɛl] *adj (refus)* categórico(a); *(amabilité, politesse)* formal

formellement [fɔrmɛlmã] *adv* formalmente; *(affirmer, identifier)* claramente

former [fɔrme] **1** *vt (fonder, composer, instruire)* formar; *(plan, projet)* concebir; *(goût, sensibilité)* cultivar **2 se former** *vpr* formarse

Formica® [fɔrmika] *nm* formica® *f*

formidable [fɔrmidabl] *adj (admirable)* formidable, estupendo(a), *Carib, Col, Méx, Perú* chévere, *RP* genial, bárbaro; *(invraisemblable)* increíble

formol [fɔrmɔl] *nm* formol *m*

formulaire [fɔrmylɛr] *nm* formulario *m*, *Am* planilla *f*

formule [fɔrmyl] *nf* fórmula *f* ☆ **f. de politesse** fórmula de cortesía

formuler [fɔrmyle] *vt* formular

fort, -e [fɔr, fɔrt] **1** *adj* fuerte; *(corpulent)* grueso(a); *(quantité, somme)* importante; **être f. en qch** ser bueno(a) en algo; **il y a de fortes chances que...** es muy posible que... **2** *nm (château)* fuerte *m*; **les maths ce n'est pas mon f.** las matemáticas no son mi fuerte **3** *adv (avec force, avec intensité)* fuerte; *Litt (conseiller)* vivamente; *Litt (espérer)* ansiosamente; **il aura f. à faire pour se mettre à jour** le va a costar mucho trabajo ponerse al día

forteresse [fɔrtərɛs] *nf* fortaleza *f*

fortifiant, -e [fɔrtifjã, -ãt] **1** *adj* reconstituyente **2** *nm* reconstituyente *m*

fortifications [fɔrtifikasjɔ̃] *nfpl* fortificación *f*

fortifier [fɔrtifje] *vt (physiquement)* fortalecer; *(ville)* fortificar; **f. qn**

dans qch *(confirmer)* reafirmar a alguien en algo

fortuit, -e [fɔrtɥi, -it] *adj* fortuito(a)

fortune [fɔrtyn] *nf* fortuna *f*

fortuné, -e [fɔrtyne] *adj (riche)* adinerado(a)

forum [fɔrɔm] *nm* foro *m*

fosse [fos] *nf* fosa *f*

fossé [fose] *nm (ravin)* cuneta *f*; *Fig (écart)* abismo *m*

fossette [fosɛt] *nf* hoyuelo *m*

fossile [fosil] **1** *adj* fósil
 2 *nm* fósil *m*

fossoyeur [foswajœr] *nm* sepulturero *m*

fou, folle [fu, fɔl] **1** *adj* loco(a); *(succès, charme)* tremendo(a)
 2 *nm,f* loco(a) *m,f*
 3 *nm (aux échecs)* alfil *m*

foudre [fudr] *nf* rayo *m*

foudroyant, -e [fudrwajɑ̃, -ɑ̃t] *adj* fulminante

foudroyer [32] [fudrwaje] *vt* fulminar

fouet [fwɛ] *nm (en cuir)* látigo *m*; *(de cuisine)* batidor *m*

fouetter [fwete] *vt* azotar; *(cheval)* fustigar; *Fig (stimuler)* estimular

fougère [fuʒɛr] *nf* helecho *m*

fougue [fug] *nf* fogosidad *f*

fougueux, -euse [fugø, -øz] *adj* fogoso(a)

fouille [fuj] *nf (corporelle)* cacheo *m*, registro *m*; *(d'une maison)* registro *m*; *Fam (poche)* bolsillo *m*; **fouilles** *(archéologiques)* excavación *f*

fouillé, -e [fuje] *adj (détaillé)* detallado(a)

fouiller [fuje] **1** *vt (maison, bagages)* registrar; *(personne)* cachear, registrar; *(sol)* excavar, hacer excavaciones en
 2 *vi* **f. dans qch** hurgar en algo

fouillis [fuji] *nm* batiborrillo *m*

fouine [fwin] *nf* garduña *f*

fouiner [fwine] *vi* husmear

foulard [fular] *nm* pañuelo *m*, fular *m*

foule [ful] *nf (de gens)* muchedumbre *f*, multitud *f*; **une f. de** *(beaucoup de)* multitud de

foulée [fule] *nf (d'un coureur)* zancada *f*; *Fig* **dans la f.** de paso

fouler [fule] **1** *vt (raisin)* prensar; *(sol)* pisar
 2 se fouler *vpr* **se f. la cheville** torcerse el tobillo; *Fam* **ne pas se f.** no herniarse

foulure [fulyr] *nf* esguince *m*

four [fur] *nm (de cuisson)* horno *m*; *Fam (échec)* fracaso *m* ☆ **f. crématoire** horno crematorio; **f. électrique** horno eléctrico; **f. à microondes** horno microondas

fourbe [furb] *adj & nmf Litt* bribón (ona) *m,f*

fourbu, -e [furby] *adj* rendido(a)

fourche [furʃ] *nf (outil, pièce de vélo)* horquilla *f*; *(d'une route)* bifurcación *f*; *(de cheveux)* punta *f* abierta; *Belg Scol (temps libre)* hora *f* libre

fourchette [furʃɛt] *nf (couvert)* tenedor *m*; *Fig (écart)* horquilla *f*; *(de prix)* gama *f*

fourchu, -e [furʃy] *adj (branche)* bifurcado(a); **avoir les cheveux fourchus** tener las puntas del pelo abiertas

fourgon [furgɔ̃] *nm* furgón *m* ☆ **f. cellulaire** furgón celular

fourgonnette [furgɔnɛt] *nf* furgoneta *f*, *Méx* guayín *m*

fourmi [furmi] *nf* hormiga *f*; **j'ai des fourmis dans les jambes** se me han dormido las piernas

fourmilière [furmiljɛr] *nf aussi Fig* hormiguero *m*

fourmiller [furmije] *vi (pulluler)* pulular; *Fig (être nombreux)* abundar; **f. de qch** *(être plein)* estar plagado(a) de algo

fournaise [furnɛz] *nf (incendie)* hoguera *f*; *Fig (endroit)* horno *m*

fourneau, -x [furno] *nm (cuisinière, de fonderie)* horno *m*; *(de pipe)* cazoleta *f*

fournée [furne] *nf* hornada *f*

fourni, -e [furni] *adj (barbe, chevelure)* poblado(a); *(magasin)* surtido(a)

fournir [furnir] **1** *vt (effort)* realizar; **f. qch à qn** proporcionar *o* suministrar algo a alguien
   2 se fournir *vpr* **se f. chez qn** comprar en la tienda de alguien

fournisseur, -euse [furnisœr, -øz] *nm,f* proveedor(ora) *m,f* ☆ *Ordinat* **f. d'accès** proveedor de acceso a Internet

fourniture [furnityr] *nf (approvisionnement)* suministro *m*; **fournitures** *(matériel)* material *m* ☆ **fournitures de bureau** material de oficina

fourrage [furaʒ] *nm* forraje *m*

fourrager, -ère [furaʒe, -ɛr] *adj* forrajero(a)

fourré¹, -e [fure] *adj (bonbon, gâteau)* relleno(a); *(manteau, bottes)* forrado(a); **bonbon f. à la menthe** caramelo relleno de menta

fourré² *nm* espesura *f (de arbustos)*

fourreau, -x [furo] *nm (de parapluie)* funda *f*; *(d'épée)* vaina *f*; *(robe)* vestido *m* tubo

fourrer [fure] **1** *vt (bonbon, gâteau)* rellenar; *Fam (mettre)* meter
   2 se fourrer *vpr Fam* meterse

fourre-tout [furtu] *nm inv (pièce)* trastero *m*; *(sac)* bolso *m*; *Fig & Péj (d'idées)* cajón *m* de sastre

fourreur [furœr] *nm* peletero *m*

fourrière [furjɛr] *nf (pour chiens)* perrera *f*; *(pour voitures)* depósito *m*

fourrure [furyr] *nf* piel *f*

fourvoyer [32] [furvwaje] **se fourvoyer** *vpr (se tromper)* equivocarse; **se f. dans qch** extraviarse en algo

foutre [futr] *très Fam* **1** *vt (faire)* hacer; *(mettre, donner)* meter; **ne rien f.** no pegar golpe; **f. qn à la porte** poner a alguien de patitas en la calle; **f. le camp** largarse; **je n'en ai rien à f. (de...)!** ¡me importa un carajo (...)!; *Vulg* **va te faire f.!** ¡vete a la mierda!; **ça la fout mal** queda fatal
   2 se foutre *vpr* **se f. un coup** pegarse un tortazo; **se f. de qn** *(se moquer)* tomar el pelo a alguien; **se f. de** *(ignorer)* pasar de; **je m'en fous** me importa un carajo; **se f. dedans** meter la pata

foutu, -e [futy] *adj très Fam (cassé, détruit)* escacharrado(a); *(mourant)* a punto de palmarla; **c'est f.** *(raté)* no hay nada que hacer; **cette foutue télé!** ¡esta mierda de tele!; **être mal f.** *(malade)* estar hecho(a) polvo; *(mal conçu)* estar mal hecho(a); *(mal bâti) (personne)* ser deforme, ser ortopédico(a); **ne pas être f. de faire qch** no ser capaz de hacer algo

fox-terrier (*pl* **fox-terriers**) [fɔkstɛrje] *nm* fox-terrier *m*

foyer [fwaje] *nm (cheminée, maison)* hogar *m*; *(d'étudiants, de travailleurs)* residencia *f*; *(point central)* foco *m*

fracas [fraka] *nm* estrépito *m*

fracasser [frakase] **1** *vt* estrellar
   2 se fracasser *vpr* estrellarse

fraction [fraksjɔ̃] *nf* fracción *f*

fractionner [fraksjone] *vt* fraccionar

fracture [fraktyr] *nf* fractura *f* ☆ **f. du crâne** fractura de cráneo

fracturer [fraktyre] **1** *vt (os)* fracturar; *(serrure)* forzar
   2 se fracturer *vpr* **se f. le crâne/le tibia** fracturarse el cráneo/la tibia

fragile [fraʒil] *adj* frágil

fragilité [fraʒilite] *nf* fragilidad *f*

fragment [fragmɑ̃] *nm* fragmento *m*

fragmenter [fragmãte] *vt* fragmentar

fraîche [frɛʃ] *voir* **frais**

fraîcheur [frɛʃœr] *nf (de l'air)* frescor *m* ; *Fig (de l'accueil)* frialdad *f* ; *(du teint, d'un aliment)* frescura *f*

frais¹, fraîche [frɛ, frɛʃ] **1** *adj* fresco(a) ; *Fig (accueil)* frío(a) ; *(teint, couleur)* vivo(a) ; **servir f.** *(sur bouteille)* servir frío
 2 *nm* **mettre qch au f.** poner algo al fresco ; **prendre le f.** tomar el fresco

frais² *nmpl (dépenses)* gastos *mpl* ; **faire des f.** tener muchos gastos ; **je l'ai fait à mes f.** lo hice a mis expensas ; **faire les f. de qch** pagar los platos rotos de algo ; **rentrer dans ses f.** cubrir gastos ; **tous f. payés** con todos los gastos pagados ☆ **f. généraux** gastos generales ; **f. de port** gastos de envío ; **faux f.** imprevistos *mpl*

fraise¹ [frɛz] *nf (fruit)* fresa *f*, *Bol, CSur* frutilla *f*

fraise² *nf (outil) (de dentiste)* fresa *f* ; *(de menuisier)* lengüeta *f*

fraisier [frezje] *nm (plante)* fresa *f* ; *(gâteau)* = bizcocho de dos capas empapadas en kirsch y separadas por crema y fresas

framboise [frãbwaz] *nf* frambuesa *f*

framboisier [frãbwazje] *nm (plante)* frambueso *m* ; *(gâteau)* = bizcocho de dos capas empapadas en kirsch y separadas por crema y frambuesas

franc, franche [frã, frãʃ] **1** *adj* franco(a) ; *(coupure)* limpio(a) ; *(couleur)* puro(a)
 2 *nm* **f. (français)** franco francés ; **f. belge** franco belga ; **f. CFA** = moneda utilizada en las antiguas colonias francesas en África ; **f. suisse** franco suizo

français, -e [frãsɛ, -ɛz] **1** *adj* francés(esa)
 2 *nm,f* **F.** francés(esa) *m,f*
 3 *nm (langue)* francés *m*

France [frãs] *nf* **la F.** Francia

France 2 [frãsdø] *n* = segunda cadena televisiva pública francesa

France 3 [frãstrwa] *n* = tercera cadena televisiva pública francesa con vocación regional

franche [frãʃ] *voir* **franc**

franchement [frãʃmã] *adv* francamente ; *(carrément)* con decisión ; **f.!** *(exprime l'indignation)* ¡no veas!

franchir [frãʃir] *vt* salvar ; *(porte)* franquear, cruzar

franchise [frãʃiz] *nf (sincérité)* franqueza *f* ; *(douanière, commerciale)* franquicia *f*

franciser [frãsize] *vt* afrancesar

franc-maçon, -onne *(mpl* **francs-maçons,** *fpl* **franc-maçonnes)** [frãmasɔ̃, -ɔn] *nm,f* masón(ona) *m,f*

franco [frãko] *adv Com* franco ; **f. de port** franco de porte

francophone [frãkɔfɔn] *adj & nmf* francófono(a) *m,f*

franc-parler *(pl* **francs-parlers)** [frãparle] *nm* **avoir son f.** hablar sin rodeos

franc-tireur *(pl* **francs-tireurs)** [frãtirœr] *nm* francotirador *m*

frange [frãʒ] *nf (de cheveux) Esp* flequillo *m*, *Am* cerquillo *m* ; *(de vêtement)* fleco *m* ; *(bordure, limite)* franja *f*

frangin, -e [frãʒɛ̃, -in] *nm,f Fam* hermano(a) *m,f*

frangipane [frãʒipan] *nf* crema *f* de almendras

franglais [frãglɛ] *nm* = lengua francesa que incluye gran cantidad de palabras y construcciones de origen inglés

franquette [frãkɛt] **à la bonne franquette** *adv* sin ceremonia

frappant, -e [frapã, -ãt] *adj* impresionante

frappe [frap] *nf (de monnaie)* acuñación *f* ; *(à la machine)* tecleo *m* ; *(d'un boxeur)* pegada *f*

frappé, -e [frape] *adj (boisson)* frío(a), helado(a)

frapper [frape] **1** *vt (cogner)* golpear; *(impressionner)* impresionar; *(concerner)* afectar; *(monnaie)* acuñar

  2 *vi (à la porte)* llamar; **f. dans ses mains** dar palmadas

frasques [frask] *nfpl* locuras *fpl*

fraternel, -elle [fratɛrnɛl] *adj* fraternal

fraterniser [fratɛrnize] *vi* fraternizar

fraternité [fratɛrnite] *nf* fraternidad *f*

fratricide [fratrisid] *adj* fratricida

fraude [frod] *nf* fraude *m*; **passer qch en f.** pasar algo ilegalmente ☆ **f. fiscale** fraude fiscal

frauder [frode] **1** *vt* defraudar

  2 *vi* cometer fraude

frauduleux, -euse [frodylø, -øz] *adj* fraudulento(a)

frayer [53] [freje] **1** *vi (poisson)* desovar; **f. avec qn** *(fréquenter)* relacionarse con alguien

  2 se frayer *vpr* **se f. un chemin à travers** abrirse camino a través

frayeur [frɛjœr] *nf* pavor *m*

fredonner [frədɔne] **1** *vt* tararear

  2 *vi* canturrear

freezer [frizœr] *nm* congelador *m*

frein [frɛ̃] *nm* freno *m*; **sans f.** *(passion, imagination)* desenfrenado(a)

freiner [frene] *vt & vi* frenar

frelaté, -e [frəlate] *adj (vin)* adulterado(a); *Fig (corrompu)* corrompido(a)

frêle [frɛl] *adj (construction)* frágil; *(personne)* endeble; *(espoir, voix)* débil

frelon [frəlɔ̃] *nm* abejorro *m*

frémir [fremir] *vi (personne)* estremecerse; *(eau)* romper a hervir

frémissement [fremismɑ̃] *nm* estremecimiento *m*; *(des lèvres)* tem-

blor *m*; *(de l'eau chaude)* borboteo *m*

frêne [frɛn] *nm* fresno *m*

frénésie [frenezi] *nf* frenesí *m*

frénétique [frenetik] *adj* frenético(a)

fréquemment [frekamɑ̃] *adv* con frecuencia, frecuentemente

fréquence [frekɑ̃s] *nf* frecuencia *f*

fréquent, -e [frekɑ̃, -ɑ̃t] *adj* frecuente

fréquentation [frekɑ̃tɑsjɔ̃] *nf (d'un endroit)* frecuentación *f*; *(d'une personne)* trato *m*; **fréquentations** *(relations)* compañías *fpl*

fréquenté, -e [frekɑ̃te] *adj* **mal f. de** mala fama; **peu/très f.** poco/muy concurrido(a)

fréquenter [frekɑ̃te] **1** *vt (endroit)* frecuentar; *(personne)* tratar

  2 se fréquenter *vpr* verse

frère [frɛr] **1** *nm* hermano *m*

  2 *adj (parti, peuple)* hermano

fresque [frɛsk] *nf* fresco *m (pintura)*

fret [frɛ, frɛt] *nm* flete *m*

frétiller [fretije] *vi (poisson)* colear; *Fig* **f. de joie/d'impatience** bullir de alegría/de impaciencia

FRF *(abrév* **franc(s) français)** franco(s) *m(pl)* francés(eses)

friable [frijabl] *adj* desmenuzable

friand¹, -e [frijɑ̃, -ɑ̃d] *adj* **être f. de qch** ser un(a) apasionado(a) de algo

friand² *nm* = empanada hecha con masa de hojaldre

friandise [frijɑ̃diz] *nf* golosina *f*

fric [frik] *nm Fam* pasta *f*, pelas *fpl*

fricassée [frikase] *nf (ragoût)* guiso *m*; *Belg* = huevos al plato con tocino

friche [friʃ] *nf* baldío *m*; **en f.** baldío(a)

friction [friksjɔ̃] *nf (massage)* friega *f*; *Phys* fricción *f*; *Fig (désaccord)* roce *m*, fricción *f*

frictionner [friksjɔne] *vt* friccionar

Frigidaire® [friʒidɛr] *nm* nevera *f*

frigide [friʒid] *adj* frígido(a)

frigo [frigo] *nm Fam* nevera *f*

frigorifié, -e [frigɔrifje] *adj Fam* helado(a)

frileux, -euse [frilø, -øz] *adj Esp* friolero(a), *Am* friolento(a); *Fig (prudent)* timorato(a)

frimeur, -euse [frimœr, -øz] *nm,f Fam* chulo(a) *m,f*, vacilón(ona) *m,f*

frimousse [frimus] *nf Fam* carita *f*

fringale [frɛ̃gal] *nf Fam* hambre *f* canina; **avoir la f.** tener un hambre canina

fringant, -e [frɛ̃gɑ̃, -ɑ̃t] *adj (cheval)* fogoso(a); *(personne)* apuesto(a)

fringues [frɛ̃g] *nfpl Fam* trapos *mpl*

fripé, -e [fripe] *adj* arrugado(a)

fripes [frip] *nfpl* ropa *f* de segunda mano

fripon, -onne [fripɔ̃, -ɔn] *nm,f Fam* bribón(ona) *m,f*

fripouille [fripuj] *nf Péj* golfo(a) *m,f*

frire [frir] **1** *vt* freír
   2 *vi* freírse

frise [friz] *nf Archit* friso *m*

frisé, -e [frize] *adj (cheveux)* rizado(a); *(personne)* de pelo rizado

friser [frize] **1** *vt (cheveux)* rizar, *Méx* enchinar, *RP* enrular; *(frôler)* rozar
   2 *vi* rizarse

frisson [frisɔ̃] *nm* estremecimiento *m*; *(de fièvre)* escalofrío *m*

frissonner [frisɔne] *vi* estremecerse; *(de fièvre)* tener escalofríos; *(eau, feuillage)* agitarse

frite [frit] *nf* patata *f* frita

friteuse [fritøz] *nf* freidora *f*

friture [frityr] *nf (à l'huile)* fritura *f*; *(poisson)* pescado *m* frito; *(interférences)* interferencia *f*; *Belg (vendeur de frites)* = puesto de patatas fritas

frivole [frivɔl] *adj* frívolo(a)

frivolité [frivɔlite] *nf* frivolidad *f*

froid, -e [frwa, frwad] **1** *adj* frío(a)
  2 *nm (température)* frío *m*; *(dans les relations)* distanciamiento *m*; **avoir f.** tener frío; **j'ai f. aux mains** tengo frío en las manos; **il fait f.** hace frío; **prendre f.** enfriarse, *Esp* coger frío; **être en f. avec qn** estar distanciado(a) de alguien
  3 *adv* frío

froidement [frwadmɑ̃] *adv* fríamente; *(sans émotion)* a sangre fría

froisser [frwase] **1** *vt (tissu)* arrugar; *Fig (personne)* ofender, herir
  2 se froisser *vpr (tissu)* arrugarse; *Fig (personne)* ofenderse; **se f. un muscle** lesionarse un músculo

frôler [frole] *vt* rozar

fromage [frɔmaʒ] *nm* queso *m* ☆ **f. blanc** queso blanco; **f. frais** queso fresco

fromager, -ère [frɔmaʒe, -ɛr] *adj & nm,f* quesero(a) *m,f*

fromagerie [frɔmaʒri] *nf (magasin)* quesería *f*; *(industrie)* industria *f* quesera

froment [frɔmɑ̃] *nm* trigo *m* candeal

froncer [16] [frɔ̃se] *vt* fruncir; **f. les sourcils** fruncir el ceño

fronde¹ [frɔ̃d] *nf (arme)* honda *f*; *(jouet)* tirachinas *m inv*, tirador *m*

fronde² *nf (révolte)* revuelta *f*

front [frɔ̃] *nm (haut du visage)* frente *f*; *Mil & Pol* frente *m*; *(audace)* cara *f*

frontal, -e, -aux, -ales [frɔ̃tal, -o] *adj* frontal

frontalier, -ère [frɔ̃talje, -ɛr] **1** *adj (zone)* fronterizo(a); *(travailleur)* = que trabaja del otro lado de la frontera
  2 *nm,f* = persona que trabaja del otro lado de la frontera

frontière [frɔ̃tjer] **1** *nf* frontera *f*
  2 *adj* fronterizo(a)

fronton [frɔ̃tɔ̃] *nm* frontón *m*

frottement [frɔtmɑ̃] *nm (contact)* fricción *f; Fig (conflit)* roce *m*

frotter [frɔte] **1** *vt (mettre en contact)* frotar; *(astiquer, enduire)* restregar (**de** con)

2 *vi* rozar

3 se frotter *vpr aussi Fig* **se f. les mains** frotarse las manos

frottis [frɔti] *nm Méd* citología *f* ☆ **f. vaginal** citología vaginal

frousse [frus] *nf Fam* canguelo; **avoir la f.** tener canguelo

fructifier [fryktifje] *vi* fructificar

fructueux, -euse [fryktɥø, -øz] *adj* fructífero(a)

frugal, -e, -aux, -ales [frygal, -o] *adj* frugal

fruit [frɥi] *nm* fruta *f; Fig (résultat, profit)* fruto *m* ☆ **fruits confits** frutas confitadas; **fruits de mer** marisco *m;* **f. de la passion** fruta de la pasión

fruité, -e [frɥite] *adj* afrutado(a)

fruitier, -ère [frɥitje, -ɛr] *adj voir* **arbre**

fruste [fryst] *adj* basto(a)

frustration [frystrɑsjɔ̃] *nf* frustración *f*

frustrer [frystre] *vt (décevoir)* frustrar; **f. qn de qch** *(priver)* privar a alguien de algo

fuchsia [fyʃja] **1** *nm* fucsia *f*

2 *adj inv* **(rose) f.** (rosa) fucsia *inv*

fugace [fygas] *adj* fugaz

fugitif, -ive [fyʒitif, -iv] **1** *adj (fugace)* fugaz

2 *nm,f* fugitivo(a) *m,f*

fugue [fyg] *nf* fuga *f;* **faire une f.** fugarse de casa

fuir [38] [fɥir] *vi (personne)* huir; *(gaz, eau)* escaparse; *Fig (temps)* irse

fuite [fɥit] *nf (d'une personne)* huida *f; (de gaz, d'eau)* escape *m; Fig (du temps)* paso *m,* transcurso *m; Fig (indiscrétion)* filtración *f*

fulgurant, -e [fylgyrɑ̃, -ɑ̃t] *adj* fulgurante

fulminer [fylmine] *vi* estallar; **f. contre qn** montar en cólera contra alguien

fumé, -e [fyme] *adj* ahumado(a)

fumée [fyme] *nf* humo *m*

fumer [fyme] **1** *vt (cigarette)* fumar; *(saumon)* ahumar; *(terre)* abonar

2 *vi (cheminée, bouilloire)* humear

fumet [fymɛ] *nm (d'un mets)* aroma *m*

fumeur, -euse [fymœr, -øz] *nm,f* fumador(ora) *m,f*

fumier [fymje] *nm* estiércol *m; Fam (personne)* despreciable *mf*

fumiste [fymist] *nmf Fam* gandul(ula) *m,f*

fumoir [fymwar] *nm (pour poisson)* ahumadero *m; (salon)* fumadero *m*

funambule [fynɑ̃byl] *nmf* funámbulo(a) *m,f*

funèbre [fynɛbr] *adj* fúnebre

funérailles [fyneraj] *nfpl* funerales *mpl*

funéraire [fynerɛr] *adj* funerario(a)

funeste [fynɛst] *adj* funesto(a)

funiculaire [fynikylɛr] *nm* funicular *m*

fur [fyr] **au fur et à mesure** *adv* poco a poco; **au f. et à mesure que** a medida que, conforme

furet [fyrɛ] *nm (animal)* hurón *m; Péj (personne)* fisgón *m; (jeu)* anillito *m*

fureter [6] [fyrte] *vi (fouiller)* fisgonear; *(chasser)* huronear

fureur [fyrœr] *nf* furor *m;* **faire f.** hacer furor

furibond, -e [fyribɔ̃, -ɔ̃d] *adj* furibundo(a)

furie [fyri] *nf* furia *f; (femme)* harpía *f;* **en f.** enfurecido(a); **mettre qn en f.** enfurecer a alguien

furieux, -euse [fyrjø, -øz] *adj (personne, acte, air)* furioso(a); *(haine, appétit)* terrible

furoncle [fyrɔ̃kl] *nm* forúnculo *m*

furtif, -ive [fyrtif, -iv] *adj* furtivo(a)

fusain [fyzɛ̃] *nm (crayon)* carboncillo *m*; *(dessin)* dibujo *m* al carbón

fuseau, -x [fyzo] *nm (pour filer)* huso *m*; *(vêtement)* pitillo *m*; *(de ski)* fuseau *m* ☆ *f. horaire* huso horario

fusée [fyze] *nf* cohete *m*

fuselage [fyzlaʒ] *nm* fuselaje *m*

fuselé, -e [fyzle] *adj* fino(a)

fuser [fyze] *vi (rires, applaudissements)* llover

fusible [fyzibl] *nm* fusible *m*

fusil [fyzi] *nm (arme)* fusil *m*; *(de chasse)* escopeta *f*; *(tireur)* tirador(ora) *m,f*; *(pour aiguiser)* máquina *f* afiladora

fusillade [fyzijad] *nf (tirs) Esp* tiroteo *m*, *Am* balacera *f*

fusiller [fyzije] *vt (exécuter)* fusilar; *Fam (abîmer)* cargarse; **f. qn du regard** fulminar a alguien con la mirada

fusion [fyzjɔ̃] *nf aussi Ordinat* fusión *f*

fusionner [fyzjɔne] **1** *vt aussi Ordinat* fusionar
  2 *vi* fusionarse

fustiger [45] [fystiʒe] *vt Litt* fustigar

fût [fy] *nm (tonneau)* tonel *m*; *(d'arbre)* tronco *m*; *(d'arme)* caña *f*; *(de colonne)* fuste *m*

futaie [fytɛ] *nf* (vegetación *f* de) monte *m* alto

futé, -e [fyte] *adj* ladino(a), espabilado(a)

futile [fytil] *adj (insignifiant)* fútil; *(frivole)* frívolo(a)

futon [fytɔ̃] *nm* futón *m*

futur, -e [fytyr] **1** *adj* futuro(a)
  2 *nm* futuro *m* ☆ *f. antérieur* futuro perfecto

futuriste [fytyrist] *adj* futurista

fuyant, -e [fɥijɑ̃, -ɑ̃t] *adj (front, menton)* deprimido(a); *(regard)* huidizo(a)

fuyard, -e [fɥijar, -ard] *nm,f* fugitivo(a) *m,f*

fuyez *etc voir* **fuir**

G

G, g [ʒe] *nm inv (lettre)* G *f*, g *f*
G *(abrév* **giga)** G
g *(abrév* **gramme)** g
gabardine [gabardin] *nf* gabardina *f*
gabarit [gabari] *nm (modèle)* gálibo *m*; *(importance)* calaña *f*; *(carrure)* cuerpo *m*
Gabon [gabɔ̃] *nm* **le G.** Gabón
gâcher [gaʃe] *vt (argent, talent)* malgastar; *(vie)* arruinar; *(occasion)* perder; *(nourriture)* echar a perder; *(plaisir)* estropear
gâchette [gaʃɛt] *nf* gatillo *m*
gâchis [gaʃi] *nm (gaspillage)* derroche *m*
gadget [gadʒɛt] *nm* chisme *m*
gadoue [gadu] *nf* barro *m*
gaffe¹ [gaf] *nf Fam (maladresse)* plancha *f*, metedura *f* de pata
gaffe² *nf Fam* **faire g. (à)** tener cuidado (con)
gaffer [gafe] *vi Fam* meter la pata
gag [gag] *nm (dans un film, au théâtre)* gag *m*; *(plaisanterie)* broma *f*
gage [gaʒ] *nm (dépôt, au jeu)* prenda *f*; *(assurance, preuve)* testimonio *m*, prueba *f*; **mettre qch en g.** empeñar algo
gager [45] [gaʒe] *vt* **g. que** apostar que
gageure [gaʒyr] *nf* apuesta *f*
gagnant, -e [gaɲɑ̃, -ɑ̃t] *adj & nm,f* ganador(ora) *m,f*

gagne-pain [gaɲpɛ̃] *nm inv* sustento *m*
gagner [gaɲe] **1** *vt* ganar; *(estime)* ganarse *(sujet: épidémie, feu)* alcanzar
 2 *vi* ganar; *(se propager)* extenderse; **ce vin gagne à vieillir** este vino gana al envejecer; **g. en** ganar en
gai, -e [gɛ] *adj* alegre
gaiement [gemɑ̃] *adv* alegremente
gaieté [gete] *nf* alegría *f*
gaillard, -e [gajar, -ard] *nm,f* buen(a) mozo(a) *m,f*
gaîment [gemɑ̃] = **gaiement**
gain [gɛ̃] *nm* ganancia *f*; *(économie)* ahorro *m*; **il a obtenu g. de cause** le han dado la razón
gaine [gɛn] *nf (étui)* funda *f*; *(sous-vêtement)* faja *f*
gainer [gene] *vt* enfundar
gaîté [gete] = **gaieté**
gala [gala] *nm* gala *f*
galant, -e [galɑ̃, -ɑ̃t] *adj* galante
galanterie [galɑ̃tri] *nf* galantería *f*
Galapagos [galapagos] *nfpl* **les (îles) G.** las Islas Galápagos
galaxie [galaksi] *nf* galaxia *f*
galbe [galb] *nm* línea *f (perfil)*
gale [gal] *nf* sarna *f*
galère [galɛr] *nf (navire)* galera *f*; *Fam (situation désagréable)* berenjenal *m*; **quelle g.!** ¡qué rollo!

galerie [galri] *nf* galería *f*; *(porte-ba-gages)* baca *f*; *Can (véranda)* porche *m* acristalado

galet [galɛ] *nm (caillou)* canto *m* rodado, guijarro *m*; *Tech* ruedecilla *f*

galette [galɛt] *nf (gâteau)* torta *f*; *(crêpe)* crepe *f* salada; *Fam (argent)* pasta *f*, pelas *fpl*

Galice [galis] *nf* la G. Galicia

galicien, -enne [galisjɛ̃, -ɛn] **1** *adj* gallego(a)
  2 *nm,f* G. gallego(a) *m,f*
  3 *nm (langue)* gallego *m*

galipette [galipɛt] *nf Fam* voltereta *f*

gallicisme [galisism] *nm* galicismo *m*

galon [galɔ̃] *nm (bordure)* pasamano *m*; *(militaire)* galón *m*

galop [galo] *nm* galope *m*; **au g.** *(cheval)* al galope; *Fig (partir)* rápido

galoper [galɔpe] *vi* galopar; *(personne)* trotar

galopin [galɔpɛ̃] *nm Fam* galopín *m*, pilluelo *m*

galvaniser [galvanize] *vt* galvanizar

galvauder [galvode] *vt (nom, gloire, réputation)* manchar; *(talent, dons)* prostituir; **un mot galvaudé** una palabra desvirtuada

gamba [gɑ̃ba] *nf* gamba *f*

gambader [gɑ̃bade] *vi* saltar

gamelle [gamɛl] *nf (plat)* escudilla *f*

gamin, -e [gamɛ̃, -in] **1** *adj (espiègle)* travieso(a); *Fam Péj (infantile)* crío(a)
  2 *nm,f Fam (enfant)* crío(a) *m,f*

gamme [gam] *nf (musicale)* escala *f*, gama *f*; *(série)* gama *f*

gang [gɑ̃g] *nm* banda *f*

ganglion [gɑ̃gliɔ̃] *nm* ganglio *m*

gangrène [gɑ̃grɛn] *nf* gangrena *f*

gangster [gɑ̃gstɛr] *nm* gánster *m*

gant [gɑ̃] *nm* guante *m*; **ça lui va comme un g.** eso le viene perfecta-

mente ☆ **g. de boxe** guante de boxeo; **g. de toilette** manopla *f* de ducha

garage [garaʒ] *nm (abri)* garage *m*; *(atelier)* taller *m*, *Méx* refaccionaria *f*

garagiste [garaʒist] *nmf* mecánico *m*; **emmener sa voiture chez le g.** llevar el *Esp* coche *o Am* carro *o RP* auto al taller

garant, -e [garɑ̃, -ɑ̃t] *nm,f Jur (responsable)* garante *mf*; *(d'une dette)* avalador(ora) *m,f*; **se porter g. de** responder de; **se porter g. de qn** *(financièrement)* avalar a alguien

garantie [garɑ̃ti] *nf* garantía *f*

garantir [garɑ̃tir] *vt* garantizar; **g. à qn que** garantizar a alguien que

garçon [garsɔ̃] *nm (jeune homme)* chico *m*, muchacho *m*; *(serveur) Esp* camarero *m*, *Chile, Ven* mesonero *m*, *Col, Méx* mesero *m*, *CRica* salonero *m*, *Perú, RP* mozo *m* ☆ **g. boucher** dependiente *m* de carnicería; **g. de café** camarero; **g. manqué** marimacho *m*; **petit g.** niño *m*; *Vieilli* **vieux g.** solterón *m*

garçonnet [garsɔnɛ] *nm* niñito *m*

garçonnière [garsɔnjɛr] *nf* apartamento *m* de soltero

garde [gard] **1** *nf* guardia *f*; *Jur (d'enfants)* custodia *f*; **médecin/pharmacie de g.** médico(a)/farmacia de guardia; **monter la g.** montar guardia; **être** *ou* **se tenir sur ses gardes** estar sobre aviso; **mettre qn en g. contre** poner a alguien en guardia contra; **prendre g. à** tener cuidado con
  2 *nm (gardien)* guarda *mf* ☆ **g. champêtre** guardia *mf* rural; **g. du corps** guardaespaldas *mf inv*; **g. forestier** guarda forestal

garde-à-vous [gardavu] *nm inv* posición *f* de firmes; **se mettre au g.** ponerse firme

garde-boue [gardəbu] *nm inv* guardabarros *m inv*, *Méx* salpicadera *f*

garde-chasse (*pl* **gardes-chasse** *ou* **gardes-chasses**) [gardəʃas] *nm* guarda *m* de caza

garde-fou (*pl* **garde-fous**) [gardəfu] *nm* pretil *m*

garde-manger [gardmɑ̃ʒe] *nm inv* despensa *f*

garde-meuble (*pl* **garde-meubles**) [gardəmœbl] *nm* guardamuebles *m inv*

garde-pêche (*pl* **gardes-pêche**) [gardəpɛʃ] *nm (personne)* guarda *m* de pesca

garder [garde] **1** *vt (secret, silence, place)* guardar; *(enfant, porte, prisonnier)* vigilar; *(conserver) (denrées)* conservar; *(vêtement) (sur soi)* quedarse con; **g. le lit** guardar cama
2 se garder *vpr (se conserver)* conservarse; **se g. de faire qch** guardarse de hacer algo

garderie [gardəri] *nf* guardería *f*

garde-robe (*pl* **garde-robes**) [gardərɔb] *nf (armoire)* ropero *m*; *(vêtements)* guardarropa *m*, vestuario *m*

gardien, -enne [gardjɛ̃, -ɛn] *nm,f* guarda *mf*, vigilante *mf*; *(d'immeuble)* portero(a) *m,f* ☆ **g. de nuit** vigilante nocturno(a)

gare¹ [gar] *nf* estación *f* ☆ **g. routière** estación de autobuses

gare² *exclam* **g. à...!** ¡cuidado con...!; **g. à toi!** *(exprime la menace)* ¡ya verás!

garer [gare] **1** *vt Esp* aparcar, *Am* parquear, *RP* estacionar
2 se garer *vpr (automobiliste)* aparcar; *(se ranger de côté)* apartarse

gargariser [gargarize] **se gargariser** *vpr (se rincer)* hacer gárgaras; *Fig Péj* **se g. de qch** regodearse en algo

gargouiller [garguje] *vi (eau)* gorgotear; *(intestins)* hacer ruido

garnement [garnəmɑ̃] *nm* diablillo *m*

garnir [garnir] *vt (équiper)* equipar; *(approvisionner, remplir)* llenar; **g. qch de** *(couvrir)* cubrir algo de; *(orner)* guarnecer algo con; **plat garni** plato *m* con guarnición

garnison [garnizɔ̃] *nf* guarnición *f*

garniture [garnityr] *nf (de lit)* juego *m*; *(d'un plat)* guarnición *f* ☆ **g. de frein** pastilla *f* de freno

Garonne [garɔn] *nf* **la G.** el Garona

garrigue [garig] *nf* garriga *f*

garrocher [garɔʃe] *vt Can (lancer)* lanzar

garrot [garo] *nm (d'un cheval)* cruz *f*; *Méd* torniquete *m*; *(de torture)* garrote *m*

gars [gɑ] *nm Fam* tipo *m*

Gascogne [gaskɔɲ] *nf voir* **golfe**

gas-oil [gazɔjl, gazwal] *nm* gasoil *m*

gaspillage [gaspijaʒ] *nm* despilfarro *m*

gaspiller [gaspije] *vt* despilfarrar

gastrique [gastrik] *adj* gástrico(a)

gastrite [gastrit] *nf* gastritis *f*

gastronome [gastronɔm] *nmf* gastrónomo(a) *m,f*

gastronomique [gastronɔmik] *adj* gastronómico(a)

gâteau, -x [gato] *nm* pastel *m* ☆ **g. marbré** = pastel de aspecto jaspeado por el contraste entre el chocolate y el bizcocho

gâter [gate] **1** *vt (avarier, gâcher)* estropear; *(affaire)* arruinar; *(enfant)* mimar, *Méx* apapachar; **elle gâte trop ses enfants** malcría a sus hijos; *Hum* **il n'a pas été gâté par la nature** la naturaleza no lo favorece; *Iron* **on est gâtés!** ¡lo que faltaba!
2 se gâter *vpr (aliment)* estropearse; *(dent)* picarse; *(situation, temps)* ponerse feo(a)

gâteux, -euse [gatø, -øz] **1** *adj* chocho(a)
2 *nm,f* viejo(a) chocho(a) *m,f*

GATT [gat] *nm (abrév* **General Agreement on Tariffs and Trade**) GATT *m*

gauche [goʃ] **1** *adj (situé à gauche)* izquierdo(a); *(maladroit)* torpe

2 *nm (en boxe)* izquierda *f*

3 *nf* izquierda *f*; **à g. (de)** a la izquierda (de); **de g.** de la izquierda; *Pol* de izquierdas

gaucher, -ère [goʃe, -ɛr] *adj & nm,f* zurdo(a) *m,f*

gauchiste [goʃist] *adj & nmf* izquierdista *mf*

gaufre [gofr] *nf* gofre *m*

gaufrette [gofrɛt] *nf* barquillo *m*

gaule [gol] *nf (perche)* vara *f*; *(canne à pêche)* caña *f* (de pescar)

gaulois, -e [golwa, -az] **1** *adj (de Gaule)* galo(a); *(osé)* picaresco(a)
   2 *nm,f* **G.** galo(a) *m,f*

gausser [gose] **se gausser** *vpr Litt* **se g. de** mofarse de

gaver [gave] **1** *vt* cebar (**de** con)
   2 se gaver *vpr* **se g. de qch** hincharse de algo

gaz [gɑz] *nm inv* gas *m* ☆ **g. carbonique** anhídrido *m* carbónico; **g. naturel** gas natural

gaze [gɑz] *nf* gasa *f*

gazelle [gazɛl] *nf* gacela *f*

gazer [gaze] *vt* gasear

gazette [gazɛt] *nf* gaceta *f*

gazeux, -euse [gɑzø, -øz] *adj Chim* gaseoso(a); *(boisson)* con gas

gazinière [gazinjɛr] *nf* cocina *f (de gas)*

gazoduc [gazɔdyk] *nm* gasoducto *m*, gaseoducto *m*

gazole [gɑzɔl] = **gas-oil**

gazon [gɑzɔ̃] *nm* césped *m*; *Sp* **sur g.** sobre hierba

gazouiller [gazuje] *vi (oiseau)* trinar, gorjear; *(bébé)* balbucear

gd *(abrév* **grand)** g

GDF [ʒedeɛf] *nm (abrév* **Gaz de France)** = compañía nacional francesa de gas

géant, -e [ʒeɑ̃, -ɑ̃t] **1** *adj* gigante, gigantesco(a)
   2 *nm,f* gigante(a) *m,f*

geindre [54] [ʒɛ̃dr] *vi* gemir

gel [ʒɛl] *nm (verglas)* helada *f*; *(cosmétique)* gel *m*; *Fig (des salaires, des activités)* congelación *f*

gélatine [ʒelatin] *nf* gelatina *f*

gelée [ʒəle] *nf (verglas)* helada *f*; *(de viandes)* gelatina *f*; *(de fruits)* jalea *f*, gelatina *f*

geler [39] [ʒəle] **1** *vt* helar; *(salaires, activité)* congelar
   2 *vi* helarse
   3 *v impersonnel* **il gèle** hiela

gélule [ʒelyl] *nf* cápsula *f (medicamento)*

Gémeaux [ʒemo] *nmpl Astrol* géminis *m inv*; **être G.** ser géminis

gémir [ʒemir] *vi* gemir

gémissement [ʒemismɑ̃] *nm* gemido *m*

gênant, -e [ʒɛnɑ̃, -ɑ̃t] *adj* molesto(a)

gencive [ʒɑ̃siv] *nf* encía *f*

gendarme [ʒɑ̃darm] *nm* gendarme *m*, guardia *m* civil

gendarmerie [ʒɑ̃darməri] *nf* gendarmería *f*, Guardia *f* Civil

gendre [ʒɑ̃dr] *nm* yerno *m*

gène [ʒɛn] *nm* gen *m*

gêne [ʒɛn] *nf (physique, psychologique)* molestia *f*; **éprouver de la g. à faire qch** costarle a uno hacer algo; **être dans la g.** *(financière)* estar en un aprieto

généalogie [ʒenealɔʒi] *nf* genealogía *f*

généalogique [ʒenealɔʒik] *adj* genealógico(a)

gêner [ʒene] **1** *vt (embarrasser, incommoder)* molestar; *(encombrer, entraver)* molestar, estorbar
   2 se gêner *vpr* **ne pas se g. pour faire qch** no cortarse a la hora de hacer algo; *Iron* **ne vous gênez pas (pour moi)!** ¡tú/vosotros/*etc* a lo tuyo/vuestro/*etc*!

général, -e, -aux, -ales [ʒeneral, -o] **1** *adj* general; **en g.** en general

2 *nm (militaire)* general *m*

3 *nf* **générale** *Th* ensayo *m* general

généralement [ʒeneralmã] *adv (d'habitude)* generalmente

généraliser [ʒeneralize] 1 *vt* generalizar

2 **se généraliser** *vpr* generalizarse

généraliste [ʒeneralist] 1 *adj* de medicina general

2 *nmf* médico(a) *m,f* de medicina general

généralité [ʒeneralite] *nf* generalidad *f*

générateur, -trice [ʒeneratœr, -tris] 1 *adj* generador(ora)

2 *nm* generador *m*

génération [ʒenerɑsjɔ̃] *nf* generación *f* ✩ *g.* **spontanée** generación espontánea

générer [34] [ʒenere] *vt* generar

généreux, -euse [ʒenerø, -øz] *adj* generoso(a)

générique¹ [ʒenerik] *adj (terme)* genérico(a)

générique² *nm (d'un film)* títulos *mpl* de crédito

générosité [ʒenerozite] *nf* generosidad *f*

genèse [ʒənɛz] *nf* génesis *f inv*; **la G.** el Génesis

genêt [ʒənɛ] *nm* retama *f*

génétique [ʒenetik] 1 *adj* genético(a)

2 *nf* genética *f*

Genève [ʒənɛv] *n* Ginebra

genevois, -e [ʒənvwa, -az] 1 *adj* ginebrino(a)

2 *nm,f* **G.** ginebrino(a) *m,f*

génial, -e, -aux, -ales [ʒenjal, -o] *adj* genial

génie [ʒeni] *nm* genio *m*; *Tech* ingeniería *f*; *Mil (corps)* cuerpo *m* de ingenieros militares

genièvre [ʒənjɛvr] *nm* enebro *m*

génisse [ʒenis] *nf* becerra *f*

génital, -e, -aux, -ales [ʒenital, -o] *adj* genital

génitif [ʒenitif] *nm* genitivo *m*

génocide [ʒenɔsid] *nm* genocidio *m*

génoise [ʒenwaz] *nf* = tipo de masa de repostería

genou, -x [ʒənu] *nm* rodilla *f*; **se mettre à genoux** arrodillarse

genouillère [ʒənujɛr] *nf* rodillera *f*

genre [ʒãr] *nm* género *m*, tipo *m*; **avoir bon/mauvais g.** ser distinguido(a)/vulgar

gens [ʒã] *nmpl* gente *f* ✩ **jeunes g.** jóvenes *mpl*

gentiane [ʒãsjan] *nf* genciana *f*

gentil, -ille [ʒãti, -ij] *adj (aimable)* amable; *(sage)* bueno(a)

gentillesse [ʒãtijɛs] *nf (qualité)* amabilidad *f*; *(geste)* atención *f*

gentiment [ʒãtimã] *adv (aimablement)* amablemente; *Suisse (tranquillement)* tranquilamente

géo [ʒeo] *nf Fam* geografía *f*

géographie [ʒeɔgrafi] *nf* geografía *f*

géographique [ʒeɔgrafik] *adj* geográfico(a)

géologie [ʒeɔlɔʒi] *nf* geología *f*

géologue [ʒeɔlɔg] *nmf* geólogo(a) *m,f*

géomètre [ʒeɔmɛtr] *nmf (technicien)* topógrafo(a) *m,f*

géométrie [ʒeɔmetri] *nf* geometría *f*

géranium [ʒeranjɔm] *nm* geranio *m*

gérant, -e [ʒerã, -ãt] *nm,f* gerente *mf*

gerbe [ʒɛrb] *nf (de fleurs)* ramo *m*; *(de blé)* gavilla *f*, haz *m*; *(d'étincelles)* haz *m*; *(d'eau)* chorro *m*

gercé, -e [ʒɛrse] *adj* cortado(a)

gerçure [ʒɛrsyr] *nf* grieta *f*

gérer [34] [ʒere] *vt* administrar

germain, -e [ʒɛrmɛ̃, -ɛn] *adj voir* **cousin**

germe [ʒɛrm] *nm aussi Fig* germen *m*

germer [ʒɛrme] *vi* germinar

gérondif [ʒerɔ̃dif] *nm* gerundio *m*

gésier [ʒezje] *nm* molleja *f*

gésir [ʒezir] *vi Litt* yacer

gestation [ʒɛstɑsjɔ̃] *nf aussi Fig* gestación *f*

geste [ʒɛst] *nm* gesto *m*; **faire un g.** *(bonne action)* hacer una buena acción; **un beau g.** un gesto noble

gesticuler [ʒɛstikyle] *vi* gesticular

gestion [ʒɛstjɔ̃] *nf* administración *f*, gestión *f*

gestionnaire [ʒɛstjɔnɛr] **1** *nmf* administrador(ora) *m,f*, gestor(ora) *m,f*
2 *nm Ordinat* **g. de fichiers** administrador *m* de archivos

geyser [ʒezɛr] *nm* géiser *m*

ghetto [gɛto] *nm* gueto *m*

gibet [ʒibɛ] *nm* horca *f*

gibier [ʒibje] *nm* caza *f* ☆ **gros g.** caza mayor

giboulée [ʒibule] *nf* chaparrón *m*; **les giboulées de mars** los chaparrones primaverales

Gibraltar [ʒibraltar] *n* Gibraltar

gicler [ʒikle] *vi* salpicar con fuerza

gifle [ʒifl] *nf* bofetada *f*, *Am* cachetada *f*; *Fig* humillación *f*

gifler [ʒifle] *vt (sujet: personne)* dar una bofetada a; *(sujet: vent, pluie)* golpear

gigantesque [ʒigɑ̃tɛsk] *adj* gigantesco(a)

GIGN [ʒeiʒɛɛn] *nm (abrév Groupe d'intervention de la gendarmerie nationale)* = cuerpo de élite de la gendarmería francesa, ≃ GEO *mpl*

gigogne [ʒigɔɲ] *adj* = que encajan unos dentro de otros; **lits gigognes** cama *f* nido

gigolo [ʒigolo] *nm* gigoló *m*

gigot [ʒigo] *nm* pierna *f*

gigoter [ʒigɔte] *vi* patalear; **arrête de g.!** ¡estáte quieto!

gilet [ʒilɛ] *nm* chaqueta *f* de punto; *(sans manches)* chaleco *m* ☆ **g. de sauvetage** chaleco salvavidas

gin [dʒin] *nm* ginebra *f*

gingembre [ʒɛ̃ʒɑ̃br] *nm* jengibre *m*

girafe [ʒiraf] *nf* jirafa *f*

giratoire [ʒiratwar] *adj* giratorio(a)

girofle [ʒirɔfl] *nm voir* **clou**

girouette [ʒirwɛt] *nf* veleta *f*; *Fig (personne)* veleta *mf*

gisais *etc voir* **gésir**

gisement [ʒizmɑ̃] *nm* yacimiento *m*

gît *voir* **gésir**

gitan, -e [ʒitɑ̃, -an] **1** *adj* gitano(a) **2** *nm,f* **G.** gitano(a) *m,f*

gîte [ʒit] *nm (logement)* alojamiento *m*; *(du lièvre)* madriguera *f*; *Culin* redondo *m* ☆ **g. rural** casa *f* de turismo rural

givre [ʒivr] *nm* escarcha *f*

glace [glas] *nf (eau congelée)* hielo *m*; *(crème glacée)* helado *m*; *(plaque de verre)* luna *f*; *(de voiture)* ventanilla *f*; *(miroir)* espejo *m*

glacé, -e [glase] *adj* helado(a); *(au sucre)* glaseado(a)

glacer [16] [glase] *vt* helar; *(au sucre)* glasear; *Fig* **g. qn** cortar a alguien

glacial, -e, -aux, -ales [glasjal, -o] *adj aussi Fig* glacial

glacier[1] [glasje] *nm (en montagne)* glaciar *m*

glacier[2] *nm (marchand de glaces)* vendedor *m* de helados

glacière [glasjɛr] *nf (pour pique-nique)* nevera *f*

glaçon [glasɔ̃] *nm (glace naturelle)* témpano *m* (de hielo); *(cube de glace)* cubito *m* de hielo; *Fig (personne)* témpano *m*

glaïeul [glajœl] *nm* gladiolo *m*

glaire [glɛr] *nf* flema *f*

glaise [glɛz] *nf* arcilla *f*

gland [glɑ̃] *nm (fruit du chêne)* bellota *f*; *(ornement)* borla *f*; *Anat* glande *m*

glande [glɑ̃d] *nf* glándula *f*

glaner [glane] *vt aussi Fig* espigar

glapir [glapir] *vi* gañir

glas [glɑ] *nm* doble *m*

glauque [glok] *adj (eau, yeux)* glauco(a); *Fam (ambiance)* sórdido(a)

glissade [glisad] *nf* deslizamiento *m*

glissant, -e [glisɑ̃, -ɑ̃t] *adj* resbaladizo(a)

glissement [glismɑ̃] *nm (action de glisser)* deslizamiento *m*; *Fig (déplacement)* desplazamiento *m* ☆ **g. de terrain** corrimiento *m* de tierras

glisser [glise] **1** *vi* resbalar; *(patineur, skieur)* deslizarse; *Fig* **g. sur qch** *(ne pas insister)* tratar algo por encima o superficialmente; *Fig* **g. vers qch** *(progresser)* desplazarse hacia algo
2 *vt (introduire)* deslizar; *(donner)* pasar; *(regard)* lanzar; *(mots)* susurrar
3 se glisser *vpr (se faufiler)* colarse

glissière [glisjɛr] *nf* corredera *f*

global, -e, -aux, -ales [global, -o] *adj* global

globalement [globalmɑ̃] *adv* globalmente

globe [glob] *nm* globo *m*

globule [globyl] *nm* glóbulo *m* ☆ **g. blanc** glóbulo blanco; **g. rouge** glóbulo rojo

globuleux, -euse [globylø, -øz] *adj (yeux)* saltón(ona)

gloire [glwar] *nf (renommée)* gloria *f*; *(mérite)* mérito *m*

glorieux, -euse [glɔrjø, -øz] *adj* glorioso(a)

glossaire [glosɛr] *nm* glosario *m*

glousser [gluse] *vi (poule)* cloquear; *Péj (rire)* reír ahogadamente

glouton, -onne [glutõ, -ɔn] *adj & nm,f* glotón(ona) *m,f*

glu [gly] *nf* liga *f (cola)*

gluant, -e [glyɑ̃, -ɑ̃t] *adj* pegajoso(a)

glucide [glysid] *nm* glúcido *m*

glucose [glykoz] *nm* glucosa *f*

glycine [glisin] *nf* glicina *f*

GO *(abrév* **grandes ondes)** LW, OL

Go *(abrév* **giga-octet(s))** *Ordinat* Gb

go [go] **tout de go** *adv* directamente

goal [gol] *nm* portero *m (en fútbol)*

gobelet [gɔblɛ] *nm (en métal, pour les dés)* cubilete *m*; **g. en plastique/ carton** vaso *m* de plástico/papel

gober [gɔbe] *vt (avaler)* sorber; *Fam (croire)* tragarse

godasse [gɔdas] *nf Fam* zapato *m*

godet¹ [gɔdɛ] *nm (récipient)* cortadillo *m*

godet² *nm (en couture)* pliegue *m*; **à godets** plegado(a)

goéland [gɔelɑ̃] *nm* gaviota *f*

goélette [gɔelɛt] *nf* goleta *f*

goguenard, -e [gɔgnar, -ard] *adj* guasón(ona), burlón(ona)

goinfre [gwɛ̃fr] *nmf Fam* tragón(ona) *m,f*, tragaldabas *mf inv*

goitre [gwatr] *nm* bocio *m*

golf [gɔlf] *nm* golf *m*

golfe [gɔlf] *nm* golfo *m*; **le g. de Gascogne** el golfo de Vizcaya; **le g. du Mexique** el Golfo de México; **le g. Persique, le G.** el golfo Pérsico

gomme [gɔm] *nf (substance, pour effacer)* goma *f*; *(bonbon)* pastilla *f* de goma, gominola *f*

gommer [gɔme] *vt (effacer)* borrar; *(enduire de gomme)* engomar

gond [gõ] *nm* gozne *m*

gondole [gõdɔl] *nf* góndola *f*

gondoler [gõdɔle] **1** *vi* combarse
2 se gondoler *vpr* combarse; *Fam (rire)* desternillarse

gonflable [gõflabl] *adj* hinchable

gonflé, -e [gõfle] *adj* hinchado(a); *Fam* **être g.** *(culotté)* tener morro

gonfler [gõfle] **1** *vt* hinchar, inflar
2 *vi* hincharse

gonflette [gõflɛt] *nf Fam* **faire de la g.** sacar bola

gong [gõg] *nm* gong *m*

gorge [gɔrʒ] *nf (gosier, vallée)* garganta *f*; *(cou)* cuello *m*; *Litt (seins)* pecho *m*

gorgé, -e [gɔrʒe] *adj* **g. de qch** *(saturé)* saturado(a) de algo

gorgée [gɔrʒe] *nf* trago *m*

gorger [45] [gɔrʒe] **se gorger** *vpr* **se g. de qch** *(se gaver)* hincharse de algo

gorille [gɔrij] *nm* gorila *m*

gosier [gozje] *nm* gaznate *m*

gosse [gɔs] **1** *nmf Fam* niño(a) *m,f*, *Esp* chaval(ala) *m,f*, *Andes* pelado(a) *m,f*, *Arg* pibe *mf*, *Méx* chamaco(a) *m,f*, *Urug* chiquilín(ina) *m,f*
2 *nfpl Can Fam* **gosses** *(testicules)* pelotas *fpl*

gothique [gɔtik] *adj* gótico(a)

gouache [gwaʃ] *nf* guache *m*, aguada *f*

goudron [gudrɔ̃] *nm* alquitrán *m*

goudronner [gudrɔne] *vt* alquitranar

gouffre [gufr] *nm* abismo *m*; *(chose ruineuse)* pozo *m* sin fondo

goujat [guʒa] *nm* patán *m*

goujon [guʒɔ̃] *nm* gobio *m*

goulot [gulo] *nm* gollete *m*; **boire au g.** beber a morro

goulu, -e [guly] *adj* tragón(ona)

gourd, -e [gur, gurd] *adj* entumecido(a)

gourde [gurd] **1** *adj Fam* zoquete
2 *nf (bouteille)* cantimplora *f*; *Fam (personne)* zoquete *mf*

gourdin [gurdɛ̃] *nm* porra *f*

gourer [gure] *vpr* **se gourer** *Fam* confundirse (**de** de)

gourgane [gurgan] *nf Can* = variedad de haba

gourmand, -e [gurmɑ̃, -ɑ̃d] *adj & nm,f* goloso(a) *m,f*

gourmandise [gurmɑ̃diz] *nf (goût pour la nourriture)* glotonería *f*; *(sucrerie)* golosina *f*

gourmet [gurmɛ] *nm* gourmet *m*

gourmette [gurmɛt] *nf* esclava *f*

gousse [gus] *nf (de petit pois, de haricot)* vaina *f*; *(d'ail)* diente *m*

goût [gu] *nm (sens, jugement esthétique)* gusto *m*; *(saveur)* gusto *m*, sabor *m*; *(penchant)* afición *f*, inclinación *f*; **prendre g. à qch** tomarle gusto a algo; **quelque chose dans ce g.-là** algo por el estilo

goûter [gute] **1** *vt (aliment, boisson)* probar; *Litt (musique, sensation)* disfrutar de; *(auteur, plaisanterie)* apreciar
2 *vi (prendre une collation)* merendar
3 *nm* merienda *f*

goutte [gut] **1** *nf* gota *f*; *Fam (alcool)* chupito *m*; **gouttes** *(médicament)* gotas; **g. à g.** gota a gota
2 *adv Litt* **ne... g.** no... ni gota

goutte-à-goutte [gutagut] *nm inv* gota a gota *m*

gouttelette [gutlɛt] *nf* gotita *f*

goutter [gute] *vi* gotear

gouttière [gutjɛr] *nf (sous un toit)* canalón *m*

gouvernail [guvɛrnaj] *nm* timón *m*

gouvernante [guvɛrnɑ̃t] *nf (d'enfants)* aya *f*; *(dame de compagnie)* ama *f* de llaves, gobernanta *f*

gouvernement [guvɛrnəmɑ̃] *nm* gobierno *m*

gouverner [guvɛrne] *vt* gobernar

gouverneur [guvɛrnœr] *nm* gobernador *m*

GR [ʒeɛr] *nm (abrév* **(sentier de) grande randonnée)** ruta *f* de senderismo

grâce [grɑs] *nf* gracia *f*; *(amnistie)* indulto *m*; **de bonne/mauvaise g.** de buena/mala gana; **g. à** gracias a

gracier [grasje] *vt* indultar

graciesement [grasjøzmɑ̃] *adv (avec grâce)* con gracia; *(gratuitement)* graciosamente

gracieux, -euse [grasjø, -øz] *adj*

(charmant) lleno(a) de gracia, grácil; **à titre g.** gratuitamente

gradation [gradɑsjɔ̃] *nf* gradación *f*

grade [grad] *nm* grado *m*

gradé, -e [grade] *adj & nm,f* suboficial *mf*

gradin [gradɛ̃] *nm (d'amphithéâtre, de stade)* grada *f*; *(de terrain)* escalón *m*

gradué, -e [gradɥe] *adj (règle, lunettes)* graduado(a); *(exercices)* gradual, progresivo(a)

graduel, -elle [gradɥɛl] *adj* gradual

graffiti(s) [grafiti] *nmpl* pintadas *fpl*, graffitis *mpl*

grain [grɛ̃] *nm* grano *m*; *(de poussière)* mota *f*; **pas un g. de bon sens** ni un ápice de sentido común; *Fam* **avoir un g.** estar chalado(a), estar ido(a) ☆ *g. de beauté* lunar *m*

graine [grɛn] *nf* semilla *f*, simiente *f*

graisse [grɛs] *nf* grasa *f*

graisser [grese] *vt (machine)* engrasar; *(salir)* manchar de grasa

grammaire [gramɛr] *nf* gramática *f*

grammatical, -e, -aux, -ales [gramatikal, -o] *adj* gramatical

gramme [gram] *nm* gramo *m*

grand, -e [grɑ̃, grɑ̃d] **1** *adj* grande, gran; *(en hauteur)* alto(a); *(en âge)* mayor; **un g. volume** un volumen grande, un gran volumen; **g. âge** edad avanzada; **employer de grands mots** hablar pomposamente
2 *nm,f (adulte)* persona *f* mayor; *(personnalité)* gran figura *f*; **mon g.** grandullón(ona) *m,f*

grand-angle [grɑ̃tɑ̃gl] *(pl* **grands-angles** [grɑ̃zɑ̃gl]) *nm* gran angular *m*

grand-chose [grɑ̃ʃoz] *pron indéfini* **ce n'est pas g.** no es gran cosa, es poca cosa

Grande-Bretagne [grɑ̃dbrətaɲ] *nf* **la G.** Gran Bretaña

grandeur [grɑ̃dœr] *nf (dimension)* tamaño *m*; *(splendeur)* grandeza *f*;

Fig (morale) grandeza *f*, magnitud *f*

grandiose [grɑ̃djoz] *adj* grandioso(a)

grandir [grɑ̃dir] **1** *vt (rehausser)* hacer (parecer) más alto(a); *Fig (moralement)* engrandecer
2 *vi* crecer

grand-mère *(pl* **grands-mères**) [grɑ̃mɛr] *nf* abuela *f*, *Andes, Méx* mamá *f* grande

grand-père *(pl* **grands-pères**) [grɑ̃pɛr] *nm* abuelo *m*, *Andes, Méx* papá *m* grande

grand-rue *(pl* **grand-rues**) [grɑ̃ry] *nf* calle *f* principal

grands-parents [grɑ̃parɑ̃] *nmpl* abuelos *mpl*

grange [grɑ̃ʒ] *nf* granero *m*

granit(e) [granit] *nm* granito *m*

granulé [granyle] *nm* granulado *m*

granuleux, -euse [granylø, -øz] *adj* granuloso(a)

graphique [grafik] **1** *adj* gráfico(a)
2 *nm* gráfico *m*, gráfica *f*

graphisme [grafism] *nm* grafismo *m*

graphologie [grafɔlɔʒi] *nf* grafología *f*

grappe [grap] *nf* racimo *m*

grappiller [grapije] *vt (renseignements, argent)* sacar

grappin [grapɛ̃] *nm* rezón *m*; *Fam Fig* **mettre le g. sur qn** pescar a alguien

gras, grasse [grɑ, grɑs] **1** *adj* graso(a); *(personne, animal)* gordo(a); *(plaisanterie)* grosero(a); *(rire)* cazalloso(a); *(crayon, toux)* blando(a); *(plante)* carnoso(a); *(sol, terre)* fértil; **faire la grasse matinée** levantarse muy tarde
2 *nm (de la viande)* tocino *m*; *(d'une partie du corps)* grasa *f*; *(en typographie)* negrita *f*, negrilla *f*
3 *adv* **manger g.** comer mucha grasa; **tousser g.** tener la tos blanda

grassement [grɑsmɑ̃] *adv (largement)* generosamente

gratifier [gratifje] *vt* gratificar; **g. qn de qch** *(sourire, récompense)* gratificar a alguien con algo; *Iron* obsequiar a alguien con algo

gratin [gratɛ̃] *nm (plat)* gratén *m*, gratinado *m*; *Fam (haute société)* flor y nata *f*

gratiné, -e [gratine] *adj (plat)* gratinado(a); *Fam (épreuve, examen)* dificilísimo, *Esp* de aúpa; *Fam (plaisanterie, histoire)* fuerte

gratis [gratis] *adv* gratis

gratitude [gratityd] *nf* gratitud *f*, agradecimiento *m*

gratte-ciel [gratsjɛl] *nm inv* rascacielos *m inv*

gratter [grate] **1** *vt (surface, tache, peinture)* rascar; *(sujet: vêtement)* picar; *Fam (économiser)* sacar
  2 *vi (démanger)* picar; *Fam (écrire)* garrapatear; **g. à la porte** llamar suavemente a la puerta
  3 se gratter *vpr* rascarse

gratuit, -e [gratɥi, -it] *adj* gratuito(a)

gratuitement [gratɥitmã] *adv (sans payer)* gratis, gratuitamente; *(sans raison)* gratuitamente

gravats [grava] *nmpl* escombros *mpl*, cascotes *mpl*

grave [grav] **1** *adj* grave; **ce n'est pas g.** *(ça n'a pas d'importance)* no importa
  2 *nmpl* **graves** *(sons)* graves *mpl*

gravement [gravmã] *adv (parler)* con gravedad; *(blesser)* de gravedad, gravemente

graver [grave] *vt* grabar; **son visage est gravé dans ma mémoire** tengo su cara grabada en la memoria

gravier [gravje] *nm Esp* grava *f*, *Am* pedregullo *m*

gravillon [gravijɔ̃] *nm* gravilla *f*

gravir [gravir] *vt* subir dificultosamente

gravité [gravite] *nf* gravedad *f*

graviter [gravite] *vi* **g. autour de** *(astre)* gravitar alrededor de; *Fig* girar alrededor de

gravure [gravyr] *nf* grabado *m*

gré [gre] *nm* **contre mon/son/etc g.** en contra de mi/su/etc voluntad; **de g. ou de force** por las buenas o por las malas

grec, grecque [grɛk] **1** *adj* griego(a)
  2 *nm,f* **G.** griego(a) *m,f*
  3 *nm (langue)* griego *m*

Grèce [grɛs] *nf* **la G.** Grecia

gréement [gremã] *nm Naut* aparejo *m*

greffe¹ [grɛf] *nf* trasplante *m*; injerto *m*

greffe² *nm Jur* secretaría *f* del juzgado

greffer [grefe] **1** *vt (organe)* trasplantar; *(peau, branche)* injertar
  2 se greffer *vpr (s'additionner)* **se g. sur qch** sumarse a algo

greffier [grefje] *nm Jur* secretario(a) *m,f* judicial

grêle¹ [grɛl] *adj (jambe)* delgaducho(a); *(son)* agudo(a)

grêle² *nf (précipitation)* granizo *m*; *Fig (grande quantité)* lluvia *f*

grêler [grele] *v impersonnel* **il grêle** está granizando

grêlon [grɛlɔ̃] *nm* granizo *m*

grelot [grəlo] *nm* cascabel *m*

grelotter [grələte] *vi* tiritar

Grenade [grənad] *n* Granada

grenade [grənad] *nf* granada *f* ☆ **g. lacrymogène** (bomba *f* de) gases *mpl* lacrimógenos

grenadine [grənadin] *nf* granadina *f*

grenat [grəna] **1** *adj inv* granate
  2 *nm (couleur, pierre)* granate *m*

grenier [grənje] *nm (d'une maison)* desván *m*; *(à grain)* granero *m*

grenouille [grənuj] *nf* rana *f*

grès [grɛ] *nm (roche)* arenisca *f*; *(poterie)* gres *m*

grésiller [grezije] *vi* chisporrotear

grève¹ [grɛv] *nf (protestation)* huelga *f*; **faire (la) g.** hacer huelga; **en g.** en huelga ☆ **g. de la faim** huelga de hambre; **g. du zèle** huelga de celo

grève² *nf (rivage)* arenal *m*

grever [46] [grəve] *vt* gravar **(de** con)

gréviste [grevist] *adj & nmf* huelguista *mf*

gribouiller [gribuje] *vt (écrire)* garabatear; *(dessiner)* garabatear, pintarrajear

grief [grijɛf] *nm* queja *f*; **faire** *ou* **tenir g. de qch à qn** echar en cara algo a alguien

grièvement [grijɛvmɑ̃] *adv* gravemente

griffe [grif] *nf (d'un animal)* garra *f*, zarpa *f*; *(d'un chat)* uña *f*; *(nom)* nombre *m*; *Belg (éraflure)* arañazo *m*

griffé, -e [grife] *adj (vêtement)* de marca

griffer [grife] *vt (blesser)* arañar

griffonner [grifɔne] **1** *vt* garabatear **2** *vi* hacer garabatos

grignoter [griɲɔte] **1** *vt (du bout des dents)* mordisquear; *(en dehors des repas)* picar; *(capital, fortune)* pulirse **2** *vi* picar

gril [gril] *nm* parrilla *f*

grillade [grijad] *nf* = ración de carne o pescado a la parrilla

grillage [grijaʒ] *nm (clôture)* alambrada *f*; *(de porte, de fenêtre)* rejilla *f*

grille [grij] *nf (portail)* cancela *f*; *(de fenêtre, de ventilation)* reja *f*; *(de guichet)* rejilla *f*; *(de mots croisés, de loto)* encasillado *m*; *(tableau)* cuadro *m*

grille-pain [grijpɛ̃] *nm inv* tostadora *f*, tostador *m*

griller [grije] **1** *vt (viande, marrons)* asar; *(pain, café, amandes)* tostar; *(végétation, moteur)* quemar; *(am-*

poule) fundir; *Fam (cigarette)* fumarse; *Fam (feu rouge, étape)* saltarse; *Fam (concurrents)* pasar delante de; *Fam (compromettre)* quemar **2** *vi (viande)* asarse

grillon [grijɔ̃] *nm* grillo *m*

grimace [grimas] *nf* mueca *f*; **faire la g.** poner cara de disgusto

grimper [grɛ̃pe] **1** *vt* trepar a **2** *vi (personne, animal, plante)* trepar; *(route)* estar en cuesta; *Fig (prix)* subir; **g. sur qch** *(arbre)* trepar a algo; *(échelle, table)* subirse a algo

grincement [grɛ̃smɑ̃] *nm* chirrido *m*

grincer [16] [grɛ̃se] *vi* rechinar, chirriar; **g. des dents** hacer rechinar los dientes

grincheux, -euse [grɛ̃ʃø, -øz] *adj* gruñón(ona)

grippe [grip] *nf* gripe *f*, *Col, Méx* gripa *f*

grippé, -e [gripe] *adj (malade)* griposo(a)

gris, -e [gri, griz] **1** *adj* gris; *(saoul)* achispado(a); **il fait g.** está nublado **2** *nm (couleur)* gris *m*

grisaille [grizaj] *nf (du ciel)* tono *m* gris; *Fig (de la vie)* monotonía *f*

grisant, -e [grizɑ̃, -ɑ̃t] *adj* embriagador(ora)

grisâtre [grizɑtr] *adj* grisáceo(a)

griser [grize] *vt* embriagar

grisonner [grizɔne] *vi* encanecerse

grive [griv] *nf* tordo *m*

grivois, -e [grivwa, -az] *adj* verde *(picante)*

Groenland [grɔɛnlɑ̃d] *nm* **le G.** Groenlandia

grog [grɔg] *nm* grog *m*

grognement [grɔɲmɑ̃] *nm* gruñido *m*

grogner [grɔɲe] *vi* gruñir

groin [grwɛ̃] *nm* morro *m (del cerdo)*

grommeler [9] [grɔmle] *vt & vi* mascullar

grondement [grɔ̃dmã] *nm (du tonnerre, d'un torrent)* rugido *m* ; *(d'un animal)* gruñido *m*

gronder [grɔ̃de] **1** *vi (canon, tonnerre)* rugir ; *(animal)* gruñir
  2 *vt* regañar

gros, grosse [gro, gros] **1** *adj (corpulent)* gordo(a) ; *(volumineux, important)* grande ; *(grossier)* grueso(a) ; *(fort, sonore)* fuerte ; **une grosse somme** una gran suma
  2 *nm,f (personne corpulente)* gordo(a) *m,f*
  3 *adv (beaucoup)* mucho
  4 *nm Com* **le g.** *Esp* los negocios al por mayor, *Am* el mayoreo ; **le g. de** *(la majeure partie)* la mayor parte de

groseille [grozɛj] *nf* grosella *f*

grosse [gros] *voir* **gros**

grossesse [grosɛs] *nf* embarazo *m*

grosseur [grosœr] *nf (grandeur, corpulence)* tamaño *m* ; *(épaisseur)* grosor *m* ; *Méd* bulto *m*

grossier, -ère [grosje, -ɛr] *adj* grosero(a) ; *(matière)* basto(a) ; *(estimation)* aproximado(a) ; *(erreur)* burdo(a)

grossièrement [grosjɛrmã] *adv* groseramente ; *(dessiner, décrire)* a grandes rasgos

grossièreté [grosjɛrte] *nf (incorrection, mot)* grosería *f* ; *(d'un dessin)* tosquedad *f* ; *(d'un tissu, du goût)* ordinariez *f*

grossir [grosir] **1** *vi (prendre du poids)* engordar ; *(augmenter, s'intensifier)* crecer
  2 *vt (sujet: microscope, verre)* agrandar ; *(sujet: vêtement)* hacer parecer más gordo(a) ; *(importance, danger)* exagerar

grossissant, -e [grosisã, -ãt] *adj (verre, lentille)* de aumento

grossiste [grosist] *nmf* mayorista *mf*

grosso modo [grosomɔdo] *adv* grosso modo

grotesque [grɔtɛsk] *adj* grotesco(a)

grotte [grɔt] *nf* gruta *f*

grouiller [gruje] **1** *vi* hormiguear ; **g. de** hervir de
  2 se grouiller *vpr Fam* espabilarse

groupe [grup] *nm* grupo *m* ☆ *Scol* **g. de niveau** = grupo de alumnos con el mismo nivel de conocimientos dentro de una clase ; **g. sanguin** grupo sanguíneo

groupement [grupmã] *nm* agrupación *f*, agrupamiento *m*

grouper [grupe] **1** *vt* agrupar
  2 se grouper *vpr* agruparse

grue [gry] *nf (appareil de levage)* grúa *f* ; *(oiseau)* grulla *f* ; *Fam Péj (femme)* zorra *f*

grumeau, -x [grymo] *nm* grumo *m*

gruyère [gryjɛr] *nm* gruyere *m*

GSM [ʒeɛsɛm] *nm Belg* móvil *m*, *Am* celular *m*

Guadalquivir [gwadalkivir] *nm* **le G.** el Guadalquivir

Guadeloupe [gwadlup] *nf* **la G.** Guadalupe

guadeloupéen, -enne [gwadlupeɛ̃, -ɛn] **1** *adj* de Guadalupe
  2 *nm,f* **G.** = nativo o habitante de Guadalupe

Guatemala [gwatemala] *nm* **le G.** Guatemala

guatémaltèque [gwatemaltɛk] **1** *adj* guatemalteco(a)
  2 *nmf* **G.** guatemalteco(a) *m,f*

gué [ge] *nm* vado *m* ; **passer à g.** vadear

guenilles [gənij] *nfpl* andrajos *mpl*

guenon [gənɔ̃] *nf* mona *f*

guépard [gepar] *nm* guepardo *m*

guêpe [gɛp] *nf* avispa *f*

guêpier [gepje] *nm* avispero *m* ; *Fig* trampa *f*

guère [gɛr] *adv* **ne... g.** *(avec un verbe)* no... mucho ; *(avec un adjectif)* no... muy ; **elle ne l'aime g.** no le gusta mucho ; **elle n'est g. anxieuse** no está muy preocupada

guéridon [geridɔ̃] *nm* velador *m*

guérilla [gerija] *nf* guerrilla *f*

guérir [gerir] **1** *vt* curar
 2 *vi* curarse

guérison [gerizɔ̃] *nf* curación *f*

guerre [gɛr] *nf* guerra *f*; **la g. d'Algérie** la guerra de Argelia; **la g. d'Espagne** la Guerra Civil española; **la g. du Golfe** la guerra del Golfo; **la Première/Seconde G. mondiale** la Primera/Segunda Guerra Mundial

guerrier, -ère [gɛrje, -ɛr] **1** *adj* guerrero(a)
 2 *nm* guerrero *m*

guet [gɛ] *nm* **faire le g.** estar de vigilancia

guet-apens (*pl* **guets-apens**) [gɛtapɑ̃] *nm (embuscade)* emboscada *f*; *Fig (machination)* encerrona *f*

guetter [gete] *vt* acechar, *Andes, Ven* aguaitar; *(signe, réaction)* esperar

gueule [gœl] *nf (d'un animal, d'un canon)* boca *f*; *très Fam (bouche)* pico *m*; *très Fam (visage)* careto *m*; *très Fam* **faire la g.** estar de morros; *Vulg* **ta g.!** ¡cierra el pico!, ¡cállate! ☆ *Fam* **avoir la g. de bois** tener resaca

gueuler [5] [gœle] *très Fam* **1** *vt* berrear
 2 *vi (crier)* dar berridos; *(protester)* gruñir

gueuleton [gœltɔ̃] *nm Fam* comilona *f*

gui [gi] *nm* muérdago *m*

guichet [giʃɛ] *nm Esp* taquilla *f*, *Am* boletería *f* ☆ **g. automatique** cajero *m* automático

guichetier, -ère [giʃtje, -ɛr] *nm,f*

Esp taquillero(a) *m,f*, *Am* boletero(a) *m,f*

guide [gid] **1** *nm (personne)* guía *mf*; *(livre)* guía *f*
 2 *nf (scout)* guía *f*

guider [gide] *vt* guiar

guidon [gidɔ̃] *nm* manillar *m*

guignol [giɲɔl] *nm (marionnette)* títere *m*; *(théâtre)* guiñol *m*; *Péj (personne ridicule)* mamarracho *m*

guillemet [gijmɛ] *nm* comilla *f*

guilleret, -ette [gijrɛ, -ɛt] *adj* vivaracho(a)

guillotine [gijɔtin] *nf* guillotina *f*

guimauve [gimov] *nf (confiserie)* nube *f*

guindé, -e [gɛ̃de] *adj* estirado(a)

guirlande [girlɑ̃d] *nf* guirnalda *f*

guise [giz] *nf* **à ma/sa/etc g.** a mi/su/*etc* manera

guitare [gitar] *nf* guitarra *f* ☆ **g. électrique** guitarra eléctrica; **g. sèche** guitarra (clásica)

guitariste [gitarist] *nmf* guitarrista *mf*

guttural, -e, -aux, -ales [gytyral, -o] *adj* gutural

guyanais, -e [gɥijanɛ, -ɛz] **1** *adj* de la Guayana
 2 *nm,f* **G.** = nativo o habitante de la Guayana

Guyane [gɥijan] *nf* **la G.** (la) Guayana

gym [ʒim] *nf Fam* gimnasia *f*

gymnase [ʒimnɑz] *nm* gimnasio *m*

gymnastique [ʒimnastik] *nf* gimnasia *f*

gynécologue [ʒinekɔlɔg] *nmf* ginecólogo(a) *m,f*

H

H, h [aʃ] *nm inv (lettre)* H *f*, h *f*
H *(abrév* **homme, hydrogène***)* H
h *(abrév* **heure, hecto***)* h
ha *(abrév* **hectare***)* ha
habile [abil] *adj* hábil
habileté [abilte] *nf* habilidad *f*
habiller [abije] **1** *vt* vestir (**de** de); *(fauteuil)* poner una funda a
  2 s'habiller *vpr* vestirse
habit [abi] *nm (costume)* traje *m*; *Rel* hábito *m*; **habits** ropa *f*
habitacle [abitakl] *nm (d'un avion)* cabina *f (de avión)*
habitant, -e [abitɑ̃, -ɑ̃t] *nm,f* habitante *mf*; *Can (paysan)* campesino(a) *m,f*
habitat [abita] *nm (d'une espèce)* hábitat *m*; *(conditions de logement)* vivienda *f*
habitation [abitasjɔ̃] *nf* vivienda *f*
habité, -e [abite] *adj* habitado(a)
habiter [abite] **1** *vt (sujet: personne)* vivir en; *(sujet: sentiment)* embargar
  2 *vi* vivir
habitude [abityd] *nf* costumbre *f*; **avoir l'h. de qch/de faire qch** tener la costumbre de algo/de hacer algo
habituel, -elle [abitɥɛl] *adj* habitual
habituellement [abitɥɛlmɑ̃] *adv* normalmente
habituer [abitɥe] **1** *vt* **h. qn à qch/à faire qch** acostumbrar a alguien a algo/a hacer algo

  2 s'habituer *vpr* **s'h. à qch/à faire qch** acostumbrarse a algo/a hacer algo
*hache [aʃ] *nf* hacha *f*
*haché, -e [aʃe] *adj (viande)* picado(a); *(style, phrases)* entrecortado(a)
*hacher [aʃe] *vt (viande)* picar; *Fig (style, discours)* entrecortar
*hachis [aʃi] *nm* picadillo *m* ☆ *h. Parmentier* = pastel de carne picada y puré de patatas
*hachisch [aʃiʃ] *nm* hachís *m*
*hachoir [aʃwar] *nm (appareil)* picadora *f*; *(couteau)* tajadera *f*
*hachures [aʃyr] *nfpl* trama *f*
*hagard, -e [agar, -ard] *adj* azorado(a)
*haie [ɛ] *nf (d'arbustes)* seto *m*; *(de personnes)* fila *f*; *Sp (obstacle)* obstáculo *m*; **400 m haies** 400 metros vallas
*haillons [ɑjɔ̃] *nmpl* harapos *mpl*; **en h.** cubierto(a) de harapos
*haine [ɛn] *nf* odio *m*
*haïr [4l] [air] *vt* odiar
Haïti [aiti] *n* Haití
haïtien, -enne [aisjɛ̃, -ɛn] **1** *adj* haitiano(a)
  2 *nm,f* **H.** haitiano(a) *m,f*
*hâle [ɑl] *nm* tostado *m*
*hâlé, -e [ɑle] *adj* tostado(a)
haleine [alɛn] *nf (souffle)* aliento *m*; **hors d'h.** sin aliento

El símbolo * indica que la **h** inicial es aspirada y por eso no hay ligazón, p.ej. **les haricots** [leari'ko] y no [lezari'ko], ni contracción al escribir, p.ej. **la haine** y no **l'haine**

*haleter [6] [alte] *vi* jadear

*hall [ol] *nm* vestíbulo *m*, hall *m*

*halle [al] *nf* mercado *m*

hallucination [alysinɑsjɔ̃] *nf* alucinación *f*

*halo [alo] *nm* halo *m*

halogène [alɔʒɛn] **1** *adj* halógeno(a) **2** *nm* halógeno *m*

*halte [alt] **1** *nf (pause)* alto *m*; **faire h.** parar, detenerse **2** *exclam* ¡alto!

*halte-garderie (*pl* **haltes-garderies**) [altəgardəri] *nf* guardería *f* infantil

haltère [altɛr] *nm* pesa *f*

haltérophile [alterɔfil] *nmf* halterófilo(a) *m,f*

*hamac [amak] *nm* hamaca *f*

*hamburger [ɑ̃bœrgœr] *nm* hamburguesa *f*

*hameau, -x [amo] *nm* aldea *f*

hameçon [amsɔ̃] *nm* anzuelo *m*; *Fig* **mordre à l'h.** picar

*hamster [amstɛr] *nm* hámster *m*

*hanche [ɑ̃ʃ] *nf* cadera *f*

*handball [ɑ̃dbal] *nm* balonmano *m*

*handicap [ɑ̃dikap] *nm (infirmité)* minusvalía *f*; *(désavantage) & Sp* handicap *m*

*handicapé, -e [ɑ̃dikape] **1** *adj (physiquement, mentalement)* discapacitado(a) **2** *nm,f* discapacitado(a) *m,f*, persona *f* con discapacidad ☆ **h. mental** persona con discapacidad psíquica; **h. moteur** persona con discapacidad motora

*handicaper [ɑ̃dikape] *vt (désavantager)* dificultar

*hangar [ɑ̃gar] *nm* hangar *m*

*hanneton [antɔ̃] *nm* abejorro *m*

*hanté, -e [ɑ̃te] *adj (maison, château)* encantado(a)

*hanter [ɑ̃te] *vt (sujet: fantôme)* aparecerse en; *Fig (obséder)* acosar; *(fréquenter)* frecuentar

*happer [ape] *vt (saisir)* atrapar de un bocado; *(faucher)* arrollar

*haranguer [arɑ̃ge] *vt* arengar

*haras [arɑ] *nm* acaballadero *m*

*harassant, -e [arasɑ̃, -ɑ̃t] *adj* agotador(ora)

*harceler [39] [arsəle] *vt* acosar; *Fig* **h. qn de questions** acribillar a alguien a preguntas

*hardes [ard] *nfpl* harapos *mpl*

*hardi, -e [ardi] *adj* audaz

*hard-rock [ardrɔk] *nm* rock *m* duro

*harem [arɛm] *nm* harén *m*

*hareng [arɑ̃] *nm* arenque *m* ☆ **h. saur** arenque ahumado

*hargne [arɲ] *nf* hosquedad *f*

*hargneux, -euse [arɲø, -øz] *adj (personne, ton)* colérico(a)

*haricot [ariko] *nm Esp* judía *f*, alubia *f*, *Andes, CAm, Méx* frijol *m*, *RP* poroto *m* ☆ **h. blanc** *Esp* alubia, judía blanca, *RP* poroto de manteca; **h. rouge** judía roja; **h. vert** judía verde, *RP* chaucha *f*

harmonica [armɔnika] *nm* armónica *f*

harmonie [armɔni] *nf* armonía *f*; *(fanfare)* banda *f*

harmonieux, -euse [armɔnjø, -øz] *adj* armonioso(a)

harmoniser [armɔnize] *vt* armonizar

*harnacher [arnaʃe] *vt (cheval)* enjaezar

*harnais [arnɛ] *nm (d'un cheval)* arneses *mpl*, arreos *mpl*; *(d'un alpiniste)* arnés *m*

*harpe [arp] *nf* arpa *f*

*harpiste [arpist] *nmf* arpista *mf*

*harpon [arpɔ̃] *nm* arpón *m*

*harponner [arpɔne] *vt (poisson)* arponear; *Fam (personne)* echar el guante a

*hasard [azar] *nm (événement imprévu)* casualidad *f*; *(cause imprévisible)* azar *m*; **au h.** al azar; **à tout h.**

por si acaso; **par h.** por casualidad; *Iron* **comme par h.** il avait oublié son portefeuille dio la casualidad que se había olvidado la cartera

*hasarder [azarde] **1** *vt (conseil)* aventurar

2 se hasarder *vpr* **se h. à faire qch** aventurarse a hacer algo

*haschisch [aʃiʃ] = hachisch

*hâte [ɑt] *nf* prisa *f*; **avoir h. de faire qch** *(avoir envie)* tener ganas de hacer algo

*hâter [ɑte] **1** *vt (départ, mariage)* adelantar; **h. le pas** apretar el paso

2 se hâter *vpr* darse prisa; **se h. de faire qch** darse prisa en hacer algo

*hausse [os] *nf* alza *f*; *(des températures)* subida *f*; **en h.** en aumento

*hausser [ose] *vt* alzar; **h. les épaules** encogerse de hombros

*haut, -e [o, ot] **1** *adj* alto(a) ☆ *haute couture* alta costura *f*

2 *nm (partie supérieure)* parte *f* de arriba, parte *f* superior; *(vêtement)* top *m*; **le h. de qch** la parte de arriba de algo; **cette pièce fait deux mètres de h.** esta habitación tiene dos metros de alto; **de h. en bas** de arriba abajo; **du h. de** desde lo alto de

3 *adv* alto; **parler h.** hablar alto; **en h.** arriba; **en h. de** en lo alto de; **en h. de l'étagère** en el estante de arriba

*hautain, -e [otɛ̃, -ɛn] *adj* altivo(a), altanero(a)

*hautbois [obwa] *nm* oboe *m*

*haut-de-forme *(pl* **hauts-de-forme)** [otfɔrm] *nm* sombrero *m* de copa

*haute-fidélité [otfidelite] *nf* alta fidelidad *f*

*hauteur [otœr] *nf* altura *f*; *(colline)* alto *m*

*haut-fourneau *(pl* **hauts-fourneaux)** [ofurno] *nm* alto horno *m*

*haut-le-cœur [olkœr] *nm inv* arcada *f*

*haut-parleur *(pl* **haut-parleurs)**

[oparlœr] *nm Esp* altavoz *m*, *Am* altoparlante *m*

*Havane [avan] *voir* La Havane

*havre [ɑvr] *nm Litt* remanso *m*

*Haye [ɛ] *voir* La Haye

*hayon [ajɔ̃] *nm* puerta *f* del maletero

hebdomadaire [ɛbdɔmadɛr] **1** *adj* semanal

2 *nm* semanario *m*, revista *f* semanal

héberger [45] [ebɛrʒe] *vt* alojar, hospedar

hébété, -e [ebete] *adj* alelado(a)

hécatombe [ekatɔ̃b] *nf (massacre)* hecatombe *f*; *Fig (à un examen)* escabechina *f*

hectare [ɛktar] *nm* hectárea *f*

hectolitre [ɛktɔlitr] *nm* hectolitro *m*

hégémonie [eʒemɔni] *nf* hegemonía *f*

*hein [ɛ̃] *exclam Fam (indique la surprise)* ¿qué?; *(indique l'incompréhension)* ¿eh?, ¿cómo?; *(pour susciter l'approbation)* ¿eh?, ¿verdad?

*hélas [elɑs] *exclam* desgraciadamente

*héler [34] [ele] *vt (taxi, personne)* llamar

hélice [elis] *nf* hélice *f*

hélicoptère [elikɔptɛr] *nm* helicóptero *m*

*Helsinki [ɛlsinki] *n* Helsinki

helvétique [ɛlvetik] *adj* helvético(a), suizo(a)

hématome [ematom] *nm* hematoma *m*

hémisphère [emisfɛr] *nm* hemisferio *m*

hémophile [emɔfil] *nm* hemofílico *m*

hémorragie [emɔraʒi] *nf Méd* hemorragia *f*; *Fig (de capitaux)* fuga *f* ☆ **h. cérébrale** derrame *m* cerebral; **h. interne** hemorragia interna

hémorroïdes [emɔrɔid] *nfpl* hemorroides *fpl*

---

*hennir [enir] *vi* relinchar

hépatite [epatit] *nf* hepatitis *f inv*

herbe [ɛrb] *nf* hierba *f* ☆ **fines herbes** finas hierbas; **mauvaises herbes** malas hierbas

herbicide [ɛrbisid] *nm* herbicida *m*

herbier [ɛrbje] *nm (collection)* herbario *m*

héréditaire [ereditɛr] *adj* hereditario(a)

hérédité [eredite] *nf* herencia *f*

hérésie [erezi] *nf aussi Fig* herejía *f*

*hérisser [erise] **1** *vt (poil)* erizar; *Fig (personne)* indignar
     2 se hérisser *vpr (animal, poils)* erizarse

*hérisson [erisɔ̃] *nm* erizo *m*

héritage [eritaʒ] *nm* herencia *f*; **faire un h.** recibir una herencia

hériter [erite] **1** *vi* heredar; **h. de qch** heredar algo
     2 *vt* **h. qch de qn** heredar algo de alguien

héritier, -ère [eritje, -ɛr] *nm,f* heredero(a) *m,f*

hermétique [ɛrmetik] *adj* hermético(a); *(style)* complejo(a)

*hernie [ɛrni] *nf* hernia *f*

héroïne [erɔin] *nf* heroína *f*

héroïque [erɔik] *adj* heroico(a)

héroïsme [erɔism] *nm* heroísmo *m*

*héron [erɔ̃] *nm* garza *f*

*héros [ero] *nm* héroe *m*

herpès [ɛrpɛs] *nm* herpes *m*

hésitant, -e [ezitɑ̃, -ɑ̃t] *adj* indeciso(a)

hésitation [ezitɑsjɔ̃] *nf* indecisión *f*; **sans h.** sin vacilar

hésiter [ezite] *vi* vacilar, dudar (**entre/sur** entre/sobre); **h. à faire qch** dudar si hacer algo

hétéroclite [eterɔklit] *adj* heterogéneo(a)

hétérogène [eterɔʒɛn] *adj* heterogéneo(a)

hétérosexuel, -elle [eterɔsɛksɥɛl] *adj & nm,f* heterosexual *mf*

*hêtre [ɛtr] *nm* haya *f*

heure [œr] *nf* hora *f*; **c'est l'h.** es la hora; **il est une h.** es la una; **il est deux heures** son las dos; **quelle h. est-il?** ¿qué hora es?; **être à l'h.** llegar a la hora o puntual; **à l'h. actuelle** en estos momentos; **de bonne h.** temprano; **tout à l'h.** *(avant)* hace un rato; *(après)* luego ☆ **heures de bureau** horas o horario *m* de oficina; **h. d'été** horario de verano; **heures de pointe** hora punta; **heures supplémentaires** horas extraordinarias

heureusement [œrøzmɑ̃] *adv (par chance)* afortunadamente; **h. que...** afortunadamente...

heureux, -euse [œrø, -øz] *adj* feliz; **être h. de faire qch** estar contento(a) de hacer algo; **h. de faire votre connaissance** encantado(a) de conocerle; *Fam* **encore h. (que)** menos mal (que)

*heurt [œr] *nm (choc)* choque *m*, golpe *m*; *Fig (désaccord)* choque *m*

*heurter [œrte] **1** *vt (rentrer dans)* tropezar con; *(sentiments, personne)* herir
     2 *vi* **h. contre qch** chocar contra algo
     3 se heurter *vpr (se quereller)* reñir; **se h. à qch** *(se cogner)* chocar contra algo; *Fig (opposition, difficulté)* enfrentarse a algo

hexagonal, -e, -aux, -ales [ɛgzagɔnal, -o] *adj (français)* francés(esa)

hexagone [ɛgzagɔn] *nm* hexágono *m*; **l'H.** *(la France)* Francia

hiberner [ibɛrne] *vi* hibernar

*hibou, -x [ibu] *nm* búho *m*, *CAm, Méx* tecolote *m*

*hideux, -euse [idø, -øz] *adj* repugnante

hier [jɛr] *adv* ayer

*hiérarchie [jerarʃi] *nf* jerarquía *f*

*hiéroglyphe [jerɔglif] *nm* jeroglífico *m*

*hi-fi [ifi] **1** *adj inv* de alta fidelidad **2** *nf inv* alta fidelidad *f*

hilarant, -e [ilarɑ̃, -ɑ̃t] *adj* graciosísimo(a), divertidísimo(a)

Himalaya [imalaja] *nm* l'H. el Himalaya

hindou, -e [ɛ̃du] *adj & nm,f* hindú *mf*

hindouisme [ɛ̃duism] *nm* hinduismo *m*

*hippie [ipi] *adj & nmf* hippy *mf*

hippique [ipik] *adj* hípico(a)

hippodrome [ipɔdrom] *nm* hipódromo *m*

hippopotame [ipɔpɔtam] *nm* hipopótamo *m*

hippy [ipi] = hippie

hirondelle [irɔ̃dɛl] *nf* golondrina *f*

hirsute [irsyt] *adj* hirsuto(a)

hispanique [ispanik] *adj* hispánico(a)

hispanophone [ispanɔfɔn] *adj & nmf* hispanohablante *mf*

*hisser [ise] **1** *vt (drapeau, voile)* izar; *(charge)* subir **2 se hisser** *vpr (grimper)* subirse (**sur** a); *Fig* **se h. au pouvoir** ascender al poder

histoire [istwar] *nf* historia *f*; *(mensonge)* cuento *m*; **raconter des histoires** *(mensonges)* contar historias inventadas o mentiras; *Fam* **histoires** *(ennuis)* historias *fpl*, malos rollos *mpl*; *Fam* **faire des histoires** montar el número ☆ **h. drôle** chiste *m*

historien, -enne [istɔrjɛ̃, -ɛn] *nm,f* historiador(ora) *m,f*

historique [istɔrik] *adj* histórico(a)

*hit-parade *(pl* **hit-parades)** [itparad] *nm* palmarés *m*

HIV [aʃive] *nm* VIH *m*

hiver [ivɛr] *nm* invierno *m*

hivernal, -e, -aux, -ales [ivernal, -o] *adj* invernal

HLM [aʃɛlɛm] *nm ou nf (abrév* **habitation à loyer modéré)** vivienda *f* de protección oficial, VPO *f*

*hocher [ɔʃe] *vt* **h. la tête** *(pour dire oui)* afirmar con la cabeza; *(pour dire non)* negar con la cabeza

*hochet [ɔʃɛ] *nm* sonajero *m*

*hockey [ɔkɛ] *nm* hockey *m* ☆ **h. sur gazon** hockey sobre hierba; **h. sur glace** hockey sobre hielo

*hold-up [ɔldœp] *nm inv* atraco *m* a mano armada

*hollandais, -e [ɔlɑ̃dɛ, -ɛz] **1** *adj* holandés(esa) **2** *nm,f* **H.** holandés(esa) *m,f* **3** *nm (langue)* neerlandés *m*

*Hollande [ɔlɑ̃d] *nf* **la H.** Holanda

holocauste [ɔlɔkost] *nm* holocausto *m*

*homard [ɔmar] *nm* bogavante *m*

homéopathe [ɔmeɔpat] *nmf* homeópata *mf*

homéopathie [ɔmeɔpati] *nf* homeopatía *f*

homicide [ɔmisid] *nm* homicidio *m* ☆ **h. involontaire** homicidio involuntario

hommage [ɔmaʒ] *nm* homenaje *m*; **rendre h. à** rendir homenaje a

homme [ɔm] *nm* hombre *m* ☆ **h. d'affaires** hombre de negocios; **h. d'État** estadista *m*; **h. de loi** legista *m*; **jeune h.** joven *m*

homme-grenouille *(pl* **hommes-grenouilles)** [ɔmgrənuj] *nm* hombre *m* rana

homogène [ɔmɔʒɛn] *adj* homogéneo(a)

homologue [ɔmɔlɔg] *nmf* homólogo(a) *m,f*

homonyme [ɔmɔnim] *nm* homónimo *m*

homosexualité [ɔmɔsɛksyalite] *nf* homosexualidad *f*

homosexuel, -elle [ɔmɔsɛksyɛl] *adj & nm,f* homosexual *mf*

*Honduras [ɔ̃dyras] *nm* **le H.** Honduras

*hondurien, -enne [ɔ̃dyrjɛ̃, -ɛn] **1** *adj* hondureño(a)
  2 *nm,f* **H.** hondureño(a) *m,f*

*Hongrie [ɔ̃gri] *nf* **la H.** Hungría

*hongrois, -e [ɔ̃grwa, -az] **1** *adj* húngaro(a)
  2 *nm,f* **H.** húngaro(a) *m,f*
  3 *nm (langue)* húngaro *m*

honnête [ɔnɛt] *adj (loyal)* honesto(a); *(franc)* sincero(a); *(satisfaisant)* satisfactorio(a)

honnêtement [ɔnɛtmɑ̃] *adv (franchement)* sinceramente; *(loyalement)* honestamente; *(de façon satisfaisante)* satisfactoriamente

honnêteté [ɔnɛtte] *nf* honestidad *f*

honneur [ɔnœr] *nm* honor *m*; *(dignité, fierté)* honor *m*, honra *f*; **en l'h. de qn** en honor a alguien; **faire h. à** hacer honor a; **faire h. à un repas** hacer los honores a una comida

honorable [ɔnɔrabl] *adj (personne, profession)* honorable; *(somme)* razonable

honorablement [ɔnɔrabləmɑ̃] *adv* honradamente

honoraire [ɔnɔrɛr] **1** *adj* honorario(a)
  2 *nmpl* **honoraires** honorarios *mpl*

honorer [ɔnɔre] *vt* honrar; *(dette)* liquidar; *(chèque, paiement)* hacer efectivo(a)

*honte [ɔ̃t] *nf Esp, CSur* vergüenza *f*, *Am* pena *f*; **avoir h. de qch/de faire qch** tener vergüenza o avergonzarse de algo/de hacer algo; **avoir h. de qn** avergonzarse de alguien

*honteux, -euse [ɔ̃tø, -øz] *adj (personne)* avergonzado(a) **(de** de); *(acte, situation)* vergonzoso(a)

hôpital, -aux [ɔpital, -o] *nm* hospital *m*

*hoquet [ɔkɛ] *nm* hipo *m*; **avoir le h.** tener hipo

horaire [ɔrɛr] **1** *adj (tarif)* por horas
  2 *nm* horario *m*

horizon [ɔrizɔ̃] *nm* horizonte *m*

horizontal, -e, -aux, -ales [ɔrizɔ̃tal, -o] **1** *adj* horizontal
  2 *nf* **horizontale** *Math* horizontal *f*; **à l'horizontale** en horizontal

horloge [ɔrlɔʒ] *nf aussi Ordinat* reloj *m* ☆ **l'h. parlante** información *f* horaria

horloger, -ère [ɔrlɔʒe, -ɛr] *nm,f* relojero(a) *m,f*

*hormis [ɔrmi] *prép* menos, excepto

hormone [ɔrmɔn] *nf* hormona *f*

horodateur [ɔrɔdatœr] *nm* parquímetro *m*

horoscope [ɔrɔskɔp] *nm* horóscopo *m*

horreur [ɔrœr] *nf* horror *m*; **j'ai h. du thé/de me lever tôt** odio el té/levantarme temprano

horrible [ɔribl] *adj (laid)* horrible; *Fig (terrible)* terrible

horrifier [ɔrifje] *vt* horrorizar

horripiler [ɔripile] *vt* poner los nervios de punta a

*hors [ɔr] *prép* **h. de** fuera de; **être h. de soi** estar fuera de sí; **h. pair** incomparable, sin par; **h. de prix** muy caro(a); **c'est h. de question** de eso ni hablar; **être h. service** estar fuera de servicio; **tu es h. sujet** te has apartado del tema; **h. taxe** *(prix)* sin IVA; *(boutique)* libre de impuestos; **h. d'usage** inservible

*hors-bord [ɔrbɔr] *nm inv* fueraborda *m*

*hors-d'œuvre [ɔrdœvr] *nm inv* entremés *m*

*hors-jeu [ɔrʒø] *nm inv* fuera de juego *m*

*hors-piste [ɔrpist] *nm inv* esquí *m* fuera de pista

hortensia [ɔrtɑ̃sja] *nm* hortensia *f*

horticulture [ɔrtikyltyr] *nf* horticultura *f*

hospice [ɔspis] *nm* hospicio *m*

hospitalier, -ère [ɔspitalje, -ɛr] *adj* hospitalario(a)

hospitaliser [ɔspitalize] *vt* hospitalizar

hospitalité [ɔspitalite] *nf* hospitalidad *f*

hostie [ɔsti] *nf* hostia *f*

hostile [ɔstil] *adj* hostil (à a)

hostilité [ɔstilite] *nf* hostilidad *f*; **hostilités** *(combats)* hostilidades

hôte [ot] **1** *nm (qui invite)* anfitrión *m* **2** *nmf (invité)* huésped *mf*

hôtel [otɛl] *nm* hotel *m* ☆ **h. particulier** palacete *m*; **h. de ville** ayuntamiento *m*

hôtelier, -ère [otəlje, -ɛr] *adj & nm,f* hotelero(a) *m,f*

hôtellerie [otɛlri] *nf (hôtel)* hostal *m*; **l'h.** *(secteur)* el sector hotelero, la hostelería

hôtesse [otɛs] *nf (qui invite)* anfitriona *f* ☆ **h. (de l'air)** azafata *f*; **h. d'accueil** azafata

***hotte** [ɔt] *nf (panier)* cuévano *m*; *(d'aération)* campana *f* ☆ **h. aspirante** campana extractora (de humos)

***houblon** [ublɔ̃] *nm* lúpulo *m*

***houille** [uj] *nf* hulla *f*

***houle** [ul] *nf* marejadilla *f*

***houlette** [ulɛt] *nf* **sous la h. de qn** bajo la dirección de alguien

***houppe** [up] *nf (à poudre)* borla *f (de maquillar)*; *(de cheveux)* hopo *m*

***hourra** [ura] **1** *nm* hurra *m* **2** *exclam* ¡hurra!

***houspiller** [uspije] *vt* reprender

***housse** [us] *nf* funda *f* ☆ **h. de couette** funda de edredón

***houx** [u] *nm* acebo *m*

HT [aʃte] *(abrév* **hors taxe)** impuestos no incluidos; *(abrév* **haute tension)** AT; **300 francs HT** 300 francos, sin IVA

***hublot** [yblo] *nm (de bateau)* ojo *m* de buey; *(d'avion)* ventanilla *f*

***huche** [yʃ] *nf* arca *f* ☆ **h. à pain** panera *f*

***huées** [ɥe] *nfpl* abucheo *m*; **il est sorti sous les h. du public** se marchó abucheado por el público

***huer** [ɥe] *vt* abuchear

huile [ɥil] *nf* aceite *m*; *(peinture)* óleo *m*; *Fam (personnalité)* pez *m* gordo; **à l'h.** *(thon, sardines)* en aceite ☆ **h. d'arachide** aceite de cacahuete; *Can* **h. à chauffage** fuel-oil *m*; **h. d'olive** aceite de oliva; **h. solaire** aceite bronceador; **h. de tournesol** aceite de girasol; **h. de vidange** aceite del motor usado

huileux, -euse [ɥilø, -øz] *adj* grasiento(a); *(cheveux)* graso(a)

huis [ɥi] *nm* **à h. clos** a puerta cerrada

huissier [ɥisje] *nm Jur* alguacil *m* judicial; *(appariteur)* bedel *m*

***huit** [ɥit] **1** *adj inv* ocho **2** *nm inv* ocho *m*; *voir aussi* **six**

huitante [ɥitɑ̃t] *adj inv Suisse* ochenta; *voir aussi* **six**

huitième [ɥitjɛm] **1** *adj & nmf* octavo(a) *m,f* **2** *nm* octavo *m*, octava parte *f*; *voir aussi* **sixième**

huître [ɥitr] *nf* ostra *f*

humain, -e [ymɛ̃, -ɛn] **1** *adj* humano(a) **2** *nm* humano *m*

humanitaire [ymanitɛr] *adj* humanitario(a)

humanité [ymanite] *nf* humanidad *f*

humble [œ̃bl] *adj* humilde

humecter [ymɛkte] **1** *vt* humedecer **2 s'humecter** *vpr* **s'h. les lèvres** humedecerse los labios

***humer** [yme] *vt* aspirar *(oler)*

humérus [ymerys] *nm* húmero *m*

humeur [ymœr] *nf (caractère, disposition)* humor *m*; *(irritation)* mal humor *m*; **être de bonne/mauvaise h.** estar de buen/mal humor; **être/ne pas être d'h. à faire qch** estar/no estar de humor para hacer algo; **être d'une h. massacrante** estar de un humor de perros

humide [ymid] *adj* húmedo(a)

humidité [ymidite] *nf* humedad *f*

humiliation [ymiljasjɔ̃] *nf* humillación *f*

humilier [ymilje] *vt* humillar

humilité [ymilite] *nf* humildad *f*

humoristique [ymɔristik] *adj* humorístico(a)

humour [ymur] *nm* humor *m*; **avoir (le sens) de l'h.** tener sentido del humor ☆ *h. noir* humor negro

***huppé, -e** [ype] *adj (riche et snob)* de alto copete

***hurlement** [yrləmã] *nm* alarido *m*, aullido *m*

***hurler** [yrle] *vi* aullar

***hutte** [yt] *nf* choza *f*, *Andes* mediagua *f*

hybride [ibrid] 1 *adj* híbrido(a) 2 *nm* híbrido *m*

hydratant, -e [idratã, -ãt] *adj* hidratante

hydrater [idrate] 1 *vt* hidratar 2 **s'hydrater** *vpr (boire)* beber

hydraulique [idrolik] *adj* hidráulico(a)

hydravion [idravjɔ̃] *nm* hidroavión *m*

hydrocarbure [idrɔkarbyr] *nm* hidrocarburo *m*

hydrocution [idrɔkysjɔ̃] *nf* hidrocución *f*

hydroélectrique [idrɔelɛktrik] *adj* hidroeléctrico(a)

hydrogène [idrɔʒɛn] *nm* hidrógeno *m*

hydroglisseur [idrɔglisœr] *nm* hidroplano *m*

hydrophile [idrɔfil] *adj voir* **coton**

hyène [jɛn] *nf* hiena *f*

hygiène [iʒjɛn] *nf* higiene *f*

hygiénique [iʒjenik] *adj* higiénico(a)

hymne [imn] *nm* himno *m* ☆ *h. national* himno nacional

hyper- [ipɛr] *préf Fam* super-; **h.-sympa** supersimpático(a)

hypermarché [ipɛrmarʃe] *nm* hipermercado *m*

hypermétrope [ipɛrmetrɔp] *adj & nmf* hipermétrope *mf*

hypertension [ipɛrtãsjɔ̃] *nf* hipertensión *f*

hypertexte [ipɛrtɛkst] *nm Ordinat* hipertexto *m*

hypertrophié, -e [ipɛrtrɔfje] *adj* hipertrofiado(a)

hypnotiser [ipnɔtize] *vt* hipnotizar

hypoallergénique [ipɔalɛrʒenik] *adj* hipoalergénico(a)

hypocondriaque [ipɔkɔ̃drijak] *adj & nmf* hipocondríaco(a) *m,f*

hypocrisie [ipɔkrizi] *nf* hipocresía *f*

hypocrite [ipɔkrit] *adj & nmf* hipócrita *mf*

hypoglycémie [ipɔglisemi] *nf* hipoglucemia *f*

hypothèque [ipɔtɛk] *nf* hipoteca *f*

hypothéquer [34] [ipɔteke] *vt* hipotecar

hypothermie [ipɔtɛrmi] *nf* hipotermia *f*

hypothèse [ipɔtɛz] *nf* hipótesis *f inv*

hystérie [isteri] *nf* histeria *f* ☆ *h. collective* histeria colectiva

hystérique [isterik] *adj & nmf* histérico(a) *m,f*

I, i [i] *nm inv (lettre)* I *f*, i *f*; *Fig* **mettre les points sur les i à qn** decirle tres o cuatro cosas a alguien

ibérique [iberik] *adj* ibérico(a)

iceberg [isbɛrg, ajsbɛrg] *nm* iceberg *m*

ici [isi] *adv (lieu, temps)* aquí; **d'i. là** *(avant cette date)* para entonces; *(jusque-là)* hasta entonces; **par i.** por aquí; **i. Charles** *(au téléphone)* soy Charles

icône [ikon] *nf aussi Ordinat* icono *m*

idéal, -e, -als *ou* **aux, -ales** [ideal, -o] **1** *adj* ideal
  2 *nm* ideal *m*

idéalisme [idealism] *nm* idealismo *m*

idée [ide] *nf* idea *f*; **tu te fais des idées!** ¡eso son imaginaciones tuyas!; **ça ne m'était jamais venu à l'i.** nunca se me había ocurrido ☆ **i. fixe** idea fija; *avoir des idées noires* tener ideas negras

idem [idɛm] *adv* ídem (de ídem)

identifier [idɑ̃tifje] **1** *vt* identificar (**à** con)
  2 s'identifier *vpr* **s'i. à** identificarse con

identique [idɑ̃tik] *adj* idéntico(a) (**à** a)

identité [idɑ̃tite] *nf* identidad *f*

idéologie [ideɔlɔʒi] *nf* ideología *f*

idéologique [ideɔlɔʒik] *adj* ideológico(a)

idiomatique [idjɔmatik] *adj* idiomático(a)

idiot, -e [idjo, -ɔt] **1** *adj (idée, histoire)* tonto(a); *(personne)* idiota, tonto(a), *Am* zonzo(a); *Vieilli & Méd* idiota
  2 *nm,f* idiota *mf*, *Esp* tonto(a) *m,f*, *Am* zonzo(a) *m,f*; **l'i. du village** el tonto del pueblo

idiotie [idjɔsi] *nf (stupidité)* & *Méd* idiotez *f*; *(action, paroles)* idiotez *f*, tontería *f*

idolâtrer [idɔlɑtre] *vt* idolatrar

idole [idɔl] *nf* ídolo *m*

idylle [idil] *nf* idilio *m*

idyllique [idilik] *adj* idílico(a)

igloo, iglou [iglu] *nm* iglú *m*

ignare [iɲar] *adj* & *nmf* ignorante *mf*

ignoble [iɲɔbl] *adj (abject)* innoble; *(hideux)* inmundo(a)

ignorance [iɲɔrɑ̃s] *nf* ignorancia *f*

ignorant, -e [iɲɔrɑ̃, -ɑ̃t] **1** *adj (inculte)* ignorante; *Litt* **i. de qch** ignorante de algo
  2 *nm,f* ignorante *mf*

ignorer [iɲɔre] *vt* ignorar

il [il] *pron personnel* él; **il n'est jamais chez lui** nunca está en casa; **pourquoi a-t-il dit ça?** ¿por qué dijo eso?; **il est sympa, Laurent** es simpático, Laurent; **il pleut** llueve; **il est six heures** son las seis

île [il] *nf* isla *f* ☆ **î. déserte** isla desierta; **î. flottante** = natillas con claras a punto de nieve flotando encima

Île-de-France [ildəfrɑ̃s] *nf* l'Î. Île de France, la región de París

illégal, -e, -aux, -ales [ilegal, -o] *adj* ilegal

illégitime [ileʒitim] *adj (union, enfant)* ilegítimo(a); *(crainte, prétention)* infundado(a)

illettré, -e [iletre] *adj & nm,f* iletrado(a) *m,f*

illicite [ilisit] *adj* ilícito(a)

illimité, -e [ilimite] *adj (sans limite)* ilimitado(a); *(indéterminé)* indeterminado(a)

illisible [ilizibl] *adj* ilegible

illogique [iloʒik] *adj* ilógico(a)

illumination [ilyminasjɔ̃] *nf (idée)* inspiración *f*; **illuminations** *(lumières)* iluminación *f*, luces *fpl*

illuminer [ilymine] **1** *vt* iluminar
2 s'illuminer *vpr* iluminarse

illusion [ilyzjɔ̃] *nf* ilusión *f* ☆ **i. d'optique** ilusión óptica

illusionniste [ilyzjɔnist] *nmf* ilusionista *mf*

illusoire [ilyzwar] *adj* ilusorio(a)

illustration [ilystrasjɔ̃] *nf* ilustración *f*

illustre [ilystr] *adj* ilustre

illustré, -e [ilystre] **1** *adj* ilustrado(a)
2 *nm* revista *f* ilustrada

illustrer [ilystre] **1** *vt* ilustrar
2 s'illustrer *vpr* destacar

îlot [ilo] *nm (petite île)* islote *m*; *(de maisons)* manzana *f*; *Fig (de verdure, de calme)* oasis *m inv*; *Fig (groupe isolé)* foco *m*

ils [il] *pron personnel* ellos; **i. vont réfléchir** van a pensárselo; *voir aussi* **il**

image [imaʒ] *nf* imagen *f* ☆ **i. de marque** imagen de marca; *Fig (d'une personne, d'une entreprise)* imagen; **i. de synthèse** imagen generada por ordenador *o Am* computadora

imagé, -e [imaʒe] *adj* metafórico(a)

imaginaire [imaʒinɛr] **1** *adj* imaginario(a)
2 *nm* imaginario *m*

imaginatif, -ive [imaʒinatif, -iv] *adj* imaginativo(a)

imagination [imaʒinasjɔ̃] *nf* imaginación *f*

imaginer [imaʒine] **1** *vt (penser)* imaginar; *(trouver)* idear
2 s'imaginer *vpr* imaginarse

imbattable [ɛ̃batabl] *adj (champion)* invencible; *(record, prix)* insuperable

imbécile [ɛ̃besil] *adj & nmf* imbécil *mf*

imberbe [ɛ̃bɛrb] *adj* barbilampiño(a), imberbe

imbiber [ɛ̃bibe] *vt* **i. qch de qch** empapar algo en algo; *Fam Fig* **être imbibé** *(saoul)* estar como una cuba

imbriqué, -e [ɛ̃brike] *adj* imbricado(a)

imbroglio [ɛ̃brɔljo, ɛ̃brɔglijo] *nm* embrollo *m*

imbu, -e [ɛ̃by] *adj* **être i. de soi-même** tenérselo muy creído

imbuvable [ɛ̃byvabl] *adj (eau)* imbebible; *Fam (personne)* insoportable; **c'est i.** *(boisson)* no hay quien se lo beba

imitateur, -trice [imitatœr, -tris] *nm,f* imitador(ora) *m,f*

imitation [imitasjɔ̃] *nf* imitación *f*; **i. cuir** polipiel *f*

imiter [imite] *vt (style, conduite)* imitar; *(signature)* falsificar

immaculé, -e [imakyle] *adj* inmaculado(a)

immangeable [ɛ̃mɑ̃ʒabl] *adj* incomible

immatriculation [imatrikylasjɔ̃] *nf (de véhicule)* matrícula *f*

immédiat, -e [imedja, -at] *adj (dans le temps)* inmediato(a); *(dans l'espace)* más cercano(a)

immédiatement [imedjatmɑ̃] *adv* inmediatamente

immense [imãs] *adj* inmenso(a)

immerger [45] [imɛrʒe] **1** *vt* sumergir

  2 s'immerger *vpr* sumergirse

immeuble [imœbl] **1** *nm* inmueble *m*

  2 *adj* inmueble

immigration [imigrasjõ] *nf* inmigración *f*

immigré, -e [imigre] *adj & nm,f* inmigrado(a) *m,f*

immigrer [imigre] *vi* inmigrar

imminent, -e [iminã, -ãt] *adj* inminente

immiscer [34] [imise] **s'immiscer** *vpr* **s'i. dans qch** inmiscuirse en algo

immobile [imɔbil] *adj (personne, mécanisme)* inmóvil; *(visage)* imperturbable; *Fig (figé)* arraigado(a)

immobilier, -ère [imɔbilje, -ɛr] *adj Jur (bien)* inmueble; *(transaction, agent)* inmobiliario(a)

immobiliser [imɔbilize] **1** *vt* inmovilizar

  2 s'immobiliser *vpr (personne)* quedarse inmóvil; *(mécanisme, véhicule)* detenerse

immobilité [imɔbilite] *nf* inmovilidad *f*; *(d'un paysage)* quietud *f*

immodéré, -e [imɔdere] *adj (dépenses)* desmesurado(a); *(désir, goût)* desmedido(a)

immoler [imɔle] *Litt* **1** *vt (tuer)* inmolar

  2 s'immoler *vpr* inmolarse

immonde [imõd] *adj* inmundo(a)

immondices [imõdis] *nfpl* inmundicias *fpl*

immoral, -e, -aux, -ales [imɔral, -o] *adj* inmoral

immortaliser [imɔrtalize] *vt* inmortalizar

immortel, -elle [imɔrtɛl] *adj* inmortal

immuable [imɥabl] *adj (loi)* inmutable; *(personne, attitude)* inflexible

immuniser [imynize] *vt* inmunizar

immunité [imynite] *nf* inmunidad *f*
☆ *i. diplomatique* inmunidad diplomática; *i. parlementaire* inmunidad parlamentaria

impact [ɛ̃pakt] *nm* impacto *m*

impair, -e [ɛ̃pɛr] **1** *adj* impar

  2 *nm (faux pas)* **commettre un i.** cometer una torpeza

imparable [ɛ̃parabl] *adj (coup)* imparable; *(argument)* irrefutable

impardonnable [ɛ̃pardɔnabl] *adj* imperdonable

imparfait, -e [ɛ̃parfɛ, -ɛt] **1** *adj* imperfecto(a)

  2 *nm Gram* pretérito *m* imperfecto

impartial, -e, -aux, -ales [ɛ̃parsjal, -o] *adj* imparcial

impasse [ɛ̃pas] *nf (rue, difficulté)* callejón *m* sin salida; *(à un examen)* = temas que un alumno no ha estudiado de un temario; *(aux cartes)* impasse *m*

impassible [ɛ̃pasibl] *adj* impasible

impatience [ɛ̃pasjãs] *nf* impaciencia *f*

impatient, -e [ɛ̃pasjã, -ãt] *adj* impaciente

impatienter [ɛ̃pasjãte] **s'impatienter** *vpr* impacientarse

impeccable [ɛ̃pekabl] *adj* impecable

impénétrable [ɛ̃penetrabl] *adj* impenetrable

impensable [ɛ̃pãsabl] *adj* impensable

imper [ɛ̃pɛr] *nm Fam* gabardina *f*

impératif, -ive [ɛ̃peratif, -iv] **1** *adj* imperativo(a)

  2 *nm Gram* imperativo *m*

impératrice [ɛ̃peratris] *nf* emperatriz *f*

imperceptible [ɛ̃pɛrsɛptibl] *adj* imperceptible

imperfection [ɛ̃pɛrfɛksjõ] *nf* imperfección *f*

impérial, -e, -aux, -ales [ɛ̃perjal, -o] *adj* imperial

impérialisme [ɛ̃perjalism] *nm* imperialismo *m*

impérieux, -euse [ɛ̃perjø, -øz] *adj* imperioso(a)

imperméabiliser [ɛ̃pɛrmeabilize] *vt* impermeabilizar

imperméable [ɛ̃pɛrmeabl] **1** *adj* impermeable; *Fig* **être i. à qch** *(insensible)* ser insensible a algo **2** *nm* impermeable *m*

impersonnel, -elle [ɛ̃pɛrsɔnɛl] *adj* impersonal

impertinence [ɛ̃pɛrtinɑ̃s] *nf* impertinencia *f*

impertinent, -e [ɛ̃pɛrtinɑ̃, -ɑ̃t] *adj & nm,f* impertinente *mf*

imperturbable [ɛ̃pɛrtyrbabl] *adj* imperturbable

impétueux, -euse [ɛ̃petɥø, -øz] *adj* impetuoso(a)

impitoyable [ɛ̃pitwajabl] *adj* despiadado(a)

implacable [ɛ̃plakabl] *adj* implacable

implanter [ɛ̃plɑ̃te] **1** *vt* implantar **2 s'implanter** *vpr (personne)* establecerse; *(usine, entreprise)* implantarse

implication [ɛ̃plikɑsjɔ̃] *nf* implicación *f*

implicite [ɛ̃plisit] *adj* implícito(a)

impliquer [ɛ̃plike] **1** *vt* implicar; **i. qn dans qch** implicar a alguien en algo **2 s'impliquer** *vpr* **s'i. dans qch** implicarse en algo

implorer [ɛ̃plɔre] *vt* implorar

implosion [ɛ̃plozjɔ̃] *nf* implosión *f*

impoli, -e [ɛ̃pɔli] *adj (personne)* maleducado(a); *(remarque, attitude)* descortés

impopulaire [ɛ̃pɔpylɛr] *adj* impopular

importance [ɛ̃pɔrtɑ̃s] *nf* importancia *f*

important, -e [ɛ̃pɔrtɑ̃, -ɑ̃t] *adj* importante

importateur, -trice [ɛ̃pɔrtatœr, -tris] *adj (pays)* importador(ora)

importation [ɛ̃pɔrtɑsjɔ̃] *nf* importación *f*

importer [ɛ̃pɔrte] **1** *vt aussi Ordinat* importar **2** *vi* importar; **il importe de faire qch** es importante hacer algo; **il importe que...** es importante que...; **i. à qn** importar a alguien; **n'importe lequel** cualquiera; **tu peux venir n'importe quand** puedes venir cuando quieras; **n'importe qui** cualquiera, quien sea; **n'importe quoi** cualquier cosa, lo que sea; **peu importe (que...)!** ¡no importa (que...)!, ¡da igual (que...)!; **qu'importe!** ¡qué importa!, ¡qué más da!

import-export [ɛ̃pɔrɛkspɔr] *nm* importación y exportación *f*

importun, -e [ɛ̃pɔrtœ̃, -yn] **1** *adj (visiteur, arrivée)* inoportuno(a) **2** *nm,f* inoportuno(a) *m,f*

importuner [ɛ̃pɔrtyne] *vt* importunar

imposable [ɛ̃pozabl] *adj* imponible

imposant, -e [ɛ̃pozɑ̃, -ɑ̃t] *adj* imponente; *(somme)* considerable

imposer [ɛ̃poze] **1** *vt* imponer; *(taxer)* gravar; **i. qch à qn** imponer algo a alguien **2** *vi* **en i. à qn** *(l'impressionner)* imponer a alguien **3 s'imposer** *vpr* imponerse; **s'i. de faire qch** obligarse a hacer algo

impossibilité [ɛ̃pɔsibilite] *nf (incapacité)* imposibilidad *f*; *(chose impossible)* imposible *m*; **être dans l'i. de faire qch** encontrarse en la imposibilidad de hacer algo

impossible [ɛ̃pɔsibl] **1** *adj* imposible **2** *nm* **l'i.** lo imposible; **faire/tenter l'i.** hacer/intentar lo imposible

imposteur [ɛ̃pɔstœr] *nm* impostor(ora) *m,f*

impôt [ɛ̃po] *nm* impuesto *m*; **les impôts** *(le fisc)* hacienda *f* ☆ **impôts**

locaux impuestos municipales; *i. sur le revenu* impuesto sobre la renta

impotent, -e [ɛpɔtɑ̃, -ɑ̃t] *adj* impedido(a)

impraticable [ɛpratikabl] *adj* impracticable

imprécation [ɛprekɑsjɔ̃] *nf Litt* imprecación *f*

imprécis, -e [ɛpresi, -iz] *adj* impreciso(a)

imprégner [34] [ɛpreɲe] **1** *vt* impregnar (**de** de)
  2 s'imprégner *vpr* **s'i. de qch** impregnarse de algo

imprenable [ɛprənabl] *adj (forteresse, vue)* inexpugnable

imprésario [ɛpresarjo] *nm* agente *m (de un artista)*

impression [ɛpresjɔ̃] *nf* impresión *f*; *(motif)* estampado *m*; **avoir l'i. que** tener la impresión de que; **faire i.** causar impresión

impressionnant, -e [ɛpresjɔnɑ̃, -ɑ̃t] *adj* impresionante

impressionner [ɛpresjɔne] *vt* impresionar

impressionniste [ɛpresjɔnist] *adj & nmf* impresionista *mf*

imprévisible [ɛprevizibl] *adj* imprevisible

imprévu, -e [ɛprevy] **1** *adj* imprevisto(a)
  2 *nm* imprevisto *m*

imprimante [ɛprimɑ̃t] *nf* impresora *f* ☆ *i. feuille à feuille* impresora de hojas sueltas; *i. à jet d'encre* impresora de chorro de tinta; *i. laser* impresora láser

imprimé [ɛprime] *nm (publicitaire)* folleto *m*; *(à remplir)* impreso *m*; *(motif)* estampado *m*

imprimer [ɛprime] *vt* imprimir; *(tissu)* estampar

imprimerie [ɛprimri] *nf* imprenta *f*

imprimeur [ɛprimœr] *nm (proprié-* *taire)* propietario(a) *m,f* de una imprenta; *(ouvrier)* técnico(a) *m,f* de artes gráficas

improbable [ɛprɔbabl] *adj* improbable

improductif, -ive [ɛprɔdyktif, -iv] *adj* improductivo(a)

impromptu, -e [ɛprɔ̃pty] **1** *adj* improvisado(a)
  2 *nm Mus* impromptu *m*

impropre [ɛprɔpr] *adj Gram (mot, tournure)* impropio(a); **i. à qch** *(inadapté)* no apto(a) para algo

improvisé, -e [ɛprɔvize] *adj* improvisado(a)

improviser [ɛprɔvize] **1** *vt* improvisar
  2 s'improviser *vpr (être organisé)* improvisarse; *(devenir)* hacer las veces de

improviste [ɛprɔvist] **à l'improviste** *adv* de improviso

imprudence [ɛprydɑ̃s] *nf* imprudencia *f*

imprudent, -e [ɛprydɑ̃, -ɑ̃t] *adj & nm,f* imprudente *mf*

impudent, -e [ɛpydɑ̃, -ɑ̃t] *adj & nm,f* impudente *mf*

impudique [ɛpydik] *adj* impúdico(a)

impuissance [ɛpɥisɑ̃s] *nf (incapacité)* impotencia *f* (**à faire qch** para hacer algo); *(sexuelle)* impotencia

impuissant, -e [ɛpɥisɑ̃, -ɑ̃t] **1** *adj* impotente; **i. à faire qch** incapaz de hacer algo
  2 *nm* impotente *m*

impulsif, -ive [ɛpylsif, -iv] *adj & nm,f* impulsivo(a) *m,f*

impulsion [ɛpylsjɔ̃] *nf* impulso *m*; **sous l'i. de** bajo el impulso de

impunément [ɛpynemɑ̃] *adv* impunemente

impunité [ɛpynite] *nf* impunidad *f*; **en toute i.** con toda impunidad

impur, -e [ɛpyr] *adj* impuro(a)

impureté [ɛ̃pyrte] *nf* impureza *f*

imputer [ɛ̃pyte] *vt* **i. qch à** imputar algo a

inabordable [inabɔrdabl] *adj (prix)* prohibitivo(a); *(île, personne)* inaccesible, inabordable

inacceptable [inaksɛptabl] *adj* inaceptable

inaccessible [inaksesibl] *adj* inaccesible; *Litt* **i. à qch** *(insensible)* insensible a algo

inachevé, -e [inaʃve] *adj* inacabado(a), inconcluso(a)

inaction [inaksjɔ̃] *nf* inacción *f*

inadapté, -e [inadapte] **1** *adj (personne)* inadaptado(a); **i. à qch** inadecuado(a) para algo
2 *nm, f* inadaptado(a) *m, f*

inadmissible [inadmisibl] *adj* inadmisible

inadvertance [inadvɛrtɑ̃s] **par inadvertance** *adv* por inadvertencia

inaltérable [inalterabl] *adj* inalterable

inamovible [inamɔvibl] *adj* fijo(a)

inanimé, -e [inanime] *adj (objet)* inanimado(a); *(sans vie)* inánime

inanité [inanite] *nf* inanidad *f*

inanition [inanisjɔ̃] *nf* **tomber/mourir d'i.** desfallecer/morirse de inanición

inaperçu, -e [inapɛrsy] *adj* inadvertido(a)

inappréciable [inapresjabl] *adj* inapreciable

inapte [inapt] *adj Mil* no apto, inútil; **i. à qch/à faire qch** inepto(a) para algo/para hacer algo

inattaquable [inatakabl] *adj (forteresse)* inatacable; *(réputation)* irreprochable; *(argument, preuve)* irrefutable

inattendu, -e [inatɑ̃dy] *adj* inesperado(a)

inattention [inatɑ̃sjɔ̃] *nf* falta *f* de atención, desatención *f*

inaudible [inodibl] *adj* inaudible

inauguration [inogyrasjɔ̃] *nf* inauguración *f*

inaugurer [inogyre] *vt* inaugurar

inavouable [inavwabl] *adj* inconfesable

inca [ɛ̃ka] **1** *adj* inca
2 *nmf* **I.** Inca *mf*

incalculable [ɛ̃kalkylabl] *adj* incalculable

incandescent, -e [ɛ̃kɑ̃desɑ̃, -ɑ̃t] *adj* incandescente

incantation [ɛ̃kɑ̃tasjɔ̃] *nf* encantamiento *m*

incapable [ɛ̃kapabl] **1** *adj* **i. de faire qch** incapaz de hacer algo
2 *nmf* incapaz *mf*

incapacité [ɛ̃kapasite] *nf* incapacidad *f* (**à faire qch** para hacer algo)

incarcérer [8] [ɛ̃karsere] *vt* encarcelar

incarner [34] [ɛ̃karne] *vt* encarnar

incartade [ɛ̃kartad] *nf* extravagancia *f*

incassable [ɛ̃kasabl] *adj* irrompible

incendie [ɛ̃sɑ̃di] *nm* incendio *m* ☆ **i. criminel** incendio provocado; **i. de forêt** incendio forestal

incendier [ɛ̃sɑ̃dje] *vt (mettre le feu à)* incendiar; *Fam (réprimander)* echar una bronca a

incertain, -e [ɛ̃sɛrtɛ̃, -ɛn] *adj (pronostic, réussite, durée)* incierto(a); *(personne)* inseguro(a); *(temps)* inestable; *(lumière, contour)* borroso(a)

incertitude [ɛ̃sɛrtityd] *nf* incertidumbre *f*; *Math & Phys* indeterminación *f*

incessamment [ɛ̃sesamɑ̃] *adv* en breve

incessant, -e [ɛ̃sesɑ̃, -ɑ̃t] *adj* incesante

inceste [ɛ̃sɛst] *nm* incesto *m*

inchangé, -e [ɛ̃ʃɑ̃ʒe] *adj* igual *(sin cambiar)*

incidence [ɛ̃sidɑ̃s] *nf* incidencia *f*

incident, -e [ɛ̃sidɑ̃, -ɑ̃t] **1** *adj* incidental; *Phys* incidente
2 *nm* incidente *m*

incinérer [34] [ɛ̃sinere] *vt* incinerar

inciser [ɛ̃size] *vt* hacer una incisión en

incisif, -ive [ɛ̃sizif, -iv] **1** *adj* incisivo(a)
2 *nf* **incisive** incisivo *m*

inciter [ɛ̃site] *vt* i. qn à qch/à faire qch incitar a alguien a algo/a hacer algo

inclassable [ɛ̃klasabl] *adj* inclasificable

inclinable [ɛ̃klinabl] *adj* abatible

inclinaison [ɛ̃klinɛzɔ̃] *nf* inclinación *f*

inclination [ɛ̃klinɑsjɔ̃] *nf* inclinación *f*

incliner [ɛ̃kline] **1** *vt (pencher)* inclinar
2 s'incliner *vpr (se pencher)* inclinarse; **s'i. devant qch** *(respecter, céder à)* inclinarse ante algo; **s'i. devant qn** *(se soumettre)* inclinarse ante alguien

inclure [17] [ɛ̃klyr] *vt* incluir

incognito [ɛ̃kɔɲito] *adv* de incógnito

incohérence [ɛ̃kɔerɑ̃s] *nf* incoherencia *f*

incohérent, -e [ɛ̃kɔerɑ̃, -ɑ̃t] *adj* incoherente

incollable [ɛ̃kɔlabl] *adj (riz)* que no se pega; *Fam* **il est i.** no hay quien lo pille

incolore [ɛ̃kɔlɔr] *adj* incoloro(a)

incomber [ɛ̃kɔ̃be] **1** *v impersonnel* **il m'incombe/il lui incombe de dire la vérité** me corresponde/le corresponde decir la verdad
2 *vt ind* **les devoirs qui lui incombent** las responsabilidades que le corresponden

incommensurable [ɛ̃kɔmɑ̃syrabl] *adj* inconmensurable

incommoder [ɛ̃kɔmɔde] *vt* incomodar

incomparable [ɛ̃kɔ̃parabl] *adj (sans pareil)* incomparable; *(différent)* distinto(a)

incompatible [ɛ̃kɔ̃patibl] *adj* incompatible

incompétent, -e [ɛ̃kɔ̃petɑ̃, -ɑ̃t] *adj* incompetente

incomplet, -ète [ɛ̃kɔ̃plɛ, -ɛt] *adj* incompleto(a)

incompréhensible [ɛ̃kɔ̃preɑ̃sibl] *adj* incomprensible

incompris, -e [ɛ̃kɔ̃pri, -iz] *adj & nm,f* incomprendido(a) *m,f*

inconcevable [ɛ̃kɔ̃svabl] *adj* inconcebible

inconciliable [ɛ̃kɔ̃siljabl] *adj* irreconciliable

inconditionnel, -elle [ɛ̃kɔ̃disjɔnɛl] *adj & nm,f* incondicional *mf*

incongru, -e [ɛ̃kɔ̃gry] *adj* incongruente

inconnu, -e [ɛ̃kɔny] **1** *adj* desconocido(a) **(de** para)
2 *nm,f* desconocido(a) *m,f*
3 *nf* **inconnue** *Math & Fig* incógnita *f*

inconsciemment [ɛ̃kɔ̃sjamɑ̃] *adv* inconscientemente

inconscient, -e [ɛ̃kɔ̃sjɑ̃, -ɑ̃t] **1** *adj & nm,f* inconsciente *mf*
2 *nm* **l'i.** el inconsciente

inconsidéré, -e [ɛ̃kɔ̃sidere] *adj* desconsiderado(a)

inconsolable [ɛ̃kɔ̃sɔlabl] *adj* inconsolable

incontestable [ɛ̃kɔ̃tɛstabl] *adj* incontestable, indiscutible

incontinent, -e [ɛ̃kɔ̃tinɑ̃, -ɑ̃t] *adj* incontinente

incontournable [ɛ̃kɔ̃turnabl] *adj* ineludible; **ce livre est i.** es un libro imprescindible

incontrôlable [ɛ̃kɔ̃trolabl] *adj* incontrolable

inconvenant, -e [ɛ̃kɔ̃vnɑ̃, -ɑ̃t] *adj* inconveniente

inconvénient [ɛ̃kɔ̃venjɑ̃] *nm* inconveniente *m*

incorporer [ɛ̃kɔrpɔre] *vt* **i. qch à/ dans qch** incorporar algo a algo

incorrect, -e [ɛ̃kɔrɛkt] *adj* incorrecto(a)

incorrection [ɛ̃kɔrɛksjɔ̃] *nf* incorrección *f*

incorrigible [ɛ̃kɔriʒibl] *adj* incorregible

incorruptible [ɛ̃kɔryptibl] *adj* incorruptible

incrédule [ɛ̃kredyl] *adj* incrédulo(a)

increvable [ɛ̃krəvabl] *adj (ballon, pneu)* que no se pincha; *Fam (mécanisme)* a prueba de bombas; *Fam (personne)* incansable

incriminer [ɛ̃krimine] *vt* incriminar

incroyable [ɛ̃krwajabl] *adj* increíble

incruster [ɛ̃kryste] **1** *vt* **i. qch dans qch** incrustar algo en algo
  2 s'incruster *vpr Fam Péj (s'inviter)* colarse, apalancarse; **s'i. dans qch** incrustarse en algo

incubation [ɛ̃kybɑsjɔ̃] *nf* incubación *f*

inculpation [ɛ̃kylpɑsjɔ̃] *nf* inculpación *f*; **sous l'i. de qch** bajo acusación de algo

inculpé, -e [ɛ̃kylpe] *nm,f* inculpado(a) *m,f*

inculper [ɛ̃kylpe] *vt* inculpar (**de** de)

inculquer [ɛ̃kylke] *vt* **i. qch à qn** inculcar algo a alguien

inculte [ɛ̃kylt] *adj (terre, personne)* inculto(a)

incurable [ɛ̃kyrabl] **1** *adj* incurable; *Fig* irremediable
  2 *nmf* desahuciado(a) *m,f*

incursion [ɛ̃kyrsjɔ̃] *nf* incursión *f*

incurvé, -e [ɛ̃kyrve] *adj* curvado(a)

Inde [ɛ̃d] *nf* **l'I.** (la) India

indéboulonnable [ɛ̃debulɔnabl] *adj Fam* **il est i.** de ahí no hay quien lo saque

indécent, -e [ɛ̃desɑ̃, -ɑ̃t] *adj* indecente

indéchiffrable [ɛ̃deʃifrabl] *adj* indescifrable

indécis, -e [ɛ̃desi, -iz] *adj & nm,f* indeciso(a) *m,f*

indécision [ɛ̃desizjɔ̃] *nf* indecisión *f*

indécrottable [ɛ̃dekrɔtabl] *adj Fam* incorregible

indéfendable [ɛ̃defɑ̃dabl] *adj* indefendible

indéfini, -e [ɛ̃defini] *adj* indefinido(a)

indéfinissable [ɛ̃definisabl] *adj* indefinible

indéformable [ɛ̃defɔrmabl] *adj* indeformable

indélébile [ɛ̃delebil] *adj* indeleble

indélicat, -e [ɛ̃delika, -at] *adj* poco delicado(a)

indemne [ɛ̃dɛmn] *adj* indemne

indemniser [ɛ̃dɛmnize] *vt* **i. qn de qch** indemnizar a alguien por algo

indemnité [ɛ̃dɛmnite] *nf* indemnización *f* ☆ **i. de licenciement** indemnización por despido

indémodable [ɛ̃demɔdabl] *adj* que no pasa de moda; **c'est un style i.** es un estilo que nunca pasará de moda

indéniable [ɛ̃denjabl] *adj* innegable

indépendamment [ɛ̃depɑ̃damɑ̃] *adv* independientemente (**de** de)

indépendance [ɛ̃depɑ̃dɑ̃s] *nf* independencia *f*

indépendant, -e [ɛ̃depɑ̃dɑ̃, -ɑ̃t] *adj* independiente (**de** de); *(travailleur)* autónomo(a)

indépendantiste [ɛ̃depɑ̃dɑ̃tist] *adj & nmf* independentista *mf*

indéracinable [ɛ̃derasinabl] *adj* que no se puede desarraigar

indescriptible [ɛ̃dɛskriptibl] *adj* indescriptible

indésirable [ɛ̃dezirabl] **1** *adj (personne)* indeseable
2 *nmf* indeseable *mf*

indestructible [ɛ̃dɛstryktibl] *adj* indestructible

indéterminé, -e [ɛ̃detɛrmine] *adj* indeterminado(a)

index [ɛ̃dɛks] *nm* índice *m*; **mettre qn à l'i.** poner a alguien en la lista negra

indexer [ɛ̃dɛkse] *vt (livre)* indexar, indizar; *Écon* i. **qch sur qch** ajustar algo a algo

indicateur, -trice [ɛ̃dikatœr, -tris] **1** *adj voir* **panneau, poteau**
2 *nm (économique)* indicador *m*; *(informateur)* informador(ora) *m,f* de la policía ☆ *i. de niveau de carburant* indicador del nivel de carburante

indicatif, -ive [ɛ̃dikatif, -iv] **1** *adj* indicativo(a)
2 *nm Rad & TV* sintonía *f*; *(code)* prefijo *m*

indication [ɛ̃dikasjɔ̃] *nf* indicación *f*

indice [ɛ̃dis] *nm (taux)* índice *m*; *(signe)* indicio *m* ☆ *Rad & TV i. d'écoute* índice de audiencia

indicible [ɛ̃disibl] *adj* indecible

indien, -enne [ɛ̃djɛ̃, -ɛn] **1** *adj* indio(a)
2 *nm,f* I. *(d'Amérique)* indio(a) *m,f*; *(d'Inde)* hindú *mf*

indifféremment [ɛ̃diferamɑ̃] *adv (avec froideur)* con indiferencia; *(sans faire de différence)* sin distinción

indifférent, -e [ɛ̃diferɑ̃, -ɑ̃t] **1** *adj* i. **à qch** indiferente a algo; **ça m'est i.** me es indiferente
2 *nm,f* indiferente *mf*

indigence [ɛ̃diʒɑ̃s] *nf (pauvreté)* indigencia *f*; *(intellectuelle, morale)* pobreza *f*

indigène [ɛ̃diʒɛn] *adj & nmf* indígena *mf*

indigent, -e [ɛ̃diʒɑ̃, -ɑ̃t] **1** *adj (pau-* *vre)* indigente; *(intellectuellement)* pobre
2 *nm,f* indigente *mf*

indigeste [ɛ̃diʒɛst] *adj* indigesto(a)

indigestion [ɛ̃diʒɛstjɔ̃] *nf* indigestión *f*

indignation [ɛ̃diɲasjɔ̃] *nf* indignación *f*

indigne [ɛ̃diɲ] *adj* indigno(a)

indigné, -e [ɛ̃diɲe] *adj* indignado(a)

indigner [ɛ̃diɲe] **1** *vt* indignar
2 **s'indigner** *vpr* **s'i. de** *ou* **contre qqch** indignarse por algo; **il s'indigne qu'on le fasse tant travailler** le indigna que le hagan trabajar tanto

indiquer [ɛ̃dike] *vt* indicar, señalar

indirect, -e [ɛ̃dirɛkt] *adj* indirecto(a)

indiscipliné, -e [ɛ̃disipline] *adj (écolier, soldat)* indisciplinado(a); *(cheveux)* rebelde

indiscret, -ète [ɛ̃diskrɛ, -ɛt] *adj* indiscreto(a)

indiscrétion [ɛ̃diskresjɔ̃] *nf* indiscreción *f*; **sans i., ils te payent combien?** si no es indiscreción, ¿cuánto te pagan?

indiscutable [ɛ̃diskytabl] *adj* indiscutible

indispensable [ɛ̃dispɑ̃sabl] *adj* indispensable, imprescindible (**à** para); **il est i. de faire qch** es indispensable o imprescindible hacer algo

indisposé, -e [ɛ̃dispoze] *adj* indispuesto(a)

indistinct, -e [ɛ̃distɛ̃, -ɛ̃kt] *adj* confuso(a)

individu [ɛ̃dividy] *nm* individuo *m*

individualisme [ɛ̃dividɥalism] *nm* individualismo *m*

individuel, -elle [ɛ̃dividɥɛl] *adj* individual

indivisible [ɛ̃divizibl] *adj* indivisible

Indochine [ɛ̃dɔʃin] *nf* l'I. Indochina

indolent, -e [ɛ̃dɔlɑ̃, -ɑ̃t] *adj* indolente

indolore [ɛ̃dɔlɔr] *adj* indoloro(a)

indomptable [ɛ̃dɔ̃tabl] *adj* indomable

Indonésie [ɛ̃dɔnezi] *nf* l'I. Indonesia

indonésien, -enne [ɛ̃dɔnezjɛ̃, -ɛn] 1 *adj* indonesio(a) 2 *nm,f* I. indonesio(a) *m,f*

indu, -e [ɛ̃dy] *adj* indebido(a); **à des heures indues** a horas intempestivas

induire [18] [ɛ̃dɥir] *vt* inducir; **i. de qch que...** inducir de algo que...; **i. qn en erreur** inducir a alguien a error

indulgence [ɛ̃dylʒɑ̃s] *nf* indulgencia *f*

indulgent, -e [ɛ̃dylʒɑ̃, -ɑ̃t] *adj* indulgente (**pour** *ou* **envers** con)

industrialiser [ɛ̃dystrijalize] 1 *vt* industrializar 2 **s'industrialiser** *vpr* industrializarse

industrie [ɛ̃dystri] *nf* industria *f* ☆ **i. lourde** industria pesada

industriel, -elle [ɛ̃dystrijɛl] 1 *adj* industrial 2 *nm* industrial *m*

inébranlable [inebrɑ̃labl] *adj* inquebrantable

inédit, -e [inedi, -it] 1 *adj* inédito(a) 2 *nm* texto *m* inédito

inefficace [inefikas] *adj* ineficaz

inégal, -e, -aux, -ales [inegal, -o] *adj* desigual; *(surface, rythme)* irregular

inégalé, -e [inegale] *adj* inigualado(a)

inégalité [inegalite] *nf (différence)* desigualdad *f*; *(du terrain, d'un rythme)* irregularidad *f*

inélégant, -e [inelegɑ̃, -ɑ̃t] *adj* poco elegante

inéluctable [inelyktabl] *adj* ineluctable

inepte [inɛpt] *adj (personne)* inepto(a); *(théorie)* estúpido(a)

ineptie [inɛpsi] *nf* sandez *f*

inépuisable [inepɥizabl] *adj (ressources)* inagotable; *(curiosité)* insaciable; *(personne)* infatigable

inerte [inɛrt] *adj* inerte

inertie [inɛrsi] *nf* inercia *f*

inespéré, -e [inɛspere] *adj* inesperado(a), sorpresivo(a)

inesthétique [inɛstetik] *adj* antiestético(a)

inestimable [inɛstimabl] *adj (valeur)* incalculable; *Fig (soutien)* inestimable

inévitable [inevitabl] *adj* inevitable

inexact, -e [inɛgza(kt), -akt] *adj* inexacto(a)

inexactitude [inɛgzaktityd] *nf (imprécision)* inexactitud *f*

inexcusable [inɛkskyzabl] *adj* inexcusable

inexistant, -e [inɛgzistɑ̃, -ɑ̃t] *adj* inexistente

inexorable [inɛgzɔrabl] *adj* inexorable

inexpérience [inɛksperjɑ̃s] *nf* inexperiencia *f*

inexplicable [inɛksplikabl] *adj* inexplicable

inexpliqué, -e [inɛksplike] *adj* inexplicado(a)

inexpressif, -ive [inɛkspresif, -iv] *adj* inexpresivo(a)

inexprimable [inɛksprimabl] *adj* inexpresable

in extremis [inɛkstremis] *adv* in extremis

inextricable [inɛkstrikabl] *adj* inextricable

infaillible [ɛ̃fajibl] *adj* infalible

infaisable [ɛ̃fəzabl] *adj* imposible

infâme [ɛ̃fam] *adj* infame

infanterie [ɛ̃fɑ̃tri] *nf* infantería *f*

infanticide [ɛ̃fɑ̃tisid] 1 *nmf* infanticida *mf* 2 *nm* infanticidio *m*

infantile [ɛ̃fɑ̃til] *adj* infantil

infarctus [ɛ̃farktys] *nm* i. **(du myo-carde)** infarto *m* (de miocardio)

infatigable [ɛ̃fatigabl] *adj* infati-gable, incansable

infect, -e [ɛ̃fɛkt] *adj* infecto(a)

infecter [4] [ɛ̃fɛkte] **1** *vt (plaie, per-sonne, eau)* infectar
2 s'infecter *vpr* infectarse

infectieux, -euse [ɛ̃fɛksjø, -øz] *adj* infeccioso(a)

infection [ɛ̃fɛksjɔ̃] *nf* infección *f*; *Péj (puanteur)* peste *f*

inférieur, -e [ɛ̃ferjœr] **1** *adj* inferior (à a)
2 *nm,f* inferior *mf*

infériorité [ɛ̃ferjɔrite] *nf* inferiori-dad *f*

infernal, -e, -aux, -ales [ɛ̃fɛrnal, -o] *adj* infernal

infester [ɛ̃fɛste] *vt* infestar; **être in-festé de qch** estar plagado(a) de algo

infidèle [ɛ̃fidɛl] **1** *adj* infiel (à a)
2 *nmf Rel* infiel *mf*

infidélité [ɛ̃fidelite] *nf* infidelidad *f*

infiltration [ɛ̃filtrasjɔ̃] *nf* infiltra-ción *f*

infiltrer [ɛ̃filtre] **1** *vt* infiltrar
2 s'infiltrer *vpr* **s'i. par/dans qch** in-filtrarse por/en algo

infime [ɛ̃fim] *adj* ínfimo(a)

infini, -e [ɛ̃fini] **1** *adj* infinito(a)
2 *nm* **l'i.** el infinito; **à l'i.** *Math* al infi-nito; *(indéfiniment, à perte de vue)* hasta el infinito

infiniment [ɛ̃finimɑ̃] *adv* infinita-mente

infinité [ɛ̃finite] *nf* **une i. de** una infi-nidad de

infinitif, -ive [ɛ̃finitif, -iv] *Gram* **1** *adj (mode)* infinitivo(a); *(construc-tion)* en infinitivo; *(proposition)* de infinitivo
2 *nm* infinitivo *m*

infirme [ɛ̃firm] *adj & nmf* impedi-do(a) *m,f*

infirmerie [ɛ̃firməri] *nf* enfermería *f*

infirmier, -ère [ɛ̃firmje, -ɛr] *nm,f* enfermero(a) *m,f*

infirmité [ɛ̃firmite] *nf* invalidez *f*

inflammable [ɛ̃flamabl] *adj* infla-mable

inflammation [ɛ̃flamasjɔ̃] *nf* infla-mación *f*

inflation [ɛ̃flasjɔ̃] *nf* inflación *f*

inflationniste [ɛ̃flasjɔnist] *adj* in-flacionista

infléchir [ɛ̃fleʃir] **1** *vt (rayon, trajec-toire)* desviar; *(politique)* modificar
2 s'infléchir *vpr (rayon, trajectoire)* desviarse

inflexible [ɛ̃flɛksibl] *adj* inflexible

inflexion [ɛ̃flɛksjɔ̃] *nf* inflexión *f*

infliger [45] [ɛ̃fliʒe] *vt* i. **qch à qn** *(défaite, punition)* infligir algo a al-guien; *(présence)* imponer algo a al-guien

influençable [ɛ̃flyɑ̃sabl] *adj* in-fluenciable

influence [ɛ̃flyɑ̃s] *nf* influencia *f*

influencer [16] [ɛ̃flyɑ̃se] *vt* influir en, influenciar

influer [ɛ̃flye] *vi* i. **sur qch** influir en algo

info [ɛ̃fo] *nf Fam (nouvelle)* noticia *f*; *(renseignement)* dato *m*; **les infos** *(à la radio, à la télévision)* las noticias, el informativo

informaticien, -enne [ɛ̃fɔrmatisjɛ̃, -ɛn] *nm,f* informático(a) *m,f*

information [ɛ̃fɔrmasjɔ̃] *nf* infor-mación *f*; **les informations** *(à la radio, à la télévision)* las noticias, el infor-mativo

informatique [ɛ̃fɔrmatik] **1** *adj* in-formático(a)
2 *nf* informática *f*

informatiser [ɛ̃fɔrmatize] *vt* infor-matizar

informe [ɛ̃fɔrm] *adj* informe; *Fig (projet)* sin pies ni cabeza

informel, -elle [ɛ̃fɔrmɛl] *adj* infor-mal

informer [ɛ̃fɔrme] **1** *vt* informar (de de); **i. qn que** informar a alguien de que
2 s'informer *vpr* informarse (**de/sur** de/sobre)

infraction [ɛ̃fraksjɔ̃] *nf* infracción *f*; **être en i.** cometer una infracción; **vous êtes en i.** ha cometido una infracción

infranchissable [ɛ̃frɑ̃ʃisabl] *adj* infranqueable

infrarouge [ɛ̃fraruʒ] **1** *adj* infrarrojo(a)
2 *nm* infrarrojo *m*

infrastructure [ɛ̃frastryktyr] *nf* infraestructura *f*

infroissable [ɛ̃frwasabl] *adj* inarrugable

infructueux, -euse [ɛ̃fryktɥø, -øz] *adj* infructuoso(a)

infuser [ɛ̃fyze] **1** *vi* reposar
2 *vt* hacer una infusión de

infusion [ɛ̃fyzjɔ̃] *nf* infusión *f*

ingénier [ɛ̃ʒenje] **s'ingénier** *vpr* **s'i. à faire qch** ingeniárselas para hacer algo

ingénieur [ɛ̃ʒenjœr] *nm* ingeniero(a) *m,f* ☆ **i. agronome** ingeniero(a) agrónomo(a); *Cin* **i. du son** ingeniero(a) de sonido

ingénieux, -euse [ɛ̃ʒenjø, -øz] *adj* ingenioso(a)

ingéniosité [ɛ̃ʒenjozite] *nf* ingeniosidad *f*

ingénu, -e [ɛ̃ʒeny] *adj & nm,f* ingenuo(a) *m,f*

ingrat, -e [ɛ̃gra, -at] **1** *adj (personne)* ingrato(a), desagradecido(a); *(métier)* ingrato(a); *(physique)* ingrato(a), poco agraciado(a)
2 *nm,f* ingrato(a) *m,f*

ingrédient [ɛ̃gredjɑ̃] *nm* ingrediente *m*

ingurgiter [ɛ̃gyrʒite] *vt* engullir

inhabitable [inabitabl] *adj* inhabitable

inhabité, -e [inabite] *adj* deshabitado(a), inhabitado(a)

inhabituel, -elle [inabitɥɛl] *adj* inusual

inhalation [inalɑsjɔ̃] *nf* inhalación *f*; **faire des inhalations** hacer vahos

inhaler [inale] *vt* inhalar

inhérent, -e [inerɑ̃, -ɑ̃t] *adj* **i. à** inherente a

inhibition [inibisjɔ̃] *nf* inhibición *f*

inhospitalier, -ère [inɔspitalje, -ɛr] *adj (personne)* poco hospitalario(a); *(lieu)* inhóspito(a)

inhumain, -e [inymɛ̃, -ɛn] *adj* inhumano(a)

inhumer [inyme] *vt* inhumar

inimaginable [inimaʒinabl] *adj* inimaginable

inimitable [inimitabl] *adj* inimitable

ininflammable [inɛ̃flamabl] *adj* ininflamable

inintelligible [inɛ̃teliʒibl] *adj* ininteligible

inintéressant, -e [inɛ̃teresɑ̃, -ɑ̃t] *adj* sin interés

ininterrompu, -e [inɛ̃terɔ̃py] *adj* ininterrumpido(a)

initial, -e, -aux, -ales [inisjal, -o] **1** *adj* inicial
2 *nf* **initiale** inicial *f*

initialiser [inisjalize] *vt Ordinat (disquette)* formatear

initiateur, -trice [inisjatœr, -tris] *nm,f* iniciador(ora) *m,f*

initiation [inisjɑsjɔ̃] *nf* iniciación *f* (**à** a)

initiative [inisjativ] *nf* iniciativa *f*; **prendre l'i. de qch/de faire qch** tomar la iniciativa de algo/de hacer algo

initié, -e [inisje] *adj & nm,f* iniciado(a) *m,f*

initier [inisje] **1** *vt* **i. qn à qch** iniciar a alguien en algo
2 s'initier *vpr* **s'i. à qch** iniciarse en algo

injecter [ɛ̃ʒɛkte] *vt* inyectar

injection [ɛʒɛksjɔ̃] *nf* inyección *f*; *Aut* **moteur à i.** motor *m* de inyección

injoignable [ɛʒwaɲabl] *adj* ilocalizable

injure [ɛʒyr] *nf (mot)* insulto *m*; *(affront)* afrenta *f*

injurier [ɛʒyrje] *vt* insultar

injurieux, -euse [ɛʒyrjø, -øz] *adj* insultante

injuste [ɛʒyst] *adj* injusto(a) **(envers** con)

injustice [ɛʒystis] *nf* injusticia *f*

inlassablement [ɛlɑsabləmɑ̃] *adv* incansablemente

inné, -e [ine] *adj* innato(a)

innocence [inɔsɑ̃s] *nf* inocencia *f*

innocent, -e [inɔsɑ̃, -ɑ̃t] **1** *adj* inocente
  2 *nm,f* inocente *mf*; *Vieilli (simple d'esprit) Esp* tonto(a) *m,f*, *Am* zonzo(a) *m,f*

innocenter [inɔsɑ̃te] *vt* declarar inocente

innombrable [inɔ̃brabl] *adj* innumerable

innovation [inɔvɑsjɔ̃] *nf* innovación *f*

innover [inɔve] *vi* innovar

inoccupé, -e [inɔkype] *adj* desocupado(a)

inoculer [inɔkyle] *vt* inocular

inodore [inɔdɔr] *adj* inodoro(a)

inoffensif, -ive [inɔfɑ̃sif, -iv] *adj* inofensivo(a)

inondation [inɔ̃dɑsjɔ̃] *nf* inundación *f*; *Fig (afflux)* invasión *f*

inonder [inɔ̃de] *vt aussi Fig* inundar **(de** de)

inopérable [inɔperabl] *adj* inoperable

inopiné, -e [inɔpine] *adj* inopinado(a)

inopportun, -e [inɔpɔrtœ̃, -yn] *adj* inoportuno(a)

inoubliable [inublijabl] *adj* inolvidable

inouï, -e [inwi] *adj* increíble

Inox® [inɔks] *nm* acero *m* inoxidable

inoxydable [inɔksidabl] *adj* inoxidable

inquiet, -ète [ɛkjɛ, -ɛt] **1** *adj (préoccupé)* preocupado(a) **(pour** por); *(anxieux de nature)* inquieto(a)
  2 *nm,f* inquieto(a) *m,f*

inquiéter [34] [ɛkjete] **1** *vt (alarmer)* inquietar, preocupar; *(harceler)* acosar
  2 s'inquiéter *vpr* preocuparse **(pour** por); **s'i. de** *(s'intéresser à)* preocuparse por

inquiétude [ɛkjetyd] *nf* inquietud *f*, preocupación *f*

Inquisition [ɛkizisjɔ̃] *nf* **l'I.** la Inquisición

insaisissable [ɛsezisabl] *adj (nuance, différence)* imperceptible; *(caractère)* huidizo(a)

insalubre [ɛsalybr] *adj* insalubre

insanité [ɛsanite] *nf* disparate *m*

insatiable [ɛsasjabl] *adj* insaciable

insatisfait, -e [ɛsatisfɛ, -ɛt] *adj & nm,f* insatisfecho(a) *m,f*

inscription [ɛskripsjɔ̃] *nf* inscripción *f* **(à** en); *(à un cours)* matriculación *f* **(à** en)

inscrire [30] [ɛskrir] **1** *vt* inscribir **(à** en); *(à un cours)* matricular **(à** en); *(noter) (renseignements)* apuntar; *(dépenses)* asentar
  2 s'inscrire *vpr* inscribirse **(à** en); *(à un cours)* matricularse **(à** en)

insecte [ɛsɛkt] *nm* insecto *m*

insecticide [ɛsɛktisid] **1** *adj* insecticida
  2 *nm* insecticida *m*

insécurité [ɛsekyrite] *nf* inseguridad *f*

insémination [ɛseminɑsjɔ̃] *nf* inseminación *f* ☆ **i. artificielle** inseminación artificial

insensé, -e [ɛ̃sɑ̃se] *adj (personne, propos)* insensato(a); *(rêve, désir)* imposible; *(nombre, chance)* increíble; *(architecture, décoration)* delirante

insensibiliser [ɛ̃sɑ̃sibilize] *vt* insensibilizar (**à** a o contra)

insensible [ɛ̃sɑ̃sibl] *adj* insensible (**à** a); *(imperceptible)* imperceptible

inséparable [ɛ̃separabl] *adj* inseparable (**de** de)

insérer [34] [ɛ̃sere] **1** *vt* **i. qch dans qch** insertar algo en algo
   2 s'insérer *vpr* **s'i. dans qch** *(se situer dans)* inscribirse dentro de algo

insertion [ɛ̃sersjɔ̃] *nf* **i. professionnelle** reinserción *f* laboral; **i. (sociale)** reinserción *f* (social); *Ordinat* **mode d'i.** modo *m* de inserción

insidieux, -euse [ɛ̃sidjø, -øz] *adj* insidioso(a)

insigne [ɛ̃siɲ] **1** *nm* insignia *f*
   2 *adj* insigne

insignifiant, -e [ɛ̃siɲifjɑ̃, -ɑ̃t] *adj* insignificante

insinuer [ɛ̃sinɥe] **1** *vt* insinuar
   2 s'insinuer *vpr* **s'i. dans qch** *(sujet: eau, humidité)* penetrar en algo; *Fig (sujet: personne)* insinuarse con algo; **le doute s'insinua dans nos esprits** comenzamos a tener dudas

insipide [ɛ̃sipid] *adj* insípido(a); *Fig* soso(a)

insistance [ɛ̃sistɑ̃s] *nf* insistencia *f*; **avec i.** insistentemente

insister [ɛ̃siste] *vi* insistir (**sur** en o sobre); **i. pour faire qch** insistir en hacer algo

insolation [ɛ̃solasjɔ̃] *nf* insolación *f*

insolence [ɛ̃solɑ̃s] *nf* insolencia *f*

insolent, -e [ɛ̃solɑ̃, -ɑ̃t] *adj & nm,f* insolente *mf*

insolite [ɛ̃solit] *adj* insólito(a)

insoluble [ɛ̃solybl] *adj* insoluble

insolvable [ɛ̃solvabl] *adj* insolvente

insomnie [ɛ̃somni] *nf* insomnio *m*

insonore [ɛ̃sonor] *adj* insonoro(a)

insonoriser [ɛ̃sonorize] *vt* insonorizar

insouciance [ɛ̃susjɑ̃s] *nf* despreocupación *f*

insouciant, -e [ɛ̃susjɑ̃, -ɑ̃t] *adj* despreocupado(a)

insoumis, -e [ɛ̃sumi, -iz] **1** *adj* insumiso(a)
   2 *nm (soldat)* insumiso *m*

insoupçonné, -e [ɛ̃supsone] *adj* insospechado(a)

insoutenable [ɛ̃sutnabl] *adj (indéfendable)* insostenible; *(insupportable)* insufrible

inspecter [ɛ̃spɛkte] *vt* inspeccionar

inspecteur, -trice [ɛ̃spɛktœr, -tris] *nm,f* inspector(ora) *m,f* ✩ **i. d'académie** inspector(ora) de enseñanza

inspection [ɛ̃spɛksjɔ̃] *nf* inspección *f*

inspiration [ɛ̃spirasjɔ̃] *nf* inspiración *f*; **chercher/trouver l'i.** buscar/encontrar inspiración

inspirer [ɛ̃spire] **1** *vt* inspirar; *Hum (plaire à)* emocionar; **i. qch à qn** inspirar algo a alguien
   2 *vi (respirer)* inspirar
   3 s'inspirer *vpr* **s'i. de** inspirarse en

instable [ɛ̃stabl] *adj & nmf* inestable *mf*

installation [ɛ̃stalasjɔ̃] *nf* instalación *f*; *(dans une fonction)* toma *f* de posesión

installer [ɛ̃stale] **1** *vt* instalar; *(fonctionnaire, magistrat)* nombrar
   2 s'installer *vpr* instalarse; *(médecin, commerçant)* establecerse

instance [ɛ̃stɑ̃s] *nf* instancia *f*; **être en i. de divorce** estar pendiente de divorcio

instant [ɛ̃stɑ̃] *nm* instante *m*; **à l'i.** *(il y a peu de temps)* hace un momento; *(tout de suite)* al instante; **à tout i.** *(en permanence)* en todo momento; *(d'un moment à l'autre)* en cualquier momento; **par instants** a ratos; **pour l'i.** por el momento, de momento

instantané, -e [ɛ̃stɑ̃tane] **1** *adj* instantáneo(a)
  2 *nm (photo)* instantánea *f*

instar [ɛ̃star] **à l'instar de** *prép* a semejanza de

instaurer [ɛ̃stɔre] *vt* instaurar

instigateur, -trice [ɛ̃stigatœr, -tris] *nm,f* instigador(ora) *m,f*

instinct [ɛ̃stɛ̃] *nm* instinto *m*; **faire qch d'i.** hacer algo por instinto ☆ *i. maternel* instinto maternal

instinctif, -ive [ɛ̃stɛ̃ktif, -iv] *adj & nm,f* instintivo(a) *m,f*

instituer [ɛ̃stitɥe] *vt* instituir

institut [ɛ̃stity] *nm* instituto *m* ☆ *i. de beauté* instituto o salón *m* de belleza

instituteur, -trice [ɛ̃stitytœr, -tris] *nm,f* profesor(ora) *m,f* de primaria

institution [ɛ̃stitysjɔ̃] *nf* institución *f*; *Pol* **les institutions** las instituciones

instructif, -ive [ɛ̃stryktif, -iv] *adj* instructivo(a)

instruction [ɛ̃stryksjɔ̃] *nf* instrucción *f*; *(enseignement)* enseñanza *f*; *(culture)* cultura; *Ordinat* orden *f*; **donner des instructions à qn** dar instrucciones a alguien

instruire [16] [ɛ̃strɥir] **1** *vt (enseigner à)* formar; *Jur* instruir; *Litt* **i. qn de qch** poner a alguien al corriente de algo
  2 s'instruire *vpr* instruirse

instruit, -e [ɛ̃strɥi, -it] *adj* instruido(a)

instrument [ɛ̃strymɑ̃] *nm* instrumento *m* ☆ *i. à cordes* instrumento de cuerda; *i. de musique* instrumento musical; *i. à vent* instrumento de viento

insu [ɛ̃sy] **à l'insu de** *prép* a espaldas de; **à mon/son/etc i.** a mis/sus/etc espaldas

insubmersible [ɛ̃sybmɛrsibl] *adj* insumergible

insubordination [ɛ̃sybɔrdinasjɔ̃] *nf* insubordinación *f*

insuffisance [ɛ̃syfizɑ̃s] *nf* insuficiencia *f*

insuffisant, -e [ɛ̃syfizɑ̃, -ɑ̃t] *adj* insuficiente

insuffler [ɛ̃syfle] *vt Méd (air)* insuflar; *Fig* **i. qch à qn** *(sentiment)* infundir algo a alguien

insulaire [ɛ̃sylɛr] *adj* insular, isleño(a)

insuline [ɛ̃sylin] *nf* insulina *f*

insulte [ɛ̃sylt] *nf* insulto *m*

insulter [ɛ̃sylte] *vt* insultar

insupportable [ɛ̃sypɔrtabl] *adj* insoportable, inaguantable

insurgé, -e [ɛ̃syrʒe] *adj & nm,f* insurrecto(a) *m,f*

insurger [45] [ɛ̃syrʒe] **s'insurger** *vpr* sublevarse (**contre** contra)

insurmontable [ɛ̃syrmɔ̃tabl] *adj (difficulté, obstacle)* insalvable; *(peur, répulsion)* invencible

insurrection [ɛ̃syrɛksjɔ̃] *nf* insurrección *f*

intact, -e [ɛ̃takt] *adj (objet, réputation)* intacto(a); *(réputation)* intachable

intarissable [ɛ̃tarisabl] *adj* inagotable; *(bavard)* incansable; **il est i. sur...** es incansable cuando habla de...

intégral, -e, -aux, -ales [ɛ̃tegral, -o] *adj (paiement, texte)* íntegro(a); *(calcul, bronzage)* integral

intégralement [ɛ̃tegralmɑ̃] *adv* íntegramente

intégralité [ɛ̃tegralite] *nf* **l'i. de qch** la integridad de algo

intégrante [ɛ̃tegrɑ̃t] *adj f voir* **partie**

intégration [ɛ̃tegrasjɔ̃] *nf* integración *f*

intègre [ɛ̃tɛgr] *adj (personne)* íntegro(a); *(vie)* recto(a)

intégrer [34] [ɛ̃tegre] **1** *vt* integrar (**à** *ou* **dans** en); *(grande école)* ingresar en

2 s'intégrer *vpr* integrarse (**à** *ou* **dans** en)

intégrisme [ɛ̃tegrism] *nm* integrismo *m*

intégriste [ɛ̃tegrist] *adj & nmf* integrista *mf*

intégrité [ɛ̃tegrite] *nf (honnêteté)* integridad *f*; *(totalité)* totalidad *f*

intellectuel, -elle [ɛ̃telɛktɥɛl] *adj & nm,f* intelectual *mf*

intelligence [ɛ̃teliʒɑ̃s] *nf (entendement)* inteligencia *f*; **un regard/sourire d'i.** una mirada/sonrisa de complicidad; **vivre en bonne i.** vivir en armonía; **vivre en mauvaise i.** vivir en mala armonía ☆ **i. artificielle** inteligencia artificial

intelligent, -e [ɛ̃teliʒɑ̃, -ɑ̃t] *adj* inteligente

intelligible [ɛ̃teliʒibl] *adj* inteligible

intello [ɛ̃telo] *adj & nmf Péj* intelectualoide *mf*

intempéries [ɛ̃tɑ̃peri] *nfpl* inclemencias *fpl* climáticas

intempestif, -ive [ɛ̃tɑ̃pɛstif, -iv] *adj* intempestivo(a)

intenable [ɛ̃tnabl] *adj (chaleur)* insoportable; *(enfant)* imposible; *Mil (position)* insostenible

intendant, -e [ɛ̃tɑ̃dɑ̃, -ɑ̃t] **1** *nm,f* administrador(ora) *m,f*
2 *nm Mil* intendente *m*

intense [ɛ̃tɑ̃s] *adj* intenso(a)

intensif, -ive [ɛ̃tɑ̃sif, -iv] *adj* intensivo(a)

intensité [ɛ̃tɑ̃site] *nf* intensidad *f*

intenter [ɛ̃tɑ̃te] *vt* **i. un procès contre** *ou* **à qn** entablar un juicio contra alguien

intention [ɛ̃tɑ̃sjɔ̃] *nf* intención *f*; **avoir l'i. de faire qch** tener la intención de hacer algo; **à l'i. de** dirigido(a) a; **dans l'i. de faire qch** con la intención de hacer algo; **c'est l'i. qui compte** la intención es lo que cuenta

intentionné, -e [ɛ̃tɑ̃sjɔne] *adj* **être bien/mal i.** tener buena/mala intención

intentionnel, -elle [ɛ̃tɑ̃sjɔnɛl] *adj* intencionado(a)

interactif, -ive [ɛ̃tɛraktif, -iv] *adj* interactivo(a)

intercalaire [ɛ̃tɛrkalɛr] **1** *adj (feuillet)* separador(ora); *(jour)* intercalar
2 *nm* separador *m*

intercaler [ɛ̃tɛrkale] *vt* **i. qch dans qch** intercalar algo en algo

intercéder [34] [ɛ̃tɛrsede] *vi* **i. en faveur de qn** interceder por *o* en favor de alguien

intercepter [ɛ̃tɛrsɛpte] *vt* interceptar

interchangeable [ɛ̃tɛrʃɑ̃ʒabl] *adj* intercambiable

interclasse [ɛ̃tɛrklɑs] *nm* descanso *m (entre dos clases)*

interdiction [ɛ̃tɛrdiksjɔ̃] *nf (défense)* prohibición *f*; **i. de fumer** *(sur écriteau)* prohibido fumar ☆ **i. de séjour** destierro *m*

interdire [27b] [ɛ̃tɛrdir] *vt (défendre)* prohibir; *(fonctionnaire, prêtre)* suspender; **i. à qn de faire qch** prohibir a alguien hacer algo

interdit, -e [ɛ̃tɛrdi, -it] **1** *adj (défendu)* prohibido(a); *(surpris)* desconcertado(a); **i. aux moins de dix-huit ans** no autorizado(a) a menores de dieciocho años
2 *nm* tabú *m*

intéressant, -e [ɛ̃teresɑ̃, -ɑ̃t] *adj* interesante

intéressé, -e [ɛ̃terese] *adj (égoïste)* interesado(a)

intéresser [ɛ̃terese] **1** *vt* interesar; **i. qn à qch** interesar a alguien en *o* por algo; **i. les employés (aux bénéfices)** repartir (beneficios) entre los empleados
2 s'intéresser *vpr* **s'i. à** interesarse por

intérêt [ɛ̃terɛ] *nm* interés *m*; *Fin* **intérêts** intereses; **l'i. de** *(avantage, originalité)* lo interesante de; **c'est dans ton/son**/*etc* **i. de faire qch** te/le/*etc* interesa hacer algo; **nous avons i. à réserver à l'avance** nos conviene reservar con antelación; **tu n'as pas i. à recommencer!** ¡más vale que no empieces otra vez! ☆ *i. fixe* interés fijo; *Fin i. variable* interés variable

interface [ɛ̃tɛrfas] *nf Ordinat* interfaz *f*; *Fig (liaison)* comunicación *f*, contacto *m* ☆ *i. graphique* interfaz gráfica

interférences [ɛ̃tɛrferɑ̃s] *nfpl (d'ondes)* interferencias *fpl*

intérieur, -e [ɛ̃terjœr] **1** *adj* interior **2** *nm (dedans)* interior *m*; *(foyer)* hogar *m*; **à l'i.** *(dedans)* dentro; *(dans le pays)* en el interior; **à l'i. de qch** dentro de algo, en el interior de algo; **d'i.** *(veste)* de estar por casa

intérim [ɛ̃terim] *nm (travail temporaire)* trabajo *m* temporal, trabajo *m* eventual; **société d'i.** empresa *f* de subcontratación

intérimaire [ɛ̃terimɛr] **1** *adj (employé)* temporal; *(fonction)* interino(a) **2** *nmf (employé)* substituto(a) *m,f*

intérioriser [ɛ̃terjɔrize] *vt* interiorizar

interjection [ɛ̃tɛrʒɛksjɔ̃] *nf Ling* interjección *f*

interligne [ɛ̃tɛrliɲ] *nm* interlineado *m*

interlocuteur, -trice [ɛ̃tɛrlɔkytœr, -tris] *nm,f* interlocutor(ora) *m,f*

interloqué, -e [ɛ̃tɛrlɔke] *adj* desconcertado(a)

interlude [ɛ̃tɛrlyd] *nm Mus* interludio *m*; *(à la télévision)* intermedio *m*

intermède [ɛ̃tɛrmɛd] *nm (au théâtre)* entremés *m*; *(interruption)* intermedio *m*

intermédiaire [ɛ̃tɛrmedjɛr] **1** *adj* intermedio(a)

2 *nmf (personne)* intermediario(a) *m,f*

3 *nm (entremise)* **par l'i. de qch** a través de algo; **par l'i. de qn** por alguien, por mediación de alguien

interminable [ɛ̃tɛrminabl] *adj* interminable

intermittence [ɛ̃tɛrmitɑ̃s] *nf* **par i.** con intermitencias

intermittent, -e [ɛ̃tɛrmitɑ̃, -ɑ̃t] *adj* intermitente

internat [ɛ̃tɛrna] *nm (établissement scolaire, fonction de médecin)* internado *m*; *(concours)* ≃ MIR *m*

international, -e, -aux, -ales [ɛ̃tɛrnasjɔnal, -o] *adj & nm,f* internacional *mf*

internaute [ɛ̃tɛrnot] *nmf Ordinat* internauta *mf*

interne [ɛ̃tɛrn] *adj & nmf* interno(a) *m,f*

interner [ɛ̃tɛrne] *vt (dans une prison, un camp)* recluir; *(dans un hôpital psychiatrique)* internar

Internet [ɛ̃tɛrnɛt] *nm* **(l')I.** Internet *f*

interpeller [ɛ̃tɛrpəle] *vt (apostropher, interroger)* interpelar; *(intéresser)* reclamar

Interphone® [ɛ̃tɛrfɔn] *nm* interfono *m*, telefonillo *m*

interposé, -e [ɛ̃tɛrpoze] *adj* **par personne interposée** a través de un intermediario

interposer [ɛ̃tɛrpoze] **s'interposer** *vpr* interponerse

interprétation [ɛ̃tɛrpretɑsjɔ̃] *nf* interpretación *f*

interprète [ɛ̃tɛrprɛt] *nmf* intérprete *mf*; *(porte-parole)* portavoz *mf*

interpréter [34] [ɛ̃tɛrprete] *vt* interpretar

interrogatif, -ive [ɛ̃terɔgatif, -iv] *adj Gram* interrogativo(a)

interrogation [ɛ̃terɔgɑsjɔ̃] *nf (question)* interrogación *f*; *Scol* examen *m*; *Gram* oración *f* interrogativa;

Ordinat consulta *f* ☆ *i.* **écrite** examen escrito

interrogatoire [ɛ̃terɔgatwar] *nm* interrogatorio *m*

interrogeable [ɛ̃terɔʒabl] *adj voir* **répondeur**

interroger [45] [ɛ̃terɔʒe] **1** *vt (témoin, candidat)* interrogar (**sur** sobre); *Ordinat (base de données)* consultar; *(conscience, faits)* examinar
2 s'interroger *vpr* **je m'interroge sur ses vraies motivations** me pregunto cuáles son sus motivos verdaderos

interrompre [ɛ̃terɔ̃pr] **1** *vt* interrumpir
2 s'interrompre *vpr* interrumpirse

interrupteur [ɛ̃teryptœr] *nm* interruptor *m*

interruption [ɛ̃terypsjɔ̃] *nf* interrupción *f* ☆ *i.* **volontaire de grossesse** interrupción voluntaria del embarazo

intersection [ɛ̃tersɛksjɔ̃] *nf* intersección *f*

interstice [ɛ̃terstis] *nm* intersticio *m*

intervalle [ɛ̃terval] *nm* intervalo *m*; **à deux jours d'i.** con dos días de intervalo

intervenir [70] [ɛ̃tervənir] *vi* intervenir; *(se produire)* ocurrir; **i. en faveur de qn (auprès de qn)** intervenir a favor de alguien (ante alguien)

intervention [ɛ̃tervɑ̃sjɔ̃] *nf* intervención *f* ☆ *i.* **(chirurgicale)** intervención (quirúrgica)

interventionnisme [ɛ̃tervɑ̃sjɔnism] *nm* intervencionismo *m*

intervertir [ɛ̃tervertir] *vt* invertir

intervienne *voir* **intervenir**

interview [ɛ̃tervju] *nf* entrevista *f*

interviewer [ɛ̃tervjuve] *vt* entrevistar

intestin [ɛ̃testɛ̃] *nm* intestino *m* ☆ *i.* **grêle** intestino delgado; **gros i.** intestino grueso

intestinal, -e, -aux, -ales [ɛ̃testinal, -o] *adj* intestinal

intime [ɛ̃tim] *adj & nmf* íntimo(a) *m,f*

intimider [ɛ̃timide] *vt* intimidar

intimiste [ɛ̃timist] *adj* intimista

intimité [ɛ̃timite] *nf* intimidad *f*

intitulé [ɛ̃tityle] *nm* título *m*

intituler [ɛ̃tityle] **1** *vt* titular
2 s'intituler *vpr* titularse

intolérable [ɛ̃tɔlerabl] *adj* intolerable

intolérant, -e [ɛ̃tɔlerɑ̃, -ɑ̃t] *adj* intolerante

intonation [ɛ̃tɔnɑsjɔ̃] *nf* entonación *f*

intoxication [ɛ̃tɔksikɑsjɔ̃] *nf Méd* intoxicación *f*; *Fig (propagande)* propaganda *f* engañosa ☆ *i.* **alimentaire** intoxicación alimentaria

intoxiquer [ɛ̃tɔksike] **1** *vt Méd* intoxicar; *Fig (influencer)* engañar
2 s'intoxiquer *vpr* intoxicarse

intraduisible [ɛ̃tradɥizibl] *adj (expression)* intraducible; *(sentiment)* inexplicable

intraitable [ɛ̃tretabl] *adj* inflexible (**sur** en)

intransigeant, -e [ɛ̃trɑ̃ziʒɑ̃, -ɑ̃t] *adj* intransigente

intransitif, -ive [ɛ̃trɑ̃zitif, -iv] *adj Gram* intransitivo(a)

intraveineux, -euse [ɛ̃travenø, -øz] **1** *adj* intravenoso(a)
2 *nf* **intraveineuse** intravenosa *f*

intrépide [ɛ̃trepid] *adj* intrépido(a)

intrigue [ɛ̃trig] *nf* intriga *f*; *(liaison amoureuse)* aventura *f*

intriguer [ɛ̃trige] *vt & vi* intrigar

introduction [ɛ̃trɔdyksjɔ̃] *nf* introducción *f*

introduire [57] [ɛ̃trɔdɥir] **1** *vt* introducir
2 s'introduire *vpr* introducirse

introuvable [ɛ̃truvabl] *adj (rare)* imposible de encontrar; **il est i.** *(personne)* no hay quien lo encuentre

introverti, -e [ɛ̃trɔvɛrti] *adj & nm,f* introvertido(a) *m,f*

intrus, -e [ɛ̃try, -yz] *nm,f* intruso(a) *m,f*

intrusion [ɛ̃tryzjɔ̃] *nf* intrusión *f*

intuitif, -ive [ɛ̃tɥitif, -iv] *adj & nm,f* intuitivo(a) *m,f*

intuition [ɛ̃tɥisjɔ̃] *nf* intuición *f*; **avoir l'i. de qch** presentir algo

inusable [inyzabl] *adj (chaussures)* resistente; *(pneus)* duradero(a)

inutile [inytil] *adj* inútil; **i. de dire que...** no hace falta decir que...; **i. d'insister, je n'irai pas** no insistas, no voy a ir; **je vais vous raccompagner - non, c'est i.** le acompaño - no, no hace falta

inutilisable [inytilizabl] *adj* inservible

invaincu, -e [ɛ̃vɛ̃ky] *adj (équipe, sportif)* invicto(a); *(peuple)* imbatido(a)

invalide [ɛ̃valid] *adj & nmf* inválido(a) *m,f* ✿ **i. de guerre** lisiado(a) *m,f* de guerra

invalidité [ɛ̃validite] *nf* invalidez *f*

invariable [ɛ̃varjabl] *adj* invariable

invasion [ɛ̃vɑzjɔ̃] *nf aussi Fig* invasión *f*

invendable [ɛ̃vɑ̃dabl] *adj* invendible

invendu, -e [ɛ̃vɑ̃dy] **1** *adj* sin vender **2** *nm* artículo *m* sin vender

inventaire [ɛ̃vɑ̃tɛr] *nm* inventario *m*

inventer [ɛ̃vɑ̃te] *vt (histoire, mensonge)* inventarse; *(machine, engin)* inventar

inventeur, -trice [ɛ̃vɑ̃tœr, -tris] *nm,f* inventor(ora) *m,f*

invention [ɛ̃vɑ̃sjɔ̃] *nf (découverte, mensonge)* invención *f*; *(imagination)* inventiva *f*

inventorier [ɛ̃vɑ̃tɔrje] *vt* inventariar

inverse [ɛ̃vɛrs] **1** *adj* inverso(a) **2** *nm* **l'i.** lo contrario; **à l'i.** al contra-

rio; **dans le** *ou* **en sens i.** en el sentido contrario; **dans le sens i. des aiguilles d'une montre** en sentido contrario a las agujas del reloj

inversement [ɛ̃vɛrsəmɑ̃] *adv* a la inversa

inverser [ɛ̃vɛrse] *vt* invertir *(el orden)*

invertébré, -e [ɛ̃vɛrtebre] **1** *adj* invertebrado(a) **2** *nm* invertebrado *m*

investigation [ɛ̃vɛstigɑsjɔ̃] *nf* investigación *f*

investir [ɛ̃vɛstir] *vt (argent, efforts)* invertir; *Mil* sitiar; *(fonctionnaire, évêque)* investir

investissement [ɛ̃vɛstismɑ̃] *nm (financier)* inversión *f*

invétéré, -e [ɛ̃vetere] *adj* empedernido(a)

invincible [ɛ̃vɛ̃sibl] *adj* invencible

inviolable [ɛ̃vjɔlabl] *adj* inviolable; *(citadelle)* inexpugnable

invisible [ɛ̃vizibl] *adj (impossible à voir)* invisible; *(caché)* oculto(a)

invitation [ɛ̃vitɑsjɔ̃] *nf* invitación *f*

invité, -e [ɛ̃vite] *nm,f* invitado(a) *m,f*

inviter [ɛ̃vite] *vt* invitar; **i. qn à qch/à faire qch** invitar a alguien a algo/a hacer algo

in vitro [invitro] *adj inv voir* **fécondation**

invivable [ɛ̃vivabl] *adj (personne, situation)* insoportable; *(lieu)* inhabitable

involontaire [ɛ̃vɔlɔ̃tɛr] *adj* involuntario(a)

invoquer [ɛ̃vɔke] *vt* invocar; *(comme excuse)* alegar

invraisemblable [ɛ̃vrɛsɑ̃blabl] *adj (non plausible)* inverosímil; *(extraordinaire)* increíble

invulnérable [ɛ̃vylnerabl] *adj* invulnerable

iode [jɔd] *nm* yodo *m*

ion [jɔ̃] *nm* ion *m*

irai *etc voir* **aller**

Irak [irak] *nm* l'I. Irak, Iraq

irakien, -enne [irakjɛ̃, -ɛn] **1** *adj* iraquí, irakí
    2 *nm,f* I. iraquí *mf*, irakí *mf*

Iran [irɑ̃] *nm* l'I. Irán

iranien, -enne [iranjɛ̃, -ɛn] **1** *adj* iraní
    2 *nm,f* I. iraní *mf*

Iraq [irak] = **Irak**

iraquien, -enne [irakjɛ̃, -ɛn] = **irakien**

irascible [irasibl] *adj* irascible

iriez *voir* **aller**

iris [iris] *nm (fleur)* lirio *m*; *(de l'œil)* iris *m inv*

irlandais, -e [irlɑ̃dɛ, -ɛz] **1** *adj* irlandés(esa)
    2 *nm,f* I. irlandés(esa) *m,f*

Irlande [irlɑ̃d] *nf* l'I. Irlanda; l'I. du Nord Irlanda del Norte

ironie [irɔni] *nf* ironía *f*

ironique [irɔnik] *adj* irónico(a)

ironiser [irɔnize] *vi* ironizar (**sur** sobre)

irradier [iradje] *vt & vi* irradiar

irraisonné, -e [irɛzɔne] *adj (crainte)* infundado(a); *(geste)* automático(a)

irrationnel, -elle [irasjɔnɛl] *adj* irracional

irrécupérable [irekyperabl] *adj* irrecuperable

irréductible [iredyktibl] *adj & nmf* irreductible *mf*

irréel, -elle [ireɛl] *adj* irreal

irréfléchi, -e [irefleʃi] *adj* irreflexivo(a)

irréfutable [irefytabl] *adj* irrefutable

irrégularité [iregylarite] *nf* irregularidad *f*

irrégulier, -ère [iregylje, -ɛr] *adj* irregular

irrémédiable [iremedjabl] *adj* irremediable

irremplaçable [irɑ̃plasabl] *adj* irremplazable, insustituible

irréparable [ireparabl] *adj* irreparable

irrépressible [irepresibl] *adj* irreprimible

irréprochable [ireprɔʃabl] *adj* intachable, irreprochable

irrésistible [irezistibl] *adj* irresistible; *(amusant)* desternillante

irrespirable [irɛspirabl] *adj* irrespirable

irresponsable [irɛspɔ̃sabl] **1** *adj* irresponsable; *Jur* no responsable ante la ley
    2 *nmf* irresponsable *mf*

irréversible [ireversibl] *adj* irreversible

irrévocable [irevɔkabl] *adj* irrevocable

irrigation [irigɑsjɔ̃] *nf* irrigación *f*

irriguer [irige] *vt* irrigar

irritation [iritɑsjɔ̃] *nf* irritación *f*

irriter [irite] **1** *vt* irritar
    2 s'irriter *vpr* irritarse (**de qch** por algo); **s'i. contre qn** enfadarse con alguien

irruption [irypsjɔ̃] *nf* irrupción *f*; **faire i. dans** irrumpir en

islam [islam] *nm* l'i. el Islam

islamique [islamik] *adj* islámico(a)

islamiste [islamist] *adj & nmf* islamista *mf*

islandais, -e [islɑ̃dɛ, -ɛz] **1** *adj* islandés(esa)
    2 *nm,f* I. islandés(esa) *m,f*
    3 *nm (langue)* islandés *m*

Islande [islɑ̃d] *nf* l'I. Islandia

isocèle [izɔsɛl] *adj* isósceles *inv*

isolant, -e [izɔlɑ̃, -ɑ̃t] **1** *adj* aislante
    2 *nm* aislante *m*

isolation [izɔlɑsjɔ̃] *nf* aislamiento *m*
    ☆ *i. acoustique* aislamiento sonoro; *i. thermique* aislamiento térmico

isolé, -e [izɔle] *adj* aislado(a)

isoler [izɔle] **1** *vt* aislar

2 s'isoler *vpr* aislarse

isoloir [izɔlwar] *nm* cabina *f* electoral

isotherme [izɔtɛrm] **1** *adj* isotermo(a)
    2 *nf* isoterma *f*

Israël [israɛl] *n* Israel

israélien, -enne [israeljɛ̃, -ɛn] **1** *adj* israelí
    2 *nm,f* **I.** israelí *mf*

israélite [israelit] *adj & nmf* israelita *mf*

issu, -e [isy] **1** *adj* **i. de** *(résultat)* resultante de; *(descendant)* descendiente de
    2 *nf* **issue** *(sortie)* salida *f*; *(dénouement)* desenlace *m*; *(terme)* final *m*; **à l'issue de** al cabo de ☆ *issue de secours* salida de emergencia

Istanbul [istãbul] *n* Estambul

isthme [ism] *nm* istmo *m*

Italie [itali] *nf* l'I. Italia

italien, -enne [italjɛ̃, -ɛn] **1** *adj* italiano(a)
    2 *nm,f* **I.** italiano(a) *m,f*
    3 *nm (langue)* italiano *m*

italique [italik] *nm* cursiva *f*

itinéraire [itinerɛr] *nm* itinerario *m*
    ☆ *i. bis* itinerario alternativo

itinérant, -e [itinerã, -ãt] *adj (spectacle, troupe)* itinerante; *(ambassadeur)* ambulante

IUFM [iyɛfɛm] *nm (abrév* **institut universitaire de formation des maîtres)** = escuela de prácticas para la formación de profesores

IUT [iyte] *nm (abrév* **institut universitaire de technologie)** = escuela técnica universitaria

IVG [iveʒe] *nf (abrév* **interruption volontaire de grossesse)** interrupción *f* voluntaria del embarazo

ivoire [ivwar] *nm* marfil *m*

ivoirien, -enne [ivwarjɛ̃, -ɛn] **1** *adj* de Costa de Marfil
    2 *nm,f* **I.** = nativo o habitante de Costa de Marfil

ivre [ivr] *adj* borracho(a)

ivresse [ivrɛs] *nf* embriaguez *f*

ivrogne [ivrɔɲ] *adj & nmf* borracho(a) *m,f*

J

J, j [ʒi] *nm inv (lettre)* J *f*, j *f*
J *(abrév* **joule)** J
jabot [ʒabo] *nm (d'oiseau)* buche *m*; *(de chemise)* chorrera *f*, pechera *f*
jacasser [ʒakase] *vi (pie)* chirriar; *Péj (personne)* cotorrear
jacinthe [ʒasɛ̃t] *nf* jacinto *m*
jacquard [ʒakar] *nm (motif)* jacquard *m*
jade [ʒad] *nm* jade *m*
jadis [ʒadis] *adv Litt* antaño
jaguar [ʒagwar] *nm* jaguar *m*
jaillir [ʒajir] *vi* **j. de** *(surgir)* surgir de; *(liquide)* brotar de
jalon [ʒalɔ̃] *nm* jalón *m*; *Fig* **poser des jalons** preparar el terreno
jalonner [ʒalɔne] *vt aussi Fig* jalonar
jalousie [ʒaluzi] *nf (envie)* envidia *f*; *(en amour)* celos *mpl*; *(store)* celosía *f*
jaloux, -ouse [ʒalu, -uz] *adj (envieux)* envidioso(a) **(de** de); *(en amour)* celoso(a) **(de** de); **j. de** *(attaché à)* celoso de
jamais [ʒamɛ] *adv (sens négatif)* nunca; *(sens positif)* alguna vez; **ne... j.** no... nunca; **je ne reviendrai j.** no volveré nunca; **ne... plus j.** no... nunca más; **je ne reviendrai plus j.** no volveré nunca más; **il travaille sans j. s'arrêter** trabaja sin parar; **as-tu j. rien vu de pareil?** ¿has visto alguna vez una cosa igual?; **je doute de j. y parvenir** dudo que lo consiga alguna vez; **le film le plus idiot que j'aie j. vu** la película más

tonta que he visto en mi vida; **à j.** para siempre; **si j.** si alguna vez; **si j. tu le vois** si llegas a verlo
jambe [ʒɑ̃b] *nf* pierna *f*
jambières [ʒɑ̃bjɛr] *nfpl* espinilleras *fpl*, *RP* canilleras *fpl*
jambon [ʒɑ̃bɔ̃] *nm* jamón *m* ☆ **j. blanc** jamón de york; **j. cru** *ou* **de Bayonne** jamón serrano
jante [ʒɑ̃t] *nf* llanta *f*
janvier [ʒɑ̃vje] *nm* enero *m*; *voir aussi* **septembre**
Japon [ʒapɔ̃] *nm* **le J.** (el) Japón
japonais, -e [ʒapɔnɛ, -ɛz] **1** *adj* japonés(esa)
    2 *nm,f* **J.** japonés(esa) *m,f*
    3 *nm (langue)* japonés *m*
japper [ʒape] *vi* ladrar
jaquette [ʒakɛt] *nf (vêtement) (d'homme)* chaqué *m*; *(de femme) Esp* chaqueta *f*, *Am* saco *m*; *(de livre)* sobrecubierta *f*
jardin [ʒardɛ̃] *nm* jardín *m* ☆ **j. botanique** jardín botánico; **j. d'enfants** guardería *f*, jardín de infancia; **j. potager** huerto *m*; **j. public** parque *m* público
jardinage [ʒardinaʒ] *nm* jardinería *f*
jardiner [ʒardine] *vi* cuidar del jardín
jardinier, -ère [ʒardinje, -ɛr] **1** *nm,f* jardinero(a) *m,f*
    2 *nf* **jardinière** *(bac à fleurs)* jardinera *f* ☆ **jardinière de légumes** menestra *f* de verduras

jargon [ʒargɔ̃] *nm* jerga *f*

jarre [ʒar] *nf* jarrón *m*

jarret [ʒarɛ] *nm Anat* corva *f*; *Culin* jarrete *m*

jarretelle [ʒartɛl] *nf* liga *f*

jarretière [ʒartjɛr] *nf* liga *f*

jaser [ʒaze] *vi (médire)* cotillear; *Can (bavarder)* charlar

jasmin [ʒasmɛ̃] *nm* jazmín *m*

jatte [ʒat] *nf* cuenco *m*

jauge [ʒoʒ] *nf* indicador *m* ☆ *j. d'essence* indicador del combustible; *j. de niveau d'huile* indicador del aceite

jauger [45] [ʒoʒe] *vt (évaluer)* juzgar

jaunâtre [ʒonɑtr] *adj* amarillento(a)

jaune [ʒon] **1** *adj* amarillo(a); *j. citron* amarillo limón; *j. d'or* amarillo oscuro
2 *nm (couleur)* amarillo *m*; *Péj (briseur de grève)* esquirol *m*; *Can (poltron)* cobarde *m* ☆ *j. d'œuf* yema *f* de huevo

jaunir [ʒonir] **1** *vt* poner amarillo(a)
2 *vi* amarillear

jaunisse [ʒonis] *nf* ictericia *f*

java [ʒava] *nf (danse)* java *f*; *Fam* **faire la j.** estar de juerga

Javel [ʒavɛl] *nf* **(eau de) J.** lejía *f*

javelot [ʒavlo] *nm* jabalina *f*

jazz [dʒɑz] *nm* jazz *m*

J-C *(abrév* **Jésus-Christ)** J.C., JC

je [ʒə]

> Antes de vocal o h muda se usa **j'**.

pron personnel yo; **je viendrai demain** vendré mañana; **que dois-je faire?** ¿qué debo hacer?

jean [dʒin] *nm* vaqueros *mpl*, tejanos *mpl*

Jeep® [dʒip] *nf* jeep *m*

jérémiades [ʒeremjad] *nfpl* lloriqueos *mpl*, jeremiadas *fpl*

jerrycan, jerrican(e) [(d)ʒerikan] *nm* bidón *m*

Jérusalem [ʒeryzalɛm] *n* Jerusalén

jésuite [ʒezɥit] **1** *adj* jesuita
2 *nm* jesuita *m*

Jésus(-Christ) [ʒezy(kri)] *npr* Jesucristo

jet¹ [ʒɛ] *nm (jaillissement)* chorro *m*; *(du javelot, de pierres)* lanzamiento *m*; *Fig* **premier j.** primer bosquejo *m*

jet² [dʒɛt] *nm* jet *m*

jetable [ʒətabl] *adj* desechable, de usar y tirar

jeté [ʒəte] *nm* **j. de lit** colcha *f*; **j. de table** tapete *m*

jetée [ʒəte] *nf* espigón *m*

jeter [42] [ʒəte] **1** *vt* tirar; **j. qch à qn** tirar algo a alguien; **j. un manteau sur ses épaules** echarse un abrigo sobre los hombros; *Fam* **il s'est fait j. (de la boîte de nuit)** lo echaron (de la discoteca); **ça a jeté un froid** cayó como una bomba; **j. l'argent par les fenêtres** tirar el dinero por la ventana
2 se jeter *vpr* **se j. dans** *(sujet: rivière)* desembocar en; *(sujet: personne)* echarse en; **se j. à l'eau** tirarse al agua; *Fig* liarse la manta a la cabeza; **se j. sur** lanzarse sobre

jeton [ʒətɔ̃] *nm (de jeu, de téléphone)* ficha *f*; *Fam* **avoir les jetons** estar cagado(a)

jeu, -x [ʒø] *nm* juego *m*; *(d'un musicien)* ejecución *f*; *(d'un acteur)* actuación *f*, interpretación *f*; *(entre deux pièces)* holgura *f*; **par j.** para divertirse; *Fig* **c'est un j. d'enfant** es un juego de niños; **jouer le j.** seguir el juego; **avoir beau j. de faire qch** resultarle a alguien fácil hacer algo ☆ *j. de cartes (divertissement)* juego de cartas o de naipes; *(paquet)* baraja *f*; *j. d'échecs* ajedrez *m*; *j. d'écritures* traspaso *m* de cuentas; *j. électronique* videojuego *m*; *j. de hasard* juego de azar; *j. de mots* juego de palabras; *j. de l'oie* juego de la oca; *les jeux Olympiques* los Juegos

Olímpicos; *j. de société* juego de sociedad; *j. vidéo* videojuego

jeudi [ʒødi] *nm* jueves *m inv* ☆ *le j. saint* el Jueves Santo; *voir aussi* **samedi**

jeun [ʒœ̃] **à jeun** *adv* en ayunas

jeune [ʒœn] **1** *adj* joven
  2 *nmf* joven *mf*; **les jeunes** la juventud

jeûner [ʒøne] *vi* ayunar

jeunesse [ʒœnɛs] *nf* juventud *f*

JF (*abrév* **jeune fille**) Srta.

JH (*abrév* **jeune homme**) joven *m*

JO [ʒio] **1** *nm* (*abrév* **Journal officiel**) ≃ BOE *m*
  2 *nmpl* (*abrév* **jeux Olympiques**) JJ.OO. *mpl*

joaillier, -ère [ʒɔaje, -ɛr] *nm,f* joyero(a) *m,f*

job [dʒɔb] *nm Fam* curro *m*

jockey [ʒɔkɛ] *nm* jockey *m*

jogging [dʒɔgiŋ] *nm* (*activité*) jogging *m*, footing *m*; (*vêtement*) *Esp* chándal *m*, *Arg, Chile, Perú* buzo *m*, *Col* sudadera *f*, *Urug* jogging *m*

Johannesburg [ʒɔanɛsbur] *n* Johannesburgo

joie [ʒwa] *nf* alegría *f* ☆ *j. de vivre* alegría de vivir

joindre [43] [jwɛ̃dr] **1** *vt* (*rapprocher*) juntar; (*adjoindre*) adjuntar; (*par téléphone*) localizar; *Fig* **j. les deux bouts** llegar a fin de mes
  2 se joindre *vpr* **se j. à qn** unirse a alguien

joint¹ [ʒwɛ̃] *nm* (*d'étanchéité*) junta *f*; (*articulation*) articulación *f*

joint² *nm Fam* (*de haschich*) porro *m*

joker [ʒɔkɛr] *nm* (*aux cartes*) comodín *m*, jóker *m*

joli, -e [ʒɔli] **1** *adj Esp* bonito(a), *Am* lindo(a); (*situation, somme*) & *Iron* bueno(a)
  2 *nm Iron* **c'est du j.!** ¡maravilloso!

joliment [ʒɔlimɑ̃] *adv* (*agréable-*

ment) muy bien; **elle les a j. eus!** ¡qué bien los ha engañado!

jonc [ʒɔ̃] *nm* junco *m*

joncher [ʒɔ̃ʃe] *vt* cubrir; **être jonché de** estar cubierto(a) de

jonction [ʒɔ̃ksjɔ̃] *nf* (*de routes*) confluencia *f*

jongler [ʒɔ̃gle] *vi* hacer malabarismos; *Fig* **j. avec qch** hacer malabarismos con algo

jongleur, -euse [ʒɔ̃glœr, -øz] *nm,f* malabarista *mf*

jonquille [ʒɔ̃kij] *nf* junquillo *m*

joual [ʒwal] *Can* **1** *nm* = dialecto del francés que se habla en Canadá
  2 *adj* **langue jouale** = dialecto del francés que se habla en Canadá

joue [ʒu] *nf* mejilla *f*, *Am* cachete *m*; **mettre qch/qn en j.** apuntar hacia algo/alguien

jouer [ʒwe] **1** *vt* (*carte*) jugar; (*pièce, rôle*) representar; (*film*) dar, poner; **j. sa vie/sa réputation** jugarse la vida/la reputación
  2 *vi* (*s'amuser*) jugar (**à** a); (*acteur*) actuar; (*musicien*) tocar; (*bois*) hincharse; (*pièce*) tener holgura; **j. du piano/de la guitare** tocar el piano/la guitarra; **j. au dur** dárselas de valiente; *Fig* **à toi de j.** te toca a ti
  3 se jouer *vpr* (*auteur, pièce*) representarse; (*film*) pasar; *Fig* (*drame*) tener lugar; *Litt* **se j. de qn** reírse de alguien; *Litt* **se j. de qch** pasar algo por alto

jouet [ʒwɛ] *nm* juguete *m*; *Fig* **être le j. de** ser un juguete de

joueur, -euse [ʒwœr, -øz] *nm,f* jugador(ora) *m,f*; **être beau/mauvais j.** ser buen/mal perdedor; **j. de tennis** tenista *mf*

joufflu, -e [ʒufly] *adj* mofletudo(a)

joug [ʒu] *nm aussi Fig* yugo *m*

jouir [ʒwir] *vi* (*sexuellement*) gozar; **j. de qch** (*apprécier, bénéficier*) disfrutar de algo

joujou, -x [ʒuʒu] *nm* juguete *m*

joule [ʒul] *nm Phys* julio *m*

jour [ʒur] *nm* día *m*; **au petit j.** al amanecer; **de j. en j.** de día en día; **de nos jours** hoy en día; **d'un j. à l'autre** de un día para otro; **en plein j.** a plena luz del día; **j. après j.** día tras día; **j. et nuit** día y noche; **être/mettre qch à j.** estar/poner algo al día; **donner le j. à** dar a luz a; **voir qch sous un j.** favo-rable/nouveau ver algo desde una óptica favorable/nueva ☆ **le j. de l'an** el día de Año Nuevo; **j. de congé** día de descanso o libre; **j. férié** día festivo; **j. ouvrable** día laborable

journal, -aux [ʒurnal, -o] *nm (publication)* periódico *m*; *(carnet)* diario *m* ☆ **j. intime** diario íntimo; **le J. officiel** = el boletín oficial del Estado francés; **j. (télévisé)** telediario *m*

journalier, -ère [ʒurnalje, -ɛr] **1** *adj* diario(a)
  2 *nm,f* jornalero(a) *m,f*

journalisme [ʒurnalism] *nm* periodismo *m*

journaliste [ʒurnalist] *nmf* periodista *mf*

journée [ʒurne] *nf* día *m*; *(de travail)* jornada *f*; **dans la j.** durante el día; **faire la j. continue** hacer jornada continua

jovial, -e, -aux, -ales [ʒɔvjal, -o] *adj* jovial

joyau, -x [ʒwajo] *nm* joya *f*

joyeux, -euse [ʒwajø, -øz] *adj* alegre

JT [ʒite] *nm (abrév* **journal télévisé)** telediario *m*, noticias *fpl (en la televisión)*

jubiler [ʒybile] *vi* regocijarse

jucher [ʒyʃe] **1** *vt* **j. qn sur qch** encaramar a alguien a o sobre algo
  2 se jucher *vpr* **se j. sur qch** encaramarse a o sobre algo

judaïque [ʒydaik] *adj* judaico(a)

judaïsme [ʒydaism] *nm* judaísmo *m*

judas [ʒyda] *nm (de porte)* mirilla *f*

judiciaire [ʒydisjɛr] *adj* judicial

judicieux, -euse [ʒydisjø, -øz] *adj* juicioso(a)

judo [ʒydo] *nm* judo *m*

juge [ʒyʒ] *nm* juez(eza) *m,f* ☆ **j. d'instruction** juez de instrucción; **j. de ligne** juez de línea; **j. de paix** juez de paz; **j. de touche** juez de línea

jugé [ʒyʒe] **au jugé** *adv* a ojo de buen cubero

jugement [ʒyʒmã] *nm* juicio *m*

jugeote [ʒyʒɔt] *nf Fam* seso *m*

juger [45] [ʒyʒe] **1** *vt* juzgar; **j. que** estimar o considerar que; **j. qch inutile/indispensable** juzgar algo inútil/ indispensable; **à toi de j.** tú decides
  2 juger de *vt ind Litt* **jugez de ma surprise** imagínese mi sorpresa

juif, -ive [ʒɥif, -iv] **1** *adj* judío(a)
  2 *nm,f* **J.** judío(a) *m,f*

juillet [ʒɥijɛ] *nm* julio *m*; **le 14-J.** = fiestas del 14 de julio, día de la República que celebra la Toma de la Bastilla; *voir aussi* **septembre**

juin [ʒɥɛ̃] *nm* junio *m*; *voir aussi* **septembre**

juive [ʒɥiv] *voir* **juif**

juke-box [dʒukbɔks] *nm inv* juke-box *m*

jumeau, -elle, -x, -elles [ʒymo, -ɛl] *adj & nm,f* gemelo(a) *m,f*

jumelage [ʒymlaʒ] *nm* hermanamiento *m*

jumelé, -e [ʒymle] *adj (villes)* hermanado(a); *(roues)* acoplado(a)

jumeler [9] [ʒymle] *vt* hermanar

jumelle [ʒymɛl] **1** *adj & nf voir* **jumeau**
  2 *nfpl* **jumelles** *(en optique)* gemelos *mpl*

jument [ʒymã] *nf* yegua *f*

jungle [ʒœ̃gl] *nf aussi Fig* jungla *f*

junior [ʒynjɔr] *nmf Sp* júnior *mf*

jupe [ʒyp] *nf* falda *f*, *CSur* pollera *f*

jupe-culotte *(pl* **jupes-culottes)** [ʒyp-kylɔt] *nf* falda *f* pantalón

Jupiter [ʒypitɛr] *npr (dieu, planète)* Júpiter

jupon [ʒypɔ̃] *nm* enagua *f*

Jura [ʒyra] *nm* **le J.** la cordillera del Jura

juré, -e [ʒyre] **1** *adj (ennemi)* jurado(a)
  2 *nm* miembro *m* del jurado

jurer [ʒyre] **1** *vt* jurar; **j. (à qn) que...** jurar (a alguien) que...; **j. de faire qch** jurar hacer algo; **je (vous) le jure!** ¡(se) lo juro!; *Fam* **quel idiot, je te jure!** ¡qué tonto, de verdad!; **elle ne jure que par l'homéopathie** sólo cree en la homeopatía
  2 *vi (blasphémer)* jurar; *(couleurs)* no pegar (**avec** con)
  3 se jurer *vpr* **se j. qch** *(mutuellement)* jurarse algo; **se j. de faire qch** *(à soi-même)* jurarse hacer algo

juridiction [ʒyridiksjɔ̃] *nf* jurisdicción *f*

juridique [ʒyridik] *adj* jurídico(a)

jurisprudence [ʒyrisprydɑ̃s] *nf* jurisprudencia *f*

juriste [ʒyrist] *nmf* jurista *mf*

juron [ʒyrɔ̃] *nm* juramento *m*

jury [ʒyri] *nm (d'un tribunal)* jurado *m*; *(d'examen)* tribunal *m*

jus [ʒy] *nm (de fruits)* *Esp* zumo *m*, *Am* jugo *m*; *(de légumes)* caldo *m*; *(de viande)* salsa *f* ☆ **j. de raisin** mosto *m*

jusque [ʒysk(ə)]

Antes de vocal o h muda se usa **jusqu'**.

prép **jusqu'à** *(dans le temps, dans l'espace)* hasta; *(même)* hasta, incluso; **jusqu'à nouvel ordre** hasta nueva orden; **jusqu'à présent** hasta ahora;

jusqu'au bout hasta el final; **jusqu'à ce que** hasta que; **jusqu'en** hasta; **jusqu'ici** *(dans l'espace)* hasta aquí; *(dans le temps)* hasta ahora; **j.-là** *(dans l'espace)* hasta allí; *(dans le temps)* hasta aquel momento

justaucorps [ʒystokɔr] *nm* body *m*, mallas *fpl*

juste [ʒyst] **1** *adj* justo(a); *(exact)* exacto(a)
  2 *adv (viser, deviner)* correctamente; *(chanter)* afinado(a); *(à peine)* apenas; **à dix heures j.** a las diez en punto; **il y en a j. assez** hay lo justo; **au j.** exactamente

justement [ʒystəmɑ̃] *adv* precisamente, justo; **j'allais j. t'appeler** precisamente iba a llamarte ahora

justesse [ʒystɛs] *nf* precisión *f*; **de j.** por los pelos

justice [ʒystis] *nf* justicia *f*; **poursuivre qn en j.** llevar a alguien ante la justicia o a los tribunales; **passer en j.** ir a juicio

justicier, -ère [ʒystisje, -ɛr] *nm,f* justiciero(a) *m,f*

justificatif, -ive [ʒystifikatif, -iv] **1** *adj* justificativo(a), justificante
  2 *nm* justificante *m*

justification [ʒystifikasjɔ̃] *nf* justificación *f*

justifier [ʒystifje] **1** *vt aussi Ordinat* justificar
  2 se justifier *vpr* justificarse

jute [ʒyt] *nm* **(toile de) j.** tela *f* de saco

juteux, -euse [ʒytø, -øz] *adj* jugoso(a); *Fig* suculento(a)

juvénile [ʒyvenil] *adj* juvenil

juxtaposer [ʒykstapoze] *vt* yuxtaponer

K

K, k [ka] *nm inv (lettre)* K *f*, k *f*

K7 [kasɛt] *nf (abrév* **cassette**) casete *m o f*

Kaboul [kabul] *n* Kabul

kaki [kaki] **1** *adj inv* caqui *inv*, kaki *inv* **2** *nm* caqui *m*, kaki *m*

kaléidoscope [kaleidɔskɔp] *nm* calidoscopio *m*

kamikaze [kamikaz] *nm* kamikaze *m*

kangourou [kɑ̃guru] *nm* canguro *m*

karaoké [karaɔke] *nm* karaoke *m*

karaté [karate] *nm* kárate *m*

karting [kartiŋ] *nm* karting *m*

kasher [kaʃɛr] *adj inv* kosher, = permitido por la religión judía

kayak [kajak] *nm* kayac *m*

Kenya [kenja] *nm* **le K.** Kenia

kenyan, -e [kenjɑ̃, -an] **1** *adj* keniata, keniano(a) **2** *nm,f* **K.** keniata *mf*, keniano(a) *m,f*

képi [kepi] *nm* quepis *m inv*

kermesse [kɛrmɛs] *nf (fête de bienfaisance)* feria *f* con fines benéficos; *(fête du patron)* fiestas *fpl* del pueblo

kérosène [kerozɛn] *nm* keroseno *m*

ketchup [kɛtʃœp] *nm* ketchup *m*

kg *(abrév* **kilogramme(s)**) kg

kidnapper [kidnape] *vt Esp, RP, Ven* secuestrar, *Andes, Méx* plagiar

kidnapping [kidnapiŋ] *nm Esp, RP, Ven* secuestro *m*, *Andes, Méx* plagio *m*

kilo [kilo] *nm* kilo *m*

kilogramme [kilɔgram] *nm* kilogramo *m*

kilométrage [kilɔmetraʒ] *nm* kilometraje *m*; **k. illimité** *(de voiture de location)* kilometraje ilimitado

kilomètre [kilɔmɛtr] *nm* kilómetro *m*

kilo-octet (*pl* **kilo-octets**) [kilɔɔktɛ] *nm Ordinat* kilobyte *m*

kilowatt [kilɔwat] *nm* kilovatio *m*

kilt [kilt] *nm* kilt *m*, falda *f* escocesa

kimono [kimɔno] *nm* kimono *m*

kiné [kine] *nmf Fam* fisioterapeuta *mf*

kinésithérapeute [kineziterapøt] *nmf* fisioterapeuta *mf*

kiosque [kjɔsk] *nm (pavillon, à journaux)* quiosco *m*, kiosko *m*

kir [kir] *nm* = vino blanco con licor de grosella ☆ **k. royal** = champán con licor de grosella

kirsch [kirʃ] *nm* kirsch *m*

kit [kit] *nm* **meuble en k.** kit *m* para hacerse un mueble, mueble *m* para montar en casa

kitchenette [kitʃenɛt] *nf* kitchenette *f*

kitsch [kitʃ] *adj inv* kitsch

kiwi [kiwi] *nm* kiwi *m*

Klaxon® [klaksɔn] *nm* claxon *m*, bocina *f*

klaxonner [klaksɔne] *vi* pitar, tocar el claxon

Kleenex® [klinɛks] *nm* kleenex *m*, pañuelo *m* de papel

kleptomane [klɛptɔman] *adj & nmf* cleptómano(a) *m,f*

km (*abrév* **kilomètre(s)**) km

km/h (*abrév* **kilomètres à l'heure**) km/h.

K-O [kao] (*abrév* **knock-out**) *adj inv* KO

Koweït [kɔwɛjt] *nm* le K. Kuwait

koweïtien, enne [kɔwɛtjɛ̃, -ɛn] **1** *adj* kuwaití **2** *nm,f* K. kuwaití *mf*

krach [krak] *nm* crac *m* ☆ *k. boursier* crac bursátil

kW (*abrév* **kilowatt(s)**) kW

K-way® [kawɛ] *nm inv* chubasquero *m*

kyrielle [kirjɛl] *nf* sarta *f*

kyste [kist] *nm* quiste *m*

L

L, l [ɛl] *nm inv (lettre)* L *f*, l *f*

l *(abrév* **litre(s))** l

la¹ [la] *art défini voir* **le**

la²

Antes de vocal o h muda se usa **l'**.
---

pron personnel la; **je la connais bien** la conozco bien; **il te la rendra demain** te la devolverá mañana; **donne-la-moi** dámela; **la voilà** ahí está

la³ *nm inv Mus* la *m*

là [la] *adv (indique le lieu)* ahí; *(plus près)* aquí; *(dans le temps)* entonces; **est-ce que Jean-Paul est là?** ¿está Jean-Paul?; **c'est là que je travaille** trabajo ahí; **passe par là** pasa por ahí; **là est le problème** ahí está el problema; **ce vin-là** ese vino

là-bas [laba] *adv* allí

label [labɛl] *nm Com* marca *f* de fábrica

labeur [labœr] *nm Litt* labor *f*

labo [labo] *nm Fam* laboratorio *m*

laboratoire [labɔratwar] *nm* laboratorio *m*

laborieux, -euse [labɔrjø, -øz] *adj (travail)* laborioso(a); *(travailleur)* trabajador(ora)

labourer [labure] *vt (terre)* labrar, trabajar; *Fig (griffer)* arañar

labrador [labradɔr] *nm* labrador *m*

labyrinthe [labirɛ̃t] *nm* laberinto *m*

lac [lak] *nm* lago *m*; **le l. Léman** el lago Lemán; **le l. Titicaca** el lago Titicaca

lacer [16] [lase] *vt* atar

lacérer [34] [lasere] *vt (papier, vêtement)* desgarrar; *(corps)* rajar

lacet [lasɛ] *nm (cordon)* cordón *m*; *(d'une route)* zigzag *m*; *(piège)* lazo *m*

lâche [lɑʃ] **1** *adj (nœud)* flojo(a); *(personne)* cobarde; *(action)* vil
2 *nmf* cobarde *mf*

lâcher [lɑʃe] **1** *vt* soltar; *(desserrer)* aflojar; *Fam (abandonner)* plantar
2 *vi* aflojarse

lâcheté [lɑʃte] *nf (couardise)* cobardía *f*; *(acte indigne)* vileza *f*

laconique [lakɔnik] *adj* lacónico(a)

lacrymogène [lakrimɔʒɛn] *adj* lacrimógeno(a)

lacune [lakyn] *nf (manque)* laguna *f*

lacustre [lakystr] *adj* lacustre

là-dedans [laddɑ̃] *adv* ahí dentro; **quel est son rôle l.?** ¿qué hace en todo esto?

là-dessous [ladsu] *adv* ahí abajo; *Fig* **il y a quelque chose l.** algo se esconde detrás de todo esto

là-dessus [ladsy] *adv* ahí arriba; *(sur ce)* en eso, después de eso; *(à ce sujet)* sobre esto; **l., il est parti** después de eso, se fue; **je n'ai rien à dire l.** no tengo nada que decir al respecto

ladite [ladit] *voir* **ledit**

lagon [lagɔ̃] *nm* lago *m*

lagune [lagyn] *nf* laguna *f*

là-haut [lao] *adv* allí arriba

La Havane [laavan] *n* La Habana

La Haye [laɛ] *n* La Haya

laïc [laik] = laïque

laid, -e [lɛ, lɛd] *adj* feo(a)

laideur [lɛdœr] *nf* fealdad *f*

lainage [lɛnaʒ] *nm (étoffe)* lana *f*; *(vêtement)* prenda *f* de lana

laine [lɛn] *nf* lana *f* ☆ *l. de verre* lana de vidrio; *l. vierge* lana virgen

laineux, -euse [lɛnø, -øz] *adj (étoffe)* lanudo(a); *(cheveux)* lanoso(a)

laïque [laik] *adj & nmf* laico(a) *m,f*

laisse [lɛs] *nf (pour chien)* correa *f*; **tenir un chien en l.** llevar un perro con correa

laisser [lese] **1** *vt* dejar; **l. qch à qn** *(confier, léguer)* dejar algo a alguien; **l. qn à qn** dejar a alguien con alguien; **l. qn faire qch** dejar a alguien hacer algo; **laisse-le faire!** ¡déjalo!; **l. tomber qch** dejar caer algo
2 se laisser *vpr* **se l. aller** *(se relâcher)* dejarse ir; **se l. faire** *(ne pas protester)* dejarse avasallar; *(se laisser tenter)* no resistirse

laisser-aller [leseale] *nm inv* dejadez *f*

laissez-passer [lesepase] *nm inv* pase *m*, credencial *f*

lait [lɛ] *nm* leche *f* ☆ *l. écrémé* leche desnatada; *l. entier* leche entera; *l. maternel* leche materna; *l. en poudre* leche en polvo; *l. de toilette* crema *f* limpiadora

laitage [lɛtaʒ] *nm* producto *m* lácteo

laiterie [lɛtri] *nf (usine)* central *f* lechera; *(ferme)* lechería *f*

laitier, -ère [letje, lɛtjɛr] **1** *adj (produit, industrie)* lácteo(a); *(vache)* lechero(a)
2 *nm,f* lechero(a) *m,f*

laiton [lɛtɔ̃] *nm* latón *m*

laitue [lety] *nf* lechuga *f*

laïus [lajys] *nm Fam* rollo *m (discurso)*; **faire un l.** soltar un rollo

lama [lama] *nm* llama *f*

lambeau, -x [lɑ̃bo] *nm (morceau)* jirón *m*, pedazo *m*; **en lambeaux** hecho(a) jirones

lambris [lɑ̃bri] *nm* friso *m*

lame [lam] *nf (d'épée, de couteau)* hoja *f*; *(de parquet)* tabla *f*; *(vague)* ola *f* ☆ *l. de fond* maremoto *m*; *l. de rasoir* hoja o cuchilla *f* de afeitar

lamé, -e [lame] **1** *adj* laminado(a)
2 *nm* lamé *m*

La Mecque [lamɛk] *n* La Meca

lamelle [lamɛl] *nf (de métal, de plastique, de champignon)* lámina *f*; *(de microscope)* cubreobjetos *m inv*; **en lamelles** *(aliment)* en lonchas

lamentable [lamɑ̃tabl] *adj* lamentable

lamentations [lamɑ̃tasjɔ̃] *nfpl* lamentaciones *fpl*, lamentos *mpl*

lamenter [lamɑ̃te] **se lamenter** *vpr* lamentarse

laminer [lamine] *vt (métal)* laminar; *Fig (santé, espoir, revenus)* mermar

lampadaire [lɑ̃padɛr] *nm (d'intérieur)* lámpara *f* de pie; *(dans la rue)* Esp farola *f*, Am farol *m*, Méx foco *m*

lampe [lɑ̃p] *nf* lámpara *f* ☆ *l. de chevet* lámpara de mesa; *l. halogène* lámpara halógena; *l. de poche* linterna *f*

lampion [lɑ̃pjɔ̃] *nm* farolillo *m*

lance [lɑ̃s] *nf (arme)* lanza *f* ☆ *l. d'incendie* manga *f* de incendio

lancée [lɑ̃se] *nf* **je vais continuer sur ma l. et faire la vaisselle** ya puesto(a), voy a lavar los platos; **sur ma l., j'ai fait l'exercice suivant** ya puesto(a), hice el ejercicio siguiente

lance-flammes [lɑ̃sflam] *nm inv* lanzallamas *m inv*

lancement [lɑ̃smɑ̃] *nm* lanzamiento *m*; *(d'un navire)* botadura *f*

lance-pierres [lɑ̃spjɛr] *nm inv* tirachinas *m inv*

lancer [l6] [lãse] **1** *vt* lanzar; *(plaisanterie, cri)* soltar; *(moteur)* poner en marcha; *Ordinat (programme)* arrancar; *(navire)* botar; **l. qch à qn** lanzar o tirar algo a alguien; **l. qn dans qch** *(faire connaître)* meter a alguien en algo; **l. qn (sur qch)** *(inciter à parler)* darle pie a alguien (para que hable de algo)
  2 *nm Sp* lanzamiento *m*; **au l.** *(pêche)* al lanzado
  3 se lancer *vpr (se précipiter)* lanzarse; *Fig (s'engager)* meterse

lancinant, -e [lãsinã, -ãt] *adj (douleur, souvenir)* lancinante; *(refrain, musique)* cargante

landau [lãdo] *nm* cochecito *m (de bebé)*

lande [lãd] *nf* landa *f*

langage [lãgaʒ] *nm aussi Ordinat* lenguaje *m* ☆ *Ordinat* **l. machine** lenguaje máquina; **l. de programmation** lenguaje de programación

lange [lãʒ] *nm* mantilla *f*

langer [45] [lãʒe] *vt* envolver en una mantilla

langoureux, -euse [lãgurø, -øz] *adj* lánguido(a)

langouste [lãgust] *nf* langosta *f*

langoustine [lãgustin] *nf* cigala *f*

langue [lãg] *nf* lengua *f*; *(style)* lenguaje *m*; **tirer la l. à qn** sacar la lengua a alguien; *Fig* **tirer la l.** *(peiner)* agotarse ☆ **l. étrangère** lengua extranjera; **l. maternelle** lengua materna; **l. morte** lengua muerta; **l. vivante** lengua viva

langue-de-chat *(pl* **langues-de-chat)** [lãgdəʃa] *nf* lengua *f* de gato

languette [lãgɛt] *nf* lengüeta *f*

langueur [lãgœr] *nf* languidez *f*

languir [lãgir] *vi Litt (dépérir)* languidecer (**de** de); **faire l. qn** *(attendre)* tener a alguien en suspenso

lanière [lanjɛr] *nf* correa *f*

lanterne [lãtɛrn] *nf (d'éclairage)* farolillo *m*

laper [lape] *vt* beber a lengüetadas

lapider [lapide] *vt* lapidar; *Fig (critiquer)* vapulear

lapin, -e [lapɛ̃, -in] *nm,f (animal)* conejo(a) *m,f*; *Fam* **mon l.!** ¡mi vida!

lapsus [lapsys] *nm* lapsus *m inv*

laquais [lakɛ] *nm* lacayo *m*

laque [lak] *nf* laca *f*

laqué, -e [lake] *adj (meuble)* lacado(a); *(cheveux)* con laca

laquelle [lakɛl] *voir* **lequel**

larbin [larbɛ̃] *nm Fam Péj (domestique)* criado *m*; *(personne servile)* esclavo *m*

larcin [larsɛ̃] *nm (vol)* hurto *m*

lard [lar] *nm (graisse de porc)* tocino *m*; *(viande)* panceta *f*

lardon [lardɔ̃] *nm Culin* taquito *m* de tocino; *Fam (enfant)* mocoso *m*

large [larʒ] **1** *adj* ancho(a); *(vêtement)* holgado(a); *(étendu, important)* amplio(a); *(généreux)* espléndido(a); **être l. d'esprit, avoir l'esprit l.** ser tolerante
  2 *nm (largeur)* ancho *m*; **le l.** *(mer)* alta mar *f*; **au l. de** a la altura de
  3 *adv (compter)* de sobra; **il vaut mieux prévoir l.** *(nourriture)* más vale comprar comida de más

largement [larʒəmã] *adv (répandu)* ampliamente; *(ouvrir)* de par en par; *(généreusement)* generosamente; *(au moins)* por lo menos; *(amplement)* de sobra; **on en a l. assez** tenemos de sobra

largeur [larʒœr] *nf (dimension)* anchura *f* ☆ **l. de vues** ou **d'esprit** amplitud *f* de miras

larguer [large] *vt Naut (amarres, voile)* largar; *(bombe, parachutiste)* tirar; *Fam Fig (personne)* plantar

larme [larm] *nf (pleur)* lágrima *f*; **être en larmes** llorar; **elle a eu les larmes aux yeux** se le humedecieron los ojos; *Fig* **une l. de** *(très peu)* una gota de

larmoyant, -e [larmwajã, -ãt] *adj (personne)* lloroso(a); *(ton, histoire)* lacrimógeno(a)

larve [larv] *nf (d'animal)* larva *f*; *Fam Péj (personne molle)* muermo *m*

laryngite [larɛ̃ʒit] *nf* laringitis *f inv*

larynx [larɛ̃ks] *nm* laringe *f*

las, lasse [lɑ, lɑs] *adj Litt (fatigué)* fatigado(a); **l. de qch/de faire qch** harto(a) de algo/de hacer algo

lascar [laskar] *nm (homme rusé)* zorro *m*; *Fam (enfant)* golfillo *m*

lascif, -ive [lasif, -iv] *adj* lascivo(a)

laser [lazɛr] **1** *nm* láser *m*
2 *adj inv* láser *inv*

lasse [lɑs] *voir* **las**

lasser [lɑse] *Litt* **1** *vt (personne)* fatigar; *(patience)* colmar
2 se lasser *vpr* fatigarse

lassitude [lɑsityd] *nf Litt (fatigue)* lasitud *f*; *(découragement)* hastío *m*

lasso [laso] *nm* lazo *m*; **au l.** con el lazo

latent, -e [latã, -ãt] *adj* latente

latéral, -e, -aux, -ales [lateral, -o] *adj* lateral

latin, -e [latɛ̃, -in] **1** *adj* latino(a)
2 *nm,f* **L.** latino(a) *m,f*
3 *nm (langue)* latín *m*

latiniste [latinist] *nmf* latinista *mf*

latino-américain, -e (*mpl* **latino-américains**, *fpl* **latino-américaines**) [latinoamerikɛ̃, -ɛn] **1** *adj* latinoamericano(a)
2 *nm,f* **L.** latinoamericano(a) *m,f*

latitude [latityd] *nf Géog* latitud *f*; *(liberté)* libertad *f*

latrines [latrin] *nfpl* letrinas *fpl*

latte [lat] *nf* listón *m*, lámina *f*

lauréat, -e [lɔrea, -at] *adj & nm,f* galardonado(a) *m,f*

laurier [lɔrje] *nm* laurel *m*; *Fig (lauriers)* laureles *mpl*; **s'endormir sur ses lauriers** dormirse en los laureles

lavable [lavabl] *adj* lavable; **l. en machine** lavable a máquina

lavabo [lavabo] *nm* lavabo *m*; **les lavabos** *(toilettes)* los servicios

lavage [lavaʒ] *nm (nettoyage)* lavado *m*; *(des vitres)* limpieza *f*

lavande [lavãd] *nf* lavanda *f*

lave [lav] *nf* lava *f*

lave-autos [lavoto] *nm inv Can* túnel *m* de lavado

lave-glace (*pl* **lave-glaces**) [lavglas] *nm* limpiaparabrisas *m inv*

lave-linge [lavlɛ̃ʒ] *nm inv* lavadora *f*

laver [lave] **1** *vt (personne, linge)* lavar; *(vaisselle)* fregar; *(vitres)* limpiar; *Fig* **l. qn d'une accusation** desagraviar a alguien
2 se laver *vpr* lavarse; **se l. les mains** lavarse las manos

laverie [lavri] *nf* lavandería *f* ☆ **l. automatique** lavandería automática

lavette [lavɛt] *nf (pour le ménage)* bayeta *f*; *Belg & Suisse (pour la toilette)* toallita *f (para la cara)*; *Fam Péj (personne)* pelele *m*

laveur, -euse [lavœr, -øz] *nm,f* **l. de carreaux** limpiacristales *m inv*; **l. de voitures** limpiacoches *m inv*

lave-vaisselle [lavvɛsɛl] *nm inv* lavavajillas *m inv*, lavaplatos *m inv*

lavoir [lavwar] *nm (lieu)* lavadero *m*; *(bac)* pilón *m*

laxatif, -ive [laksatif, -iv] **1** *adj* laxante
2 *nm* laxante *m*

laxiste [laksist] *adj & nmf* laxista *mf*

layette [lɛjɛt] *nf* canastilla *f (ropa de bebé)*

le¹ [lə], **la** [la], **les** [le]

Antes de vocal o h muda en lugar de **le** y de **la** se usa **l'**.

art défini **(a)** *(singulier)* el (la); *(pluriel)* los (las); **le lac** el lago; **la fenêtre** la ventana; **l'amour** el amor; **les enfants** los niños

(b) *(devant les noms géographiques) (singulier)* el (la); *(pluriel)* los (las);

la **Seine** el Sena; la **France** Francia; les **États-Unis** los Estados Unidos

(**c**) *(dans l'expression du temps)* **le 15 janvier 1993** el 15 de enero de 1993; *(dans une lettre)* a 15 de enero de 1993; **tout est fermé le dimanche** los domingos todo está cerrado

(**d**) *(avec les parties du corps) (singulier)* el (la); *(pluriel)* los (las); **avoir les cheveux blonds** tener el pelo rubio; **se laver les dents** lavarse los dientes

(**e**) *(distributif) (singulier)* el (la); *(pluriel)* los (las); **10 francs le mètre** 10 francos el metro; **50 francs les deux** 50 francos los dos

le²

Antes de vocal o h muda se usa **l'**.

pron personnel lo; **je le connais bien** lo conozco bien; **elle me l'a prêté** me lo prestó ella; **rends-le-moi!** ¡devuélvemelo!; **le voilà** aquí está; **je te l'avais bien dit!** ¡te lo había dicho!

leader [lidœr] *nm* líder *m*

Le Caire [ləkɛr] *n* El Cairo

lèche-bottes [lɛʃbɔt] *nmf inv Fam* pelota *mf*

lécher [34] [leʃe] **1** *vt* lamer; *(peaufiner)* repulir
  2 se lécher *vpr* se l. les doigts chuparse los dedos

lèche-vitrines [lɛʃvitrin] *nm inv* faire du l. mirar escaparates

leçon [ləsɔ̃] *nf* lección *f*; *(cours)* clase *f*; *Fig* **faire la l. à qn** sermonear a alguien ☆ **l. particulière** clase particular

lecteur, -trice [lɛktœr, -tris] **1** *nm,f (de livres, à l'université)* lector(ora) *m,f*
  2 *nm* **l. de cassettes** lector *m* de casetes; **l. de CD** lector de CD; *Ordinat* **l. de CD-ROM** lector de CD-ROM; *Ordinat* **l. de disquettes** disquetera *f*; **l. laser** lector láser

lecture [lɛktyr] *nf aussi Ordinat* lectura *f*; **faire la l. à qn** leerle a alguien ☆ *Ordinat* **l. optique** lectura óptica

ledit, ladite [lədi, ladit] (*mpl* **lesdits** [ledi], *fpl* **lesdites** [ledit]) *adj* el (la) susodicho(a)

légal, -e, -aux, -ales [legal, -o] *adj* legal; *(monnaie)* de curso legal

légaliser [legalize] *vt* legalizar

légalité [legalite] *nf* legalidad *f*; **agir en toute l.** actuar dentro de la legalidad

légataire [legatɛr] *nmf* legatario(a) *m,f* ☆ **l. universel** heredero(a) *m,f* universal

légendaire [leʒɑ̃dɛr] *adj* legendario(a)

légende [leʒɑ̃d] *nf* leyenda *f*

léger, -ère [leʒe, -ɛr] *adj* ligero(a); *(tabac, alcool)* suave; *(blessure, faute)* leve; *(grivois)* picante; **à la légère** a la ligera

légèrement [leʒɛrmɑ̃] *adv (peu, délicatement)* ligeramente; *(avec agilité)* con ligereza; *(inconsidérément)* a la ligera; *(sans gravité)* levemente

légèreté [leʒɛrte] *nf* ligereza *f*

légion [leʒjɔ̃] *nf Mil* legión *f* ☆ **la L. (étrangère)** la Legión Extranjera; **la L. d'honneur** la Legión de Honor

légionnaire [leʒjɔnɛr] *nm* legionario *m*

législatif, -ive [leʒislatif, -iv] **1** *adj* legislativo(a)
  2 *nfpl* **les législatives** las legislativas

législation [leʒislasjɔ̃] *nf* legislación *f*

légiste [leʒist] **1** *nm* legista *m*
  2 *adj voir* **médecin**

légitime [leʒitim] *adj* legítimo(a) ☆ **l. défense** legítima defensa *f*

legs [lɛg] *nm* legado *m*

léguer [34] [lege] *vt* **l. qch à qn** legar algo a alguien

légume [legym] *nm* verdura *f* ☆ **légumes secs** legumbres *fpl* (secas); **légumes verts** verduras

Léman [lemã] *npr voir* lac

lendemain [lãdmɛ̃] *nm (jour sui-vant)* día *m* siguiente (**de** a); *(avenir)* futuro *m*; **le l. matin/soir** al día siguiente por la mañana/tarde; **sans l.** *(succès, aventure)* efímero(a)

lent, -e [lã, lãt] *adj* lento(a)

lentement [lãtmã] *adv* lentamente, despacio

lenteur [lãtœr] *nf* lentitud *f*

lentille [lãtij] *nf (plante, légume)* lenteja *f*; *(d'optique)* lentilla *f* ☆ **lentilles de contact** lentes *fpl* de contacto

léopard [leɔpar] *nm* leopardo *m*

lèpre [lɛpr] *nf* lepra *f*; *Fig (mal)* plaga *f*

lequel, laquelle [ləkɛl, lakɛl] *(mpl* **lesquels** [lekɛl], *fpl* **lesquelles** [lekɛl])

> **lequel, lesquels, lesquelles** se unen a la preposición **de** para formar las contracciones **duquel** (del cual), **desquels** (de los cuales) y **desquelles** (de las cuales).

 1 *pron interrogatif* cuál
 2 *pron relatif* el (la) cual

les¹ [le] *art défini voir* **le¹**

les² *pron personnel* los (las); **je l. connais bien** los (las) conozco bien; **je te l. ai déjà rendus** ya te los devolví; **donne-l.-moi** dámelos(las); **l. voilà** aquí están

lesbienne [lɛsbjɛn] *nf* lesbiana *f*

léser [34] [leze] *vt* lesionar

lésiner [lezine] *vi* escatimar; **ne pas l. sur qch** no escatimar algo

lésion [lɛzjɔ̃] *nf* lesión *f*

lesquels, lesquelles [lekɛl] *voir* lequel

lessive [lesiv] *nf (produit)* detergente *m*; *(nettoyage)* limpieza *f*; *(linge)* colada *f*; **faire la l.** hacer la colada

lessivé, -e [lesive] *adj Fam* hecho(a) polvo

lest [lɛst] *nm* lastre *m*; **lâcher du l.** soltar lastre; *Fig* hacer concesiones

leste [lɛst] *adj (personne, mouvement)* ligero(a); *(histoire, propos)* picante

lester [lɛste] *vt (garnir de lest)* lastrar; *(charger)* atiborrar

léthargique [letarʒik] *adj (état, sommeil)* letárgico(a); *Fig (personne)* alelado(a)

letton, -onne *ou* **-one** [lɛtɔ̃, -ɔn] 1 *adj* letón(ona)
 2 *nm,f* **L.** letón(ona) *m,f*

Lettonie [lɛtɔni] *nf* **la L.** Letonia

lettre [lɛtr] *nf (caractère)* letra *f*; *(courrier)* carta *f*; **en toutes lettres** con todas las o sus letras; **à la l., au pied de la l.** al pie de la letra; *Univ* **lettres** letras ☆ **l. de change** letra de cambio; **lettres classiques** letras clásicas; **lettres modernes** letras modernas; **lettres de noblesse** carta ejecutoria o de hidalguía

lettré, -e [letre] *adj & nm,f* letrado(a) *m,f*

leucémie [løsemi] *nf* leucemia *f*

leur¹ [lœr] *pron personnel* les; **je l. ai donné la lettre** les he dado la carta; **je voudrais l. parler** desearía hablar con ellos; **raconte-l. tes vacances** cuéntales tus vacaciones; **je le l. montrerai plus tard** se lo enseñaré luego

leur² *(pl* **leurs**) 1 *adj possessif* su; **ils ont oublié l. parapluie** se han olvidado el paraguas; **ce sont leurs enfants** son sus hijos
 2 **le leur, la leur** *(pl* **les leurs**) *pron possessif* el (la) suyo(a); **c'est notre problème, pas le l.** es nuestro problema, no el suyo; **il faudra qu'ils y mettent du l.** tendrán que poner algo de su parte; **c'est un des leurs** es uno de los suyos

leurrer [lœre] 1 *vt* engañar, embaucar
 2 **se leurrer** *vpr* engañarse

levain [ləvɛ̃] *nm* levadura *f* (láctica)

levant [ləvɑ̃] **1** *nm* levante *m*
  2 *adj* **soleil l.** sol *m* naciente

lever [46] [ləve] **1** *vt* levantar; *(tirer vers le haut)* subir; *(ancre)* levar; *(troupes, armée)* reclutar; *(impôts, taxes)* recaudar
  2 *vi (fermenter)* subir
  3 *nm (d'un astre)* salida *f*; **au l. du jour, au l. du soleil** al amanecer; **au l.** *(d'une personne)* al levantarse ☆ **l. de rideau** *(au théâtre)* subida *f* del telón
  4 se lever *vpr Esp* levantarse, *Am* pararse; *(astre)* salir

lève-tard [lɛvtar] *nmf inv* dormilón(ona) *m,f*

lève-tôt [lɛvto] *nmf inv* madrugador(ora) *m,f*

levier [ləvje] *nm* palanca *f* ☆ **l. de vitesses** palanca de cambios

lèvre [lɛvr] *nf* labio *m*; **du bout des lèvres** *(accepter)* con la boca pequeña; *(rire)* apenas; **manger du bout des lèvres** comer como un pajarito

lévrier [levrije] *nm* galgo *m*

levure [ləvyr] *nf* levadura *f* ☆ **l. de bière** levadura de cerveza; **l. chimique** levadura química

lexique [lɛksik] *nm* léxico *m*

lézard [lezar] *nm* lagarto *m*

lézarder [lezarde] **1** *vi Fam (paresser)* gandulear
  2 se lézarder *vpr* agrietarse

liaison [ljɛzɔ̃] *nf (jonction)* conexión *f*; *Ling* = acción de pronunciar la consonante final de una palabra unida a la vocal inicial de la palabra siguiente; *(communication)* contacto *m*; *(amoureuse)* relación *f*; *(transport)* enlace *m*; **être/entrer en l. avec qn** estar en/establecer contacto con alguien

liane [ljan] *nf* liana *f*, bejuco *m*

liasse [ljas] *nf* fajo *m*

Liban [libɑ̃] *nm* **le L.** (el) Líbano

libanais, -aise [libanɛ, -ɛz] **1** *adj* libanés(esa)
  2 *nm,f* **L.** libanés(esa) *m,f*

libeller [4] [libele] *vt (chèque)* extender; *(lettre)* redactar; *Jur* redactar, formular

libellule [libelyl] *nf* libélula *f*

libéral, -e, -aux, -ales [liberal, -o] *adj & nm,f* liberal *mf*

libéraliser [liberalize] *vt* liberalizar

libéralisme [liberalism] *nm* liberalismo *m*

libération [liberɑsjɔ̃] *nf* liberación *f*; *(d'un engagement)* exención *f*; *(des prix)* liberalización *f*

libéré, -e [libere] *adj (émancipé)* independiente

libérer [34] [libere] **1** *vt* liberar, libertar; *(passage)* dejar libre
  2 se libérer *vpr (prisonnier, pays)* liberarse; *(être émis, se rendre disponible)* escaparse; **se l. d'une obligation** librarse de una obligación

liberté [libɛrte] *nf* libertad *f*; **en l.** en libertad; **prendre** *ou* **se permettre des libertés avec qn** tomarse libertades con alguien ☆ **l. d'expression** libertad de expresión; **l. d'opinion** libertad de opinión; **être en l. provisoire** estar en libertad provisional

libertin, -e [libɛrtɛ̃, -in] *adj & nm,f* libertino(a) *m,f*

libraire [librɛr] *nmf* librero(a) *m,f*

librairie [libreri] *nf* librería *f*

libre [libr] *adj* libre; *(école)* privado(a); **être l. de qch/de faire qch** ser libre de algo/de hacer algo

libre-échange [libreʃɑ̃ʒ] *nm* librecambio *m*, libre cambio *m*

librement [librəmɑ̃] *adv* libremente

libre-service *(pl* **libres-services)** [librəsɛrvis] *nm* autoservicio *m*

Libye [libi] *nf* **la L.** Libia

libyen, -enne [libjɛ̃, -ɛn] **1** *adj* libio(a)
  2 *nm,f* **L.** libio(a) *m,f*

licence [lisɑ̃s] *nf* licencia *f*; *Univ* = diploma universitario que se concede a los alumnos que han aprobado los tres primeros cursos de una carrera universitaria; ficha *f*

licencié, -e [lisɑ̃sje] **1** *adj Univ* = que ha superado los exámenes correspondientes al tercer curso de una carrera universitaria, ≃ diplomado(a) universitario(a); *Sp* federado(a)

2 *nm,f Univ* = persona que ha superado los exámenes correspondientes al tercer curso de una carrera universitaria, ≃ diplomado(a) *m,f* universitario(a); *Sp* deportista *mf* federado(a)

licenciement [lisɑ̃simɑ̃] *nm* despido *m*

licencier [lisɑ̃sje] *vt* despedir, *Chile, RP* cesantear

licite [lisit] *adj* lícito(a)

lie [li] *nf (du vin)* hez *f*, heces *fpl*; *Fig & Litt (rebut)* hez *f*

lié, -e [lje] *adj (amis, famille)* unido(a)

liège [ljɛʒ] *nm* corcho *m*

lien [ljɛ̃] *nm (sangle)* atadura *f*; *(entre des personnes)* lazo *m*, vínculo *m*; *(entre des situations)* relación *f* ✫ *l. de parenté* lazo de parentesco

lier [lje] **1** *vt (attacher)* atar; *(joindre, unir)* unir; *Culin (sauce)* ligar; *Fig (relier)* relacionar (à con); *(sujet: contrat)* vincular; *(sujet: mariage)* unir; **l. amitié/conversation (avec qn)** entablar amistad/conversación (con alguien)

2 se lier *vpr* **se l. (d'amitié) avec qn** hacerse amigo(a) de alguien

lierre [ljɛr] *nm* hiedra *f*, yedra *f*

liesse [ljɛs] *nf* **en l.** alborozado(a)

lieu¹, -x [ljø] *nm (endroit)* lugar *m*, sitio *m*; **lieux** *(local, emplacement)* lugar; **sur les lieux de qch** en el lugar de algo; **au l. de qch/de faire qch** en lugar de algo/de hacer algo; **en l.**

sûr en lugar o sitio seguro; **en premier/second/dernier l.** en primer/segundo/último lugar; **avoir l.** tener lugar ✫ *l. commun* lugar común; *l. de naissance* lugar de nacimiento

lieu² *nm (poisson)* merluza *f*

lieutenant [ljøtnɑ̃] *nm* teniente *m*

lièvre [ljɛvr] *nm* liebre *f*

lifting [liftiŋ] *nm* lifting *m*

ligament [ligamɑ̃] *nm* ligamento *m*

light [lajt] *adj inv* light *inv*

ligne [liɲ] *nf* línea *f*; *(file)* fila *f*, hilera *f*; *(de pêche)* caña *f*; **à la l.** punto y aparte; **dans les grandes lignes** a grandes rasgos; **en l.** *(personnes)* en fila; *Ordinat* en línea; **en l. droite** en línea recta; **entrer en l. de compte** ser tenido(a) en cuenta; **garder la l.** guardar la línea; **pêcher à la l.** pescar con caña ✫ *l. aérienne* línea aérea; *l. d'arrivée* línea de llegada; *Rail lignes de banlieue* líneas de cercanías; *l. blanche (sur la route)* línea continua; *Ordinat l. de commande* línea de comando; *l. de conduite* línea de conducta; *l. de départ* línea de salida; *l. de mire* punto *m* de mira; *Rail grandes lignes* líneas de largo recorrido

lignée [liɲe] *nf* linaje *m*

ligoter [ligɔte] *vt* atar

ligue [lig] *nf* liga *f*

lilas [lila] *nm* lila *f*

Lima [lima] *n* Lima

limace [limas] *nf* babosa *f*

limande [limɑ̃d] *nf* gallo *m (pez)*

lime [lim] *nf* lima *f* ✫ *l. à ongles* lima de uñas

limer [lime] *vt* limar

limitation [limitasjɔ̃] *nf* limitación *f*, límite *m* ✫ *l. de vitesse* limitación o límite de velocidad

limite [limit] **1** *nf* límite *m*; *(échéance)* fecha *f* límite; **à la l.** *(au pire)* en última instancia, en el peor de los casos ✫ *l. d'âge* límite de edad

2 *adj* límite *inv*

limiter [limite] **1** *vt* limitar
2 se limiter *vpr* **se l. à qch/à faire qch** limitarse a algo/a hacer algo

limitrophe [limitrɔf] *adj (pays)* limítrofe (**de** de *o* con)

limoger [45] [limɔʒe] *vt* destituir

limon [limɔ̃] *nm Géol* limo *m*

limonade [limɔnad] *nf* gaseosa *f*

limpide [lɛ̃pid] *adj (eau, ciel, regard)* límpido(a); *(explication, style)* nítido(a)

lin [lɛ̃] *nm* lino *m*

linceul [lɛ̃sœl] *nm* sudario *m*, mortaja *f*

linéaire [lineɛr] *adj* lineal

linge [lɛ̃ʒ] *nm (de maison)* ropa *f* blanca; *(lessive)* colada *f*; *(morceau de tissu)* trapo *m* ☆ **l. (de corps)** ropa interior; **l. sale** ropa sucia

lingerie [lɛ̃ʒri] *nf (local)* lavandería *f*; *(sous-vêtements)* lencería *f*

lingot [lɛ̃go] *nm* lingote *m*

linguistique [lɛ̃gɥistik] **1** *adj* lingüístico(a)
2 *nf* lingüística *f*

lino [lino] *Fam* = **linoléum**

linoléum [linɔleɔm] *nm* linóleo *m*

lion, lionne [ljɔ̃, ljɔn] **1** *nm,f* león(ona) *m,f*
2 *nm Astrol* **L.** Leo *m*

lionceau, -x [ljɔ̃so] *nm* cachorro *m* de león

lipide [lipid] *nm* lípido *m*

liquéfier [likefje] **1** *vt* licuar, licuefacer
2 se liquéfier *vpr* licuarse

liqueur [likœr] *nf* licor *m* ☆ *Can* **l. douce** bebida *f* sin alcohol, refresco *m*

liquidation [likidɑsjɔ̃] *nf* liquidación *f* ☆ **l. judiciaire** = liquidación de bienes por orden judicial para pagar a los acreedores en un caso de suspensión de pagos

liquide [likid] **1** *adj* líquido(a)
2 *nm (substance)* líquido *m*; *(ar-*

gent) dinero *m* en efectivo, efectivo *m*; **en l.** en efectivo; **retirer du l.** sacar dinero

liquider [likide] *vt* liquidar; *Fam (terminer)* despachar; *Fam (tuer)* deshacerse de

liquidités [likidite] *nfpl Fin* liquidez *f*

lire[1] [lir] *vt* leer; **lu et approuvé** *(sur un document)* visto bueno (y conforme)

lire[2] *nf* **l. (italienne)** lira *f*

lis [lis] *nm* lirio *m* blanco, azucena *f*

lisais *voir* **lire**

Lisbonne [lizbɔn] *n* Lisboa

lise *voir* **lire**

liseré [lizre], **liséré** [lizere] *nm* ribete *m*

liseron [lizrɔ̃] *nm* correhuela *f*

lisible [lizibl] *adj* legible

lisière [lizjɛr] *nf (limite)* linde *m*, lindero *m*; *Cout* orilla *f*, orillo *m*

lisiez *voir* **lire**

lisse [lis] *adj* liso(a)

lisser [lise] *vt* alisar

liste [list] *nf* lista *f* ☆ **l. d'attente** lista de espera; **l. électorale** lista electoral; **l. de mariage** lista de boda; **l. rouge** lista secreta

listing [listiŋ] *nm Ordinat* listado *m*

lit [li] *nm* cama *f*; *(de feuilles, d'un cours d'eau)* lecho *m*; **faire son l.** hacerse la cama; **se mettre au l.** meterse en la cama; *Jur* **d'un premier l.** *(mariage)* del primer matrimonio ☆ **l. de camp** catre *m*, cama de tijera; **l. d'enfant** cuna *f*; **lits jumeaux** camas gemelas; **lits superposés** literas *fpl*

literie [litri] *nf* = somier, colchón y ropa de cama

lithographie [litɔgrafi] *nf* litografía *f*

litière [litjɛr] *nf (paille)* jergón *m*; *(pour chat)* lecho *m*

litige [litiʒ] *nm* litigio *m*

litigieux, -euse [litiʒjø, -øz] adj litigioso(a)

litre [litr] nm (mesure) litro m ; (bouteille) botella f de litro

littéraire [literɛr] adj literario(a)

littéral, -e, -aux, -ales [literal, -o] adj literal

littérature [literatyr] nf literatura f

littoral, -e, -aux, -ales [litɔral, -o] 1 adj litoral 2 nm litoral m

Lituanie [litɥani] nf la L. Lituania

lituanien, -enne [litɥanjɛ̃, -ɛn] 1 adj lituano(a) 2 nm,f L. lituano(a) m,f

liturgie [lityrʒi] nf liturgia f

liturgique [lityrʒik] adj litúrgico(a)

livide [livid] adj lívido(a)

livraison [livrɛzɔ̃] nf entrega f, reparto m

livre¹ [livr] nm libro m ☆ **l. de bord** libro de a bordo ; **l. de cuisine** libro de cocina ; **l. d'or** libro de oro ; **l. de poche** libro de bolsillo

livre² nf (demi-kilo) medio kilo m ; Can libra f (0,453 kg) ☆ **l. irlandaise** libra irlandesa ; **l. (sterling)** libra esterlina

livre-cassette (pl **livres-cassettes**) [livrəkasɛt] nm libro cassette m

livrée [livre] nf librea f

livrer [livre] 1 vt (marchandise, complice) entregar ; (secret) confiar ; **être livré à soi-même** verse abandonado(a) a su suerte 2 **se livrer** vpr (se rendre) entregarse (à a) ; (se confier) confiarse (à a) ; **se l. à qch** (se consacrer) entregarse a algo

livret [livrɛ] nm (carnet) libreta f, cartilla f ; Mus libreto m ☆ **l. de caisse d'épargne** libreta o cartilla de ahorros ; **l. de famille** libro m de familia ; **l. scolaire** libro de escolaridad

livreur, -euse [livrœr, -øz] nm,f repartidor(ora) m,f

lobe [lɔb] nm lóbulo m

local, -e, -aux, -ales [lɔkal, -o] 1 adj local 2 nm local m ; **locaux** (bureaux) locales

localiser [lɔkalize] vt localizar

localité [lɔkalite] nf localidad f

locataire [lɔkatɛr] nmf inquilino(a) m,f

location [lɔkasjɔ̃] nf (d'un logement, d'un véhicule) alquiler m ; (maison) casa f de alquiler ; (appartement) piso m de alquiler ; (réservation) reserva f

location-vente (pl **locations-ventes**) [lɔkasjɔ̃vɑ̃t] nf alquiler m con opción a compra

locomotive [lɔkɔmɔtiv] nf locomotora f

locution [lɔkysjɔ̃] nf locución f

loft [lɔft] nm = antiguo almacén o taller convertido en vivienda

logarithme [lɔgaritm] nm Math logaritmo m

loge [lɔʒ] nf (de concierge) portería f, recepción f ; (d'acteur) camerino m ; (au spectacle) palco m ; (de francs-maçons) logia f ; Fig **être aux premières loges** estar en primera línea

logement [lɔʒmɑ̃] nm vivienda f ☆ **l. de fonction** = vivienda proporcionada por la administración o por las grandes empresas a sus empleados

loger [45] [lɔʒe] 1 vt (héberger) (sujet: personne) alojar ; (sujet: salle, hôtel) albergar ; (introduire) meter 2 vi alojarse 3 **se loger** vpr (s'enfoncer) ir a parar ; **trouver à se l.** (trouver un logement) encontrar vivienda

logiciel [lɔʒisjɛl] nm Ordinat software m ☆ **l. intégré** paquete m integrado

logique [lɔʒik] 1 adj lógico(a) 2 nf lógica f

logiquement [lɔʒikmã] *adv* lógicamente

logis [lɔʒi] *nm Litt* morada *f*

logistique [lɔʒistik] **1** *adj* logístico(a)
2 *nf* logística *f*

logo [lɔgo] *nm* logo *m*

loi [lwa] *nf* ley *f*; **faire la** *ou* **sa l.** gobernar, mandar ☆ *l.* ***martiale*** ley marcial

loin [lwɛ̃] *adv* (*dans le temps, dans l'espace*) lejos; **aller trop l.** (*exagérer*) ir demasiado lejos; **au l.** a lo lejos; **de l.** (*à distance*) de lejos; (*de beaucoup*) con mucho; **je m'y intéresse de l.** no me interesa mucho; **l. de lejos** de; **l. de là!** ¡ni mucho menos!; **elle est l. d'être bête** no tiene un pelo de tonta; **être l. du compte** estar muy lejos de la realidad; **pas l. de** (*presque*) cerca de; *Prov* **l. des yeux, l. du cœur** ojos que no ven, corazón que no siente

lointain, -e [lwɛ̃tɛ̃, -ɛn] **1** *adj* lejano(a)
2 *nm* **dans le l.** a lo lejos

loir [lwar] *nm* lirón *m*; **dormir comme un l.** dormir como un lirón

Loire [lwar] *nf* **la L.** el Loira

loisir [lwazir] *nm* (*temps libre*) ocio *m*; **loisirs** (*temps libre*) ocio; (*activités*) distracciones *fpl*; *Litt* **avoir le l. de faire qch** (*avoir le temps*) tener tiempo para hacer algo; *Litt* **à l.** a mi/tu/*etc* gusto

londonien, -enne [lɔ̃dɔnjɛ̃, -ɛn] **1** *adj* londinense
2 *nm,f* **L.** londinense *mf*

Londres [lɔ̃dr] *n* Londres

long, longue [lɔ̃, lɔ̃g] **1** *adj* largo(a); (*lent*) lento(a); **être l. à faire qch** tardar en hacer algo; **il est l. à se décider** tarda en decidirse
2 *nm* **20 cm de l.** 20 cm de largo; **(tout) le l. de qch** a lo largo de algo; **tout au l. de l'année** durante todo el año; **de l. en large** de un lado a otro;

en l. et en large, en l., en large et en travers con pelos y señales
3 *adv* **en dire/en savoir l. sur qch** decir/saber mucho de algo
4 *nf* **longue à la longue** a la larga

longe¹ [lɔ̃ʒ] *nf* (*courroie*) cabestro *m*

longe² *nf* (*viande*) lomo *m*

longer [45] [lɔ̃ʒe] *vt* bordear

longévité [lɔ̃ʒevite] *nf* longevidad *f*

longiligne [lɔ̃ʒiliɲ] *adj* longilíneo(a)

longitude [lɔ̃ʒityd] *nf* longitud *f*

longtemps [lɔ̃tã] *adv* mucho tiempo; **avant l.** pronto; **il va lui arriver des ennuis avant l.** no tardará mucho en tener problemas; **depuis l.** desde hace mucho (tiempo); **il y a l. que** hace mucho (tiempo) que; **je n'en ai pas pour l.** no tardaré mucho

longue [lɔ̃g] *voir* **long**

longueur [lɔ̃gœr] *nf* (*dimension*) longitud *f*, largo *m*; (*à la piscine*) largo *m*; (*durée*) duración *f*; *Péj* **longueurs** (*dans un livre, un film*) pasajes *mpl* lentos; **en l.** de largo; **à l. d'année/de journée** durante todo el año/día; **à l. de temps** continuamente ☆ *Rad* **l. *d'ondes*** longitud de onda

longue-vue (*pl* **longues-vues**) [lɔ̃gvy] *nf* catalejo *m*

look [luk] *nm* look *m*

looping [lupiŋ] *nm* looping *m*, rizo *m*

lopin [lɔpɛ̃] *nm* **l. de terre** parcela *f*

loquace [lɔkas] *adj* locuaz

loque [lɔk] *nf* andrajo *m*; *Fig* **l. humaine** pingajo *m*

loquet [lɔkɛ] *nm* pestillo *m*

lorgner [lɔrɲe] *vt Fam* (*observer*) mirar insistentemente; (*convoiter*) tenerle echado el ojo a

lors [lɔr] *adv* **l. de** durante; *Litt* **depuis l.** desde entonces

lorsque [lɔrsk]

Antes de vocal o h muda se usa **lorsqu'**.

conj cuando

losange [lɔzɑ̃ʒ] *nm* rombo *m*

lot [lo] *nm (part, stock)* lote *m; (prix)* premio *m; Fig (destin)* sino *m* ☆ *l. de consolation* premio de consolación; *gros l.* premio gordo

loterie [lɔtri] *nf* lotería *f*

loti, -e [lɔti] *adj* **être bien/mal l.** verse favorecido(a)/desfavorecido(a)

lotion [losjɔ̃] *nf* loción *f*

lotissement [lɔtismɑ̃] *nm (ensemble de maisons)* urbanización *f*

loto [lɔto] *nm (jeu de société)* bingo *m* casero; *(loterie)* (lotería) primitiva *f*

lotte [lɔt] *nf* rape *m*

lotus [lɔtys] *nm* loto *m*

louange [lwɑ̃ʒ] *nf* alabanza *f;* **chanter les louanges de qn** deshacerse en elogios por alguien

louche¹ [luʃ] *adj (acte)* turbio(a); *(individu)* sospechoso(a)

louche² *nf* cazo *m*

loucher [luʃe] *vi* bizquear; *Fig* **l. sur** *(observer)* mirar insistentemente; *(convoiter)* tenerle echado el ojo a

louer¹ [lwe] *vt (maison, appartement)* alquilar, *Am* rentar; *(place)* reservar; **à l.** *(sur écriteau)* se alquila

louer² *vt Litt (glorifier)* alabar; **se l. de qch/d'avoir fait qch** congratularse de algo/de haber hecho algo

loufoque [lufɔk] *adj Fam* guillado(a)

loup [lu] *nm (mammifère)* lobo *m; (poisson)* lubina *f*, róbalo *m; (masque)* antifaz *m*, máscara *f*

loupe [lup] *nf (pour grossir)* lupa *f*

louper [lupe] *vt Fam (examen)* catear; *(train, avion)* perder; **j'ai loupé mon soufflé** me ha salido mal el soufflé

loup-garou *(pl* **loups-garous)** [lugaru] *nm* hombre *m* lobo

lourd, -e [lur, lurd] **1** *adj (pesant, maladroit)* pesado(a); *(parfum)* fuerte; *(faute)* grave; *(temps)* bochornoso(a); *Fig* **l. de** *(sous-entendus, menace)* preñado(a) de
2 *adv* **peser l.** pesar mucho; *Fam* **il n'en fait pas l.** no pega ni sello

lourdeur [lurdœr] *nf (poids)* pesadez *f; (maladresse)* torpeza *f; (d'un parfum)* intensidad *f; (d'une faute)* gravedad *f; (du temps)* bochorno *m* ☆ *lourdeurs d'estomac* pesadez de estómago

loutre [lutr] *nf* nutria *f*

louve [luv] *nf* loba *f*

louveteau, -x [luvto] *nm (animal)* lobezno *m; (scout)* lobato *m*

louvoyer [32] [luvwaje] *vi Naut* bordear; *Fig (biaiser)* andar con rodeos

loyal, -e, -aux, -ales [lwajal, -o] *adj* leal

loyauté [lwajote] *nf* lealtad *f*

loyer [lwaje] *nm* alquiler *m*

LP [ɛlpe] *nm (abrév* **lycée professionnel)** instituto *m* de formación profesional

LSD [ɛlɛsde] *nm* LSD *m*

lu, -e *pp voir* **lire**

lubie [lybi] *nf* antojo *m*

lubrifier [lybrifje] *vt* lubrificar, lubricar

lubrique [lybrik] *adj* lúbrico(a)

lucarne [lykarn] *nf (fenêtre)* tragaluz *m; (au football)* escuadra *f*

lucide [lysid] *adj* lúcido(a)

lucidité [lysidite] *nf* lucidez *f*

lucratif, -ive [lykratif, -iv] *adj* lucrativo(a)

ludique [lydik] *adj* lúdico(a)

lueur [lɥœr] *nf (lumière)* luz *f*, resplandor *m; Fig (éclat)* chispa *f;* **à la l. de** a la luz de; **une l. d'espoir** un rayo de esperanza

luge [lyʒ] *nf* trineo *m*; **faire de la l.** montar en trineo

lugubre [lygybr] *adj* lúgubre

lui [lɥi] *pron personnel (objet indirect)* le; *(sujet, objet direct, après préposition)* él; *(réfléchi)* sí mismo; **je l. ai parlé** le he hablado; **qui le l. a dit?** ¿quién se lo ha dicho?; **rends-le-l.** devuélveselo; **Marc, l., n'a pas aimé le film** pues a Marc no le ha gustado la película; **c'est à l.** es suyo(a); **elle est plus jeune que l.** ella es más joven que él; **sans/avec l.** sin/con él; **il est content de l.** está contento de sí mismo

lui-même [lɥimɛm] *pron personnel* él mismo

luire [l8] [lɥir] *vi (soleil, espoir)* brillar; *(objet)* relucir

luisais *voir* **luire**

luisant, -e [lɥizɑ̃, -ɑ̃t] *adj* brillante

lumbago [lɔ̃bago, lœ̃bago] *nm* lumbago *m*

lumière [lymjɛr] *nf (éclairage, clarté)* luz *f*; *Fam Fig (personne)* lumbrera *f*

lumineux, -euse [lyminø, -øz] *adj* luminoso(a); *(visage, regard)* resplandeciente

luminosité [lyminozite] *nf* luminosidad *f*

lunaire [lynɛr] *adj* lunar; *Fig (visage)* mofletudo(a)

lunatique [lynatik] *adj & nmf* lunático(a) *m,f*

lundi [lœ̃di] *nm* lunes *m inv*; **le l. de Pâques** el lunes de Pascua; **le l. de Pentecôte** el lunes de Pentecostés; *voir aussi* **samedi**

lune [lyn] *nf* luna *f*; **la Lune** la Luna; *Fig* **être dans la l.** estar en la luna, estar en las nubes ☆ **l. de miel** luna de miel; **pleine l.** luna llena

lunette [lynɛt] *nf (fenêtre)* luneta *f*, ventanilla *f*; *Astron* anteojo *m*; *(des toilettes)* agujero *m*; **lunettes** *(pour la vue)* gafas *fpl* ☆ **lunettes de soleil** gafas de sol; *lunettes de vue* gafas graduadas

lurette [lyrɛt] *nf* **il y a belle l. que...** hace un siglo que...

luron [lyrɔ̃] *nm* **un joyeux l.** un vivalavirgen, un vivales

lustre¹ [lystr] *nm (luminaire)* araña *f*, *Méx* candil *m*; *(éclat)* lustre *m*

lustre² *nm* **ça fait des lustres que...** hace siglos que...; **depuis des lustres** desde hace siglos

lustrer [lystre] *vt (faire briller)* dar brillo a

luth [lyt] *nm* laúd *m*

lutin [lytɛ̃] *nm* duende *m*

lutte [lyt] *nf* lucha *f*; **la l. des classes** la lucha de clases

lutter [lyte] *vi* luchar (**contre/pour** contra/por)

lutteur, -euse [lytœr, -øz] *nm,f* luchador(ora) *m,f*

luxe [lyks] *nm* lujo *m*; **de l.** de lujo; **s'offrir** *ou* **se payer le l. de** permitirse el lujo de

Luxembourg [lyksɑ̃bur] **1** *n (ville)* Luxemburgo
  2 *nm* **le L.** *(pays)* Luxemburgo

luxembourgeois, -e [lyksɑ̃burʒwa, -az] **1** *adj* luxemburgués(esa)
  2 *nm,f* **L.** luxemburgués(esa) *m,f*

luxer [lykse] **se luxer** *vpr* **se l. l'épaule/le poignet** hacerse una luxación en el hombro/la muñeca

luxueux, -euse [lyksɥø, -øz] *adj* lujoso(a)

luxure [lyksyr] *nf* lujuria *f*

luxuriant, -e [lyksyrjɑ̃, -ɑ̃t] *adj (végétation, chevelure)* exhuberante

lycée [lise] *nm* instituto *m* ☆ **l. agricole** = instituto de especialización agrícola; **l. professionnel** = instituto de formación profesional; **l. technique** = instituto de formación técnica

lycéen, -enne [liseɛ̃, -ɛn] *nm,f* alumno(a) *m,f (de instituto)*

Lycra® [likra] *nm* lycra

lymphatique [lɛ̃fatik] *adj* linfáti-co(a)

lynx [lɛ̃ks] *nm* lince *m*

Lyon [ljɔ̃] *n* Lyon, Lión

lyonnais, -e [ljɔnɛ, -ɛz] **1** *adj* lio-nés(esa)

2 *nm,f* L. lionés(esa) *m,f*

lyophilisé, -e [ljɔfilize] *adj* liofiliza-do(a)

lyrique [lirik] *adj* lírico(a); *(enthou-siaste)* emocionado(a)

lys [lis] = **lis**

M

M, m [εm] *nm inv (lettre)* M *f*, m *f*
M. *(abrév* **monsieur)** Sr.
m *(abrév* **mètre(s), milli)** m
ma [ma] *voir* **mon**
macabre [makɑbr] *adj* macabro(a)
macadam [makadam] *nm* macadán
m, macadam m
macaron [makarɔ̃] *nm (pâtisserie)*
macarrón m; *(coiffure)* rodete m;
(autocollant) = pegatina oficial que
se pega en el parabrisas del automóvil
macaronis [makarɔni] *nmpl* macarrones *mpl*
macédoine [masedwan] *nf (de légumes)* ensaladilla *f* rusa ☆ **m. de fruits**
macedonia de frutas
macérer [34] [masere] **1** *vt* macerar
2 *vi* macerar; **faire m. qch** macerar
algo
mâcher [mɑʃe] *vt* masticar, mascar;
elle n'a pas mâché ses mots no midió
sus palabras
machiavélique [makjavelik] *adj* ma-
quiavélico(a)
machin [maʃɛ̃] *nm Fam (objet)* chisme m; **monsieur/madame M.** fulano
m / fulana *f* (de tal)
Machin, -e [maʃɛ̃, -in] *nm,f Fam* fu-
lano(a) *m,f*
machinal, -e, -aux, -ales [maʃinal,
-o] *adj* mecánico(a), maquinal
machination [maʃinɑsjɔ̃] *nf* maquinación *f*

machine [maʃin] *nf* máquina *f*;
écrire à la m. escribir a máquina
☆ **m. à coudre** máquina de coser;
m. à écrire máquina de escribir; **m.
à laver** lavadora *f*; **m. à sous** máquina tragaperras
machine-outil *(pl* **machines-outils)**
[maʃinuti] *nf* máquina *f* herramienta
machisme [matʃism] *nm* machismo
m
macho [matʃo] **1** *adj (homme)* macho; *(attitude)* de macho
   2 *nm* machista m
mâchoire [mɑʃwar] *nf* mandíbula *f*;
(d'un étau) mordaza *f*; *(de pinces, de
tenailles)* boca *f*
mâchonner [mɑʃɔne] *vt (mâcher
lentement)* mascar; *(mordiller)* mordisquear
maçon [masɔ̃] *nm (artisan)* albañil
m; *(franc-maçon)* masón m
maçonnerie [masɔnri] *nf (activité)*
albañilería *f*; *(construction)* obra *f*;
(franc-maçonnerie) masonería *f*
macrobiotique [makrɔbjɔtik] **1** *adj*
macrobiótico(a)
   2 *nf* macrobiótica *f*
macro-commande *(pl* **macro-
commandes)** [makrokɔmɑ̃d] *nf Ordinat* macro m
maculer [makyle] *vt* manchar
madame [madam] *(pl* **mesdames**
[medam]) *nf* señora *f*; **bonjour m.**

buenos días señora; **Chère M.** *(dans une lettre)* Estimada señora, Muy señora mía; **M. Dupuy** *(apostrophe)* señora Dupuy; *(en parlant d'elle)* la señora Dupuy; **M. le Ministre** *(apostrophe)* señora Ministra; *(en parlant d'elle)* la señora Ministra; **asseyez-vous, mesdames** siéntense, señoras; **mesdames, mesdemoiselles, messieurs!** ¡señoras y señores!

madeleine [madlɛn] *nf* magdalena *f*

mademoiselle [madmwazɛl] *(pl* **mesdemoiselles** [medmwazɛl]) *nf* señorita *f*; *voir aussi* **madame**

Madère [madɛr] *n* Madeira

madère [madɛr] *nm* madeira *m*

Madrid [madrid] *n* Madrid

madrilène [madrilɛn] **1** *adj* madrileño(a)

   2 *nmf* **M.** madrileño(a) *m,f*

mafia, maffia [mafja] *nf* mafia *f*

maganer [magane] *vt Can (maltraiter)* maltratar; *(endommager)* estropear

magasin [magazɛ̃] *nm (boutique)* tienda *f*; *(entrepôt)* almacén *m*; *(compartiment) (d'arme à feu)* recámara *f*; *(d'appareil photo)* carga *f*; **faire les magasins** ir de tiendas ✿ **grand m.** gran almacén

magasinage [magazinaʒ] *nm Can* **faire du m.** hacer la compra

magasiner [magazine] *vi Can* hacer la compra

magazine [magazin] *nm (revue)* revista *f*; *(émission)* magazine *m*

mage [maʒ] *nm voir* **roi**

Maghreb [magrɛb] *nm* **le M.** el Magreb

maghrébin, -e [magrebɛ̃, -in] **1** *adj* magrebí

   2 *nm,f* **M.** magrebí *mf*

magicien, -enne [maʒisjɛ̃, -ɛn] *nm,f* mago(a) *m,f*

magie [maʒi] *nf* magia *f*

magique [maʒik] *adj* mágico(a)

magistral, -e, -aux, -ales [maʒistral, -o] *adj* magistral

magistrat [maʒistra] *nm* magistrado *m*

magistrature [maʒistratyr] *nf* magistratura *f* ✿ **m. assise** jueces y magistrados *mpl*; **m. debout** fiscalía *f*

magma [magma] *nm* magma *m*

magnanime [maɲanim] *adj* magnánimo(a)

magnat [maɲa] *nm* magnate *m*

magner [maɲe] **se magner** *vpr Fam* moverse, espabilarse

magnésium [maɲezjɔm] *nm* magnesio *m*

magnétique [maɲetik] *adj* magnético(a)

magnéto [maɲeto] *nm Fam* casete *m*

magnétophone [maɲetɔfɔn] *nm* magnetófono *m*

magnétoscope [maɲetɔskɔp] *nm* vídeo *m*

magnificence [maɲifisɑ̃s] *nf* magnificencia *f*

magnifique [maɲifik] *adj* magnífico(a)

magnolia [maɲɔlja] *nm (fleur)* magnolia *f*; *(arbre)* magnolio *m*

magnum [magnɔm] *nm* magnum *m*

magot [mago] *nm Fam* pasta *f*

magouille [maguj] *nf* chanchullo *m*

magret [magrɛ] *nm* magret *m*

mai [mɛ] *nm* mayo *m*; **le huit m.** el ocho de mayo; **le premier m.** el uno o el primero de mayo; *voir aussi* **septembre**

maigre [mɛgr] *adj (personne, animal)* flaco(a); *(laitage)* sin grasa; *(viande)* magro(a); *(peu important) (repas, végétation)* escaso(a); *(salaire, récolte, consolation)* pobre

maigreur [mɛgrœr] *nf* delgadez *f*

maigrichon, -onne [megriʃɔ̃, -ɔn] *adj Fam* flacucho(a)

maigrir [megrir] *vi* adelgazar

mailing [meliŋ] *nm* mailing *m*

maille [mɑj] *nf (de tricot)* punto *m*; *(de filet)* malla *f*; **avoir m. à partir avec qn** tener un pleito con alguien

maillon [mɑjɔ̃] *nm* eslabón *m*

maillot [majo] *nm (de sport)* maillot *m* ☆ **m. de bain** bañador *m*, traje *m* de baño; **m. de corps** camiseta *f (prenda interior)*

main [mɛ̃] *nf* mano *f*; **à m. armée** a mano armada; **à la m.** *(manuellement)* a mano; **de première/seconde m.** *(information)* de primera/segunda mano; *(objet d'occasion)* de segunda/tercera mano; **en mains propres** en propia mano; **haut les mains!** ¡manos arriba!; **donner la m. à qn** dar la mano a alguien; **faire m. basse sur qch** apoderarse de algo; **prendre qch/qn en m.** ocuparse de algo/alguien; **ne pas y aller de m. morte** no andarse con chiquitas ☆ **m. courante** pasamanos *m inv*

main-d'œuvre *(pl* **mains-d'œuvre)** [mɛ̃dœvr] *nf* mano *f* de obra

mainmise [mɛ̃miz] *nf* control *m*

maintenance [mɛ̃tnɑ̃s] *nf* mantenimiento *m*

maintenant [mɛ̃tnɑ̃] *adv* ahora; **m. que** ahora que

maintenir [70] [mɛ̃tnir] **1** *vt* mantener

2 se maintenir *vpr* mantenerse

maintien [mɛ̃tjɛ̃] *nm (conservation)* mantenimiento *m*; *(tenue)* porte *m*

maints, -es [mɛ̃, -mɛ̃t] *adj pl Litt* **maintes fois** repetidas veces

maire [mɛr] *nm* alcalde(esa) *m,f*, *Méx* regente *mf*, *RP* intendente *mf*

mairie [meri] *nf (bâtiment, administration)* ayuntamiento *m*; *(poste)* alcaldía *f*

mais [mɛ] *conj* pero; *(introduit une opposition)* sino; **non seulement... m. en plus** no sólo... sino también; **m. alors, tu l'as vu ou non?** pero (bueno) ¿lo has visto o no?; **m. non!** ¡pues

claro que no!; **non m.!** ¡pero bueno!; **il a pleuré, m. pleuré!** lloró, ¡y de qué manera!; **m. c'est génial!** ¡pero si es genial!

maïs [mais] *nm* maíz *m*

maison [mɛzɔ̃] **1** *nf* casa *f*; **être à la m.** estar en casa; **rentrer à la m.** volver a casa ☆ **m. de campagne** casa de campo; **m. d'édition** (casa) editorial *f*; **m. de retraite** residencia *f* de ancianos

2 *adj inv (de restaurant)* de la casa; *(fabriqué chez soi)* casero(a)

maisonnée [mɛzone] *nf* habitantes *mpl (de una casa)*

maisonnette [mɛzonɛt] *nf* casita *f*

maître [mɛtr] *nm (instituteur)* maestro *m*, profesor *m*; *(chef, propriétaire d'un animal)* dueño *m*; **m. Richard** *(titre)* el Sr. Richard; **m. (à penser)** maestro(a) *m,f*; **être m. de** *(son destin, une décision)* ser dueño de; *(émotions, situation, véhicule)* controlar, dominar; **être m. de soi** ser dueño de sí mismo ☆ **m. auxiliaire** profesor(ora) *m,f* interino(a); **m. chanteur** chantajista *mf*; **m. de conférences** profesor(ora) universitario(a); **m. d'école** maestro de escuela, profesor de magisterio; **m. d'hôtel** maître *m*, jefe *m* de comedor; **le m. de maison** el señor de la casa; **m. nageur** profesor(ora) de natación; **m. d'œuvre** *(en bâtiment)* capataz *m*

maître-autel *(pl* **maîtres-autels)** [mɛtrotɛl] *nm* altar *m* mayor

maîtresse [mɛtrɛs] **1** *nf (institutrice)* maestra *f*, profesora *f*; *(chef, propriétaire d'un animal)* dueña *f*; *(amie)* amante *f*; **être m. de** *(son destin, une décision)* ser dueña de; *(émotions, situation, véhicule)* controlar, dominar; **être m. de soi** ser dueña de sí misma ☆ **m. d'école** maestra de escuela, profesora de magisterio; **la m. de maison** el ama de casa

2 *adj (idée, qualité, poutre)* principal; **une m. femme** una mujer de armas tomar; **œuvre m.** obra *f* maestra

maîtrise [metriz] *nf (contrôle, connaissance)* dominio *m*, control *m*; *Univ* = diploma obtenido al final del segundo ciclo universitario, después de cuatro años de estudio ✰ *m. de soi* control de sí mismo

maîtriser [metrize] **1** *vt* dominar; *(dépenses)* controlar

2 se maîtriser *vpr* dominarse

majesté [maʒɛste] *nf (splendeur)* majestuosidad *f*; **Sa/Votre M.** Su/Vuestra Majestad

majestueux, -euse [maʒɛstɥø, -øz] *adj* majestuoso(a)

majeur, -e [maʒœr] **1** *adj (personne)* mayor de edad; *(principal)* & *Mus* mayor; *(important)* importante

2 *nm (doigt)* dedo *m* medio, dedo *m* corazón

major [maʒɔr] *nm Mil* mayor *m*; *(d'une promotion)* primero(a) *m,f* de la clase

majordome [maʒɔrdɔm] *nm* mayordomo *m*

majorer [maʒɔre] *vt* aumentar; **m. un prix de 10%** aumentar un precio en un 10%

majorette [maʒɔrɛt] *nf* majorette *f*

majoritaire [maʒɔritɛr] *adj* mayoritario(a); **être m.** estar en mayoría, ser mayoría

majorité [maʒɔrite] *nf (âge)* mayoría *f* de edad; *(majeure partie)* & *Pol* mayoría *f*; **en (grande) m.** mayoritariamente ✰ *m. absolue* mayoría absoluta; *m. relative* mayoría relativa

Majorque [maʒɔrk] *n* Mallorca

majuscule [maʒyskyl] **1** *adj* mayúsculo(a)

2 *nf* mayúscula *f*

mal, maux [mal, mo] **1** *nm (physique)* dolor *m*; *(moral)* mal *m*; **avoir m. à la tête** tener dolor de cabeza; **j'ai m. aux pieds** me duelen los pies;

j'ai du m. à me lever me cuesta trabajo levantarme; **dire du m. de qn** hablar mal de alguien; **se donner du m. pour faire qch** esforzarse por hacer algo; **être en m. de qch** faltarle a uno algo; **faire m. à qn** hacerle daño a alguien; **se faire m.** hacerse daño; **faire du m. à qn** hacer daño a alguien ✰ *avoir le m. de mer* estar mareado(a); *il a le m. du pays* echa de menos su país; *maux de tête* dolores de cabeza

2 *adv* mal; **aller/se sentir m.** ir/encontrarse mal; **de m. en pis** de mal en peor; **être m. en point** estar muy enfermo(a); **être au plus m.** estar fatal; *Fam* **pas m. de** bastante; *Fam* **pas m. de choses** bastantes cosas

3 *adj inv* **c'est m. de faire ça** está mal hacer eso; **ça n'est pas m. (du tout)** no está (nada) mal

malade [malad] **1** *adj* enfermo(a); **être m. du cœur** estar enfermo(a) del corazón; **être m. de jalousie/de rage** estar loco(a) de celos/de rabia; **tomber m.** ponerse enfermo(a)

2 *nmf* enfermo(a) *m,f* ✰ *m. mental* enfermo mental

maladie [maladi] *nf* enfermedad *f*; *(passion, manie)* obsesión *f*

maladif, -ive [maladif, -iv] *adj* enfermizo(a)

maladresse [maladrɛs] *nf* torpeza *f*

maladroit, -e [maladrwa, -at] *adj* & *nm,f* torpe *mf*

malaise [malɛz] *nm* malestar *m*

malaisé, -e [maleze] *adj* difícil

malaria [malarja] *nf* malaria *f*

malaxer [malakse] *vt* amasar

malchance [malʃɑ̃s] *nf* mala suerte *f*

malchanceux, -euse [malʃɑ̃sø, -øz] *adj* desafortunado(a)

malcommode [malkɔmɔd] *adj* incómodo(a)

mâle [mɑl] **1** *adj (enfant)* varón; *(fleur, animal, prise)* macho; *(hor-*

mone) masculino(a); *(voix, assurance)* varonil, viril
  2 *nm (homme, enfant)* varón *m*; *(animal, végétal)* macho *m*

malédiction [malediksjɔ̃] *nf* maldición *f*

maléfique [malefik] *adj* maléfico(a)

malencontreux, -euse [malɑ̃kɔ̃trø, -øz] *adj* poco afortunado(a), desafortunado(a)

malentendant, -e [malɑ̃tɑ̃dɑ̃, -ɑ̃t] *adj & nm,f* sordo(a) *m,f*

malentendu [malɑ̃tɑ̃dy] *nm* malentendido *m*

malfaçon [malfasɔ̃] *nf* tara *f*

malfaisant, -e [malfəzɑ̃, -ɑ̃t] *adj* malo(a)

malfaiteur [malfɛtœr] *nm* malhechor(ora) *m,f*

malfamé, -e [malfame] *adj* de mala fama

malformation [malfɔrmɑsjɔ̃] *nf* malformación *f*

malfrat [malfra] *nm* maleante *m*

malgré [malgre] *prép* a pesar de; **m. moi/toi/***etc* a pesar mío/tuyo/*etc*; **m. tout** a pesar de todo

malhabile [malabil] *adj* inhábil

malheur [malœr] *nm (événement, adversité)* desgracia *f*; **faire un m.** *(remporter un grand succès)* ser un gran éxito; **par m.** por desgracia; **porter m. à qn** traer mala suerte a alguien

malheureusement [malœrøzmɑ̃] *adv* desgraciadamente

malheureux, -euse [malœrø, -øz] **1** *adj (vie, amour, victime)* desgraciado(a); *(air, mine)* desdichado(a); *(rencontre, réaction, mot)* desafortunado(a); *(sans valeur)* mísero(a); **c'est bien m.!** ¡qué lástima!
  2 *nm,f* desgraciado(a) *m,f*

malhonnête [malɔnɛt] *adj* deshonesto(a)

malhonnêteté [malɔnɛtte] *nf* deshonestidad *f*

malice [malis] *nf* malicia *f*; *(méchanceté)* maldad *f*

malicieux, -euse [malisjø, -øz] *adj* malicioso(a)

malin, -igne [malɛ̃, -iɲ] **1** *adj (personne)* astuto(a), *Méx* abusado(a); *(regard, sourire)* malicioso(a); *(plaisir)* malévolo(a); *Méd (tumeur)* maligno(a); *Iron* **c'est m.!** ¡vaya por Dios!; **ça n'est pas bien m.** *(difficile)* no es nada difícil
  2 *nm,f* astuto(a) *m,f*; **faire le m.** presumir

malingre [malɛ̃gr] *adj* enclenque

malle [mal] *nf (caisse)* baúl *m*

malléable [maleabl] *adj* maleable

mallette [malɛt] *nf* maletín *m*

malmener [46] [malmǝne] *vt (brutaliser)* maltratar; *Fig (adversaire)* poner en apuros

malnutrition [malnytrisjɔ̃] *nf* desnutrición *f*

malodorant, -e [malɔdɔrɑ̃, -ɑ̃t] *adj* maloliente

malotru, -e [malɔtry] *nm,f* grosero(a) *m,f*, *CSur* guarango(a) *m,f*

Malouines [malwin] *nfpl* **les M.** las Malvinas

malpoli, -e [malpɔli] *adj & nm,f* maleducado(a) *m,f*

malpropre [malprɔpr] *adj* sucio(a)

malsain, -e [malsɛ̃, -ɛn] *adj* malsano(a)

malt [malt] *nm* malta *f*

Malte [malt] *n* Malta

maltraiter [maltrete] *vt* maltratar

malus [malys] *nm* malus *m inv*

malveillant, -e [malvejɑ̃, -ɑ̃t] *adj* malévolo(a)

malversation [malvɛrsɑsjɔ̃] *nf* malversación *f*

maman [mamɑ̃] *nf* mamá *f*

mamelle [mamɛl] *nf* ubre *f*

mamelon [mamlɔ̃] *nm (du sein)* pezón *m*; *(colline)* cerro *m*

mamie [mami] *nf Esp* abuelita *f*, *Andes*, *Méx* mamá grande *f*

mammifère [mamifɛr] *nm* mamífero *m*

mammouth [mamut] *nm* mamut *m*

manager¹ [manadʒɛr] *nm (d'un chanteur)* agente *mf*, mánager *mf*; *(d'une entreprise)* directivo(a) *m,f*, mánager *mf*

manager² [45] [manadʒe] *vt* gestionar

Manche [mɑ̃ʃ] *nf* **la M.** *(mer)* el canal de la Mancha

manche¹ [mɑ̃ʃ] *nf* manga *f*; **chemise à manches courtes/longues** camisa *f* de manga corta/larga

manche² *nm (d'outil)* mango *m*; *(d'instrument de musique)* mástil *m* ☆ **m. à balai** palo *m* de escoba; *Av* timón *m*

manchette [mɑ̃ʃɛt] *nf (de chemise)* puño *m*; *(de journal)* titular *m*; *Sp* = golpe dado con el antebrazo

manchon [mɑ̃ʃɔ̃] *nm* manguito *m*

manchot, -e [mɑ̃ʃo, -ɔt] **1** *adj & nm,f* manco(a) *m,f* **2** *nm (oiseau)* pájaro *m* bobo

mandarine [mɑ̃darin] *nf* mandarina *f*

mandat [mɑ̃da] *nm (procuration)* poder *m*, procuración *f*; *(titre de paiement)* giro *m*; *Pol* mandato *m*; *Jur* orden *f* ☆ **m. d'amener** orden de comparecencia; **m. d'arrêt** orden de arresto; **m. de perquisition** orden de registro; **m. postal** giro postal

mandataire [mɑ̃datɛr] *nmf* mandatario(a) *m,f*

mandibule [mɑ̃dibyl] *nf* mandíbula *f*

mandoline [mɑ̃dɔlin] *nf* mandolina *f*

manège [manɛʒ] *nm (attraction) Esp* tiovivo *m*, caballitos *mpl*, *Am* carrusel *m*, *RP* calesita *f*; *(école d'équitation)* picadero *m*; *Fig (manœuvre)* tejemaneje *m*

manette [manɛt] *nf* manecilla *f*

manganèse [mɑ̃ganɛz] *nm* manganeso *m*

mangeable [mɑ̃ʒabl] *adj* comestible

mangeoire [mɑ̃ʒwar] *nf (pour oiseaux)* comedero *m*; *(pour bétail)* pesebre *m*

manger [17] [mɑ̃ʒe] **1** *vt (nourriture)* comer; *(consommer)* consumir; *(sujet: mites, rouille)* carcomer, comer; *(fortune)* dilapidar; **m. ses mots** farfullar, mascullar **2** *vi* comer

mangue [mɑ̃g] *nf* mango *m*

maniable [manjabl] *adj* manejable

maniaque [manjak] *adj & nmf (méticuleux)* maniático(a) *m,f*; *(fou)* maníaco(a) *m,f*

manie [mani] *nf* manía *f*; **avoir la m. de qch/de faire qch** tener la manía de algo/de hacer algo

maniement [manimɑ̃] *nm* manejo *m*

manier [manje] *vt* manejar

manière [manjɛr] *nf* manera *f*; **adverbe de m.** adverbio *m* de modo; **manières** *(attitude)* modales *mpl*; **faire des manières** *(être pompeux)* ser finústico(a); *(se faire prier)* hacerse de rogar; **à la m. de qn** a la manera de alguien; **de toute m.** de todas maneras; **d'une m. générale** en general; **de m. à faire qch** para hacer algo; **de m. à ce que** de modo que; **de telle m. que** de tal modo que, de modo que

maniéré, -e [manjere] *adj* amanerado(a)

manif [manif] *nf Fam* mani *f*

manifestant, -e [manifɛstɑ̃, -ɑ̃t] *nm,f* manifestante *mf*

manifestation [manifɛstasjɔ̃] *nf* manifestación *f*

manifeste [manifɛst] **1** *adj* manifiesto(a) **2** *nm* manifiesto *m*

manifester [manifɛste] **1** *vt* manifestar
 2 *vi* manifestarse
 3 se manifester *vpr (phénomène)* manifestarse; *(personne) (se présenter)* presentarse

manigancer [16] [manigãse] *vt* maquinar

manioc [manjɔk] *nm* mandioca *f*

manipuler [manipyle] *vt* manipular

manivelle [manivɛl] *nf* manivela *f*

mannequin [mankɛ̃] *nm (personne)* modelo *mf*; *(de vitrine)* maniquí *m*

manœuvre¹ [manœvr] *nf (de véhicule, excercice militaire, machination)* maniobra *f*; *(d'appareil)* manejo *m*; **fausse m.** *(de véhicule)* mala maniobra; *Fig* paso *m* en falso

manœuvre² *nm* peón *m*

manœuvrer [manœvre] **1** *vi* maniobrar; *Fig (manigancer)* maquinar
 2 *vt* manejar

manoir [manwar] *nm* casa *f* solariega

manomètre [manɔmetr] *nm* manómetro *m*

manquant, -e [mãkã, -ãt] *adj* que falta

manque [mãk] *nm (absence)* falta *f*; *(insuffisance)* carencia *f*; *(lacune)* laguna *f*; **être en m.** *(toxicomane)* tener el síndrome de abstinencia

manquer [mãke] **1** *vi* faltar; *(rater)* fallar; **m. à qch** *(ne pas respecter)* faltar a algo; **je n'y manquerai pas** no me olvidaré; **elle me manque** la echo de menos; **m. de qch** carecer de algo, faltarle a uno algo; **m. de faire qch** faltarle (a) poco para hacer algo
 2 *vt (rater)* fallar; *(personne)* no encontrar; *(train, avion)* perder; *(occasion)* perderse; *(cours, école)* faltar a
 3 *v impersonnel* **il manque un bouton** falta un botón; **il me manque 10 francs** me faltan 10 francos; **il ne manquait plus que ça!** ¡lo que me faltaba!

mansarde [mãsard] *nf* buhardilla *f*

mansardé, -e [mãsarde] *adj* abuhardillado(a)

mante [mãt] *nf* **m. religieuse** mantis *f* religiosa, santateresa *f*

manteau, -x [mãto] *nm* abrigo *m*, *RP* tapado *m*

manucure [manykyr] *nmf* manicuro(a) *m,f*

manuel¹, -elle [manɥɛl] **1** *adj* manual
 2 *nm,f* trabajador(ora) *m,f* manual

manuel² *nm (livre)* manual *m* ☆ **m. scolaire** libro *m* de texto

manufacture [manyfaktyr] *nf* manufactura *f*

manufacturé, -e [manyfaktyre] *adj* manufacturado(a)

manuscrit, -e [manyskri, -it] **1** *adj* manuscrito(a)
 2 *nm* manuscrito *m*

manutention [manytãsjɔ̃] *nf* logística *f (de almacenaje)*

manutentionnaire [manytãsjɔnɛr] *nmf* encargado(a) *m,f* de logística

mappemonde [mapmɔ̃d] *nf (carte)* mapamundi *m*; *(sphère)* globo *m* terráqueo

maquereau, -x [makro] *nm (poisson)* caballa *f*; *Fam (proxénète)* chulo *m*

maquette [makɛt] *nf* maqueta *f*

maquignon [makiɲɔ̃] *nm* chalán(ana) *m,f*

maquillage [makijaʒ] *nm* maquillaje *m*

maquiller [makije] **1** *vt (personne)* maquillar; *(voiture volée)* maquillar, camuflar; *(passeport)* falsificar; *(chiffres)* falsear; *(vérité)* disfrazar
 2 se maquiller *vpr* maquillarse

maquis [maki] *nm (végétation)* monte *m* bajo; *Hist* maquis *m inv*

maraîcher, -ère [mareʃe, mareʃɛr] **1** *adj* de la huerta
 2 *nm,f* horticultor(ora) *m,f*

marais [marɛ] *nm* pantano *m*

marasme [marasm] *nm (crise)* crisis *f*

marathon [maratɔ̃] *nm* maratón *m* o *f*

marbre [marbr] *nm* mármol *m*

marbré, -e [marbre] *adj voir* **gâteau**

marc [mar] *nm (eau-de-vie)* orujo *m* ☆ *m.* **de café** poso *m* de café

marchand, -e [marʃɑ̃, -ɑ̃d] **1** *adj* mercantil; *(marine)* mercante; *(galerie, valeur)* comercial
  2 *nm,f* vendedor(ora) *m,f* ☆ *m.* **forain** feriante *m*; *m.* **de journaux** vendedor de periódicos

marchander [marʃɑ̃de] *vt & vi* regatear

marchandise [marʃɑ̃diz] *nf* mercancía *f*

marche [marʃ] *nf (action d'avancer, défilé, musique)* marcha *f*; *(d'escalier)* peldaño *m*, escalón *m*; *(d'un astre)* movimiento *m*; *(du temps)* paso *m*; **à deux heures de m.** a dos horas a pie; **en m.** *(en mouvement)* en marcha; *(en fonctionnement)* encendido(a); **se mettre en m.** ponerse en marcha; *Fig* **c'est la m. à suivre** éstos son los pasos que hay que seguir ☆ *Aut m.* **arrière** marcha atrás; **faire m. arrière** *(voiture)* dar marcha atrás; *(changer d'avis)* echarse (para) atrás; *m. à pied* marcha (a pie)

marché [marʃe] *nm* mercado *m*; *(contrat)* trato *m*; **faire son m.** ir a la compra; **le m. du travail** el mercado de trabajo ☆ **le M. commun** el Mercado Común; *m.* **noir** mercado negro; *m.* **aux puces** rastro *m*, mercadillo *m*; **le M. unique** el Mercado Único

marchepied [marʃəpje] *nm* estribo *m*

marcher [marʃe] *vi (aller à pied)* andar; *(fonctionner, réussir)* funcionar; *Fam (être d'accord)* conformarse; *Fam (croire)* picar; *m.* **sur qch** *(écraser)* pisar algo; *m.* **sur qch/sur qn** *(se*

diriger) marchar sobre algo/hacia alguien; *Fam* **faire m. qn** tomar el pelo a alguien; *Fam* **ça marche!** *(d'accord)* ¡vale!

marcheur, -euse [marʃœr, -øz] *nm,f (randonneur)* senderista *mf*

mardi [mardi] *nm* martes *m inv* ☆ *M.* **gras** martes de carnaval; *voir aussi* **samedi**

mare [mar] *nf* charco *m*

marécage [marekaʒ] *nm* pantano *m*

marécageux, -euse [marekaʒø, -øz] *adj (terrain)* pantanoso(a)

maréchal, -aux [mareʃal, -o] *nm* mariscal *m*

marée [mare] *nf* marea *f*; *(produits de la mer)* = pescado y marisco fresco; **(à) m. basse/haute** (con) marea baja/alta ☆ *m.* **noire** marea negra

marelle [marɛl] *nf* rayuela *f*

margarine [margarin] *nf* margarina *f*

marge [marʒ] *nf* margen *m*; *m.* **d'erreur/de sécurité** margen de error/de seguridad; **vivre en m. de la société** vivir al margen de la sociedad ☆ *Com m.* **bénéficiaire** margen de beneficios

marginal, -e, -aux, -ales [marʒinal, -o] **1** *adj* marginal
  2 *nm,f* marginado(a) *m,f*

marguerite [margərit] *nf* margarita *f*

mari [mari] *nm* marido *m*

mariage [marjaʒ] *nm (union, institution)* matrimonio *m*; *(cérémonie)* boda *f*; *Fig (association de choses)* combinación *f* ☆ *m.* **blanc** matrimonio blanco; *m.* **civil** matrimonio civil; *m.* **religieux** matrimonio religioso

marié, -e [marje] **1** *adj* casado(a)
  2 *nm,f* novio(a) *m,f*; **les jeunes mariés** los novios, los recién casados

marier [marje] **1** *vt* casar

2 se marier *vpr (personnes)* casarse; *Fig (couleurs)* casar

marihuana, marijuana [marirwana] *nf* marihuana *f*

marin, -e [marɛ̃, -in] **1** *adj* marino(a); *(carte)* de navegación
2 *nm* marino *m* ☆ *m. pêcheur* pescador *m*

marine [marin] **1** *nf (art de la navigation)* marina *f*, náutica *f*; *(ensemble de navires, peinture)* marina *f* ☆ *m. marchande* marina mercante
2 *nm Mil* marine *m*; *(couleur)* azul *m* marino
3 *adj inv (bleu)* marino(a)

mariner [marine] *vi Culin* adobar; **faire m.** qch adobar algo

maringouin [marɛ̃gwɛ̃] *nm Can* mosquito *m*

marionnette [marjɔnɛt] *nf* marioneta *f*, títere *m*; *Fig* títere *m*

marital, -e, -aux, -ales [marital, -o] *adj* marital

maritime [maritim] *adj* marítimo(a)

mark [mark] *nm* marco *m*

marketing [marketiŋ] *nm* marketing *m* ☆ *m. téléphonique* marketing telefónico

marmaille [marmɑj] *nf Fam* chiquillería *f*

marmelade [marməlad] *nf* mermelada *f*

marmite [marmit] *nf* olla *f*

marmonner [marmɔne] *vt & vi* farfullar, mascullar

marmot [marmo] *nm Fam Esp* renacuajo(a) *m,f*, *Méx* chamaco(a) *m,f*

marmotte [marmɔt] *nf* marmota *f*

Maroc [marɔk] *nm* **le M.** Marruecos

marocain, -e [marɔkɛ̃, -ɛn] **1** *adj* marroquí
2 *nm,f* **M.** marroquí *mf*

maroquinerie [marɔkinri] *nf* marroquinería *f*

marotte [marɔt] *nf* **avoir la m. de** qch ser maniático(a) de algo

marquant, -e [markɑ̃, -ɑ̃t] *adj* notable

marque [mark] *nf* marca *f*; *(témoignage)* señal *f*; **à vos marques, prêts, partez!** ¡preparados, listos, ya!; **de m.** *(vêtement)* de marca; *(invité)* ilustre, de postín ☆ *m. déposée* marca registrada; *m. de fabrique* marca de fábrica

marqué, -e [marke] *adj* marcado(a)

marque-page *(pl* **marque-pages)** [markəpaʒ] *nm* marcador *m*, señalador *m*

marquer [marke] **1** *vt (indiquer, affecter)* marcar, señalar; *(noter)* apuntar; **m. un point/un but** marcar un punto/un gol
2 *vi* marcar

marqueur [markœr] *nm (stylo)* rotulador *m* (de punta gruesa); *Sp* marcador *m*

marquis, -e [marki, -iz] **1** *nm,f* marqués(esa) *m,f*
2 *nf* **marquise** marquesina *f*

marraine [marɛn] *nf* madrina *f*

marrant, -e [marɑ̃, -ɑ̃t] *adj Fam (drôle)* divertido(a); *(bizarre)* gracioso(a)

marre [mar] *adv Fam* **en avoir m. (de)** estar harto(a) (de)

marrer [mare] **se marrer** *vpr Fam (rire)* desternillarse (de risa); *(s'amuser)* pasárselo bomba

marron¹ [marɔ̃] **1** *adj inv (couleur)* marrón; *(yeux)* castaño(a)
2 *nm (fruit)* castaña *f*; *(couleur)* marrón *m*; *Fam (coup de poing)* castaña *f* ☆ *marrons glacés* marrons glacés *mpl*

marron², -onne [marɔ̃, -ɔn] *adj Péj (avocat, médecin)* clandestino(a)

marronnier [marɔnje] *nm* castaño *m* de Indias

Mars [mars] *npr (dieu, planète)* Marte

mars [mars] *nm* marzo; *voir aussi* **septembre**

marseillais, -e [marsɛjɛ, -ɛz] **1** *adj*
marsellés(esa)
 2 *nm,f* **M.** marsellés(esa) *m,f*

Marseille [marsɛj] *n* Marsella

marteau, -x [marto] **1** *nm (outil)* &
Sp martillo *m*; *(de piano)* macillo *m*,
martinete *m*; *(heurtoir)* aldabón *m*
☆ **m. piqueur** martillo neumático
 2 *adj inv Fam* chiflado(a)

marteler [39] [martəle] *vt (avec un
marteau)* martillear, martillar; *(frapper)* golpear; *(articuler)* recalcar

martial, -e, -aux, -ales [marsjal, -o]
adj marcial

martien, -enne [marsjɛ̃, -ɛn] *adj* &
nm,f marciano(a) *m,f*

martinet [martinɛ] *nm (oiseau)* vencejo *m*; *(fouet)* látigo *m* de varios ra-
males

martiniquais, -e [martinikɛ, -ɛz] **1**
adj de la Martinica
 2 *nm,f* **M.** = nativo o habitante de la
Martinica

Martinique [martinik] *nf* **la M.** la
Martinica

martyr, -e [martir] *adj* & *nm,f* mártir
mf

martyre [martir] *nm* martirio *m*;
souffrir le m. pasar un calvario

martyriser [martirize] *vt* martirizar

marxisme [marksism] *nm* marxismo
m

mascara [maskara] *nm* rímel *m*

mascarade [maskarad] *nf aussi Fig*
mascarada *f*

mascotte [maskɔt] *nf* mascota *f*

masculin, -e [maskylɛ̃, -in] **1** *adj*
masculino(a)
 2 *nm Gram* masculino *m*

maso [mazo] *adj* & *nmf Fam* masoca
mf

masochiste [mazɔʃist] *adj* & *nmf*
masoquista *mf*

masque [mask] *nm* máscara *f*; *(de
déguisement)* careta *f*; *(crème)* mascarilla *f* ☆ **m. à gaz** máscara antigás;

m. à oxygène mascarilla de oxígeno; **m. de plongée** gafas *fpl* subma-
rinas

masquer [maske] *vt (dissimuler)*
disfrazar; *(cacher à la vue)* esconder, tapar

massacre [masakr] *nm (tuerie)* masacre *f*; *Fig (gâchis)* estropicio *m*

massacrer [masakre] *vt (tuer)* ma-
sacrar; *Fig (abîmer, mal interpréter)*
destrozar

massage [masaʒ] *nm* masaje *m*

masse¹ [mas] *nf (amas, foule)* & *Phys*
masa *f*; **une m. de** *(quantité)* un montón de; *Fam* **pas des masses** *(pas
beaucoup)* no mucho; *(pas nombreux)* no muchos(as); **en m.** *(en
bloc)* en masa; *(en grande quantité)*
a lo grande; **l'arrivée en m. de...** la llegada masiva de... ☆ **m. monétaire**
masa monetaria; **m. salariale** masa
salarial

masse² *nf (maillet)* mazo *m*

masser [mase] **1** *vt (assembler)*
concentrar; *(frotter)* masajear
 2 se masser *vpr (s'assembler)*
concentrarse; *(se frotter)* masa-
jearse

masseur, -euse [masœr, -øz] *nm,f*
masajista *mf*

massif, -ive [masif, -iv] **1** *adj* maci-
zo(a); *(important)* masivo(a)
 2 *nm* macizo *m*; **le M. central** el Macizo Central

massue [masy] **1** *nf* maza *f*
 2 *adj inv (argument)* contundente

mastic [mastik] *nm* masilla *f*

mastiquer [mastike] *vt (mâcher)*
masticar

masturber [mastyrbe] **se masturber** *vpr* masturbarse

masure [mazyr] *nf* casa *f* en ruinas

mat¹, -e [mat] *adj (peau, peinture)*
mate *inv*

mat² *adj inv (aux échecs)* en posición
de (jaque) mate

mât [mɑ] *nm (d'un bateau)* mástil *m*, palo *m*; *(poteau)* poste *m*

match *(pl* **matches** *ou* **matchs**) [matʃ] *nm* partido *m* ☆ *m.* *aller* partido de ida; *m.* *nul* empate *m*; **faire m. nul** empatar; *m.* *retour* partido de vuelta

matelas [matla] *nm* colchón *m*

matelassé, -e [matlase] *adj* acolchado(a)

matelot [matlo] *nm* marinero *m*

mater [mate] *vt (dompter)* domar; *(réprimer)* reprimir; *Fam (regarder)* echar el ojo a

matérialiser [materjalize] **se matérialiser** *vpr* materializarse

matérialiste [materjalist] *adj & nmf* materialista *mf*

matériau, -x [materjo] *nm* material *m*; **matériaux de construction** materiales de construcción; *Fig* **m., matériaux** *(données)* material

matériel, -elle [materjɛl] **1** *adj* material; *(prosaïque)* materialista
  2 *nm (équipement)* material *m*, equipamiento *m*; *Ordinat* hardware *m*

maternel, -elle [matɛrnɛl] **1** *adj (lait, grand-mère, langue)* materno(a); *(amour, instinct)* maternal
  2 *nf* **maternelle** *(école)* parvulario *m*

maternité [matɛrnite] *nf* maternidad *f*

mathématicien, -enne [matematisjɛ̃, -ɛn] *nm,f* matemático(a) *m,f*

mathématique [matematik] **1** *adj* matemático(a)
  2 *nfpl* **mathématiques** matemáticas *fpl*

maths [mat] *nfpl Fam* mates *fpl*

matière [matjɛr] *nf (substance, sujet)* materia *f*; *(discipline)* asignatura *f*; **en m. de** en materia de; **donner m. à réflexion/à plaisanterie** dar pie a la reflexión/a las burlas ☆ *m. grasse* materia grasa; *m. grise* materia gris; *m. plastique* materia plástica; *matières premières* materias primas

matin [matɛ̃] *nm* mañana *f*; **le m.** por la mañana; **ce m.** esta mañana; **hier/lundi m.** ayer/el lunes por la mañana; **à trois heures du m.** a las tres de la mañana; **au petit m.** de madrugada; **du m. au soir** de la mañana a la noche

matinal, -e, -aux, -ales [matinal, -o] *adj (du matin)* matinal, matutino(a); *(personne)* madrugador(ora)

matinée [matine] *nf (partie de la journée)* mañana *f*; *(spectacle)* matiné *f*

matou [matu] *nm* gato *m*

matraque [matrak] *nf* porra *f*

matraquer [matrake] *vt (frapper)* aporrear; *Fig (slogan, chanson)* bombardear

matrice [matris] *nf* matriz *f*

matricule [matrikyl] *nm* número *m* (de registro)

matrimonial, -e, -aux, -ales [matrimɔnjal, -o] *adj* matrimonial

matrone [matrɔn] *nf Péj* verdulera *f*

maturité [matyrite] *nf* madurez *f*

maudire [modir] *vt* maldecir

maudit, -e [modi, -it] *adj & nm,f* maldito(a) *m,f*

maure [mɔr] **1** *adj* moro(a)
  2 *nmf* **M.** moro(a) *m,f*

mausolée [mozole] *nm* mausoleo *m*

maussade [mosad] *adj (personne)* alicaído(a); *(temps)* desapacible

mauvais, -e [mɔvɛ, -ɛz] **1** *adj* malo(a)
  2 *adv* **il fait m.** hace mal tiempo; **sentir m.** oler mal

mauve [mov] **1** *adj* malva *inv*
  2 *nm* malva *m*

mauviette [movjɛt] *nf Fam (personne faible)* alfeñique *m*; *(poltron)* gallina *mf*

maux [mo] *voir* **mal**

max [maks] *nm Fam* **un m. de fric** una pasta gansa; **s'éclater un m.** divertirse (un) mogollón

max. *abrév* **maximum**

maxillaire [maksilɛr] *nm* maxilar *m*

maximal, -e, -aux, -ales [maksimal, -o] *adj* máximo(a)

maxime [maksim] *nf* máxima *f*

maximum [maksimɔm] **1** *adj* máximo(a)
  2 *nm* **faire le m.** hacer todo lo posible; **le m. de** el máximo de; **au m.** como máximo

mayonnaise [majɔnɛz] *nf* mayonesa *f*

mazout [mazut] *nm* fuel-oil *m*

me [mə]

> Antes de vocal o h muda se usa **m'**.

pron personnel me; **m. voilà** aquí estoy

méandre [meɑ̃dr] *nm (d'une rivière)* meandro *m*; *Fig* **méandres** *(d'un raisonnement)* entresijos *mpl*

mec [mɛk] *nm Fam* tío *m*

mécanicien, -enne [mekanisjɛ̃, -ɛn] *nm,f (de garage)* mecánico *mf*; *(conducteur de train)* maquinista *mf*

mécanique [mekanik] **1** *adj* mecánico(a)
  2 *nf* mecánica *f*; *(mécanisme)* maquinaria *f*

mécanisme [mekanism] *nm* mecanismo *m*

mécène [mesɛn] *nm* mecenas *m inv*

méchanceté [meʃɑ̃ste] *nf* maldad *f*

méchant, -e [meʃɑ̃, -ɑ̃t] **1** *adj (personne) (malveillant, désobéissant)* malo(a); *(animal)* peligroso(a); *(attitude)* malévolo(a)
  2 *nm,f* malo(a) *m,f*

mèche [mɛʃ] *nf (de cheveux)* mechón *m*; *(de bougie)* mecha *f*, pábilo *m*; *(d'arme à feu, de pétard)* mecha *f*; *(de perceuse)* broca *f*

méchoui [meʃwi] *nm* mechuí *m (cordero asado)*

méconnaissable [mekɔnɛsabl] *adj* irreconocible

méconnu, -e [mekɔny] *adj* desconocido(a)

mécontent, -e [mekɔ̃tɑ̃, -ɑ̃t] *adj & nm,f* descontento(a) *m,f*

mécontenter [mekɔ̃tɑ̃te] *vt* disgustar

Mecque [mɛk] *voir* **La Mecque**

médaille [medaj] *nf* medalla *f*

médaillon [medajɔ̃] *nm (bijou) & Culin* medallón *m*

médecin [medsɛ̃] *nm* médico(a) *m,f*
☆ **m. légiste** médico forense; **m. traitant** *ou* **de famille** médico de cabecera

médecine [medsin] *nf* medicina *f*
☆ **m. générale** medicina general; **médecines douces** *ou* **parallèles** medicinas alternativas

média [medja] *nm* medio *m* de comunicación

médian, -e [medjɑ̃, -an] **1** *adj* mediano(a)
  2 *nf* **médiane** *(ligne)* mediana *f*

médiateur, -trice [medjatœr, -tris] **1** *nm,f* mediador(ora) *m,f*
  2 *nm* **le M. (de la République)** el defensor del pueblo
  3 *nf* **médiatrice** *(droite)* mediatriz *f*

médiathèque [medjatɛk] *nf* mediateca *f*

médiatique [medjatik] *adj (personnalité)* muy presente en los medios de comunicación; *(événement)* muy esperado(a) por los medios de comunicación

médiatrice [medjatris] *adj & nf voir* **médiateur**

médical, -e, -aux, -ales [medikal, -o] *adj* médico(a)

médicament [medikamɑ̃] *nm* medicamento *m*

médicinal, -e, -aux, -ales [medisinal, -o] *adj* medicinal

médiéval, -e, -aux, -ales [medjeval, -o] *adj* medieval

médiocre [medjɔkr] *adj* mediocre

médiocrité [medjɔkrite] *nf* mediocridad *f*

médire [27b] [medir] *vi* hablar mal (**de** de)

médisant, -e [medizɑ̃, -ɑ̃t] 1 *adj* murmurador(ora)
2 *nm,f* mala lengua *m*

méditation [meditɑsjɔ̃] *nf* meditación *f*

méditer [medite] *vt & vi* meditar (**sobre** sur)

Méditerranée [meditɛrane] *nf* la M. el Mediterráneo

méditerranéen, -enne [meditɛraneɛ̃, -ɛn] 1 *adj* mediterráneo(a)
2 *nm,f* M. mediterráneo(a) *m,f*

médium [medjɔm] *nm (voyant)* médium *mf*

médius [medjys] *nm* dedo *m* corazón, dedo *m* medio

méduse [medyz] *nf* medusa *f*

méduser [medyze] *vt* dejar pasmado(a)

meeting [mitiŋ] *nm (politique)* mitin *m*; *(sportif)* encuentro *m*

méfait [mefɛ] *nm (acte)* mala acción *f*; *Fig* **méfaits** *(du tabac, de l'alcool)* perjuicios *mpl*

méfiance [mefjɑ̃s] *nf* recelo *m*

méfiant, -e [mefjɑ̃, -ɑ̃t] *adj* receloso(a)

méfier [mefje] **se méfier** *vpr* desconfiar (**de** de); **méfie-toi!** *(fais attention)* ¡ten cuidado!

mégalo [megalo] *adj Fam* **il est complètement m.** es un creído

mégalomane [megalɔman] *adj & nmf* megalómano(a) *m,f*

méga-octet *(pl* **méga-octets)** [megaɔktɛ] *nm Ordinat* megabyte *m*

mégarde [megard] **par mégarde** *adv* por descuido

mégère [meʒɛr] *nf* harpía *f*

mégot [mego] *nm Fam* colilla *f*, *CSur* pucho *m*

meilleur, -e [mɛjœr] 1 *adj* mejor
2 *nm,f* **le m., la meilleure** el mejor, la mejor; *Fam* **ça c'est la meilleure!** ¡increíble!
3 *nm* **le m.** lo mejor; **pour le m. et pour le pire** para lo bueno y para lo malo
4 *adv* **il fait m.** hace mejor tiempo

mélancolie [melɑ̃kɔli] *nf* melancolía *f*

mélancolique [melɑ̃kɔlik] *adj* melancólico(a)

Mélanésie [melanezi] *nf* la M. Melanesia

mélanésien, -enne [melanezjɛ̃, -ɛn] 1 *adj* melanesio(a)
2 *nm,f* M. melanesio(a) *m,f*

mélange [melɑ̃ʒ] *nm* mezcla *f*

mélanger [45] [melɑ̃ʒe] 1 *vt Esp* mezclar, *CSur* entreverar
2 **se mélanger** *vpr Esp* mezclarse, *CSur* entreverarse

mêlant [melɑ̃] *adj Can* **c'est pas m.** no es difícil

Melba [mɛlba] *adj inv voir* **pêche**

mêlée [mele] *nf (combat)* pelea *f*; *(au rugby)* melé *f*

mêler [mele] 1 *vt (mélanger) Esp* mezclar, *CSur* entreverar; *(emmêler)* enredar; **m. qn à qch** *(impliquer)* meter a alguien en algo
2 **se mêler** *vpr* **se m. à** *(groupe)* unirse a; *(foule)* confundirse con; **se m. de qch** meterse en algo; **mêle-toi de tes affaires** *ou* **de ce qui te regarde!** ¡ocúpate de tus asuntos!

mélo [melo] *Fam* 1 *adj* melodramático(a)
2 *nm* dramón *m*

mélodie [melɔdi] *nf* melodía *f*

mélodieux, -euse [melɔdjø, -øz] *adj* melodioso(a)

mélodrame [melɔdram] *nm* melodrama *m*

mélomane [melɔman] *adj & nmf* melómano(a) *m,f*

melon [məlɔ̃] *nm (fruit)* melón *m*; *(chapeau)* sombrero *m* hongo, bombín *m*

membrane [mãbran] *nf* membrana *f*

membre [mãbr] *nm (partie du corps, adhérent)* miembro *m*; *Gram* **m. de phrase** elemento *m* de la oración

mémé [meme] *nf* abuela *f*

même [mɛm] **1** *adj indéfini* mismo(a); **j'ai la m. jupe que toi** tengo la misma falda que tú; **c'est cela m.** eso mismo; **ce sont ses paroles mêmes** son sus propias palabras; **elle est la bonté m.** es la bondad personificada **2** *pron indéfini* **le m., la m.** el (la) mismo(a) **3** *adv (aussi)* incluso; *(pour insister)* mismo; **elle est m. riche!** ¡incluso es rica!; **aujourd'hui m.** hoy mismo; **ici m.** aquí mismo; **m. pas** ni siquiera; **m. si** aunque + *subjonctif*; **s'asseoir à m. le sol** sentarse en el mismo suelo; **être à m. de faire qch** estar en condiciones de hacer algo; **de m.** *(de la même façon)* del mismo modo; **il en va de m. pour lui** lo mismo le ocurre a él; **de m. que** igual que

mémento [memɛ̃to] *nm (agenda)* agenda *f*; *(aide-mémoire)* compendio *m*

mémoire [memwar] **1** *nf aussi Ordinat* memoria *f*; **avoir de la m.** tener memoria; **avoir une bonne/mauvaise m.** tener buena/mala memoria; **si j'ai bonne m.** si mal no recuerdo; **avoir la m. courte** no tener muy buena memoria; **à la m. de** en memoria de; **de m.** de memoria ☆ *Ordinat* **m. morte** memoria ROM; **m. tampon** búfer *m*; **m. vive** memoria RAM **2** *nm (rapport)* memoria *f*; *Univ* tesina *f*; **Mémoires** *(livre de souvenirs)* memorias

mémorable [memɔrabl] *adj* memorable

mémorandum [memɔrãdɔm] *nm* memorándum *m*

mémoriser [memɔrize] *vt* memorizar

menaçant, -e [mənasã, -ãt] *adj* amenazador(ora)

menace [mənas] *nf* amenaza *f*

menacer [16] [mənase] **1** *vt* amenazar; **m. qn de qch/de faire qch** amenazar a alguien con algo/con hacer algo **2** *vi* **la pluie/l'orage menace** amenaza lluvia/tormenta

ménage [menaʒ] *nm (nettoyage)* limpieza *f (de la casa)*; *(couple)* pareja *f*; *Écon* unidad *f* familiar; **faire le m.** hacer la limpieza; **faire bon m.** llevarse bien; **se mettre en m.** irse a vivir juntos ☆ **m. à trois** = tres personas que viven juntas y tienen relaciones amorosas

ménagement [menaʒmã] *nm* **sans m.** sin miramientos

ménager¹, -ère [menaʒe, -ɛr] **1** *adj* doméstico(a) **2** *nf* **ménagère** *(femme)* ama *f* de casa; *(couverts)* cubertería *f* de plata

ménager² [45] **1** *vt (bien traiter) (personne)* tratar con consideración; *(susceptibilité)* no herir; *(utiliser avec modération)* emplear bien; *(santé)* cuidar de; **m. une surprise à qn** prepararle una sorpresa a alguien **2 se ménager** *vpr* cuidarse

ménagerie [menaʒri] *nf* casa *f* de fieras

mendiant, -e [mãdjã, -ãt] *nm,f* mendigo(a) *m,f*

mendier [mãdje] *vt & vi* mendigar

mener [46] [məne] **1** *vt (emmener, conduire)* llevar; *(diriger, être en tête de)* dirigir; **m. qn par le bout du nez** tener dominado(a) a alguien; **m. qch à bien** llevar algo a buen término **2** *vi (équipe, joueur)* ir ganando

meneur, -euse [mənœr, -øz] *nm,f* cabecilla *m* ☆ **m. d'hommes** líder *mf*; *Sp* **m. de jeu** director(ora) *m,f* de juego

méningite [menɛ̃ʒit] *nf* meningitis *f inv*

ménisque [menisk] *nm* menisco *m*

ménopause [menɔpoz] *nf* menopausia *f*

menottes [mənɔt] *nfpl* esposas *fpl*; **passer les m. à qn** poner las esposas a alguien

mensonge [mɑ̃sɔ̃ʒ] *nm* mentira *f*

menstruel, -elle [mɑ̃stryɛl] *adj* menstrual

mensualiser [mɑ̃sɥalize] *vt (salarié)* pagar mensualmente; *(paiement)* mensualizar

mensualité [mɑ̃sɥalite] *nf* mensualidad *f*

mensuel, -elle [mɑ̃sɥɛl] **1** *adj* mensual
   2 *nm* publicación *f* mensual

mensurations [mɑ̃syrɑsjɔ̃] *nfpl* medidas *fpl*

mental, -e, -aux, -ales [mɑ̃tal, -o] *adj* mental

mentalité [mɑ̃talite] *nf* mentalidad *f*

menteur, -euse [mɑ̃tœr, -øz] *adj & nm,f* mentiroso(a) *m,f*

menthe [mɑ̃t] *nf* menta *f* ☆ **m. à l'eau** refresco *m* de menta

menthol [mɑ̃tɔl] *nm* mentol *m*

mention [mɑ̃sjɔ̃] *nf (citation)* mención *f*; **faire m. de qch** hacer mención de algo; **rayer la m. inutile** *(sur un formulaire)* tachar lo que no proceda; *Scol & Univ* **avec m.** con nota; **m. très bien/bien/assez bien/passable** = calificaciones: 8,9 y 10/7/6/5

mentionner [mɑ̃sjɔne] *vt* mencionar

mentir [64a] [mɑ̃tir] *vi* mentir

menton [mɑ̃tɔ̃] *nm* barbilla *f*, mentón *m*

menu¹, -e [məny] *adj* menudo(a)

menu² *nm aussi Ordinat* menú *m* ☆ *Ordinat* **m. déroulant** menú desplegable

menuiserie [mənɥizri] *nf* carpintería *f*

menuisier [mənɥizje] *nm* carpintero *m*

méprendre [58] [meprɑ̃dr] **se méprendre** *vpr Litt* confundirse, equivocarse; **se m. sur** confundirse respecto a

mépris *nm (dédain)* desprecio *m*, menosprecio *m* (**pour** por); **au m. de** sin tener en cuenta

méprisable [meprizabl] *adj* despreciable

méprisant, -e [meprizɑ̃, -ɑ̃t] *adj* despectivo(a)

mépriser [meprize] *vt* despreciar

mer [mɛr] *nf* mar *m o f*; **partir en m.** hacerse a la mar; *Fam* **ce n'est pas la m. à boire** no es tan difícil ☆ *haute ou pleine* m. alta mar *f*; **la m. Adriatique** el mar Adriático; **la m. Baltique** el mar Báltico; **la m. Caspienne** el mar Caspio; **la m. Égée** el mar Egeo; **la m. Méditerranée** el mar Mediterráneo; **la m. Morte** el mar Muerto; **la m. Noire** el mar Negro; **la m. du Nord** el mar del Norte; **la m. Rouge** el mar Rojo

mercantile [mɛrkɑ̃til] *adj Péj* negociante

mercenaire [mɛrsənɛr] *nm* mercenario *m*

mercerie [mɛrsəri] *nf* mercería *f*

merci [mɛrsi] **1** *exclam* gracias; **m. beaucoup** muchas gracias; **non m.** no, gracias
   2 *nm* gracias *fpl*; **dire m. à qn** darle las gracias a alguien
   3 *nf* **être à la m. de** estar a merced de; **une lutte sans m.** una lucha sin cuartel

mercredi [mɛrkrədi] *nm* miércoles *m inv*; *voir aussi* **samedi**

Mercure [mɛrkyr] *npr (dieu, planète)* Mercurio

mercure [mɛrkyr] *nm* mercurio *m*

Mercurochrome® [mɛrkyrɔkrɔm] *nm* mercromina *f*

merde [mɛrd] *très Fam* **1** *nf* mierda *f*; **c'est de la m.** es una mierda

  2 *exclam* ¡mierda!; **ben m. alors!** *(exprime la surprise)* ¡hala!

merdique [mɛrdik] *adj très Fam* de mierda; **son dernier roman est vraiment m.** su última novela es una mierda

mère [mɛr] *nf* madre *f* ✿ **m. célibataire** madre soltera; **m. de famille** madre de familia

merguez [mɛrgɛz] *nf* = salchicha picante

méridien [meridjɛ̃] *nm* meridiano *m*

méridional, -e, -aux, -ales [meridjɔnal, -o] *adj (du sud)* meridional; *(du sud de la France)* del sur de Francia

meringue [mərɛ̃g] *nf* merengue *m*

mérite [merit] *nm* mérito *m*; **avoir du m. (à faire qch)** tener mérito (por hacer algo)

mériter [merite] *vt* merecer

merlan [mɛrlɑ̃] *nm* pescadilla *f*

merle [mɛrl] *nm* mirlo *m*

merlu [mɛrly] *nm* merluza *f*

merveille [mɛrvɛj] *nf* maravilla *f*; **à m. de maravilla**

merveilleux, -euse [mɛrvɛjø, -øz] *adj* maravilloso(a)

mes [me] *voir* **mon**

mésange [mezɑ̃ʒ] *nf* paro *m*

mésaventure [mezavɑ̃tyr] *nf* desventura *f*

mesdames [medam] *nfpl voir* **madame**

mesdemoiselles [medmwazɛl] *nfpl voir* **mademoiselle**

mésentente [mezɑ̃tɑ̃t] *nf* desacuerdo *m*

mesquin, -e [mɛskɛ̃, -in] *adj* mezquino(a)

mesquinerie [mɛskinri] *nf* mezquindad *f*

mess [mɛs] *nm* comedor *m* (de oficiales y suboficiales)

message [mesaʒ] *nm* mensaje *m*; **laisser un m. à qn** dejarle un mensaje o un recado a alguien ✿ *Ordinat* **m. d'erreur** mensaje de error; **m. publicitaire** anuncio *m*, mensaje publicitario

messager, -ère [mesaʒe, -ɛr] *nm,f* mensajero(a) *m,f*

messagerie [mesaʒri] *nf (transport de marchandises)* mensajería *f* ✿ *Ordinat* **m. électronique** mensajería electrónica

messe [mɛs] *nf* misa *f*; **aller à la m.** ir a misa ✿ **m. de minuit** misa del gallo

messieurs [mesjø] *nmpl voir* **monsieur**

mesure [məzyr] *nf* medida *f*; *(modération)* mesura *f*, medida *f*; *Mus* compás *m*; **prendre les mesures de** tomarle las medidas a; **à m. que** a medida que; **dans la m. du possible** en la medida de lo posible; *Mus* **être en m.** ir al tempo; **être en m. de faire qch** estar en condiciones de hacer algo; **sur m.** a medida

mesurer [məzyre] **1** *vt* medir; *(limiter)* escatimar

  2 se mesurer *vpr* **se m. avec** *ou* **à qn** medirse con alguien

met *voir* **mettre**

métabolisme [metabɔlism] *nm* metabolismo *m*

métal, -aux [metal, -o] *nm* metal *m*

métallique [metalik] *adj* metálico(a)

métallisé, -e [metalize] *adj* metalizado(a)

métallurgie [metalyrʒi] *nf* metalurgia *f*

métamorphose [metamɔrfoz] *nf* metamorfosis *f inv*

métaphore [metafɔr] *nf* metáfora *f*

métaphysique [metafizik] **1** *adj* metafísico(a)

  2 *nf* metafísica *f*

météo [meteo] *Fam* **1** *adj* meteoro-
lógico(a), del tiempo
  2 *nf* la m. el tiempo
météore [meteɔr] *nm* meteoro *m*
météorite [meteɔrit] *nf* meteorito *m*
météorologie [meteɔrɔlɔʒi] *nf* meteorología *f*
météorologique [meteɔrɔlɔʒik] *adj*
meteorológico(a)
méthane [metan] *nm* metano *m*
méthode [metɔd] *nf* método *m*
méthodologie [metɔdɔlɔʒi] *nf* metodología *f*
méticuleux, -euse [metikylø, -øz]
adj meticuloso(a)
métier [metje] *nm (profession)* oficio
m; **avoir du m.** tener oficio; **être du m.**
ser del oficio ☆ **m. à tisser** telar *m*
métis, -isse [metis] *adj & nm,f* mes-
tizo(a) *m,f*
métrage [metraʒ] *nm (longueur de
tissu)* metros *mpl* ☆ *Cin* **court m.**
cortometraje *m*; **long m.** largometraje *m*; **moyen m.** mediometraje *m*
mètre [mɛtr] *nm* metro *m* ☆ **m. carré**
metro cuadrado; **m. cube** metro cúbico
métro [metro] *nm* metro *m*
métronome [metrɔnɔm] *nm* metró-
nomo *m*
métropole [metrɔpɔl] *nf* metrópoli *f*
mets¹ *voir* mettre
mets² [mɛ] *nm Litt* manjar *m*
mette *voir* mettre
metteur [mɛtœr] **metteur en scène**
nm director(ora) *m,f*
mettre [47] [mɛtr] **1** *vt* poner; *(vêtement, lunettes)* ponerse; *(temps, argent, énergie)* emplear; **faire m.
l'électricité** hacer instalar la electricidad
  2 se mettre *vpr (se placer)* ponerse; **se m. à faire qch** *(commencer
à)* ponerse a hacer algo; **se m. d'accord** ponerse de acuerdo; **s'y m.** ponerse a ello

meuble [mœbl] **1** *nm* mueble *m*
  2 *adj (terre)* blando(a); *Jur* mueble
meublé, -e [mœble] **1** *adj* amuebla-
do(a)
  2 *nm* piso *m* amueblado
meubler [mœble] **1** *vt* amueblar; *Fig
(temps, loisirs)* llenar; *(conversation)*
entretener
  2 *vi* adornar, ser decorativo(a)
  3 se meubler *vpr* amueblar la casa
meugler [møgle] *vi* mugir
meuh [mø] **1** *exclam* ¡mu!
  2 *nm* mu *m*
meule [møl] *nf (à moudre, à aiguiser)*
muela *f*; *(de fromage)* rueda *f*; *(de
foin)* almiar *m*
meunier, -ère [mønje, -ɛr] *nm,f*
molinero(a) *m,f*
meurs, meurt *voir* mourir
meurtre [mœrtr] *nm* asesinato *m*
meurtrier, -ère [mœrtrije, -ɛr] **1** *adj*
mortal
  2 *nm,f* asesino(a) *m,f*
meurtrir [mœrtrir] *vt (physiquement)* magullar; *(moralement)* herir
meute [møt] *nf* jauría *f*
mexicain, -e [mɛksikɛ̃, -ɛn] **1** *adj*
mejicano(a)
  2 *nm,f* **M.** mejicano(a) *m,f*
Mexico [mɛksiko] *n* México, Méjico
Mexique [mɛksik] *nm* **le M.** México,
Méjico
mezzanine [mɛdzanin] *nf Th (au
théâtre)* principal *m (palco)*; *(plate-
forme)* altillo *m*, entrepiso *m*
mg *(abrév* **milligramme)** mg
mi [mi] *nm inv Mus* mi *m*
mi- [mi] *préf inv* medio(a); **à la mi-
janvier** a mediados de enero; **à mi-
hauteur** a media altura
miaou [mjau] **1** *exclam* miau
  2 *nm* miau *m*
miasme [mjasm] *nm* miasma *m*
miaulement [mjolmã] *nm* maullido
m
miauler [mjole] *vi* maullar

mi-bas [miba] *nm inv* ejecutivo *m*

miche [miʃ] *nf (pain)* hogaza *f*

mi-chemin [miʃmɛ̃] **à mi-chemin** *adv* a medio camino, a mitad de camino

mi-clos, -e (*mpl* **mi-clos,** *fpl* **mi-closes**) [miklo, mikloz] *adj* entornado(a)

micro [mikro] *nm (microphone, micro-ordinateur)* micro *m*

microbe [mikrɔb] *nm* microbio *m*

microbiologie [mikrɔbjɔlɔʒi] *nf* microbiología *f*

microcircuit [mikrɔsirkɥi] *nm Ordinat* microcircuito *m*

microclimat [mikrɔklima] *nm* microclima *m*

microcosme [mikrɔkɔsm] *nm* microcosmos *m inv*

micro-informatique [mikrɔɛ̃fɔrmatik] *nf* microinformática *f*

micro-ondes [mikrɔɔ̃d] *nm inv* microondas *m inv*

micro-ordinateur (*pl* **micro-ordinateurs**) [mikrɔɔrdinatœr] *nm* microordenador *m*

microphone [mikrɔfɔn] *nm* micrófono *m*

microprocesseur [mikrɔprɔsɛsœr] *nm Ordinat* microprocesador *m*

microscope [mikrɔskɔp] *nm* microscopio *m* ☆ *m. électronique* microscopio electrónico

microscopique [mikrɔskɔpik] *adj* microscópico(a)

Midi [midi] *nm* **le M.** = el sur de Francia

midi [midi] *nm (période du déjeuner)* mediodía *m*; **il est m.** son las doce *(de la mañana)*

mie [mi] *nf* miga *f*

miel [mjɛl] *nm* miel *f*

mielleux, -euse [mjɛlø, -øz] *adj* meloso(a)

mien, mienne [mjɛ̃, mjɛn] **le mien, la mienne** (*mpl* **les miens,** *fpl* **les**

miennes) *pron possessif* el (la) mío(a); **c'est ton problème, pas le m.** es tu problema, no el mío; **j'y mets du m.** yo hago (todo) lo que puedo; **les miens** *(famille)* los míos

miette [mjɛt] *nf* migaja *f*; *Fig* **mettre qch en miettes** hacer migas algo

mieux [mjø] **1** *adv* mejor; **elle pourrait m. faire** podría hacerlo mejor; **c'est elle qui parle le m. espagnol** ella es la que habla mejor (el) español; **l'employé le m. payé du service** el empleado mejor pagado del departamento; **le m. serait de tout lui dire** lo mejor sería decirle todo; **fais pour le m.** haz lo que te parezca mejor; **au m.** en el mejor de los casos; **de m. en m.** cada vez mejor

  2 *adj* mejor

  3 *nm* **j'attendais m.** esperaba algo mejor; **il y a du** *ou* **un m.** va mejor; **il fait de son m.** hace (todo) lo mejor que puede

mièvre [mjɛvr] *adj* remilgado(a)

mignon, -onne [miɲɔ̃, -ɔn] *adj (joli)* mono(a); *(gentil)* bueno(a), amable

migraine [migrɛn] *nf* jaqueca *f*, migraña *f*

migrateur, -trice [migratœr, -tris] *adj* migratorio(a)

migration [migrasjɔ̃] *nf* migración *f*

mijoter [miʒɔte] **1** *vt (plat)* guisar; *Fig (tramer)* tramar

  2 *vi* cocer a fuego lento

mil [mil] *adj inv Vieilli* **l'an m.** el año mil

milan [milɑ̃] *nm* milano *m*

milice [milis] *nf* milicia *f*

milicien, -enne [milisjɛ̃, -ɛn] *nm,f* miliciano(a) *m,f*

milieu, -x [miljø] *nm (centre)* medio *m*, centro *m*; *(dans le temps)* mitad *f*; *(intermédiaire)* término *m* medio; *(environnement, groupe social)* medio *m*; **le m.** *(pègre)* el hampa; **au m.**

de *(dans l'espace)* en medio de; *(dans le temps)* en mitad de; *(parmi)* entre; **au beau m. de** en mitad de; **en plein m.** *de (dans l'espace)* justo en medio de; **en plein m. de la réunion** en plena reunión; **garder/trouver le juste m.** mantener/encontrar un término medio

militaire [militɛr] **1** *adj* militar
  2 *nm* militar *m*

militant, -e [militã, -ãt] *adj & nm,f* militante *mf*

militer [milite] *vi* militar (**pour/contre** a favor de/en contra de)

milk-shake *(pl* **milk-shakes)** [milk-ʃɛk] *nm* batido *m*

mille¹ [mil] **1** *adj inv* mil
  2 *nm inv* mil *m*; *(de cible)* blanco *m*; *aussi Fig* **taper** *ou* **mettre dans le m.** dar en el blanco; *voir aussi* **six**

mille² *nm Naut* milla *f* ☆ **m. marin** milla marina

mille-feuille *(pl* **mille-feuilles)** [milfœj] *nm (gâteau)* milhojas *m inv*

millénaire [milenɛr] **1** *adj* milenario(a)
  2 *nm* milenario *m*

mille-pattes [milpat] *nm inv* ciempiés *m inv*

millésime [milezim] *nm (d'un vin)* reserva *m*; *(d'une pièce)* fecha *f* de acuñación

millet [mijɛ] *nm* mijo *m*

milliard [miljar] *nm* **un m. de** mil millones de

milliardaire [miljardɛr] *adj & nmf* multimillonario(a) *m,f*

millier [milje] *nm* millar *m*; **un m. de** un millar de

milligramme [miligram] *nm* miligramo *m*

millilitre [mililitr] *nm* mililitro *m*

millimètre [milimɛtr] *nm* milímetro *m*

millimétré, -e [milimetre] *adj* milimetrado(a)

million [miljõ] *nm* millón *m*; **un m. de** un millón de

millionnaire [miljonɛr] *adj & nmf* millonario(a) *m,f*

mime [mim] **1** *nm (spectacle)* mimo *m*
  2 *nmf (acteur)* mimo *mf*

mimer [mime] *vt (exprimer sans parler)* expresar con mímica; *(imiter)* imitar

mimétisme [mimetism] *nm* mimetismo *m*

mimique [mimik] *nf* mímica *f*

mimosa [mimoza] *nm* mimosa *f*

min *(abrév* **minute)** min.

min. *(abrév* **minimum)** mín.

minable [minabl] *adj* miserable, lamentable

minaret [minarɛ] *nm* minarete *m*, alminar *m*

minauder [minode] *vi* hacer melindres

mince [mɛ̃s] **1** *adj* delgado(a); *Fig (preuve, revenu)* insuficiente
  2 *exclam* **m. (alors)!** *(exprime l'agacement)* ¡vaya!; *(exprime l'étonnement)* ¡caramba!

minceur [mɛ̃sœr] *nf* delgadez *f*; *Fig (insuffisance)* insuficiencia *f*

mincir [mɛ̃sir] *vi* adelgazar

mine¹ [min] *nf (physionomie)* cara *f*; *(apparence)* aspecto *m*; **avoir bonne/mauvaise m.** tener buena/mala cara; **faire m. de faire qch** hacer como si se fuera a hacer algo

mine² *nf (de crayon, gisement, explosif)* mina *f*; *Fig* **être une m. de** ser una mina de; **m. de charbon** mina de carbón

miner [mine] *vt* minar; *Fig* carcomer

minerai [minrɛ] *nm* mineral *m*

minéral, -e, -aux, -ales [mineral, -o] **1** *adj* mineral
  2 *nm* mineral *m*

minéralogique [mineralɔʒik] *adj voir* **plaque**

minet, -ette [minɛ, -ɛt] *nm,f (chat)* minino(a) *m,f*; *(personne coquette)* coqueto(a) *m,f*

mineur¹, -e [minœr] **1** *adj* menor **2** *nm,f (jeune)* menor *mf*

mineur² *nm (ouvrier)* minero *m* ☆ **m. de fond** minero de extracción

miniature [minjatyr] **1** *nf* miniatura *f* **2** *adj* miniatura *inv*

miniaturiser [minjatyrize] *vt* miniaturizar

minibus [minibys] *nm* minibús *m*

minichaîne [miniʃɛn] *nf* minicadena *f*

minier, -ère [minje, -ɛr] *adj* minero(a)

minigolf [minigɔlf] *nm* minigolf *m*

minijupe [miniʒyp] *nf* minifalda *f*

minimal, -e, -aux, -ales [minimal, -o] *adj* mínimo(a)

minimaliste [minimalist] *adj* minimalista

minime [minim] **1** *adj* mínimo(a) **2** *nmf Sp* infantil *mf*

minimiser [minimize] *vt* minimizar

minimum [minimɔm] **1** *adj* mínimo(a) **2** *nm* mínimo *m*; **au m.** como mínimo; **le strict m.** lo mínimo

ministère [ministɛr] *nm* ministerio *m*

ministériel, -elle [ministerjɛl] *adj* ministerial

ministre [ministr] *nm* ministro(a) *m,f*; **m. délégué à** ministro delegado de ☆ **m. d'État** ministro sin cartera; **Premier m.** Primer ministro

Minitel® [minitɛl] *nm* = terminal conectado a la línea telefónica con el que se pueden hacer reservas de viajes y espectáculos, consultar el servicio meteorológico, etc desde casa

minitéliste [minitelist] *nmf* usuario(a) *m,f* del Minitel

minois [minwa] *nm* carita *f*

minoritaire [minɔritɛr] *adj* minoritario(a); **être m.** estar en minoría, ser minoría

minorité [minɔrite] *nf* minoría *f*; **être en m.** estar en minoría

Minorque [minɔrk] *n* Menorca

minuit [minɥi] *nm* medianoche *f*

minuscule [minyskyl] **1** *adj* minúsculo(a) **2** *nf* minúscula *f*

minute [minyt] **1** *nf* minuto *m*; *Jur* original *m*; **à la dernière m.** en el último minuto; **d'une m. à l'autre** de un momento a otro **2** *exclam Fam* ¡un minuto!

minuter [minyte] *vt* cronometrar

minuterie [minytri] *nf (d'un four, d'éclairage)* temporizador *m*

minutie [minysi] *nf* minuciosidad *f*; **avec m.** minuciosamente

minutieux, -euse [minysjø, -øz] *adj* minucioso(a)

mioche [mjɔʃ] *nmf Fam* crío(a) *m,f*

mirabelle [mirabɛl] *nf (fruit)* ciruela *f* mirabel; *(alcool)* aguardiente *m* de ciruela mirabel

miracle [mirakl] *nm* milagro *m*; **croire aux miracles** creer en milagros; **par m.** de milagro

miraculeux, -euse [mirakylø, -øz] *adj* milagroso(a)

mirador [miradɔr] *nm Mil* torre *f* de observación

mirage [miraʒ] *nm* espejismo *m*

mire [mir] *nf TV* carta *f* de ajuste

mirer [mire] **se mirer** *vpr Litt (se regarder)* contemplarse; *(se refléter)* reflejarse

mirobolant, -e [mirɔbɔlɑ̃, -ɑ̃t] *adj* fantasioso(a)

miroir [mirwar] *nm* espejo *m*

miroiter [mirwate] *vi* espejear; *Fig* **faire m. qch à qn** tentar a alguien con algo

mis, -e *pp voir* **mettre**

misanthrope [mizɑ̃trɔp] *adj & nmf* misántropo(a) *m,f*

mise [miz] *nf (action de mettre)* puesta *f*; *(argent parié)* apuesta *f*; *Litt (tenue)* vestimenta *f*; **être de m.** ser de recibo ☆ *m. à jour* puesta al día; *m. en page* compaginación *f*; *m. en plis* toga *f*; *m. au point* Phot enfoque *m*; *Tech* puesta a punto; *Fig (explication)* aclaración *f*; *m. en scène Cin & Th* dirección *f*; *Fig (d'un événement)* escenificación *f*

miser [mize] *vt (parier)* apostar (**sur** por); **m. sur** *(compter)* contar con

misérable [mizerabl] *adj & nmf* miserable *mf*

misère [mizɛr] *nf* miseria *f*; **ça coûte une m.** cuesta una miseria; **un salaire de m.** un salario mísero; **faire des misères à qn** chinchar a alguien

miséricorde [mizerikɔrd] *nf* misericordia *f*

misogyne [mizɔʒin] *adj & nmf* misógino(a) *m,f*

missel [misɛl] *nm* misal *m*

missile [misil] *nm* misil *m*

mission [misjɔ̃] *nf* misión *f*; **en m.** en misión

missionnaire [misjɔnɛr] *nmf* misionero(a) *m,f*

missive [misiv] *nf* misiva *f*

mistral [mistral] *nm* mistral *m*

mitaine [mitɛn] *nf* mitón *m*; *Can (moufle)* manopla *f*

mite [mit] *nf* polilla *f*

mité, -e [mite] *adj* apolillado(a)

mi-temps [mitɑ̃] **1** *nf inv (en sport)* *(moitié)* tiempo *m*; *(pause)* descanso *m*
2 *nm (travail)* trabajo *m* a media jornada; **travail/travailler à m.** trabajo/trabajar a media jornada

miteux, -euse [mitø, -øz] *adj Fam* miserable

mitigé, -e [mitiʒe] *adj* moderado(a)

mitonner [mitɔne] *vt (plat)* cocer a fuego lento; *Fig (préparer)* preparar

mitoyen, -enne [mitwajɛ̃, -ɛn] *adj* medianero(a); *(maisons)* adosado(a)

mitrailler [mitraje] *vt (tirer sur)* ametrallar; *Fig (photographier)* acribillar (con los flashes); **m. qn de questions** acosar a alguien a preguntas

mitraillette [mitrajɛt] *nf* metralleta *f*

mitrailleuse [mitrajøz] *nf* ametralladora *f*

mitre [mitr] *nf* mitra *f*

mi-voix [mivwa] **à mi-voix** *adv* a media voz

mixage [miksaʒ] *nm* mezcla *f*

mixer¹ [mikse] *vt (film, sons)* mezclar; *(ingrédients)* triturar

mixer², mixeur [miksœr] *nm* batidora *f*

mixte [mikst] *adj* mixto(a)

mixture [mikstyr] *nf* mixtura *f*

MJC [ɛmʒise] *nf (abrév* **maison des jeunes et de la culture***)* = casa de la juventud y la cultura

ml *(abrév* **millilitre(s)***)* ml.

Mlle *(abrév* **mademoiselle***)* Srta.

MM *(abrév* **messieurs***)* Sres., Srs.

mm *(abrév* **millimètre(s)***)* mm

Mme *(abrév* **madame***)* Sra.

Mo *(abrév* **méga-octet(s)***)* *Ordinat* Mb

mobile [mɔbil] **1** *adj* móvil; *(visage, regard)* vivaz
2 *nm* móvil *m*

mobilier, -ère [mɔbilje, -ɛr] **1** *adj* mobiliario(a)
2 *nm* mobiliario *m*

mobiliser [mɔbilize] **1** *vt* movilizar
2 se mobiliser *vpr* movilizarse

mobilité [mɔbilite] *nf (aptitude à se déplacer)* movilidad *f*; *(vivacité)* expresividad *f*

Mobylette® [mɔbilɛt] *nf* mobylette *f*

mocassin [mɔkasɛ̃] *nm* mocasín *m*
moche [mɔʃ] *adj Fam (laid)* feo(a); *(méprisable)* chungo(a)
modalité [mɔdalite] *nf* modalidad *f*; **modalités de paiement** modalidades de pago
mode¹ [mɔd] *nf* moda *f*; **à la m. de** moda; **à la m. de** *(à la manière de)* a la manera de
mode² *nm aussi Ordinat* modo *m*; *Mus* **m. majeur/mineur** modo mayor/menor ☆ **m. d'emploi** modo de empleo; **m. de paiement** modalidad *f* de pago; **m. de vie** modo de vida
modèle [mɔdɛl] *nm* modelo *m*; **sur le m. de** según el modelo de ☆ **m. déposé** modelo registrado; **m. réduit** maqueta *f*
modeler [39] [mɔdle] *vt* modelar; *Fig* **m. qch sur qch** amoldar algo a algo
modélisme [mɔdelism] *nm* modelismo *m*
modem [mɔdɛm] *nm* modem *m*
modération [mɔderasjɔ̃] *nf* moderación *f*; **à consommer avec m.** consumir con moderación
modéré, -e [mɔdere] *adj & nm,f* moderado(a) *m,f*
modérer [34] [mɔdere] **1** *vt* moderar **2 se modérer** *vpr* moderarse
moderne [mɔdɛrn] *adj* moderno(a)
moderniser [mɔdɛrnize] **1** *vt* modernizar **2 se moderniser** *vpr* modernizarse
modeste [mɔdɛst] *adj* modesto(a); *(simple)* sencillo(a)
modestie [mɔdɛsti] *nf* modestia *f* ☆ **fausse m.** falsa modestia
modification [mɔdifikasjɔ̃] *nf* modificación *f*
modifier [mɔdifje] **1** *vt* modificar **2 se modifier** *vpr* modificarse
modique [mɔdik] *adj* módico(a)
modiste [mɔdist] *nmf* sombrerero(a) *m,f*
modulation [mɔdylasjɔ̃] *nf* modu-

lación *f* ☆ **m. de fréquence** frecuencia *f* modulada
module [mɔdyl] *nm* módulo *m*
moduler [mɔdyle] *vt (chanter)* & *Rad* modular; *(température, lumière)* regular; *(adapter)* adaptar
moelle [mwal] *nf* médula *f* ☆ **m. épinière** médula espinal; **m. osseuse** médula ósea
moelleux, -euse [mwalø, -øz] *adj (lit, canapé)* blando(a), mullido(a); *(fromage)* blando(a)
moellon [mwalɔ̃] *nm* morrillo *m*
mœurs [mœr(s)] *nfpl (usages, habitudes)* costumbres *fpl*; *(morale)* moralidad *f*; *Zool* comportamiento *m*; **entrer** *ou* **passer dans les m.** entrar a formar parte de la vida diaria; **de m. légères** de costumbres ligeras
mohair [mɔɛr] *nm* mohair *m*
moi [mwa] **1** *pron personnel (complément d'objet)* me; *(après une préposition)* mí; *(sujet, dans une comparaison)* yo; **aide-m.** ayúdame; **donne-le-m.** dámelo; **c'est m.!** ¡soy yo!; **m. aussi/non plus** yo también/tampoco; **plus âgé que m.** mayor que yo; **c'est à m.** es mío(a); **avec m.** conmigo; **après m.** después de mí; **je suis content de m.** estoy satisfecho conmigo mismo; **ils nous ont invités, Agnès et m.** nos invitaron a Agnès y a mí
   2 *nm (en philosophie)* **le m.** el yo
moignon [mwaɲɔ̃] *nm (de membre)* muñón *m*; *(d'arbre)* garrón *m*
moi-même [mwamɛm] *pron personnel* yo mismo(a)
moindre [mwɛ̃dr] *adj (comparatif)* menor; **les moindres détails** los más mínimos detalles; **c'est la m. des choses!** ¡qué menos!
moine [mwan] *nm* monje *m*, fraile *m*
moineau, -x [mwano] *nm* gorrión *m*
moins [mwɛ̃] **1** *adv (quantité)* menos; **m. dix (degrés)** diez grados bajo cero; **m. de 300 calories** menos de

300 calorías; **m. de travail/de verres** menos trabajo/vasos; **m. que menos que**; **m. tu feras d'exercice, plus tu grossiras** cuanto menos ejercicïo hagas, más engordarás; **c'est elle qui parle le m.** ella es la que menos habla; **le restaurant le m. cher** el restaurante menos caro; **le m. possible** lo menos posible; **le m. qu'on puisse dire, c'est que...** lo menos que se puede decir es que...; **à m. de faire un gros effort, ...** a no ser o a menos que haga/hagamos/etc un gran esfuerzo, ...; **à m. que** a no ser que, a menos que; **au m.** por lo menos; **de m. en m.** cada vez menos; **du m.** por lo menos, al menos; **en m.** (de) menos; **pour le m.** por lo menos
2 *prép* menos
3 *nm (signe)* signo *m* menos

moiré, -e [mware] *adj (tissu)* de moaré, de muaré; *(chatoyant)* tornasolado(a)

mois [mwa] *nm* mes *m*; *(salaire)* mensualidad *f*; **au m. de septembre** en (el mes de) septiembre ☆ **treizième m.** paga *f* extraordinaria

moisi, -e [mwazi] 1 *adj* mohoso(a), enmohecido(a)
2 *nm* moho *m*

moisir [32] [mwazir] *vi (fruit, bois)* enmohecerse; *(en prison)* pudrirse; *(argent, fortune)* cubrirse de moho

moisissure [mwazisyr] *nf* moho *m*

moisson [mwasɔ̃] *nf (récolte)* siega *f*; *Fig* cosecha *f*; **faire la m.** *ou* **les moissons** segar

moissonner [mwasɔne] *vt* segar

moissonneuse-batteuse (*pl* **moissonneuses-batteuses**) [mwasɔnøzbatøz] *nf* cosechadora *f*

moite [mwat] *adj* húmedo(a)

moitié [mwatje] *nf* mitad *f*; *Fam* **ma/sa/etc m.** *(époux, épouse)* mi/su/etc media naranja; **à m. fou** medio loco; **faire qch à m.** hacer algo a medias; **m.-m.** mitad y mitad

moka [mɔka] *nm (café)* moka *m*, moca *m*; *(gâteau)* pastel *m* de moka

molaire [mɔlɛr] *nf* molar *m*

molécule [mɔlekyl] *nf* molécula *f*

molester [mɔlɛste] *vt* maltratar

molle [mɔl] *voir* **mou**

mollement [mɔlmɑ̃] *adv (faiblement)* débilmente; *(paresseusement)* indolentemente

mollesse [mɔlɛs] *nf (d'une chose)* blandura *f*; *Fig (d'une personne)* apatía *f*

mollet [mɔlɛ] 1 *nm* pantorrilla *f*
2 *adj voir* **œuf**

molletonné, -e [mɔltɔne] *adj* grueso(a) y afelpado(a)

mollir [mɔlir] *vi* flojear; *(matière)* reblandecerse; *(vent)* amainar

mollusque [mɔlysk] *nm* molusco *m*

molosse [mɔlɔs] *nm* moloso *m*

môme [mom] *nmf Fam (enfant)* crío(a) *m,f*

moment [mɔmɑ̃] *nm (instant précis)* momento *m*; *(période)* rato *m*; **passer un mauvais m.** pasar un mal rato; **à tout m.** en cualquier momento; **au m. de/où** en el momento de/en que; **ce n'est pas le m. (de faire qch)** no es el momento (de hacer algo); **dans un m.** dentro de o en un momento; **du m. que** *(puisque)* dado que; *(à condition que)* siempre y cuando + *subjonctif*; **d'un m. à l'autre** de un momento a otro; **en ce m.** ahora mismo, en este momento; **par moments** de vez en cuando, a ratos; **pour le m.** de momento, por el momento

momentané, -e [mɔmɑ̃tane] *adj* momentáneo(a)

momentanément [mɔmɑ̃tanemɑ̃] *adv* momentáneamente

momie [mɔmi] *nf* momia *f*

mon, ma [mɔ̃, ma] (*pl* **mes** [me])

Antes de vocal o h muda se emplea **mon** en lugar de **ma**.

adj possessif mi; **j'ai enlevé ma veste me** quité la chaqueta; **mes amis** mis amigos

Monaco [mɔnako] *n* **(la principauté de) M.** (el principado de) Mónaco

monarchie [mɔnarʃi] *nf* monarquía *f* ☆ **m. absolue** monarquía absoluta; **m. constitutionnelle** monarquía constitucional

monarque [mɔnark] *nm* monarca *m*

monastère [mɔnastɛr] *nm* monasterio *m*

monceau, -x [mɔ̃so] *nm* montón *m*, *Andes, Carib* ruma *f*

mondain, -e [mɔ̃dɛ̃, -ɛn] **1** *adj* mundano(a)
2 *nm,f* hombre (mujer) *m,f* de mundo

mondanités [mɔ̃danite] *nfpl (événements)* ecos *mpl* de sociedad; *(politesses)* convencionalismos *mpl*

monde [mɔ̃d] *nm* mundo *m*; *(gens)* gente *f*; *(milieu social)* mundillo *m*; **beaucoup/peu de m.** mucha/poca gente; **tout le m.** todo el mundo, todos; *Rel* **l'autre m.** el otro mundo; **le mieux du m.** a las mil maravillas; **pas le moins du m.** en lo más mínimo; **pour rien au m.** por nada del mundo; **mettre un enfant au m.** traer al mundo un niño; **venir au m.** venir al mundo; **c'est un m.!** ¡es el colmo!; **se faire un m. de qch** hacer una montaña de algo

mondial, -e, -aux, -ales [mɔ̃djal, -o] *adj* mundial

mondialisation [mɔ̃djalizasjɔ̃] *nf* universalización *f*

monégasque [mɔnegask] **1** *adj* monegasco(a)
2 *nmf* **M.** monegasco(a) *m,f*

monétaire [mɔnetɛr] *adj* monetario(a)

mongolien, -enne [mɔ̃gɔljɛ̃, -ɛn] *adj & nm,f* mongólico(a) *m,f*

moniteur, -trice [mɔnitœr, -tris] **1** *nm,f* monitor(ora) *m,f*; **m. d'auto-**

école profesor(ora) *m,f* de auto-escuela
2 *nm Ordinat* monitor *m*

monnaie [mɔnɛ] *nf (argent, devise)* moneda *f*; *(ferraille) Esp* suelto *m*, *Méx* morralla *f*; *(appoint)* cambio *m*; **fausse m.** moneda falsa; **avoir la m.** tener cambio; **faire (de) la m.** cambiar; **faire la m. de 100 francs** cambiar 100 francos; **rendre la m. à qn** dar el cambio a alguien

monnayer [53] [mɔneje] *vt (changer en argent)* canjear; *(vendre)* sacar dinero de

monochrome [mɔnɔkrom] *adj* monocromo(a)

monocle [mɔnɔkl] *nm* monóculo *m*

monocorde [mɔnɔkɔrd] *adj* monocorde

monokini [mɔnɔkini] *nm* topless *m*

monologue [mɔnɔlɔg] *nm* monólogo *m*

monoplace [mɔnɔplas] **1** *adj* monoplaza
2 *nm* monoplaza *m*

monopole [mɔnɔpɔl] *nm* monopolio *m*, monopolización *f*; **avoir le m. de qch** tener el monopolio de algo ☆ **m. d'État** monopolio del Estado

monopoliser [mɔnɔpɔlize] *vt* monopolizar

monoski [mɔnɔski] *nm* monoesquí *m*

monotone [mɔnɔtɔn] *adj* monótono(a)

monotonie [mɔnɔtɔni] *nf* monotonía *f*

monseigneur [mɔ̃sɛɲœr] *(pl* **messeigneurs** [mesɛɲœr]) *nm* monseñor *m*

monsieur [məsjø] *(pl* **messieurs** [mesjø]) *nm* señor *m*; **bonjour m.** buenos días; **Cher M.** *(dans une lettre)* Muy señor mío, Estimado señor; **M. Gallois** *(apostrophe)* Señor. Gallois; *(en parlant de lui)* el Señor. Gallois; **M. le Ministre** *(apostrophe)*

Señor. Ministro; *(en parlant de lui)* el Señor. Ministro; **m. Tout-le-Monde** el ciudadano de a pie; **asseyez-vous, messieurs** señores, siéntense

monstre [mɔ̃str] **1** *nm* monstruo *m* **2** *adj Fam (énorme)* bárbaro(a)

monstrueux, -euse [mɔ̃stryø, -øz] *adj* monstruoso(a)

mont [mɔ̃] *nm* monte *m*; **être toujours par monts et par vaux** viajar constantemente; **promettre à qn monts et merveilles** prometerle a alguien la luna

montage [mɔ̃taʒ] *nm* montaje *m*

montagnard, -e [mɔ̃taɲar, -ard] *adj & nm,f* montañés(esa) *m,f*

montagne [mɔ̃taɲ] *nf* montaña *f*; **en haute m.** en alta montaña; **faire de la haute m.** hacer alta montaña

montagneux, -euse [mɔ̃taɲø, -øz] *adj* montañoso(a)

montant, -e [mɔ̃tɑ̃, -ɑ̃t] **1** *adj (mouvement, marée)* creciente; *Fig (phase)* creciente, ascendente; *(encolure)* cerrado(a) **2** *nm (d'échelle, de porte)* montante *m*; *(somme)* importe *m*

mont-de-piété (*pl* **monts-de-piété**) [mɔ̃dpjete] *nm* monte *m* de piedad

monte-charge (*pl* **monte-charges**) [mɔ̃tʃarʒ] *nm* montacargas *m inv*

montée [mɔ̃te] *nf* subida *f*; *(augmentation)* aumento *m*

monte-plats [mɔ̃tpla] *nm inv* montaplatos *m inv*

monter [mɔ̃te] **1** *vi (aux* **être**) subir; *(augmenter)* crecer; **ça monte!** *(route)* ¡vaya cuesta!; **m. à qch** *(arbre, réverbère)* subir a algo; **m. dans qch** *(voiture, train)* montar en algo; *Fam* **m. à Paris** subir a París; **le succès lui est monté à la tête** se le ha subido el éxito a la cabeza; **m. sur qch** subirse a algo; **m. (à cheval)** montar (a caballo) **2** *vt (aux* **avoir**) subir; *(pièce de théâtre, film, entreprise)* montar; *(meuble)* armar

3 se monter *vpr* **se m. à** *(atteindre)* ascender a

monteur, -euse [mɔ̃tœr, -øz] *nm,f* montador(ora) *m,f*

Montevideo [mɔ̃tevideo] *n* Montevideo

montgolfière [mɔ̃gɔlfjɛr] *nf* globo *m* (aerostático)

monticule [mɔ̃tikyl] *nm* montículo *m*

montre [mɔ̃tr] *nf* reloj *m*; **m. en main** reloj en mano ☆ **m. à quartz** reloj de cuarzo

Montréal [mɔ̃real] *n* Montreal

montréalais, -e [mɔ̃realɛ, -ɛz] **1** *adj* = nativo o habitante de Montreal **2** *nm,f* **M.** = nativo o habitante de Montreal

montre-bracelet (*pl* **montres-bracelets**) [mɔ̃trəbraslɛ] *nf* reloj *m* de pulsera

montrer [mɔ̃tre] **1** *vt (exhiber, expliquer)* enseñar; *(démontrer, désigner)* mostrar; *(témoigner de)* demostrar; **m. qch à qn** enseñar algo a alguien; **m. qch/qn du doigt** señalar algo/a alguien con el dedo **2 se montrer** *vpr (se faire voir)* dejarse ver; *(se présenter, se révéler)* mostrarse

monture [mɔ̃tyr] *nf* montura *f*; *(de bijou)* engaste *m*

monument [mɔnymɑ̃] *nm* monumento *m* ☆ **m. aux morts** = monumento a los soldados muertos durante la Primera y Segunda Guerra Mundial

monumental, -e, -aux, -ales [mɔnymɑ̃tal, -o] *adj* monumental; *Fig (impressionnant)* impresionante

moquer [mɔke] **se moquer** *vpr* burlarse; **se m. de** *(plaisanter)* burlarse de; *(dédaigner)* pasar de; **je m'en moque** me da igual

moquerie [mɔkri] *nf (ironie)* guasa *f*; *(paroles)* broma *f*, mofa *f*

moquette [mɔkɛt] *nf* moqueta *f*

moqueur, -euse [mɔkœr, -øz] *adj* burlón(ona)

moral, -e, -aux, -ales [mɔral, -o] **1** *adj* moral; *(honnête)* ético(a)
2 *nm* moral *f*; **avoir/ne pas avoir le m.** tener/no tener ánimos; **remonter le m. à qn** levantar la moral o el ánimo a alguien
3 *nf* **morale** *(éthique)* moral *f*; *(leçon)* moraleja *f*; **faire la morale à qn** echar un sermón a alguien

moralité [mɔralite] *nf (sens moral)* moralidad *f*; *(leçon)* moraleja *f*

moratoire [mɔratwar] **1** *adj* moratorio(a)
2 *nm* moratoria *f*

morbide [mɔrbid] *adj* morboso(a)

morceau, -x [mɔrso] *nm* trozo *m*; *(de musique)* fragmento *m*; *Fam* **manger un m.** hacer una comida ligera

morceler [9] [mɔrsəle] *vt* parcelar

mordant, -e [mɔrdã, -ãt] **1** *adj (froid)* cortante; *Fig (ironie)* mordaz
2 *nm* mordacidad *f*

mordiller [mɔrdije] *vt* mordisquear

mordoré, -e [mɔrdɔre] *adj* doradillo(a)

mordre [mɔrdr] **1** *vt (sujet: animal, personne)* morder; *Fig (empiéter sur)* invadir
2 *vi (poisson)* picar; **m. dans qch** dar un mordisco a algo; *aussi Fig* **m. à l'hameçon** morder el anzuelo, picar; *Sp* **m. sur la ligne** pisar la línea
3 se mordre *vpr* **se m. la langue** morderse la lengua; *Fig* **tu t'en mordras les doigts** te arrepentirás

mordu, -e [mɔrdy] *Fam* **1** *adj (amoureux)* prendado(a)
2 *nm,f (passionné)* forofo(a) *m,f*

morfondre [mɔrfɔdr] **se morfondre** *vpr* languidecer en la espera

morgue¹ [mɔrg] *nf (arrogance)* altivez *f*

morgue² *nf (lieu)* morgue *f*, depósito *m* de cadáveres

moribond, -e [mɔribɔ̃, -ɔ̃d] *adj & nm,f* moribundo(a) *m,f*

morille [mɔrij] *nf* morilla *f*, colmenilla *f*

mormon, -e [mɔrmɔ̃, -ɔn] *adj & nm,f* mormón(ona) *m,f*

morne [mɔrn] *adj (personne)* taciturno(a); *(style, ville)* apagado(a)

morose [mɔroz] *adj (personne)* taciturno(a); *(temps)* triste

morphine [mɔrfin] *nf* morfina *f*

morphologie [mɔrfɔlɔʒi] *nf* morfología *f*

mors [mɔr] *nm* bocado *m*

morse¹ [mɔrs] *nm (animal)* morsa *f*

morse² *nm (code)* morse *m*

morsure [mɔrsyr] *nf* mordedura *f*

mort, -e [mɔr, mɔrt] **1** *pp voir* **mourir**
2 *adj* muerto(a); *Fam (détruit)* hecho(a) polvo; **m. de peur/de fatigue** muerto(a) de miedo/de cansancio; *Fam* **m. de rire** muerto(a) de risa
3 *nm,f* muerto(a) *m,f*
4 *nf* muerte *f*; **à m.** *(blessé)* de muerte; *(freiner)* en seco; **condamner qn à m.** condenar a alguien a muerte; **elle s'est donné la m.** acabó con su vida

mortadelle [mɔrtadɛl] *nf* mortadela *f*

mortalité [mɔrtalite] *nf* mortalidad *f*
☆ **m. infantile** mortalidad infantil

mort-aux-rats [mɔrora] *nf inv* matarratas *m inv*

mortel, -elle [mɔrtɛl] *adj & nm,f* mortal *mf*

morte-saison *(pl* **mortes-saisons)** [mɔrtsɛzɔ̃] *nf* temporada *f* baja

mortier [mɔrtje] *nm* mortero *m*

mortuaire [mɔrtɥɛr] *adj* mortuorio(a)

morue [mɔry] *nf (poisson)* bacalao *m*; *très Fam Péj (prostituée)* zorra *f*

mosaïque [mɔzaik] *nf* mosaico *m*

Moscou [mɔsku] *n* Moscú

moscovite [mɔskɔvit] **1** *adj* moscovita
2 *nmf* **M.** moscovita *mf*

mosquée [mɔske] *nf* mezquita *f*

mot [mo] *nm* palabra *f*; *(court énoncé)* palabras *fpl*; *(message écrit)* nota *f*; **avoir le dernier m.** tener la última palabra; **dire un m. à qn** decirle dos palabras a alguien; **faire du m. à m.** traducir literalmente; **au bas m.** como mínimo; **en un m.** en una palabra ✫ **mots croisés** crucigrama *m*; **m. d'excuse** *(à l'école)* justificante *m*; **m. de passe** contraseña *f*, santo y seña *m*; *Ordinat* clave *f* o código *m* de acceso; **gros m.** palabrota *f*

motard, -e [mɔtar, -ard] *nm (motocycliste)* motorista *mf*; *(policier)* motorista *mf* (de la policía)

moteur, -trice [mɔtœr, -tris] **1** *adj* motor(triz)
2 *nm* motor *m*

motif [mɔtif] *nm* motivo *m*

motion [mosjɔ̃] *nf* moción *f* ✫ **m. de censure** moción de censura

motivation [mɔtivɑsjɔ̃] *nf* motivación *f*

motiver [mɔtive] *vt* motivar

moto [mɔto] *nf* moto *f*

motocross [mɔtɔkrɔs] *nm* motocross *m*

motoculteur [mɔtɔkyltœr] *nm* motocultor *m*

motocycliste [mɔtɔsiklist] *nmf* motociclista *mf*

motoneige [mɔtɔnɛʒ] *nf Can* moto *f* de nieve

motorisé, -e [mɔtɔrize] *adj* motorizado(a); **être m.** *(personne)* ir motorizado

motrice [mɔtris] *voir* **moteur**

motte [mɔt] *nf (de terre)* terrón *m*; *(de beurre)* porción *f*

mou, molle [mu, mɔl] **1** *adj* blando(a); *(chapeau, col)* flexible; *(jambes)* flojo(a); *(sans caractère)* blandengue
2 *nm (poumon de bétail)* bofe *m*

mouchard, -e [muʃar, -ard] **1** *nm,f Fam* chivato(a) *m,f*
2 *nm (appareil)* chivato *m*

mouche [muʃ] *nf* mosca *f*; *(accessoire cosmétique)* lunar *m* postizo; **faire m.** dar en el blanco ✫ **m. tsé-tsé** mosca tse-tse

moucher [muʃe] **1** *vt (nez, enfant)* sonar; *(chandelle)* despabilar, espabilar; *Fam (réprimander)* dar una lección a
2 **se moucher** *vpr* sonarse

moucheron [muʃrɔ̃] *nm* mosquilla *f*

moucheté, -e [muʃte] *adj* moteado(a)

mouchoir [muʃwar] *nm* pañuelo *m* ✫ **m. en papier** kleenex *m*, pañuelo de papel

moudre [48] [mudr] *vt* moler

moue [mu] *nf* mohín *m* de disgusto; **faire la m.** poner mala cara

mouette [mwɛt] *nf* gaviota *f*

moufle [mufl] *nf* manopla *f*

mouiller [muje] **1** *vt (humidifier)* mojar; *(vin, lait)* aguar; *Naut (ancre)* echar; **se faire m.** mojarse
2 *vi Naut* fondear
3 **se mouiller** *vpr* mojarse

moulage [mulaʒ] *nm (action)* moldeado *m*; *(objet)* molde *m*

moule¹ [mul] *nm* molde *m* ✫ **m. à gâteaux** molde para pastel; **m. à gaufres** molde para gofre; **m. à tarte** molde para tartas

moule² *nf* mejillón *m*

mouler [mule] *vt* moldear

moulin [mulɛ̃] *nm (appareil)* molinillo *m*; *(bâtiment)* molino *m* ✫ **m. à café** molinillo de café; **m. à poivre** molinillo de pimienta; *Can* **m. à scie** serrería *f*

moulinet [mulinɛ] *nm (de canne à pêche)* carrete *m*; **faire des moulinets** *(mouvements)* hacer molinetes

Moulinette® [mulinɛt] *nf* batidora *f*, minipimer *f*; **passer qch à la M.** pasar algo por la minipimer, batir algo

moulu, -e [muly] **1** *pp voir* **moudre** **2** *adj* molido(a); *Fig* **être m. (de fatigue)** estar molido(a)

moulure [mulyr] *nf* moldura *f*

mourant, -e [murã, -ãt] **1** *adj (personne)* moribundo(a); *Fig (voix, lumière)* languideciente **2** *nm,f* moribundo(a) *m,f*

mourir [49] [murir] *vi* morir, morirse

mousquetaire [muskətɛr] *nm* mosquetero *m*

moussant, -e [musã, -ãt] *adj* espumoso(a)

mousse[1] [mus] *nf Bot* musgo *m*; *(de bière, de matelas)* espuma *f*; *Culin* mousse *f inv* ☆ **m. à raser** espuma de afeitar

mousse[2] *nm* grumete *m*

mousseline [muslin] *nf (tissu)* muselina *f*

mousser [muse] *vi* hacer espuma

mousseux, -euse [musø, -øz] **1** *adj (vin, cidre)* espumoso(a) **2** *nm* (vino) espumoso *m*

mousson [musɔ̃] *nf* monzón *m*

moustache [mustaʃ] *nf* bigote *m*

moustachu, -e [mustaʃy] *adj* bigotudo(a)

moustiquaire [mustikɛr] *nf* mosquitera *f*

moustique [mustik] *nm Esp, RP* mosquito *m*, *Am* zancudo *m*

moutarde [mutard] **1** *nf* mostaza *f* **2** *adj inv* **(jaune) m.** (color) mostaza *inv*

mouton [mutɔ̃] *nm (animal)* carnero *m*; *(viande)* cordero *m*; *Fam (personne)* corderito *m*; **moutons** *(de poussière)* pelusas *fpl*; *(vagues)* cabrilla *f*

mouture [mutyr] *nf (de céréales, de café)* molienda *f*, moltura *f*; *(d'un ouvrage)* refrito *m*

mouvant, -e [muvã, -ãt] *adj voir* **sable**

mouvement [muvmã] *nm* movimiento *m*; *(de colère, de joie)* arrebato *m*; *(d'horloge)* mecanismo *m*; **en m.** en movimiento

mouvementé, -e [muvmãte] *adj* agitado(a)

mouvoir [3lb] [muvwar] **1** *vt* mover **2 se mouvoir** *vpr* moverse

moyen[1]**, -enne** [mwajɛ̃, -ɛn] *adj* medio(a); *(médiocre)* mediano(a)

moyen[2] *nm* medio *m*; **moyens** *(ressources)* medios; *(capacités)* fuerzas *fpl*; **au m. de** por medio de, mediante; **employer les grands moyens** tomar medidas drásticas ☆ **m. de communication** medio de comunicación; **m. de locomotion** medio de locomoción; **m. de transport** medio de transporte

Moyen Âge [mwajɛnɑʒ] *nm* **le M.** la Edad Media

moyenne [mwajɛn] *nf* media *f*; **en m.** por término medio

Moyen-Orient [mwajɛnɔrjã] *nm* **le M.** el Oriente medio

MST [ɛmɛste] *nf (abrév* **maladie sexuellement transmissible)** ETS *f*

mû, mue *pp voir* **mouvoir**

mue [my] *nf* muda *f*

muer [mɥe] **1** *vi* mudar **2 se muer** *vpr* **se m. en** transformarse en

muet, -ette [mɥɛ, -ɛt] **1** *adj* mudo(a); *(sentiment)* silencioso(a); **m. d'étonnement/d'admiration** mudo de asombro/admiración **2** *nm,f* mudo(a) *m,f*

mufle [myfl] *nm (d'animal)* morro *m*, hocico *m*; *Fig (goujat)* zafio *m*

mugir [myʒir] *vi (bovidé)* mugir; *(vent, sirène)* bramar

muguet [mygɛ] *nm* muguete *m*

mule[1] [myl] *nf (animal)* mula *f*

mule[2] *nf (pantoufle)* chinela *f*

mulet [mylɛ] *nm (âne)* mulo *m*

mulot [mylo] *nm* ratón *m* de campo

multicolore [myltikɔlɔr] *adj* multicolor

multifonctions [myltifɔksjɔ̃] *adj* multifunción *inv*

multilatéral, -e, -aux, -ales [myltilateral, -o] *adj* multilateral

multimédia [myltimedja] **1** *adj* multimedia
2 *nm* le m. la multimedia

multinational, -e, -aux, -ales [myltinasjɔnal, -o] **1** *adj* multinacional
2 *nf* **multinationale** multinacional *f*

multiple [myltipl] **1** *adj* múltiple
2 *nm* múltiplo *m*

multiplication [myltiplikasjɔ̃] *nf* multiplicación *f*

multiplier [66] [myltiplije] **1** *vt* multiplicar; **X multiplié par Y égale Z** X multiplicado por Y igual a Z
2 se multiplier *vpr* multiplicarse

multiprocesseur [myltiprɔsesœr] *nm Ordinat* multiprocesador *m*

multirisque [myltirisk] *adj* multirriesgo

multitâche [myltitaʃ] *adj Ordinat* multitarea *inv*

multitude [myltityd] *nf* multitud *f*; **une m. de** una multitud de

multi-utilisateur [myltiytilizatœr] *adj Ordinat* multiusuario *inv*

municipal, -e, -aux, -ales [mynisipal, -o] **1** *adj* municipal
2 *nfpl* **les municipales** = las elecciones municipales francesas

municipalité [mynisipalite] *nf* municipio *m*

munir [mynir] **1** *vt* **m. qch de qch** equipar algo con algo; **m. qn de qch** proveer a alguien de algo
2 se munir *vpr* **se m. de qch** proveerse de algo

munitions [mynisjɔ̃] *nfpl* municiones *fpl*

muqueuse [mykøz] *nf* mucosa *f*

mur [myr] *nm (cloison)* pared *f*; *Fig (obstacle)* muro *m*; *Fig* **faire le m.** escaparse ☆ **m. du son** barrera *f* del sonido; **m. de soutènement** muro de contención

mûr, -e [myr] *adj* maduro(a)

muraille [myraj] *nf* muralla *f*; **la Grande M. de Chine** la Gran Muralla china

mural, -e, -aux, -ales [myral, -o] *adj* mural

mûre [myr] *nf* mora *f*

murer [myre] **1** *vt (porte, fenêtre)* tapiar; *(personne)* encerrar entre cuatro paredes
2 se murer *vpr (s'enfermer)* encerrarse; **se m. dans le silence** encerrarse en el silencio

muret [myrɛ] *nm* muro *m* bajo

mûrier [myrje] *nm* morera *f*

mûrir [myrir] *vi* madurar

murmure [myrmyr] *nm* murmullo *m*, susurro *m*

murmurer [myrmyre] *vt & vi* murmurar, susurrar

muscade [myskad] *nf* nuez *f* moscada

muscat [myska] *nm* moscatel *m*

muscle [myskl] *nm* músculo *m*

musclé, -e [myskle] *adj (personne)* musculoso(a); *Fig (intervention, mesures)* enérgico(a)

muscler [myskle] **1** *vt* desarrollar los músculos de
2 se muscler *vpr* desarrollar los músculos; **se m. les bras** desarrollar los músculos de los brazos

musculaire [myskylɛr] *adj* muscular

musculation [myskylasjɔ̃] *nf* musculación *f*

muse [myz] *nf* musa *f*

museau, -x [myzo] *nm* morro *m*, hocico *m*

musée [myze] *nm* museo *m*

museler [32] [myzle] *vt (animal)* poner un bozal a; *Fig (presse, personne)* amordazar

muselière [myzəljɛr] *nf* bozal *m*

musette [myzɛt] *nf* morral *m*

musical, -e, -aux, -ales [myzikal, -o] *adj* musical

music-hall *(pl* music-halls*)* [myzikol] *nm* music-hall *m*

musicien, -enne [myzisjɛ̃, -ɛn] *adj & nm,f* músico(a) *m,f*

musique [myzik] *nf* música *f*; *Fig (d'une phrase, d'une voix)* musicalidad *f*; *Fam* **connaître la m.** saberse la canción ☆ **m. de chambre** música de cámara; **m. classique** música clásica; **m. de film** música de película

musulman, -e [myzylmã, -an] *adj & nm,f* musulmán(ana) *m,f*

mutant, -e [mytã, -ãt] *adj & nm,f* mutante *mf*

mutation [mytasjɔ̃] *nf Biol* mutación *f*; *Fig (changement)* transformación *f*; *(d'un employé)* traslado *m*

muter [myte] *vt* trasladar

mutilation [mytilasjɔ̃] *nf* mutilación *f*

mutilé, -e [mytile] *nm,f* **m. de guerre** mutilado(a) *m,f* de guerra; **m. du tra-** vail inválido(a) *m,f* laboral

mutiler [mytile] *vt (membre, organe)* amputar; *(texte, vérité)* mutilar

mutiner [mytine] **se mutiner** *vpr* amotinarse

mutinerie [mytinri] *nf* motín *m*

mutisme [mytism] *nm* mutismo *m*

mutuel, -elle [mytɥɛl] **1** *adj* mutuo(a)
 2 *nf* **mutuelle** mutua *f*

mycose [mikoz] *nf* micosis *f inv*

myocarde [mjɔkard] *nm* miocardio *m*

myope [mjɔp] *adj & nmf* miope *mf*

myosotis [mjozɔtis] *nm* miosota *f*

myrtille [mirtij] *nf* arándano *m*

mystère [mistɛr] *nm* misterio *m*; **Mystère**® = helado de vainilla relleno de merengue y cubierto con praliné

mystérieux, -euse [misterjø, -øz] *adj* misterioso(a)

mystifier [mistifje] *vt* mistificar

mystique [mistik] *adj* místico(a)

mythe [mit] *nm* mito *m*

mythique [mitik] *adj* mítico(a)

mythologie [mitɔlɔʒi] *nf* mitología *f*

mythomane [mitɔman] *adj & nmf* mitómano(a) *m,f*

N

N, n [ɛn] *nm inv (lettre)* N *f*, n *f*
N [ɛn] *(abrév* **nord, route nationale)** N
nacre [nakr] *nf* nácar *m*
nage [naʒ] *nf (natation) (action)* natación *f*; *(façon)* estilo *m* (de natación); **à la n.** a nado; **être en n.** estar empapado(a) en sudor
nageoire [naʒwar] *nf* aleta *f*
nager [45] [naʒe] **1** *vi (se déplacer dans l'eau, flotter)* nadar; *Fig* **n. dans le bonheur** rebosar de felicidad; *Fam* **n. dans qch** *(vêtement)* nadar en algo; *Fam* **je nage** *(je ne comprends rien)* no me entero de nada
2 *vt* nadar
naguère [nagɛr] *adv Litt* antes
naïf, -ïve [naif, -iv] **1** *adj (personne, air, remarque)* ingenuo(a); *Art* naif
2 *nm,f (niais)* ingenuo(a) *m,f*; *(peintre)* pintor(ora) *m,f* naif
nain, naine [nɛ̃, nɛn] *adj & nm,f* enano(a) *m,f*
naissance [nɛsɑ̃s] *nf* nacimiento *m*; **donner n. à** dar a luz; *Fig* dar origen a
naissant, -e [nɛsɑ̃, -ɑ̃t] *adj* naciente
naître [50a] [nɛtr] *vi (enfant)* nacer (**de** de); **faire n. qch** *(espoir, doute)* engendrar algo
naïve [naiv] *voir* **naïf**
naïveté [naivte] *nf* ingenuidad *f*
nana [nana] *nf Fam* tía *f*; *(petite amie)* novia *f*
nanti, -e [nɑ̃ti] *adj & nm,f* pudiente *mf*

nappe [nap] *nf (pour la table)* mantel *m*; *(étendue, couche)* capa *f*, napa *f*
☆ **n. phréatique** capa freática
napper [nape] *vt Culin* cubrir (**de** de)
napperon [naprɔ̃] *nm* tapete *m*
narcisse [narsis] *nm* narciso *m*
narcissisme [narsisism] *nm* narcisismo *m*
narcotique [narkɔtik] **1** *adj* narcótico(a)
2 *nm* narcótico *m*
narguer [narge] *vt* burlarse de
narine [narin] *nf* ventana *f* nasal
narquois, -e [narkwa, -az] *adj* socarrón(ona)
narrateur, -trice [naratœr, -tris] *nm,f* narrador(ora) *m,f*
narrer [nare] *vt* narrar
nasal, -e, -aux, -ales [nazal, -o] *adj* nasal
naseau, -x [nazo] *nm* ollar *m*, nariz *f*
natal, -e, -als, -ales [natal] *adj* natal
natalité [natalite] *nf* natalidad *f*
natation [natasjɔ̃] *nf* natación *f*
natif, -ive [natif, -iv] **1** *adj (originaire)* nativo(a), natural; **n. de** natural de
2 *nm,f* nativo(a) *m,f* (**de** de)
nation [nɑsjɔ̃] *nf* nación *f*
national, -e, aux, -ales [nasjɔnal, -o] **1** *adj* nacional
2 nationale *nf (route)* carretera *f* nacional

nationaliser [nasjɔnalize] *vt* nacionalizar

nationalisme [nasjɔnalism] *nm* nacionalismo *m*

nationalité [nasjɔnalite] *nf* nacionalidad *f*; **de n. française/espagnole** de nacionalidad francesa/española

natte [nat] *nf (tresse)* trenza *f*; *(tapis)* estera *f*

naturaliser [natyralize] *vt (acclimater, changer la nationalité de)* naturalizar; *(animal)* disecar

nature [natyr] **1** *nf* naturaleza *f*; **de n.** *(de naissance)* por naturaleza; **être de n. à faire qch** *(susceptible de)* ser susceptible de hacer algo **2** *adj inv* natural; *(café)* solo(a)

naturel, -elle [natyrɛl] **1** *adj* natural **2** *nm (tempérament)* naturaleza *f*, natural *m*; *(aisance, simplicité)* naturalidad *f*; **être d'un n. calme/optimiste** ser de naturaleza tranquila/optimista

naturellement [natyrɛlmɑ̃] *adv* naturalmente; *(de façon innée)* por naturaleza

naturisme [natyrism] *nm* naturismo *m*

naturiste [natyrist] *adj & nmf* naturista *mf*

naufrage [nofraʒ] *nm (d'un navire)* naufragio *m*; *Fig (d'une entreprise)* hundimiento *m*; *aussi Fig* **faire n.** naufragar

naufragé, -e [nofraʒe] *adj & nm,f* náufrago(a) *m,f*

nauséabond, -e [nozeabɔ̃, -ɔ̃d] *adj* nauseabundo(a)

nausée [noze] *nf* náusea *f*; **avoir la n.** tener náuseas

nautique [notik] *adj* náutico(a); *(ski, sport)* acuático(a)

naval, -e, -als, -ales [naval] *adj* naval

navet [navɛ] *nm (légume)* nabo *m*; *Péj (mauvais film)* birria *f*, churro *m*

navette [navɛt] *nf (à tisser)* lanzadera *f*; *(car)* autobús *m*; **le car fait la n. entre le centre et l'aéroport** el autocar va y viene al aeropuerto desde el centro ☆ **n. spatiale** lanzadera espacial

navigable [navigabl] *adj* navegable

navigateur, -trice [navigatœr, -tris] **1** *nm,f* navegante *mf* **2** *nm Ordinat* navegador *m*

navigation [navigasjɔ̃] *nf (transport)* navegación *f*; *(pilotage)* náutica *f*, navegación *f*

naviguer [navige] *vi (en bateau)* navegar; *(en avion)* volar; **n. sur (l')Internet** navegar por Internet

navire [navir] *nm* buque *m*, navío *m* ☆ **n. de guerre** buque de guerra

navrant, -e [navrɑ̃, -ɑ̃t] *adj* lamentable

navrer [navre] *vt* afligir; **être navré de qch/de faire qch** sentir mucho algo/hacer algo

nazi, -e [nazi] *adj & nm,f* nazi *mf*

nazisme [nazism] *nm* nazismo *m*

NB *(abrév* **nota bene)** NB

NDLR *(abrév* **note de la rédaction)** nota *f* de la redacción

ne [nə]

Antes de vocal o h muda se usa **n'**.

adv **ne... pas** no; **il ne veut pas** no quiere; **ne... que** *(seulement)* sólo, solamente; **je n'ai que 20 francs sur moi** sólo llevo 20 francos encima; **il se porte mieux que je ne (le) croyais** se porta mejor de lo que (yo) creía; **je crains qu'il n'oublie** temo que se olvide; *voir aussi* **aucun, guère, jamais, pas, personne, plus, rien**

né, -e [ne] **1** *pp voir* **naître** **2** *adj (de naissance)* nato(a); **né le 6 février** nacido el 6 de febrero; **Mme X, née Y** la señora X, de soltera Y; **un artiste né** un artista nato

néanmoins [neɑ̃mwɛ̃] *adv* sin embargo

néant [neã] *nm* nada *f*; *(sur un formulaire)* ninguno(a) *m,f*; **réduire qch à n.** reducir algo a la nada

nécessaire [neseser] **1** *adj* necesario(a) *(à para)*; **il est n. de faire qch/que** es necesario hacer algo/que **2** *nm* **le (strict) n.** *(biens indispensables)* lo (estrictamente) necesario; **faire le n.** hacer lo necesario ☆ *n. de toilette* bolsa *f* de aseo, neceser *m*

nécessité [nesesite] *nf* necesidad *f*; **être** *ou* **se voir dans la n. de faire qch** verse en la necesidad de hacer algo; **produits de première n.** productos *mpl* de primera necesidad

nécessiter [nesesite] *vt* exigir

nec plus ultra [nɛkplyzyltra] *nm inv* **le n.** el non plus ultra

nécrologique [nekrɔlɔʒik] *adj* necrológico(a)

nectar [nɛktar] *nm* néctar *m*

nectarine [nɛktarin] *nf* nectarina *f*

néerlandais, -e [neɛrlãdɛ, -ɛz] **1** *adj* neerlandés(esa) **2** *nm,f* **N.** neerlandés(esa) *m,f* **3** *nm (langue)* neerlandés *m*

nef [nɛf] *nf (d'église)* nave *f*

néfaste [nefast] *adj* nefasto(a)

négatif, -ive [negatif, -iv] **1** *adj* negativo(a) **2** *nm Phot* negativo *m* **3** *nf* **répondre par la négative** responder negativamente

négation [negasjɔ̃] *nf* negación *f*

négligé, -e [negliʒe] **1** *adj (tenue, personne, jardin)* descuidado(a), dejado(a) **2** *nm (manque de soin)* dejadez *f*

négligeable [negliʒabl] *adj* despreciable; **non n.** nada despreciable

négligence [negliʒãs] *nf* negligencia *f*

négligent, -e [negliʒã, -ãt] *adj* negligente

négliger [17] [negliʒe] **1** *vt (ignorer, délaisser)* desatender; *(jardin, te-*

nue) descuidar; **n. de faire qch** *(oublier)* olvidar hacer algo **2 se négliger** *vpr* descuidarse, abandonarse

négociant, -e [negɔsjã, -ãt] *nm,f* negociante *mf*

négociation [negɔsjasjɔ̃] *nf* negociación *f*; **négociations de paix** negociaciones de paz

négocier [negɔsje] **1** *vt* negociar; *(virage)* tomar bien **2** *vi (discuter)* negociar

nègre, négresse [nɛgr, negrɛs] **1** *adj & nm,f Injurieux (noir)* negro(a) *m,f* **2** *nm (écrivain anonyme)* negro(a) *m,f*

neige [nɛʒ] *nf* nieve *f*; *Fig* **blanc comme n.** *(innocent)* cándido(a) ☆ *n. carbonique* nieve carbónica

neiger [45] [neʒe] *v impersonnel* **il neige** nieva

neigeux, -euse [neʒø, -øz] *adj (lieu)* nevado(a); *(temps)* nevoso(a)

nénuphar [nenyfar] *nm* nenúfar *m*

néo-calédonien, -enne *(mpl* **néo-calédoniens,** *fpl* **néo-calédoniennes)** [neɔkaledɔnjɛ̃, -ɛn] **1** *adj* neocaledonio(a) **2** *nm,f* **N.** neocaledonio(a) *m,f*

néologisme [neɔlɔʒism] *nm* neologismo *m*

néon [neɔ̃] *nm (lumière) & Chim* neón *m*; *(tube)* fluorescente *m*

néophyte [neɔfit] *adj & nmf* neófito(a) *m,f*

néo-zélandais, -e *(mpl* **néo-zélandais,** *fpl* **néo-zélandaises)** [neɔzelãdɛ, -ɛz] **1** *adj* neozelandés(esa), neocelandés(esa) **2** *nm,f* **N.** neozelandés(esa) *m,f*, neocelandés(esa) *m,f*

Neptune [nɛptyn] *npr (dieu, planète)* Neptuno

nerf [nɛr] *nm* nervio *m*; **avoir les nerfs solides** tener nervios de acero; **être malade des nerfs** estar mal de los nervios; **être à bout de nerfs** tener los nervios de punta; **être sur les nerfs** estar estresado(a)

nerveux, -euse [nɛrvø, -øz] *adj* nervioso(a); *(voiture)* con nervio

nervosité [nɛrvozite] *nf* nerviosismo *m*

nervure [nɛrvyr] *nf* nervadura *f*

n'est-ce pas [nɛspa] *adv* ¿verdad?; **délicieux, n.?** delicioso ¿verdad?; **n. que vous vous êtes bien amusés?** ¿a que os habéis divertido?; **le problème, n., c'est que...** el problema, ¿verdad?, es que...

net, nette [nɛt] **1** *adj (propre, rangé)* limpio(a); *(image, idée)* nítido(a); *(réponse, terme, différence)* claro(a); *Com & Fin* neto(a); **n. d'impôt** libre de impuestos
    2 *adv* **s'arrêter n.** parar en seco; **casser n.** romper de un golpe; **refuser n.** negarse tajantemente

nettement [nɛtmɑ̃] *adv (clairement)* netamente; *(incontestablement)* mucho; **n. plus/moins** mucho más/menos

netteté [nɛtte] *nf (propreté)* limpieza *f*; *(précision)* nitidez *f*

nettoyage [netwajaʒ] *nm Esp* limpieza *f*, *CAm, Méx* limpia *f* ☆ **n. à sec** limpieza en seco

nettoyer [32] [netwaje] *vt* limpiar

neuf¹ [nœf] **1** *adj inv* nueve
    2 *nm inv* nueve *m*; *voir aussi* **six**

neuf², neuve [nœf, nœv] **1** *adj* nuevo(a); **quoi de n.?** ¿qué hay de nuevo?; **rien de n.** nada nuevo
    2 *nm* **vêtu de n.** con vestido nuevo; **remettre qch à n.** renovar algo

neurasthénique [nørastenik] *adj & nmf* neurasténico(a) *m,f*

neurologie [nørɔlɔʒi] *nf* neurología *f*

neurone [nørɔn] *nm* neurona *f*

neutraliser [nøtralize] *vt* neutralizar

neutralité [nøtralite] *nf* neutralidad *f*

neutre [nøtr] **1** *adj* neutro(a); *(pays)* neutral
    2 *nm Gram* neutro *m*

neutron [nøtrɔ̃] *nm* neutrón *m*

neuve [nœv] *voir* **neuf²**

neuvième [nœvjɛm] **1** *adj & nmf* noveno(a) *m,f*
    2 *nm* noveno *m*, novena parte *f*; *voir aussi* **sixième**

neveu, -x [nəvø] *nm* sobrino *m*

névrose [nevroz] *nf* neurosis *f inv*

névrosé, -e [nevroze] *adj & nm,f* neurótico(a) *m,f*

New York [nujɔrk] *n* Nueva York

new-yorkais, -e [nujɔrkɛ, -ɛz] **1** *adj* neoyorquino(a)
    2 *nm,f* **N.** neoyorquino(a) *m,f*

nez [ne] *nm* nariz *f*; *(odorat)* olfato *m*; *(d'avion, de fusée)* morro *m*; *Fig* **avoir du n., avoir le n. creux** tener buen olfato; **n. à n. (avec)** cara a cara (con); **faire qch au n. et à la barbe de qn** hacer algo en las barbas de alguien

ni [ni] *conj* ni; **ni... ni** ni... ni; **ni lui ni moi** ni él ni yo; **ni l'un ni l'autre** ni el uno ni el otro; **ni plus ni moins** ni más ni menos; *Litt* **je ne peux ni ne veux venir** no puedo ni quiero venir

niais, -e [njɛ, njɛz] *adj & nm,f* bobo(a) *m,f*

niaiser [njeze] *vi Can (fainéanter)* hacer el (la) vago(a)

niaiseux, -euse [njezø, -øz] *Can* **1** *adj* tonto(a)
    2 *nm,f* tonto(a) *m,f*

Nicaragua [nikaragwa] *nm* **le N.** Nicaragua

nicaraguayen, -enne [nikaragwajɛ̃, -ɛn] **1** *adj* nicaragüense
    2 *nm,f* **N.** nicaragüense *mf*

niche [niʃ] *nf (pour chien)* caseta *f*; *(pour statue)* hornacina *f*, nicho *m*

nicher [niʃe] **1** *vi (oiseau)* anidar; *Fam (personne)* vivir
    2 se nicher *vpr (se cacher)* meterse

nickel [nikɛl] **1** *nm* níquel *m*
2 *adj inv Fam* impecable
niçois, -e [niswa, -az] *adj voir* **salade**
nicotine [nikɔtin] *nf* nicotina *f*
nid [ni] *nm* nido *m*
nid-de-poule (*pl* **nids-de-poule**) [nidpul] *nm* socavón *m*
nièce [njɛs] *nf* sobrina *f*
nier [nje] *vt* negar
nigaud, -e [nigo, -od] *adj & nm,f* atontado(a) *m,f*, negado(a) *m,f*
Nil [nil] *nm* **le N.** el Nilo
n'importe [nɛ̃pɔrt] *voir* **importer**
nippon, -one [nipɔ̃, -ɔn] **1** *adj* nipón(ona)
2 *nm,f* **N.** nipón(ona) *m,f*
nitrate [nitrat] *nm* nitrato *m*
nitroglycérine [nitrɔgliserin] *nf* nitroglicerina *f*
niveau, -x [nivo] *nm* nivel *m*; (*étage*) piso *m*; **le n. de la mer** el nivel del mar; **au n. de qch** al nivel de algo; (*à côté de*) a la altura de; *Fam* **au n. financier/sentimental** a nivel financiero/sentimental; **n. (scolaire)** nivel académico ☆ **n. de vie** nivel de vida
niveler [32] [nivle] *vt* nivelar
noble [nɔbl] *adj & nmf* noble *mf*
noblesse [nɔblɛs] *nf* nobleza *f*
noce [nɔs] *nf* boda *f*; *Fam* **faire la n.** (*faire la fête*) estar de parranda ☆ **noces d'argent** bodas de plata; **noces d'or** bodas de oro
nocif, -ive [nɔsif, -iv] *adj* nocivo(a)
noctambule [nɔktɑ̃byl] *adj & nmf* noctámbulo(a) *m,f*
nocturne [nɔktyrn] **1** *adj* nocturno(a)
2 *nm Mus* nocturno *m*
3 *nf* **n. le jeudi** (*sur une vitrine*) abierto los jueves hasta tarde
Noël [nɔɛl] *nm* Navidad *f*; **joyeux N.!** ¡feliz Navidad!
nœud [nø] *nm* nudo *m*; (*ornement*) lazo *m*; **double n.** doble nudo; **n. de**

cravate nudo de corbata; **n. papillon** pajarita *f*
noie *voir* **noyer**
noir, -e [nwar] **1** *adj* negro(a); (*intention, regard*) pérfido(a); *Fam* (*ivre*) ciego(a); **n. de monde** abarrotado(a)
2 *nm,f* **N.** negro(a) *m,f*
3 *nm* negro *m*; (*obscurité*) oscuridad *f*; **travailler au n.** trabajar de ilegal; **en n. et blanc** en blanco y negro; **n. sur blanc** por escrito
4 *nf* **noire** *Mus* negra *f*
noircir [nwarsir] **1** *vi* ennegrecerse
2 *vt* (*foncer*) ennegrecer; (*réputation*) manchar
noise [nwaz] *nf* **chercher n.** *ou* **des noises à qn** buscarle las cosquillas a alguien
noisetier [nwaztje] *nm* avellano *m*
noisette [nwazɛt] **1** *nf* (*fruit*) avellana *f*; (*petite quantité*) nuez *f*
2 *adj inv* avellana *inv*
noix [nwa] *nf* (*fruit*) nuez *f*; *Fam* (*imbécile*) papanatas *mf inv*; *Fam* **à la n.** de tres al cuarto ☆ **n. de cajou** anacardo *m*; **n. de coco** nuez de coco; **n. (de) muscade** nuez moscada
nom [nɔ̃] *nm* nombre *m*; (*patronyme*) apellido *m* ☆ **n. commun** nombre común; **n. de famille** apellido; **n. de jeune fille** apellido de soltera; **n. propre** nombre propio
nomade [nɔmad] *adj & nmf* nómada *mf*
nombre [nɔ̃br] *nm* número *m*; **un grand/petit n. de** un gran/pequeño número de; **bon n. de** un buen número de; **nous étions au n. de cinq** éramos cinco
nombreux, -euse [nɔ̃brø, -øz] *adj* numeroso(a); **de nombreuses occasions** numerosas ocasiones; **ils étaient peu n.** eran pocos
nombril [nɔ̃bril, nɔ̃bri] *nm* ombligo *m*
nominal, -e, -aux, -ales [nɔminal, -o] *adj* nominal

nomination [nɔminɑsjɔ̃] *nf* nombramiento *m*

nommément [nɔmemɑ̃] *adv* por el nombre

nommer [nɔme] **1** *vt (appeler, qualifier)* llamar; *(désigner, promouvoir)* nombrar; *(dénoncer)* dar el nombre de, decir el nombre de
2 se nommer *vpr (s'appeler)* llamarse; *(se désigner)* decir su nombre

non [nɔ̃] **1** *adv* no; **il est pas mal, n.?** no está mal, ¿no?; **n. loin** cerca; **n. mais!** ¡pero bueno!; **n. plus** tampoco; **n. (pas) que... mais** no es que... sino que; **n. sans** no sin; **n. sans mal** no sin dificultad
2 *nm inv* no *m*

nonagénaire [nɔnaʒenɛr] *adj & nmf* nonagenario(a) *m,f*

nonante [nɔnɑ̃t] *adj inv Belg & Suisse* noventa *m*; *voir aussi* **six**

non-assistance [nɔnasistɑ̃s] *nf* **n. à personne en danger** omisión *f* de socorro a persona en peligro

nonchalant, -e [nɔ̃ʃalɑ̃, -ɑ̃t] *adj* indolente

non-conformiste [nɔ̃kɔ̃fɔrmist] *adj & nmf* inconformista *mf*

non-fumeur, -euse [nɔ̃fymœr,-øz] *nm,f* no fumador(ora) *m,f*

non-lieu *(pl* **non-lieux)** [nɔ̃ljø] *nm* sobreseimiento *m*; **rendre un n.** dictar un auto de sobreseimiento

nonne [nɔn] *nf* monja *f*

nono, -ote [nɔno, -ɔt] *nm,f Can Fam* idiota *mf*

non-retour [nɔ̃rətur] *nm voir* **point**

non-sens [nɔ̃sɑ̃s] *nm inv (absurdité)* disparate *m*, absurdo *m*; *(en traduction)* frase *f* sin sentido

non-violence [nɔ̃vjɔlɑ̃s] *nf* no violencia *f*

non-voyant, -e [nɔ̃vwajɑ̃, -ɑ̃t] *nm,f* invidente *mf*

nord [nɔr] **1** *adj inv* norte *inv*

2 *nm* norte *m*; **au n. al** norte; **au n. de** al norte de; **le grand N.** el polo Norte

nord-africain, -e *(mpl* **nord-africains,** *fpl* **nord-africaines)** [nɔrafrikɛ̃, -ɛn] **1** *adj* norteafricano(a)
2 *nm,f* **N.** norteafricano(a) *m,f*

nord-coréen, -enne *(mpl* **nord-coréens,** *fpl* **nord-coréennes)** [nɔrkɔreɛ̃, -ɛn] **1** *adj* norcoreano(a)
2 *nm,f* **N.** norcoreano(a) *m,f*

nord-est [nɔrɛst] **1** *adj inv* nordeste, noreste
2 *nm* nordeste *m*, noreste *m*

nordique [nɔrdik] **1** *adj* nórdico(a)
2 *nmf* **N.** nórdico(a) *m,f*

nord-ouest [nɔrwɛst] **1** *adj inv* noroeste
2 *nm* noroeste *m*

normal, -e, -aux, -ales [nɔrmal, -o] **1** *adj* normal
2 *nf* **normale: la normale** lo normal

normalement [nɔrmalmɑ̃] *adv (habituellement)* normalmente; *(selon les prévisions)* en circunstancias normales

normaliser [nɔrmalize] *vt* normalizar

normand, -e [nɔrmɑ̃, -ɑ̃d] *adj* normando(a)

Normandie [nɔrmɑ̃di] *nf* **la N.** Normandía

norme [nɔrm] *nf* norma *f*

Norvège [nɔrvɛʒ] *nf* **la N.** Noruega

norvégien, -enne [nɔrveʒjɛ̃, -ɛn] **1** *adj* noruego(a)
2 *nm,f* **N.** noruego(a) *m,f*
3 *nm (langue)* noruego *m*

nos [no] *voir* **notre**

nostalgie [nɔstalʒi] *nf (mélancolie)* nostalgia *f*; **avoir la n. du pays** tener morriña

notable [nɔtabl] **1** *adj* notable
2 *nm* notable *m*

notaire [nɔtɛr] *nm* notario(a) *m,f*

notamment [nɔtamɑ̃] *adv* especialmente, particularmente

note [nɔt] *nf* nota *f*; *(facture)* cuenta *f*, nota *f*; **avoir une bonne/mauvaise n.** tener una buena/mala nota; **prendre des notes** tomar apuntes ☆ *n. de frais* factura *f* de gastos

noter [nɔte] *vt (écrire)* anotar, apuntar; *(constater)* notar; *Scol & Univ* calificar

notice [nɔtis] *nf* reseña *f*

notifier [nɔtifje] *vt* **n. qch à qn** notificar algo a alguien

notion [nosjɔ̃] *nf* noción *f*

notoire [nɔtwar] *adj (célèbre)* notorio(a); *(manifeste)* evidente, claro(a)

notoriété [nɔtɔrjete] *nf* notoriedad *f*

notre [nɔtr] *(pl* **nos** [no]) *adj possessif* nuestro(a); **nos petits-enfants** nuestros nietos; **nous avons oublié nos parapluies** nos olvidamos los paraguas

nôtre [nɔtr] **le nôtre, la nôtre** *(pl* **les nôtres)** *pron possessif* el (la) nuestro(a); **c'est leur problème, pas le n.** es su problema, no el nuestro; **nous y avons mis du n.** hemos puesto de nuestra parte; **les nôtres** *(famille)* los nuestros; **serez-vous des nôtres demain?** ¿podemos contar con vosotros para mañana?

nouer [nwe] **1** *vt (corde, lacets)* anudar; *(bouquet, cheveux)* atar; *(alliance, amitié, liens)* trabar, entablar; *(intrigue)* tramar, urdir; **avoir la gorge nouée** tener un nudo en la garganta
2 se nouer *vpr (alliance, amitié)* entablarse; *(intrigue)* tramarse; **ma gorge se noua** se me hizo un nudo en la garganta

noueux, -euse [nwø, -øz] *adj (bois)* nudoso(a); *(main, doigt)* huesudo(a)

nougat [nuga] *nm* turrón *m*

nouille [nuj] *nf (pâte)* pasta *f*; *Fam (imbécile)* lelo(a) *m,f*

nounours [nunurs] *nm (langage enfantin)* osito *m* de peluche

nourri, -e [nuri] *adj (tir)* graneado(a)

nourrice [nuris] *nf (qui allaite)* nodriza *f*, ama *f* de cría; *(garde d'enfant)* niñera *f*

nourrir [nurir] **1** *vt (personne, espoir)* alimentar; *(projet)* acariciar
2 se nourrir *vpr* alimentarse **(de** de)

nourrissant, -e [nurisɑ̃, -ɑ̃t] *adj* nutritivo(a)

nourrisson [nurisɔ̃] *nm* niño *m* de pecho

nourriture [nurityr] *nf* alimento *m*; *(régime alimentaire)* alimentación *f*

nous [nu] *pron personnel* nosotros(as); *(complément d'objet, de verbe pronominal)* nos; **n. sommes rentrés tard** volvimos tarde; **avons-n. assez de temps?** ¿tenemos tiempo suficiente?; **il n. l'a donné** nos lo ha dado; **montre-la-n.** enséñanosla; **n. devons n. occuper de lui** tenemos que ocuparnos de él; **c'est à n.** es nuestro(a); **n. sommes fiers de n.** estamos orgullosos de nosotros mismos

nous-mêmes [numɛm] *pron personnel* nosotros(as) mismos(as)

nouveau, -elle, -x, -elles [nuvo, -ɛl, o]

Antes de nombres masculinos que empiecen por vocal o h muda se usa **nouvel**.

1 *adj* nuevo(a); **le nouvel an** el año nuevo; **le n. venu** el recién llegado; **à** *ou* **de n.** de nuevo
2 *nm,f* nuevo(a) *m,f*
3 *nm* **y a-t-il du n.?** ¿hay alguna novedad?

nouveau-né, -e *(mpl* **nouveau-nés,** *fpl* **nouveau-nées)** [nuvone] *adj & nm,f* recién nacido(a) *m,f*

nouveauté [nuvote] *nf* novedad *f*

nouvelle [nuvɛl] *nf* noticia *f*; **donner de ses nouvelles** dar noticias; **les nouvelles** *(à la télévision, à la radio)* las noticias

Nouvelle-Calédonie [nuvɛlkaledɔni] *nf* **la N.** Nueva Caledonia

Nouvelle-Zélande [nuvɛlzelɑ̃d] *nf* **la N.** Nueva Zelanda

novateur, -trice [nɔvatœr, -tris] *adj & nm,f* innovador(ora) *m,f*

novembre [nɔvɑ̃br] *nm* noviembre *m*; **le onze n.** el once de noviembre, = celebración del final de la Primera Guerra Mundial; *voir aussi* **septembre**

novice [nɔvis] **1** *adj* novato(a)
2 *nmf (débutant)* novato(a) *m,f*; *Rel* novicio(a) *m,f*

noyade [nwajad] *nf* ahogamiento *m*

noyau, -x [nwajo] *nm* núcleo *m*; *(d'un fruit) Esp* hueso *m*, *Am* carozo *m*; **le n. dur** los duros *(dentro de un grupo)*

noyauter [nwajote] *vt* infiltrar

noyé, -e [nwaje] **1** *adj* **les yeux noyés de larmes** los ojos inundados de lágrimas
2 *nm,f* ahogado(a) *m,f*

noyer¹ [nwaje] *nm* nogal *m*

noyer² [32] **1** *vt (personne, moteur)* ahogar; *(terrain)* anegar; *(estomper, diluer)* difuminar
2 se noyer *vpr (personne)* ahogarse; *Fig (être submergé, se perdre)* perderse

nu, -e [ny] **1** *adj* desnudo(a); *(arbre, paysage, région)* yermo(a); **tout nu** desnudo; **à mains nues** *(lutter)* a cuerpo descubierto; **pieds nus** descalzo(a)
2 *nm Art* desnudo *m*; **mettre qch à nu** dejar algo al descubierto; *Fig* **se mettre à nu** mostrarse al desnudo

nuage [nɥaʒ] *nm* nube *f*

nuageux, -euse [nɥaʒø, -øz] *adj* nublado(a)

nuance [nɥɑ̃s] *nf* matiz *m*

nuancé, -e [nɥɑ̃se] *adj* matizado(a)

nucléaire [nyklɛɛr] **1** *adj* nuclear
2 *nm* **le n.** la energía nuclear

nudisme [nydism] *nm* nudismo *m*

nudité [nydite] *nf* desnudez *f*

nue [ny] *nf* **porter qch/qn aux nues** poner algo/a alguien por las nubes; **tomber des nues** quedarse con la boca abierta

nuée [nɥe] *nf* **une n. de** *(multitude)* una nube de

nuire [18] [nɥir] **nuire à** *vt ind* perjudicar

nuise *voir* **nuire**

nuisible [nɥizibl] *adj (animal)* dañino(a); **n. à** perjudicial para

nuit [nɥi] *nf* noche *f*; **de n.** de noche; *Fig* **la n. des temps** la noche de los tiempos; **passer une n. blanche** pasar una noche en blanco; **n. de noces** noche de bodas

nul, nulle [nyl] **1** *adj indéfini Litt* ninguno(a)
2 *adj* nulo(a); *Fam* **être n. en qch** ser negado(a) para algo
3 *nm,f Fam Péj* inútil *mf*, desastre *m*
4 *pron indéfini Litt* nadie

nullement [nylmɑ̃] *adv* en absoluto

numéraire [nymerɛr] **1** *adj* numerario(a)
2 *nm* numerario *m*

numérique [nymerik] *adj* numérico(a); *Ordinat* digital, numérico(a)

numéro [nymero] *nm* número *m*; **faux n.** número equivocado; **composer un n.** marcar un número; *Fam* **c'est un sacré n.!** *(personne)* ¡es una buena pieza! ☆ **n. de compte** *(bancaire)* número de cuenta; **n. d'immatriculation** *(d'une voiture)* número de matrícula; **n. de téléphone** (número de) teléfono *m*; **n. vert** =

número de teléfono gratuito, en Francia

numéroter [nymerɔte] *vt* numerar

nu-pieds [nypje] *nm inv* sandalia *f*

nuptial, -e, -aux, -ales [nypsjal, -o] *adj* nupcial

nuque [nyk] *nf* nuca *f*

nutritif, -ive [nytritif, -iv] *adj* nutritivo(a)

Nylon® [nilɔ̃] *nm* nylon *m*, nailon *m*

nymphe [nɛ̃f] *nf* ninfa *f*

nymphomane [nɛ̃fɔman] *nf* ninfómana *f*

O

O, o [o] *nm inv (lettre)* O *f*, o *f*
O (*abrév* **Ouest**) O
ô [o] *exclam Litt* ¡oh!

oasis [oazis] *nf* oasis *m inv*

obéir [obeir] *vi* obedecer (à a)

obéissance [obeisɑ̃s] *nf* obediencia
f; **devoir o. à qn** deber obediencia a
alguien

obéissant, -e [obeisɑ̃, -ɑ̃t] *adj* obediente

obélisque [obelisk] *nm* obelisco *m*

obèse [obɛz] *adj & nmf* obeso(a) *m,f*

objecter [4] [obʒɛkte] *vt* **il m'objecta
que...** objetó que...

objecteur [obʒɛktœr] *nm* objetor *m*
☆ **o. de conscience** objetor de conciencia

objectif, -ive [obʒɛktif, -iv] **1** *adj*
objetivo(a)
  2 *nm* objetivo *m*

objection [obʒɛksjɔ̃] *nf* objeción *f*

objet [obʒɛ] *nm* objeto *m* ☆ **o. d'art**
objeto de arte

obligation [obligasjɔ̃] *nf aussi Fin*
obligación *f*; **être dans l'o. de faire
qch** estar en la obligación de hacer
algo; **avoir des obligations** tener obligaciones

obligatoire [obligatwar] *adj (im-
posé)* obligatorio(a); *(inéluctable)*
inevitable

obligé, -e [obliʒe] *adj* **être o. de faire
qch** tener que hacer algo; **être o. à qn**
de qch estar agradecido(a) a alguien
por algo; *Fam* **c'était o.** era inevitable, tenía que pasar

obligeance [obliʒɑ̃s] *nf* **avoir l'o. de
faire qch** tener la bondad de hacer
algo

obliger [45] [obliʒe] *vt (rendre service à)* complacer; *Jur (lier)* obligar;
o. qn à qch/à faire qch obligar a alguien a algo/a hacer algo

oblique [oblik] **1** *adj* oblicuo(a); *(regard)* de soslayo
  2 *nf* oblicua *f*

obliquer [oblike] *vi* torcer

oblitérer [34] [oblitere] *vt (billet)* picar; *(timbre)* matar; *Litt (effacer)*
borrar; *Méd* obliterar

obnubiler [obnybile] *vt* obnubilar;
être obnubilé par estar obnubila-
do(a) por

obole [obol] *nf* óbolo *m*

obscène [opsɛn] *adj* obsceno(a)

obscénité [opsenite] *nf* obscenidad
f

obscur, -e [opskyr] *adj* oscuro(a),
obscuro(a)

obscurantisme [opskyrɑ̃tism] *nm*
oscurantismo *m*, obscurantismo *m*

obscurcir [opskyrsir] **1** *vt* oscurecer,
obscurecer
  2 s'obscurcir *vpr* oscurecerse, obs-
curecerse

obscurité [opskyrite] *nf* oscuridad *f*,
obscuridad *f*

obsédé, -e [ɔpsede] **1** *adj* obsesionado(a)
  2 *nm,f* obseso(a) *m,f* ☆ **o. sexuel** obseso sexual

obséder [34] [ɔpsede] *vt* obsesionar

obsèques [ɔpsɛk] *nfpl* funerales *mpl*, exequias *fpl*

obséquieux, -euse [ɔpsekjø, -øz] *adj* servil

observateur, -trice [ɔpsɛrvatœr, -tris] *adj & nm,f* observador(ora) *m,f*

observation [ɔpsɛrvasjɔ̃] *nf* observación *f*; *(d'un règlement)* observancia *f*; **être en o.** *(à l'hôpital)* estar en observación

observatoire [ɔpsɛrvatwar] *nm* observatorio *m*

observer [ɔpsɛrve] *vt* observar; *(adopter)* guardar; **faire o. qch à qn** advertir algo a alguien

obsession [ɔpsesjɔ̃] *nf* obsesión *f*

obsolète [ɔpsɔlɛt] *adj* obsoleto(a)

obstacle [ɔpstakl] *nm* obstáculo *m*; **faire o. à qch/à qn** obstaculizar algo/a alguien

obstétrique [ɔpstetrik] *nf* obstetricia *f*

obstination [ɔpstinasjɔ̃] *nf* obstinación *f*

obstiné, -e [ɔpstine] *adj* obstinado(a)

obstiner [ɔpstine] **s'obstiner** *vpr* obstinarse; **s'o. à faire qch** obstinarse en hacer algo; **s'o. dans qch** obstinarse en algo

obstruction [ɔpstryksjɔ̃] *nf* obstrucción *f*

obstruer [ɔpstrye] **1** *vt* obstruir
  2 s'obstruer *vpr* obstruirse

obtempérer [34] [ɔptãpere] *vi* obedecer; **o. à qch** acatar algo

obtenir [70] [ɔptənir] *vt* obtener, conseguir; **o. qch de qn** obtener *o* conseguir algo de alguien; **o. qch à qn** conseguir algo a *o* para alguien;

il a obtenu qu'on lui rembourse ses frais ha conseguido que le devuelvan los gastos

obtention [ɔptãsjɔ̃] *nf* obtención *f*, consecución *f*

obtus, -e [ɔpty, -yz] *adj* obtuso(a)

obus [ɔby] *nm* obús *m*

occasion [ɔkazjɔ̃] *nf* (*possibilité, chance*) ocasión *f*, oportunidad *f*; *(circonstance, motif)* ocasión *f*; *(article de seconde main, bonne affaire)* ganga *f*; **à l'o.** si llega el caso; *(un jour)* un día de estos; **rater une o. de faire qch** perder la ocasión de hacer algo; **saisir l'o. (de faire qch)** aprovechar la ocasión (de hacer algo); **à la première o.** en la primera ocasión; **à l'o. de qch** con ocasión de algo; **d'o.** de segunda mano, de ocasión

occasionnel, -elle [ɔkazjɔnɛl] *adj* ocasional

occasionnellement [ɔkazjɔnɛlmã] *adv* ocasionalmente

occasionner [ɔkazjɔne] *vt* ocasionar

occident [ɔksidã] *nm* occidente *m*; **l'O.** (el) Occidente

occidental, -e, -aux, -ales [ɔksidãtal, -o] **1** *adj* occidental
  2 *nm,f* **O.** occidental *mf*

occlusion [ɔklyzjɔ̃] *nf Méd* oclusión *f* ☆ **o. intestinale** oclusión intestinal

occulte [ɔkylt] *adj* oculto(a)

occulter [ɔkylte] *vt* ocultar

occupation [ɔkypasjɔ̃] *nf* ocupación *f*

occupé, -e [ɔkype] *adj* ocupado(a); **être o. à qch** estar ocupado en algo; **c'est o.** *(au téléphone)* está comunicando, comunica

occuper [ɔkype] **1** *vt* ocupar
  2 s'occuper *vpr* ocuparse; **s'o. à qch/à faire qch** ocuparse de algo/de hacer algo; **s'o. de** encargarse de; *Fam* **occupe-toi de tes affaires** *ou* **de ce qui te regarde** *ou* **de tes oignons!** ¡ocúpate de tus asuntos!

occurrence [ɔkyrãs] *nf Ling* ocurrencia *f*; **en l'o.** en este caso

OCDE [ɔsedeə] *nf (abrév* **Organisation de coopération et de développement économiques)** OCDE *f*

océan [ɔseã] *nm* océano *m*; *Fig* **un o.** de un mar de; **l'o. Antarctique** el océano (glacial) Antártico; **l'o. (Glacial) Arctique** el océano (glacial) Ártico; **l'o. Atlantique** el océano Atlántico; **l'o. Indien** el océano Índico; **l'o. Pacifique** el océano Pacífico

Océanie [ɔseani] *nf* **l'O.** Oceanía

océanique [ɔseanik] *adj* oceánico(a)

ocre [ɔkr] **1** *adj inv* ocre
2 *nm* ocre *m*

octante [ɔktãt] *adj inv Belg & Suisse* ochenta *m*; *voir aussi* **six**

octave [ɔktav] *nf Mus* octava *f*

octet [ɔktɛ] *nm Ordinat* byte *m*, octeto *m*

octobre [ɔktɔbr] *nm* octubre *m*; *voir aussi* **septembre**

octogénaire [ɔktɔʒenɛr] *adj & nmf* octogenario(a) *m,f*

octogone [ɔktɔgɔn] *nm* octógono *m*

octroyer [32] [ɔktrwaje] **1** *vt* **o. qch à qn** otorgar algo a alguien
2 s'octroyer *vpr* concederse

oculaire [ɔkylɛr] *adj* ocular

oculiste [ɔkylist] *nmf* oculista *mf*

ode [ɔd] *nf* oda *f*

odeur [ɔdœr] *nf* olor *m*

odieux, -euse [ɔdjø, -øz] *adj* odioso(a)

odorat [ɔdɔra] *nm* olfato *m*

œdème [edɛm, ødɛm] *nm* edema *m*

œil [œj] (*pl* **yeux** [jø]) *nm* ojo *m*; **avoir un œ. au beurre noir** *ou* **œ. poché** tener un ojo a la funerala; **baisser/lever les yeux** bajar/alzar la vista; *Fam* **à l'œ.** (*gratuitement*) de gorra, gratis; **à l'œ. nu** a simple vista; *Fam* **avoir qn à l'œ.** no perder de vista a alguien; **aux yeux de qn** (*pour qn*) a los ojos de alguien; **n'avoir pas froid aux yeux** tener más valor que un torero; **avoir les yeux plus gros que le ventre** comer con los ojos; **faire les gros yeux à qn** lanzar una mirada fulminante a alguien; *Fam* **faire de l'œ. à qn** guiñar el ojo a alguien; **sauter aux yeux** saltar a la vista; **œ. pour œ., dent pour dent** ojo por ojo, diente por diente; *Fam* **mon œ.!** ¡y una porra!

œillade [œjad] *nf* guiño *m*; **lancer une œ. à qn** guiñar el ojo a alguien

œillère [œjɛr] *nf (de cheval)* anteojera *f*; *Fig* **avoir des œillères** ser estrecho(a) de miras

œillet [œjɛ] *nm (fleur)* clavel *m*; *(de vêtement, de chaussure)* ojete *m*

œnologue [enɔlɔg, ønɔlɔg] *nmf* enólogo(a) *m,f*

œsophage [ezɔfaʒ, øzɔfaʒ] *nm* esófago *m*

œuf [œf] *nm* huevo *m*; *Fam* **va te faire cuire un œ.!** ¡vete a freír espárragos! ☆ **œufs brouillés** = huevos revueltos cocinados con mantequilla; **œ. à la coque** huevo pasado por agua *(bastante crudo)*; **œ. dur** huevo duro; **œ. mollet** huevo pasado por agua *(bastante hecho)*; **œ. de Pâques** huevo de Pascua; **œ. au** *ou* **sur le plat** huevo frito; **œ. poché** huevo escalfado

œuvre [œvr] *nf* obra *f*; **mettre tout en œ. pour faire qch** poner todos los medios para hacer algo ☆ **bonnes œuvres** obras de caridad; **œ. d'art** obra de arte

offense [ɔfãs] *nf* ofensa *f*

offenser [ɔfãse] **1** *vt* ofender
2 s'offenser *vpr* **s'o. de qch** ofenderse por algo

offensif, -ive [ɔfãsif, -iv] **1** *adj* ofensivo(a)
2 *nf* **offensive** ofensiva *f*; **passer à l'offensive** pasar a la ofensiva

offert, -e *pp voir* **offrir**

office [ɔfis] *nm (bureau)* oficina *f*; *Rel* oficio *m*; **d'o.** por real decreto; **avocat commis d'o.** abogado *m* de oficio ☆ *o. du tourisme* oficina de turismo

officialiser [ɔfisjalize] *vt* oficializar, dar carácter oficial a

officiel, -elle [ɔfisjɛl] **1** *adj* oficial **2** *nm* **les officiels** las autoridades

officier¹ [ɔfisje] *vi* oficiar

officier² *nm* oficial *m*

officieux, -euse [ɔfisjø, -øz] *adj* oficioso(a)

offrande [ɔfrɑ̃d] *nf* ofrenda *f*

offre [ɔfr] *nf* oferta *f*; **la loi de l'o. et de la demande** la ley de la oferta y la demanda ☆ *o. d'emploi* oferta de empleo; *o. d'essai* oferta de prueba; *Fin o. publique d'achat* oferta pública de adquisición

offrir [52] [ɔfrir] **1** *vt* **o. qch à qn** *(donner)* regalar algo a alguien; **o. à qn de faire qch** ofrecer a alguien hacer algo **2 s'offrir** *vpr (se proposer)* ofrecerse; *(se faire cadeau de)* regalarse

offusquer [ɔfyske] **1** *vt* ofender **2 s'offusquer** *vpr* ofenderse (**de** por)

OGM [ɔʒeɛm] *nm (abrév* **organisme génétiquement modifié)** OGM, organismo *m* genéticamente modificado

ogre [ɔgr] *nm* ogro *m*

oh [o] *exclam* ¡oh!; *(d'admiration)* ¡vaya!

oie [wa] *nf* oca *f* ☆ *o. sauvage* ganso *m* salvaje

oignon [ɔɲɔ̃] *nm (plante, bulbe)* cebolla *f*; *(au pied)* juanete *m* ☆ *petits oignons* cebolletas *fpl* (en vinagre)

oiseau, -x [wazo] *nm* ave *f*, pájaro *m*; *Fam Péj* **un drôle d'o.** un buen pájaro; **dénicher l'o. rare** dar con alguien extraordinario ☆ *o. marin* ave marina; *o. de proie* ave rapaz o de rapiña

oisif, -ive [wazif, -iv] *adj & nm,f* ocioso(a) *m,f*

oisiveté [wazivte] *nf* ociosidad *f*

OK [ɔke] *exclam Fam* ¡vale!

oléoduc [ɔleɔdyk] *nm* oleoducto *m*

olfactif, -ive [ɔlfaktif, -iv] *adj* olfativo(a)

oligarchie [ɔligarʃi] *nf* oligarquía *f*

olive [ɔliv] **1** *nf* aceituna *f*, oliva *f* **2** *adj inv* de color verde oliva

olivier [ɔlivje] *nm* olivo *m*

olympique [ɔlɛ̃pik] *adj* olímpico(a)

ombilical, -e, -aux, -ales [ɔ̃bilikal, -o] *adj voir* **cordon**

ombrage [ɔ̃braʒ] *nm (feuillage)* enramada *f*; *Litt* **prendre o. de qch** ofenderse por algo

ombragé, -e [ɔ̃braʒe] *adj* umbrío(a)

ombrageux, -euse [ɔ̃braʒø, -øz] *adj (personne, caractère)* susceptible; *(cheval)* espantadizo(a)

ombre [ɔ̃br] *nf* sombra *f*; **à l'o. de** *(arbre)* a la sombra de; *aussi Fig* **faire l'o. à qn** hacer sombra a alguien; **il n'y a pas l'o. d'un doute** no cabe la menor duda ☆ *ombres chinoises* sombras chinescas; *o. à paupières* sombra de ojos

ombrelle [ɔ̃brɛl] *nf* sombrilla *f*

omelette [ɔmlɛt] *nf* tortilla *f*; **o. aux champignons/au fromage** tortilla de champiñones/de queso ☆ *o. norvégienne* = postre a base de helado y merengue, frío por dentro y caliente por fuera

omettre [47] [ɔmɛtr] *vt* omitir; **o. de faire qch** olvidarse de hacer algo

omission [ɔmisjɔ̃] *nf (action)* omisión *f*; *(oubli)* olvido *m*

omnibus [ɔmnibys] *nm* ómnibus *m inv*

omniprésent, -e [ɔmniprezɑ̃, -ɑ̃t] *adj* omnipresente

omnivore [ɔmnivɔr] **1** *adj* omnívoro(a) **2** *nm* omnívoro *m*

omoplate [ɔmɔplat] *nf* omóplato *m*, omoplato *m*

on [ɔ̃] *pron personnel* **(a)** *(sujet indéterminé)* se; **on n'a pas le droit de fumer ici** aquí no se puede fumar; **on ne sait jamais** nunca se sabe

(b) *(les gens)* **en Espagne, on se couche tard** en España, la gente se acuesta tarde; **on raconte** *ou* **dit que...** dicen que...

(c) *(quelqu'un)* **on t'a téléphoné ce matin** te ha llamado alguien esta mañana, esta mañana te han llamado; **est-ce qu'on t'a vu?** ¿te han visto?

(d) *Fam (nous)* nosotros(as); **on est arrivés hier** llegamos ayer; **on se voit demain!** ¡nos vemos mañana!

oncle [ɔ̃kl] *nm* tío *m*

onctueux, -euse [ɔ̃ktɥø, -øz] *adj* untuoso(a)

onde [ɔ̃d] *nf Phys* onda *f*; *Litt* **l'o.** *(l'eau)* el agua *f*; **les ondes** *(la radio)* las ondas ☆ **grandes ondes** onda larga; **petites ondes** onda corta; **ondes courtes** onda corta; **ondes moyennes** onda media

ondée [ɔ̃de] *nf* chaparrón *m*, aguacero *m*

ondoyant, -e [ɔ̃dwajɑ̃, -ɑ̃t] *adj (blés, démarche)* ondulante

ondulation [ɔ̃dylɑsjɔ̃] *nf (mouvement)* ondulación *f*; *(des cheveux)* ondulado *m*

onduler [ɔ̃dyle] *vi* ondear

onéreux, -euse [ɔnerø, -øz] *adj (cher)* oneroso(a)

ongle [ɔ̃gl] *nm (d'une personne)* uña *f*; *(d'un animal)* garra *f*; **se faire les ongles** *(les vernir)* pintarse las uñas

onglet [ɔ̃glɛ] *nm (d'un livre)* uñero *m*; *Culin* = carne de ternera de primera categoría, solomillo *m*

onomatopée [ɔnɔmatɔpe] *nf* onomatopeya *f*

ont *voir* **avoir**

ONU [ɔny, ɔɛny] *nf (abrév* **Organisation des Nations unies)** ONU *f*

onze [ɔ̃z] **1** *adj inv* once

2 *nm inv* once *m*; *voir aussi* **six**

onzième [ɔ̃zjɛm] **1** *adj & nmf* undécimo(a) *m,f*

2 *nm* onceavo *m*, onceava *f* parte; *voir aussi* **sixième**

OPA [ɔpea] *nf (abrév* **offre publique d'achat)** OPA *f*

opaque [ɔpak] *adj* opaco(a); *(brouillard)* denso(a)

OPEP [ɔpɛp] *nf (abrév* **Organisation des pays exportateurs de pétrole)** OPEP *f*

opéra [ɔpera] *nm* ópera *f*

opérateur, -trice [ɔperatœr, -tris] *nm,f* operador(ora) *m,f* ☆ **o. de saisie** *(en informatique)* = encargado de introducir los datos en una computadora

opération [ɔperɑsjɔ̃] *nf* operación *f* ☆ **o. à cœur ouvert** operación a corazón abierto

opérationnel, -elle [ɔperɑsjɔnɛl] *adj* operativo(a); *Mil (base)* operacional

opérer [34] [ɔpere] **1** *vt* operar; *(choix)* efectuar; **se faire o. (de qch)** operarse (de algo)

2 s'opérer *vpr* operarse

opérette [ɔperɛt] *nf* opereta *f*

ophtalmologiste [ɔftalmɔlɔʒist], **ophtalmologue** [ɔftalmɔlɔg] *nmf* oftalmólogo(a) *m,f*

opiniâtre [ɔpinjɑtr] *adj* pertinaz

opinion [ɔpinjɔ̃] *nf* opinión *f*; **avoir une bonne/mauvaise o. de** tener (una) buena/mala opinión de; **se faire une o. de** hacerse una idea de ☆ **l'o. publique** la opinión pública

opium [ɔpjɔm] *nm* opio *m*

opportun, -e [ɔpɔrtœ̃, -yn] *adj* oportuno(a)

opportuniste [ɔpɔrtynist] *adj & nmf* oportunista *mf*

opposant, -e [ɔpozɑ̃, -ɑ̃t] **1** *adj* de la oposición, opositor(ora)

2 *nm,f* opositor(ora) *m,f*

opposé, -e [ɔpoze] **1** *adj* opuesto(a); **o. à** *(hostile)* contrario(a) a
2 *nm* **l'o.** *(le contraire)* lo opuesto; **à l'o. de** *(du côté opposé à)* en el lado opuesto a; *(contrairement à)* al contrario de

opposer [ɔpoze] **1** *vt (objecter)* objetar; *(diviser)* separar; *(pression, résistance)* oponer; *(confronter, comparer)* contraponer; *(faire s'affronter)* enfrentar
2 s'opposer *vpr (contraster)* contrastar; *(s'affronter)* enfrentarse; **s'o. à** *(être en désaccord, être contraire)* oponerse a; *(affronter)* enfrentarse a

opposition [ɔpozisjɔ̃] *nf* oposición *f*; *(contraste)* contraste *m*; **être en o. avec** oponerse a; **faire o. à un chèque** suspender el pago de un talón; **par o. à qch** en contraste con algo

oppresser [ɔprese] *vt (sujet: angoisse, remords)* oprimir; *(sujet: chaleur)* asfixiar

oppresseur [ɔpresœr] *nm* opresor *m*

oppression [ɔpresjɔ̃] *nf (asservissement)* opresión *f*; *(malaise)* ahogo *m*

opprimé, -e [ɔprime] *adj & nm,f* oprimido(a) *m,f*

opprimer [ɔprime] *vt (asservir)* oprimir; *(censurer)* reprimir

opter [ɔpte] **opter pour** *vt ind* optar por

opticien, -enne [ɔptisjɛ̃, -ɛn] *nm,f* óptico(a) *m,f*

optimal, -e, -aux, -ales [ɔptimal, -o] *adj* óptimo(a)

optimisme [ɔptimism] *nm* optimismo *m*

optimiste [ɔptimist] *adj & nmf* optimista *mf*

option [ɔpsjɔ̃] *nf* opción *f*; *Univ* optativa *f (asignatura)*; *Fin* **prendre une o. sur qch** tomar una opción sobre algo; **être en o.** *(accessoire)* ser opcional

optionnel, -elle [ɔpsjɔnɛl] *adj* opcional; *(matière)* optativo(a)

optique [ɔptik] **1** *adj* óptico(a)
2 *nf* óptica *f*

opulence [ɔpylɑ̃s] *nf* opulencia *f*

opulent, -e [ɔpylɑ̃, -ɑ̃t] *adj* opulento(a)

or¹ [ɔr] *nm* oro *m*; *(dorure)* dorado *m*; *Fig* **être en o.** *(personne)* ser una joya ☆ **o. blanc** oro blanco; **o. fin** oro fino; **o. massif** oro macizo

or² *conj* ahora bien

orage [ɔraʒ] *nm* tormenta *f*; *Fig (de la vie, de l'amour)* revés *m*; **il y a de l'o. dans l'air** se está preparando una tormenta; *Fig* hay tensión en el ambiente

orageux, -euse [ɔraʒø, -øz] *adj (discussion)* tormentoso(a), tempestuoso(a); *(chaleur)* bochornoso(a)

oraison [ɔrɛzɔ̃] *nf* oración *f* ☆ **o. funèbre** oración fúnebre

oral, -e, -aux, -ales [ɔral, -o] **1** *adj* oral
2 *nm* oral *m (examen)*; **par o.** oralmente ☆ **o. de rattrapage** oral de repesca

oralement [ɔralmɑ̃] *adv* oralmente

orange [ɔrɑ̃ʒ] **1** *nf* naranja *f* ☆ **o. pressée** zumo *m* o *Am* jugo *m* de naranja natural
2 *adj inv* naranja *inv*
3 *nm (couleur)* naranja *m*

orangé, -e [ɔrɑ̃ʒe] *adj* anaranjado(a)

orangeade [ɔrɑ̃ʒad] *nf* naranjada *f*

oranger [ɔrɑ̃ʒe] *nm* naranjo *m*

orang-outan (*pl* **orangs-outans**), **orang-outang** (*pl* **orangs-outangs**) [ɔrɑ̃utɑ̃] *nm* orangután *m*

orateur, -trice [ɔratœr, -tris] *nm,f* orador(ora) *m,f*

orbite [ɔrbit] *nf* órbita *f*; **mettre qch sur o.** poner algo en órbita

orchestre [ɔrkɛstr] *nm* orquesta *f*; *(fauteuils)* patio *m* de butacas ☆ **o. de chambre** orquesta de cámara

orchestrer [ɔrkɛstre] *vt aussi Fig* orquestar

orchidée [ɔrkide] *nf* orquídea *f*

ordinaire [ɔrdinɛr] **1** *adj* ordinario(a); *(habituel)* habitual **2** *nm* l'o. *(repas)* lo ordinario; **d'o.** generalmente, habitualmente; **sortir de l'o.** ser excepcional

ordinal, -e, -aux, -ales [ɔrdinal, -o] *adj* ordinal

ordinateur [ɔrdinatœr] *nm* ordenador *m*, *Am* computadora *f*, computador *m* ☆ **o. central** ordenador *o* computadora central; **o. portable** ordenador *o* computadora portátil

ordonnance [ɔrdɔnãs] *nf (médicale)* receta *f*; *(du gouvernement)* ordenanza *f*; *(d'un juge)* mandato *m*, mandamiento *m*

ordonné, -e [ɔrdɔne] *adj* ordenado(a)

ordonnée [ɔrdɔne] *nf Math* ordenada *f*

ordonner [ɔrdɔne] *vt* ordenar; **o. à qn de faire qch** ordenar a alguien que haga algo

ordre [ɔrdr] *nm (agencement, discipline)* orden *m*; *(commandement)* & *Rel* orden *f*; *(corporation)* colegio *m*; **faire un chèque à l'o. de...** extender un cheque a nombre de...; **à l'o. du jour** *(d'une assemblée)* en el orden del día; *(d'actualité)* al orden del día; **de premier/second o.** de primera/segunda clase; **des problèmes d'o. général/privé** problemas de orden general/privado; **en o.** en orden; **par o. alphabétique** por orden alfabético; **donner un o. à qn** dar una orden a alguien; **donner à qn l'o. de faire qch** dar a alguien la orden de hacer algo; **être aux ordres de qn** estar a las órdenes de alguien; **rentrer dans l'o.** volver a la normalidad

ordure [ɔrdyr] *nf Fam Péj (personne)* canalla *mf*; **ordures** *(déchets)* basura *f*

ordurier, -ère [ɔrdyrje, -ɛr] *adj* grosero(a), *CSur* guarango(a)

orée [ɔre] *nf* **à l'o. de** en la linde de

oreille [ɔrɛj] *nf* oreja *f*; *(ouïe)* oído *m*; *(d'une marmite, d'une tasse)* asa *f*; **se boucher les oreilles** taparse los oídos; **dire qch à l'o. à qn** decir algo al oído a alguien

oreiller [ɔreje] *nm* almohada *f*

oreillette [ɔrɛjɛt] *nf (du cœur)* aurícula *f*; *(d'une casquette)* orejera *f*

oreillons [ɔrɛjɔ̃] *nmpl* paperas *fpl*

ores [ɔr] **d'ores et déjà** *adv* de aquí en adelante

orfèvre [ɔrfɛvr] *nm* orfebre *m*; **être o. en la matière** estar ducho(a) en la materia

orfèvrerie [ɔrfɛvrəri] *nf* orfebrería *f*

organe [ɔrgan] *nm* órgano *m*; *Hum (voix)* voz *f* ☆ **organes génitaux** órganos genitales

organigramme [ɔrganigram] *nm* organigrama *m*

organique [ɔrganik] *adj* orgánico(a)

organisateur, -trice [ɔrganizatœr, -tris] *adj* & *nm,f* organizador(ora) *m,f*

organisation [ɔrganizasjɔ̃] *nf* organización *f*

organisé, -e [ɔrganize] *adj* organizado(a)

organiser [ɔrganize] **1** *vt* organizar **2** **s'organiser** *vpr (personne, résistance)* organizarse

organisme [ɔrganism] *nm* organismo *m*

organiste [ɔrganist] *nmf* organista *mf*

orgasme [ɔrgasm] *nm* orgasmo *m*

orge [ɔrʒ] *nf* cebada *f*

orgie [ɔrʒi] *nf* orgía *f*

orgue [ɔrg] *nm* órgano *m* ☆ **o. de Barbarie** organillo *m*

orgueil [ɔrgœj] *nm* orgullo *m*

orgueilleux, -euse [ɔrgœjø, -øz] *adj* & *nm,f* orgulloso(a) *m,f*

orient [ɔrjã] *nm* oriente *m*; **l'O.** (el) Oriente

oriental, -e, -aux, -ales [ɔrjãtal, -o] **1** *adj* oriental **2** *nm,f* **O.** oriental *mf*

orientation [ɔrjãtasjɔ̃] *nf* orientación *f*

orienté, -e [ɔrjãte] *adj (exposé)* orientado(a); *(tendancieux)* tendencioso(a)

orienter [ɔrjãte] **1** *vt* orientar **2 s'orienter** *vpr* orientarse (**vers** hacia)

orifice [ɔrifis] *nm* orificio *m*

originaire [ɔriʒinɛr] *adj* **être o. de** ser originario(a) de, ser natural de

original, -e, -aux, -ales [ɔriʒinal, -o] **1** *adj & nm,f* original *mf* **2** *nm (d'un document)* original *m*

originalité [ɔriʒinalite] *nf* originalidad *f*

origine [ɔriʒin] *nf* origen *m*; **à l'o.** al principio; **être à l'o. de qch** originar algo; **d'o.** de origen; **être d'o. modeste/italienne** ser de origen modesto/italiano

oripeaux [ɔripo] *nmpl (vêtements)* atavíos *mpl*

ORL [ɔɛrɛl] *nmf (abrév* **oto-rhino-laryngologiste)** ORL *mf*

orme [ɔrm] *nm* olmo *m*

orné, -e [ɔrne] *adj* adornado(a) (**de** con o de)

ornement [ɔrnəmã] *nm* ornamento *m*

orner [ɔrne] *vt* adornar (**de** con o de)

ornière [ɔrnjɛr] *nf* rodada *f*; *Fig* **sortir de l'o.** *(d'une situation difficile)* salir del atolladero

ornithologie [ɔrnitɔlɔʒi] *nf* ornitología *f*

orphelin, -e [ɔrfəlɛ̃, -in] *adj & nm,f* huérfano(a) *m,f*

orphelinat [ɔrfəlina] *nm* orfanato *m*

orteil [ɔrtɛj] *nm* dedo *m* del pie ☆ **le gros o.** el dedo gordo del pie

orthodontiste [ɔrtɔdɔ̃tist] *nmf* ortodontista *mf*

orthodoxe [ɔrtɔdɔks] *adj & nmf* ortodoxo(a) *m,f*

orthographe [ɔrtɔgraf] *nf* ortografía *f*

orthopédique [ɔrtɔpedik] *adj* ortopédico(a)

orthophoniste [ɔrtɔfɔnist] *nmf* ortofonista *mf*

ortie [ɔrti] *nf* ortiga *f*

OS [ɔɛs] *nm (abrév* **ouvrier spécialisé)** obrero *m* especializado

os [ɔs, *pl* o] *nm* hueso *m*; *Fam Fig* **tomber sur un os** dar con un hueso ☆ **os à moelle** hueso de espinazo

oscillation [ɔsilasjɔ̃] *nf* oscilación *f*

osciller [ɔsile] *vi* oscilar

osé, -e [oze] *adj* atrevido(a)

oseille [ozɛj] *nf (plante)* acedera *f*; *Fam (argent)* guita *f*

oser [oze] *vt* **o. qch/faire qch** atreverse a algo/a hacer algo; **..., si j'ose dire ...,** en fin, ya sabes lo que quiero decir

osier [ozje] *nm* mimbre *m*

Oslo [ɔslo] *n* Oslo

ossature [ɔsatyr] *nf (os)* osamenta *f*; *Fig (structure)* armazón *f*

ossements [ɔsmã] *nmpl* osamenta *f*

osseux, -euse [ɔsø, -øz] *adj Anat & Méd* óseo(a); *(maigre)* huesudo(a)

ostensible [ɔstãsibl] *adj* ostensible

ostensoir [ɔstãswar] *nm* custodia *f (vaso litúrgico)*

ostentation [ɔstãtasjɔ̃] *nf* ostentación *f*

ostéopathe [ɔsteɔpat] *nmf* osteópata *mf*

ostréiculture [ɔstreikyltyr] *nf* ostricultura *f*

otage [ɔtaʒ] *nm* rehén *mf*; **prendre qn en o.** tomar a alguien como rehén

OTAN [ɔtã] *nf (abrév* **Organisation du traité de l'Atlantique Nord)** OTAN *f*

otarie [ɔtari] *nf* león *m* marino, otaria *f*

ôter [ote] *vt (enlever)* quitar; *(vêtement)* quitarse; **ô. qch à qn** quitar algo a alguien; **6 ôté de 10 égale 4** 10 menos 6 igual a 4

otite [ɔtit] *nf* otitis *f inv*

oto-rhino (*pl* **oto-rhinos**) [ɔtɔrino] *nmf Fam* otorrino *mf*

oto-rhino-laryngologiste (*pl* oto-rhino-laryngologistes) [ɔtɔrinɔlarɛ̃gɔlɔʒist] *nmf* otorrinolaringólogo(a) *m,f*

ou [u] *conj* o; **c'est l'un ou l'autre** o uno u otro; **ou (bien)... ou (bien)** o (bien)... o (bien)

où [u] **1** *pron relatif* (a) *(dans l'espace) (sans mouvement)* donde; *(avec mouvement)* adonde; **là où j'habite** donde vivo; **où que vous soyez** allí donde estéis; **là où il allait** allí adonde iba; **où que vous alliez** vaya adonde vaya

(b) *(dans le temps)* (en) que; **le jour où je suis venue** el día (en) que vine

2 *adv* (a) *(dans l'espace) (sans mouvement)* donde; *(avec mouvement)* adonde; **d'où j'étais** desde donde estaba; **je vais où je veux** voy adonde quiero; **d'où** *(par conséquent)* de donde, de lo que; **d'où on conclut que...** de lo que o de donde se deduce que...; **d'où ma surprise** de ahí mi sorpresa

(b) *(dans le temps)* cuando

3 *adv interrogatif (sans mouvement)* dónde; *(avec mouvement)* adónde; **où étais-tu?** ¿dónde estabas?; **où vas-tu?** ¿adónde vas?

ouah-ouah [wawa] **1** *exclam* ¡guau! **2** *nm* guau *m*

ouate [wat] *nf* guata *f*

oubli [ubli] *nm (perte de mémoire, étourderie)* olvido *m*; *(négligence)* descuido *m*; **tomber dans l'o.** caer en el olvido

oublier [66] [ublije] **1** *vt* olvidar

2 s'oublier *vpr (sortir de la mémoire)* olvidarse; *Hum (faire ses besoins)* hacerse todo encima

oubliettes [ublijɛt] *nfpl* mazmorra *f*; *Fig* **mettre qch aux o.** relegar algo al olvido

ouest [wɛst] **1** *adj inv* oeste

2 *nm* oeste *m*; **à l'o.** al oeste; **à l'o. de** al oeste de; *Géog & Pol* **l'O.** el Oeste

ouf [uf] *exclam* ¡uf!

oui [wi] *adv & nm inv* sí

ouï-dire [widir] **par ouï-dire** *adv* de oídas

ouïe [wi] *nf (sens)* oído *m*; **avoir l'o. fine** tener el oído fino; **ouïes** *(de poisson)* agallas *fpl*

ouragan [uragɑ̃] *nm* huracán *m*; *Fig (tumulte)* tormenta *f*; **arriver comme un o.** llegar en tromba

ourlet [urlɛ] *nm (d'un vêtement)* dobladillo *m*; *(de l'oreille)* hélice *f*

ours [urs] *nm* oso *m*; *Péj (misanthrope)* hurón *m* ☆ **o. blanc** oso blanco; **o. brun** oso pardo; **o. en peluche** oso de peluche

ourse [urs] *nf* osa *f*; **la Grande O.** la Osa Mayor; **la Petite O.** la Osa Menor

oursin [ursɛ̃] *nm* erizo *m* de mar

ourson [ursɔ̃] *nm* osezno *m*

outil [uti] *nm (instrument)* herramienta *f*, útil *m*; *Fig (aide)* instrumento *m*

outillage [utijaʒ] *nm* utillaje *m*

outrage [utraʒ] *nm* ultraje *m* ☆ **o. à magistrat** desacato *m* a un magistrado

outrager [45] [utraʒe] *vt (offenser)* ultrajar

outrance [utrɑ̃s] *nf* exageración *f*; **à o.** a ultranza

outrancier, -ère [utrɑ̃sje, -ɛr] *adj* excesivo(a)

outre¹ [utr] *nf* odre *m*, pellejo *m*

outre² **1** *prép* además de; **o. mesure** desmesuradamente

2 *adv* **passer o.** *(aller plus loin)* ir más allá; *Fig* pasar por alto; **en o.** además

outré, -e [utre] *adj (offusqué)* indignado(a); *(exagéré)* exagerado(a)

outre-Atlantique [utratlãtik] *adv* al otro lado del Atlántico

outre-mer [utrəmɛr] *adv (position)* en ultramar; *(mouvement)* a ultramar

outrepasser [utrəpɑse] *vt* extralimitarse en

ouvert, -e [uvɛr, -ɛrt] **1** *pp voir* **ouvrir**
2 *adj* abierto(a); *(visage)* franco(a); **grand o.** abierto de par en par

ouvertement [uvɛrtəmã] *adv* abiertamente

ouverture [uvɛrtyr] *nf (action) & Phot* abertura *f*; *(d'un local, d'un débat, de relations)* apertura *f*; *(des hostilités)* comienzo *m*; *(entrée)* boca *f*; *Mus* obertura *f*; **ouvertures** *(avances)* propuestas *fpl* ☆ **o. d'esprit** amplitud *f* de miras

ouvrable [uvrabl] *adj voir* **jour**

ouvrage [uvraʒ] *nm (livre)* obra *f*; *(travail)* trabajo *m*; *(tricot)* labor *f*; **se mettre à l'o.** ponerse manos a la obra

ouvre-boîtes [uvrəbwat] *nm inv* abrelatas *m inv*

ouvre-bouteilles [uvrəbutɛj] *nm inv* abrebotellas *m inv*

ouvreuse [uvrøz] *nf* acomodadora *f*

ouvrier, -ère [uvrije, -ɛr] **1** *adj* obrero(a)
2 *nm,f* obrero(a) *m,f, Chile* roto(a) *m,f* ☆ **o. qualifié** obrero cualificado;

o. spécialisé obrero especializado
3 *nf* **ouvrière** *(abeille)* obrera *f*

ouvrir [52] [uvrir] **1** *vt* abrir; **o. qch à qn** abrir algo a alguien
2 *vi (magasin, porte)* abrir; *(commencer)* empezar; **o. sur qch** *(donner accès)* abrirse a algo; **o. à carreau/trèfle** *(aux cartes)* abrir con diamantes/tréboles
3 s'ouvrir *vpr* abrirse; **s'o. à qn** *(se confier)* abrirse a o con alguien; *(perspective)* presentársele a alguien; **s'o. à qch** abrirse a algo

ovaire [ɔvɛr] *nm* ovario *m*

ovale [ɔval] **1** *adj* oval, ovalado(a)
2 *nm* óvalo *m*

ovation [ɔvɑsjɔ̃] *nf* ovación *f*; **faire une o. à qn** ovacionar a alguien

overdose [ɔvœrdoz] *nf aussi Fig* sobredosis *f inv*

ovin, -e [ɔvɛ̃,-in] **1** *adj* ovino(a)
2 *nmpl* **les ovins** los ovinos

ovni [ɔvni] *nm (abrév* **objet volant non identifié**) OVNI *m*

ovulation [ɔvylɑsjɔ̃] *nf* ovulación *f*

ovule [ɔvyl] *nm* óvulo *m*

oxydation [ɔksidɑsjɔ̃] *nf* oxidación *f*

oxyde [ɔksid] *nm* óxido *m* ☆ **o. de carbone** óxido de carbono

oxygène [ɔksiʒɛn] *nm* oxígeno *m*

oxygéné, -e [ɔksiʒene] *adj* oxigenado(a)

oxygéner [8] [ɔksiʒene] **1** *vt (cheveux)* decolorar
2 s'oxygéner *vpr (prendre l'air)* oxigenarse

ozone [ozon] *nm* ozono *m*

P

P, p [pe] *nm inv (lettre)* P *f*, p *f*

p. *(abrév* **page**) p.

PAC [pak] *nf (abrév* **Politique agricole commune**) PAC *f*

pacage [pakaʒ] *nm* pastoreo *m*

pacemaker [pɛsmɛkœr] *nm* marca-pasos *m inv*

pacha [paʃa] *nm Fam* **mener une vie de p.** vivir como un pachá

pachyderme [paʃidɛrm] *nm* paqui-dermo *m*

pacifier [pasifje] *vt (pays, peuple)* pacificar; *Fig (esprit)* apaciguar

pacifique [pasifik] **1** *adj* pacífico(a) **2** *nm* **le P.** el Pacífico

pacifiste [pasifist] *adj & nmf* pacifis-ta *mf*

pack [pak] *nm (de bouteilles)* pack *m*

pacotille [pakɔtij] *nf* pacotilla *f*; **de p.** de pacotilla

pacte [pakt] *nm* pacto *m*

pactiser [paktize] *vi* **p. avec** pactar con

pactole [paktɔl] *nm Fam* mina *f (de dinero)*

pagaie [pagɛ] *nf* zagual *m*

pagaille, pagaïe [pagaj] *nf Fam* fo-llón *m*; **en p.** *(en quantité)* a porrillo; **être en p.** *(en désordre)* estar manga por hombro

pagayer [53] [pageje] *vi* remar con zagual

page¹ [paʒ] *nf* página *f*; **être à la p.** estar al día ☆ **p. de garde** garda *f*;

les pages jaunes (de l'annuaire) las páginas amarillas; **p. de publicité** anuncios *mpl*

page² *nm* paje *m*

pagne [paɲ] *nm* taparrabos *m inv*

pagode [pagɔd] *nf* pagoda *f*

paie [pɛ] **1** *voir* **payer** **2** *nf* paga *f*

paiement [pɛmã] *nm* pago *m*

païen, -enne [pajɛ̃, -ɛn] *adj & nm,f* pagano(a) *m,f*

paiera etc *voir* **payer**

paillard, -e [pajar, -ard] *adj* verde *(obsceno)*

paillasse [pajas] *nf (matelas)* jergón *m*; *(d'évier)* escurridero *m*

paillasson [pajasɔ̃] *nm (tapis)* felpu-do *m*

paille [pɑj] *nf* paja *f*; **tirer à la courte p.** = sortear algo con palitos de dife-rentes tamaños de modo que el que saque el más corto pierde; *Fam* **être sur la p.** estar a dos velas ☆ **p. de fer** estropajo *m* metálico

pailleté, -e [pajte] *adj* de lentejuelas

paillette [pajɛt] *nf (sur un vêtement)* lentejuela *f*; *(d'or)* chispa *f*; *(de les-sive, de savon)* escama *f*

pain [pɛ̃] *nm* pan *m*; *(de poisson, de légumes)* pastel *m*; *(de cire)* librillo *m*; *(de savon)* pastilla *f*; *Fam (coup)* puñetazo *m*; *Fig* **avoir du p. sur la planche** tener mucho que hacer ☆ **p. au chocolat** napolitana *f* de chocolate; **p. d'épices** alajú m, = pan rallado y tostado mezclado con nueces, almendras, miel cocida y especias; **p. au lait** bollo m de leche; **p. de mie** pan de molde; **p. perdu** torrijas *fpl*; **p. aux raisins** = bollo en forma de espiral con pasas; **petit p.** bollo de pan; **se vendre** *ou* **partir comme des petits pains** venderse como churros

pair, -e [pɛr] **1** *adj* par
2 *nm* igual m; **il a été jugé par ses pairs** fue juzgado por sus semejantes; **au p.** *Fin* a la par; *(travailler)* de au pair; **jeune fille au p.** au pair *f*; **aller de p. avec** ir parejo(a) con
3 *nf* **paire** *(de choses)* par m; *(d'animaux)* pareja *f*; *(de bœufs)* yunta *f*

paisible [pezibl] *adj* apacible

paître [8] [pɛtr] *vi* pacer; *Fam Fig* **envoyer p. qn** mandar a alguien a freír espárragos

paix [pɛ] *nf* paz *f*; **en p.** en paz; **avoir la p.** estar tranquilo(a); **faire la p. avec qn** hacer las paces con alguien; *Fam* **fiche-moi** *ou* très *Fam* **fous-moi la p.!** ¡déjame en paz!

Pakistan [pakistã] *nm* **le P.** (el) Pakistán

pakistanais, -e [pakistanɛ, -ɛz] **1** *adj* paquistaní
2 *nm,f* **P.** paquistaní *mf*

palace [palas] *nm* hotel m de lujo

palais¹ [palɛ] *nm (château)* palacio m ☆ **p. des congrès** palacio de congresos; **P. (de justice)** Palacio de Justicia

palais² *nm (de la bouche)* paladar m

pale [pal] *nf (d'hélice)* pala *f*, aspa *f*

pâle [pɑl] *adj* pálido(a)

paléontologie [paleɔ̃tɔlɔʒi] *nf* paleontología *f*

Palestine [palɛstin] *nf* **la P.** Palestina

palestinien, -enne [palɛstinjɛ̃, -ɛn] **1** *adj* palestino(a)
2 *nm,f* **P.** palestino(a) *m,f*

palet [palɛ] *nm (au hockey)* disco m; *(gâteau)* galleta *f*

palette [palɛt] *nf (de peintre, de chargement)* paleta *f*; *Culin* paletilla *f*

pâleur [pɑlœr] *nf* palidez *f*

palier [palje] *nm (d'escalier)* rellano m; *Fig (étape)* escalón m; *Tech (de transmission)* palier m

pâlir [pɑlir] *vi* palidecer

palissade [palisad] *nf* empalizada *f*

palliatif, -ive [paljatif, iv] **1** *adj* paliativo(a)
2 *nm* paliativo m

pallier [palje] **1** *vt* paliar
2 pallier à *vt ind* paliar

Palma [palma] *n* **P. (de Majorque)** Palma (de Mallorca)

palmarès [palmarɛs] *nm* palmarés m *inv*

palme [palm] *nf (feuille, insigne)* palma *f*; *(de nageur)* aleta *f*

palmé, -e [palme] *adj* palmeado(a)

palmier [palmje] *nm* palmera *f*

pâlot, -otte [pɑlo, -ɔt] *adj Fam* paliducho(a)

palourde [palurd] *nf* almeja *f*

palper [palpe] *vt (toucher)* palpar; *Fam (argent)* embolsarse

palpitant, -e [palpitã, -ãt] *adj* palpitante

palpitations [palpitasjɔ̃] *nfpl* palpitaciones *fpl*

palpiter [palpite] *vi (cœur)* palpitar

paludisme [palydism] *nm* paludismo m

pâmer [pame] **se pâmer** *vpr Vieilli (s'évanouir)* desfallecer; *Fig & Hum* **se p. devant** extasiarse ante

pamphlet [pãflɛ] *nm* panfleto m

pamplemousse [pãpləmus] *nm* pomelo m

pan [pã] **1** *nm (de vêtement)* faldón m; *(morceau)* parte *f* ☆ **p. de mur** lienzo m de pared
2 *exclam (coup de feu)* ¡pum!; *(claque)* ¡paf!

panache [panaʃ] *nm (de plumes)* penacho m; *(de fumée)* bocanada f; *(éclat)* distinción f

panaché, -e [panaʃe] **1** *adj (de couleurs différentes)* abigarrado(a) **2** *nm (bière)* clara f

Panama [panama] *nm* **le P.** Panamá

panaméen, -enne [panameɛ̃, -ɛn] **1** *adj* panameño(a) **2** *nm,f* **P.** panameño(a) m,f

panaris [panari] *nm* panadizo m, uñero m

pancarte [pɑ̃kart] *nf (de manifestant)* pancarta f; *(panneau de signalisation)* letrero m

pancréas [pɑ̃kreas] *nm* páncreas m *inv*

panda [pɑ̃da] *nm (oso m)* panda m

pané, -e [pane] *adj* empanado(a)

paner [pane] *vt* empanar

panier [panje] *nm* cesta f; **marquer un p.** *(au basket)* encestar, meter una canasta; **mettre au p.** *(à la poubelle)* tirar a la basura ☆ *Fig* **p. percé** manirroto(a) m,f; **p. à provisions** cesta de la compra; **p. à salade** = cesta de rejilla para escurrir la lechuga; *(voiture cellulaire)* lechera f

panique [panik] **1** *adj* **être pris d'une peur p.** ser presa del pánico **2** *nf* pánico m

paniquer [panike] **1** *vt* aterrorizar **2** *vi* **j'ai paniqué** me entró el pánico

panne [pan] *nf Esp* avería f, *Am* descompostura f; **tomber en p.** *Esp* tener una avería, *Am* descomponerse ☆ **p. de courant** ou **d'électricité** apagón m; **tomber en p. d'essence** quedarse sin gasolina

panneau, -x [pano] *nm (pancarte)* cartel m; *(surface plane)* tablero m; *Fam* **tomber dans le p.** caer en la trampa ☆ **p. d'affichage** tablón m de anuncios; **p. indicateur** señal f indicadora; **p. publicitaire** valla f publicitaria

panoplie [panɔpli] *nf (jouet)* disfraz m *(de niño)*; *(d'armes, de mesures)* panoplia f

panorama [panɔrama] *nm (vue)* panorama m; *Fig (rétrospective)* panorámica f

panoramique [panɔramik] **1** *adj* panorámico(a) **2** *nm Cin* panorámica f

panse [pɑ̃s] *nf* panza f

pansement [pɑ̃smɑ̃] *nm (compresse)* venda f; *(dentaire) Esp* empaste m, *Am* emplomadura f ☆ **p. (adhésif)** tirita f

panser [pɑ̃se] *vt (plaie)* vendar; *(cheval)* almohazar

pantalon [pɑ̃talɔ̃] *nm* pantalón m, pantalones mpl

pantelant, -e [pɑ̃tlɑ̃, -ɑ̃t] *adj (palpitant)* palpitante; *(haletant)* jadeante

panthère [pɑ̃tɛr] *nf* pantera f ☆ **p. noire** pantera negra

pantin [pɑ̃tɛ̃] *nm* pelele m

pantomime [pɑ̃tɔmim] *nf* pantomima f

pantoufle [pɑ̃tufl] *nf* zapatilla f, pantufla f

PAO [peao] *nf (abrév* **publication assistée par ordinateur)** autoedición f

paon [pɑ̃] *nm* pavo m real

papa [papa] *nm* papá m

papal, -e, -aux, -ales [papal, -o] *adj* papal

pape [pap] *nm* papa m

paperasse [papras] *nf (papiers sans importance)* papelotes mpl; *(papiers administratifs)* papeleo m

papeterie [papetri] *nf (magasin)* papelería f; *(fabrique)* papelera f; *(articles)* artículos mpl de papelería

papetier, -ère [paptje, -ɛr] *nm,f* papelero(a) m,f

papi [papi] *nm* abuelito m

papier [papje] *nm* papel m; *Fam (article de journal)* artículo m; **papiers (d'identité)** carné m de identidad ☆ **p. alu** ou **aluminium** papel de plata _o_ aluminio; _p._ **cadeau** papel de regalo; _p._ **calque** papel de calco; _p._ **glacé** papel glaseado; **papiers gras** papeles _(basura)_; _p._ **à lettres** papel de cartas; _p._ **peint** papel pintado; _p._ **toilette** ou **hygiénique** papel higiénico; _p._ **de verre** papel de lija

papillon [papijɔ̃] _nm (insecte, écrou)_ mariposa _f_; _Fam (contravention)_ multa _f_ ☆ _p._ **de nuit** mariposa nocturna

papillote [papijɔt] _nf (pour cheveux)_ papillote _f_; _Culin_ **en p.** a la papillote

papoter [papɔte] _vi Fam_ parlotear

paprika [paprika] _nm_ paprika _f_

Pâque [pɑk] _nf_ **la P.** _(fête juive)_ la Pascua judía

paquebot [pakbo] _nm_ paquebote _m_

pâquerette [pɑkrɛt] _nf_ margarita _f_

Pâques [pɑk] **1** _nm (fête chrétienne)_ Pascua _f_; _(période)_ Semana _f_ Santa; **les vacances de P.** las vacaciones de Semana Santa
　　2 _nfpl_ Pascuas _fpl_

paquet [pakɛ] _nm_ paquete _m_

paquetage [paktaʒ] _nm_ impedimenta _f_

paquet-cadeau (_pl_ **paquets-cadeaux**) [pakɛkado] _nm_ paquete _m_ regalo

par [par] _prép_ **(a)** _(à travers)_ por; **passe p. ici/là** pasa por aquí/allí
　　(b) _(indique la position)_ **p. ici** _(dans les environs)_ por aquí; **p.-ci p.-là** por aquí por allá
　　(c) _(introduit le complément d'agent)_ por; **faire faire qch p. qn** hacer hacer algo por alguien
　　(d) _(indique le moyen)_ con; _(indique le moyen de transport)_ en; **p. la douceur** con dulzura; **p. avion/bateau** en avión/barco
　　(e) _(indique la cause)_ por; **p. accident** por accidente; **p. amitié/pitié** por amistad/piedad
　　(f) _(sens distributif)_ **deux p. deux** de dos en dos; **une heure p. jour** una ho-

ra al día; **p. centaines/milliers** a centenares/millares
　　(g) _(dans le temps)_ **p. un beau jour d'été** en un bonito día de verano

parabole [parabɔl] _nf_ parábola _f_

parabolique [parabɔlik] _adj voir_ **antenne**

parachever [46] [paraʃve] _vt_ dar el último toque a

parachute [paraʃyt] _nm_ paracaídas _m inv_

parachutiste [paraʃytist] _nmf_ paracaidista _mf_

parade [parad] _nf (défense)_ gesto _m_ de defensa; _(spectacle)_ desfile _m_; _(étalage)_ ostentación _f_

paradis [paradi] _nm_ paraíso _m_

paradoxal, -e, -aux, -ales [paradɔksal, -o] _adj_ paradójico(a)

paradoxe [paradɔks] _nm_ paradoja _f_

paraffine [parafin] _nf_ parafina _f_

parages [paraʒ] _nmpl Naut_ aguas _fpl_; **dans les p. de** cerca de; **dans les p.** _(près d'ici)_ por aquí

paragraphe [paragraf] _nm_ párrafo _m_, _Am_ acápite _m_

Paraguay [paragwɛ] _nm_ **le P.** Paraguay

paraguayen, -enne [paragwɛjɛ̃, -ɛn] **1** _adj_ paraguayo(a)
　　2 _nm,f_ **P.** paraguayo(a) _m,f_

paraître [20] [parɛtr] **1** _vi (sembler)_ parecer; _(apparaître, être publié)_ aparecer; _(se faire remarquer)_ aparentar; _(sentiment)_ manifestarse; **il paraît fatigué** parece cansado
　　2 _v impersonnel_ **il paraît** ou **paraîtrait que** parece ser que; **..., paraît-il** parece ser que...

parallèle [paralɛl] **1** _adj_ paralelo(a)
　　2 _nm_ paralelo _m_; **mettre qch en p. avec qch** _(choses opposées)_ comparar algo con algo
　　3 _nf Math_ paralela _f_

parallélépipède [paralelepipɛd] _nm_ paralelepípedo _m_

parallélisme [paralelism] *nm* para-lelismo *m*

parallélogramme [paralelɔgram] *nm* paralelogramo *m*

paralyser [paralize] *vt aussi Fig* pa-ralizar

paralysie [paralizi] *nf* parálisis *f inv*

paramètre [paramɛtr] *nm* paráme-tro *m*

parano [parano] *adj Fam* paranoi-co(a)

paranoïaque [paranɔjak] *adj & nmf* paranoico(a) *m,f*

parapente [parapɑ̃t] *nm* parapente *m*

parapet [parapɛ] *nm* parapeto *m*

parapher [parafe] *vt* rubricar

paraphrase [parafrɑz] *nf* paráfrasis *f inv*

parapluie [paraplɥi] *nm* paraguas *m inv*

parasite [parazit] **1** *adj* parásito(a) **2** *nm aussi Fig* parásito *m*; **parasites** *(à la radio)* interferencias *fpl*

parasol [parasɔl] *nm* sombrilla *f*, pa-rasol *m*

paratonnerre [paratɔnɛr] *nm* para-rrayos *m inv*

paravent [paravɑ̃] *nm* biombo *m*

parc [park] *nm* parque *m*; *(enclos)* redil *m*; **p. automobile** *(national)* par-que automovilístico; *(privé)* parque móvil ☆ **p. d'attractions** parque de atracciones; **p. d'éoliennes** parque eólico; **p. national** parque nacional; **p. de stationnement** *Esp* aparca-miento *m*, *Am* parqueadero *m*, *RP* estacionamiento *m*

parcelle [parsɛl] *nf (terrain)* parcela *f*; *(petite partie)* ápice *f*

parce que [parsk(ə)] *conj* porque

parchemin [parʃəmɛ̃] *nm* pergami-no *m*

parcimonieux, -euse [parsimɔnjø, -øz] *adj* parsimonioso(a)

parcmètre [parkmɛtr] *nm* parquí-metro *m*

parcourir [22] [parkurir] *vt (région, ville)* recorrer; *(journal)* hojear; **p. qch des yeux** *ou* **du regard** recorrer algo con la mirada

parcours [parkur] *nm (itinéraire) & Sp* recorrido *m*; *Fig (trajectoire indi-viduelle)* trayectoria *f*

par-delà [pardəla] **1** *prép* allende **2** *adv* más allá

par-derrière [pardɛrjɛr] *adv (par l'arrière)* por detrás; *Fig* **il la critique p.** la critica a sus espaldas

par-dessous [pardəsu] **1** *adv* por de-bajo **2** *prép* por debajo de

pardessus [pardəsy] *nm* sobretodo *m*

par-dessus [pardəsy] **1** *adv* por en-cima **2** *prép* por encima de; **p. le marché** encima

par-devant [pardəvɑ̃] **1** *adv* por de-lante **2** *prép* por delante de; **p. notaire** ante notario

pardi [pardi] *exclam Fam* ¡pues cla-ro!

pardon [pardɔ̃] **1** *nm* perdón *m*; **de-mander p. à qn** pedir perdón a al-guien **2** *exclam* ¡perdón!

pardonner [pardɔne] **1** *vt* perdonar; **p. (qch) à qn** perdonar (algo) a al-guien **2 se pardonner** *vpr* **je ne me le par-donnerai jamais** nunca me lo perdo-naré

pare-balles [parbal] *adj inv* antiba-las

pare-boue [parbu] *nm inv* guarda-barros *m inv*

pare-brise [parbriz] *nm inv* parabri-sas *m inv*

pare-chocs [parʃɔk] *nm inv* para-choques *m inv*

pareil, -eille [parɛj] **1** *adj (sem-blable)* igual (**à/que** a/que); *(tel)*

semejante ; **je n'ai jamais vu une insolence pareille** nunca he visto semejante insolencia o insolencia
semejante
   2 *nm,f* **ne pas avoir son p.** no tener
igual
   3 *nf* **rendre la pareille à qn** vengarse
de alguien
   4 *adv Fam* igual

parent, -e [parɑ̃, -ɑ̃t] **1** *adj* **être parents** ser parientes
   2 *nm,f* pariente *mf* ; **parents** *(père et
mère)* padres *mpl*

parenté [parɑ̃te] *nf (lien familial,
ressemblance)* parentesco *m* ; *(ensemble de la famille)* parentela *f*

parenthèse [parɑ̃tɛz] *nf* paréntesis
m inv ; **entre parenthèses** entre paréntesis ; *Fig* dicho sea de paso

parer¹ [pare] *Litt* **1** *vt* **p. qn de qch** *(vêtements)* ataviar a alguien con algo ;
Fig (qualité, vertu) atribuir a alguien
algo
   2 se parer *vpr (se vêtir)* ataviarse
(de con)

parer² **1** *vt (coup)* parar
   2 parer à *vt ind* **p. à qch** *(accident,
problème)* precaverse contra algo ;
p. au plus pressé solucionar lo más
urgente

pare-soleil [parsɔlɛj] *nm inv* parasol
m

paresse [parɛs] *nf* pereza *f*

paresser [parese] *vi* holgazanear

paresseux, -euse [parɛsø, -øz] **1** *adj
& nm,f* perezoso(a) *m,f*
   2 *nm (animal)* perezoso *m*

parfaire [36] [parfɛr] *vt* perfeccionar

parfait, -e [parfɛ, -ɛt] **1** *adj* perfec-
to(a) ; *(bonheur)* absoluto(a)
   2 *nm Culin* helado *m* ; *Gram* pretérito *m* perfecto

parfaitement [parfɛtmɑ̃] *adv (admirablement)* perfectamente ; *(totalement)* completamente ; **vous
avez p. le droit de...** tiene todo el de-

recho de... ; **p.!** *(absolument)* ¡completamente !

parfois [parfwa] *adv* a veces

parfum [parfœ̃] *nm* perfume *m* ;
(goût) sabor *m*

parfumé, -e [parfyme] *adj* perfu-
mado(a) ; **p. à la fraise/vanille** *(aromatisé)* con sabor a fresa/vainilla

parfumer [parfyme] **1** *vt* perfumar ;
(aromatiser) dar sabor a **(à** a)
   2 se parfumer *vpr* perfumarse

parfumerie [parfymri] *nf* perfumería *f*

pari [pari] *nm* apuesta *f*

parier [parje] *vt* apostar ; **je l'aurais
parié!** ¡lo habría jurado! ; **je te parie
qu'il va refuser** apuesto a que dice
que no

Paris [pari] *n* París

parisien, -enne [parizjɛ̃, -ɛn] **1** *adj*
parisino(a)
   2 *nm,f* **P.** parisino(a) *m,f*

parjure [parʒyr] **1** *adj & nmf* perju-
ro(a) *m,f*
   2 *nm* perjurio *m*

parka [parka] *nm ou nf* parka *f*

parking [parkiŋ] *nm* aparcamiento
m

parlant, -e [parlɑ̃, -ɑ̃t] *adj (horloge)*
parlante ; *(cinéma)* sonoro(a) ; *Fig
(chiffres, données)* elocuente ; *(portrait)* vívido(a)

parlement [parləmɑ̃] *nm* parlamento *m* ; **le P. européen** el Parlamento
Europeo

parlementaire [parləmɑ̃tɛr] *adj &
nmf* parlamentario(a) *m,f*

parlementer [parləmɑ̃te] *vi* parlamentar

parler [parle] **1** *vi* hablar **(à** ou **avec**
con) ; **p. de faire qch** hablar de hacer
algo ; **p. de qch/qqn à qn** hablar de al-
go/alguien a alguien ; **sans p. de** sin
hablar de, amén de ; **n'en parlons
plus!** ¡no se hable más! ; **p. pour ne
rien dire** hablar por hablar, hablar

por no estar callado(a); *Fam* **tu parles!** ¡qué va!

2 *vt (langue)* hablar; **p. affaires/chiffons** hablar de negocios/trapos

3 *nm (manière de parler)* manera *f* de hablar; *(patois)* habla *m*

4 se parler *vpr* hablarse

parloir [parlwar] *nm* locutorio *m*

parmi [parmi] *prép* entre

parodie [parɔdi] *nf* parodia *f*

parodier [parɔdje] *vt* parodiar

paroi [parwa] *nf* pared *f*; **p. rocheuse** pared rocosa

paroisse [parwas] *nf* parroquia *f*

paroissial, -e, -aux, -ales [parwasjal, -o] *adj* parroquial

paroissien, -enne [parwasjɛ̃, -ɛn] *nm,f* parroquiano(a) *m,f*, feligrés(esa) *m,f*

parole [parɔl] *nf (faculté de parler)* habla *m*; *(mot)* palabra *f*; **paroles** *(d'une chanson)* letra *f*; **adresser la p. à qn** dirigir la palabra a alguien; **couper la p. à qn** cortar a alguien; **prendre/demander la p.** tomar/pedir la palabra; **je vous donne ma p. (d'honneur) que...** le doy mi palabra de honor de que...; **tenir p.** mantener su palabra

paroxysme [parɔksism] *nm* paroxismo *m*

parquer [parke] *vt (animaux)* encerrar *(en un redil)*; *(prisonniers)* hacinar

parquet [parkɛ] *nm (plancher)* parquet *m*, parqué *m*; *Jur* ministerio *m* fiscal

parrain [parɛ̃] *nm* padrino *m*

parrainer [parene] *vt (personne)* apadrinar; *(projet)* patrocinar

pars *voir* **partir**

parsemer [46] [parsəme] *vt* **p. qch de** sembrar algo de; **un ciel parsemé d'étoiles** un cielo constelado de estrellas

part¹ *voir* **partir**

part² [par] *nf* parte *f*; **à p.** aparte; **à p. entière** *(membre)* de pleno derecho; *(artiste)* de pies a cabeza; **c'est de la p. de qui?** *(au téléphone)* ¿de parte de quién?; **de toutes parts** por todas partes; **faire p. à qn de qch** hacer partícipe a alguien de algo; **pour ma p.** por mi parte; **prendre p. à qch** tomar parte en algo; *(douleur)* compartir algo; **autre p.** en otra parte; *(avec mouvement)* a otra parte; **de p. et d'autre** de una y otra parte; **d'autre p.** por otra parte; **d'une p...., d'autre p.** por una parte..., por otra; **nulle p.** en ninguna parte; *(avec mouvement)* a ninguna parte; **quelque p.** en alguna parte; *(avec mouvement)* a alguna parte

partage [partaʒ] *nm* reparto *m*, repartición *f*; *Jur* partición *f*

partagé, -e [partaʒe] *adj (opinions, torts)* compartido(a); *(tendresse)* correspondido(a); *(ambivalent)* dividido(a) (**sur** acerca de)

partager [45] [partaʒe] **1** *vt* compartir; *(héritage)* partir; **p. son temps entre** repartir su tiempo entre

2 se partager *vpr* **se p. qch** repartirse algo

partance [partɑ̃s] *nf* **en p. pour** con destino a

partant, -e [partɑ̃, -ɑ̃t] *adj Fam* **être p. pour** apuntarse a

partenaire [partənɛr] *nmf* pareja *f*; *Com (entreprise)* empresa *f* asociada ☆ **les partenaires sociaux** los agentes sociales

partenariat [partənarja] *nm* cooperación *f*

parterre [partɛr] *nm (de fleurs)* parterre *m*; *(au théâtre)* patio *m* de butacas

parti¹, -e [parti] *adj Fam (ivre)* piripi

parti² *nm* partido *m*; **p. (politique)** partido (político); **prendre p.** tomar partido; **prendre le p. de qn** ponerse a favor de alguien; **prendre le p. de**

faire **qch** decidir hacer algo; **j'en prends mon p.** habrá que resignarse; **tirer p. de qch** sacar partido de algo; **un beau p.** un buen partido ✩ *p. pris* prejuicio *m*; **être de p. pris** tener prejuicios

partial, -e, -aux, -ales [parsjal, -o] *adj* parcial

participant, -e [partisipɑ̃, -ɑ̃t] **1** *adj* participante
　2 *nm,f* participante *mf*

participation [partisipɑsjɔ̃] *nf* participación *f* ✩ *p. aux bénéfices* participación en los beneficios

participe [partisip] *nm* *Gram* participio *m*; **p. passé/présent** participio pasado/presente

participer [partisipe] **1 participer à** *vt ind* *(réunion, fête)* asistir a; *(bénéfices)* participar en; *(frais)* compartir
　2 participer de *vt ind* *Litt (relever de)* participar de

particularité [partikylarite] *nf* particularidad *f*

particule [partikyl] *nf* partícula *f*; **un nom à p.** un apellido noble

particulier, -ère [partikylje, -ɛr] **1** *adj* particular; *(remarquable)* excepcional; *(soin)* especial; **p. à qn** característico(a) de alguien; **en p.** *(notamment)* en particular; *(seul à seul)* a solas
　2 *nm (individu)* particular *m*

particulièrement [partikyljɛrmɑ̃] *adv (surtout)* en particular; *(très)* particularmente; **tout p.** muy particularmente

partie [parti] *nf* parte *f*; *(match)* partido *m*; *(au jeu)* partida *f*; *(domaine d'activité)* especialidad *f*; **en p.** en parte; **en grande/majeure p.** en gran/en su mayor parte; **faire p. (intégrante) de qch** formar parte de algo; **prendre qn à p.** tomarla con alguien; **ce n'est que p. remise** otra vez será; *Fam* **parties** *(génitales)*

partes ✩ *Jur* **la p. civile** la acusación

partiel, -elle [parsjɛl] **1** *adj* parcial
　2 *nm Univ* parcial *m*

partir [64a] [partir] *vi (personne, tache)* marcharse; *(voiture)* arrancar; *(train, avion)* salir; *(commencer)* partir; *(bouchon)* saltar; *(coup de feu, éclat de rire)* estallar; **faire p. qch** *(tache)* quitar algo; **p. de** *(prendre son point de départ)* partir de; **p. de** a partir de

partisan, -e [partizɑ̃, an] **1** *adj (querelle)* partidista; **être p. de** ser partidario(a) de
　2 *nm* partidario(a) *m,f*; *(combattant)* guerrillero *m*

partition¹ [partisjɔ̃] *nf (séparation)* división *f*

partition² *nf (musicale)* partitura *f*

partout [partu] *adv* en todas partes; **p. où il allait** por dondequiera que iba; *Sp* **trois buts p.** empate a tres goles; **trente p.** *(au tennis)* treinta iguales

paru, -e *pp voir* **paraître**

parure [paryr] *nf (de bijoux)* juego *m*; *(de lit)* juego *m* de cama

parution [parysjɔ̃] *nf* publicación *f*

parvenir [70] [parvənir] **parvenir à** *vt ind (aux* **être***) (atteindre)* llegar; **p. à qch/à faire qch** *(réussir)* conseguir algo/hacer algo

parvenu, -e [parvəny] *nm,f Péj* nuevo(a) rico(a) *m,f*

parvis [parvi] *nm* plaza *f (delante de una iglesia o de un edificio importante)*

pas¹ [pɑ] *nm* paso *m*; **allonger le p.** alargar la zancada; **au p. cadencé** marcando el paso; **à p. de loup** *ou* **feutrés** con paso sigiloso; **c'est à deux p. (d'ici)** está a dos pasos (de aquí); **faire un p. en avant** dar un paso adelante; **faire le premier p.** dar el primer paso; **faire les cent p.** pasear arriba y abajo; **faire un faux p.** dar un paso en falso; **p. à p.** paso a paso; **rouler au p.**

circular lentamente; **sauter le p.** dar el paso; **tirer qn d'un mauvais p.** sacar a alguien de un apuro ☆ **le p. de l'oie** el paso de la oca; **le p. de la porte** el umbral; **p. de vis** paso de rosca

pas² *adv* no; **ne... p.** no; **il ne mange p.** no come; **je regrette de ne p. l'avoir fait plus tôt** siento no haberlo hecho antes; **tu viens ou p.?** ¿vienes o no?; **p. moi/toi/***etc* yo/tú/*etc* no; **Simon a aimé le film, mais moi p.** *ou* **mais p. moi** a Simón le gustó la película, pero a mí no; **p. assez grand/compétent** no lo suficientemente grande/competente; **p. du tout** en absoluto; **je n'ai p. du tout peur** no tengo ningún miedo; **il ne fait p. du tout froid** no hace nada de frío; **p. un** ninguno

passable [pɑsabl] *adj* pasable, aceptable; *Scol* suficiente

passage [pɑsaʒ] *nm* paso *m*; *(de texte, de musique)* pasaje *m*; **attraper qch au p.** atrapar algo al vuelo; **être de p.** estar de paso ☆ **p. clouté** *ou* **pour piétons** paso de cebra o de peatones; **p. à niveau** paso a nivel; **p. protégé** cruce *m* con prioridad; **p. souterrain** paso subterráneo

passager, -ère [pɑsaʒe, -ɛr] *adj & nm,f* pasajero(a) *m,f*

passant, -e [pɑsã, -ãt] **1** *adj* concurrido(a)

2 *nm,f* transeúnte *mf*

3 *nm* (*de ceinture*) presilla *f*

passe [pɑs] *nf* (*du ballon*) pase *m*; (*d'escrime*) pase *m*, finta *f*; (*chenal*) pasaje *m*; (*de prostituée*) cita *f*; **être dans une bonne/mauvaise p.** pasar por una buena/mala racha; **être en p. de faire qch** estar a punto de hacer algo

passé, -e [pɑse] **1** *adj* pasado(a)

2 *nm* pasado *m*; **p. antérieur** pretérito anterior; **p. composé** pretérito perfecto; **p. simple** pretérito indefinido

3 *prép* pasado(a)

passe-droit (*pl* **passe-droits**) [pɑs-drwa] *nm* favor *m* ilícito

passe-montagne (*pl* **passe-montagnes**) [pɑsmɔ̃taɲ] *nm* pasamontañas *m inv*

passe-partout [pɑspartu] **1** *nm inv* (*clé*) llave *f* maestra

2 *adj inv* (*phrase, mot, réponse*) comodín *inv*

passeport [pɑspɔr] *nm* pasaporte *m*

passer [pɑse] **1** *vi* (*aux* **être**) pasar; (*perdre son éclat*) irse; (*à la radio, à la télévision*) (*personne*) salir; **qu'est-ce qui passe, ce soir, à la télé?** ¿qué dan *o* ponen esta noche en la tele?; **mais où est-il passé?** pero, ¿dónde se ha metido?; **ça m'a passé** (*douleur, chagrin*) ya se me ha pasado; **p. bien/mal** (*être accepté*) caer bien/mal; **p. difficilement** ser difícil de aceptar; **je dois p. chez moi** tengo que pasar por mi casa; **p. de qch à qch** (*changer d'activité*) cambiar de algo a algo; (*changer d'état*) pasar de algo a algo; **p. pour** pasar por; **se faire p. pour qn** hacerse pasar por alguien; **p. sur qch** (*se taire*) pasar algo por alto; **en passant** (*sur son chemin*) al pasar; *Fig* (*par la même occasion*) de paso; **passons...** dejémoslo...

2 *vt* (*aux* **avoir**) (*obstacle, moment, objet*) pasar; (*couche de peinture, crème, coup de balai*) dar; (*café*) colar; (*film, disque*) poner; (*vêtement*) ponerse; (*vitesses*) poner, meter; (*accord*) aprobar; (*examen*) hacer; **p. son temps à faire qch** pasarse la vida haciendo algo; **p. qch à qn** (*donner*) pasar algo a alguien; **p. tous ses caprices à qn** consentir a alguien todos sus caprichos; **tu me passes ton père?** (*au téléphone*) ¿me pasas a tu padre?

3 **se passer** *vpr* (*se produire*) pasar; (*scène*) transcurrir; **se p. de qch/de faire qch** pasar sin algo/sin hacer algo

passerelle [pɑsrɛl] *nf* pasarela *f*; (*d'un bateau*) puente *m* de mando

passe-temps [pɑstɑ̃] *nm inv* pasatiempo *m*

passif, -ive [pasif, -iv] **1** *adj* pasivo(a)
  2 *nm Gram* pasiva *f*, voz *f* pasiva; *Fin* pasivo *m*

passion [pasjɔ̃] *nf* pasión *f*; **avoir la p. de qch** tener pasión por algo

passionnant, -e [pasjɔnɑ̃, -ɑ̃t] *adj* apasionante

passionné, -e [pasjɔne] **1** *adj* apasionado(a); **être p. de qch** ser un(a) apasionado(a) de algo
  2 *nm,f* **être un p. de qch** ser un (una) apasionado(a) de algo

passionnel, -elle [pasjɔnɛl] *adj* pasional

passionner [pasjɔne] **1** *vt (personne)* apasionar; *(débat)* animar, dar un tono apasionado a
  2 se passionner *vpr* **se p. pour qch** apasionarse por algo

passoire [pɑswar] *nf* colador *m*

pastel [pastɛl] **1** *nm (crayon)* pastel *m*
  2 *adj inv* pastel *inv*

pastèque [pastɛk] *nf* sandía *f*

pasteur [pastœr] *nm* pastor *m*

pasteuriser [pastœrize] *vt* pasteurizar

pastille [pastij] *nf (médicament)* pastilla *f*; *(confiserie)* caramelo *m*; *(motif)* lunar *m*

pastis [pastis] *nm* anís *m (bebida)*

Patagonie [patagɔni] *nf* **la P.** la Patagonia

patate [patat] *nf Fam (pomme de terre) Esp* patata *f*, *Am* papa *f*; *(imbécile)* burro(a) *m,f* ☆ **p. douce** boniato *m*, batata *f*

patauger [45] [patoʒe] *vi (barboter)* chapotear; *Fam Fig (s'embrouiller)* hacerse un lío, liarse

pâte [pɑt] *nf* pasta *f*; *Culin* masa *f*; **pâtes** *(nouilles)* pasta ☆ **p. d'amandes** mazapán *m*; **p. brisée** masa que-

brada; **p. de coings** carne *f* de membrillo; **p. à crêpes** pasta para crepes; **p. dentifrice** pasta dentífrica o de dientes; **p. feuilletée** masa de hojaldre; **p. de fruits** dulce *m* de frutas; **p. à modeler** plastilina *f*; **p. à pain** masa de pan; **p. à tarte** masa de tarta

pâté [pɑte] *nm Culin* paté *m*; *(tache)* borrón *m* ☆ **p. de campagne** paté de campagne; **p. en croûte** = paté envuelto en hojaldre; **p. de foie** paté de foie-gras

patelin [patlɛ̃] *nm Fam* pueblucho *m*

patente [patɑ̃t] *nf* patente *f*

patère [patɛr] *nf* colgador *m*

paternalisme [paternalism] *nm* paternalismo *m*

paternel, -elle [patɛrnɛl] *adj* paternal; *(autorité)* paterno(a)

paternité [patɛrnite] *nf* paternidad *f*

pâteux, -euse [pɑtø, -øz] *adj* pastoso(a)

pathétique [patetik] *adj* patético(a)

patibulaire [patibylɛr] *adj Péj* patibulario(a)

patience [pasjɑ̃s] *nf* paciencia *f*; *(jeu de cartes)* solitario *m*

patient, -e [pasjɑ̃, -ɑ̃t] *adj & nm,f* paciente *mf*

patienter [pasjɑ̃te] *vi* esperar

patin [patɛ̃] *nm* patín *m* ☆ **faire du p. à glace** patinar sobre hielo; **faire du p. à roulettes** patinar sobre ruedas

patinage [patinaʒ] *nm (sport)* patinaje *m* ☆ **p. artistique** patinaje artístico; **p. de vitesse** patinaje de velocidad

patine [patin] *nf* pátina *f*

patiner [patine] **1** *vi* patinar
  2 se patiner *vpr* cubrirse de pátina

patinoire [patinwar] *nf* pista *f* de patinaje

pâtir [32] [pɑtir] **pâtir de** *vt ind* resentirse de

pâtisserie [pɑtisri] *nf (gâteau)* pastel *m*; *(métier)* pastelería *f*, repostería *f*; *(magasin)* pastelería *f*

pâtissier, -ère [pɑtisje, -ɛr] *adj & nm,f* pastelero(a) *m,f*

patois [patwa] *nm* dialecto *m*

patriarche [patrijarʃ] *nm* patriarca *m*

patrie [patri] *nf* patria *f*

patrimoine [patrimwan] *nm* patrimonio *m*

patriote [patrijɔt] *adj & nmf* patriota *mf*

patriotique [patrijɔtik] *adj* patriótico(a)

patron¹, -onne [patrɔ̃, -ɔn] *nm,f (chef d'entreprise)* patrón(ona) *m,f*; *(chef)* jefe *m*; *Rel* **(saint) p.** patrón

patron² *nm (en couture)* patrón *m*

patronal, -e, -aux, -ales [patrɔnal, -o] *adj* patronal

patronat [patrɔna] *nm* patronal *f*

patronyme [patrɔnim] *nm* patronímico *m*

patrouille [patruj] *nf* patrulla *f*

patte [pat] *nf (d'animal)* pata *f*; *Fam (jambe, pied)* pata *f*; *Fam (main)* mano *f*; *(languette d'étoffe, attache)* lengüeta *f*; *(favori)* patilla *f*; **à quatre pattes** a cuatro patas

pâturage [pɑtyraʒ] *nm* pasto *m*

paume [pom] *nf (de la main)* palma *f*

paumé, -e [pome] *Fam* **1** *adj* perdido(a) *(desorientado)*
  2 *nm,f* = persona que vive marginada de la sociedad

paumer [pome] *Fam* **1** *vt* perder
  2 se paumer *vpr* perderse

paupière [popjɛr] *nf* párpado *m*

paupiette [popjɛt] *nf* = rollo de carne relleno de picadillo

pause [poz] *nf* pausa *f*

pauvre [povr] **1** *adj* pobre **(en** en)
  2 *nmf* pobre *mf*

pauvreté [povrəte] *nf* pobreza *f*

pavaner [pavane] **se pavaner** *vpr* pavonearse

pavé, -e [pave] **1** *adj* pavimentado(a)
  2 *nm (bloc de pierre)* adoquín *m*; *Fam (gros livre)* tocho *m*; *(de bœuf)* entrecot *m*; *Fig* **jeter un p. dans la mare** meter el lobo en el redil; *Fig* **être sur le p.** estar en la calle ☆ *Ordinat p.* **numérique** teclado *m* numérico

pavillon [pavijɔ̃] *nm* pabellón *m*; *(drapeau)* bandera *f*

pavot [pavo] *nm* adormidera *f*

payant, -e [pɛjɑ̃, -ɑ̃t] *adj (hôte, spectacle)* de pago; *Fam (effort)* provechoso(a)

paye [pɛj] = **paie**

payer [53] [peje] **1** *vt* pagar; *aussi Fig* **faire p. qn** hacer pagar a alguien; **p. par chèque/en liquide** pagar con cheque/en metálico; **tu me le paieras!** ¡me las pagarás!
  2 *vi (efforts)* compensar; *(métier)* estar bien pagado(a)
  3 se payer *vpr* **se p. qch** *(se l'acheter)* comprarse; *Fam (rentrer dans)* tragarse; *Fam* **se p. la tête de qn** tomarle el pelo a alguien

pays [pei] *nm* país *m*; *(région, province)* región *f*; *(terre natale)* tierra *f*; **rentrer au p.** volver a su tierra; **le P. basque** el País Vasco

paysage [peizaʒ] *nm* paisaje *m* ☆ *Ordinat* **mode p.** modo *m* apaisado

paysan, -anne [peizɑ̃, -an] *adj & nm,f* campesino(a) *m,f*

Pays-Bas [peiba] *nmpl* **les P.** los Países Bajos

PC [pese] *nm (abrév* **Parti communiste, personal computer)** PC *m*

PCV [peseve] *nm (abrév* **à percevoir) (appel en) P.** llamada *f* a cobro revertido; **appeler en P.** llamar a cobro revertido

P-DG [pedeʒe] *nm (abrév* **président-**

directeur général) presidente m ejecutivo

péage [peaʒ] nm peaje m

peau, -x [po] nf piel f; (du lait) nata f; Fam **être bien/mal dans sa p.** sentirse bien/mal consigo mismo ☆ **p. de chamois** gamuza f; **p. d'orange** (cellulite) piel de naranja; Fam **p. de vache** hueso m (persona dura)

péché [peʃe] nm pecado m ☆ **p. capital** pecado capital

pêche¹ [pɛʃ] nf (fruit) Esp melocotón m, Am durazno m ☆ **p. Melba** = melocotón en almíbar con nata y helado de vainilla, Am copa f Melba

pêche² nf (activité, poissons pêchés) pesca f ☆ **p. à la ligne** pesca con caña; **p. sous-marine** pesca submarina

pécher [34] [peʃe] vi pecar

pêcher¹ [peʃe] vt pescar

pêcher² nm melocotonero m

pêcheur, -eresse [peʃœr, peʃrɛs] nm,f pecador(ora) m,f

pêcheur, -euse [peʃœr, -øz] nm,f pescador(ora) m,f

pécule [pekyl] nm peculio m

pécuniaire [pekynjɛr] adj pecuniario(a)

pédagogie [pedagɔʒi] nf pedagogía f

pédagogue [pedagɔg] adj & nmf pedagogo(a) m,f

pédale [pedal] nf pedal m; Fam Péj (homosexuel) marica m, Méx joto m; Fam **perdre les pédales** perder la cabeza

pédaler [pedale] vi (à bicyclette) pedalear; Fam **p. dans la choucroute** no entender ni papa

pédalo [pedalo] nm patín m (de pedales)

pédant, -e [pedã, -ãt] adj & nm,f pedante mf

pédé [pede] nm Injurieux maricón m

pédestre [pedɛstr] adj pedestre; **une randonnée p.** una marcha

pédiatre [pedjatr] nmf pediatra mf

pédiatrie [pedjatri] nf pediatría f

pédicure [pedikyr] nmf pedicuro(a) m,f, callista mf

pédophile [pedɔfil] nmf pederasta mf

pègre [pɛgr] nf hampa f

peignais, peigne etc voir peindre

peigne [pɛɲ] nm (pour démêler) peine m; (barrette) peineta f; (pour tisser) carda f, rastrillo m

peigner [peɲe] vt (cheveux) peinar; (fibres) cardar

peignoir [peɲwar] nm (déshabillé) bata f; **p. (de bain)** albornoz m (de baño)

peindre [54] [pɛ̃dr] vt aussi Fig pintar

peine [pɛn] nf (châtiment, tristesse) pena f; (difficulté) trabajo m; **avoir de la p.** estar triste; **faire de la p. à qn** entristecer a alguien; **se donner de la p.** esforzarse; **prendre la p. de faire qch** tomarse la molestia de hacer algo; **ce n'est pas la p. (de faire qch)** no merece la pena (hacer algo); **ça vaut/ne vaut pas la p. (de faire qch)** vale/no vale la pena (hacer algo); **à p.** apenas; **sans p.** sin esfuerzo; **sous p. de qch** bajo pena de algo; **c'est p. perdue** es inútil ☆ **p. capitale ou de mort** pena capital o de muerte

peiner [4] [pene] **1** vt apenar, entristecer

2 vi **j'ai peiné à terminer ma traduction** me costó (trabajo) terminar la traducción

peint, -e pp voir peindre

peintre [pɛ̃tr] nm pintor(ora) m,f ☆ **p. en bâtiment** pintor(ora) de brocha gorda

peinture [pɛ̃tyr] nf pintura f; Fig (description) retrato m; **faire de la p. à l'eau/à l'huile** pintar al agua/al óleo; Fam **je ne peux pas la voir en p.!** ¡no puedo verla ni en pintura!

peinturer [pɛ̃tyre] vt Can pintar

péjoratif, -ive [peʒɔratif, -iv] *adj* peyorativo(a)

Pékin [pekɛ̃] *n* Pekín

pékinois, -e [pekinwa, -az] **1** *adj* pequinés(esa)
2 *nm,f* **P.** pequinés(esa) *m,f*

pelage [pəlaʒ] *nm* pelaje *m*

pêle-mêle [pɛlmɛl] *adv* en desorden

peler [24] [pəle] *vt & vi* pelar

pèlerin [pɛlrɛ̃] *nm* peregrino(a) *m,f*

pèlerinage [pɛlrinaʒ] *nm* peregrinación *f*, peregrinaje *m*

pélican [pelikɑ̃] *nm* pelícano *m*

pelle [pɛl] *nf* pala *f* ☆ *p. mécanique* excavadora *f*; *p. à tarte* paleta *f* de servir *(para pasteles)*

pellicule [pelikyl] *nf* película *f*; **pellicules** *(dans les cheveux)* caspa *f*

pelote [pəlɔt] *nf (de fil)* ovillo *m*; *(à épingles)* alfiletero *m*, acerico *m* ☆ *p. basque* pelota *f* vasca

peloton [pəlɔtɔ̃] *nm (de soldats, de cyclistes)* pelotón *m* ☆ *p. d'exécution* pelotón de ejecución

pelotonner [pəlɔtɔne] **se pelotonner** *vpr* acurrucarse

pelouse [pəluz] *nf* césped *m*; *(de champ de courses)* entrada *f*

peluche [pəlyʃ] *nf* peluche *m*; *(sur une étoffe)* bola *f*

pelure [pəlyr] *nf (de fruit, de légume)* monda *f*, peladura *f*; *(d'oignon)* capa *f*

pénal, -e, -aux, -ales [penal, -o] *adj* penal

pénaliser [penalize] *vt* penalizar

penalty [penalti] *nm* penalty *m*

penaud, -e [pəno, -od] *adj Esp, RP* avergonzado(a), *CAm, Col, Méx, Ven* apenado(a)

penchant [pɑ̃ʃɑ̃] *nm* inclinación *f*; **avoir un p. pour** tener inclinación por

penché, -e [pɑ̃ʃe] *adj* inclinado(a)

pencher [pɑ̃ʃe] **1** *vt* inclinar
2 *vi (être incliné)* estar inclina-

do(a); **p. pour** *(préférer)* inclinarse por
3 se pencher *vpr* inclinarse (**sur/ vers** sobre/hacia)

pendaison [pɑ̃dɛzɔ̃] *nf* ahorcamiento *m*

pendant¹, -e [pɑ̃dɑ̃, -ɑ̃t] **1** *adj (bras)* colgando; *(langue)* fuera
2 *nm (bijou)* pendiente *m*; *(équivalent)* equivalente *m*

pendant² *prép* durante; **p. que** mientras que; **p. que j'y suis, ...** ya que estoy, ...

pendentif [pɑ̃dɑ̃tif] *nm* colgante *m*

penderie [pɑ̃dri] *nf* ropero *m*

pendre [pɑ̃dr] **1** *vt (rideau, tableau)* colgar; *(personne)* ahorcar, colgar
2 *vi* colgar
3 se pendre *vpr (se suicider)* ahorcarse, colgarse; **se p. à qch** *(s'accrocher)* colgarse de algo

pendule [pɑ̃dyl] **1** *nm* péndulo *m*
2 *nf* reloj *m* de péndulo

pénétrer [34] [penetre] **1** *vi (chose)* penetrar; *(personne)* entrar
2 *vt (sujet : pluie)* calar; *(sujet : vent)* penetrar; *(mystère, intentions, secret)* descubrir; *(cœur, âme)* llegar a

pénible [penibl] *adj* penoso(a); *Fam (personne)* pesado(a)

péniblement [penibləmɑ̃] *adv* a duras penas

péniche [peniʃ] *nf* chalana *f*

pénicilline [penisilin] *nf* penicilina *f*

péninsule [penɛ̃syl] *nf* península *f* ☆ *la p. ibérique* la península ibérica

pénis [penis] *nm* pene *m*

pénitence [penitɑ̃s] *nf* penitencia *f*; **faire p.** hacer penitencia

pénitencier [penitɑ̃sje] *nm* penitenciaría *f*

pénombre [penɔ̃br] *nf* penumbra *f*

pense-bête *(pl pense-bêtes)* [pɑ̃sbɛt] *nm* señal *f (recordatorio)*

pensée [pɑ̃se] *nf* pensamiento *m*;

penser 344 perdre

(opinion) parecer *m*; *(idée)* idea *f*; **en ou par la p.** con el pensamiento

penser [pɑ̃se] **1** *vi* pensar; **elle me fait p. à ma sœur** me recuerda a mi hermana; **p. à qch/à qn/à faire qch** pensar en algo/en alguien/en hacer algo; **sans p. à mal** sin mala intención; **n'y pensons plus!** ¡olvidemos eso!
  2 *vt* pensar; **qu'est-ce que tu en penses?** ¿qué te parece?; **p. faire qch** pensar hacer algo; **il n'en pense pas moins** en realidad sí que tiene una opinión; **pensez-vous!** ¡qué va!

pensif, -ive [pɑ̃sif, -iv] *adj* pensativo(a)

pension [pɑ̃sjɔ̃] *nf (allocation, hébergement)* pensión *f*; *(internat)* internado *m* ☆ **p. alimentaire** pensión alimenticia; **p. complète** pensión completa; **p. de famille** casa *f* de huéspedes

pensionnaire [pɑ̃sjɔnɛr] *nmf (dans une pension de famille)* huésped(e-da) *m,f*; *(dans un pensionnat)* interno(a) *m,f*

pensionnat [pɑ̃sjɔna] *nm* internado *m*

pente [pɑ̃t] *nf* pendiente *f*; **en p.** en pendiente

Pentecôte [pɑ̃tkot] *nf* Pentecostés *m*

pénurie [penyri] *nf* penuria *f*

pépé [pepe] *nm* abuelo *m*

pépin¹ [pepɛ̃] *nm (graine)* pepita *f*; *Fam (ennui)* contratiempo *m*

pépin² *nm Fam (parapluie)* paraguas *m inv*

pépinière [pepinjɛr] *nf* vivero *m*; *Fig* cantera *f*

pépite [pepit] *nf* pepita *f*

perçant, -e [pɛrsɑ̃, -ɑ̃t] *adj (vue, regard, froid)* penetrante; *(son)* taladrante

percepteur [pɛrsɛptœr] *nm* inspector(ora) *m,f* de Hacienda

perception [pɛrsɛpsjɔ̃] *nf Fin (collecte)* recaudación *f* de impuestos; *(bureau)* hacienda *f*; *(sensation)* percepción *f*

percer [34] [pɛrse] **1** *vt (mur, planche)* taladrar; *(trou)* hacer; *(fenêtre, tunnel)* abrir; *(foule, lignes ennemies)* atravesar; *(secret, complot)* descubrir
  2 *vi (soleil, abcès)* aparecer; *(dent)* salir; *(devenir célèbre)* calar

perceuse [pɛrsøz] *nf* taladradora *f*

percevoir [60] [pɛrsəvwar] *vt (intention, nuance, argent)* percibir; *(impôts)* recaudar

perche¹ [pɛrʃ] *nf (poisson)* perca *f*

perche² *nf (bâton)* pértiga *f*; *Fam Fig* **grande p.** larguirucho(a) *m,f*

percher [pɛrʃe] **1** *vt (mettre)* encaramar
  2 *vi (oiseau)* posarse; *Fam (personne)* vivir
  3 se percher *vpr* posarse

perchoir [pɛrʃwar] *nm (d'oiseau)* palo *m*; *Fam (lieu surélevé)* pedestal *m*; *(du président de l'Assemblée)* = sillón del presidente de la Asamblea Nacional francesa

percolateur [pɛrkɔlatœr] *nm* percolador *m*

perçu, -e *pp voir* **percevoir**

percussion [pɛrkysjɔ̃] *nf* percusión *f*

percussionniste [pɛrkysjɔnist] *nmf* percusionista *mf*

percutant, -e [pɛrkytɑ̃, -ɑ̃t] *adj (argument)* contundente

percuter [pɛrkyte] **1** *vt* chocar contra
  2 *vi* **p. contre qch** chocar contra algo

perdant, -e [pɛrdɑ̃, -ɑ̃t] *adj & nm,f* perdedor(ora) *m,f*

perdre [pɛrdr] **1** *vt* perder; **tu ne perds rien pour attendre!** ¡te vas a enterar!
  2 *vi* perder; **y p.** *(dans une vente)* salir perdiendo

3 se perdre *vpr* perderse ; *(pourrir)* echarse a perder

perdrix [pɛrdri] *nf* perdiz *f*

perdu, -e [pɛrdy] *adj* perdido(a); *(malade)* desahuciado(a); **à mes moments perdus** en mis ratos libres

père [pɛr] *nm* padre *m*; **de p. en fils** de padre a hijo; *Litt* **nos pères** *(ancêtres)* nuestros antepasados ☆ **p. de famille** padre de familia; **le p. Noël** Papá Noel *m*; *Fam Fig* **il croit au p. Noël, lui!** ¡qué ingenuo!

péremptoire [perãptwar] *adj* perentorio(a)

perfection [pɛrfɛksjõ] *nf* perfección *f*; **à la p.** a la perfección

perfectionné, -e [pɛrfɛksjone] *adj* perfeccionado(a)

perfectionner [pɛrfɛksjone] **1** *vt* perfeccionar

2 se perfectionner *vpr* perfeccionarse; **pour se p. en français** para perfeccionar su francés

perfide [pɛrfid] *adj* pérfido(a)

perforer [pɛrfɔre] *vt* perforar

performance [pɛrfɔrmãs] *nf (résultat)* resultado *m*; *(exploit)* hazaña *f*; **performances** *(d'une voiture, d'un ordinateur)* prestaciones *fpl*

performant, -e [pɛrfɔrmã, -ãt] *adj (personne)* competitivo(a); *(machine)* con buenas prestaciones

perfusion [pɛrfyzjõ] *nf* perfusión *f*; **être sous p.** tener puesto el gotero

péril [peril] *nm* peligro *m*; **mettre qch en p.** poner algo en peligro

périlleux, -euse [perijø, -øz] *adj* peligroso(a)

périmé, -e [perime] *adj (passeport, aliment)* caducado(a); *Fig (idée)* caduco(a)

périmètre [perimɛtr] *nm* perímetro *m*; *(zone)* zona *f*

période [perjɔd] *nf* período *m*, periodo *m* ☆ **p. blanche** días *mpl* blan-

cos; **p. bleue** días azules; **p. rouge** días rojos

périodique [perjɔdik] **1** *adj* periódico(a)

2 *nm* periódico *m*

péripéties [peripesi] *nfpl* peripecias *fpl*

périphérie [periferi] *nf* periferia *f*

périphérique [periferik] **1** *adj aussi* Ordinat periférico(a) ☆ **boulevard p.** carretera *f* de circunvalación

2 *nm (route circulaire)* carretera *f* de circunvalación; *Ordinat* periférico *m*

périple [peripl] *nm* periplo *m*

périr [perir] *vi Litt (mourir)* perecer; *Fig (disparaître)* desaparecer

périssable [perisabl] *adj* perecedero(a)

perle [pɛrl] *nf (bille de nacre, goutte)* perla *f*; *(de bois, de verre)* cuenta *f*; *Fig (personne parfaite)* perla *f*, joya *f*; *Hum (erreur)* gazapo *m*

permanence [pɛrmanãs] *nf* permanencia *f*; **en p.** permanentemente; **assurer la p.** estar de guardia

permanent, -e [pɛrmanã, -ãt] **1** *adj* permanente; *(cinéma)* de sesión continua

2 *nm,f* miembro *m* permanente

3 *nf* **permanente** *(coiffure)* permanente *f*

perméable [pɛrmeabl] *adj aussi Fig* permeable (**à** a)

permettre [47] [pɛrmɛtr] **1** *vt* permitir; **p. à qn de faire qch** permitir a alguien que haga algo *o* hacer algo

2 se permettre *vpr* permitirse; **se p. de faire qch** permitirse hacer algo

permis [pɛrmi] *nm* permiso *m* ☆ **p. de chasse** licencia *f* de caza; **p. de conduire** carné *m o* permiso de conducir; **p. de construire** licencia de obras; **p. de pêche** licencia de pesca; **p. à points** carné *o* permiso de conducir con puntos; **p. de**

séjour permiso de residencia; *p. de travail* permiso de trabajo

permission [pɛrmisjɔ̃] *nf* permiso *m*; avoir/demander la p. de faire qch tener/pedir permiso para hacer algo

pernicieux, -euse [pɛrnisjø, -øz] *adj* pernicioso(a)

pérorer [perɔre] *vi* perorar

Pérou [peru] *nm* le P. (el) Perú; *Fam* c'est pas le P. no es nada del otro jueves

perpendiculaire [pɛrpɑ̃dikylɛr] **1** *adj* perpendicular (à a) **2** *nf* perpendicular *f*

perpète [pɛrpɛt] à perpète *adv Fam (loin)* en el quinto pino; *(pour toujours)* de por vida; *(condamner)* a cadena perpetua

perpétrer [34] [pɛrpetre] *vt* perpetrar

perpette [pɛrpɛt] = perpète

perpétuel, -elle [pɛrpetɥɛl] *adj* perpetuo(a)

perpétuer [pɛrpetɥe] **1** *vt* perpetuar **2** se perpétuer *vpr* perpetuarse

perpétuité [pɛrpetɥite] à perpétuité *adv (pour toujours)* a perpetuidad; *(condamner)* a cadena perpetua

perplexe [pɛrplɛks] *adj* perplejo(a)

perquisition [pɛrkizisjɔ̃] *nf* registro *m*

perron [pɛrɔ̃] *nm* escalinata *f*

perroquet [pɛrɔkɛ] *nm* loro *m*, papagayo *m*

perruche [peryʃ] *nf* cotorra *f*

perruque [peryk] *nf* peluca *f*

persécuter [pɛrsekyte] *vt* perseguir *(maltratar)*

persécution [pɛrsekysjɔ̃] *nf* persecución *f*

persévérant, -e [pɛrseverɑ̃, -ɑ̃t] *adj* perseverante

persévérer [34] [pɛrsevere] *vi* perseverar

persienne [pɛrsjɛn] *nf* persiana *f (postigo)*

persil [pɛrsi] *nm* perejil *m*

Persique [pɛrsik] *n voir* golfe

persistant, -e [pɛrsistɑ̃, -ɑ̃t] *adj (fièvre, odeur)* persistente; *Bot* perenne

persister [pɛrsiste] *vi* persistir; p. à faire qch persistir en hacer algo

personnage [pɛrsɔnaʒ] *nm* personaje *m*; *(personnalité)* figura *f*

personnaliser [pɛrsɔnalize] *vt* personalizar

personnalité [pɛrsɔnalite] *nf* personalidad *f*

personne[1] [pɛrsɔn] *nf* persona *f*; en p. en persona ☆ *p. âgée* persona mayor; *Jur* p. morale persona jurídica; *Jur* p. physique persona física

personne[2] *pron indéfini* nadie; ne... p. nadie; je n'ai vu p. no vi a nadie

personnel, -elle [pɛrsɔnɛl] **1** *adj* personal; *Péj (égoïste)* suyo(a) **2** *nm* personal *m*; *(domestiques)* servidumbre *f* ☆ *p. navigant* tripulación *f*

personnellement [pɛrsɔnɛlmɑ̃] *adv* personalmente

personnifier [pɛrsɔnifje] *vt* personificar

perspective [pɛrspɛktiv] *nf* perspectiva *f*; en p. en perspectiva

perspicace [pɛrspikas] *adj* perspicaz

persuader [pɛrsɥade] *vt* p. qn de qch/de faire qch persuadir a alguien de algo/de que haga algo; je suis persuadé que... estoy convencido o persuadido de que...

persuasif, -ive [pɛrsɥazif, -iv] *adj* persuasivo(a)

perte [pɛrt] *nf* pérdida *f*; *(ruine, déchéance)* ruina *f*; *Mil* pertes bajas *fpl*; à p. con pérdidas; à p. de vue hasta el horizonte, hasta donde alcanza la vista

pertinent, -e [pɛrtinɑ̃, -ɑ̃t] *adj* pertinente

perturber [pɛrtyrbe] *vt* perturbar

péruvien, -enne [peryvjɛ̃, -ɛn] **1** *adj* peruano(a)
  2 *nm,f* **P.** peruano(a) *m,f*

pervenche [pɛrvɑ̃ʃ] *nf (fleur)* vincapervinca *f; Fam (contractuelle)* policía *f* municipal

pervers, -e [pɛrvɛr, -ɛrs] **1** *adj (acte, goût)* perverso(a); *(effet)* negativo(a)
  2 *nm,f* perverso(a) *m,f*

perversion [pɛrvɛrsjɔ̃] *nf* perversión *f*

pervertir [pɛrvɛrtir] *vt* pervertir

pesamment [pəzamɑ̃] *adv (lourdement)* pesadamente; *(gauchement)* torpemente

pesant, -e [pəsɑ̃, -ɑ̃t] **1** *adj* pesado(a)
  2 *nm* **valoir son p. d'or** valer su peso en oro

pesanteur [pəzɑ̃tœr] *nf (attraction terrestre)* gravedad *f; (lenteur, lourdeur)* lentitud *f*

pèse-personne (*pl* **pèse-personnes**) [pɛzpɛrsɔn] *nm* báscula *f* de baño

peser [46] [pəze] **1** *vt (mesurer le poids de)* pesar; *(considérer, examiner)* sopesar; **il a pesé ses mots** midió sus palabras
  2 *vi (avoir un certain poids)* pesar; **p. sur qch** *(appuyer)* hacer fuerza sobre algo; **la solitude me pèse** me cuesta soportar la soledad; **sa mort lui pèse sur la conscience** su muerte le pesa sobre la conciencia
  3 se peser *vpr* pesarse

peseta [pezeta] *nf* peseta *f*

pessimiste [pesimist] *adj & nmf* pesimista *mf*

peste [pɛst] *nf* peste *f*; **se méfier de qch/qn comme de la p.** desconfiar de algo/de alguien como del diablo

pester [pɛste] *vi* **p. contre** echar pestes contra

pestilentiel, -elle [pɛstilɑ̃sjɛl] *adj* pestilente

pet [pɛ] *nm Fam* pedo *m*

pétale [petal] *nm* pétalo *m*

pétanque [petɑ̃k] *nf* petanca *f*

pétarader [petarade] *vi* pedorrear

pétard [petar] *nm (petit explosif)* petardo *m; Fam (cigarette de haschich)* petardo *m; Fam (revolver)* pipa *f; Fam (postérieur)* trasero *m*

péter [34] [pete] *Fam* **1** *vt (casser)* cargarse
  2 *vi (faire un pet)* tirarse un pedo; *(exploser)* estallar; *(se rompre)* reventar

pète-sec [pɛtsɛk] *adj inv Fam* mandón(ona)

pétillant, -e [petijɑ̃, -ɑ̃t] *adj (eau, vin)* con burbujas

pétiller [petije] *vi (liquide)* burbujear; *(yeux)* chispear, brillar

petit, -e [p(ə)ti, -it] **1** *adj (jeune, réduit, peu important)* pequeño(a); *(médiocre) (esprit)* pobre; *(artiste)* de segunda fila; **une petite maison** una casita, una casa pequeña; **mon p. ange** mi cielo; *Péj* **p. crétin!** ¡cretino! ☆ **p. déjeuner** desayuno *m;* **p. four** *(salé)* canapé *m; (sucré)* pastelito *m*
  2 *nm,f* pequeño(a) *m,f;* **mon p., ma petite** *(affectueux)* mi cielo; *(condescendant)* amigo(a) mío(a)
  3 *nm (jeune animal)* cachorro *m*
  4 *adv* **écrire p.** escribir con letra pequeña

petit-beurre (*pl* **petits-beurre**) [ptibœr] *nm* galletita *f* de mantequilla

petite-fille (*pl* **petites-filles**) [ptitfij] *nf* nieta *f*

petit-fils (*pl* **petits-fils**) [ptifis] *nm* nieto *m*

pétition [petisjɔ̃] *nf* petición *f*

petit-lait (*pl* **petits-laits**) [ptilɛ] *nm* suero *m* de la leche

petit-nègre [ptinɛgr] *nm inv Fam* **parler p.** hablar macarrónicamente

petits-enfants [ptizɑ̃fɑ̃] *nmpl* nietos *mpl*

petit-suisse (*pl* **petits-suisses**) [ptisɥis] *nm* petit suisse *m*

pétrifier [petrifje] *vt (changer en pierre)* petrificar; *Fig (de peur, de surprise)* dejar petrificado(a)

pétrin [petrɛ̃] *nm (du boulanger)* artesa *f*; *Fam* **se fourrer/être dans le p.** meterse/estar en un berenjenal

pétrir [petrir] *vt (pâte)* amasar; *(muscle)* masajear

pétrole [petrɔl] *nm* petróleo *m*

pétrolier, -ère [petrɔlje, -ɛr] **1** *adj* petrolero(a)
2 *nm* petrolero *m*

P et T [peete] *nfpl (abrév* **postes et télécommunications**) correos *mpl*

pétulant, -e [petylɑ̃, -ɑ̃t] *adj* impetuoso(a)

pétunia [petynja] *nm* petunia *f*

peu [pø] **1** *adv* poco; **p. de** poco(a); **p. de travail** poco trabajo; **p. d'élèves** pocos alumnos; **p. à p.** poco a poco; **p. avant** poco antes; **p. souvent** de tarde en tarde; **avant p.** dentro de poco; **de p.** por poco; **depuis p.** desde hace poco; **pour p. que** a poco que; **pour p. qu'il le veuille, il réussira** por poco que quiera, lo conseguirá; **sous p.** dentro de poco
2 *nm* **le p. de** el (la) poco(a); **le p. de connaissances que j'ai** los pocos conocimientos que tengo; **le p. que** lo poco que; **un p. (de)** un poco (de); **un (tout) petit p.** un poquito; *Fam* **un p.!** *(absolument)* ¡claro!; *Fam* **essaie un p.!** ¡inténtalo (y verás)!; **pour un p.** casi

peuplade [pœplad] *nf* comunidad *f*

peuple [pœpl] *nm* pueblo *m*; *Fam (multitude)* mogollón *m* de gente

peuplé, -e [pœple] *adj* poblado(a)

peuplier [pøplije] *nm* álamo *m*

peur [pœr] *nf* miedo *m*; *Fam* **j'ai eu une p. bleue** me di un susto tremendo; **avoir p. de faire qch/de qch/de qn** tener miedo de hacer algo/de algo/de alguien; **avoir p. que** tener miedo de que; **j'ai p. qu'il (ne) pleuve** tengo miedo de que llueva; **faire p. à qn** darle miedo a alguien; **de** *ou* **par p. de qch** por miedo a o de algo; **de** *ou* **par p. que** por miedo a que; **de** *ou* **par p. qu'on (ne) le punisse** por miedo a que le castiguen; **à faire p. que** asusta; **il est laid à faire p.** es de un feo que asusta

peureux, -euse [pœrø, -øz] *adj & nm,f* miedoso(a) *m,f*

peut *voir* **pouvoir**

peut-être [pøtɛtr] *adv* quizás, quizá; *(pour renforcer)* acaso; **p. que** quizás, quizá; **p. qu'elle ne viendra pas, elle ne viendra p. pas** quizás no venga; **et moi, je ne sais pas conduire, p.?** ¿y yo? ¿acaso no sé conducir?

peux *voir* **pouvoir**

p. ex. *(abrév* **par exemple**) p. ej.

pH [peaʃ] *nm (abrév* **potentiel d'hydrogène**) pH *m*

phalange [falɑ̃ʒ] *nf* falange *f*

phallocrate [falɔkrat] *adj & nmf* falócrata *mf*

phallus [falys] *nm* falo *m*

pharaon [faraɔ̃] *nm* faraón *m*

phare [far] **1** *nm* faro *m* ☆ **p. antibrouillard** faro antiniebla
2 *adj* emblemático(a)

pharmaceutique [farmasøtik] *adj* farmacéutico(a)

pharmacie [farmasi] *nf (science, magasin)* farmacia *f*; *(armoire, trousse)* botiquín *m*

pharmacien, -enne [farmasjɛ̃, -ɛn] *nm,f* farmacéutico(a) *m,f*

pharynx [farɛ̃ks] *nm* faringe *f*

phase [faz] *nf* fase *f*

phénoménal, -e, -aux, -ales [fenɔmenal, -o] *adj* fenomenal

phénomène [fenɔmɛn] *nm* fenómeno *m*

philanthropie [filɑ̃trɔpi] *nf* filantropía *f*

philatélie [filateli] *nf* filatelia *f*

philharmonique [filarmɔnik] *adj* filarmónico(a)

philippin, -e [filipɛ̃, -in] **1** *adj* filipino(a)
2 *nm,f* **P.** filipino(a) *m,f*

Philippines [filipin] *nfpl* **les P.** las Filipinas

philosophe [filɔzɔf] *adj & nmf* filósofo(a) *m,f*

philosophie [filɔzɔfi] *nf* filosofía *f*

philosophique [filɔzɔfik] *adj* filosófico(a)

phobie [fɔbi] *nf* fobia *f*

phonétique [fɔnetik] **1** *adj* fonético(a)
2 *nf* fonética *f*

phoque [fɔk] *nm* foca *f*

phosphate [fɔsfat] *nm* fosfato *m*

phosphore [fɔsfɔr] *nm* fósforo *m*

phosphorescent, -e [fɔsfɔresɑ̃, -ɑ̃t] *adj* fosforescente

photo [fɔto] **1** *nf (technique)* fotografía *f*; *(image)* foto *f*; **prendre une p. (de)** sacar *o* hacer una foto (de); **prendre qch/qn en p.** sacarle *o* hacerle una foto a algo/alguien ☆ **p. d'identité** foto (de tamaño) carné
2 *adj inv* fotográfico(a)

photocopie [fɔtɔkɔpi] *nf* fotocopia *f*

photocopier [fɔtɔkɔpje] *vt* fotocopiar

photocopieur [fɔtɔkɔpjœr] *nm*, **photocopieuse** [fɔtɔkɔpjøz] *nf* fotocopiadora *f*

photogénique [fɔtɔʒenik] *adj* fotogénico(a)

photographe [fɔtɔgraf] *nmf* fotógrafo(a) *m,f*

photographie [fɔtɔgrafi] *nf* fotografía *f*

photographier [fɔtɔgrafje] *vt* fotografiar

Photomaton® [fɔtɔmatɔ̃] *nm* fotomatón *m*

photosynthèse [fɔtɔsɛ̃tɛz] *nf* fotosíntesis *f*

phrase [frɑz] *nf* frase *f*

physicien, -enne [fizisjɛ̃, -ɛn] *nm,f* físico(a) *m,f*

physiologie [fizjɔlɔʒi] *nf* fisiología *f*

physiologique [fizjɔlɔʒik] *adj* fisiológico(a)

physionomie [fizjɔnɔmi] *nf* fisonomía *f*

physionomiste [fizjɔnɔmist] *adj* fisonomista

physique [fizik] **1** *adj* físico(a)
2 *nf* física *f*
3 *nm* físico *m*

physiquement [fizikmɑ̃] *adv* físicamente

piaffer [pjafe] *vi (cheval)* piafar; *Fig* **p. (d'impatience)** *(personne)* saltar (de impaciencia)

piailler [pjaje] *vi (oiseau)* piar; *(enfant)* chillar

pianiste [pjanist] *nmf* pianista *m*

piano [pjano] *nm* piano *m* ☆ **p. à queue** piano de cola

pianoter [pjanɔte] *vi (jouer du piano)* aporrear el piano; *(tapoter)* tamborilear

piastre [pjastr] *nf Can Fam* dólar *m*

piaule [pjol] *nf Fam* cuarto *m*

PIB [peibe] *nm (abrév* **produit intérieur brut)** PIB *m*

pic [pik] *nm (outil, montagne)* pico *m*; **à p.** *(verticalement)* en picado; **couler à p.** irse a pique; *Fam* **arriver à p.** llegar en el momento justo; *Fam* **tomber à p.** venir de perilla

pichenette [piʃnɛt] *nf Fam* palpi *m*

pichet [piʃɛ] *nm* jarra *f*

pickpocket [pikpɔkɛt] *nm* carterista *mf*

picoler [pikɔle] *vi Fam* empinar el codo

picorer [pikɔre] *vt & vi* picotear, picar

picotement [pikɔtmã] *nm* picor *m*

pic-vert [pivɛr] = **pivert**

pie [pi] **1** *adj inv (cheval)* pío(a)
2 *nf (oiseau)* urraca *f*; *Péj (bavard)* loro *m*, cotorra *f*

pièce [pjɛs] *nf (élément)* pieza *f*; *(unité)* unidad *f*; *(document)* documento *m*; *(œuvre littéraire ou musicale)* obra *f*; *(argent)* moneda *f*; *(d'une maison)* habitación *f*; *(sur un vêtement)* remiendo *m*, pieza *f*; **travailler à la p.** cobrar por pieza; **15 francs p.** 15 francos la pieza; **juger sur pièces** juzgar prueba en mano ☆ **p. de collection** pieza de coleccionista; **p. à conviction** prueba *f*; **p. détachée** pieza de recambio; **en pièces détachées** desarmado(a); **p. d'identité** documento de identidad; **p. de monnaie** moneda; **p. montée** = tarta de varios pisos; **p. de théâtre** obra de teatro

pied [pje] *nm* pie *m*; *(de mouton, de veau)* pata *f*; **avoir les pieds plats** tener los pies planos; **avoir le p. marin** no marearse en los barcos; **avoir p.** hacer pie; **je l'attends de p. ferme!** ¡aquí lo espero!; **faire du p. à qn** hacer piececitos con alguien; *Fam* **ça lui fera les pieds!** ¡eso le enseñará!, ¡eso le servirá de lección!; **mettre qn au p. du mur** poner a alguien entre la espada y la pared; **à p.** a pie; *Fam* **comme un p.** *(très mal)* fatal; **être sur p.** *(debout)* estar de pie; **mettre qch sur p.** poner algo en marcha; *Fam* **(c'est) le p.!** ¡genial! ☆ **avoir un p. bot** tener una deformación en un pie

pied-à-terre [pjetatɛr] *nm inv* apeadero *m (alojamiento de paso)*

pied-de-biche *(pl* **pieds-de-biche)** [pjedbiʃ] *nm (outil)* palanca *f*

piédestal, -aux [pjedɛstal, -o] *nm* pedestal *m*; *Fig* **mettre qn sur un p.** poner a alguien en un pedestal

pied-noir *(pl* **pieds-noirs)** [pjenwar] *nmf* = francés o persona de origen francés que vivió en el Magreb hasta la independencia

piège [pjɛʒ] *nm* trampa *f*

piéger [59] [pjeʒe] *vt (animal, personne)* pillar o *Esp* coger en la trampa; *(voiture, valise)* poner un explosivo en; **se trouver piégé** estar metido(a) en un atolladero

pierre [pjɛr] *nf* piedra *f*; **faire d'une p. deux coups** matar dos pájaros de un tiro ☆ **p. ponce** piedra pómez; **p. précieuse** piedra preciosa; **p. tombale** lápida *f*

pierreries [pjɛrri] *nfpl* pedrería *f*

piété [pjete] *nf* piedad *f*

piétiner [pjetine] **1** *vt* pisotear
2 *vi (ne pas avancer)* estancarse

piéton, -onne [pjetɔ̃, -ɔn] **1** *adj* peatonal
2 *nm,f* peatón(ona) *m,f*

piétonnier, -ère [pjetɔnje, -ɛr] *adj* peatonal

piètre [pjɛtr] *adj* pobre

pieu, -x [pjø] *nm (poteau)* estaca *f*; *Fam (lit)* sobre *m*

pieuvre [pjœvr] *nf* pulpo *m*

pieux, -euse [pjø, -øz] *adj (personne, livre)* piadoso(a)

pif [pif] *nm Fam (nez)* napia *f*, napias *fpl*; **au p.** a ojímetro

pigeon [piʒɔ̃] *nm (oiseau)* paloma *f*; *Fam Péj (dupe)* primo *m* ☆ **p. ramier** paloma torcaz; **p. voyageur** paloma mensajera

piger [49] [piʒe] *Fam* **1** *vt* enterarse de
2 *vi* enterarse

pigment [pigmã] *nm* pigmento *m*

pile¹ [pil] *nf (tas)* montón *m*, *Andes, Carib* ruma *f*; *(électrique)* pila *f*

pile² **1** *nf (côté d'une pièce)* cruz *f*; **p. ou face** cara o cruz
2 *adv Fam (heure)* en punto; **il est sept heures p.** son las siete en punto;

tomber *ou* **arriver p.** *(personne)* llegar al pelo; *(chose)* venir al pelo

piler¹ [pile] *vt (amandes)* machacar

piler² *vi Fam (freiner)* frenar en seco

pilier [pilje] *nm* pilar *m*; *Fig (habitué)* habitual *mf*, asiduo(a) *m,f*; **un p. de bar** un(a) tipo(a) que se pasa la vida en el bar

piller [pije] *vt (ville, magasin)* saquear; *Fig (ouvrage, auteur)* plagiar

pilon [pilɔ̃] *nm (de mortier)* maja *f*; *(de poulet)* pata *f*; *(jambe de bois)* pata *f* de palo

pilonner [pilɔne] *vt Mil* bombardear

pilotage [pilɔtaʒ] *nm* pilotaje *m* ☆ **p. automatique** piloto *m* automático

pilote [pilɔt] **1** *nm (conducteur)* piloto *m*; **p. de chasse** piloto de caza; **p. de course** piloto de carreras; **p. d'essai** piloto de pruebas; **p. de ligne** piloto civil
   2 *adj* piloto *inv*

piloter [pilɔte] *vt (véhicule, avion)* pilotar; *(personne)* guiar

pilotis [pilɔti] *nm* pilote *m*; **sur p.** sobre pilotes

pilule [pilyl] *nf* píldora *f*; **prendre la p.** tomar la píldora

piment [pimɑ̃] *nm (plante) Esp* guindilla *f*, *Am* ají *m*; *Fig (piquant)* sabor *m* ☆ **p. rouge** *Esp* guindilla, *RP* puta-parió *m*

pimpant, -e [pɛ̃pɑ̃, -ɑ̃t] *adj* peripuesto(a)

pin [pɛ̃] *nm* pino *m* ☆ **p. parasol** pino piñonero

pince [pɛ̃s] *nf (instrument)* pinzas *fpl*; *(de crabe)* & *Cout* pinza *f*; *Fam* **serrer la p. à qn** chocarla con alguien ☆ **p. à cheveux** horquilla *f*; **p. à épiler** pinzas de depilar; **p. à linge** pinza (de la ropa); **p. à vélo** = pinza para sujetarse los pantalones cuando se monta en bicicleta

pinceau, -x [pɛ̃so] *nm* pincel *m*

pincée [pɛ̃se] *nf* pellizco *m*; **une p. de sel** un pellizco de sal

pincer [16] [pɛ̃se] **1** *vt (entre les doigts)* pellizcar; *(cordes d'instrument)* puntear; *(lèvres)* fruncir; *(sujet: froid)* azotar; *Fam (arrêter)* pillar; **il s'est fait p.** lo han pillado
   2 se pincer *vpr* **se p. le doigt** pillarse el dedo; **se p. le nez** taparse la nariz

pincettes [pɛ̃sɛt] *nfpl* tenazas *fpl*; **ne pas être à prendre avec des p.** estar inaguantable

pingouin [pɛ̃gwɛ̃] *nm* pingüino *m*

ping-pong [piŋpɔ̃g] *nm* ping pong *m*

pinson [pɛ̃sɔ̃] *nm* pinzón *m*

pintade [pɛ̃tad] *nf* pintada *f*

pinte [pɛ̃t] *nf Can* = 1,136 litros

pioche [pjɔʃ] *nf (outil)* pico *m*; *(aux cartes)* mazo *m*

piocher [pjɔʃe] **1** *vt (terre)* cavar; *(au jeu)* robar; *(prendre au hasard)* tomar al azar
   2 *vi (creuser)* cavar; *(au jeu)* robar

pion¹, pionne [pjɔ̃, pjɔn] *nm,f Fam* = persona joven, generalmente estudiante, encargada de la disciplina en un colegio

pion² *nm (dans les jeux)* ficha *f*; *(aux échecs)* & *Fig* peón *m*

pionnier, -ère [pjɔnje, -ɛr] *nm,f* pionero(a) *m,f*

pipe [pip] *nf* pipa *f (para fumar)*

pipeline, pipe-line *(pl* **pipe-lines***)* [pajplajn, piplin] *nm (de pétrole)* oleoducto *m*; *(de gaz)* gasoducto *m*

pipi [pipi] *nm Fam* pipí *m*; **faire p.** hacer pipí

piquant, -e [pikɑ̃, -ɑ̃t] **1** *adj (sauce)* picante; *(barbe)* rasposo(a); *(froid)* penetrante; *Fig (détail)* gracioso(a)
   2 *nm (d'un animal)* pincho *m*; *(d'un végétal)* pincho *m*, espina *f*; *Fig (d'une histoire)* gracia *f*

pique¹ [pik] **1** *nf (arme)* pica *f*
   2 *nm (aux cartes)* picas *fpl*

pique² *nf (mot blessant)* puya *f*; **lancer des piques à qn** soltar puyas a alguien

piqué, -e [pike] *adj (vin)* picado(a)

pique-assiette (*pl* **pique-assiettes**) [pikasjɛt] *nmf Péj* gorrón(ona) *m,f*, gorrero(a) *m,f*

pique-nique (*pl* **pique-niques**) [pik-nik] *nm* picnic *m*

piquer [pike] **1** *vt (sujet: animal, froid, fumée)* picar; *(sujet: barbe, tissu)* rascar, picar; *(sujet: aiguille, épine)* pinchar; *(épingler)* prender; *(coudre)* coser; *Fam (voler)* birlar, levantar; *Fam (attraper)* pillar; **p. la curiosité de qn** picar la curiosidad de alguien

2 *vi (plante)* pinchar; *(animal, aliment)* picar; *(avion)* bajar en picado; **p. du nez** *(s'endormir)* dar cabezadas

3 se piquer *vpr (accidentellement)* pincharse; *Fam (se droguer)* picarse, pincharse; *(se vexer)* sentirse ofendido(a); *Litt* **se p. de qch/de faire qch** jactarse de algo/de hacer algo

piquet [pikɛ] *nm (petit pieu)* estaca *f* ☆ **p. de grève** piquete *m* de huelga

piqûre [pikyr] *nf (d'insecte, de plante)* picadura *f*; *Méd* inyección *f*; *Cout* pespunte *m*; **faire une p. de qch à qn** poner una inyección de algo a alguien

piratage [pirataʒ] *nm* piratería *f*; *Ordinat* pirateo *m*

pirate [pirat] **1** *nm* pirata *m* ☆ **p. de l'air** pirata del aire

2 *adj* pirata

pire [pir] **1** *adj* peor; **le p., la p.** el peor, la peor; **de p. en p.** cada vez peor

2 *nm* **le p.** lo peor

pirogue [pirɔg] *nf* piragua *f*

pirouette [pirwɛt] *nf* pirueta *f*; *Fig* **s'en tirer par une p.** salirse por peteneras

pis¹ [pi] *Litt* **1** *adj* peor

2 *adv* peor; **de mal en p.** de mal en peor

pis² *nm (de vache)* ubre *f*

pis-aller [pizale] *nm inv* mal *m* menor

pisciculture [pisikyltyr] *nf* piscicultura *f*

piscine [pisin] *nf* piscina *f*, *Méx* alberca *f*, *CSur* pileta *f* ☆ **p. couverte** piscina cubierta; **p. olympique** piscina olímpica; **p. en plein air** piscina descubierta

pissenlit [pisᾶli] *nm* diente *m* de león

pisser [pise] *très Fam* **1** *vi* mear

2 *vt (sujet: personne)* mear; **p. le sang** *(sujet: plaie)* sangrar *(abundantemente)*

pissotière [pisɔtjɛr] *nf Fam* meadero *m*

pistache [pistaʃ] **1** *nf (fruit)* pistacho *m*

2 *adj inv (couleur)* pistacho *inv*

piste [pist] *nf* pista *f* ☆ **p. d'atterrissage** pista de aterrizaje; **p. cyclable** circuito *m* para bicicletas

pistolet [pistɔlɛ] *nm* pistola *f* ☆ **p. à eau** pistola de agua

piston [pistɔ̃] *nm (de moteur, d'instrument)* pistón *m*; *Fam (appui) Esp* enchufe *m*, *Am* cuña *f*

pistonner [pistɔne] *vt Fam* enchufar; **elle s'est fait p.** la enchufaron

piteux, -euse [pitø, -øz] *adj* penoso(a)

pitié [pitje] *nf* lástima *f*, piedad *f*; **avoir p. de qn** sentir lástima por alguien; **faire p. à qn** dar pena a alguien

piton [pitɔ̃] *nm (de montagne)* pico *m*; *(clou) (à anneau)* cáncamo *m*; *(à crochet)* alcayata *f*

pitoyable [pitwajabl] *adj (triste)* penoso(a); *(mauvais)* lamentable

pitre [pitr] *nm* payaso *m*, indio *m*

pittoresque [pitɔrɛsk] *adj* pintoresco(a)

pivert [pivɛr] *nm* pájaro *m* carpintero

pivoine [pivwan] *nf* peonía *f*

pivot [pivo] *nm* pivote *m*; *Sp (au basket)* pívot *mf*; *Fig (élément principal)* eje *m*

pivoter [pivɔte] *vi* girar; *Tech* pivotar

pixel [piksɛl] *nm Ordinat* pixel *m*

pizza [pidza] *nf* pizza *f*

pizzeria [pidzerja] *nf* pizzería *f*

Pl. *(abrév* **place***)* Pza.

placard [plakar] *nm (armoire)* armario *m* empotrado; *(affiche)* cartel *m*

placarder [plakarde] *vt (mur)* fijar carteles en; *(affiche, avis)* pegar

place [plas] *nf (espace)* sitio *m*; *(emplacement, position)* lugar *m*, sitio *m*; *(dans un classement)* lugar *m*, posición *f*; *(siège)* asiento *m*; *(au théâtre)* localidad *f*; *(au cinéma)* entrada *f*; *(dans les transports)* billete *m*; *(de ville)* & *Mil* plaza *f*; *(emploi)* empleo *m*, plaza *f*; **changer qch de p.** cambiar algo de sitio; **faire p. à qch** dar paso a algo; **prendre de la p.** ocupar sitio; **prendre la p. de qn** tomar *o Esp* coger el sitio de alguien; **à la p. de** *(au lieu de)* en lugar de; **à ta p.** en tu lugar; **sur p.** *(là-bas)* allí; *(ici)* aquí ✿ *p. assise* plaza sentada; *p. financière* plaza financiera; *p. forte* plaza fuerte

placé, -e [plase] *adj* situado(a); **il est mal p. pour critiquer** es el menos indicado para criticar; **c'est de l'orgueil mal p.** no tiene/tienen/*etc* por qué estar orgulloso(a)/orgullosos(as)

placement [plasmɑ̃] *nm (d'argent)* inversión *f*; *(d'un employé)* colocación *f*

placer [16] [plase] **1** *vt* colocar, poner; *(mot, plaisanterie)* soltar; *(argent) (investir)* invertir; *(mettre en dépôt)* meter; *(sujet: vendeur)* vender, colocar; **p. qn comme secrétaire** colocar a alguien de secretario(a);

p. qn sous la protection de/la responsabilité de poner a alguien bajo la protección de/la responsabilidad de; **p. sa confiance/ses espoirs en qn** poner su confianza/sus esperanzas en alguien; *Fam* **je ne peux pas en p. une** no puedo abrir la boca

  2 se placer *vpr (se mettre)* colocarse; *(trouver un emploi)* colocarse; **ça dépend de quel point de vue on se place** depende del punto de vista del que lo mires

placide [plasid] *adj* plácido(a)

placoter [plakɔte] *vi Can Fam* charlar

plafond [plafɔ̃] *nm* techo *m* ✿ *faux p.* falso techo

plafonner [plafɔne] *vi (prix, salaire)* tocar techo

plage [plaʒ] *nf (de sable)* playa *f*; *(d'ombre)* zona *f*; *(de prix)* gama *f*; *(de disque)* surco *m* ✿ *p. arrière (d'une voiture)* bandeja *f*; *p. horaire* intervalo *m* horario

plagiat [plaʒja] *nm* plagio *m*

plaider [plede] **1** *vt Jur (affaire)* pleitear; **p. coupable/non coupable** declararse culpable/inocente; *Fig* **p. la cause de qn** defender a alguien

  2 *vi* pleitear, litigar; **p. contre qn** pleitear *o* litigar contra alguien; **p. pour qn** defender a alguien; *Fig* disculpar a alguien

plaidoirie [plɛdwari] *nf Jur* informe *m*

plaidoyer [plɛdwaje] *nm Jur* informe *m*; *Fig* alegato *m*

plaie [plɛ] *nf (blessure)* herida *f*; *Fig (morale)* llaga *f*; *Fam (personne, chose pénible)* murga *f*

plaindre [23] [plɛ̃dr] **1** *vt* compadecer

  2 se plaindre *vpr* quejarse (**de** de)

plaine [plɛn] *nf* planicie *f*, llanura *f*

plaint, -e [plɛ̃] *pp voir* **plaindre**

plainte [plɛ̃t] *nf (gémissement)* quejido *m*; *(grief)* queja *f*; *Jur* denuncia *f*; **porter p. (contre qn)** poner una denuncia (contra alguien); **p. contre X** denuncia contra persona(s) desconocida(s)

plaintif, -ive [plɛ̃tif, -iv] *adj* quejumbroso(a)

plaire [55a] [plɛr] 1 *vi* **p. à qn** gustarle a alguien; **ça te plairait d'y aller?** ¿te gustaría ir?; **il plaît beaucoup** gusta mucho; **fais ce qui te plaît** haz lo que quieras; **s'il vous plaît, s'il te plaît** por favor
2 se plaire *vpr* **est-ce que tu t'es plu à Burgos?** ¿te lo pasaste bien en Burgos?

plaisance [plɛzɑ̃s] **de plaisance** *adj (bateau, navigation, port)* deportivo(a)

plaisant, -e [plɛzɑ̃, -ɑ̃t] *adj* agradable

plaisanter [plɛzɑ̃te] 1 *vi* bromear; **tu plaisantes?** ¿estás de broma?, ¿bromeas?; **on ne plaisante pas avec la santé** con la salud no se juega
2 *vt* tomar el pelo a

plaisanterie [plɛzɑ̃tri] *nf* broma *f*; **il ne comprend pas la p.** no sabe aceptar una broma

plaisantin [plɛzɑ̃tɛ̃] *nm* bromista *m*

plaise *etc voir* **plaire**

plaisir [plezir] *nm (joie)* placer *m*, gusto *m*; *(de la chair)* placer *m*; **les plaisirs de la vie/de la table** los placeres de la vida/de la mesa; **avoir** *ou* **prendre p. à faire qch** hacer algo con gusto; **j'ai le p. de vous annoncer...** tengo el placer de anunciaros...; **faire p. à qn** *(cadeau, lettre)* gustar a alguien; *Iron* **se faire un p. de faire qch** alegrarse de poder hacer algo; **avec p.** con (mucho) gusto

plan, -e [plɑ̃, plan] **1** *adj* plano(a)
2 *nm (dessin)* & *Cin* plano *m*; *(projet, combine)* plan *m*; **au premier/second p.** en primer/segundo plano o término; *Fig* **de premier p.** excepcional;

laisser qch/qn en p. dejar colgado(a) algo/a alguien; **faire des plans** *(des projets)* hacer planes; **sur le p. de** desde el punto de vista de; **sur le p. professionnel** en el terreno profesional; **sur tous les plans** en todos los aspectos; **sur le même p.** *(au même niveau)* al mismo nivel ☆ **gros p.** primer plano; **p. d'eau** estanque *m*; **p. de travail** encimera *f*

planche [plɑ̃ʃ] *nf (en bois)* tabla *f*; *(d'illustration)* lámina *f*; **faire la p.** hacer el muerto *(en el agua)*; **les planches** *(le théâtre)* las tablas ☆ **p. à découper** tabla de cocina; **p. à dessin** tablero *m* de dibujo; *Can* **p. à neige** snowboard *m*; **p. à repasser** tabla de planchar; **p. à roulettes** monopatín *m*; **p. à voile** *(objet)* (tabla de) windsurf *m*; *(sport)* windsurfing *m*

plancher¹ [plɑ̃ʃe] *nm (d'une maison, d'une voiture)* suelo *m*; *Fig (limite)* nivel *m* mínimo

plancher² *vi Fam* **p. sur qch** currarse algo

plancton [plɑ̃ktɔ̃] *nm* plancton *m*

planer [plane] *vi (avion, oiseau)* planear; *(feuille)* volar; *(fumée, vapeur)* flotar; *Fig (danger, mystère)* rondar; *Fam (être dans la lune)* estar en las nubes

planétaire [planetɛr] *adj* planetario(a)

planétarium [planetarjɔm] *nm* planetario *m*, planetarium *m*

planète [planɛt] *nf* planeta *m*

planeur [planœr] *nm* planeador *m*

planifier [planifje] *vt* planificar

planning [planiŋ] *nm* planning *m*, plan *m* de trabajo ☆ **p. familial** planificación *f* familiar

planque [plɑ̃k] *nf Fam (cachette)* escondrijo *m*, escondite *m*; *(situation privilégiée)* chollo *m*

planquer [plɑ̃ke] *Fam* **1** *vt* esconder
2 se planquer *vpr* esconderse

plant [plã] *nm (jeune plante)* plantón *m*; *(culture)* plantación *f*, plan-
tío *m*

plantaire [plãtɛr] *adj* plantar

plantation [plãtasjɔ̃] *nf* plantación *f*

plante [plãt] *nf* planta *f* ☆ **p. d'appartement** planta de interior; **p.
verte** planta verde

planter [plãte] **1** *vt (arbre, tente)*
plantar; *(clou, couteau, regard)* clavar; *Fig (chapeau)* plantarse
 2 se planter *vpr (s'immobiliser)*
plantarse; *Fam (tomber)* darse una
torta; *Fam (se tromper)* meter la pata

plantureux, -euse [plãtyrø, -øz]
adj (repas) copioso(a); *(femme, poitrine)* generoso(a)

plaque [plak] *nf* placa *f*; *Fam* être à
côté de la **p.** no enterarse (de nada)
☆ **p. chauffante** ou **de cuisson** placa
eléctrica; **p. d'immatriculation** ou
minéralogique matrícula *f*

plaquer [plake] *vt (bijou)* chapar;
(meuble) contrachapar; *(cheveux)*
alisar; *(au rugby)* hacer un placaje
a; *Fam (abandonner)* dejar colga-
do(a); **p. qqn contre un mur** aplastar
a alguien contra una pared

plaquette [plakɛt] *nf (petite plaque)*
placa *f*; *(de beurre)* pastilla *f*; *(de
chocolat)* tableta *f*; *(de comprimés)*
blister *m*; *(petit livre)* folleto *m*
☆ *Méd* **plaquettes sanguines** pla-
quetas *fpl* sanguíneas

plasma [plasma] *nm* plasma *m*

plastic [plastik] *nm* plástico *m*

plastifié, -e [plastifje] *adj* plastifica-
do(a)

plastique [plastik] **1** *adj* plástico(a)
 2 *nm* plástico *m*
 3 *nf (en sculpture)* plástica *f*;
(beauté) belleza *f*

plat¹, -e [pla, plat] **1** *adj (relief, terrain, toit)* plano(a); *(assiette)* lla-
no(a); *Fig (style)* soso(a); **à p.**
(pneu) desinflado(a); *(batterie)* des-

cargado(a); *Fam (personne)* reven-
tado(a); **à p. ventre** boca abajo
 2 *nm (de la main)* palma *f*; **sur le p.**
(en cyclisme) en llano; **faire un p.**
(plongeon) darse un panzazo

plat² *nm (récipient)* fuente *f*; *(mets)*
plato *m* ☆ **p. cuisiné** plato preparado; **p. du jour** plato del día; **p. de résistance** plato fuerte

platane [platan] *nm* plátano *m (árbol)*

plateau, -x [plato] *nm (de cuisine)*
Esp, RP bandeja *f, Andes* charol *f,
CAm, Méx* charola *f*; *(de balance)*
platillo *m*; *Géog* meseta *f*; *(de théâtre)* escenario *m*; *(de télévision)* plató *m*; *(de vélo)* plato *m* ☆ **p. de
fromages** tabla *f* de quesos; **haut p.**
meseta *f*

plateau-repas *(pl* **plateaux-repas)**
[platorəpa] *nm* bandeja *f* de comida
preparada

plate-bande *(pl* **plates-bandes)**
[platbãd] *nf* arriate *m*; *Fig* **marcher
sur les plates-bandes de qn** meterse
en el terreno de alguien

plate-forme *(pl* **plates-formes)** [plat-
fɔrm] *nf aussi Ordinat* plataforma *f*
☆ **p. de forage** plataforma de perforación; **p. pétrolière** plataforma petrolífera

platine¹ [platin] **1** *nm (métal)* platino
m
 2 *adj inv (couleur)* platino *inv*

platine² *nf (électrophone)* platina *f*
☆ **p. cassette** platina de cassette;
p. disque plato *m*; **p. laser** reproductor *m* de disco compacto, platina láser

platonique [platɔnik] *adj (amour,
relation)* platónico(a)

plâtre [plɑtr] *nm (de construction)*
yeso *m*; *(de sculpture, de chirurgie)*
escayola *f*

plâtrer [plɑtre] *vt (mur)* enyesar;
(membre) escayolar

plausible [plozibl] *adj* plausible

play-back [plɛbak] *nm inv* play-back *m*

play-boy (*pl* **play-boys**) [plɛbɔj] *nm* play-boy *m*

plébisciter [plebisite] *vt (approuver)* aprobar

plein, -e [plɛ̃, plɛn] **1** *adj (rempli)* lleno(a) (**de** de); *(journée)* apretado(a); *(confiance)* total; *(non creux)* macizo(a), relleno(a); *(femelle)* preñada; *Fam (ivre)* cargado(a); **en p....** *(au milieu de)* en pleno(a)...; **en p. jour** en pleno día; **en p. soleil** a pleno sol; **en pleine rue** en medio de la calle; **en p. milieu** en medio; **en pleine mer** en altamar; **en p. dans/sur** de lleno en/sobre, de pleno en/sobre
2 *nm (d'essence)* lleno *m*; **le p., s'il vous plaît** lleno, por favor; **faire le p.** *(au théâtre)* llenar, llenarse
3 *adv Fam* **elle a de l'encre p. les doigts** tiene los dedos llenos de tinta; **p. de** *(beaucoup de)* un montón de

plénitude [plenityd] *nf* plenitud *f*

pléonasme [pleɔnasm] *nm* pleonasmo *m*

pleurer [plœre] **1** *vi* llorar (**sur** por)
2 *vt* llorar

pleurnicher [plœrniʃe] *vi* lloriquear

pleurs [plœr] *nmpl* llanto *m*; **être en p.** estar llorando

pleuvoir [56] [pløvwar] **1** *v impersonnel* **il pleut** llueve
2 *vi (coups, insultes, invitations)* llover

pli [pli] *nm (de tissu)* pliegue *m*; *(d'une jupe)* tabla *f*, pliegue *m*; *(d'un pantalon)* raya *f*; *(marque, ride)* arruga *f*; *Litt (lettre)* carta *f*; *(aux cartes)* baza *f*; *Fig* **prendre le p. de faire qch** tomar la costumbre de hacer algo ☆ **faux p.** arruga

pliant, -e [plijɑ̃, -ɑ̃t] *adj* plegable

plier [66] [plije] **1** *vt (papier, tissu, vêtement)* doblar; *(chaise, lit, tente)* plegar

2 *vi (se courber)* doblarse; *Fig (se soumettre)* doblegarse, someterse
3 se plier *vpr (lit, table)* plegarse; **se p. à qch** *(se soumettre)* doblegarse a algo

plissé, -e [plise] *adj (jupe)* plisado(a), de tablas; *(peau)* arrugado(a); *(terrain)* plegado(a)

plisser [plise] **1** *vt (jupe)* plisar, tablear; *(front, yeux, lèvres)* fruncir
2 *vi (étoffe)* arrugar

plomb [plɔ̃] *nm (métal)* plomo *m*; *(de chasse)* perdigón *m*; *(de pêche)* escandallo *m*; *Él* **les plombs** los plomos; **ça lui mettra un peu de p. dans la tête** eso le meterá un poco de sentido común en la cabeza

plombage [plɔ̃baʒ] *nm (d'une dent)* empaste *m*

plomber [plɔ̃be] *vt (ligne)* emplomar; *(dent) Esp* empastar, *Am* emplomar

plombier [plɔ̃bje] *nm Esp* fontanero *m*, *Am* plomero *m*, *Chile, Ecuad, Perú* gasfitero *m*

plonge [plɔ̃ʒ] *nf* **faire la p.** fregar los platos *(en un restaurante)*

plongeant, -e [plɔ̃ʒɑ̃, -ɑ̃t] *adj (vue)* de pájaro; *(décolleté)* escotado(a)

plongée [plɔ̃ʒe] *nf (immersion)* zambullida *f*; *(sans bouteilles)* buceo *m*; *Phot & Cin* picado *m* ☆ **p. sousmarine** submarinismo *m*

plongeoir [plɔ̃ʒwar] *nm* trampolín *m (de piscina)*

plongeon [plɔ̃ʒɔ̃] *nm (dans l'eau)* zambullida *f*; *(au football)* palomita *f*

plonger [45] [plɔ̃ʒe] **1** *vt (immerger)* sumergir; *(enfoncer)* hundir; *(regard)* fijar; **p. qn dans l'embarras** abochornar a alguien
2 *vi (dans l'eau)* zambullirse; *(faire de la plongée sous-marine)* hacer submarinismo; *Sp (gardien de but)* lanzarse
3 se plonger *vpr (s'immerger)*

sumergirse; *Fig* **se p. dans qch** *(s'adonner à)* sumirse en algo

plongeur, -euse [plɔ̃ʒœr, -øz] *nm,f (dans un restaurant)* lavaplatos *mf*; **p. (sous-marin)** submarinista *m*

ployer [32] [plwaje] *Litt* **1** *vt* doblar **2** *vi (plier)* doblarse; *Fig (céder)* doblegarse

plu *pp voir* **plaire, pleuvoir**

pluie [plɥi] *nf* lluvia *f* ☆ *pluies acides* lluvia ácida

plumage [plymaʒ] *nm* plumaje *m*

plumard [plymar] *nm Fam* piltra *f*

plume [plym] *nf* pluma *f*

plumeau, -x [plymo] *nm* plumero *m*

plumer [plyme] *vt* desplumar

plumier [plymje] *nm* plumier *m*, estuche *f* de lápices

plupart [plypar] *nf* **pour la p.** en su mayoría; **la p. des gens** la mayoría de la gente; **la p. du temps** la mayoría de las veces

pluriel [plyrjɛl] *nm* plural *m*

plus [ply] **1** *adv* **(a)** *(comparatif)* más; **je ne peux pas vous en dire p.** no puedo deciros más; **beaucoup/ un peu p.** mucho/un poco más; **c'est p. court par là** es más corto por allí; **viens p. souvent** ven más a menudo; **il y a (un peu) p. de quinze ans** hace (poco) más de quince años; **p.... que** más... que; **il est p. jeune que moi** es más joven que yo; **c'est p. simple qu'on (ne) le croit** es más sencillo de lo que se piensa; **au p.** como mucho; **tout au p.** como máximo; **de p.** *(en supplément, en trop)* de más; *(en outre)* además; **elle a cinq ans de p. que moi** tiene cinco años más que yo; **de p. en p.** cada vez más; **en p. de** además de; **ni p. ni moins** ni más ni menos; **p. j'y pense, p. je me dis que...** cuanto más lo pienso, más creo que...

(b) *(superlatif)* **le p. intelligent/rapide** el más inteligente/rápido; **c'est lui qui travaille le p.** el que más traba-

ja es él; **un de ses tableaux les p. connus** uno de sus cuadros más conocidos; **le p. loin possible** lo más lejos posible

(c) *(négation)* no más; **p. un mot!** ¡ni una palabra más!; **ne... p.** ya no; **il n'y a p. personne** ya no hay nadie; **il n'a p. d'amis** ya no tiene amigos

2 *nm* [plys] *(signe)* más *m*; *Fig (atout)* punto *m* (a favor)

3 *conj* [plys] más; **trois p. trois font six** tres más tres igual a seis

plusieurs [plyzjœr] *adj indéfini & pron indéfini* varios(as)

plus-que-parfait *(pl* **plus-que-parfaits)** [plyskəparfɛ] *nm* pluscuamperfecto *m*

Pluton [plytɔ̃] *npr (dieu, planète)* Plutón

plutôt [plyto] *adv (de préférence, plus exactement)* más bien; *(assez)* bastante; **ou p.** o mejor dicho; **p. que de faire qch** en vez de hacer algo; **p. mourir que (de) céder** antes morir que ceder

pluvieux, -euse [plyvjø, -øz] *adj* lluvioso(a)

PME [peɛmə] *nf (abrév* **petites et moyennes entreprises)** PYME *f*

PMI [peɛmi] *nf (abrév* **petites et moyennes industries)** pequeña y mediana industria *f*

PMU [peɛmy] *nm (abrév* **Pari mutuel urbain)** = quiniela hípica en Francia, ≃ QH *f*

PNB [peɛnbe] *nm (abrév* **produit national brut)** PNB *m*

pneu [pnø] *nm (de véhicule)* neumático *m*; *Vieilli (message)* = misiva enviada a través de un tubo de aire comprimido; **p. avant/arrière** rueda *f* delantera/trasera

pneumatique [pnømatik] **1** *adj* neumático(a)

2 *nm (de véhicule)* neumático *m*; *Vieilli (message)* = misiva enviada a través de un tubo de aire comprimido

pneumonie [pnømɔni] *nf* neumonía *f*, pulmonía *f*

poche [pɔʃ] *nf (de vêtement, de sac)* bolsillo *m*; *(sac, cavité, déformation)* bolsa *f*; **de p.** de bolsillo

poché, -e [pɔʃe] *adj Culin* escalfado(a); *(œil)* a la funerala

pochette [pɔʃɛt] *nf (d'allumettes)* caja *f*; *(de disque)* funda *f*; *(sac à main)* bolso *m (de mano)*; *(mouchoir)* pañuelo *m (para adornar un traje)*

pochette-surprise *(pl* **pochettes-surprises)** [pɔʃɛtsyrpriz] *nf* = cucurucho de papel lleno de regalos sorpresa

pochoir [pɔʃwar] *nm* plantilla *f* de estarcir

podium [pɔdjɔm] *nm* podio *m*

poêle¹ [pwal] *nf* **p. (à frire)** sartén *f*, *Am* paila *f*

poêle² *nm (chauffage)* estufa *f*

poème [pɔɛm] *nm* poema *m*

poésie [pɔezi] *nf* poesía *f*

poète [pɔɛt] **1** *adj* poético(a) **2** *nm* poeta(isa) *m,f*

pognon [pɔɲɔ̃] *nm Fam* pasta *f*, *Am* plata *f*

poids [pwa] *nm* peso *m*; *(en sport, de balance)* pesa *f*; **perdre/prendre du p.** perder/ganar peso; **vendre qch au p.** vender algo al peso; **de p.** *(important)* de peso ☆ **p. lourd** *(boxeur)* peso pesado; *(camion)* vehículo *m* pesado

poignant, -e [pwaɲɑ̃, -ɑ̃t] *adj* desgarrador(ora)

poignard [pwaɲar] *nm* puñal *m*

poignarder [pwaɲarde] *vt* apuñalar

poigne [pwaɲ] *nf (force)* fuerza *f* del puño; *Fig (autorité)* mano *f* dura

poignée [pwaɲe] *nf (contenu de la main, petit nombre)* puñado *m*; *(d'une épée, d'un sabre)* puño *m*; *(d'une valise, d'un couvercle, d'un tiroir)* asa *f*; *(d'une porte, d'une fenê-*

tre) picaporte *m* ☆ **p. de main** apretón *m* de manos

poignet [pwaɲɛ] *nm* puño *m*

poil [pwal] *nm* pelo *m*; *Fam* **à p.** *(tout nu)* en pelotas; *Fam* **au p.!** ¡genial!; *Fam* **être de bon/mauvais p.** estar de buenas/malas ☆ **p. à gratter** polvos *mpl* pica-pica

poiler [pwale] **se poiler** *vpr Fam* troncharse, desternillarse

poilu, -e [pwaly] *adj* peludo(a)

poinçon [pwɛ̃sɔ̃] *nm (outil)* punzón *m*; *(marque)* contraste *m*

poinçonner [pwɛ̃sɔne] *vt (bijou)* contrastar; *(billet)* picar

poing [pwɛ̃] *nm* puño *m*; **dormir à poings fermés** dormir profundamente

point [pwɛ̃] **1** *nm* punto *m*; *Sp* punto *m*, tanto *m*; **à ce p.** hasta tal punto; **il se sent à ce p. honteux qu'il ne m'appelle plus** se siente avergonzado hasta tal punto que ya no me llama; **à tel p. que, au p. que** hasta el punto de que; **au p. de faire qch** hasta el punto de hacer algo; **à p.** *(cuit)* a punto; *Aut* **au p. mort** en punto muerto; **avoir un p. commun avec qn** tener algo en común con alguien; **être sur le p. de faire qch** estar a punto de hacer algo; **mettre qch au p.** poner algo a punto; *(appareil photo)* enfocar algo; *Fam* **un p. c'est tout!** ¡y punto! ☆ **points cardinaux** puntos cardinales; **p. de chute** sitio *m* donde parar; **p. de côté** punzada *f* (en el costado); **p. culminant** *(de montagne)* cumbre *f*; *Fig* punto culminante; **p. de départ** punto de partida; **p. d'exclamation** signo *m* de exclamación; **p. faible** punto débil; **p. final** punto final; **p. d'interrogation** signo *m* de interrogación; **p. noir** *(sur la peau)* espinilla *f*, punto negro; *Fig* punto negro; **p. de non-retour** punto sin retorno; **p. de repère** punto de referencia; **points de suspension** puntos suspensivos;

points de suture puntos de sutura; **p. de vente** punto de venta; **p. de vue** punto de vista; **du p. de vue international/économique** desde el punto de vista internacional/económico; *Scol* **bon p.** punto positivo; **deux points** *(signe de ponctuation)* dos puntos

  2 *adv Vieilli* **ne... p.** no; **ne vous en faites p.** no se preocupe

pointe [pwɛt] *nf* punta *f*; **en p.** en punta; **faire des pointes** *(danser)* bailar de puntas; **sur la p. des pieds** de puntillas; **une p. d'ironie** un punto de ironía; **à la p. de** *(technique, recherche)* a la vanguardia de; **de p.** punta *inv* ☆ **p. d'asperge** punta *o* cabeza *f* de espárrago

pointer [pwɛte] **1** *vt* apuntar; *(employés)* hacer recuento de; **p. qch vers** *ou* **sur** *(arme)* apuntar algo a *o* hacia; **p. le doigt vers** señalar a *o* hacia

  2 *vi (au travail)* fichar; *(apparaître) (jour)* despuntar; *(sentiment)* asomarse; *(à la pétanque)* tirar

  3 se pointer *vpr Fam* presentarse, aparecer

pointillé [pwɛtije] *nm (trait discontinu)* punteado *m*; *(perforations)* línea *f* de puntos

pointilleux, -euse [pwɛtijø, -øz] *adj* puntilloso(a)

pointu, -e [pwɛty] *adj* puntiagudo(a); *(nez)* afilado(a); *(voix, ton)* agudo(a); *(analyse)* detallado(a); *(formation)* muy especializado(a)

pointure [pwɛtyr] *nf* número *m*

point-virgule *(pl* **points-virgules)** [pwɛvirgyl] *nm* punto y coma *m*

poire [pwar] *nf (fruit)* pera *f*; *Fam (tête)* jeta *f*; *Fam (naïf)* primo(a) *m,f*

poireau, -x [pwaro] *nm* puerro *m*

poirier [pwarje] *nm (arbre)* peral *m*

pois [pwa] *nm Esp* guisante *m*, *Andes, RP* arveja *f*, *CAm, Méx* chícharo *m*; *(motif)* lunar *m*; **à p. de lunares**

☆ **petit p.** *Esp* guisante, *Andes, RP* arveja, *CAm, Méx* chícharo; **p. chiche** garbanzo *m*

poison [pwazɔ̃] *nm* veneno *m*; *Fig* peste *f*

poisse [pwas] *nf Fam* mala pata *f*; **porter la p.** gafar, ser gafe

poisseux, -euse [pwasø, -øz] *adj* pegajoso(a)

poisson [pwasɔ̃] **1** *nm (animal)* pez *m*; *Culin* pescado *m* ☆ **p. d'avril** *(poisson en papier)* = figura de papel que representa un pez, ≃ monigote *m*; *(calembour)* = broma tradicional francesa que se hace el l de abril, ≃ inocentada *f*; **p. d'avril!** ≃ ¡inocente!; **p. rouge** ciprino *m*

  2 *nmpl Astrol* **Poissons** piscis *m inv*; **être Poissons** ser piscis

poissonnerie [pwasɔnri] *nf (boutique)* pescadería *f*

poissonnier, -ère [pwasɔnje, -ɛr] *nm,f* pescadero(a) *m,f*

poitrine [pwatrin] *nf* pecho *m*; *(viande)* panceta *f (de cerdo)*

poivre [pwavr] *nm* pimienta *f* ☆ **p. en grains** pimienta en grano; **p. vert** pimienta verde

poivrier [pwavrije] *nm (ustensile)* molinillo *m* para la pimienta

poivron [pwavrɔ̃] *nm* pimiento *m* (morrón), *RP* morrón *m* ☆ **p. rouge** pimiento *o RP* morrón rojo; **p. vert** pimiento *o RP* morrón verde

poker [pɔkɛr] *nm* póker *m*, póquer *m*

polaire [pɔlɛr] *adj* polar

pôle [pol] *nm* polo *m*; **le p. Nord** el polo Norte; **le p. Sud** el polo Sur

polémique [pɔlemik] **1** *adj* polémico(a)

  2 *nf* polémica *f*

poli, -e [pɔli] *adj (personne)* educado(a); *(surface, marbre)* pulido(a)

police [pɔlis] *nf (force publique)* policía *f* ☆ **p. d'assurance** póliza *f* de seguros; **p. de caractères** fuente *f* de caracteres; *p. secours* = policía que atiende casos de emergencia; *p. secrète* policía secreta

policier, -ère [pɔlisje, -ɛr] **1** *adj (régime, mesure)* policial; *(roman, film)* policíaco(a), policiaco(a)
  2 *nm,f* policía *mf*

poliment [pɔlimɑ̃] *adv* educadamente, con educación

polio [pɔljo] *nf* poliomielitis *f inv*, polio *f*

polir [pɔlir] *vt* pulir

polisson, -onne [pɔlisɔ̃, -ɔn] **1** *adj* pícaro(a)
  2 *nm,f* pillo(a) *m,f*

politesse [pɔlitɛs] *nf (qualité)* cortesía *f*; **se faire des politesses** intercambiar cumplidos

politicien, -enne [pɔlitisjɛ̃, -ɛn] **1** *adj* **la politique politicienne** el politiqueo
  2 *nm,f* político(a) *m,f*

politique [pɔlitik] **1** *adj* político(a)
  2 *nf* política *f* ☆ *p. agricole commune* política agrícola común; *p. extérieure* política exterior

pollen [pɔlɛn] *nm* polen *m*

polluer [pɔlɥe] *vt* contaminar

pollution [pɔlysjɔ̃] *nf* contaminación *f*, polución *f*

polo [pɔlo] *nm (vêtement, sport)* polo *m*

Pologne [pɔlɔɲ] *nf* la P. Polonia

polonais, -e [pɔlɔnɛ, -ɛz] **1** *adj* polaco(a)
  2 *nm,f* P. polaco(a) *m,f*
  3 *nm (langue)* polaco *m*

poltron, -onne [pɔltrɔ̃, -ɔn] *adj & nm,f* cobarde *mf*

polyclinique [pɔliklinik] *nf* policlínica *f*

polycopié [pɔlikɔpje] *nm (de cours)* = copia de los apuntes de una asignatura universitaria que se distribuye en clase a los alumnos

polyester [pɔliɛstɛr] *nm* poliéster *m*

polygamie [pɔligami] *nf* poligamia *f*

polyglotte [pɔliglɔt] *adj* políglota, poliglota

polygone [pɔligɔn] *nm* polígono *m*

Polynésie [pɔlinezi] *nf* la P. Polinesia; **la P. française** la Polinesia francesa

polynésien, -enne [pɔlinezjɛ̃, -ɛn] **1** *adj* polinesio(a)
  2 *nm,f* P. polinesio(a) *m,f*

polystyrène [pɔlistirɛn] *nm* poliestireno *m*

polyvalent, -e [pɔlivalɑ̃, -ɑ̃t] *adj* polivalente

pommade [pɔmad] *nf* pomada *f*

pomme [pɔm] *nf (fruit)* manzana *f*; *Fam* **tomber dans les pommes** desmayarse; *Fam* **ma/ta p.** mi/tu menda ☆ *p. d'Adam* nuez *f* de Adán; *p. d'arrosoir* alcachofa *f*; *pommes dauphine* = bolitas de patata rebozadas y fritas; *p. de douche* alcachofa de ducha; *pommes frites* patatas *fpl* fritas; *p. de pin* piña *f* (piñonera); *pommes vapeur* patatas al vapor

pomme de terre (*pl* **pommes de terre**) [pɔmdətɛr] *nf Esp* patata *f*, *Am* papa *f*

pommette [pɔmɛt] *nf* pómulo *m*

pommier [pɔmje] *nm* manzano *m*

pompe[1] [pɔ̃p] *nf (appareil)* bomba *f*; *Fam (chaussure)* zapato *m*; **faire des pompes** *(gymnastique)* hacer flexiones (de brazo); *Fam* **à toute p.** a toda velocidad ☆ *p. à essence* surtidor *m* de gasolina; *p. à vélo* bomba (para la bicicleta)

pompe[2] *nf (magnificence)* pompa *f*; **en grande p.** con gran pompa ☆ *pompes funèbres* pompas fúnebres

pomper [pɔ̃pe] *vt (air, eau)* bombear; *(sujet: éponge, buvard)* chupar

pompeux, -euse [pɔ̃pø, -øz] *adj* pomposo(a)

pompier [pɔ̃pje] *nm* bombero *m*

pompiste [pɔ̃pist] *nmf* dependiente *mf* de una gasolinera

pompon [pɔ̃pɔ̃] *nm* pompón *m* ; *Fam* **c'est le p.!** ¡es el colmo!

ponce [pɔ̃s] *adj voir* **pierre**

poncer [16] [pɔ̃se] *vt* lijar

ponceuse [pɔ̃søz] *nf* lijadora *f*

ponctualité [pɔ̃ktɥalite] *nf* puntualidad *f*

ponctuation [pɔ̃ktɥasjɔ̃] *nf* puntuación *f*

ponctuel, -elle [pɔ̃ktɥɛl] *adj* puntual

pondéré, -e [pɔ̃dere] *adj* ponderado(a)

pondre [pɔ̃dr] *vt (œuf)* poner; *Fam (projet, texte)* gestar

poney [pɔnɛ] *nm* poney *m*

pont [pɔ̃] *nm* puente *m* ; **faire le p.** *(vacances)* hacer puente ☆ **p. aérien** puente aéreo; **les ponts et chaussées** ≃ fomento *m* ; **p. suspendu** puente colgante

ponte¹ [pɔ̃t] *nf* puesta *f (de huevos)*

ponte² *nm Fam (autorité)* eminencia *f*

pontife [pɔ̃tif] *nm Rel* pontífice *m* ; **le souverain p.** el sumo pontífice

pont-levis *(pl* **ponts-levis)** [pɔ̃ləvi] *nm* puente *m* levadizo

ponton [pɔ̃tɔ̃] *nm* pontón *m*

pop [pɔp] **1** *adj inv* pop **2** *nf* pop *m*

pop-corn [pɔpkɔrn] *nm inv* palomita *f (de maíz)*

pope [pɔp] *nm* pope *m*

populaire [pɔpylɛr] *adj* popular

popularité [pɔpylarite] *nf* popularidad *f*

population [pɔpylɑsjɔ̃] *nf* población *f* ☆ **p. active** población activa

porc [pɔr] *nm (animal)* cerdo *m* , *Am* chancho *m* ; *(viande)* cerdo *m* ; *(peau)* piel *f* de cerdo, *Am* cuero *m* de chancho; *Péj (personne)* cochino *m* , *Am* chancho *m*

porcelaine [pɔrsəlɛn] *nf* porcelana *f*

porc-épic *(pl* **porcs-épics)** [pɔrkepik] *nm* puerco *m* espín

porche [pɔrʃ] *nm* porche *m*

porcherie [pɔrʃəri] *nf aussi Fig* pocilga *f*

porcin, -e [pɔrsɛ̃, -in] **1** *adj* porcino(a); *Fig (regard, yeux)* de cerdo degollado **2** *nm* porcino *m*

pore [pɔr] *nm* poro *m*

poreux, -euse [pɔrø, -øz] *adj* poroso(a)

porno [pɔrno] *Fam* **1** *adj* porno **2** *nm* porno *m* , pornografía *f*

pornographique [pɔrnɔgrafik] *adj* pornográfico(a)

port [pɔr] *nm (pour bateaux)* & *Ordinat* puerto *m* ; *(transport, allure)* porte *m* ☆ **p. d'armes** tenencia *f* de armas; **p. de commerce** puerto comercial; **p. de pêche** puerto pesquero

portable [pɔrtabl] **1** *adj (vêtement)* llevable; *(machine à écrire, ordinateur)* portátil **2** *nm (ordinateur)* portátil *m*

portail [pɔrtaj] *nm aussi Ordinat* portal *m*

portant, -e [pɔrtɑ̃, -ɑ̃t] *adj* **être bien/ mal p.** estar en buen/en mal estado de salud

portatif, -ive [pɔrtatif, -iv] *adj* portátil

porte [pɔrt] *nf* puerta *f* ; **écouter aux portes** escuchar detrás de las puertas; **mettre qn à la p.** poner a alguien de patitas en la calle; **p. cochère** puerta cochera; **p. (d'embarquement)** puerta de embarque; **p. d'entrée** puerta de entrada

porte-à-faux [pɔrtafo] *nm inv Constr* **en p.** en falso; *Fig* en una situación incómoda

porte-à-porte [pɔrtapɔrt] *nm inv* puerta a puerta *m* ; **faire du p.** hacer el puerta a puerta

porte-avions [pɔrtavjɔ̃] *nm inv* portaviones *m inv*, portaaviones *m inv*

porte-bagages [pɔrtbagaʒ] *nm inv* portaequipajes *m inv*

porte-bonheur [pɔrtbɔnœr] *nm inv* amuleto *m*

porte-clefs, porte-clés [pɔrtəkle] *nm inv* llavero *m*

porte-documents [pɔrtdɔkymã] *nm inv* portafolios *m inv*

portée [pɔrte] *nf (distance, importance)* alcance *m* ; *(de chiots, de chatons)* camada *f* ; *Mus* pentagrama *m* ; **à p. de (la) main/de (la) voix** al alcance de la mano/de la voz ; **à la p. de qn** al alcance de alguien ; *(intellectuellement)* por encima de las posibilidades de alguien ; **hors de p.** fuera de mi/tu/*etc* alcance

porte-fenêtre (*pl* **portes-fenêtres**) [pɔrtfənɛtr] *nf* puerta *f* vidriera

portefeuille [pɔrtəfœj] *nm (étui)* cartera *f* ; *Fin* cartera *f* de valores

porte-jarretelles [pɔrtʒartɛl] *nm inv* liguero *m*

portemanteau, -x [pɔrtmãto] *nm* perchero *m*

porte-monnaie [pɔrtmɔnɛ] *nm inv* monedero *m*

porte-parole [pɔrtparɔl] *nm inv* portavoz *mf*

porter [pɔrte] **1** *vt* llevar ; *(soutenir)* sostener ; *(inscrire)* asentar ; **porté disparu** dado(a) por desaparecido(a) ; **p. un coup à qn** darle un golpe a alguien ; *Fig* **p. ses fruits** dar sus frutos

2 *vi (voix, tir)* alcanzar ; **p. sur qch** *(s'appuyer)* apoyarse en algo ; *(cogner)* darse un golpe con algo ; *(traiter de)* tratar sobre ; **tout porte à croire que...** todo indica que...

3 se porter *vpr* **se p. bien/mal** encontrarse bien/mal ; **se p. volontaire** presentarse voluntario(a) ; **ça se porte grand/court** *(vêtement)* queda grande/corto

porte-savon [pɔrtsavɔ̃] *nm inv* jabonera *f*

porteur, -euse [pɔrtœr, -øz] **1** *adj (marché, créneau)* con salida

2 *nm,f (d'une maladie)* portador(ora) *m,f* ; *Fin (d'actions)* tenedor(ora) *m,f*

3 *nm (de bagages)* mozo *m* de equipajes

porte-voix [pɔrtəvwa] *nm inv* megáfono *m*

portier, -ère [pɔrtje, -ɛr] *nm,f* portero(a) *m,f*

portière [pɔrtjɛr] *nf (de voiture)* portezuela *f* ; *(de train)* puerta *f*

portion [pɔrsjɔ̃] *nf (partie)* porción *f* ; *(ration)* ración *f*

portique [pɔrtik] *nm* pórtico *m*

porto [pɔrto] *nm* oporto *m*

Porto Rico [pɔrtɔriko] *n* Puerto Rico

portrait [pɔrtrɛ] *nm* retrato *m* ; **c'est tout le p. de son père** es el vivo retrato de su padre ☆ *Ordinat* **mode p.** = modo de impresión con el papel vertical

portrait-robot (*pl* **portraits-robots**) [pɔrtrɛrɔbo] *nm* retrato robot *m*

portuaire [pɔrtɥɛr] *adj* portuario(a)

portugais, -e [pɔrtygɛ, -ɛz] **1** *adj* portugués(esa)

2 *nm,f* **P.** portugués(esa) *m,f*

3 *nm (langue)* portugués *m*

Portugal [pɔrtygal] *nm* **le P.** Portugal

pose [poz] *nf (mise en place)* colocación *f* ; *(attitude)* pose *f* ; *Phot* exposición *f* ; **prendre la p.** posar

posé, -e [poze] *adj (réfléchi)* pausado(a)

poser [poze] **1** *vt (objet)* poner ; *(papier peint, moquette)* poner ; *(question)* hacer, plantear ; *(principe, hypothèse, problème)* plantear

2 *vi (modèle)* posar ; *Péj* presumir

3 se poser *vpr (oiseau, avion, regard)* posarse ; *(objet, main)* colocarse ; *(problème)* plantearse ; *(question)* hacerse

poseur, -euse [pozœr, -øz] *adj &
nm,f* engreído(a) *m,f*

positif, -ive [pozitif, -iv] *adj* positi-
vo(a)

position [pozisjɔ̃] *nf* posición *f*; *(du
corps)* postura *f*; **en p. debout** de
pie; **en p. assise** sentado(a); **prendre
p.** tomar partido

posologie [pozɔlɔʒi] *nf* posología *f*

posséder [34] [pɔsede] *vt* poseer;
(langue, art) dominar; *Fam* **il s'est
fait p.** le han dado gato por liebre

possesseur [pɔsesœr] *nm* posee-
dor(ora) *m,f*

possessif, -ive [pɔsesif, -iv] **1** *adj*
posesivo(a)
  2 *nm Gram* posesivo *m*

possession [pɔsesjɔ̃] *nf* posesión *f*;
en ma/ta/etc p. en mi/tu/etc posesión

possibilité [pɔsibilite] *nf* posibilidad *f*

possible [pɔsibl] **1** *adj* posible; **c'est/
ce n'est pas p.** *(réalisable)* es/no es
posible; *(probable)* puede/no puede ser; *Fam* **pas p.!** ¡increíble!, ¡no
puede ser!; *Fam* **ce n'est plus p.** *(supportable)* es insoportable; **vous se-
rait-il p. de...?** ¿podría...?; **le moins/
plus p.** lo menos/más posible; **le
moins/plus d'exercice p.** el mínimo/
máximo de ejercicio (posible); **le
moins/plus souvent p.** lo menos/más
a menudo que sea posible
  2 *nm* **au p.** a más no poder; **faire tout
son p. pour faire qch** hacer todo lo
posible por hacer algo

postal, -e, -aux, -ales [pɔstal, -o]
adj postal

poste¹ [pɔst] *nf* correos *m inv*; **par la
p.** por correo ☆ **p. restante** lista *f* de
correos

poste² *nm (emplacement, emploi)*
puesto *m*; *(appareil)* aparato *m*;
(d'un standard téléphonique) extensión *f* ☆ **p. d'essence** gasolinera *f*; **p.
(de police)** puesto de policía; **p. de
radio** aparato de radio; **p. de télévi-**
sion aparato de televisión; *Ordinat*
p. de travail estación *f* de trabajo

poster¹ [pɔste] *vt (lettre)* echar al
correo

poster² **1** *vt (sentinelle)* apostar
  2 se poster *vpr* apostarse

poster³ [pɔstɛr] *nm* póster *m*

postérieur, -e [pɔsterjœr] **1** *adj* posterior (**à** a)
  2 *nm Fam* trasero *m*

postérité [pɔsterite] *nf* posteridad *f*

posthume [pɔstym] *adj* póstumo(a)

postiche [pɔstiʃ] **1** *adj (cheveux, mèche)* postizo(a)
  2 *nm* postizo *m*

postier, -ère [pɔstje, -ɛr] *nm,f* em-
pleado(a) *m,f* de correos

postillonner [pɔstijɔne] *vi* echar
perdigones

post-scriptum [pɔstskriptɔm] *nm
inv* post scriptum *m*, posdata *f*

postuler [pɔstyle] *vi* **p. à** *ou* **pour qch**
solicitar algo

posture [pɔstyr] *nf* postura *f*; *Fig*
être *ou* **se trouver en mauvaise p.** estar *o* hallarse en una mala situación

pot [po] *nm (récipient)* bote *m*; *Fam
(chance)* potra *f*; *Fam* **avoir du p.** tener potra; *Fam* **boire** *ou* **prendre un p.**
tomar una copa ☆ **p. catalytique** catalizador *m*; **p. de chambre** orinal *m*;
p. d'échappement tubo *m* de escape; **p. de fleurs** maceta *f*; **petit p.**
(pour bébé) potito *m*, tarrito *m*

potable [pɔtabl] *adj* potable; *Fam
(correct)* pasable

potage [pɔtaʒ] *nm* sopa *f*

potager, -ère [pɔtaʒe, -ɛr] *adj voir*
jardin

potasser [pɔtase] *vt Fam* empollar

potassium [pɔtasjɔm] *nm* potasio *m*

pot-au-feu [pɔtofø] *nm inv (plat)*
Esp cocido *m*, *Andes, o Méx* ajiaco
m, *RP, Ven* guiso *m*; *(viande)* carne *f*
del *Esp* cocido *o Andes, Méx* ajiaco *o*
RP, Ven guiso

pot-de-vin (*pl* **pots-de-vin**) [podvɛ̃] *nm* soborno *m*, *Andes*, *RP* coima *f*, *CAm*, *Méx* mordida *f*

poteau, -x [pɔto] *nm* poste *m* ☆ **p. indicateur** poste indicador; **p. télégraphique** poste telegráfico

potelé, -e [pɔtle] *adj* regordete(a)

potentiel, -elle [pɔtɑ̃sjɛl] **1** *adj* potencial
  2 *nm* potencial *m*

potentiellement [pɔtɑ̃sjɛlmɑ̃] *adv* potencialmente

poterie [pɔtri] *nf* (*art*) alfarería *f*, cerámica *f*; (*objet*) cerámica *f*, objeto *m* de alfarería

potiche [pɔtiʃ] *nf* (*vase*) jarrón *m* de porcelana; *Fam* **être une p.** (*personne*) estar de adorno

potier, -ère [pɔtje, -ɛr] *nm,f* alfarero(a) *m,f*

potin [pɔtɛ̃] *nm Fam* (*bruit*) *Esp* alboroto *m*, *Méx* mitote *m*, *RP* relajo *m*; **faire du p.** armar jaleo; **potins** (*ragots*) chismes *mpl*, cotilleos *mpl*

potion [posjɔ̃] *nf* poción *f*, pócima *f*

potiron [pɔtirɔ̃] *nm Esp* calabaza *f*, *Chile*, *Méx* guacal *m*, *Col*, *Ven* auyama *f*, *Bol*, *Perú*, *RP* zapallo *m*

pot-pourri (*pl* **pots-pourris**) [popuri] *nm* (*de chansons*) popurrí *m*; (*mélange odorant*) saquito *m* de olor

pou, -x [pu] *nm* piojo *m*

poubelle [pubɛl] *nf* cubo *m* de la basura; **mettre qch à la p.** tirar algo a la basura

pouce [pus] **1** *nm* (*doigt*) pulgar; (*mesure*) pulgada *f*; *Can* **faire du p.** (*de l'auto-stop*) hacer dedo; *Fam* **se tourner** *ou* **se rouler les pouces** tocarse la barriga
  2 *exclam* ¡stop!

poudre [pudr] *nf* (*substance*) polvo *m*; (*explosif*) pólvora *f*; (*fard*) polvos *mpl*; **en p.** (*lait, café*) en polvo; **prendre la p. d'escampette** tomar las de Villadiego

poudrerie [pudrəri] *nf Can* nieve *f* en polvo

poudreux, -euse [pudrø, -øz] **1** *adj* en polvo
  2 *nf* **poudreuse** nieve *f* en polvo

poudrier [pudrije] *nm* (*boîte*) polvera *f*

pouf [puf] **1** *nm* puf *m*; *Belg* **à p.** (*à crédit*) a crédito; **taper à p.** (*essayer de deviner*) tratar de adivinar
  2 *exclam* ¡paf!

pouffer [pufe] *vi* **p. de rire** reventar de risa

pouilleux, -euse [pujø, -øz] *adj* (*qui a des poux*) piojoso(a); (*crasseux*) asqueroso(a)

poulailler [pulaje] *nm* gallinero *m*

poulain [pulɛ̃] *nm* (*animal*) potro *m*; *Fig* (*protégé*) pupilo *m*

poule [pul] *nf* (*oiseau*) gallina *f*; *Fam Péj* (*femme*) fulana *f*; *Sp* liga *f*; **ma p.** (*terme d'affection*) guapa ☆ **p. d'eau** polla *f* de agua; **p. mouillée** gallina *mf*

poulet [pulɛ] *nm* (*animal, viande*) pollo *m*; *Fam* (*policier*) madero *m*

poulie [puli] *nf* polea *f*

poulpe [pulp] *nm* pulpo *m*

pouls [pu] *nm* pulso *m*; **prendre le p. à qn** tomar el pulso a alguien

poumon [pumɔ̃] *nm* pulmón *m*; **respirer à pleins poumons** respirar a pleno pulmón

poupe [pup] *nf* popa *f*; *Fig* **avoir le vent en p.** ir viento en popa

poupée [pupe] *nf* (*jouet*) muñeca *f*; *Fam* (*pansement*) dedil *m* ☆ **p. mannequin** *ou* **Barbie** muñeca Barbie; **poupées russes** matrioskas *fpl*, muñecas rusas

poupon [pupɔ̃] *nm* (*jouet*) pepona *f*; (*bébé*) bebé *m*

pour [pur] **1** *prép* (**a**) (*indique le but, la durée, un rapport*) para; **le train p. Nice** el tren de *o* para Niza; **p. que** para que; **acheter un cadeau p. qn**

comprar un regalo para alguien; **partir p. dix jours** irse para diez días; **il faudra finir ce travail p. lundi** habrá que terminar este trabajo para el lunes; **p. ce qui est de** en lo que se refiere a; **p. moi** *(à mon avis)* para mí

(b) *(indique l'intention)* para; **j'ai pris le métro p. aller plus vite** tomé el metro para ir más deprisa

(c) *(indique la cause)* por; **il est tombé malade p. avoir mangé trop d'huîtres** se puso enfermo por haber comido demasiadas ostras; **voyager p. son plaisir** viajar por placer

(d) *(à l'égard de)* por, hacia; **son amour p. lui** su amor hacia él

(e) *(à la place de)* por; **signe p. moi** firma por mí

2 *adv* a favor; **je suis p.** estoy a favor 3 *nm* **le p. et le contre** los pros y los contras

pourboire [purbwar] *nm* propina *f*

pourcentage [pursãtaʒ] *nm* porcentaje *m*

pourchasser [purʃase] *vt* perseguir

pourparlers [purparle] *nmpl* conversaciones *fpl*, negociaciones *fpl*; **être en p. (avec)** estar en conversaciones (con)

pourpre [purpr] 1 *adj* púrpura 2 *nm* púrpura *m*

pourquoi [purkwa] 1 *adv & conj* por qué; **p. es-tu venu?** ¿por qué has venido?; **p. pas?** ¿por qué no?; **je ne comprends pas p. il est venu** no entiendo por qué ha venido; **c'est p. ...** por eso...

2 *nm inv* **le p. (de)** *(raison)* el porqué (de)

pourrais *etc voir* **pouvoir**

pourri, -e [puri] *adj (fruit, personne, milieu)* podrido(a); *(enfant)* mimado(a)

pourrir [purir] 1 *vt (matière, aliment)* pudrir; *(enfant)* mimar 2 *vi* pudrirse

pourriture [purityr] *nf* podredumbre *f*; *Péj Fam (personne)* canalla *m*

poursuite [pursɥit] *nf (d'une personne)* persecución *f*; *(de la vérité)* afán *m*; **être/se lancer à la p. de qn** andar/lanzarse tras alguien; **poursuites (judiciaires)** diligencias *fpl* (judiciales)

poursuivre [65a] [pursɥivr] *vt* perseguir; *(enquête, travail)* proseguir; **p. qn de** *(menaces)* acosar a alguien con; **p. qn en justice** llevar a alguien a juicio; **poursuivez, je vous écoute** prosiga, le escucho

pourtant [purtã] *adv* sin embargo

pourtour [purtur] *nm* perímetro *m*

pourvoir [73b] [purvwar] 1 *vt* **p. qch/qqn de qch** dotar algo/a alguien de algo

2 *vi* **p. aux besoins de qn** satisfacer las necesidades de alguien

3 **se pourvoir** *vpr Jur* **se p. en cassation** hacer un recurso de casación

pourvu [purvy] **pourvu que** *conj (à condition que)* siempre que, con tal que; *(espérons que)* ojalá

pousse [pus] *nf (croissance)* crecimiento *m*; *(bourgeon)* brote *m*

pousse-café [puskafe] *nm inv Fam* copa *f (después del café)*

poussée [puse] *nf (pression)* empuje *m*; *(de fièvre)* acceso *m*; *(des prix, des cours)* subida *f*, ascenso *m*

pousser [puse] 1 *vt (personne, objet)* empujar; *(moteur, voiture)* forzar; *(recherche, étude)* proseguir; *(cri, soupir)* dar, lanzar; **p. qn à faire qch/à qch** empujar a alguien a hacer algo/a algo

2 *vi (cheveux, plante, enfant)* crecer; *Fam (exagérer)* pasarse; **p. jusqu'à...** *(poursuivre son chemin)* seguir hasta...

3 **se pousser** *vpr (laisser la place)* echarse a un lado, apartarse; *(se donner des coups)* empujarse

poussette [pusɛt] *nf* cochecito *m* de niño

poussière [pusjɛr] *nf* polvo *m* ; **avoir une p. dans l'œil** tener una mota en el ojo ; **faire la p.** *ou* **les poussières** limpiar el polvo

poussiéreux, -euse [pusjerø, -øz] *adj* polvoriento(a)

poussin [pusɛ̃] *nm* polluelo *m* ; *Sp* alevín *m*

poutre [putr] *nf* viga *f* ; *(de gymnastique)* potro *m*

pouvoir [57] [puvwar] **1** *nm* poder *m* ☆ **p. d'achat** poder adquisitivo
2 *vt* poder ; **pouvez-vous/peux-tu faire ça pour moi?** ¿me lo puede/puedes hacer? ; **où peut-il bien être?** ¿dónde estará? ; **je n'en peux plus** no puedo más ; **il est on ne peut plus sûr de lui** no puede estar más seguro de sí mismo
3 se pouvoir *v impersonnel* **il se peut que** puede que ; **il se peut qu'il arrive en retard** puede que llegue tarde

PQ [peky] *nm très Fam* papel *m* de wáter

pragmatique [pragmatik] *adj* pragmático(a)

Prague [prag] *n* Praga

prairie [preri] *nf* prado *m*, pradera *f*

praline [pralin] *nf (amande au sucre)* garrapiñada *f* ; *Belg (chocolat)* bombón *m*

praliné, -e [praline] **1** *adj* de almendra
2 *nm* praliné *m*

praticien, -enne [pratisjɛ̃, -ɛn] *nm,f* médico *mf*

pratiquant, -e [pratikɑ̃, -ɑ̃t] *adj & nm,f* practicante *mf*

pratique [pratik] **1** *adj* práctico(a)
2 *nf* práctica *f* ; **mettre qch en p.** poner algo en práctica

pratiquement [pratikmɑ̃] *adv (en fait)* en la práctica ; *(quasiment)* prácticamente

pratiquer [pratike] *vt* practicar

pré [pre] *nm* prado *m*

préalable [prealabl] **1** *adj* previo(a) (**à** a)
2 *nm* condición *f* previa ; **au p.** previamente

préambule [preɑ̃byl] *nm (introduction, propos)* preámbulo *m* ; *Fig* **sans p.** sin preámbulos

préau, -x [preo] *nm* patio *m*

préavis [preavi] *nm* preaviso *m* ☆ **p. de grève** notificación *f* de huelga ; **p. de licenciement** notificación *f* de despido

précaire [prekɛr] *adj* precario(a)

précaution [prekosjɔ̃] *nf* precaución *f*

précédent, -e [presedɑ̃, -ɑ̃t] **1** *adj* precedente, anterior
2 *nm* precedente *m* ; **sans p.** sin precedentes

précéder [34] [presede] *vt* preceder ; *(arriver avant)* adelantarse a

précepteur, -trice [preseptœr, -tris] *nm,f* preceptor(ora) *m,f*

prêcher [preʃe] *vt & vi* predicar

précieux, -euse [presjø, -øz] *adj (objet, pierre, métal)* precioso(a) ; *(collaborateur)* preciado(a) ; *(style)* afectado(a)

précipice [presipis] *nm* precipicio *m*

précipitamment [presipitamɑ̃] *adv* precipitadamente

précipitation [presipitasjɔ̃] *nf* precipitación *f* ; **précipitations** *(pluie)* precipitaciones

précipiter [presipite] **1** *vt* precipitar ; **p. qch/qqn du haut de** precipitar algo/a alguien desde lo alto de
2 se précipiter *vpr* precipitarse

précis, -e [presi, -iz] **1** *adj (rapport, mesure)* preciso(a) ; *(heure)* fijo(a) ; **à six heures précises** a las seis en punto
2 *nm* compendio *m*

précisément [presizemɑ̃] *adv (avec précision)* con precisión ; *(exactement)* exactamente ; *(justement)* precisamente

préciser [presize] **1** *vt* precisar
  2 se préciser *vpr* precisarse, concretarse

précision [presizjɔ̃] *nf (exactitude)* precisión *f; (détail)* detalle *m*

précoce [prekɔs] *adj (plante, fruit)* precoz, temprano(a); *(enfant)* precoz

préconiser [prekɔnize] *vt* preconizar

précurseur [prekyrsœr] **1** *adj m* precursor(ora)
  2 *nm* precursor *m*

prédateur [predatœr] *nm* depredador *m*

prédécesseur [predesesœr] *nm* predecesor(ora) *m,f,* antecesor(ora) *m,f*

prédicateur, -trice [predikatœr, -tris] *nm,f* predicador(ora) *m,f*

prédiction [prediksjɔ̃] *nf* predicción *f*

prédilection [predilɛksjɔ̃] *nf* predilección *f*; **avoir une p. pour** tener predilección por; **de p.** preferido(a), favorito(a)

prédire [27b] [predir] *vt* predecir

prédisposition [predispozisjɔ̃] *nf* **p. à qch** predisposición a algo

prédominer [predɔmine] *vi* predominar

préfabriqué, -e [prefabrike] **1** *adj* prefabricado(a)
  2 *nm* construcción *f* prefabricada

préface [prefas] *nf* prólogo *m,* prefacio *m*

préfacer [16] [prefase] *vt* prologar

préfecture [prefɛktyr] *nf* prefectura *f,* gobierno *m* civil ☆ **p. de police** jefatura *f* de policía

préférable [preferabl] *adj* preferible (à a)

préféré, -e [prefere] *adj & nm,f* preferido(a) *m,f*

préférence [preferɑ̃s] *nf* preferencia *f*; **de p.** preferentemente, de preferencia; **avoir une p. pour** tener preferencia por

préférentiel, -elle [preferɑ̃sjɛl] *adj* preferente

préférer [34] [prefere] *vt* preferir (à a); **je préfère ça!** ¡eso está mejor!

préfet [prefɛ] *nm* prefecto *m*

préfixe [prefiks] *nm* prefijo *m*

préhistoire [preistwar] *nf* prehistoria *f*

préhistorique [preistɔrik] *adj* prehistórico(a)

préjudice [preʒydis] *nm* perjuicio *m*; **porter p. à qn** perjudicar a alguien

préjugé [preʒyʒe] *nm* prejuicio *m*

prélasser [prelase] **se prélasser** *vpr* repantigarse

prélavage [prelavaʒ] *nm* prelavado *m*

prélèvement [prelɛvmɑ̃] *nm Méd* extracción *f; Fin* retención *f* ☆ **payer qch par p. automatique** domiciliar algo; **prélèvements obligatoires** = retención obligatoria de impuestos y cotizaciones sociales; **p. à la source** retención a cuenta

prélever [46] [prelve] *vt Méd* extraer; *Fin* retener (**sur** de)

préliminaire [preliminɛr] **1** *adj* preliminar
  2 *nmpl* **préliminaires** preliminares *mpl*

prélude [prelyd] *nm* preludio *m* (à a)

prématuré, -e [prematyre] *adj & nm,f* prematuro(a) *m,f*

préméditer [premedite] *vt* premeditar

premier, -ère [prəmje, -ɛr] **1** *adj* primero(a), primer; **les premiers arrivés** los primeros en llegar; **le p. venu** el primero que pasa; **en p.** en primer lugar
  2 *nm,f* **le p., la première** el (la) primero(a)
  3 *nm* **le p. mars/juin** el uno *o* primero de marzo/junio; **le p. de l'an**

el uno o primero de enero ☆ *jeune p.* galán *m* joven

4 *nf* **première** *Th & Cin* estreno *m*; *(exploit)* innovación *f*; *(vitesse, dans les transports)* primera *f*; *Scol* = curso de secundaria que se realiza a los dieciseis años, *Esp* ≃ segundo *m* de BUP

premièrement [prəmjɛrmɑ̃] *adv* primero

prémonition [premɔnisjɔ̃] *nf* premonición *f*

prémunir [premynir] **1** *vt* **p. qn contre qch** prevenir a alguien de o contra algo

2 se prémunir *vpr* **se p. contre qch** prevenirse contra algo

prendre [58] [prɑ̃dr] **1** *vt Esp* coger, *Am* agarrar; *(repas, bain, décision)* tomar; *(temps)* llevar; *(aller chercher)* recoger; *(responsabilité)* asumir; *(problème, question)* abordar; **il s'est fait p.** lo han *Esp* cogido o *Am* atrapado; **vous prendrez qch?** ¿tomará algo?; **ce travail nous a pris une semaine** este trabajo nos ha llevado una semana; **p. qn par les sentiments** apelar a los sentimientos de alguien; **bien/mal p. qch** *(interpréter)* tomarse algo bien/mal; **p. qn pour** *(considérer)* tomar a alguien por; **qu'est-ce qui te prend?** ¿qué te pasa?; *Fam* **qu'est-ce que j'ai pris quand...** la que me ha caído encima cuando...

2 *vi (sauce, gelée)* espesarse; *(colle)* pegar; *(feu)* prender; **p. à droite/à gauche** *(se diriger)* tomar a la derecha/a la izquierda

3 se prendre *vpr* **se p. les doigts dans la porte** pillarse los dedos con la puerta; **se p. pour un héros/un génie** creerse un héroe/un genio; **pour qui tu te prends?** ¿quién te crees que eres?; **s'en p. à** tomarla con; **il s'y prend bien/mal avec les enfants** se le dan bien/mal los niños

prénom [prenɔ̃] *nm* nombre *m*

préoccupation [preɔkypasjɔ̃] *nf* preocupación *f*

préoccuper [preɔkype] **1** *vt* preocupar

2 se préoccuper *vpr* **se p. de** preocuparse por

préparatifs [preparatif] *nmpl* preparativos *mpl*

préparation [preparasjɔ̃] *nf* preparación *f*; *(préparatifs)* preparativos *mpl*; *Chim* preparado *m*

préparatoire [preparatwar] *adj* preparatorio(a)

préparer [prepare] **1** *vt* preparar; **p. qn à qch** preparar a alguien para algo

2 se préparer *vpr* prepararse; **se p. à** prepararse para

prépondérant, -e [prepɔ̃derɑ̃, -ɑ̃t] *adj* preponderante

préposé, -e [prepoze] *nm,f* encargado(a) *m,f* (à de)

préposition [prepozisjɔ̃] *nf Gram* preposición *f*

préretraite [prerətrɛt] *nf* jubilación *f* anticipada

prérogative [prerɔgativ] *nf* prerrogativa *f*

près [prɛ] *adv* cerca; **tout p.** al lado; **de p.** de cerca; **regarder qch de p.** mirar algo de cerca; *(avec attention)* mirar algo detenidamente; **p. de** cerca de; *(presque)* casi; **être p. de qn** estar junto a alguien; **il y a p. d'une heure** hace casi una hora; **à peu p.** aproximadamente, poco más o menos; **à peu de chose(s) p.** aproximadamente, poco más o menos; **à ceci** *ou* **cela p. que** excepto por el hecho que; **à deux minutes/cinq centimètres p.** por dos minutos/cinco centímetros

présage [prezaʒ] *nm* presagio *m*

présager [45] [prezaʒe] *vt* presagiar

presbyte [prɛsbit] *adj & nmf* présbita *mf*, présbite *mf*

presbytère [prɛsbitɛr] *nm* casa *f* parroquial, rectoral *m*

prescrire [6l] [prɛskrir] *vt (mesures, conditions)* prescribir; *Méd* recetar, prescribir

présence [prezɑ̃s] *nf* presencia *f; (à un cours)* asistencia *f*; **les parties en p.** los presentes; **en ma/sa/etc p.** en mi/su/*etc* presencia; **se trouver en p. de** qch encontrarse ante o con algo ☆ **p. d'esprit** presencia de ánimo

présent, -e [prezɑ̃, -ɑ̃t] **1** *adj* presente
  2 *nm* presente *m*; **à p. (que)** ahora (que); **dès à p.** desde ahora; **jusqu'à p.** hasta ahora, hasta el momento

présentable [prezɑ̃tabl] *adj* presentable

présentateur, -trice [prezɑ̃tatœr, -tris] *nm,f* presentador(ora) *m,f*

présentation [prezɑ̃tasjɔ̃] *nf* presentación *f; (aspect extérieur)* presencia *f*; **faire les présentations** hacer las presentaciones; **sur p. de** qch *(document, facture)* al presentar algo

présenter [prezɑ̃te] **1** *vt* presentar; **p. qch à qn** presentar algo a alguien; *(félicitations, condoléances)* dar algo a alguien
  2 se présenter *vpr* presentarse

préservatif [prezɛrvatif] *nm* preservativo *m*

préserver [prezɛrve] *vt* preservar (**de** de)

présidence [prezidɑ̃s] *nf* presidencia *f*

président [prezidɑ̃] *nm* presidente(a) *m,f* ☆ **p.-directeur général** director *m* general; **p. de la République** Presidente de la República

présidentiable [prezidɑ̃sjabl] *adj* presidenciable

présider [prezide] *vt* presidir

présomption [prezɔ̃psjɔ̃] *nf* presunción *f*

présomptueux, -euse [prezɔ̃ptɥø, -øz] *adj & nm,f* presuntuoso(a) *m,f*

presque [prɛsk] *adv* casi; **p. pas de** casi nada de; **p. plus de** ya casi nada de

presqu'île [prɛskil] *nf* península *f*

pressant, -e [presɑ̃, -ɑ̃t] *adj* apremiante

presse [prɛs] *nf* prensa *f*

pressé, -e [prese] *adj (travail)* urgente; **être p. (de faire qch)** *(personne)* tener prisa (por hacer algo)

presse-citron [prɛssitrɔ̃] *nm inv* exprimelimones *m inv*

pressentiment [presɑ̃timɑ̃] *nm* presentimiento *m*, corazonada *f*

pressentir [64a] [presɑ̃tir] *vt (événement)* presentir; *(personne)* sondear

presse-papiers [prɛspapje] *nm inv* pisapapeles *m inv*

presser [prese] **1** *vt (agrumes)* exprimir; *(olives, raisin)* prensar; *(dans ses bras)* apretar; *(bouton)* apretar, pulsar; *(accélérer) (opération)* apresurar; **p. le pas** apretar el paso
  2 *vi* **rien ne presse** no hay prisa; **pressons!** ¡deprisa!
  3 se presser *vpr (se dépêcher)* darse prisa, apresurarse; *(s'agglutiner, se serrer)* apretujarse

pressing [presiŋ] *nm* tintorería *f*

pression [presjɔ̃] *nf* presión *f; (bouton)* automático *m; (bière)* cerveza *f* de barril, cerveza *f* a presión; *aussi Fig* **exercer une p. sur** ejercer una presión sobre; **faire p. sur qn** hacer o ejercer presión sobre; **sous p.** bajo presión

prestance [prɛstɑ̃s] *nf* prestancia *f*

prestataire [prɛstatɛr] **1** *nmf* suministrador(ora) *m,f* ☆ **p. de services** suministrador(ora) de servicios
  2 *nm Ordinat* **p. d'accès** proveedor *m* de acceso

prestation [prɛstasjɔ̃] *nf* prestación *f; (d'un artiste, d'un sportif)* actuación *f* ☆ **p. de serment** juramento *m*, jura *f*; **p. de service** prestación de servicios; *prestations sociales* prestaciones sociales

prestidigitateur, -trice [prɛstidiʒi-tatœr, -tris] *nm,f* prestidigitador(o-ra) *m,f*

prestige [prɛstiʒ] *nm* prestigio *m*

prestigieux, -euse [prɛstiʒjø, -øz] *adj* prestigioso(a)

présumer [prezyme] **1** *vt* suponer; **être présumé coupable/innocent** ser un(a) presunto(a) culpable/inocente **2** *vi* **p. de qch** presumir de algo

prêt¹, -e [prɛ, prɛt] *adj* listo(a), preparado(a); **être p. à faire qch** estar dispuesto(a) a hacer algo, estar preparado(a) para hacer algo; **prêts? partez!** ¿listos? ¡ya!

prêt² *nm* préstamo *m*

prêt-à-porter (*pl* **prêts-à-porter**) [prɛtapɔrte] *nm* prêt-à-porter *m inv*

prétendant, -e [pretɑ̃dɑ̃] **1** *nm,f (au trône)* aspirante *mf* **2** *nm (admirateur)* pretendiente *m*

prétendre [pretɑ̃dr] **1** *vt* **p. que** *(affirmer)* asegurar que; **il prétend tout savoir** pretende saberlo todo; **p. faire qch** *(vouloir)* querer hacer algo **2 prétendre à** *vt ind (aspirer à)* pretender **3 se prétendre** *vpr* **elle se prétend harcelée/victime d'un complot** dice que la acosan/es víctima de un complot

prétendu, -e [pretɑ̃dy] *adj (soi-disant)* supuesto(a)

prétentieux, -euse [pretɑ̃sjø, -øz] *adj & nm,f* pretencioso(a) *m,f*

prétention [pretɑ̃sjɔ̃] *nf* pretensión *f*; **avoir la p. de faire qch** tener la pretensión de hacer algo; **sans p.** sin pretensiones

prêter [prete] **1** *vt* **p. qch à qn** prestar algo a alguien; *(attribuer)* atribuir algo a alguien; **p. attention à qch** prestar atención a algo **2 prêter à** *vt ind* **p. à confusion** prestarse a confusión

3 se prêter *vpr* **se p. à qch** prestarse a algo

prétérit [preterit] *nm* pretérito *m*

prétexte [pretɛkst] *nm* pretexto *m*; **sous p. de faire qch/que** con el *o* so pretexto de hacer algo/de que; **sous aucun p.** bajo ningún pretexto

prétexter [pretɛkste] *vt* pretextar

prêtre [prɛtr] *nm* sacerdote *m*

preuve [prœv] *nf* prueba *f*; **faire p. de qch** dar prueba de algo; **faire ses preuves** demostrar su eficacia

prévaloir [69] [prevalwar] **1** *vi* prevalecer (**sur** sobre) **2 se prévaloir** *vpr* **se p. de** *(tirer parti de)* valerse de

prévenant, -e [prɛvnɑ̃, -ɑ̃t] *adj* atento(a)

prévenir [70] [prɛvnir] *vt (personne)* prevenir, advertir (**de** de); *(police)* avisar; *(danger, maladie)* prevenir; *(désirs)* adelantarse a

préventif, -ive [prevɑ̃tif, -iv] *adj* preventivo(a)

prévention [prevɑ̃sjɔ̃] *nf (protection)* prevención *f*; *Jur (emprisonnement)* prisión *f* preventiva ☆ **p. routière** seguridad *f* vial

prévenu, -e [prɛvny] *nm,f* acusado(a) *m,f*

prévision [previzjɔ̃] *nf* previsión *f*; **les prévisions météorologiques** las previsiones meteorológicas; **en p. de** en previsión de

prévoir [73c] [prevwar] *vt* prever; **comme prévu** (tal) como estaba previsto

prévoyant, -e [prevwajɑ̃, -ɑ̃t] *adj* previsor(ora)

prier [66] [prije] **1** *vt (Dieu)* rezar a; *(le ciel)* rogar a; *(implorer, demander à)* rogar; **les passagers sont priés de...** se ruega a los Sres. pasajeros que... + *subjonctif*; **je vous en prie** *(s'il vous plaît)* se lo ruego; *(de rien)* no hay de qué; **se faire p. (pour faire**

qch) hacerse de rogar (para hacer algo)

   2 *vi* rezar, orar

prière [prijɛr] *nf (recueillement, formule)* oración *f*; *(demande)* ruego *m*; **il dit** *ou* **fait sa p.** reza sus oraciones; **p. de ne pas fumer** *(sur écriteau)* se ruega no fumar

primaire [primɛr] *adj* primario(a); *(école) Esp* ≃ de EGB

prime¹ [prim] *nf* prima *f*; **en p.** de regalo; *Fig* encima ☆ **p. d'intéressement** prima de participación en los beneficios

prime² *adj Math* primo(a); **la p. jeunesse** la tierna juventud; **de p. abord** a primera vista

primer¹ [prime] **1** *vi* primar (**sur** sobre)

   2 *vt (dominer)* primar

primer² *vt (récompenser)* premiar

primeurs [primœr] *nfpl (fruits et légumes)* frutas *fpl* y verduras; **marchand de p.** *(magasin)* frutería *f*

primevère [primvɛr] *nf* primavera *f*, prímula *f*

primitif, -ive [primitif, -iv] **1** *adj* primitivo(a)

   2 *nm Art* primitivo *m*

primordial, -e, -aux, -ales [primɔrdjal, -o] *adj* primordial

prince [prɛ̃s] *nm* príncipe *m* ☆ **le p. charmant** el príncipe azul

princesse [prɛ̃sɛs] *nf* princesa *f*

princier, -ère [prɛ̃sje, -ɛr] *adj* principesco(a)

principal, -e, -aux, -ales [prɛ̃sipal, -o] **1** *adj* principal

   2 *nm,f (d'un lycée)* director(ora) *m,f*

   3 *nm* **le p.** *(l'important)* lo principal

principauté [prɛ̃sipote] *nf* principado *m*

principe [prɛ̃sip] *nm* principio *m*; **en p.** en principio; **par p.** por principio

printanier, -ère [prɛ̃tanje, -ɛr] *adj* primaveral

printemps [prɛ̃tɑ̃] *nm* primavera *f*

prioritaire [prijɔritɛr] *adj* prioritario(a)

priorité [prijɔrite] *nf* prioridad *f*, preferencia *f*; **avoir la p.** tener prioridad; **en p.** en primer lugar; **p. à droite** prioridad a la derecha

pris, -e [pri, priz] **1** *pp voir* **prendre**

   2 *adj (personne, place)* ocupado(a); *(nez)* tapado(a); *(gorge)* tomado(a); **p. de qch** *(doute, pitié)* preso(a) de algo

prise [priz] *nf (saisie)* agarre *m*; *(d'un médicament, d'une ville)* toma *f*; *Sp* llave *f*; *(ce qui permet de saisir)* asidero *m*; *(pêche)* presa *f*; **être aux prises avec** estar enfrentado(a) a *o* con; **lâcher p.** soltarse; *Fig* ceder ☆ **p. de conscience** toma de conciencia; **p. (de courant** *ou* **électrique)** enchufe *m*; **p. femelle** enchufe hembra; **p. mâle** enchufe macho; **p. multiple** ladrón *m*; **p. d'otages** toma de rehenes; **p. de sang** extracción *f* de sangre; **p. de son** toma de sonido; **p. de terre** toma de tierra; **p. de vues** toma de vistas

prisme [prism] *nm* prisma *m*

prison [prizɔ̃] *nf* cárcel *f*, prisión *f*; **être en p.** estar en la cárcel

prisonnier, -ère [prizɔnje, -ɛr] **1** *adj* prisionero(a); **être p. de** *(voiture accidentée, glaces)* estar aprisionado(a) por; *Fig (habitudes, succès)* ser esclavo(a) de

   2 *nm,f (détenu)* prisionero(a) *m,f*; **faire qn p.** detener a alguien ☆ **p. de guerre** prisionero(a) de guerra; **p. politique** preso(a) *m,f* político(a)

privations [privasjɔ̃] *nfpl* privaciones *fpl*

privatisation [privatizasjɔ̃] *nf* privatización *f*

privatiser [privatize] *vt* privatizar

privé, -e [prive] **1** *adj* privado(a)

   2 *nm Fam (détective)* detective *m* privado; *Écon* **le p.** el sector privado; **dans le p.** en el sector privado, en la privada; **en p.** en privado

priver [prive] **1** *vt* **p. qn de qch** *(déposséder de)* privar a alguien de algo; *(interdire de)* castigar a alguien sin algo

2 se priver *vpr* privarse (**de** de)

privilège [privilɛʒ] *nm* privilegio *m*

privilégié, -e [privileʒje] *adj & nm,f* privilegiado(a) *m,f*

privilégier [privileʒje] *vt* privilegiar

prix [pri] *nm (coût)* precio *m*; *(importance)* valor *m*; *(récompense, championnat, lauréat)* premio *m*; **faire un p. à qn** hacerle una rebaja a alguien; **à moitié p.** a mitad de precio; **au p. fort** al precio normal; **à aucun p.** a ningún precio; **à tout p.** a cualquier precio ☆ **p. de consolation** premio de consolación; **p. coûtant** precio de coste; **p. de gros** precio al por mayor; **p. de revient** precio de coste; **p. de vente** precio de venta al público

probabilité [probabilite] *nf* probabilidad *f*

probable [probabl] *adj* probable

probablement [probabləmɑ̃] *adv* probablemente

probant, -e [probɑ̃, -ɑ̃t] *adj* concluyente, convincente

problème [problɛm] *nm* problema *m*; **il n'y a pas de p.** no hay ningún problema

procédé [prosede] *nm (méthode)* proceso *m*; *(agissement)* modo *m* de actuar

procéder [34] [prosede] **1** *vi* proceder

2 procéder à *vt ind* proceder a

procédure [prosedyr] *nf Jur & Ordinat* procedimiento *m*

procès [prosɛ] *nm* proceso *m*; *Fig* **faire le p. de qn** sentar a alguien en el banquillo; *Fig* **faire le p. de qch** juzgar algo

processeur [prosesœr] *nm Ordinat*

procesador *m* ☆ **p. central** unidad *f* central de proceso

procession [prosesjɔ̃] *nf* procesión *f*; **en p.** en procesión

processus [prosesys] *nm* proceso *m*

procès-verbal [prosɛverbal] *(pl* **procès-verbaux** [prosɛverbo]) *nm (contravention)* multa *f*; *(compte rendu)* acta *f*

prochain, -e [proʃɛ̃, -ɛn] **1** *adj (imminent)* próximo(a), cercano(a); *(suivant)* próximo(a), que viene

2 *nm* prójimo *m*

3 *nf* **prochaine** *Fam* **à la prochaine!** ¡hasta otra!, ¡hasta la próxima!

prochainement [proʃɛnmɑ̃] *adv* próximamente

proche [proʃ] **1** *adj* próximo(a), cercano(a) (**de** a); *(intime)* unido(a) (**de** a); *(semblable)* parecido(a); **dans un avenir p.** en un futuro próximo

2 *nmpl* **les proches** *(famille)* los familiares

Proche-Orient [proʃorjɑ̃] *nm* **le P.** el Oriente Próximo

proclamer [proklame] *vt* proclamar

procréer [24] [prokree] *vi* procrear

procuration [prokyrasjɔ̃] *nf* procuración *f*, poder *m*; **par p.** por poderes o procuración

procurer [prokyre] **1** *vt* **p. qch à qn** proporcionar algo a alguien

2 se procurer *vpr* procurarse

procureur [prokyrœr] *nm* **p. général** fiscal *mf* del Tribunal Supremo; **p. de la République** fiscal *mf*

prodige [prodiʒ] *nm* prodigio *m*

prodigieux, -euse [prodiʒjø, -øz] *adj* prodigioso(a)

prodigue [prodig] *adj* pródigo(a)

prodiguer [prodige] *vt* prodigar; **p. qch à qn** prodigar algo a alguien

producteur, -trice [prodyktœr, -tris] *adj & nm,f* productor(ora) *m,f*

productif, -ive [prodyktif, -iv] *adj* productivo(a)

production [prɔdyksjɔ̃] *nf* producción *f*; *(d'un document)* presentación *f*

productivité [prɔdyktivite] *nf* productividad *f*

produire [18] [prɔdɥir] **1** *vt* producir; *(montrer)* presentar **2 se produire** *vpr (événement)* producirse; *(artiste)* actuar

produit [prɔdɥi] *nm* producto *m* ☆ *p. de beauté* producto de belleza; *p. chimique* producto químico; *p. de consommation* producto de consumo; *p. d'entretien* producto de limpieza; *p. fini* producto manufacturado; *p. de grande consommation* producto de gran consumo; *p. industriel* producto industrial; *p. intérieur brut* producto interior bruto; *p. national brut* producto nacional bruto

proéminent, -e [prɔeminɑ̃, -ɑ̃t] *adj* prominente

prof [prɔf] *nmf Fam* profesor(ora) *m,f*

profane [prɔfan] *adj (laïc)* profano(a); *(ignorant)* profano(a), lego(a)

profaner [prɔfane] *vt* profanar

proférer [34] [prɔfere] *vt* proferir

professeur [prɔfɛsœr] *nm* profesor(ora) *m,f* ☆ *p. principal* tutor(ora) *m,f*

profession [prɔfɛsjɔ̃] *nf* profesión *f* ☆ *p. libérale* profesión liberal

professionnel, -elle [prɔfɛsjɔnɛl] **1** *adj* profesional; *(lycée)* de formación profesional **2** *nm,f* profesional *mf*, *Méx* profesionista *mf*

profil [prɔfil] *nm aussi Fig* perfil *m*; **de p.** de perfil

profit [prɔfi] *nm (avantage)* provecho *m*; *Écon* beneficio *m*; **au p. de** en beneficio de; **mettre qch à p.** sacar provecho de algo; **tirer p. de qch** sacar provecho de algo

profitable [prɔfitabl] *adj* provechoso(a) (**à** para)

profiter [prɔfite] **1 profiter à** *vt ind* ser útil a **2 profiter de** *vt ind* **p. de qch** aprovechar algo; **p. de qn** aprovecharse de alguien; **en p. pour faire qch** aprovechar para hacer algo

profond, -e [prɔfɔ̃, -ɔ̃d] **1** *adj* profundo(a), hondo(a) **2** *nm* **au plus p. de** en lo más profundo de **3** *adv* hondo

profondeur [prɔfɔ̃dœr] *nf* profundidad *f*; **en p.** en profundidad ☆ *Phot p. de champ* profundidad de campo

profusion [prɔfyzjɔ̃] *nf* **une p. de qch** una gran profusión de algo; **avoir qch à p.** tener (gran) profusión de algo

progéniture [prɔʒenityr] *nf Hum* prole *f*

progiciel [prɔʒisjɛl] *nm Ordinat* paquete *m* de software

programmable [prɔgramabl] *adj* programable

programmation [prɔgramɑsjɔ̃] *nf TV & Ordinat* programación *f*

programme [prɔgram] *nm TV & Ordinat* programa *m*

programmer [prɔgrame] *vt TV & Ordinat* programar

programmeur, -euse [prɔgramœr, -øz] *nm,f Ordinat* programador(ora) *m,f*

progrès [prɔgrɛ] *nm* progreso *m*; **faire des p.** hacer progresos, progresar; **être en p.** estar progresando

progresser [prɔgrese] *vi (avancer)* avanzar; *(se développer, s'améliorer)* progresar

progressif, -ive [prɔgresif, -iv] *adj* progresivo(a)

progression [prɔgresjɔ̃] *nf (avancée)* avance *m*; *(développement, amélioration)* progreso *m*; **être en p.** ir progresando

prohibitif, -ive [prɔibitif, -iv] *adj (prix)* prohibitivo(a)

proie [prwa] *nf* presa *f*; être la p. des flammes ser pasto de las llamas; être en p. à qch ser presa de algo

projecteur [prɔʒɛktœr] *nm* proyector *m*

projectile [prɔʒɛktil] *nm* proyectil *m*

projection [prɔʒɛksjɔ̃] *nf* proyección *f*

projectionniste [prɔʒɛksjɔnist] *nmf* proyeccionista *mf*

projet [prɔʒɛ] *nm* proyecto *m* ☆ *p. de loi* proyecto de ley

projeter [42] [prɔʒte] *vt* proyectar, planear; **p. qch/de faire qch** proyectar o planear algo/hacer algo

prolétaire [prɔletɛr] *adj & nmf* proletario(a) *m,f*

proliférer [34] [prɔlifere] *vi* proliferar

prolifique [prɔlifik] *adj* prolífico(a)

prologue [prɔlɔg] *nm* prólogo *m*

prolongation [prɔlɔ̃gɑsjɔ̃] *nf (continuation)* prolongación *f*; *Sp* **jouer les prolongations** jugar la prórroga

prolongement [prɔlɔ̃ʒmɑ̃] *nm (allongement)* prolongación *f*; **dans le p. de qch** en la prolongación de algo; **prolongements** *(conséquences)* repercusiones *fpl*

prolonger [45] [prɔlɔ̃ʒe] **1** *vt* prolongar; **p. ses vacances d'une semaine** prolongar sus vacaciones una semana
2 se prolonger *vpr* prolongarse

promenade [prɔmnad] *nf* paseo *m*; **faire une p.** dar un paseo

promener [46] [prɔmne] **1** *vt* pasear *(passer)*; pasar
2 se promener *vpr* pasear, pasearse

promesse [prɔmɛs] *nf* promesa *f*; *(engagement)* compromiso *m*; **faire une p.** hacer una promesa; **tenir sa p.** cumplir su promesa ☆ *p. d'achat*

compromiso de compra; *p. de vente* compromiso de venta

prometteur, -euse [prɔmɛtœr, -øz] *adj* prometedor(ora)

promettre [47] [prɔmɛtr] **1** *vt* prometer; **p. à qn de faire qch/que** prometer a alguien hacer algo/que; *Iron* **ça promet!** ¡empezamos bien!
2 se promettre *vpr* **se p. de faire qch** prometerse hacer algo

promiscuité [prɔmiskɥite] *nf* promiscuidad *f*

promontoire [prɔmɔ̃twar] *nm* promontorio *m*

promoteur [prɔmɔtœr] *nm* **p. immobilier** promotor(ora) *m,f* inmobiliario(a)

promotion [prɔmɔsjɔ̃] *nf* promoción *f*; *(dans une carrière)* ascenso *m*; **en p.** en oferta

promouvoir [3Ia] [prɔmuvwar] *vt* promover

prompt, -e [prɔ̃, prɔ̃t] *adj Litt* rápido(a); **p. à faire qch** rápido en hacer algo

promu, -e *pp voir* **promouvoir**

prôner [prone] *vt* preconizar

pronom [prɔnɔ̃] *nm Gram* pronombre *m* ☆ *p. personnel* pronombre personal; *p. possessif* pronombre posesivo; *p. relatif* pronombre relativo

pronominal, -e, -aux, -ales [prɔnɔminal, -o] *adj Gram* pronominal

prononcé, -e [prɔnɔ̃se] *adj (net)* marcado(a)

prononcer [16] [prɔnɔ̃se] **1** *vt* pronunciar
2 se prononcer *vpr* pronunciarse

prononciation [prɔnɔ̃sjasjɔ̃] *nf* pronunciación *f*

pronostic [prɔnɔstik] *nm* pronóstico *m*

propagande [prɔpagɑ̃d] *nf* propaganda *f*

prophète [prɔfɛt] *nm* profeta *m*

prophétie [prɔfesi] *nf* profecía *f*

propice [prɔpis] *adj* propicio(a) (à para)

proportion [prɔpɔrsjɔ̃] *nf* proporción *f*; **toutes proportions gardées** salvando las distancias

proportionné, -e [prɔpɔrsjɔne] *adj* **bien/mal p.** bien/mal proporcionado(a)

proportionnel, -elle [prɔpɔrsjɔnɛl] **1** *adj* proporcional (à a) **2** *nf* **proportionnelle** *Pol* la proporcionnelle el sistema de representación proporcional

propos [prɔpo] **1** *nm* (*but*) propósito *m*; **c'est à quel p.?** ¿de qué se trata?; **à p.** (*opportunément*) oportunamente; (*au fait*) por cierto; **à p. de** a propósito de, con respecto a; **hors de p.** fuera de lugar **2** *nmpl* (*paroles*) palabras *fpl*

proposer [prɔpoze] **1** *vt* proponer; (*offrir*) ofrecer; **p. qch à qn** proponer algo a alguien; **p. à qn de faire qch** proponer a alguien hacer algo **2 se proposer** *vpr* **se p. pour faire qch** ofrecerse a hacer algo; **se p. de faire qch** proponerse hacer algo

proposition [prɔpozisjɔ̃] *nf* (*offre, suggestion*) propuesta *f*, proposición *f*; *Gram* proposición *f* ☆ **p. de loi** proposición de ley

propre [prɔpr] **1** *adj* limpio(a); (*personnel*) propio(a) (à de); *Fig & Iron* **nous voilà propres!** ¡estamos listos! **2** *nm* **le p. de** (*la caractéristique de*) la característica de; **au p.** (*recopier*) a limpio; **au p. comme au figuré** en sentido literal y figurado

proprement [prɔprəmɑ̃] *adv* (*soigneusement*) limpiamente; (*véritablement*) verdaderamente; (*spécifiquement*) propiamente; **à p. parler** propiamente dicho(a); **p. dit** propiamente dicho(a)

propreté [prɔprəte] *nf* limpieza *f*

propriétaire [prɔprijetɛr] *nmf* propietario(a) *m,f*, dueño(a) *m,f* ☆ **p. foncier** *ou* **terrien** terrateniente *m*

propriété [prɔprijete] *nf* propiedad *f*; (*domaine, exploitation*) finca *f*, *CSur* chacra *f*, campo *m* ☆ **p. privée** propiedad privada

propulser [prɔpylse] *vt* propulsar; (*jeter*) lanzar

prosaïque [prɔzaik] *adj* prosaico(a)

proscrit, -e [prɔskri, -it] *adj & nm,f* proscrito(a) *m,f*

prose [prɔz] *nf* prosa *f*; **en p.** en prosa

prospecter [prɔspɛkte] *vt* prospectar

prospection [prɔspɛksjɔ̃] *nf* prospección *f* ☆ **p. pétrolière** prospección petrolífera; **p. téléphonique** márketing *m* telefónico

prospectus [prɔspɛktys] *nm* prospecto *m*, folleto *m*

prospère [prɔspɛr] *adj* próspero(a)

prospérité [prɔsperite] *nf* prosperidad *f*

prostate [prɔstat] *nf* próstata *f*

prosterner [prɔstɛrne] **se prosterner** *vpr* prosternarse (**devant** ante)

prostitué, -e [prɔstitɥe] *nm,f* (*homme*) = hombre que se prostituye; (*femme*) prostituta *f*

prostituer [7] [prɔstitɥe] **se prostituer** *vpr* prostituirse

prostitution [prɔstitysjɔ̃] *nf* prostitución *f*

prostré, -e [prɔstre] *adj* postrado(a)

protagoniste [prɔtagɔnist] *nmf* protagonista *mf*

protecteur, -trice [prɔtɛktœr, -tris] *adj & nm,f* protector(ora) *m,f*

protection [prɔtɛksjɔ̃] *nf* protección *f*; **de p.** (*écran, vernis*) protector(ora); **prendre qn sous sa p.** tomar a alguien bajo su protección ☆ **p. sociale** subsidios *mpl* sociales

protectionnisme [prɔtɛksjɔnism] *nm Écon* proteccionismo *m*

protégé, -e [prɔteʒe] *adj & nm,f* protegido(a) *m,f*

protège-cahier *(pl* **protège-cahiers)** [prɔtɛʒkaje] *nm* forro *m*

protéger [59] [prɔteʒe] **1** *vt* proteger **(de/contre** de/contra)
2 se protéger *vpr* protegerse **(de/contre** de/contra)

protège-slip *(pl* **protège-slips)** [prɔtɛʒslip] *nm* salva slip *m*

protéine [prɔtein] *nf* proteína *f*

protestant, -e [prɔtɛstã, -ãt] *adj & nm,f* protestante *mf*

protestantisme [prɔtɛstãtism] *nm* protestantismo *m*

protestation [prɔtɛstasjɔ̃] *nf* protesta *f*

protester [prɔtɛste] *vi* protestar **(contre** contra)

prothèse [prɔtɛz] *nf* prótesis *f inv*
☆ **p. dentaire** prótesis dental

protocole [prɔtɔkɔl] *nm aussi Ordinat* protocolo *m*

proton [prɔtɔ̃] *nm* protón *m*

prototype [prɔtɔtip] *nm* prototipo *m*

protubérance [prɔtyberãs] *nf* protuberancia *f*

proue [pru] *nf* proa *f*

prouesse [pruɛs] *nf* proeza *f*

prouver [pruve] *vt (établir)* demostrar, probar; *(témoigner de)* demostrar

provenance [prɔvnãs] *nf* procedencia *f*; **en p. de** procedente de

Provence [prɔvãs] *nf* **la P.** la Provenza

provenir [70] [prɔvnir] **provenir de** *vt ind* proceder de

proverbe [prɔvɛrb] *nm* proverbio *m*, refrán *m*

providence [prɔvidãs] *nf* providencia *f*

providentiel, -elle [prɔvidãsjɛl] *adj* providencial

province [prɔvɛ̃s] *nf* provincia *f*, región *f*; *(campagne)* provincias *fpl*;

Can = Estado federado dotado de un gobierno propio; *Belg* = unidad territorial dirigida por un gobernador nombrado por el rey

provincial, -e, -aux, -ales [prɔvɛ̃sjal, -o] **1** *adj (de province) (personne, vie)* de provincias; *(administration)* provincial; *Péj (de la campagne)* provinciano(a)
2 *nm,f* provinciano(a) *m,f*

proviseur [prɔvizœr] *nm* director (ora) *m,f (de un instituto)*

provision [prɔvizjɔ̃] *nf (réserve)* provisión *f*; **provisions** *(nourriture)* provisiones *fpl*; **faire ses provisions** *(achats)* hacer la compra

provisoire [prɔvizwar] *adj* provisional

provocant, -e [prɔvɔkã, -ãt] *adj* provocador(ora)

provocation [prɔvɔkasjɔ̃] *nf* provocación *f*; **c'est de la p.!** ¡esto es una provocación!

provoquer [prɔvɔke] *vt* provocar

proxénète [prɔksenɛt] *nmf* proxeneta *mf*

proximité [prɔksimite] *nf* proximidad *f*; **à p. de** cerca de

prude [pryd] *adj* mojigato(a)

prudence [prydãs] *nf* prudencia *f*

prudent, -e [prydã, -ãt] *adj* prudente; **ce n'est pas p.** no es sensato

prune [pryn] **1** *nf* ciruela *f*
2 *adj inv (couleur)* ciruela *inv*

pruneau, -x [pryno] *nm* ciruela *f* pasa

prunelle [prynɛl] *nf (des yeux)* pupila *f*, niña *f*; **il y tient comme à la p. de ses yeux** lo quiere más que a nada

prunier [prynje] *nm* ciruelo *m*

PS [peɛs] *nm (abrév* **Parti socialiste)** = partido socialista francés; *(abrév* **post-scriptum)** PD *f*, PS *m*

psaume [psom] *nm* salmo *m*

pseudonyme [psødɔnim] *nm* seudónimo *m*, pseudónimo *m*

psy [psi] *nmf Fam (psychanalyste)* psicoanalista *mf*

psychanalyse [psikanaliz] *nf* psicoanálisis *m inv*

psychanalyste [psikanalist] *nmf* psicoanalista *mf*

psychédélique [psikedelik] *adj* psicodélico(a)

psychiatre [psikjatr] *nmf* psiquiatra *mf*

psychiatrie [psikjatri] *nf* psiquiatría *f*

psychique [psiʃik] *adj* psíquico(a)

psychologie [psikɔlɔʒi] *nf* psicología *f*

psychologique [psikɔlɔʒik] *adj* psicológico(a)

psychologue [psikɔlɔg] *adj & nmf* psicólogo(a) *m,f*

psychose [psikoz] *nf* psicosis *f inv*

PTT [petete] *nfpl (abrév* **Postes, Télécommunications et Télédiffusion)** correos *mpl*

pu *pp voir* **pouvoir**

puant, -e [pɥã, -ãt] *adj* fétido(a); *Fam Fig (personne)* fantasma

puanteur [pɥãtœr] *nf* peste *f*

pub [pyb] *nf Fam (annonce)* anuncio *m*; **la p.** los anuncios

puberté [pybɛrte] *nf* pubertad *f*

pubis [pybis] *nm* pubis *m inv*

public, -ique [pyblik] **1** *adj* público(a)
  2 *nm* público *m*; **en p.** en público; **être bon p.** ser (un) buen público

publication [pyblikɑsjɔ̃] *nf* publicación *f*

publicitaire [pyblisitɛr] *adj & nmf* publicitario(a) *m,f*

publicité [pyblisite] *nf (activité)* publicidad *f*; *(annonce)* anuncio *m*; **faire de la p. pour qch** hacerle publicidad a algo ☆ *p. comparative* publicidad comparativa

publier [66] [pyblije] *vt* publicar

puce [pys] *nf (animal)* pulga *f*; *Ordi-* nat chip *m*; **les puces** *(marché)* el rastro; **ma p.** *(terme affectueux)* cariño; **mettre la p. à l'oreille à qn** poner la mosca detrás de la oreja de alguien

puceau, -x [pyso] *adj m & nm Fam* hombre *m* virgen

pucelle [pysɛl] *adj f & nf Fam* virgen *f*

pudeur [pydœr] *nf* pudor *m*

pudique [pydik] *adj* púdico(a)

puer [pɥe] **1** *vi* apestar; *Fam* **ça pue!** ¡huele que apesta!
  2 *vt* apestar a

puériculture [pɥerikyltyr] *nf* puericultura *f*

puéril, -e [pɥeril] *adj* pueril

puis¹ *voir* **pouvoir**

puis² [pɥi] *adv* después; **et p.** *(de plus)* y además

puiser [pɥize] *vt (liquide)* sacar **(dans** de); *Fig* **p. qch dans qch** sacar algo de algo

puisque [pɥisk(ə)] *conj*

> Antes de vocal o h muda se usa **puisqu'**.

ya que; **mais p. je te dis que je ne veux pas!** ¡ya te he dicho que no quiero!; **tu vas vraiment y aller? - mais p. je te le dis!** ¿de veras vas a ir? - ¿no te lo estoy diciendo?

puissance [pɥisãs] *nf* potencia *f*; *(pouvoir)* poder *m*; **dix (à la) p. quatre** diez elevado a cuatro; **en p.** en potencia

puissant, -e [pɥisã, -ãt] *adj* poderoso(a); *(machine, ordinateur)* potente

puisse *etc voir* **pouvoir**

puits [pɥi] *nm* pozo *m* ☆ *p. de mine* pozo de mina; *p. de pétrole* pozo de petróleo

pull [pyl], **pull-over** *(pl* **pull-overs)** [pylɔvɛr] *nm Esp* jersey *m*, *Andes* chompa *f*, *Arg, Ven* pulóver *m*, suéter *m*, *Urug* buzo *m*

pulluler [pylyle] *vi (fourmiller, abonder)* pulular

pulmonaire [pylmɔnɛr] *adj* pulmonar

pulpe [pylp] *nf* pulpa *f*

pulsation [pylsasjɔ̃] *nf* pulsación *f*

pulsion [pylsjɔ̃] *nf* pulsión *f*

pulvériser [pylverize] *vt* pulverizar

puma [pyma] *nm* puma *m*

punaise [pynɛz] **1** *nf (insecte)* chinche *m*; *(clou)* chincheta *f* **2** *exclam Fam* ¡caramba!

punch¹ [pɔ̃ʃ] *nm (boisson)* ponche *m*

punch² [pœnʃ] *nm inv Fam (énergie)* marcha *f*

punir [pynir] *vt (crime, personne)* castigar; **il a été puni de son orgueil** ha sido castigado por orgulloso

punition [pynisjɔ̃] *nf* castigo *m*

pupille¹ [pypij] *nf (de l'œil)* pupila *f*

pupille² *nmf (orphelin)* pupilo(a) *m,f* ☆ *p. de l'État* hospiciano(a) *m,f*; *p. de la nation* huérfano(a) *m,f* de guerra

pupitre [pypitr] *nm (d'un orateur, d'un musicien)* atril *m*; *(d'écolier)* pupitre *m*; *Tech (de machine)* consola *f*

pur, -e [pyr] *adj* puro(a); **p. coton** puro algodón; **p. et simple** puro(a) y simple

purée [pyre] *nf* puré *m*; **p. de pommes de terre** puré de patatas *o Am* papas

purement [pyrmɑ̃] *adv* puramente; **p. et simplement** pura y simplemente

pureté [pyrte] *nf* pureza *f*

purgatoire [pyrgatwar] *nm Rel* purgatorio *m*

purge [pyrʒ] *nf* purga *f*

purger [45] [pyrʒe] *vt* purgar

purifier [pyrifje] *vt* purificar

puriste [pyrist] *nmf* purista *mf*

puritain, -e [pyritɛ̃, -ɛn] *adj & nm,f* puritano(a) *m,f*

pur-sang [pyrsɑ̃] *nm inv* pura sangre *m inv*

purulent, -e [pyrylɑ̃, -ɑ̃t] *adj* purulento(a)

pus [py] *nm* pus *m*

putain [pytɛ̃] *Vulg* **1** *nf* puta *f* **2** *exclam Esp* ¡joder!, *Méx* ¡chingada!, *RP* ¡la puta!

putréfier [pytrefje] **se putréfier** *vpr* pudrirse

putsch [putʃ] *nm* golpe *m* de estado

puzzle [pœzl] *nm (jeu)* puzzle *m*; *Fig (problème)* rompecabezas *m inv*

P.-V. [peve] *nm (abrév* **procès-verbal)** = multa por estacionamiento indebido

PVC [pevese] *nm (abrév* **polychlorure de vinyle)** PVC *m*

PVD [pevede] *nm (abrév* **pays en voie de développement)** país *m* en vías de desarrollo

pyjama [piʒama] *nm* pijama *m*

pylône [pilon] *nm* poste *m*

pyramide [piramid] *nf* pirámide *f*

Pyrénées [pirene] *nfpl* **les P.** los Pirineos

pyromane [pirɔman] *nmf* pirómano(a) *m,f*

python [pitɔ̃] *nm* pitón *m*

Q

Q, q [ky] *nm inv (lettre)* Q *f*, q *f*

QCM [kyseɛm] *nm (abrév* **question-naire à choix multiple)** examen *m* de tipo test

QG [kyʒe] *nm (abrév* **quartier général)** CG *m*

QI [kyi] *nm (abrév* **quotient intellectuel)** CI *m*

quadragénaire [k(w)adraʒenɛr] *adj & nmf* cuadragenario(a) *m,f*

quadrilatère [k(w)adrilatɛr] *nm* cuadrilátero *m*

quadriller [kadrije] *vt (papier)* cuadricular; *(ville)* peinar

quadrupède [k(w)adrypɛd] **1** *adj* cuadrúpedo(a)
  2 *nm* cuadrúpedo *m*

quadruple [k(w)adrypl] **1** *adj* cuádruple
  2 *nm* cuádruplo *m*

quadrupler [k(w)adryple] *vt & vi* cuadruplicar

quadruplés, -ées [k(w)adryple] *nm,fpl* cuatrillizos(as) *m,fpl*

quai [kɛ] *nm (d'un port, d'une rivière)* muelle *m*; *(de gare)* andén *m*; **être à q.** estar atracado(a)

qualificatif, -ive [kalifikatif, -iv] **1** *adj Gram* calificativo(a); *Sp (épreuve)* puntuable
  2 *nm* calificativo *m*

qualification [kalifikɑsjɔ̃] *nf (désignation) & Sp* calificación *f*; *(formation)* cualificación *f*

qualifier [kalifje] **1** *vt (caractériser)* calificar; **q. qch/qqn de qch** calificar algo/a alguien de algo; **être qualifié pour faire qch/pour qch** estar cualificado(a) para hacer algo/para algo
  2 se qualifier *vpr Sp* calificarse

qualitatif, -ive [kalitatif, -iv] *adj* cualitativo(a)

qualité [kalite] *nf (d'un produit, d'une œuvre)* calidad *f*; *(caractéristique, vertu)* cualidad *f*; **de bonne/mauvaise q.** de buena/mala calidad; **la q. de la vie** la calidad de vida ☆ *Ordinat* **q. brouillon** calidad borrador; *Ordinat* **q. courrier** calidad alta

quand [kɑ̃] **1** *conj (lorsque, alors que)* cuando; **q. je serai à la retraite je ferai le tour du monde** cuando me retire daré la vuelta al mundo; **pourquoi rester ici q. on pourrait partir en week-end?** ¿por qué quedarnos aquí cuando podríamos irnos de fin de semana?; **q. même** a pesar de todo; **c'était q. même bien** a pesar de todo estuvo bien; **tu pourrais faire attention q. même!** ¡podrías tener más cuidado! (¿no?); **q. même, à son âge!** ¡por favor, a su edad!; **q. bien même** aun cuando
  2 *adv interrogatif* cuándo

quant [kɑ̃] **quant à** *prép* en cuanto a, por lo que se refiere a; **q. à moi/toi** en cuanto a mí/ti se refiere

quantitatif, -ive [kɑ̃titatif, -iv] *adj* cuantitativo(a)

quantité [kɑ̃tite] *nf* cantidad *f*; **(une) q. de** *(abondance)* (una) gran cantidad de; **en q.** en cantidad; **en grande q.** en gran cantidad

quarantaine [karɑ̃tɛn] *nf (nombre)* unos(as) cuarenta; *(isolement)* cuarentena *f*; **une q. de personnes** unas cuarenta personas; **avoir la q.** estar en los cuarenta

quarante [karɑ̃t] **1** *adj inv* cuarenta **2** *nm inv* cuarenta *m*; *voir aussi* **six**

quarantième [karɑ̃tjɛm] **1** *adj & nmf* cuadragésimo(a) *m,f* **2** *nm* cuadragésimo *m*, cuadragésima parte *f*; *voir aussi* **sixième**

quart [kar] **1** *adj* **le q. monde** las clases menos favorecidas **2** *nm (fraction)* cuarto *m*, cuarta parte *f*; *Naut (veille)* cuarto *m*; *(gobelet)* tanque *m*; *Naut* **être de q.** estar de guardia; **un q. de qch** un cuarto de algo; **un q. d'heure** un cuarto de hora; **deux heures moins le q./et q.** las dos menos/y cuarto

quartier [kartje] *nm (d'une ville)* barrio *m*, *Méx* colonia *f*; *(de viande)* trozo *m*; *(de fruit)* gajo *m*; *Astron* cuarto *m*; *Mil* cuartel *m*; **avoir q. libre** *Mil* tener un permiso; *Fig* tener tiempo libre; **les beaux quartiers** los barrios bien; **ne pas faire de q.** luchar sin cuartel; *Fig* no hacer concesiones

quartz [kwarts] *nm* cuarzo *m*; **à q. de** cuarzo

quasi [kazi] *adv* cuasi

quasi- [kazi] *adv* **la q.-totalité des membres** la práctica totalidad de los miembros

quasiment [kazimɑ̃] *adv* casi

quatorze [katɔrz] **1** *adj inv* catorce **2** *nm inv* catorce *m*; *voir aussi* **six**

quatrain [katrɛ̃] *nm (strophe)* cuarteto *m*

quatre [katr] **1** *adj inv* cuatro; **q. à q. de** cuatro en cuatro; *Fig* **se met-** tre en q. pour qn desvivirse por alguien **2** *nm inv* cuatro *m*; *voir aussi* **six**

quatre-quarts [katkar, katrəkar] *nm inv* = pastel hecho con la misma cantidad de harina, huevos, mantequilla y azúcar

quatre-vingt [katrəvɛ̃] *voir* **quatre-vingts**

quatre-vingt-dix [katrəvɛ̃dis] **1** *adj inv* noventa **2** *nm inv* noventa *m*; *voir aussi* **six**

quatre-vingt-dixième [katrəvɛ̃dizjɛm] *adj & nmf* nonagésimo(a) *m,f*; *voir aussi* **sixième**

quatre-vingtième [katrəvɛ̃tjɛm] *adj & nmf* octogésimo(a) *m,f*; *voir aussi* **sixième**

quatre-vingts [katrəvɛ̃] **1** *adj* ochenta; **quatre-vingt-deux** ochenta y dos **2** *nm inv* ochenta *m*; *voir aussi* **six**

quatrième [katrijɛm] **1** *adj & nmf* cuarto(a) *m,f* **2** *nf Scol* = curso de secundaria que se realiza a los trece años, *Esp* segundo *m* de ESO; *(vitesse)* cuarta *f*; *voir aussi* **sixième**

quatuor [kwatɥɔr] *nm* cuarteto *m*

que [kə]

> Delante de vocal o h muda se utiliza **qu'**.

1 *conj* **(a)** *(introduit une subordonnée)* que; **je sais q....** sé que...; **je ne tiens pas à ce q. tout le monde le sache** no quiero que todo el mundo se entere **(b)** *(introduit une hypothèse)* tanto si; **q. vous le vouliez ou non** queráis o no **(c)** *(dans les comparaisons)* que; **plus/moins joli q.** más/menos bonito(a) que **(d)** *(reprend une autre conjonction)* **s'il fait beau et q. nous ayons le temps** si hace bueno y tenemos tiempo (**e**) *(indique un ordre, un souhait)* que; **qu'il entre!** ¡que entre!

(**f**) *(avec un présentatif)* **voilà q. ça recommence!** ¡ya empieza otra vez!

(**g**) *(afin que)* (para) que; **approchez qu'on vous entende** acérquese para que le oigamos

2 *pron relatif* (**a**) *(chose, animal)* que; *(personne)* (al) que, (a la) que; **la femme q. j'aime** la mujer que quiero; **ce q.** lo que

(**b**) *(dans le temps)* que; **il y a trois ans q. nous habitons ici** hace tres años que vivimos aquí

3 *pron interrogatif* qué; **je ne sais q. dire** no sé qué decir; **qu'est-ce q.** qué; **qu'est-ce q. tu veux?** ¿qué quieres?; **qu'est-ce qui** qué; **qu'est-ce qui se passe?** ¿qué pasa?

4 *adv exclamatif* qué; **q. c'est bizarre!** ¡qué raro!; **q. de** cuánto(a); **q. de monde!** ¡cuánta gente!

Québec [kebɛk] **1** *n (ville)* Quebec

2 *nm* **le Q.** *(province)* (el) Quebec

québécois, -e [kebekwa, -az] **1** *adj* quebequés(esa)

2 *nm,f* **Q.** quebequés(esa) *m,f*

3 *nm (langue)* quebequés *m*

quel, quelle [kɛl] **1** *adj interrogatif* qué; **quelle heure est-il?** ¿qué hora es?; **q. homme?** ¿qué hombre?; **q. est ton préféré?** ¿cuál es tu preferido?

2 *adj exclamatif* qué; **q. dommage!** ¡qué pena!

3 *adj indéfini* **il se baigne q. que soit le temps** se baña haga el tiempo que haga; **il refuse de voir les nouveaux arrivants, quels qu'ils soient** se niega a ver a los recién llegados, sean quienes sean

4 *pron interrogatif (chose)* cuál; *(personne)* quién

quelconque [kɛlkɔ̃k] **1** *adj indéfini* cualquiera; **sous un prétexte q.** con un pretexto cualquiera

2 *adj Péj (ordinaire)* del montón

quelque [kɛlk(ə)] **1** *adj indéfini (un certain, un peu de)* algún(una); **q.**

peu algo, un poco; **à q. distance de là** a poca distancia de allí; **q. chemin que je prenne** tome el camino que tome

2 quelques *adj indéfini pl* unos(as) cuantos(as); **j'ai quelques lettres à écrire** tengo que escribir unas cuantas o algunas cartas; **tu n'as pas quelques photos à me montrer?** ¿no tienes fotos que enseñarme?, ¿no tienes ninguna foto que enseñarme?; **les quelques fois que** las pocas veces que; **et quelques** y pico; **il est midi et quelques** son las doce y pico

3 *adv (environ)* unos(as); **q. 200 francs** unos 200 francos

quelque chose [kɛlkəʃoz] *pron indéfini* algo; **q. d'autre** otra cosa; **ça m'a fait q.** me emocionó; *Fam* **un petit q.** *(cadeau)* una cosita, un regalito; *(boisson)* una copita

quelquefois [kɛlkəfwa] *adv* a veces

quelques-uns, quelques-unes [kɛlkəzœ̃, -yn] *pron indéfini* algunos(as); **q. de ces spectateurs** algunos de estos espectadores

quelqu'un [kɛlkœ̃] *pron indéfini m* alguien; **c'est q. d'intelligent** es una persona inteligente; **q. d'autre** otra persona, otro(a) *m,f*

quémander [kemɑ̃de] *vt* mendigar

qu'en-dira-t-on [kɑ̃diratɔ̃] *nm inv* *Fam* **se moquer/se soucier du q.** burlarse/preocuparse del qué dirán

quenelle [kənɛl] *nf* = especie de croqueta grande de ternera, lucio o ave

querelle [kərɛl] *nf* pelea *f*; **chercher q. à qn** buscar pelea con alguien

quereller [4] [kərɛle] **se quereller** *vpr* discutir

question [kɛstjɔ̃] *nf (interrogation)* pregunta *f*; *(sujet de discussion)* cuestión *f*; **poser une q. à qn** hacer una pregunta a alguien; **il est q. de faire qch** es cuestión de hacer algo; **il n'en est pas q.!** ¡ni hablar!; **le dossier**

en q. el caso en cuestión; **mettre qch/ qqn en q.** poner algo/a alguien en duda; *Fam* **q. argent, ça va** en cuanto al dinero, la cosa va bien ☆ *q. piège* pregunta capciosa; *q. subsidiaire* pregunta de desempate

questionnaire [kɛstjɔnɛr] *nm* cuestionario *m*

questionner [kɛstjɔne] *vt* interrogar

quête [kɛt] *nf Litt (recherche)* búsqueda *f*; *(d'argent)* colecta *f*; **faire la q.** *(artiste)* pasar la gorra; **se mettre en q. de** ir en busca de

quêter [kete] **1** *vi* colectar
2 *vt (solliciter)* mendigar

quêteux, -euse [kɛtø, -øz] *nm,f Can* mendigo(a) *m,f*

queue [kø] *nf (d'un animal)* cola *f*, rabo *m*; *(d'un fruit)* rabillo *m*; *(d'un objet)* mango *m*; *(de billard)* taco *m*; *(d'un groupe)* cola *f*; *Vulg (sexe)* rabo *m*; **être en q. de peloton** ir a la cola del pelotón; **être en q.** ir en el vagón de cola; **faire la q.** hacer cola; **à la q. leu leu** en fila india; **faire une q. de poisson à qn** = volver bruscamente a la fila tras haber adelantado a otro vehículo

queue-de-cheval (*pl* **queues-de-cheval**) [kødʃəval] *nf* cola *f* de caballo

queue-de-pie (*pl* **queues-de-pie**) [kødpi] *nf* chaqué *m*

qui [ki] **1** *pron relatif* (a) *(sujet)* que; **la maison q. est là** la casa que está allí; **je l'ai vu q. passait** lo vi pasar; **vous q. vous y connaissez, ...** usted que entiende, ...; **q. plus est** lo que es más
  (b) *(complément d'objet direct)* quien; **invite q. tu veux** invita a quien quieras
  (c) *(après une préposition)* quien; **à q.** a quien; **avec q.** con quien
  (d) *(indéfini)* quienquiera; **q. que ce soit** quienquiera que sea
2 *pron interrogatif* (a) *(sujet)* quién;

q. es-tu? ¿quién eres?; je ne sais pas q. tu es no sé quién eres; q. est-ce q. quién
  (b) *(complément d'objet direct)* a quien; **q. préfères-tu?** ¿a quién prefieres?; **q. est-ce que** a quién
  (c) *(après une préposition)* quien; **à q. est ce livre?** ¿de quién es ese libro?; **à q. le tour?** ¿a quién le toca?; **à q. parles-tu?** ¿con quién hablas?; **à q. penses-tu?** ¿en quién piensas?; **avec q.?** ¿con quién?

quiche [kiʃ] *nf* quiche *f* ☆ *q. lorraine* quiche lorraine

quiconque [kikɔ̃k] *pron indéfini* **q. désobéira sera puni** quien desobedezca será castigado; **pour q. a l'habitude de lire** para cualquiera que tenga costumbre de leer; **sans en avertir q.** sin avisar a nadie

quignon [kiɲɔ̃] *nm* mendrugo *m*

quille [kij] *nf (de bateau)* quilla *f*; *(de jeu)* bolo *m*; *Fam* **la q.** *(fin du service militaire)* la blanca; *Fam* **quilles** *(jambes)* patas *fpl*

quilleur, -euse [kijœr, -øz] *nm,f Can* = jugador de bolos

quincaillerie [kɛ̃kajri] *nf (ustensiles)* quincalla *f*; *(magasin)* ferretería *f*; *Fam (bijoux)* quincalla *f*

quinconce [kɛ̃kɔ̃s] **en quinconce** *adv* al trebolillo

quinquagénaire [kɛ̃kaʒenɛr] *adj & nmf* quincuagenario(a) *m,f*

quinquennal, -e, -aux, -ales [kɛ̃kenal, -o] *adj* quinquenal

quintal, -aux [kɛ̃tal, -o] *nm* quintal *m*

quinte [kɛ̃t] *nf* **q. de toux** ataque *m* de tos

quintuple [kɛ̃typl] **1** *adj* quíntuplo(a)
  2 *nm* quíntuplo *m*

quintuplés, -ées [kɛ̃typle] *nm,fpl* quintillizos(as) *m,fpl*

quinzaine [kɛ̃zɛn] *nf* quincena *f*

quinze [kɛ̃z] **1** *adj inv* quince; **dans**

q. jours dentro de quince días o dos semanas

2 *nm inv (chiffre)* quince *m*; *Sp* **le q. de France** = el equipo nacional de rugby francés; *voir aussi* **six**

quiproquo [kiprɔko] *nm* quid pro quo *m*

quittance [kitɑ̃s] *nf* recibo *m*; **q. d'électricité/de loyer** recibo de la luz/del alquiler

quitte [kit] *adj* **être q. (envers qn)** estar en paz (con alguien); **en être q. pour faire qch** librarse con hacer algo; **il en a été q. pour une bonne peur** no ha sido más que el susto; **q. à faire qch** aunque tenga/tengamos/*etc* que hacer algo; **q. à dormir par terre je préfère rester** aunque tenga que dormir en el suelo prefiero quedarme; **q. ou double** doble o nada

quitter [kite] **1** *vt (renoncer à, abandonner)* dejar, abandonar; *(partir de)* irse de, marcharse de; *(vêtement)* quitarse; **ne quittez pas!** *(au téléphone)* no cuelgue

2 se quitter *vpr* separarse

qui-vive [kiviv] *nm inv* **être sur le q.** estar en vilo

quoi [kwa] **1** *pron relatif* **ce à q. je me suis intéressée** aquello por lo que me interesé; **c'est en q. tu as tort** ahí es donde te equivocas; **après q.** después de lo cual; **avoir de q. vivre** tener de qué vivir; **avez-vous de q. écrire?** ¿tiene con qué escribir?; **il n'y a pas de q. s'énerver** no hay por qué enfadarse; **merci - il n'y a pas de q.** gracias - de nada

2 *pron interrogatif* qué; **je ne sais pas q. dire** no sé qué decir; **q. de neuf?** ¿qué hay de nuevo?; **à q. bon?** ¿para qué?; **à q. penses-tu?** ¿en qué piensas?; *Fam* **q.?** *(comment?)* ¿qué?; *Fam* **ou q.?** ¿o no?, ¿o qué?; *Fam* **tu viens ou q.?** ¿vienes o no?; *Fam* **décide-toi, q.!** ¿te decides o qué?, ¿te decides o no?

3 quoi que *conj* **q. qu'il arrive** pase lo que pase; **q. qu'il dise** diga lo que diga; **q. qu'il en soit** sea como sea

quoique [kwak] *conj* aunque + *indicatif*

quolibet [kɔlibɛ] *nm* pulla *f*

quota [kɔta] *nm* cuota *f*; *(d'importation)* cupo *m*

quotidien, -enne [kɔtidjɛ̃, -ɛn] **1** *adj* diario(a)

2 *nm (vie quotidienne)* cotidiano *m*; *(journal)* diario *m*

quotient [kɔsjɑ̃] *nm* cociente *m* ☆ **q. intellectuel** coeficiente *m* intelectual o de inteligencia

R

R, r [ɛr] *nm inv (lettre)* R *f*, r *f*
r *(abrév* **rue)** C /

rabâcher [rabɑʃe] *Fam* **1** *vi* macha-car; **tu rabâches!** ¡no seas macha-cón!
  2 *vt* machacar

rabais [rabɛ] *nm* descuento *m*, reba-ja *f*; **au r.** *(avec une réduction)* con re-baja; *Péj (de peu de valeur)* de pacotilla

rabaisser [rabese] **1** *vt (personne)* rebajar
  2 se rabaisser *vpr* rebajarse

rabat [raba] *nm (de sac à main)* tapa *f*; *(d'enveloppe)* solapa *f*

rabat-joie [rabaʒwa] *adj inv & nmf inv* aguafiestas *mf inv*

rabatteur, -euse [rabatœr, -øz] *nm,f (de gibier)* ojeador(ora) *m,f*; *Fig (de clientèle)* gancho *m*

rabattre [11] [rabatr] **1** *vt (col)* do-blar; *(couvercle)* cerrar; *(gibier)* ojear; *(client)* captar
  2 se rabattre *vpr (siège)* abatirse; *(voiture)* cerrarse; **se r. sur** *(se contenter de)* conformarse con

rabbin [rabɛ̃] *nm* rabino *m*

râblé, -e [rɑble] *adj* fornido(a)

rabot [rabo] *nm* cepillo *m (de carpin-tería)*

raboter [rabɔte] *vt* cepillar

rabougri, -e [rabugri] *adj (plante)* desmedrado(a); *(personne)* cani-jo(a)

rabrouer [rabrue] *vt* desairar

raccommoder [rakɔmɔde] **1** *vt (vête-ment)* zurcir; *Fam* **r. qn avec qn** hacer que alguien haga las paces con alguien
  2 se raccommoder *vpr Fam* hacer las paces **(avec** con)

raccompagner [rakɔ̃paɲe] *vt* acom-pañar

raccord [rakɔr] *nm (liaison)* retoque *m*; *(pièce)* empalme *m*; *Cin* ajuste *m*

raccorder [rakɔrde] **1** *vt* conectar **(à** con)
  2 se raccorder *vpr* **se r. à qch** conec-tar(se) con algo

raccourci [rakursi] *nm* atajo *m*; **pren-dre un r.** tomar un atajo; *Fig* **en r.** en síntesis

raccourcir [rakursir] **1** *vt* acortar; *(texte)* abreviar
  2 *vi (jours)* menguar

raccrocher [rakrɔʃe] **1** *vt* volver a colgar
  2 *vi (au téléphone)* colgar; *Fam (abandonner)* colgar la toalla
  3 se raccrocher *vpr aussi Fig* **se r. à** aferrarse a

race [ras] *nf (humaine, animale)* raza *f*; *Fig (catégorie)* raza *f*, casta *f*; **de r.** de raza

racé, -e [rase] *adj (animal)* de raza; *(voiture)* con clase

rachat [raʃa] *nm (de biens)* nueva compra *f*; *Fig (de péchés)* redención *f*; *(de prisonniers)* rescate *m*

racheter [6] [raʃte] **1** vt (acheter à nouveau) volver a comprar; (acheter d'occasion) comprar; (péché, faute) redimir; (défaut, lapsus) compensar; (prisonnier, candidat) rescatar **2 se racheter** vpr hacer méritos

rachitique [raʃitik] adj raquítico(a)

racial, -e, -aux, -ales [rasjal, -o] adj racial

racine [rasin] nf raíz f; **prendre r.** echar raíces ☆ Math **r. carrée** raíz cuadrada

racisme [rasism] nm racismo m

raciste [rasist] adj & nmf racista mf

racket [rakɛt] nm extorsión f, chantaje m

raclée [rɑkle] nf Fam Esp tunda f, paliza f, Am golpiza f; **prendre** ou **ramasser une r.** recibir una paliza

racler [rɑkle] **1** vt rascar **2 se racler** vpr se **r. la gorge** rascarse la garganta

racoler [rakɔle] vt enganchar (prostituta)

racoleur, -euse [rakɔlœr, -øz] adj (publicité) facilón(ona); (sourire) baboso(a)

racontars [rakɔ̃tar] nmpl chismes mpl, habladurías fpl

raconter [rakɔ̃te] vt contar; **r. qch à qn** contar algo a alguien; Fam **mais qu'est-ce qu'il raconte?** pero, ¿qué dice?

racorni, -e [rakɔrni] adj reseco(a); (papier) acartonado(a)

radar [radar] nm radar m

rade [rad] nf rada f; Fam **laisser qch/qn en r.** dejar colgado(a) algo/a alguien

radeau, -x [rado] nm balsa f

radiateur [radjatœr] nm radiador m ☆ **r. électrique** radiador eléctrico

radiation [radjasjɔ̃] nf (rayonnement) radiación f

radical, -e, -aux, -ales [radikal, -o] **1** adj radical **2** nm radical m

radier [radje] vt (d'une profession) expulsar

radieux, -euse [radjø, -øz] adj radiante

radin, -e [radɛ̃, -in] adj & nm,f Fam rácano(a) m,f

radio [radjo] nf (diffusion, transistor, station) radio f; **passer une r.** (rayons X) hacerse una radiografía ☆ **r. libre** emisora f privada de radio; **r. pirate** radio pirata

radioactif, -ive [radjɔaktif, -iv] adj radiactivo(a), radioactivo(a)

radioactivité [radjɔaktivite] nf radiactividad f, radioactividad f

radiocassette [radjokasɛt] nm radiocasete m

radiographie [radjɔɡrafi] nf radiografía f

radiologue [radjɔlɔɡ], **radiologiste** [radjɔlɔʒist] nmf radiólogo(a) m,f

radio-réveil (pl **radios-réveils**) [radjorevɛj] nm radiodespertador m

radis [radi] nm rábano m; Fam **ne plus avoir un r.** estar sin blanca

radius [radjys] nm radio m (hueso)

radoter [radɔte] vi (rabâcher) repetir lo mismo una y otra vez; (divaguer) chochear

radoucir [32] [radusir] **se radoucir** vpr (personne, temps) suavizarse

radoucissement [radusismɑ̃] nm mejora f (del tiempo, de la temperatura)

rafale [rafal] nf (de vent) ráfaga f, racha f; (de coups de feu) ráfaga f; Fig (d'applaudissements) salva f; **souffler en r.** rachear

raffiné, -e [rafine] adj refinado(a)

raffinement [rafinmɑ̃] nm refinamiento m

raffiner [rafine] vt refinar

raffinerie [rafinri] nf refinería f

raffoler [rafɔle] **raffoler de** vt ind **il raffole des glaces** le chiflan los helados

raffut [rafy] *nm Fam Esp* jaleo *m*, *Am* relajo *m*, *RP* despiole *m* ; **faire du r.** armar jaleo

rafistoler [rafistɔle] *vt Fam* remendar

rafle [rafl] *nf* redada *f*

rafler [rɑfle] *vt Fam (s'emparer de)* arramblar con ; *(piller, voler)* birlar

rafraîchir [rafreʃir] **1** *vt (nourriture, vin)* enfriar ; *(rénover) (vêtement, appartement)* reformar ; *(coupe de cheveux)* igualar ; *Fig* **r. la mémoire à qn** refrescar la memoria a alguien

2 *vi* enfriar

3 se rafraîchir *vpr* refrescarse

rafraîchissant, -e [rafreʃisɑ̃, -ɑ̃t] *adj* refrescante

rafraîchissement [rafreʃismɑ̃] *nm (du climat)* enfriamiento *m* ; *(boisson)* refresco *m* ; *(rénovation) (d'un vêtement, d'un appartement)* reforma *f* ; *(d'une coupe de cheveux)* cambio *m*

rafting [raftiŋ] *nm* rafting *m*

ragaillardir [ragajardir] *vt Fam* entonar

rage [raʒ] *nf (fureur, maladie)* rabia *f* ; *(manie, passion)* pasión *f* ; **faire r.** *(tempête, incendie)* causar estragos ☆ **r. de dents** dolor *m* de muelas

rager [45] [raʒe] *vi Fam* **r. contre** echar pestes contra ; **ça me fait r.** me da mucha rabia

rageur, -euse [raʒœr, -øz] *adj Fam (ton)* rabioso(a)

ragots [rago] *nmpl Fam* cotilleos *mpl*

ragoût [ragu] *nm* ragú *m*, guiso *m*

raid [rɛd] *nm Mil & Sp* raid *m* ; *Av* incursión *f*, raid *m* ☆ **r. aérien** incursión aérea, raid aéreo

raide [rɛd] **1** *adj (cheveux)* lacio(a) ; *(membre)* rígido(a), tieso(a) ; *(pente, escalier)* empinado(a) ; *(attitude)* envarado(a) ; *Fam (chanson, propos)* verde ; *Fam* **elle est r.!** *(c'est incroyable)* ¡eso pasa de castaño oscuro! ; *Fam* **être r.** *(sans argent)* estar pelado(a)

2 *adv* **grimper r.** ser empinado(a) ; **tomber r. mort** caer fulminado(a)

raideur [rɛdœr] *nf (physique)* rigidez *f* ; *(morale)* rigidez *f*, inflexibilidad *f*

raidir [redir] **1** *vt* estibar

2 se raidir *vpr* ponerse tenso(a)

raie[1] [rɛ] *nf (trait)* raya *f* ; *(des fesses)* raja *f*

raie[2] *nf (poisson)* raya *f*

rail [rɑj] *nm (de voie ferrée)* riel *m*, raíl *m* ; **le r.** *(moyen de transport)* el ferrocarril

railler [rɑje] *vt Litt* burlarse de

rainure [renyr] *nf* ranura *f*

raisin [rɛzɛ̃] *nm* uva *f* ☆ **raisins secs** (uvas) pasas *fpl*

raison [rɛzɔ̃] *nf (faculté de raisonner, sagesse)* razón *f* ; *(santé mentale)* juicio *m* ; *(motif, excuse)* razón *f*, motivo *m* ; **ramener qn à la r.** hacer entrar a alguien en razones ; **avoir r.** tener razón ; **avoir r. de faire qch** hacer bien en hacer algo ; **le froid a eu r. de lui** el frío pudo más que él ; **donner r. à qn** dar la razón a alguien ; **perdre la r.** perder la razón ; **à plus forte r.** razón de más ; **à r. de** a razón de ; **en r. de qch** debido a algo ; **r. de plus** razón de más ☆ **r. d'État** razón de Estado ; **r. sociale** razón social ; **r. de vivre** razón de vivir

raisonnable [rɛzɔnabl] *adj (décision, prix)* razonable ; *(rationnel)* racional

raisonnement [rɛzɔnmɑ̃] *nm (faculté)* raciocinio *m* ; *(argumentation)* razonamiento *m*

raisonner [rɛzɔne] **1** *vi (penser)* pensar ; *(discuter)* razonar

2 *vt* hacer entrar en razón a

rajeunir [raʒœnir] **1** *vt (sujet: couleur, vêtement, coiffure)* rejuvenecer, hacer más joven ; *(décoration, canapé)* remozar ; *(population, profession)* rebajar la media de edad de ; **tu me rajeunis!** ¡me estás echando años de menos!

2 *vi* rejuvenecer, rejuvenecerse

rajouter [raʒute] *vt* volver a añadir; *Fam* **en r.** *(exagérer)* cargar las tintas

rajuster [raʒyste] **1** *vt (vêtement, cravate)* retocar
  2 se rajuster *vpr* retocarse

râle [rɑl] *nm* estertor *m*

ralenti [ralɑ̃ti] *nm (en voiture)* ralentí *m*; *(scène de film)* escena *f* a cámara lenta; *Cin* **au r.** a cámara lenta

ralentir [ralɑ̃tir] **1** *vt (allure, expansion, rythme)* reducir; *(pas)* aminorar
  2 *vi* reducir la velocidad

ralentissement [ralɑ̃tismɑ̃] *nm (embouteillage)* retención *f*; *(diminution)* disminución *f*

râler [rɑle] *vi (malade)* tener estertores; *Fam (se plaindre)* refunfuñar

rallier [ralje] **1** *vt (rassembler) (hommes)* concentrar; *(suffrages)* agrupar; *(se joindre à) (troupe)* incorporarse a; *(parti)* adscribirse a; *(majorité)* sumarse a
  2 se rallier *vpr* **se r. à qch** *(parti)* adscribirse a algo; *(avis, cause)* sumarse a

rallonge [ralɔ̃ʒ] *nf (de table)* larguero *m*; *(électrique)* prolongador *m*, alargo *m*; *Fam (de crédit)* plus *m*

rallonger [45] [ralɔ̃ʒe] **1** *vt* alargar
  2 *vi* alargarse

rallumer [ralyme] *vt* volver a encender; *Fig (querelle, passion)* reavivar

rallye [rali] *nm* rallye *m*

RAM [ram] *nf (abrév* **random access memory)** RAM *f*

ramadan [ramadɑ̃] *nm* ramadán *m*

ramassage [ramasaʒ] *nm* recogida *f*
  ☆ **r. scolaire** transporte *m* escolar

ramasser [ramase] **1** *vt* recoger; *(champignons, fleurs)* recoger, *Esp* coger; *(personne)* levantar del suelo; *Fig (pensée)* condensar, resumir; *Fam (voleur, criminel)* echar el guante a; *Fam (claque)* llevarse
  2 se ramasser *vpr (se replier)* enco-

gerse; *Fam (tomber)* medir el suelo; *Fam (échouer)* catear

ramassette [ramasɛt] *nf Belg* recogedor *m*

rambarde [rɑ̃bard] *nf* barandilla *f*

rame¹ [ram] *nf (d'embarcation)* remo *m*

rame² *nf (du métro)* tren *m*; *(de papier)* resma *f*

rame³ *nf (de haricots, de pois)* rodrigón *m*

rameau, -x [ramo] *nm* ramo *m*; *Rel* **les Rameaux** el domingo de Ramos

ramener [24] [ramne] **1** *vt (personne) (reconduire)* acompañar; *(amener de nouveau)* volver a llevar; *(objet)* traer; *(faire réapparaître) (paix, ordre)* restablecer; *(inquiétudes, gaieté)* hacer renacer; **r. qch à qch** *(réduire)* reducir algo a algo; *Fam* **r. sa fraise, la r.** fanfarronear
  2 se ramener *vpr Fam* venir

ramer [rame] *vi (dans un bateau)* remar; *Fam Fig (peiner)* bregar

ramifier [ramifje] **se ramifier** *vpr* ramificarse

ramolli, -e [ramɔli] *adj Fam (mentalement)* chocho(a)

ramollir [ramɔlir] **1** *vt (matière)* reblandecer, ablandar; *Fam Fig (personne)* acabar con
  2 *vi* reblandecerse, ablandarse
  3 se ramollir *vpr (matière)* reblandecerse, ablandarse; *Fam Fig* **il s'est ramolli** se le ha secado el cerebro

ramoner [ramɔne] *vt* deshollinar

ramoneur [ramɔnœr] *nm* deshollinador *m*

rampe [rɑ̃p] *nf (d'escalier)* baranda *f*, barandilla *f*; *(plan incliné)* rampa *f*; *Th* candilejas *fpl* ☆ **r. d'accès** rampa de acceso; **r. de lancement** rampa o plataforma *f* de lanzamiento

ramper [rɑ̃pe] *vi (animal, personne)* reptar; *(plante)* trepar; *Péj* **r. devant qn** arrastrarse ante alguien

rance [rɑ̃s] **1** *adj* rancio(a)
2 *nm* **ça sent le r.** huele a rancio

rancœur [rɑ̃kœr] *nf* rencor *m*

rançon [rɑ̃sɔ̃] *nf (somme d'argent)* rescate *m*; *Fig (compensation, contrepartie)* precio *m*; **la r. de la gloire** el precio de la gloria

rancune [rɑ̃kyn] *nf* rencor *m*; **garder ou tenir r. à qn de qch** guardar rencor a alguien por algo; **sans r.!** ¡sin rencores!

rancunier, -ère [rɑ̃kynje, -ɛr] *adj* rencoroso(a)

randonnée [rɑ̃dɔne] *nf* **faire de la r.** *(à pied)* hacer senderismo; **faire une r.** dar un paseo, hacer una excursión

randonneur, -euse [rɑ̃dɔnœr, -øz] *nm,f* excursionista *mf*

rang [rɑ̃] *nm (d'objets, de personnes)* & *Mil* fila *f*; *(de perles, de tricot)* vuelta *f*; *(ordre)* puesto *m*; *(hiérarchie, classe sociale)* rango *m*; *Can (peuplement rural)* = población rural dispersa con explotaciones agrícolas alineadas perpendicularmente a una carretera o a un río; *Can (chemin)* = camino que comunica las explotaciones agrícolas de una población rural dispersa; **se mettre en r. (par deux)** ponerse en fila (de a dos); *Fig* **se mettre sur les rangs** presentar su candidatura

rangé, -e [rɑ̃ʒe] *adj (personne)* formal; *(vie)* ordenado(a)

rangée [rɑ̃ʒe] *nf* hilera *f*

rangement [rɑ̃ʒmɑ̃] *nm* orden *m*; *(placard)* alacena *f*; **faire du r.** poner orden

ranger [45] [rɑ̃ʒe] **1** *vt (chambre, objets)* ordenar; *Fig* **r. qch/qn parmi** colocar algo/a alguien entre
2 se ranger *vpr (voiture)* echarse a un lado; *(piéton)* apartarse, dejar paso; *(devenir sage)* sentar la cabeza; **se r. par deux** ponerse en fila de a dos; *Fig* **se r. à** *(se rallier)* plegarse a

ranimer [ranime] *vt (personne)* reanimar; *(feu)* avivar; *Fig (sentiment)* despertar

rap [rap] *nm* rap *m*

rapace [rapas] **1** *nm* rapaz *m*, ave *f* rapaz
2 *adj Péj* codicioso(a)

rapatrier [66] [rapatrije] *vt* repatriar

râpe [rɑp] *nf (de cuisine)* rallador *m*; *(de menuisier)* escofina *f*

râpé, -e [rɑpe] *adj (fromage, noix muscade)* rallado(a); *(vêtement)* raído(a); *Fam* **c'est r.!** *(raté)* ¡se acabó!, ¡olvídate!

râper [rɑpe] *vt (fromage, noix muscade)* rallar; *(bois, métal)* limar; *Fig (gorge)* raspar

rapetisser [raptise] **1** *vt (faire paraître plus petit)* empequeñecer
2 *vi* empequeñecerse

rapide [rapid] **1** *adj* rápido(a)
2 *nm* rápido *m*

rapidement [rapidmɑ̃] *adv* rápidamente

rapidité [rapidite] *nf (d'un processus)* rapidez *f*; *(d'un véhicule)* velocidad *f*

rapiécer [16/34] [rapjese] *vt* remendar

rappel [rapɛl] *nm (souvenir, vaccin)* recuerdo *m*; *(de paiement)* advertencia *f*; *(de salaire)* pago *m* de un atraso; *(au spectacle)* llamada *f* a escena; *(en alpinisme)* rápel *m*, rappel *m* ☆ **r. à l'ordre** llamada al orden

rappeler [9] [raple] **1** *vt (appeler de nouveau)* volver a llamar; *(ressembler à)* recordar a; *(acteurs)* llamar a escena; **r. à qn que** recordar a alguien que; **il me rappelle un ami à moi** me recuerda a un amigo mío; **r. qn à l'ordre** llamar la atención a alguien
2 se rappeler *vpr* recordar, acordarse de; **se r. que** recordar que, acordarse de que

rapport [rapɔr] *nm (corrélation)* relación *f*, *Am* atingencia *f*; *(compte* *rendu) informe m; (profit)* rendimiento *m; (ratio)* razón *f;* **rapports** *(relation)* relaciones; **ça n'a aucun r. (avec)** eso no tiene nada que ver (con); **être/se mettre en r. avec qn** ponerse en contacto con alguien; **par r. à** en relación a, con respecto a ☆ *r. qualité-prix* relación calidad-precio; *rapports (sexuels)* relaciones (sexuales)

rapporter [rapɔrte] **1** *vt (apporter avec soi)* traer; *(apporter de nouveau)* volver a traer; *(rendre)* devolver; *(argent, profit)* reportar; *(fait)* relatar, contar
  2 *vi (être rentable)* rendir; *(répéter)* chivarse
  3 se rapporter *vpr* se r. à referirse a

rapporteur, -euse [rapɔrtœr, -øz] **1** *adj & nm,f (enfant)* chivato(a) *m,f*
  2 *nm (de commission)* ponente *m; (instrument)* transportador *m*

rapprochement [raprɔʃmɑ̃] *nm* acercamiento *m; (comparaison)* relación *f*

rapprocher [raprɔʃe] **1** *vt (mettre plus près)* acercar (**de** a); *Fig (unir)* unir; *(comparer)* cotejar
  2 se rapprocher *vpr* acercarse (**de** a); *(être semblable)* parecerse (**de** a)

raquette [rakɛt] *nf* raqueta *f*

rare [rar] *adj (peu fréquent)* contado(a); *(peu nombreux)* contado(a), escaso(a); *(peu dense)* ralo(a); *(remarquable)* raro(a)

rarement [rarmɑ̃] *adv* raramente

ras, -e [ra, raz] **1** *adj (herbe, poil, barbe)* corto(a); *(cheveux)* al rape; *(mesure)* raso(a); **à r. bord** hasta el borde
  2 *adv* al rape; *Fam* **en avoir r. le bol** estar hasta las narices *o* hasta el moño; **à r. de, au r. de** a ras de

rasade [razad] *nf* vaso *m* lleno, copa *f* llena

rasant, -e [razɑ̃, -ɑ̃t] *adj (tir, lu-*

mière) rasante; *Fam (ennuyeux)* latoso(a)

raser [raze] **1** *vt (barbe)* afeitar; *(cheveux)* rapar; *(mur, sol)* pasar rozando; *(bombarder)* arrasar; *Fam (ennuyer)* ser un rollo para
  2 se raser *vpr (se couper la barbe)* afeitarse; *Fam (s'ennuyer)* aburrirse

rasoir [razwar] **1** *nm* navaja *f* de afeitar ☆ *r. électrique* maquinilla *f* eléctrica; *r. mécanique* maquinilla mecánica
  2 *adj inv Fam* **qu'est-ce qu'il est r., ce film!** ¡qué rollo de película!

rassasier [rasazje] *vt* hartar, saciar

rassemblement [rasɑ̃bləmɑ̃] *nm (de personnes)* concentración *f,* aglomeración *f; (union, parti)* agrupación *f*

rassembler [rasɑ̃ble] **1** *vt* reunir; *(idées)* poner en orden; *(courage)* hacer acopio de
  2 se rassembler *vpr (manifestants)* concentrarse; *(famille)* reunirse

rasseoir [10a] [raswar] **se rasseoir** *vpr* volver a sentarse

rassis, -e [rasi, -iz] *adj (pain)* duro(a)

rassurant, -e [rasyrɑ̃, -ɑ̃t] *adj* tranquilizador(ora)

rassuré, -e [rasyre] *adj* tranquilo(a); **ne pas être r.** no estar tranquilo

rassurer [rasyre] **1** *vt* tranquilizar
  2 se rassurer *vpr* tranquilizarse; **rassurez-vous, ...** *Esp* descuide, ..., *Am* no se preocupe, ...

rat [ra] **1** *nm* rata *f* ☆ *petit r. (danseuse)* = joven bailarina de la escuela de danza de la Ópera de París
  2 *adj Fam* rata

ratatiné, -e [ratatine] *adj (fruit, visage)* arrugado(a); *Fam (vélo, voiture)* hecho(a) polvo

rate [rat] *nf (organe)* bazo *m*

raté, -e [rate] **1** *adj (tentative)* malogrado(a); **ta photo/ta tarte est ratée** te ha salido mal la foto/la tarta; **c'est**

r.! *(il n'y a plus d'espoir)* no hay nada que hacer
  2 *nm,f* fracasado(a) *m,f*
  3 *nm Aut* sacudida *f*; *(difficulté)* tropiezo *m*

râteau, -x [rɑto] *nm* rastrillo *m*

rater [rate] **1** *vt (train, occasion)* perder; *(personne)* no encontrar; *(cible)* errar; *(gibier)* dejar escapar; *(vie)* malograr; *(examen)* suspender; **j'ai raté le gâteau** me ha salido mal el pastel
  2 *vi* fracasar
  3 se rater *vpr (manquer son suicide)* fracasar *(en una tentativa de suicidio)*; *(ne pas se rencontrer)* no encontrarse

ratifier [ratifje] *vt* ratificar

ration [rasjɔ̃] *nf* ración *f* ☆ **r. alimentaire** ración alimenticia

rationnel, -elle [rasjɔnɛl] *adj* racional

rationnement [rasjɔnmɑ̃] *nm* racionamiento *m*

rationner [rasjɔne] *vt (aliment)* racionar; *(personne)* racionar la comida de, racionarle la comida a

ratisser [ratise] *vt (jardin)* rastrillar; *(zone, quartier)* peinar

raton [ratɔ̃] *nm* **r. laveur** mapache *m*

RATP [ɛratepe] *nf (abrév* **Régie autonome des transports parisiens)** = empresa pública autónoma de transportes públicos parisinos, ≃ EMT *f*

rattacher [rataʃe] **1** *vt (attacher de nouveau)* volver a atar; **r. qch à qch** *(région)* incorporar algo a algo; *Fig (faire le lien entre)* relacionar algo con algo; **r. qn à qch** unir a alguien a algo
  2 se rattacher *vpr* **se r. à qch** relacionarse con algo

rattrapage [ratrapaʒ] *nm Scol* recuperación *f*

rattraper [ratrape] **1** *vt (animal, prisonnier)* atrapar, *Esp* coger, *Am* agarrar; *(temps perdu)* recuperar; *(bus)* alcanzar; *(personne qui tombe)* agarrar; *(erreur, malfaçon)* reparar
  2 se rattraper *vpr (se retenir)* agarrarse **(à** a); *(rattraper le temps perdu)* recuperar el tiempo perdido

rature [ratyr] *nf* tachadura *f*

raturer [ratyre] *vt* tachar

rauque [rok] *adj* ronco(a)

ravagé, -e [ravaʒe] *adj Fam (fou)* chalado(a)

ravager [45] [ravaʒe] *vt* asolar

ravages [ravaʒ] *nmpl* estragos *mpl*

ravaler [ravale] *vt (façade, immeuble)* revocar; *(salive)* tragar; *Fig (larmes, colère)* tragarse

rave [rɛv] *nf Fam (soirée)* = fiesta multitudinaria con música bakalao

ravi, -e [ravi] *adj (personne)* encantado(a) **(de qch** con algo); *(air)* radiante; **r. de faire votre connaissance** encantado de conocerle

ravier [ravje] *nm* fuente *f (para entremeses)*

ravigoter [ravigɔte] *vt Fam* entonar

ravin [ravɛ̃] *nm* barranco *m*

ravioli [ravjɔli] *nm* ravioli *m*

ravir [ravir] *vt (charmer)* encantar; **à r.** *(admirablement)* a las mil maravillas; *Litt* **r. qch à qn** *(arracher)* arrebatar algo a alguien

raviser [ravize] **se raviser** *vpr* echarse atrás

ravissant, -e [ravisɑ̃, -ɑ̃t] *adj* encantador(ora)

ravisseur, -euse [ravisœr, -øz] *nm,f* secuestrador(ora) *m,f*

ravitaillement [ravitajmɑ̃] *nm* abastecimiento *m*

ravitailler [ravitaje] **1** *vt (en denrées)* abastecer; *(en carburant)* repostar
  2 se ravitailler *vpr (en denrées)* abastecerse; *(en carburant)* repostar

raviver [ravive] *vt* reavivar

rayé, -e [reje] *adj (tissu)* a rayas; *(disque, vitre)* rayado(a)

rayer [53] [reje] *vt (disque, vitre)* rayar; *(nom, mot)* tachar; **être rayé de la carte** desaparecer del mapa

rayon [rɛjɔ̃] *nm (de lumière, radiation)* rayo *m*; *Fig (d'espoir)* viso *m*, resquicio *m*; *(d'une roue, d'un cercle)* radio *m*; *(dans un magasin)* sección *f*; *(étagère)* estante *m*; *(d'une ruche)* panal *m*; **dans un r. de** en un radio de ☆ **r. d'action** radio de acción; **r. de braquage** radio de giro; **r. laser** rayo láser; *rayons X* rayos X

rayonnage [rɛjɔnaʒ] *nm* estantería *f*

rayonnant, -e [rɛjɔnɑ̃, -ɑ̃t] *adj* radiante

rayonnement [rɛjɔnmɑ̃] *nm* radiación *f*; *Fig (influence)* influencia *f*

rayonner [rɛjɔne] *vi (chaleur)* irradiar; *(soleil)* brillar; *(culture, visage)* resplandecer; *(avenues, rues)* tener una estructura radial; *(voyageur)* = viajar a diferentes lugares volviendo siempre a una base central

rayure [rɛjyr] *nf (sur une étoffe)* raya *f*; *(sur un disque, sur un meuble)* rayadura *f*; **à rayures** a rayas

raz de marée [radmare] *nm (vague)* maremoto *m*; *Fig* **r. de la droite aux élections** la derecha arrasa en las elecciones

razzia [razja] *nf* razia *f*; *Fam* **faire une r. sur qch** arramblar con algo

RDA [ɛrdea] *nf Anciennement (abrév* **République démocratique allemande)** RDA *f*

RdC *(abrév* **rez-de-chaussée)** B

ré [re] *nm inv Mus* re *m*

réacteur [reaktœr] *nm* reactor *m* ☆ **r. nucléaire** reactor nuclear

réaction [reaksjɔ̃] *nf* reacción *f*; **en r. contre** como reacción contra ☆ **r. en chaîne** reacción en cadena

réactionnaire [reaksjɔner] *adj & nmf* reaccionario(a) *m,f*

réactualiser [reaktyalize] *vt* reactualizar

réadaptation [readaptasjɔ̃] *nf* readaptación *f*

réadapter [readapte] **1** *vt (rééduquer)* reeducar
  2 se réadapter *vpr* **se r. à qch** readaptarse a algo

réagir [reaʒir] *vi* reaccionar; **r. à qch** *(à un médicament)* reaccionar a algo; *(à la critique)* reaccionar en contra de algo; **r. sur qch** *(se répercuter)* repercutir en algo

réajuster [reaʒyste] = **rajuster**

réalisateur, -trice [realizatœr, -tris] *nm,f* realizador(ora) *m,f*

réalisation [realizasjɔ̃] *nf* realización *f*

réaliser [realize] **1** *vt (effectuer), TV & Cin* realizar; *(rêve)* cumplir; *(se rendre compte de)* darse cuenta de; **r. que** darse cuenta de que
  2 se réaliser *vpr* realizarse

réaliste [realist] *adj & nmf* realista *mf*

réalité [realite] *nf* realidad *f*; **en r.** en realidad ☆ **r. virtuelle** realidad virtual

réanimation [reanimasjɔ̃] *nf* reanimación *f*; **être en r.** estar en cuidados intensivos

réanimer [reanime] *vt* reanimar

réapparaître [20] [reaparɛtr] *vi (aux* **être)** reaparecer

rébarbatif, -ive [rebarbatif, -iv] *adj (aspect, personne)* adusto(a); *(travail)* ingrato(a); *(style)* árido(a)

rebâtir [rəbɑtir] *vt* reedificar

rebattu, -e [rəbaty] *adj* trillado(a)

rebelle [rəbɛl] **1** *adj* rebelde; **être r. à la discipline** ser rebelde
  2 *nmf* rebelde *mf*

rebeller [rəbele] **se rebeller** *vpr* rebelarse (**contre** contra)

rébellion [rebeljɔ̃] *nf* rebelión *f*

rebiffer [rəbife] **se rebiffer** *vpr Fam* resistirse (**contre** a)

reboiser [rəbwaze] *vt* repoblar *(con árboles)*

rebond [rəbɔ̃] *nm* rebote *m*

rebondi, -e [rəbɔ̃di] *adj* rollizo(a)

rebondir [rəbɔ̃dir] *vi (objet)* rebotar; *Fig (affaire)* volver a cobrar actualidad; *Can (chèque)* ser rechazado(a)

rebondissement [rəbɔ̃dismã] *nm* resurgimiento *m*

rebord [rəbɔr] *nm* reborde *m*

reboucher [rəbuʃe] *vt* volver a tapar

rebours [rəbur] **à rebours** *adv* a contracorriente

rebrousse-poil [rəbruspwal] **à rebrousse-poil** *adv* a contrapelo

rebrousser [rəbruse] *vt* cepillar a contrapelo; **nous avons dû r. chemin** tuvimos que volver sobre nuestros pasos

rébus [rebys] *nm* jeroglífico *m (juego)*

rebut [rəby] *nm* **mettre qch au r.** deshacerse de algo

rebuter [rəbyte] *vt* repeler

récalcitrant, -e [rekalsitrã, -ãt] *adj* recalcitrante

recaler [rəkale] *vt Fam* catear

récapituler [rekapityle] *vt* recapitular

recel [rəsɛl] *nm (d'objets volés)* receptación *f; (de malfaiteur)* encubrimiento *m*

récemment [resamã] *adv* recientemente

recensement [rəsãsmã] *nm (de population)* censo *m; (de biens)* inventario *m*

recenser [rəsãse] *vt (population)* censar; *(biens)* inventariar

récent, -e [resã, -ãt] *adj* reciente

récépissé [resepise] *nm* resguardo *m*, recibo *m*

récepteur, -trice [reseptœr, -tris] **1** *adj* receptor(ora)
    2 *nm* receptor *m; (du téléphone)* auricular *m*

réception [resɛpsjɔ̃] *nf* recepción *f*

réceptionniste [resɛpsjɔnist] *nmf* recepcionista *mf*

récession [resesjɔ̃] *nf* recesión *f*

recette [rəsɛt] *nf (rentrée d'argent)* ingresos *mpl; (de cuisine) & Fig* receta *f*

recevable [rəsəvabl] *adj (offre, excuse)* admisible; *Jur (plainte)* admisible, válido(a)

receveur, -euse [rəsəvœr, -øz] *nm,f (des transports)* cobrador(ora) *m,f; Méd (d'une greffe, de sang)* receptor (ora) *m,f* ✫ **r. des impôts** inspector (ora) *m,f* de Hacienda; **r. des postes** jefe(a) *m,f* de correos

recevoir [60] [rəsəvwar] **1** *vt* recibir; *(candidature, plainte)* admitir; **être reçu à un examen** aprobar un examen
    2 se recevoir *vpr (après un saut, une chute)* caer

rechange [rəʃãʒ] **de rechange** *adj* de recambio, de repuesto

réchapper [reʃape] *vi* **r. à** *ou* **de qch** escapar a *o* de algo

recharge [rəʃarʒ] *nf* recarga *f*

rechargeable [rəʃarʒabl] *adj* recargable

réchaud [reʃo] *nm* hornillo *m*, infiernillo *m*

réchauffement [reʃofmã] *nm* recalentamiento *m*; **le r. de la planète** el cambio climático, el calentamiento global

réchauffer [reʃofe] **1** *vt (nourriture)* recalentar; *(personne)* hacer entrar en calor
    2 se réchauffer *vpr (personne)* entrar en calor; *(climat, terre)* recalentarse; **se r. les pieds/les mains** calentarse los pies/las manos

rêche [rɛʃ] *adj* áspero(a)

recherche [rəʃɛrʃ] *nf (quête) & Ordinat* búsqueda *f; (scientifique)* investigación *f; (raffinement)* refinamiento *m*; **être à la r. de qch/de qn**

estar buscando algo/a alguien; **partir à la r. de qch/de qn** ir en busca de algo/de alguien; **recherches** *(policières)* investigaciones; **faire de la r.** dedicarse a la investigación ☆ **r.** *fondamentale* investigación básica

recherché, -e [rəʃɛrʃe] *adj (rare)* codiciado(a); *(raffiné)* rebuscado(a)

rechercher [rəʃɛrʃe] *vt* buscar

rechigner [rəʃiɲe] *vi* **r. à faire qch** hacer algo a regañadientes; **sans r.** sin rechistar

rechute [rəʃyt] *nf* recaída *f*

récidiver [residive] *vi Jur* reincidir; *Méd* reaparecer

récif [resif] *nm* arrecife *m*

récipient [resipjã] *nm* recipiente *m*

réciproque [resiprɔk] **1** *adj* recíproco(a)
  2 *nf* **la r.** lo contrario

réciproquement [resiprɔkmã] *adv* recíprocamente; **et r.** y viceversa

récit [resi] *nm* relato *m*

récital, -als [resital] *nm* recital *m*

récitation [resitasjõ] *nf* poesía *f*

réciter [resite] *vt* recitar

réclamation [reklamasjõ] *nf* reclamación *f*

réclame [reklam] *nf (publicité)* propaganda *f*; *(annonce)* anuncio *m*; **faire de la r. pour qch** hacer propaganda de algo; **être en r.** estar de oferta

réclamer [reklame] *vt* reclamar; *(nécessiter)* exigir, requerir

réclusion [reklyzjõ] *nf* reclusión *f* ☆ **r. à perpétuité** reclusión a perpetuidad

recoiffer [rəkwafe] **1** *vt* repeinar
  2 se recoiffer *vpr* repeinarse

recoin [rəkwɛ̃] *nm* rincón *m*

reçois, reçoit, reçoive *etc voir* **recevoir**

recoller [rəkɔle] *vt* volver a pegar

récolte [rekɔlt] *nf* cosecha *f*

récolter [rekɔlte] *vt* cosechar; *Fig (renseignements, ennuis)* cosechar; *Fam (punition, gifle)* ganarse

recommandable [rəkɔmãdabl] *adj* recomendable; **peu r.** poco recomendable

recommandation [rəkɔmãdasjõ] *nf* recomendación *f*

recommandé, -e [rəkɔmãde] **1** *adj (envoi)* certificado(a); *(conseillé)* aconsejado(a)
  2 *nm* **envoyer qch en r.** enviar algo por correo certificado

recommander [rəkɔmãde] *vt* recomendar; **r. à qn de faire qch** recomendar a alguien que haga algo; **r. qn à qn** recomendar alguien a alguien

recommencer [16] [rəkɔmãse] **1** *vt (refaire)* volver a empezar; *(reprendre)* retomar, reemprender; *(répéter)* repetir
  2 *vi (récidiver)* volver a hacerlo; *(se produire de nouveau)* empezar de nuevo; **r. à faire qch** volver a hacer algo

récompense [rekõpãs] *nf* recompensa *f*

récompenser [rekõpãse] *vt* recompensar

réconciliation [rekõsiljasjõ] *nf* reconciliación *f*

réconcilier [rekõsilje] **1** *vt* reconciliar
  2 se réconcilier *vpr* reconciliarse

reconduire [18] [rəkõdɥir] *vt (personne)* acompañar; *(budget, politique)* seguir con; *Jur* reconducir

réconfort [rekõfɔr] *nm* consuelo *m*

réconfortant, -e [rekõfɔrtã, -ãt] *adj* reconfortante, *Méx* apapachador(ora)

réconforter [rekõfɔrte] *vt* reconfortar

reconnaissance [rəkɔnɛsãs] *nf* reconocimiento *m*; *(gratitude)* agradecimiento *m*; **aller** *ou* **partir en r.** ir a reconocer el terreno

reconnaissant, -e [rɔkɔnɛsɑ̃, -ɑ̃t] *adj* agradecido(a); **je vous serais r. de répondre rapidement** le agradecería que me respondiese rápidamente

reconnaître [20] [rɔkɔnɛtr] *vt* reconocer; **r. qch/qn à** *(identifier)* reconocer *o* conocer algo/a alguien por

reconsidérer [34] [rɔkɔ̃sidere] *vt* reconsiderar

reconstituer [rɔkɔ̃stitɥe] *vt* reconstituir; *(crime, faits)* reconstruir

reconstitution [rɔkɔ̃stitysjɔ̃] *nf* reconstitución *f*; *(de crime, de faits)* reconstrucción *f*

reconstruction [rɔkɔ̃stryksjɔ̃] *nf* reconstrucción *f*

reconstruire [18] [rɔkɔ̃strɥir] *vt* reconstruir; *(fortune)* rehacer

reconversion [rɔkɔ̃vɛrsjɔ̃] *nf* reconversión *f*; *(professionnelle)* reciclaje *m*

reconvertir [rɔkɔ̃vɛrtir] **se reconvertir** *vpr* reciclarse; **elle s'est reconvertie dans la comptabilité** se recicló y se puso a trabajar de contable

recopier [rɔkɔpje] *vt (texte)* copiar; *(brouillon)* pasar a limpio

record [rɔkɔr] **1** *nm* récord *m*; **battre/détenir un r.** batir/poseer un récord
    2 *adj inv* récord *inv*

recoudre [21] [rɔkudr] *vt* recoser

recoupement [rɔkupmɑ̃] *nm* cotejo *m*; **par r.** atando cabos

recouper [8] [rɔkupe] **1** *vt (couper de nouveau)* volver a cortar; *(coïncider avec)* coincidir con
    2 se recouper *vpr (coïncider)* coincidir

recourir [22] [rɔkurir] **recourir à** *vt ind* recurrir a

recours [rɔkur] *nm* recurso *m*; **avoir r. à** recurrir a; **en dernier r.** como último recurso ☆ *Jur* **r. en grâce** = recurso al jefe de Estado para que ejerza el derecho de gracia

recouru *pp voir* **recourir**

recouvrer [rɔkuvre] *vt (santé, liberté)* recuperar; *(impôts)* recaudar

recouvrir [52] [rɔkuvrir] *vt (couvrir à nouveau)* tapar; *(surface)* recubrir **(de** con), cubrir **(de** de); *(siège)* tapizar **(de** de); *(livre)* forrar **(de** con); *Fig (masquer)* esconder; *(englober)* abarcar

recracher [rɔkraʃe] *vt* escupir

récréation [rekreasjɔ̃] *nf (à l'école)* recreo *m*; *(détente)* recreación *f*

récréer [24] [rɔkree] *vt* recrear

récrimination [rekriminasjɔ̃] *nf* recriminación *f*

récrire [30] [rekrir] = **réécrire**

recroqueviller [rɔkrɔkvije] **se recroqueviller** *vpr (personne)* acurrucarse; *Fig* encerrarse en sí mismo; *(plante, papier)* retorcerse

recrudescence [rɔkrydesɑ̃s] *nf* recrudecimiento *m*

recrue [rɔkry] *nf (militaire)* recluta *mf*; *(d'un parti, d'un club)* nuevo miembro *m*

recrutement [rɔkrytmɑ̃] *nm (de personnel)* contratación *f*; *Mil* reclutamiento *m*

recruter [rɔkryte] *vt (personnel)* contratar; *Mil* reclutar

rectal, -e, -aux, -ales [rɛktal, -o] *adj* rectal

rectangle [rɛktɑ̃gl] **1** *nm* rectángulo *m*
    2 *adj voir* **triangle**

rectangulaire [rɛktɑ̃gylɛr] *adj* rectangular

recteur [rɛktœr] *nm (d'académie)* rector *m (de un distrito universitario)*

rectificatif, -ive [rɛktifikatif, -iv] **1** *adj* rectificativo(a)
    2 *nm* rectificativo *m*

rectification [rɛktifikasjɔ̃] *nf* rectificación *f*

rectifier [rɛktifje] *vt* rectificar

rectiligne [rɛktiliɲ] *adj* rectilíneo(a)

recto [rɛkto] *nm* cara *f (de un folio)*, recto *m*; **r. verso** por las dos caras

reçu, -e [rəsy] **1** *pp voir* **recevoir**
2 *nm* recibo *m*

recueil [rəkœj] *nm* selección *f*

recueillement [rəkœjmɑ̃] *nm* recogimiento *m*

recueillir [5] [rəkœjir] **1** *vt* recoger; *(suffrages)* obtener
2 se recueillir *vpr* recogerse

recul [rəkyl] *nm* retroceso *m*; *Fig (pour juger)* distancia *f*; **prendre du r.** retroceder; *Fig* distanciarse

reculé, -e [rəkyle] *adj (endroit)* recóndito(a); *(époque, temps)* remoto(a)

reculer [rəkyle] **1** *vt (véhicule)* mover hacia atrás; *(date)* retrasar
2 *vi* retroceder

reculons [rəkylɔ̃] **à reculons** *adv* andando hacia atrás

récupération [rekyperɑsjɔ̃] *nf* recuperación *f*; *(politique)* reclamación *f*

récupérer [34] [rekypere] **1** *vt* recuperar
2 *vi* recuperarse

récurer [rekyre] *vt* restregar

récuser [rekyze] *vt* recusar

recyclage [rəsiklaʒ] *nm* reciclaje *m*

recycler [rəsikle] **1** *vt* reciclar
2 se recycler *vpr* reciclarse

rédacteur, -trice [redaktœr, -tris] *nm,f* redactor(ora) *m,f* ✿ **r. en chef** redactor jefe

rédaction [redaksjɔ̃] *nf* redacción *f*

redécouvrir [52] [rədekuvrir] *vt* redescubrir

redéfinir [rədefinir] *vt* redefinir

redemander [rdəmɑ̃de, rədmɑ̃de] *vt* volver a pedir; *Fig* **en r.** pedir más

rédemption [redɑ̃psjɔ̃] *nf* redención *f*

redescendre [rədesɑ̃dr] *vt & vi* volver a bajar

redevable [rdəvabl, rədvabl] *adj* **être r. de qch à qn** deber algo a alguien

redevance [rdəvɑ̃s, rədvɑ̃s] *nf (taxe)* canon *m*; *(de la télévision)* = impuesto anual que se paga por tener una televisión

rédhibitoire [redibitwar] *adj (prix)* prohibitivo(a)

rediffusion [rədifyzjɔ̃] *nf (d'une émission)* reposición *f*

rédiger [45] [rediʒe] *vt* redactar

redire [27a] [rədir] *vt* repetir; **avoir** *ou* **trouver à r. à qch** tener algo que objetar a algo; **il n'y a rien à r.** no hay nada que objetar

redistribuer [rədistribɥe] *vt* redistribuir

redit, -e [rədi, -it] **1** *pp voir* **redire**
2 *nf* **redite** repetición *f*

redoubler [rəduble] **1** *vt (classe)* repetir; *(efforts)* redoblar
2 *vi (tempête)* arreciar
3 redoubler de *vt ind* **r. d'efforts/de prudence** redoblar los esfuerzos/la prudencia; **r. de violence** hacerse más violento(a)

redoutable [rədutabl] *adj* temible

redouter [rədute] *vt* temer

redoux [rədu] *nm* templanza *f*

redressement [rədrɛsmɑ̃] *nm (reprise)* recuperación *f* ✿ **r. fiscal** rectificación *f* fiscal

redresser [rədrese] **1** *vt* enderezar; *(pays, économie)* recuperar, enderezar
2 se redresser *vpr (personne)* enderezarse; *(dans son lit)* incorporarse; *(pays, économie)* recuperarse

réduction [redyksjɔ̃] *nf (diminution) & Méd* reducción *f*; *(rabais)* reducción *f*, rebaja *f*

réduire [18] [redɥir] **1** *vt* reducir; **r. qn au désespoir** desesperar a alguien; **en être réduit à faire qch** verse obligado(a) a hacer algo
2 *vi Culin* reducirse

3 se réduire *vpr* **se r. à qch** reducirse a algo

réduit, -e [redɥi, -it] **1** *pp voir* **réduire**
  2 *adj* reducido(a)
  3 *nm (local exigu)* cuchitril *m*; *(renfoncement)* rincón *m*

rééchelonner [reeʃlɔne] *vt (dette)* reprogramar el pago de

réécrire [6] [reekrir] *vt* reescribir

réédition [reedisjɔ̃] *nf* reedición *f*

rééducation [reedykɑsjɔ̃] *nf* rehabilitación *f*

réel, -elle [reɛl] *adj* real

réélection [reelɛksjɔ̃] *nf* reelección *f*

réellement [reɛlmɑ̃] *adv* realmente

rééquilibrer [reekilibre] *vt* reequilibrar

réexaminer [reɛgzamine] *vt* reexaminar

refaire [36] [rəfɛr] **1** *vt* rehacer
  2 se refaire *vpr* **se r. une santé** recuperarse

réfection [refɛksjɔ̃] *nf* reparación *f*, *Am* refacción *f*

réfectoire [refɛktwar] *nm* refectorio *m*

référence [referɑ̃s] *nf* referencia *f*; **faire r. à** hacer referencia a; **ouvrage de r.** obra *f* de referencia

référendum [referɛ̃dɔm] *nm* referéndum *m*

référer [34] [refere] **1** *vi* **en r. à qn** consultarlo con alguien
  2 se référer *vpr* **se r. à** *(prendre comme référence)* hacer referencia a

refermer [rəfɛrme] **1** *vt* cerrar
  2 se refermer *vpr* cerrarse

réfléchi, -e [refleʃi] *adj (personne)* & *Gram* reflexivo(a); *(action)* pensado(a); **c'est tout r.** está decidido

réfléchir [refleʃir] **1** *vt* reflejar
  2 *vi* reflexionar (**sur** sobre); **r. à qch** pensar en algo
  3 se réfléchir *vpr* reflejarse

reflet [rəflɛ] *nm aussi Fig* reflejo *m*

refléter [34] [rəflete] *aussi Fig* **1** *vt* reflejar
  2 se refléter *vpr* reflejarse

refleurir [rəflœrir] *vi* volver a florecer

réflexe [reflɛks] *nm* reflejo *m*

réflexion [reflɛksjɔ̃] *nf* reflexión *f*; *(remarque)* observación *f*; **faire une r. à qn** hacer un comentario a alguien; **r. faite, ...** pensándolo bien, ...

refluer [rəflye] *vi (liquide)* refluir; *(foule)* retroceder

reflux [rəfly] *nm* reflujo *m*

refonte [rəfɔ̃t] *nf* refundición *f*

reformater [rəfɔrmate] *vt Ordinat* volver a formatear

réforme [refɔrm] *nf* reforma *f*

réformé, -e [refɔrme] **1** *adj Rel* reformado(a); *Mil* exento
  2 *nm,f Rel* reformado(a) *m,f*
  3 *nm Mil* persona *f* exenta

réformer [refɔrme] *vt (améliorer, corriger)* reformar; *Mil* declarar exento(a)

refouler [rəfule] *vt (envahisseur)* rechazar; *(sentiment, larmes)* reprimir

réfractaire [refraktɛr] *adj* refractario(a); **être r. à l'autorité/la discipline** ser refractario(a) a la autoridad/a la disciplina

refrain [rəfrɛ̃] *nm* estribillo *m*; *Fig (rengaine)* canción *f*

refréner [34] [rəfrene] *vt* refrenar

réfrigérateur [refriʒeratœr] *nm* frigorífico *m*

refroidir [rəfrwadir] **1** *vt (rendre froid, décourager)* enfriar; *très Fam (tuer)* cargarse
  2 *vi* enfriar
  3 se refroidir *vpr (temps)* enfriarse; *(attraper froid)* enfriarse, resfriarse

refroidissement [rəfrwadismɑ̃] *nm* enfriamiento *m*

refuge [rǝfyʒ] *nm* refugio *m*;
chercher/trouver r. (auprès de qn)
buscar/encontrar refugio (en
alguien)

réfugié, -e [refyʒje] **1** *adj* refugia-
do(a)

   2 *nm,f* refugiado(a) *m,f* ☆ **r. politique** refugiado(a) político(a)

réfugier [refyʒje] **se réfugier** *vpr*
refugiarse; *Fig* **se r. dans qch** refugiarse en algo

refus [rǝfy] *nm inv* rechazo *m*

refuser [rǝfyze] **1** *vt (repousser)* rechazar; *(client, spectateur)* dejar
fuera; **r. qch à qn** negar algo a alguien **r. de faire qch** negarse a hacer
algo; **être refusé** *(candidat)* suspender, *Am* reprobar

   2 *vi (dire non)* decir que no

   3 se refuser *vpr* **se r. à faire qch** negarse a hacer algo

réfuter [refyte] *vt* refutar

regagner [rǝgaɲe] *vt (reprendre)*
recuperar, recobrar; *(revenir à)* volver a, *Am* regresarse a

regain [rǝgɛ̃] *nm (retour)* recuperación *f*; *(herbe)* hierba *f* de segunda
siega

régal, -als [regal] *nm (mets)* delicia
f; *(plaisir)* regalo *m*

régalade [regalad] **à la régalade** *adv*
boire à la r. beber a chorro

régaler [regale] **1** *vt* obsequiar con
(una comida); **c'est moi qui régale!**
¡invito yo!

   2 se régaler *vpr* **nous nous sommes
régalés** nos ha encantado

regard [rǝgar] *nm* mirada *f*; *(d'égout)*
alcantarilla *f*, = conducto de acceso
a las alcantarillas; **interroger qn du r.**
interrogar a alguien con la mirada;
en r. *(en face)* enfrente

regardant, -e [rǝgardɑ̃, -ɑ̃t] *adj* **être
très/peu r. sur qch** ser muy/poco mi-
rado(a) con algo

regarder [rǝgarde] **1** *vt* mirar; *Fig* **r.
les choses en face** enfrentarse a las

cosas; **ça ne te regarde pas** eso no es
cosa tuya

   2 regarder à *vt ind* **ne pas r. à la dépense** no reparar en gastos

   3 se regarder *vpr* mirarse

régate [regat] *nf* regata *f*

régent, -e [reʒɑ̃, -ɑ̃t] *nm,f* regente
mf; *Belg (professeur)* profesor(ora)
m,f de secundaria

régenter [reʒɑ̃te] *vt* dirigir

reggae [rege] *nm* reggae *m*

régie [reʒi] *nf (gestion)* concesión *f*
administrativa; *(entreprise)* empresa *f* estatal; *(d'un spectacle, d'une
émission)* servicio *m* de producción;
(local) sala *f* de control ☆ **r. des tabacs** compañía *f* arrendataria de
tabacos

régime¹ [reʒim] *nm* régimen *m*;
(alimentaire) régimen *m*, dieta *f*;
être/se mettre au r. ponerse a régimen o dieta; **suivre un r.** seguir un
régimen o una dieta ☆ **r. amincissant** régimen adelgazante

régime² *nm (de bananes, de dattes)*
racimo *m*

régiment [reʒimɑ̃] *nm aussi Fig* regimiento *m*

région [reʒjɔ̃] *nf* región *f*

régional, -e, -aux, -ales [reʒjɔnal,
-o] *adj* regional

régir [reʒir] *vt* regir

régisseur [reʒisœr] *nm (d'un domaine)* administrador(ora) *m,f*;
(de théâtre, de cinéma) regidor(ora)
m,f

registre [rǝʒistr] *nm* registro *m*

réglable [reglabl] *adj (adaptable)*
regulable; *(payable)* abonable

réglage [reglaʒ] *nm* regulación *f*

règle [rɛgl] *nf aussi Ordinat* regla *f*;
c'est la r. du jeu son las reglas del juego; **dans les règles de l'art** con todas
las de la ley; **être/se mettre en r.** es-
tar/ponerse en regla; **en r. générale**
por regla general; **règles** *(menstrua-*

tion) regla; **avoir ses règles** tener la regla ☆ *Math* **r. de trois** regla de tres

réglé, -e [regle] *adj (vie)* ordenado(a); *(papier)* pautado(a)

règlement [rɛglǝmɑ̃] *nm (d'une affaire, d'un conflit)* arreglo *m*; *(paiement)* pago *m*; *(règle)* reglamento *m* ☆ **r. de comptes** ajuste *m* de cuentas

réglementaire [rɛglǝmɑ̃tɛr] *adj* reglamentario(a)

réglementation [rɛglǝmɑ̃tɑsjɔ̃] *nf* reglamentación *f*

réglementer [rɛglǝmɑ̃te] *vt* regular

régler [34] [regle] *vt (détails, question, problème)* arreglar; *(mécanisme, machine)* regular; *(note, commerçant)* pagar

réglisse [reglis] *nf* regaliz *m*

règne [rɛɲ] *nm* reinado *m*; **sous le r. de** bajo el reinado de

régner [34] [reɲe] *vi* reinar

regorger [45] [rǝgɔrʒe] *vi* **r. de qch** rebosar (de) algo

régresser [regrese] *vi* experimentar una regresión

régression [regresjɔ̃] *nf* regresión *f*

regret [rǝgrɛ] *nm (nostalgie)* añoranza *f*; *(repentir)* arrepentimiento *m*; **à r.** a disgusto; **à mon grand r., ...** muy a mi pesar, ...; **sans regrets** sin (ningún) pesar; **j'ai le r. de vous annoncer...** tengo el triste deber de anunciarle...

regrettable [rǝgrɛtabl] *adj (incident)* lamentable; **c'est r. que...** es una pena que...

regretter [rǝgrete] *vt (passé)* añorar; *(se repentir de)* arrepentirse de; *(déplorer)* sentir, lamentar; **il regrette que vous n'ayez pas pu vous rencontrer** siente mucho que no os hayáis podido conocer; **r. de faire qch** sentir o lamentar hacer algo; **non, je regrette** no, lo siento

regrouper [rǝgrupe] **1** *vt* agrupar **2 se regrouper** *vpr* agruparse

régulariser [regylarize] *vt (situation, documents)* regularizar

régularité [regylarite] *nf* regularidad *f*; *(harmonie)* proporción *f*

régulier, -ère [regylje, -ɛr] *adj* regular; *(visage, traits)* bien proporcionado(a); *Fam (honnête)* decente

régulièrement [regyljɛrmɑ̃] *adv (uniformément, souvent)* con regularidad; *(légalement)* de forma regular

réhabiliter [reabilite] *vt* rehabilitar

rehausser [rǝose] *vt (surélever)* levantar; *(mettre en valeur)* realzar

rein [rɛ̃] *nm* riñón *m*; **reins** *(dos)* riñones ☆ **r. artificiel** riñón artificial

réincarnation [reɛ̃karnɑsjɔ̃] *nf* reencarnación *f*

reine [rɛn] *nf* reina *f*

réinsertion [reɛ̃sɛrsjɔ̃] *nf* reinserción *f*

réintégrer [34] [reɛ̃tegre] *vt (rejoindre)* reincorporar, reintegrar; *Jur* reintegrar

rejaillir [rǝʒajir] *vi* salpicar; *Fig* **r. sur** salpicar a

rejet¹ [rǝʒɛ] *nm (refus)* & *Méd* rechazo *m*

rejet² *nm Bot* retoño *m*

rejeter [42] [rǝʒte] *vt (balle)* volver a lanzar; *(offre, personne, greffe)* rechazar; *(vomir)* echar; *Fig* **r. la responsabilité sur qn** hacer recaer la responsabilidad sobre alguien

rejoindre [43] [rǝʒwɛ̃dr] **1** *vt (retrouver)* reunirse con; *(rattraper) (personne)* alcanzar; *(route, sentier)* llegar a; *(s'unir à)* unirse a; *(concorder avec)* confirmar; **on peut r. la maison par ce sentier** este camino lleva a la casa **2 se rejoindre** *vpr (personnes)* reunirse, encontrarse; *(routes, chemins)* encontrarse; *(opinions)* coincidir

réjouir [reʒwir] **1** *vt* alegrar **2 se réjouir** *vpr* alegrarse **(de** de)

relâche [rəlaʃ] *nf* descanso *m*; **faire r.** descansar; **sans r.** sin descanso

relâchement [rəlaʃmɑ̃] *nm* relajación *f*

relâcher [rəlaʃe] **1** *vt* (*muscles*) aflojar; (*étreinte, attention, efforts*) relajar, descuidar; (*prisonnier, animal*) soltar
2 se relâcher *vpr* (*corde, muscle*) aflojarse; (*discipline, personne*) relajarse, descuidarse

relais [rəlɛ] *nm* (*auberge*) albergue *m*; (*course*) relevo *m*; (*de télévision*) repetidor *m*; **prendre le r. de qn** tomar el relevo de manos de alguien

relance [rəlɑ̃s] *nf Écon* recuperación *f*, reactivación *f*; (*au jeu*) envite *m*

relancer [24] [rəlɑ̃se] *vt* (*balle*) volver a lanzar; (*économie, projet*) reactivar; (*personne*) acosar

relater [rəlate] *vt Litt* relatar

relatif, -ive [rəlatif, -iv] *adj* relativo(a) (**à** a); **tout est r.** todo es relativo

relation [rəlɑsjɔ̃] *nf* relación *f*; **mettre qn en r. avec qn** poner en contacto a alguien con alguien; **avoir des relations (avec)** mantener relaciones (con) ☆ *relations publiques* relaciones públicas; *relations sexuelles* relaciones sexuales

relativement [rəlativmɑ̃] *adv* (*assez*) relativamente

relativiser [rəlativize] *vt* relativizar

relax [rəlaks] *adj Fam* tranqui

relaxant, -e [rəlaksɑ̃, -ɑ̃t] *adj* relajante

relaxation [rəlaksasjɔ̃] *nf* relajación *f*

relaxer [rəlakse] **1** *vt* relajar; *Jur* poner en libertad
2 se relaxer *vpr* relajarse

relayer [53] [rəleje] **1** *vt* relevar
2 se relayer *vpr* turnarse

relecture [rəlɛktyr] *nf* relectura *f*

reléguer [34] [rələge] *vt* relegar

relent [rəlɑ̃] *nm* tufo *m*

relevé, -e [rəlve] **1** *adj* (*sauce, plat*) picante, *Méx* picoso(a)
2 *nm* (*de compteur*) lectura *f* ☆ *r. de compte* extracto *m* de cuenta; *r. d'identité bancaire* = certificado del banco donde se especifica el número de cuenta y código de sucursal del cliente

relève [rəlɛv] *nf* relevo *m*; **prendre la r.** tomar el relevo

relever [46] [rəlve] **1** *vt* levantar; (*remettre debout*) poner de pie; (*store, prix, salaire*) subir; (*cahiers, copies*) recoger; *Culin* (*mettre en valeur*) realzar; (*pimenter*) sazonar; (*adresse, recette*) anotar, apuntar; (*erreur*) señalar; (*compteur*) leer; (*sentinelle, vigile*) relevar; **r. qn de ses fonctions** relevar a alguien de sus funciones
2 *vi* **r. de qch** (*se rétablir*) restablecerse o recuperarse de algo; (*être du domaine de*) atañer o concernir a algo
3 se relever *vpr* levantarse; (*après une chute*) *Esp* ponerse de pie, *Am* pararse

relief [rəljɛf] *nm* relieve *m*; **mettre qch en r.** poner algo de relieve

relier [rəlje] *vt* (*livre*) encuadernar; (*attacher, joindre*) unir (**à** a); *Fig* (*associer*) relacionar

religieux, -euse [rəliʒjø, -øz] **1** *adj & nm,f* religioso(a) *m,f*
2 *nf* **religieuse** (*gâteau*) = bollo relleno de crema y glaseado por encima

religion [rəliʒjɔ̃] *nf* religión *f*

relique [rəlik] *nf* reliquia *f*

relire [44] [rəlir] **1** *vt* releer
2 se relire *vpr* releer (*lo que uno ha escrito*)

reliure [rəljyr] *nf* encuadernación *f*

relu, -e *pp voir* **relire**

reluire [18] [rəlɥir] *vi* relucir; **faire r. qch** dar brillo a algo

reluisant, -e [rəlɥizɑ̃, -ãt] *adj* reluciente ; *Fig* **peu** *ou* **pas très r.** poco *o* no muy brillante

reluquer [rəlyke] *vt Fam* echar el ojo a

remaniement [rəmanimɑ̃] *nm* remodelación *f* ☆ **r. ministériel** reajuste *m* ministerial

remanier [rəmanje] *vt* remodelar

remarier [rəmarje] **se remarier** *vpr* volver a casarse

remarquable [rəmarkabl] *adj* notable

remarque [rəmark] *nf* observación *f*, comentario *m* ; **faire une r. à qn** hacer una observación a alguien

remarquer [rəmarke] **1** *vt (noter)* notar ; **faire r. qch à qn** *(signaler)* señalar algo a alguien ; *Péj* **se faire r.** hacerse notar ; **remarque, ...** aunque por otra parte...
  2 se remarquer *vpr (être visible)* notarse

remblai [rɑ̃blɛ] *nm (action)* terraplenado *m* ; *(masse de terre)* terraplén *m*

rembobiner [rɑ̃bɔbine] *vt* rebobinar

rembourrage [rɑ̃buraʒ] *nm* relleno *m*

remboursement [rɑ̃bursəmɑ̃] *nm* reembolso *m* ; **contre r.** contra reembolso

rembourser [rɑ̃burse] *vt (dette)* pagar ; *(montant)* reembolsar ; *(personne)* pagar, devolver el dinero a ; **r. qn de qch** reembolsar algo a alguien

remède [rəmɛd] *nm* remedio *m*

remédier [rəmedje] **remédier à** *vt ind* remediar

remémorer [rəmemɔre] **se remémorer** *vpr* recordar

remerciement [rəmɛrsimɑ̃] *nm* agradecimiento *m* ; **avec tous mes remerciements** con todo mi agradecimiento

remercier [rəmɛrsje] *vt (exprimer sa gratitude à)* dar las gracias a, agradecer ; *(licencier) Esp* despedir, *CSur* cesantear ; **r. qn de** *ou* **pour qch** agradecer a alguien algo, dar las gracias a alguien por algo ; **non, je vous remercie** no, gracias

remettre [47] [rəmɛtr] **1** *vt (replacer)* volver a poner ; *(vêtement, accessoire)* volver a ponerse ; *(lumière)* volver a encender ; *Fam (reconnaître)* situar ; **r. de l'ordre dans qch** ordenar algo ; **r. qch à qn** *(donner)* entregar algo a alguien ; **r. qch (à plus tard)** aplazar algo (hasta más tarde)
  2 se remettre *vpr (se rétablir)* reponerse **(de** de) ; **se r. à qch/à faire qch** volver a algo/a hacer algo ; **je m'en remets à toi** cuento contigo

remise [rəmiz] *nf (réduction)* rebaja *f* ; *(d'une lettre, d'un colis)* entrega *f* ; *(hangar) Esp* cobertizo *m*, *Am* galpón *m* ☆ **r. en état** revisión *f* ; **r. en jeu** saque *m* ; **r. de peine** remisión *f* de condena ; **r. en question** *ou* **cause** replanteamiento *m*

rémission [remisjɔ̃] *nf* remisión *f*

remontée [rəmɔ̃te] *nf* **remontées mécaniques** remontes *mpl*

remonte-pente (*pl* **remonte-pentes**) [rəmɔ̃tpɑ̃t] *nm* telearrastre *m*

remonter [rəmɔ̃te] **1** *vt (escalier, étage, objet)* volver a subir ; *(meuble, machine)* volver a montar ; *(vitre, store)* subir ; *(col, chaussettes)* subirse ; *(garde-robe, ménage)* renovar ; *(horloge, montre)* dar cuerda a ; *(malade, personne déprimée)* reanimar
  2 *vi (monter)* subir ; *(monter à nouveau)* volver a subir ; **r. à** *(dater de)* remontarse a

remontoir [rəmɔ̃twar] *nm* cuerda *f*

remontrer [rəmɔ̃tre] *vt* volver a mostrar, volver a enseñar ; **en r. à qn** quedar por encima de alguien

remords [rəmɔr] *nm inv* remordimiento *m*

remorque [rəmɔrk] *nf* remolque *m*; **prendre qch en r.** llevar algo a remolque

remorquer [rəmɔrke] *vt* remolcar

remorqueur [rəmɔrkœr] *nm* remolcador *m*

remous [rəmu] *nm* (*tourbillon*) remolino *m*; *Fig* (*bouleversement*) agitación *f*

rempailler [rɑ̃paje] *vt* remozar la paja de

remparts [rɑ̃par] *nmpl* murallas *fpl*

remplaçant, -e [rɑ̃plasɑ̃, -ɑ̃t] *nm,f* sustituto(a) *m,f*

remplacement [rɑ̃plasmɑ̃] *nm* sustitución *f*; **faire un r./des remplacements** hacer una sustitución/sustituciones, *Am* hacer una suplencia/suplencias

remplacer [16] [rɑ̃plase] *vt* (*substituer*) sustituir (**par** por); (*renouveler*) reemplazar, remplazar

rempli, -e [rɑ̃pli] *adj* (*journée*) ocupado(a); **r. de** lleno(a) de

remplir [rɑ̃plir] **1** *vt* llenar (**de** de); (*questionnaire*) rellenar, completar; (*fonction, promesse, condition*) cumplir (con)

2 se remplir *vpr* llenarse (**de** de)

remporter [rɑ̃pɔrte] *vt* (*prix, coupe*) ganar, llevarse; (*succès, victoire*) conseguir

remuant, -e [rəmɥɑ̃, -ɑ̃t] *adj* inquieto(a)

remue-ménage [rəmymenaʒ] *nm inv* trajín *m*

remuer [rəmɥe] **1** *vt* (*bras, jambes*) mover; (*terre, café, salade*) remover; (*émouvoir*) afectar

2 *vi* (*gesticuler*) moverse; (*bouger*) mover

3 se remuer *vpr* moverse

rémunérer [34] [remynere] *vt* remunerar

renaissance [rənɛsɑ̃s] *nf* renacimiento *m*

renaître [50a] [rənɛtr] *vi* renacer

rénal, -e, -aux, -ales [renal, -o] *adj* renal

renard [rənar] *nm* zorro *m*

renchérir [rɑ̃ʃerir] *vi* ..., **renchérit-il** ..., replicó

rencontre [rɑ̃kɔ̃tr] *nf* encuentro *m*; **aller/venir à la r. de qn** ir/venir al encuentro de alguien

rencontrer [rɑ̃kɔ̃tre] **1** *vt* (*par hasard*) encontrarse con, encontrar; (*avoir rendez-vous avec*) reunirse con; (*faire la connaissance de*) conocer; *Fig* (*obstacle, opposition*) tropezar con

2 se rencontrer *vpr* (*par hasard*) encontrarse; (*se réunir*) reunirse; (*faire connaissance*) conocerse; (*regards, opinions*) coincidir

rendement [rɑ̃dmɑ̃] *nm* rendimiento *m*

rendez-vous [rɑ̃devu] *nm inv* cita *f*; (*lieu*) lugar *m* de encuentro; **j'ai r. chez le dentiste** tengo hora con el dentista; **prendre r.** pedir hora

rendormir [29] [rɑ̃dɔrmir] **se rendormir** *vpr* volver a dormirse

rendre [rɑ̃dr] **1** *vt* (*restituer, donner en retour*) devolver; *Jur* pronunciar; (*faire devenir*) volver; (*exprimer, reproduire*) reflejar; (*produire*) aportar; (*vomir*) devolver; **r. qn heureux** hacer feliz a alguien; **il me rendra folle** va a volverme loca; *Mil* **r. les armes** rendirse

2 *vi* (*produire*) rendir; (*vomir*) devolver

3 se rendre *vpr* (*capituler*) rendirse; (*se faire devenir*) hacerse; **se r. à** (*aller*) acudir a; (*à l'étranger*) irse a; **se r. malade** ponerse enfermo(a); **se r. utile** hacer algo útil

rêne [rɛn] *nf* rienda *f*

renfermé, -e [rɑ̃fɛrme] *adj* **1** cerrado(a)

2 *nm* **ça sent le r.** huele a cerrado

renfermer [rɑ̃fɛrme] **1** *vt* (*contenir*) encerrar

2 se renfermer vpr (s'isoler) encerrarse

renflé, -e [rɑ̃fle] adj hinchado(a)

renflouer [rɑ̃flue] vt (bateau) desencallar; Fig (entreprise, personne) sacar a flote

renfoncement [rɑ̃fɔ̃smɑ̃] nm hueco m

renforcer [16] [rɑ̃fɔrse] vt (mur, équipe, armée) reforzar; (paix, soupçons) fortalecer; (expression, politique) intensificar

renfort [rɑ̃fɔr] nm Mil **renforts** refuerzos mpl; **en r.** de refuerzo

renfrogner [rɑ̃frɔɲe] **se renfrogner** vpr enfurruñarse

rengaine [rɑ̃gen] nf (refrain populaire) cancioncilla f; Péj **toujours la même r.!** ¡siempre la misma canción!

rengorger [45] [rɑ̃gɔrʒe] **se rengorger** vpr pavonearse

renier [rənje] vt renegar de

renifler [rənifle] **1** vi sorberse los mocos
2 vt olfatear

renne [ren] nm reno m

renom [rənɔ̃] nm renombre m; **de grand r.** de gran renombre

renommé, -e [rənɔme] **1** adj reputado(a) (**pour** por)
2 nf **renommée** renombre m

renoncer [16] [rənɔ̃se] **1 renoncer à** vt ind renunciar a; **r. à faire qch** renunciar a hacer algo
2 vi renunciar

renouer [rənwe] **1** vt (cravate, lacet) volver a anudar; (conversation, liaison) reanudar
2 vi **r. avec qch** restablecer algo; **r. avec qn** reconciliarse con alguien

renouveau, -x [rənuvo] nm (regain) rebrote m

renouvelable [rənuvlabl] adj renovable

renouveler [9] [rənuvle] **1** vt renovar; (demande) reiterar

2 se renouveler vpr renovarse; (recommencer) repetirse

renouvellement [rənuvɛlmɑ̃] nm renovación f

rénovation [renɔvasjɔ̃] nf reforma f

rénover [renɔve] vt reformar

renseignement [rɑ̃sɛɲmɑ̃] nm información f; **demander un r.** informarse; **renseignements** (service d'information) información; (espionnage) servicios mpl secretos; **les renseignements (téléphoniques)** información telefónica ☆ **les Renseignements généraux** = sección de la policía francesa encargada de la seguridad interior

renseigner [rɑ̃seɲe] **1** vt informar; **r. qn sur qch** informar a alguien sobre algo
2 se renseigner vpr informarse

rentabiliser [rɑ̃tabilize] vt rentabilizar

rentable [rɑ̃tabl] adj rentable

rente [rɑ̃t] nf renta f; (emprunt d'État) renta f de la deuda pública; **vivre de ses rentes** vivir de renta

rentier, -ère [rɑ̃tje, -ɛr] nm,f rentista mf

rentrée [rɑ̃tre] nf (reprise des activités) reanudación f; (retour à la scène) reaparición f; **r. (d'argent)** entrada f (de dinero) ☆ **la r. des classes** la vuelta al colegio; **la r. parlementaire** la reanudación de las tareas parlamentarias

rentrer [rɑ̃tre] **1** vi (aux **être**) (entrer, pénétrer, être perçu) entrar; (élèves) reanudar las clases; (employé) volver a trabajar; (revenir) volver (**à/de** a/de); **r. dans qch** (s'emboîter dans) entrar dentro de algo; (être compris dans) entrar en algo; **r. (chez soi)** volver (a su casa); **r. dans** (heurter) estrellarse contra
2 vt (aux **avoir**) (mettre à l'abri) entrar; (foins) recoger; (griffes)

meter; *(larmes, colère)* tragarse; **r. le
ventre** meter tripa

renverse [rãvɛrs] **à la renverse** *adv*
de espaldas

renverser [rãvɛrse] **1** *vt (mettre à
l'envers, inverser)* invertir; *(faire tomber) (objet)* tirar, *Esp* volcar, *Am* voltear; *(piéton)* atropellar; *(liquide)*
derramar, volcar; *(ordre établi)* atentar contra; *(chef d'État)* destituir; *(régime)* derrocar; *(tête)* echar hacia
atrás; *Fam (étonner)* asombrar
2 se renverser *vpr (se pencher en
arrière)* echarse hacia atrás; *(objet)*
caerse, *Esp* volcarse, *Am* voltearse;
(liquide) derramarse, volcarse

renvoi [rãvwa] *nm (licenciement)*
despido *m*; *(d'un élève)* expulsión *f*;
(à l'expéditeur) devolución *f*; *(ajour-
nement)* aplazamiento *m*; *(référence)* llamada *f*; **il a eu des renvois**
(éructation) se le ha repetido

renvoyer [33] [rãvwaje] *vt (faire retourner)* hacer volver; *(employé)*
Esp despedir, *CSur* cesantear; *(paquet, balle)* devolver; *(lumière)* reflejar; *(remettre à plus tard)*
aplazar; **r. qn à** *(référer)* remitir a alguien a

réorganiser [reɔrganize] *vt* reorganizar

réouverture [reuvɛrtyr] *nf* reaper-
tura *f*

repaire [rəpɛr] *nm* guarida *f*

répandre [repãdr] *vt (liquide, larmes)* derramar; *(graines, substance)*
esparcir; *(odeur, chaleur)* despedir;
(panique, effroi, terreur) sembrar;
(mode, nouvelle) difundir

répandu, -e [repãdy] *adj (commun)*
extendido(a)

réparable [reparabl] *adj* reparable

réparation [reparasjɔ̃] *nf* reparación *f*; **réparations** *(indemnisation)*
indemnización *f*

réparer [repare] *vt* reparar, arreglar,
Am refaccionar

reparler [rəparle] **reparler de** *vt ind*
volver a hablar de

repartie [reparti] *nf (réponse)* réplica *f*; **avoir de la r.** tener respuesta para todo

répartir [repartir] **1** *vt (diviser, étaler)* repartir, distribuir; **(entre** entre); *(somme)* repartir **(entre** entre)
2 se répartir *vpr* **se r. qch** repartirse
algo; **se r. en** *(être classé)* repartirse

répartition [repartisjɔ̃] *nf (partage)*
reparto *m* **(entre** entre); *(dans l'espace)* distribución *f*

repas [rəpɑ] *nm* comida *f*; **prendre
son r.** comer ☆ **r. d'affaires** comida
de negocios

repassage [rəpasaʒ] *nm* planchado
m

repasser [rəpase] **1** *vi (passer à nouveau)* volver a pasar; *(film)* volver a
emitirse
2 *vt (linge)* planchar; *(leçon)* repasar; *(examen)* volver a pasar

repêchage [rəpɛʃaʒ] *nm (rattrapage)* repesca *f*

repêcher [rəpeʃe] *vt (retirer de l'eau)*
rescatar; *Fig (élève, candidat)* re-
pescar

repeindre [54] [rəpɛ̃dr] *vt* repintar

repenser [rəpãse] *vt* replantearse

repentir [64a] [rəpãtir] **1** *nm* arrepentimiento *m*
2 se repentir *vpr* arrepentirse; **se r.
de qch/d'avoir fait qch** arrepentirse
de algo/de haber hecho algo

répercussion [repɛrkysjɔ̃] *nf* repercusión *f* **(sur** en)

répercuter [repɛrkyte] **1** *vt (son)* repercutir; *(ordre)* transmitir; *Fin* **r.
qch sur qch** repercutir algo en algo
2 se répercuter *vpr* repercutir **(sur**
en)

repère [rəpɛr] *nm* referencia *f*;
(marque) marca *f*

repérer [34] [rəpere] **1** *vt (situer)* señalar; *(sous-marin, bateau)* locali-
zar; *Fam (apercevoir, remarquer)*

localizar; **on va se faire r.** nos van a calar

2 se repérer *vpr* orientarse

répertoire [repɛrtwar] *nm* repertorio *m*; *(agenda)* agenda *f*; *Ordinat* directorio *m*

répertorier [repɛrtɔrje] *vt* registrar, anotar

répéter [34] [repete] **1** *vt* repetir; *(rôle)* ensayar; **je ne te le répéterai pas** no pienso repetirlo

2 se répéter *vpr* repetirse

répétitif, -ive [repetitif, -iv] *adj* repetitivo(a)

répétition [repetisjɔ̃] *nf* repetición *f*; *(d'un rôle)* ensayo *m* ☆ **r. générale** ensayo general

répit [repi] *nm* respiro *m*; **sans r.** sin parar

repli [rəpli] *nm* repliegue *m*

replier [73c] [rəplije] **1** *vt (chaise, jambes, ailes)* plegar

2 se replier *vpr (troupes)* replegarse; *Fig* **elle s'est beaucoup repliée sur elle-même** se ha replegado mucho en sí misma

réplique [replik] *nf* réplica *f*; *(au théâtre)* entrada *f*; **donner la r. à qn** dar la entrada a alguien; **sans r.** *(argument)* indiscutible, incontestable

répliquer [replike] *vt & vi* replicar

replonger [45] [rəplɔ̃ʒe] **1** *vt* **r. qch/ qn dans qch** volver a sumergir algo/ a alguien en algo; *Fig* volver a sumir algo/a alguien en algo

2 *vi* volver a sumergirse

3 se replonger *vpr Fig* se r. dans qch *(livre, tâche)* volver a sumirse en algo

répondeur [repɔ̃dœr] *nm* contestador *m* ☆ **r. automatique** ou **téléphonique** contestador automático; **r. interrogeable à distance** contestador interrogable a distancia

répondre [repɔ̃dr] **1** *vi* contestar, responder (**par** con); **r. à qch** *(correspondre)* responder a algo

2 *vt* contestar, responder

3 répondre de *vt ind* responder de o por

réponse [repɔ̃s] *nf (action de répondre)* respuesta *f*, contestación *f*; *(solution, réaction)* respuesta *f*; **en r. à votre lettre...** en respuesta a su carta...

reportage [rəpɔrtaʒ] *nm* reportaje *m*, *Méx* reporte *m*

reporter¹ [rəpɔrtɛr] *nm* reportero(a) *m,f*

reporter² [rəpɔrte] **1** *vt (rapporter)* volver a llevar; *(réunion, cérémonie)* aplazar (**à** hasta); **r. qch sur** *(recopier, transférer)* trasladar algo a

2 se reporter *vpr* se r. à qch remitirse a algo

repos [rəpo] *nm* descanso *m*; *(immobilité, sommeil)* reposo *m*; *Mil* **r.!** ¡descansen!

reposé, -e [rəpoze] *adj* descansado(a); **à tête reposée** con calma

reposer [rəpoze] **1** *vt (poser à nouveau)* volver a poner; *(remettre en place)* volver a colocar; *(question)* volver a plantear; *(délasser)* descansar; **r. qch sur qch** *(appuyer)* apoyar algo sobre algo

2 *vi (être étendu)* descansar; *Culin* reposar; **r. sur qch** *(être appuyé sur)* descansar sobre algo; *Fig (être fondé sur)* apoyarse sobre algo

3 se reposer *vpr (se délasser)* descansar; **se r. sur qn** *(compter)* contar con alguien

repoussant, -e [rəpusɑ̃, -ɑ̃t] *adj* repulsivo(a)

repousser [rəpuse] **1** *vi (barbe, poil)* volver a crecer; *(végétal)* volver a brotar

2 *vt (personne, offre, ennemi)* rechazar; *(date)* aplazar; *(déplacer)* empujar; *(dégoûter)* repeler

reprendre [58] [rəprɑ̃dr] **1** *vt (chose) Esp* volver a coger, *Am* agarrar o tomar otra vez; *(ce qu'on avait donné)* volver a llevarse; *(revenir chercher)* recoger; *Com (marchandise)* aceptar; *(se resservir, répéter)* repetir; *(travail, route, lutte)* retomar; *(vêtement)* arreglar; *(corriger)* reprender; *(haleine, courage, souffle)* recobrar; **on ne l'y reprendra plus** no lo volverá a hacer

2 *vi (retrouver la vie, la vigueur)* recuperarse; *(recommencer)* reanudarse

3 se reprendre *vpr (se ressaisir)* calmarse; *(se corriger)* corregirse

représailles [rəprezaj] *nfpl* represalias *fpl*

représentant, -e [rəprezãtã, -ãt] *nm,f* representante *mf* ☆ **r. de commerce** representante de comercio

représentatif, -ive [rəprezãtatif, -iv] *adj* representativo(a) **(de** de)

représentation [rəprezãtasjõ] *nf* representación *f*; **donner une r.** dar una representación

représenter [rəprezãte] **1** *vt* representar

2 se représenter *vpr (s'imaginer)* imaginarse; *(occasion, candidat)* volver a presentarse **(à** a)

répression [represjõ] *nf* represión *f*

réprimande [reprimãd] *nf* reprimenda *f*

réprimander [reprimãde] *vt* reprender

réprimer [reprime] *vt* reprimir

repris, -e [rəpri, -iz] **1** *pp voir* **reprendre**

2 *nm* **r. de justice** reincidente *m*

reprise [rəpriz] *nf (recommencement)* reanudación *f*; *(de marchandises)* recogida *f*; *(d'une entreprise)* adquisición *f*; *(d'une émission télévisée)* repetición *f*; *(accélération)* reprís *m*; *Cout* zurcido *m*; **à deux/ plusieurs reprises** dos/repetidas veces

repriser [rəprize] *vt* zurcir

réprobateur, -trice [reprɔbatœr, -tris] *adj* reprobador(ora)

reproche [rəprɔʃ] *nm* reproche *m*

reprocher [rəprɔʃe] **1** *vt* **r. qch à qn** reprochar algo a alguien

2 se reprocher *vpr* **se r. qch** reprocharse algo

reproducteur, -trice [rəprɔdyktœr, -tris] *adj* reproductor(ora)

reproduction [rəprɔdyksjõ] *nf* reproducción *f*; **r. interdite** *(sur un livre)* prohibida la reproducción

reproduire [18] [rəprɔdɥir] **1** *vt* reproducir

2 se reproduire *vpr* reproducirse

reprogrammable [rəprɔgramabl] *adj Ordinat (touche)* reprogramable

réprouver [repruve] *vt* reprobar

reptile [reptil] *nm* reptil *m*

repu, -e [rəpy] *adj* harto(a)

républicain, -e [repyblikɛ̃, -ɛn] *adj & nm,f* republicano(a) *m,f*

république [repyblik] *nf* república *f*; *Anciennement* **la R. démocratique allemande** la República Democrática Alemana; *Anciennement* **la r. du Congo** la República Democrática del Congo; *Anciennement* **la R. fédérale d'Allemagne** la República Federal de Alemania; **la r. fédérale de Yougoslavie** la República Federal Yugoslava; **la R. tchèque** la República Checa

répudier [repydje] *vt* repudiar

répugnant, -e [repyɲã, -ãt] *adj* repugnante

répugner [repyɲe] *vi* **r. à qn** repugnarle a alguien; **je répugne à employer de telles méthodes** me repugna emplear esos métodos

répulsion [repylsjõ] *nf* repulsión *f*

réputation [repytasjõ] *nf* reputación *f*; **avoir une r. de** tener reputación de; **avoir bonne/mauvaise r.** tener buena/mala reputación

réputé, -e [repyte] *adj* reputado(a)

requérir [7] [rəkerir] *vt* requerir; *Jur (peine)* solicitar

requête [rəkɛt] *nf (prière)* petición *f*; *Jur* requerimiento *m*

requiem [rekɥijɛm] *nm inv* réquiem *m*

requiers, requiert *voir* **requérir**

requin [rəkɛ̃] *nm aussi Fig* tiburón *m*

requis, -e *pp voir* **requérir**

réquisitionner [rekizisjɔne] *vt (personnes)* movilizar; *(biens)* requisar; *Fam Hum* reclutar

réquisitoire [rekizitwar] *nm Jur* requisitoria *f*

RER [ɛrəɛr] *nm (abrév* **réseau express régional**) = red de trenes de cercanías en París

rescapé, -e [rɛskape] *adj & nm,f* superviviente *mf*

rescousse [rɛskus] **à la rescousse** *adv* al rescate; **appeler qn à la r.** pedir socorro a alguien

réseau, -x [rezo] *nm* red *f*; **r. ferroviaire** red ferroviaria; **r. routier** red de carreteras ☆ *Ordinat* **r. local** red local; **r. longue distance** red de área extensa

réservation [rezɛrvasjɔ̃] *nf* reserva *f*

réserve [rezɛrv] *nf* reserva *f*; *(local)* depósito *m*; *(garde-manger)* despensa *f*; **en r.** en reserva; **sans r.** sin reserva; **sous r. de qch** reservándose el derecho de algo ☆ *Can* **r. faunique** reserva de animales; **r. indienne** reserva india; **r. naturelle** reserva natural

réservé, -e [rezɛrve] *adj* reservado(a)

réserver [rezɛrve] **1** *vt* reservar; **r. qch à qn** *(destiner)* reservar algo a alguien; *(marchandise)* apartar algo para alguien
  2 se réserver *vpr* reservarse; **se r. le droit de faire qch** reservarse el derecho a hacer algo

réservoir [rezɛrvwar] *nm (d'eau)* reserva *f*; *(d'essence)* depósito *m*; *Fig (de main-d'œuvre, de jeunes talents)* cantera *f*

résidence [rezidɑ̃s] *nf* residencia *f* ☆ **r. principale** vivienda *f* habitual; **r. secondaire** segunda residencia; **r. universitaire** residencia universitaria

résidentiel, -elle [rezidɑ̃sjɛl] *adj* residencial

résider [rezide] *vi* residir

résidu [rezidy] *nm* residuo *m*

résignation [reziɲasjɔ̃] *nf* resignación *f*

résigné, -e [reziɲe] *adj* resignado(a)

résigner [reziɲe] **se résigner** *vpr* resignarse; **se r. à qch/à faire qch** resignarse a algo/a hacer algo

résilier [rezilje] *vt* rescindir

résine [rezin] *nf* resina *f*

résineux, -euse [rezinø, -øz] **1** *adj* resinoso(a)
  2 *nm* resinífero *m*

résistance [rezistɑ̃s] *nf* resistencia *f*; **opposer une r. à** oponer resistencia a

résistant, -e [rezistɑ̃, -ɑ̃t] *adj & nm,f* resistente *mf*

résister [reziste] *vi (tenir le coup)* resistir; *(lutter)* resistirse; **r. à qch** *(supporter)* resistir algo; *(lutter contre)* resistirse a algo

résolu, -e [rezɔly] **1** *pp voir* **résoudre**
  2 *adj* resuelto(a); **être r. à faire qch** estar resuelto a hacer algo

résolument [rezɔlymɑ̃] *adv* decididamente

résolution [rezɔlysjɔ̃] *nf* resolución *f*; **prendre de bonnes résolutions** tener buenos propósitos; **prendre la r. de faire qch** tomar la resolución de hacer algo

résolvais *voir* **résoudre**

résonner [rezɔne] *vi* resonar

résorber [rezɔrbe] **1** *vt (déficit, chômage)* reabsorber; *Méd (épanchement, abcès)* resorber

2 se résorber vpr (déficit, chômage) desaparecer; Méd (épanchement, abcès) resorberse

résoudre [3b] [rezudr] **1** vt (solutionner) resolver
2 vi **r. de faire qch** decidir hacer algo
3 se résoudre vpr **se r. à faire qch** decidirse a hacer algo

respect [rɛspɛ] nm respeto m; **avoir du r. pour** tener respeto por; **avec tout le r. que je vous dois** con todo el respeto que le debo

respectable [rɛspɛktabl] adj respetable

respecter [rɛspɛkte] vt respetar

respectif, -ive [rɛspɛktif, -iv] adj respectivo(a)

respectivement [rɛspɛktivmã] adv respectivamente

respectueux, -euse [rɛspɛktɥø, -øz] adj respetuoso(a) (**de** con)

respiration [rɛspirasjõ] nf respiración f ☆ **r. artificielle** respiración artificial

respiratoire [rɛspiratwar] adj respiratorio(a)

respirer [rɛspire] vt & vi respirar

resplendissant, -e [rɛsplãdisã, -ãt] adj resplandeciente (**de** de)

responsabiliser [rɛspõsabilize] vt responsabilizar

responsabilité [rɛspõsabilite] nf responsabilidad f; **avoir la r. de qch** tener la responsabilidad de algo; **prendre ses responsabilités** asumir la responsabilidad

responsable [rɛspõsabl] **1** adj responsable (**de** de)
2 nmf responsable mf

resquiller [rɛskije] vi Fam colarse

ressac [rəsak] nm resaca f

ressaisir [rəsezir] **se ressaisir** vpr (se maîtriser) dominarse; (élève, concurrent) recuperarse

ressasser [rəsase] vt (répéter) machacar; (penser sans cesse à) dar vueltas a

ressemblance [rəsãblãs] nf parecido m

ressemblant, -e [rəsãblã, -ãt] adj parecido(a)

ressembler [rəsãble] **1 ressembler à** vt ind parecerse a; **cela ne lui ressemble pas** eso no es normal en él
2 se ressembler vpr parecerse; **se r. comme deux gouttes d'eau** parecerse como dos gotas de agua

ressentiment [rəsãtimã] nm resentimiento m

ressentir [64a] [rəsãtir] **1** vt sentir, experimentar
2 se ressentir vpr **se r. de qch** resentirse de algo

resserrer [rəsere] **1** vt (ceinture, nœud) apretar; Fig (liens) estrechar
2 se resserrer vpr (route, chemin, liens) estrecharse; (nœud, étreinte) apretarse

resservir [63] [rəservir] **1** vt (plat) volver a servir; Fig (histoire) contar
2 vi volver a servir
3 se resservir vpr (remanger) servirse más; **se r. de la viande/des légumes** servirse más carne/más verdura

ressort [rəsɔr] nm (mécanisme) resorte m, muelle m; (énergie) energía f; **ce n'est pas de mon r.** no es de mi incumbencia; **en dernier r.** en última instancia

ressortir [rəsɔrtir] **1** vi (aux **être**) (sortir à nouveau) volver a salir; (sortir) salir; Fig (se détacher) resaltar, destacar
2 vt (aux **avoir**) volver a sacar; Fig (histoire) contar
3 v impersonnel (aux **être**) **il ressort de ceci que...** de esto se desprende que...

ressortissant, -e [rəsɔrtisã, -ãt] nm,f (d'un pays étranger) residente mf (extranjero)

ressource [rəsurs] *nf* recurso *m*
☆ *ressources naturelles* recursos naturales

ressusciter [resysite] *vt & vi* resucitar

restant, -e [rɛstɑ̃, -ɑ̃t] *adj* restante

restaurant [rɛstɔrɑ̃] *nm* restaurante *m* ☆ *r. d'entreprise* comedor *m* de empresa; *r. universitaire* comedor universitario

restauration [rɛstɔrasjɔ̃] *nf* restauración *f*; *Suisse (restaurant)* restaurante *m*

restaurer [rɛstɔre] **1** *vt (œuvre d'art, régime)* restaurar; *(bâtiment)* remodelar
2 se restaurer *vpr* comer

reste [rɛst] *nm* resto *m*; *Math* resta *f*; **restes** *(d'un repas)* sobras *fpl*; *(d'un mort)* restos mortales; **au** *ou* **du r.** por lo demás

rester [rɛste] *(aux* **être***)* **1** *vi (dans un lieu)* quedarse; *(dans un état)* permanecer; *(durer, subsister)* quedar; **c'est tout ce qui me reste** es todo lo que me queda; **en r. à qch** *(s'arrêter)* quedarse en algo; **en r. là** dejarlo; *Fam* **y r.** *(mourir)* quedarse en el sitio
2 *v impersonnel* **il me reste 5 francs** me quedan 5 francos; **il reste que...**, **il n'en reste pas moins que...** eso no impide que...; **reste à savoir si...** falta saber si...

restituer [rɛstitɥe] *vt* restituir

restreindre [54] [rɛstrɛ̃dr] **1** *vt* restringir
2 se restreindre *vpr* restringirse

restrictif, -ive [rɛstriktif, -iv] *adj* restrictivo(a)

restriction [rɛstriksjɔ̃] *nf (limitation)* restricción *f*; *(condition)* condición *f*; **sans r.** sin condiciones

restructuration [rəstryktyrasjɔ̃] *nf* reestructuración *f*

résultat [rezylta] *nm* resultado *m*; *Fam* **r., il a été licencié** total, que lo echaron

résulter [rezylte] *v impersonnel* **il en résulte que...** se deduce que...

résumé [rezyme] *nm* resumen *m*; **en r.** en resumen, resumiendo

résumer [rezyme] **1** *vt* resumir
2 se résumer *vpr (récapituler)* resumir; **se r. à qch** *(se réduire)* reducirse a algo

résurgence [rezyrʒɑ̃s] *nf Géol* resurgencia *f*; *Fig (réapparition)* resurgimiento *m*

résurrection [rezyrɛksjɔ̃] *nf* resurrección *f*

rétablir [retablir] **1** *vt* restablecer
2 se rétablir *vpr* restablecerse; *(gymnaste)* recuperar el equilibrio

rétablissement [retablismɑ̃] *nm* restablecimiento *m*

retaper [rətape] *vt Fam (maison)* dar un repaso a; *(lit)* estirar; *(malade)* restablecer

retard [rətar] *nm* retraso *m*; **avoir une heure de r.** llevar una hora de retraso; **être en r.** *(sur un horaire)* llegar tarde; *(sur une échéance)* llevar retraso; **être en r. sur** *(peloton)* ir detrás de; *(pays)* ir retrasado(a) con respecto a; **prendre du r.** atrasarse; *Litt* **sans r.** sin demora

retardataire [rətardatɛr] *nmf* tardón(ona) *m,f*, impuntual *mf*

retardement [rətardəmɑ̃] *nm* **à r. de** efectos retardados; **comprendre à r.** ser de efectos retardados

retarder [rətarde] **1** *vt* retrasar; *(montre)* atrasar; **r. qch de trois jours** retrasar algo tres días
2 *vi (horloge, montre)* atrasar, atrasarse; *Fam (ne pas être au courant)* no estar al loro; **r. de cinq minutes** atrasar cinco minutos; **r. sur son temps** *ou* **son époque** vivir en el pasado

retenir [70] [rtənir, rətnir] **1** *vt (personne, leçon)* retener; *(objet)* sujetar; *(montant, impôt)* deducir, retener; *(chambre, table)* reservar;

(projet, idée) aceptar; *Math* llevar, llevarse; *(cri, souffle, larmes)* contener, reprimir; *(attention, regard, chaleur)* mantener; **r. qn de faire qch** impedir a alguien que haga algo

  2 se retenir *vpr (se contenir)* aguantarse, contenerse; **se r. à** *(s'accrocher)* agarrarse a; **se r. de faire qch** contenerse de hacer algo

retentir [rǝtãtir] *vi (son)* resonar

retentissant, -e [rǝtãtisã, -ãt] *adj (sonore)* sonoro(a); *(déclaration, succès)* rotundo(a); *(échec)* estrepitoso(a)

retentissement [rǝtãtismã] *nm (de mesures)* repercusión *f*; *(d'un spectacle, d'un ouvrage)* resonancia *f*

retenue [rtǝny, rǝtny] *nf (prélèvement)* deducción *f*; *Math* cantidad *f* que se lleva; *Scol (punition)* castigo *m (sin salir)*; *Fig (réserve)* discreción *f*, reserva *f*; **sans r.** sin reservas ☆ **r. à la source** retención *f* a cuenta

réticence [retisãs] *nf* reticencia *f*; **avec/sans r.** con/sin reticencias

réticent, -e [retisã, -ãt] *adj* reticente

rétine [retin] *nf* retina *f*

retiré, -e [rǝtire] *adj (endroit)* retirado(a)

retirer [rǝtire] **1** *vt* sacar (**de** de); *(vêtement)* quitarse; *(candidature, plainte)* retirar; **r. qch à qn** *(permis de conduire, parole)* retirar algo a alguien

  2 se retirer *vpr* retirarse (**de** de)

retombées [rǝtõbe] *nfpl (répercussions)* consecuencias *fpl* ☆ **r. radioactives** lluvia *f* radiactiva

retomber [rǝtõbe] *vi (aux* **être***) (tomber de nouveau)* volver a caer; *(redescendre, pendre)* caer; *Fig (colère)* aplacarse; **r. malade** tener una recaída; **r. sur** *(responsabilité)* recaer sobre; **r. dans le désespoir/l'oubli** volver a caer en la desesperación/el olvido

rétorquer [retorke] *vt* replicar; **r. à qn que** replicar a alguien que

retors, -e [rǝtor, -ors] *adj* retorcido(a)

retouche [rǝtuʃ] *nf* retoque *m*

retoucher [rǝtuʃe] *vt* retocar

retour [rǝtur] *nm* vuelta *f*; *(trajet)* viaje *m* de vuelta; *(réexpédition)* devolución *f*; **à mon r.** a mi regreso; **être de r. (de)** estar de vuelta (de); **en r.** a cambio ☆ **r. en arrière** *Cin & Littérat* flashback *m*, vuelta atrás; *Fig* mirada *f* retrospectiva

retourner [rǝturne] **1** *vt (aux* **avoir***) (matelas, carte)* dar la vuelta a; *(terre)* remover; *(poche, pull)* volver del revés; *(compliment, objet prêté, lettre)* devolver; *Fig (émouvoir)* trastornar

  2 *vi (aux* **être***)* volver (**à** a); **r. faire qch** volver para hacer algo

  3 se retourner *vpr (voiture)* volcar, *Am* voltear; *(personne) Esp* volverse, *Am* voltearse, *RP* darse vuelta; *Fam (s'adapter)* acomodarse; **s'en r.** *(rentrer) Esp* volverse, *Am* devolverse; *Fig* **se r. contre** *(s'opposer)* volverse contra

retracer [16] [rǝtrase] *vt (événements)* reconstituir

rétracter [retrakte] **1** *vt (contracter)* retraer

  2 se rétracter *vpr (se contracter)* retraerse; *(se dédire)* retractarse

retrait [rǝtrɛ] *nm* retirada *f*; *(de bagages)* recuperación *f*; **en r.** *(en arrière)* hacia atrás; *Fig* **rester en r.** quedarse en la retaguardia

retraite [rǝtrɛt] *nf (cessation d'activité)* jubilación *f*, retiro *m*; *(revenu)* pensión *f*; *(fuite)* retirada *f*; *Rel* retiro *m*; **être à la r.** estar jubilado(a) o retirado(a) ☆ **r. anticipée** jubilación anticipada; **r. complémentaire** pensión complementaria

retraité, -e [rǝtrete] *adj & nm,f* jubilado(a) *m,f*, retirado(a) *m,f*

retraitement [rətrɛtmã] *nm (de déchets nucléaires)* recuperación *f*

retrancher [rətrãʃe] **1** *vt (enlever)* suprimir (**de** de); *(d'un montant)* restar (**de** de)
2 se retrancher *vpr* atrincherarse; *Fig* **se r. derrière** parapetarse tras

retranscrire [30] [rətrãskrir] *vt* transcribir

retransmission [rətrãsmisjɔ̃] *nf* retransmisión *f*

rétrécir [retresir] **1** *vt* estrechar
2 *vi* encoger
3 se rétrécir *vpr* estrecharse

rétribution [retribysjɔ̃] *nf* retribución *f*

rétro [retro] **1** *adj inv* retro
2 *nm Fam (rétroviseur)* retrovisor *m*

rétroactif, -ive [retroaktif, -iv] *adj* retroactivo(a)

rétrograde [retrograd] *adj* retrógrado(a)

rétrograder [retrograde] **1** *vt* degradar
2 *vi Aut* reducir la marcha; **r. de troisième en seconde** reducir de tercera a segunda

rétroprojecteur [retroprɔʒɛktœr] *nm* retroproyector *m*

rétrospective [retrospɛktiv] *nf* retrospectiva *f*

rétrospectivement [retrospɛktivmã] *adv* a posteriori

retrousser [rətruse] *vt* arremangar, remangar; **r. ses babines** enseñar los dientes

retrouvailles [rətruvaj] *nfpl* reencuentro *m*

retrouver [rətruve] **1** *vt (récupérer)* encontrar; *(appétit)* recobrar; *(reconnaître)* reconocer; *(rencontrer)* encontrarse con
2 se retrouver *vpr (être)* encontrarse; *(se rejoindre)* encontrarse; *(s'orienter)* orientarse; *Fam* **s'y r.** *(financièrement)* recuperarse

rétroviseur [retrovizœr] *nm* retrovisor *m*

réunification [reynifikasjɔ̃] *nf* reunificación *f*

Réunion [reynjɔ̃] *nf* **la R.** (la isla de) la Reunión

réunion [reynjɔ̃] *nf* reunión *f*; *(jonction)* unión *f*; **être en r.** estar reunido(a)

réunionnais, -e [reynjɔnɛ, -ɛz] **1** *adj* = nativo o habitante de la isla de la Reunión
2 *nm, f* **R.** = nativo o habitante de la isla de la Reunión

réunir [reynir] **1** *vt* reunir; *(joindre)* unir
2 se réunir *vpr* reunirse; *(se joindre)* juntarse

réussi, -e [reysi] *adj Esp* logrado(a), *Am* exitoso(a); *Iron* **c'est r.!** ¡vaya éxito!

réussir [reysir] **1** *vi (tentative, affaire)* salir bien; *(personne)* salir adelante; **r. à faire qch** conseguir hacer algo; **r. à qch** *(examen, test)* aprobar algo; **r. à qn** *(climat, aliment)* sentar bien a alguien
2 *vt (examen)* aprobar; **j'ai enfin réussi mon soufflé** por fin me ha salido bien el soufflé

réussite [reysit] *nf (succès)* éxito *m*; *(jeu de cartes)* solitario *m*

revaloriser [rəvalɔrize] *vt (monnaie, salaires)* revaluar; *Fig (image, profession)* revalorizar

revanche [rəvãʃ] *nf* revancha *f*, venganza *f*; **prendre sa r.** tomarse la revancha; **en r.** en cambio

rêvasser [rɛvase] *vi* soñar despierto(a)

rêve [rɛv] *nm* sueño *m*; **faire un r.** tener un sueño; **de r.** de ensueño

rêvé, -e [reve] *adj* ideal

revêche [rəvɛʃ] *adj* arisco(a)

réveil [revɛj] *nm (pendule)* despertador *m*; *(d'une personne, d'un animal, d'un volcan)* despertar *m*; *Fig* *(retour à la réalité)* vuelta *f* a la realidad

réveille-matin [rɛvɛjmatɛ̃] *nm inv* despertador *m*

réveiller [revɛje] **1** *vt* despertar; *Fig (sentiment, qualité)* estimular
2 se réveiller *vpr* despertarse

réveillon [revɛjɔ̃] *nm (dîner) (de Noël)* cena *f* de Nochebuena; *(de la Saint-Sylvestre)* cena *f* de Nochevieja; *(fête)* cotillón *m*, revellón *m*

réveillonner [revɛjɔne] *vi* = festejar el día de Nochebuena o el de Nochevieja

révélateur, -trice [revelatœr, -tris] **1** *adj* revelador(ora)
2 *nm Phot* revelador *m*; *Fig* dato *m* revelador

révélation [revelasjɔ̃] *nf* revelación *f*

révéler [34] [revele] **1** *vt* revelar; *(artiste)* dar a conocer
2 se révéler *vpr (apparaître)* revelarse; *(s'avérer)* resultar

revenant, -e [rəvnɑ̃, -ɑ̃t] *nm,f (fantôme)* aparecido(a) *m,f*; *Fam (personne)* resucitado(a) *m,f*

revendeur, -euse [rəvɑ̃dœr, -øz] *nm,f* revendedor(ora) *m,f*

revendication [rəvɑ̃dikasjɔ̃] *nf* reivindicación *f*

revendiquer [rəvɑ̃dike] *vt* reivindicar; *(responsabilité)* asumir

revendre [rəvɑ̃dr] *vt* revender; *Fig* avoir qch à r. tener algo para dar y tomar

revenir [70] [rəvnir] *vi (aux être)* volver; *(mot, sujet)* salir; r. sur *(sujet)* volver sobre; *(promesse)* volverse atrás en; ça ne me revient pas *(à l'esprit)* no me acuerdo; r. à qn/ aux oreilles de qn *(être rapporté)* llegar a alguien/a oídos de alguien; r. à qn *(honneur, tâche)* corresponder a alguien; *Fam* ne pas r. à qn *(déplaire)* no caer bien a alguien; r. à *(coûter)* salir por; cela revient au même eso viene a ser lo mismo; *Fam* ne pas en

r. quedarse estupefacto; *Culin* faire r. qch rehogar algo

revenu [rəvny, rvəny] *nm* r., revenus ingresos *mpl*

rêver [reve] **1** *vi* soñar (de con); *(rêvasser)* soñar despierto(a); r. de faire qch soñar con hacer algo
2 *vt* soñar

réverbère [revɛrbɛr] *nm* farola *f*

révérence [reverɑ̃s] *nf* reverencia *f*; faire la r. hacer una reverencia

rêverie [rɛvri] *nf* fantasía *f*, ensueño *m*

revers [rəvɛr] *nm (de la main)* dorso *m*; *(d'une pièce)* reverso *m*; *(d'une veste)* solapa *f*; *(d'un pantalon)* vuelta *f*; *(au tennis)* revés *m*; *Fig* le r. de la médaille la otra cara de la moneda ☆ r. *(de fortune)* revés

réversible [revɛrsibl] *adj* reversible

revêtement [rəvɛtmɑ̃] *nm (de mur, de sol)* revestimiento *m*; *(de route)* firme *m*

revêtir [71] [rəvetir] *vt (vêtement)* vestir; *(mur, caractère)* revestir (de con)

rêveur, -euse [rɛvœr, -øz] *adj & nm,f* soñador(ora) *m,f*

revient [rəvjɛ̃] *nm voir* prix

revigorer [rəvigɔre] *vt* tonificar

revirement [rəvirmɑ̃] *nm* viraje *m*

réviser [revize] *vt* revisar; *(leçon)* repasar

révision [revizjɔ̃] *nf* revisión *f*; *(d'une leçon)* repaso *m*

révisionnisme [revizjɔnism] *nm* revisionismo *m*

revivre [72] [rəvivr] **1** *vi* revivir
2 *vt* volver a vivir

revoici [rəvwasi] *prép* me/la/etc r.! ¡aquí estoy/está/etc otra vez!

revoilà [rəvwala] *prép* me/la/etc r.! ¡aquí estoy/está/etc otra vez!

revoir [73a] [rəvwar] **1** *vt (voir à nouveau)* volver a ver; *(réviser)* repasar; au r.! ¡adiós!

2 se revoir *vpr* volver a verse

révolte [revɔlt] *nf* revuelta *f*

révolter [revɔlte] **1** *vt* sublevar

2 se révolter *vpr (se soulever)* rebelarse, sublevarse (**contre** contra); *(s'indigner)* indignarse (**contre** contra)

révolu, -e [revɔly] *adj (époque)* pasado(a); *(ans)* cumplido(a)

révolution [revɔlysjɔ̃] *nf* revolución *f*

révolutionnaire [revɔlysjɔnɛr] *adj & nmf* revolucionario(a) *m,f*

révolutionner [revɔlysjɔne] *vt* revolucionar

revolver [revɔlvɛr] *nm* revólver *m*

révoquer [revɔke] *vt* revocar

revue [rəvy] *nf* revista *f*; *(défilé)* desfile *m*; **passer qch en r.** pasar revista a algo ☆ *r. de presse* revista de prensa

révulsé, -e [revylse] *adj (yeux)* en blanco

Reykjavik [rɛkjavik] *n* Reikiavik

rez-de-chaussée [redʃose] *nm inv* planta *f* baja

RFA [ɛrɛfa] *nf Anciennement (abrév* **République fédérale d'Allemagne)** RFA *f*

rhabiller [rabije] **1** *vt* vestir de nuevo

2 se rhabiller *vpr* vestirse de nuevo; *Fam* **il peut aller se r.** es malísimo

Rhésus [rezys] *nm Méd* Rh *m*; **r. positif/négatif** Rh positivo/negativo

rhétorique [retɔrik] *nf* retórica *f*

Rhin [rɛ̃] *nm* **le R.** el Rin

rhinocéros [rinɔserɔs] *nm* rinoceronte *m*

rhododendron [rɔdɔdɛ̃drɔ̃] *nm* rododendro *m*

Rhône [ron] *nm* **le R.** el Ródano

rhubarbe [rybarb] *nf* ruibarbo *m*

rhum [rɔm] *nm* ron *m*

rhumatisme [rymatism] *nm* reumatismo *m*

rhume [rym] *nm* resfriado *m*, *Esp* catarro *m*, resfriado *m*, *CSur* resfrío *m* ☆ *r. des foins* fiebre *f* del heno

riant, -e [rijɑ̃, -ɑ̃t] *adj* risueño(a)

ribambelle [ribɑ̃bɛl] *nf* **une r. de qch** una retahíla de algo

ricaner [rikane] *vi (avec méchanceté)* reír sarcásticamente; *(bêtement)* tener la risa tonta

riche [riʃ] **1** *adj* rico(a); **r. d'enseignements** rico en enseñanzas; **r. en vitamines** rico en vitaminas

2 *nmf* rico(a) *m,f*

richesse [riʃɛs] *nf* riqueza *f*; **richesses** *(d'une personne)* riquezas; *(d'un pays)* riqueza

ricochet [rikɔʃɛ] *nm* rebote *m*; **faire des ricochets** tirar piedras; *Fig* **par r. de carambola**

rictus [riktys] *nm* rictus *m inv*

ride [rid] *nf (sur la peau)* arruga *f*; *(sur l'eau)* onda *f*

ridé, -e [ride] *adj* arrugado(a)

rideau, -x [rido] *nm* cortina *f*; *(de théâtre)* telón *m* ☆ *Hist* **le r. de fer** el telón de acero

ridicule [ridikyl] **1** *adj* ridículo(a)

2 *nm* **se couvrir de r.** hacer el ridículo; **tourner qch/qn en r.** poner algo/a alguien en ridículo

ridiculiser [ridikylize] **1** *vt* ridiculizar

2 se ridiculiser *vpr* hacer el ridículo

rien [rjɛ̃] **1** *pron indéfini* nada; **ne... r.** no... nada; **il n'y a r.** no hay nada; **c'est ça ou r.!** ¡o eso o nada!; **de r.!** ¡de nada!; **plus r.** nada más; **pour r.** para nada; **pour r. au monde** por nada del mundo; **sans r. dire** sin decir nada; **r. à dire!** ¡no hay nada que decir!; **r. à faire!** *(c'est impossible)* ¡no hay nada que hacer!; **r. à faire, je ne te le prêterai pas** no insistas, no te lo voy a prestar; **r. d'autre** nada más; **r. de nouveau** nada nuevo, sin novedad; **r. du tout** nada en absoluto, nada de nada; **r. que** sólo; **r. que l'idée des vacances le rend heureux** sólo con pensar en las vacaciones ya es feliz; **la vérité, r. que la vérité** la verdad y nada más que la verdad

2 *nm* **pour un r.** *(se fâcher, pleurer)* por nada, por una tontería; **en un r. de temps** en un santiamén

rieur, -euse [rijœr, -øz] *adj* risueño(a)

rigide [riʒid] *adj* rígido(a)

rigidité [riʒidite] *nf* rigidez *f*

rigole [rigɔl] *nf* acequia *f*

rigoler [rigɔle] *vi Fam (rire)* reírse; *(plaisanter)* bromear

rigolo, -ote [rigɔlo, -ɔt] *Fam* **1** *adj (drôle)* cachondo(a); *(curieux)* rarillo(a)

2 *nm,f* cachondo(a) *m,f*

rigoureux, -euse [rigurø, -øz] *adj* riguroso(a)

rigueur [rigœr] *nf* rigor *m*; **à la r.** en última instancia; **être de r.** ser de rigor

rillettes [rijɛt] *nfpl* chicharrones *mpl*, = carne conservada en grasa

rime [rim] *nf* rima *f*

rimer [rime] *vi* rimar (**avec** con); **ça ne rime à rien** no tiene sentido

rinçage [rɛ̃saʒ] *nm (de la vaisselle)* enjuague *m*; *(du linge, des cheveux)* aclarado *m*

rincer [16] [rɛ̃se] *vt (vaisselle)* enjuagar; *(cheveux, linge)* aclarar

ring [riŋ] *nm (de boxe)* ring *m*

riposte [ripɔst] *nf (réponse)* réplica *f*; *(contre-attaque)* respuesta *f*

riposter [ripɔste] **1** *vt* replicar

2 *vi (répondre)* replicar (**à** a); *(contre-attaquer)* responder (**à** a)

rire [61] [rir] **1** *nm* risa *f*; **c'est à mourir de r.** es para morirse de risa ☆ **avoir le fou r.** tener la risa tonta

2 *vi (s'esclaffer)* reír; **r. de** *(se moquer)* reírse de; *Fam* **pour r.** en broma

ris [ri] *nmpl* **r. de veau/d'agneau** mollejas *fpl* de ternera/de cordero

risée [rize] *nf* **être la r. de** ser el hazmerreír de

risible [rizibl] *adj* risible

risque [risk] *nm* riesgo *m*; **à tes risques et périls** por tu cuenta y riesgo; **au r. de faire qch** a riesgo de hacer algo; **courir le r. de faire qch** correr el riesgo de hacer algo; **prendre des risques** arriesgarse

risqué, -e [riske] *adj (entreprise, expédition)* arriesgado(a); *(plaisanterie)* atrevido(a)

risquer [riske] **1** *vt* arriesgar; *(tenter)* aventurar; **r. de faire qch** correr el riesgo de hacer algo; **ça risque de durer longtemps** podría durar mucho; *Fam* **il ne risque pas de te le dire!** ¡no caerá la breva de que te lo diga!

2 se risquer *vpr* arriesgarse; **se r. à qch/à faire qch** arriesgarse a algo/a hacer algo

rissoler [risɔle] **1** *vt* dorar

2 *vi* dorarse

ristourne [risturn] *nf* rebaja *f*, descuento *m*

rite [rit] *nm* rito *m*

rituel, -elle [rituɛl] **1** *adj* ritual

2 *nm* ritual

rivage [rivaʒ] *nm* orilla *f*, ribera *f*

rival, -e, -aux, -ales [rival, -o] *adj & nm,f* rival *mf*

rivaliser [rivalize] *vi* **r. avec** rivalizar o competir con; **r. d'audace/d'humour avec qn** rivalizar en audacia/humor con alguien

rivalité [rivalite] *nf* rivalidad *f*

rive [riv] *nf* orilla *f*, ribera *f*

riverain, -e [rivrɛ̃, -ɛn] *adj & nm,f (d'une rivière)* ribereño(a) *m,f*; *(d'une rue, d'une route)* vecino(a) *m,f*

rivet [rivɛ] *nm* remache *m*

rivière [rivjɛr] *nf* río *m* ☆ **r. de diamants** collar *m* de diamantes

rixe [riks] *nf Litt* riña *f*

riz [ri] *nm* arroz *m* ☆ *r. cantonais* arroz tres delicias; *r. au lait* arroz con leche

rizière [rizjɛr] *nf* arrozal *m*

RMI [ɛrɛmi] *nm* (*abrév* **revenu minimum d'insertion**) = ayuda estatal para la inserción social de personas sin ingresos

RMiste [ɛrɛmist] *nmf* = persona que cobra la ayuda estatal para la inserción social

RN [ɛrɛn] *nf* (*abrév* **route nationale**) N

RNIS [ɛrɛnies] *nm Ordinat* (*abrév* **réseau numérique à intégration de services**) RDSI *f*

robe [rɔb] *nf* (*de femme*) vestido *m*; (*de magistrat*) toga *f*; (*d'un cheval*) pelaje *m*; (*d'un vin*) color *m* ☆ *r. de chambre* bata *f* (de casa); *r. de soirée* traje *m* de noche

robinet [rɔbinɛ] *nm* (*d'évier*) *Esp* grifo *m*, *Carib, Col, Méx* pluma *f*, *Perú* caño *m*, *RP* canilla *f*, *Ven* chorro *m*; (*vanne d'eau, de gaz*) llave *f* ☆ *r. mélangeur* grifo monobloc, *RP* canilla mezcladora

robineux [rɔbinø] *nm Can Fam* vagabundo *m*

robot [rɔbo] *nm* robot *m* ☆ *r. ménager* robot de cocina

robotique [rɔbɔtik] *nf* robótica *f*

robuste [rɔbyst] *adj* robusto(a)

roc [rɔk] *nm* roca *f*

rocade [rɔkad] *nf* (carretera *f*) de circunvalación *f*

rocaille [rɔkaj] *nf* (*cailloux*) guijarros *mpl*; (*dans un jardin*) rocalla *f*

rocambolesque [rɔkãbɔlɛsk] *adj* rocambolesco(a)

roche [rɔʃ] *nf* roca *f*

rocher [rɔʃe] *nm* peñasco *m*; **le r. de** Gibraltar el peñón de Gibraltar ☆ *r. au chocolat* = bombón con forma de roca

rocheux, -euse [rɔʃø, -øz] *adj* rocoso(a)

rock [rɔk] **1** *adj inv* rock
2 *nm* rock *m*

rodage [rɔdaʒ] *nm* rodaje *m*; **en r.** en rodaje

rôder [rode] *vi* merodear, rondar

rôdeur, -euse [rodœr, -øz] *nm,f* merodeador(ora) *m,f*

rogne [rɔɲ] *nf Fam* cabreo *m*; **être en r.** estar cabreado(a); **se mettre en r.** cabrearse

rogner [rɔɲe] **1** *vt* (*livre, ongles*) cortar; (*montant*) recortar
2 rogner sur *vt ind* recortar

rognon [rɔɲɔ̃] *nm* riñón *m*

roi [rwa] *nm* rey *m*; **c'est vraiment le r. des imbéciles** es realmente imbécil; **tirer les rois** = comer el roscón de reyes ☆ *les Rois mages* los Reyes Magos

rôle [rol] *nm* papel *m* (*personaje, función*); **tenir le r. de** desempeñar el papel de; *Fig* **avoir le beau r.** ser el bueno de la película; *Fig* **jouer un r. dans qch** intervenir en algo, jugar un papel en algo

ROM [rɔm] *nf* (*abrév* **read only memory**) ROM *f*

romain, -e [rɔmɛ̃, -ɛn] **1** *adj* romano(a)
2 *nm,f* **R.** romano(a) *m,f*

roman¹, -e [rɔmã, -an] *adj* románico(a)

roman² *nm* novela *f* ☆ *r. d'amour* novela romántica; *r. noir* novela negra; *r. policier* novela policíaca

romance [rɔmãs] *nf* romanza *f*

romancier, -ère [rɔmãsje, -ɛr] *nm,f* novelista *mf*

romand, -e [rɔmã, -ãd] *adj* suizo(a) francófono(a)

romanesque [rɔmanɛsk] *adj* novelesco(a)

roman-feuilleton (*pl* **romans-feuilletons**) [rɔmãfœjtɔ̃] *nm* folletín *m*

roman-photo (*pl* **romans-photos**) [rɔmãfɔto] *nm* fotonovela *f*

romantique [rɔmɑ̃tik] *adj & nmf* romántico(a) *m,f*

romantisme [rɔmɑ̃tism] *nm* romanticismo *m*

romarin [rɔmarɛ̃] *nm* romero *m*

Rome [rɔm] *n* Roma

rompre [rɔ̃pr] **1** *vt* romper; *(pain)* partir
2 *vi (casser)* romperse; *(se séparer)* romper (**avec** con); *Mil* **r. les rangs** romper filas; **applaudir à tout r.** aplaudir con ganas
3 se rompre *vpr* romperse; **se r. le cou** darse un buen golpe

ronce [rɔ̃s] *nf (arbuste)* zarza *f*; *(en ébénisterie)* veta *f*

rond, -e [rɔ̃, rɔ̃d] **1** *adj* redondo(a); *Fam (ivre)* trompa
2 *nm (ligne, figure pleine)* círculo *m*; *(anneau)* aro *m*; **en r.** *(se placer, s'asseoir)* formando un círculo; *(courir)* en redondo; *Fam* **ne pas avoir un r.** estar sin blanca ☆ **r. de serviette** servilletero *m*
3 *adv* **tout r.** exactamente

ronde [rɔ̃d] *nf (de surveillance)* ronda *f*; *(danse)* corro *m*; *Mus (note)* redonda *f*; **à 50 km à la r.** en 50 km. a la redonda

rondelle [rɔ̃dɛl] *nf (tranche)* rodaja *f*; *(de métal)* arandela *f*; *Can* **r. (de hockey)** disco *m*

rondeurs [rɔ̃dœr] *nfpl (d'une femme)* curvas *fpl*

rond-point (*pl* **ronds-points**) [rɔ̃pwɛ̃] *nm* glorieta *f*

ronflement [rɔ̃fləmɑ̃] *nm (d'un dormeur)* ronquido *m*; *(d'un poêle, d'un moteur)* zumbido *m*

ronfler [rɔ̃fle] *vi (personne)* roncar; *(poêle, moteur)* zumbar

ronger [45] [rɔ̃ʒe] **1** *vt (os)* roer; *(bois)* carcomer; *Fig (miner)* corroer
2 se ronger *vpr* **se r. les ongles** morderse las uñas; **se r. les sangs** atormentarse

rongeur [rɔ̃ʒœr] *nm* roedor *m*

ronronner [rɔ̃rɔne] *vi (chat)* ronronear; *(moteur)* zumbar

roquefort [rɔkfɔr] *nm* roquefort *m*

rosace [rozas] *nf* rosetón *m*

rosaire [rozɛr] *nm* rosario *m*

rose [roz] **1** *adj* rosa
2 *nf (fleur)* rosa *f* ☆ **r. des vents** rosa de los vientos
3 *nm (couleur)* rosa *m* ☆ **r. bonbon** rosa fuerte

rosé, -e [roze] **1** *adj* rosado(a)
2 *nm (vin)* rosado *m*

roseau, -x [rozo] *nm* caña *f (planta)*

rosée [roze] *nf* rocío *m*

rosier [rozje] *nm* rosal *m*

rosser [rose] *vt* vapulear

rossignol [rosiɲɔl] *nm (oiseau)* ruiseñor *m*; *(passe-partout)* ganzúa *f*

rot [ro] *nm* eructo *m*

rotation [rɔtasjɔ̃] *nf* rotación *f*

roter [rɔte] *vi Fam* eructar

rôti, -e [roti] **1** *adj* asado(a)
2 *nm* asado *m*

rotin [rɔtɛ̃] *nm* mimbre *m*

rôtir [rotir] **1** *vt* asar
2 *vi* asarse

rôtissoire [rotiswar] *nf* asador *m*

rotule [rɔtyl] *nf* rótula *f*

rouage [rwaʒ] *nm* rueda *f* dentada; *aussi Fig* **rouages** engranajes *mpl*

rouble [rubl] *nm* rublo *m*

roucouler [rukule] *vi* arrullarse

roue [ru] *nf* rueda *f*; **faire la r.** *(paon)* abrir la cola; *(gymnaste)* hacer la voltereta lateral ☆ **r. de secours** rueda de repuesto; **grande r.** noria *f*

rouer [rwe] *vt* **r. qn de coups** moler a alguien a golpes

rouge [ruʒ] **1** *adj* rojo(a)
2 *nm (couleur)* rojo *m*; *(fard)* colorete *m*; *Fam (vin)* tinto *m*; **le r. lui monta aux joues** se puso colorado(a) ☆ **r. à lèvres** barra *f* o lápiz *m* de labios
3 *nmf Péj (communiste)* rojo(a) *m,f*

rougeâtre [ruʒɑtr] *adj* rojizo(a)

rouge-gorge (*pl* **rouges-gorges**) [ruʒgɔrʒ] *nm* petirrojo *m*

rougeole [ruʒɔl] *nf* sarampión

rougeur [ruʒœr] *nf* rojez *f*; *(de honte)* rubor *m*; **rougeurs** *(sur la peau)* rojeces

rougir [ruʒir] **1** *vt* enrojecer

2 *vi (feuilles, ciel)* enrojecer; *(personne)* ruborizarse (**de** por); **r. de honte** ruborizarse

rouille [ruj] **1** *nf (oxyde)* herrumbre *f*, óxido *m*; *Culin* = salsa roja a base de guindillas que acompaña la sopa de pescado y la bullabesa

2 *adj inv (couleur)* rojizo(a)

rouiller [ruje] **1** *vt* oxidar

2 *vi* oxidarse

3 se rouiller *vpr aussi Fig* oxidarse

roulade [rulad] *nf (galipette)* volvereta *f*; *Culin* rollo *m* de carne

rouleau, -x [rulo] *nm (cylindre)* rollo *m*; *(de peintre, de pâtissier)* rodillo *m*; *(bigoudi)* rulo *m*; *(vague)* rompiente *f* ☆ **r. compresseur** apisonadora *f*

roulement [rulmã] *nm (du personnel, de hanches)* rotación *f*; *Fin (circulation)* circulación *f* ☆ **r. à billes** rodamiento *m* de bolas; **r. de tambour** redoble *m* de tambor; **r. de tonnerre** trueno *m*

rouler [rule] **1** *vt (tonneau)* rodar; *(tapis)* enrollar; *(cigarette)* liar; *Ling* hacer vibrar; *(duper)* timar

2 *vi (ballon)* rodar; *(véhicule)* circular; *(automobiliste) Esp* conducir, *Am* manejar; *(bateau)* balancearse; *(tonnerre)* resonar; **r. sur** *(sujet: conversation)* girar sobre

3 se rouler *vpr* **se r. par terre** revolcarse por el suelo

roulette [rulɛt] *nf (petite roue)* ruedecilla *f*; *(de dentiste)* torno *m*; *(jeu)* ruleta *f*

roulis [ruli] *nm* balanceo *m*

roulotte [rulɔt] *nf* caravana *f*

roumain, -e [rumɛ̃, -ɛn] **1** *adj* rumano(a)

2 *nm,f* **R.** rumano(a) *m,f*

3 *nm (langue)* rumano *m*

Roumanie [rumani] *nf* **la R.** Rumanía

roupiller [rupije] *vi Fam* dormir

rouquin, -e [rukɛ̃, -in] *adj & nm,f Fam* pelirrojo(a) *m,f*

rouspéter [34] [ruspete] *vi Fam* refunfuñar

rousse [rus] *voir* **roux**

rousseur [rusœr] *nf voir* **tache**

route [rut] *nf* carretera, *RP* ruta *f*; *(des épices, de la soie)* ruta *f*; *(itinéraire)* camino *m*; *Naut* rumbo *m*; **deux heures de r.** dos horas de carretera; **en r.!** ¡en marcha!; **mettre qch en r.** poner algo en marcha

routier, -ère [rutje, -ɛr] **1** *adj (carte, relais)* de carreteras; *(circulation)* por carretera, viario(a)

2 *nm (chauffeur)* camionero *m*; *(restaurant)* restaurante *m* de camioneros

routine [rutin] *nf* rutina *f*

rouvrir [52] [ruvrir] **1** *vt (porte)* volver a abrir; *(débat)* reabrir

2 se rouvrir *vpr* volverse a abrir

roux, rousse [ru, rus] **1** *adj (cheveux, personne)* pelirrojo(a); *(feuille)* rojizo(a); *(sucre)* moreno(a)

2 *nm,f (personne)* pelirrojo(a) *m,f*

3 *nm (couleur)* rojizo *m*; *Culin* salsa *f* dorada o tostada

royal, -e, -aux, -ales [rwajal, -o] *adj (de roi)* real; *(cadeau, pourboire)* regio(a)

royaliste [rwajalist] *adj & nmf* monárquico(a) *m,f*

royaume [rwajom] *nm* reino *m*; *Fig (domaine)* reino *m* personal

Royaume-Uni [rwajomyni] *nm* **le R.** el Reino Unido

royauté [rwajote] *nf (fonction)* realeza *f*; *(régime)* monarquía *f*

RPR [ɛrpeɛr] *nm (abrév* **Rassemblement**

pour la République) = partido político francés a la derecha del espectro político

rte (*abrév* **route**) C

ruade [rɥad] *nf* coz *f*

ruban [rybã] *nm* cinta *f*; *(décoration)* condecoración *f*

rubéole [rybeɔl] *nf* rubéola *f*

rubis [rybi] **1** *nm* rubí *m*; *Fig* payer r. sur l'ongle pagar a tocateja
2 *adj inv (couleur)* rubí *inv*

rubrique [rybrik] *nf (chronique)* sección *f*; *(chapitre)* rúbrica *f*

ruche [ryʃ] *nf (d'abeilles)* colmena *f*; *Fig (endroit animé)* hormiguero *m*

rude [ryd] *adj (étoffe, surface)* rudo(a), basto(a); *(voix, son)* bronco(a); *(personne, manières)* brusco(a); *(épreuve)* duro(a); *(climat)* riguroso(a); *Fam* **un r. appétit** un apetito impresionante

rudement [rydmã] *adv (heurter, critiquer)* rudamente, duramente; *Fam (très)* realmente

rudimentaire [rydimãtɛr] *adj* rudimentario(a)

rue [ry] *nf* calle *f*; **être/se retrouver à la r.** estar/encontrarse en la calle ☆ **r. principale** calle principal

ruée [rɥe] *nf* estampida *f* *(carrera)*; **la r. vers l'or** la fiebre del oro

ruelle [rɥɛl] *nf* callejón *m*, callejuela *f*

ruer [rɥe] **1** *vi* cocear
2 se ruer *vpr* **se r. sur** abalanzarse sobre

rugby [rygbi] *nm* rugby *m* ☆ **r. à quinze** rugby; **r. à treize** = variedad de rugby con trece jugadores por equipo

rugir [ryʒir] **1** *vi* rugir
2 *vt (menaces, injures)* proferir

rugissement [ryʒismã] *nm* rugido *m*

rugueux, -euse [rygø, -øz] *adj* rugoso(a)

ruine [rɥin] *nf* ruina *f*; **en r.** en ruinas; **tomber en r.** quedarse en ruinas

ruiner [rɥine] **1** *vt* arruinar
2 se ruiner *vpr* arruinarse

ruisseau, -x [rɥiso] *nm (cours d'eau)* arroyo *m*; *(de larmes, de sang)* río *m*

ruisseler [9] [rɥisle] *vi* chorrear

rumeur [rymœr] *nf* rumor *m*; **la r. publique** el rumor general

ruminer [rymine] *vt (sujet: animal)* rumiar; *Fig (projet, souvenirs)* dar vueltas a

rupture [ryptyr] *nf* rotura *f*; *Fig (changement, annulation, brouille)* ruptura *f*

rural, -e, -aux, -ales [ryral, -o] *adj* rural

ruse [ryz] *nf (habileté)* astucia *f*; *(subterfuge)* ardid *m*

rusé, -e [ryze] *adj* astuto(a), *Méx* abusado(a)

russe [rys] **1** *adj* ruso(a)
2 *nmf* **R.** ruso(a) *m,f*
3 *nm (langue)* ruso *m*

Russie [rysi] *nf* **la R.** Rusia

Rustine® [rystin] *nf* parche *m* *(para cámara de aire de bicicleta)*

rustique [rystik] **1** *adj* rústico(a)
2 *nm* estilo *m* rústico

rustre [rystr] *adj & nmf* patán(ana) *m,f*

rutilant, -e [rytilã, -ãt] *adj* rutilante

Rwanda [rwãda] *nm* **le R.** Ruanda

rwandais, -e [rwãdɛ, -ɛz] **1** *adj* ruandés(esa)
2 *nm,f* **R.** ruandés(esa) *m,f*

rythme [ritm] *nm* ritmo *m*; **au r. de 50 par heure** a un ritmo de 50 por hora; **en r.** con ritmo

rythmique [ritmik] *adj* rítmico(a)

S

S, s [ɛs] *nm inv (lettre)* S *f*, s *f*
S *(abrév* **sud)** S
s *(abrév* **seconde)** s
SA [ɛsa] *nf (abrév* **société anonyme)** SA *f*
sa [sa] *voir* **son¹**
sable [sɑbl] *nm* arena *f* ☆ **sables mouvants** arenas movedizas
sablé, -e [sable] **1** *adj (route)* enarenado(a), arenado(a); *(biscuit, pâte)* = de harina y gran proporción de mantequilla
  2 *nm (biscuit)* = galleta hecha con harina y una gran proporción de mantequilla
sabler [sable] *vt (route)* enarenar, arenar; *(façade)* arenar
sablier [sablije] *nm* reloj *m* de arena
sabot [sabo] *nm (chaussure)* zueco *m*; *(d'animal)* pezuña *f*; *(de cheval)* casco *m*; **s. (de Denver)** cepo *m*
sabotage [sabotaʒ] *nm* sabotaje *m*
saboter [sabote] *vt (faire échouer)* sabotear; *Fig (bâcler)* chapucear
sabre [sabr] *nm* sable *m*
sac¹ [sak] *nm (contenant)* saco *m*; *(en papier, en plastique)* bolsa *f*; *Fam (dix francs)* diez francos *mpl* ☆ **s. de couchage** *Esp* saco *o Am* bolsa de dormir; **s. à main** bolso *m* (de mano)
sac² *nm (pillage)* saqueo *m*; **mettre une ville à s.** saquear una ciudad
saccade [sakad] *nf* tirón *m*; **par saccades** a tirones

saccadé, -e [sakade] *adj (respiration, bruit)* entrecortado(a); *(gestes)* brusco(a)
saccager [sakaʒe] *vt (piller)* saquear; *(abîmer)* destrozar
sachant, sache *etc voir* **savoir**
sachet [saʃɛ] *nm (de bonbons, de thé)* bolsita *f*; *(de lavande)* saquito *m*
sacoche [sakɔʃ] *nf (d'écolier)* cartera *f*; *(de médecin)* maletín *m*; *(de cycliste)* serón *m*; *Belg & Can (sac à main)* bolso *m*
sac-poubelle *(pl* **sacs-poubelle)** [sakpubɛl] *nm* bolsa *f* de basura
sacre [sakr] *nm (d'un roi, d'un empereur)* coronación *f*; *(d'un évêque)* consagración *f*
sacré, -e [sakre] *adj* sagrado(a); *(art, musique)* sacro(a); *Fam (maudit)* dichoso(a), maldito(a)
sacrement [sakrəmɑ̃] *nm* sacramento *m*; **recevoir les derniers sacrements** recibir la extremaunción
sacrer [sakre] **1** *vt (roi)* coronar; *(évêque)* consagrar; *Fig (déclarer)* proclamar
  2 *vi Can* jurar, decir palabrotas
sacrifice [sakrifis] *nm* sacrificio *m*
sacrifier [sakrifje] **1** *vt* sacrificar; **prix sacrifiés** *(sur une vitrine)* precios por los suelos
  2 *vt ind* **il faut s. à la mode** hay que doblegarse a los dictados de la moda

3 se sacrifier *vpr* sacrificarse (à/ pour por)

sacrilège [sakrilɛʒ] **1** *adj & nmf* sacrílego(a) *m,f*
  2 *nm* sacrilegio *m*

sacristie [sakristi] *nf* sacristía *f*

sadique [sadik] *adj & nmf* sádico(a) *m,f*

safari [safari] *nm* safari *m*

safran [safrɑ̃] *nm* azafrán *m*

saga [saga] *nf* saga *f*

sage [saʒ] **1** *adj (avisé)* prudente, sensato(a); *(docile)* tranquilo(a); *(chaste)* decente; *(discret)* sensato(a); **sois s.!** ¡pórtate bien!
  2 *nm* sabio(a) *m,f*

sage-femme (*pl* **sages-femmes**) [saʒfam] *nf* comadrona *f*

sagesse [saʒɛs] *nf (bon sens)* sensatez *f*; *(docilité)* tranquilidad *f*; *(connaissance)* sabiduría *f*

Sagittaire [saʒitɛr] *nm Astron & Astrol* sagitario *m*; **être S.** ser sagitario

Sahara [saara] *nm* **le S.** el Sáhara

saignant, -e [sɛɲɑ̃, -ɑ̃t] *adj (blessure)* sanguinoliento(a); *Culin (viande)* poco hecho(a); *Fam Fig (critique, discussion)* sangriento(a)

saigner [seɲe] **1** *vt (financièrement) & Méd* sangrar; *(animal)* degollar; **s. qn à blanc** *Fig* chuparle la sangre a alguien
  2 *vi* sangrar; **s. du nez** sangrar por la nariz

saillant, -e [sajɑ̃, -ɑ̃t] *adj (pommettes, corniche)* saliente; *(muscle)* prominente; *(yeux)* saltón(ona); *Fig (événement)* destacado(a)

saillie [saji] *nf (partie en avant)* saliente *m*; *(par un mâle)* acoplamiento *m*; **faire s.** sobresalir

sain, -e [sɛ̃, sɛn] *adj* sano(a); **s. et sauf** sano y salvo

saint, -e [sɛ̃, sɛ̃t] **1** *adj* santo(a); **toute la sainte journée** todo el santo día
  2 *nm,f* santo(a) *m,f*

saint-bernard [sɛ̃bɛrnar] *nm inv* sanbernardo *m*

Saint-Esprit [sɛ̃tɛspri] *nm* **le S.** el Espíritu Santo

Saint-Jacques-de-Compostelle [sɛ̃ʒakdəkɔ̃pɔstɛl] *n* Santiago de Compostela

Saint-Pétersbourg [sɛ̃petɛrsbur] *n* San Petersburgo

Saint-Sylvestre [sɛ̃silvɛstr] *nf* **la S.** (la noche de) Fin de Año *m*

sais *voir* **savoir**

saisie [sezi] *nf Jur* embargo *m*; *Ordinat* introducción *f* de datos, picado *m*; **erreur de s.** error *m* de picado

saisir [sezir] **1** *vt (attraper)* agarrar, *Esp* coger; *Fig (occasion, prétexte)* agarrarse a; *Jur (biens)* embargar; *Jur* **s. un tribunal d'une affaire** encargar un caso a un tribunal; *Ordinat* picar, introducir; *(comprendre)* captar; *(sujet: sensation, émotion)* invadir; *(surprendre)* sorprender; *Culin* cocinar a fuego vivo
  2 se saisir *vpr* **se s. de** agarrarse de

saisissant, -e [sezisɑ̃, -ɑ̃t] *adj (spectacle, ressemblance)* sobrecogedor(ora); *(froid)* penetrante

saison [sezɔ̃] *nf (division de l'année)* estación *f*; *(époque)* temporada *f*; **hors s.** fuera de temporada ☆ **la basse** *ou* **morte s.** la temporada baja o de calma; **la haute s.** la temporada alta

saisonnier, -ère [sezɔnje, -ɛr] **1** *adj* de temporada
  2 *nm,f* temporero(a) *m,f*

sait *voir* **savoir**

salace [salas] *adj* salaz

salade [salad] *nf (plante)* lechuga *f*; *(plat)* ensalada *f*; *Fam (affaire confuse)* follón *m*; **en s.** en ensalada; *Fam* **raconter des salades** contar trolas ☆ **s. composée** ensalada mixta; **s. de fruits** macedonia *f* (de frutas); **s. niçoise** = ensalada de verduras con aceitunas, tomate y anchoas

saladier [saladje] *nm* ensaladera *f*

salaire [salɛr] *nm* sueldo *m*, salario *m*; *(récompense)* recompensa *f*, premio *m* ☆ *s. minimum* salario mínimo

Salamanque [salamɑ̃k] *n* Salamanca

salami [salami] *nm* salami *m*

salarial, -e, -aux, -ales [salarjal, -o] *adj* salarial

salarié, -e [salarje] **1** *adj (personne)* asalariado(a); *(travail)* remunerado(a)
     2 *nm,f* asalariado(a) *m,f*

salaud [salo] *Vulg* **1** *nm* hijo *m* de puta, *Esp* cabrón *m*, *Méx* hijo *m* de la chingada
     2 *adj m* **c'est s. de faire ça** eso es hacer una putada

sale [sal] *adj* sucio(a); *(maudit)* dichoso(a), maldito(a), *Méx* pinche; *Fam* **faire le s. boulot** hacer el trabajo difícil; **un s. coup** una jugarreta; **un s. type** un cerdo

salé, -e [sale] *adj* salado(a); *(histoire)* picante; *Fam (addition, note)* hinchado(a)

saler [sale] *vt (aliment, plat)* salar; *(route)* echar sal a

saleté [salte] *nf (chose sale, sans valeur)* porquería *f*; *(malpropreté)* suciedad *f*; *(action vile)* perrería *f*; *Fam Péj (personne)* puerco(a) *m,f*; **faire des saletés** dejarlo todo hecho una porquería; **faire une s. à qn** hacer una perrería a alguien

salière [saljɛr] *nf (ustensile)* salero *m*

salir [salir] **1** *vt* ensuciar, *CSur* enchastrar; *Fig (réputation, honneur, personne)* ensuciar, manchar
     2 se salir *vpr* ensuciarse

salissant, -e [salisɑ̃, -ɑ̃t] *adj* sucio(a)

salive [saliv] *nf* saliva *f*

saliver [salive] *vi* salivar; **il salive d'avance** se le hace la boca agua

salle [sal] *nf* sala *f* ☆ *s. d'attente* sala de espera; *s. de bains* ou *d'eau* cuarto *m* de baño o de aseo; *s. de cinéma* sala de cine; *s. d'embarquement* sala de embarque; *s. à manger* comedor *m*; *s. d'opération* quirófano *m*, sala de operaciones; *s. des ventes* sala de subastas

salon [salɔ̃] *nm* salón *m* ☆ *s. de coiffure* peluquería *f*; *s. de thé* salón de té

salopard [salɔpar] *nm Vulg* cabrón *m*

salope [salɔp] *nf Vulg* puta *f*

saloperie [salɔpri] *nf très Fam* guarrada *f*; **c'est de la s.** *(sans valeur)* es una porquería

salopette [salɔpɛt] *nf* (pantalón *m* de) peto *m*; *(de travail)* mono *m*

salsifis [salsifi] *nmpl* salsifí *m (verdura)*

saltimbanque [saltɛ̃bɑ̃k] *nmf* saltimbanqui *mf*

salubre [salybr] *adj* salubre

saluer [salɥe] **1** *vt* saludar
     2 se saluer *vpr* saludarse

salut [saly] **1** *nm (geste, formule)* saludo *m*; *(sauvegarde)* & *Rel* salvación *f*
     2 *exclam Fam (bonjour)* ¡hola!; *(au revoir)* ¡adiós!

salutaire [salytɛr] *adj* saludable

salutations [salytasjɔ̃] *nfpl voir* **agréer**

Salvador [salvadɔr] *nm* **le S.** El Salvador

salvadorien, -enne [salvadɔrjɛ̃, -ɛn] **1** *adj* salvadoreño(a)
     2 *nm,f* **S.** salvadoreño(a) *m,f*

salve [salv] *nf* salva *f*

samedi [samdi] *nm* sábado *m*; **je suis arrivé s.** llegué el sábado; **nous sommes s.** estamos a sábado, hoy es sábado; **s. 6 septembre 1997** sábado 6 de septiembre de 1997; **s. matin/soir** el sábado por la mañana/por la tarde; **le s.** el sábado; **s. dernier** el sábado pasado; **s. prochain** el sábado que viene, el próximo sábado; **s. en quinze** dentro de dos sábados

SAMU [samy] *nm* (*abrév* **service d'aide médicale d'urgence**) = servicio móvil de urgencias médicas

sanatorium [sanatɔrjɔm] *nm* sanatorio *m* antituberculoso

sanction [sɑ̃ksjɔ̃] *nf* sanción *f*; **prendre des sanctions contre qn** sancionar a alguien

sanctionner [sɑ̃ksjɔne] *vt* sancionar

sanctuaire [sɑ̃ktɥɛr] *nm* santuario *m*

sandale [sɑ̃dal] *nf* sandalia *f*

sandwich (*pl* **sandwiches** *ou* **sandwichs**) [sɑ̃dwitʃ] *nm Esp* bocadillo *m*, *Am* sandwich *m*; (*de pain de mie*) sandwich

sang [sɑ̃] *nm* sangre *f*; **être en s.** estar ensangrentado(a); *Fam* **se faire du mauvais s.** atormentarse, angustiarse

sang-froid [sɑ̃frwa] *nm inv* sangre *f* fría; **de s.** a sangre fría; **conserver** *ou* **garder son s.** conservar la calma; **perdre son s.** perder los estribos *o* la calma

sanglant, -e [sɑ̃glɑ̃, -ɑ̃t] *adj* (*couvert de sang*) ensangrentado(a); (*meurtrier*) sangriento(a)

sangle [sɑ̃gl] *nf* correa *f*; (*d'une selle*) cincha *f*

sanglier [sɑ̃glije] *nm* jabalí *m*

sanglot [sɑ̃glo] *nm* sollozo *m*

sangloter [sɑ̃glɔte] *vi* sollozar

sangria [sɑ̃grija] *nf* sangría *f*

sangsue [sɑ̃sy] *nf* sanguijuela *f*; *Fam Fig* (*personne*) lapa *f*

sanguin, -e [sɑ̃gɛ̃, -in] *adj* (*tempérament*) & *Anat* sanguíneo(a); (*visage*) colorado(a); (*orange*) sanguino(a)

sanguinaire [sɑ̃ginɛr] *adj* sanguinario(a)

Sanisette® [sanizɛt] *nf* = aseos públicos automáticos

sanitaire [sanitɛr] **1** *adj* sanitario(a) **2** *nmpl* **sanitaires** sanitarios *mpl*

sans [sɑ̃] **1** *prép* sin; **s. faire d'effort** sin hacer ningún esfuerzo; **elle est s. charme** no tiene ningún encanto; **s. plus** sin más; **prête-moi de l'argent, s. quoi je ne pourrai pas payer** préstame dinero, si no no podré pagar; **s. que tu le saches** sin que lo sepas **2** *adv* **passe-moi mon manteau, je ne peux pas sortir s.** dame mi abrigo, no puedo salir sin él

sans-abri [sɑ̃zabri] *nmf inv* **les s.** los sin techo *o* sin hogar

San Salvador [sɑ̃salvadɔr] *n* San Salvador

sans-emploi [sɑ̃zɑ̃plwa] *nmf inv* desempleado(a) *m,f*

sans-gêne [sɑ̃ʒɛn] **1** *adj inv* & *nmf inv* descarado(a) *m,f* **2** *nm inv* descaro *m*; **il est d'un s.!** ¡tiene una cara!

sans-papiers [sɑ̃papje] *nmf* inmigrante *mf* ilegal

santé [sɑ̃te] *nf* salud *f*; **à ta s.!** ¡a tu salud!; **être en bonne/mauvaise s.** estar bien/mal de salud ☆ **la s. publique** *Esp* la sanidad pública, *Am* la salud pública

santon [sɑ̃tɔ̃] *nm* figurita *f* del belén

saoul [su] = **soûl**

saouler [sule] = **soûler**

saper [sape] **1** *vt aussi Fig* socavar; **s. le moral à qn** desmoralizar a alguien; *Fam* **être bien/mal sapé** ir bien/mal vestido **2** **se saper** *vpr Fam* vestirse

sapeur-pompier (*pl* **sapeurs-pompiers**) [sapœrpɔ̃pje] *nm* bombero *m*

saphir [safir] *nm* (*pierre*) zafiro *m*; (*de tourne-disque*) aguja *f*

sapin [sapɛ̃] *nm* (*arbre*) abeto *m*; (*bois*) pino *m*; *Can* **elle s'est fait passer un s.** la timaron ☆ **s. de Noël** árbol *m* de Navidad

Sarajevo [sarajevo] *n* Sarajevo

sarcasme [sarkasm] *nm* sarcasmo *m*

sarcastique [sarkastik] *adj* sarcástico(a)

sarcophage [sarkɔfaʒ] *nm* sarcófago *m*

Sardaigne [sardɛɲ] *nf* la S. Cerdeña

sarde [sard] **1** *adj* sardo(a)
  2 *nmf* S. sardo(a) *m,f*

sardine [sardin] *nf* sardina *f*; *Fam* **serrés comme des sardines** como sardinas en lata ☆ **sardines à l'huile** sardinas en aceite

SARL [ɛsaɛrɛl] *nf* (*abrév* **société à responsabilité limitée**) SL *f*

sarment [sarmã] *nm* (*de vigne*) sarmiento *m*; (*tige*) zarcillo *m*

sas [sas] *nm Naut & Av* cámara *f* estanca; (*d'écluse*) cámara *f*

satellite [satelit] *nm* satélite *m*; **par s.** vía satélite

satiété [sasjete] *nf* **à s.** hasta la saciedad

satin [satɛ̃] *nm* satén *m*, raso *m*

satiné, -e [satine] *adj* (*tissu*) satinado(a), de raso; (*peau*) terso(a)

satire [satir] *nf* sátira *f*

satirique [satirik] *adj* satírico(a)

satisfaction [satisfaksjɔ̃] *nf* satisfacción *f*; **donner s. à qn** satisfacer a alguien; **les grévistes ont obtenu s.** los huelguistas han visto satisfechas sus reivindicaciones

satisfaire [36] [satisfɛr] **1** *vt* satisfacer
  2 se satisfaire *vpr* **se s. de qch** contentarse con algo

satisfaisant, -e [satisfəzã, -ãt] *adj* satisfactorio(a)

satisfait, -e [satisfɛ, -ɛt] *adj* satisfecho(a) (**de** de)

saturé, -e [satyre] *adj* saturado(a)

Saturne [satyrn] *npr* (*dieu, planète*) Saturno

sauce [sos] *nf* salsa *f*; **en s.** con salsa, en salsa ☆ **s. de soja** salsa de soja; **s. tomate** salsa de tomate

saucisse [sosis] *nf* salchicha *f* ☆ **s. sèche** = tipo de salchichón

saucisson [sosisɔ̃] *nm* salchichón *m* ☆ **s. à l'ail** chóped *m*

sauf¹, sauve [sof, sov] *adj* (*personne*) ileso(a); *Fig* (*honneur*) intacto(a)

sauf² *prép* (*à l'exclusion de*) salvo, excepto; (*sous réserve de*) salvo; *Fam* **s. que** salvo o excepto que

sauge [soʒ] *nf* (*pour cuisiner*) salvia *f*

saugrenu, -e [sogrəny] *adj* descabellado(a)

saule [sol] *nm* sauce *m* ☆ **s. pleureur** sauce llorón

saumon [somɔ̃] **1** *nm* salmón *m*; (*rose*) **s.** color *m* salmón
  2 *adj inv* (*couleur*) salmón *inv*

sauna [sona] *nm* sauna *f*

saupoudrer [sopudre] *vt* **s. qch de qch** espolvorear algo con algo; *Fig* (*discours*) salpicar algo con algo

saurai, saurais *etc voir* **savoir**

saut [so] *nm* salto *m*; **faire un s.** dar un salto; *Fig* **faire un s. chez le boulanger/en ville** ir un momento a la panadería/al centro ☆ **s. en hauteur** salto de altura; **s. en longueur** salto de longitud; *Ordinat* **s. de page** salto de página; **s. périlleux** salto mortal

sauté, -e [sote] *adj Culin* salteado(a)

saute-mouton [sotmutɔ̃] *nm inv* **jouer à s.** jugar al salto de pídola

sauter [sote] **1** *vi* (*personne, plombs, bouchon*) saltar; (*exploser*) saltar, estallar; (*chaîne de vélo*) salirse; *Fam* (*employé*) ser despedido(a); *Fam* (*gouvernement*) irse a pique; **s. de joie** saltar de alegría; **s. à la corde** saltar a la comba; **s. à la perche** hacer salto de pértiga; **s. en parachute** saltar en paracaídas; **s. au cou à qn** lanzarse al cuello de alguien; **s. aux yeux** saltar a la vista; **s. sur l'occasion** no dejar pasar la ocasión; **faire s. qch**

(faire exploser) volar algo; *Culin* sal- tear algo

2 *vt (fossé, obstacle)* saltar; *(page, repas, classe)* saltarse

sauterelle [sotrɛl] *nf (grande)* lan- gosta *f, CAm, Méx* chapulín *m*; *(pe- tite)* saltamontes *m inv, CAm, Méx* chapulín *m*

sautiller [sotije] *vi* dar saltitos

sautoir [sotwar] *nm (bijou)* collar *m* muy largo; *Sp* zona *f* de salto

sauvage [sovaʒ] **1** *adj* salvaje; *(plante, fleur, fruit)* silvestre; *(per- sonne)* huraño(a); *(concurrence)* bestial

2 *nmf* salvaje *mf*

sauve [sov] *voir* **sauf**

sauvegarde [sovgard] *nf (protec- tion)* salvaguardia *f*, salvaguarda *f*; *Ordinat* copia *f* de seguridad

sauvegarder [sovgarde] *vt (proté- ger)* salvaguardar; *Ordinat* grabar, (salva)guardar

sauver [sove] **1** *vt* salvar (**de** de); *(racheter)* compensar

2 **se sauver** *vpr (fuir)* escaparse (**de** de); **il faut que je me sauve** me tengo que ir

sauvetage [sovtaʒ] *nm* rescate *m*, salvamento *m*

sauveteur [sovtœr] *nm* salvador *m*

sauvette [sovɛt] **à la sauvette 1** *adv* deprisa y corriendo

2 *adj* **vente à la s.** venta callejera

savane [savan] *nf* sabana *f*

savant, -e [savã, -ãt] **1** *adj (per- sonne)* erudito(a), sabio(a); *(livre)* erudito(a); *(manœuvre)* hábil; *(ani- mal)* amaestrado(a)

2 *nm* científico *m*

saveur [savœr] *nf* sabor *m*

Savoie [savwa] *nf* **la S.** Saboya

savoir [59] [savwar] **1** *vt* saber; *(avoir en mémoire)* saberse; **faire s. qch à qn** hacer saber algo a alguien; **s. faire qch** saber hacer algo; **si j'avais**

su si lo hubiera sabido, de haberlo sabido; **je n'en sais rien** no lo sé; **en s. long sur** saber un rato de; **à s. a** sa- ber; **on ne sait jamais** nunca se sabe; **pas que je sache** que yo sepa, no; *Fam* **va s.!** ¡vete a saber!

2 *nm* saber *m*

3 **se savoir** *vpr* **ça se saura vite** pronto lo va a saber todo el mundo

savoir-faire [savwarfɛr] *nm inv* des- treza *f*, habilidad *f*, savoir-faire *m*

savoir-vivre [savwarvivr] *nm inv* modales *mpl*

savon [savõ] *nm (matière)* jabón *m*; *(pain)* pastilla *f* de jabón; *Fam* **passer un s. à qn** dar un rapapolvo a alguien ☆ **s. de Marseille** jabón basto

savonner [savone] **1** *vt* enjabonar

2 **se savonner** *vpr* enjabonarse; **se s. les mains** enjabonarse las manos

savonnette [savonɛt] *nf* pastilla *f* de jabón

savourer [savure] *vt* saborear

savoureux, -euse [savurø, -øz] *adj aussi Fig* sabroso(a)

saxophone [saksofon] *nm* saxofón *m*

saxophoniste [saksofonist] *nmf* sa- xofonista *mf*

scabreux, -euse [skabrø, -øz] *adj* escabroso(a)

scalpel [skalpɛl] *nm* escalpelo *m*

scandale [skãdal] *nm* escándalo *m*; **faire du s.** armar (un) escándalo

scandaleux, -euse [skãdalø, -øz] *adj* escandaloso(a)

scandaliser [skãdalize] **1** *vt* escan- dalizar

2 **se scandaliser** *vpr* escandali- zarse (**de** por)

scander [skãde] *vt (vers)* escandir; *(slogan)* gritar

scandinave [skãdinav] **1** *adj* escan- dinavo(a)

2 *nmf* **S.** escandinavo(a) *m,f*

Scandinavie [skãdinavi] *nf* la S. Escandinavia

scanner¹ [skanɛr] *nm Méd & Ordinat* escáner *m*

scanner² [skane] *vt Ordinat* escanear

scaphandre [skafãdr] *nm* escafandra*f*

scarabée [skarabe] *nm* escarabajo *m*

scatologique [skatɔlɔʒik] *adj* escatológico(a)

sceau, -x [so] *nm* sello *m*

scélérat, -e [selera, -at] *Litt* 1 *adj* canallesco(a)
   2 *nm,f* canalla *mf*

sceller [sele] *vt Constr* empotrar; *(acte, promesse)* sellar; *(lettre)* lacrar

scénario [senarjo] *nm Cin (script) Esp* guión *m, Am* libreto *m*; *Fig (déroulement prévu)* plan *m*

scénariste [senarist] *nmf* guionista *mf*

scène [sɛn] *nf* escena *f*; *(estrade, décor de théâtre)* escenario *m*; *Th* **entrer en s.** entrar en escena; **faire une s. à qn** hacer una escena a alguien; *Th* **mettre qch en s.** poner algo en escena ☆ **s. de ménage** riña *f* conyugal

sceptique [sɛptik] *adj & nmf* escéptico(a) *m,f*

sceptre [sɛptr] *nm* cetro *m*

schéma [ʃema] *nm* esquema *m*

schématique [ʃematik] *adj* esquemático(a)

schizophrène [skizɔfrɛn] *adj & nmf* esquizofrénico(a) *m,f*

sciatique [sjatik] 1 *adj* ciático(a)
   2 *nf* ciática *f*

scie [si] *nf (outil)* sierra *f*; *(rengaine)* cantinela *f* ☆ **s. à métaux** sierra de metales

sciemment [sjamã] *adv* a sabiendas, conscientemente

science [sjãs] *nf* ciencia *f* ☆ **sciences humaines** ciencias humanas; *scien-* **ces naturelles** ciencias naturales; *sciences sociales* ciencias sociales

science-fiction [sjãsfiksjɔ̃] *nf* ciencia *f* ficción

scientifique [sjãtifik] *adj & nmf* científico(a) *m,f*

scier [sje] *vt (couper)* aserrar, serrar; *Fam (stupéfier)* dejar de una pieza

scierie [siri] *nf* aserradero *m*, serrería *f*

scintiller [sɛ̃tije] *vi* centellear

scission [sisjɔ̃] *nf* escisión *f*

sciure [sjyr] *nf* serrín *m*

sclérose [skleroz] *nf* esclerosis *f inv*; *Fig* anquilosamiento *m* ☆ **s. en plaques** esclerosis múltiple *o* en placas

scolaire [skɔlɛr] *adj* escolar

scolarité [skɔlarite] *nf* escolaridad *f*

scooter [skutœr] *nm Esp* scooter *m, Am* motoneta *f*

score [skɔr] *nm* resultado *m*

scorpion [skɔrpjɔ̃] *nm* escorpión *m*, alacrán *m*; *Astrol* **S.** escorpio *m*; **être S.** ser escorpio

Scotch® [skɔtʃ] *nm (ruban adhésif)* celo *m*

scotch [skɔtʃ] *nm (alcool)* whisky *m* escocés

scotcher [skɔtʃe] *vt* pegar con celo

scout [skut] *nm* scout *nm*

script [skript] *nm Cin (scénario) Esp* guión *m, Am* libreto *m*; *(écriture)* letra *f* de imprenta

scrupule [skrypyl] *nm* escrúpulo *m*; **sans scrupules** sin escrúpulos

scrupuleux, -euse [skrypylø, -øz] *adj* escrupuloso(a)

scruter [skryte] *vt (horizon, pénombre)* escrutar; *(motifs, intentions)* indagar

scrutin [skrytɛ̃] *nm (vote)* escrutinio *m*; *(opérations)* votación *f*; *(système)* sistema *m* de votación ☆ **s. majoritaire** sistema mayoritario; **s. proportionnel** sistema (de representación) proporcional

sculpter [skylte] *vt* esculpir

sculpteur [skyltœr] *nm* escultor *m*

sculpture [skyltyr] *nf* escultura *f*

SDF [ɛsdeɛf] *nmf* (*abrév* **sans domicile fixe**) sin techo *mf inv*

se [sə]

> Delante de vocal o h muda se utiliza **s'**.

pron personnel se; **se couper** cortarse; **ils se téléphonent souvent** se llaman por teléfono a menudo

séance [seɑ̃s] *nf* sesión *f*; *Fam* (*scène*) escena *f*; **s. tenante** inmediatamente

seau, -x [so] *nm* balde *m*, *Esp* cubo *m* ☆ **s. à champagne** champañera *f*

sec, sèche [sɛk, sɛʃ] **1** *adj* seco(a); (*raisin, figue*) paso(a); (*maigre*) enjuto(a)

    2 *nm* **tenir au s.** guardar en un sitio seco; **être à s.** (*sans eau*) estar seco(a); *Fam* (*sans argent*) estar pelado(a)

    3 *adv* (*boire*) mucho; *Fam* **aussi s.** instantáneamente; **démarrer s.** acelerar ruidosamente

sécateur [sekatœr] *nm* tijeras *fpl* de podar, podadera *f*

sécession [sesesjɔ̃] *nf* secesión *f*; **faire s.** separarse

sèche [sɛʃ] **1** *adj voir* **sec**

    2 *nf Fam* pitillo *m*

sèche-cheveux [sɛʃʃəvø] *nm inv* secador *m* (de pelo)

sèche-linge [sɛʃlɛ̃ʒ] *nm inv* secadora *f*

sèche-mains [sɛʃmɛ̃] *nm inv* secamanos *m inv* automático

sèchement [sɛʃmɑ̃] *adv* secamente

sécher [34] [seʃe] **1** *vt* secar; *Fam* (*cours*) fumarse

    2 *vi* secarse; *Fam* (*ne pas savoir répondre*) estar pez

    3 se sécher *vpr* secarse; **se s. les mains/les cheveux** secarse las manos/el pelo

sécheresse [seʃrɛs, seʃrɛs] *nf* (*absence de pluie*) sequía *f*; (*du sol, du ton*) sequedad *f*

séchoir [seʃwar] *nm* (*local*) secadero *m*; (*appareil*) (*à tringles*) tendedero *m*; (*électrique*) secadora *f* ☆ **s. à cheveux** secador *m* (de pelo)

second, -e [səɡɔ̃, -ɔ̃d] **1** *adj & nm,f* segundo(a) *m,f*

    2 *nm* (*aide*) segundo *m* de a bordo; (*étage*) segundo *m*

secondaire [səɡɔ̃dɛr] *adj* secundario(a)

seconde [səɡɔ̃d] *nf* (*unité de temps*) segundo *m*; *Scol* = curso de secundaria que se realiza a los quince años, *Esp* cuarto *m* de ESO; (*vitesse, dans les transports*) segunda *f*

seconder [səɡɔ̃de] *vt* secundar

secouer [səkwe] **1** *vt* sacudir; (*flacon, bouteille*) agitar; (*sujet: malheur, nouvelle*) afectar

    2 se secouer *vpr* sacudirse; *Fam* **secoue-toi!** ¡espabila!, ¡muévete!

secourir [22] [səkurir] *vt* socorrer

secouriste [səkurist] *nmf* socorrista *mf*

secours [səkur] **1** *voir* **secourir**

    2 *nm* (*aide*) socorro *m*, auxilio *m*; **appeler au s.** pedir socorro o auxilio; **au s.!** ¡socorro!, ¡auxilio!; **être d'un grand s.** ser de gran ayuda; **les premiers s.** los primeros auxilios

secousse [səkus] *nf* sacudida *f*

secret, -ète [səkrɛ, -ɛt] **1** *adj* secreto(a)

    2 *nm* secreto *m*; **dans le plus grand s.** con el más absoluto secreto; **en s.** en secreto; **mettre qn au s.** incomunicar a alguien

secrétaire [səkretɛr] **1** *nmf* secretario(a) *m,f* ☆ **s. d'État** secretario de Estado; **s. général** secretario general; **s. de mairie** secretario municipal

    2 *nm* (*meuble*) escritorio *m*, secreter *m*

secrétariat [səkretarja] *nm (fonction)* secretariado *m*, secretaría *f*; *(bureau, personnel)* secretaría *f*; *(métier)* secretariado *m*

sécréter [34] [sekrete] *vt (substance)* secretar, segregar; *Fig (ennui)* rezumar

sectaire [sɛktɛr] *adj* sectario(a)

secte [sɛkt] *nf* secta *f*

secteur [sɛktœr] *nm* sector *m*; *(électoral, fiscal)* distrito *m*; *Fam (endroit)* zona *f*; *Él* **sur s.** conectado(a) a la red; **s. privé/public** sector privado/público; **s. primaire/secondaire/tertiaire** sector primario/secundario/terciario

section [sɛksjɔ̃] *nf* sección *f*; *(sur ligne d'autobus)* = parte de un trayecto que se contabiliza a la hora de establecer el precio del billete; *(électorale)* distrito *m*

sectionner [sɛksjɔne] *vt (trancher)* seccionar; *Fig (diviser)* dividir

Sécu [seky] *nf Fam* **la S.** la Seguridad Social

séculaire [sekylɛr] *adj* secular

sécuriser [sekyrize] *vt* tranquilizar

sécurité [sekyrite] *nf* seguridad *f*; **être en s.** estar seguro(a); **en toute s.** con toda tranquilidad ☆ **la s. routière** la seguridad vial; **la S. sociale** la Seguridad Social

sédatif, -ive [sedatif, -iv] **1** *adj* sedante, sedativo(a) **2** *nm* sedante *m*

sédentaire [sedɑ̃tɛr] *adj* sedentario(a)

sédentariser [sedɑ̃tarize] **se sédentariser** *vpr* volverse sedentario(a)

sédiment [sedimɑ̃] *nm* sedimento *m*

séduction [sedyksjɔ̃] *nf* seducción *f*

séduire [18] [seduir] *vt* seducir

séduisant, -e [seduizɑ̃, -ɑ̃t] *adj* seductor(ora)

segment [sɛgmɑ̃] *nm* segmento *m*

segmenter [sɛgmɑ̃te] *vt* segmentar

ségrégation [segregɑsjɔ̃] *nf* segregación *f* ☆ **s. raciale** segregación racial

seigle [sɛgl] *nm* centeno *m*

seigneur [sɛɲœr] *nm Hist* señor *m*; **le S.** el Señor

sein [sɛ̃] *nm (mamelle)* seno *m*, pecho *m*; *Litt (poitrine)* seno *m*; **donner le s. à un enfant, nourrir un enfant au s.** dar el pecho a un niño, amamantar a un niño; **au s. de** en el seno de

Seine [sɛn] *nf* **la S.** el Sena

séisme [seism] *nm* seísmo *m*

seize [sɛz] **1** *adj inv* dieciséis **2** *nm inv* dieciséis *m inv*; *voir aussi* **six**

seizième [sɛzjɛm] *adj & nmf* decimosexto(a) *m,f*; *voir aussi* **sixième**

séjour [seʒur] *nm (durée)* estancia *f*; *(pièce)* sala *f* de estar; **être interdit de s.** tener prohibida la entrada al país ☆ **s. linguistique** estancia lingüística

séjourner [seʒurne] *vi* pasar una temporada

sel [sɛl] *nm* sal *f* ☆ **gros s.** sal gorda; **sels de bain** sales de baño

sélection [selɛksjɔ̃] *nf* selección *f*

sélectionner [selɛksjɔne] *vt* seleccionar

self-service *(pl* **self-services)** [sɛlfsɛrvis] *nm* selfservice *m*, autoservicio *m*

selle [sɛl] *nf (de cheval)* silla *f*; *(de bicyclette)* sillín *m*; *Culin* rabadilla *f*; *Méd* **selles** heces *fpl* (fecales)

seller [sele] *vt* ensillar

sellette [sɛlɛt] *nf* **mettre qn sur la s.** interrogar a alguien; **être sur la s.** ser sometido(a) a un interrogatorio

selon [səlɔ̃] *prép* según; *Fam* **c'est s.** depende; **s. que** según, depende de si

semaine [səmɛn] *nf* semana *f*; *(salaire)* semana *f*, paga *f* semanal; **à la s.** semanalmente; **en s.** durante la semana ☆ **la s. sainte** la Semana Santa

sémantique [semãtik] **1** *adj* semántico(a)
   2 *nf* semántica *f*

semblable [sãblabl] **1** *adj (analogue)* semejante, parecido(a) (**à** a); *(tel)* semejante; **de semblables mensonges** semejantes mentiras
   2 *nm (de même nature)* igual *m*; *(prochain)* semejante *m*

semblant [sãblã] *nm* **faire s. de faire qch** fingir *o* simular hacer algo; **un s. de qch** una apariencia de algo

sembler [sãble] **1** *vi* parecer; **elle me semble plus en forme** me parece que está mejor
   2 *v impersonnel* **il (me/te) semble que** (me/te) parece que; **il me semblait avoir fermé la porte** creí haber cerrado la puerta; **fais comme bon te semble** *ou* **semblera** haz lo que te parezca mejor

semelle [səmɛl] *nf (sous la chaussure)* suela *f*; *(à l'intérieur de la chaussure)* plantilla *f*

semence [səmãs] *nf (graine)* semilla *f*; *(sperme)* semen *m*

semer [46] [səme] *vt* sembrar; *(répandre)* esparcir; *Fam (se débarrasser)* dar esquinazo a

semestre [səmɛstr] *nm* semestre *m*

séminaire [seminɛr] *nm* seminario *m*

semi-remorque *(pl* **semi-remorques)** [səmirəmɔrk] *nm* camión *m* articulado

semoule [səmul] *nf* sémola *f*

sempiternel, -elle [sãpitɛrnɛl] *adj* perpetuo(a)

sénat [sena] *nm* senado *m*

sénateur [senatœr] *nm* senador(ora) *m,f*

Sénégal [senegal] *nm* **le S.** Senegal

sénégalais, -e [senegalɛ, -ɛz] **1** *adj* senegalés(esa)
   2 *nm,f* **S.** senegalés(esa) *m,f*

sénile [senil] *adj Méd* senil; *Péj (gâteux)* chocho(a)

senior [senjɔr] *nmf Sp* senior *mf*

sens¹ *voir* **sentir**

sens² [sãs] *nm* sentido *m*; **à mon s.** en mi opinión; **dans le s. de la longueur/largeur** a lo largo/ancho; **s. dessus dessous** patas arriba ☆ **s. figuré** sentido figurado; **s. interdit** dirección *f* prohibida; **s. propre** sentido propio; **s. unique** dirección única; **bon s.** sentido común

sensation [sãsasjõ] *nf* sensación *f*; **à s.** *(film)* efectista; *(presse)* sensacionalista; **faire s.** causar sensación

sensationnel, -elle [sãsasjɔnɛl] *adj* sensacional

sensé, -e [sãse] *adj* sensato(a)

sensibiliser [sãsibilize] *vt* **s. qn à qch** sensibilizar a alguien a algo

sensibilité [sãsibilite] *nf* sensibilidad *f*

sensible [sãsibl] *adj* sensible (**à** a); *(perceptible)* perceptible

sensiblement [sãsibləmã] *adv (approximativement)* casi; *(notablement)* sensiblemente

sensualité [sãsɥalite] *nf* sensualidad *f*

sensuel, -elle [sãsɥɛl] *adj* sensual

sent, sentais *etc voir* **sentir**

sentence [sãtãs] *nf* sentencia *f*

sentencieux, -euse [sãtãsjø, -øz] *adj Péj* sentencioso(a)

senteur [sãtœr] *nf* fragancia *f*

sentier [sãtje] *nm* sendero *m*, senda *f* ☆ **s. de grande randonnée** = sendero especialmente hecho para excursionistas

sentiment [sãtimã] *nm (affection, penchant)* sentimiento *m*; *(opinion)* sentir *m*; *(impression)* impresión *f*

sentimental, -e, -aux, -ales [sãtimãtal, -o] *adj & nm,f* sentimental *mf*

sentinelle [sãtinɛl] *nf* centinela *m*

sentir [64a] [sãtir] **1** *vt (par l'odorat)* oler; *(par le goût, par le toucher)* notar; *(exhaler)* oler a; *(pressentir)* sentir; **faire s. qch à qn** *(faire comprendre)* dar a entender algo a alguien; **se faire s.** notarse, hacerse sentir; *Fam* **ne pas pouvoir s. qn** no poder tragar a alguien

2 *vi* oler; **s. bon/mauvais** oler bien/ mal

3 se sentir *vpr (être perceptible)* notarse; **se s. fatigué/malade/mal** sentirse cansado/enfermo/mal; **se s. la force/le courage de** sentirse con fuerzas/con ánimos para; *Fam* **ne pas pouvoir se s.** no poder tragarse

séparation [separɑsjɔ̃] *nf* separación *f*

séparatiste [separatist] *nmf* separatista *mf*

séparément [separemɑ̃] *adv* por separado

séparer [separe] **1** *vt* separar (**de** de); *(espace, lieu)* dividir

2 se séparer *vpr* separarse (**de** de); *(route, fleuve)* dividirse

sept [sɛt] **1** *adj inv* siete

2 *nm inv* siete *m*; *voir aussi* **six**

septante [sɛptɑ̃t] *adj inv Belg & Suisse* setenta *m*; *voir aussi* **six**

septembre [sɛptɑ̃br] *nm* septiembre *m*, setiembre *m*; **au mois de** *ou* **en s.** en (el mes de) septiembre; **nous sommes le 17 s.** estamos a 17 de septiembre, hoy es 17 de septiembre; **j'y vais le 17 s.** voy el 17 de septiembre

septennat [sɛptena] *nm* = periodo de siete años correspondiente al mandato del presidente de la República en Francia

septicémie [sɛptisemi] *nf* septicemia *f*

septième [sɛtjɛm] *adj & nmf* séptimo(a) *m,f*; *voir aussi* **sixième**

sépulture [sepyltyr] *nf* sepultura *f*

séquelles [sekɛl] *nfpl* secuelas *fpl*

séquence [sekɑ̃s] *nf* secuencia *f*; *(série de cartes)* escalera *f*

séquestrer [sekɛstre] *vt (personne)* secuestrar, *Am* plagiar; *Jur (bien)* depositar

sera, serais *etc voir* **être**

serbe [sɛrb] **1** *adj* serbio(a)

2 *nmf* **S.** serbio(a) *m,f*

Serbie [sɛrbi] *nf* la S. Serbia

serein, -e [sərɛ̃, -ɛn] *adj* sereno(a)

sérénade [serenad] *nf* serenata *f*

sérénité [serenite] *nf* serenidad *f*

serf, serve [sɛr(f), sɛrv] *nm,f* siervo(a) *m,f*

sergent [sɛrʒɑ̃] *nm* sargento *m*

série [seri] *nf* serie *f*; *Sp* categoría *f*; **numéro hors s.** número *m* extraordinario; *aussi Ordinat* **en s.** en serie ☆ **s. noire** *(catastrophes)* mala racha *f*; *(en littérature)* serie negra

sérieusement [serjøzmɑ̃] *adv (sans plaisanter, avec application)* seriamente, en serio; *(grièvement)* seriamente

sérieux, -euse [serjø, -øz] **1** *adj* serio(a); *(progrès)* considerable

2 *nm* seriedad *f*; **garder son s.** mantener la seriedad; **prendre qch/ qn au s.** tomarse algo/a alguien en serio

seringue [sərɛ̃g] *nf* jeringuilla *f*

serment [sɛrmɑ̃] *nm* juramento *m*; **je fais le s. de ne jamais recommencer** juro que nunca lo volveré a hacer; **prêter s.** prestar juramento; **sous s.** bajo juramento ☆ **s. d'Hippocrate** juramento de Hipócrates

sermon [sɛrmɔ̃] *nm aussi Fig* sermón *m*

séronégatif, -ive [serɔnegatif, -iv] *adj* seronegativo(a)

séropositif, -ive [serɔpozitif, -iv] *adj* seropositivo(a)

serpent [sɛrpɑ̃] *nm* serpiente *f* ☆ **le s. monétaire européen** la serpiente monetaria (europea); **s. à sonnette** serpiente de cascabel

serpenter [sɛrpɑ̃te] *vi* serpentear

serpentin [sɛrpɑ̃tɛ̃] *nm (cotillon)* serpentina *f*

serpillière [sɛrpijɛr] *nf* trapo *m*, bayeta *f*

serre [sɛr] *nf* invernadero *m*; **serres** *(d'un oiseau)* garras *fpl*

serré, -e [sere] *adj (nœud, poing, personnes)* apretado(a); *(masse, forêt)* tupido(a); *(vêtement, chaussures)* ceñido(a); *(discussion, match)* reñido(a); *(café)* cargado(a)

serrer [sere] **1** *vt (poing, lèvres, vis)* apretar; *Fig (cœur)* encoger; *(sujet: vêtement)* apretar; *(personne, main, rangs)* estrechar; *(se tenir près de)* pegarse a; *(ranger)* guardar
  2 *vi Aut* **s. à droite/à gauche** pegarse a la derecha/a la izquierda
  3 se serrer *vpr (se rapprocher)* apretarse; *(cœur)* encogerse

serre-tête [sɛrtɛt] *nm inv* diadema *f*

serrure [seryr] *nf* cerradura *f*, *Am* chapa *f*

serrurier [seryrje] *nm* cerrajero *m*

sers, sert *voir* **servir**

sertir [sɛrtir] *vt* engastar

sérum [serɔm] *nm* suero *m*

servante [sɛrvɑ̃t] *nf* sirvienta *f*

serve¹ [sɛrv] *voir* **serf**

serve² *etc voir* **servir**

serveur, -euse [sɛrvœr, -øz] **1** *nm,f (dans un bar, un restaurant) Esp* camarero(a) *m,f*, *Chile, Ven* mesonero(a) *m,f*, *Col, Méx* mesero(a) *m,f*, *CRica* salonero(a) *m,f*, *Perú, RP* mozo(a) *m,f*
  2 *nm Ordinat* servidor *m*

serviable [sɛrvjabl] *adj* servicial

service [sɛrvis] *nm* servicio *m*; *(département)* departamento *m*; *(aide)* favor *m*; *(à café, de porcelaine)* juego *m*; *(religieux)* oficio *m*; *Fam* **le s.** *(militaire)* la mili; **la nouvelle machine a été mise en s. lundi** instalaron la nueva máquina el lunes; **que puis-je faire pour votre s.?** ¿puedo ayudarle

en algo?; **rendre (un) s. à qn** hacer un favor a alguien; **premier/deuxième s.** *(au restaurant)* primer/segundo turno *m* ☆ **s. après-vente** servicio posventa; **s. militaire** servicio militar; **s. public** servicio público; **services secrets** servicios secretos

serviette [sɛrvjɛt] *nf (porte-documents)* cartera *f*; **s. (de table)** servilleta *f*; **s. (de toilette)** toalla *f* ☆ **s. hygiénique** compresa *f*

serviette-éponge *(pl* **serviettes-éponges)** [sɛrvjɛtepɔ̃ʒ] *nf* toalla *f* de felpa

servile [sɛrvil] *adj* servil

servir [63] [sɛrvir] **1** *vt* servir; *(client)* atender; *(intérêts, cause)* servir a; *(sujet: circonstances)* favorecer; **s. qch à qn** servir algo a alguien
  2 *vi* servir; **s. à faire qch** servir para hacer algo; **s. de** servir de; **ça peut toujours** *ou* **encore s.** aún puede servir; **cela ne sert à rien** no sirve de o para nada
  3 se servir *vpr* servirse; **se s. de qch** *(utiliser)* utilizar algo

serviteur [sɛrvitœr] *nm* servidor(ora) *m,f*

servitude [sɛrvityd] *nf* servidumbre *f*

session [sesjɔ̃] *nf (assemblée)* sesión *f*; *Univ (examen)* convocatoria *f*

set [sɛt] *nm (au tennis)* set *m*; **s. (de table)** mantel *m* individual

setter [setɛr] *nm* setter *m*; **s. irlandais** setter irlandés

seuil [sœj] *nm* umbral *m*; *Fig & Litt* **au s. de** en los umbrales de

seul, -e [sœl] *adj (isolé, sans compagnie)* solo(a); **s. à s.** a solas; **le s., la seule** el (la) único(a); **un s., une seule** un(a) solo(a); **(tout) s., (toute) seule** solo(a); **je le ferai tout s.** lo haré yo solo

seulement [sœlmɑ̃] *adv (pas davantage, exclusivement)* solamente, sólo; *(toutefois)* sólo que; **elle est ar-rivée s. hier** no llegó hasta ayer; **il vient s. d'arriver** acaba de llegar aho-ra; **non s.... mais en plus** no sólo... si-no que

sève [sɛv] *nf* savia *f*

sévère [sevɛr] *adj* severo(a); *(décor, tenue)* austero(a)

sévérité [severite] *nf* severidad *f*

sévices [sevis] *nmpl* malos tratos *mpl*

sévillan, -e [sevijã, -an] **1** *adj* sevi-llano(a)
2 *nm,f* **S.** sevillano(a) *m,f*

Séville [sevij] *n* Sevilla

sévir [sevir] *vi (faire des ravages)* ha-cer estragos; **si tu continues, je vais s.!** ¡si sigues así te voy a castigar!; **s. contre qn** castigar duramente a al-guien

sevrer [46] [səvre] *vt (enfant, ani-mal)* destetar; *Fig* **s. qn de qch** privar a alguien de algo

sexe [sɛks] *nm* sexo *m*

sexiste [sɛksist] *adj & nmf* sexista *mf*

sex-shop *(pl* **sex-shops)** [sɛksʃɔp] *nm* sex-shop *m*

sexualité [sɛksɥalite] *nf* sexualidad *f*

sexuel, -elle [sɛksɥɛl] *adj* sexual

sexy [sɛksi] *adj inv Fam* sexy

seyant, -e [sɛjã, -ãt] *adj* favorece-dor(ora)

shampooing, shampoing [ʃãpwɛ̃] *nm* champú *m*; **faire un s. à qn** lavarle la cabeza a alguien ☆ **s. antipellicu-laire** champú anticaspa

shopping [ʃɔpiŋ] *nm* **faire du s.** ir de tiendas o de compras

short [ʃɔrt] *nm* pantalón *m* corto, short *m*

show-business [ʃobiznɛs] *nm inv* show business *m*

si [si] **1** *adv (tellement)* tan; *(oui)* sí; **elle est si belle** es tan guapa; **il roulait si vite qu'il a eu un accident** conducía tan rápido que tuvo un accidente;

ce n'est pas si facile que ça no es tan fácil (como parece); **tu n'aimes pas sa maison? - si!** ¿no te gusta su casa? - ¡sí!; **mais si!** ¡que sí!; **si bien que** de modo que
2 *conj* si; **si tu veux, on y va** si quie-res, vamos; **je ne sais pas s'il est parti** no sé si se ha ido; **si ce n'est** *(sinon)* sino; *(sauf)* excepto; **si ce n'est que** excepto que; **si seulement** si al me-nos, si por lo menos; **si tant est que** si es que
3 *nm inv Mus* si *m*; **avec des si, on mettrait Paris en bouteille** siempre hay peros, *RP* si mi abuela tuviera ruedas sería un carro

siamois, -e [sjamwa, -az] *adj* sia-més(esa)

Sibérie [siberi] *nf* **la S.** Siberia

Sicile [sisil] *nf* **la S.** Sicilia

sicilien, -enne [sisiljɛ̃, -ɛn] **1** *adj* si-ciliano(a)
2 *nm,f* **S.** siciliano(a) *m,f*

sida [sida] *nm (abrév* **syndrome im-munodéficitaire acquis)** sida *m*

sidérer [34] [sidere] *vt* dejar pasma-do(a)

sidérurgie [sideryrʒi] *nf* siderurgia *f*

siècle [sjɛkl] *nm* siglo *m*; **la décou-verte du s.** el descubrimiento del si-glo; **ça fait des siècles que...** hace siglos que... ☆ **le s. d'or** el Siglo de Oro

siège [sjɛʒ] *nm (meuble)* asiento *m*; *(d'élu)* escaño *m*; *Mil* sitio *m*; *(résidence)* sede *f*; *(centre)* foco *m*; **se présenter par le s.** *(bébé)* venir de nalgas ☆ **s. éjectable** asiento eyectable; **s. social** domicilio *m* social

siéger [59] [sjeʒe] *vi (faire partie d'une assemblée)* ocupar un escaño; *(tenir séance)* reunirse; *Fig (résider)* residir

sien, sienne [sjɛ̃, sjɛn] **le sien, la sienne** *(mpl* **les siens,** *fpl* **les siennes)** *pron possessif* el (la) suyo(a); **c'est**

ton problème, pas le s. eso es problema tuyo, no suyo; **il faudrait qu'il y mette du s.** tendría que poner algo de su parte; **les siens** *(sa famille)* los suyos

sieste [sjɛst] *nf* siesta *f*; **faire la s.** dormir o echarse la siesta

sifflement [sifləmɑ̃] *nm* silbido *m*, *Am* chiflido *m*; *(d'oiseau)* canto *m*

siffler [sifle] **1** *vi* silbar, *Am* chiflar; *(avec un instrument)* pitar; *(oiseau)* cantar
2 *vt (air, chanson)* silbar, *Am* chiflar; *(chien)* llamar con un silbido; *(personne)* silbar, *Am* chiflar; *Fam (verre)* soplarse

sifflet [siflɛ] *nm (instrument)* silbato *m*; *(jouet)* pito *m*; *(son)* silbido *m*, *Esp* pitido *m*, *Am* chiflido *m*; **sifflets** *(de mécontentement) Esp* silbidos, *Am* chiflidos, abucheos *mpl*

siffloter [siflɔte] *vt & vi Esp* silbar, *Am* chiflar

sigle [sigl] *nm* sigla *f*

signal, -aux [siɲal, -o] *nm* señal *f*; *(geste)* seña *f*; **donner le s. (de qch)** dar la señal (de algo) ☆ **s. d'alarme** señal de alarma; **s. sonore** tono *m*

signalement [siɲalmɑ̃] *nm* descripción *f*

signaler [siɲale] *vt* señalar; **rien à s.** nada que señalar

signalisation [siɲalizasjɔ̃] *nf* señalización *f* ☆ **s. routière** señalización viaria

signature [siɲatyr] *nf* firma *f*

signe [siɲ] *nm (indice)* señal *f*; *(geste, trait, signal)* seña *f*; *Astrol* signo *m*; **les signes avant-coureurs de...** los augurios de...; **donner s. de vie** dar signos de vida; **faire s. à qn (de faire qch)** hacer una señal a alguien (para que haga algo); **faire s. que oui/non** *(de la tête)* afirmar/negar con la cabeza ☆ **faire le s. de croix** santiguarse; **signes particuliers** señas particulares; **s. de ponctuation** signos de puntuación; **s. du zodiaque** signo del zodiaco

signer [siɲe] **1** *vt* firmar
2 se signer *vpr* persignarse

signet [siɲɛ] *nm* marcador *m*

significatif, -ive [siɲifikatif, -iv] *adj* significativo(a)

signification [siɲifikasjɔ̃] *nf (sens)* significado *m*

signifier [siɲifje] *vt (avoir le sens de)* significar; *(faire connaître) & Jur* notificar

silence [silɑ̃s] *nm* silencio *m*

silencieux, -euse [silɑ̃sjø, -øz] **1** *adj* silencioso(a)
2 *nm* silenciador *m*

silex [silɛks] *nm inv* sílex *m inv*

silhouette [silwɛt] *nf* silueta *f*

sillage [sijaʒ] *nm* estela *f*; *Fig* **laisser qch dans son s.** dejar tras de sí una estela de algo

sillon [sijɔ̃] *nm* surco *m*

sillonner [sijɔne] *vt* surcar

silo [silo] *nm* silo *m*

simagrées [simagre] *nfpl* melindres *mpl*

similaire [similɛr] *adj* similar (à a)

similarité [similarite] *nf* similitud *f*

similitude [similityd] *nf* similitud *f*

simple [sɛ̃pl] **1** *adj* sencillo(a), simple; *Chim* simple; **c'est une s. question de temps** es simplemente una cuestión de tiempo; **c'est s. comme bonjour** es coser y cantar
2 *nmf* **s. d'esprit** simple *mf*
3 *nm (au tennis)* individuales *mpl*; **s. messieurs/dames** individuales masculinos/femeninos

simplicité [sɛ̃plisite] *nf (facilité)* sencillez *f*, simplicidad *f*; *Fig (modestie, sobriété)* sencillez *f*

simplifier [sɛ̃plifje] *vt* simplificar

simpliste [sɛ̃plist] *adj* simplista

simulacre [simylakr] *nm* simulacro *m*

simulation [simylasjɔ̃] *nf* simulación *f*

simuler [simyle] *vt (feindre)* simular, fingir ; *Tech* simular

simultané, -e [simyltane] *adj* simultáneo(a)

simultanément [simyltanemɑ̃] *adv* simultáneamente

sincère [sɛ̃sɛr] *adj* sincero(a)

sincèrement [sɛ̃sɛrmɑ̃] *adv* sinceramente ; **s., ça m'étonnerait** francamente, me extrañaría

sincérité [sɛ̃serite] *nf* sinceridad *f*

Singapour [sɛ̃gapur] *n* Singapur

singe [sɛ̃ʒ] *nm* mono *m* ; **faire le s.** hacer el payaso

singer [45] [sɛ̃ʒe] *vt (imiter)* remedar

singulariser [sɛ̃gylarize] **1** *vt* singularizar
   2 se singulariser *vpr* singularizarse

singulier, -ère [sɛ̃gylje, -ɛr] **1** *adj* singular
   2 *nm Gram* singular *m*

singulièrement [sɛ̃gyljɛrmɑ̃] *adv (bizarrement)* de forma singular ; *(beaucoup)* extraordinariamente ; *(notamment)* especialmente

sinistre [sinistr] **1** *adj* siniestro(a) ; *Péj* **un s. imbécile** un pobre imbécil
   2 *nm (catastrophe)* siniestro *m* ; *Jur* daño *m*

sinistré, -e [sinistre] *adj & nm,f* siniestrado(a) *m,f*

sinon [sinɔ̃] *conj (autrement)* si no ; *(sauf)* sino ; **obéis, s. je me fâche** obedece, si no me enfado ; **je ne sens rien, s. une légère courbature** no siento sino unas ligeras agujetas

sinueux, -euse [sinɥø, -øz] *adj* sinuoso(a)

sinus [sinys] *nm Anat & Math* seno *m*

sinusite [sinyzit] *nf* sinusitis *f inv*

sionisme [sjɔnism] *nm* sionismo *m*

siphon [sifɔ̃] *nm* sifón *m*

sirène [sirɛn] *nf* sirena *f*

sirop [siro] *nm* jarabe *m* ; **au s. en** almíbar ☆ **s. d'érable** jarabe de arce ; **s. de grenadine** granadina *f* ; **s. de menthe** jarabe de menta

siroter [sirɔte] *vt Fam* beber a sorbitos

sismique [sismik] *adj* sísmico(a)

sitcom [sitkɔm] *nm ou nf* telecomedia *f*

site [sit] *nm (emplacement)* emplazamiento *m* ; *(paysage pittoresque)* paraje *m* ☆ **s. naturel** paraje natural ; *Ordinat* **s. web** sitio *m* web

sitôt [sito] *adv* **s. levé, ...** en cuanto se levantó/se levante/*etc*, ...; **s. dit, s. fait** dicho y hecho ; **s. après** inmediatamente después ; **s. que** tan pronto como, en cuanto + *subjonctif* ; **je le lui dirai s. qu'il reviendra** se lo diré tan pronto como o en cuanto vuelva ; **il ne reviendra pas de s.** no creo que vuelva

situation [sitɥasjɔ̃] *nf* situación *f* ; *(emploi)* puesto *m* ☆ **s. de famille** estado *m* civil

situé, -e [sitɥe] *adj* situado(a)

situer [sitɥe] **1** *vt* situar
   2 se situer *vpr* situarse

six [sis] **1** *adj inv* seis ; *(roi, pape)* sexto(a) ; **il a s. ans** tiene seis años ; **il est s. heures** son las seis ; **le s. janvier** el seis de enero ; **page s.** página seis ; **nous étions s.** éramos seis
   2 *nm inv* seis *m* ; **elle habite (au) s. rue de Valois** vive en la calle Valois número seis

sixième [sizjɛm] **1** *adj* sexto(a) ; **le s. siècle** el siglo sexto ; **arriver/se classer s.** llegar/clasificarse en sexto lugar o el (la) sexto(a)
   2 *nmf* sexto(a) *m,f*
   3 *nm (arrondissement)* distrito *m* sexto, sexto distrito *m* ; *(étage)* sexto *m* ; **le s. de qch** *(fraction)* la sexta parte de algo, un sexto de algo
   4 *nf Scol* = curso de secundaria que se realiza a los once años, *Esp* sexto *m* de primaria ; **entrer en s.** pasar a

sexto de primaria; **être en s.** estar en sexto de primaria

Skaï® [skaj] *nm* skai *m*

skateboard [skɛtbɔrd], **skate** [skɛt] *nm* monopatín *m*, skateboard *m*

sketch (*pl* **sketchs** *ou* **sketches**) [skɛtʃ] *nm* esquech *m*, sketch *m*

ski [ski] *nm* esquí *m*; **faire du s.** esquiar ✩ **s. acrobatique** esquí acrobático; **s. alpin** esquí alpino; **s. de fond** esquí de fondo; **s. nautique** esquí náutico

skier [66] [skje] *vi* esquiar

skieur, -euse [skjœr, -øz] *nm,f* esquiador(ora) *m,f*

slalom [slalɔm] *nm (de ski)* eslálom *m*; *Fig* **faire du s. entre** zigzaguear entre

slave [slav] *adj* eslavo(a)

slip [slip] *nm (d'homme)* eslip *m*; *(de femme) Esp* bragas *fpl*, *Am* calzones *mpl*, *Méx*, *Ven* pantaletas *fpl*, *RP* bombacha *f* ✩ **s. de bain** *Esp* bañador *m*, *Am* short *m* de baño

slogan [slɔgɑ̃] *nm* eslogan *m*

slovaque [slɔvak] **1** *adj* eslovaco(a) **2** *nmf* **S.** eslovaco(a) *m,f*

Slovaquie [slɔvaki] *nf* **la S.** Eslovaquia

slovène [slɔvɛn] **1** *adj* esloveno(a) **2** *nmf* **S.** esloveno(a) *m,f*

Slovénie [slɔveni] *nf* **la S.** Eslovenia

slow [slo] *nm* balada *f (canción)*, lenta *f*

SME [ɛsɛmə] *nm (abrév* **Système monétaire européen)** SME *m*

SMIC [smik] *nm (abrév* **salaire minimum interprofessionnel de croissance)** = salario mínimo interprofesional en Francia, SMI *m*

smoking [smɔkiŋ] *nm* esmoquin *m*, smoking *m*

snack-bar (*pl* **snack-bars**) [snakbar], **snack** [snak] *nm* bar *m*, cafetería *f*

SNCF [ɛsɛnseɛf] *nf (abrév* **Société nationale des chemins de fer français)**

RENFE *f*, = compañía nacional de ferrocarriles franceses

snob [snɔb] *adj & nmf* esnob *mf*

snober [snɔbe] *vt* mirar por encima del hombro

sobre [sɔbr] *adj* sobrio(a)

sobriété [sɔbrijete] *nf* sobriedad *f*

sobriquet [sɔbrikɛ] *nm* apodo *m*

sociable [sɔsjabl] *adj* sociable

social, -e, -aux, -ales [sɔsjal, -o] *adj* social

socialisme [sɔsjalism] *nm* socialismo *m*

socialiste [sɔsjalist] *adj & nmf* socialista *mf*

société [sɔsjete] *nf* sociedad *f* ✩ **s. anonyme** sociedad anónima; **la s. de consommation** la sociedad de consumo; **s. à responsabilité limitée** sociedad (de responsabilidad) limitada

sociologie [sɔsjɔlɔʒi] *nf* sociología *f*

sociologue [sɔsjɔlɔg] *nmf* sociólogo(a) *m,f*

socioprofessionnel, -elle [sɔsjoprɔfɛsjɔnɛl] *adj* socioprofesional

socle [sɔkl] *nm* zócalo *m*

socquette [sɔkɛt] *nf* calcetín *m* corto

soda [sɔda] *nm* soda *f*

sodium [sɔdjɔm] *nm* sodio *m*

sodomiser [sɔdɔmize] *vt* sodomizar

sœur [sœr] *nf* hermana *f*

sofa [sɔfa] *nm* sofá *m*

Sofia [sɔfja] *n* Sofia

soi [swa] *pron personnel* sí mismo(a), uno(a) mismo(a); **parler de s.** hablar de sí mismo; **être content de s.** estar contento(a) con uno(a) mismo(a); **revenir à s.** volver en sí; **cela va de s. (que)** ni que decir tiene (que); **en s.** *(de par sa nature)* en sí mismo(a)

soi-disant [swadizɑ̃] **1** *adj inv* supuesto(a)

2 *adv* **il était s. malade** se supone que estaba enfermo

soie [swa] *nf (textile)* seda *f*; *(poil)* cerda *f* ☆ **s.** *sauvage* seda salvaje

soif [swaf] *nf aussi Fig* sed *f*; **avoir s.** tener sed; *Fig* **jusqu'à plus s.** hasta más no poder

soigné, -e [swaɲe] *adj* cuidado(a)

soigner [swaɲe] **1** *vt (blessure, malade)* curar; *(travail, jardin)* cuidar
2 se soigner *vpr (malade)* curarse

soigneusement [swaɲøzmɑ̃] *adv* cuidadosamente

soigneux, -euse [swaɲø, -øz] *adj* cuidadoso(a)

soi-même [swamɛm] *pron personnel* uno(a) mismo(a)

soin [swɛ̃] *nm (application)* esmero *m*; *(sollicitude)* cuidado *m*; **faire qch avec s.** hacer algo con esmero *o* cuidadosamente; **faire qch sans s.** hacer algo de cualquier manera; **avoir** *ou* **prendre s. de faire qch** asegurarse de hacer algo; **prendre s. de qch/de qn** cuidar de algo/de alguien; **soins** *(médicaux)* asistencia *f* médica; **être aux petits soins pour qn** colmar de atenciones a alguien ☆ *premiers soins* primeros auxilios

soir [swar] *nm* tarde *f*; *(nuit)* noche *f*; **le s.** por la tarde/noche; **ce s.** esta tarde/noche; **hier s.** anoche; **lundi s.** el lunes por la tarde/noche; **à huit heures du s.** a las ocho de la tarde/noche

soirée [sware] *nf (soir)* noche *f*; *(réunion)* velada *f*; *(spectacle)* función *f* de noche; **dans la s.** por la tarde; **de s.** *(tenue, robe)* de noche; **en s.** por la noche ☆ **s.** *dansante* baile *m*

sois, soit¹ *etc voir* **être**

soit² [swa] *conj (c'est-à-dire)* o sea, es decir; *Math (étant donné)* dado(a); **s. une droite AB** dada una recta AB; **s. dit en passant** dicho sea de paso; **s...., s. o... o; s. que..., s. que** tanto si... como si + *indicatif*; **s. que tu viennes chez moi, s. que j'aille chez**

toi... tanto si tu vienes a mi casa como si yo voy a la tuya...

soit³ [swat] *adv* de acuerdo

soixantaine [swasɑ̃tɛn] *nf* sesentena *f*; **avoir la s.** estar en los sesenta

soixante [swasɑ̃t] **1** *adj inv* sesenta
2 *nm inv* sesenta *m*; *voir aussi* **six**

soixante-dix [swasɑ̃tdis] **1** *adj inv* setenta
2 *nm inv* setenta *m*; *voir aussi* **six**

soixante-dixième [swasɑ̃tdizjɛm] **1** *adj & nmf* septuagésimo(a) *m,f*
2 *nm* setentavo *m*, setentava parte *f*; *voir aussi* **sixième**

soixantième [swasɑ̃tjɛm] **1** *adj & nmf* sexagésimo(a) *m,f*
2 *nm* sesentavo *m*, sesentava parte *f*; *voir aussi* **sixième**

soja [sɔʒa] *nm* soja *f*

sol¹ [sɔl] *nm* suelo *m*

sol² *nm inv Mus* sol *m*

solaire [sɔlɛr] *adj* solar

soldat [sɔlda] *nm (militaire)* soldado *m*; **le s. inconnu** el soldado desconocido; **simple s.** soldado raso ☆ **s.** *de plomb* soldadito *m* de plomo

solde¹ [sɔld] *nm (d'un compte, d'une facture)* saldo *m*; *Com* **être en s.** estar rebajado(a); *Com* **soldes** rebajas *fpl*

solde² *nf Mil* sueldo *m*

solder [sɔlde] **1** *vt (compte) (régler)* saldar; *(fermer)* liquidar; *(article)* rebajar, saldar
2 se solder *vpr* **se s. par qch** *(aboutir à)* acabar en algo

sole [sɔl] *nf* lenguado *m*

soleil [sɔlɛj] *nm* sol *m*; **au s.** al sol

solennel, -elle [sɔlanɛl] *adj* solemne

solfège [sɔlfɛʒ] *nm* solfeo *m*

solidaire [sɔlidɛr] *adj* solidario(a) **(avec** con); *(pièces)* engranado(a), empalmado(a) **(de** con)

solidarité [sɔlidarite] *nf* solidaridad *f*; **par s. avec** en solidaridad con

solide [sɔlid] **1** *adj* sólido(a); *(personne)* robusto(a); *(couple, relation)* estable, sólido(a); **ne pas être s. sur ses jambes** no tenerse en pie; **avoir un s. appétit** tener un buen apetito
2 *nm Phys* sólido *m*

solidifier [73c] [sɔlidifje] **1** *vt* solidificar
2 se solidifier *vpr* solidificarse

solidité [sɔlidite] *nf* solidez *f*

soliste [sɔlist] *nmf* solista *mf*

solitaire [sɔlitɛr] **1** *adj & nmf* solitario(a) *m,f*
2 *nm (diamant)* solitario *m*

solitude [sɔlityd] *nf* soledad *f*

solliciter [sɔlisite] *vt (réclamer)* solicitar; *(personne)* reclamar; **s. qch de qn** *(audience, entretien)* solicitar algo de alguien; **s. l'attention de qn** reclamar la atención de alguien

sollicitude [sɔlisityd] *nf* solicitud *f (atención, amabilidad)*

solo [sɔlo] *nm Mus* solo *m*; *Fig* **en s.** en solitario

solstice [sɔlstis] *nm* solsticio *m*

soluble [sɔlybl] *adj (matière)* soluble

solution [sɔlysjɔ̃] *nf* solución *f* ☆ **s. de facilité** solución fácil

solvable [sɔlvabl] *adj* solvente

solvant [sɔlvɑ̃] *nm* disolvente *m*

sombre [sɔ̃br] *adj* oscuro(a); *(avenir, air, pensées)* sombrío(a); **une s. brute** un pedazo de bruto

sombrer [sɔ̃bre] *vi (bateau)* zozobrar; *Fig* **s. dans qch** *(folie, oubli, alcoolisme)* hundirse en algo; *(sommeil)* sumergirse en algo

sommaire [sɔmɛr] **1** *adj (explication)* somero(a); *(exécution)* sumario(a); *(installation)* muy simple
2 *nm* índice *m*; **au s. de notre émission, ...** en nuestro programa, ...

sommation [sɔmasjɔ̃] *nf Jur* intimación *f*, requerimiento *m*; *(avant de tirer)* aviso *m*

somme¹ [sɔm] *nf* suma *f*; **en s.** en suma; **s. toute** después de todo

somme² *nm* siesta *f*; **faire un petit s.** echar una cabezada

sommeil [sɔmɛj] *nm* sueño *m*; **avoir s.** tener sueño

sommeiller [sɔmeje] *vi (personne)* dormitar; *Fig (sentiment, qualité)* latir, estar latente

sommelier, -ère [sɔməlje, -ɛr] *nm,f* sumiller *mf*, sommelier *mf*

sommer [sɔme] *vt* **s. qn de faire qch** requerir a alguien que haga algo

sommes *voir* **être**

sommet [sɔmɛ] *nm aussi Fig* cumbre *f*; *(d'une figure géométrique)* vértice *m*; *aussi Fig* **au s. de** en la cumbre de

sommier [sɔmje] *nm* somier *m*

somnambule [sɔmnɑ̃byl] *adj & nmf* sonámbulo(a) *m,f*

somnifère [sɔmnifɛr] *nm* somnífero *m*

somnoler [sɔmnɔle] *vi* dormitar

somptueux, -euse [sɔ̃ptɥø, -øz] *adj* suntuoso(a)

son¹, sa [sɔ̃, sa] *(pl* **ses** [se]*)*

> Antes de vocal o h muda se emplea **son** en lugar de **sa**.

adj possessif su; **il a enlevé sa veste** se quitó la chaqueta; **ses parents** sus padres

son² *nm (bruit)* sonido *m*; **au s. de** al son de

son³ *nm (des céréales)* salvado *m*

sonate [sɔnat] *nf* sonata *f*

sondage [sɔ̃daʒ] *nm* sondeo *m* ☆ **s. d'opinion** sondeo de opinión

sonde [sɔ̃d] *nf* sonda *f* ☆ **s. spatiale** sonda espacial

sonder [sɔ̃de] *vt* sondear; *Méd* sondar

songe [sɔ̃ʒ] *nm Litt* sueño *m*

songer [45] [sɔ̃ʒe] **1** *vt* **s. que** pensar que

2 songer à *vt ind* pensar en; **s. à faire qch** pensar en hacer algo

songeur, -euse [sɔ̃ʒœr, -øz] *adj* pensativo(a)

sonner [sɔne] **1** *vt (cloche, retraite, angélus)* tocar; *(alarme)* dar; *(domestique, infirmière)* llamar; *Fam* **je ne t'ai pas sonné!** ¡a ti nadie te ha dicho nada!

2 *vi (cloche, réveil, téléphone)* sonar; *(appeler, à la porte)* llamar; **s. faux** sonar desafinado(a); *Fig (explication)* sonar a falso

sonnerie [sɔnri] *nf (du téléphone, d'un réveil)* timbre *m*; *(d'une cloche)* repique *m*; *(d'un clairon)* toque *m*

sonnet [sɔnɛ] *nm* soneto *m*

sonnette [sɔnɛt] *nf (électrique)* timbre *m*; *(clochette)* campanilla *f*; **appuyer sur la s.** pulsar el timbre ☆ **tirer la s.** *d'alarme* activar la alarma

sono [sɔno] *nf Fam* sonorización *f*

sonore [sɔnɔr] *adj* sonoro(a)

sonorité [sɔnɔrite] *nf* sonoridad *f*

sont *voir* **être**

sophistiqué, -e [sɔfistike] *adj* sofisticado(a)

soporifique [sɔpɔrifik] **1** *adj* soporífero(a), soporífico(a)

2 *nm* soporífero *m*

soprano [sɔprano] *nmf* soprano *mf*

sorbet [sɔrbɛ] *nm* sorbete *m*; **s. à la fraise/au citron** sorbete de fresa/de limón

sorcellerie [sɔrsɛlri] *nf* brujería *f*, hechicería *f*

sorcier, -ère [sɔrsje, -ɛr] **1** *nm,f* brujo(a) *m,f*, hechicero(a) *m,f*

2 *adj Fam* **ce n'est pas s.** no es nada del otro mundo

sordide [sɔrdid] *adj* sórdido(a)

sornettes [sɔrnɛt] *nfpl* sandeces *fpl*

sors, sort¹ *etc voir* **sortir**

sort² [sɔr] *nm (maléfice)* maldición *f*; *(destinée)* destino *m*; *(hasard)* suer-

te *f*; **jeter un s. à qn** echar una maldición sobre alguien; **tirer au s.** echar a suertes

sorte [sɔrt] *nf* clase *f*; **toutes sortes de** toda clase de; **une s. de** una especie de; **de telle s. que** de manera que, de modo que; **en quelque s.** en cierto modo

sortie [sɔrti] *nf* salida *f*; *(d'un livre)* publicación *f*; *(d'un film)* estreno *m*; *Ordinat (impression)* impresión *f*; **à la s.** a la salida; **être de s.** salir ☆ *Ordinat* **s. papier** *ou* **imprimante** salida de papel *o* de impresora; **s. de secours** salida de emergencia

sortilège [sɔrtilɛʒ] *nm* sortilegio *m*

sortir [64a] [sɔrtir] **1** *vi (aux* **être***)* salir **(de** de**)**; *(livre)* publicarse; *(film)* estrenarse; *(disque)* aparecer; **sortez!** ¡salid!; **s. de** *(famille, milieu social)* venir de; **s. de table** levantarse de la mesa; **ça m'est sorti de la tête** se me ha ido de la cabeza

2 *vt (aux* **avoir***)* sacar; *(livre)* publicar; *(film)* estrenar; *(disque)* editar; *Fam (jeter dehors)* echar (fuera); *Fam (dire)* soltar

3 se sortir *vpr* **se s. de** *(se tirer)* salir de; **s'en s.** salir del paso; **ne pas s'en s.** *(être débordé)* no dar abasto

SOS [ɛsoɛs] *nm* SOS *m*; **lancer un S.** lanzar un SOS

sosie [sɔzi] *nm* sosia *m*, doble *mf*

sot, sotte [so, sɔt] *adj & nm,f* tonto(a) *m,f*, *Am* zonzo(a) *m,f*

sottise [sɔtiz] *nf (acte, parole)* tontería *f*, *CAm, Méx* babosada *f*, *RP* bobada *f*; **il est d'une s.!** ¡es más tonto!

sou [su] *nm Can (cent)* centavo *m*; *Fam* **sous** *(argent)* perras *fpl (dinero)*; **ne plus avoir un s.** estar sin blanca

soubresaut [subrəso] *nm (saccade)* sacudida *f*; *(tressaillement)* sobresalto *m*

souche [suʃ] *nf (d'arbre)* tocón *m*; *(d'une famille, d'une langue, d'un* *mot)* tronco *m*; *(talon)* matriz *f*; **dormir comme une s.** dormir como un tronco

souci¹ [susi] *nm (tracas, préoccupation)* preocupación *f*; **se faire du s.** preocuparse

souci² *nm (fleur)* caléndula *f*, maravilla *f*

soucier [susje] **se soucier** *vpr* **se s. de** preocuparse por

soucieux, -euse [susjø, -øz] *adj* preocupado(a); **être s. de qch/de faire qch** preocuparse por algo/por hacer algo; **peu s. de** poco cuidadoso(a) de

soucoupe [sukup] *nf* platillo *m* ☆ **s. volante** platillo volante

soudain, -e [sudɛ̃, -ɛn] **1** *adj* repentino(a)
2 *adv* de repente

soude [sud] *nf* sosa *f* ☆ **s. caustique** sosa cáustica

souder [sude] *vt* soldar; *Fig (personnes)* unir

soudoyer [32] [sudwaje] *vt* sobornar

soudure [sudyr] *nf* soldadura *f*

souffle [sufl] *nm (respiration)* respiración *f*; *(expiration)* soplido *m*, soplo *m*; *(de vent)* & *Méd* soplo *m*; *(d'une explosion)* onda *f* expansiva; **avoir du s.** tener fondo; **être à bout de souffle** estar sin aliento; **couper le s. à qn** dejar boquiabierto(a) a alguien; **(en) avoir le s. coupé** quedarse sin aliento; *Fig (être surpris)* quedarse helado o sin palabras

soufflé [sufle] *nm* soufflé *m*

souffler [sufle] **1** *vt (bougie, verre)* soplar; *(vitre, fenêtre)* pulverizar; *(au jeu de dames)* comer; **s. qch à qn** *(chuchoter)* susurrar algo a alguien; *(à l'école)* soplar algo a alguien; *(au théâtre)* apuntar algo a alguien
2 *vi* soplar; *Fig* **laisser s. qn** dejar respirar a alguien

soufflet [suflɛ] *nm* fuelle *m*; *Litt (claque)* sopapo *m*, *Am* cachetada *f*

souffleuse [sufløz] *nf Can* = máquina quitanieves provista de fuelles

souffrance [sufrãs] *nf* sufrimiento *m*

souffrant, -e [sufrã, -ãt] *adj* indispuesto(a)

souffre-douleur [sufrədulœr] *nm inv* cabeza *mf* de turco

souffrir [52] [sufrir] **1** *vi* sufrir; **s. de qch** *(physiquement)* sufrir o padecer (de) algo; *(psychologiquement)* sufrir por algo
2 *vt* **s. le martyre** sufrir un martirio; **je ne peux pas le s.** no lo soporto
3 **se souffrir** *vpr* **ils ne peuvent pas se s.** no se soportan

soufre [sufr] *nm* azufre *m*

souhait [swɛ] *nm* deseo *m*; **à tes/vos souhaits!** ¡Jesús!, ¡salud!; **à s.** a pedir de boca

souhaiter [swete] *vt* desear; **s. faire qch** desear hacer algo; **s. qch à qn** desear algo a alguien; **s. un joyeux anniversaire/un joyeux Noël à qn** felicitar el cumpleaños/las Navidades a alguien; **s. à qn de faire qch** desear a alguien que haga algo

souiller [suje] *vt Litt (salir)* manchar; *Fig (mémoire, réputation)* mancillar

soûl, -e [su, sul] **1** *adj* borracho(a)
2 *nm* **tout mon/son/etc s.** hasta más no poder

soulagement [sulaʒmã] *nm* alivio *m*

soulager [17] [sulaʒe] *vt* aliviar; *Hum* **s. qn de qch** *(voler)* robarle algo a alguien

soûler [sule] **1** *vt* emborrachar; *Fig (ennuyer)* tener harto(a)
2 **se soûler** *vpr* emborracharse; *Fig* **se s. de paroles** hablar con suficiencia

soulèvement [sulɛvmɑ̃] *nm* levantamiento *m*

soulever [sulve] **1** *vt* levantar; *(question, problème)* plantear; **s. qn contre** *(inciter à la rébellion)* sublevar *o* levantar a alguien contra
2 se soulever *vpr (s'élever)* levantarse; *(se révolter)* sublevarse, levantarse (**contre** contra)

soulier [sulje] *nm* zapato *m*

souligner [suliɲe] *vt (par un trait)* subrayar; *(mettre l'accent sur)* subrayar, recalcar; *(mettre en valeur)* realzar

soumettre [47] [sumɛtr] **1** *vt* someter (**à** a)
2 se soumettre *vpr* someterse (**à** a)

soumis, -e [sumi, -iz] *adj (docile)* sumiso(a)

soumission [sumisjɔ̃] *nf* sumisión *f*

soupape [supap] *nf* válvula *f* ✿ *aussi Fig* **s. de sûreté** *ou* **de sécurité** válvula de seguridad

soupçon [supsɔ̃] *nm* sospecha *f*; **un s. de** *(un peu de)* una pizca de

soupçonner [supsɔne] *vt* sospechar; **il est soupçonné de trahison** es sospechoso de traición; **s. qn de faire qch** sospechar que alguien haga algo

soupçonneux, -euse [supsɔnø, -øz] *adj* suspicaz

soupe [sup] *nf* sopa *f* ✿ **s. populaire** comedor *m* de beneficencia

souper [supe] **1** *nm* cena *f*
2 *vi* cenar

soupeser [46] [supəze] *vt* sopesar

soupière [supjɛr] *nf* sopera *f*

soupir [supir] *nm* suspiro *m*

soupirail, -aux [supiraj, -o] *nm* tragaluz *m*, respiradero *m*

soupirant [supirɑ̃] *nm* pretendiente *m*

soupirer [supire] *vi* suspirar

souple [supl] *adj* flexible; *(cheveux)* con volumen; *(pas, démarche)* ligero(a); *(consistance, emballage)* blando(a)

souplesse [suplɛs] *nf (agilité, flexibilité)* flexibilidad *f*; **faire qch tout en s.** hacer algo con mucha soltura

source [surs] *nf* fuente *f*; *(d'eau)* fuente *f*, manantial *m*, *Am* vertiente *f*; **prendre sa s. à** nacer en; **tenir qch de s. sûre** saber algo de buena tinta

sourcil [sursi] *nm* ceja *f*

sourciller [sursije] *vi* **sans s.** sin pestañear

sourd, -e [sur, surd] *adj & nm,f* sordo(a) *m,f*

sourdine [surdin] *nf* sordina *f*; **en s.** en sordina

sourd-muet, sourde-muette (*mpl* **sourds-muets**, *fpl* **sourdes-muettes**) [surmɥɛt, surdmɥɛt] *adj & nm,f* sordomudo(a) *m,f*

souriant, -e [surjɑ̃, -ɑ̃t] *adj* sonriente

souricière [surisjɛr] *nf* ratonera *f*; *Fig* trampa *f*

sourire [61] [surir] **1** *vi* sonreír; *aussi Fig* **s. à qn** sonreír a alguien
2 *nm* sonrisa *f*

souris [suri] *nf (animal)* & *Ordinat* ratón *m*; *Fam (fille)* chavala *f* ✿ **s. blanche** ratón blanco

sournois, -e [surnwa, -az] *adj (personne)* solapado(a); *Fig (maladie)* imprevisible

sous [su] *prép* bajo; *(position)* debajo de, bajo; *(dans un délai de)* dentro de; **s. la pluie** bajo la lluvia; **s. la responsabilité/les ordres de** bajo la responsabilidad/las órdenes de; **s. Louis XV** bajo Luis XV; **s. cet aspect** *ou* **angle** desde este punto de vista

sous-bois [subwa] *nm* monte *m* bajo

sous-chef (*pl* **sous-chefs**) [suʃɛf] *nm* subjefe(a) *m,f*

souscription [suskripsjɔ̃] *nf* subscripción *f*, suscripción *f*

souscrire [30] [suskrir] **1** *vt* subscribir, suscribir
2 souscrire à *vt ind* subscribirse a, suscribirse a; *(opinion, théorie)* adscribirse a

sous-développé, -e *(mpl* **sous-développés**, *fpl* **sous-développées**) [sudevlɔpe] *adj* subdesarrollado(a)

sous-directeur, -trice *(mpl* **sous-directeurs**, *fpl* **sous-directrices**) [sudirɛktœr, -tris] *nm,f* subdirector(ora) *m,f*

sous-entendre [73] [suzɑ̃tɑ̃dr] *vt* sobreentender

sous-entendu *(pl* **sous-entendus**) [suzɑ̃tɑ̃dy] *nm* sobreentendido *m*, sobrentendido *m*

sous-estimer [suzɛstime] **1** *vt* subestimar
2 se sous-estimer *vpr* subestimarse

sous-jacent, -e *(mpl* **sous-jacents**, *fpl* **sous-jacentes**) [suʒasɑ̃, -ɑ̃t] *adj* subyacente

sous-lieutenant *(pl* **sous-lieutenants**) [suljøtnɑ̃] *nm* subteniente *mf*

sous-louer [sulwe] *vt* realquilar, subarrendar

sous-marin, -e *(mpl* **sous-marins**, *fpl* **sous-marines**) [sumarɛ̃, -in] **1** *adj* submarino(a)
2 *nm* submarino *m*

sous-officier *(pl* **sous-officiers**) [suzɔfisje] *nm* suboficial *m*

sous-préfecture *(pl* **sous-préfectures**) [suprefɛktyr] *nf* subprefectura *f (subdivisión administrativa del gobierno civil francés)*

sous-préfet *(pl* **sous-préfets**) [suprefɛ] *nm* subprefecto(a) *m,f*

sous-répertoire *(pl* **sous-répertoires**) [superpɛrtwar] *nm* *Ordinat* subdirectorio *m*

soussigné, -e [susiɲe] **1** *adj* je s. yo, el abajo firmante; **nous soussignés** nosotros, los abajo firmantes
2 *nm,f* **le s.** el abajo firmante

sous-sol *(pl* **sous-sols**) [susɔl] *nm (naturel)* subsuelo *m; (d'un bâtiment)* sótano *m*

sous-tasse *(pl* **sous-tasses**) [sutas] *nf* platillo *m*

sous-titre *(pl* **sous-titres**) [sutitr] *nm* subtítulo *m*

soustraction [sustraksjɔ̃] *nf* substracción *f*, sustracción *f*

soustraire [112] [sustrɛr] **1** *vt* substraer, sustraer (**à** de); *Math* restar
2 se soustraire *vpr* se s. **à** substraerse o sustraerse de

sous-traitant, -e *(mpl* **sous-traitants**, *fpl* **sous-traitantes**) [sutrɛtɑ̃, -ɑ̃t] **1** *adj* subcontratante
2 *nm* subcontratista *m*

sous-verre [suvɛr] *nm inv* marco *m (de clips)*

sous-vêtement *(pl* **sous-vêtements**) [suvɛtmɑ̃] *nm* prenda *f* interior; **les sous-vêtements** la ropa interior

soutane [sutan] *nf* sotana *f*

soute [sut] *nf (d'un bateau)* pañol *m;* **s. (à bagages)** *(d'un avion)* bodega *f*

soutenance [sutnɑ̃s] *nf Univ* defensa *f (de una tesis)*

souteneur [sutnœr] *nm* chulo *m*

soutenir [70] [sutnir] *vt (immeuble, poutre, infirme)* sostener; *Fig (personne)* apoyar; *(effort, intérêt, opinion)* mantener; *Univ (thèse)* defender; *(regard, assaut)* aguantar; **s. que** *(affirmer que)* sostener que

soutenu, -e [sutny] *adj (style, langage)* culto(a); *(attention, rythme)* sostenido(a); *(couleur)* subido(a)

souterrain, -e [sutɛrɛ̃, -ɛn] **1** *adj* subterráneo(a); *Fig (organisation)* secreto(a)
2 *nm* subterráneo *m*

soutien [sutjɛ̃] *nm* apoyo *m;* **apporter son s. à** apoyar o dar apoyo a

soutien-gorge *(pl* **soutiens-gorge**)

[sutʒɛgɔrʒ] *nm* sostén *m*, *Esp* sujetador *m*, *Arg* corpiño *m*, *Col*, *Méx* brasier *m*, *Urug* soutien *m*

soutirer [sutire] *vt* s. qch à qn sonsacar algo a alguien

souvenir [40] [suvnir] 1 *nm* recuerdo *m*; en s. de como recuerdo de; meilleurs souvenirs *(dans une lettre)* muchos recuerdos
  2 se souvenir *vpr* se s. de acordarse de; se s. que acordarse que; je m'en souviendrai! ¡no se me olvidará!

souvent [suvã] *adv* a menudo, con frecuencia

souverain, -e [suvrɛ̃, -ɛn] *adj & nm,f* soberano(a) *m,f*

soviétique [sɔvjetik] 1 *adj* soviético(a)
  2 *nmf* S. soviético(a) *m,f*

soyeux, -euse [swajø, -øz] *adj* sedoso(a)

soyez, soyons *voir* être

SPA [ɛspea] *nf (abrév* Société protectrice des animaux*)* sociedad *f* protectora de animales

spacieux, -euse [spasjø, -øz] *adj* espacioso(a)

spaghetti [spageti] *nm* espagueti *m*

sparadrap [sparadra] *nm* esparadrapo *m*

spasme [spasm] *nm* espasmo *m*

spatial, -e, -aux, -ales [spasjal, -o] *adj* espacial

spatule [spatyl] *nf* espátula *f*; *(pour la cuisine)* paleta *f*

speaker, speakerine [spikœr, spikrin] *nm,f* locutor(ora) *m,f*

spécial, -e, -aux, -ales [spesjal, -o] *adj* especial

spécialiser [spesjalize] se spécialiser *vpr* especializarse (dans en)

spécialiste [spesjalist] *nmf* especialista *mf*

spécialité [spesjalite] *nf* especialidad *f*

spécifier [spesifje] *vt* especificar

spécifique [spesifik] *adj* específico(a)

spécimen [spesimɛn] *nm* espécimen *m*; *(exemplaire gratuit)* muestra *f* gratuita

spectacle [spɛktakl] *nm* espectáculo *m*; film à grand s. superproducción *f*

spectaculaire [spɛktakylɛr] *adj* espectacular

spectateur, -trice [spɛktatœr, -tris] *nm,f* espectador(ora) *m,f*

spectre [spɛktr] *nm* espectro *m*

spéculation [spekylasjɔ̃] *nf* especulación *f*

spéculer [spekyle] *vi* especular; s. sur qch especular con algo; *Fig (miser sur)* especular sobre algo

spéléologie [speleɔlɔʒi] *nf* espeleología *f*

spermatozoïde [spɛrmatɔzɔid] *nm* espermatozoide *m*

sperme [spɛrm] *nm* esperma *m*

sphère [sfɛr] *nf* esfera *f*

sphérique [sferik] *adj* esférico(a)

spirale [spiral] *nf* espiral *f*; en s. en espiral

spirituel, -elle [spirityɛl] *adj (vie, pouvoir)* espiritual; *(personne)* ingenioso(a)

splendeur [splãdœr] *nf* esplendor *m*; c'est une s. es una maravilla

splendide [splãdid] *adj* espléndido(a)

spongieux, -euse [spɔ̃ʒjø, -øz] *adj* esponjoso(a)

sponsor [spɔ̃sɔr] *nm* esponsor *m*, patrocinador *m*

sponsoriser [spɔ̃sɔrize] *vt* patrocinar

spontané, -e [spɔ̃tane] *adj* espontáneo(a)

spontanément [spɔ̃tanemã] *adv* espontáneamente

sporadique [spɔradik] *adj* esporádico(a)

sport [spɔr] **1** *nm* deporte *m* ☆ *s. d'équipe* deporte de equipo; *sports d'hiver* deportes de invierno
2 *adj inv (vêtement)* de sport; *(fairplay)* deportivo(a)

sportif, -ive [spɔrtif, -iv] **1** *adj (évènement, résultats, club)* deportivo(a); *(personne)* deportista
2 *nm,f* deportista *mf*

spot [spɔt] *nm (lampe)* foco *m*; *(à la télévision)* spot *m*, anuncio *m* ☆ *s. publicitaire* spot publicitario

sprint [sprint] *nm* esprint *m*

sprinter [sprinte] *vi* esprintar

square [skwar] *nm* parque *m*

squash [skwaʃ] *nm* squash *m*

squatter[1] [skwate] *vt* ocupar *(un local vacío)*

squatter[2] [skwatœr] *nm* okupa *mf*

squelette [skǝlɛt] *nm aussi Fig* esqueleto *m*

squelettique [skǝlɛtik] *adj (personne)* esquelético(a); *(personnel, armée)* raquítico(a)

St *(abrév* **saint)** S., Sto.

stabiliser [stabilize] **1** *vt* estabilizar
2 se stabiliser *vpr* estabilizarse

stabilité [stabilite] *nf* estabilidad *f*

stable [stabl] *adj* estable

stade [stad] *nm (terrain)* estadio *m*; *(étape)* fase *f*; **en être au s. où** haber llegado a un punto en el que

stage [staʒ] *nm (études pratiques)* período *m* de prácticas; *(en formation intensive)* cursillo *m*

stagiaire [staʒjɛr] **1** *nmf (en classe pratique, en entreprise)* estudiante *mf* en prácticas; *(en formation intensive)* cursillista *mf*
2 *adj (en classe pratique, en entreprise)* en prácticas; *(en formation intensive)* cursillista

stagnant, -e [stagnã, -ãt] *adj* estancado(a)

stagner [stagne] *vi* estancarse

stalactite [stalaktit] *nf* estalactita *f*

stalagmite [stalagmit] *nf* estalagmita *f*

stand [stãd] *nm (d'exposition)* estand *m*; *(de foire)* caseta *f* ☆ *s. de tir (à la foire)* caseta de tiro

standard [stãdar] **1** *adj inv* estándar
2 *nm (téléphonique) Esp* centralita *f, Am* conmutador *m*

standardiste [stãdardist] *nmf* telefonista *mf*

standing [stãdiŋ] *nm* estanding *m*; **de grand s.** *(immeuble, quartier)* de alto standing

star [star] *nf* estrella *f* de cine, star *f*

starter [startɛr] *nm (en voiture)* estárter *m*, stárter *m*; *(d'une course)* juez *mf* de salida

station [stasjõ] *nf* estación *f*; *(d'autobus, de taxis) Esp, RP* parada *f, Am* paradero *m* ☆ *s. balnéaire* ciudad *f* costera; *s. d'épuration* estación de depuración; *s. d'essence* estación de servicio, gasolinera *f*; *s. de ski ou de sports d'hiver* estación de esquí o de deportes de invierno; *s. thermale* balneario *m*; *Ordinat s. de travail* estación de trabajo

stationnaire [stasjɔnɛr] *adj* estacionario(a)

stationnement [stasjɔnmã] *nm* estacionamiento *m*; *s. interdit (sur panneau)* prohibido aparcar

stationner [stasjɔne] *vi (voiture)* estacionar; *(troupe)* permanecer

station-service *(pl* **stations-service)** [stasjõsɛrvis] *nf* estación *f* de servicio

statique [statik] *adj* estático(a)

statistique [statistik] **1** *adj* estadístico(a)
2 *nf* estadística *f*

statue [staty] *nf* estatua *f*

statuer [statye] **statuer sur** *vt ind* decidir sobre

statuette [statyɛt] *nf* estatuilla *f*

statu quo [statykwo] *nm inv* statu quo *m inv*

stature [statyr] *nf (taille)* estatura *f; Fig (valeur)* talla *f*

statut [staty] *nm (position)* estatus *m inv; Jur* estatuto *m;* **statuts** *(d'une société)* estatutos *mpl*

Ste *(abrév* **sainte)** Sta.

Sté *(abrév* **société)** Sdad.

steak [stɛk] *nm* bistec *m,* filete *m*
☆ *s. frites* filete o bistec con patatas fritas; *s. haché* filete ruso

stèle [stɛl] *nf* estela *f*

sténo [steno] **1** *nf (sténographie)* taquigrafía *f,* estenografía *f*
2 *nmf (sténographe)* taquígrafo(a) *m,f,* estenógrafo(a) *m,f*

sténodactylo [stenɔdaktilo] **1** *nmf* taquimecanógrafo(a) *m,f*
2 *nf* taquimecanografía *f*

sténographie [stenɔgrafi] *nf* taquigrafía *f,* estenografía *f*

steppe [stɛp] *nf* estepa *f*

stéréo [stereo] **1** *adj inv* estéreo *inv*
2 *nf* estéreo *m;* **en s.** en estéreo

stéréotypé, -e [stereɔtipe] *adj* estereotipado(a)

stérile [steril] *adj* estéril

stérilet [sterilɛ] *nm* DIU *m,* dispositivo *m* intrauterino

stériliser [sterilize] *vt* esterilizar

sternum [stɛrnɔm] *nm* esternón *m*

stéthoscope [stetɔskɔp] *nm* estetoscopio *m*

steward [stiwart, stjuward] *nm (sur un avion)* auxiliar *m* de vuelo; *(sur un bateau)* camarero *m*

stick [stik] *nm (de colle, de déodorant)* barra *f*

stigmate [stigmat] *nm aussi Fig* estigma *f*

stimulant, -e [stimylã, -ãt] **1** *adj* estimulante
2 *nm (remontant)* estimulante *m; (motivation)* estímulo *m*

stimulation [stimylɑsjɔ̃] *nf* estimulación *f*

stimuler [stimyle] *vt* estimular

stipuler [stipyle] *vt* estipular

stock [stɔk] *nm Com (de marchandises)* stock *m,* existencias *fpl; (d'une entreprise)* stock *m; Fig (réserve)* reserva *f;* **en s.** en stock, en depósito

stocker [stɔke] *vt aussi Ordinat* almacenar

Stockholm [stɔkɔlm] *n* Estocolmo

stoïque [stɔik] *adj* estoico(a)

stomacal, -e, -aux, -ales [stɔmakal, -o] *adj* estomacal

stop [stɔp] **1** *exclam (arrêtez-vous)* ¡alto!; *(j'en ai assez)* ¡basta!
2 *nm (panneau, signe télégraphique)* estop *m; (auto-stop)* autoestop *m; (feu)* luz *f* de freno; **j'y suis allé en s.** me fui a dedo

stopper [stɔpe] **1** *vt* detener
2 *vi* detenerse

store [stɔr] *nm (de fenêtre)* persiana *f; (de magasin)* toldo *m*

strapontin [strapɔ̃tɛ̃] *nm (siège)* asiento *m* plegable

Strasbourg [strazbur] *n* Estrasburgo

strasbourgeois, -e [strazburʒwa, -az] **1** *adj* estraburgués(esa)
2 *nm,f* **S.** estraburgués(esa) *m,f*

stratagème [strataʒɛm] *nm* estratagema *f*

stratège [strateʒ] *nm* estratega *m*

stratégie [strateʒi] *nf* estrategia *f*

stratégique [strateʒik] *adj* estratégico(a)

stress [strɛs] *nm* estrés *m*

stressé, -e [strɛse] *adj* estresado(a)

strict, -e [strikt] *adj* estricto(a)

strident, -e [stridã, -ãt] *adj* estridente

strié, -e [strije] *adj* a rayas

strip-tease *(pl* **strip-teases)** [striptiz] *nm* strip-tease *m*

strophe [strɔf] nf estrofa f

structure [stryktyr] nf estructura f ☆ *Ordinat* **s. en anneau** estructura de anillo

structurer [stryktyre] vt estructurar

studieux, -euse [stydjø, -øz] adj *(personne)* estudioso(a); *(vacances)* dedicado(a) a estudiar

studio [stydjo] nm estudio m

stupéfaction [stypefaksjɔ̃] nf estupefacción f, asombro m

stupéfait, -e [stypefɛ, -ɛt] adj estupefacto(a), asombrado(a)

stupéfiant, -e [stypefjɑ̃, -ɑ̃t] **1** adj asombroso(a) **2** nm estupefaciente m

stupéfier [stypefje] vt dejar estupefacto, asombrar

stupeur [stypœr] nf estupor m, asombro m

stupide [stypid] adj estúpido(a)

stupidité [stypidite] nf estupidez f

style [stil] nm estilo m; **meuble de s.** mueble m de época ☆ *Gram* **s. direct** estilo directo; **s. indirect** estilo indirecto

stylisé, -e [stilize] adj estilizado(a)

styliste [stilist] nmf estilista mf

stylo [stilo] nm boli m ☆ **s. (à) bille** bolígrafo m; **s. (à) plume** pluma f

stylo-feutre *(pl* **stylos-feutres)** [stilɔføtr] nm rotulador m

su, -e pp voir **savoir**

suave [sɥav] adj suave

subalterne [sybaltɛrn] adj & nmf subalterno(a) m,f

subconscient [sybkɔ̃sjɑ̃] nm subconsciente m

subdiviser [sybdivize] vt subdividir

subir [sybir] vt sufrir; *(examen)* pasar; *Péj (personne)* soportar

subit, -e [sybi, -it] adj súbito(a)

subitement [sybitmɑ̃] adv súbitamente

subjectif, -ive [sybʒɛktif, -iv] adj subjetivo(a)

subjonctif [sybʒɔ̃ktif] nm subjuntivo m

subjuguer [sybʒyge] vt subyugar

sublime [syblim] adj sublime

submerger [45] [sybmɛrʒe] vt *(inonder)* sumergir; *(sujet: émotion)* invadir; **être submergé de travail** estar agobiado(a) de trabajo

subordonné, -e [sybɔrdɔne] **1** adj *Gram* subordinado(a) **2** nm,f subordinado(a) m,f **3** nf **subordonnée** *Gram* subordinada f

subrepticement [sybrɛptismɑ̃] adv subrepticiamente

subsidiaire [sybzidjɛr] adj subsidiario(a)

subsistance [sybzistɑ̃s] nf subsistencia f

subsister [sybziste] vt subsistir

substance [sypstɑ̃s] nf sustancia f, substancia f; **en s.** en resumen

substantiel, -elle [sypstɑ̃sjɛl] adj *(repas)* sustancioso(a); *(avantage)* sustancioso(a), sustancial

substantif [sypstɑ̃tif] nm sustantivo m

substituer [sypstitɥe] **1** vt **s. A à B** substituir B por A **2 se substituer** vpr **se s. à** substituir

substitut [sypstity] nm sustituto m; *Jur* teniente mf fiscal

substitution [sypstitysjɔ̃] nf sustitución f, substitución f

subterfuge [syptɛrfyʒ] nm subterfugio m

subtil, -e [syptil] adj sutil

subtiliser [syptilize] vt sustraer

subtilité [syptilite] nf sutileza f

subvenir [70] [sybvənir] vi **s. aux besoins de qn** satisfacer las necesidades de alguien

subvention [sybvɑ̃sjɔ̃] nf subvención f

subventionner [sybvɑ̃sjɔne] *vt* subvencionar

subversif, -ive [sybvɛrsif, -iv] *adj* subversivo(a)

succéder [34] [syksede] **1 succéder à** *vt ind* suceder a
   2 se succéder *vpr* sucederse

succès [syksɛ] *nm* éxito *m*; **avec/sans s.** con/sin éxito; **avoir du s.** tener éxito; **auteur/film à s.** autor *m*/película *f* de éxito

successeur [syksesœr] *nm* sucesor *m*

successif, -ive [syksesif, -iv] *adj* sucesivo(a)

succession [syksesjɔ̃] *nf* sucesión *f*; **prendre la s. (de)** suceder (a)

succinct, -e [syksɛ̃, -ɛ̃t] *adj (résumé)* sucinto(a); *Hum (repas)* escaso(a)

succomber [sykɔ̃be] *vi* sucumbir (à a)

succulent, -e [sykylɑ̃, -ɑ̃t] *adj (repas)* suculento(a)

succursale [sykyrsal] *nf* sucursal *f*

sucer [16] [syse] *vt* chupar

sucette [sysɛt] *nf (confiserie)* pirulí *m*, piruleta *f*; *(de bébé)* chupete *m*

sucre [sykr] *nm* azúcar *m o f*; *(morceau)* azucarillo *m* ☆ **s. glace** azúcar glas; **s. en morceaux** terrones *mpl* de azúcar; **s. d'orge** pirulí *m*; **s. en poudre** azúcar en polvo

sucrer [sykre] *vt (café, thé)* azucarar, echar azúcar en; *Fam (supprimer)* cargarse

sucreries [sykrəri] *nfpl (friandises)* dulces *mpl*, golosinas *fpl*

Sucrette® [sykrɛt] *nf* pastilla *f* de sacarina

sucrier [sykrije] *nm (récipient)* azucarero *m*

sud [syd] **1** *adj inv* sur *inv*
   2 *nm* sur *m*; **au s.** al sur; **au s. de** al sur de

sud-africain, -e *(mpl* **sud-africains,** *fpl* **sud-africaines)** [sydafrikɛ̃, -ɛn] **1** *adj* sudafricano(a)
   2 *nm,f* **S.** sudafricano(a) *m,f*

sud-américain, -e *(mpl* **sud-américains,** *fpl* **sud-américaines)** [sydamerikɛ̃, -ɛn] **1** *adj* sudamericano(a)
   2 *nm,f* **S.** sudamericano(a) *m,f*

sud-coréen, -enne *(mpl* **sud-coréens,** *fpl* **sud-coréennes)** [sydkɔreɛ̃, -ɛn] **1** *adj* surcoreano(a)
   2 *nm,f* **S.** surcoreano(a) *m,f*

sud-est [sydɛst] **1** *adj inv* sudeste *inv*, sureste *inv*
   2 *nm* sudeste *m*, sureste *m*

sud-ouest [sydwɛst] **1** *adj inv* sudoeste *inv*, suroeste *inv*
   2 *nm* sudoeste *m*, suroeste *m*

Suède [sɥɛd] *nf* **la S.** Suecia

suédois, -e [sɥedwa, -az] **1** *adj* sueco(a)
   2 *nm,f* **S.** sueco(a) *m,f*
   3 *nm (langue)* sueco *m*

suer [sɥe] *vi (transpirer)* sudar; *Fam* **faire s. qn** dar la lata a alguien

sueur [sɥœr] *nf* sudor *m*; **être en s.** estar sudando; *Fig* **avoir des sueurs froides** tener sudores fríos

suffire [19b] [syfir] **1** *vi* bastar (à/pour a/para); **il lui suffit de chanter pour être heureux** le basta con cantar para ser feliz; **ça suffit!** *(arrête)* ¡basta!
   2 se suffire *vpr* **se s. (à soi-même)** bastarse (a sí mismo(a))

suffisamment [syfizamɑ̃] *adv* suficientemente; **avoir s. pour** tener (lo) suficiente para; **s. de livres** suficientes libros

suffisant, -e [syfizɑ̃, -ɑ̃t] *adj (quantité, somme)* suficiente; *Péj (air, ton)* de suficiencia

suffixe [syfiks] *nm Gram* sufijo *m*

suffoquer [syfɔke] **1** *vt (sujet: chaleur)* sofocar; *(sujet: colère)* dejar sin respiración; *(stupéfier)* dejar impresionado(a)
   2 *vi* asfixiarse; *Fig* **s. de colère** encenderse de cólera

suffrage [syfraʒ] *nm (élection)* sufragio *m*; *(voix)* voto *m*; **au s.**

indirect/universel por sufragio indirecto/universal

suggérer [34] [sygʒere] *vt* sugerir; **je te suggère d'agir rapidement** te sugiero que actúes con rapidez

suggestif, -ive [sygʒɛstif, -iv] *adj* sugestivo(a), sugerente

suggestion [sygʒɛstjɔ̃] *nf (conseil)* sugerencia *f*; *Psy* sugestión *f*

suicidaire [sɥisidɛr] *adj* suicida

suicide [sɥisid] **1** *nm* suicidio *m* **2** *adj inv* suicida

suicider [sɥiside] **se suicider** *vpr* suicidarse

suie [sɥi] *nf* hollín *m*

suinter [sɥɛ̃te] *vi* rezumar; *(plaie)* supurar

suis [sɥi] *voir* **être, suivre**

Suisse [sɥis] *nf* la S. Suiza; la S. alémanique la Suiza alemana; la S. romande la Suiza francesa

suisse [sɥis] **1** *adj* suizo(a) **2** *nmf* S. suizo(a) *m,f*

suit *voir* **suivre**

suite [sɥit] *nf (ce qui vient après)* continuación *f*; *(série)* serie *f*, sucesión *f*; *(escorte)* séquito *m*; *(appartement)* & *Mus* suite *f*; **suites** *(conséquences)* consecuencias *fpl*; **donner s. à** *(demande)* dar curso a; **à la s. de** después de; **s. à** como consecuencia de; *(lettre)* en contestación a; **de s.** *(d'affilée)* seguido(a); **par s. de** a consecuencia de; **par la s.** después

suivant, -e [sɥivɑ̃, -ɑ̃t] **1** *adj* siguiente **2** *nm,f* siguiente *mf*; **au s.!** ¡(el) siguiente!

suivi, -e [sɥivi] **1** *adj (efforts, relation)* constante; *(raisonnement)* estructurado(a) **2** *nm* seguimiento *m*

suivre [65a] [sɥivr] **1** *vt* seguir; *(succéder à)* suceder a; *(longer)* bordear; *(malade)* atender, llevar; *(discours, conversation)* escuchar;

(match) mirar; **là je ne te suis plus** no te sigo **2** *vi* seguir; **à s.** *(à la fin d'un feuilleton)* continuará; **faire s.** *(sur une lettre)* remítase al destinatario **3 se suivre** *vpr (se succéder)* sucederse

sujet¹, -ette [syʒɛ, -ɛt] **1** *adj* **être s. à** *(maladie)* sufrir de **2** *nm,f (d'un monarque)* súbdito(a) *m,f*

sujet² *nm (question, thème)* tema *m*; *(cobaye)* & *Gram* sujeto *m*; **à ce s.** al respecto; **au s. de** a propósito de; **c'est à quel s.?** ¿de qué se trata?; **s. de conversation** tema de conversación

sulfate [sylfat] *nm* sulfato *m*

sulfurique [sylfyrik] *adj* sulfúrico(a)

summum [sɔmɔm] *nm* **le s. de** el colmo de

super [sypɛr] **1** *adj inv Fam* genial **2** *exclam Fam* ¡genial! **3** *nm (essence)* súper *f*

super- [sypɛr] *préf Fam* super-; **s. marrant** superdivertido

superbe [sypɛrb] **1** *adj (temps, situation, paysage)* magnífico(a); *(femme)* despampanante **2** *nf Litt* soberbia *f*

supercherie [sypɛrʃəri] *nf* superchería *f*

supérette [sypɛrɛt] *nf* supermercado *m (entre 120 y 400 metros cuadrados)*

superficie [sypɛrfisi] *nf* superficie *f*

superficiel, -elle [sypɛrfisjɛl] *adj* superficial

superflu, -e [sypɛrfly] **1** *adj* superfluo(a) **2** *nm* **le s.** lo superfluo

supérieur, -e [syperjœr] **1** *adj* superior (à a); *Péj (air)* de superioridad **2** *nm,f* superior(ora) *m,f*

supériorité [syperjɔrite] *nf* superioridad *f*

superlatif [syperlatif] *nm Gram* superlativo *m*

supermarché [sypɛrmarʃe] *nm* supermercado *m*

superposer [sypɛrpoze] **1** *vt* superponer

2 se superposer *vpr* superponerse

superposition [sypɛrpozisjɔ̃] *nf Ordinat* **mode de s.** modo *m* sobreescribir

superproduction [sypɛrprodyksjɔ̃] *nf* superproducción *f*

superpuissance [sypɛrpɥisɑ̃s] *nf* superpotencia *f*

supersonique [sypɛrsɔnik] *adj* supersónico(a)

superstitieux, -euse [sypɛrstisjø, -øz] *adj* supersticioso(a)

superstition [sypɛrstisjɔ̃] *nf* superstición *f*

superviser [sypɛrvize] *vt* supervisar

supplanter [syplɑ̃te] *vt (personne)* suplantar; *(chose)* substituir a

suppléant, -e [sypleɑ̃, -ɑ̃t] *adj & nm,f* suplente *mf*

suppléer [24] [syplee] *vt* suplir

supplément [syplemɑ̃] *nm* suplemento *m*; **le service est en s.** *(au restaurant)* servicio no incluido

supplémentaire [syplemɑ̃tɛr] *adj* suplementario(a); *(train)* especial

supplice [syplis] *nm* suplicio *m*

supplier [66] [syplije] *vt* **s. qn de faire qch** suplicar a alguien que haga algo; **je t'en/vous en supplie** te lo/se lo suplico

support [sypɔr] *nm* soporte *m* ✩ **s. publicitaire** soporte publicitario

supportable [sypɔrtabl] *adj* soportable

supporter¹ [sypɔrte] **1** *vt* soportar; *(encourager)* apoyar; **elle ne supporte pas que...** no soporta que...

2 se supporter *vpr (l'un l'autre)* soportarse

supporter² [sypɔrtɛr] *nm* hincha *mf*

supposer [sypoze] *vt* suponer; **à s. que** en el supuesto de que

supposition [sypozisjɔ̃] *nf* suposición *f*

suppositoire [sypozitwar] *nm* supositorio *m*

suppression [sypresjɔ̃] *nf* supresión *f*

supprimer [syprime] *vt* suprimir; *(douleur)* eliminar; **s. son permis de conduire à qn** retirarle a alguien el carné de conducir

suprématie [sypremasi] *nf* supremacía *f*

suprême [syprɛm] **1** *adj* supremo(a) **2** *nm Culin* suprema *f*

sur [syr] *prép* **(a)** *(à la surface de)* en; *(au-dessus de)* encima de, sobre; **il est assis s. une chaise** está sentado en una silla; **un pont s. la rivière** un puente sobre el río
 (b) *(dans la direction de)* a, hacia; **s. la droite/gauche** a o hacia la derecha/izquierda; **la fenêtre donne s. la mer** la ventana da al mar
 (c) *(pendant une distance de)* en; **s. 10 kilomètres** en 10 kilómetros
 (d) *(d'après)* por; **juger qn s. les apparences** juzgar a alguien por las apariencias
 (e) *(grâce à)* de; **il vit s. les revenus de ses parents** vive del dinero de sus padres
 (f) *(au sujet de)* sobre; **un débat s. la drogue** un debate sobre la droga
 (g) *(indique la proportion)* **s. douze invités, six sont venus** de doce invitados han venido seis; **un mètre s. deux** un metro por dos; **une fois s. deux** una de cada dos veces
 (h) s. ce en esto

sûr, -e [syr] *adj* seguro(a); *(personne)* de confianza; *(goût, instinct)* bueno(a); **être s. de qch/que** estar seguro(a) de algo/que; **être s. de soi** estar seguro(a) de sí mismo(a); **être s. et certain de qch** estar convencido(a) de algo; **s. et certain!** ¡segurísimo!

surcharge [syrʃarʒ] *nf (d'un véhicule)* sobrecarga *f*; *(de bagages)* exceso *m*, sobrepeso *m*; *(de travail)* exceso *m*; *(rature)* enmienda *f*

surcharger [45] [syrʃarʒe] *vt (véhicule)* sobrecargar; *(texte)* enmendar; **s. qn d'impôts/de travail** abrumar a alguien con demasiados impuestos/demasiado trabajo

surchauffé, -e [syrʃofe] *adj (pièce)* con la calefacción muy alta; *Fig* excitado(a)

surcroît [syrkrwa] *nm* aumento *m*; **de s.** de recargo

surdité [syrdite] *nf* sordera *f*

surdoué, -e [syrdwe] *adj & nm,f* superdotado(a) *m,f*

surélever [46] [syrɛlve] *vt* sobrealzar

sûrement [syrmã] *adv (certainement, sans doute)* seguramente; *(en sûreté)* con seguridad; **s. pas!** ¡ni hablar!

surenchère [syrãʃɛr] *nf (dans une vente)* sobrepuja *f*

surestimer [syrɛstime] **1** *vt* sobreestimar
 2 se surestimer *vpr* sobreestimarse

sûreté [syrte] *nf* seguridad *f*; **en s.** a salvo

surexcité, -e [syrɛksite] *adj* sobreexcitado(a)

surexposé, -e [syrɛkspoze] *adj* sobreexpuesto(a)

surf [sœrf] *nm* surf *m*

surface [syrfas] *nf* superficie *f*; **refaire s.** *(réapparaître)* reaparecer; *(se remettre)* salir a flote ☆ **grande s.** hipermercado *m*, gran superficie

surfait, -e [syrfɛ, -ɛt] *adj* sobreestimado(a)

surfer [sœrfe] *vi* hacer surf

surgelé, -e [syrʒəle] **1** *adj* congelado(a)
 2 *nm* producto *m* congelado

surgir [syrʒir] *vi* surgir

surhumain, -e [syrymɛ̃, -ɛn] *adj* sobrehumano(a)

sur-le-champ [syrləʃã] *adv* en el acto

surlendemain [syrlãdmɛ̃] *nm* **le s.** a los dos días

surligner [syrliɲe] *vt* marcar con rotulador fluorescente

surligneur [syrliɲœr] *nm* marcador *m*, subrayador *m*

surmené, -e [syrməne] *adj* agotado(a)

surmener [46] [syrməne] **1** *vt* agotar
 2 se surmener *vpr* agotarse

surmonter [syrmɔ̃te] *vt (être placé sur)* coronar; *(obstacle, peur, colère)* superar

surnager [45] [syrnaʒe] *vi (flotter)* sobrenadar; *Fig (subsister)* perdurar, pervivir

surnaturel, -elle [syrnatyrɛl] **1** *adj (phénomène, pouvoir)* sobrenatural; *(talent)* prodigioso(a)
 2 *nm* **le s.** lo sobrenatural

surnom [syrnɔ̃] *nm* sobrenombre *m*, apodo *m*

surnommer [syrnɔme] *vt* apodar

surpasser [syrpase] **1** *vt* superar
 2 se surpasser *vpr* superarse

surpeuplé, -e [syrpœple] *adj* superpoblado(a)

surplomb [syrplɔ̃] *nm* desplome *m*; **en s.** voladizo(a), salidizo(a)

surplomber [syrplɔ̃be] *vt* dominar

surplus [syrply] *nm (excédent)* excedente *m*; *(magasin)* = tienda de ropa militar americana de segunda mano

surprenant, -e [syrprənã, -ãt] *adj* sorprendente

surprendre [58] [syrprãdr] *vt* sorprender; *(secret)* descubrir

surprise [syrpriz] *nf* sorpresa *f*; **faire une s. à qn** dar una sorpresa a alguien; **par s.** por sorpresa

surréalisme [syrrealism] *nm* surrealismo *m*

surréaliste [syrrealist] *nmf* surrealista *mf*

sursaut [syrso] *nm (mouvement brusque)* sobresalto *m*; *(d'énergie)* arranque *m*; **en s.** de un sobresalto

sursauter [syrsote] *vi* sobresaltarse

sursis [syrsi] *nm (délai)* aplazamiento *m*; *Jur* condena *f* condicional; **six mois avec s.** pena *f* de seis meses con remisión condicional

surtout [syrtu] *adv* sobre todo; **n'y touche s. pas** no se te ocurra tocar esto; *Fam* **s. que** sobre todo porque

surveillance [syrvɛjɑ̃s] *nf* vigilancia *f*; **être sous s.** estar bajo vigilancia

surveillant, -e [syrvɛjɑ̃, -ɑ̃t] *nm,f (gardien)* vigilante *m*; *Scol* = persona, generalmente un estudiante, encargada de la disciplina en un colegio

surveiller [syrvɛje] **1** *vt (enfant, santé, suspect)* vigilar; *(études, travaux)* supervisar; *(langage, ligne)* cuidar
  2 se surveiller *vpr* cuidarse

survenir [70] [syrvənir] *vi* sobrevenir

survêtement [syrvɛtmɑ̃] *nm* chandal *m*

survie [syrvi] *nf (d'un malade)* vida *f*; *(de l'âme)* supervivencia *f*

survivant, -e [syrvivɑ̃, -ɑ̃t] *adj & nm,f* superviviente *mf*

survivre [72] [syrvivr] *vi* sobrevivir (à a)

survoler [syrvɔle] *vt (territoire)* sobrevolar; *(texte)* echar un vistazo a

survolté, -e [syrvɔlte] *adj* sobreexcitado(a)

sus [sy(s)] *adv* **en s. (de)** además (de)

susceptible [sysɛptibl] *adj* susceptible **(de** de)

susciter [sysite] *vt* suscitar

suspect, -e [syspɛ, -ɛkt] **1** *adj (personne)* sospechoso(a) **(de** de); *(douteux)* dudoso(a)
  2 *nm,f* sospechoso(a) *m,f*

suspecter [syspɛkte] *vt* sospechar; **s. qn de qch** sospechar algo de alguien; **s. qn de faire qch** sospechar que alguien hace algo

suspendre [syspɑ̃dr] **1** *vt* suspender; *(accrocher)* colgar **(à** de); **être suspendu aux lèvres de qn** estar muy pendiente de las palabras de alguien
  2 se suspendre *vpr* **se s. à** suspenderse de, colgarse de

suspens [syspɑ̃] **en suspens** *adv (en l'air)* suspendido(a); *(en attente)* pendiente

suspense [syspɛns] *nm* suspense *m*

suspension [syspɑ̃sjɔ̃] *nf* suspensión *f*; *(lustre)* lámpara *f* de techo; **en s.** en suspensión

susurrer [sysyre] *vt & vi* susurrar

suture [sytyr] *nf* voir **point**

svelte [svɛlt] *adj* esbelto(a)

SVP [ɛsvepe] *(abrév* **s'il vous plaît)** por favor

sweat-shirt (*pl* **sweat-shirts**) [switʃœrt] *nm* sudadera *f*

syllabe [silab] *nf* sílaba *f*

symbole [sɛ̃bɔl] *nm* símbolo *m*; **être le s. de qch** *(personnification)* ser estandarte de algo

symbolique [sɛ̃bɔlik] **1** *adj* simbólico(a)
  2 *nf* simbología *f*

symboliser [sɛ̃bɔlize] *vt* simbolizar

symétrie [simetri] *nf* simetría *f*

symétrique [simetrik] *adj* simétrico(a)

sympa [sɛ̃pa] *adj Fam* majo(a), *Am* simpático(a)

sympathie [sɛ̃pati] *nf (entente, amitié)* simpatía *f*; **témoigner sa s. à qn** *(compassion)* expresar su simpatía a alguien

sympathique [sɛ̃patik] *adj (personne)* simpático(a); *(soirée, moment)* agradable; *(maison, lieu)* acogedor(ora)

sympathiser [sɛ̃patize] *vi* simpatizar (**avec** con)

symphonie [sɛ̃fɔni] *nf* sinfonía *f*

symphonique [sɛ̃fɔnik] *adj* sinfónico(a)

symptôme [sɛ̃ptom] *nm* síntoma *m*

synagogue [sinagɔg] *nf* sinagoga *f*

synchroniser [sɛ̃krɔnize] *vt* sincronizar

syncope [sɛ̃kɔp] *nf (évanouissement)* síncope *m*; *Mus* síncopa *f*; **elle est tombée en s.** le dio un síncope

syndic [sɛ̃dik] *nm* presidente *mf* de la comunidad de propietarios

syndical, -e, -aux, -ales [sɛ̃dikal, -o] *adj* sindical

syndicaliste [sɛ̃dikalist] *nmf* sindicalista *mf*

syndicat [sɛ̃dika] *nm* sindicato *m* ☆ **s. de copropriétaires** comunidad *f* de propietarios; **s. d'initiative** oficina *f* de turismo

syndiqué, -e [sɛ̃dike] *adj* sindicado(a)

syndrome [sɛ̃drom] *nm* síndrome *m*

synonyme [sinɔnim] **1** *adj* sinónimo(a)
  2 *nm* sinónimo *m*

syntaxe [sɛ̃taks] *nf Gram & Ordinat* sintaxis *f inv*

synthèse [sɛ̃tɛz] *nf* síntesis *f inv*

synthétique [sɛ̃tetik] *adj* sintético(a)

synthétiseur [sɛ̃tetizœr] *nm* sintetizador *m*

syphilis [sifilis] *nf* sífilis *f inv*

Syrie [siri] *nf* la S. Siria

syrien, -enne [sirjɛ̃, -ɛn] **1** *adj* sirio(a)
  2 *nm,f* S. sirio(a) *m,f*

systématique [sistematik] *adj* sistemático(a)

systématiser [sistematize] *vt* sistematizar

système [sistɛm] *nm aussi Ordinat* sistema *m* ☆ *Fam* **le s. D** el sistema rústico; *Ordinat* **s. expert** sistema experto; *Ordinat* **s. d'exploitation** sistema operativo; *Ordinat* **s. de gestion de bases de données** sistema de gestión de bases de datos; **s. nerveux** sistema nervioso; **s. solaire** sistema solar

T

T, t [te] *nm inv (lettre)* T *f*, t *f*

t *(abrév* **tonne)** t

ta [ta] *voir* **ton**

tabac [taba] *nm (plante)* tabaco *m*; *(magasin)* estanco *m*; *Fam* **faire un t.** ser un exitazo ☆ **t. blond** tabaco rubio; **t. brun** tabaco negro; **t. à priser** rapé *m*

tabagie [tabaʒi] *nf Can (bureau de tabac)* estanco *m*

tabagisme [tabaʒism] *nm* tabaquismo *m*

tabasser [tabase] *vt Fam* dar una paliza a

tabernacle [tabɛrnakl] *nm* tabernáculo *m*

table [tabl] *nf (meuble)* mesa *f*; **à t.!** ¡a comer!; **débarrasser/mettre la t.** quitar/poner la mesa; **se mettre à t.** sentarse a la mesa ☆ **t. de chevet** *ou* **de nuit** mesilla *f* de noche; **t. des matières** índice *m*; **t. de multiplication** tabla *f* de multiplicar; **t. d'opération** mesa de operaciones; *aussi Fig* **t. ronde** mesa redonda

tableau, -x [tablo] *nm* cuadro *m*; *(d'école)* pizarra *f*, encerado *m*; *(panneau)* tablón *m*, tablero *m* ☆ **t. d'affichage** tablón de anuncios; *Sp* marcador *m*; **t. de bord** *(de voiture)* salpicadero *m*; *(d'avion)* cuadro de mandos; **t. noir** pizarra

tabler [table] **tabler sur** *vt ind* contar con

tablette [tablɛt] *nf (étagère)* tabla *f*; *(de salle de bains)* repisa *f*; *(de chewing-gum, de chocolat)* tableta *f*

tableur [tablœr] *nm Ordinat* hoja *f* de cálculo

tablier [tablije] *nm (de cuisinière)* delantal *m*; *(d'écolier)* bata *f*; *(de cheminée)* pantalla *f*; *(de pont)* piso *m*; *Fig* **rendre son t.** cortarse la coleta

tabou, -e [tabu] **1** *adj* tabú **2** *nm* tabú *m*

tabouret [taburɛ] *nm* taburete *m*

tabulateur [tabylatœr] *nm* tabulador *m*

tac [tak] *nm* **répondre** *ou* **riposter du t. au t.** devolver la pelota

tache [taʃ] *nf* mancha *f*; *Litt (souillure morale)* tacha *f* ☆ **taches de rousseur** pecas *fpl*; **t. de vin** *(sur la peau)* mácula *f* vinosa

tâche [taʃ] *nf* tarea *f*, labor *f*; **faciliter la t. à qn** ponérselo fácil a alguien

tacher [taʃe] **1** *vt* manchar **2 se tacher** *vpr (personne)* mancharse

tâcher [taʃe] **1** *vt* **tâche que ça ne se reproduise plus** procura que no vuelva a ocurrir **2 tâcher de** *vt ind* **t. de faire qch** procurar hacer algo

tacheté, -e [taʃte] *adj* moteado(a) (**de** de)

tacite [tasit] *adj* tácito(a)

taciturne [tasityrn] *adj* taciturno(a)

tacot [tako] *nm Fam* tartana *f*

tact [takt] *nm* tacto *m*; **avoir du/manquer de t.** tener/no tener tacto

tactile [taktil] *adj voir* **écran**

tactique [taktik] **1** *adj* táctico(a) **2** *nf* táctica *f*

tag [tag] *nm* pintada *f*, graffiti *m*

Tage [taʒ] *nm* le **T.** el Tajo

taguer [tage] *vt* hacer pintadas *o* graffitis en

Tahiti [taiti] *n* Tahití

taie [tɛ] *nf Méd* nube *f* (*en la córnea*) ☆ **t. d'oreiller** funda *f* de almohada

taille [tɑj] *nf* (*coupe*) (*de pierre, de bois*) talla *f*; (*d'arbres*) tala *f*; (*dimension*) (*d'une personne*) estatura *f*; (*de vêtements*) talla *f*; (*d'un objet*) tamaño *m*; (*milieu du corps*) talle *m*, cintura *f*; **quelle t. faites-vous** *ou* **prenez-vous?** ¿qué talla usa?; **à ma t.** de mi talla; **de t.** (*erreur*) de bulto

taille-crayon (*pl* taille-crayons) [tɑjkrɛjɔ̃] *nm* sacapuntas *m inv*

tailler [tɑje] **1** *vt* (*pierre, bois*) tallar; (*arbres*) talar; (*crayon*) sacar punta a; (*vêtement*) cortar **2 se tailler** *vpr Fam* (*s'enfuir*) huir

tailleur [tɑjœr] *nm* (*couturier*) sastre *m*; (*vêtement*) traje *m* (sastre *o* de chaqueta)

taillis [tɑji] *nm* monte *m* bajo, bosquecillo *m*

tain [tɛ̃] *nm* azogue *m*

taire [55b] [tɛr] **1** *vt* callar **2 se taire** *vpr* (*ne pas parler*) callarse; (*bruit, son*) dejar de oírse, cesar; (*orchestre*) dejar de tocar; **tais-toi!** ¡cállate!

Taiwan [tajwan] *n* Taiwan

taiwanais, -e [tajwanɛ, -ɛz] **1** *adj* taiwanés(esa) **2** *nm,f* **T.** taiwanés(esa) *m,f*

talc [talk] *nm* talco *m*

talent [talɑ̃] *nm* talento *m*; **avoir du t.** tener talento

talentueux, -euse [talɑ̃tɥø, -øz] *adj* talentoso(a); **être très t.** tener mucho talento

talisman [talismɑ̃] *nm* talismán *m*

talkie-walkie (*pl* talkies-walkies) [tokiwoki] *nm* walkie-talkie *m*

talon [talɔ̃] *nm* (*du pied, de chaussette*) talón *m*; (*de chaussure*) *Esp* tacón *m*, *Am* taco *m*; (*de chèque*) matriz *f*; (*de jeu de cartes*) montón *m* ☆ **talons aiguilles** *Esp* tacones de aguja, *Am* tacos aguja; **talons hauts** *Esp* tacones altos, *Am* tacos altos; **talons plats** *Esp* tacones bajos, *Am* tacos bajos

talonner [talɔne] *vt* (*suivre de près*) pisar los talones a; *Fig* (*harceler*) acosar

talonnette [talɔnɛt] *nf* talonera *f*

talus [taly] *nm* talud *m*

tambour [tɑ̃bur] *nm* (*de machine à laver, de frein*) & *Mus* tambor *m*; **battre le t.** tocar el tambor; **porte à t.** puerta *f* giratoria

tambourin [tɑ̃burɛ̃] *nm* (*cerceau à grelots*) pandereta *f*; (*tambour*) tamboril *m*

tambouriner [tɑ̃burine] *vi* **t. sur** *ou* **contre qch** golpetear en *o* sobre algo; (*pluie*) repiquetear en *o* sobre algo

tamis [tami] *nm* (*crible*) tamiz *m*; (*d'une raquette de tennis*) cordaje *m*; **passer qch au t.** pasar algo por el tamiz

tamisé, -e [tamize] *adj* (*lumière*) tamizado(a)

tampon [tɑ̃pɔ̃] *nm* (*masse de tissu*) bayeta *f*, paño *m*; (*cachet*) sello *m*, tampón *m*; (*bouchon*) tapón *m*, *Am* tapa *f*; (*d'une locomotive*) tope *m*; *Fig* **servir de t. entre** (*médiateur*) servir de colchón entre ☆ **t. encreur** tampón; **t. hygiénique** *ou* **périodique** tampón (higiénico); **t. à récurer** estropajo *m*

tamponner [tɑ̃pɔne] *vt* (*surface*) frotar con un paño; (*plaie*) limpiar;

(document) sellar; *(heurter)* topar con

tamponneuse [tãpɔnøz] *adj voir* **auto**

tam-tam *(pl* **tam-tams)** [tamtam] *nm* tam-tam *m*

tandem [tãdɛm] *nm* tándem *m*; **en t.** *(à deux)* a dúo

tandis [tãdi(s)] **tandis que** *conj* mientras que

tangent, -e [tãʒã, -ãt] **1** *adj Math* **t. à** tangente a; *Fam* **il a réussi son examen, mais c'était tangent** aprobó el examen por los pelos
2 *nf* **tangente** *Math* tangente *f* (à a)

tangible [tãʒibl] *adj* tangible

tango [tãgo] *nm* tango *m*

tanguer [tãge] *vi* cabecear

tanière [tanjɛr] *nf (d'un animal)* guarida *f,* cubil *m; Fig (d'une personne)* guarida *f*

tank [tãk] *nm* tanque *m*

tanner [tane] *vt (peau)* curtir; *Fam (personne)* dar la tabarra a

tant [tã] *adv* **(a)** *(quantité, nombre)* **t. de** tanto(a); **t. d'élèves** tantos alumnos; **et t. d'autres** y otros(as) muchos(as); **t. que ça?** ¿tanto?
(b) *(tellement)* tanto; **il l'aime t.** la quiere tanto; **il a crié t.** il souffrait le dolía tanto que gritó
(c) *(valeur indéfinie)* tanto; **ça coûte t.** esto cuesta tanto; **t. de** tanto(a); **t. de grammes** tantos gramos
(d) *(jour indéfini)* **le t.** tal día
(e) *(comparatif)* **t.... que** tanto... como; **t. les premiers que les seconds** tanto los primeros como los segundos
(f) *(valeur temporelle)* **t. que** mientras; **amuse-toi t. que tu peux** disfruta mientras puedas; **t. que tu y es...** ya que te pones...
(g) *(expressions)* **en t. que** como; **t. bien que mal** a trancas y barrancas, mal que bien; **t. mieux** tanto mejor;

t. mieux pour elle! ¡mejor para ella!; **t. pis** qué se le va a hacer; **t. pis pour lui!** ¡peor para él!; **t. et plus** el ciento y la madre; **t. qu'à faire...** ya que estás/estamos/*etc*...; **un t. soit peu** un poquito

tante [tãt] *nf (parente)* tía *f; Injurieux (homosexuel)* maricón *m*

tantinet [tãtinɛ] *nm Fam* **un t. radin** un poquito tacaño; **un t. trop long** un pelín largo

tantôt [tãto] *adv (cet après-midi)* esta tarde; **t.... t.** unas veces... otras

taon [tã] *nm* tábano *m*

tapage [tapaʒ] *nm (bruit)* escándalo *m,* alboroto *m; Fig* **faire du t.** *(créer un scandale)* dar que hablar ☆ **t. nocturne** escándalo nocturno

tapageur, -euse [tapaʒœr, -øz] *adj (hôte, enfant)* escandaloso(a), alborotador(ora); *(luxe, liaison, publicité)* escandaloso(a)

tape [tap] *nf* cachete *m*

tape-à-l'œil [tapalœj] *Fam* **1** *adj inv* llamativo(a)
2 *nm inv* **ce n'est que du t.** es todo pura fachada

taper [tape] **1** *vt (donner un coup à)* golpear; *(texte)* pasar a máquina; *Fam (emprunter de l'argent à)* pedir dinero a
2 *vi (donner un coup)* golpear; *(à la porte)* llamar; *(à la machine)* escribir a máquina; *Fam (soleil)* pegar; **t. du pied** dar golpecitos con el pie; **il s'est fait t. dessus** le pegaron; *Fig* **t. sur qn** *(dire du mal)* poner como un trapo a alguien
3 se taper *vpr Fam (corvée)* hacerse; *(aliment, boisson)* comerse

tapis [tapi] *nm (pour le sol)* alfombra *f;* **mettre qch sur le t.** poner algo sobre el tapete ☆ **t. de bain** alfombra de baño; **t. roulant** *(pour marchandises, pour bagages)* cinta *f* transportadora; *(pour piétons)* tapiz *m* deslizante; **t. de sol** (colchoneta *f*) aislante *m*; *Ordinat* **t.** *de souris* alfombrilla *f* (para el ratón); **t.** *vert* tapete *m* verde

tapisser [tapise] *vt (couvrir) (meuble)* tapizar; *(mur)* empapelar; *Fig (recouvrir)* cubrir (**de** de)

tapisserie [tapisri] *nf (tenture)* tapiz *m*; *(papier peint)* empapelado *m*

tapissier, -ère [tapisje, -ɛr] *nm,f (artiste)* tapicero(a) *m,f*; *(ouvrier)* empapelador(ora) *m,f*

tapoter [tapɔte] **1** *vt* dar golpecitos en
　2 *vi* **t. sur qch** dar golpecitos en algo

taquin, -e [takɛ̃, -in] *adj & nm,f* guasón(ona) *m,f*

taquiner [takine] *vt* pinchar

tarabuster [tarabyste] *vt (sujet: personne)* dar la tabarra a; *(sujet: idée)* rondar

tard [tar] *adv* tarde; **plus t.** más tarde; **au plus t.** a más tardar; **sur le t.** tardíamente

tarder [tarde] *vi* **t./ne pas t. à faire qch** tardar/no tardar en hacer algo; **il me tarde de te revoir/qu'elle revienne** tengo muchas ganas de verte/de que vuelva

tardif, -ive [tardif, -iv] *adj* tardío(a)

tare [tar] *nf* tara *f*

tarif [tarif] *nm (prix, tableau des prix)* tarifa *f*; *(douanier)* arancel *m* (aduanero); **plein t.** tarifa normal; **t. syndical** = tarifa fijada por un sindicato

tarin [tarɛ̃] *nm Fam* napias *fpl*

tarir [tarir] **1** *vt (source, ressource)* agotar; *Fig (larmes)* enjugar
　2 *vi (source, ressources)* agotarse; *Fig (larmes)* enjugarse; *Fig* **ne pas t. d'éloges sur** hacerse lenguas de
　3 se tarir *vpr* agotarse

tarot [taro] *nm* tarot *m*; *(jeu)* = juego con la baraja de tarot

tarte [tart] **1** *nf (gâteau)* tarta *f*; *Fam (gifle)* torta *f*
　2 *adj Fam* estúpido(a)

tartelette [tartəlɛt] *nf* tartaleta *f*

tartine [tartin] *nf (de pain)* rebanada *f* de pan untada; *Fam (texte)* rollo *m*; **t. beurrée/de confiture** rebanada de pan con mantequilla/con mermelada

tartiner [tartine] *vt (du pain)* untar; *Fam (pages)* llenar

tartre [tartr] *nm (d'une chaudière, des canalisations)* cal *f*; *(du vin)* tártaro *m*; *(des dents)* sarro *m*

tas [ta] *nm* montón *m*, *Andes, Carib* ruma *f*; *Fam* **un t. de** *(beaucoup de)* un montón de

tasse [tas] *nf* taza *f*; *Fig* **boire la t.** *(en nageant)* tragar agua ☆ **t. à café** taza de café; **t. à thé** taza de té

tassé, -e [tase] *adj* **bien t.** *(fort)* cargado(a); *(ans)* bien puesto(a)

tasser [tase] **1** *vt (neige, terre)* apisonar; *(choses, personnes)* apretujar
　2 se tasser *vpr (terrain)* hundirse; *(vieillard)* achaparrarse; *(se serrer)* apiñarse, apretujarse; *Fam* **les choses se tassent** las cosas se van arreglando

tata [tata] *nf (langage enfantin)* tita *f*, tía *f*

tâter [tate] **1** *vt (toucher)* tentar; *Fig (sonder)* tantear
　2 se tâter *vpr Fam (hésiter)* pensarlo

tatie [tati] *nf (langage enfantin)* tita *f*, tía *f*

tatillon, -onne [tatijɔ̃, -ɔn] *adj & nm,f* puntilloso(a) *m,f*

tâtonner [tatɔne] *vi (pour se diriger)* tantear; *Fig (chercher)* dar palos de ciego

tâtons [tatɔ̃] **à tâtons** *adv* a tientas

tatouage [tatwaʒ] *nm* tatuaje *m*

tatouer [tatwe] *vt* tatuar

taudis [todi] *nm (logement misérable)* tugurio *m*, cuchitril *m*; *Péj (maison ou pièce mal tenue)* leonera *f*

taule [tol] *nf Fam* trena *f*; **faire de la t.** estar en la trena

taupe [top] *nf (animal, espion)* topo *m*

taureau, -x [tɔro] *nm* toro *m*; *Astrol* T. tauro *m*; **être T.** ser tauro

tauromachie [tɔrɔmaʃi] *nf* tauromaquia *f*

taux [to] *nm (cours)* tasa *f*, tipo *m*; *(de cholestérol, d'alcool)* índice *m* ✫ *t. de change* tipo de cambio; *t. d'escompte* tipo de descuento; *t. d'intérêt* tipo de interés; *t. de mortalité* índice de mortalidad; *t. de natalité* índice de natalidad

taverne [tavɛrn] *nf (auberge, bar à bière)* taberna *f*; *(restaurant rustique)* hostería *f*

taxe [taks] *nf* impuesto *m*, contribución *f* ✫ *t. d'aéroport* tasa *f* de aeropuerto; *t. d'habitation* = impuesto aplicado a la persona que reside en una vivienda; *t. sur la valeur ajoutée* impuesto sobre el valor añadido

taxer [takse] *vt (produit)* tasar; *(importations)* gravar; *Fam* **t. qch à qn** *(emprunter)* sablear a alguien algo

taxi [taksi] *nm (voiture)* taxi *m*; *(chauffeur)* taxista *mf*, *CAm, Méx* ruletero *m*

TB *(abrév* **très bien)** ≃ MB

tchèque [tʃɛk] **1** *adj* checo(a)
2 *nmf* T. checo(a) *m,f*
3 *nm (langue)* checo *m*

TD [tede] *nmpl (abrév* **travaux dirigés)** seminario *m*

te [tə]

> Delante de vocal o h muda se utiliza **t'**.

pron personnel te; **te voilà** aquí estás

technicien, -enne [tɛknisjɛ̃, -ɛn] *nm,f* técnico(a) *m,f*

technique [tɛknik] **1** *adj* técnico(a)
2 *nf* técnica *f*
3 *nm* **le t.** *(enseignement)* la enseñanza técnica

techno [tɛkno] *nf (musique)* tecno *m*

technocrate [tɛknɔkrat] *nmf* tecnócrata *mf*

technologie [tɛknɔlɔʒi] *nf* tecnología *f*

technologique [tɛknɔlɔʒik] *adj* tecnológico(a)

teckel [tekɛl] *nm* teckel *m*

tee-shirt *(pl* **tee-shirts)** [tiʃœrt] *nm* camiseta *f*, *CSur* remera *f*

teigne [tɛɲ] *nf (mite)* polilla *f*; *Méd* tiña *f*; *Fam (personne)* (mal) bicho *m*

teindre [54] [tɛ̃dr] **1** *vt* teñir
2 se teindre *vpr* **se t. (les cheveux) en blond** teñirse (el pelo) de rubio

teint, -e [tɛ̃, tɛ̃t] **1** *pp voir* **teindre**
2 *nm* tez *f*
3 *nf* **teinte** *(couleur)* color *m*

teinté, -e [tɛ̃te] *adj* tintado(a); *(verre)* ahumado(a); *Fig* **t. de** teñido(a) de

teinter [tɛ̃te] *vt* teñir

teinture [tɛ̃tyr] *nf (action de teindre)* tintura *f*; *(colorant)* tinte *m* ✫ *t. d'iode* tintura de yodo

teinturerie [tɛ̃tyrri] *nf* tintorería *f*, tinte *m*

teinturier, -ère [tɛ̃tyrje, -ɛr] *nm,f* tintorero(a) *m,f*; **chez le t.** al tinte

tel, telle [tɛl] **1** *adj* **(a)** *(valeur indéterminée)* tal; **t. ou t.** tal o cual
(b) *(semblable)* semejante; **de telles personnes** semejantes personas; **je n'ai rien dit de t.** no he dicho nada semejante; **telle fut l'histoire qu'il nous raconta** ésta fue la historia que nos contó
(c) *(en intensif)* tal; **un t. bonheur** una felicidad tal
(d) t. que *(introduit un exemple, une comparaison)* como; **des métaux tels que le cuivre** metales como el cobre; **il est t. que je l'avais toujours rêvé** es tal (y) como siempre lo soñé
(e) t. quel tal cual; **tout est resté t. quel depuis son départ** todo ha permanecido tal cual desde que se marchó

2 *pron indéfini* **un t., une telle** fulano *m*, fulanita *f*

tél. (*abrév* **téléphone**) tel., teléf.

télé [tele] *nf Fam* tele *f*

Télécarte® [telekart] *nf* tarjeta *f* telefónica

télécharger [17] [teleʃarʒe] *vt Ordinat* descargar

télécommande [telekɔmɑ̃d] *nf* mando *m* a distancia, telemando *m*

télécommunications [telekɔmynikasjɔ̃] *nfpl* telecomunicaciones *fpl*

télécopie [telekɔpi] *nf* fax *m*

télécopieur [telekɔpjœr] *nm* fax *m* (*aparato*)

téléfilm [telefilm] *nm* telefilm *m*, telefilme *m*

télégramme [telegram] *nm* telegrama *m*

télégraphe [telegraf] *nm* telégrafo *m*

télégraphier [telegrafje] *vt* telegrafiar

téléguider [telegide] *vt* teledirigir

télématique [telematik] **1** *adj* telemático(a)
2 *nf* telemática *f*

téléobjectif [teleɔbʒɛktif] *nm* teleobjetivo *m*

télépathie [telepati] *nf* telepatía *f*

téléphérique [teleferik] *nm* teleférico *m*

téléphone [telefɔn] *nm* teléfono *m*; *Fam* **par le t. arabe** por radio macuto ☆ **t. cellulaire** teléfono celular; **t. mobile** teléfono móvil; **t. sans fil** teléfono inalámbrico

téléphoner [telefɔne] **1** *vt* decir por teléfono
2 *vi* llamar (por teléfono); **t. à qn** llamar (por teléfono) a alguien
3 se téléphoner *vpr* llamarse por teléfono

téléphonique [telefɔnik] *adj* telefónico(a)

télescope [telɛskɔp] *nm* telescopio *m*

télescopique [telɛskɔpik] *adj* telescópico(a)

télésiège [telesjɛʒ] *nm* telesilla *m*

téléski [teleski] *nm* telesquí *m*

téléspectateur, -trice [telespɛktatœr, -tris] *nm,f* telespectador(ora) *m,f*

télétraitement [teletrɛtmɑ̃] *nm Ordinat* teleproceso *m*

télétravail [teletravaj] *nm* teletrabajo *m*

télétravailleur, -euse [teletravajœr, -øz] *nm,f* teletrabajador(a) *m,f*

télévisé, -e [televize] *adj* televisado(a)

téléviseur [televizœr] *nm* televisor *m*

télévision [televizjɔ̃] *nf* televisión *f* ☆ **t. à péage** pago *m* por visión; **t. par câble** televisión por cable

télex [telɛks] *nm* télex *m inv*

tellement [tɛlmɑ̃] *adv* (*si*) tan (**que** que); (*tant*) tanto (**que** que); **elle est t. gentille!** ¡es tan simpática!; **t. mieux** mucho mejor; **elle a t. changé!** ¡ha cambiado tanto!; **je ne comprends rien t. il parle vite** habla tan de prisa que no entiendo nada; **t. de** tanto(a); **j'ai t. de choses à faire!** ¡tengo tantas cosas que hacer!; **aimes-tu le chocolat? - pas t.** ¿te gusta el chocolate? - no mucho

téméraire [temerɛr] *adj* temerario(a)

témérité [temerite] *nf* temeridad *f*

témoignage [temwaɲaʒ] *nm* (*récit*) & *Jur* testimonio *m*; (*gage*) muestra *f*, prueba *f*; **en t. de** como muestra o prueba de ☆ **faux t.** falso testimonio

témoigner [temwaɲe] **1** *vt* (*sentiment*) mostrar, manifestar; demostrar; **t. que** (*révéler*) demostrar que; (*attester*) declarar que
2 *vi Jur* declarar, testificar (**en faveur de/contre** a favor de/en contra de)

témoin [temwɛ̃] **1** *nm* testigo *mf*; *(voyant)* indicador *m*; **être t. de qch** ser testigo de algo **2** *adj (appartement)* piloto *inv*

tempe [tɑ̃p] *nf* sien *f*

tempérament [tɑ̃peramɑ̃] *nm* temperamento *m*

température [tɑ̃peratyr] *nf* temperatura *f*; **avoir de la t.** tener fiebre; **prendre sa t.** tomarse la temperatura

tempéré, -e [tɑ̃pere] *adj (climat)* templado(a); *(caractère, personne)* temperado(a)

tempérer [34] [tɑ̃pere] *vt* temperar

tempête [tɑ̃pɛt] *nf* tormenta *f*; *Fig (agitation, déchaînement)* tempestad *f*; **t. de neige/de sable** tormenta de nieve/de arena

temple [tɑ̃pl] *nm* templo *m*

temporaire [tɑ̃pɔrɛr] *adj* temporal

temporairement [tɑ̃pɔrɛrmɑ̃] *adv* temporalmente

temporel, -elle [tɑ̃pɔrɛl] *adj* temporal

temps [tɑ̃] *nm* tiempo *m*; *(de l'année, de l'histoire)* época *f*; *Mus* **mesure à deux t.** compás *m* de dos por cuatro; **avoir le t. de faire qch** tener tiempo de hacer algo; **avoir tout son t.** tener todo el tiempo del mundo; **ces t.-ci, ces derniers t.** últimamente; **il est t. de faire qch** es hora de hacer algo; **chaque chose en son t.** cada cosa a su tiempo; **perdre son t.** perder el tiempo; **prends ton t.** tómate tu tiempo; **travailler à plein t.** trabajar a jornada completa; **un certain t.** cierto tiempo; **le t. est à la pluie** parece que va a llover; **au t. des Romains** en la época de los romanos; **au** *ou* **du t. où** en el tiempo en el que; **à t.** a tiempo; **de mon t.** en mis tiempos *o* mi época; **de t. à autre, de t. en t.** de vez en cuando; **en même t.** al mismo tiempo; **par beau t.** cuando hace bueno; **par t. de pluie** cuando

llueve; **tout le t.** todo el tiempo, todo el rato ☆ **t. libre** tiempo libre; **t. mort** *(pause)* pausa *f*; *Sp* tiempo muerto

tenace [tənas] *adj* tenaz

ténacité [tenasite] *nf* tenacidad *f*

tenailler [tənɑje] *vt* atenazar

tenailles [tənɑj] *nfpl* tenazas *fpl*

tendance [tɑ̃dɑ̃s] *nf* tendencia *f*; **avoir t. à qch/à faire qch** tener tendencia a algo/a hacer algo

tendancieux, -euse [tɑ̃dɑ̃sjø, -øz] *adj* tendencioso(a)

tendeur [tɑ̃dœr] *nm (courroie)* pulpo *m*; *(de tente)* viento *m*

tendinite [tɑ̃dinit] *nf* tendinitis *f inv*

tendon [tɑ̃dɔ̃] *nm* tendón *m*

tendre¹ [tɑ̃dr] *adj (aliment, personne)* tierno(a); *(bois)* blando(a); *(couleur)* suave; *(parole)* cariñoso(a)

tendre² **1** *vt (corde, muscles)* tensar; *(étendre)* tender; **t. qch à qn** *(donner)* tender algo a alguien; **t. la main à qn** tender la mano a alguien; **t. l'oreille** prestar atención **2 se tendre** *vpr* tensarse

tendrement [tɑ̃drəmɑ̃] *adv* con ternura

tendresse [tɑ̃drɛs] *nf (sentiment)* ternura *f*, cariño *m*; **tendresses** *(démonstrations)* mimos *mpl*, *Méx* apapachos *mpl*, *RP* cariños *mpl*

tendu, -e [tɑ̃dy] *adj (fil, corde)* tenso(a), tirante; *(personne, atmosphère, rapports)* tenso(a); *(main)* tendido(a); **t. de** *(de tissu)* tapizado(a) de; *(de papier)* empapelado(a) con

ténèbres [tenɛbr] *nfpl* tinieblas *fpl*

teneur [tənœr] *nf (d'une lettre, d'un article)* contenido *m*; *(pourcentage)* proporción *f*, cantidad *f* (**en** de)

tenir [70] [tənir] **1** *vt (à la main, sur ses genoux)* tener; *(maintenir)* sujetar; *(par la discipline)* controlar;

(conserver) mantener; *(promesse, engagement)* cumplir; *(hôtel, commerce, restaurant)* llevar; **je te tiens!** ¡te tengo!; **t. qn par la main/le bras** llevar a alguien de la mano/del brazo; **t. la porte ouverte** mantener la puerta abierta; **t. de la place** ocupar sitio; **t. le coup** aguantar (la prueba); **t. qn pour responsable de** hacer a alguien responsable de; **t. qch de qn** *(apprendre)* saber algo por alguien **2** *vi (être solide)* aguantar, resistir; *(durer)* durar; *(neige)* cuajar; *(colle)* agarrarse; *(couleur)* ser sólido(a); *(rentrer)* caber; **t. bon** aguantar; **t. debout** tenerse en pie; *Fig* **ça ne tient pas debout** eso no se lo cree nadie; **ça tient toujours pour...?** ¿sigue en pie lo de...?; **tiens!** *(prends)* ¡toma!; *(justement)* ¡anda!; *(pour attirer l'attention)* ¡mira!
3 tenir à *vt ind (ami)* estar ligado(a) a; *(réputation)* mirar por; *(avoir pour cause)* deberse a; **t. à faire qch** insistir en hacer algo; **je tiens à vous remercier** se lo agradezco muchísimo; **je n'y tiens pas** no me apetece
4 tenir de *vt ind (ressembler à)* salir a; *(relever de)* parecer; **il tient de son père** sale a su padre; **t. du miracle** parecer milagro
5 *v impersonnel* **il ne tient qu'à lui de...** depende de él que...
6 se tenir *vpr (se trouver)* estar; *(avoir lieu)* tener lugar, celebrarse; *(être cohérent)* concordar; *(se conduire)* portarse, comportarse; *(s'agripper)* agarrarse; **tiens-toi droit!** ¡ponte derecho!; **se t. par la main** ir de la mano; **tiens-toi bien!** ¡pórtate bien!; **tiens-toi tranquille!** ¡estate quieto!; **je me tiens pour satisfait** me doy por satisfecho; **s'en t. à qch** atenerse a algo; **je m'en tiendrai là** lo dejamos ahí
tennis [tenis] **1** *nm (sport)* tenis *m inv* ☆ **t. de table** tenis de mesa
2 *nm ou nf (chaussure)* zapatilla *f* de deporte

tennisman [tenisman] *(pl* **tennismans** *ou* **tennismen** [tenismɛn]) *nm* tenista *m*
ténor [tenɔr] *nm (chanteur)* tenor *m*; *Fig (vedette)* figura *f*
tension [tɑ̃sjɔ̃] *nf* tensión *f*; *(désaccord)* tensión *f*, tirantez *f*; **avoir de la t.** tener la tensión alta; **basse/haute t.** baja/alta tensión ☆ **t. artérielle** tensión arterial
tentacule [tɑ̃takyl] *nm* tentáculo *m*
tentant, -e [tɑ̃tɑ̃, -ɑ̃t] *adj* tentador(ora)
tentation [tɑ̃tɑsjɔ̃] *nf* tentación *f*
tentative [tɑ̃tativ] *nf* intento *m*, tentativa *f*; **t. de suicide** intento de suicidio
tente [tɑ̃t] *nf (de camping)* tienda *f* de campaña; *(de cirque)* carpa *f*; **t. à oxygène** cámara *f* de oxígeno
tenter [tɑ̃te] *vt (attirer)* tentar; **t. la traversée/l'ascension de qch** intentar atravesar/subir algo; **t. de faire qch** intentar hacer algo; **être tenté de faire qch** estar tentado(a) de hacer algo; **être tenté par** estar tentado(a) por
tenture [tɑ̃tyr] *nf* colgadura *f*
tenu, -e [təny] *adj* **bien/mal t.** *(en ordre)* bien/mal atendido(a); **être t. de faire qch** tener que hacer algo
ténu, -e [teny] *adj* tenue
tenue [təny] *nf (habillement)* ropa *f*; *(militaire)* uniforme *m*; *(manières)* modales *mpl*; *(maintien du corps)* postura *f*; *(d'une maison)* cuidado *m*; *(de la comptabilité)* teneduría *f*; **un peu de t.!** ¡compórtate! ☆ *Aut* **t. de route** adherencia *f* (a la carretera); **t. de soirée** traje *m* de noche
ter [tɛr] *adv* ter; *Mus* tres veces
Tergal® [tɛrgal] *nm* tergal *m*
tergiverser [tɛrʒivɛrse] *vi* vacilar
terme [tɛrm] *nm (fin, mot, élément)* término *m*; *(délai)* plazo *m*; *Com* vencimiento *m*; **mettre un t. à qch**

poner término a algo; *Fin* **à t.** a plazos; **à court/moyen/long t.** a corto/medio/largo plazo; **accoucher avant t.** tener un parto prematuro; **naître avant t.** nacer prematuro(a); **en d'autres termes** en otras palabras

terminaison [tɛrminɛzɔ̃] *nf Gram* terminación *f*

terminal, -e, -aux, -ales [tɛrminal, -o] **1** *adj* terminal
2 *nm Ordinat* terminal *m*; *(dock, aérogare)* terminal *f*
3 *nf* **terminale** *Scol* = curso de secundaria que se realiza a los dieciséis años, *Esp* ≃ COU *m*

terminer [tɛrmine] **1** *vt* terminar, acabar
2 se terminer *vpr* terminarse, acabarse **(en/par** en/con)

terminologie [tɛrminɔlɔʒi] *nf* terminología *f*

terminus [tɛrminys] *nm* término *m*, final *m* (de línea)

termite [tɛrmit] *nm* termita *f*

terne [tɛrn] *adj (couleur, regard)* apagado(a); *(vie, conversation)* monótono(a); *(personne)* insignificante

ternir [tɛrnir] *vt (couleurs)* desteñir; *Fig (réputation)* empañar

terrain [tɛrɛ̃] *nm* terreno *m*; **gagner/perdre du t.** ganar/perder terreno ☆ **t. d'aviation** campo *m* de aviación; **t. à bâtir** solar *m*; **t. de camping** terreno de camping; **t. de foot** campo *m* de fútbol; **t. vague** solar

terrasse [tɛras] *nf* terraza *f*; *(toit)* terraza *f*, azotea *f*

terrasser [tɛrase] *vt (adversaire)* derribar; *(sujet: maladie)* abatir

terre [tɛr] *nf* tierra *f*; *(sol)* tierra *f*, suelo *m*; **la T.** la Tierra; *Fig* **avoir les pieds sur t.** tener los pies en el suelo; **par t.** *(sans mouvement)* en el suelo; *(avec mouvement)* al suelo; **la T. de Feu** la Tierra del Fuego ☆ **t. battue** tierra batida; **t. cuite** terracota *f*

terreau, -x [tɛro] *nm* mantillo *m*

terre-plein *(pl* **terre-pleins)** [tɛrplɛ̃] *nm* terraplén *m*

terrer [tɛre] **se terrer** *vpr* encerrarse

terrestre [tɛrɛstr] *adj* terrestre; *(globe)* terráqueo(a); *(plaisir, paradis)* terrenal

terreur [tɛrœr] *nf* terror *m*

terrible [tɛribl] *adj (affreux)* terrible; *(appétit, effort)* tremendo(a); *Fam (étonnant, excellent)* bestial; **le film n'était pas t.** la película estuvo regular

terrien, -enne [tɛrjɛ̃, -ɛn] **1** *adj (paysan)* rural
2 *nm,f (habitant de la Terre)* terrícola *mf*

terrier [tɛrje] *nm (de lapin)* madriguera *f*; *(chien)* terrier *m*

terrifiant, -e [tɛrifjɑ̃, -ɑ̃t] *adj* aterrador(ora)

terrifier [tɛrifje] *vt* aterrorizar

terrine [tɛrin] *nf* terrina *f*

territoire [tɛritwar] *nm* territorio *m*; **t. d'outre-mer** territorio francés de ultramar

territorial, -e, -aux, -ales [tɛritɔrjal, -o] *adj (eaux)* jurisdiccional; *(armée)* de reserva

terroir [tɛrwar] *nm* región *f*

terroriser [tɛrɔrize] *vt* aterrorizar

terrorisme [tɛrɔrism] *nm* terrorismo *m*

terroriste [tɛrɔrist] *adj & nmf* terrorista *mf*

tertiaire [tɛrsjɛr] *adj* terciario(a)

tes [te] *voir* **ton**

tesson [tesɔ̃] *nm* casco *m*; **t. de bouteille** casco de botella

test [tɛst] *nm* test *m* ☆ **t. de dépistage** prueba *f*; **t. de grossesse** test *o* prueba de embarazo

testament [tɛstamɑ̃] *nm* testamento *m*; **l'Ancien/le Nouveau T.** el Antiguo/el Nuevo Testamento

tester [tɛste] *vt* someter a un test

testicule [tɛstikyl] *nm* testículo *m*

tétaniser [tetanize] *vt (muscle)* tetanizar; *Fig (personne)* paralizar

tétanos [tetanos] *nm* tétanos *m inv*

têtard [tɛtar] *nm* renacuajo *m*

tête [tɛt] *nf* cabeza *f*; *(d'arbre)* copa *f*; *(d'une liste)* principio *m*; *(visage)* cara *f*; **être en t.** **(de)** estar a la cabeza (de); **être t. en l'air** ser distraído(a); **faire une drôle de t.** poner una cara rara; **faire la t.** enfurruñarse; **prendre la t. de qch** *(parti, entreprise)* asumir la presidencia de algo; **il est à la t. de l'entreprise** está al frente de la empresa; **la t. basse** con la cabeza baja; **la t. la première** de cabeza; **de t.** *(calculer)* mentalmente; **de la t. aux pieds** de la cabeza a los pies ☆ **t. de lit** cabecera *f*; **t. de série** *(au tennis)* cabeza de serie; **t. de Turc** víctima *f* habitual

tête-à-queue [tɛtakø] *nm inv* trompo *m*

tête-à-tête [tɛtatɛt] *nm inv (entrevue)* mano a mano *m*; **en t.** en privado, a solas

tête-bêche [tɛtbɛʃ] *adv* pies contra cabeza

téter [18] [tete] *vt* mamar

tétine [tetin] *nf (de biberon)* tetina *f*; *(sucette)* chupete *m*; *(mamelle)* teta *f*

têtu, -e [tety] *adj* testarudo(a)

texte [tɛkst] *nm* texto *m*

textile [tɛkstil] **1** *adj* textil **2** *nm (matière)* tejido *m*; *(industrie)* textil *m*

textuel, -elle [tɛkstyɛl] *adj* textual

texture [tɛkstyr] *nf* textura *f*

TF1 [teɛfœ̃] *nf (abrév* **Télévision française 1)** = cadena privada de televisión francesa

TGV [teʒeve] *nm (abrév* **train à grande vitesse)** = tren de alta velocidad francés, ≃ AVE *m*

thaï, thaïe [taj] **1** *adj* de la etnia tai **2** *nm (langue)* tai *m*

thaïlandais, -e [tajlɑ̃dɛ, -ɛz] **1** *adj* tailandés(esa) **2** *nm, f* **T.** tailandés(esa) *m, f*

Thaïlande [tajlɑ̃d] *nf* **la T.** Tailandia

thalassothérapie [talasɔterapi] *nf* talasoterapia *f*

thé [te] *nm* té *m* ☆ **t. à la menthe** té con menta

théâtral, -e, -aux, -ales [teatral, -o] *adj* teatral

théâtre [teatr] *nm* teatro *m*

théière [tejɛr] *nf* tetera *f*

thématique [tematik] **1** *adj* temático(a) **2** *nf* temática *f*

thème [tɛm] *nm (sujet)* & *Mus* tema *m*; *(traduction)* traducción *f* inversa; **t. grec** traducción inversa al griego

théologie [teɔlɔʒi] *nf* teología *f*

théorème [teɔrɛm] *nm* teorema *m*

théorie [teɔri] *nf* teoría *f*; **en t.** en teoría, teóricamente

théorique [teɔrik] *adj* teórico(a)

théoriquement [teɔrikmɑ̃] *adv (normalement)* teóricamente

thérapeutique [terapøtik] *adj* terapéutico(a)

thérapie [terapi] *nf* terapia *f*

thermal, -e, -aux, -ales [tɛrmal, -o] *adj* termal

thermes [tɛrm] *nmpl* termas *fpl*

thermique [tɛrmik] *adj* térmico(a)

thermomètre [tɛrmɔmɛtr] *nm* termómetro *m*

Thermos® [tɛrmos] *nm ou nf* **(bouteille) T.** termo *m*

thermostat [tɛrmɔsta] *nm* termostato *m*

thèse [tɛz] *nf* tesis *f inv*; **t. de doctorat** tesis doctoral

thon [tɔ̃] *nm* atún *m* ☆ **t. blanc** atún claro

thoracique [tɔrasik] *adj voir* **cage**

thorax [tɔraks] *nm* tórax *m inv*

thym [tɛ̃] *nm* tomillo *m*

thyroïde [tirɔid] *nf* tiroides *m inv*

Tibet [tibɛ] *nm* le **T.** el Tíbet

tibia [tibja] *nm* tibia *f*

tic [tik] *nm (nerveux)* tic *m*; *(de langage)* muletilla *f*

ticket [tikɛ] *nm* billete *m*; *Fam* **avoir le** *ou* **un t. avec qn** gustarle a alguien ☆ **t. de caisse** tíquet *m* de compra

ticket-repas *(pl* **tickets-repas)** [tikɛrpɑ], **ticket-restaurant** *(pl* **tickets-restaurant)** [tikɛrɛstɔrɑ̃] *nm* tiquet restaurante *m*

tic-tac [tiktak] *nm inv* tictac *m inv*

tiède [tjɛd] **1** *adj (boisson, eau)* templado(a), tibio(a); *(vent)* templado(a); *Fig (amour, militant)* tibio(a)
2 *adv* **boire t.** beber cosas templadas o tibias

tiédir [tjedir] *vi* templar; **faire t. qch** templar algo

tien, tienne [tjɛ̃, tjɛn] **le tien, la tienne** *(mpl* **les tiens,** *fpl* **les tiennes)** *pron possessif* el (la) tuyo(a); **c'est mon problème, pas le t.** es mi problema, no el tuyo; **tu pourrais y mettre un peu du t.!** ¡podrías poner un poco de tu parte!; **à la tienne!** ¡(a tu) salud!; **les tiens** *(ta famille)* los tuyos

tiendrais, tienne, tiens *etc voir* **tenir**

tierce [tjɛrs] *adj voir* **tiers**

tiercé [tjɛrse] *nm* = apuesta a los tres caballos ganadores de una carrera

tiers, tierce [tjɛr, tjɛrs] **1** *adj* **une tierce personne** una tercera persona, un tercero
2 *nm (personne)* tercero *m*; *(portion)* tercio *m*, tercera parte *f* ☆ **le t. provisionnel** el pago fraccionado

tiers-monde [tjɛrmɔ̃d] *nm* tercer mundo *m*

tige [tiʒ] *nf (d'une plante)* tallo *m*; *(de métal, de bois)* varilla *f*

tignasse [tiɲas] *nf Fam* pelambrera *f*

tigre, -esse [tigr, -ɛs] **1** *nm,f* tigre *m* (tigresa *f*)
2 *nf* **tigresse** *(femme jalouse)* fiera *f*

tilleul [tijœl] *nm (arbre)* tilo *m*; *(infusion)* tila *f*

timbale [tɛ̃bal] *nf (gobelet)* cubilete *m*; *Culin* timbal *m*

timbre [tɛ̃br] *nm (de la poste, tampon)* sello *m*; *(cachet)* sello *m*, timbre *m*; *(d'un instrument, de la voix)* timbre *m* ☆ **t. fiscal** timbre fiscal

timbré, -e [tɛ̃bre] *adj (lettre)* sellado(a); *Fam (personne)* chalado(a)

timbre-poste *(pl* **timbres-poste)** [tɛ̃brəpɔst] *nm* sello *m* de correos

timbrer [tɛ̃bre] *vt (tamponner)* timbrar, sellar; *(lettre)* sellar

timide [timid] *adj & nmf* tímido(a) *m,f*

timidité [timidite] *nf* timidez *f*

timoré, -e [timɔre] *adj* timorato(a)

tintamarre [tɛ̃tamar] *nm* guirigay *m*

tintement [tɛ̃tmɑ̃] *nm (d'une cloche)* tañido *m*; *(d'une clochette)* campanilleo *m*; *(de pièces de monnaie)* tintineo *m*

tinter [tɛ̃te] *vi (cloche)* tañer; *(horloge, sonnette)* sonar; *(pièces de monnaie)* tintinear

tir [tir] *nm* tiro *m*; *(salve)* disparo *m* ☆ **t. à l'arc** tiro con arco

tirage [tiraʒ] *nm (impression)* impresión *f*; *(d'un journal, d'un livre)* tirada *f*; *Phot* positivado *m*; *(du loto)* sorteo *m*; *(d'une cheminée)* tiro *m*; **à grand t.** de gran tirada ☆ **t. au sort** sorteo

tiraillement [tirajmɑ̃] *nm (sensation)* retortijón *m*; *Fig (conflit)* tirantez *f*

tirailler [tiraje] **1** *vt (tirer)* tirar de; *Fig* **être tiraillé entre...** debatirse entre...
2 *vi (faire feu)* tirotear

tire [tir] *nf Can (confiserie)* = dulce

hecho con melaza; **t. d'érable** = dulce hecho con jarabe de arce

tiré, -e [tire] *adj (traits)* cansado(a)

tire-bouchon *(pl* tire-bouchons) [tirbuʃɔ̃] *nm* sacacorchos *m inv*; **en t.** en forma de tirabuzón

tirelire [tirlir] *nf* hucha *f*

tirer [tire] **1** *vt (charrette, remorque)* tirar de; *(rideaux)* correr; *(plan, trait)* trazar; *(revue, livre)* editar; *(avec une arme, cartes)* tirar; *(numéro)* sacar, extraer; **t. les cartes** echar las cartas; **t. qch de qch** *(faire sortir)* sacar algo de algo; **t. qn de** *(situation, embarras)* sacar a alguien de; **t. qch de qn** *(obtenir)* obtener algo de alguien; **t. une conclusion de qch** sacar una conclusión de algo; **t. une leçon de qch** aprender una lección de algo

2 *vi (avec une arme, au football)* disparar (**sur** contra); *(cheminée)* tirar; **t. sur qch** *(corde)* tirar de algo; *(couleur)* tirar a algo

3 se tirer *vpr Fam (s'en aller)* abrirse; **se t. de qch** salir (bien) de algo; **il s'en est bien tiré** *(il a réussi)* lo ha hecho bastante bien; *(il a été peu puni)* ha salido bien parado; *Fam* **s'en t. avec** salir con

tiret [tirɛ] *nm* guión *m*

tirette [tirɛt] *nf Belg (fermeture Éclair)* cremallera *f*

tireur, -euse [tirœr, -øz] *nm,f* tirador(ora) *m,f* ☆ **tireuse de cartes** echadora *f* de cartas; **t. d'élite** tirador de élite

tiroir [tirwar] *nm* cajón *m*

tiroir-caisse *(pl* tiroirs-caisses) [tirwarkɛs] *nm* caja *f* registradora

tisane [tizan] *nf* infusión *f*, tisana *f*

tisonnier [tizɔnje] *nm* atizador *m*

tisser [tise] *vt* tejer

tissu [tisy] *nm (étoffe)* & *Biol* tejido *m*; **un t. de mensonges** una sarta de mentiras

tissu-éponge *(pl* tissus-éponges)

[tisyepɔ̃ʒ] *nm* felpa *f*, *RP* tela *f* esponja

titiller [titije] *vt aussi Fig* cosquillear

titre [titr] *nm* título *m*; *(dans la presse)* titular *m*; *(d'un métal précieux)* ley *f*; **à t. de** a título de; **à juste t.** con razón ☆ **t. de transport** título de transporte; **gros t.** gran titular

tituber [titybe] *vi* tambalearse

titulaire [titylɛr] *adj & nmf* titular *mf* (**de** de)

titulariser [titylarize] *vt* titularizar

toast [tost] *nm (pain grillé)* tostada *f*; *(discours)* brindis *m*; **porter un t. à** brindar por

toboggan [tɔbɔgɑ̃] *nm* tobogán *m*; *(viaduc)* viaducto *m*; *Can (traîneau)* trineo *m*

toc [tɔk] *Fam* **1** *exclam* **et t.!** *(bien envoyé)* ¡exacto!, *Esp* ¡toma ya!, *RP* ¡chupate esa mandarina!, *Ven* ¡toma tu tomate!

2 *nm* bisutería *f*; **en t.** de bisutería

toi [twa] *pron personnel (complément d'objet)* te; *(après une préposition)* ti; *(sujet, dans un comparatif)* tú; **réveille-t.!** ¡despiértate!; **c'est t.?** ¿eres tú?; **t. aussi/non plus** tú también/tampoco; **il est à t.** es tuyo(a); **avec t.** contigo; **après t.** después de ti; **et tu es content de t.?** ¡estarás satisfecho contigo mismo!; **il vous a invités, Pierre et t.** os invitó a Pierre y a ti

toile [twal] *nf (étoffe)* tela *f*; *(de lin)* hilo *m*; *(de bâche)* lona *f*; *(tableau)* lienzo *m* ☆ **t. d'araignée** telaraña *f*; **t. cirée** hule *m*

toilette [twalɛt] *nf (soins de propreté)* aseo *m*; *(parure, vêtements)* vestuario *m*; **faire sa t.** lavarse; **toilettes** *(W-C)* servicios *mpl*

toi-même [twamɛm] *pron personnel* tú mismo(a)

toise [twaz] *nf* talla *f*, marca *f*

toiser [twaze] *vt* mirar de arriba abajo

toison [twazɔ̃] *nf (pelage)* vellón *m*; *(chevelure)* melena *f*

toit [twa] *nm (toiture)* tejado *m*; *Fig (maison)* techo *m*; **avoir un t. pour la nuit** tener un techo para pasar la noche ☆ **t. ouvrant** techo corredizo

toiture [twatyr] *nf* techumbre *f*, techado *m*

Tokyo [tɔkjo] *n* Tokio

tôle¹ [tol] *nf (de métal)* chapa *f* ☆ **t. ondulée** chapa ondulada

tôle² = **taule**

tolérance [tɔlerɑ̃s] *nf* tolerancia *f*

tolérant, -e [tɔlerɑ̃, -ɑ̃t] *adj* tolerante

tolérer [34] [tɔlere] **1** *vt* tolerar **2 se tolérer** *vpr* tolerarse

tollé [tɔle] *nm* protesta *f* airada

tomate [tɔmat] *nf (fruit)* tomate *m*; *(plante)* tomatera *f*

tombal, -e, -als *ou* **aux, -ales** [tɔ̃bal, -o] *adj voir* **pierre**

tombant, -e [tɔ̃bɑ̃, -ɑ̃t] *adj (moustaches, épaules)* caído(a)

tombe [tɔ̃b] *nf* tumba *f*

tombeau, -x [tɔ̃bo] *nm* tumba *f*

tombée [tɔ̃be] *nf* **à la t. du jour** *ou* **de la nuit** al anochecer

tomber [tɔ̃be] **1** *vi (aux être) (choir)* caer, caerse; *(décliner) (colère, enthousiasme)* decaer; *(vent)* amainar; *(fièvre)* bajar; **t. sur qn** *(rencontrer)* encontrarse con alguien; *(attaquer)* caer encima de alguien; **t. bien/mal** *(événement)* venir bien/mal; *(personne)* caer bien/mal; **faire t. qn** tirar a alguien; **laisser t.** *(abandonner)* abandonar; *Fam* **laisse tomber!** ¡déjalo!; **t. de sommeil/fatigue** caerse de sueño/cansancio; **t. en poussière** convertirse en polvo; **t. amoureux** enamorarse; **t. malade** ponerse enfermo(a) **2** *vt (aux avoir) Fam (femme)* conquistar; *(veste)* quitarse

tombola [tɔ̃bɔla] *nf* tómbola *f*

tome [tɔm] *nm* tomo *m*

ton¹ [tɔ̃] *nm* tono *m*

ton², ta [ta] *(pl* **tes** [te])

Antes de vocal o h muda se emplea **ton** en lugar de **ta**.

adj possessif tu; **enlève ta veste** quítate la chaqueta; **tes affaires** tus cosas

tonalité [tɔnalite] *nf* tonalidad *f*; *(au téléphone)* línea *f*, señal *f* sonora

tondeuse [tɔ̃døz] *nf (pour gazon)* cortacéspedes *m inv*; *(pour cheveux)* maquinilla *f*; *(pour animaux)* esquiladora *f*

tondre [tɔ̃dr] *vt (gazon)* cortar; *(cheveux)* rapar; *(animal)* esquilar

tonifier [tɔnifje] *vt* tonificar

tonique [tɔnik] **1** *adj* tónico(a) **2** *nm* tónico *m*

tonitruant, -e [tɔnitryɑ̃, -ɑ̃t] *adj* atronador(ora), estruendoso(a)

tonne [tɔn] *nf* tonelada *f*; *Fam* **des tonnes de** un montón de

tonneau, -x [tɔno] *nm (récipient, acrobatie)* tonel *m*; *(accident)* vuelta *f* de campana; *Naut* tonelada *f*

tonnelle [tɔnɛl] *nf* cenador *m*

tonner [tɔne] *vi (orage)* tronar; *(canon)* retumbar; **t. contre qn** *(personne)* tronar contra alguien

tonnerre [tɔnɛr] *nm* trueno *m*

tonton [tɔ̃tɔ̃] *nm (langage enfantin)* tito *m*, tío *m*

tonus [tɔnys] *nm* tono *m*; **avoir du t.** estar entonado(a)

top [tɔp] *nm* señal *f*; *Fam* **l'équipe est au t. niveau** el equipo está en su mejor momento; *Fam* **c'est le t.!** ¡es genial!

topographie [tɔpɔgrafi] *nf* topografía *f*

toque [tɔk] *nf (coiffure, chapeau)* gorro *m*; *(de magistrat)* birrete *m*, bonete *m*

torche [tɔrʃ] *nf* antorcha *f*, tea *f* ☆ *t. électrique* linterna *f*

torcher [tɔrʃe] *vt Fam (avec un linge, un papier)* limpiar; *(assiette)* rebañar; *(travail)* chapucear; *(bouteille)* apurar

torchon [tɔrʃɔ̃] *nm (serviette)* trapo *m*; *(de cuisine)* paño *m*; *Péj (texte)* churro *m*; *Péj (journal)* periodicucho *m*

tordre [tɔrdr] **1** *vt* retorcer; *(barre de fer)* torcer; *(visage)* desfigurar; *(linge)* escurrir
  2 se tordre *vpr* **se t. la cheville** torcerse el tobillo; **se t. de douleur** retorcerse de dolor; *Fam* **se t. (de rire)** desternillarse de risa

tordu, -e [tɔrdy] *Fam* **1** *adj (esprit, idée)* retorcido(a); *(personne)* chalado(a)
  2 *nm,f* chalado(a) *m,f*

torero [torero] *nm* torero *m*

tornade [tɔrnad] *nf* tornado *m*

torpeur [tɔrpœr] *nf* torpeza *f*

torpille [tɔrpij] *nf* torpedo *m*

torpiller [tɔrpije] *vt* torpedear; *Fig* sabotear

torréfier [9] [tɔrefje] *vt* tostar

torrent [tɔrɑ̃] *nm* torrente *m*; *Fig* **des torrents de** *(lumière)* chorros de; *(larmes)* ríos de; *(injures)* una lluvia de

torrentiel, -elle [tɔrɑ̃sjɛl] *adj* torrencial

torride [tɔrid] *adj* tórrido(a)

torsade [tɔrsad] *nf (de cheveux)* trenzado *m*; **pull à torsades** = jersey de punto con relieves en forma de trenza

torse [tɔrs] *nm* torso *m*

torsion [tɔrsjɔ̃] *nf* torsión *f*

tort [tɔr] *nm (erreur)* fallo *m*; *(préjudice)* perjuicio *m*, daño *m*; **avoir t.** no tener razón; **avoir t. de faire qch** equivocarse al hacer algo; **être dans son t.** *ou* **en t.** tener la culpa; **faire du**

t. à qn perjudicar a alguien; **à t.** sin razón; **à t. et à travers** *(parler, dépenser)* a tontas y a locas

torticolis [tɔrtikɔli] *nm* tortícolis *m inv*

tortiller [tɔrtije] **1** *vt* retorcer
  2 se tortiller *vpr* retorcerse

tortionnaire [tɔrsjɔnɛr] *nmf* torturador(ora) *m,f*

tortue [tɔrty] *nf* tortuga *f*

tortueux, -euse [tɔrtɥø, -øz] *adj* tortuoso(a)

torture [tɔrtyr] *nf* tortura *f*, tormento *m*

torturer [tɔrtyre] **1** *vt* torturar, atormentar
  2 se torturer *vpr* torturarse, atormentarse

tôt [to] *adv (de bonne heure)* temprano; *(vite)* pronto, temprano; **au plus t.** cuanto antes; *Fam* **ce n'est pas trop t.!** ¡ya era hora!

total, -e, -aux, -ales [tɔtal, -o] **1** *adj* total
  2 *nm* total *m*; **au t.** *(en tout)* en total; *(au bout du compte)* a fin de cuentas, al final

totalement [tɔtalmɑ̃] *adv* totalmente

totaliser [tɔtalize] *vt* totalizar

totalitaire [tɔtalitɛr] *adj* totalitario(a)

totalité [tɔtalite] *nf* totalidad *f*; **en t.** en total

toubib [tubib] *nm Fam* matasanos *mf*

touchant, -e [tuʃɑ̃, -ɑ̃t] *adj* conmovedor(ora)

touche [tuʃ] *nf (de clavier)* tecla *f*; *(de peinture)* pincelada *f*; *Fam (allure)* pinta *f*, facha *f*; *(à la pêche)* picada *f*; *(au football, au rugby) (zone)* banda *f*; *(sortie du ballon)* saque *m*; *(en escrime)* toque *m*; *Fig* **une t. de** **qch** *(note)* un toque de algo; *Fam* **je crois que j'ai fait une t.** creo que le gusto ☆ *Ordinat* **t. de fonction** tecla de función

toucher [tuʃe] **1** *vt* tocar; *(cible, but)* dar en; *(chèque, argent)* cobrar; *(gros lot, tiercé)* ganar; *(sujet: crise, catastrophe)* afectar; *(concerner)* atañer; *(émouvoir)* emocionar

 2 *nm* tacto *m*

 3 toucher à *vt ind* tocar; *(être contigu à)* lindar con; *Fig (être relatif à)* rozar; **t. à sa fin** tocar su fin

 4 se toucher *vpr (être l'un contre l'autre)* tocarse

touer [6] [twe] *vt Can* remolcar

touffe [tuf] *nf (d'herbe)* mata *f*; *(de cheveux)* mechón *m*

touffu, -e [tufy] *adj (barbe, forêt)* tupido(a); *(arbre)* frondoso(a); *Fig (roman, discours)* denso(a)

toujours [tuʒur] *adv* siempre; *(encore)* todavía; **ils s'aimeront t.** se querrán siempre; **t. moins/plus** cada vez menos/más; **il n'est t. pas arrivé** todavía no ha llegado; **tu peux t. lui écrire** siempre puedes escribirle; **de t.** de siempre; **pour t.** para siempre; **t. est-il que...** pero la verdad es que...

toulousain, -e [tuluzɛ̃, -ɛn] **1** *adj* = nativo o habitante de Toulouse

 2 *nm,f* **T.** = nativo o habitante de Toulouse

Toulouse [tuluz] *n* Toulouse, Tolosa *(en Francia)*

toupet [tupɛ] *nm (de cheveux)* tupé *m*, *RP* jopo *m*; *Fam (aplomb)* cara-dura *f*, *Chile* patas *fpl*; **avoir du** *ou* **ne pas manquer de t.** tener cara

toupie [tupi] *nf* peonza *f*, trompo *m*

tour¹ [tur] *nm (périmètre)* contorno *m*; *(rotation), Pol & Sp* vuelta *f*; *(promenade)* paseo *m*; *(attraction, plaisanterie)* número *m*; *(alternance)* turno *m*, vez *f*; *(des événements)* giro *m*, cariz *m*; *(machine-outil)* torno *m*; *Aut* revolución *f*; **c'est ton t.** te toca a ti; **t. de poitrine/taille/tête** contorno de pecho/cintura/cabe-za; **faire le t. de qch** *(lieu)* dar la vuelta a algo; *(question, problème)* ver algo en profundidad; **faire le t. du monde** dar la vuelta al mundo; **faire un t.** dar una vuelta; **fermer qch à double t.** cerrar algo con doble vuelta *o* con dos vueltas; **t. à t.** por turno; **à t. de rôle** por turno ☆ **t. de force** hazaña *f*, proeza *f*

tour² *nf* torre *f*; **la T. Eiffel** la torre Eiffel ☆ **t. de contrôle** torre de control

tourbe [turb] *nf* turba *f*

tourbillon [turbijɔ̃] *nm* torbellino *m*; *(d'eau)* remolino *m*; **t. de poussière** polvareda *f*

tourbillonner [turbijɔne] *vi* arremolinarse

tourelle [turɛl] *nf* torrecilla *f*; *(d'un char)* torreta *f*; *(d'un bateau de guerre)* torre *f*

tourisme [turism] *nm* turismo *m*; **faire du t.** hacer turismo; **t. rural** *ou* **vert** turismo rural

touriste [turist] *nmf* turista *mf*

touristique [turistik] *adj* turístico(a)

tourment [turmɑ̃] *nm Litt* tormento *m*

tourmenté, -e [turmɑ̃te] *adj (personne)* angustiado(a), atormentado(a); *(mer, période)* agitado(a); *(paysage)* escabroso(a)

tourmenter [turmɑ̃te] **1** *vt* atormentar

 2 se tourmenter *vpr* atormentarse

tournage [turnaʒ] *nm Cin* rodaje *m*

tournant, -e [turnɑ̃, -ɑ̃t] **1** *adj (porte, fauteuil)* giratorio(a); *(mouvement)* envolvente

 2 *nm (virage)* curva *f*; *Fig (moment décisif)* momento *m* crucial

tourne-disque *(pl* **tourne-disques)** [turnədisk] *nm* tocadiscos *m inv*

tournedos [turnədo] *nm* tournedó *m*

tournée [turne] *nf (du facteur)* ronda *f*; *(d'un artiste)* gira *f*; *(d'un inspecteur)* viaje *m* de inspección; *(d'un représentant)* viaje *m* de negocios; *Fam (au café)* ronda *f*

tournemain [turnəmɛ̃] **en un tournemain** *adv* en un santiamén

tourner [turne] **1** *vt (clé, manivelle, poignée)* girar, dar vueltas a; *(sauce)* revolver; *(pages d'un livre)* pasar; *(tête) Esp* volver, *Am* voltear, *RP* dar vuelta; *(obstacle)* rodear; *(loi)* eludir; *Cin* rodar; *(pièce de bois, poterie)* tornear; **t. le dos à qn** volver la espalda a alguien; **t. qch en ridicule** ridiculizar algo

2 *vi (terre, roue, personne)* girar, dar vueltas (**autour de** alrededor de); *(moteur, compteur)* estar andando; *(route, automobiliste)* torcer, doblar; *(vent, chance)* cambiar; *(lait, crème)* cortarse; *Fam (entreprise)* marchar; *Fig* **t. autour de qn** rondar a alguien; **t. court** acabarse antes de tiempo; **mal t.** acabar mal; *Fam* **il y a quelque chose qui ne tourne pas rond** algo no marcha bien

3 se tourner *vpr* volverse (**vers** hacia); *Fig* **se t. vers** recurrir a

tournesol [turnəsɔl] *nm* girasol *m*

tournevis [turnəvis] *nm* destornillador *m*, *Méx* desarmador *m*

tourniquet [turnikɛ] *nm* torniquete *m*; *(du métro)* molinete *m*

tournis [turni] *nm Fam* **avoir le t.** *(vertige)* tener vértigo; **donner le t. à qn** marear a alguien

tournoi [turnwa] *nm* torneo *m*

tournoyer [32] [turnwaje] *vi* arremolinarse

tournure [turnyr] *nf (formulation)* giro *m*; **prendre mauvaise t.** tomar mal cariz; **prendre t.** tomar forma

tourte [turt] *nf* tarta *f*, torta *f*

tourterelle [turtərɛl] *nf* tórtola *f*

tourtière [turtjɛr] *nf Can* = torta rellena de carne de cerdo

tous [tu(s)] *voir* **tout**

Toussaint [tusɛ̃] *nf* **la T.** el día de Todos los Santos

tousser [tuse] *vi* toser

toussoter [tusɔte] *vi* toser

tout, toute (*mpl* **tous**, *fpl* **toutes**) [tu, tut]

> Cuando **tous** es pronombre, como en **3 (b)**, se pronuncia [tus].

1 *adj (entier)* todo(a); **toute la journée** todo el día

2 *adj indéfini* **(a)** *(exprime la totalité)* todos(as); **tous les hommes** todos los hombres; **tous les trois** los tres

(b) *(chaque)* cada; **tous les jours** cada día, todos los días; **tous les deux/trois mois** cada dos/tres meses

(c) *(n'importe quel)* cualquier; **à toute heure** a cualquier hora; **t. autre** cualquier otro(a); **t. autre que lui** cualquier otro en su lugar

3 *pron indéfini* **(a)** *(au singulier)* todo; **je t'ai t. dit** te lo he dicho todo; **c'est t.** (esto) es todo; **t. est là** todo está ahí; **t. ou rien** todo o nada

(b) *(au pluriel)* todos(as); **ils voulaient tous la voir** todos querían verla

4 *adv* **(a)** *(entièrement, très)* **t. jeune/petit/triste** muy joven/pequeño/triste; **t. nu** (completamente) desnudo; **t. seuls** (completamente) solos; **t. au début** al principio; **t. en haut** arriba del todo; **t. près** muy cerca; **t. contre** contra

(b) *(avec un gérondif)* **ils parlaient t. en marchant** hablaban mientras andaban

(c) *(expressions)* **t. à coup** de repente; **t. à fait** *(complètement)* completamente, totalmente; *(exactement)* exactamente; **t. à l'heure** *(dans le futur)* ahora mismo, dentro de un momento; *(dans le passé)* ahora mismo, hace un momento; **à t. à l'heure!** ¡hasta luego!; **t. de même** *(cependant)* de todos modos; **t. de suite** enseguida, inmediatamente

5 *nm* **le t.** *(l'ensemble)* un todo; **le t., c'est de...** lo principal es...; **pas du t. en absoluto; du t. au t.** completamente, de cabo a rabo

toutefois [tutfwa] *adv* sin embargo, no obstante; **si t. tu changeais d'avis** si (es que) cambias de idea

tout-puissant, toute-puissante (*mpl* **tout-puissants**, *fpl* **toutes-puissantes**) [tupɥisã, tutpɥisãt] *adj* todopoderoso(a)

tout-terrain [tuterɛ̃] *adj inv* todoterreno

toux [tu] *nf* tos *f*

toxicomane [tɔksikɔman] *nmf* toxicómano(a) *m,f*

toxine [tɔksin] *nf* toxina *f*

toxique [tɔksik] *adj* tóxico(a)

TP [tepe] *nmpl* (*abrév* **travaux pratiques**) prácticas *fpl*

trac [trak] *nm* nerviosismo *m (antes de examinarse o salir a escena)*; **avoir le t.** estar nervioso(a)

tracas [traka] *nm* preocupación *f*

tracasser [trakase] **1** *vt* preocupar
2 se tracasser *vpr* preocuparse

trace [tras] *nf (empreinte)* huella *f*, rastro *m; (marque, vestige)* huella *f; (très petite quantité)* huella *f*, traza *f; Fig* **marcher sur les traces de qn** seguir las huellas de alguien

tracé [trase] *nm* trazado *m*

tracer [16] [trase] **1** *vt* trazar
2 *vi Fam* ir a todo gas

tract [trakt] *nm* octavilla *f; (de propagande politique)* panfleto *m*

tractations [traktɑsjɔ̃] *nfpl* tratos *mpl*

tracter [trakte] *vt* remolcar

tracteur [traktœr] *nm* tractor *m*

traction [traksjɔ̃] *nf* tracción *f;* **t. avant/arrière** tracción delantera/trasera

tradition [tradisjɔ̃] *nf* tradición *f*

traditionnel, -elle [tradisjɔnɛl] *adj* tradicional

traducteur, -trice [tradyktœr, -tris] **1** *nm,f* traductor(ora) *m,f*
2 *nm Ordinat* traductor *m*

traduction [tradyksjɔ̃] *nf* traducción *f* ☆ **t. assistée par ordinateur** traducción asistida por ordenador *o Am* computadora; **t. simultanée** traducción *o* interpretación *f* simultánea

traduire [18] [tradɥir] **1** *vt* traducir (**en** a); *Jur* **t. qn en justice** llevar a alguien a los tribunales
2 se traduire *vpr (terme)* traducirse; *Fig* **se t. par** *(se manifester)* manifestarse en forma de

trafic [trafik] *nm* tráfico *m* ☆ **t. aérien** tráfico aéreo

trafiquant, -e [trafikã, -ãt] *nm,f* traficante *mf*

trafiquer [trafike] **1** *vt (falsifier)* falsear; *(moteur)* trucar; *Fam (manigancer)* tramar
2 *vi* traficar

tragédie [traʒedi] *nf* tragedia *f*

tragique [traʒik] *adj* trágico(a)

trahir [trair] **1** *vt* traicionar
2 se trahir *vpr* traicionarse

trahison [traizɔ̃] *nf* traición *f*

train [trɛ̃] *nm (véhicule, chemin de fer)* & *Tech* tren *m; (allure)* marcha *f*, paso *m;* **aller bon t.** ir a buen paso; **être en t.** *(être en forme)* estar en forma; **être en t. de faire qch** estar haciendo algo; **je suis en t. de lire** estoy leyendo; **mettre qch en t.** poner algo en marcha ☆ **t. d'atterrissage** tren de aterrizaje; **t. autocouchettes** = tren con literas y transporte de coches; **t. de banlieue** tren de cercanías; **t. corail** ≃ tren estrella; **t. de vie** tren de vida

traînant, -e [trenã, -ãt] *adj (voix, pas)* cansino(a)

train-couchettes [trɛ̃kuʃɛt] *nm inv* tren *m* de literas

traîne [tren] *nf (d'une robe)* cola *f;*

(de pêche) traína *f*; **être à la t.** ir rezagado(a) ☆ *Can* **t.** *sauvage* trineo *m*

traîneau, -x [trɛno] *nm* trineo *m*

traînée [trene] *nf (trace)* reguero *m*; *très Fam Péj (femme)* zorra *f*

traîner [trene] **1** *vt* arrastrar; *(forcer à aller)* llevar a rastras

2 *vi (pendre)* colgar; *(ne pas être rangé)* estar tirado(a); *(s'attarder)* rezagarse; *(errer)* callejear, vagabundear; *(maladie, affaire)* ir para largo; **faire t. qch** dar largas a algo; **ça n'a pas traîné!** ¡no ha tardado mucho!

3 se traîner *vpr (ramper, marcher avec peine)* arrastrarse; *(durer)* hacerse largo(a)

train-train [trɛtrɛ] *nm inv Fam* rutina *f*

traire [28] [trɛr] *vt* ordeñar

trait [trɛ] *nm (ligne)* trazo *m*; *(caractéristique)* rasgo *m*; *Litt (flèche)* saeta *f*; **traits** *(du visage)* rasgos, facciones *fpl*; **avoir les traits tirés** tener cara de cansado(a); **à grands traits** a grandes rasgos; **avoir t. à qch** referirse a algo ☆ **t.** *d'esprit* agudeza *f*; **t.** *d'union* guión *m*

traitant, -e [trɛtã, -ãt] *adj (shampooing, crème)* tratante; *(médecin)* de cabecera

traite [trɛt] *nf (des vaches)* ordeño *m*; *Fin* letra *f* de cambio; *(d'esclaves)* trata *f*; **d'une seule t.** de un tirón, de una tirada

traité [trete] *nm* tratado *m*

traitement [trɛtmã] *nm* tratamiento *m*; *(envers quelqu'un)* trato *m*; *(rémunération)* paga *f* ☆ *Ordinat* **t.** *des données* proceso *m* de datos; **t.** *de l'information* procesamiento *m* de la información; **t.** *de texte* tratamiento de textos

traiter [trete] **1** *vt* tratar; *Ordinat (données)* procesar; **t. qn d'imbécile/ d'incapable** tratar a alguien de imbécil/inútil

2 *vi* **t. avec** *(négocier)* tratar con; **t. de** *(avoir pour sujet)* tratar de

traiteur [trɛtœr] *nm* = tienda que vende comidas y platos preparados individuales o para banquetes

traître, -esse [trɛtr, -ɛs] **1** *adj* traidor(ora)

2 *nm,f* traidor(ora) *m,f*; **en t.** a traición

trajectoire [traʒɛktwar] *nf* trayectoria *f*

trajet [traʒɛ] *nm* trayecto *m*

trame [tram] *nf* trama *f*

tramer [trame] *vt* **1** tramar

2 se tramer *vpr* tramarse

trampoline [trãpɔlin] *nm* cama *f* elástica

tramway [tramwɛ] *nm* tranvía *m*

tranchant, -e [trãʃã, -ãt] **1** *adj (instrument)* cortante, *Esp* afilado(a), *Am* filoso(a); *(personne)* cortante; *(ton)* tajante

2 *nm* filo *m*

tranche [trãʃ] *nf (de pain)* rebanada *f*; *(de jambon)* loncha *f*, lonja *f*; *(de saucisson)* rodaja *f*; *(d'un livre, d'une pièce de monnaie)* canto *m*; *(période)* intervalo *m*; *(de paiement)* plazo *m* ☆ **t.** *horaire* banda *f* horaria

tranchée [trãʃe] *nf* trinchera *f*

trancher [trãʃe] **1** *vt* cortar; *(pain)* rebanar; *Fig (question, difficulté)* zanjar

2 *vi Fig (décider)* decidirse; **t. avec** *ou* **sur** *(contraster)* contrastar con

tranquille [trãkil] *adj* tranquilo(a); **laisser qch/qn t.** dejar algo/a alguien tranquilo *o* en paz; **rester** *ou* **se tenir t.** quedarse *o* estarse quieto(a)

tranquillement [trãkilmã] *adv* tranquilamente

tranquillisant, -e [trãkilizã, -ãt] **1** *adj (nouvelle)* tranquilizador(ora); *(médicament)* tranquilizante

2 *nm* tranquilizante *m*

tranquilliser [trãkilize] **1** *vt* tranquilizar
  2 se tranquilliser *vpr* tranquilizarse

tranquillité [trãkilite] *nf* tranquilidad *f*; **en toute t.** con toda tranquilidad

transaction [trãzaksjɔ̃] *nf* transacción *f*

transat [trãzat] **1** *nm Fam* tumbona *f*, *RP* reposera *f*
  2 *nf* regata *f* transatlántica

transatlantique [trãzatlãtik] **1** *adj* transatlántico(a)
  2 *nm (paquebot)* transatlántico *m*
  3 *nf* regata *f* transatlántica

transcription [trãskripsjɔ̃] *nf* transcripción *f*

transcrire [30] [trãskrir] *vt* transcribir

transe [trãs] *nf* **être en t.** estar en trance; *Fig* estar fuera de sí

transférer [34] [trãsfere] *vt* transferir; *(prisonnier, inculpé)* trasladar

transfert [trãsfɛr] *nm (de fonds, de marchandises) & Psy* transferencia *f*; *(d'un prisonnier, de population)* traslado *m*

transfigurer [trãsfigyre] *vt* transfigurar

transformateur [trãsfɔrmatœr] *nm Él* transformador *m*

transformation [trãsfɔrmasjɔ̃] *nf (changement, conversion)* transformación *f* (**en** en); *(au rugby)* transformación *f* (de ensayo)

transformer [trãsfɔrme] **1** *vt* transformar (**en** en)
  2 se transformer *vpr* transformarse (**en** en)

transfuser [trãsfyze] *vt (sang)* hacer una transfusión de; *(personne)* hacer una transfusión a

transfusion [trãsfyzjɔ̃] *nf* **t. (sanguine)** transfusión *f* (de sangre o sanguínea)

transgénique [trãsʒenik] *adj* transgénico; **aliments transgéniques** transgénicos *mpl*

transgresser [trãsgrese] *vt* transgredir, quebrantar

transhumance [trãzymãs] *nf* trashumancia *f*

transi, -e [trãzi] *adj* **être t. (de froid)** estar aterido(a) (de frío)

transistor [trãzistɔr] *nm* transistor *m*

transit [trãzit] *nm* tránsito *m*; **en t.** en tránsito

transiter [trãzite] *vi* pasar (**par** por)

transitif, -ive [trãzitif, -iv] *adj Gram* transitivo(a)

transition [trãzisjɔ̃] *nf* transición *f*; **sans t.** sin transición

transitoire [trãzitwar] *adj* transitorio(a)

translucide [trãslysid] *adj* translúcido(a)

transmettre [47] [trãsmɛtr] **1** *vt* transmitir
  2 se transmettre *vpr* transmitirse

transmissible [trãsmisibl] *adj* transmisible

transmission [trãsmisjɔ̃] *nf* transmisión *f* ☆ **t. de pensée** transmisión del pensamiento

transparaître [20] [trãsparɛtr] *vi* transparentarse

transparence [trãsparãs] *nf* transparencia *f*

transparent, -e [trãsparã, -ãt] **1** *adj* transparente
  2 *nm* transparencia *f*

transpercer [16] [trãspɛrse] *vt* traspasar

transpiration [trãspirasjɔ̃] *nf* transpiración *f*, sudor *m*

transpirer [trãspire] *vi* transpirar, sudar

transplanter [trãsplãte] *vt (arbre, organe)* trasplantar; *(population, usine)* trasladar

transport [trãspɔr] *nm* transporte *m*; *(de prisonniers, de troupes)* traslado *m*; *Litt (accès)* arrebato *m* ☆ **transports en commun** transportes públicos

transporter [trãspɔrte] *vt* llevar; *(voyageurs, marchandises)* transportar; *(prisonniers, troupes)* trasladar

transporteur [trãspɔrtœr] *nm (personne)* transportista *mf* ☆ **t. routier** transportista

transposer [trãspoze] *vt (mots)* transponer; *(situation, intrigue)* trasladar; *(à l'écran)* llevar; *Mus* transportar

transsexuel, -elle [trãssɛksɥɛl] *adj & nm,f* transexual *mf*

transvaser [trãsvɑze] *vt* transvasar, trasegar

transversal, -e, -aux, -ales [trãsvɛrsal, -o] *adj* transversal

trapèze [trapɛz] *nm* trapecio *m*

trapéziste [trapezist] *nmf* trapecista *mf*

trappe [trap] *nf (ouverture)* trampa *f*, trampilla *f*; *(piège)* trampa *f*

trapu, -e [trapy] *adj (personne)* achaparrado(a); *(problème, question)* difícil

traquenard [traknar] *nm* trampa *f*

traquer [trake] *vt (animal)* acorralar; *(personne)* acosar

traumatisant, -e [tromatizã, -ãt] *adj* traumatizante

traumatiser [tromatize] *vt* traumatizar

traumatisme [tromatism] *nm (psychique)* trauma *m*; *(physique)* traumatismo *m* ☆ **t. crânien** traumatismo craneal

travail [travaj] *nm* trabajo *m*; *(de l'accouchement)* parto *m*; **se mettre au t.** ponerse a trabajar; **t. à la chaîne** producción *f* en cadena; **t. au noir** trabajo clandestino; **travaux** traba-

jos; *(de construction)* obras *fpl*; **les travaux des champs** las faenas del campo ☆ **travaux dirigés** seminario *m*; **travaux forcés** trabajos forzados; **travaux manuels** trabajos manuales; **travaux ménagers** tareas *fpl* domésticas; **travaux pratiques** prácticas *fpl*; **travaux publics** obras públicas

travailler [travaje] **1** *vi* trabajar (**sur** ou **à** en); *(à l'école)* estudiar; *(métal, bois)* alabearse
 2 *vt* trabajar; *(tracasser)* atormentar; **t. son piano** ejercitarse en el piano

travailleur, -euse [travajœr, -øz] **1** *adj* trabajador(ora)
 2 *nm,f* trabajador(ora) *m,f* ☆ **t. immigré** trabajador inmigrante; **t. indépendant** trabajador autónomo

travers [travɛr] *nm* defecto *m*; **à t. la fenêtre/la forêt** a través de la ventana/del bosque; **au t.** a través; **au t. de** a través de; **de t.** *(marcher)* de través; *(placer)* torcido(a); *(comprendre)* al revés; *(regarder)* con malos ojos; **aller de t.** *(aller mal)* ir mal; **avaler de t.** atragantarse; **faire tout de t.** no hacer nada a derechas; **en t.** de través; **être/se mettre en t. de** estar atravesado(a)/atravesarse en

traverse [travɛrs] *nf (de chemin de fer)* traviesa *f*

traversée [travɛrse] *nf* travesía *f*

traverser [travɛrse] *vt* atravesar; *(rue)* cruzar

traversier [travɛrsje] *nm Can* transbordador *m*

traversin [travɛrsɛ̃] *nm* travesaño *m* *(almohada)*

travesti [travɛsti] *nm* travestí *m*

travestir [travɛstir] **1** *vt* disfrazar (**en** de)
 2 se travestir *vpr (pour un bal)* disfrazarse (**en** de); *(en femme)* travestirse

trébucher [trebyʃe] *vi* tropezar, dar un traspiés; **t. sur** *ou* **contre qch** tropezar con o contra algo; *Fig* **t. sur qch** tropezar con algo

trèfle [trɛfl] *nm* trébol *m*; **t. à quatre feuilles** trébol de cuatro hojas

treille [trɛj] *nf (vigne)* parra *f*; *(tonnelle)* emparrado *m*

treillis [treji] *nm (clôture)* enrejado *m*; *(toile)* arpillera *f*; *Mil* traje *m* de faena

treize [trɛz] **1** *adj inv* trece **2** *nm inv* trece *m*; *voir aussi* **six**

treizième [trɛzjɛm] **1** *adj & nmf* decimotercero(a) *m,f* **2** *nm* decimotercera parte *f*, decimotercero *m*; *voir aussi* **sixième**

tréma [trema] *nm* diéresis *f inv*

tremblant, -e [trɑ̃blɑ̃, -ɑ̃t] *adj* tembloroso(a)

tremblement [trɑ̃bləmɑ̃] *nm* temblor *m*; *Fam* **et tout le t.** y toda la pesca ☆ **t. de terre** terremoto *m*

trembler [trɑ̃ble] *vi* temblar; *Fig & Litt* **t. pour** *(avoir peur)* temblar por

trembloter [trɑ̃blɔte] *vi (personne)* temblequear; *(voix, lumière)* temblar

trémousser [tremuse] **se trémousser** *vpr* menearse

trempe [trɑ̃p] *nf Fam (coups)* paliza *f*, *Am* golpiza *f*; **de cette/sa t.** de esta/su temple

trempé, -e [trɑ̃pe] *adj (mouillé)* calado(a); **t. jusqu'aux os** calado hasta los huesos

tremper [trɑ̃pe] **1** *vt (mouiller)* mojar; *(métal)* templar; **t. qch dans** empapar algo en **2** *vi (linge)* estar en remojo, remojarse; **faire t. qch** poner algo a remojo; *Fig* **t. dans qch** estar implicado(a) en algo

tremplin [trɑ̃plɛ̃] *nm* trampolín *m*

trentaine [trɑ̃tɛn] *nf* treintena; **avoir la t.** estar en los treinta

trente [trɑ̃t] **1** *adj inv* treinta **2** *nm inv* treinta *m*; *voir aussi* **six**

trente-trois-tours [trɑ̃ttrwatur] *nm inv* elepé *m*, long-play *m*

trentième [trɑ̃tjɛm] **1** *adj & nmf* trigésimo(a) *m,f* **2** *nm* treintavo *m*, treintava parte *f*; *voir aussi* **sixième**

trépasser [trepɑse] *vi Litt ou Hum* fallecer

trépidant, -e [trepidɑ̃, -ɑ̃t] *adj* trepidante

trépied [trepje] *nm* trípode *m*

trépigner [trepiɲe] *vi* patalear

très [trɛ] *adv* muy; **t. malade** muy enfermo; **t. facilement** muy fácilmente; **arriver t. en retard** llegar muy tarde o con mucho retraso; **avoir t. envie de** tener muchas ganas de; **avoir t. peur/t. faim** tener mucho miedo/mucha hambre

trésor [trezɔr] *nm* tesoro *m*; **des trésors d'ingéniosité** ingeniosidad a raudales ☆ **le T. public** el Tesoro Público

trésorerie [trezɔrri] *nf* tesorería *f*

trésorier, -ère [trezɔrje, -ɛr] *nm,f* tesorero(a) *m,f*

tressaillir [35] [tresajir] *vi* estremecerse

tressauter [tresote] *vi* bambolearse

tresse [trɛs] *nf* trenza *f*

tresser [trese] *vt* trenzar

tréteau, -x [treto] *nm* caballete *m*

treuil [trœj] *nm* torno *m* elevador

trêve [trɛv] *nf* tregua *f*; **t. de plaisanteries/de sottises** basta de bromas/de tonterías; **sans t.** sin tregua

tri [tri] *nm (de lettres)* clasificación *f*; *(de candidats)* selección *f*; **faire le t. dans qch** poner orden en algo ☆ *Ordinat* **t. alphabétique** clasificación alfabética

triangle [trijɑ̃gl] *nm* triángulo *m* ☆ **t. rectangle** triángulo rectángulo

triangulaire [trijɑ̃gylɛr] *adj* triangular

triathlon [trijatlɔ̃] nm triatlón m

tribord [tribɔr] nm estribor m; **à t.** a estribor

tribu [triby] nf tribu f

tribulations [tribylɑsjɔ̃] nfpl tribulaciones fpl

tribunal, -aux [tribynal, -o] nm tribunal m ☆ **t. de commerce** tribunal de comercio; **t. correctionnel** sala f de lo penal; **t. d'instance** juzgado m municipal; **t. de grande instance** audiencia f provincial o regional

tribune [tribyn] nf tribuna f

tribut [triby] nm tributo m

tributaire [tribytɛr] adj **être t. de** depender de

tricher [triʃe] vi (au jeu) hacer trampas; (à un examen) copiar; **t. sur qch** (mentir) mentir sobre algo

tricherie [triʃri] nf trampa f; (tromperie) engaño m (**sur** sobre)

tricheur, -euse [triʃœr, -øz] nm,f (au jeu) tramposo(a) m,f; (à un examen) copión(ona) m,f

tricolore [trikɔlɔr] adj tricolor; (français) francés(esa)

tricot [triko] nm (étoffe) punto m; (ouvrage) labor f; (vêtement) jersey m; **faire du t.** hacer punto

tricoter [trikɔte] 1 vt **t. qch** hacer algo de punto, tejer algo 2 vi hacer punto, tejer

tricycle [trisikl] nm triciclo m

trier [66] [trije] vt (classer) clasificar; (sélectionner) seleccionar

trigonométrie [trigɔnɔmetri] nf trigonometría f

trilingue [trilɛ̃g] adj trilingüe

trimaran [trimarɑ̃] nm trimarán m

trimballer [trɛ̃bale] vt Fam cargar

trimestre [trimɛstr] nm trimestre m

trimestriel, -elle [trimɛstrijɛl] adj trimestral

tringle [trɛ̃gl] nf varilla f ☆ **t. à rideaux** riel m

trinquer [trɛ̃ke] vi (boire) brindar; Fam (subir un dommage) pagar el pato; **t. à qch/à la santé de qn** beber por algo/a la salud de alguien

trio [trijo] nm trío m

triomphal, -e, -aux, -ales [trijɔ̃fal, -o] adj triunfal

triomphant, -e [trijɔ̃fɑ̃, -ɑ̃t] adj triunfante

triomphe [trijɔ̃f] nm triunfo m; **porter qn en t.** llevar a alguien a hombros

triompher [trijɔ̃fe] vi triunfar (**de** sobre); (jubiler) cantar victoria

tripes [trip] nfpl (d'un animal) tripas fpl; Culin (plat) callos mpl; Fam (d'une personne) agallas fpl; Fam **rendre tripes et boyaux** echar las tripas

triple [tripl] **1** adj triple; **en t. exemplaire** por triplicado **2** nm triple m; **en t.** por triplicado

triplé [triple] nm (au turf) = combinación de los tres caballos ganadores

triplés, -ées [triple] nm,fpl trillizos(as) m,fpl, Méx triates mfpl

tripler [triple] **1** vt triplicar **2** vi triplicarse

trisomique [trizɔmik] adj con síndrome de Down

triste [trist] adj triste; **être t. de faire qch** estar triste por hacer algo

tristesse [tristɛs] nf tristeza f

triturer [trityre] vt (manipuler) manosear

trivial, -e, -aux, -ales [trivjal, -o] adj Péj (vulgaire) grosero(a), ordinario(a), CSur guarango(a); (banal) trivial

troc [trɔk] nm trueque m

trognon [trɔɲɔ̃] nm (de pomme) corazón m

trois [trwɑ] **1** adj tres **2** nm tres m; voir aussi **six**

troisième [trwazjɛm] **1** adj & nmf tercero(a) m,f

2 nf Scol = curso de secundaria que se realiza a los catorce años, Esp ≃ cuarto m de ESO; (vitesse) tercera f; voir aussi **sixième**

troisièmement [trwazjɛmmɑ̃] adv en tercer lugar

trois-pièces [trwapjɛs] nm (appartement) piso m con dos dormitorios y salón

trombe [trɔ̃b] nf tromba f; **il pleut des trombes** llueve a cántaros; **en t.** disparado(a)

trombone [trɔ̃bɔn] nm (agrafe) clip m; (instrument de musique) trombón m

trompe [trɔ̃p] nf trompa f

trompe-l'œil [trɔ̃plœj] nm inv (peinture) trampantojo m; **en t.** de trampantojo

tromper [trɔ̃pe] **1** vt engañar; (vigilance) burlar; Litt (espoir) frustrar
2 se tromper vpr equivocarse; **se t. de date/d'adresse** equivocarse de fecha/de dirección

tromperie [trɔ̃pri] nf engaño m, engañifa f

trompette [trɔ̃pɛt] nf trompeta f

trompettiste [trɔ̃petist] nmf trompetista mf

trompeur, -euse [trɔ̃pœr, -øz] adj (personne) embustero(a); (chose) engañoso(a)

tronc [trɔ̃] nm tronco m; (d'église) cepillo m ☆ **t. commun** tronco común

tronche [trɔ̃ʃ] nf Fam pinta f

tronçon [trɔ̃sɔ̃] nm (morceau) trozo m; (de route, de chemin de fer) tramo m

tronçonneuse [trɔ̃sɔnøz] nf sierra f eléctrica

trône [tron] nm trono m; **monter sur le t.** subir al trono

trôner [trone] vi (être assis) reinar; (être en évidence) llamar la atención

trop [tro] adv demasiado; **t. loin/**

vieux demasiado lejos/viejo; **avoir t. chaud** tener demasiado calor; **avoir t. faim** tener demasiada hambre; **t. de** demasiado(a); **t. d'argent** demasiado dinero; **t. d'inconvénients** demasiados inconvenientes; **pas t.** no mucho, no demasiado; **sans t. savoir pourquoi** sin saber muy bien por qué; **de t., en t.** de más

trophée [trɔfe] nm trofeo m

tropical, -e, -aux, -ales [trɔpikal, -o] adj tropical

tropique [trɔpik] nm trópico m

trop-plein (pl **trop-pleins**) [troplɛ̃] nm (d'un récipient) sobrante m; (d'un barrage) rebosadero m; (d'énergie) exceso m

troquer [trɔke] vt **t. qch contre qch** trocar algo por algo

trot [tro] nm trote m; **au t.** al trote; Fam Fig rápido

trotter [trɔte] vi trotar

trottiner [trɔtine] vi trotar

trottoir [trɔtwar] nm acera f, CAm, Col andén m, Méx banqueta f, Perú, RP vereda f ☆ **t. roulant** pasillo m deslizante

trou [tru] nm agujero m; (dans le sol) hoyo m; (temps libre) hueco m; Fam (prison) trullo m; Fam **boire comme un t.** beber como una esponja ☆ **t. d'air** bolsa f de aire; **t. de mémoire** laguna f

troublant, -e [trublɑ̃, -ɑ̃t] adj (ressemblance, coïncidence) inquietante; (sourire, femme) turbador(ora), perturbador(ora)

trouble [trubl] **1** adj turbio(a)
2 nm (désordre) confusión f; (émotion) turbación f, confusión f; **troubles** (sociaux) disturbios mpl; (de la santé) trastornos mpl

trouble-fête [trubləfɛt] nmf inv aguafiestas mf inv

troubler [truble] **1** vt (personne) turbar, perturbar; (eau) enturbiar; (vue) nublar

2 se troubler *vpr (eau)* enturbiarse; *(personne)* turbarse

trouée [true] *nf (ouverture)* boquete *m*; *Mil & Géog* brecha *f*

trouer [true] *vt* agujerear

trouille [truj] *nf Fam* canguelo *m*; **avoir la t.** tener canguelo

troupe [trup] *nf (de soldats)* tropa *f*; *(d'amis)* pandilla *f*; *(de théâtre)* compañía *f*, troupe *f*

troupeau, -x [trupo] *nm (d'animaux domestiques)* rebaño *m*; *(d'animaux sauvages)* manada *f*; *Péj (groupe de personnes)* manada *f*, *Méx* titipuchal *m*, *RP* horda *f*

trousse [trus] *nf* estuche *m*; **être aux trousses de qn** estar persiguiendo a alguien ☆ *t. à outils* estuche de herramientas; *t. de secours* botiquín *m* de primeros auxilios; *t. de toilette* bolsa *f* de aseo

trousseau, -x [truso] *nm (de mariée)* ajuar *m*; *(de clefs)* manojo *m*

trouvaille [truvɑj] *nf* hallazgo *m*

trouver [truve] **1** *vt* encontrar; **t. bon/mauvais que** encontrar bien/mal que; **t. que** creer que; **aller t. qn** ir a ver a alguien; **un exemple bien trouvé** un ejemplo acertado; **une excuse toute trouvée** una excusa fácil

2 se trouver *vpr* encontrarse; **se t. mal** desmayarse; **il se trouve que...** resulta que...

truand [tryɑ̃] *nm* mafioso *m*; *Fam* timador *m*

truc [tryk] *nm Fam (chose) Esp, Méx* chisme *m*, *CAm, Méx* chunche *m*, *Col, Perú, Ven* vaina *f*, *RP* coso *m*; *(combine)* truco *m*; *Fam* **le théâtre c'est mon t.** lo mío es el teatro

trucage [trykaʒ] *nm (de dés) & Cin* trucaje *m*; *(des élections)* amaño *m*

truculent, -e [trykylɑ̃, -ɑ̃t] *adj* truculento(a)

truelle [tryɛl] *nf* llana *f*

truffe [tryf] *nf (champignon)* trufa *f*; *(museau)* morro *m*

truffer [tryfe] *vt* trufar; **truffé de** repleto(a) de

truie [trɥi] *nf* cerda *f*, marrana *f*

truite [trɥit] *nf* trucha *f*

truquage [trykaʒ] = **trucage**

truquer [tryke] *vt (dés) & Cin* trucar; *(élections)* amañar

trust [trœst] *nm* trust *m*

tsar [tsar, dzar] *nm* zar *m*

tsé-tsé [tsetse] *nf inv voir* **mouche**

T-shirt (*pl* T-shirts) [tiʃœrt] *nm* camiseta *f*, *CSur* remera *f*

tsigane [tsigan] = **tzigane**

TTC [tetese] (*abrév* **toutes taxes comprises**) impuestos incluidos

tu¹, -e *pp voir* **taire**

tu² [ty] *pron personnel* tú; **tu devrais partir** deberías marcharte; **as-tu fait les courses?** ¿has hecho la compra?; **dire tu à qn** tratar de tú a alguien, tutear a alguien

tuba [tyba] *nm (instrument de musique)* tuba *f*; *(de plongée)* tubo *m*

tube [tyb] *nm* tubo *m*; *(chanson)* éxito *m* ☆ *t. cathodique* tubo catódico; *t. digestif* tubo digestivo; *t. à essai* tubo de ensayo

tuberculose [tybɛrkyloz] *nf* tuberculosis *f inv*

tuer [tɥe] **1** *vt* matar; **t. le temps** matar el tiempo

2 se tuer *vpr* matarse; **se t. au travail** matarse a trabajar; **je me tue à t'expliquer que...** te he explicado cien veces que...

tuerie [tyri] *nf* matanza *f*

tue-tête [tytɛt] **à tue-tête** *adv (chanter)* a voz en grito; *(crier)* hasta desgañitarse

tueur, -euse [tɥœr, -øz] *nm,f (meurtrier)* asesino(a) *m,f* ☆ *t. à gages* asesino a sueldo

tuile [tɥil] *nf (sur un toit)* teja *f*; *Fam (désagrément)* marrón *m* ☆ *t. aux amandes* teja

tulipe [tylip] *nf* tulipán *m*

tulle [tyl] *nm* tul *m*

tuméfié, -e [tymefje] *adj* tumefacto(a)

tumeur [tymœr] *nf* tumor *m*

tumulte [tymylt] *nm* tumulto *m*

tunique [tynik] *nf* túnica *f*

Tunis [tynis] *n* Túnez

Tunisie [tynizi] *nf* la T. Túnez

tunisien, -enne [tynizjɛ̃, -ɛn] **1** *adj* tunecino(a)
2 *nm,f* T. tunecino(a) *m,f*

tunisois, -e [tynizwa, -az] **1** *adj* tunecino(a)
2 *nm,f* T. tunecino(a) *m,f*

tunnel [tynɛl] *nm* túnel *m*; **le t. sous la Manche** el túnel del canal de la Mancha

tuque [tyk] *nf Can* = gorro de lana con un pompón

turban [tyrbɑ̃] *nm* turbante *m*

turbine [tyrbin] *nf* turbina *f*

turbo [tyrbo] *nm* turbo *m*

turbot [tyrbo] *nm* rodaballo *m*

turbulence [tyrbylɑ̃s] *nf* turbulencia *f*

turbulent, -e [tyrbylɑ̃, -ɑ̃t] *adj* turbulento(a); *(enfant)* revoltoso(a)

turc, turque [tyrk] **1** *adj* turco(a)
2 *nm,f* T. turco(a) *m,f*
3 *nm (langue)* turco *m*

turf [tœrf, tyrf] *nm (hippisme)* hípica *f*

turque [tyrk] *voir* **turc**

Turquie [tyrki] *nf* la T. Turquía

turquoise [tyrkwaz] **1** *adj inv (couleur)* turquesa *inv*
2 *nf (pierre)* turquesa *f*
3 *nm* **(bleu) t.** azul *m* turquesa

tutelle [tytɛl] *nf* tutela *f*; **sous t.** *(territoire)* bajo tutela

tuteur, -trice [tytœr, -tris] **1** *nm,f* tutor(ora) *m,f*
2 *nm (pour plantes)* tutor *m*, rodrigón *m*

tutoyer [32] [tytwaje] **1** *vt* tutear
2 se tutoyer *vpr* tutearse

tuyau, -x [tɥijo] *nm* tubo *m*; *(d'une plume, d'une cheminée, d'un orgue)* cañón *m*; *Fam (renseignement)* soplo *m* ☆ **t. d'arrosage** manga *f* o manguera *f* de riego; **t. d'échappement** tubo de escape

tuyauterie [tɥijotri] *nf* tubería *f*, cañería *f*

TV [teve] *nf (abrév* **télévision**) TV *f*

TVA [tevea] *nf (abrév* **taxe sur la valeur ajoutée**) IVA *m*

tweed [twid] *nm* tweed *m*

tympan [tɛ̃pɑ̃] *nm Anat & Archit* tímpano *m*

type [tip] *nm* tipo *m*; *Fam* **un chic/sale t.** un tipo estupendo/asqueroso

typhoïde [tifɔid] *nf* tifoidea *f*

typhon [tifɔ̃] *nm* tifón *m*

typhus [tifys] *nm* tifus *m inv*

typique [tipik] *adj* típico(a)

typographie [tipɔgrafi] *nf* tipografía *f*

tyran [tirɑ̃] *nm* tirano(a) *m,f*

tyrannique [tiranik] *adj* tiránico(a)

tyranniser [tiranize] *vt* tiranizar

tzar [tsar, dzar] = **tsar**

tzigane [tsigan, dzigan] **1** *adj* cíngaro(a)
2 *nmf* T. cíngaro(a) *m,f*

U

U, u [y] *nm inv (lettre)* U *f*, u *f*

UDF [ydeɛf] *nf (abrév* **Union pour la démocratie française)** = partido político francés a la derecha del espectro político

UHT [yaʃte] *(abrév* **ultra-haute température)** UHT

ulcère [ylsɛr] *nm* úlcera *f*

ulcérer [34] [ylsere] *vt Méd* ulcerar; *(indigner)* afectar, indignar

ULM [yɛlɛm] *nm inv (abrév* **ultraléger motorisé)** ultraligero *m*

ultérieur, -e [ylterjœr] *adj* ulterior

ultérieurement [ylterjœrmɑ̃] *adv* posteriormente

ultimatum [yltimatɔm] *nm* ultimátum *m*

ultime [yltim] *adj* último(a)

ultramoderne [yltramɔdɛrn] *adj* ultramoderno(a)

ultrason [yltrasɔ̃] *nm* ultrasonido *m*

ultraviolet, -ette [yltravjɔlɛ, -ɛt] **1** *adj* ultravioleta *inv*
2 *nm* rayo *m* ultravioleta

un, une [œ̃, yn] **1** *art indéfini (pl* **des** [de]) un (una); **il y a des agrafes dans le tiroir** hay grapas en el cajón
2 *pron indéfini* **l'un d'entre eux** uno de ellos; **l'un l'autre, l'une l'autre** el uno al otro, la una a la otra; **l'un... l'autre, l'une... l'autre** (el) uno... (el) otro, (la) una... (la) otra; **l'un et/ou l'autre, l'une et/ou l'autre** uno y/u otro, una y/u otra

3 *adj* un (una)
4 *nm inv* uno *m*; *voir aussi* **six**

unanime [ynanim] *adj* unánime

unanimité [ynanimite] *nf* unanimidad *f*; **à l'u.** por unanimidad

une [yn] **1** *art indéfini & pron indéfini voir* **un**
2 *nf* **la u.** *(d'un journal)* la primera página, *Esp* la portada

Unesco [ynɛsko] *nf* UNESCO *f*

Unetelle *voir* **Untel**

uni, -e [yni] *adj (famille, couple)* unido(a); *(surface, mer, route)* llano(a); *(couleur)* liso(a)

Unicef [ynisɛf] *nf* UNICEF *f*

unifier [ynifje] *vt* unificar

uniforme [ynifɔrm] **1** *adj* uniforme
2 *nm* uniforme *m*

uniformiser [ynifɔrmize] *vt* uniformar

unilatéral, -e, -aux, -ales [ynilateral, -o] *adj* unilateral

union [ynjɔ̃] *nf* unión *f*; **l'u. fait la force** la unión hace la fuerza ☆ *l'U. européenne* la Unión Europea; **u. libre** unión libre; *Anciennement l'U. soviétique* la Unión soviética

unique [ynik] *adj* único(a)

uniquement [ynikmɑ̃] *adv* únicamente

unir [ynir] **1** *vt* unir (**à** a)
2 *s'unir vpr* unirse (**à** a)

unisexe [ynisɛks] *adj* unisex *inv*

unisson [ynisɔ̃] **à l'unisson** *adv* al unísono

unitaire [ynitɛr] *adj* unitario(a)

unité [ynite] *nf* unidad *f* ☆ *Ordinat* **u. centrale** unidad central; *Ordinat* **u. de disque** unidad de disco; *Univ* **u. de valeur** = unidad en que se dividen las carreras universitarias, compuesta de una o varias asignaturas

univers [ynivɛr] *nm* universo *m*; *(milieu)* mundo *m*, universo *m*

universel, -elle [ynivɛrsɛl] *adj* universal

universitaire [ynivɛrsitɛr] **1** *adj* universitario(a)
2 *nmf* profesor(ora) *m,f* de universidad

université [ynivɛrsite] *nf* universidad *f*

Untel, Unetelle [œ̃tɛl, yntɛl] *nm,f* fulano *m*, fulanita *f*

uranium [yranjɔm] *nm* uranio *m*

Uranus [yranys] *npr* Urano

urbain, -e [yrbɛ̃, -ɛn] *adj (de la ville)* urbano(a)

urbaniser [yrbanize] *vt* urbanizar

urbanisme [yrbanism] *nm* urbanismo *m*

urgence [yrʒɑ̃s] *nf* urgencia *f*; **les urgences** *(d'un hôpital)* urgencias; **d'u.** urgentemente

urgent, -e [yrʒɑ̃, -ɑ̃t] *adj* urgente

urine [yrin] *nf* orina *f*

uriner [yrine] *vi* orinar

urinoir [yrinwar] *nm* urinario *m*

urne [yrn] *nf* urna *f*

URSS [yɛrɛsɛs, yrs] *nf Anciennement (abrév* **Union des républiques socialistes soviétiques)** URSS *f*

urticaire [yrtikɛr] *nf* urticaria *f*

Uruguay [yrygwɛ] *nm* **l'U.** Uruguay

uruguayen, -enne [yrygwɛjɛ̃, -ɛn] **1** *adj* uruguayo(a)
2 *nm,f* **U.** uruguayo(a) *m,f*

usage [yzaʒ] *nm* uso *m*; **à u. externe**

(sur un médicament) uso tópico; **à u. interne** *(sur un médicament)* vía oral, rectal o parenteral; **faire de l'u.** durar mucho; **il est d'u. de...** es costumbre... ☆ *Jur* **u. de faux** = delito consistente en el uso deliberado de documentos falsos

usagé, -e [yzaʒe] *adj* usado(a)

usager [yzaʒe] *nm* usuario(a) *m,f*

usé, -e [yze] *adj (vêtement)* gastado(a); *(eaux)* residual; *(personne)* estropeado(a); *(plaisanterie)* manido(a)

user [yze] **1** *vt (vêtement, santé)* gastar; *(personne, yeux)* estropear
2 s'user *vpr (chaussures, vêtement)* gastarse, desgastarse; *(personne)* agotarse

usine [yzin] *nf* fábrica *f*

usité, -e [yzite] *adj* usado(a); **très/peu u.** muy/poco usado

ustensile [ystɑ̃sil] *nm* utensilio *m* ☆ **u. de cuisine** utensilio de cocina

usuel, -elle [yzɥɛl] *adj* común

usufruit [yzyfrɥi] *nm Jur* usufructo *m*

usure¹ [yzyr] *nf (détérioration, affaiblissement)* desgaste *m*

usure² *nf (intérêt d'un prêt)* usura *f*

usurier, -ère [yzyrje, -ɛr] *nm,f* usurero(a) *m,f*

usurpateur, -trice [yzyrpatœr, -tris] *adj & nm,f* usurpador(ora) *m,f*

usurper [yzyrpe] *vt* usurpar

ut [yt] *nm inv* ut *m*

utérus [yterys] *nm* útero *m*

utile [ytil] *adj* útil; **être u. à qch/à qn** ser útil para algo/a alguien

utilisateur, -trice [ytilizatœr, -tris] *nm,f* usuario(a) *m,f*

utilisation [ytilizasjɔ̃] *nf* utilización *f*

utiliser [ytilize] *vt* utilizar

utilitaire [ytilitɛr] **1** *adj* utilitario(a)

2 *nm Ordinat* programa *m* de utilidad

utilité [ytilite] *nf* utilidad *f*; **d'u. publique** de interés público, de utilidad pública

utopie [ytɔpi] *nf* utopía *f*

utopiste [ytɔpist] *nmf* utópico(a) *m,f*, utopista *mf*

UV [yve] **1** *nf Univ* (*abrév* **unité de valeur**) asignatura *f*

2 *nm* (*abrév* **ultraviolet**) rayo *m* UVA

V

V, v [ve] *nm inv (lettre)* V *f*, v *f*

v., V. *(abrév* **voir)** V, v

va *voir* **aller**

vacance [vakɑ̃s] *nf (d'un poste)* vacante *f*; *(du pouvoir)* vacío *m*; **vacances** *(congés)* vacaciones *fpl*; **être en vacances** estar de vacaciones ☆ *les grandes vacances* las vacaciones de verano; *vacances scolaires* vacaciones escolares

vacancier, -ère [vakɑ̃sje, -ɛr] *nm,f* persona *f* de vacaciones; *(d'été)* veraneante *mf*

vacant, -e [vakɑ̃, -ɑ̃t] *adj (poste, emploi)* vacante; *(logement)* desocupado(a), vacío(a)

vacarme [vakarm] *nm* jaleo *m*, estrépito *m*, *Am* escándalo *m*

vaccin [vaksɛ̃] *nm* vacuna *f*

vaccination [vaksinɑsjɔ̃] *nf* vacunación *f*

vacciner [vaksine] *vt* vacunar; **se faire v. (contre)** vacunarse (de)

vache [vaʃ] **1** *nf* vaca *f*; *Fam (personne méchante)* hueso *m*; *Fig* **manger de la v. enragée** pasar las de Caín; *Fig* **vaches grasses/maigres** vacas gordas/flacas; *Fam* **la v.!** *(exprime l'admiration, la surprise)* ¡hala!
  2 *adj Fam (pénible)* duro(a); **être v.** *(sévère)* ser un hueso

vachement [vaʃmɑ̃] *adv Fam* tope; **c'est v. bien** es tope guay; **il y a v. de monde** hay mogollón de gente

vacherie [vaʃri] *nf Fam (action)* perrería *f*; **dire une v. à qn** meterse con alguien

vacherin [vaʃrɛ̃] *nm (dessert)* = postre a base de merengue, helado y nata montada

vaciller [vasije] *vi* vacilar

vadrouille [vadruj] *nf Can (balai)* fregona *f*; *Fam* **être en v.** estar fuera

vadrouiller [vadruje] *vi Fam* vagar

va-et-vient [vaevjɛ̃] *nm inv* vaivén *m*; *Él* interruptor *m*

vagabond, -e [vagabɔ̃, -ɔ̃d] **1** *adj (chien, personne)* vagabundo(a); *(vie)* errante; *(humeur, imagination)* errabundo(a)
  2 *nm,f* vagabundo(a) *m,f*

vagin [vaʒɛ̃] *nm* vagina *f*

vague¹ [vag] *adj (idée, promesse)* vago(a); *(vêtement)* amplio(a); **un v. cousin** un primo lejano(a)

vague² *nf* ola *f*

vaguement [vagmɑ̃] *adv* vagamente

vaillant, -e [vajɑ̃, -ɑ̃t] *adj (vigoureux)* fuerte; *(travailleur)* trabajador(ora); *Litt (courageux)* valeroso(a), valiente

vaille, vailles *etc voir* **valoir**

vain, -e [vɛ̃, vɛn] *adj* vano(a); **en v.** en vano

vaincre [68] [vɛ̃kr] *vt* vencer

vaincu, -e [vɛ̃ky] *nm,f* vencido(a) *m,f*

vainement [vɛnmɑ̃] *adv* vanamente

vainqueur [vɛ̃kœr] **1** *nm* vencedor(ora) *m,f*
   2 *adj m (air)* triunfante

vais *voir* aller

vaisseau, -x [vɛso] *nm (veine)* vaso *m*; *Litt (bateau)* nave *f* ☆ **v. spatial** nave espacial

vaisselier [vɛsəlje] *nm* aparador *m*

vaisselle [vɛsɛl] *nf* vajilla *f*; **faire la v.** fregar los platos

val [val] *(pl* **vals** *ou* **vaux** [vo]) *nm* valle *m*

valable [valabl] *adj (carte, excuse, raison)* válido(a); *(de qualité)* de valor

Valence [valɑ̃s] *n* Valencia

valet [valɛ] *nm (serviteur)* sirviente *m*; *Fig & Péj (homme servile)* lacayo *m*; *(aux cartes)* sota *f* ☆ **v. d'écurie** mozo *m* de cuadra; **v. de ferme** gañán *m*

valeur [valœr] *nf* valor *m*; **de (grande) v.** de (gran) valor, (muy) valioso(a); **mettre qch en v.** poner algo de relieve ☆ **v. ajoutée** valor añadido

valide [valid] *adj* válido(a); *(personne)* sano(a)

valider [valide] *vt* validar

validité [validite] *nf* validez *f*

valise [valiz] *nf* maleta *f*, *Méx* petaca *f*, *RP* valija *f*; *aussi Fig* **faire ses valises** hacer las maletas

vallée [vale] *nf* valle *m*

vallon [valɔ̃] *nm* pequeño valle *m*

vallonné, -e [valɔne] *adj* ondulado(a)

valoir [69] [valwar] **1** *vi* valer; *(équivaloir à)* equivaler a; **v. cher** costar caro(a); *Com* **à v. sur** a cuenta de; **faire v. qch** *(faire état de)* hacer valer algo; **ne rien v.** no valer nada; **v. le coup** valer la pena
   2 *v impersonnel* **il vaut mieux que/**

faire qch más vale que/hacer algo
   3 se valoir *vpr* ser tal para cual

valoriser [valɔrize] *vt (personne)* valorizar

valse [vals] *nf* vals *m*; *Fam (de personnel)* baile *m*

valser [valse] *vi (danser)* valsear; *Fam (être projeté)* ir a parar

valu *pp voir* valoir

valve [valv] *nf* válvula *f*; *(des mollusques)* valva *f*

vampire [vɑ̃pir] *nm* vampiro *m*

vandalisme [vɑ̃dalism] *nm* vandalismo *m*

vanille [vanij] *nf* vainilla *f*

vanité [vanite] *nf* vanidad *f*

vaniteux, -euse [vanitø, -øz] *adj & nm,f* vanidoso(a) *m,f*

vanne [van] *nf (d'écluse)* compuerta *f*; *Fam (remarque)* pulla *f*

vannerie [vanri] *nf* cestería *f*

vantard, -e [vɑ̃tar, -ard] *adj & nm,f* jactancioso(a) *m,f*

vanter [vɑ̃te] **1** *vt* alabar
   2 se vanter *vpr* jactarse, *Cuba, RP* compadrear (**de** de)

vapeur [vapœr] *nf* vapor *m*; *Culin* **à la v.** al vapor; *Fig* **à toute v.** a toda máquina ☆ **v. d'eau** vapor de agua

vaporisateur [vapɔrizatœr] *nm* vaporizador *m*

vaporiser [vapɔrize] *vt* vaporizar

vaquer [vake] **vaquer à** *vt ind* ocuparse de

varappe [varap] *nf* escalada *f* libre

variable [varjabl] **1** *adj* variable
   2 *nf* variable *f*

variante [varjɑ̃t] *nf* variante *f*

variation [varjɑsjɔ̃] *nf* variación *f*

varice [varis] *nf* variz *f*

varicelle [varisɛl] *nf* varicela *f*

varié, -e [varje] *adj* variado(a)

varier [varje] *vt & vi* variar

variété [varjete] *nf* variedad *f*; **variétés** *(spectacle)* variedades

variole [varjɔl] nf viruela f, viruelas fpl

Varsovie [varsɔvi] n Varsovia

vas voir aller

vase¹ [vɑz] nm florero m, jarrón m

vase² nf cieno m

vasistas [vazistɑs] nm = en una ventana que no se abre, ventanuco que sí se abre situado en la parte superior

vassal, -aux [vasal, -o] nm Hist vasallo m

vaste [vast] adj vasto(a), amplio(a)

Vatican [vatikɑ̃] nm le V. el Vaticano

vaudrai, vaudras etc voir valoir

vaut voir valoir

vautour [votur] nm buitre m

vautrer [votre] se vautrer vpr revolcarse; être vautré (avachi) estar tirado(a)

vaux¹ voir valoir

vaux² [vo] voir val

veau, -x [vo] nm (animal) ternero m, becerro m; (viande) ternera f; (peau) becerro m; Fam Péj (personne) zángano m; (voiture) cacharro m

vecteur [vɛktœr] nm vector m

vécu, -e [veky] 1 pp voir vivre
2 adj (histoire, expérience) vivido(a)

vedette [vədɛt] nf (bateau) lancha f motora; (star) estrella f, vedette f; (personnalité) figura f

végétal, -e, -aux, -ales [veʒetal, -o] 1 adj vegetal
2 nm vegetal m

végétarien, -enne [veʒetarjɛ̃, -ɛn] adj & nm,f vegetariano(a) m,f

végétation [veʒetasjɔ̃] nf vegetación f; Méd **végétations** vegetaciones

végéter [34] [veʒete] vi vegetar

véhémence [veemɑ̃s] nf vehemencia f

véhément, -e [veemɑ̃, -ɑ̃t] adj vehemente

véhicule [veikyl] nm vehículo m

veille [vɛj] nf (jour précédent) día m anterior, víspera f; (éveil) vigilia f, velo m; Mil (garde) imaginaria f; la v. au soir la tarde de la víspera; Ordinat en v. en reposo

veillée [veje] nf (soirée) velada f; (d'un mort) velatorio m

veiller [veje] 1 vt velar
2 vi (rester éveillé) velar; (être de garde) estar de guardia; v. à qch cuidar de algo; v. à faire qch asegurarse de hacer algo; v. sur cuidar de

veilleur [vɛjœr] nm v. de nuit vigilante m nocturno, Am nochero m, sereno m

veilleuse [vɛjøz] nf (lampe) lamparilla f, mariposa f; (d'allumage) piloto m; **veilleuses** (d'une voiture) luces fpl de posición

veinard, -e [vɛnar, -ard] nm,f Fam quel v.! ¡qué potra!

veine [vɛn] nf (inspiration, du bois) & Anat vena f; (de la pierre) vena f, veta f; Fam (chance) potra f

Velcro® [vɛlkro] nm velcro® m

véliplanchiste [veliplɑ̃ʃist] nmf windsurfista mf

velléité [veleite] nf veleidad f

vélo [velo] nm Fam bici f ☆ v. de course bici de carreras

vélodrome [velodrom] nm velódromo m

vélomoteur [velomotœr] nm velomotor m

velours [vəlur] nm terciopelo m ☆ v. côtelé pana f

velouté, -e [vəlute] 1 adj (peau, pêche) aterciopelado(a); (vin) suave; (crème) untuoso(a)
2 nm (douceur) terciopelo m; (potage) crema f

velu, -e [vəly] adj velludo(a)

vénal, -e, -aux, -ales [venal, -o] *adj* venal

vendange [vãdãʒ] *nf (récolte)* vendimia *f*; **faire la v.** *ou* **les vendanges** vendimiar

vendanger [45] [vãdãʒe] *vt & vi* vendimiar

vendeur, -euse [vãdœr, -øz] *nm,f* vendedor(ora) *m,f*; *(employé de magasin)* dependiente(a) *m,f* ☆ *v. ambulant* vendedor ambulante

vendre [vãdr] *vt* vender

vendredi [vãdrədi] *nm* viernes *m inv*; **le v. saint** el Viernes Santo; *voir aussi* **samedi**

vendu, -e [vãdy] *adj & nm,f* vendido(a) *m,f*

vénéneux, -euse [venenø, -øz] *adj* venenoso(a)

vénérable [venerabl] *adj* venerable

vénérer [34] [venere] *vt* venerar

vénérien, -enne [venerjɛ̃, -ɛn] *adj* venéreo(a)

Venezuela [venezɥela] *nm* **le V.** Venezuela

vénézuélien, -enne [venezɥeljɛ̃, -ɛn] **1** *adj* venezolano(a) **2** *nm,f* **V.** venezolano(a) *m,f*

vengeance [vãʒãs] *nf* venganza *f*; **crier v.** clamar venganza

venger [45] [vãʒe] **1** *vt* vengar **2 se venger** *vpr* vengarse (**de/sur** de/en)

venimeux, -euse [vənimø, -øz] *adj* venenoso(a)

venin [vənɛ̃] *nm aussi Fig* veneno *m*

venir [70] [vənir] *vi (aux* **être**) venir; *(arriver)* llegar; *(plante, arbre)* crecer, desarrollarse; **viens me voir** ven a verme; **v. à qn** *(idée)* ocurrírsele a alguien; **à v.** *(futur)* venidero(a); **en v. aux insultes/aux mains** llegar a los insultos/a las manos; **où veux-tu en v.?** ¿dónde quieres ir a parar?; **en v. à faire qch** llegar a hacer algo; **si elle venait à mourir...** si ella llegara a mo-

rir...; **v. de faire qch** acabar de hacer algo; **elle vient d'arriver** acaba de llegar

Venise [vəniz] *n* Venecia

vénitien, -enne [venisjɛ̃, -ɛn] **1** *adj* veneciano(a) **2** *nm,f* **V.** veneciano(a) *m,f*

vent [vã] *nm* viento *m*; *(gaz intestinal)* ventosidad *f*, gas *m*; *Iron* **bon v.!** ¡adiós, muy buenas!; **quel bon v. vous amène?** ¿qué le trae por aquí?; **être dans le v.** estar de moda

vente [vãt] *nf* venta *f*; **en v. libre** *(médicament)* sin receta médica ☆ *v. aux enchères* subasta *f*; *v. par correspondance* venta por correo

venteux, -euse [vãtø, -øz] *adj* ventoso(a)

ventilateur [vãtilatœr] *nm* ventilador *m*

ventilation [vãtilɑsjɔ̃] *nf (d'une pièce)* ventilación *f*; *Fin* desglose *m*

ventouse [vãtuz] *nf* ventosa *f*

ventre [vãtr] *nm (abdomen)* barriga *f*, estómago *m*; *(intestins)* vientre *m*; *(d'une bouteille, d'une cruche)* panza *f*; **avoir/prendre du v.** tener/echar barriga; **avoir mal au v.** tener dolor de estómago

ventriloque [vãtrilɔk] *adj & nmf* ventrílocuo(a) *m,f*

venu, -e *pp voir* **venir**

venue [vny] *nf (arrivée)* llegada *f*

Vénus [venys] *npr (déesse, planète)* Venus

vêpres [vɛpr] *nfpl* vísperas *fpl*

ver [vɛr] *nm* gusano *m*; *Fig* **tirer les vers du nez à qn** hacer hablar a alguien ☆ *v. solitaire* solitaria *f*; *v. de terre* lombriz *f* de tierra

véracité [verasite] *nf* veracidad *f*

véranda [verãda] *nf* porche *m* acristalado

verbal, -e, -aux, -ales [vɛrbal, -o] *adj* verbal

verbe [vɛrb] *nm* verbo *m*

verdâtre [vɛrdɑtr] *adj* verdoso(a)

verdeur [vɛrdœr] *nf (d'un fruit, du bois, du vin)* verdor *m; (vigueur)* vigor *m; (du langage)* carácter *m* directo

verdict [vɛrdikt] *nm Jur* sentencia *f; Fig* veredicto *m*

verdir [vɛrdir] *vi* verdear

verdure [vɛrdyr] *nf (végétation, couleur)* verdor *m; (plantes potagères)* verdura *f*

véreux, -euse [verø, -øz] *adj (fruit)* agusanado(a); *Fig (affaire)* sospechoso(a); *(personne)* podrido(a)

verge [vɛrʒ] *nf Anat* verga *f; (baguette)* fusta *f; Can (mesure)* = 0,914 m

verger [vɛrʒe] *nm* vergel *m*

vergetures [vɛrʒətyr] *nfpl* estrías *fpl*

verglas [vɛrɡla] *nm* hielo *m (en la calzada)*

véridique [veridik] *adj* verídico(a)

vérificateur [verifikatœr] *nm Ordinat* **v. orthographique** corrector *m* ortográfico

vérification [verifikasjɔ̃] *nf* comprobación *f*, verificación *f*

vérifier [verifje] *vt* comprobar, verificar

véritable [veritabl] *adj* verdadero(a); *(or, cuir)* auténtico(a)

vérité [verite] *nf* verdad *f; (d'une reproduction)* parecido *m; (d'un personnage)* credibilidad *f;* **en v.** en realidad

verlan [vɛrlɑ̃] *nm* = tipo de argot en el que se invierte el orden de las sílabas de las palabras

vermeil [vɛrmɛj] *nm* corladura *f*

vermicelle [vɛrmisɛl] *nm* fideo *m*

vermine [vɛrmin] *nf (parasites)* miseria *f; Fig (canaille)* chusma *f*

vermoulu, -e [vɛrmuly] *adj* carcomido(a)

verni, -e [vɛrni] *adj (chaussures)* de charol; *(meuble, poterie)* barnizado(a); *(ongles)* pintado(a); *Fam* **être v.** *(chanceux)* tener chiripa

vernir [vɛrnir] **1** *vt (meuble, poterie)* barnizar
  2 *vpr* **se vernir: se v. les ongles** pintarse las uñas

vernis [vɛrni] *nm (pour meuble, poterie)* barniz *m; (pour cuir)* charol *m* ☆ **v. à ongles** esmalte *m* de uñas

vernissage [vɛrnisaʒ] *nm (d'une exposition)* vernissage *m*

vérole [verɔl] *nf* sífilis *f inv*

verra, verrai *etc voir* **voir**

verre [vɛr] *nm (matière)* vidrio *m; (récipient, dose)* vaso *m*, copa *f; (de vue)* cristal *m; (boisson alcoolisée)* copa *f;* **boire** *ou* **prendre un v.** tomar una copa ☆ **verres de contact** lentes *mpl o fpl* de contacto; **v. doseur** *ou* **gradué** recipiente *m* dosificador *o* graduado; **v. à pied** copa

verrière [vɛrjɛr] *nf (baie vitrée) & Archit* vidriera *f*

verrou [vɛru] *nm* cerrojo *m;* **être sous les verrous** estar en la cárcel; **mettre qn sous les verrous** encerrar a alguien (en la cárcel)

verrouillage [vɛrujaʒ] *nm Aut* **v. central** cierre *m* centralizado; *Ordinat* **v. en majuscules** mayúsculas *fpl* fijas

verrouiller [vɛruje] *vt (porte)* cerrar con cerrojo; *(prisonnier)* encerrar

verrue [vɛry] *nf* verruga *f*

vers¹ [vɛr] *nm* verso *m*

vers² *prép (en direction de)* a, hacia; *(aux environs de) (dans le temps)* hacia, sobre; *(dans l'espace)* hacia

versant [vɛrsɑ̃] *nm* vertiente *f*

versatile [vɛrsatil] *adj* versátil

verse [vɛrs] **à verse** *adv* **pleuvoir à v.** llover a cántaros

Verseau [vɛrso] *nm Astrol* Acuario *m;* **être V.** ser acuario

versement [vɛrsəmɑ̃] *nm* pago *m;*

(sur un compte) abono *m*, ingreso *m*

verser [vɛrse] **1** *vt (dans un récipient)* echar; *(sang, larmes)* derramar; *(payer)* pagar; **v. de l'argent sur son compte** ingresar dinero en su cuenta **2** *vi (se renverser)* volcar, *Méx* voltear

verset [vɛrsɛ] *nm* versículo *m*

verseur [vɛrsœr] *adj m voir* **bec**

version [vɛrsjɔ̃] *nf (interprétation, variante)* versión *f*; *(traduction)* traducción *f* directa ☆ *v.* **française** versión francesa; *v.* **originale** versión original

verso [vɛrso] *nm* verso *m*

vert, -e [vɛr, vɛrt] **1** *adj* verde; *(vin)* agraz, verde; *(vieillard)* lozano(a) **2** *nm (couleur)* verde *m* ☆ *v.* **amande** verde claro; *v.* **bouteille** verde botella; *v.* **pomme** verde manzana

vertébral, -e, -aux, -ales [vɛrtebral, -o] *adj* vertebral

vertèbre [vɛrtɛbr] *nf* vértebra *f*

vertébré, -e [vɛrtebre] **1** *adj* vertebrado(a) **2** *nm* vertebrado *m*

vertement [vɛrtəmɑ̃] *adv* severamente

vertical, -e, -aux, -ales [vɛrtikal, -o] **1** *adj* vertical **2** *nf* **verticale** vertical *f*; **à la verticale** en vertical

vertige [vɛrtiʒ] *nm (au-dessus du vide)* vértigo *m*; *(étourdissement)* mareo *m*

vertigineux, -euse [vɛrtiʒinø, -øz] *adj* vertiginoso(a)

vertu [vɛrty] *nf* virtud *f*; **en v. de** en virtud de

vertueux, -euse [vɛrtɥø, -øz] *adj* virtuoso(a)

verve [vɛrv] *nf* elocuencia *f*

verveine [vɛrvɛn] *nf (plante, infusion)* verbena *f*

vésicule [vezikyl] *nf* vesícula *f* ☆ *v.* **biliaire** vesícula biliar

vessie [vesi] *nf* vejiga *f*

veste [vɛst] *nf Esp* chaqueta *f*, *Am* saco *m* ☆ *v.* **croisée** chaqueta cruzada

vestiaire [vɛstjɛr] *nm (d'un théâtre, d'un musée)* guardarropa *m*; **vestiaires** *(de sportifs)* vestuario *m*

vestibule [vɛstibyl] *nm* vestíbulo *m*

vestiges [vɛstiʒ] *nmpl* vestigios *mpl*

vestimentaire [vɛstimɑ̃tɛr] *adj* indumentario(a)

veston [vɛstɔ̃] *nm Esp* chaqueta *f (de hombre)*, *Am* saco *m*

vêtement [vɛtmɑ̃] *nm* prenda *f*, vestido *m*; **les vêtements** la ropa

vétéran [veterɑ̃] *nm* veterano *m*

vétérinaire [veterinɛr] *adj & nmf* veterinario(a) *m,f*

vêtir [7l] [vetir] *Litt* **1** *vt* vestir; **chaudement vêtu** bien abrigado(a) **2 se vêtir** *vpr* vestirse

veto [veto] *nm* veto *m*; **mettre son v. à qch** vetar algo

vétuste [vetyst] *adj* vetusto(a)

veuf, veuve [vœf, vœv] *adj & nm,f* viudo(a) *m,f*

veuille, veut *etc voir* **vouloir**

veuve [vœv] *voir* **veuf**

veux *voir* **vouloir**

vexer [vɛkse] **1** *vt* ofender **2 se vexer** *vpr* ofenderse, molestarse

VF [veɛf] *nf (abrév* **version française***)* versión *f* doblada

via [vja] *prép* vía

viable [vjabl] *adj* viable

viaduc [vjadyk] *nm* viaducto *m*

viager, -ère [vjaʒe, -ɛr] **1** *adj* vitalicio(a) **2** *nm* vitalicio *m*; **vendre qch en v.** constituir un censo vitalicio

viande [vjɑ̃d] *nf* carne *f* ☆ *v.* **blanche** carne blanca; *v.* **rouge** carne roja

vibration [vibrasjɔ̃] *nf* vibración *f*

vibrer [vibre] *vi aussi Fig* vibrar

vice [vis] *nm* vicio *m*

vice-président, -e (*mpl* vice-présidents, *fpl* vice-présidentes) [visprezidã, -ãt] *nm,f* vicepresidente(a) *m,f*

vice versa [visvɛrsa] *adv* viceversa

vicieux, -euse [visjø, -øz] *adj* (*personne, conduite, regard*) vicioso(a); (*animal*) resabiado(a); (*attaque*) traicionero(a)

victime [viktim] *nf* víctima *f*; **être v. de** ser víctima de

victoire [viktwar] *nf* victoria *f*

victorieux, -euse [viktɔrjø, -øz] *adj* victorioso(a); (*mine, air*) triunfante

victuailles [viktɥaj] *nfpl* vituallas *fpl*

vidange [vidãʒ] *nf* vaciado *m*; (*d'un moteur*) cambio *m* de aceite; (*mécanisme*) desagüe *m*

vidanger [45] [vidãʒe] *vt* vaciar; (*d'un moteur*) cambiar el aceite a

vide [vid] **1** *adj* vacío(a)
2 *nm* vacío *m*; **faire le v.** hacer el vacío; *Fig* (*dans son esprit*) no pensar en nada; **parler dans le v.** (*sans auditeur*) hablar para las paredes; **sous v.** al vacío

vidé, -e [vide] *adj Fam* (*épuisé*) reventado(a)

vidéo [video] **1** *nf* vídeo *m*
2 *adj inv* de vídeo

vidéocassette [videokasɛt] *nf* cinta *f* de vídeo, videocasete *m*

vidéoclub [videoklœb] *nm* videoclub *m*

vidéodisque [videodisk] *nm* videodisco *m*

vide-ordures [vidɔrdyr] *nm inv Esp* conducto *m* de basuras, *Am* ducto *m* de basura, *Méx* tiradero *m*

vide-poches [vidpɔʃ] *nm inv* (*corbeille*) bandeja *f* (*para depositar objetos menudos*); (*d'une voiture*) guantera *f*

vider [vide] **1** *vt* (*sac, poche, verre*) vaciar; (*lieu*) abandonar; (*salle, maison*) desalojar; (*poulet, poisson*) limpiar; *Fam* (*épuiser*) agotar; *Fam* (*expulser*) echar, *Am* botar
2 se vider *vpr* vaciarse

videur [vidœr] *nm* segura *m*

vie [vi] *nf* vida *f*; **avoir la v. sauve** salir ileso(a); **être en v.** estar vivo(a); **gagner sa v.** ganarse la vida; **avoir la v. dure** (*être résistant*) tener más vidas que un gato

vieil [vjɛj] *voir* **vieux**

vieillard [vjɛjar] *nm* anciano *m*

vieille [vjɛj] *voir* **vieux**

vieillerie [vjɛjri] *nf* (*objet*) antigualla *f*

vieillesse [vjɛjɛs] *nf* vejez *f*

vieillir [vjejir] **1** *vi* (*personne, vin*) envejecer; (*fromage*) curarse; (*tradition, idée, mot*) quedarse anticuado(a)
2 *vt* (*faire paraître plus vieux*) avejentar; **tu me vieillis!** ¡me estás echando más años de los que tengo!

vieillot, -otte [vjɛjo, -ɔt] *adj* rancio(a)

viendrai *etc voir* **venir**

Vienne [vjɛn] *n* Viena

vienne *etc voir* **venir**

viennois, -e [vjɛnwa, -az] **1** *adj* vienés(esa)
2 *nm,f* **V.** vienés(esa) *m,f*

viennoiserie [vjɛnwazri] *nf* bollería *f*

viens, vient *voir* **venir**

vierge [vjɛrʒ] **1** *adj* virgen; (*page*) en blanco; (*casier judiciaire*) limpio(a)
2 *nf* virgen *f*; *Astrol* **V.** Virgo *m*; **être V.** ser virgo

Viêt Nam, Vietnam [vjɛtnam] *nm* **le V.** Vietnam

vietnamien, -enne [vjɛtnamjɛ̃, -ɛn] **1** *adj* vietnamita
2 *nm,f* **V.** vietnamita *mf*
3 *nm* (*langue*) vietnamita *m*

vieux, vieille [vjø, vjɛj]

Delante de los nombres masculinos que empiezan por vocal o h muda se utiliza **vieil** en lugar de **vieux**.

1 *adj* viejo(a); *(meuble, maison, histoire)* antiguo(a); *(vin)* añejo(a); *(client, connaissance)* de toda la vida **2** *nm,f (personne âgée)* viejo(a) *m,f*; *Fam* **mon v.** *(père)* mi viejo; *(à un ami)* tío; **ma vieille** *(mère)* mi vieja; *(à une amie)* tía

vif, vive [vif, viv] **1** *adj* vivo(a); *(froid)* intenso(a); *(reproche, discussion)* violento(a); *(sensation, émotion)* fuerte **2** *nm Jur* vivo *m*; *(à la pêche)* cebo *m* vivo; **entrer dans le v. du sujet** entrar en materia; **à v.** *(blessure)* en carne viva; *Fig (nerfs)* a flor de piel; **une photo prise sur le v.** una foto tomada sin posar

vigie [viʒi] *nf (sur un bateau) (personne)* vigía *m*; *(poste)* atalaya *f*; *(de chemin de fer)* garita *f*

vigilance [viʒilɑ̃s] *nf* vigilancia *f*

vigilant, -e [viʒilɑ̃, -ɑ̃t] *adj* vigilante

vigile [viʒil] *nm (veilleur)* vigilante *m*; *(policier privé)* guardia *m* jurado

vigne [viɲ] *nf (plante)* vid *f*; *(vignoble)* viña *f* ☆ **v. vierge** viña virgen

vigneron, -onne [viɲərɔ̃, -ɔn] *nm,f* viñador(ora) *m,f*

vignette [viɲɛt] *nf (motif)* viñeta *f*; *(sur un médicament)* etiqueta *f*; *(automobile)* = adhesivo que se coloca en el parabrisas para probar que se ha pagado el impuesto de circulación

vignoble [viɲɔbl] *nm* viñedo *m*

vigoureux, -euse [vigurø, -øz] *adj* vigoroso(a)

vigueur [vigœr] *nf* vigor *m*; **en v.** en vigor; **être en v.** estar en vigor, estar vigente

VIH [veiaʃ] *nm (abrév* **virus de l'immunodéficience humaine)** VIH *m*

vilain, -e [vilɛ̃, -ɛn] **1** *adj (mauvais, grossier)* malo(a); *(laid, grave)* feo(a) **2** *nm Hist (paysan)* villano *m*

vilebrequin [vilbrəkɛ̃] *nm (outil)* berbiquí *m*; *Aut* cigüeñal *m*

villa [vila] *nf* chalé *m*, villa *f*

village [vilaʒ] *nm* pueblo *m*

villageois, -e [vilaʒwa, -az] *adj & nm,f* aldeano(a) *m,f*, lugareño(a) *m,f*

ville [vil] *nf* ciudad *f*; **en v.** en la ciudad; *(au centre)* en el centro; **aller en v.** *(au centre)* ir al centro

ville-dortoir *(pl* **villes-dortoirs)** [vildɔrtwar] *nf* ciudad *f* dormitorio

vin [vɛ̃] *nm* vino *m*; *(liqueur)* licor *m* ☆ **v. blanc** vino blanco; **v. d'honneur** vino de honor; **v. rosé** vino rosado; **v. rouge** vino tinto; **v. de table** vino de mesa

vinaigre [vinɛgr] *nm* vinagre *m* ☆ **v. de vin** vinagre de vino

vinaigrette [vinɛgrɛt] *nf* vinagreta *f*

vingt [vɛ̃] **1** *adj inv* veinte **2** *nm inv* veinte *m*; *voir aussi* **six**

vingtaine [vɛ̃tɛn] *nf* veintena *f*

vingtième [vɛ̃tjɛm] **1** *adj & nmf* vigésimo(a) *m,f* **2** *nm* vigésimo *m*, veinteava parte *f*; *voir aussi* **sixième**

vinicole [vinikɔl] *adj* vinícola

vinyle [vinil] *nm* vinilo *m*

viol [vjɔl] *nm* violación *f*

violacé, -e [vjɔlase] *adj* violáceo(a)

violation [vjɔlasjɔ̃] *nf* violación *f* ☆ **v. de domicile** allanamiento *m* de morada

violemment [vjɔlamɑ̃] *adv* violentamente

violence [vjɔlɑ̃s] *nf* violencia *f*; **violences** *(sévices)* malos tratos *mpl*; **se faire v.** forzarse

violent, -e [vjɔlɑ̃, -ɑ̃t] *adj* violento(a)

violer [vjɔle] *vt* violar

violet, -ette [vjɔlɛ, -ɛt] **1** *adj* violeta **2** *nm* violeta *m*

violette [vjɔlɛt] *nf* violeta *f*

violeur [vjɔlœr] *nm* violador *m*

violon [vjɔlɔ̃] *nm* violín *m*

violoncelle [vjɔlɔ̃sɛl] *nm* violoncelo *m*, violonchelo *m*

violoncelliste [vjɔlɔ̃selist] *nmf* violonchelista *mf*, violoncelista *mf*

violoniste [vjɔlɔnist] *nmf* violinista *mf*

vipère [vipɛr] *nf aussi Fig* víbora *f*

virage [viraʒ] *nm (sur la route)* curva *f*; *Fig (changement de direction)* viraje *m*

viral, -e, -aux, -ales [viral, -o] *adj* viral

virée [vire] *nf Fam* vuelta *f*

virement [virmɑ̃] *nm (d'argent)* transferencia *f* ☆ **v. bancaire** transferencia bancaria; **v. postal** giro *m* postal

virer [vire] **1** *vi Phot* virar; **v. à** *(couleur)* tirar a; **v. à droite/à gauche** *(véhicule)* girar a la derecha/a la izquierda; *Naut* **v. de bord** virar de bordo
2 *vt (argent)* transferir (**sur** a); *Fam (renvoyer)* echar, *Am* botar

virevolter [virvɔlte] *vi (danseur)* hacer piruetas; *(papillon)* revolotear

virginité [virʒinite] *nf* virginidad *f*

virgule [virgyl] *nf* coma *f*

viril, -e [viril] *adj* viril, varonil

virilité [virilite] *nf* virilidad *f*

virtuel, -elle [virtɥɛl] *adj* virtual

virtuose [virtɥoz] *nmf* virtuoso(a) *m,f*

virulence [virylɑ̃s] *nf* virulencia *f*

virulent, -e [virylɑ̃, -ɑ̃t] *adj* virulento(a)

virus [virys] *nm Méd & Ordinat* virus *m inv*

vis¹ *etc voir* **vivre**

vis² [vis] *nf* tornillo *m* ☆ **v. sans fin** tornillo sin fin

visa [viza] *nm (cachet)* visado *m*

visage [vizaʒ] *nm aussi Fig* rostro *m*

vis-à-vis [vizavi] **1** *nm (personne)* vecino(a) *m,f* de enfrente; **sans v.** *(immeuble)* sin nada enfrente
2 vis-à-vis de *prép (en face de)* enfrente de; *(à l'égard de)* con respecto a; *(en comparaison de)* en comparación con

viscéral, -e, -aux, -ales [viseral, -o] *adj* visceral

viscères [visɛr] *nmpl* vísceras *fpl*

viscose [viskoz] *nf* viscosa *f*

visée [vize] *nf (avec une arme)* puntería *f*; **visées** *(intentions)* intenciones *fpl*

viser [vize] **1** *vt (cible)* apuntar a; *Fig (poste)* aspirar a; *(personne)* concernir; *(document)* visar; *Fam* **vise un peu la moto/la fille!** ¡no te pierdas esa moto/a esa chica!
2 *vi (pour tirer)* apuntar; *Fig* **v. haut** apuntar alto; **v. à faire qch** pretender hacer algo

viseur [vizœr] *nm (d'appareil photo)* visor *m*; *(d'arme)* mira *f*

visibilité [vizibilite] *nf* visibilidad *f*

visible [vizibl] *adj* visible; *(évident)* patente

visiblement [vizibləmɑ̃] *adv* visiblemente

visière [vizjɛr] *nf* visera *f*

vision [vizjɔ̃] *nf* visión *f*; **avoir des visions** ver visiones

visionnaire [vizjɔnɛr] *adj & nmf* visionario(a) *m,f*

visionner [vizjɔne] *vt* visionar

visite [vizit] *nf* visita *f*; *(d'un expert, des douaniers)* inspección *f*; **avoir de la v.** tener visita; **rendre v. à qn** hacer una visita a alguien ☆ **v. médicale** revisión *f* médica

visiter [vizite] *vt* visitar

visiteur, -euse [vizitœr, -øz] *nm,f* *(touriste)* visitante *mf*; **avoir un v.** *(chez soi)* tener visita

vison [vizɔ̃] *nm* visón *m*

visqueux, -euse [viskø, -øz] *adj (liquide, surface)* viscoso(a); *Péj (personne, manières)* repulsivo(a)

visser [vise] *vt (avec des vis)* atornillar; *(couvercle)* apretar; *Fam (être sévère avec)* apretar los tornillos a

visualiser [vizɥalize] *vt aussi Ordinat* visualizar

visuel, -elle [vizɥɛl] *adj* visual

vit *voir* vivre

vital, -e, -aux, -ales [vital, -o] *adj* vital

vitalité [vitalite] *nf* vitalidad *f*

vitamine [vitamin] *nf* vitamina *f*

vitaminé, -e [vitamine] *adj* vitaminado(a)

vite [vit] *adv (rapidement)* de prisa, deprisa; *(tôt)* pronto; **faire v.** apresurarse; **v.!** ¡deprisa!

vitesse [vitɛs] *nf* velocidad *f*; *(d'un moteur, d'un vélo)* marcha *f*, velocidad *f*; **à toute v.** a toda velocidad; *Fam* **en v.** rápidamente; **être en perte de v.** estar perdiendo velocidad; *Fig* estar perdiendo impulso ☆ *Ordinat* **v. de calcul** velocidad de cálculo; **v. de croisière** velocidad de crucero; **v. de pointe** velocidad punta; *Ordinat* **v. de traitement** velocidad de proceso

viticole [vitikɔl] *adj* vitícola

viticulteur, -trice [vitikyltœr, -tris] *nm,f* viticultor(ora) *m,f*

vitrail, -aux [vitraj, -o] *nm* vidriera *f (de iglesia)*

vitre [vitr] *nf (carreau)* cristal *m*; *(d'une voiture)* luna *f*; *(d'un train)* ventanilla *f*; **faire les vitres** limpiar los cristales

vitré, -e [vitre] *adj* **porte vitrée** cristalera *f*

vitreux, -euse [vitrø, -øz] *adj (œil, regard)* vidrioso(a)

vitrine [vitrin] *nf (d'une boutique)* escaparate *m*; *(meuble)* vitrina *f*; **en v.** en el escaparate

vivable [vivabl] *adj (appartement)* habitable; *(situation)* soportable

vivace [vivas] *adj (plante)* vivaz; *(sentiment)* tenaz

vivacité [vivasite] *nf (d'esprit, d'un enfant)* vivacidad *f*; *(d'un coloris)* viveza *f*; *(de propos)* violencia *f*

vivant, -e [vivɑ̃, -ɑ̃t] **1** *adj* vivo(a); *(ville, quartier)* animado(a); *(enfant)* activo(a)
 2 *nm* **les vivants** los vivos; **du v. de qn** en vida de alguien

vive¹ [viv] *voir* vif

vive² *exclam* **v....!** ¡viva...!

vivement [vivmɑ̃] **1** *adv (agir)* con presteza; *(répondre, affecter)* vivamente
 2 *exclam* **v. les vacances!** ¡que lleguen pronto las vacaciones!; **v. que...** que... ya; **v. que ce soit fini!** ¡que se termine ya!

vivifiant, -e [vivifjɑ̃, -ɑ̃t] *adj* vivificante

vivisection [vivisɛksjɔ̃] *nf* vivisección *f*

vivre [72] [vivr] **1** *vi* vivir (**de** de); **qui vivra verra** vivir para ver
 2 *vt* vivir
 3 *nm* **avoir le v. et le couvert** tener casa y comida; **vivres** *(provisions)* víveres *mpl*

VO [veo] *nf (abrév* **version originale)** VO *f*

vocabulaire [vɔkabylɛr] *nm* vocabulario *m*

vocal, -e, -aux, -ales [vɔkal, -o] *adj voir* **corde**

vocation [vɔkasjɔ̃] *nf* vocación *f*; **avoir la v.** tener vocación

vociférer [34] [vɔsifere] **1** *vi* vociferar (**contre** contra)
 2 *vt* vociferar

vodka [vɔdka] *nf* vodka *m*

vœu, -x [vø] *nm (promesse) & Rel* voto *m*; *(souhait)* deseo *m*; **vœux** felicitaciones *fpl*; **meilleurs**

vœux *(de bonne année)* feliz Año Nuevo

vogue [vɔg] *nf* fama *f*; **en v.** en boga

voguer [vɔge] *vi Litt* bogar

voici [vwasi] *prép (introduit ce dont on va parler)* he aquí, esto es; *(il y a)* hace; **le v.** aquí está; **v. mon père** éste es mi padre; **le v. qui arrive** míralo, ahora *o* aquí llega; **vous cherchiez des allumettes? en v.** ¿buscabais cerillas? aquí hay; **vous vouliez les clefs, les v.** queríais las llaves, aquí están; **v. ce qui s'est passé** he aquí lo que pasó, esto es lo que pasó; **v. trois mois/quelques années (que)** hace tres meses/varios años (que)

voie [vwa] *nf* vía *f*; *(sur une route)* carril *m*; *Fig (chemin)* camino *m*; *(moyen)* medio *m*; **mettre qn sur la v.** encaminar a alguien; **en v. de** en vías de; **en v. de développement** en vías de desarrollo; **par v. buccale/rectale** por vía oral/rectal; **par la v. hiérarchique** por el conducto reglamentario ☆ **v. d'eau** vía de agua; *Jur* **voies de fait** vías de hecho; **v. ferrée** vía férrea; **v. de garage** vía muerta; **la V. lactée** la Vía Láctea; **v. maritime** vía marítima; **v. navigable** vía navegable; **la v. publique** la vía pública; **voies respiratoires** vías respiratorias; **v. sans issue** callejón *m* sin salida

voilà [vwala] *prép (reprend ce dont on a parlé)* esto es; *(introduit ce dont on va parler)* he ahí, esto es; *(il y a)* hace; **le v.** ahí está; **vous cherchiez de l'encre? en v.** ¿buscabais tinta? ahí hay; **vous vouliez les clefs, les v.** queríais las llaves, ahí están; **nous v. arrivés** ya hemos llegado; **v. ce qui s'est passé** esto es lo que pasó; **v. où je voulais en venir** ahí es donde quería llegar; **v. trois mois/quelques années (que)** hace tres meses/varios años (que)

voile¹ [vwal] *nf (d'un bateau)* vela *f*; *(d'un planeur)* aleta *f*; **faire de la v.** practicar la vela

voile² *nm (tissu, coiffure)* velo *m*; *(de brume)* capa *f*; *(sur une photo)* veladura *f*; *Méd (au poumon)* mancha *f*; **prendre le v.** *(devenir religieuse)* tomar el velo ☆ *Anat* **v. du palais** velo del paladar

voilé, -e [vwale] *adj (femme, statue)* con velo; *(allusion, regard, photo)* velado(a); *(son, voix)* tomado(a); *(ciel)* brumoso(a); *(roue)* torcido(a)

voiler [vwale] **1** *vt (avec un voile)* tapar con un velo; *(vérité, regard, photo)* velar

2 se voiler *vpr (femme)* ponerse un velo; *(yeux, voix, astre)* velarse; *(roue)* torcerse

voilier [vwalje] *nm* velero *m*

voilure [vwalyr] *nf (d'un bateau)* velamen *m*; *(d'un avion)* planos *mpl* de sustentación; *(d'un parachute)* tela *f*

voir [73a] [vwar] **1** *vt* ver; **je ne la vois pas en secrétaire** no la veo como secretaria; **aller v. qn** ir a ver a alguien; **faire v. qch à qn** mostrar *o* enseñar algo a alguien; **laisser v. qch** dejar ver algo; **v. page...** véase página...; **il n'a rien à v. là-dedans** no tiene nada que ver; **ça n'a rien à v.** *(dans une conversation)* eso no tiene nada que ver; **on verra bien** ya veremos; *Fam* **voyons v.** veamos; **..., voyons!** *(pour raisonner quelqu'un)* ..., hombre!; *Fam* **avoir assez vu qn** haber visto bastante a alguien; *très Fam* **va te faire v.!** ¡vete a la porra!

2 *vi* ver; **(y) v. bien/mal** ver bien/mal

3 se voir *vpr* verse; **ça se voit** *(c'est clair)* se nota; **se v. forcé de faire qch** verse forzado(a) a hacer algo

voire [vwar] *adv* (e) incluso

voirie [vwari] *nf (service)* = servicio que se ocupa del mantenimiento y limpieza de la vía pública y de la recogida de basuras

voisin, -e [vwazɛ̃, -in] **1** *adj (pays, ville, maison)* vecino(a) (**de** de); *(semblable)* parecido(a) (**de** a)

2 *nm,f* vecino(a) *m,f* ☆ **v. de palier** = vecino que vive en el mismo descansillo

voisinage [vwazinaʒ] *nm (voisins)* vecindad *f*; *(environs)* cercanía *f*

voiture [vwatyr] *nf Esp* coche *m*, *Am* carro *m*, *RP* auto *m* ☆ **v. banalisée** coche camuflado; **v. de fonction** coche de servicio; **v. fumeurs** vagón *m* de fumadores; **v. de location** coche de alquiler; **v. non-fumeurs** vagón de no fumadores; **v. d'occasion** coche de segunda mano; **v. de sport** coche deportivo

voix [vwa] *nf* voz *f*; *(suffrage)* voto *m*; **à v. basse/haute** en voz baja/alta; **de vive v.** de viva voz; **mettre qch aux v.** someter algo a votación

vol¹ [vɔl] *nm (d'un oiseau, d'un avion)* vuelo *m*; *(groupe d'oiseaux)* bandada *f*; **au v.** al vuelo; **à v. d'oiseau** en línea recta

vol² *nm (délit)* robo *m* ☆ **v. à main armée** robo a mano armada

vol. *(abrév* **volume)** vol.

volage [vɔlaʒ] *adj* voluble, veleidoso(a)

volaille [vɔlɑj] *nf (oiseaux)* aves *fpl* (de corral); *(oiseau)* ave *f* (de corral)

volant, -e [vɔlɑ̃, -ɑ̃t] **1** *adj (animal, machine)* volador(ora); *(brigade, pont)* volante; *(page)* suelto(a)
2 *nm* volante *m*, *Andes* timón *m*

volatiliser [vɔlatilize] **se volatiliser** *vpr* volatilizarse

volcan [vɔlkɑ̃] *nm* volcán *m*

volcanique [vɔlkanik] *adj* volcánico(a)

volée [vɔle] *nf (d'oiseaux)* vuelo *m*; *(de flèches)* ráfaga *f*; *Sp* volea *f*; *(de cloches)* campanada *f*; *(de marches)* tramo *m*; **v. de coups**, *Fam* **v.** paliza *f*, *Am* golpiza *f*; **à la v.** *Sp* de volea; *(semer)* a voleo; **sonner les cloches à la v.** repicar las campanas

voler¹ [vɔle] *vi (oiseau, avion)* volar

voler² *vt (objet, personne)* robar

volet [vɔlɛ] *nm (de maison)* postigo *m*; *(d'un dépliant)* hoja *f*; *(d'une émission)* episodio *m*; *(d'avion)* flap *m*

voleur, -euse [vɔlœr, -øz] **1** *adj* ladrón(ona)
2 *nm,f* ladrón(ona) *m,f*; **au v. !** ¡al ladrón!

volière [vɔljɛr] *nf* pajarera *f*

volley-ball *(pl* **volley-balls)** [vɔlebol] *nm* balonvolea *m*

volontaire [vɔlɔ̃tɛr] **1** *adj (activité, omission)* voluntario(a); *(caractère)* voluntarioso(a)
2 *nmf* voluntario(a) *m,f*

volonté [vɔlɔ̃te] *nf* voluntad *f*; **à v.** a voluntad; **bonne/mauvaise v.** buena/mala voluntad

volontiers [vɔlɔ̃tje] *adv (avec plaisir)* con mucho gusto; *(naturellement)* fácilmente

volt [vɔlt] *nm* voltio *m*

voltage [vɔltaʒ] *nm* voltaje *m*

volte-face [vɔltəfas] *nf inv (demi-tour)* media vuelta *f*; *Fig (revirement)* giro *m*; **faire v.** dar media vuelta; *Fig* cambiar radicalmente de opinión

voltige [vɔltiʒ] *nf (au trapèze)* acrobacia *f*; *(à cheval)* volteo *m*; *(en avion)* acrobacia *f* aérea ☆ **haute v.** acrobacia; *Fig* malabarismo *m*

voltiger [45] [vɔltiʒe] *vi (acrobate)* hacer acrobacias; *(insectes, oiseaux, feuilles mortes)* revolotear

volubile [vɔlybil] *adj* locuaz

volume [vɔlym] *nm* volumen *m*

volumineux, -euse [vɔlyminø, -øz] *adj* voluminoso(a)

volupté [vɔlypte] *nf* voluptuosidad *f*

voluptueux, -euse [vɔlyptɥø, -øz] *adj* voluptuoso(a)

volute [vɔlyt] *nf* voluta *f*

vomir [vɔmir] *vi & vt* vomitar

vont *voir* **aller**

vorace [vɔras] *adj* voraz

vos [vo] *voir* **votre**

Vosges [voʒ] *nfpl* **les V.** los Vosgos

vote [vɔt] *nm (suffrage, voix)* voto *m; (élection)* votación *f* ☆ **v. à main levée** votación a mano alzada

voter [vɔte] *vi & vt* votar; **v. à main levée** votar a mano alzada

votre [vɔtr] *(pl* **vos** [vo]) *adj possessif (tutoiement)* vuestro(a); *(vouvoiement)* su; **vos meubles** vuestros/sus muebles

vôtre [votr] **le vôtre, la vôtre** *(pl* **les vôtres)** *pron possessif (tutoiement)* el (la) vuestro(a); *(vouvoiement)* el (la) suyo(a); **c'est notre problème, pas le v.** es nuestro problema, no el vuestro/suyo; **mettez-y un peu du v.!** ¡poned/ponga/pongan un poco de vuestra/su parte!; **les vôtres** *(famille)* los vuestros/suyos

voudra, voudrai *etc voir* **vouloir**

vouer [vwe] **1** *vt* **v. qch à qn** *(promettre)* profesar algo a alguien; **v. qch à qch** *(consacrer)* consagrar algo a algo; **être voué à** *(condamné)* estar condenado(a) a

2 se vouer *vpr* **se v. à qch** consagrarse a algo

vouloir [57] [vulwar] **1** *vt* querer; **je veux qu'il parte maintenant** quiero que se vaya ahora; **faire qch sans le v.** hacer algo sin querer; **je veux bien** *(d'accord)* vale; **voudriez-vous...?** ¿le importaría...?; **veuillez vous asseoir** siéntense, por favor; **ne pas v. de qch/de qn** no querer algo/a alguien; **que me voulez-vous?** ¿qué quiere de mí?; **v. du bien/du mal à qn** desearle algo bueno/malo a alguien; **en v. à qn (d'avoir fait qch)** estar resentido(a) contra alguien (por haber hecho algo); **que voulez-vous!** ¡qué le vamos a hacer!; **si on veut** si tú lo dices; **comme le veut la tradition** como manda la tradición

2 *nm* **bon v.** buena voluntad *f*

3 se vouloir *vpr* **elle se veut différente** se cree diferente; **s'en v. de**

qch/de faire qch dolerle a alguien algo/hacer algo

voulu, -e [vuly] **1** *pp voir* **vouloir**

2 *adj (requis)* debido(a); *(délibéré)* deseado(a)

vous [vu] *pron personnel* **(a)** *(plusieurs personnes tutoyées)* vosotros(as); *(complément d'objet direct, de verbe pronominal)* os; **v. êtes en retard** llegáis tarde; **avez-v. du feu?** ¿tenéis fuego?; **il v. l'a donné** os lo ha dado; **v. devez v. occuper de lui** debéis ocuparos de él; **à v.** *(possessif)* vuestro(a); **v. êtes fiers de v.?** ¡estaréis satisfechos!

(b) *(plusieurs personnes vouvoyées)* ustedes; *(complément d'objet direct)* los (las); *(complément de verbe pronominal)* se; **v. êtes en retard** llegan tarde; **avez-v. du feu?** ¿tienen fuego?; **il v. l'a donné** se lo ha dado; **v. devez v. occuper de lui** deben ocuparse de él; **à v.** *(possessif)* suyo(a); **v. êtes fiers de v.?** ¡estarán satisfechos!

(c) *(une seule personne vouvoyée)* usted; *(complément d'objet direct)* lo (la); *(complément de verbe pronominal)* se; **v. êtes en retard** llega tarde; **avez-v. du feu?** ¿tiene fuego?; **il v. l'a donné** se lo ha dado; **v. devez v. occuper de lui** debe ocuparse de él; **à v.** *(possessif)* suyo(a); **v. êtes fier de v.?** ¡estará satisfecho!

vous-même [vumɛm] *pron personnel* usted mismo(a)

vous-mêmes [vumɛm] *pron personnel (plusieurs personnes tutoyées)* vosotros(as) mismos(as); *(plusieurs personnes vouvoyées)* ustedes mismos(as)

voûte [vut] *nf* bóveda *f* ☆ **v. plantaire** bóveda plantar

voûter [vute] **se voûter** *vpr* encorvarse

vouvoyer [32] [vuvwaje] **1** *vt* tratar de usted

2 se vouvoyer *vpr* tratarse de usted

voyage [vwajaʒ] *nm* viaje *m* ; **être/partir en v.** estar/salir de viaje ☆ **v. d'affaires** viaje de negocios; **v. de noces** viaje de novios; **v. organisé** viaje organizado; **v. scolaire** viaje de estudios

voyager [45] [vwajaʒe] *vi* viajar

voyageur, -euse [vwajaʒœr, -øz] *nm,f* viajero(a) *m,f* ☆ **v. de commerce** viajante *mf* (de comercio)

voyais *etc voir* **voir**

voyant, -e [vwajã, -ãt] **1** *adj* vistoso(a) **2** *nm,f (devin)* vidente *mf* **3** *nm* **v. (lumineux)** piloto *m*, indicador *m* luminoso ☆ **v. d'essence** indicador de nivel de gasolina

voyelle [vwajɛl] *nf* vocal *f*

voyeur, -euse [vwajœr, -øz] *nm,f* mirón(ona) *m,f*, voyeur *mf*

voyez, voyons *etc voir* **voir**

voyou [vwaju] *nm* golfo *m*

vrac [vrak] **en vrac** *adv (sans emballage, au poids)* a granel; *(en désordre)* en desorden

vrai, -e [vrɛ] **1** *adj* verdadero(a); *(authentique)* auténtico(a); *(naturel)* natural; **il est v. que** es verdad o cierto que; *Fam* **c'est pas v.!** *(exprime la surprise)* ¿de verdad?; *(exprime l'agacement)* ¡no es posible! **2** *nm* **à v. dire, à dire v.** a decir verdad

vraiment [vrɛmã] *adv (véritablement)* verdaderamente; *(très)* realmente, muy

vraisemblable [vrɛsãblabl] *adj (plausible)* verosímil; *(probable)* probable

vrille [vrij] *nf (de la vigne)* tijereta *f*, zarcillo *m*; *(outil, pirouette aérienne)* barrena *f*

vrombir [vrɔbir] *vi* zumbar

VRP [veɛrpe] *nm (abrév voyageur représentant placier)* representante *mf*

VTT [vetete] *nm (abrév vélo tout-terrain)* BTT *f*

vu, -e [vy] **1** *pp voir* **voir** **2** *adj* **être bien/mal vu (de qn)** estar bien/mal considerado(a) (por alguien); **(c'est bien) vu?** ¿lo has captado? **3** *prép* en vista de; **vu que...** dado que...

vue [vy] *nf* vista *f*; *(idée)* visión *f*; **une chambre avec v. sur la mer** una habitación con vistas al mar; **avoir la v. basse** no ver bien; **connaître qn de v.** conocer a alguien de vista; *aussi Fig* **perdre qn de v.** perder a alguien de vista; **à première v.** a primera vista; **à v. d'œil** a ojos vistas; **en v. de qch/de faire qch** con vistas a algo/a hacer algo

vulgaire [vylgɛr] *adj* vulgar

vulgarisation [vylgarizasjɔ] *nf (des connaissances)* divulgación *f*

vulgarité [vylgarite] *nf* vulgaridad *f*

vulnérable [vylnerabl] *adj* vulnerable

vulve [vylv] *nf* vulva *f*

W

W, w [dublǝve] *nm inv (lettre)* W *f*, w *f*
wagon [vagɔ̃] *nm* vagón *m*
wagon-lit (*pl* **wagons-lits**) [vagɔ̃li] *nm Esp* coche *m* cama, *Am* carro *m* o vagón dormitorio
wagon-restaurant (*pl* **wagons-restaurants**) [vagɔ̃rɛstɔrɑ̃] *nm* vagón *m* restaurante
Walkman® [wokman] *nm* walkman *m*
wallon, -onne [walɔ̃n, -ɔn] **1** *adj* valón(ona)
  2 *nm,f* W. valón(ona) *m,f*
  3 *nm (langue)* valón *m*
Wallonie [walɔni] *nf* la W. Valonia
Washington [waʃiŋtɔn] *n* Washington

water-polo [watɛrpɔlo] *nm* water-polo *m*
watt [wat] *nm* vatio *m*
W-C [vese, dublǝvese] *nmpl* WC *m*
week-end (*pl* **week-ends**) [wikɛnd] *nm* fin *m* de semana
western [wɛstɛrn] *nm* western *m*, película *f* de vaqueros o del Oeste
whisky [wiski] *nm* whisky *m*
white-spirit [wajtspirit] *nm* aguarrás *m*
WYSIWYG [wiziwig] (*abrév* **what you see is what you get**) **1** *adj* WYSIWYG
  2 *nm* WYSIWYG *m*

X, Y, Z

X, x [iks] *nm inv (lettre)* X *f*, x *f*
xénophobe [gzenɔfɔb] *adj & nmf* xenófobo(a) *m,f*
xénophobie [gzenɔfɔbi] *nf* xenofobia *f*
xérès [gzeres, kseres] *nm* jerez *m*
xylophone [ksilɔfɔn, gzilɔfɔn] *nm* xilófono *m*

X

Y, y [igrɛk] *nm inv (lettre)* Y *f*, y *f*
y [i] **1** *adv* **j'y vais demain** iré mañana; **mets-y du sel** échale o ponle sal; **va voir sur la table si les clefs y sont** ve a ver si las llaves están encima de la mesa; **on ne peut pas couper cet arbre, des oiseaux y font leur nid** no podemos talar este árbol porque algunos pájaros anidan en él; **ils ont ramené des vases anciens et y ont fait pousser des fleurs exotiques** trajeron vasijas antiguas y plantaron flores exóticas (en ellas)
2 *pron* **pensez-y** piénseselo, piense en ello; **n'y compte pas** no cuentes con ello; **j'y suis!** *(j'ai compris)* ¡ya veo!
yacht [jɔt] *nm* yate *m*
yaourt [jaurt] *nm* yogurt *m*
yen [jɛn] *nm* yen *m*
yeux [jø] *voir* œil
yiddish [jidiʃ] **1** *adj inv* judeoalemán(ana)
2 *nm inv* yiddish *m*
yoga [jɔga] *nm* yoga *m*

yoghourt, yogourt [jogurt] = yaourt
yougoslave [jugɔslav] *Anciennement* **1** *adj* yugoslavo(a)
2 *nmf* **Y.** yugoslavo(a) *m,f*
Yougoslavie [jugɔslavi] *nf Anciennement* **la Y.** Yugoslavia; **l'ex-Y.** la ex Yugoslavia
Yo-Yo® [jojo] *nm inv* yoyó *m*

Z, z [zɛd] *nm inv (lettre)* Z *f*, z *f*
Zaïre [zair] *nm Anciennement* **le Z.** (el) Zaire
zaïrois, -e [zairwa, -az] *Anciennement* **1** *adj* zaireño(a)
2 *nm,f* **Z.** zaireño(a) *m,f*
zapper [zape] *vi* hacer zapping
zèbre [zɛbr] *nm (animal)* cebra *f*; *Fam* **un drôle de z.** un tipo raro
zébré, -e [zebre] *adj* rayado(a)
zèle [zɛl] *nm* celo *m*; *Péj* **faire du z.** pasarse
zélé, -e [zele] *adj* celoso(a) *(trabajador)*
zen [zɛn] **1** *adj inv* zen *inv*
2 *nm* zen *m*
zénith [zenit] *nm* cenit *m*
zéro [zero] **1** *nm* cero *m*; *Fam (personne)* cero *m* a la izquierda; **deux buts à z.** dos goles a cero; *Fam* **avoir le moral à z.** tener la moral por los suelos; **repartir à** ou **de z.** volver a empezar desde cero
2 *adj* cero

zeste [zɛst] *nm* corteza *f*, cáscara *f* (de cítricos); **un z. de citron** una tira de corteza de limón

zézayer [53] [zezeje] *vi* cecear

zigouiller [ziguje] *vt Fam* cargarse

zigzag [zigzag] *nm* zigzag *m*; **en z.** en zigzag

zigzaguer [zigzage] *vi* zigzaguear

zinc [zɛ̃g] *nm (matière)* cinc *m*, zinc *m*; *Fam (comptoir)* barra *f*; *Fam Vieilli (avion)* cacharro *m*

zinzin [zɛ̃zɛ̃] *adj Fam* chiflado(a)

zizi [zizi] *nm Fam* pajarito *m*

zodiaque [zɔdjak] *nm* zodíaco *m*

zone [zon] *nf (région)* zona *f*; *Fam Péj (faubourg)* barriada *f*; **c'est la z.!** ¡es un barrio chungo! ✫ *Ordinat* **z. de dialogue** ventana *f* de diálogo; **z. industrielle** zona industrial; *Ordinat* **z. tampon** buffer *m*

zoo [zo(o)] *nm* zoo *m*

zoologie [zɔɔlɔʒi] *nf* zoología *f*

zoom [zum] *nm* zoom *m*

zut [zyt] *exclam Fam* ¡jolín!, ¡vaya!

Conjugaciones

Conjugaisons

Conjugaisons espagnoles

Au début de ce guide de la conjugaison espagnole, vous trouverez les trois tables des verbes réguliers (verbes en **-ar, -er, -ir**) suivies des deux auxiliaires les plus courants : **haber**, utilisé pour former les temps composés, et **ser**, utilisé pour former le passif. Ces cinq verbes sont conjugués sous toutes leurs formes.

Vient ensuite la liste des verbes espagnols irréguliers, numérotés de 3 à 74. Les nombres apparaissant après les verbes dans la partie français-espagnol du dictionnaire renvoient à cette liste.

La première personne de chaque temps est systématiquement donnée, même pour les verbes réguliers. Pour les autres formes, seules celles irrégulières sont indiquées. La mention "etc" après une forme indique que les autres personnes de ce temps se forment à partir de la même racine irrégulière, ex. le futur de **decir** est **yo diré** *etc*, c'est-à-dire : **yo diré, tú dirás, él dirá, nosotros diremos, vosotros diréis, ellos dirán.**

Lorsque la première personne d'un temps est la seule forme irrégulière, elle n'est pas suivie par *etc*, ex. l'indicatif présent de **placer** est **yo plazco** (irrégulier), mais les autres formes (**tú places, él place, nosotros placemos, vosotros placéis, ellos placen**) sont régulières et ne sont donc pas indiquées.

INDICATIF

Présent	Imparfait	Passé simple	Passé composé	Futur

Verbe régulier en "-ar"   amar

Présent	Imparfait	Passé simple	Passé composé	Futur
yo amo	yo amaba	yo amé	yo he amado	yo amaré
tú amas	tú amabas	tú amaste	tú has amado	tú amarás
él ama	él amaba	él amó	él ha amado	él amará
nosotros amamos	nosotros amábamos	nosotros amamos	nosotros hemos amado	nosotros amaremos
vosotros amáis	vosotros amabais	vosotros amasteis	vosotros habéis amado	vosotros amaréis
ellos aman	ellos amaban	ellos amaron	ellos han amado	ellos amarán

Verbe régulier en "-er"   temer

Présent	Imparfait	Passé simple	Passé composé	Futur
yo temo	yo temía	yo temí	yo he temido	yo temeré
tú temes	tú temías	tú temiste	tú has temido	tú temerás
él teme	él temía	él temió	él ha temido	él temerá
nosotros tememos	nosotros temíamos	nosotros temimos	nosotros hemos temido	nosotros temeremos
vosotros teméis	vosotros temíais	vosotros temisteis	vosotros habéis temido	vosotros temeréis
ellos temen	ellos temían	ellos temieron	ellos han temido	ellos temerán

Verbe régulier en "-ir"   partir

Présent	Imparfait	Passé simple	Passé composé	Futur
yo parto	yo partía	yo partí	yo he partido	yo partiré
tú partes	tú partías	tú partiste	tú has partido	tú partirás
él parte	él partía	él partió	él ha partido	él partirá
nosotros partimos	nosotros partíamos	nosotros partimos	nosotros hemos partido	nosotros partiremos
vosotros partís	vosotros partíais	vosotros partisteis	vosotros habéis partido	vosotros partiréis
ellos parten	ellos partían	ellos partieron	ellos han partido	ellos partirán

1   haber

Présent	Imparfait	Passé simple	Passé composé	Futur
yo he	yo había	yo hube		yo habré
tú has	tú habías	tú hubiste		tú habrás
él ha	él había	él hubo		él habrá
nosotros hemos	nosotros habíamos	nosotros hubimos		nosotros habremos
vosotros habéis	vosotros habíais	vosotros hubisteis		vosotros habréis
ellos han	ellos habían	ellos hubieron		ellos habrán

2   ser

Présent	Imparfait	Passé simple	Passé composé	Futur
yo soy	yo era	yo fui	yo he sido	yo seré
tú eres	tú eras	tú fuiste	tú has sido	tú serás
él es	él era	él fue	él ha sido	él será
nosotros somos	nosotros éramos	nosotros fuimos	nosotros hemos sido	nosotros seremos
vosotros sois	vosotros erais	vosotros fuisteis	vosotros habéis sido	vosotros seréis
ellos son	ellos eran	ellos fueron	ellos han sido	ellos serán

CONDITIONNEL Présent	SUBJONCTIF Présent	Imparfait	IMPÉRATIF	PARTICIPE Présent Passé

CONDITIONNEL Présent	SUBJONCTIF Présent	Imparfait	IMPÉRATIF	PARTICIPE Présent	Passé
yo amaría	yo ame	yo amara *o* amase		amando	amado
tú amarías	tú ames	tú amaras *o* amases	ama (tú)		
él amaría	él ame	él amara *o* amase			
nosotros amaríamos	nosotros amemos	nosotros amáramos *o* amásemos	amemos (nosotros)		
vosotros amaríais	vosotros améis	vosotros amarais *o* amaseis	amad (vosotros)		
ellos amarían	ellos amen	ellos amaran *o* amasen			
yo temería	yo tema	yo temiera *o* temiese		temiendo	temido
tú temerías	tú temas	tú temieras *o* temieses	teme (tú)		
él temería	él tema	él temiera *o* temiese			
nosotros temeríamos	nosotros temamos	nosotros temiéramos *o* temiésemos	temamos (nosotros)		
vosotros temeríais	vosotros temáis	vosotros temierais *o* temieseis	temed (vosotros)		
ellos temerían	ellos teman	ellos temieran *o* temiesen			
yo partiría	yo parta	yo partiera *o* partiese		partiendo	partido
tú partirías	tú partas	tú partieras *o* partieses	parte (tú)		
él partiría	él parta	él partiera *o* partiese			
nosotros partiríamos	nosotros partamos	nosotros partiéramos *o* partiésemos	partamos (nosotros)		
vosotros partiríais	vosotros partáis	vosotros partierais *o* partieseis	partid (vosotros)		
ellos partirían	ellos partan	ellos partieran *o* partiesen			
yo habría	yo haya	yo hubiera *o* hubiese		habiendo	habido
tú habrías	tú hayas	tú hubieras *o* hubieses			
él habría	él haya	él hubiera *o* hubiese			
nosotros habríamos	nosotros hayamos	nosotros hubiéramos *o* hubiésemos			
vosotros habríais	vosotros hayáis	vosotros hubierais *o* hubieseis			
ellos habrían	ellos hayan	ellos hubieran *o* hubiesen			
yo sería	yo sea	yo fuera *o* fuese		siendo	sido
tú serías	tú seas	tú fueras *o* fueses	sé (tú)		
él sería	él sea	él fuera *o* fuese			
nosotros seríamos	nosotros seamos	nosotros fuéramos *o* fuésemos	seamos (nosotros)		
vosotros seríais	vosotros seáis	vosotros fuerais *o* fueseis	sed (vosotros)		
ellos serían	ellos sean	ellos fueran *o* fuesen			

(5)

Présent	Imparfait	Passé simple	Passé composé	Futur
3 acertar				
yo acierto tú aciertas él acierta ellos aciertan	yo acertaba	yo acerté	yo he acertado	yo acertaré
4 actuar				
yo actúo tú actúas él actúa ellos actúan	yo actuaba	yo actué	yo he actuado	yo actuaré
5 adecuar				
yo adecuo	yo adecuaba	yo adecué	yo he adecuado	yo adecuaré
6 adquirir				
yo adquiero	yo adquiría	yo adquirí	yo he adquirido	yo adquiriré
tú adquieres él adquiere ellos adquieren				
7 agorar				
yo agüero tú agüeras él agüera ellos agüeran	yo agoraba	yo agoré	yo he agorado	yo agoraré
8 andar				
yo ando	yo andaba	yo anduve tú anduviste él anduvo nosotros anduvimos vosotros anduvisteis ellos anduvieron	yo he andado	yo andaré
9 argüir				
yo arguyo tú arguyes él arguye ellos arguyen	yo argüía	yo argüí él arguyó ellos arguyeron	yo he argüido	yo argüiré
10 asir				
yo asgo	yo asía	yo así	yo he asido	yo asiré
11 avergonzar				
yo avergüenzo	yo avergonzaba	yo avergoncé	yo he avergonzado	yo avergonzaré
tú avergüenzas él avergüenza ellos avergüenzan				

CONDITIONNEL Présent	SUBJONCTIF Présent	Imparfait	IMPÉRATIF	PARTICIPE Présent Passé	
yo acertaría	yo acierte tú aciertes él acierte ellos acierten	yo acertara *o* acertase	acierta (tú)	acertando	acertado
yo actuaría	yo actúe	yo actuara *o* actuase	actúa (tú)	actuando	actuado
yo adecuaría	yo adecue	yo adecuara *o* adecuase	adecua (tú)	adecuando	adecuado
yo adquiriría	yo adquiera tú adquieras él adquiera ellos adquieran	yo adquiriera *o* adquiriese	adquiere (tú)	adquiriendo	adquirido
yo agoraría	yo agüere tú agüeres él agüere ellos agüeren	yo agorara *o* agorase	agüera (tú)	agorando	agorado
yo andaría	yo ande	yo anduviera *o* anduviese *etc*	anda (tú)	andando	andado
yo argüiría	yo arguya *etc*	yo arguyera *o* arguyese *etc*	arguye (tú)	arguyendo	argüido
yo asiría	yo asga *etc*	yo asiera *o* asiese	ase (tú) asgamos (nosotros)	asiendo	asido
yo avergonzaría	yo avergüence tú avergüences él avergüence nosotros avergoncemos vosotros avergoncéis ellos avergüencen	yo avergonzara *o* avergonzase	avergüenza (tú)	avergon- zando	avergon- zado

Présent	Imparfait	Passé simple	Passé composé	Futur
12 averiguar				
yo averiguo	yo averiguaba	yo averigüé	yo he averiguado	yo averiguaré
13 caber				
yo quepo	yo cabía	yo cupe tú cupiste él cupo nosotros cupimos vosotros cupisteis ellos cupieron	yo he cabido	yo cabré *etc*
14 caer				
yo caigo	yo caía	yo caí tú caíste él cayó nosotros caímos vosotros caísteis ellos cayeron	yo he caído	yo caeré
15 cambiar				
yo cambio	yo cambiaba	yo cambié	yo he cambiado	yo cambiaré
16 cazar				
yo cazo	yo cazaba	yo cacé	yo he cazado	yo cazaré
17 cocer				
yo cuezo tú cueces él cuece ellos cuecen	yo cocía	yo cocí	yo he cocido	yo coceré
18 colgar				
yo cuelgo tú cuelgas él cuelga ellos cuelgan	yo colgaba	yo colgué	yo he colgado	yo colgaré
19 comenzar				
yo comienzo tú comienzas él comienza ellos comienzan	yo comenzaba	yo comencé	yo he comenzado	yo comenzaré
20 conducir				
yo conduzco	yo conducía	yo conduje tú condujiste él condujo nosotros condujimos vosotros condujisteis ellos condujeron	yo he conducido	yo conduciré

CONDITIONNEL Présent	SUBJONCTIF Présent	Imparfait	IMPÉRATIF	PARTICIPE Présent Passé	
yo averiguaría	yo averigüe *etc*	yo averiguara *o* averiguase	averigua (tú)	averi-guando	averi-guado
yo cabría *etc*	yo quepa *etc*	yo cupiera *o* cupiese *etc*	cabe (tú) quepamos (nosotros)	cabiendo	cabido
yo caería	yo caiga *etc*	yo cayera *o* cayese *etc*	cae (tú) caigamos (nosotros)	cayendo	caído
yo cambiaría	yo cambie	yo cambiara *o* cambiase	cambia (tú)	cambiando	cambiado
yo cazaría	yo cace *etc*	yo cazara *o* cazase	caza (tú)	cazando	cazado
yo cocería	yo cueza tú cuezas él cueza nosotros cozamos vosotros cozáis ellos cuezan	yo cociera *o* cociese	cuece (tú)	cociendo	cocido
yo colgaría	yo cuelgue tú cuelgues él cuelgue nosotros colguemos vosotros colguéis ellos cuelguen	yo colgara *o* colgase	cuelga (tú)	colgando	colgado
yo comenzaría	yo comience tú comiences él comience nosotros comencemos vosotros comencéis ellos comiencen	yo comenzara *o* comenzase	comienza (tú)	comen-zando	comen-zado
yo conduciría	yo conduzca *etc*	yo condujera *o* condujese *etc*	conduce (tú) conduzcamos (nosotros)	condu-ciendo	conducido

21 conocer

yo conozco	yo conocía	yo conocí	yo he conocido	yo conoceré

22 dar

yo doy	yo daba	yo di	yo he dado	yo daré
		tú diste		
		él dio		
		nosotros dimos		
		vosotros disteis		
		ellos dieron		

23 decir

yo digo	yo decía	yo dije	yo he dicho	yo diré *etc*
tú dices		tú dijiste		
él dice		él dijo		
		nosotros dijimos		
		vosotros dijisteis		
ellos dicen		ellos dijeron		

24 delinquir

yo delinco	yo delinquía	yo delinquí	yo he delinquido	yo delinquiré

25 desosar

yo deshueso	yo deshuesaba *etc*	yo desosé	yo he desosado	yo desosaré
tú deshuesas				
él deshuesa				
ellos deshuesan				

26 dirigir

yo dirijo	yo dirigía	yo dirigí	yo he dirigido	yo dirigiré

27 discernir

yo discierno	yo discernía	yo discerní	yo he discernido	yo discerniré
	tú disciernes			
	él discierne			
	ellos disciernen			

28 distinguir

yo distingo	yo distinguía	yo distinguí	yo he distinguido	yo distinguiré

29 dormir

yo duermo	yo dormía	yo dormí	yo he dormido	yo dormiré
tú duermes				
él duerme		él durmió		
ellos duermen		ellos durmieron		

CONDITIONNEL Présent	SUBJONCTIF Présent	Imparfait	IMPÉRATIF	PARTICIPE Présent Passé
yo conocería	yo conozca *etc*	yo conociera *o* conociese	conoce (tú)	conociendo conocido
yo daría	yo dé	yo diera *o* diese *etc*	da (tú)	dando dado
yo diría *etc*	yo diga *etc*	yo dijera *o* dijese *etc*	di (tú) digamos (nosotros)	diciendo dicho
yo delinquiría	yo delinca *etc*	yo delinquiera *o* delinquiese	delinque (tú)	delin- delinquido quiendo
yo desosaría	yo deshuese tú deshueses él deshuese ellos deshuesen	yo desosara *o* desosase	deshuesa (tú)	desosando desosado
yo dirigiría	yo dirija *etc*	yo dirigiera *o* dirigiese	dirige (tú)	dirigiendo dirigido
yo discerniría	yo discierna tú disciernas él discierna ellos disciernan	yo discerniera *o* discerniese	discierne (tú)	discer- discernido niendo
yo distinguiría	yo distinga *etc*	yo distinguiera *o* distinguiese	distingue (tú)	distin- distinguido guiendo
yo dormiría	yo duerma nosotros durmamos vosotros durmáis	yo durmiera *o* durmiese *etc*	duerme (tú)	durmiendo dormido

Présent	Imparfait	Passé simple	Passé composé	Futur

30 erguir

yo irgo *o* yergo	yo erguía	yo erguí	yo he erguido	yo erguiré
tú irgues *o* yergues				
él irgue *o* yergue		él irguió		
nosotros erguimos				
vosotros erguís				
ellos irguen *o*		ellos irguieron		
yerguen				

31 errar

yo yerro	yo erraba	yo erré	yo he errado	yo erraré
tú yerras				
él yerra				
ellos yerran				

32 estar

yo estoy	yo estaba	yo estuve	yo he estado	yo estaré
tú estás		tú estuviste		
él está		él estuvo		
nosotros estamos		nosotros estuvimos		
vosotros estáis		vosotros estuvisteis		
ellos están		ellos estuvieron		

33 forzar

yo fuerzo	yo forzaba	yo forcé	yo he forzado	yo forzaré
tú fuerzas				
él fuerza				
ellos fuerzan				

34 guiar

yo guío	yo guiaba	yo guié	yo he guiado	yo guiaré
tú guías				
él guía				
ellos guían				

35 hacer

yo hago	yo hacía	yo hice	yo he hecho	yo haré *etc*
		tú hiciste		
		él hizo		
		nosotros hicimos		
		vosotros hicisteis		
		ellos hicieron		

36 huir

yo huyo	yo huía	yo huí	yo he huido	yo huiré
tú huyes				
él huye		él huyó		
ellos huyen		ellos huyeron		

37 ir

yo voy	yo iba	yo fui	yo he ido	yo iré
tú vas		tú fuiste		
él va		él fue		
nosotros vamos		nosotros fuimos		
vosotros vais		vosotros fuisteis		
ellos van		ellos fueron		

CONDITIONNEL Présent	SUBJONCTIF Présent	Imparfait	IMPÉRATIF	PARTICIPE Présent Passé	
yo erguiría	yo irga *o* yerga tú irgas *o* yergas él irga *o* yerga nosotros irgamos vosotros irgáis ellos irgan *o* yergan	yo irguiera *o* irguiese	irgue *o* yergue (tú) irgamos *o* yergamos (nosotros)	irguiendo	erguido
yo erraría	yo yerre tú yerres él yerre ellos yerren	yo errara *o* errase	yerra (tú)	errando	errado
yo estaría	yo esté *etc*	yo estuviera *o* estuviese *etc*	está (tú)	estando	estado
yo forzaría	yo fuerce tú fuerces él fuerce nosotros forcemos vosotros forcéis ellos fuercen	yo forzara *o* forzase	fuerza (tú)	forzando	forzado
yo guiaría tú guíes él guíe ellos guíen	yo guíe	yo guiara *o* guiase	guía (tú)	guiando	guiado
yo haría *etc*	yo haga *etc*	yo hiciera *o* hiciese *etc*	haz (tú)	haciendo	hecho
yo huiría	yo huya *etc*	yo huyera *o* huyese *etc*	huye (tú)	huyendo	huido
yo iría	yo vaya *etc*	yo fuera *o* fuese *etc*	ve (tú) vayamos (nosotros) id (vosotros)	yendo	ido

38 jugar

Présent	Imparfait	Passé simple	Passé composé	Futur
yo juego	yo jugaba	yo jugué	yo he jugado	yo jugaré
tú juegas				
él juega				
ellos juegan				

39 leer

Présent	Imparfait	Passé simple	Passé composé	Futur
yo leo	yo leía	yo leí	yo he leído	yo leeré
		tú leíste		
		él leyó		
		nosotros leímos		
		vosotros leísteis		
		ellos leyeron		

40 llegar

Présent	Imparfait	Passé simple	Passé composé	Futur
yo llego	yo llegaba	yo llegué	yo he llegado	yo llegaré

41 lucir

Présent	Imparfait	Passé simple	Passé composé	Futur
yo luzco	yo lucía	yo lucí	yo he lucido	yo luciré

42 mecer

Présent	Imparfait	Passé simple	Passé composé	Futur
yo mezo	yo mecía	yo mecí	yo he mecido	yo meceré

43 mover

Présent	Imparfait	Passé simple	Passé composé	Futur
yo muevo	yo movía	yo moví	yo he movido	yo moveré
tú mueves				
él mueve				
ellos mueven				

44 nacer

Présent	Imparfait	Passé simple	Passé composé	Futur
yo nazco	yo nacía	yo nací	yo he nacido	yo naceré

45 negar

Présent	Imparfait	Passé simple	Passé composé	Futur
yo niego	yo negaba	yo negué	yo he negado	yo negaré
tú niegas				
él niega				
ellos niegan				

46 oír

Présent	Imparfait	Passé simple	Passé composé	Futur
yo oigo	yo oía	yo oí	yo he oído	yo oiré
tú oyes				
él oye	él oyó			
ellos oyeron	ellos oyeron			

47 oler

Présent	Imparfait	Passé simple	Passé composé	Futur
yo huelo	yo olía	yo olí	yo he olido	yo oleré
tú hueles				
él huele				
ellos huelen				

48 parecer

Présent	Imparfait	Passé simple	Passé composé	Futur
yo parezco	yo parecía	yo parecí	yo he parecido	yo pareceré

CONDITIONNEL Présent	SUBJONCTIF Présent	Imparfait	IMPÉRATIF	PARTICIPE Présent Passé	
yo jugaría	yo juegue tú juegues él juegue nosotros juguemos vosotros juguéis ellos jueguen	yo jugara *o* jugase	juega (tú)	jugando	jugado
yo leería	yo lea	yo leyera *o* leyese *etc*	lee (tú)	leyendo	leído
yo llegaría	yo llegue *etc*	yo llegara *o* llegase	llega (tú)	llegando	llegado
yo luciría	yo luzca *etc*	yo luciera *o* luciese	luce (tú)	luciendo	lucido
yo mecería	yo meza *etc*	yo meciera *o* meciese	mece (tú)	meciendo	mecido
yo movería	yo mueva tú muevas él mueva ellos muevan	yo moviera *o* moviese	mueve (tú)	moviendo	movido
yo nacería	yo nazca *etc*	yo naciera *o* naciese	nace (tú)	naciendo	nacido
yo negaría	yo niegue tú niegues él niegue nosotros neguemos vosotros neguéis ellos nieguen	yo negara *o* negase	niega (tú)	negando	negado
yo oiría	yo oiga *etc*	yo oyera *u* oyese *etc*	oye (tú)	oyendo	oído
yo olería	yo huela tú huelas él huela ellos huelan	yo oliera *u* oliese	huele (tú)	oliendo	olido
yo parecería	yo parezca *etc*	yo pareciera *o* pareciese	parece (tú)	pareciendo	parecido

49 pedir

yo pido	yo pedía	yo pedí	yo he pedido	yo pediré
tú pides				
él pide	él pidió			
ellos piden	ellos pidieron			

50 placer

yo plazco	yo placía	yo plací	yo he placido	yo placeré
		él plació o plugo		
		ellos placieron o plugieron		

51 poder

yo puedo	yo podía	yo pude	yo he podido	yo podré etc
tú puedes		tú pudiste		
él puede		él pudo		
		nosotros pudimos		
		vosotros pudisteis		
ellos pueden		ellos pudieron		

52 poner

yo pongo	yo ponía	yo puse	yo he puesto	yo pondré etc
		tú pusiste		
		él puso		
		nosotros pusimos		
		vosotros pusisteis		
		ellos pusieron		

53 predecir

yo predigo	yo predecía	yo predije	yo he predicho	yo prediciré
		tú predijiste		
		él predijo		
		nosotros predijimos		
		vosotros predijisteis		
		ellos predijeron		

54 proteger

yo protejo	yo protegía	yo protegí	yo he protegido	yo protegeré

55 querer

yo quiero	yo quería	yo quise	yo he querido	yo querré etc
tú quieres		tú quisiste		
él quiere		él quiso		
		nosotros quisimos		
		vosotros quisisteis		
ellos quieren		ellos quisieron		

CONDITIONNEL Présent	SUBJONCTIF Présent	Imparfait	IMPÉRATIF	PARTICIPE Présent	PARTICIPE Passé
yo pediría	yo pida *etc*	yo pidiera *o* pidiese *etc*	pide (tú)	pidiendo	pedido
yo placería	yo plazca tú plazcas él plazca *o* plegue nosotros plazcamos vosotros plazcáis ellos plazcan	yo placiera *o* placiese tú placieras *o* placieses él placiera, placiese, plugiera *o* plugiese nosotros placiéramos *o* placiésemos vosotros placierais *o* placieseis ellos placieran, placiesen, pluguieran *o* pluguiesen	place (tú) plazcamos (nosotros)	placiendo	placido
yo podría *etc*	yo pueda tú puedas él pueda ellos puedan	yo pudiera *o* pudiese *etc*	puede (tú)	pudiendo	podido
yo pondría *etc*	yo ponga *etc*	yo pusiera *o* pusiese *etc*	pon (tú)	poniendo	puesto
yo predeciría	yo prediga *etc*	yo predijera *o* predijese *etc*	predice (tú) predigamos (nosotros)	prediciendo	predicho
yo protegería	yo proteja *etc*	yo protegiera *o* protegiese	protege (tú)	protegiendo	protegido
yo querría *etc*	yo quiera tú quieras él quiera ellos quieran	yo quisiera *o* quisiese *etc*	quiere (tú)	queriendo	querido

Présent	Imparfait	Passé simple	Passé composé	Futur

56 raer

yo rao, raigo *o* rayo	yo raía	yo raí	yo he raído	yo raeré
		tú raíste		
		él rayó		
		nosotros raímos		
		vosotros raísteis		
		ellos rayeron		

57 regir

yo rijo	yo regía	yo regí	yo he regido	yo regiré
tú riges				
él rige		él rigió		
ellos rigen		ellos rigieron		

58 reír

yo río	yo reía	yo reí	yo he reído	yo reiré
tú ríes				
él ríe		él rió		
		ellos rieron		

59 roer

yo roo, roigo *o* royo	yo roía	yo roí	yo he roído	yo roeré
		él royó		
		ellos royeron		

60 saber

yo sé	yo sabía	yo supe	yo he sabido	yo sabré *etc*
		tú supiste		
		él supo		
		nosotros supimos		
		vosotros supisteis		
		ellos supieron		

61 sacar

yo saco	yo sacaba	yo saqué	yo he sacado	yo sacaré

62 salir

yo salgo	yo salía	yo salí	yo he salido	yo saldré *etc*

63 seguir

yo sigo	yo seguía	yo seguí	yo he seguido	yo seguiré
tú sigues				
él sigue		él siguió		
ellos siguen		ellos siguieron		

64 sentir

yo siento	yo sentía	yo sentí	yo he sentido	yo sentiré
tú sientes				
él siente		él sintió		
ellos sienten		ellos sintieron		

CONDITIONNEL Présent	SUBJONCTIF Présent	Imparfait	IMPÉRATIF	PARTICIPE Présent	Passé
yo raería	yo raiga *o* raya *etc*	yo rayera *o* rayese *etc*	rae (tú)	rayendo	raído
			raigamos *o* rayamos (nosotros)		
yo regiría	yo rija *etc*	yo rigiera *o* rigiese *etc*	rige (tú)	rigiendo	regido
yo reiría	yo ría tú rías él ría nosotros riamos vosotros riáis ellos rían	yo riera *o* riese *etc*	ríe (tú)	riendo	reído
yo roería	yo roa, roiga *o* roya *etc*	yo royera *o* royese *etc*	roe (tú)	royendo	roído
yo sabría *etc*	yo sepa *etc*	yo supiera *o* supiese *etc*	sabe (tú)	sabiendo	sabido
			sepamos (nosotros)		
yo sacaría	yo saque *etc*	yo sacara *o* sacase	saca (tú)	sacando	sacado
yo saldría *etc*	yo salga *etc*	yo saliera *o* saliese	sal (tú)	saliendo	salido
yo seguiría	yo siga *etc*	yo siguiera *o* siguiese *etc*	sigue (tú)	siguiendo	seguido
yo sentiría	yo sienta tú sientas él sienta nosotros sintamos vosotros sintáis ellos sientan	yo sintiera *o* sintiese *etc*	siente (tú)	sintiendo	sentido

65 sonar

Présent	Imparfait	Passé simple	Passé composé	Futur
yo sueno	yo sonaba	yo soné	yo he sonado	yo sonaré
tú suenas				
él suena				
ellos suenan				

66 tender

Présent	Imparfait	Passé simple	Passé composé	Futur
yo tiendo	yo tendía	yo tendí	yo he tendido	yo tenderé
tú tiendes	tú tiendas			
él tiende	él tienda			
ellos tienden	ellos tiendan			

67 tener

Présent	Imparfait	Passé simple	Passé composé	Futur
yo tengo	yo tenía	yo tuve	yo he tenido	yo tendré etc
tú tienes		tú tuviste		
él tiene		él tuvo		
		nosotros tuvimos		
		vosotros tuvisteis		
ellos tienen		ellos tuvieron		

68 traer

Présent	Imparfait	Passé simple	Passé composé	Futur
yo traigo	yo traía	yo traje	yo he traído	yo traeré
		tú trajiste		
		él trajo		
		nosotros trajimos		
		vosotros trajisteis		

69 trocar

Présent	Imparfait	Passé simple	Passé composé	Futur
yo trueco	yo trocaba	yo troqué	yo he trocado	yo trocaré
tú truecas				
él trueca				
ellos truecan				
ellos truequen				

70 valer

Présent	Imparfait	Passé simple	Passé composé	Futur
yo valgo	yo valía	yo valí	yo he valido	yo valdré etc

71 venir

Présent	Imparfait	Passé simple	Passé composé	Futur
yo vengo	yo venía	yo vine	yo he venido	yo vendré etc
tú vienes		tú viniste		
él viene		él vino		
		nosotros vinimos		
		vosotros vinisteis		
ellos vienen		ellos vinieron		

72 ver

Présent	Imparfait	Passé simple	Passé composé	Futur
yo veo	yo veía etc	yo vi	yo he visto	yo veré

73 yacer

Présent	Imparfait	Passé simple	Passé composé	Futur
yo yazco, yazgo o yago	yo yacía	yo yací	yo he yacido	yo yaceré

74 zurcir

Présent	Imparfait	Passé simple	Passé composé	Futur
yo zurzo	yo zurcía	yo zurcí	yo he zurcido	yo zurciré

CONDITIONNEL Présent	SUBJONCTIF Présent	Imparfait	IMPÉRATIF	PARTICIPE Présent Passé	
yo sonaría	yo suene tú suenes él suene ellos suenen	yo sonara o sonase	suena (tú)	sonando	sonado
yo tendería	yo tienda	yo tendiera o tendiese	tiende (tú)	tendiendo	tendido
yo tendría *etc*	yo tenga *etc*	yo tuviera o tuviese *etc*	ten (tú)	teniendo	tenido
yo traería	yo traiga *etc*	yo trajera o trajese *etc*	trae (tú)	trayendo	traído
yo trocaría	yo trueque tú trueques él trueque ellos trajeron	yo trocara o trocase	troca (tú)	trocando	trocado
yo valdría *etc*	yo valga *etc*	yo valiera o valiese	vale (tú)	valiendo	valido
yo vendría *etc*	yo venga *etc*	yo viniera o viniese *etc*	ven (tú)	viniendo	venido
yo vería	yo vea *etc*	yo viera o viese	ve (tú)	viendo	visto
yo yacería	yo yazca, yazga o yaga *etc*	yo yaciera o yaciese *etc*	yace o yaz (tú)	yaciendo	yacido
yo zurciría	yo zurza *etc*	yo zurciera o zurciese	zurce (tú)	zurciendo	zurcido

Conjugaciones Francesas

En las próximas páginas encontrarás una lista conjugaciones irregulares modelo. Los números que aparecen detrás de los verbos en la parte Francés-Español del diccionario, p. ej. [20], remiten a estas tablas.

La conjugación de los verbos más frecuentes como **aller**, **avoir**, **être** y **faire** aparece con todas las formas y en todos los tiempos. En el resto de casos donde no aparecen las formas completas, éstas siguen el modelo marcado por la primera persona del singular o del plural, o ambas.

Como los tiempos compuestos se forman siempre de la misma manera con **avoir** o **être**, estos tiempos no aparecen excepto en los casos mencionados en el párrafo anterior. Igualmente, el tiempo condicional se construye siempre de la misma manera que el tiempo futuro pero con las terminaciones **-ais**, **-ais**, **-ait**, **-ions**, **-iez** y **-aient**. Cuando no aparece, el imperativo tiene la misma forma que el presente (en las formas "tu", "nous" y "vous").

INDICATIVO Presente	Pretérito imperfecto	Pretérito perfecto	Pretérito indefinido	Futuro

Verbo regular en "-er"   aimer

j'aime	j'aimais	j'ai aimé	j'aimai	j'aimerai
tu aimes	tu aimais	tu as aimé	tu aimas	tu aimeras
il aime	il aimait	il a aimé	il aima	il aimera
nous aimons	nous aimions	nous avons aimé	nous aimâmes	nous aimerons
vous aimez	vous aimiez	vous avez aimé	vous aimâtes	vous aimerez
ils aiment	ils aimaient	ils ont aimé	ils aimèrent	ils aimeront

Verbo regular en "-ir"   choisir

je choisis	je choisissais	j'ai choisi	je choisis	je choisirai
tu choisis	tu choisissais	tu as choisi	tu choisis	tu choisiras
il choisit	il choisissait	il a choisi	il choisit	il choisira
nous choisissons	nous choisissions	nous avons choisi	nous choisîmes	nous choisirons
vous choisissez	vous choisissiez	vous avez choisi	vous choisîtes	vous choisirez
ils choisissent	ils choisissaient	ils ont choisi	ils choisirent	ils choisiront

Verbo regular en "-re"   attendre

j'attends	j'attendais	j'ai attendu	j'attendis	j'attendrai
tu attends	tu attendais	tu as attendu	tu attendis	tu attendras
il attend	il attendait	il a attendu	il attendit	il attendra
nous attendons	nous attendions	nous avons attendu	nous attendîmes	nous attendrons
vous attendez	vous attendiez	vous avez attendu	vous attendîtes	vous attendrez
ils attendent	ils attendaient	ils ont attendu	ils attendirent.	ils attendront

1   avoir

j'ai	j'avais	j'ai eu	j'eus	j'aurai
tu as	tu avais	tu as eu	tu eus	tu auras
il a	il avait	il a eu	il eut	il aura
nous avons	nous avions	nous avons eu	nous eûmes	nous aurons
vous avez	vous aviez	vous avez eu	vous eûtes	vous aurez
ils ont	ils avaient	ils ont eu	ils eurent	ils auront

2   être

je suis	j'étais	j'ai été	je fus	je serai
tu es	tu étais	tu as été	tu fus	tu seras
il est	il était	il a été	il fut	il sera
nous sommes	nous étions	nous avons été	nous fûmes	nous serons
vous êtes	vous étiez	vous avez été	vous fûtes	vous serez
ils sont	ils étaient	ils ont été	ils furent	ils seront

3a absoudre

j'absous	j'absolvais		j'absolus	j'absoudrai
il absout				
nous absolvons				

3b résoudre *sigue el modelo anterior excepto para*

			je résolus	

4a accroître

j'accrois	j'accroissais		j'accrus	j'accroîtrai
il accroît				
nous accroissons				

4b croître *sigue el modelo anterior excepto para*

je croîs			je crûs	

CONDICIONAL Simple	SUBJUNTIVO Presente	Pretérito	IMPERATIVO	PARTICIPIO Presente	Pasado
imerais	j'aime	j'aimasse		aimant	aimé
aimerais	tu aimes	tu aimasses	aime		
aimerait	il aime	il aimât			
us aimerions	nous aimions	nous aimassions	aimons		
us aimeriez	vous aimiez	vous aimassiez	aimez		
aimeraient	ils aiment	ils aimassent			
choisirais	je choisisse	je choisisse		choisissant	choisi
choisirais	tu choisisses	tu choisisses	choisis		
choisirait	il choisisse	il choisît			
us choisirions	nous choisissions	nous choisissions	choisissons		
us choisiriez	vous choisissiez	vous choisissiez	choisissez		
choisiraient	ils choisissent	ils choisissent			
attendrais	j'attende	j'attendisse		attendant	attendu
attendrais	tu attendes	tu attendisses	attends		
attendrait	il attende	il attendît			
us attendrions	nous attendions	nous attendissions	attendons		
us attendriez	vous attendiez	vous attendissiez	attendez		
attendraient	ils attendent	ils attendissent			
urais	j'aie	j'eusse		ayant	eu
aurais	tu aies	tu eusses	aie		
aurait	il ait	il eût			
us aurions	nous ayons	nous eussions	ayons		
us auriez	vous ayez	vous eussiez	ayez		
auraient	ils aient	ils eussent			
serais	je sois	je fusse		étant	été
serais	tu sois	tu fusses	sois		
serait	il soit	il fût			
us serions	nous soyons	nous fussions	soyons		
us seriez	vous soyez	vous fussiez	soyez		
seraient	ils soient	ils fussent			
	j'absolve	*no se usa*		absolvant	absous (-oute)
	nous absolvions				
					résolu
	j'accroisse	j'accrusse		accroissant	accru
	nous accroissions	nous accrussions			
	je crûsse				crû

INDICATIVO Presente	Pretérito imperfecto	Pretérito perfecto	Pretérito indefinido	Futuro
5 accueillir				
j'accueille nous accueillons	j'accueillais		j'accueillis	j'accueillerai
6 acheter				
j'achète nous achetons ils achètent	j'achetais		j'achetai	j'achèterai
7 acquérir				
j'acquiers il acquiert nous acquérons ils acquièrent	j'acquérais		j'acquis	j'acquerrai
8 aller				
je vais tu vas il va nous allons vous allez ils vont	j'allais tu allais il allait nous allions vous alliez ils allaient	je suis allé tu es allé il est allé nous sommes allés vous êtes allés ils sont allés	j'allai tu allas il alla nous allâmes vous allâtes ils allèrent	j'irai tu iras il ira nous irons vous irez ils iront
9 appeler				
j'appelle nous appelons ils appellent	j'appelais		j'appelai	j'appellerai
10a s'asseoir				
je m'assieds/ assois il s'assied/assoit nous nous asseyons/ assoyons	je m'asseyais/ assoyais		je m'assis	je m'assiérai/assoirai
10b surseoir *sigue el modelo de las formas oi de* **s'asseoir**				
				je surseoirai
11 battre				
je bats il bat nous battons	je battais		je battis	je battrai
12 boire				
je bois il boit nous buvons ils boivent	je buvais		je bus	je boirai
13 bouillir				
je bous il bout nous bouillons	je bouillais		je bouillis	je bouillirai
14 choir				
je chois il chut ils choient			il chût	

ONDICIONAL mple	SUBJUNTIVO Presente	Pretérito	IMPERATIVO	PARTICIPIO Presente	Pasado
	j'accueille	j'accueillisse		accueillant	accueilli
			accueille		
	nous accueillions	nous accueillissions	accueillons		
		accueillez			
	j'achète	j'achetasse		achetant	acheté
	nous achetions	nous achetassions			
	j'acquière	j'acquisse		acquérant	acquis
	nous acquérions	nous acquissions			
rais	j'aille	j'allasse		allant	allé
irais	tu ailles	tu allasses	va		
irait	il aille	il allât			
us irions	nous allions	nous allassions	allons		
us iriez	vous alliez	vous allassiez	allez		
iraient	ils aillent	ils allassent			
	j'appelle	j'appelasse		appelant	appelé
	nous appelions	nous appelassions			
	je m'asseye/ assoie	je m'assisse		asseyant/ assoyant	assis
	nous nous asseyions/ assoyions	nous nous assissions			
surseoirais					
	je batte	je battisse		battant	battu
	nous battions	nous battissions			
	je boive	je busse		buvant	bu
	nous buvions	nous bussions			
	je bouille	je bouillisse		bouillant	bouilli
	nous bouillions	nous bouillissions			
					chu

INDICATIVO Presente	Pretérito imperfecto	Pretérito perfecto	Pretérito indefinido	Futuro
15 clore				
je clos il clôt				je clorai
ils closent				
16 commencer				
je commence nous commençons	je commençais		je commençai	je commencerai
vous commencez ils commencent				
17 conclure				
je conclus il conclut nous concluons	je concluais		je conclus	je conclurai
18 conduire				
je conduis il conduit nous conduisons	je conduisais		je conduisis	je conduirai
19a confire				
je confis il confit nous confisons	je confisais		je confis	je confirai
19b suffire PARTICIPIO PASADO suffi (invariable)				
20 connaître				
je connais il connaît nous connaissons	je connaissais		je connus	je connaîtrai
21 coudre				
je couds il coud nous cousons	je cousais		je cousis	je coudrai
22 courir				
je cours il court nous courons	je courais		je courus	je courrai
23 craindre				
je crains il craint nous craignons	je craignais		je craignis	je craindrai
24 créer				
je crée nous créons	je créais		je créai	je créerai
25 croire				
je crois il croit nous croyons ils croient	je croyais		je crus	je croirai

	SUBJUNTIVO Presente	Pretérito	IMPERATIVO	PARTICIPIO Presente	PARTICIPIO Pasado
	je close				clos
	nous closions				
	je commence	je commençasse		commen- çant	commencé
	nous commencions	nous commençassions			
	je conclue	je conclusse		concluant	conclu
	nous concluions	nous conclussions			
nduise s luisions	je conduisisse nous conduisissions			conduisant	conduit
nfise s confisions	je confisse nous confissions			confisant	confit
	je connaisse	je connusse		connaissant	connu
	nous connaissions	nous connussions			
	je couse	je cousisse		cousant	cousu
	nous cousions	nous cousissions			
	je coure	je courusse		courant	couru
	nous courions	nous courussions			
	je craigne	je craignisse		craignant	craint
	nous craignions	nous craignissions			
	je crée	je créasse		créant	créé
	nous créions	nous créassions			
	je croie	je crusse		croyant	cru
	nous croyions	nous crussions			

26 devoir

je dois il doit nous devons ils doivent	je devais		je dus	je devrai

27a dire

je dis il dit nous disons vous dites	je disais		je dis	je dirai

27b contredire, interdire etc PRESENTE vous contredisez, interdisez

28 distraire

je distrais il distrait nous distrayons ils distraient	je distrayais			je distrairai

29 dormir

je dors il dort nous dormons	je dormais		je dormis	je dormirai

30 écrire

j'écris il écrit nous écrivons	j'écrivais		j'écrivis	j'écrirai

31a émouvoir

j'émeus il émeut nous émouvons ils émeuvent	j'émouvais		j'émus	j'émouvrai

31b mouvoir PARTICIPIO PASADO mû (mue), mus (mues)

32 employer

j'emploie nous employons ils emploient	j'employais		j'employai	j'emploierai

33 envoyer

j'envoie nous envoyons ils envoient	j'envoyais		j'envoyai	j'enverrai

34 espérer

j'espère nous espérons ils espèrent	j'espérais		j'espérai	j'espérerai

35 faillir

je faillis				je faillirai

	je doive	je dusse		devant	dû (due), dus (dues)
	nous devions	nous dussions			
	je dise	je disse		disant	dit
	nous disions	nous dissions			
	je distraie			distrayant	distrait
	nous distrayions				
	je dorme	je dormisse		dormant	dormi
	nous dormions	nous dormissions			
	j'écrive	j'écrivisse		écrivant	écrit
	nous écrivions	nous écrivissions			
	j'émeuve	j'émusse		émouvant	ému
	nous émouvions	nous émussions			
	j'emploie	j'employasse		employant	employé
	nous employions	nous employassions			
	j'envoie	j'envoyasse		envoyant	envoyé
	nous envoyions	nous envoyassions			
	j'espère	j'espérasse		espérant	espéré
	nous espérions	nous espérassions			
				faillant	failli

(31)

INDICATIVO Presente	Pretérito imperfecto	Pretérito perfecto	Pretérito indefinido	Futuro
36 faire				
je fais	je faisais	j'ai fait	je fis	je ferai
tu fais	tu faisais	tu as fait	tu fis	tu feras
il fait	il faisait	il a fait	il fit	il fera
nous faisons	nous faisions	nous avons fait	nous fîmes	nous ferons
vous faites	vous faisiez	vous avez fait	vous fîtes	vous ferez
ils font	ils faisaient	ils ont fait	ils firent	ils feront
37 falloir				
il faut	il fallait		il fallut	il faudra
38 fuir				
je fuis	je fuyais		je fuis	je fuirai
il fuit				
nous fuyons				
ils fuient				
39 geler				
je gèle	je gelais		je gelai	je gèlerai
nous gelons	nous gelions			
ils gèlent				
40 gésir				
je gis	je gisais			
il gît				
nous gisons				
41 haïr				
je hais	je haïssais		je haïs	je haïrai
il hait				
nous haïssons				
42 jeter				
je jette	je jetais		je jetai	je jetterai
nous jetons				
ils jettent				
43 joindre				
je joins	je joignais		je joignis	je joindrai
nous joignons				
44 lire				
je lis	je lisais		je lus	je lirai
nous lisons				
45 manger				
je mange	je mangeais		je mangeai	je mangerai
nous mangeons				
46 mener				
je mène	je menais		je menai	je mènerai
nous menons				
ils mènent				
47 mettre				
je mets	je mettais		je mis	je mettrai
il met				
nous mettons				

NDICIONAL ple	SUBJUNTIVO Presente	Pretérito	IMPERATIVO	PARTICIPIO Presente	Pasado
rais	je fasse	je fisse		faisant	fait
erais	tu fasses	tu fisses	fais		
rait	il fasse	il fît			
s ferions	nous fassions	nous fissions	faisons		
s feriez	vous fassiez	vous fissiez	faites		
eraient	ils fassent	ils fissent			
					fallu
	il faille	il fallût			
	je fuie	je fuisse		fuyant	fui
	nous fuyions	nous fuissions			
	je gèle	je gelasse nous gelassions		gelant	gelé
				gisant	
	je haïsse	je haïsse		haïssant	haï
	nous haïssions	nous haïssions			
	je jette nous jetions	je jetasse nous jetassions		jetant	jeté
	je joigne nous joignions	je joignisse nous joignissions		joignant	joint
	je lise nous lisions	je lusse nous lussions		lisant	lu
	je mange nous mangions	je mangeasse nous mangeassions		mangeant	mangé
	je mène nous menions	je menasse nous menassions		menant	mené
	je mette nous mettions	je misse nous missions		mettant	mis

INDICATIVO Presente	Pretérito imperfecto	Pretérito perfecto	Pretérito indefinido	Futuro

48 moudre

je mouds il moud nous moulons	je moulais		je moulus	je moudrai

49 mourir

je meurs il meurt nous mourons ils meurent	je mourais		je mourus	je mourrai

50a naître

je nais il naît nous naissons	je naissais		je naquis	je naîtrai

50b paître no PRETÉRITO INDEFINIDO; PARTICIPIO PASADO pu (invariable; raro)

50c repaître como paître pero PRETÉRITO INDEFINIDO je repus

51 ouïr

j'ois il oit nous oyons ils oient	j'oyais		j'ouïs	j'ouïrai

52 ouvrir

j'ouvre nous ouvrons	j'ouvrais		j'ouvris	j'ouvrirai

53 payer

je paie/paye nous payons ils paient/payent	je payais		je payai	je paierai/payerai

54 peindre

je peins il peint nous peignons	je peignais		je peignis	je peindrai

55a plaire

je plais	je plaisais il plaît	nous plaisions	je plus	je plairai

55b taire PRESENTE il tait

56 pleuvoir

il pleut	il pleuvait		il plut	il pleuvra

57 pouvoir

je peux/puis il peut nous pouvons	je pouvais		je pus	je pourrai

	SUBJUNTIVO Presente	Pretérito	IMPERATIVO	PARTICIPIO Presente	Pasado
	je moule	je moulusse		moulant	moulu
	nous moulions	nous moulussions			
	je meure	je mourusse		mourant	mort
	nous mourions	nous mourussions			
	je naisse	je naquisse		naissant	né
	nous naissions	nous naquissions			
	j'oie	j'ouïsse		oyant	ouï
	nous oyions				
	j'ouvre			ouvrant	ouvert
	nous ouvrions		ouvre ouvrons ouvrez		
	je paie/paye nous payions	je payasse nous payassions		payant	payé
	je peigne nous peignions	je peignisse nous peignissions		peignant	peint
	je plaise nous plaisions	je plusse nous plussions		plaisant	plu
	il pleuve	il plût		pleuvant	plu
uisse	je pusse			pouvant	pu
	nous puissions	nous pussions			

(35)

INDICATIVO Presente	Pretérito imperfecto	Pretérito perfecto	Pretérito indefinido	Futuro
58 prendre				
je prends il prend nous prenons ils prennent	je prenais		je pris	je prendrai
59 protéger				
je protège nous protégeons ils protègent	je protégeais		je protégeai	je protégerai
60 recevoir				
je reçois il reçoit nous recevons ils reçoivent	je recevais		je reçus	je recevrai
61 rire				
je ris il rit nous rions	je riais		je ris	je rirai
62 savoir				
je sais il sait nous savons	je savais		je sus	je saurai
63 servir				
je sers il sert nous servons	je servais		je servis	je servirai
64a sortir				
je sors il sort nous sortons	je sortais		je sortis	je sortirai
64b mentir PARTICIPIO PASADO es invariable				
65 suivre				
je suis il suit nous suivons	je suivais		je suivis	je suivrai
66 supplier				
je supplie nous supplions	je suppliais		je suppliai	je supplierai
67 tressaillir				
je tressaille nous tressaillons	je tressaillais		je tressaillis	je tressaillirai
68 vaincre				
je vaincs il vainc nous vainquons	je vainquais		je vainquis	je vaincrai

	SUBJUNTIVO Presente	Pretérito	IMPERATIVO	PARTICIPIO Presente	PARTICIPIO Pasado
	je prenne	je prisse		prenant	pris
	nous prenions	nous prissions			
	je protège	je protégeasse		protégeant	protégé
	nous protégions	nous protégeassions			
	je reçoive	je reçusse		recevant	reçu
	nous recevions	nous reçussions			
	je rie	je risse		riant	ri
	nous riions	nous rissions			
	je sache	je susse		sachant	su
	nous sachions	nous sussions	sache sachons sachez		
	je serve	je servisse		servant	servi
	nous servions	nous servissions			
	je sorte	je sortisse		sortant	sorti
	nous sortions	nous sortissions			
	je suive	je suivisse		suivant	suivi
	nous suivions	nous suivissions			
	je supplie	je suppliasse		suppliant	supplié
	nous suppliions	nous suppliassions			
	je tressaille	je tressaillisse		tressaillant	tressailli
	nous tressaillions	nous tressaillissions			
	je vainque	je vainquisse		vainquant	vaincu
	nous vainquions	nous vainquissions			

INDICATIVO Presente	Pretérito imperfecto	Pretérito perfecto	Pretérito indefinido	Futuro
69 valoir				
je vaux il vaut nous valons	je valais		je valus	je vaudrai
70 venir				
je viens il vient nous venons ils viennent	je venais		je vins	je viendrai
71 vêtir				
je vêts il vêt nous vêtons	je vêtais		je vêtis	je vêtirai
72 vivre				
je vis il vit nous vivons	je vivais		je vécus	je vivrai
73a voir				
je vois il voit nous voyons ils voient	je voyais		je vis	je verrai
73b pourvoir *sigue el modelo anterior excepto para*				
			je pourvus	je pourvoirai
73c prévoir *sigue el modelo anterior excepto para*				
			je prévus	je prévoirai
74 vouloir				
je veux il veut nous voulons ils veulent	je voulais		je voulus	je voudrai

	SUBJUNTIVO Presente	Pretérito	IMPERATIVO	PARTICIPIO Presente	Pasado
	je vaille nous valions	je valusse nous valussions		valant	valu
	je vienne nous venions	je vinsse nous vinssions		venant	venu
	je vête nous vêtions	je vêtisse nous vêtissions		vêtant	vêtu
	je vive nous vivions	je vécusse nous vécussions		vivant	vécu
	je voie nous voyions	je visse nous vissions		voyant	vu
ırvoirais					
voirais					
	je veuille nous voulions	je voulusse nous voulussions	veuille veuillons veuillez	voulant	voulu

Español-Francés

Espagnol-Français

A

A (*pl* **Aes**), **a** (*pl* **aes**) *nf (letra)* A *m inv*, a *m inv*

a *prep*

> **a** et l'article défini **el** se contractent en **al**.

(a) *(lugar, dirección)* à; **voy a Sevilla/ África/Japón** je vais à Séville/en Afrique/au Japon; **llegó a Barcelona/la fiesta** il est arrivé à Barcelone/la fête; **a la salida del cine** à la sortie du cinéma; **está a más de 100 kilómetros** c'est à plus de 100 kilomètres; **está a la derecha/izquierda** c'est à droite/gauche

(b) *(momento preciso)* **a las siete/los once años** à sept heures/onze ans; **al oír la noticia se desmayó** en apprenant la nouvelle il s'est évanoui

(c) *(período de tiempo)* **a las pocas semanas** quelques semaines après; **al mes de casados** au bout d'un mois de mariage

(d) *(frecuencia, cantidad)* par; **cuarenta horas a la semana** quarante heures par semaine; **a cientos/miles** par centaines/milliers

(e) *(distribución)* à; **¿a cuánto están las peras?** à combien sont les poires?; **vende las peras a 100 pts** elle vend les poires à 100 pesetas; **ganaron por tres a cero** ils ont gagné trois à zéro

(f) *(con complemento directo)* **quiere a su hijo/gato** il aime son fils/chat

(g) *(con complemento indirecto)* à; **dáselo a Juan** donne-le à Juan

(h) *(modo)* **a la antigua** à l'ancienne; **a lo grande** en grand; **a escondidas** en cachette; **escribir a máquina/mano** écrire à la machine/à la main

(i) *(finalidad)* **entró a pagar** il entra pour payer; **aprender a nadar** apprendre à nager; **vino a buscar un libro** il est venu chercher un livre

(j) *(antes de infinitivo)* **sueldo a convenir** salaire à négocier

(k) *(en oraciones imperativas)* **¡a comer!** à table!; **¡niños, a callar!** les enfants, taisez-vous!

(l) *(en busca de)* **ir a por pan** aller chercher du pain

(m) *(indica desafío)* **a que** je parie que; **¿a que no lo haces?** je parie que tu ne le fais pas; **¡a que te caes!** tu vas tomber!

ábaco *nm* boulier *m*

abad, -desa *nm,f* abbé *m*, abbesse *f*

abadía *nf* abbaye *f*

abajo 1 *adv (posición)* dessous; *(dirección)* en bas, vers le bas; *(en un texto)* ci-dessous; **vive a.** il habite en dessous; **a. del todo** tout en bas; **aquí/allí a.** là-dessous; **más a.** plus bas; **el piso de a.** l'étage en dessous; **la vecina de a.** la voisine du dessous; **el estante de a.** l'étagère du bas; **la tienda de a.** le magasin d'en bas; **mirar hacia a.** regarder en bas; **ir para a.** descendre; **correr escaleras a.**

dévaler l'escalier ; **calle a.** en descendant la rue ; **río a.** en aval

  2 *interj* **¡a. la dictadura!** à bas la dictature !

abalanzarse [14] *vpr* se ruer (**sobre** sur)

abalear *vt Andes, CAm, Ven* tirer sur

abalorio *nm (adorno)* verroterie *f*

abanderado *nm también Fig* porte-drapeau *m*

abandonado, -a *adj (desierto, desamparado)* abandonné(e) ; *(descuidado) (persona)* négligé(e) ; *(jardín, casa)* laissé(e) à l'abandon, mal entretenu(e)

abandonar 1 *vt* abandonner ; *(lugar, profesión, cónyuge)* quitter ; *(obligaciones, estudios)* négliger

  2 abandonarse *vpr (de aspecto)* se négliger, se laisser aller ; **abandonarse a** *(desesperación, dolor)* s'abandonner à, succomber à ; *(vicio)* sombrer dans

abandono *nm (acción)* abandon *m* ; *(estado)* laisser-aller *m inv* ☆ **a. de hogar** abandon du domicile conjugal

abanicar [59] **1** *vt* éventer

  2 abanicarse *vpr* s'éventer

abanico *nm también Fig* éventail *m*

abaratar 1 *vt* baisser le prix de ; **a. los precios** baisser les prix

  2 abaratarse *vpr (precio)* baisser ; *(producto)* coûter moins cher

abarcar [59] *vt (incluir)* embrasser ; *(espacio)* comprendre ; *(temas)* recouvrir ; *(con los brazos)* encercler ; *(con la vista)* embrasser du regard

abarrotado, -a *adj* plein(e) à craquer, bondé(e) ; *(sala)* comble ; *(desván, baúl)* bourré(e)

abarrotar *vt* remplir (**de** de) ; *(desván, baúl)* bourrer (**de** de)

abarrote *nm CAm, Méx* épicerie *f*

abarrotería *nf CAm, Méx* épicerie *f*

abarrotero, -a *nm,f CAm, Méx* épicier(ère) *m,f*

abastecer [46] **1** *vt* approvisionner, ravitailler (**de** en)

  2 abastecerse *vpr* s'approvisionner, se ravitailler (**de** en)

abastecimiento *nm* approvisionnement *m*, ravitaillement *m* (**de** en)

abasto *nm Am (aprovisionamiento)* approvisionnement *m* ; *Carib (almacén)* marché *m* ; *Fig* **no dar a.** ne pas s'en sortir, être débordé(e)

abatible *adj (asiento)* inclinable ; *(mesa)* à abattants

abatido, -a *adj* abattu(e)

abatir 1 *vt* abattre

  2 abatirse *vpr* s'abattre (**sobre** sur)

abdicación *nf* abdication *f*

abdicar [59] *vi* abdiquer ; *Fig* **a. de algo** renoncer à qch

abdomen *nm* abdomen *m*

abdominal *adj* abdominal(e) ; **abdominales** abdominaux *mpl* ; **hacer abdominales** faire des abdominaux

abecé *nm (abecedario)* alphabet *m*

abecedario *nm (alfabeto)* alphabet *m*

abedul *nm* bouleau *m*

abeja *nf* abeille *f* ☆ **a. obrera** ouvrière *f* ; **a. reina** reine *f*

abejorro *nm* bourdon *m*

aberración *nf* aberration *f*

abertura *nf* ouverture *f*

abertzale [aber'tʃale] *adj & nmf* nationaliste *mf* basque radical

abeto *nm* sapin *m*

abierto, -a 1 *participio ver* **abrir**

  2 *adj* ouvert(e) ; *Fig (liberal)* à l'esprit ouvert ; **estar a. a** être ouvert à ; **a. de par en par** grand(e) ouvert(e)

abigarrado, -a *adj también Fig* bigarré(e)

abismal *adj (diferencia)* énorme

abismo *nm* abîme *m*

ablación *nf Med* ablation *f* ☆ **a. del clítoris** excision *f*

ablandar 1 *vt (material)* ramollir ;

Fig (persona) attendrir; *(carácter)* adoucir; *(rigor)* assouplir; *(ira)* apaiser

  2 ablandarse *vpr (material)* se ramollir; *Fig (persona)* s'attendrir; *(carácter)* s'adoucir; *(rigor)* s'assouplir; *(ira)* s'apaiser

abnegación *nf* abnégation *f*

abnegado, -a *adj* très dévoué(e)

abocado, -a *adj* **a. al fracaso** voué(e) à l'échec

abochornar 1 *vt* vexer, faire honte à

  2 abochornarse *vpr* rougir de honte

abofetear *vt* gifler

abogacía *nf* barreau *m*

abogado, -a *nm,f* avocat(e) *m,f*; **hacer de a. del diablo** se faire l'avocat du diable ☆ *a.* **defensor** avocat de la défense *m*; *a.* **del Estado** = avocat représentant les intérêts de l'État; *a.* **laboralista** = avocat spécialisé en droit du travail; *a.* **de oficio** avocat commis d'office

abogar [38] *vi (interceder)* plaider **(por** pour)

abolición *nf* abolition *f*

abolir [78] *vt* abolir

abolladura *nf* bosse *f*

abollar 1 *vt* bosseler, cabosser

  2 abollarse *vpr* se bosseler, se cabosser

abombado, -a *adj* bombé(e)

abominable *adj* abominable; **el a. hombre de las nieves** l'abominable homme *m* des neiges

abominar 1 *vt (aborrecer)* avoir en horreur

  2 *vi* **a. de** *(condenar)* renier

abonado, -a *nm,f* abonné(e) *m,f*

abonar 1 *vt (factura, deuda)* régler; *(tierra)* amender; **a. en cuenta 100.000 pts** créditer un compte de 100 000 pesetas; **a. algo en la cuenta de alguien** verser qch sur le compte de qn

  2 abonarse *vpr (a revista)* s'abon-

ner **(a** à); *(piscina, teatro)* prendre un abonnement **(a** à)

abonero, -a *nm,f Méx* colporteur (euse) *m,f*

abono *nm (pase)* abonnement *m*, carte *f* d'abonnement; *(fertilizante)* engrais *m*; *(pago)* règlement *m*; *Com* crédit *m*; *Méx (plazo)* versement *m*; **pagar en abonos** payer par versements échelonnés

abordar *vt* aborder

aborigen 1 *adj* aborigène

  2 *nm* aborigène *m*

aborrecer [46] *vt* avoir en horreur, détester

abortar 1 *vi (intencionadamente)* avorter, se faire avorter; *(espontáneamente)* faire une fausse couche; *Fig (fracasar)* échouer

  2 *vt Fig (hacer fracasar)* faire avorter

aborto *nm (intencionado)* avortement *m*; *(espontáneo)* fausse couche *f*; *Fam Pey (persona fea)* avorton *m*; *Fam* **te ha salido hecho un a.** tu l'as complètement raté

abotargado, -a *adj (mente)* embrumé(e); *(persona)* abruti(e)

abovedado, -a *adj (techo)* voûté(e)

abrasar 1 *vt* brûler; *Fig (sujeto: calor, pasión)* embraser; *(sujeto: sed, deseo)* torturer

  2 *vi (café, sopa)* être brûlant(e)

  3 abrasarse *vpr* brûler; *(persona)* se brûler; *(plantas)* griller

abrazadera *nf* anneau *m*

abrazar [14] **1** *vt (con los brazos)* serrer dans ses bras; *Fig (doctrina)* épouser; *(profesión)* entrer dans

  2 abrazarse *vpr (mutuamente)* s'étreindre; **abrazarse a alguien** serrer qn dans ses bras

abrazo *nm* accolade *f*; **dar un a. a alguien** embrasser qn; **un (fuerte) a.** *(en cartas)* (très) affectueusement

abrebotellas *nm inv* ouvre-bouteille *m*

abrecartas *nm inv* coupe-papier *m*

abrelatas *nm inv* ouvre-boîte *m*

abrevadero *nm (construido)* abreuvoir *m* ; *(natural)* point *m* d'eau

abreviar 1 *vt* abréger ; *(texto)* réduire ; *(viaje, estancia)* écourter ; *(trámites)* accélérer
 2 *vi (al hacer algo)* se dépêcher, accélérer ; *(al decir algo)* abréger

abreviatura *nf* abréviation *f*

abridor *nm (abrebotellas)* décapsuleur *m* ; *(abrelatas)* ouvre-boîte *m*

abrigar [38] 1 *vt (arropar) (sujeto: persona)* couvrir ; *(sujeto: ropa)* tenir chaud ; *Fig (esperanzas)* nourrir
 2 **abrigarse** *vpr (arroparse)* se couvrir ; **abrigarse de** *(lluvia, viento)* s'abriter de ; *(frío)* se protéger de

abrigo *nm (prenda)* manteau *m* ; *(refugio)* abri *m* ; **al a. de** à l'abri de

abril *nm* avril *m* ; **tiene catorce abriles** *(años)* elle a quatorze printemps ; *ver también* **septiembre**

abrillantar *vt* faire briller

abrir 1 *vt* ouvrir ; *(alas)* déployer ; *(melón)* découper ; *(agujero, camino, túnel)* percer ; *(canal)* creuser ; *(surco)* tracer ; *(piernas)* écarter
 2 *vi (establecimiento)* ouvrir
 3 **abrirse** *vpr (cielo)* se dégager ; *muy Fam (irse)* se casser ; **abrirse a alguien** *(sincerarse)* s'ouvrir *ou* se confier à qn ; **abrirse (con alguien)** *(comunicarse)* être ouvert(e) (avec qn)

abrochar 1 *vt* fermer ; *(cinturón, cordones)* attacher
 2 **abrocharse** *vpr (ropa)* se fermer ; *(cinturón)* s'attacher ; **abróchense los cinturones** attachez vos ceintures

abrumador, -ora *adj* écrasant(e)

abrumar *vt (agobiar)* accabler ; *(fastidiar)* épuiser ; **el trabajo me abruma** je suis accablé de travail

abrupto, -a *adj* abrupt(e)

absceso *nm Med* abcès *m*

absentismo *nm* absentéisme *m* ; **a. laboral** absentéisme

ábside *nm o nf* abside *f*

absolución *nf (de acusado)* acquittement *m* ; *(de pecador)* absolution *f*

absolutismo *nm* absolutisme *m*

absoluto, -a *adj* absolu(e) ; **en a.** *(en negativas)* certainement pas ; ¿**te gusta?** — **en a.** ça te plaît ? — pas du tout ; **nada en a.** rien du tout

absolver [41] *vt (acusado)* acquitter ; **absolvieron al acusado del delito** ils ont acquitté l'accusé ; **a. (a alguien de algo)** *(de pecado)* absoudre (qn de qch)

absorbente *adj (material)* absorbant(e) ; *Fig (persona, carácter)* accaparant(e) ; *Fig (actividad)* prenant(e)

absorber *vt* absorber ; **el trabajo/su hijo lo absorbe** il est accaparé par son travail/son fils

absorción *nf* absorption *f*

absorto, -a *adj* absorbé(e) ; **a. en** plongé(e) dans

abstemio, -a *adj* **es a.** il ne boit pas d'alcool

abstención *nf* abstention *f*

abstenerse [65] *vpr* s'abstenir

abstinencia *nf* abstinence *f*

abstracción *nf* abstraction *f*

abstracto, -a *adj* abstrait(e) ; **en a.** dans l'abstrait

abstraer [66] 1 *vt* abstraire ; **a. conceptos** conceptualiser
 2 **abstraerse** *vpr* s'isoler (**de** de)

abstraído, -a *adj* absorbé(e) dans ses pensées

absuelto, -a *participio ver* **absolver**

absurdo, -a 1 *adj* absurde
 2 *nm* absurde *m* ; **por reducción al a.** par l'absurde

abuchear *vt* huer

abuelo, -a *nm,f* grand-père *m*, grand-mère *f* ; *(en lenguaje infantil)* papi *m*, mamie *f* ; *Fam* ¡**cuéntaselo a tu abuela!** à d'autres !

abuhardillado, -a *adj* mansardé(e)

abulense 1 *adj* d'Avila

  2 *nmf* = personne née ou habitant à Avila

abulia *nf* veulerie *f*

abúlico, -a *adj* veule

abultado, -a *adj* volumineux (euse); *Fig (mayoría)* écrasant(e)

abultar 1 *vt (hinchar) (mejillas)* gonfler; *(sujeto: hinchazón)* faire enfler; *(aumentar, exagerar)* grossir

  2 *vi (ocupar mucho espacio)* prendre de la place; *(formar un bulto)* faire une bosse

abundancia *nf* abondance *f*; **en a.** en abondance; **vivir en la a.** vivre dans l'abondance

abundante *adj* abondant(e)

abundar *vi (haber mucho)* abonder; **la región abunda en riquezas** la région regorge de richesses; **a. en una idea** *(insistir)* persister dans une idée

aburguesarse *vpr* s'embourgeoiser

aburrido, -a 1 *adj (que aburre)* ennuyeux(euse); **estar a.** s'ennuyer; **estar a. de hacer algo** en avoir assez de faire qch

  2 *nm,f* **es un a.** il est ennuyeux, il n'est pas drôle

aburrimiento *nm* ennui *m*

aburrir 1 *vt* ennuyer

  2 aburrirse *vpr* s'ennuyer; *Fam* **aburrirse como una ostra** *o* **un hongo** s'ennuyer comme un rat mort

abusado, -a *adj Méx* rusé(e)

abusar *vi* abuser; **a. de** abuser de

abusivo, -a *adj* abusif(ive)

abuso *nm* abus *m*; **¡esto es un a.!** c'est un scandale! ☆ **a. de confianza** abus de confiance; **a. de poder** abus de pouvoir; **abusos deshonestos** attentat *m* à la pudeur

abusón, -ona 1 *adj* tyrannique

  2 *nm,f* tyran *m*

abyecto, -a *adj* abject(e)

a. C. *(abrev* **antes de Cristo)** av. J.-C.

acá *adv* ici; **de a. para allá** ici et là; **de una semana a.** depuis une semaine

acabado, -a 1 *adj (completo)* poussé(e), approfondi(e); *(perfecto)* parfait(e); *(fracasado)* fini(e)

  2 *nm* finition *f*

acabar 1 *vt* finir; *(provisiones)* épuiser

  2 *vi* finir; *(volverse)* devenir; **a. bien/mal** finir bien/mal; **a. de hacer algo** *(haber hecho recientemente)* venir de faire qch; **acabo de llegar ahora mismo** je viens juste d'arriver; **a. con** *(violencia, crimen)* venir à bout de, en finir avec; *(salud)* détruire, ruiner; *(juguete, máquina)* casser; **a. con la paciencia de alguien** faire perdre patience à qn, pousser qn à bout; **a. con alguien** en finir avec *ou* se débarrasser de qn; *Fig* achever qn; **a. en** finir en; **las palabras que acaban en n** les mots qui finissent par n; **a. por hacer** *o* **haciendo algo** finir par faire qch; **de nunca a.** *(cuento, historia)* à n'en plus finir, sans fin; **a. loco** devenir fou; **no acabo de entender su reacción** je n'arrive pas à comprendre sa réaction

  3 acabarse *vpr (terminarse)* se terminer; **se nos ha acabado la gasolina** nous n'avons plus d'essence; **se ha acabado la comida** il ne reste plus rien à manger; **las vacaciones se han acabado** les vacances sont finies; **acábate la sopa** finis ta soupe; **¡se acabó!** *(¡basta ya!)* c'est tout!, un point c'est tout!; *(no hay más)* c'est fini!

acacia *nf* acacia *m*

academia *nf* école *f*; *(sociedad)* académie *f*; ☆ **a. de idiomas** école de langues; **Real A. Española** = académie de la langue espagnole, ≃ Académie française

académico, -a 1 *adj (año, diploma) (escolar)* scolaire; *(universitario)* universitaire; *(estilo)* académique

  2 *nm,f* académicien(enne) *m,f*

acaecer *v impersonal Literario* avoir lieu

acallar *vt* faire taire

acalorado, -a *adj (apasionado) (persona)* emporté(e); *(debate)* passionné(e); *(tema)* brûlant(e); *(excitado)* échauffé(e); **estar a.** *(tener calor)* avoir chaud

acalorar 1 *vt* donner chaud à; *(excitar)* échauffer

2 acalorarse *vpr (tener calor)* avoir chaud; *(excitarse)* s'échauffer

acampada *nf* camping *m*; **hacer a. libre** faire du camping sauvage

acampar *vi* camper

acanalado, -a *adj (ondulado)* ondulé(e)

acantilado *nm* falaise *f*

acaparar *vt también Fig* accaparer, monopoliser

acápite *nm Am* paragraphe *m*

acaramelado, -a *adj Fig (afectado)* tout sucre tout miel *inv*; **estar acaramelados** *(novios)* roucouler

acariciar 1 *vt también Fig* caresser

2 acariciarse *vpr* se caresser

ácaro *nm* acarien *m*

acarrear *vt (transportar)* emporter; *Fig (ocasionar)* entraîner; *(disgustos)* amener; *(problemas)* poser

acartonarse *vpr Fam* se ratatiner

acaso *adv* peut-être; **a. venga** peut-être viendra-t-il; **vendrá a.** il viendra peut-être; **¿a. no lo sabías?** comme si tu ne le savais pas; **por si a.** au cas où; **si a.** *(en todo caso)* à la rigueur; *(en caso de que)* si jamais; **hoy no puedo, si a. mañana** aujourd'hui je ne peux pas, demain à la rigueur; **si a. llama** si jamais il appelle

acatar *vt* observer, respecter

acatarrarse *vpr* s'enrhumer

acaudalado, -a *adj* fortuné(e)

acaudillar *vt (capitanear)* commander, diriger; *Fig (liderar)* prendre la tête de

acceder *vi (consentir)* consentir (a à); **a. a** *(tener acceso, alcanzar)* accéder à

accesible *adj* accessible

acceso *nm (entrada, paso)* accès *m* (a à); *(trato)* abord *m*; *Fig (ataque) (de fiebre)* accès *m*; *(de tos)* quinte *f*

accesorio, -a 1 *adj* accessoire, secondaire

2 *nm (del automóvil, de vestir)* accessoire *m*; **accesorios de cocina** ustensiles *mpl* de cuisine

accidentado, -a 1 *adj (vida, viaje)* mouvementé(e); *(terreno, camino)* accidenté(e)

2 *nm,f* accidenté(e) *m,f*

accidental *adj (asunto)* secondaire, accessoire; *(muerte, choque)* accidentel(elle); *(encuentro)* fortuit(e)

accidentarse *vpr* avoir un accident

accidente *nm* accident *m* ☆ **a. geográfico** accident de terrain; **a. laboral** accident du travail; **a. de tráfico** o **de circulación** accident de la route

acción *nf* action *f*; *(hecho)* acte *m*; **poner en a.** mettre en route; **unir la a. a la palabra** joindre le geste à la parole ☆ **buena a.** bonne action

accionar *vt* actionner

accionista *nmf* actionnaire *mf*

acechar *vt* guetter

acecho *nm* guet *m*; **escapar al a. de** échapper au regard de; **estar al a.** être à l'affût

aceite *nm* huile *f*

aceitera *nf* burette *f* d'huile; **aceiteras** huilier *m*

aceitoso, -a *adj* huileux(euse), gras (grasse)

aceituna *nf* olive *f* ☆ **a. rellena** olive farcie

aceleración *nf* accélération *f*

acelerado, -a *adj Fam Fig* **estar a.** être excité(e) comme une puce

acelerador, -ora 1 *adj* d'accélération

2 *nm* accélérateur *m* ☆ *a.* ***de partículas*** accélérateur de particules

acelerar 1 *vt & vi* accélérer
2 acelerarse *vpr (persona)* s'activer; *(motor)* s'emballer; *Fam Fig* ¡no te aceleres! du calme!

acelga *nf* bette *f*

acento *nm* accent *m*

acentuación *nf* accentuation *f*

acentuar [4] *también Fig* 1 *vt* accentuer
2 acentuarse *vpr* s'accentuer

acepción *nf* acception *f*

aceptable *adj* acceptable

aceptación *nf (aprobación)* acceptation *f*; *(éxito)* succès *m*; **tener buena a.** être bien reçu(e)

aceptar *vt* accepter

acequia *nf* canal *m* d'irrigation

acera *nf (de la calle)* trottoir *m*; *(lado de la calle)* côté *m* de la rue; *Fam Pey* **de la otra a., de la a. de enfrente** de la jaquette

acerca acerca de *prep* au sujet de

acercar [59] 1 *vt* rapprocher, approcher; ¡acércame el pan! passe-moi le pain; **me acercó a la estación** il m'a emmené à la gare
2 acercarse *vpr (aproximarse)* se rapprocher, s'approcher; *(ir, venir)* passer; *(avecinarse)* approcher

acero *nm (aleación)* acier *m* ☆ *a.* ***inoxidable*** acier inoxydable

acérrimo, -a *adj (defensor)* acharné(e); *(enemigo)* juré(e)

acertado, -a *adj (respuesta, idea)* bon (bonne); *(disparo)* dans le mille; *(observación)* judicieux (euse); **estar a.** viser juste

acertante *nmf* gagnant(e) *m,f*

acertar [3] 1 *vt (adivinar)* deviner; *(elegir bien)* bien choisir
2 *vi (dar en el blanco)* mettre dans le mille; *(atinar)* bien faire; **acertaste al decírselo** tu as bien fait de le lui dire; **a. a hacer algo** *(conseguir)* arri-

ver à faire qch; **a. con** *(hallar)* trouver

acertijo *nm (adivinanza)* devinette *f*

acetona *nf* acétone *f*

achacar [59] *vt* **a. algo a alguien** *(responsabilidad, error)* faire retomber qch sur qn

achantar *Fam* 1 *vt (acobardar)* flanquer la trouille à
2 achantarse *vpr (acobardarse)* se dégonfler

achaque *nm* problème *m* de santé

achatado, -a *adj* écrasé(e)

achicar [59] 1 *vt (tamaño)* rétrécir; *(agua de barco)* écoper; *Fig (acobardar)* intimider
2 achicarse *vpr Fig (acobardarse)* se laisser intimider; **achicarse ante alguien** s'aplatir devant qn

achicharrar 1 *vt (chamuscar)* griller, faire brûler; *Fig (molestar)* harceler, accabler **(a de)**
2 *vi (sol)* être de plomb; *(calor)* être torride
3 achicharrarse *vpr (de calor)* cuire; *(chamuscarse)* griller, brûler

achicoria *nf* chicorée *f*

achinado, -a *adj (ojos)* bridé(e); *(persona)* oriental(e); *Am (persona)* d'origine indienne

achuchado, -a *adj Fam (difícil)* dur(e); *(escaso)* ric-rac *inv*; **anda algo a. de dinero** il est un peu ric-rac (financièrement)

achuchar *vt Fam (abrazar)* serrer très fort dans ses bras; *(estrujar)* écraser; *Fig (presionar)* tanner

achuchón *nm Fam (abrazo)* gros câlin *m*; *(indisposición)* malaise *m*; **le dio un a.** il s'est senti mal

aciago, -a *adj* funeste

acicalar 1 *vt* pomponner
2 acicalarse *vpr* se faire beau (belle)

acicate *nm Fig (incentivo)* stimulant *m*

acidez nf (cualidad) acidité f ☆ **a. (de estómago)** aigreurs fpl (d'estomac)

ácido, -a 1 adj acide **2** nm acide m ☆ **á. desoxirribonucleico** acide désoxyribonucléique; **á. ribonucleico** acide ribonucléique; **á. sulfúrico** acide sulfurique

acierto nm (a pregunta) bonne réponse f; (en quinielas) combinaison f gagnante; (habilidad, tino) discernement m; (éxito) succès m, réussite f; **tuviste mucho a.** tu as vu juste; **fue un gran a.** c'était une excellente idée

aclamación nf acclamation f; Fig **por a.** par acclamation

aclamar vt (ovacionar) acclamer; (elegir) proclamer

aclaración nf éclaircissement m

aclarar 1 vt (idea, color) éclaircir; (salsa) allonger; (ropa, cabello) rincer; **a. la voz** s'éclaircir la voix **2** v impersonal (despejarse) s'éclaircir; **está aclarando (día)** le jour se lève; (tiempo) ça se lève **3 aclararse** vpr Fam (explicarse) être clair(e); (organizarse) s'y retrouver; **ya me aclaro** je vois; **no me aclaro** je n'y comprends rien

aclaratorio, -a adj explicatif(ive)

aclimatación nf acclimatation f

aclimatar 1 vt acclimater; Fig (a ambiente) habituer **2 aclimatarse** vpr (al clima) s'acclimater (a à); (a ambiente) s'adapter (a à)

acné nm o nf acné f ☆ **a. juvenil** acné juvénile

acobardar 1 vt faire peur à **2 acobardarse** vpr avoir peur; **acobardarse ante** se laisser impressionner par

acogedor, -ora adj accueillant(e)

acoger [52] **1** vt accueillir, recevoir **2 acogerse** vpr **acogerse a** (ley, protección institucional) se retrancher derrière, recourir à

acogida nf accueil m; **tener buena/mala a.** être bien/mal accueilli(e)

acojonante adj Vulg (impresionante) vachement impressionnant(e); (bueno) d'enfer; (indignante) dingue

acojonar Vulg **1** vt (asustar) foutre les jetons à **2** vi (asustar) foutre les jetons; (impresionar) être vachement impressionnant(e) **3 acojonarse** vpr avoir les jetons

acojono nm Vulg trouille f

acolchar vt (ropa) matelasser; (pared) capitonner

acometer 1 vt (atacar) attaquer; (emprender) se lancer dans; **le acometió el sueño** le sommeil s'empara de lui **2** vi **a. contra** (embestir) foncer dans ou sur

acometida nf (ataque) assaut m; (enlace de tuberías) raccordement m

acomodado, -a adj (rico) aisé(e); (instalado) calé(e)

acomodador, -ora nm,f ouvreur (euse) m,f

acomodar 1 vt (colocar, instalar) placer, faire asseoir; (disponer) arranger **2 acomodarse** vpr (instalarse) se mettre à l'aise; **acomodarse en** s'installer dans

acomodaticio, -a adj (complaciente) accommodant(e), arrangeant(e)

acompañamiento nm (musical) accompagnement m; (guarnición) garniture f

acompañante nmf compagnon m, compagne f; **no tengo a. para la fiesta** je n'ai personne pour m'accompagner à la fête

acompañar 1 vt accompagner; (adjuntar) joindre; **a. a alguien (ir con)** accompagner qn; (a casa) raccom-

pagner qn; *(hacer compañía a)* tenir compagnie à qn; **a. en algo a alguien** partager qch avec qn; **a. a alguien en el sentimiento** présenter ses condoléances à qn
2 *vi (hacer compañía)* tenir compagnie

acomplejar 1 *vt* **a. a alguien** donner des complexes à qn
2 acomplejarse *vpr* avoir des complexes

acondicionado, -a *adj* aménagé(e); *(con material)* équipé(e) **(con** de)

acondicionador *nm (para el pelo)* après-shampoing *m*; *(aparato)* climatiseur *m*

acondicionar *vt* aménager; *(equipar)* équiper **(con** de)

acongojar 1 *vt* angoisser
2 acongojarse *vpr* s'affoler

aconsejar *vt* conseiller; **a. a alguien que haga algo** conseiller à qn de faire qch

acontecer *v impersonal* arriver

acontecimiento *nm* événement *m*; **adelantarse a los acontecimientos** devancer les événements

acopio *nm* surabondance *f*; **hacer a. de** *(comestibles)* faire provision de; *(valor, paciencia)* s'armer de

acoplar 1 *vt (encajar)* ajuster, raccorder; *Fig (adaptar)* adapter; *(horario)* aménager
2 acoplarse *vpr (adaptarse)* s'adapter **(a** à); *(encajar)* s'ajuster **(a** à)

acorazado, -a 1 *adj* blindé(e)
2 *nm* cuirassé *m*

acordar [63] **1** *vt* **a. algo** décider *ou* convenir de qch, se mettre d'accord sur qch; **a. hacer algo** décider *ou* convenir de faire qch, se mettre d'accord pour faire qch; **según lo acordado** comme convenu
2 acordarse *vpr* **acordarse de algo** se souvenir de qch, se rappeler qch; **acordarse de hacer algo** penser à faire qch

acorde 1 *adj* en accord **(con** avec)
2 *nm Mús* accord *m*

acordeón *nm* accordéon *m*

acordonar *vt (atar)* lacer; *(cercar)* encercler

acorralar *vt (perseguir)* traquer; *Fig (en una discusión)* acculer

acortar 1 *vt (longitud)* raccourcir; *(tiempo)* écourter
2 acortarse *vpr (días)* raccourcir; *(reunión)* être écourté(e)

acosar *vt (perseguir)* traquer; *(importunar)* harceler

acoso *nm (persecución)* poursuite *f*; *(hostigamiento)* harcèlement *m* ☆ **a. sexual** harcèlement sexuel

acostar [63] **1** *vt (en la cama)* coucher
2 acostarse *vpr (irse a la cama, tumbarse)* se coucher; *Fam* **acostarse con alguien** coucher avec qn

acostumbrado, -a *adj (habitual)* habituel(elle); **estar a. (a)** *(habituado)* être habitué(e) (à)

acostumbrar 1 *vt (habituar)* habituer; **a. a alguien a algo/a hacer algo** habituer qn à qch/à faire qch
2 *vi* **a. a hacer algo** *(soler)* avoir l'habitude de faire qch
3 acostumbrarse *vpr* **acostumbrarse a algo/a hacer algo** *(habituarse)* s'habituer à qch/à faire qch; **acostumbrarse a hacer algo** *(adquirir hábito)* prendre l'habitude de faire qch

acotación *nf (nota)* annotation *f*; *Teatro* indication *f* scénique

acotamiento *nm Méx* bas-côté *m*

acotar *vt (terreno, campo)* délimiter; *(texto)* annoter

ácrata *adj & nmf* anarchiste *mf*

acrecentar [3] *vt* accroître

acreditado, -a *adj (médico, abogado)* reconnu(e); *(marca)* réputé(e); *(embajador, enviado)* accrédité(e)

acreditar *vt (certificar)* certifier; *(autorizar)* autoriser; *(confirmar)* attester; *(embajador, enviado)* accréditer

acreedor, -ora 1 *adj* hacerse a. a *o* de se montrer digne de
2 *nm,f* créancier(ère) *m,f*

acribillar *vt (agujerear, herir)* cribler; **me han acribillado los mosquitos** je me suis fait dévorer par les moustiques; *Fam Fig* **a. a alguien a preguntas** bombarder qn de questions

acrílico, -a 1 *adj* acrylique
2 *nm (tejido)* acrylique *m*

acristalar *vt* vitrer

acrobacia *nf* acrobatie *f*

acróbata *nmf* acrobate *mf*

acrónimo *nm* acronyme *m*

acrópolis *f inv* acropole *f*

acta *nf (de junta, reunión)* procèsverbal *m; (certificado)* acte *m;* **levantar a.** dresser un procès-verbal
☆ *a.* **notarial** acte notarié

actitud *nf* attitude *f*

activar *vt* activer; *(explosivo, alarma)* déclencher

actividad *nf* activité *f;* **en a.** *(volcán)* en activité ☆ *actividades extraescolares* activités extrascolaires

activista *nmf* activiste *mf*

activo, -a 1 *adj* actif(ive); **volcán a.** volcan en activité; **en a.** *(en funciones)* en activité
2 *nm Econ* actif *m;* **a. circulante** actif circulant

acto *nm* acte *m; (ceremonia)* cérémonie *f;* **hacer a. de presencia** faire acte de présence; **en el a.** sur-lechamp; **fotos de carné en el a.** photos *fpl* d'identité minute; **a. seguido** immédiatement ☆ *a.* **sexual** acte sexuel

actor, -triz *nm,f* acteur(trice) *m,f*

actuación *nf (proceder)* conduite *f,* façon *f* d'agir; *(papel)* rôle *m; (de la policía, de los bomberos)* intervention *f; (interpretación)* jeu *m*

actual *adj* actuel(elle)

actualidad *nf* actualité *f;* **de a.** d'actualité; **en la a.** actuellement, à l'heure actuelle; **ser a.** faire la une de l'actualité

actualizar [14] *vt* actualiser; *(datos)* mettre à jour; *(repertorio)* renouveler

actuar [4] *vi* agir; *(en película, obra)* jouer; *(humorista, cantante)* se produire; **a. como** *o* **de** *(ejercer función)* remplir la fonction de

acuarela *nf* aquarelle *f*

acuario 1 *nm (para peces)* aquarium *m*
2 *nm inv (zodiaco)* Verseau *m inv*
3 *nmf inv (persona)* Verseau *m inv*

acuartelar *vt (alojar)* caserner; *(retener)* consigner

acuático, -a *adj* aquatique

acuchillar *vt (apuñalar)* poignarder; *(mueble, parqué)* poncer

acuciante *adj* pressant(e)

acuclillarse *vpr* s'accroupir

acudir *vi (venir)* arriver; **a. a** *(ir)* (a cita) se rendre à; *(a escuela, iglesia)* aller à; *(recurrir)* faire appel à; **a. en auxilio de** venir en aide à

acueducto *nm* aqueduc *m*

acuerdo *nm* accord *m;* **de a.** d'accord; **de a. con** *(conforme a)* en accord avec; **estar de a.** être d'accord; **llegar a un a.** parvenir à un accord; **ponerse de a.** se mettre d'accord ☆ *a.* **marco** accord-cadre *m; a. tácito* accord tacite

acumular 1 *vt* accumuler
2 acumularse *vpr* s'accumuler

acunar *vt* bercer

acuñar *vt (monedas)* frapper; *(expresión)* forger

acuoso, -a *adj* aqueux(euse)

acupuntura *nf* acupuncture *f*

acurrucarse [59] *vpr* se blottir

acusación *nf* accusation *f*

acusado, -a *adj & nm,f* accusé(e) *m,f*

acusar 1 *vt* accuser; **acuso recibo de su carta** j'ai bien reçu votre lettre **2 acusarse** *vpr* s'accuser

acuse *nm* **a. de recibo** accusé *m* de réception

acusica *adj & nmf Fam* rapporteur(euse) *m,f*

acústico, -a 1 *adj* acoustique **2** *nf* **acústica** acoustique *f*

adaptación *nf* adaptation (**a** à)

adaptar 1 *vt* adapter (**a** à) **2 adaptarse** *vpr* s'adapter (**a** à)

adecuado, -a *adj* adéquat(e); **a. para niños** qui convient parfaitement aux enfants

adecuar 1 *vt* adapter (**a** à) **2 adecuarse** *vpr* **adecuarse a** s'adapter à

adefesio *nm Fam* horreur *f*; **estar** *ou* **ir hecho un a.** être fringué(e) comme l'as de pique

a. de JC. (*abrev* **antes de Jesucristo**) av. J.-C.

adelantado, -a *adj* avancé(e), en avance; **por a.** d'avance

adelantamiento *nm* dépassement *m*

adelantar 1 *vt* avancer; **a. a** (*dejar atrás*) dépasser; (*vehículo*) doubler; **¿qué adelantas con eso?** à quoi ça t'avance? **2** *vi* (*progresar*) faire des progrès; (*reloj*) avancer **3 adelantarse** *vpr* (*en el tiempo*) être en avance; (*reloj*) avancer; (*en el espacio*) s'avancer, avancer; **adelantarse para hacer algo** s'y prendre à l'avance pour faire qch; **adelantársele a alguien** devancer qn; **adelantarse a los acontecimientos** anticiper sur les évènements

adelante 1 *adv* en avant; **(de ahora) en a.** dorénavant, à l'avenir; **más a.** (*en el tiempo*) plus tard; (*en el espacio*) plus loin; (*en un texto*) plus bas; *Fig* **ir a.** aller de l'avant; *Fig* **salir a.** s'en sortir; **seguir a.** suivre son cours **2** *interj* **¡a.!** (*¡siga!*) en avant!; (*¡pase!*) entrez!

adelanto *nm* (*anticipo*) avance *f*; (*progreso*) progrès *m*

adelgazar [14] **1** *vi* maigrir **2** *vt* (*kilos*) perdre

ademán *nm* geste *m*; **hacer a. de** faire mine de

además *adv* en plus, de plus; **a. de ser caro es malo** non seulement c'est cher, mais en plus c'est mauvais

adentrarse *vpr* **a. en** (*selva*) s'enfoncer dans; (*asunto*) pénétrer plus avant dans

adentro *adv* à l'intérieur, dedans; **tierra a.** à l'intérieur des terres; **mar a.** au large; **para mis/tus/etc adentros** dans mon/ton/etc for intérieur, intérieurement

adepto, -a 1 *adj* (*partidario*) adepte; **ser a. a** (*doctrina, religión*) être un adepte de; (*partido, política*) être partisan de **2** *nm,f* (*doctrina, religión*) adepte *mf* (**a de**); (*partido, política*) partisan *m* (**a de**)

aderezar [14] *vt* (*sazonar*) assaisonner; (*adornar*) parer

adeudar *vt* devoir; *Com* débiter

adherir [62] **1** *vt* coller **2 adherirse** *vpr* coller; *Fig* **adherirse a** (*idea*) adhérer à

adhesión *nf* adhésion *f*

adhesivo, -a 1 *adj* adhésif(ive) **2** *nm* (*pegatina*) autocollant *m*; (*sustancia*) adhésif *m*

adicción *nf* dépendance *f* (**a** à)

adición *nf* (*añadidura*) ajout *m*; (*suma*) addition *f*

adicional *adj* supplémentaire; (*cláusula*) additionnel(elle)

adicto, -a 1 *adj* dépendant (**a de**); **es a. a la tele/al chocolate** il est accro à la télé/au chocolat **2** *nm,f* (*partidario*) fidèle *mf*; (*a *droga)* toxicomane *mf*; **un a. al alcohol/al tabaco** un alcoolique/fumeur

adiestrar *vt (animal)* dresser; *(persona)* entraîner; *(soldado)* exercer

adinerado, -a *adj* nanti(e)

adiós *(pl* **adioses)** **1** *nm* adieu *m* **2** *interj* ¡a.! au revoir!

adiposo, -a *adj* adipeux(euse)

aditivo *nm* additif *m*

adivinanza *nf* devinette *f*

adivinar 1 *vt* deviner **2 adivinarse** *vpr* se deviner

adivino, -a *nm,f* devin *m*, devineresse *f*

adjetivo, -a 1 *adj* adjectival(e) **2** *nm* adjectif *m*

adjudicación *nf (de premio)* attribution *f*; *Der* adjudication *f*

adjudicar [59] **1** *vt* attribuer; *(premio)* décerner; *(pensión)* allouer; *Der* adjuger **2 adjudicarse** *vpr (apropiarse)* s'attribuer

adjuntar *vt* joindre

adjunto, -a 1 *adj (unido)* ci-joint(e); *(auxiliar)* adjoint(e); **a. le remito...** veuillez trouver ci-joint... **2** *nm,f (auxiliar)* adjoint(e) *m,f*

administración *nf* administration *f* ☆ **a. de empresas** gestion *f* d'entreprise; **la a. pública** le service public

administrador, -ora *adj & nm,f* administrateur(trice) *m,f*, gestionnaire *mf* ☆ *Informát* **a. de ficheros** gestionnaire *m* de fichiers; **a. de programas** gestionnaire de programmes

administrar 1 *vt (país, medicina)* administrer; *(empresa, paga)* gérer; *(justicia)* rendre; *(racionar) (fuerzas)* économiser; *(alimentos)* rationner **2 administrarse** *vpr (organizar dinero)* gérer son budget

administrativo, -a 1 *adj* administratif(ive)

2 *nm,f* employé(e) *m,f* de bureau

admirable *adj* admirable

admiración *nf (valoración)* admiration *f*; *(sorpresa)* étonnement *m*; *(signo ortográfico)* point *m* d'exclamation

admirador, -ora *nm,f* admirateur (trice) *m,f*

admirar 1 *vt* admirer; *(sorprender)* étonner **2 admirarse** *vpr (sorprenderse)* s'étonner **(de** de); *(maravillarse)* être en admiration **(de** devant)

admisible *adj* acceptable

admisión *nf (de persona)* admission *f*; *(de solicitudes)* acceptation *f*; **reservado el derecho de a.** *(en letrero)* la direction se réserve le droit de refuser l'entrée

admitir *vt* admettre; *(aceptar)* accepter; **a. a alguien en** admettre qn à *ou* dans

ADN *nm (abrev* **ácido desoxirribonucleico)** ADN *m*

adobar *vt* faire mariner

adobo *nm (salsa)* marinade *f*

adoctrinar *vt* endoctriner

adolecer [46] *vi* **a. de** *(enfermedad)* souffrir de; *(defecto)* pécher par

adolescencia *nf* adolescence *f*

adolescente *adj & nmf* adolescent(e) *m,f*

adonde *adv* où; **la ciudad a. vamos** la ville où nous allons

adónde *adv* où; **¿a. vas?** où vas-tu?

adonis *nm inv* adonis *m*

adopción *nf* adoption *f*

adoptar *vt* adopter

adoptivo, -a *adj* adoptif(ive)

adoquín *nm (piedra)* pavé *m*; *Fam (zoquete)* cruche *f*

adorable *adj (persona)* adorable; *(ambiente)* merveilleux(euse), délicieux(euse)

adoración *nf* adoration *f*

adorar *vt* adorer

adormecer [46] **1** *vt (producir sue-ño)* endormir; *Fig (aplacar)* calmer; *(entumecer) (miembros)* engourdir **2 adormecerse** *vpr* s'assoupir

adormidera *nf* pavot *m*

adormilarse *vpr* s'assoupir

adornar 1 *vt (habitación, tienda)* décorer; *(vestido)* orner **2** *vi* être décoratif(ive)

adorno *nm* ornement *m*, décoration *f*; **de a.** *(árbol, figura)* décoratif(ive), pour décorer; *(persona)* inutile ☆ **adornos de Navidad** décorations de Noël

adosado, -a *adj (casa, chalet)* jumeau(elle)

adquirir [5] *vt* acquérir; *(éxito)* remporter; *(enfermedad, vicio)* contracter

adquisición *nf* acquisition *f*

adquisitivo, -a *adj* **el poder a.** le pouvoir d'achat

adrede *adv* exprès; **lo hizo a.** il l'a fait exprès

adrenalina *nf* adrénaline *f*

adscribir 1 *vt (asignar)* attribuer; *(destinar)* rattacher **2 adscribirse** *vpr* **adscribirse a** *(grupo, partido)* adhérer à; *(ideología)* souscrire à

adscrito, -a 1 *participio ver* **adscribir 2** *adj* rattaché(e)

aduana *nf* douane *f*

aducir [33] *vt* alléguer

adueñarse *vpr* **a. de algo** *(apoderarse)* s'approprier qch; *Fig (invadir)* s'emparer de qch

adulador, -ora *adj & nm,f* flatteur(euse) *m,f*

adular *vt* flatter

adulterar *vt (alimento, hechos)* dénaturer, falsifier; *(vino)* frelater; *(verdad)* déformer

adulterio *nm* adultère *m*

adúltero, -a *adj & nm,f* adultère *mf*

adulto, -a *adj & nm,f* adulte *mf*

advenedizo, -a *adj & nm,f* arriviste *mf*

advenimiento *nm* avènement *m*

adverbio *nm* adverbe *m*

adversario, -a *nm,f* adversaire *mf*

adversidad *nf* adversité *f*

adverso, -a *adj* adverse; *(circunstancias)* défavorable; *(destino, viento)* contraire

advertencia *nf* avertissement *m*; **servir de a.** servir de leçon

advertir [62] *vt (notar)* remarquer; *(avisar)* avertir, prévenir

adyacente *adj* adjacent(e)

aéreo, -a *adj* aérien(enne)

aerobic, aeróbic *nm* aérobic *m*

aeroclub (*pl* **aeroclubs**) *nm* aéroclub *m*

aerodeslizador *nm* aéroglisseur *m*

aerodinámico, -a 1 *adj* aérodynamique **2** *nf* **aerodinámica** aérodynamique *f*

aeródromo *nm* aérodrome *m*

aeroespacial *adj* aérospatial(e)

aerofagia *nf* aérophagie *f*

aerolínea *nf* ligne *f* aérienne

aeromodelismo *nm* aéromodélisme *m*

aeromoza *nf Am* hôtesse *f* de l'air

aeronauta *nmf* aéronaute *mf*

aeronáutico, -a 1 *adj* aéronautique **2** *nf* **aeronáutica** aéronautique *f*

aeronaval *adj* aéronaval(e)

aeronave *nf* aéronef *m*

aeroplano *nm* aéroplane *m*

aeropuerto *nm* aéroport *m*

aerosol *nm* aérosol *m*

aerospacial = aeroespacial

aerostático, -a *adj* aérostatique

aerotransportado, -a *adj* aéroporté(e)

afabilidad *nf* affabilité *f*

afable *adj* affable, avenant(e)

afamado, -a *adj* renommé(e)

afán *nm (en el trabajo)* ardeur *f; (de aventuras)* soif *f; (por aprender)* désir *m* ☆ **a. de lucro** amour *m* du gain

afanador, -ora *nm,f Méx (persona)* employé(e) *m,f* du service de nettoyage; *(en casa)* personne *f* qui fait le ménage; *(mujer)* femme *f* de ménage

afanar 1 *vt Fam (robar)* piquer
2 afanarse *vpr* **afanarse (por hacer algo)** *(esforzarse)* s'efforcer (de faire qch)

afanoso, -a *adj (esforzado)* travailleur(euse)

afear *vt* enlaidir; *Fig* **a. a alguien su conducta** *(criticar)* reprocher sa conduite à qn

afección *nf* affection *f*

afectación *nf* affectation *f*

afectado, -a 1 *adj (sin naturalidad)* affecté(e); *(perjudicado)* atteint(e) **(de** de); *(impresionado)* affecté(e) **(por** par); **a. por las inundaciones** touché(e) par les inondations
2 *nm,f (de accidente)* victime *f; (de siniestro)* sinistré(e) *m,f; (de enfermedad)* malade *mf*

afectar *vt (afligir, fingir)* affecter; *(atañer, perjudicar)* toucher; *(sujeto: enfermedad, desastre)* frapper; *(sujeto: decisión, discusión)* porter tort à

afectísimo, -a *adj* **suyo a.** *(en carta)* bien à vous

afectivo, -a *adj (emocional)* affectif(ive); *(sensible)* sensible

afecto *nm* affection *f;* **sentir a. por alguien, tenerle a. a alguien** avoir de l'affection pour qn

afectuoso, -a *adj* affectueux(euse)

afeitar 1 *vt* raser
2 afeitarse *vpr* se raser

afelpado, -a *adj (tejido)* peluché(e)

afeminado, -a 1 *adj* efféminé(e)
2 *nm* efféminé *m*

aferrarse *vt también Fig* **a. a** s'accrocher à

affaire [aˈfer] *nm (escándalo)* affaire *f*

afianzar [14] **1** *vt (reforzar)* renforcer; *(idea)* cautionner; *(teoría)* étayer
2 afianzarse *vpr* se cramponner; **afianzarse en** *(una opinión)* être conforté(e) dans

afiche *nm Am* affiche *f*

afición *nf (inclinación)* penchant *m* **(a/por** pour); *(conjunto de aficionados)* fans *mpl; (al fútbol)* supporters *mpl; (al arte)* amateurs *mpl;* **por a.** par goût, pour le plaisir; **tener a. a algo** aimer bien qch; **la a. taurina** les aficionados *mpl*

aficionado, -a 1 *adj* **ser a. a algo** être un grand amateur de qch
2 *nm,f* amateur *m;* **para ser un a. pinta bien** pour un amateur, il ne peint pas mal; *Pey* **un trabajo de aficionados** un travail d'amateur

aficionar 1 *vt* **a. a alguien a algo** faire aimer qch à qn
2 aficionarse *vpr* **aficionarse a algo** prendre goût à qch, se passionner pour qch

afilado, -a *adj (fino)* effilé(e); *(cuchillo)* aiguisé(e); *(lápiz)* taillé(e); *Fig (comentario, crítica)* incisif(ive)

afilador, -ora 1 *nm,f* rémouleur *m*
2 *nm (sacapuntas)* taille-crayon *m*

afilalápices *nm inv* taille-crayon *m*

afilar *vt (cuchillo, tijeras)* aiguiser; *(lápiz)* tailler

afiliado, -a *nm,f* affilié(e) *m,f; (a un partido)* adhérent(e) *m,f*

afiliarse *vpr* **a. a** *(asociación)* s'affilier à; *(partido)* adhérer à

afín *adj* voisin(e) **(a** de); *(gustos)* commun(e) **(a** à); *(materia)* similaire **(a** à)

afinar *vt (instrumento)* accorder; *(voz)* poser; *(trabajo)* peaufiner; *(tiro)* ajuster; *(hacer fino)* affiner

afincarse [10] *vpr* s'installer, s'établir

afinidad *nf* affinité *f*; **por a.** *(por parentesco)* par alliance

afirmación *nf* affirmation *f*

afirmar 1 *vt (decir)* affirmer; *(afianzar)* conforter
2 *vi* **a. con la cabeza** acquiescer d'un signe de tête
3 afirmarse *vpr (asegurarse)* se confirmer; **afirmarse en lo dicho** maintenir ce que l'on a dit

afirmativo, -a *adj* affirmatif(ive); **en caso a.** dans l'affirmative

aflicción *nf* peine *f* profonde

afligir [24] **1** *vt* affliger
2 afligirse *vpr* être affligé(e)

aflojar 1 *vt (cinturón, nudo)* desserrer; *(cuerda)* donner du mou à; *Fam (dinero)* filer
2 *vi (fiebre)* baisser; *(viento)* tomber; *(tormenta)* se calmer; *Fig (ceder)* lâcher du lest

aflorar *vi también Fig* affleurer

afluencia *nf* affluence *f*, flot *m*; **hubo una gran a. de público** le public est venu en masse

afluente *nm* affluent *m*

afluir [34] *vi* **a.** *(gente)* affluer vers; *(fluido)* affluer à

afonía *nf* enrouement *m*

afónico, -a *adj* enroué(e); **se ha quedado a.** il est enroué

aforo *nm* capacité *f (d'accueil)*; **el teatro tiene un a. de 1.000 plazas** le théâtre a 1 000 places

afortunadamente *adv* heureusement

afortunado, -a 1 *adj (agraciado)* chanceux(euse); *(feliz)* heureux (euse); **es muy a.** il a beaucoup de chance
2 *nm,f (en lotería)* gagnant(e) *m,f*

afrancesado, -a 1 *adj* très français(e)
2 *nm,f Hist* = partisan de Napoléon pendant la guerre d'Espagne

afrenta *nf (vergüenza)* déshonneur *m*; *(agravio)* affront *m*

África *n* l'Afrique *f*; **el Á. subsahariana** l'Afrique noire

africano, -a 1 *adj* africain(e)
2 *nm,f* Africain(e) *m,f*

afro *adj inv (peinado)* afro *inv*; *(música)* africain(e)

afroamericano, -a *adj* afro-américain(e)

afrodisíaco, -a, afrodisiaco, -a
1 *adj* aphrodisiaque
2 *nm* aphrodisiaque *m*

afrontar *vt (hacer frente)* affronter

afrutado, -a *adj* fruité(e)

afuera *adv* dehors, à l'extérieur; **las afueras** la banlieue, les environs *mpl*

afusilar *vt Am Fam* fusiller

agachar 1 *vt* baisser
2 agacharse *vpr* s'accroupir

agalla *nf (de pez)* ouïe *f*; *Fig* **agallas** cran *m*; **tener agallas** avoir du cran

agarrada *ver* agarrado

agarrado, -a 1 *adj (asido)* accroché(e) (**de** à); *Fam (tacaño)* radin(e); **agarrados del brazo** bras dessus bras dessous; **agarrados de la mano** main dans la main
2 *nm* slow *m*
3 *nf* **agarrada** *Fam* prise *f* de bec

agarrar 1 *vt (asir)* saisir; *(ladrón, enfermedad)* attraper; *Am (tomar)* prendre; *Fam* **agarrarla** prendre une cuite; **a. a alguien por el brazo** prendre qn par le bras; *Am* **a. un taxi** prendre un taxi
2 *vi (planta)* prendre; *Fam* **agarró y se fue** il est parti comme ça, tout d'un coup
3 agarrarse *vpr (sujetarse)* s'accrocher; *(la comida al cazo)* attacher; *Fam Fig (pelearse)* s'accrocher; **agarrarse de** o **a algo** se raccrocher à qch; **agarrarse fuerte (a)** se cramponner (à); *Fig* **agarrarse a algo**

(poner pretexto) prendre qch pour excuse

agarrotar 1 *vt (manos, piernas)* endormir

2 agarrotarse *vpr (entumecerse)* s'engourdir; *(atascarse)* s'enrayer

agasajar *vt* traiter comme un roi (une reine); **a. a alguien con algo** offrir qch à qn

ágata *nf* agate *f*

agazaparse *vpr* se tapir

agencia *nf (empresa)* agence *f*; *(bancaria)* succursale *f* ☆ **a. de aduanas** bureau *m* de douane; **a. inmobiliaria** agence immobilière; **a. matrimonial** agence matrimoniale; **a. de publicidad** agence de publicité; **a. de viajes** agence de voyages

agenda *nf* agenda *m*; *(de trabajo)* programme *m*; **tener una a. apretada** avoir un emploi du temps chargé ☆ **a. de teléfonos** répertoire *m* téléphonique

agente 1 *nmf* agent *m* ☆ **a. de aduanas** douanier *m*; **a. de cambio (y bolsa)** agent de change; **a. comercial** commercial(e) *m,f*; **a. secreto** agent secret

2 *nm (causa activa)* agent *m*

ágil *adj (movimiento, persona)* agile; *(estilo)* enlevé(e); *(mente)* alerte

agilidad *nf* agilité *f*

agilizar [14] *vt* activer

agitación *nf* agitation *f*

agitador, -ora *nm,f (persona)* agitateur(trice) *m,f*

agitar 1 *vt* agiter; *(líquido)* remuer; *(alterar, perturbar)* semer le trouble parmi; **agítese antes de usar** *(en botella)* agiter avant l'emploi

2 agitarse *vpr (ponerse nervioso)* devenir agité(e)

aglomeración *nf* agglomération *f*; *(de gente)* attroupement *m*

aglomerar 1 *vt* agglomérer; *(datos, pruebas)* accumuler

2 aglomerarse *vpr* s'amasser

aglutinar *vt (pegar)* agglutiner; *Fig (reunir)* regrouper; *(esfuerzos)* conjuguer; *(ideas)* rassembler

agnóstico, -a *adj & nm,f* agnostique *mf*

agobiar 1 *vt* accabler, submerger; **estoy agobiado** *(por el trabajo)* je suis débordé; *(deprimido)* je n'en peux plus; **deja de agobiarme con...** arrête, tu me soûles avec...

2 agobiarse *vpr* **no te agobies** ne t'en fais pas

agobio *nm (físico)* étouffement *m*; *(psíquico)* accablement *m*; **¡qué a.!** quel cauchemar!

agolparse *vpr (gente)* s'attrouper; *Fig (problemas)* s'accumuler

agonía *nf* agonie *f*; *Fig (angustia)* angoisse *f*

agonizante *adj también Fig* agonisant(e)

agonizar [14] *vi (expirar, extinguirse)* agoniser, être à l'agonie; *Fig (sufrir)* souffrir le martyre

agorero, -a *nm,f* oiseau *m* de mauvais augure

agosto *nm (mes)* août *m*; **hacer su a.** faire son beurre; *ver también* **septiembre**

agotado, -a *adj* épuisé(e); **a. de trabajar** épuisé par le travail

agotador, -ora *adj* épuisant(e)

agotamiento *nm* épuisement *m*; **¡qué a.!** je n'en peux plus!

agotar 1 *vt* épuiser; **agotarle la paciencia a alguien** faire perdre patience à qn

2 agotarse *vpr (cansarse)* s'épuiser; **se nos ha agotado este modelo** ce modèle est épuisé

agraciado, -a 1 *adj (atractivo)* ravissant(e); **resultar a. con algo** *(afortunado)* avoir la chance de gagner qch

2 *nm,f (afortunado)* heureux(euse) gagnant(e) *m,f*

agraciar *vt (embellecer)* embellir;

(conceder) accorder; **a. con** *(premiar)* gratifier de

agradable *adj* agréable

agradar *vi* être agréable; **me agrada mucho ese chico** ce garçon m'est très sympathique; **la obra no agradó al público** le public n'a pas aimé la pièce

agradecer [46] *vt* **a. algo a alguien** *(dar las gracias)* remercier qn de qch; *(estar agradecido)* être reconnaissant(e) à qn de qch; *Fig* **esa pared agradecería una mano de pintura** ce mur aurait bien besoin d'une couche de peinture

agradecido, -a *adj* reconnaissant(e); **estar a. por algo** être reconnaissant de qch

agradecimiento *nm* reconnaissance *f*

agrado *nm (gusto)* plaisir *m*; *(afabilidad)* complaisance *f*; **espero que haya sido de tu a.** j'espère que ça t'a plu

agrandar 1 *vt* agrandir
2 agrandarse *vpr* s'agrandir

agrario, -a *adj (reforma)* agraire; *(explotación, política)* agricole

agravante 1 *adj* aggravant(e)
2 *nm o nf* circonstance *f* aggravante

agravar 1 *vt (empeorar)* aggraver
2 agravarse *vpr* s'aggraver

agraviar *vt* offenser

agravio *nm (ofensa)* offense *f*; *(perjuicio)* injustice *f*

agredir [78] *vt* agresser

agregado, -a 1 *adj (añadido)* ajouté(e)
2 *nm,f (profesor)* maître *m* auxiliaire; *(de embajada)* attaché(e) *m,f* ☆ **a. cultural** attaché culturel
3 *nm (añadido)* ajout *m*; *Econ* agrégat *m*

agregar [38] **1** *vt* **a. (algo a algo)** ajouter (qch à qch)
2 agregarse *vpr* **agregarse (a algo)** rejoindre (qch)

agresión *nf (ataque)* agression *f*

agresividad *nf* agressivité *f*

agresivo, -a *adj (ofensivo, provocativo)* agressif(ive); *Fig (emprendedor)* dynamique

agresor, -ora *nm,f* agresseur *m*

agreste *adj (abrupto, rocoso)* rocailleux(euse)

agriar [32] **1** *vt (alimento)* rendre aigre; *Fig (carácter)* aigrir
2 agriarse *vpr (leche)* tourner; *(vino)* devenir aigre; *Fig (carácter)* s'aigrir

agrícola *adj* agricole

agricultor, -ora *nm,f* agriculteur (trice) *m,f*

agricultura *nf* agriculture *f* ☆ **a. biológica o ecológica** culture *f* biologique

agridulce *adj* aigre-doux (aigre-douce)

agrietar 1 *vt (muro)* lézarder; *(labios, manos)* gercer; *(tierra)* crevasser
2 agrietarse *vpr (muro)* se lézarder; *(labios, manos)* (se) gercer; *(tierra)* se crevasser

agrio, -a 1 *adj también Fig* aigre
2 *nmpl* **agrios** agrumes *mpl*

agroalimentario, -a *adj* agroalimentaire; **el sector a.** l'agroalimentaire *m*

agronomía *nf* agronomie *f*

agropecuario, -a *adj* agricole

agrupación *nf (asociación)* groupe *m*; *(agrupamiento)* regroupement *m*

agrupamiento *nm (concentración)* regroupement *m*

agrupar 1 *vt* grouper, regrouper
2 agruparse *vpr* se regrouper

agua *nf* eau *f*; *(de tejado)* pente *f*; *Fig* **estar con el a. al cuello** avoir le couteau sous la gorge; *Náut* **hacer a.** faire eau; *Fig* couler; **quedar en a. de borrajas** s'en aller en eau de boudin; **eso es a. pasada** c'est de l'histoire ancienne ☆ **a. bendita** eau bénite; **a. de colonia** eau de Cologne; **a. destilada** eau distillée; **a. dulce** eau douce; **a. mineral** eau minérale; **a. (mineral) con gas** eau gazeuse; **a. (mineral) sin gas** eau plate; **a. oxigenada** eau oxygénée; **a. potable** eau potable; **a. salada** eau salée; **aguas territoriales** o **jurisdiccionales** eaux territoriales

aguacate *nm (fruto)* avocat *m*

aguacero *nm* averse *f*

aguachirle *nm (café)* lavasse *f*

aguado, -a 1 *adj (vino)* coupé(e); *(sopa)* trop liquide; *Fig (estropeado)* gâché(e)

  2 *nf* **aguada** *Arte* gouache *f*

aguafiestas *nmf inv* rabat-joie *mf inv*

aguafuerte *nm* o *nf* eau-forte *f*

aguamarina *nf* aigue-marine *f*

aguamiel *nf Am (bebida)* = boisson à base de miel ou de sucre de canne, additionné d'eau; *Carib, Méx (jugo)* jus *m* d'agave

aguanieve *nf* neige *f* fondue

aguantar 1 *vt (sujetar)* tenir; *(resistir, tolerar)* supporter; *(contener)* retenir

  2 *vi* résister

  3 aguantarse *vpr (contenerse)* se retenir; *(resignarse)* faire avec; **¡pues te aguantas!** il va pourtant falloir!

aguante *nm (paciencia)* patience *f*; *(resistencia)* résistance *f*; **tener a.** être résistant(e)

aguar [11] **1** *vt (mezclar con agua)* couper *(avec de l'eau)*; *Fig (estropear)* gâcher; **nos aguó la fiesta** il nous a gâché notre plaisir

  2 aguarse *vpr* être gâché(e)

aguardar 1 *vt* être dans l'attente de

  2 *vi* attendre

aguardiente *nm* eau-de-vie *f*

aguarrás *nm* white-spirit *m*

agudeza *nf (delgadez)* finesse *f*; *Fig (del ingenio)* acuité *f*; *(dicho ingenioso)* mot *m* d'esprit ☆ **a. visual** acuité visuelle

agudizar [14] **1** *vt (afilar)* aiguiser; *Fig (acentuar)* accentuer

  2 agudizarse *vpr (crisis)* devenir plus aigu(uë); *(ingenio)* devenir plus subtil(e)

agudo, -a *adj (puntiagudo)* pointu(e); *(crisis, voz, nota)* aigu(uë); *(problema, enfermedad)* grave; *(olor, sabor)* fort(e); *Fig (perspicaz) (mente)* vif (vive); *(oído)* fin(e); *(vista)* perçant(e); *Fig (ingenioso)* spirituel(elle) ☆ **palabra aguda** = mot accentué sur la dernière syllabe

agüero *nm* **de buen/mal a.** de bon/mauvais augure

aguijón *nm (de insecto)* dard *m*; *Fig (estímulo)* motivation *f*

aguijonear *vt Fig (estimular)* titiller

águila *nf* aigle *m*; *Fig (persona)* lumière *f*; *Méx* **¿á. o sol?** pile ou face?

aguileño, -a *adj* aquilin ☆ **una nariz aguileña** un nez aquilin

aguilucho *nm* aiglon *m*

aguinaldo *nm* étrennes *fpl*

agüita *nf Chile* tisane *f*

aguja *nf* aiguille *f*; **agujas** *(de ferrocarril)* aiguillage *m*; **es como buscar una a. en un pajar** autant chercher une aiguille dans une botte de foin ☆ **a. hipodérmica** aiguille hypodermique

agujerear 1 *vt* percer un trou dans

  2 agujerearse *vpr* trouer; **agujerearse las orejas** se faire percer les oreilles

agujero *nm* trou *m* ☆ **a. negro** trou noir

agujetas *nfpl* courbatures *fpl*

aguzar [14] *vt (cuchillo, apetito)* aiguiser; *Fig (sentido)* stimuler

ah *interj* ah!

ahí *adv* là; **la solución está a.** c'est là qu'est la solution; **¡a. tienes!** voilà!;

está por a. *(en un lugar indefinido)* il est quelque part par là; *(fuera)* il est sorti; **de a. que** *(por eso)* d'où le fait que; **por a.**, **por a.** à peu près; **por a. va la cosa** c'est à peu près ça

ahijado, -a *nm,f (de padrinos)* filleul(e) *m,f*; *Fig (protegido)* protégé(e) *m,f*

ahínco *nm* acharnement *m*

ahogadilla *nf* **hacer una a. a alguien** mettre la tête sous l'eau à qn

ahogar [38] **1** *vt (en el agua)* noyer; *(asfixiar, extinguir, dominar)* étouffer; *(estrangular)* étrangler, étouffer
2 ahogarse *vpr (en el agua)* se noyer; *(asfixiarse)* s'étouffer; *Fig (sofocarse)* étouffer; *Fig* **ahogarse en un vaso de agua** se noyer dans un verre d'eau

ahogo *nm (asfixia)* étouffement *m*; *Fig (angustia)* oppression *f*

ahondar *vi* **a. en algo** *(penetrar)* s'enfoncer dans qch; *Fig (profundizar)* approfondir qch

ahora 1 *adv* maintenant; **a. vive en México** maintenant il vit au Mexique; **a. nos vemos** on se voit tout à l'heure; **a. mismo** *(enseguida)* tout de suite; *(hace poco)* à l'instant; **a. que lo dices, sí que es feo** maintenant que tu me le fais remarquer, c'est vrai que c'est laid; **a. vuelvo** je reviens tout de suite; **ha salido a. mismo** il vient juste de sortir, il est sorti à l'instant; **ven a. mismo** viens tout de suite; **por a.** pour le moment
2 *conj (pero)* mais; **dámelo, a., yo no me hago responsable** donne-le-moi, mais je n'en prends pas la responsabilité; **a. bien** cela dit

ahorcado, -a *nm,f* pendu(e) *m,f*

ahorcar [59] **1** *vt* pendre
2 ahorcarse *vpr* se pendre

ahorita, ahoritita *adv Andes, CAm, Carib, Méx Fam* tout de suite

ahorrar 1 *vt* économiser; *(en el*

banco) épargner; *Fig* **ahórrame los detalles** épargne-moi les détails
2 ahorrarse *vpr (esfuerzos)* s'épargner; *(problemas)* s'éviter

ahorro *nm* épargne *f*; *Fig (de tiempo)* gain *m*; **ahorros** *(cantidad ahorrada)* économies *fpl*

ahuecar [59] **1** *vt (poner hueco)* creuser; *(tronco)* évider; *(mullir) (almohada)* retaper; *(vestido)* faire bouffer; *(tierra)* ameublir
2 *vi Fam (irse)* mettre les voiles
3 ahuecarse *vpr Fam Fig (engreírse)* boire du petit-lait

ahuevado, -a *adj CAm Fam* abruti(e)

ahumado, -a 1 *adj* fumé(e)
2 *nm (proceso)* fumage *m*; **ahumados** = viandes ou poissons fumés

ahumar 1 *vt (secar al humo)* fumer; *(llenar de humo)* enfumer
2 ahumarse *vpr (ennegrecerse de humo)* noircir

ahuyentar *vt (espantar, asustar)* faire fuir; *Fig (apartar)* chasser

aimara 1 *adj* aymara
2 *nmf* Aymara *mf*
3 *nm (lengua)* aymara *m*

airado, -a *adj* irrité(e)

airar 1 *vt* rendre furieux(euse)
2 airarse *vpr* se mettre dans une colère noire

airbag ['erbag] *(pl* airbags*)* *nm (en vehículo)* coussin *m* gonflable

aire *nm* air *m*; **al a.** *(al descubierto)* à l'air; **al a. libre** *(en el exterior)* en plein air; **estar algo en el a.** *(idea)* être dans l'air; *(proyecto)* être encore vague; **tomar el a.** prendre l'air; **a mi/tu/etc a.** à ma/ta/etc guise; **aires** *(vanidad)* airs; *Fig* **darse aires** prendre de grands airs ✩ **a. acondicionado** air conditionné

airear 1 *vt (ventilar)* aérer; *Fig (contar)* ébruiter
2 airearse *vpr* s'aérer

airoso, -a *adj* **salir a. de algo** *(triunfante)* s'en tirer brillamment

aislado, -a *adj* isolé(e)

aislar 1 *vt* isoler

  2 aislarse *vpr* s'isoler

ajardinado, -a *adj* aménagé(e) en espaces verts

ajedrez *nm* échecs *mpl*

ajeno, -a *adj (de otro)* d'autrui; **a. a** *(impropio)* étranger(ère) à; *(acción)* extérieur(e) à; **por causas ajenas a nuestra voluntad** pour des raisons indépendantes de notre volonté; **estar a. a algo** ne pas être conscient(e) de qch

ajetreo *nm (trabajo)* agitation *f*; *(animación)* effervescence *f*

ají *nm Andes, RP, Ven* piment *m* rouge, chili *m*

ajiaco *nm Andes, Carib, Méx* = ragoût aux piments

ajillo: al ajillo *adj* = avec une sauce à base d'huile, d'ail et de piment

ajo *nm* ail *m*; *Fig* **andar** *o* **estar en el a.** être dans le coup ✩ *a. blanco* = potage froid à base d'ail et d'amandes pilées

ajuar *nm* trousseau *m (de mariée)*

ajustado, -a *adj (ceñido) (ropa)* moulant(e); *(tuerca, resultado)* serré(e); *(justo)* correct(e); *(precio)* raisonnable

ajustar 1 *vt (arreglar, encajar)* ajuster; *(adaptar)* adapter; *(horario)* aménager; *(apretar)* serrer; *(piezas)* façonner

  2 *vi (ventana, cajón)* fermer (parfaitement)

  3 ajustarse *vpr* **ajustarse a** *(adaptarse a)* s'adapter à; *(conformarse con)* cadrer avec; **ajustarse a la realidad** correspondre à la réalité

ajuste *nm* ajustage *m*; *(de piezas)* façonnage *m*; *(de mecanismo)* réglage *m*; *(de salario)* ajustement *m* ✩ *Fig a. de cuentas* règlement *m* de comptes

al *ver* a, el

ala *nf* aile *f*; *(de tejado)* pente *f*; *(de sombrero)* bord *m*; *(de mesa)* abattant *m*; **cortar las alas a alguien** mettre des bâtons dans les roues à qn; **dar alas a alguien** donner des ailes à qn ✩ *a. delta* Deltaplane® *m*

Alá *n* Allah

alabanza *nf* louange *f*

alabar *vt* faire l'éloge de

alabastro *nm* albâtre *m*

alacena *nf* placard *m* à provisions

alacrán *nm* scorpion *m*

alambique *nm* alambic *m*

alambrada *nf* grillage *m*

alambre *nm (hilo)* fil *m* de fer ✩ *a. de espino* (fil de fer) barbelé *m*

alameda *nf (sitio con álamos)* peupleraie *f*; *(paseo)* promenade *f (bordée d'arbres)*

álamo *nm* peuplier *m*

alarde *nm* **en un a. de...** dans un déploiement de...; **hacer a. de** faire étalage de

alardear *vi* **a. de** se targuer de

alargado, -a *adj* allongé(e)

alargador *nm (cable)* rallonge *f*

alargar [38] **1** *vt (mangas, falda)* rallonger; *(viaje, plazo, conversación)* prolonger; **a. algo a alguien** passer qch à qn

  2 alargarse *vpr (hacerse más largo) (días)* rallonger; *(reunión)* se prolonger; *Fig (en comentarios)* se répandre

alarido *nm* hurlement *m*

alarma *nf (aparato, inquietud)* alarme *f*; *(alerta)* alerte *f*; **dar la a.** sonner l'alarme

alarmante *adj* alarmant(e)

alarmar 1 *vt (asustar)* alarmer

  2 alarmarse *vpr (asustarse)* s'alarmer

alba *nf* aube *f*

albacea *nmf Der* exécuteur(trice) *m,f* testamentaire

albahaca *nf* basilic *m*

albanés, -esa 1 *adj* albanais(e) **2** *nm,f* Albanais(e) *m,f* **3** *nm (lengua)* albanais *m*

Albania *n* l'Albanie *f*

albañil *nm* maçon *m*

albañilería *nf* maçonnerie *f*

albarán *nm Com* bon *m* de livraison

albaricoque *nm (fruto)* abricot *m*

albatros *nm inv* albatros *m*

albedrío *nm (antojo, elección)* guise *f* ☆ **libre a.** libre arbitre *m*

alberca *nf* réservoir *m* d'eau; *Méx (piscina)* piscine *f*

albergar [38] **1** *vt (personas)* héberger; *(sentimientos)* nourrir; *(esperanzas)* caresser **2 albergarse** *vpr* loger

albergue *nm* hébergement *m*; *(de montaña)* refuge *m* ☆ **a. juvenil** *o de juventud* auberge *f* de jeunesse

albino, -a *adj & nm,f* albinos *mf*

albis: in albis *adv* **estar** *o* **quedarse in a.** *(por ignorancia)* ne rien entendre; *(por distracción)* avoir un moment d'absence

albóndiga *nf* boulette *f* (de viande)

albor *nm (blancura)* blancheur *f*; *(luz del alba)* lueur *f* du jour; *Fig* **los albores de algo** l'aube *f* de qch

alborada *nf (amanecer)* petit matin *m*

alborear *v impersonal* **alborea** le jour point

albornoz *nm* peignoir *m* (de bain)

alborotar 1 *vt (perturbar)* mettre en émoi; *(amotinar)* ameuter; *(desordenar)* mettre sens dessus dessous **2** *vi* chahuter **3 alborotarse** *vpr (perturbarse)* s'affoler

alboroto *nm (ruido)* tapage *m*, vacarme *m*; *(jaleo)* agitation *f*; *(desorden)* désordre *m*

alborozar [14] *vt* transporter de joie

alborozo *nm* débordement *m* de joie

albufera *nf* marécage *m (du Levant espagnol)*

álbum *(pl* **álbumes***) nm* album *m* ☆ **á. de fotos** album de photos; **á. de sellos** album de timbres

albúmina *nf* albumine *f*

alcachofa *nf* artichaut *m*; *Esp (de ducha, regadera)* pomme *f*

alcahuete, -a *nm,f (mediador)* entremetteur(euse) *m,f*; *(chismoso)* commère *f*

alcalde, -desa *nm,f* maire *m*; **la alcaldesa** *(mujer alcalde)* Madame le maire; *(mujer del alcalde)* la femme du maire

alcaldía *nf (cargo, oficina)* mairie *f*; *(jurisdicción)* commune *f*

alcalino, -a *adj* alcalin(e)

alcance *nm* portée *f*; **al a. de** à portée de; **al a. de la mano** à portée de (la) main; **a mi/a tu/etc a.** à ma/à ta/etc portée; **dar a. a alguien** rattraper qn; **fuera de a.** hors d'atteinte, hors de portée; **de corto/largo a.** *(arma)* à faible/longue portée; **de gran a.** *(discurso, reforma)* d'une grande portée; *Fig* **de pocos alcances** *(persona)* limité(e) intellectuellement

alcanfor *nm* camphre *m* ☆ **bolas de a.** boules *fpl* antimite

alcantarilla *nf* égout *m*

alcantarillado *nm* **el a.** les égouts *mpl*

alcanzar [14] **1** *vt (llegar a, dar en)* atteindre; *(igualarse con)* rattraper; *(agarrar, pillar)* attraper; *(entregar, pasar)* passer; *(lograr)* obtenir; *(afectar)* toucher, frapper **2** *vi* **a. para algo/hacer algo** *(ser suficiente)* suffire pour qch/faire qch; **a. a hacer algo** *(poder)* arriver à faire qch

alcaparra *nf* câpre *f*

alcatraz *nm* fou *m* de Bassan

alcayata *nf (clavo)* piton *m*

alcázar *nm* alcazar *m*

alce *nm (animal)* élan *m*

alcoba *nf* chambre *f* à coucher

alcohol *nm* alcool *m* ☆ *a. de quemar* alcool à brûler

alcoholemia *nf* alcoolémie *f*

alcohólico, -a 1 *adj (bebida)* alcoolisé(e); *(persona)* alcoolique **2** *nm,f* alcoolique *mf*

alcoholímetro *nm (para bebida)* alcoomètre *m*; *(para la sangre)* Alcootest® *m*

alcoholismo *nm* alcoolisme *m*

alcohotest *nm* Alcootest® *m*

alcornoque *nm (árbol, madera)* chêne-liège *m*; *Fig (persona)* empoté(e) *m,f*

alcurnia *nf* noble lignée *f*

aldaba *nf (llamador)* marteau *m*; *(pestillo)* loquet *m*

aldea *nf* petit village *m*, hameau *m*

aldeano, -a *nm,f* villageois(e) *m,f*

ale *interj* allez!

aleación *nf* alliage *m*

aleatorio, -a *adj* aléatoire

alebrestar *Col, Méx, Ven Fam* **1** *vt (amotinar)* ameuter; *(desordenar)* mettre sens dessus dessous **2 alebrestarse** *vpr (amotinarse)* se mutiner; *(ponerse nervioso)* s'énerver

aleccionar *vt* faire la leçon à

aledaños *nmpl* alentours *mpl*

alegación *nf* argument *m*

alegar [38] *vt (motivos)* alléguer, prétexter; *(pruebas, argumentos)* avancer

alegato *nm* plaidoyer *m*

alegoría *nf* allégorie *f*

alegórico, -a *adj* allégorique

alegrar 1 *vt (agradar)* faire plaisir à; *(animar)* changer les idées à; *Fig (decorar)* égayer; *Fig (achispar)* griser; **me alegra mucho que hayas venido** je suis très content *ou* ça me fait très plaisir que tu sois venu; **me**

alegró el día ça m'a mis de très bonne humeur **2 alegrarse** *vpr (sentir alegría)* se réjouir, être content(e); *Fig (achisparse)* être un peu gai(e)

alegre *adj (contento)* gai(e), joyeux (euse); *(cara)* réjoui(e); *(noticia)* heureux(euse); *(que da alegría)* réjouissant(e); *Fig (irreflexivo)* insouciant(e); *Fam (achispado)* éméché(e); *Fig (deshonesto) (vida)* dissolu(e); *(moral)* léger(ère); *(mujer)* facile

alegría *nf (sentimiento)* joie *f*; *(calidad)* gaieté *f*; *Fig (irresponsabilidad)* légèreté *f*, insouciance *f*; **me da mucha a. verte** ça me fait très plaisir de te voir

alejamiento *nm* éloignement *m*

alejar 1 *vt (poner más lejos)* éloigner, écarter; *Fig (ahuyentar)* chasser **2 alejarse** *vpr* s'éloigner, s'écarter

aleluya 1 *nm* alléluia *m* **2** *interj* alléluia!

alemán, -ana 1 *adj* allemand(e) **2** *nm,f (persona)* Allemand(e) *m,f* **3** *nm (lengua)* allemand *m*

Alemania *n* l'Allemagne *f*

alentador, -ora *adj* encourageant(e)

alentar [3] *vt* encourager

alergia *nf también Fig* allergie *f*; **tener a. a algo** être allergique à qch; *Fam* **él me da a.** il me donne des boutons ☆ *a. a la primavera* rhume *m* des foins

alérgico, -a *adj también Fig* allergique (a à)

alero *nm (del tejado)* auvent *m*; *Dep* ailier *m*

alerta 1 *adv* **estar a.** être sur ses gardes, être sur le qui-vive **2** *nf* alerte *f*; **dar la voz de a.** donner l'alerte **3** *interj* alerte!

alertar *vt* alerter

aleta *nf (de pez)* nageoire *f*; *(de buzo)* palme *f*; *(de nariz, vehículo)* aile *f*

aletargar [38] **1** *vt* engourdir, donner envie de dormir à
  2 aletargarse *vpr (animal)* hiberner; *(persona)* s'assoupir
aletear *vi* battre des ailes
alevín *nm (cría de pez)* alevin *m*; *Dep* poussin(e) *m,f*
alevosía *nf* **con premeditación y a.** avec préméditation
alfabetizar [14] *vt* alphabétiser
alfabeto *nm* alphabet *m*
alfajor *nm CSur* = sorte de biscuit fourré
alfalfa *nf* luzerne *f*
alfarería *nf* poterie *f*
alférez *nm* sous-lieutenant *m*
alfil *nm* fou *m (aux échecs)*
alfiler *nm* épingle *f*; ☆ *a. de corbata* épingle de cravate; *Andes, RP a. de gancho* épingle de nourrice
alfombra *nf* tapis *m*
alfombrilla *nf (alfombra pequeña)* carpette *f*; *(felpudo)* paillasson *m*; *(del baño)* tapis *m* de bain
alforjas *nfpl (de persona)* besace *f*; *(de caballo)* sacoche *f* (de selle)
alga *nf* algue *f*
algarabía *nf (alboroto)* brouhaha *m*
algarroba *nf (planta)* vesce *f*; *(fruto)* caroube *f*
algarrobo *nm* caroubier *m*
álgebra *nf* algèbre *f*
álgido, -a *adj (punto)* culminant(e); *(momento)* critique, fort(e)
algo **1** *pron* quelque chose; *¿tienes a. que decir?* as-tu quelque chose à dire?; **por a. lo habrá dicho** ce n'est pas pour rien qu'il l'a dit; **por a. será** il y a certainement une raison; **a. de** un peu de; **a. de dinero** un peu d'argent; **a. es a.** c'est mieux que rien, c'est toujours ça
  2 *adv* un peu, légèrement; **es a. presumida** elle est un peu prétentieuse
algodón *nm* coton *m*; *Fig* **criado entre algodones** élevé dans du coton

alguacil *nm* huissier *m*
alguien *pron* quelqu'un; *¿hay a. en casa?* il y a quelqu'un?; **llegará a ser a.** il deviendra quelqu'un
alguno, -a

> On utilise **algún** devant un nom masculin singulier.

1 *adj (indeterminado)* un (une), quelque; *(después de sustantivo, ninguno)* aucun(e); **algún día** un jour; **algún tiempo** quelque temps; **algunas veces** quelquefois; **en algún sitio** quelque part; **en algunos casos** dans certains cas; **a. que otro** quelques-uns; **no hay mejora alguna** il n'y a aucune amélioration
  2 *pron (persona)* quelqu'un; *¿te gustó a.? (cosa)* est-ce qu'il y en a un qui t'a plu?; **algunos de, algunos (de)** entre certains(es) de, quelques-uns (quelques-unes) de; **algunos de sus amigos no vinieron** certains de ses amis ne sont pas venus; **algunos de entre ellos se fueron a esquiar** certains *ou* quelques-uns d'entre eux sont allés faire du ski
alhaja *nf (joya)* bijou *m*; *(objeto valioso)* joyau *m*
aliado, -a *adj* allié(e)
alianza *nf* alliance *f*
aliar [32] **1** *vt* allier
  2 aliarse *vpr* s'allier
alias 1 *adv* alias
  2 *nm inv* surnom *m*
alicaído, -a *adj (triste)* abattu(e); *Fig (débil)* affaibli(e)
alicatado, -a *adj* carrelé(e)
alicates *nmpl* pince *f*
aliciente *nm (incentivo)* encouragement *m*; *(atractivo)* attrait *m*
alienación *nf* aliénation *f*
alienar *vt (enajenar)* rendre fou (folle); *Filosofía* aliéner
aliento *nm (respiración, hálito)* haleine *f*; *Fig (ánimo)* courage *m*; **cobrar a.** reprendre haleine *ou* son

souffle; **quedarse sin a.** *(cortarse la respiración)* être hors d'haleine, être à bout de souffle; *(sorprenderse, admirarse)* avoir le souffle coupé

aligerar *vt (peso)* alléger; *(ritmo)* accélérer; *(paso)* hâter

alijo *nm* marchandise *f* de contrebande; **se capturó un importante a. de hachís** d'importantes quantités de haschisch ont été saisies

alimaña *nf* animal *m* nuisible

alimentación *nf* alimentation *f*; *Informát* **a. de papel** alimentation papier

alimentar 1 *vt (persona, animal, sentimiento)* nourrir; *(fuego, relación)* entretenir; *(máquina)* alimenter **2** *vi (nutrir)* être nourrissant(e) **3 alimentarse** *vpr* se nourrir (**con** *o* **de** de), s'alimenter (**con** *o* **de** de)

alimenticio, -a *adj* alimentaire; *(nutritivo)* nourrissant(e); **un producto a.** un produit alimentaire

alimento *nm también Fig* nourriture *f*; **se llevaron alimentos para una semana** ils ont emporté de la nourriture pour une semaine; **este a. es rico en hierro** cet aliment est riche en fer

alineación *nf (en el espacio)* alignement *m*; *(de equipo)* composition *f*

alinear 1 *vt (colocar en línea)* aligner **2 alinearse** *vpr (colocarse en línea)* s'aligner; **alinearse con** *(apoyar)* s'aligner sur

aliñar *vt* assaisonner

aliño *nm* assaisonnement *m*

alioli *nm* aïoli *m*

alisar 1 *vt (el pelo)* lisser; *(papel)* défroisser **2 alisarse** *vpr* **alisarse el pelo** se lisser les cheveux

aliscafo *nm RP* aéroglisseur *m*

alistarse *vpr (en el ejército)* s'engager; *Am (aprontarse)* se préparer *(avant de sortir)*

aliviar *vt (persona)* soulager; *(dolor)* calmer, atténuer; *(ánimo)* apaiser; *(carga)* alléger

alivio *nm* soulagement *m*

aljibe *nm (depósito de agua)* citerne *f*

allá *adv (espacio)* là-bas; **a. abajo** là en bas; **a. arriba** là-haut; **más a.** plus loin; **más a. de** au-delà de; **a. por los años veinte** autrefois, dans les années vingt; **a. para Navidad** aux environs de Noël; **¡a. él/ella/etc!** libre à lui/elle/etc! ☆ **el más a.** l'au-delà *m*

allanamiento *nm* **proceder al a.** entrer par la force ☆ **a. de morada** violation *f* de domicile

allegado, -a 1 *adj* proche **2** *nm,f (familiar)* proche parent(e) *m,f*; *(amigo)* proche *mf*; **los allegados** les proches *mpl*

allí *adv* là, là-bas; **a. nació** c'est là-bas qu'elle est née; **a. mismo** à cet endroit-là; **está por a.** il est quelque part par-là; **voy hacia a.** j'y vais

alma *nf* âme *f*; *(núcleo)* cœur *m*; **partir el a. a alguien** briser le cœur à qn; **sentirlo en** *o* **con el a.** regretter du fond du cœur; **como a. en pena** comme une âme en peine; *Fig* **no había ni un a.** il n'y avait pas âme qui vive

almacén *nm* magasin *m* ☆ **(grandes) almacenes** grands magasins

almacenar *vt (guardar)* stocker; *(reunir)* collectionner

almeja *nf* palourde *f*

almena *nf* créneau *m*

almendra *nf* amande *f*

almendrado, -a 1 *adj (forma)* en amande **2** *nm* = Esquimau enrobé d'amandes

almendro *nm* amandier *m*

almíbar *nm* sirop *m*; **en a.** au sirop

almidón *nm* amidon *m*

almidonar *vt* amidonner, empeser

almirantazgo *nm* amirauté *f*

almirante *nm* amiral *m*

almizcle *nm* musc *m*

almohada *nf* oreiller *m*; *Fig* **consultarlo con la a.** réfléchir

almohadilla *nf* petit coussin *m*, coussinet *m*

almohadón *nm* coussin *m*

almorranas *nfpl* hémorroïdes *fpl*

almorzar [31] **1** *vt (al mediodía)* manger au déjeuner; **a. un bocadillo** *(a media mañana)* prendre un sandwich en milieu de matinée
   2 *vi (al mediodía)* déjeuner; *(a media mañana)* prendre un en-cas

almuerzo *nm (al mediodía)* déjeuner *m*; *(a media mañana)* = en-cas pris entre le petit déjeuner et le déjeuner ☆ **a. de trabajo** déjeuner de travail

aló *interj Andes, CAm, Carib, Méx (al teléfono)* allô?

alocado, -a *nm,f* inconséquent(e) *m,f*

alojamiento *nm* logement *m*

alojar 1 *vt* loger, héberger
   2 alojarse *vpr (hospedarse)* loger; *(introducirse)* se loger; **alojarse en el hotel** descendre à l'hôtel, passer la nuit à l'hôtel

alondra *nf* alouette *f*

alpaca *nf (animal, tejido)* alpaga *m*; *(metal)* maillechort *m*

alpargata *nf* espadrille *f*

Alpes *nmpl* **los A.** les Alpes *fpl*

alpinismo *nm* alpinisme *m*

alpinista *nmf* alpiniste *mf*

alpino, -a *adj* alpin(e)

alpiste *nm (planta)* alpiste *m*; *(para pájaros)* millet *m* long

alquilar 1 *vt* louer
   2 alquilarse *vpr* se louer; *(casa, oficina)* être à louer; **se alquila** *(en letrero)* à louer

alquiler *nm (acción)* location *f*; *(precio) (de casa, oficina)* loyer *m*; *(de televisión, vehículo)* location *f*; **de a.** de location; **tenemos pisos de a.** nous avons des appartements à louer

alquimia *nf* alchimie *f*

alquitrán *nm* goudron *m*

alrededor *adv (en torno)* autour (**de** de); **a tu a.** autour de toi; **de a.** environnant(e); **a. de** *(aproximadamente)* environ, aux alentours de; **alrededores** environs *mpl*, alentours *mpl*

Alsacia *nf* l'Alsace *f*

alta *ver* **alto**

altanería *nf* morgue *f*, suffisance *f*

altar *nm* autel *m*; *Fig* **llevar a alguien al a.** mener qn à l'autel

altavoz *nm* haut-parleur *m*

alteración *nf (cambio)* modification *f*; *(excitación)* agitation *f*; *(alboroto)* trouble *m*

alterar 1 *vt (cambiar)* modifier; *(perturbar) (orden)* troubler; *(persona)* perturber; *(estropear)* altérer, détériorer; *(alimentos)* gâter
   2 alterarse *vpr (perturbarse)* se troubler; *(estropearse)* se détériorer; *(alimentos)* se gâter

altercado *nm* altercation *f*

alternar 1 *vt* faire alterner
   2 *vi (relacionarse)* nouer des relations; **a. con alguien** fréquenter qn; **a. con** *(sucederse)* alterner avec
   3 alternarse *vpr (en el tiempo)* se relayer; *(en el espacio)* alterner

alternativo, -a 1 *adj* alternatif(ive)
   2 *nf* **alternativa** *también Taurom* alternative *f*

alterne *nm* **un bar de a.** un bar à entraîneuses

alterno, -a *adj (corriente)* alternatif(ive)

alteza *nf Fig (de sentimientos)* grandeur *f* d'âme; **A.** *(tratamiento)* Altesse *f*

altibajos *nmpl* **tener a.** *(fluctuaciones)* avoir *ou* connaître des hauts et des bas

altillo nm (armario) = placard situé en hauteur dans une niche; (habitación) grenier m

altiplano nm haut plateau m

altisonante adj pompeux(euse)

altitud nf altitude f

altivez nf morgue f, suffisance f

altivo, -a adj hautain(e)

alto, -a 1 adj haut(e); (persona, árbol) grand(e); (precio) élevé(e); (calidad) supérieur(e); (música, voz) fort(e); (hora) avancé(e) **2** nm (altura, lugar elevado) hauteur f; (interrupción) halte f; Mús alto m; **pasar por a.** passer sous silence; **por todo lo a.** en grand ☆ **a. el fuego** cessez-le-feu m inv; **los Altos del Golán** le plateau du Golan **3** adv (arriba) haut; (con volumen fuerte) fort **4** interj halte! **5** nf **alta** (de enfermedad) = fin de l'arrêt maladie; (documento) autorisation f de sortie; (en organismo) inscription f; **dar de alta** o **el alta** = donner l'autorisation de reprendre le travail

altoparlante nm Am haut-parleur m

altramuz nm lupin m

altruismo nm altruisme m

altura nf hauteur f; (altitud) altitude f; (nivel, valor) niveau m; **tener dos metros de a.** avoir deux mètres de haut; (persona) mesurer deux mètres; **a la a. de** au niveau de; **las alturas** (el cielo) les cieux mpl; Fig **a estas alturas** maintenant; **a estas alturas del año, ya no hay nieve** l'année est trop avancée pour qu'il y ait de la neige; Fam **a estas alturas del partido me pides...** c'est maintenant que tu me demandes...

alubia nf haricot m blanc

alucinación nf hallucination f

alucinado, -a adj (que tiene alucinaciones) halluciné(e); Fam Fig (sor-prendido) épaté(e); **estoy a.** je n'en reviens pas

alucinante adj también Fig hallucinant(e)

alucinar 1 vi (desvariar) avoir des hallucinations, délirer; Fam (equivocarse) rêver, halluciner; (quedarse sorprendido) être scié(e) **2** vt Fam Fig (seducir) épater; (sorprender) scier; **le alucinan las motos** il adore les motos

alucinógeno, -a 1 adj hallucinogène **2** nm hallucinogène m

alud nm también Fig avalanche f

aludido, -a nm,f personne f visée; **darse por a.** se sentir visé(e)

aludir vi **a. a** (sin mencionar) faire allusion à; (mencionar) évoquer

alumbrado nm éclairage m

alumbramiento nm (mediante luz) éclairage m; (parto) mise f au monde

alumbrar 1 vt (iluminar, instruir) éclairer; (dar a luz) mettre au monde **2** vi (iluminar) éclairer

aluminio nm aluminium m

alumno, -a nm,f élève mf

alunizar [14] vi atterrir sur la Lune, alunir

alusión nf allusion f; **hacer a. a** faire allusion à

alusivo, -a adj allusif(ive); **a. a** qui fait allusion à

aluvión nm (inundación) crue f; (depósito) alluvion f; Fig (gran cantidad) flot m

alvéolo, alveolo nm alvéole m ou f

alza nf hausse f; (en zapato) talonnette f; **en a.** en hausse

alzamiento nm soulèvement m

alzar [14] **1** vt (levantar) lever; (voz, edificio) élever; (tono) hausser; (aumentar, enderezar) relever; (sublevar) soulever

2 alzarse vpr *(levantarse)* se lever; *(sublevarse)* se soulever

ama ver **amo**

amabilidad nf amabilité f; **¿tendría la a. de...?** auriez-vous l'amabilité de...?

amabilísimo, -a superlativo ver **amable**

amable adj aimable; **¿sería tan a. de...?** auriez-vous l'amabilité de...?

amado, -a nm,f aimé(e) m,f

amaestrado, -a adj dressé(e)

amaestrar vt dresser

amagar [38] **1** vt *(dar indicios de)* annoncer; *(mostrar intención)* esquisser
2 vi *(ser inminente)* menacer

amago nm *(indicio)* signe m avant-coureur; *(amenaza)* menace f

amainar vi *(temporal)* se calmer; *(viento)* faiblir; Fig *(enfado)* passer

amalgama nf amalgame m

amalgamar vt amalgamer

amamantar vt allaiter

amanecer [46] **1** nm lever m du jour
2 v impersonal commencer à faire jour
3 vi *(despertarse)* se réveiller; *(llegar de mañana)* arriver au lever du jour

amanerado, -a adj *(afeminado)* efféminé(e); *(afectado)* maniéré(e)

amansar 1 vt *(animal, pasiones)* dompter; Fig *(persona)* calmer
2 amansarse vpr se calmer

amante nmf *(querido)* amant m, maîtresse f; Fig **ser (un) a. de algo** être un amoureux de qch, avoir le goût de qch

amañar vt *(falsear)* truquer; *(resultado)* fausser; *(documento)* falsifier

amaño nm *(treta)* ruse f

amapola nf coquelicot m

amar [l] vt aimer

amaranto nm amarante f

amargado, -a adj & nm,f aigri(e) m,f

amargar [38] **1** vt *(alimento)* donner un goût amer à; Fig *(fiesta, día)* gâcher; **amargarle la vida a alguien** empoisonner l'existence à qn
2 vi *(ser amargo)* être amer(ère)
3 amargarse vpr *(alimento)* devenir aigre; Fig *(persona)* s'empoisonner l'existence

amargo, -a adj también Fig amer (ère)

amargor nm *(sabor)* amertume f

amargura nf *(sentimiento)* amertume f

amarillento, -a adj jaunâtre

amarillo, -a 1 adj *(color)* jaune; Prensa à sensation
2 nm *(color)* jaune m

amarra nf amarre f

amarrar vt *(barco)* amarrer; **a. algo/ alguien (a algo)** attacher qch/qn (à qch)

amarre nm amarrage m

amarrete adj Andes, RP Fam Pey rapiat(e)

amasar vt *(masa)* pétrir; Fam Fig *(riquezas)* amasser

amasijo nm *(masa)* tas m; Fam Fig *(mezcla)* ramassis m

amateur [ama'ter] *(pl* amateurs) adj & nmf amateur m

amatista nf améthyste f

amazona nf Mitol amazone f; *(jinete)* cavalière f

Amazonas nm **el A.** l'Amazone f

Amazonia n l'Amazonie f

amazónico, -a 1 adj amazonien (enne)
2 nm,f Amazonien(enne) m,f

ámbar nm ambre m

Amberes n Anvers

ambición nf ambition f

ambicionar vt ambitionner; **a. hacer algo** ambitionner de faire qch

ambicioso, -a adj & nm,f ambitieux(euse) m,f

ambidextro, -a *adj & nm,f* ambidextre *mf*

ambientación *nf (de una obra)* atmosphère *f*; *(preparación)* décoration *f*; *(adaptación)* adaptation *f*; *Radio, Cine & Teatro* bruitage *m*

ambientador *nm* désodorisant *m*

ambiental *adj (música)* d'ambiance; *(físico, atmosférico)* ambiant(e); *(ecológico)* de l'environnement, environnemental(e)

ambiente 1 *adj* ambiant(e)
2 *nm (aire)* air *m*, atmosphère *f*; *(circunstancias)* environnement *m*; *(ámbito)* milieu *m*; *(animación)* ambiance *f*; *Am (habitación)* pièce *f*

ambigüedad *nf* ambiguïté *f*

ambiguo, -a *adj* ambigu(uë)

ámbito *nm (espacio, límites)* enceinte *f*; *(de una ley)* portée *f*; *(ambiente)* milieu *m*; **de á. nacional/local** national/local

ambivalente *adj* ambivalent(e)

ambos, -as 1 *pron pl* tous (toutes) les deux
2 *adj pl* les deux

ambulancia *nf* ambulance *f*

ambulante *adj* ambulant(e) ☆ *vendedor a.* marchand *m* ambulant

ambulatorio *nm* dispensaire *m*; *(hospital)* hôpital *m* de jour

ameba *nf* amibe *f*

amedrentar 1 *vt* **a. a** effrayer, faire peur à
2 amedrentarse *vpr* s'effrayer, avoir peur

amén *adv (en plegaria)* amen; *Fig* **en un decir a.** en moins de temps qu'il n'en faut pour le dire; **a. de** *(además de)* outre

amenaza *nf (peligro)* menace *f*; *(aviso)* alerte *f* ☆ *a. de bomba* alerte à la bombe; *a. de muerte* menace de mort

amenazar [14] *vt* menacer; **amenaza lluvia** la pluie menace; **a. a alguien**

con algo/con hacer algo menacer qn de qch/de faire qch; **a. a alguien de algo** menacer qn de qch

amenidad *nf (entretenimiento)* entrain *m*; *(agrado)* agrément *m*, charme *m*

amenizar [14] *vt* égayer

ameno, -a *adj* agréable

América *n* l'Amérique *f*; **A. Central/del Norte/del Sur** l'Amérique centrale/du Nord/du Sud

americana *nf (chaqueta)* veste *f*

americanismo *nm* américanisme *m*

americano, -a 1 *adj* américain(e)
2 *nm,f* Américain(e) *m,f*

amerindio, -a 1 *adj* amérindien(enne)
2 *nm,f* Amérindien(enne) *m,f*

ameritar *vt Am* mériter

amerizar [14] *vi* amerrir

ametralladora *nf* mitrailleuse *f*

ametrallar *vt* mitrailler

amianto *nm* amiante *m*

amiba = ameba

amígdala *nf* amygdale *f*

amigdalitis *nf inv* amygdalite *f*

amigo, -a 1 *adj* ami(e); **hacerse a. de** devenir ami avec; **hacerse amigos** devenir amis; **ser a. de algo** *(aficionado)* être amateur de qch
2 *nm,f* ami(e) *m,f*

amigote, amiguete *nm Fam* copain *m*, pote *m*

amiguismo *nm* copinage *m*

amilanar 1 *vt (intimidar)* intimider, impressionner; *(desanimar)* décourager
2 amilanarse *vpr (intimidarse)* se laisser intimider *ou* impressionner; *(desanimarse)* se décourager

aminoácido *nm* acide *m* aminé

aminorar 1 *vt* réduire; *(paso)* ralentir
2 *vi* diminuer

amistad *nf* amitié *f*; **hacer** *o* **trabar a. (con)** lier amitié (avec), se lier d'amitié (avec); **amistades** amis *mpl*, relations *fpl*

amistoso, -a *adj* amical(e); **consejo a.** conseil *m* d'ami

amnesia *nf* amnésie *f*

amnistía *nf* amnistie *f*

amnistiar [32] *vt* amnistier

amo, -a *nm,f (dueño)* maître *m*, maîtresse *f*; *(propietario)* propriétaire *mf*; *(jefe)* patron(onne) *m,f* ✪ **ama de casa** maîtresse de maison; **ama de cría** nourrice *f*; **ama de llaves** gouvernante *f*

amodorrarse *vpr* s'assoupir

amoldar 1 *vt* **a. algo (a)** adapter *ou* ajuster qch (à)

2 amoldarse *vpr (adaptarse)* s'adapter (**a** à)

amonestación *nf (reprimenda)* réprimande *f*; *Dep* avertissement *m*; **amonestaciones** *(de boda)* bans *mpl*

amonestar *vt (reprender)* réprimander; *Dep* donner un avertissement à

amoníaco, amoniaco *nm (gas)* ammoniac *m*; *(líquido)* ammoniaque *f*

amontonar 1 *vt (apilar)* entasser

2 amontonarse *vpr (personas)* se masser; *(problemas, trabajo)* s'accumuler; *(ideas, solicitudes)* se bousculer

amor *nm* amour *m*; **hacer el a.** faire l'amour; **por a. al arte** pour l'amour de l'art; **¡por el a. de Dios!** pour l'amour de Dieu! ✪ **a. platónico** amour platonique; **a. propio** amour-propre *m*

amoral *adj* amoral(e)

amoratado, -a *adj* violacé(e)

amoratarse *vpr (por el frío)* se violacer; *(por golpes)* bleuir

amordazar [14] *vt (persona)* bâillonner; *(animal)* museler; *Fig (prensa)* bâillonner, museler

amorfo, -a *adj* amorphe

amorío *nm Fam (romance)* flirt *m*;

los **amoríos de su juventud** ses amours de jeunesse

amoroso, -a *adj (persona, ademán)* affectueux(euse); *(relación)* amoureux(euse); *(carta)* d'amour

amortajar *vt (difunto)* ensevelir

amortiguador, -ora 1 *adj* amortisseur(euse)

2 *nm (de automóvil)* amortisseur *m*

amortiguar [11] *vt (ruido, golpe)* amortir; *(luz, colores)* atténuer

amortización *nf* amortissement *m*

amortizar [14] *vt* amortir

amotinar 1 *vt* soulever; *(muchedumbre)* ameuter

2 amotinarse *vpr (pueblo)* se soulever; *(presos, soldados)* se mutiner

amparar 1 *vt* protéger

2 ampararse *vpr* **ampararse en** *(ley)* s'abriter derrière; *(excusas)* se retrancher derrière; **ampararse de** o **contra** se protéger de ou contre

amparo *nm (protección)* protection *f*; *(refugio)* abri *m*; **al a. de** *(persona, ley)* sous la protection de; *(caridad, fortuna)* à l'aide de; *(lluvia, desastre)* à l'abri de

amperio *nm* ampère *m*

ampliación *nf (de foto, local)* agrandissement *m*; *(de carretera)* élargissement *m*; *(de plazo)* prolongation *f*; *(de negocio)* développement *m*; *(de número)* augmentation *f* ✪ **a. de capital** augmentation de capital

ampliar [32] *vt (foto, local)* agrandir; *(poderes, carretera)* élargir; *(plazo)* prolonger; *(negocio)* développer; *(capital)* augmenter; *(estudios)* poursuivre

amplificación *nf* amplification *f*

amplificado *nm* amplificateur *m*

amplificar [59] *vt* amplifier

amplio, -a *adj (sala, casa)* grand(e); *(mundo)* vaste; *(mayoría, ropa)* large; *(poderes, conocimientos)* étendu(e); *(exposición, estudio)* approfondi(e); **en sentido a.** au sens large

amplitud *nf* largeur *f*; *(de sala, casa)* grandeur *f*; *Fig (extensión) (de conocimientos)* étendue *f*; *(de catástrofe)* ampleur *f*; *Fís* amplitude *f* ☆ **a. de miras** largeur de vues *ou* d'esprit

ampolla *nf* ampoule *f*

amputar *vt* amputer

Amsterdam *n* Amsterdam

amueblar *vt* meubler

amuermar *Fam* **1** *vt (aburrir)* raser, barber

   2 amuermarse *vpr (aburrirse)* se faire suer

amuleto *nm* amulette *f*

amurallar *vt* entourer de murailles

anaconda *nf* anaconda *m*

anacronismo *nm* anachronisme *m*

anagrama *nm* anagramme *f*

anal 1 *adj* anal(e)

   2 *nmpl* **anales** *también Fig* annales *fpl*

analfabetismo *nm* analphabétisme *m*, illettrisme *m*

analfabeto, -a *adj & nm,f* analphabète *mf*, illettré(e) *m,f*; *Fig* ignare *mf*

analgésico, -a 1 *adj* analgésique
   2 *nm* analgésique *m*

análisis *nm inv* analyse *f* ☆ **a. gramatical** analyse grammaticale; **a. de orina** analyse d'urine; **a. de sangre** analyse de sang

analista *nmf* analyste *mf* ☆ **a. de mercado** analyste financier(ère); **a. programador, a. de sistemas** analyste-programmeur(euse) *m,f*

analizar [l4] *vt* analyser

analogía *nf* analogie *f*; **por a.** par analogie; **presentar analogías** présenter des similitudes

analógico, -a *adj (análogo)* analogue; *Informát* analogique

análogo, -a *adj* analogue; **a. a** semblable à

ananá, ananás *nm* ananas *m*

anaranjado, -a *adj* orangé(e)

anarquía *nf también Fig* anarchie *f*

anárquico, -a *adj también Fig* anarchique

anarquista *adj & nmf* anarchiste *mf*

anatomía *nf* anatomie *f*

anatómico, -a *adj* anatomique

anca *nf (de caballo)* croupe *f*; *(de rana)* cuisse *f*

ancestral *adj* ancestral(e)

ancho, -a 1 *adj* large; *Fig* **a mis/tus/ sus/etc anchas** à mon/ton/son/*etc* aise; **quedarse tan a.** ne pas être gêné(e) pour autant
   2 *nm* largeur *f*; **cinco metros de a.** cinq mètres de large; **a lo a. (de)** sur (toute) la largeur (de)

anchoa *nf* anchois *m*

anchura *nf* largeur *f*

anciano, -a 1 *adj* âgé(e)
   2 *nm,f* personne *f* âgée, vieux monsieur *m*, vieille dame *f*

ancla *nf* ancre *f*

anclado, -a *adj* ancré(e); **estar a. en el pasado** vivre dans le passé

anclar *vi* jeter l'ancre

andadas *nfpl Fam Fig* **volver a las a.** rechuter

andaderas *nfpl,* **andador** *nm (para niños)* trotteur *m*

andadura *nf* marche *f*

ándale *interj CAm, Méx Fam* allez!

Andalucía *n* l'Andalousie *f*

andalucismo *nm (doctrina)* = doctrine défendant les valeurs politiques, économiques et culturelles de l'Andalousie; *(palabra)* = mot ou expression propre aux Andalous

andaluz, -uza 1 *adj* andalou(se)
   2 *nm,f* Andalou(se) *m,f*

andamio *nm* échafaudage *m*

andando *interj* en route!

andanzas *nf (aventuras)* aventures *fpl*

andar¹ [7] **1** *vi* (**a**) *(caminar, funcionar)* marcher; **hemos venido andando** nous sommes venus à pied; **a. por la calle** se promener dans les rues; *Prov* **quien mal anda mal acaba** on récolte ce que l'on a semé

(**b**) *(estar)* être; **a. preocupado** être inquiet; **a. mal de dinero** être à court d'argent; **las cosas andan mal** les choses vont mal; **creo que anda por ahí** je crois qu'il est quelque part par là; **a. haciendo algo** être en train de faire qch; **a. tras** *(buscar)* être à la recherche de; *(perseguir)* courir après; **a. en** *(papeleos, negocios)* être dans; *(asuntos, líos)* être mêlé(e) à; *(pleitos)* être en; *(hurgar en)* fouiller dans; **andaban a puñetazos** ils se battaient à coups de poing; **andaban a gritos** ils se criaient dessus; **andará por los sesenta años** il doit avoir dans les soixante ans; **andamos por los mil números vendidos** nous avons vendu dans les mille numéros; **de a. por casa** *(bata, zapatillas)* d'intérieur; *Fig (explicación, método)* grossier(ère)

2 *vt* parcourir; **anduvieron tres kilómetros** ils ont fait trois kilomètres (à pied)

3 andarse *vpr (obrar)* **andarse con cuidado/misterios** faire attention/ des mystères; **¡anda!** *(¡vamos!, ¡por favor!)* allez!; *(sorpresa, desilusión)* non!, sans blague!; **¡anda ya!** *(incredulidad)* c'est pas vrai!

andar² *nm* démarche *f*, allure *f*; **andares** démarche *f*; **tener andares de** avoir une démarche de, marcher comme

andas *nfpl* brancard *m*; *Fig* **llevar a alguien en a.** être aux petits soins pour qn

ándele = ándale

andén *nm (en estación)* quai *m (de gare)*; *Andes, CAm (acera)* trottoir *m*; *Am (bancal de tierra)* terrasse *f*

Andes *nmpl* **los A.** les Andes *fpl*

andinismo *nm Am* alpinisme *m*

andinista *nmf Am* alpiniste *mf*

andino, -a 1 *adj* andin(e); *(cordillera)* des Andes

2 *nm,f* Andin(e) *m,f*

Andorra *n* **(el principado de) A.** (la principauté d') Andorre *f*

andorrano, -a 1 *adj* andorran(e)

2 *nm,f* Andorran(e) *m,f*

andrajo *nm también Fig* loque *f*

andrajoso, -a 1 *adj* déguenillé(e)

2 *nm,f* gueux *m*, gueuse *f*

andrógino, -a 1 *adj* androgyne

2 *nm* androgyne *m*

androide *nm (autómata)* androïde *m*

andurriales *nmpl* coin *m* perdu; **¿qué haces por estos a.?** qu'est-ce que tu fais par ici *ou* dans le coin?

anécdota *nf* anecdote *f*

anecdótico, -a *adj* anecdotique

anegar [38] **1** *vt (inundar)* inonder; *(ahogar)* noyer

2 anegarse *vpr (inundarse)* s'inonder; *(ahogarse)* se noyer; **sus ojos se anegaron de lágrimas** ses yeux se sont remplis de larmes

anemia *nf* anémie *f*

anémona *nf (flor)* anémone *f*; *(de mar)* anémone *f* de mer

anestesia *nf* anesthésie *f* ☆ **a. general** anesthésie générale; **a. local** anesthésie locale

anestésico, -a 1 *adj* anesthésique, anesthésiant(e)

2 *nm* anesthésique *m*, anesthésiant *m* ☆ **a. local** anesthésique local

anestesista *nmf* anesthésiste *mf*

anexar *vt (documento)* joindre

anexión *nf* annexion *f*

anexionar *vt (tierras)* annexer

anexo, -a *adj* **1** *(edificio)* annexe; *(documento)* joint(e)

2 *nm* annexe *f*

anfetamina *nf* amphétamine *f*

anfibio, -a 1 *adj* amphibie
  2 *nm* amphibien *m*

anfiteatro *nm* amphithéâtre *m*

anfitrión, -ona 1 *adj (país, organismo)* d'accueil
  2 *nm,f* hôte *m*, hôtesse *f*

ánfora *nf* amphore *f*

ángel *nm* ange *m*; **¡eres un á.!** tu es un ange!; **tener á.** avoir du charme ☆ **á. custodio** o **de la guarda** ange gardien

angelical *adj* angélique

angina *nf* angine *f*; **tener anginas** avoir une angine ☆ **a. de pecho** angine de poitrine

anglicano, -a *adj & nm,f* anglican(e) *m,f*

anglicismo *nm* anglicisme *m*

angloamericano, -a 1 *adj* anglo-américain(e)
  2 *nm,f* Anglo-Américain(e) *m,f*

anglófono, -a *adj & nm,f*, **angloparlante** *adj & nmf* anglophone *mf*

anglosajón, -ona 1 *adj* anglo-saxon(onne)
  2 *nm,f* Anglo-Saxon(onne) *m,f*

Angola *n* l'Angola *m*

angoleño, -a, angolano, -a 1 *adj* angolais(e)
  2 *nm,f* Angolais(e) *m,f*

angora *nf* angora *m*; **de a.** *(de gato, conejo)* en angora; *(de cabra)* en mohair

angosto, -a *adj* étroit(e)

angostura *nf (de lugar)* étroitesse *f*; *(alcohol)* angustura *f*

anguila *nf* anguille *f*

angula *nf* civelle *f*

angular *adj* angulaire ☆ **Fot gran a.** objectif *m* grand angle, grand-angle *m*

ángulo *nm* angle *m*

anguloso, -a *adj* anguleux(euse)

angustia *nf* angoisse *f*

angustiar 1 *vt* angoisser
  2 angustiarse *vpr* s'angoisser

angustioso, -a *adj* angoissant(e)

anhelante *adj* **esperaba a. su llegada** il attendait impatiemment son arrivée

anhelar *vt (dignidades)* briguer; *(gloria)* aspirer à; **a. hacer algo** rêver de faire qch

anhelo *nm* aspiration *f*, désir *m*

anhídrido *nm* anhydride *m* ☆ **a. carbónico** dioxyde *m* de carbone

anidar *vi (pájaro)* faire son nid, nicher; *Fig* **la esperanza anidó en su corazón** l'espoir naquit en elle

anilla *nf* anneau *m*; **anillas** *(en gimnasia)* anneaux

anillo *nm* anneau *m*; *(sortija)* bague *f*; *Fam Fig* **venir como a. al dedo** tomber vraiment bien ☆ **a. de boda** alliance *f*

animación *nf* animation *f*

animado, -a *adj* animé(e); *(persona) (con buen ánimo)* en pleine forme; *(divertida)* drôle

animador, -ora *nm,f* animateur (trice) *m,f*

animadversión *nf* antipathie *f*

animal 1 *adj (especie)* animal(e); *Fam Fig (ignorante)* bête; **ser a.** être une brute
  2 *nmf Fam Fig (persona)* brute *f*
  3 *nm* animal *m* ☆ **a. doméstico** o **de compañía** animal domestique ou de compagnie

animalada *nf Fam Fig (tontería)* ânerie *f*; **¡qué a.!** *(cosa horrible)* quelle horreur!; *(cosa escandalosa)* quelle honte!

animar 1 *vt (estimular)* encourager; *(avivar) (diálogo, fiesta)* animer; *(fuego)* activer; **a. a alguien** remonter le moral à qn
  2 animarse *vpr (fiesta, reunión)* s'animer; *(persona)* reprendre courage; **animarse (a hacer algo)** *(atreverse)* se décider (à faire qch)

ánimo 1 *nm (energía, valor)* courage *m*; *(aliento)* encouragement *m*;

(talante) humeur *f*; **dar ánimos a alguien** encourager qn; **con á. de** *(con intención de)* avec l'intention de; **sin á. de** sans intention de; **tener ánimos para** être d'humeur à
  2 *interj* **¡á.!** *(para alentar)* courage!

animoso, -a *adj (valiente)* courageux(euse); *(decidido)* résolu(e)

aniñado, -a *adj (comportamiento)* enfantin(e); *(voz, rostro)* d'enfant

aniquilar *vt* anéantir, exterminer

anís *(pl* **anises)** *nm (planta)* anis *m*; *(licor)* pastis *m*

aniversario *nm* anniversaire *m*

ano *nm* anus *m*

anoche *adv* hier soir, la nuit dernière; **antes de a.** avant-hier soir

anochecer [46] **1** *nm* **al a.** à la tombée de la nuit
  2 *v impersonal* faire nuit; **ya empieza a a.** la nuit commence à tomber
  3 *vi* arriver à la tombée de la nuit

anodino, -a *adj (sin gracia)* quelconque, insipide; *(insubstancial)* inconsistant(e)

ánodo *nm* anode *f*

anomalía *nf* anomalie *f*

anómalo, -a *adj* anormal(e)

anonadado, -a *adj (sorprendido)* abasourdi(e); *(abatido)* anéanti(e)

anonimato *nm* anonymat *m*; **salir del a.** sortir de l'anonymat

anónimo, -a 1 *adj* anonyme
  2 *nm* lettre *f* anonyme

anorak *(pl* **anoraks)** *nm* anorak *m*

anorexia *nf* anorexie *f*

anormal *adj & nmf* anormal(e) *m,f*

anotación *nf* note *f*, annotation *f*

anotar 1 *vt (apuntar)* noter; *(un libro)* annoter
  2 anotarse *vpr RP (matricularse)* s'inscrire

anquilosamiento *nm (estancamiento) (de la economía)* stagnation *f*; *(de un partido)* sclérose *f*; *Med* ankylose *f*

anquilosarse *vpr (estancarse) (economía)* stagner; *(ideas)* se scléroser; *Med* s'ankyloser

ansia *nf (ansiedad)* anxiété *f*; *(angustia)* angoisse *f*; **a. de** *(afán de)* soif *f* de; **hacer algo con a.** faire qch avec avidité

ansiar [32] *vt* **a. hacer algo** désirer de tout son cœur faire qch; **a. la felicidad** aspirer au bonheur; **ansío llegar a casa** j'ai hâte d'arriver à la maison

ansiedad *nf* anxiété *f*

ansioso, -a *adj (impaciente)* impatient(e); *(angustiado)* anxieux(euse); **estar a. por** *o* **de hacer algo** mourir d'impatience de faire qch

antagónico, -a *adj* antagonique; *(opiniones)* opposé(e)

antagonista *nmf* **a. de** opposant(e) *m,f* à

antaño *adv* autrefois, jadis

antártico, -a 1 *adj* antarctique
  2 *nm* **el (océano Glacial) A.** l'océan *m* Antarctique

Antártida *nf* **la A.** l'Antarctique *m* *(continente)*

ante¹ *nm (piel curtida)* daim *m*; *(animal)* élan *m*

ante² *prep* devant; **a. las circunstancias** vu les circonstances; **a. el juez** par-devant le juge; **a. notario** pardevant notaire; **a. los ojos** sous les yeux; **su opinión prevaleció a. la mía** son opinion a prévalu sur la mienne; **a. todo** avant tout

anteanoche *adv* avant-hier soir

anteayer *adv* avant-hier

antebrazo *nm* avant-bras *m*

antecedente 1 *adj* précédent(e)
  2 *nm (precedente)* précédent *m*; **antecedentes** *(experiencia)* bagage *m*; *(de asunto)* précédents; **poner en antecedentes** *(informar)* aviser
  ☆ **antecedentes penales** casier *m* judiciaire

anteceder *vt* précéder

antecesor, -ora *nm,f (predecesor)* prédécesseur *m*

antedicho, -a *adj (cosa)* susdit(e), susmentionné(e); *(persona)* susnommé(e)

antediluviano, -a *adj también Fig* antédiluvien(enne)

antelación *nf* **con a.** à l'avance; **con una hora de a.** avec une heure d'avance

antemano: de antemano *adv* d'avance

antena *nf* antenne *f*; **estar en a.** être à l'antenne ☆ *a. colectiva* antenne collective; *a. parabólica* antenne parabolique

anteojos *nmpl (prismáticos)* jumelles *fpl*; *Am* lunettes *fpl*

antepasado, -a *nm,f* ancêtre *mf*

antepenúltimo, -a 1 *adj* avant avant-dernier(ère), antépénultième
   2 *nm,f* avant avant-dernier(ère) *m,f*

anteponer [50] **1** *vt* **a. algo a algo** *(poner delante)* mettre qch devant qch; *(dar preferencia)* faire passer qch avant qch
   2 anteponerse *vpr* **anteponerse a** passer avant

anterior *adj (delantero) (pata, fachada)* antérieur(e); *(fila)* de devant; *(previo)* d'avant, précédent (e); **la parada a.** l'arrêt d'avant; **la noche a.** la nuit précédente; **a. a** antérieur(e) à

anterioridad *nf* **con a.** à l'avance; **con a. a** avant

antes 1 *adv* avant; **puede inscribirse, pero a. deberá rellenar el cuestionario** vous pouvez vous inscrire mais d'abord *ou* auparavant vous devrez remplir ce questionnaire; **mucho/poco a.** longtemps/peu de temps avant; **lo a. posible** dès que possible; **a. de algo** avant qch; **a. de hacer algo** avant de faire qch; **a. (de) que** avant que; **a. (de) que llegarais** avant que vous n'arriviez; **a.... que** *(expresa*

preferencia) plutôt... que; **prefiero el mar a. que la sierra** je préfère de beaucoup la mer à la montagne; **iría a la cárcel a. que mentir** j'irais en prison plutôt que de mentir; **a. bien, a. al contrario** au contraire
   2 *adj (anterior)* précédent(e); **el mes a.** le mois d'avant *ou* précédent

antesala *nf* hall *m*; *Fig* **estar en la a. de** être au seuil de

antiadherente *adj* antiadhésif(ive)

antiaéreo, -a *adj* antiaérien(enne)

antiarrugas *adj inv* antirides

antibalas *adj inv* pare-balles *inv*

antibiótico, -a 1 *adj* antibiotique
   2 *nm* antibiotique *m*

anticiclón *nm* anticyclone *m*

anticipación *nf* avance *f*; **con a. a** avant; **con a.** à l'avance; **con un mes de a.** un mois à l'avance

anticipado, -a *adj* anticipé(e); **por a.** d'avance

anticipar 1 *vt (adelantar)* avancer; *(prever)* anticiper; **no te puedo a. nada** je ne peux encore rien te dire
   2 anticiparse *vpr (adelantarse) (estación)* être en avance; *(fecha, reunión)* être avancé(e); **anticiparse a alguien** *(adelantarse)* précéder qn, devancer qn

anticipo *nm (de dinero)* avance *f*, acompte *m*; *(anticipación)* avantgoût *m*

anticlerical *adj* anticlérical(e)

anticonceptivo, -a 1 *adj (pastilla)* contraceptif(ive); *(métodos)* de contraception
   2 *nm* contraceptif *m*

anticongelante 1 *adj* antigivrant(e)
   2 *nm (líquido)* antigel *m*

anticonstitucional *adj* anticonstitutionnel(elle)

anticorrosivo, -a 1 *adj* anticorrosion *inv*
   2 *nm* antirouille *m*

anticuado, -a *adj (objetos, música)*

démodé(e); *(palabras)* vieilli(e); *(persona)* vieux jeu *inv*; *(ideas)* vieillot(otte)

anticuario, -a *nm,f* antiquaire *mf*; **en un a.** chez un antiquaire

anticucho *nm Andes* = morceau de viande pour brochette

anticuerpo *nm* anticorps *m*

antidepresivo, -a 1 *adj* antidépresseur
   2 *nm* antidépresseur *m*

antideslizante *adj* antidérapant(e)

antidisturbios 1 *adj inv* anti-émeutes *inv*
   2 *nmpl* ≃ CRS *mpl*

antidoping [anti'ðopin] *adj* antidopage *inv*, antidoping *inv*

antídoto *nm* antidote *m*

antier *adv Am Fam* avant-hier

antiespasmódico, -a 1 *adj* antispasmodique
   2 *nm* antispasmodique *m*

antiestético, -a *adj* inesthétique

antifaz *nm (de cara)* masque *m*; *(de ojos)* loup *m*

antigás *adj inv* à gaz; **una careta a.** un masque à gaz

antigripal 1 *adj* antigrippal(e)
   2 *nm* antigrippal *m*

antigualla *nf Pey (cosa)* vieillerie *f*; *(persona)* vieux fossile *m*

antigubernamental *adj* contre le *ou* opposé(e) au gouvernement

antigüedad *nf (pasado)* antiquité *f*; *(vejez, veteranía)* ancienneté *f*; **antigüedades** *(objetos)* antiquités

antiguo, -a *adj* ancien(enne); *(viejo)* vieux (vieille); *(pasado de moda)* dépassé(e); **a la antigua** à l'ancienne

antihigiénico, -a *adj* antihygiénique

antihistamínico, -a 1 *adj* antihistaminique
   2 *nm* antihistaminique *m*

antiinflacionista *adj* anti-inflationniste

antiinflamatorio, -a 1 *adj* anti-inflammatoire
   2 *nm* anti-inflammatoire *m*

antillano, -a 1 *adj* antillais(e)
   2 *nm,f* Antillais(e) *m,f*

Antillas *nfpl* **las A.** les Antilles *fpl*

antílope *nm (animal)* antilope *f*

antimilitarista *adj & nmf* antimilitariste *mf*

antinatural *adj* contre nature

antiniebla *adj inv* antibrouillard *inv*

antioxidante 1 *adj (contra el óxido)* antirouille *inv*; *(contra la oxidación)* antioxydant(e)
   2 *nm (contra el óxido)* antirouille *m*; *(contra la oxidación)* antioxydant *m*

antipatía *nf (por una persona)* antipathie *f*; *(por una cosa)* répugnance *f*; **tener a. a alguien** avoir de l'antipathie pour qn

antipático, -a 1 *adj* antipathique
   2 *nm,f* personne *f* antipathique

antipirético, -a 1 *adj* antipyrétique
   2 *nm* antipyrétique *m*

antípodas *nfpl* **las a.** les antipodes *mpl*

antiquísimo, -a *adj* très ancien (enne)

antirreflectante *adj* antireflet *inv*

antirrobo 1 *adj inv* antivol *inv*
   2 *nm (en vehículo)* antivol *m*

antisemita *adj & nmf* antisémite *mf*

antiséptico, -a 1 *adj* antiseptique
   2 *nm* antiseptique *m*

antiterrorista *adj* antiterroriste

antítesis *nf inv* antithèse *f*

antitetánico, -a *adj (vacuna)* antitétanique

antiviral *nm inv* antiviral *m*

antivirus *nm inv Informát* antivirus *m*

antojarse *vpr* **se me antoja algo/hacer algo** j'ai envie de qch/de faire qch; **se me antoja que...** j'ai le sentiment que...

antojitos *nmpl Méx* amuse-gueule *mpl*

antojo *nm* envie *f*; **a mi/tu/etc** a. à ma/ta/etc guise

antología *nf* anthologie *f*; *Fig* **de a.** d'anthologie

antonomasia *nf* **por a.** par excellence

antorcha *nf* torche *f* ☆ *a.* *olímpica* flambeau *m* olympique

antracita *nf* anthracite *m*

antro *nm Pey* boui-boui *m*

antropófago, -a *adj & nm,f* anthropophage *mf*

antropología *nf* anthropologie *f*

anual *adj* annuel(elle)

anualidad *nf* annuité *f*

anuario *nm* annuaire *m*

anudar 1 *vt* nouer
2 anudarse *vpr* se nouer

anulación *nf* annulation *f*; *(de ley)* abrogation *f*

anular¹ 1 *adj (en forma de anillo)* annulaire
2 *nm (dedo)* annulaire *m*

anular² 1 *vt (cancelar)* annuler; *(compromiso)* décommander; *(ley)* abroger; *(reprimir personalidad)* étouffer
2 anularse *vpr (cancelarse)* être annulé(e)

Anunciación *nf* Annonciation *f*

anunciante 1 *adj* **la empresa a.** l'annonceur *m*
2 *nmf* annonceur(euse) *m,f*

anunciar 1 *vt (notificar, presagiar)* annoncer; *(hacer publicidad de)* faire de la publicité pour
2 anunciarse *vpr* **anunciarse en** *(solicitud)* passer une annonce dans; *(publicidad)* faire de la publicité dans

anuncio *nm (notificación)* annonce *f*; *(publicitario)* publicité *f*; *(en televisión)* spot *m* publicitaire; *(en revista)* encart *m* publicitaire; *(cartel)* affiche *f* (publicitaire) ☆ *anuncios por palabras* petites annonces

anverso *nm (de moneda)* face *f*; *(de papel)* recto *m*

anzuelo *nm (para pescar)* hameçon *m*; *Fam Fig (señuelo)* appât *m*; **tragarse el a.** mordre à l'hameçon

añadido, -a 1 *adj* ajouté (a à)
2 *nm* ajout *m*

añadidura *nf* complément *m*; **por a. en plus, qui plus est**

añadir *vt* ajouter

añejo, -a *adj (vino, licor)* vieux (vieille); *(costumbre)* ancien(enne)

añicos *nmpl* **hacer a.** briser en mille morceaux; **hacerse a.** se briser en mille morceaux

añil *nm* indigo *m*

año *nm* année *f*, an *m*; **en el a. 1999** en 1999; **los años 30** les années 30; **desde hace tres años** depuis trois ans; **¡Feliz a. nuevo!** Bonne année!; **años** *(edad)* âge *m*; **¿cuántos años tienes?** — **tengo 17 años** quel âge as-tu? — j'ai 17 ans; **cumplir años** fêter son anniversaire; *Fig* **estar a años luz de** être à des années-lumière de ☆ *a.* *académico* o *escolar* année scolaire; *a.* *bisiesto* année bissextile; *a.* *(fiscal)* exercice *m* (annuel); *a.* *luz* année-lumière *f*; *a.* *nuevo* nouvel an

añoranza *nf (del pasado)* nostalgie *f*; *(de una persona)* regret *m*; *(de un país)* mal *m* du pays

añorar *vt (pasado)* avoir la nostalgie de; **añora su país natal** il a le mal du pays; **añoro a mi hermana** ma sœur me manque

aorta *nf (arteria)* aorte *f*

apabullar 1 *vt* troubler
2 apabullarse *vpr* se laisser dépasser par les événements

apacentar [3] *vt (ganado)* faire paître

apache 1 *adj* apache
2 *nmf* Apache *mf*

apacible *adj (agradable)* paisible; *(pacífico)* doux (douce)

apaciguar [ll] **1** vt apaiser, calmer **2 apaciguarse** vpr s'apaiser, se calmer

apadrinar vt (niño) être le parrain de; (artista) parrainer

apagado, -a adj (luz, fuego) éteint (e); (persona, color) terne; (sonido) étouffé(e); (voz) faible, petit(e)

apagar [38] **1** vt (extinguir, desconectar) éteindre; (aplacar) (dolor) calmer; (sed) étancher; (ilusiones) faire perdre; (rebajar) (color) atténuer; (sonido) étouffer; Fig **apaga y vámonos** n'en parlons plus **2 apagarse** vpr s'éteindre; (ilusiones) s'envoler

apagón nm coupure f ou panne f de courant

apaisado, -a adj oblong(ongue)

apalabrar vt convenir verbalement de

apalancamiento nm muy Fam flemmardise f

apalancar [59] **1** vt (para abrir) forcer (avec un pied-de-biche); (para mover) soulever (avec un levier) **2 apalancarse** vpr muy Fam **se apalancó** (se apoltronó) il est resté affalé

apalear vt rouer de coups

apañado, -a adj Fam (hábil, mañoso) débrouillard(e); **¡estamos apañados!** nous voilà bien!

apañar Fam **1** vt (reparar) retaper, rafistoler, raccommoder; (amañar) goupiller **2 apañarse** vpr se débrouiller; Fig **apañárselas (para hacer algo)** se débrouiller (pour faire qch)

apaño nm Fam (reparación) rafistolage m; (de ropa) reprise f; (chanchullo) magouille f

apapachar vt Méx (mimar) câliner; (consentir) gâter

apapacho nm Méx câlin m

aparador nm (mueble) buffet m; (escaparate) vitrine f

aparato nm appareil m; (de radio, televisión) poste m; (ostentación) apparat m, pompe f

aparatoso, -a adj (ostentoso) tape-à-l'œil inv; (espectacular) spectaculaire

aparcamiento nm (parking) parking m; (hueco) place f (de parking); (acción) créneau m ☆ **a. en batería** stationnement m en double file; **a. subterráneo** parking souterrain

aparcar [59] **1** vt (estacionar) garer; (posponer) suspendre **2** vi (estacionar) se garer; **prohibido a.** (en letrero) défense de stationner

aparear 1 vt (animales) accoupler; (de dos en dos) rassembler par paires **2 aparearse** vpr (animales) s'accoupler

aparecer [46] **1** vi apparaître; (en una lista) figurer; (acudir) arriver; (encontrarse) être retrouvé(e); (publicarse) paraître; **apareció por la puerta** il est apparu **2 aparecerse** vpr **se le apareció la Virgen** la Vierge lui est apparue

aparejador, -ora nm,f (de arquitecto) métreur(euse) m,f

aparejo nm (de caballerías) harnais m; (de pesca) gréement m; **aparejos** matériel m

aparentar 1 vt (edad) faire; **a. algo** (fingir) feindre ou simuler qch; **a. hacer algo** faire semblant de faire qch; **no aparenta los años que tiene** il ne fait pas son âge **2** vi (presumir) se faire passer pour plus riche qu'on n'est

aparente adj apparent(e); Fam (llamativo) voyant(e)

aparición nf apparition f; (publicación) parution f

apariencia nf (aspecto exterior) apparence f; (falsedad) frime f; **en a.** en apparence; **guardar las apariencias** sauver les apparences; **las apariencias engañan** les apparences sont trompeuses

apartado, -a 1 *adj (separado)* écarté(e); *(alejado)* retiré(e)
2 *nm (de texto)* alinéa *m*; *(de oficina)* section *f* ☆ **a. de correos** boîte *f* postale

apartamento *nm* appartement *m*

apartar 1 *vt (quitar, alejar)* écarter; *(separar)* séparer; *(escoger)* mettre de côté; **a. la vista** détourner les yeux; **no a. la vista de algo/alguien** ne pas quitter qch/qn des yeux
2 apartarse *vpr* se pousser; **apartarse de** *(la gente)* s'éloigner de; *(de un tema, camino)* s'écarter de; *(del mundo)* se retirer de

aparte 1 *adv* à part; **bromas a.** trêve de plaisanterie; **a. de** *(con omisión de)* mis à part; *(además de)* en plus de; **a. de fea...** non seulement elle est laide...
2 *adj inv* à part
3 *nm (párrafo)* alinéa *m*; *(en teatro)* aparté *m*

apartheid [apar'veid] *(pl* **apartheids)** *nm* apartheid *m*

apartotel, aparthotel *nm* = résidence hôtelière composée d'appartements

apasionado, -a *adj & nm,f* passionné(e) *m,f*

apasionante *adj* passionnant(e)

apasionar 1 *vt (entusiasmar)* passionner; **le apasiona la música** c'est un passionné de musique
2 apasionarse *vpr (entusiasmarse)* s'enthousiasmer; **apasionarse por** *o* **con** se passionner pour, être passionné(e) de

apatía *nf* apathie *f*

apático, -a 1 *adj* apathique
2 *nm,f* mou (molle) *m,f*

apátrida *adj & nmf* apatride *mf*

apdo. *(abrev* **apartado)** BP

apeadero *nm (de tren)* halte *f*

apear 1 *vt (bajar)* faire descendre; *Fam* **a. a alguien de algo** *(disuadir)* faire démordre qn de qch; **no conse-** guimos apearle de sus ideas nous n'avons pas réussi à le faire démordre de ses idées
2 apearse *vpr (bajarse)* descendre (**de** de); *Fig Fam* **no apearse del burro** ne pas en démordre

apechugar [38] *vi Fam* **a. con** *(trabajo)* se coltiner, s'appuyer; *(consecuencias)* subir

apedrear *vt* lapider

apegarse [38] *vpr* s'attacher (**a** à)

apego *nm (afecto)* attachement *m*; **tener a. a** être attaché(e) à; **tomar a. a** se prendre d'affection pour

apelación *nf Der* appel *m*

apelar *vi Der* faire appel; **a. ante/ contra** se pourvoir en/contre; **a. a** *(a persona, violencia)* avoir recours à; *(a sentido común, bondad)* en appeler à

apelativo *nm (nombre)* surnom *m*

apellidarse *vpr* se nommer, s'appeler; **¿cómo te apellidas?** quel est ton nom de famille?

apellido *nm* nom *m* (de famille)

apelmazar [14] **1** *vt (jersey)* feutrer; *(arroz)* faire coller
2 apelmazarse *vpr (jersey)* se feutrer; *(arroz)* coller

apelotonar 1 *vt (ropa)* mettre en boule; *(lana)* mettre en pelote
2 apelotonarse *vpr* s'agglutiner

apenado, -a *adj (entristecido)* triste; *CAm, Carib, Col, Méx (avergonzado)* gêné(e)

apenar 1 *vt* faire de la peine
2 apenarse *vpr* avoir de la peine; *CAm, Carib, Col, Méx (avergonzarse)* être gêné(e)

apenas *adv (casi no)* à peine; *(tan pronto como)* à peine, dès que; *(tan sólo)* à peine, tout juste; **a. me puedo mover** je peux à peine bouger; **a. si** c'est à peine si; **hace a. dos minutos** ça fait à peine *ou* tout juste deux minutes; **a. llegó, le dieron la mala noticia** il était à peine arrivé qu'on lui annonça la mauvaise nouvelle; **a. se fueron, me acosté** je me suis couché dès qu'ils sont partis

apéndice *nm Anat & Fig* appendice *m*; *(de documento)* annexe *f*

apendicitis *nf inv* appendicite *f*

apercibir 1 *vt (amonestar)* mettre en garde; *(avisar)* prévenir
2 apercibirse *vpr* **apercibirse de algo** remarquer qch

aperitivo *nm (bebida)* apéritif *m*; *(comida)* amuse-gueule *m inv*

apertura *nf* ouverture *f*; *(de calle)* percement *m*; *(de exposición)* vernissage *m*; *(en rugby)* coup *m* d'envoi; *(en ajedrez)* entrée *f* de jeu; *Pol* = politique d'ouverture

aperturista 1 *adj (política)* d'ouverture; *(tendencia)* à l'ouverture
2 *nmf* partisan *m* de l'ouverture

apesadumbrado, -a *adj* accablé(e)

apestar 1 *vi (oler mal)* **a. (a algo)** puer (qch); **este cuarto apesta a tabaco** cette chambre pue le tabac; **¡huele que apesta!** ça pue!
2 *vt (hacer que huela mal)* empester; *(contagiar peste)* transmettre la peste à

apetecer [46] **1** *vi* **¿te apetece un café?** tu as envie d'un café?; **me apetece salir** j'ai envie de sortir
2 *vt* **tenían todo cuanto apetecían** ils avaient tout ce dont ils avaient envie

apetecible *adj (comida)* appétissant(e); *(vacaciones)* tentant(e)

apetito *nm* appétit *m*; **abrir el a.** ouvrir l'appétit; **tener a.** avoir faim

apetitoso, -a *adj (sabroso)* délicieux(euse); *(deseable) (comida)* appétissant(e); *(empleo, propuesta)* alléchant(e)

apiadar 1 *vt* apitoyer
2 apiadarse *vpr* s'apitoyer **(de** sur)

ápice *nm (pizca)* iota *m*; **no ceder ni un á.** ne pas céder d'un pouce

apicultura *nf* apiculture *f*

apilar 1 *vt* empiler
2 apilarse *vpr* s'empiler

apiñar 1 *vt* entasser
2 apiñarse *vpr* s'entasser, se serrer les uns contre les autres; **apiñarse en torno a** se presser autour de

apio *nm* céleri *m*

apisonadora *nf* rouleau *m* compresseur

aplacar [59] **1** *vt* calmer
2 aplacarse *vpr* se calmer

aplanar *vt* aplanir

aplastante *adj (mayoría, victoria)* écrasant(e); *(lógica, argumento)* imparable; *(calor)* étouffant(e)

aplastar *vt* écraser

aplatanar *vt Fam (por calor)* abrutir

aplaudir *vt también Fig* applaudir

aplauso *nm (con manos)* applaudissement *m*; *Fig (alabanza)* éloge *m*

aplazamiento *nm* report *m*

aplazar [14] *vt* reporter

aplicación *nf también Informát* application *f*

aplicado, -a *adj* appliqué(e)

aplicar [59] **1** *vt* appliquer
2 aplicarse *vpr* s'appliquer **(en/a** à)

aplique *nm (lámpara)* applique *f*

aplomo *nm* aplomb *m*; **perder el a.** perdre son aplomb

apocado, -a *adj* timide

apocalipsis *nm o nf inv* apocalypse *f*; **el A.** l'Apocalypse

apocarse [59] *vpr (intimidarse)* s'effrayer; *(rebajarse)* se rabaisser

apócope *nf* apocope *f*

apócrifo, -a *adj* apocryphe

apodar 1 *vt* surnommer
2 apodarse *vpr* être surnommé(e)

apoderado, -a *nm,f (representante)* fondé(e) *m,f* de pouvoir; *Taurom* manager *m*

apoderarse *vpr* **a. de** s'emparer de

apodo *nm* surnom *m*

apogeo nm apogée m; **estar en (pleno) a.** être à l'apogée

apolillar 1 vt (agujerear) faire des trous dans

2 apolillarse vpr être mité(e), se miter; Fig se rouiller

apolítico, -a adj apolitique

apología nf apologie f

apoplejía nf apoplexie f

apoquinar vt & vi Fam casquer

aporrear vt (golpear) cogner sur

aportación nf apport m; **hacer una a. a una causa** contribuer à une cause

aportar vt apporter; (datos, pruebas) fournir; (dinero) faire un apport de

aporte nm apport m; **a. vitamínico** apport en vitamines

aposentar 1 vt loger

2 aposentarse vpr se loger; Fam (instalarse) se poser

aposento nm (habitación) chambre f; **dar a., tomar a.** loger; Anticuado o Hum **se retiró a sus aposentos** il se tira dans ses appartements

aposta adv exprès

apostante nmf parieur(euse) m,f

apostar¹ [63] **1** vt (jugarse) parier

2 vi (en juego) parier ou miser (**por** sur); **apuesto a que llega tarde** je parie qu'il va arriver en retard

3 apostarse vpr **apostarse algo con alguien** parier qch avec qn; **apostarse algo a que** parier qch que

apostar² [l] **1** vt (emplazar) poster

2 apostarse vpr (colocarse) se poster

apostilla nf annotation f

apóstol nm también Fig apôtre m

apostólico, -a adj apostolique

apóstrofo nm apostrophe f

apoteósico, -a adj triomphal(e)

apoyar 1 vt appuyer; Fig (defender) soutenir

2 apoyarse vpr (respaldarse) s'appuyer; **apoyarse en** (sostenerse) s'appuyer sur; (basarse) reposer sur

apoyo nm (físico) support m, appui m; Fig (moral) soutien m

apreciable adj (perceptible) sensible; Fig (estimable) remarquable

apreciación nf appréciation f

apreciar vt apprécier; (percibir) distinguer; (opinar) estimer; **a. que es necesario hacer algo** juger nécessaire de faire qch

aprecio nm estime f; **tenerle a. a alguien** avoir de l'estime pour qn

aprehender vt (apresar) (persona) appréhender; (mercancía, sentido) saisir

aprehensión nf (de persona) capture f; (de mercancía) saisie f

apremiante adj pressant(e), urgent(e)

apremiar 1 vt (meter prisa) presser, bousculer; **a. a alguien para que haga algo** (obligar) contraindre qn à faire qch

2 vi **me apremia resolver el problema** il est urgent que je résolve le problème; **¡el tiempo apremia!** le temps presse!

apremio nm (prisa) urgence f

aprender 1 vt apprendre; (memorizar) retenir

2 aprenderse vpr apprendre; **aprenderse algo de memoria** apprendre qch par cœur

aprendiz, -iza nm,f (ayudante) apprenti(e) m,f; (novato) débutant(e) m,f

aprendizaje nm apprentissage m

aprensión nf (miedo) appréhension f; (escrúpulo) dégoût m

aprensivo, -a adj (miedoso) craintif(ive); (escrupuloso) délicat(e); (hipocondríaco) alarmiste

apresar vt capturer

apresurado, -a adj pressé(e); (huida, partida) précipité(e)

apresurar 1 vt (proceso, trámites) activer; (persona) presser

2 apresurarse *vpr* se hâter; **apresurarse a hacer algo** se hâter de faire qch

apretado, -a *adj (comprimido)* serré(e); *Fig (apurado)* critique; *Fig (programa)* chargé(e)

apretar [3] **1** *vt (oprimir)* serrer; *(gatillo, botón)* appuyer sur; *(ropa, objetos)* tasser; *(labios)* pincer; *Fig (paso, marcha)* presser; **estos zapatos me aprietan** ces chaussures me serrent; *Fig* **a. a alguien** *(presionar)* harceler qn, faire pression sur qn; **a. el paso** presser le pas

  2 *vi (lluvia, tormenta)* redoubler

  3 apretarse *vpr* se serrer; **apretarse el cinturón** se serrer la ceinture

apretón *nm* bousculade *f* ☆ **a. de manos** poignée *f* de main

apretujar 1 *vt (objetos)* tasser; *(persona)* écraser

  2 apretujarse *vpr* se masser; *(por frío, miedo)* se blottir, se pelotonner

apretujón *nm Fam* **dar un a. a alguien** *(abrazar)* serrer qn très fort; *(empujar)* bousculer qn

aprieto *nm Fig* situation *f* difficile; **poner en un a. a alguien** mettre qn dans l'embarras; **verse en un a.** être très ennuyé(e)

aprisa *adv* vite

aprisionar *vt* bloquer

aprobación *nf* approbation *f*

aprobado, -a 1 *adj* approuvé(e); *(candidato)* reçu(e)

  2 *nm* mention *f* passable; **sacar un a. raspado** *o* **por los pelos** obtenir tout juste la mention passable

aprobar [63] *vt* approuver; *(ley)* adopter; *(examen)* réussir; *(alumno)* recevoir

aprontar 1 *vt (preparar)* préparer

  2 aprontarse *vpr RP (prepararse)* se préparer; **¡apróntate para cuando llegue tu papá!** gare à toi quand ton père rentrera!

apropiación *nf* appropriation *f* ☆ **a.**

indebida appropriation frauduleuse

apropiado, -a *adj* approprié(e)

apropiarse *vpr* **a. de algo** s'approprier qch

aprovechable *adj (objeto)* utilisable; *(prenda)* mettable

aprovechado, -a 1 *adj (tiempo)* bien employé(e); *(espacio)* bien conçu(e); *(alumno)* appliqué(e); **un día bien a.** une journée bien remplie; *Pey* **es muy a.** *(persona)* c'est un profiteur

  2 *nm,f (caradura)* profiteur(euse) *m,f*

aprovechamiento *nm (buen uso)* utilisation *f*, exploitation *f*; *(en el estudio)* assimilation *f*

aprovechar 1 *vt* profiter de; *(lo inservible)* récupérer, se servir de

  2 *vi (ser provechoso)* profiter, être profitable; *(mejorar)* progresser, faire des progrès; **a. para hacer algo** en profiter pour faire qch; **aprovecha ahora que eres joven** profites-en tant que tu es jeune; **¡que aproveche!** bon appétit!

  3 aprovecharse *vpr* profiter (**de** de); tirer parti (**de** de)

aprovisionamiento *nm* approvisionnement *m*

aproximación *nf* rapprochement *m*; *(mediante cálculo)* approximation *f*; *(en lotería)* lot *m* de consolation; **con a.** approximativement

aproximadamente *adv* approximativement

aproximado, -a *adj* approximatif(ive)

aproximar 1 *vt* approcher, rapprocher

  2 aproximarse *vpr (fecha)* approcher; *(persona)* s'approcher

aptitud *nf* aptitude *f*; **tener aptitudes para algo** être doué(e) pour qch

apto, -a *adj (adecuado)* bon (bonne); *(capaz)* apte (**para** à); **a. para el servicio militar** bon pour le service;

película no apta para menores film interdit aux moins de dix-huit ans

apuesta 1 *ver* **apostar**
2 *nf* pari *m*

apuesto, -a *adj* fringant(e)

apunado, -a *adj Andes* estar a. avoir le mal d'altitude

apunarse *vpr Andes* avoir le mal d'altitude

apuntador, -ora *nm,f (en teatro)* souffleur(euse) *m,f*

apuntalar *vt también Fig* étayer

apuntar 1 *vt (anotar)* noter; *Fig (indicar)* signaler; *(importancia)* souligner; **a. a alguien** *(en lista)* inscrire qn; **apúntamelo (en la cuenta)** mets-le sur mon compte; **a. a alguien (con el dedo)** montrer qn du doigt; **a. a alguien (con un arma)** viser qn
2 *vi (alba, día)* poindre
3 apuntarse *vpr (en lista, curso)* s'inscrire; *(participar)* être partant(e) (a pour); *Fam* **apuntarse a un bombardeo** être toujours partant

apunte *nm (nota escrita)* note *f*; *(boceto)* esquisse *f*; *Com* écriture *f* (comptable); **apuntes** notes *fpl*, cours *mpl*

apuñalar *vt* poignarder; **a. a alguien por la espalda** poignarder qn dans le dos

apurado, -a *adj (necesitado)* dans le besoin; *(avergonzado)* gêné(e); *(difícil)* délicat(e); **andar a. de** être à court de

apurar 1 *vt (terminar)* finir; *(existencias)* épuiser; *(meter prisa)* bousculer; *(preocupar)* inquiéter; **apuró hasta la última gota** il a bu jusqu'à la dernière goutte
2 apurarse *vpr (preocuparse)* s'inquiéter; *(darse prisa)* se dépêcher; *(avergonzarse)* avoir honte

apuro *nm (dificultad)* gros ennui *m*; *(escasez)* manque *m* (d'argent); *(vergüenza)* gêne *f*; *Am (prisa)* hâte *f*; **estar en apuros** avoir des problè-

mes; **sacar de un a. a alguien** tirer qn d'affaire; **me da a. decírtelo** ça me gêne *ou* ça m'ennuie de te le dire; *Am* **no corras, no hay a.** inutile de courir, on a le temps

aquejado, -a *adj* **a. de** atteint de

aquel, aquella *(mpl* **aquellos**, *fpl* **aquellas)** *adj demostrativo* ce, cette; **a. libro no, éste** pas ce livre-là, celui-ci; **dame aquellos libros** donne-moi les livres qui sont là-bas; **a. edificio que se ve a lo lejos es nuevo** le bâtiment qu'on voit là-bas, au loin, est neuf; **en aquella época** à cette époque-là

aquél, aquélla *(mpl* **aquéllos**, *fpl* **aquéllas)** *pron demostrativo* celui-là, celle-là; **este cuadro me gusta pero a. del fondo no** ce tableau(-ci) me plaît mais pas celui du fond; **a. fue mi último día en Londres** ce fut mon dernier jour à Londres; **aquéllos que quieran hablar que levanten la mano** que ceux qui veulent parler lèvent la main

aquelarre *nm (de brujas)* sabbat *m*

aquella *ver* **aquel**

aquélla *ver* **aquél**

aquello *pron demostrativo (neutro)* cela; **a. que se ve al fondo es el mar** c'est la mer que l'on voit dans le fond; **no sé si a. lo dijo en serio** je ne sais pas s'il a dit cela sérieusement

aquí *adv* ici; **a. arriba/abajo** en haut/bas; **a. cerca** près d'ici; **a. dentro** dedans; **a. fuera** dehors; **a. mismo** ici même; **por a.** par ici; **de a. a mañana** d'ici demain; **a. empezaron los problemas** *(en tiempo pasado)* c'est là que les problèmes ont commencé

ara *nf (piedra)* pierre *f* d'autel; *(altar)* autel *m*; **en aras de** au nom de

árabe 1 *adj* arabe
2 *nmf* Arabe *mf*
3 *nm (lengua)* arabe *m*

Arabia Saudí *n* l'Arabie saoudite *f*

arábigo, -a *adj (de Arabia)* arabique; *(numeración)* arabe

arado nm charrue f; Fam **es más bruto que un a.** (ignorante) il est bête
comme ses pieds
Aragón n l'Aragon m
aragonés, -esa 1 adj aragonais(e)
2 nm,f Aragonais(e) m,f
arancel nm (tarifa) tarif m douanier;
(tasa) droit m de douane, taxe f
arancelario, -a adj (reforma, política) douanier(ère); (tasa, derechos)
de douane
arándano nm (fruto rojo) airelle f;
(fruto azul) myrtille f
arandela nf rondelle f
araña nf (animal) araignée f; (lámpara) lustre m
arañar vt (con las uñas) griffer; (raspar) égratigner, érafler; Fig (reunir)
grappiller
arañazo nm égratignure f, éraflure f
arar vt labourer
arbitraje nm arbitrage m
arbitrar vt (partido) & Der arbitrer;
(disponer) (medidas) prendre; (recursos) employer
arbitrariedad nf (cualidad) arbitraire m; (acción) acte m arbitraire;
con a. de façon arbitraire
arbitrario, -a adj arbitraire
arbitrio nm volonté f
árbitro nm también Der arbitre m
árbol nm arbre m; Náut (palo) mât
m; ☆ **á. genealógico** arbre généalogique; Aut **á. de levas** arbre à cames; **á. de Navidad** sapin m de Noël
arboleda nf bois m
arbusto nm arbuste m
arca nf coffre m; **el a. de Noé** l'arche f
de Noé; **arcas** caisses fpl; **arcas públicas** caisses de l'État
arcada nf (náusea) haut-le-cœur m
inv; (arco) arcade f; (de puente) arche f
arcaico, -a adj archaïque
arcángel nm archange m

arce nm érable m
arcén nm bas-côté m
archiconocido, -a adj Fam archi-
connu(e)
archiduque, -esa nm,f archiduc m,
archiduchesse f
archipiélago nm archipel m
archivador nm classeur m
archivar vt (cosas) classer; Fig (pensamientos) enfouir; Informát (fichero) archiver
archivo nm archives fpl; Informát fichier m; **imágenes de a.** images fpl
d'archives
arcilla nf argile f
arco nm arc m; (en arquitectura)
arche f; Mús archet m; Am (portería) buts mpl ☆ **a. de herradura**
arc en fer à cheval; **a. iris** arc-en-ciel
m
arcón nm grand coffre m
arder vi también Fig brûler; **está que
arde** (lugar o reunión) ça chauffe, ça
barde; (persona) il bout de colère;
Fig **a. en deseos de hacer algo** brûler
d'envie de faire qch
ardid nm ruse f
ardiente adj brûlant(e); (deseo, defensor, brasa) ardent(e); (admirador) fervent(e)
ardilla nf écureuil m
ardor nm ardeur f; (quemazón) brûlure f ☆ **a. de estómago** brûlures
d'estomac
arduo, -a adj ardu(e)
área nf (zona) zone f; (superficie)
surface f; (medida) are m ☆ **á. metropolitana** communauté f urbaine;
á. (de penalti o **castigo)** surface de
réparation; **á. de servicio** aire f de
service
arena nf sable m; (de ruedo, circo)
arène f ☆ **arenas movedizas** sables
mouvants
arenal nm grève f (rivage)
arenga nf harangue f

arenilla *nf* sable *m* fin; *(en el ojo)* poussière *f*

arenoso, -a *adj* sablonneux(euse); *(playa)* de sable

arenque *nm* hareng *m*

arepa *nf Col, Ven* galette *f* de maïs

aretes *nmpl Andes, Méx* boucles *fpl* d'oreilles

argamasa *nf* mortier *m*

Argel *n* Alger

Argelia *n* l'Algérie *f*

argelino, -a 1 *adj* algérien(enne) 2 *nm,f* Algérien(enne) *m,f*

Argentina *nf* (la) A. l'Argentine *f*

argentino, -a 1 *adj* argentin(e) 2 *nm,f* Argentin(e) *m,f*

argolla *nf* anneau *m*; *Col (anillo)* alliance *f*

argot *(pl argots)* *nm (jerga popular)* argot *m*; *(jerga técnica)* jargon *m*

argucia *nf* sophisme *m*

argüir [8] 1 *vt (alegar)* alléguer; *(deducir)* déduire 2 *vi (argumentar)* argumenter

argumentación *nf* argumentation *f*

argumentar *vt (teoría, opinión)* argumenter; *(razones, excusas)* invoquer

argumento *nm (razonamiento, resumen)* argument *m*; *(trama)* trame *f*

aridez *nf también Fig* aridité *f*

árido, -a 1 *adj* aride; *(aburrido)* rébarbatif(ive) 2 *nmpl* **áridos** = céréales et légumes secs

aries 1 *nm inv (zodíaco)* Bélier *m* 2 *nmf inv (persona)* Bélier *m inv*

ariete *nm* bélier *m*; *Fig (en deporte)* avant-centre *m*

arisco, -a *adj (huidizo)* farouche; *(insociable)* bourru(e), revêche

arista *nf* arête *f*

aristocracia *nf* aristocratie *f*

aristócrata *nmf* aristocrate *mf*

aritmético, -a 1 *adj* arithmétique 2 *nf* **aritmética** arithmétique *f*

arlequín *nm* arlequin *m*

arma *nf* arme *f*; *Fig* **una mujer de armas tomar** une maîtresse femme ☆ **a. blanca** arme blanche; *Fig* **a. de doble filo** arme à double tranchant; **a. de fuego** arme à feu; **a. homicida** arme du crime; **a. química** arme chimique

armada *nf (marina)* marine *f*; *(escuadra)* flotte *f*

armadillo *nm* tatou *m*

armado, -a *adj* armé(e)

armador, -ora *nm,f* armateur *m*

armadura *nf (de guerrero)* armure *f*; *(de tejado)* charpente *f*; *(de barco)* carcasse *f*

armamentista *adj* de l'armement

armamento *nm* armement *m*

armar 1 *vt (arma, personas)* armer; *(mueble, tienda de campaña)* monter; *Fam Fig (provocar)* faire; **a. un escándalo** faire un scandale; *Fam* **armarla** faire des histoires 2 **armarse** *vpr (con armas)* s'armer; **armarse de** *(paciencia, valor)* s'armer de; *Fam* **se armó la gorda** o **la de San Quintín** o **la de Dios es Cristo** ça a bardé

armario *nm* armoire *f* ☆ **a. (empotrado)** placard *m*

armatoste *nm (mueble)* mastodonte *m*; *(máquina)* engin *m*

armazón *nm* armature *f*; *(de edificio)* ossature *f*

Armenia *n* l'Arménie *f*

armenio, -a 1 *adj* arménien(enne) 2 *nm,f* Arménien(enne) *m,f*

armería *nf (depósito)* arsenal *m*; *(museo)* musée *m* de l'armée; *(tienda, arte)* armurerie *f*

armiño *nm* hermine *f*

armisticio *nm* armistice *m*

armonía *nf* harmonie *f*

armónico, -a 1 *adj* harmonique

2 *nm* harmonique *m*

3 *nf* **armónica** harmonica *m*

armonioso, -a *adj* harmonieux (euse)

armonizar [14] **1** *vt* harmoniser

2 *vi* **a. con** *(concordar)* être en harmonie avec

arnés *nm* armure *f*; **arneses** *(de animal)* harnais *m*

aro *nm* *(círculo)* cercle *m*; *(arandela)* bague *f*; *(pendiente, anillo)* anneau *m*; *Am (pendiente)* boucle *f* d'oreille; **los aros olímpicos** les anneaux olympiques; **un sostén de aros** un soutien-gorge à armature; *Fig* **entrar** *o* **pasar por el a.** céder, s'incliner

aroma *nm* arôme *m*; **a. artificial** arôme artificiel

aromático, -a *adj* aromatique

aromatizante *nm* aromatisant *m*

aromatizar [14] *vt* aromatiser

arpa *nf* harpe *f*; **a. de boca** guimbarde *f*

arpía *nf* harpie *f*

arpillera *nf* toile *f* à sac, toile *f* de jute

arpón *nm* harpon *m*

arquear 1 *vt* arquer; *(cejas)* hausser; *(espalda)* courber; **a. el lomo** *(un gato)* faire le gros dos

2 arquearse *vpr (por el peso)* ployer

arqueo *nm* *(curvamiento)* courbure *f*; *Com* caisse *f* ☆ **a. de caja** contrôle *m* ou vérification *f* de caisse

arqueología *nf* archéologie *f*

arqueólogo, -a *nm,f* archéologue *mf*

arquero *nm* archer *m*; *Am (portero de fútbol)* gardien *m* de but

arquetipo *nm* archétype *m*

arquitecto, -a *nm,f* architecte *mf*

arquitectura *nf* architecture *f*

arrabal *nm* faubourg *m*

arrabalero, -a 1 *adj (del arrabal)* des faubourgs, des quartiers populaires; *(barriobajero)* populacier(ère);

(lenguaje) de charretier

2 *nm,f (barriobajero)* zonard(e) *m,f*

arraigar [38] **1** *vt* enraciner

2 *vi (en un lugar)* prendre racine, pousser

3 arraigarse *vpr (establecerse)* s'installer

arraigo *nm* enracinement *m*; **tener mucho a.** *(una tradición)* être bien ancré(e)

arrancar [59] **1** *vt* arracher; *(árbol)* déraciner; *(vehículo)* faire démarrer; *(máquina)* mettre en marche; *Informát (programa)* lancer

2 *vi (vehículo, máquina)* démarrer; *(persona) (partir)* démarrer; *(ponerse a trabajar)* s'y mettre; **a. de** *(provenir)* provenir de

3 arrancarse *vpr* **arrancarse a hacer algo** se mettre à faire qch

arranque *nm (comienzo)* point *m* de départ, début *m*; *(de vehículo)* démarreur *m*; *Fig (arrebato)* accès *m*; **en un a. de generosidad** dans un élan de générosité

arras *nfpl (fianza)* arrhes *fpl*; *(en boda)* = les treize pièces de monnaie ou autre cadeau que le jeune marié offre à sa femme pendant la cérémonie du mariage

arrasar *vt* ravager, dévaster

arrastrar 1 *vt* traîner; *(carro, vagón)* remorquer; *(sujeto: corriente, aire)* emporter; *Fig (convencer)* rallier; *Fig (producir)* entraîner; **a. a alguien a algo/a hacer algo** *(impulsar a)* pousser qn à qch/à faire qch

2 *vi* traîner (par terre)

3 arrastrarse *vpr (por el suelo)* se traîner; *(reptil)* ramper; *Fig (humillarse)* ramper

arrastre *nm (acarreo)* déplacement *m*; **pesca de a.** pêche *f* au chalut *ou* à la traîne; *Esp Fam* **estar para el a.** être au bout du rouleau; *Am Fam* **tener a.** avoir le bras long

arre *interj* hue!

arrear *vt (azuzar) (animal)* encourager; *(persona)* presser; *Fam (un golpe)* flanquer; *(poner arreos)* harnacher; *Fam* **a. una bofetada a alguien** flanquer une baffe à qn

arrebatado, -a *adj (impetuoso)* emporté(e); *(ruborizado)* tout(e) rouge; *(iracundo)* furieux(euse)

arrebatar 1 *vt (arrancar)* arracher; *Fig (cautivar)* fasciner
2 arrebatarse *vpr* s'emporter

arrebato *nm (arranque)* emportement *m*; *(de pasión)* extase *f*; **a. de amor** transport *m* amoureux; **a. de ira** accès *m* de colère

arrebujar 1 *vt (sin orden)* mettre en vrac; *(arropar)* emmitoufler
2 arrebujarse *vpr (arroparse)* s'emmitoufler

arrechucho *nm Fam* **le dio un a.** il est tombé malade

arreciar *vi también Fig* redoubler

arrecife *nm* récif *m*

arredrarse *vpr* reculer **(ante** devant)

arreglado, -a *adj (reparado)* réparé(e); *(ropa)* retouché(e); *(ordenado)* rangé(e); *(persona)* arrangé(e), soigné(e); *Fig (solucionado)* réglé(e)

arreglar 1 *vt* arranger; *(vehículo)* réparer; *(ordenar)* ranger; *(solucionar)* régler; *(acicalar)* préparer; *(mujer)* pomponner; *Fam* **¡ya te arreglaré!** tu vas voir!
2 arreglarse *vpr (apañarse)* s'arranger; *(acicalarse)* se préparer; *(una mujer)* se pomponner; **saber arreglárselas** savoir s'y prendre

arreglo *nm* arrangement *m*; *(de ropa)* retouche *f*; **llegar a un a.** parvenir à un arrangement; **no tiene a.** cela ne peut pas s'arranger, il n'y a pas de solution; **con a. a** conformément à

arremangar [38] *Fam* **1** *vt* retrousser

2 arremangarse *vpr* retrousser ses manches

arremeter *vi* **a. contra** se jeter sur; *Fig* s'en prendre à

arremolinarse *vpr Fig (personas)* se bousculer; *(cosas)* tourbillonner

arrendamiento *nm (acción)* location *f*; *(precio)* loyer *m*

arrendar [3] *vt* louer

arrendatario, -a **1** *adj* de location
2 *nm,f* locataire *m,f*; *(agrícola)* exploitant(e) *m,f*

arreos *nmpl* harnais *m*

arrepentido, -a **1** *adj* repenti(e), repentant(e); **estar a. de algo** regretter qch
2 *nm,f* repenti(e) *m,f*

arrepentimiento *nm* repentir *m*

arrepentirse [62] *vpr* **a. (de algo)** se repentir (de qch), regretter (qch)

arrestar *vt* arrêter

arresto *nm* arrestation *f* ✩ **a. domiciliario** résidence *f* forcée

arriar [32] *vt (velas)* amener; *(bandera)* baisser

arriba 1 *adv (encima)* au-dessus; *(lugar, dirección)* en haut; *(en un texto)* ci-dessus; **vive (en el piso de) a.** il habite au-dessus; **a. de** plus de; *Am (encima de)* sur; **la vecina de a.** la voisine du dessus; **el estante de a.** l'étagère du haut; **a. del todo** tout en haut; **más a.** plus haut, au-dessus; **hacia a.** vers le haut; **ir para a.** monter; **calle a.** en remontant la rue; **río a.** en amont; **de a. abajo** *(cosa)* du début à la fin; *(persona)* de la tête aux pieds; **mirar a alguien de a. abajo** *(con desdén)* regarder qn de haut en bas
2 *interj* courage!; **¡a. la República!** vive la République!; **¡a. las manos!** haut les mains!

arribar *vi (por tierra)* parvenir; *(por mar)* toucher au port

arribeño, -a *nm,f Am Fam* habitant(e) *m,f* des hauts plateaux

arribista *adj & nmf* arriviste *mf*

arriendo = arrendamiento

arriesgado, -a *adj (peligroso)* risqué(e); *(temerario)* audacieux (euse)

arriesgar [38] **1** *vt* risquer **2 arriesgarse** *vpr* s'exposer, prendre des risques; **arriesgarse a** se risquer à

arrimar 1 *vt (acercar)* approcher, rapprocher; *Fig (arrinconar)* mettre dans un coin; *Fig* **a. el hombro** mettre la main à la pâte **2 arrimarse** *vpr (en el espacio)* s'approcher, se rapprocher; **arrimarse a algo** s'appuyer sur qch; *Fig* **arrimarse a alguien** *(ampararse)* s'en remettre à qn

arrinconar *vt (apartar, abandonar)* mettre dans un coin; *Fig (persona) (acorralar)* mettre au pied du mur; *(dejar de lado)* délaisser, mettre à l'écart

arroba *nf Informát (en dirección de correo electrónico)* arobas *f*

arrodillarse *vpr* s'agenouiller

arrogancia *nf* arrogance *f*

arrogante *adj* arrogant(e)

arrojado, -a *adj* courageux(euse), intrépide

arrojar 1 *vt (lanzar)* jeter; *(despedir) (humo, lava)* cracher; *(olor)* dégager; *(echar)* chasser; *(resultado)* faire apparaître, mettre en évidence; *(vomitar)* rendre **2 arrojarse** *vpr* se jeter

arrojo *nm* courage *m*

arrollador, -ora *adj (fuerza)* irrésistible; *(éxito)* retentissant(e); *(belleza)* éblouissant(e)

arrollar *vt (atropellar)* renverser; *(sujeto: agua, viento)* emporter; *(vencer)* mettre en déroute

arropar 1 *vt (con ropa)* couvrir; *Fig (con protección)* protéger **2 arroparse** *vpr* se couvrir

arroyo *nm (riachuelo)* ruisseau *m*; *(de la calle)* caniveau *m*; *Fig* **acabar en el a.** rouler dans le ruisseau

arroz *nm* riz *m* ☆ **a. blanco** riz nature; **a. con leche** riz au lait

arruga *nf (de ropa)* pli *m*; *(de piel)* ride *f*

arrugar [16] **1** *vt (ropa, papel)* froisser; *(piel)* rider **2 arrugarse** *vpr (ropa)* se froisser; *(piel)* se rider

arruinar 1 *vt también Fig* ruiner **2 arruinarse** *vpr* se ruiner

arrullar *vt* chanter une berceuse à, bercer

arrullo *nm (de palomas)* roucoulement *m*; *(nana)* berceuse *f*; *(susurro)* murmure *m*

arsenal *nm (de barcos, armas)* arsenal *m*; *(de cosas)* stock *m*

arsénico *nm* arsenic *m*

art. *(abrev* **artículo***)* art.

arte *nm o nf* art *m*; *(astucia)* ruse *f*; **por o con malas artes** par des moyens pas très catholiques; **como por a. de birlibirloque** o **de magia** comme par magie; **artes** arts ☆ **artes gráficas** arts graphiques; **artes plásticas** arts plastiques; **bellas artes** beaux-arts *mpl*

artefacto *nm* engin *m*; *(bomba)* engin *m* explosif

arteria *nf también Fig* artère *f*

arterioesclerosis, arteriosclerosis *nf inv* artériosclérose *f*

artesanal *adj* artisanal(e)

artesanía *nf* artisanat *m*; **de a.** *(producto)* artisanal(e), de fabrication artisanale

artesano, -a *nm,f* artisan(e) *m,f*

Ártico 1 *adj* arctique; **el océano (Glacial) Á.** l'océan *m* (Glacial) Arctique **2** *nm* **el Á.** l'Arctique *m*

articulación *nf* articulation *f*

articulado, -a *adj* articulé(e)

articular *vt* articuler; *(plan, proyecto)* élaborer

artículo *nm* article *m* ☆ **a. de fondo** article de fond; **a. de primera necesidad** produit *m* de première nécessité

artífice *nmf* artisan *m*

artificial *adj* artificiel(elle)

artificio *nm (aparato)* engin *m*; *Fig (artimaña)* artifice *m*

artillería *nf* artillerie *f*

artilugio *nm (mecanismo)* engin *m*

artimaña *nf* ruse *f*

artista *nmf* artiste *mf*

artístico, -a *adj* artistique

artritis *nf inv* arthrite *f*

artrosis *nf inv* arthrose *f*

arveja *nf Am* petit pois *m*

arzobispo *nm* archevêque *m*

as *nm* as *m*

asa *nf* anse *f (poignée)*

asado *nm (horno)* rôti *m*; *Col, CSur (barbacoa)* barbecue *m*

asador *nm (aparato)* rôtissoire *f*; *(varilla)* broche *f*; *(restaurante)* grill *m*

asaduras *nfpl* abats *mpl*

asalariado, -a *nm,f* salarié(e) *m,f*

asalmonado, -a *adj (color)* saumon *inv*

asaltante *nmf* assaillant(e) *m,f*

asaltar *vt (castillo, ciudad)* prendre d'assaut; *(banco, tren)* attaquer; *Fig (sujeto: duda)* assaillir; *(sujeto: idea)* venir à; **me asaltó en el pasillo** *(me abordó)* il m'a sauté dessus dans le couloir

asalto *nm (de castillo, ciudad)* assaut *m*; *(de banco)* hold-up *m*; *(de persona)* attaque *f*, agression *f*; *(en boxeo)* round *m*; **tomar algo por a.** prendre qch d'assaut

asamblea *nf (reunión)* assemblée *f*

asar 1 *vt (al horno)* rôtir; *(a la parrilla)* griller; *Fig* **a. a alguien a preguntas** harceler qn de questions

2 asarse *vpr Fig* cuire, étouffer

ascendencia *nf (linaje)* ascendance *f*; *Fig (influencia)* ascendant *m*; **es de a. aragonesa** il est d'origine aragonaise

ascendente 1 *adj* ascendant(e)

2 *nm Astrol* ascendant *m*

ascender [64] **1** *vi (subir)* monter; *(incrementarse)* augmenter; *(progresar) (en empleo)* être promu(e); *(en deportes)* monter dans le classement; **a. a** *(factura, cuenta)* s'élever à; **a. a primera división** monter en première division

2 *vt* **a. a alguien (a algo)** promouvoir qn (à qch)

ascendiente 1 *nmf (antepasado)* ancêtre *mf*

2 *nm (influencia)* ascendant *m*

ascensión *nf* ascension *f*; **la A.** l'Ascension

ascenso *nm (en empleo)* avancement *m*, promotion *f*; *(a un monte)* ascension *f*; **el equipo lucha por el a. a primera** l'équipe fait tout pour monter en première division

ascensor *nm* ascenseur *m*

ascético, -a *adj* ascétique

asco *nm (sensación)* dégoût *m*; **¡qué a. de tiempo!** quel sale temps!, quel temps pourri!; **¡qué a.!** c'est dégoûtant *ou* répugnant!; **dar a.** dégoûter; **hacer ascos a algo** faire la fine bouche devant qch; *Fam* **estar hecho un a.** être vraiment dégoûtant(e); *Fam* **ser un a.** *(cosa mala)* être nul (nulle); *(cosa fea)* être une horreur; *(cosa sucia)* être vraiment dégoûtant(e)

ascua *nf* braise *f*; *Fig* **arrimar el a. a su sardina** tirer la couverture à soi; *Fig* **estar en** *o* **sobre ascuas** être sur des charbons ardents

aseado, -a *adj (limpio) (persona)* net (nette); *(animal)* propre; *(arreglado)* soigné(e)

asear 1 *vt* nettoyer

2 asearse *vpr (lavarse)* faire sa toilette; *(arreglarse)* se préparer

asediar vt assiéger; Fig harceler

asedio nm siège m; Fig harcèlement m

asegurado, -a nm,f assuré(e) m,f

asegurador, -ora nm,f assureur m

asegurar 1 vt (fijar) assujettir; (tuerca) resserrer; (garantizar) assurer
  2 asegurarse vpr asegurarse de que (cerciorarse) s'assurer que; asegúrate de cerrar la puerta n'oublie pas de fermer la porte; asegurarse (contra) (hacer un seguro) s'assurer (contre)

asentamiento nm (de población) colonie f

asentar [3] **1** vt (instalar) (empresa) implanter; (campamento, pueblo) installer; (asegurar) (cimientos) asseoir; (conocimientos) parfaire
  2 asentarse vpr (instalarse) s'établir, se fixer; (posarse) se déposer

asentir [62] vi (afirmar con la cabeza) acquiescer; **a. (a algo)** (estar conforme) admettre (qch)

aseo nm (acción) toilette f; (cualidad) propreté f; (habitación) salle f d'eau; **aseos** toilettes fpl

aséptico, -a adj aseptique; Fig (discurso) aseptisé(e)

asequible adj accessible

aserradero nm scierie f

asesinar vt assassiner

asesinato nm assassinat m

asesino, -a 1 adj (mano, mirada) assassin(e); (arma, tendencias) meurtrier(ère)
  2 nm,f assassin m, meurtrier(ère) m,f ☆ **a. a sueldo** tueur m à gages

asesor, -ora nm,f conseiller(ère) m,f; Der assesseur m; ☆ **a. fiscal** conseiller fiscal; **a. de imagen** conseiller en communication

asesorar 1 vt conseiller
  2 asesorarse vpr asesorarse (sobre algo) se faire conseiller (sur qch)

asesoría nf (oficio) conseil m; (oficina) cabinet-conseil m ☆ **a. fiscal**

(oficina) cabinet m de conseil fiscal; **a. jurídica** cabinet juridique

asestar vt (golpe, puñalada) asséner; (tiro) tirer

asexuado, -a adj asexué(e)

asfaltado nm (acción) goudronnage m, asphaltage m; (asfalto) chaussée f

asfaltar vt goudronner, asphalter

asfalto nm asphalte m

asfixia nf asphyxie f

asfixiante adj asphyxiant(e); (calor) étouffant(e)

asfixiar 1 vt (ahogar) asphyxier; Fig (agobiar) étouffer, oppresser
  2 asfixiarse vpr (ahogarse) s'asphyxier; Fam (de calor) crever de chaleur; Fig (agobiarse) étouffer

así 1 adv ainsi; (de este modo) comme ceci; (de ese modo) comme cela; **era a. de largo** il était long comme ça; **a. es/era/fue como…** voilà comment…, c'est ainsi que…; **a. a. comme ci comme ça**, couci-couça; **algo a.** quelque chose comme ça; **a. como** (igual que) de même que, ainsi que; (del mismo modo) comme; (además) ainsi que; **a. es** c'est ça; Am Fam **a. no más** (regular) comme çi comme ça; (de repente) sans prévenir; **y a. todos los días** et c'est comme ça tous les jours; **y a. sucesivamente** et ainsi de suite; **a. y todo** malgré tout
  2 conj (de modo que) ainsi; **a. (es) que** alors; **estoy enferma a. que no voy** je suis malade, alors je n'y vais pas; **no lo haré a. me paguen** je ne le ferai pas, même pour de l'argent; **a. pues** donc, par conséquent; **a. que llegues** (tan pronto como) dès que tu arriveras

Asia n l'Asie f

asiático, -a 1 adj asiatique
  2 nm,f Asiatique mf

asidero nm (agarradero) manche m; Fig (apoyo) soutien m

asiduidad nf assiduité f

asiduo, -a 1 adj assidu(e)
2 nm,f habitué(e) m,f

asiento nm (mueble) siège m; Com écriture f; (base) assise f; (emplazamiento) site m; **tomar a.** prendre place ☆ **a. abatible** siège inclinable; Com **a. contable** écriture comptable

asignación nf (atribución) attribution f; (repartición) répartition f; (fondos) budget m

asignar vt **a. algo a alguien** (atribuir) assigner ou attribuer qch à qn; **a. a alguien a** (destinar) affecter qn à

asignatura nf matière f ☆ **a. pendiente** épreuve f à repasser; Fig **es mi a. pendiente** c'est quelque chose que j'ai toujours voulu faire

asilado, -a nm,f réfugié(e) m,f

asilo nm asile m; **dar a. a alguien** offrir asile à qn ☆ **a. político** asile politique

asimilación nf assimilation f

asimilar 1 vt assimiler
2 asimilarse vpr s'assimiler

asimismo adv aussi, de même; **es a. necesario que...** de même, il est nécessaire que...

asir [9] **1** vt saisir
2 asirse vpr s'accrocher (**a** à)

asistencia nf (presencia) présence f; (ayuda, público) assistance f; Dep passe f ☆ **a. médica** soins mpl; **a. técnica** assistance technique

asistenta nf femme f de ménage

asistente nmf (ayudante) assistant(e) m,f; **una a. social** une assistante sociale; **los asistentes** (los presentes) les personnes présentes

asistido, -a adj Aut & Informát assisté(e); **dirección asistida** direction f assistée

asistir 1 vt (acompañar) assister; (ayudar) (a heridos, necesitados) secourir; (a enfermos) soigner

2 vi (presenciar) être présent(e); **a. a assister à**

asma nf asthme m

asno nm también Fig âne m

asociación nf association f ☆ **a. de consumidores** association de (défense des) consommateurs; **a. de ideas** association d'idées; **a. de vecinos** association de riverains

asociado, -a 1 adj associé(e); **profesor a.** professeur m associé
2 nm,f (miembro) associé(e) m,f

asociar 1 vt associer
2 asociarse vpr s'associer

asolar [63] vt dévaster

asomar 1 vi apparaître; (pañuelo, camisa) sortir, dépasser; (sol) poindre
2 vt passer; **a. la cabeza por la ventana** passer la tête par la fenêtre; **asomó la cabeza por detrás del mueble** il sortit la tête de derrière le meuble
3 asomarse vpr se pencher (**a** à)

asombrar 1 vt (causar admiración) stupéfier; (causar sorpresa) étonner
2 asombrarse vpr s'étonner (**de** de)

asombro nm (admiración) stupéfaction f; (sorpresa) étonnement m

asombroso, -a adj (sensacional) stupéfiant(e), ahurissant(e); (sorprendente) étonnant(e)

asomo nm (indicio) pointe f; (de duda) ombre f; (de esperanza) lueur f; **ni por a.** pas le moins du monde; **no creer algo ni por a.** ne pas croire une seconde à qch

aspa nf (de molino) aile f; (de hélice) pale f

aspaviento nm simagrée f; **hacer aspavientos** faire des simagrées

aspecto nm (faceta) aspect m; (presencia, pinta) allure f; (cara, estado físico) mine f; **tener buen/mal a.** avoir bonne/mauvaise mine; **en todos los aspectos** à tous points de vue; **tener a. de...** avoir l'air de...

aspereza nf (de piel) rugosité f; (de

terreno) aspérité *f*; *Fig (de carácter)* rudesse *f*; *Fig* **limar asperezas** arrondir les angles

áspero, -a *adj (piel)* rugueux(euse); *(tejido)* rêche; *(terreno)* raboteux (euse); *Fig (carácter)* revêche

aspersión *nf* aspersion *f*

aspersor *nm (para jardín)* asperseur *m*; *(para cultivos)* pulvérisateur *m*

aspiración *nf* aspiration *f*

aspirador *nm,* **aspiradora** *nf* aspirateur *m*

aspirante 1 *adj* aspirant(e)
2 *nmf* candidat(e) *m,f*

aspirar 1 *vt* aspirer
2 *vi* **a. a algo** aspirer à qch

aspirina *nf* aspirine *f*

asquear *vt* dégoûter

asquerosidad *nf (cosa mala)* nullité *f*; *(cosa fea)* horreur *f*; **es una a.** *(cosa sucia)* c'est vraiment dégoûtant *ou* répugnant

asqueroso, -a *adj* dégoûtant(e), répugnant(e)

asta *nf (de bandera, lanza)* hampe *f*; *(de toro)* corne *f*

asterisco *nm* astérisque *m*

asteroide *nm* astéroïde *m*

astigmatismo *nm* astigmatisme *m*

astilla *nf (de piedra, madera)* éclat *m*; *(en el dedo)* écharde *f*

astillero *nm* chantier *m* naval

astracán *nm* astrakan *m*

astringente *adj* astringent(e)

astro *nm (cuerpo celeste)* astre *m*; *Fig (persona)* vedette *f,* star *f*

astrofísica *nf* astrophysique *f*

astrología *nf* astrologie *f*

astrólogo, -a *nm,f* astrologue *mf*

astronauta *nmf* astronaute *mf*

astronomía *nf* astronomie *f*

astronómico, -a *adj también Fig* astronomique

astrónomo, -a *nm,f* astronome *mf*

astucia *nf (picardía)* astuce *f*; *(treta)* ruse *f*

asturiano, -a 1 *adj* asturien(enne)
2 *nm,f* Asturien(enne) *m,f*

Asturias *n* les Asturies *fpl*

astuto, -a *adj (listo, sagaz)* astucieux(euse); *(taimado)* rusé(e)

asumir *vt* assumer

asunceño, -a 1 *adj* de la ville d'Asunción *(capitale du Paraguay)*
2 *nm,f* = personne originaire d'Asunción

Asunción *n (ciudad)* Asunción

asunto *nm (tema)* sujet *m*; *(negocio)* affaire *f*; *Fam (romance)* liaison *f* ☆ ***Asuntos Exteriores*** Affaires étrangères

asustado, -a *adj* effrayé(e)

asustar 1 *vt* effrayer, faire peur à
2 asustarse *vpr* avoir peur (**de** de); **no se asusta de** *o* **por nada** il n'a peur de rien

atacante 1 *adj* attaquant(e)
2 *nmf* assaillant(e) *m,f*

atacar [59] *vt* attaquer; *(criticar)* critiquer, s'en prendre à; *Fam* **me ataca los nervios** il me tape sur les nerfs; **me atacó el sueño** le sommeil m'a gagné tout d'un coup

atadura *nf* attache *f*; *Fig (obligación)* astreinte *f*; *(económica)* contrainte *f*

atajar 1 *vi (acortar)* couper, prendre un raccourci
2 *vt (contener) (hemorragia, ofensiva)* stopper; *(incendio)* maîtriser; *(proceso, epidemia)* enrayer; *Fig (interrumpir)* couper la parole à

atajo *nm (camino, medio)* raccourci *m*; *Pey (panda)* bande *f*, ramassis *m*

atañer *vi* **a.a** concerner; *(asunto)* regarder

ataque 1 *ver* **atacar**
2 *nm* attaque *f*; *(de nervios, llanto)* crise *f*; **a. de tos** quinte *f* de toux; **a.**

de risa fou rire *m* ☆ *a. cardíaco* o *al corazón* crise cardiaque

atar **1** *vt (unir)* attacher; *Fig (relacionar)* relier; *Fig (constreñir)* astreindre; *Fig a.* **cabos** procéder par recoupement

2 atarse *vpr Fig (comprometerse)* prendre des engagements; **atarse los cordones** nouer ses lacets

atardecer [46] **1** *nm* tombée *f* du jour

2 *v impersonal* **atardece** le jour tombe

atareado, -a *adj* occupé(e), pris(e)

atascar [59] **1** *vt* boucher

2 atascarse *vpr (obstruirse)* se boucher; *Fig (detenerse)* s'embourber, s'enliser; *(al hablar)* bafouiller

atasco *nm (de tráfico)* embouteillage *m*

ataúd *nm* cercueil *m*

ataviar [32] **1** *vt* parer

2 ataviarse *vpr* se parer (**con** de)

ate *nm Méx* gelée *f (de fruits)*

atemorizar [14] **1** *vt* effrayer

2 atemorizarse *vpr* s'effrayer, prendre peur

Atenas *n* Athènes

atención **1** *nf (interés)* attention *f*; *(cortesía)* prévenance *f*, égard *m*; **en a. a** eu égard à; **llamar la a.** *(atraer)* attirer l'attention; *(amonestar)* rappeler à l'ordre; **poner** o **prestar a.** prêter attention; **atenciones** attentions

2 *interj* votre attention s'il vous plaît!

atender [64] **1** *vt (aceptar) (petición, ruego)* accéder à; *(consejo, instrucciones)* faire cas de; *(cuidar de)* s'occuper de; *(enfermo)* soigner; *(cliente)* servir; *(responder)* répondre; **¿le atienden?** on s'occupe de vous?

2 *vi (estar atento)* être attentif(ive); **a. (a algo)** écouter (qch); **a. por** répondre au nom de

ateneo *nm (asociación)* cercle *m*

atenerse [65] *vpr* **a. a** *(orden, instrucciones)* s'en tenir à; *(ley)* observer; **atente a las consecuencias** tu l'auras voulu

atentado *nm* attentat *m*

atentamente *adv (con atención)* attentivement; *(con cortesía)* poliment; **le saluda muy a.** *(en carta)* veuillez agréer, Madame/Monsieur, mes salutations distinguées

atentar *vi* **a. contra** attenter à

atento, -a *adj (pendiente)* attentif(ive) (**a** à); *(cortés)* attentionné(e)

atenuante *nm Der* circonstance *f* atténuante

atenuar [4] *vt* atténuer

ateo, -a *adj & nm,f* athée *mf*

aterrador, -ora *adj* terrifiant(e)

aterrar *vt* terrifier

aterrizaje *nm* atterrissage *m* ☆ *a. forzoso* atterrissage forcé

aterrizar [14] *vi (avión)* atterrir; *Fig (persona)* débarquer

aterrorizar [14] *vt* terroriser

atesorar *vt (riquezas)* amasser; *(virtudes)* réunir

atestar *vt (llenar)* remplir, bourrer; *Der* attester

atestiguar [11] *vt* **a. algo** témoigner de qch

atiborrar *Fam* **1** *vt* bourrer

2 atiborrarse *vpr* s'empiffrer

ático *nm* = appartement situé au dernier étage d'un immeuble

atinar *vi (adivinar)* voir juste; *(dar en el blanco)* viser juste; **a. con** *(respuesta, camino)* trouver; **a. a hacer algo** *(acertar)* réussir à faire qch

atingencia *nf Am (relación)* rapport *m*; *(observación)* remarque *f*

atípico, -a *adj* atypique

atisbar *vt* entrevoir

atisbo *nm* soupçon *m*; *(de esperanza)* lueur *f*

atizar [14] **1** *vt (fuego, sentimientos)*

attiser; *(sospechas)* éveiller; *Fam (bofetada)* flanquer

2 atizarse *vpr Fam (comida, bebida)* s'envoyer

atlántico, -a 1 *adj* atlantique

2 *nm* **el A.** l'Atlantique *m*

atlas *nm* atlas *m*

atleta *nmf* athlète *mf*

atlético, -a *adj* athlétique

atletismo *nm* athlétisme *m*

atmósfera *nf también Fig* atmosphère *f*

atmosférico, -a *adj* atmosphérique

atole *nm CAm, Méx, Ven* = boisson à base de farine de maïs

atolladero *nm (apuro)* pétrin *m*, impasse *f*; **sacar del a.** tirer d'affaire

atolondrado, -a *adj & nm,f* étourdi(e) *m,f*

atolondramiento *nm* étourderie *f*

atómico, -a *adj* atomique

átomo *nm* atome *m*

atónito, -a *adj* sans voix

atontado, -a *adj (aturdido)* étourdi(e); *(tonto)* abruti(e)

atontar *vt (aturdir)* étourdir; *(alelar)* abrutir

atorarse *vpr Am (atragantarse)* s'étrangler (**con** avec); *(trabarse)* se coincer

atormentar *vt* torturer

atornillar *vt* visser

atorón *nm Méx* embouteillage *m*

atorrante *adj CSur (holgazán)* fainéant(e)

atosigar [38] *vt* harceler

atracador, -ora *nm,f* voleur(euse) *m,f* (à main armée)

atracar [59] **1** *vt (banco)* attaquer; *(persona)* agresser

2 *vi (barco)* accoster (**en** à)

3 atracarse *vpr* **atracarse de** se gaver de

atracción *nf* attraction *f*; *(atractivo)*

atrait *m*; *(de persona)* charme *m*; **sentir a. por** être attiré(e) par

atraco *nm* hold-up *m inv*; **a. a mano armada** attaque *f* à main armée

atracón *nm Fam* **darse un a. (de)** se goinfrer (de)

atractivo, -a 1 *adj* attirant(e)

2 *nm* attrait *m*; *(de persona)* charme *m*

atraer [66] *vt también Fig* attirer

atragantarse *vpr* s'étrangler (**con** avec); *Fig* **se me ha atragantado** je ne peux plus le voir en peinture

atrancar [59] **1** *vt (puerta)* barricader; *(cerradura)* bloquer; *(obturar)* boucher

2 atrancarse *vpr (encerrarse)* s'enfermer à double tour; *(atascarse)* se boucher; *Fig (al hablar)* bafouiller

atrapar *vt (pillar, alcanzar)* attraper; *Fam (conseguir)* décrocher; *Fam (engañar)* rouler

atrás *adv (detrás) (posición)* derrière, à l'arrière; *(movimiento)* arrière, en arrière; **los niños suben a.** les enfants montent derrière *ou* à l'arrière; **dar marcha a.** faire marche arrière; **dar un paso a.** faire un pas en arrière; **(pocos) días a.** *(en el pasado)* quelques jours plus tôt *(en el presente)* il y a quelques jours; **quedarse a.** rester en arrière

atrasado, -a *adj* en retard; *(pago)* arriéré(e); **mi reloj está a.** ma montre retarde

atrasar 1 *vt (reloj)* retarder; *(acontecimiento)* reporter; **a. el reloj una hora** retarder sa montre d'une heure

2 *vi* retarder; **mi reloj atrasa** ma montre retarde

3 atrasarse *vpr (reloj)* retarder; *(quedarse atrás)* prendre du retard

atraso *nm* retard *m*; **atrasos** arriérés *mpl*

atravesar [3] **1** *vt (cruzar, vivir)* traverser; *(interponer)* mettre en travers; *(traspasar) (agua)* traverser, passer à travers; *(bala, clavo)* transpercer

2 atravesarse *vpr (interponerse)* se mettre en travers; *Fig* **se me ha atravesado** je ne peux plus le voir en peinture

atrayente *adj* séduisant(e)

atreverse *vpr* a. **(a algo/hacer algo)** oser (qch/faire qch)

atrevido, -a 1 *adj (descarado)* effronté(e); *(valiente)* intrépide; *(hecho, dicho)* osé(e)
2 *nm,f* effronté(e) *m,f*

atrevimiento *nm (osadía)* hardiesse *f*; *(insolencia)* écart *m*

atribución *nf* attribution *f*

atribuir [34] **1** *vt* **a. algo a** attribuer qch à
2 atribuirse *vpr* s'attribuer

atributo *nm también Informát* attribut *m*

atril *nm* lutrin *m*

atrocidad *nf (crueldad)* atrocité *f*; *Fig (necedad)* énormité *f*

atrofiado, -a *adj también Fig* atrophié(e)

atropellado, -a *adj (precipitado)* précipité(e)

atropellar 1 *vt (sujeto: vehículo)* renverser; *(sujeto: persona)* piétiner, marcher sur
2 atropellarse *vpr (al hablar)* bredouiller

atropello *nm (por vehículo)* accident *m*; *(agravio)* abus *m*; **¡esto es un a.!** c'est un scandale!; **fue víctima de un a.** il a été renversé par une voiture

atroz *adj* atroce; *(comida)* infâme

ATS *nmf (abrev* **ayudante técnico sanitario)** infirmier(ère) *m,f*

atte. *(abrev* **atentamente)** veuillez agréer, Madame/Monsieur, mes salutations distinguées

atuendo *nm* toilette *f*, tenue *f*

atún *nm* thon *m*

aturdido, -a *adj* abasourdi(e)

aturdir 1 *vt (sujeto: golpe)* étourdir; *(sujeto: noticia)* abasourdir
2 aturdirse *vpr (por un golpe)* être étourdi(e); *(por una noticia)* être abasourdi(e)

audacia *nf* audace *f*

audaz *adj* audacieux(euse)

audición *nf* audition *f*

audiencia *nf (entrevista)* audience *f*; *(en conferencia)* auditoire *m*; *(tribunal)* cour *f*; *(edificio)* palais *m* de justice; **conceder una a.** accorder un entretien ☆ *a. **pública** audience publique

audífono *nm* audiophone *m*, appareil *m* acoustique

audio *nm* son *m*

audiovisual *adj* audiovisuel(elle)

auditivo, -a *adj* auditif(ive)

auditor, -ora *nm,f (de cuentas)* audit *m (personne)*

auditoría *nf (profesión, balance)* audit *m*; *(despacho)* cabinet *m* d'audit

auditorio *nm (público)* auditoire *m*; *(lugar)* auditorium *m*

auge *nm* essor *m*

augurar *vt (sujeto: persona)* prédire; *(sujeto: suceso)* présager

augurio *nm* augure *m*

aula *nf (de escuela)* salle *f* de classe; *(de universidad)* salle *f* de cours ☆ *a.* **magna** grand amphithéâtre *m*

aullar *vi* hurler

aullido *nm* hurlement *m*

aumentar 1 *vt* augmenter; *(imagen)* grossir; *(sonido)* monter; **a. de peso** prendre du poids
2 *vi* augmenter

aumentativo, -a 1 *adj* augmentatif(ive)
2 *nm* augmentatif *m*

aumento *nm (de sueldo, tarifas)* augmentation *f*; *(de lente)* grossissement *m*; **ir en a.** augmenter; *(tensión)* monter; **de a.** grossissant(e)

aun 1 adv (hasta, incluso) même; **a. en pleno invierno...** même en plein hiver...

2 conj (aunque) bien que; **a. estando enfermo, vendrá** il viendra, bien qu'il soit malade; **ni a. puesto de puntillas logra ver** même sur la pointe des pieds, il ne voit pas; **a. así** quand même; **a. cuando** (aunque) quand bien même, même si; **no mentiría a. cuando le fuera en ello la vida** elle ne mentirait pas même si elle devait en mourir

aún adv (todavía) encore; **a. no ha llamado** il n'a pas encore appelé

aunar vt (ideas, voluntades) rassembler; (esfuerzos) conjuguer, unir

aunque conj (a pesar de que) bien que + subjuntivo; (incluso si) même si + indicativo; (pero) bien que; **a. está enfermo, sigue viniendo** bien qu'il soit malade, il continue à venir; **a. esté enfermo seguirá viniendo** même s'il est malade il continuera à venir

aúpa interj Fam hop là!; **¡a. el Atlético!** allez l'Atlético!; **de a.** du tonnerre; **un miedo de a.** une peur bleue; **un frío de a.** un froid de canard

aupar 1 vt (persona) hisser; **a. a alguien** faire la courte échelle à qn

2 auparse vpr **auparse en** se hisser sur

aureola nf también Fig auréole f

auricular nm (de teléfono) écouteur m; **auriculares** casque m

aurora nf aurore f ☆ **a. boreal** aurore boréale

auscultar vt ausculter

ausencia nf absence f; (de aire) manque m

ausentarse vpr s'absenter

ausente adj & nmf absent(e) m,f

auspicio nm **bajo los auspicios de** sous les auspices de

austeridad nf austérité f

austero, -a adj austère; **ser a. en la comida** manger avec modération

austral adj austral(e)

Australia n l'Australie f

australiano, -a 1 adj australien (enne)

2 nm,f Australien(enne) m,f

Austria n l'Autriche f

austríaco, -a 1 adj autrichien(enne)

2 nm,f Autrichien(enne) m,f

auténtico, -a adj (veraz) authentique; (no falsificado, verdadero) vrai(e); (piel) véritable; **son brillantes auténticos** ce sont de vrais diamants; **es un a. cretino** c'est un vrai crétin

autista adj & nmf autiste mf

auto nm Der ordonnance f, arrêt m; CSur (vehículo) auto f

autoadhesivo, -a adj autocollant(e)

autobiografía nf autobiographie f

autobús (pl autobuses) nm autobus m

autocar nm autocar m

autocontrol nm self-control m

autóctono, -a adj & nm,f autochtone mf

autodeterminación nf autodétermination f

autodidacta adj & nmf autodidacte mf

autoedición nf Informát publication f assistée par ordinateur, PAO f

autoescuela nf auto-école f

autoestima nf confiance f en soi

autoestop nm auto-stop m; **hacer a.** faire de l'auto-stop

autoestopista nmf auto-stoppeur (euse) m,f

autógrafo nm autographe m

autómata nm también Fig automate m

automático, -a adj automatique; (gesto) mécanique

automatización *nf* automatisation *f* ☆ *a. de fábricas* robotisation *f*

automatizar [14] *vt* automatiser

automedicarse [59] *vpr* = prendre des médicaments sans avis médical

automóvil *nm* automobile *f*

automovilismo *nm (deporte)* sport *m* automobile

automovilista *nmf* automobiliste *mf*

automovilístico, -a *adj* automobile

autonomía *nf* autonomie *f*; *(comunidad autónoma)* communauté *f* autonome

autonómico, -a *adj (de comunidad autónoma)* d'une communauté autonome

autónomo, -a 1 *adj* autonome; *(trabajador)* indépendant(e), à son compte

2 *nm,f* travailleur *m* indépendant

autopista *nf* autoroute *f* ☆ *a. de información* autoroute de l'information; *a. de peaje* autoroute à péage

autopsia *nf* autopsie *f*

autor, -ora *nm,f* auteur *m*

autoría *nf (de obra)* paternité *f* littéraire; *(de crimen)* perpétration *f*

autoridad *nf* autorité *f*; **ser una a. en** faire autorité en matière de; **la a.** *(la ley)* les autorités

autoritario, -a *adj* autoritaire

autorización *nf* autorisation *f* (**para de**)

autorizado, -a *adj* autorisé(e)

autorizar [14] *vt* autoriser

autorretrato *nm* autoportrait *m*

autoservicio *nm (tienda)* libre-service *m*; *(restaurante)* self-service *m*

autostop = autoestop

autostopista = autoestopista

autosuficiencia *nf* autosuffisance *f*

autosugestión *nf* autosuggestion *f*

autovía *nf* route *f* à quatre voies

auxiliar¹ 1 *adj* auxiliaire; *(mueble)* d'appoint

2 *nmf (ayudante)* assistant(e) *m,f* ☆ *a. administrativo* employé *m* de bureau

auxiliar² *vt* assister, aider

auxilio *nm* aide *f*, secours *m*; **pedir a.** appeler au secours ☆ *primeros auxilios* premiers secours

auyama *nf Col, Ven* potiron *m*

av. *(abrev* **avenida**) av.

aval *nm (bancario)* aval *m*; *(garantía)* garantie *f*

avalancha *nf también Fig* avalanche *f*

avalar *vt (garantizar)* avaliser, donner son aval à; *(responder de)* se porter garant de

avalista *nmf* caution *f*, garant(e) *m,f*

avance 1 *ver* **avanzar**

2 *nm (de dinero)* avance *f*; *(de tropas)* avancée *f*; *(de la ciencia)* progrès *m*; *(en radio, televisión)* présentation *f* des programmes ☆ *a. informativo* flash *m* d'informations; *a. meteorológico* prévisions *fpl* météo

avanzado, -a 1 *adj* avancé(e); *(alumno)* en avance

2 *nf* **avanzada** *Mil* avant-garde *f*

avanzar [14] **1** *vi* avancer

2 *vt (adelantar)* avancer; *(anticipar)* annoncer

avaricia *nf* avarice *f*; *Fam* **ser feo/pesado con a.** être hyper-laid/pénible

avaricioso, -a *adj & nm,f* avare *mf*

avaro, -a *adj & nm,f* avare *mf*

avasallar *vt (arrollar)* écraser; *(someter)* asservir; **no te dejes a.** ne te laisse pas faire

avatares *nmpl* vicissitudes *fpl*

AVE *nm (abrev* **alta velocidad española**) = train à grande vitesse espagnol, ≃ TGV *m*

ave *nf* oiseau *m*; *Am (pollo)* poulet *m* ☆ *a. rapaz* rapace *m*; *a. de rapiña* oiseau de proie

avecinarse *vpr* approcher, être proche

avellana *nf* noisette *f*

avemaría *nf (oración)* Ave Maria *m inv*, Ave *m inv*

avena *nf* avoine *f*

avenida *nf* avenue *f*

avenido, -a *adj* **bien/mal avenidos** en bons/mauvais termes

avenirse [69] *vpr* s'entendre ; **a. a hacer algo** consentir à faire qch

aventajado, -a *adj (adelantado)* remarquable

aventajar *vt (superar)* dépasser, devancer ; **a. a alguien en algo** surpasser qn en qch, l'emporter sur qn en qch

aventar 1 *vt Andes, Méx (empujar)* pousser ; *(tirar)* jeter
  2 aventarse *vpr Col, Méx (atreverse)* **aventarse a hacer algo** oser faire qch

aventón *nm Méx* **dar a. a alguien** déposer qn *(en voiture)*

aventura *nf* aventure *f*

aventurado, -a *adj* risqué(e) ; *(proyecto, afirmación)* hasardeux(euse)

aventurarse *vpr* s'aventurer

aventurero, -a 1 *adj (persona, espíritu)* d'aventure
  2 *nm,f* aventurier(ère) *m,f*

avergonzar [10] **1** *vt* faire honte à
  2 avergonzarse *vpr* avoir honte (**de** de)

avería *nf* panne *f* ; *(de barco)* avarie *f*

averiado, -a *adj* en panne

averiar [32] **1** *vt* endommager
  2 averiarse *vpr* tomber en panne

averiguación *nf* recherche *f*, enquête *f*

averiguar [11] *vt (indagar)* rechercher, chercher à savoir ; *(enterarse)* arriver à savoir, découvrir

aversión *nf* aversion *f*

avestruz *nm* autruche *f*

aviación *nf* aviation *f*

aviador, -ora *nm,f* aviateur(trice) *m,f*

aviar [32] *vt (maleta)* faire ; *(habitación)* mettre en ordre ; *(comida)* préparer ; *Fam* **estar** *o* **ir aviado** se mettre le doigt dans l'œil (jusqu'au coude)

avícola *adj* avicole

avicultura *nf* aviculture *f*

avidez *nf* avidité *f*

ávido, -a *adj* avide (**de** de)

avinagrado, -a *adj (sabor, vino)* aigre ; *Fig (persona, carácter)* aigri(e) ; *(expresión)* renfrogné(e)

avinagrarse *vpr (vino)* tourner au vinaigre ; *Fig (persona)* s'aigrir

avío *nm* **el a.** *(los preparativos)* les préparatifs *mpl* ; *(los víveres)* les provisions *fpl* ; *Fam* **avíos** attirail *m*

avión *nm* avion *m* ; **en a.** en avion ; **por a.** par avion ☆ **a. a reacción** avion à réaction

avioneta *nf* avion *m* de tourisme

avisar *vt (informar, advertir)* prévenir ; *(llamar)* appeler

aviso *nm (advertencia)* avertissement *m* ; *(notificación)* avis *m* ; *(en aeropuertos)* appel *m* ; *Am (anuncio)* publicité *f* ; **poner sobre a. a alguien** mettre qn sur ses gardes ; **sin previo a.** sans préavis ; **hasta nuevo a.** jusqu'à nouvel ordre ☆ *Am* **a. clasificado** petite annonce *f*

avispa *nf* guêpe *f*

avispado, -a *adj* futé(e)

avispero *nm* guêpier *m* ; *Fig (muchedumbre)* fourmilière *f* ; *(enredo)* sac *m* de nœuds

avituallamiento *nm* ravitaillement *m*

avivar 1 *vt* raviver
  2 avivarse *vpr* se raviver

axila *nf* aisselle *f*

axioma *nm* axiome *m*

ay 1 *nm* plainte *f*
  2 *interj (dolor físico)* aïe ! ; *(sorpresa,*

pena) oh!; **¡ay de ti!** gare à toi!

ayer 1 *adv* hier; **a. noche** hier soir; **a. por la mañana** hier matin

2 *nm Fig* **del a.** d'antan, du temps jadis

ayo, -a 1 *nm,f (preceptor)* précepteur(trice) *m,f*

2 *nf* **aya** *(educadora)* gouvernante *f*

ayuda *nf* aide *f* ✿ **a. en carretera** service m de dépannage (routier); **a. humanitaria** aide humanitaire

ayudante *adj & nmf* assistant(e) *m,f*

ayudar 1 *vt* aider

2 **ayudarse** *vpr* **ayudarse de** o **con** s'aider de

ayunar *vi* jeûner

ayunas *nfpl* **en a.** *(para análisis)* à jeun; **estar en a.** *(sin comer)* jeûner; **estoy en a.** *Fig* je n'en ai pas la moindre idée

ayuno *nm* jeûne *m*; **hacer a.** faire maigre

ayuntamiento *nm (corporación)* municipalité *f*; *(edificio)* mairie *f*

azabache *nm* jais *m*

azada *nf* houe *f*

azafata *nf* hôtesse *f*

azafate *nm Andes (bandeja)* plateau *m*

azafrán *nm* safran *m*

azahar *nm* fleur *f* d'oranger

azar *nm* hasard *m*; **al a.** au hasard; **por (puro) a.** par (pur) hasard

Azerbaiyán *n* l'Azerbaïdjan *m*

azerí *(pl* **azeríes)** **1** *adj* azéri(e)

2 *nmf* Azéri(e) *m,f*

azotaina *nf Fam* raclée *f*; *(en el trasero)* fessée *f*

azotar *vt (pegar)* frapper; *(con látigo)* fouetter; **a. a alguien** *(en el trasero)* donner une fessée à qn; *Fig* **la epidemia azotó la región** l'épidémie a ravagé la région

azote *nm (golpe)* coup *m*; *(con la mano)* gifle *f*; *(en el trasero)* fessée *f*; *(con látigo)* coup *m* de fouet; *Fig (calamidad)* fléau *m*

azotea *nf (de edificio)* terrasse *f*; *Fam Fig (de persona)* ciboulot *m*

azteca 1 *adj* aztèque

2 *nmf* Aztèque *mf*

3 *nm (lengua)* aztèque *m*

azúcar *nm* o *nf* sucre *m* ✿ **a. moreno** sucre roux

azucarado, -a *adj* sucré(e)

azucarero, -a 1 *adj* sucrier(ère)

2 *nm* sucrier *m*

azucena *nf* lis *m*, lys *m*

azufre *nm* soufre *m*

azul 1 *adj* bleu(e)

2 *nm* bleu *m* ✿ **a. celeste** bleu ciel; **a. marino** bleu marine

azulejo *nm* azulejo *m*, carreau *m* de faïence

azulgrana *adj inv* du Football Club de Barcelone

B

B, b *nf (letra)* B *m inv*, b *m inv*

baba *nf* bave *f*; *Fam* **se le cae la b. con su hija** il bave d'admiration devant sa fille; *Fam* **tener mala b.** être une peau de vache

babear *vi* baver

babero *nm* bavoir *m*

babi *nm* tablier *m (d'écolier)*

babilónico, -a *adj Hist* babylonien(enne); *(fastuoso)* somptueux (euse)

bable *nm* = dialecte asturien

babor *nm* bâbord *m*; **a b.** à bâbord

babosa *nf* limace *f*

babosada *nf CAm, Méx Fam* bêtise *f*

baboso, -a 1 *adj* baveux(euse); *Am Fam (tonto)* crétin(e)
2 *nm,f Am Fam (tonto)* crétin(e) *m,f*

babucha *nf* babouche *f*

baca *nf* galerie *f (de voiture)*

bacalao *nm* morue *f*; *Fam Fig* **partir** *o* **cortar el b.** mener la barque

bacanal *nf* orgie *f*

bache *nm (en carretera)* cassis *m*; *(socavón)* nid-de-poule *m*; *Fig (para los negocios, las personas)* mauvaise passe *f*, moment *m* difficile

bachiller *nmf* bachelier(ère) *m,f*

bachillerato *nm* = ancien cycle d'études secondaires en Espagne

bacilo *nm* bacille *m*

bacon ['beikon] *nm inv* bacon *m*

bacteria *nf* bactérie *f*

bacteriológico, -a *adj* bactériologique

báculo *nm (de obispo)* crosse *f*; **ella será el b. de mi vejez** elle sera mon bâton de vieillesse

badén *nm (en carretera)* cassis *m*; *(cauce)* rigole *f*

bádminton *nm inv* badminton *m*

bagaje *nm (cultural)* bagage *m*

bagatela *nf* bagatelle *f*

bahía *nf* baie *f*

bailaor, -ora *nm,f* danseur(euse) *m,f* de flamenco

bailar 1 *vt* danser; *Fam* **que me quiten lo bailado** c'est toujours ça de pris
2 *vi (danzar)* danser; *Fig (no encajar)* jouer; **me baila la falda** cette jupe est trop grande pour moi; **los pies me bailan en los zapatos** je nage dans mes chaussures

bailarín, -ina *nm,f* danseur(euse) *m,f*

baile *nm* danse *f*; *(fiesta)* bal *m* ☆ **b. de San Vito** danse de Saint-Guy

bailotear *vi Fam* se trémousser

baja *nf (descenso)* baisse *f*; *(por enfermedad) (permiso)* congé *m* maladie; *(documento)* arrêt *m* maladie; *Mil* perte *f*, mort *m*; **dar de b. a alguien** *(en una empresa)* licencier qn; *(en un club, sindicato)* exclure qn; **darse de b. (de)** *(dimitir)* quitter, donner sa démission (de); *(salirse)* se retirer (de); **estar de b.** être arrêté(e) *ou* en congé maladie

bajada *nf (descenso)* descente *f*; *(pendiente)* pente *f*; *(de aguas, precios)* baisse *f* ☆ **b. de bandera** *(en taxi)* prise *f* en charge

bajamar *nf* marée *f* basse

bajar 1 *vt* baisser; *(descender, poner abajo)* descendre; **b. los precios/el telón/el volumen** baisser les prix/le rideau/le son; **b. la cabeza** baisser la tête; **b. las escaleras** descendre l'escalier; **b. las maletas del armario** descendre les valises de l'armoire

2 *vi (descender)* descendre; *(disminuir) (fiebre, precio)* baisser; *(hinchazón)* dégonfler

3 bajarse *vpr (inclinarse)* se baisser; *(apearse)* descendre **(de** de); **se bajó a la calle para comprar pan** il est descendu acheter du pain

bajativo *nm Andes, RP (licor)* digestif *m*; *(tisana)* tisane *f*

bajeza *nf* bassesse *f*

bajial *nm Perú* plaine *f*

bajo, -a 1 *adj* bas (basse); *(persona, estatura)* petit(e); *(sonido) (grave)* grave; *(flojo)* faible; *(calidad, inclinación)* mauvais(e); *(instintos)* primaire; *(dichos)* ignoble; *(lenguaje)* vulgaire; **en voz baja** à voix basse

2 *nm (dobladillo)* ourlet *m*; *(piso)* rez-de-chaussée *m inv*; *Mús (instrumento, cantante)* basse *f*; *(instrumentista)* bassiste *mf*

3 *adv* bas; **hablar b.** parler tout bas **4** *prep* sous; **b. el sol/el puente** sous le soleil/le pont; **b. los Austrias** sous les Habsbourg; **b. pena de** sous peine de; **b. palabra** sur parole; **estamos a dos grados b. cero** il fait moins deux; *ver también* **baja**

bajón *nm* chute *f*; **dar un b.** *(temperaturas)* chuter; *(salud)* se dégrader

bala 1 *nf* balle *f*
2 *nmf Fam Fig* **ser un/una b. perdida** être foufou (fofolle)

balacear *vt Am (tirotear)* **b. a alguien** tirer sur qn; **b. algo** tirer sur qch

balacera *nf Am* fusillade *f*

balada *nf* ballade *f*; *(canción lenta)* slow *m*

balance *nm* bilan *m*; *(de discusión, reunión)* résultat *m*; **hacer el b. (de)** faire le point (de)

balancear 1 *vt* balancer
2 balancearse *vpr* se balancer; *(barco)* rouler

balanceo *nm* balancement *m*; *(de barco)* roulis *m*; *(del péndulo)* oscillation *f*; *Am Aut* équilibrage *m*

balancín *nm (mecedora)* fauteuil *m* à bascule, rocking-chair *m*; *(columpio)* bascule *f*; *Aut* culbuteur *m*

balanza *nf* balance *f*; **se inclinó la b. a nuestro favor** la balance a penché de notre côté ☆ **b. comercial** balance commerciale; **b. de pagos** balance des paiements

balar *vi* bêler

balaustrada *nf* balustrade *f*

balazo *nm (disparo)* balle *f*; *(herida)* blessure *f* par balle

balbucear *vt & vi* balbutier

balbuceo *nm* balbutiement *m*

balbucir = **balbucear**

Balcanes *nmpl* **los B.** les Balkans *mpl*

balcón *nm (terraza)* balcon *m*; *(mirador)* belvédère *m*

baldado, -a *adj (tullido)* impotent(e); *(exhausto)* éreinté(e)

balde *nm* seau *m*; **de b.** pour rien, gratis; **en b.** en vain

baldosa *nf (en casa)* carreau *m*; *(en acera)* dalle *f*

baldosín *nm* carreau *m*

balear¹ *vt Am* blesser par balle

balear² *adj* des Baléares

Baleares *nfpl* **(las) B.** les Baléares *fpl*

baleárico, -a *adj* des Baléares

baleo *nm Am* fusillade *f*

balido *nm* bêlement *m*

balín *nm* balle *f* de petit calibre

baliza *nf* balise *f*

ballena *nf* baleine *f*

ballesta *nf (arma antigua)* arbalète *f*; *Aut* ressort *m* de suspension

ballet [ba'le] *(pl* **ballets***) nm* ballet *m*

balneario *nm* station *f* thermale, ville *f* d'eaux

balompié *nm* football *m*

balón *nm (pelota, recipiente)* ballon *m*; *(en tebeos)* bulle *f*; *Andes, Arg (bombona)* bouteille *f* de gaz ☆ *Fig* **b. de oxígeno** ballon d'oxygène

baloncesto *nm* basket-ball *m*, basket *m*

balonmano *nm* hand-ball *m*

balonvolea *nm* volley-ball *m*

balsa *nf (embarcación)* radeau *m*; *(estanque)* étang *m*; *Fig* **ser una b. de aceite** être sans problèmes

balsámico, -a *adj* apaisant(e); **una pastilla balsámica** une pastille qui adoucit la gorge

bálsamo *nm también Fig* baume *m*

balsero, -a *nm,f Cuba* = personne qui fuit Cuba sur une embarcation de fortune

Báltico *nm* **el B.** la Baltique

baluarte *nm también Fig* bastion *m*

bamba *nf (baile)* bamba *f*; **bambas** *(calzado)* tennis *fpl*

bambalina *nf Teatro* frise *f*; *Fig* **entre bambalinas** sur les planches

bambolearse *vpr (persona) (al caminar)* se dandiner; *(en vehículo)* être secoué(e); *(vehículo)* secouer ses passagers

bambú *(pl* **bambúes** *o* **bambús***) nm* bambou *m*

banal *adj* banal(e)

banana *nf* banane *f*

banca¹ *nf (sector financiero)* banque *f*, secteur *m* bancaire

banca² *nf (asiento)* banc *m*; *Andes, RP (escaño)* siège *m*

bancario, -a *adj* bancaire

bancarrota *nf* faillite *f*; **en b.** en faillite

banco *nm (asiento, concentración)* banc *m*; *Fin, Informát & Med* banque *f*; *(de carpintero)* établi *m*; **el B. Mundial** la Banque mondiale ☆ *b. de arena* banc de sable; *b. de datos* banque de données; *b. de peces* banc de poissons; *b. de sangre* banque du sang

banda *nf* bande *f*; *(de música)* fanfare *f*; *(faja)* écharpe *f*; *(cinta)* ruban *m*; *(en fútbol)* ligne *f* de touche; **se cerró en b.** il n'a rien voulu savoir ☆ *b. armada* bande armée; *b. magnética* bande magnétique; *b. sonora* bande-son *f*, bande originale

bandada *nf (de aves)* volée *f*

bandazo *nm* embardée *f*; **dar bandazos** *(barco)* gîter; *(borracho)* tituber; *Fig (persona)* être une vraie girouette

bandeja *nf* plateau *m*; *Fig* **servir** *o* **poner algo a alguien en b.** apporter qch à qn sur un plateau

bandera *nf* drapeau *m*; **jurar b.** prêter serment à la patrie; *Fam* **de b.** *(bueno)* extra *inv*; *(bello)* superbe, magnifique ☆ *b. blanca* drapeau blanc

banderilla *nf Taurom* banderille *f*; *(aperitivo)* = mini-brochette de légumes au vinaigre servie en apéritif

banderín *nm (bandera)* fanion *m*; *Mil* porte-drapeau *m*

bandido, -a *nm,f (delincuente)* bandit *m*; *(granuja)* coquin(e) *m,f*

bando *nm (facción)* camp *m*; *(de alcalde)* arrêté *m* (municipal); **pasarse al otro b.** passer à l'ennemi

bandolero, -a 1 *nm,f* brigand *m*

  2 *nf* **bandolera** *(correa)* bandoulière *f*; **en bandolera** en bandoulière

bandoneón *nm* bandonéon *m*

bandurria *nf* mandoline *f* espagnole

banjo ['banjo] *nm* banjo *m*

banquero, -a *nm,f* banquier(ère) *m,f*

banqueta *nf* banquette *f*; *Méx (acera)* trottoir *m*

banquete *nm* banquet *m*; *Fig* **darse un b.** faire un festin

banquillo *nm (asiento)* petit banc *m*; *Dep* banc *m* ☆ *Der* **b. (de los acusados)** banc des accusés

banquina *nf RP* accotement *m*

bañadera *nf Arg (bañera)* baignoire *f*; *(autobús)* bus *m*

bañado *nm RP* marécage *m*

bañador *nm* maillot *m* de bain

bañar 1 *vt* baigner; **b. con** *o* **de** *(con oro, plata)* recouvrir de; **b. en** tremper dans

2 **bañarse** *vpr* se baigner; *Am (ducharse)* prendre une douche

bañera *nf* baignoire *f*

bañista *nmf* baigneur(euse) *m,f*

baño *nm* bain *m*; *(en el mar)* baignade *f*; *(bañera)* baignoire *f*; *(cuarto de aseo)* salle *f* de bains; *(capa)* couche *f*; **darse un b.** prendre un bain; **baños** eaux *fpl* ☆ **b. María** bain-marie *m*

baqueta *nf (palillo de tambor)* baguette *f*

bar *nm* bar *m* ☆ **b. de tapas** bar à tapas

barahúnda *nf (ruido)* foire *f*; *(desorden)* chantier *m*

baraja *nf* jeu *m* de cartes

barajar 1 *vt (naipes)* battre; *(considerar)* brasser; *(ideas)* mettre en avant; *(posibilidades)* envisager

2 **barajarse** *vpr (nombres, posibilidades)* être envisagé(e); *(datos, cifras)* être examiné(e)

baranda, barandilla *nf (de escalera)* rampe *f*; *(de balcón)* balustrade *f*

baratija *nf* babiole *f*

baratillo *nm* brocanteur *m*

barato, -a 1 *adj* bon marché, pas cher(ère)

2 *adv* (à) bon marché; **comprar b.** acheter à bas prix; **salir b.** ne pas revenir cher

barba *nf* barbe *f*; **dejarse b.** se laisser pousser la barbe; *Fam* **por b.** par tête de pipe

barbacoa *nf* barbecue *m*

barbaridad *nf (cualidad)* atrocité *f*; *(disparate)* ineptie *f*; **¡qué b.!** quelle horreur!; **una b. (de)** *(un montón)* des tonnes (de); **comer una b.** manger comme quatre; **gastar una b.** dépenser une fortune

barbarie *nf* barbarie *f*

barbarismo *nm* barbarisme *m*

bárbaro, -a 1 *adj* barbare; *Fam (extraordinario)* super; *Fam* **¡qué b.!** *(expresa asombro)* la vache!

2 *nm,f Hist* Barbare *mf*

3 *adv Fam* **pasarlo b.** *(magníficamente)* s'éclater

barbecho *nm* jachère *f*

barbería *nf* coiffeur *m* (pour hommes) *(salon)*

barbero *nm* coiffeur *m* (pour hommes)

barbilla *nf* menton *m*

barbo *nm* barbeau *m*

barbudo, -a 1 *adj* barbu(e)

2 *nm* barbu *m*

barca *nf* barque *f* ☆ **b. de remos** barque à rames

barcaza *nf (fluvial)* péniche *f* ☆ **b. de desembarque** allège *f*

Barcelona *n* Barcelone

barcelonés, -esa 1 *adj* barcelonais(e)

2 *nm,f* Barcelonais(e) *m,f*

barco *nm* bateau *m* ☆ **b. mercante** cargo *m*; **b. de motor** bateau à moteur; **b. de vela** bateau à voile

baremo *nm (escala)* barème *m*

barítono *nm* baryton *m*

Barna. *(abrev* **Barcelona***)* Barcelone

barniz *nm* vernis *m*

barnizar [14] *vt* vernir

barómetro *nm* baromètre *m*

barón, -onesa *nm,f* baron(onne) *m,f*

barquero, -a *nm,f* passeur(euse) *m,f*

barquillo *nm* gaufrette *f*

barra *nf* barre *f*; *(de oro)* lingot *m*; *(de hielo)* pain *m*; *(para cortinas)* tringle *f*; *(de bar)* comptoir *m*, bar *m*; *RP (de amigos)* bande *f*, groupe *m* ☆ ***b. americana*** bar à hôtesses; *RP* ***b. brava*** = bande de hooligans; ***b. de labios*** rouge *m* à lèvres; ***b. libre*** = boisson à volonté; ***b. de pan*** baguette *f*; *Dep* ***barras paralelas*** barres parallèles

barrabasada *nf Fam (jugarreta)* vacherie *f*

barraca *nf (chabola)* baraque *f*; *(caseta de feria)* stand *m*; *(en Valencia y Murcia)* chaumière *f*

barracón *nm* baraquement *m*

barranco *nm (precipicio)* précipice *m*; *(cauce)* ravin *m*

barraquismo *nm* el b. la prolifération des bidonvilles

barrena *nf* mèche *f* ☆ ***b. de mano*** vrille *f*

barrenar *vt (taladrar)* forer, perforer; *(frustrar) (leyes)* enfreindre; *(principios)* manquer à; *(esfuerzos)* saboter

barrendero, -a *nm,f* balayeur (euse) *m,f*

barreno *nm (instrumento)* foret *m*; *(agujero)* trou *m* de mine

barreño *nm* bassine *f*

barrer *vt* balayer; *Fam (derrotar)* battre à plate couture; *Fig* ***b. hacia o para adentro*** tirer la couverture à soi

barrera *nf* barrière *f*; *Dep (de jugadores)* mur *m* ☆ ***barreras arancelarias*** barrières douanières; ***b. del sonido*** mur du son

barriada *nf (popular)* quartier *m*; *Am (pobre)* bidonville *m*

barricada *nf* barricade *f*

barrido *nm* balayage *m*; **dar un b.** donner un coup de balai

barriga *nf* ventre *m*; **echar b.** prendre du ventre

barrigón, -ona 1 *adj (hombre)* bedonnant; *(mujer)* qui a du ventre
2 *nm (vientre)* (gros) ventre *m*; *(persona)* gros père *m*

barril *nm* baril *m*; *(de madera)* tonneau *m*; **de b.** *(cerveza)* (à la) pression

barrio *nm (vecindario)* quartier *m*; *Fam Fig* **mandar a alguien al otro b.** expédier qn dans l'autre monde ☆ ***los barrios bajos*** les bas quartiers; ***b. residencial*** quartier résidentiel

barriobajero, -a *nm,f Pey* zonard(e) *m,f*

barrizal *nm* bourbier *m*

barro *nm (del campo)* boue *f*; *(de alfarero)* argile *f*

barroco, -a 1 *adj* baroque; *Fig (lenguaje, estilo)* ampoulé(e); *(persona, peinado)* extravagant(e)
2 *nm* baroque *m*

barrote *nm* barreau *m*

bartola: a la bartola *adv Fam* **tumbarse a la b.** flemmarder; **tomar algo a la b.** prendre qch à la rigolade

bártulos *nmpl* affaires *fpl*; *Fam Fig* **liar los b.** prendre ses cliques et ses claques

barullo *nm Fam (ruido)* boucan *m*; *(desorden)* bazar *m*; **armar b.** faire du boucan

basar 1 *vt (fundamentar)* baser
2 **basarse** *vpr* **basarse en** se baser sur

basca *nf Fam (de amigos)* bande *f*; *(náusea)* mal *m* au cœur

báscula *nf* bascule *f* ☆ ***b. de baño*** pèse-personne *m*

bascular *vi* basculer

base *nf* base *f*; **a b. de** à base de; *Fam*

a b. de bien quelque chose de bien; sentar las bases para jeter les bases de ☆ **b. de datos** base de données; *Fin* **b. imponible** assiette *f* de l'impôt; **b. militar** base militaire

baseball *nm inv* base-ball *m*

básico, -a *adj (fundamental)* de base, essentiel(elle)

basílica *nf* basilique *f*

basta *interj* ça suffit!; ¡**b. de caprichos!** finis les caprices!; ¡**b. de bromas!** trêve de plaisanteries!

bastante 1 *adv* assez; **no come b.** il ne mange pas assez; **es lo b. lista para...** elle est assez futée pour...; **gana b.** il gagne bien sa vie

2 *adj* assez; **no tengo b. dinero** je n'ai pas assez d'argent; **tengo b. frío** j'ai plutôt froid; **gana b. dinero** il gagne pas mal d'argent

3 *pron* **éramos bastantes** nous étions assez nombreux

bastar 1 *vi* suffire; **basta con decirlo** il suffit de le dire; **basta con que se lo digas** il suffit que tu le lui dises

2 bastarse *vpr* se débrouiller tout(e) seul(e); **él solo se basta y sobra para llevar la empresa** il est tout à fait capable de gérer l'entreprise tout seul

bastardo, -a 1 *adj* bâtard(e); *muy Fam (insulto)* salaud (salope)

2 *nm,f (descendiente)* bâtard(e) *m,f*; *muy Fam* salaud (salope) *m,f*

bastidor *nm (armazón)* châssis *m*; **bastidores** coulisses *fpl*; *Fig* **entre bastidores** dans les coulisses

basto, -a *adj (tosco, grosero)* grossier(ère); *(áspero)* rugueux(euse); **bastos** = l'une des quatre couleurs du jeu de cartes espagnol

bastón *nm (para andar)* canne *f*; *(para esquiar)* bâton *m* ☆ **b. de mando** bâton de commandement

basura *nf (desperdicios)* ordures *fpl*; *Fig* **es una b.** *(de mala calidad)* c'est de la cochonnerie

basurero *nm (persona)* éboueur *m*; *(vertedero)* décharge *f*

bata *nf (de casa)* robe *f* de chambre; *(de trabajo)* blouse *f*

batacazo *nm (caída)* **darse** o **pegarse un b.** se casser la figure

batalla *nf (entre ejércitos)* bataille *f*; *Fig* foire *f* d'empoigne; *Fig (lucha interior)* lutte *f*; **de b.** *(de uso diario)* de tous les jours ☆ *Mil* **b. campal** bataille rangée

batallar *vi también Fig* batailler

batallón *nm también Fig* bataillon *m*

batata *nf* patate *f* douce

bate *nm Dep* batte *f*

batear *Dep* **1** *vt* frapper

2 *vi* être à la batte

batería 1 *nf* batterie *f*; *Teatro* rampe *f*; **aparcar en b.** se garer en épi ☆ **b. de cocina** batterie de cuisine

2 *nmf Mús* batteur(euse) *m,f*

batido, -a 1 *adj (nata)* fouetté(e); *(claras, camino)* battu(e)

2 *nm (acción)* battage *m*; *(bebida)* milk-shake *m*

3 *nf* **batida** *(de caza)* battue *f*; **dar una batida** *(de policía)* ratisser

batidor *nm (de cocina)* fouet *m*; *(en la caza)* rabatteur *m*

batidora *nf* **b. (eléctrica)** *(para batir)* batteur *m*; *(para triturar)* mixer *m*

batiente *nm (de puerta, ventana)* battant *m*; *(de puerto)* brise-lames *m inv*; *(natural)* brisant *m*

batín *nm* veste *f* d'intérieur

batir 1 *vt* battre; *(nata)* fouetter; **la policía batió la zona** la police a ratissé le quartier

2 *vi (lluvia)* battre

3 batirse *vpr (luchar)* se battre *(por* pour); *también Fig* **batirse en retirada** battre en retraite

baturro, -a 1 *adj* aragonais(e)

2 *nm,f (campesino aragonés)* paysan(anne) *m,f* aragonais(e); **es un b.** *(terco)* il est buté

batuta *nf* baguette *f* de chef d'orchestre ; *Fig* **llevar la b.** faire la loi

baúl *nm* malle *f* ; *Col, CSur (maletero)* coffre *m (de voiture)*

bautismo *nm* baptême *m (sacrement)*

bautizar [14] *vt también Fig* baptiser

bautizo *nm* baptême *m (cérémonie)*

baya *nf Bot* baie *f*

bayeta *nf* lavette *f (éponge)*

bayoneta *nf (arma)* baïonnette *f* ; **de b.** *(bombilla)* à baïonnette

baza *nf (en naipes)* pli *m* ; *(ventaja)* atout *m* ; **meter b. en** mettre son grain de sel dans

bazar *nm* bazar *m*

bazo *nm* rate *f*

bazofia *nf también Fig* cochonnerie *f*

bazuca, bazooka *nm* bazooka *m*

be *nf Am* **b. larga** *o* **grande b** *m inv*, lettre *f* b

beatificar [59] *vt Rel* béatifier ; *Fig (hacer venerable)* ennoblir

beato, -a *adj & nm,f (beatificado)* bienheureux(euse) *m,f* ; *(piadoso)* dévot(e) *m,f* ; *Fig (santurrón)* bigot(e) *m,f*

beba *nf CSur, Ven Fam* bébé *m*, petite fille *f*

bebe *nm CSur Fam* bébé *m*, petit garçon *m*

bebé *nm* bébé *m* ☆ **b. probeta** bébééprouvette *m*

bebedero *nm (de jaula)* auget *m* ; *(abrevadero)* abreuvoir *m*

bebedor, -ora *nm,f* buveur(euse) *m,f*

beber 1 *vt* boire ; *Fig (conocimientos)* puiser
2 *vi* boire ; **b. a** *o* **por** *(brindar)* boire à

bebida *nf* boisson *f* ; **darse** *o* **entregarse a la b.** s'adonner à la boisson

bebido, -a *adj* gris(e) *(ivre)*

beca *nf (subvención)* bourse *f*

becar [59] *vt* **b. a alguien** attribuer une bourse à qn

becario, -a *nm,f* boursier(ère) *m,f*

becerro, -a *nm,f* veau *m*, génisse *f*

bechamel *nf (sauce f)* béchamel *f*

bedel *nm* appariteur *m*

begonia *nf* bégonia *m*

beicon *nm* bacon *m*

beige [beis] *(pl* **beiges**) **1** *adj* beige
2 *nm inv* beige *m*

béisbol *nm* base-ball *m*

bejuco *nm Am* liane *f*

belén *nm (de Navidad)* crèche *f* ; *Fam (desorden)* foutoir *m* ; *Fig* **belenes** *(embrollos)* histoires *fpl*

belga 1 *adj* belge
2 *nmf* Belge *mf*

Bélgica *n* la Belgique

Belgrado *n* Belgrade

beliceño, -a *nm,f* = personne originaire du Belize

bélico, -a *adj* de guerre

belicoso, -a *adj* belliqueux(euse)

beligerante *adj & nmf* belligérant(e) *m,f*

bellaco, -a *nm,f* scélérat(e) *m,f*

belleza *nf* beauté *f*

bello, -a *adj* beau (belle)

bellota *nf* gland *m*

bemol 1 *adj* bémol
2 *nm* bémol *m* ; **tiene (muchos) bemoles** *(es difícil)* ce n'est pas de la tarte ; *(es un abuso)* c'est un peu fort

bencina *nf Chile* essence *f*

bencinera *nf Chile* pompe *f* à essence

bendecir [51] *vt* bénir ; *(capilla)* consacrer ; **b. la mesa** bénir le repas

bendición *nf* bénédiction *f*

bendito, -a 1 *adj (santo)* bénit(e) ; *(dichoso)* bienheureux(euse) ; *(para enfatizar)* sacré(e)
2 *nm,f* simple *mf* d'esprit ; **dormir**

como un b. dormir comme un bien-heureux

benefactor, -ora 1 *adj* bienfaisant(e)

2 *nm,f* bienfaiteur(trice) *m,f*

beneficencia *nf* bienfaisance *f*

beneficiar 1 *vt (favorecer)* profiter à; **esta actitud no te beneficia** cette attitude te fait du tort

2 **beneficiarse** *vpr* **no se beneficia nadie** personne n'y gagne; **beneficiarse de algo** profiter de qch

beneficiario, -a *nm,f* bénéficiaire *mf*

beneficio *nm (bien)* bienfait *m*; *(ganancia)* bénéfice *m*; **a b. de** *(gala, concierto)* au profit de; **en b. de todos** dans l'intérêt de tous; **en b. propio** dans son propre intérêt ✪ *b. bruto* bénéfice brut; *b. neto* bénéfice net

beneficioso, -a *adj* bienfaisant(e)

benéfico, -a *adj (favorable)* bienfaisant(e); *(función, institución)* de bienfaisance

Benelux *nm* **el B.** le Benelux

beneplácito *nm* consentement *m*

benevolencia *nf* bienveillance *f*

benévolo, -a, benevolente *adj* bienveillant(e)

bengala *nf (para pedir ayuda)* fusée *f* de détresse; *(para fiestas)* feu *m* de Bengale

benigno, -a *adj (clima, temperatura)* doux (douce); *(tumor)* bénin (igne)

benjamín, -ina *nm,f* benjamin(e) *m,f*

beodo, -a 1 *adj* ivre

2 *nm,f* ivrogne *mf*

berberecho *nm* coque *f (coquillage)*

berenjena *nf* aubergine *f*

berenjenal *nm Fam (caos)* pagaille *f*; **meterse en un b.** se mettre dans de beaux draps

Berlín *n* Berlin

berlinés, -esa 1 *adj* berlinois(e)

2 *nm,f* Berlinois(e) *m,f*

berma *nf Chile* accotement *m*

bermejo, -a *adj* vermeil(eille)

bermudas *nfpl (pantalón)* bermuda *m*

Berna *n* Berne

berrear *vi* beugler; *(niño)* brailler

berrido *nm* beuglement *m*; *(de niño)* braillement *m*; **dar berridos** brailler

berrinche *nm Fam* **agarrar un b.** piquer une crise

berro *nm* cresson *m*

berza *nf* chou *m*

berzotas *nmf inv Fam* **ser un b.** être bouché(e)

besamel = **bechamel**

besar 1 *vt* embrasser

2 **besarse** *vpr* s'embrasser

beso *nm* baiser *m*; *Fig* **comer a besos** couvrir de baisers

bestia 1 *adj Fig* **es muy b.** c'est une vraie brute

2 *nmf Fig (persona)* brute *f*

3 *nf (animal)* bête *f* ✪ *b. de carga* bête de somme

bestial *adj (brutal)* bestial(e); *Fam (tremendo)* terrible; *Fam (formidable)* super *inv*

bestialidad *nf (brutalidad)* brutalité *f*; *Fam (tontería)* énormité *f*; *Fam* **una b. de** *(montón)* des tonnes de

best seller [bes'seler] *(pl best sellers)* *nm* best-seller *m*

besucón, -ona 1 *adj* **es muy b.** il a la manie d'embrasser

2 *nm,f* **es un b.** il a la manie d'embrasser

besugo *nm (pescado)* daurade *f*; *Fam (persona)* andouille *f*

besuquear *Fam* 1 *vt* bécoter

2 **besuquearse** *vpr* se bécoter

betabel *nm Méx* betterave *f*

betarraga *nf Andes* betterave *f*

bético, -a *adj (andaluz)* andalou (ouse)

betún *nm (para el calzado)* cirage *m*

bianual *adj (cada dos años)* bisannuel(elle); *(dos veces al año)* semestriel(elle)

biberón *nm* biberon *m*

biblia *nf* bible *f*; **la B.** la Bible

bíblico, -a *adj* biblique

bibliografía *nf* bibliographie *f*

bibliorato *nm RP* classeur *m*

biblioteca *nf* bibliothèque *f*

bibliotecario, -a *nm,f* bibliothécaire *mf*

biblioteconomía *nf* gestion *f* de bibliothèques

bicarbonato *nm Quím* bicarbonate *m*; *(para el estómago)* bicarbonate *m* (de soude)

bicentenario *nm* bicentenaire *m*

bíceps *nm inv* biceps *m*

bicharraco *nm Fam (animal)* bestiole *f*; *(travieso)* garnement *m*

bicho *nm (animal)* bête *f*; *(insecto)* bestiole *f*; *(pillo)* peste *f*; *Fam Fig* **todo b. viviente** tout le monde ☆ **b. raro** drôle d'oiseau *m*

bici *nf Fam* vélo *m*

bicicleta *nf* bicyclette *f*

bicicletear *vi RP Fam* = retarder le moment de payer des sommes dues, de façon à faire travailler son argent le plus longtemps possible

bicoca *nf Fam* bonne affaire *f*; **una b. de trabajo** une bonne planque

bidé *nm* bidet *m*

bidimensional *adj* en deux dimensions

bidón *nm* bidon *m*

biela *nf* bielle *f*

Bielorrusia *n* la Biélorussie

bien 1 *adv* bien; *(de acuerdo)* d'accord; **has hecho b.** tu as bien fait; **habla b. el inglés** il parle bien l'anglais; **b. que vendría pero no puede** il viendrait bien *ou* volontiers mais il ne peut pas; **encontrarse b.** se sentir bien; **estar b.** *(de salud)* aller bien, se porter bien; *(de aspecto, de calidad, de co-* *modidad)* être bien; *(ser suficiente)* suffire; **está b. que te vayas pero antes despídete de todos** tu peux t'en aller mais avant dis au revoir à tout le monde; **pasarlo b.** bien s'amuser; **¡b. por el campeón!** bravo pour le champion!; **como b. le parezca** comme bon vous semble; **¡muy b.!** très bien!; **tener a b. hacer algo** bien vouloir faire qch; **¡ya está b.!** ça suffit!; **oler b.** sentir bon; **¿nos vamos? — b.** on y va? — d'accord; **¡está b.!** d'accord!; **más b.** plutôt; **se lo diremos no b. llegue** nous le lui dirons dès qu'il arrivera; **no b. me había marchado cuando...** j'étais à peine parti que...

2 *adj inv* bien *inv*

3 *nm* bien *m*; *(calificación)* ≃ mention *f* assez bien; **el b. y el mal** le bien et le mal; **es por tu b.** c'est pour ton bien; **hacer el b.** faire le bien; **bienes** biens *mpl* ☆ **bienes de consumo** biens de consommation; *Der* **bienes gananciales** acquêts *mpl*; **bienes inmuebles** biens immobiliers; **bienes muebles** biens mobiliers

4 *conj* **(o) b.... (o) b.** soit... soit; **puede pagar (o) b. al contado (o) b. en cuotas** il peut payer soit au comptant soit par versements échelonnés

bienal 1 *adj* biennal(e), bisannuel (elle)

2 *nf* biennale *f*

bienestar *nm (placidez)* bien-être *m*; *(confort económico)* confort *m*

bienhechor, -ora *nm,f* bienfaiteur(trice) *m,f*

bienintencionado, -a *adj* bien intentionné(e)

bienio *nm (período)* espace de deux ans; *(aumento de sueldo)* = prime d'ancienneté accordée au bout de deux ans d'activité

bienvenido, -a 1 *adj* bienvenu(e); **¡b.!** soyez le bienvenu!

2 *nf* **bienvenida** bienvenue *f*; **dar la bienvenida** souhaiter la bienvenue

bies *nm inv* biais *m* ; **al b.** *(costura)* en biais

bife *nm Andes, CSur* bifteck *m*

bifocal 1 *adj* à double foyer
2 *nfpl* **bifocales** *(gafas)* lunettes *fpl* à double foyer

biftec = bistec

bifurcación *nf* bifurcation *f*

bifurcarse [59] *vpr* bifurquer ; *(tronco, rama)* se diviser en deux

bigamia *nf* bigamie *f*

bígamo, -a *adj & nm,f* bigame *mf*

bígaro *nm* bigorneau *m*

bigote *nm* moustache *f* ; *Fam Fig* de bigotes extra *inv*

bigotudo, -a *adj* moustachu(e)

bikini = biquini

bilateral *adj* bilatéral(e)

biliar *adj* biliaire

bilingüe *adj* bilingue

bilingüismo *nm* bilinguisme *m*

bilis *nf inv también Fig* bile *f*

billar *nm* billard *m* ☆ **b. americano** billard américain

billete *nm* billet *m* ; *(de metro, autobús)* ticket *m* ; **sacar un b.** prendre un billet ; **b. de ida y vuelta** aller-retour *m* ; **b. sencillo** aller *m* simple

billetera *nf* portefeuille *m*

billón *nm* billion *m*

binario, -a *adj también Informát* binaire

bingo *nm (juego, premio)* bingo *m* ; *(sala)* salle *f* de bingo

binoculares *nmpl* jumelles *fpl*

biodegradable *adj* biodégradable

biografía *nf* biographie *f*

biográfico, -a *adj* biographique

biógrafo, -a *nm,f* biographe *mf*

biología *nf* biologie *f*

biológico, -a *adj* biologique

biólogo, -a *nm,f* biologiste *mf*

biombo *nm* paravent *m*

biopsia *nf* biopsie *f*

bioquímico, -a 1 *adj* biochimique
2 *nm,f* biochimiste *mf*
3 *nf* **bioquímica** biochimie *f*

biorritmo *nm* biorythme *m*

biosfera *nf* biosphère *f*

bipartidismo *nm* bipartisme *m*

biplaza 1 *adj* biplace
2 *nm* biplace *m*

biquini *nm* bikini *m*, deux-pièces *m*

birlar *vt Fam (robar)* faucher

birlibirloque *nm Fam* **por arte de b.** par magie

Birmania *n* la Birmanie

birome *nf RP* stylo *m* (à) bille

birra *nf muy Fam (cerveza)* mousse *f*

birrete *nm (de clérigo)* barrette *f* ; *(de catedrático, abogado)* bonnet *m* ; *(de juez)* toque *f*

birria *nf Fam (cosa, persona fea)* mocheté *f* ; *(cuadro)* croûte *f* ; *(cosa sin valor)* camelote *f*

bis *(pl bises)* **1** *adj inv* bis ; **viven en el 15 b.** ils habitent au 15 bis
2 *nm* bis *m* ; **pedir un b.** réclamer une autre chanson/un autre morceau

bisabuelo, -a *nm,f* arrière-grand-père *m*, arrière-grand-mère *f* ; **bisabuelos** arrière-grands-parents *mpl*

bisagra *nf* charnière *f*

biscote *nm* biscotte *f*

bisector, -triz 1 *adj* bissecteur (trice)
2 *nf* **bisectriz** bissectrice *f*

biselado, -a *adj* biseauté(e)

bisexual *adj & nmf* bisexuel(elle) *m,f*

bisnieto, -a *nm,f* arrière-petit-fils *m*, arrière-petite-fille *f* ; **bisnietos** arrière-petits-enfants *mpl*

bisonte *nm* bison *m*

bisoñé *nm* toupet *m* postiche

bisoño, -a 1 *adj* novice
2 *nm,f (principiante)* débutant(e) *m,f*

bistec *nm* bifteck *m*

bisturí *(pl* **bisturís)** *nm* bistouri *m*

bisutería *nf* bijoux *mpl* fantaisie

bit *(pl* **bits)** *nm* Informát bit *m*

bíter, bitter *nm* bitter *m*

bizantino, -a *adj Hist* byzantin(e); *Fig (discusión, razonamiento)* oiseux (euse)

bizco, -a 1 *adj* **es b.** il louche
 2 *nm,f* = personne qui louche

bizcocho *nm (tarta)* gâteau *m*; *(galleta)* boudoir *m*

bizquear *vi (quedarse bizco)* loucher; *Fam Fig (asombrarse)* être épaté(e)

blablablá *nm Fam* bla-bla *m inv*

blanco, -a 1 *adj* blanc (blanche); **en b.** *(vacío)* **dejar su hoja en b.** rendre copie blanche; **quedarse con la mente en b.** avoir un trou de mémoire; **pasar la noche en b.** *(sin dormir)* passer une nuit blanche ☆ *lo b. del ojo* le blanc de l'œil
 2 *nm,f* Blanc (Blanche) *m,f*
 3 *nm (color, espacio)* blanc *m*; *(de disparo)* cible *f*; *Fig (objetivo)* but *m*; **dar en el b.** mettre dans le mille; **fue el b. de todas las miradas** tous les regards se sont portés sur lui
 4 *nf* **blanca** *Mús* blanche *f*; *Fig* **estar o quedarse sin blanca** ne pas avoir un sou

blancura *nf* blancheur *f*

blandengue 1 *adj también Fig* mollasse
 2 *nmf* lavette *f*

blando, -a *adj* mou (molle); *(carne)* tendre; *Fig (de carácter)* faible; **es demasiado b. con los alumnos** il n'est pas assez sévère avec les élèves

blandura *nf* mollesse *f*; *Fig (de carácter)* faiblesse *f*

blanquear *vt (dinero)* blanchir

blanquecino, -a *adj* blanchâtre; *(tez, luz)* blafard(e)

blanqueo *nm (de ropa)* blanchissage *m*; *(de pared, dinero)* blanchiment *m*

blanquillo *nm CAm, Méx (huevo)* œuf *m*

blasfemar *vi Rel* blasphémer; *(maldecir)* jurer

blasfemia *nf (contra Dios)* blasphème *m*; *(palabrota)* juron *m*; *Fig (injuria)* sacrilège *m*

blasfemo, -a 1 *adj* blasphématoire; *(persona)* blasphémateur(trice)
 2 *nm,f* blasphémateur(trice) *m,f*

bledo *nm Fam* **me importa un b.** je m'en fiche comme de l'an quarante

blindado, -a *adj* blindé(e)

blindar *vt* blinder

bloc *(pl* **blocs)** *nm (cuaderno)* cahier *m* ☆ *b. de dibujo* bloc *m* à dessin; *b. de notas* bloc-notes *m*

bloque *nm* bloc *m*; *(edificio)* immeuble *m*; *Fig* **en b.** en bloc ☆ *b. del motor* bloc-moteur *m*

bloquear 1 *vt* bloquer; *(bienes)* saisir; *(cheque)* faire opposition à; *(cuenta, créditos)* geler
 2 bloquearse *vpr* se bloquer; *(persona)* faire un blocage

bloqueo *nm* blocage *m*; *(de país, ciudad)* blocus *m*; *(de mercancías)* embargo *m*; *(de bienes)* saisie *f*; *(de cuenta, créditos)* gel *m* ☆ *b. económico* embargo économique; *b. mental* blocage

blues [blus] *nm inv* blues *m*

blúmers *nm Carib* culotte *f (sous-vêtement féminin)*

blusa *nf* chemisier *m*

blusón *nm* chemise *f* ample

bluyín *nm*, **bluyines** *nmpl Am* jean *m*

boa *nf (animal)* boa *m*

bobada, bobería *nf Fam* bêtise *f*; **decir/hacer bobadas** dire/faire des bêtises

bobina *nf* bobine *f*

bobo, -a *adj & nm,f (tonto)* idiot(e) *m,f*; *(ingenuo)* niais(e) *m,f*

boca *nf* bouche *f*; **mantener seis bocas** avoir six bouches à nourrir; **para abrir** *o* **hacer b.** pour me/te/*etc* mettre en appétit; **se me hace la b. agua** j'en ai l'eau à la bouche; *Fig* **quitar algo de la b. a alguien** ôter qch de la bouche à qn; **b. arriba** sur le dos; **b. abajo** sur le ventre, à plat ventre; **con la b. abierta** la bouche ouverte; *Fig* bouche bée ☆ **b. a b.** bouche-à-bouche *m inv*; **b. de metro** bouche de métro

bocacalle *nf* rue *f*; **gire a la izquierda en la tercera b.** prenez la troisième (rue) à gauche

bocadillo *nm (para comer)* sandwich *m*; *(en cómic)* bulle *f*

bocado *nm (de comida)* bouchée *f*; *(un poco)* morceau *m*; **no probar b.** ne rien avaler; **dar un b.** mordre

bocajarro: a bocajarro *adv (decir)* à brûle-pourpoint; *(disparar)* à bout portant

bocanada *nf (de líquido)* gorgée *f*; *(de humo, aire)* bouffée *f*

bocata *nm Fam* sandwich *m*

bocazas *nmf inv Fam* grande gueule *f*

boceto *nm* ébauche *f*, esquisse *f*

bochorno *nm (calor)* chaleur *f* étouffante; *(vergüenza)* honte *f*; **pasó un b.** il est devenu tout rouge; **¡qué b.!** comme c'est/c'était embarrassant!

bochornoso, -a *adj (tiempo)* étouffant(e); *(vergonzoso)* honteux (euse)

bocina *nf (de coche)* Klaxon® *m*; *(megáfono)* porte-voix *m inv*

bocinazo *nm* coup *m* de Klaxon®

bocón, -ona *nm,f Am Fam* bavard(e) *m,f (qui commet des indiscrétions)*

boda *nf* mariage *m*; **bodas de oro/plata** noces *fpl* d'or/d'argent

bodega *nf* cave *f* à vin; *(bar)* bar *m* à vin; *(en buque)* cale *f*; *(en avión)* soute *f* à bagages; *(depósito)* cave *f*

bodegón *nm Arte* nature *f* morte; *(taberna)* taverne *f*

bodrio *nm Fam Pey* **ser un b.** *(película, cosa)* être nul (nulle); *(comida)* être dégueulasse

body *(pl bodies o bodys) nm* body *m*

BOE *nm (abrev Boletín Oficial del Estado)* = Journal officiel espagnol

bofetada *nf* gifle *f*; *Fig* **darse de bofetadas con** *(no pegar)* ne pas aller du tout avec; *(colores)* jurer avec

bofetón *nm* claque *f*

bofia *nf Fam* **la b.** les poulets *mpl*, les flics *mpl*

boga *nf (remo)* nage *f*; **estar en b.** être en vogue

bogavante *nm* homard *m*

Bogotá *n* Bogota

bogotano, -a 1 *adj* de Bogota
2 *nm,f* habitant(e) *m,f* de Bogota

bohemio, -a 1 *adj (artista)* bohème; *(vida)* de bohème
2 *nm,f (artista)* bohème *mf*

boicot *(pl boicots) nm* boycott *m*

boicotear *vt* boycotter

bóiler *nm Méx* chaudière *f*

boina *nf* béret *m*

bol *(pl boles) nm* bol *m*

bola *nf* boule *f*; *(canica)* bille *f*; *Fam* **contar bolas** *(mentiras)* raconter des bobards; *Fam* **en bolas** à poil ☆ **b. de cristal** boule de cristal

bolear *vt Méx (embetunar)* cirer; *Fig (enredar)* embrouiller

bolera *nf* bowling *m*

bolería *nf Méx* = boutique où l'on fait cirer ses chaussures

bolero *nm Mús* boléro *m*; *Méx* cireur *m* de chaussures

boleta *nf Am (recibo)* facture *f*; *CSur (multa)* contravention *f*; *Méx, RP (voto)* bulletin *m* de vote

boletería *nf Am* guichet *m*

boletero, -a *nm,f Am (taquillero)* guichetier(ère) *m,f*; *(mentiroso)* menteur(euse) *m,f*

boletín *nm* bulletin *m*; ☆ *b. meteorológico* bulletin météorologique; *b. de noticias o informativo* bulletin d'informations; *B. Oficial del Estado* ≃ Journal *m* officiel; *b. de prensa* communiqué *m* de presse

boleto *nm (de lotería, rifa)* billet *m*; *(de quinielas)* bulletin *m*; *Am (billete)* billet *m*

boli *nm Fam* stylo *m*, Bic *m*

boliche *nm (en la petanca)* cochonnet *m*; *(bolera)* boulodrome *m*; *CSur Fam (bar)* petit bar *m*

bólido *nm* bolide *m*; *Fig* ir como un b. filer comme un bolide

bolígrafo *nm* stylo *m* (à) bille

bolillo *nm Méx (panecillo)* petit pain *m*

bolinga *muy Fam* **1** *adj* beurré(e), bourré(e)
2 *nf* cuite *f*

bolita *nf CSur (pieza)* bille *f*; **jugar a las bolitas** jouer aux billes

bolívar *nm (moneda)* bolivar *m*

Bolivia *n* la Bolivie

boliviano, -a 1 *adj* bolivien(enne)
2 *nm,f* Bolivien(enne) *m,f*

bollo *nm (de pan)* pain *m* au lait; *(abolladura)* bosse *f*; **los bollos** *(dulces)* la viennoiserie

bolo *nm (de juego)* quille *f*; *CAm Fam (borracho)* poivrot *m*; **bolos** *(juego)* quilles

bolsa *nf* sac *m*; *Fin* Bourse *f*; *(cavidad)* poche *f*; **la b. baja/sube** la Bourse est en baisse/en hausse; **jugar en b.** jouer en Bourse ☆ *b. de agua caliente* bouillotte *f*; *b. de basura* sac-poubelle *m*; *b. de dormir* sac de couchage; *b. de plástico* sac plastique; *b. de trabajo (en universidad, organización)* Bourse de l'emploi; *b. de viaje* sac de voyage

bolsillo *nm* poche *f*; **de b.** *(libro)* de poche; **meterse a alguien en el b.** mettre qn dans sa poche; **tener a alguien en el b.** faire ce que l'on veut de qn

bolso *nm* sac *m* (à main)

boludear *vi RP muy Fam (decir o hacer tonterías)* déconner; *(perder el tiempo)* glander, glandouiller

boludo, -a *nm,f RP muy Fam* con (conne) *m,f*

bomba *nf (explosivo)* bombe *f*; *(máquina)* pompe *f*; *Andes, Ven (surtidor de gasolina)* pompe *f* à essence; *Fig* **caer como una b.** faire l'effet d'une bombe; *Fam* **pasarlo b.** s'éclater ☆ *b. atómica* bombe atomique; *b. de mano* grenade *f*

bombacha *nf RP (braga)* culotte *f* *(sous-vêtement féminin)*; *(pantalón)* = pantalon ample que portent les gauchos

bombachos *nmpl* pantalon *m* bouffant

bombardear *vt también Fig* bombarder

bombardeo *nm* bombardement *m*

bombardero *nm* bombardier *m*

bombazo *nm (bomba)* bombardement *m*; *Fig* **ser un b.** faire l'effet d'une bombe

bombear *vt* pomper

bombero, -a *nm,f (de fuego)* pompier *m*; *Andes, Ven (de gasolinera)* pompiste *mf*

bombilla *nf (lámpara)* ampoule *f* (électrique); *(mate)* = tube de métal utilisé pour boire le maté

bombillo *nm CAm, Col, Ven* ampoule *f* (électrique)

bombín *nm* chapeau *m* melon

bombita *nf RP* ampoule *f* (électrique)

bombo *nm (tambor)* grosse caisse *f*; **dar mucho b. a alguien** ne pas tarir d'éloges sur qn; *Fig* **con mucho b., a b. y platillo** en fanfare

bombón *nm (golosina)* chocolat *m (bonbon)*; *(helado)* Esquimau® *m*; *Fam Fig* **ser un b.** *(mujer)* être jolie comme un cœur

bombona *nf* bonbonne *f* ☆ **b. de butano** bouteille *f* de gaz

bonachón, -ona *Fam* **1** *adj* bonhomme
 2 *nm,f* brave homme (femme) *m,f*

bonaerense *adj* de Buenos Aires

bonanza *nf (de tiempo, mar)* calme *m* plat; *(prosperidad)* prospérité *f*

bondad *nf* bonté *f*; **tener la b. de hacer algo** avoir la bonté de faire qch

bondadoso, -a *adj* bon (bonne)

boniato *nm* patate *f* douce

bonito, -a **1** *adj* joli(e); *Fam* **¿te parece b. lo que has hecho?** tu trouves ça bien, ce que tu as fait là?
 2 *nm (pez)* thon *m*

bono *nm (vale)* bon *m* d'achat; *Com (título)* obligation *f*; *(del Tesoro)* bon *m* ☆ **b. basura** obligation de pacotille

bonobús (*pl* **bonobuses**) *nm* = coupon d'autobus valable pour dix trajets

bonoloto *nf* loto *m*

bonsai *nm* bonsaï *m*

boñiga *nf* bouse *f*

boom *nm* boom *m*

boomerang = **bumerán**

boquerón *nm* anchois *m* (frais); **boquerones en vinagre** anchois au vinaigre

boquete *nm (rotura)* brèche *f*

boquiabierto, -a *adj* **estar b.** avoir la bouche ouverte; *Fig* **quedarse b.** rester bouche bée

boquilla *nf (para fumar)* fume-cigarette *m inv*; *(de pipa, aparato)* tuyau *m*; *(de flauta)* bec *m*; *Fam* **de b.** *(promesas)* en l'air

borbotear, borbotar *vi* bouillonner

borbotón: a borbotones *adv* à gros bouillons

borda *nf Náut* **por la b.** par-dessus bord; *Fig* **tirar** o **echar algo por la b.** gâcher qch ☆ **fuera b.** hors-bord *m inv*

bordado, -a **1** *adj* brodé(e); *Fig (bien hecho)* impeccable
 2 *nm* broderie *f*

bordar *vt* broder; *Fig (hacer bien)* fignoler

borde **1** *adj muy Fam (antipático)* emmerdant(e)
 2 *nmf muy Fam (antipático)* emmerdeur(euse) *m,f*
 3 *nm* bord *m*; *Fig* **al b. de** au bord de

bordear *vt (estar alrededor de)* border; *(moverse alrededor de)* longer; *Fig (rozar) (años)* friser; *(éxito)* frôler

bordillo *nm (de acera)* bord *m* du trottoir

bordo *nm Náut* bord *m*; **a b.** à bord

bordó *RP* **1** *adj inv* bordeaux
 2 *nm inv* bordeaux *m*

boricua **1** *adj* portoricain(e)
 2 *nmf* Portoricain(e) *m,f*

borla *nf (adorno)* pompon *m*

borrachera *nf* **agarrar** o *Esp* **coger una b.** se soûler

borrachín, -ina *nm,f Fam* poivrot(e) *m,f*

borracho, -a **1** *adj (ebrio)* soûl(e); *Fig* **b. de** ivre de
 2 *nm,f (persona)* ivrogne *mf*
 3 *nm (pastel)* ≃ baba *m* au rhum

borrador *nm (escrito)* brouillon *m*; *(de lápiz)* gomme *f*; *(para pizarra)* tampon *m*

borrar **1** *vt (eliminar)* effacer; *(con goma)* gommer; *(tachar)* rayer
 2 borrarse *vpr (desaparecer)* s'effacer; **se me ha borrado su cara** je ne me souviens plus de son visage; *Fig* **borrarse del mapa** disparaître de la circulation

borrasca *nf (tormenta)* tempête *f*; *(baja presión)* zone *f* de basse pression

borrego, -a *nm,f (animal)* agneau *m*, agnelle *f*; *Fam Pey (persona)* plouc *mf*

borrón *nm (mancha)* pâté *m*; **hacer b. y cuenta nueva** faire table rase

borroso, -a *adj (visión, fotografía)* flou(e); *(escritura, texto)* à moitié effacé(e)

Bosnia *n* la Bosnie; **B. Herzegóvina** la Bosnie-Herzégovine

bosnio, -a 1 *adj* bosniaque
2 *nm,f* Bosniaque *mf*

bosque *nm (pequeño)* bois *m*; *(grande)* forêt *f*

bosquejar *vt* ébaucher, esquisser

bosquejo *nm (esbozo)* ébauche *f*, esquisse *f*; *Fig* **hacer un b. de algo** *(de tema, situación)* peindre qch à grands traits

bostezar [14] *vi* bâiller

bostezo *nm* bâillement *m*

bota *nf (calzado)* botte *f*; *(de vino)* outre *f*; *Fam Fig* **ponerse las botas** *(comiendo, bebiendo)* s'en mettre plein la lampe ☆ **b. de agua** *o* **de goma** *o* **de lluvia** botte en caoutchouc

botafumeiro *nm* encensoir *m*

botana *nf Méx* amuse-gueule *m inv*

botánico, -a 1 *adj* botanique
2 *nm,f* botaniste *mf*
3 *nf* **botánica** botanique *f*

botar 1 *vt Náut* lancer; *Fam (despedir)* virer; *(pelota)* faire rebondir; *Am (tirar)* jeter; *Dep* **b. el córner** tirer un corner
2 *vi (saltar)* sauter; *(pelota)* rebondir

bote *nm (tarro)* pot *m*; *(lata)* boîte *f*; *(barca)* canot *m*; *(propina)* pourboire *m*; *(salto)* bond *m*; *(de pelota)* rebond *m*; **dar botes de alegría** sauter de joie; **dar botes** rebondir; *Fam* **chupar del b.** s'en mettre plein les poches; **tener en el b. a alguien** avoir qn dans la poche; *Fig* **a b. pronto** *(res-* ponder) du tac au tac; **de b. en b.** plein(e) à craquer ☆ **b. salvavidas** canot de sauvetage

botella *nf* bouteille *f*; *Med* **b. de oxígeno** bouteille d'oxygène; *Cuba* **pedir b.** faire de l'auto-stop, faire du stop; *Cuba* **dar b. a alguien** prendre qn en voiture

botellín *nm* canette *f*

boticario, -a *nm,f Anticuado* apothicaire *m*

botijo *nm* cruche *f*

botín *nm (de guerra, atraco)* butin *m*; *(calzado)* bottine *f*

botiquín *nm (mueble)* armoire *f* à pharmacie; *(maletín)* trousse *f* à pharmacie; *(enfermería)* infirmerie *f*

botón 1 *nm* bouton *m*; *Fig* **b. de muestra** exemple *m*
2 *nm inv* **botones** *(de hotel)* groom *m*; *(de oficinas)* garçon *m* de courses

boutique [bu'tik] *nf* boutique *f (de vêtements)*

bóveda *nf* voûte *f*; **la b. celeste** la voûte céleste

bovino, -a *adj* bovin(e)

box *(pl* **boxes)** *nm Am* boxe *f*

boxeador, -ora *nm,f* boxeur(euse) *m,f*

boxear *vi* boxer

boxeo *nm* boxe *f*

bóxer *(pl* **bóxers)** *nm (perro)* boxer *m*

boya *nf (en el mar)* bouée *f*; *(de red)* flotteur *m*

boyante *adj (feliz)* heureux(euse); *(negocio, economía)* prospère, florissant(e); *(situación, posición)* brillant(e)

boy scout [boʒes'kaut] *(pl* **boy scouts)** *nm* boy-scout *m*

bozal *nm (de perro)* muselière *f*; *Am (de caballo)* licol *m*

bragas *nfpl* culotte *f*; *muy Fam* **coger** *o* **pillar a alguien en b.** prendre qn au dépourvu

bragueta *nf* braguette *f*

braille ['braile] *nm* braille *m*

bramar *vi (animal, viento)* mugir; *(persona) (de dolor)* hurler; *(de ira)* rugir

bramido *nm (de animal)* mugisse-ment *m; (de dolor)* hurlement *m; (de ira)* rugissement *m*

brandy *nm* brandy *m*

branquia *nf* branchie *f*

brasa *nf* braise *f; Culin* **a la b.** sur la braise

brasero *nm* brasero *m*

brasier *nm Carib, Col, Méx* soutien-gorge *m*

Brasil *n* **(el) B.** le Brésil

brasileño, -a, *RP* **brasilero, -a 1** *adj* brésilien(enne)
    2 *nm,f* Brésilien(enne) *m,f*

brassier = brasier

bravío, -a *adj (animal)* sauvage; *(persona)* indomptable

bravo, -a 1 *adj (valiente)* brave; *(enojado)* coléreux(euse); *(animal)* sauvage; *(mar)* démonté(e); **por las bravas** de force
    2 *nm (aplauso)* bravo *m*
    3 *interj* bravo!

bravuconear *vi Pey* fanfaronner

bravura *nf (de persona)* bravoure *f; (de animal)* férocité *f*

braza *nf* brasse *f;* **nadar a b.** nager la brasse

brazada *nf* brassée *f*, brasse *f*

brazalete *nm (en la muñeca)* brace-let *m; (en el brazo)* brassard *m*

brazo *nm* bras *m; (de animal)* patte *f* avant; **cogidos del b.** bras dessus bras dessous; **llevar algo/a alguien en brazos** porter qch/qn dans ses bras; **luchar a b. partido** *(con empeño)* livrer un combat acharné; **quedarse** *o* **estarse con los brazos cruzados** rester les bras croisés; *Fig* **ser el b. derecho de alguien** être le bras droit de qn ☆ **b. de gitano** gâteau *m* roulé; **b. de mar** bras de mer

brebaje *nm* breuvage *m*

brecha *nf (abertura)* brèche *f; Fig* **hacer b. en alguien** ébranler qn

brécol *nm* brocoli *m*

bregar [38] *vi (reñir)* se battre; *(trabajar)* trimer; *Fig (luchar)* se démener

Bretaña *n* la Bretagne

bretel *nm CSur* bretelle *f;* **un vestido sin breteles** une robe bustier

breva *nf (fruta)* figue *f; Fam* ¡**no caerá esa b.!** je n'aurai pas cette veine!

breve *adj* bref (brève); **en b.** *(pronto)* d'ici peu

brevedad *nf* brièveté *f;* **a** *o* **con la mayor b.** dans les plus brefs délais

brevet *nm Chile (avión)* brevet *m* de pilote; *Ecuad, Perú (automóvil)* permis *m* de conduire; *RP (velero)* permis *m* de navigation

brezo *nm* bruyère *f*

bribón, -ona *nm,f* vaurien(enne) *m,f*

bricolaje *nm* bricolage *m*

brida *nf* bride *f*

bridge [britʃ] *nm* bridge *m (jeu)*

brigada 1 *nm Mil* adjudant *m*
    2 *nf* brigade *f* ☆ **b. antidisturbios** ≃ CRS *mpl;* **b. antidroga** brigade des stupéfiants

brillante 1 *adj* brillant(e)
    2 *nm* brillant *m (diamant)*

brillantez *nf Fig* splendeur *f*

brillantina *nf* brillantine *f*

brillar *vi también Fig* briller; **b. por su ausencia** briller par son absence

brillo *nm (de estrella, diamante, luz)* éclat *m; (de metal, barniz)* brillant *m; (de tela)* aspect *m* satiné; **sacar b. a algo** faire reluire qch

brilloso, -a *adj Am* brillant(e)

brincar [59] *vi* sauter; **b. de alegría** sauter de joie

brinco *nm (salto)* bond *m;* **pegar un b.** faire un bond

brindar 1 *vi* trinquer; **b. por** porter un toast à; **b. a la salud de alguien** boire à la santé de qn **2** *vt* offrir **3 brindarse** *vpr* **brindarse a hacer algo** offrir de faire qch

brindis *nm inv* toast *m*

brío *nm (al andar)* allant *m*; *(al trabajar)* entrain *m*

brioche [bri'otʃe] *nm* brioche *f*

brisa *nf* brise *f*

británico, -a 1 *adj* britannique **2** *nm,f* Britannique *mf*

brizna *nf* brin *m*; *(de aire)* souffle *m*

broca *nf* mèche *f (outil)*

brocha *nf* brosse *f (de peintre)* ☆ *b. de afeitar* blaireau *m*

brochazo *nm* coup *m* de pinceau

broche *nm (cierre) (de ropa)* agrafe *f*; *(de joya)* fermoir *m*; *(joya)* broche *f*; *Fig* **b. de oro** clou *m* du spectacle

brocheta *nf* brochette *f*

brócoli *nm* brocoli *m*

broker ['broker] *(pl* **brokers)** *nm Fin* agent *m* de change

broma *nf (ocurrencia, chiste)* plaisanterie *f*; *(jugarreta)* farce *f*; **en o de b.** pour rire; **gastar una b. a alguien** faire une farce à qn; *Fig* **ni en b.** jamais de la vie ☆ *b. pesada* plaisanterie de mauvais goût

bromear *vi* plaisanter

bromista *adj & nmf* farceur(euse) *m,f*

bromuro *nm* bromure *m*

bronca *nf (riña)* bagarre *f*; *(abucheo)* huées *fpl*; *RP Fam (rabia)* rogne *f*; **tener b.** être en rogne; **me da b.** ça me met en rogne; **tenerle b. a alguien** ne pas pouvoir sentir qn; **buscar b.** chercher la bagarre; *Fam* **echar una b. a alguien** passer un savon à qn

bronce *nm* bronze *m*

bronceado, -a 1 *adj* bronzé(e) **2** *nm* bronzage *m*

bronceador, -ora 1 *adj* bronzant(e) **2** *nm* crème *f* solaire

broncear 1 *vt* bronzer **2 broncearse** *vpr* bronzer

bronquio *nm* bronche *f*

bronquitis *nf inv* bronchite *f*

brotar *vi (planta)* pousser; *(líquido)* jaillir; *Fig (sentimiento)* naître; *(granos)* sortir

brote *nm (de planta)* bourgeon *m*; *Fig (inicios)* premiers signes *mpl* ☆ *brotes de soja* germes *mpl* de soja

bruces: de bruces *adv* à plat ventre; **caerse de b.** s'étaler de tout son long

bruja *nf* ver **brujo**

Brujas *n* Bruges

brujería *nf* sorcellerie *f*

brujo, -a 1 *adj* ensorceleur(euse) **2** *nm,f* sorcier(ère) *m,f* **3** *nf* **bruja** *(mujer fea)* laideron *m*; *(mujer mala)* mégère *f*; **estar hecha una bruja** être épouvantable **4** *adj inv CAm, Carib, Méx Fam* à sec *inv (sans argent)*

brújula *nf* boussole *f*

bruma *nf (niebla)* brume *f*

brusco, -a *adj* brusque

Bruselas *n* Bruxelles

bruselense 1 *adj* bruxellois(e) **2** *nmf* Bruxellois(e) *m,f*

brusquedad *nf (imprevisión)* soudaineté *f*; *(grosería)* brusquerie *f*; **con b.** brusquement

brut *adj inv (champán)* brut

brutal *adj (violento)* brutal(e); *Fam (extraordinario)* super *inv*

brutalidad *nf (brusquedad)* brutalité *f*; *(estupidez)* ânerie *f*

bruto, -a 1 *adj (torpe, bestia)* lourdaud(e); *(mal educado)* rustre; *(petróleo, sueldo)* brut(e); **en b.** brut **2** *nm,f (torpe, bestia)* brute *f*

bucal *adj* buccal(e)

Bucarest *n* Bucarest

bucear *vi* faire de la plongée sous-marine; *Fig* **b. en** *(asunto, cuestión)* se plonger dans; *(pasado)* fouiller dans

buceo *nm* plongée *f* (sous-marine)

bucle *nm también Informát* boucle *f*

bucólico, -a *adj (campestre)* champêtre; *Lit* bucolique

Budapest *n* Budapest

budismo *nm* bouddhisme *m*

buen *ver* bueno

buenaventura *nf (suerte)* destin *m*; **desear b. a alguien** souhaiter bonne chance à qn; **echar** *o* **decir la b. a alguien** *(adivinación)* dire la bonne aventure à qn

bueno, -a

On utilise **buen** devant un nom masculin singulier.

1 *adj* bon (bonne); **un hombre b.** un homme bon; **un buen cuchillo** un bon couteau; **ese buen hombre** ce brave homme; **un buen día** un beau jour; **una buena siesta** une bonne sieste; **un niño b.** un enfant sage; **estar b.** *(de salud)* être en bonne santé; *Fam (atractivo)* être canon; **hace buen día** *o* **tiempo, hace b.** il fait beau; **ser b. con alguien** être gentil(ille) avec qn; **de buenas a primeras** *(de repente)* tout à coup; *(a primera vista)* de prime abord; **estar de buenas** être de bonne humeur; **lo b. es que...** la meilleure c'est que...; **ser de buen ver** être bien de sa personne

2 *nm,f (en película)* **el b.** le bon

3 *adv* bon

4 *interj* ¡**buenas!** bonjour!; *Méx* ¿**b.?** *(al teléfono)* allô?

Buenos Aires *n* Buenos Aires

buey *(pl* **bueyes***) nm* bœuf *m* ☆ **b. de mar** tourteau *m*

búfalo *nm* buffle *m*

bufanda *nf* écharpe *f*

bufar *vi (toro)* souffler; *(caballo)* s'ébrouer; *Fig (persona)* fulminer

bufé *(pl* **bufés***) nm* buffet *m* *(de récepción)*

bufete *nm* cabinet *m* (d'avocats)

buffet *(pl* **buffets***)* = **bufé**

bufido *nm (de animal)* souffle *m*; *Fam (de persona)* gueulante *f*; **lanzar un b.** pousser une gueulante

bufón, -ona **1** *adj* bouffon(onne)
2 *nm* bouffon *m*

bug [buɣ] *(pl* **bugs***) nm Informát* bug *m*, bogue *m*

buhardilla *nf (desván)* mansarde *f*; *(ventana)* lucarne *f*

búho *nm* hibou *m*

buitre *nm* vautour *m*; *Fig (persona)* requin *m*

bujía *nf Aut* bougie *f*

bulbo *nm* bulbe *m* ☆ **b. raquídeo** bulbe rachidien

bulevar *(pl* **bulevares***) nm* boulevard *m*

Bulgaria *n* la Bulgarie

búlgaro, -a **1** *adj* bulgare
2 *nm,f* Bulgare *mf*
3 *nm (lengua)* bulgare *m*

bulimia *nf* boulimie *f*

bulín *nm RP* garçonnière *f*

bulla *nf (jaleo)* raffut *m*; **armar b.** faire du raffut

bullabesa *nf* bouillabaisse *f*

bulldog [buldog] *(pl* **bulldogs***) nm* bouledogue *m*

bulldozer [bul'doθer] *(pl* **bulldozers***) nm* bulldozer *m*

bullicio *nm (ruido)* brouhaha *m*; *(multitud)* agitation *f*

bullicioso, -a *adj (ruidoso, agitado)* animé(e); *(inquieto)* turbulent(e)

bullir *vi (hervir)* bouillir; *(burbujear)* bouillonner; *Fig (multitud)* grouiller, fourmiller; **las calles bullían de gente** les rues étaient noires de monde

bulto *nm* bosse *f*; *(forma imprecisa)* masse *f*; *(de persona)* silhouette *f*; *(equipaje)* paquet *m*; **hacer mucho b.** prendre beaucoup de place; **escurrir el b.** se dérober ☆ **b. de mano** bagage *m* à main

bumerán *(pl* **bumerans***),* **bumerang** [bume'ran] *(pl* **bumerangs***) nm* boomerang *m*

bungalow [bunga'lo] (*pl* bungalows) *nm* bungalow *m*

búnquer (*pl* **búnquers**), **bunker** (*pl* **bunkers**) *nm* (*refugio*) bunker *m*

buñuelo *nm* beignet *m* ☆ *b. de viento* pet-de-nonne *m*

BUP *nm* (*abrev* **Bachillerato Unificado Polivalente**) *Antes* = cycle d'enseignement pour les élèves de quatorze à dix-sept ans en Espagne

buque *nm* navire *m* ☆ *b. de guerra* navire de guerre

burbuja *nf* bulle *f*

burbujear *vi* faire des bulles, pétiller

burdel *nm* bordel *m*

Burdeos *n* Bordeaux

burdeos 1 *adj inv* bordeaux
  2 *nm inv* bordeaux *m*

burdo, -a *adj* grossier(ère)

burger ['burger], **búrguer** *nm Fam* fast-food *m* (*spécialisé dans les hamburgers*)

burgués, -esa *adj & nm,f* bourgeois(e) *m,f*

burguesía *nf* bourgeoisie *f*

burla *nf* (*mofa*) moquerie *f*; (*broma*) plaisanterie *f*; (*engaño*) escroquerie *f*; **hacer b. de** se moquer de

burlar 1 *vt* (*engañar*) tromper; (*esquivar*) (*vigilancia*) déjouer; (*ley*) contourner
  2 burlarse *vpr* **burlarse de** se moquer de

burlesco, -a *adj Lit* burlesque; (*tono*) moqueur(euse)

burlete *nm* bourrelet *m* (*contre les courants d'air*)

burlón, -ona *adj* moqueur(euse)

buró *nm Méx* (*mesilla de noche*) table *f* de nuit

burocracia *nf* bureaucratie *f*

burrada *nf* (*dicho, hecho*) ânerie *f*; *Fam* **hay una b. de gente** il y a vachement de monde

burrito *nm Méx* burrito *m* (*tortilla fourrée*)

burro, -a 1 *adj* (*necio*) bête
  2 *nm,f* (*animal, necio*) âne *m*, ânesse *f*; *Fig* bourreau *m* de travail; *Fam* **no ver tres en un b.** être myope comme une taupe

bursátil *adj* boursier(ère)

bus (*pl* **buses**) *nm también Informát* bus *m*

busca 1 *nf* recherche *f*; **en b. de** (*cosa*) en quête de; (*persona*) à la recherche de
  2 *nm inv* = **buscapersonas**

buscapersonas, busca *nm inv* bip *m*

buscar [59] **1** *vt* chercher; *Informát* rechercher
  2 *vi* **ir/venir/pasar a b.** aller/venir/passer chercher
  3 buscarse *vpr* (*castigo, desgracia*) chercher

buscavidas *nmf inv Fam* (*desenvuelto*) débrouillard(e) *m,f*; (*entrometido*) fouineur(euse) *m,f*

buseca *nf RP* = sorte de ragoût à base de panse de bœuf et de tripes

buseta *nf Col, Ecuad, Ven* autobus *m*

búsqueda *nf* recherche *f*

busto *nm* buste *m*

butaca *nf* (*mueble*) fauteuil *m*; (*localidad*) place *f*; **b. (de patio)** fauteuil d'orchestre

butano *nm* gaz *m* (butane)

butifarra *nf* saucisse *f* ☆ *b. catalana* boudin *m*

buzo *nm* (*buceador*) plongeur *m*; (*ropa de trabajo*) bleu *m* de travail; *Arg, Perú* (*chándal*) pull *m*; *Urug* (*lana*) laine *f*

buzón *nm* boîte *f* aux lettres; *Informát* (*de correo electrónico*) boîte *f* aux lettres électronique

byte [bait] (*pl* **bytes**) *nm Informát* octet *m*

C

C, c *nf (letra)* C *m inv*, c *m inv*
c/ *(abrev* **calle)** r.
cabal 1 *adj (persona)* accompli(e);
   (exacto) juste
   2 *nmpl* **cabales** *Fig* **no estar en sus
   cabales** ne pas avoir toute sa tête
cabalgar [38] *vi* chevaucher
cabalgata *nf* chevauchée *f* ☆ *c. de
   los Reyes Magos* = défilé de chars
   et de cavaliers déguisés en Rois mages pour l'Épiphanie
caballa *nf* maquereau *m*
caballería *nf (animal)* monture *f*;
   Mil cavalerie *f*
caballero 1 *adj (cortés)* galant(e)
   2 *nm (hombre cortés)* gentleman *m*;
   (señor) monsieur *m*; *(noble)* chevalier *m*; **ser todo un c.** être un vrai
   gentleman; **caballeros** *(en aseos)*
   messieurs; **de c.** *(ropa)* pour homme
caballeroso *adj* galant
caballete *nm (de mesa)* tréteau *m*;
   (de lienzo) chevalet *m*; *(de nariz)*
   arête *f*
caballito *nm* petit cheval *m*; **caballitos** manège *m* (de chevaux de bois)
   ☆ *c. del diablo* demoiselle *f*; *c. de
   mar* hippocampe *m*
caballo *nm (animal)* cheval *m*; *(de
   ajedrez)* cavalier *m*; *(naipe)* = l'une
   des cartes du jeu espagnol, ≃ dame
   f; *muy Fam (heroína)* héro *f*; **montar
   a c.** faire du cheval; **vive a c. entre Madrid y Barcelona** il vit une partie du

temps à Madrid et l'autre à Barcelone
cabaña *nf (choza)* cabane *f*; *(ganado)* cheptel *m*
cabaret *(pl* **cabarets)** *nm* cabaret *m*
cabecear *vi (con la cabeza)* hocher la
   tête; *(dormir)* dodeliner de la tête;
   (en fútbol) faire une tête; *(vehículo)*
   bringuebaler; *(barco)* tanguer
cabecera *nf (de cama, de fila)* tête *f*;
   (de mesa) place *f* d'honneur; *(de texto)* tête *f* de chapitre; *(de periódico)*
   manchette *f*; *(de río)* source *f*
cabecilla *nmf* meneur(euse) *m,f*
cabellera *nf* chevelure *f*
cabello *nm (pelo)* cheveu *m*; *(cabellera)* cheveux *mpl* ☆ *c. de ángel
   (dulce)* = confiture de citrouille utilisée en pâtisserie; *(fideo)* cheveu
   d'ange
caber [12] *vi* rentrer, tenir; *(ser bastante ancho)* aller; **no cabe nadie más**
   il n'y a plus de place; **no me caben los
   pantalones** ce pantalon est trop petit pour moi; **cabe la posibilidad de
   que...** il est possible que...; **cabe preguntarse si...** on peut se demander
   si...; *Mat* **diez entre dos caben a cinco**
   dix divisé par deux égale cinq; **dentro de lo que cabe** *(dentro de lo posible)* autant que possible; *(después
   de todo)* l'un dans l'autre
cabestrillo: en cabestrillo *adj* en
   écharpe

cabeza *nf* tête *f*; *(jefe)* chef *m*; **actuar con c.** agir avec discernement; **a la** *o* **en c.** à la *ou* en tête; **de c.** la tête la première; **alzar** *o* **levantar c.** s'en sortir; **anda de c. por ganar dinero** il ne sait plus quoi faire pour gagner de l'argent; **andar** *o* **estar mal de la c.** ne pas tourner rond; **c. abajo** la tête en bas; **no se le pasó por la c. que...** ça ne lui est pas venu à l'esprit que...; **se le subió a la c.** ça lui est monté à la tête; **tirarse de c. (a)** plonger (dans); **traer de c.** rendre fou (folle) *ou* malade ☆ *c. de ajo* tête d'ail; **c. de familia** chef de famille; **c. lectora** tête de lecture; **c. rapada** skinhead *mf*; **c. de turco** tête de Turc

cabezada *nf* *(de sueño)* dodelinement *m*; *(golpe)* coup *m* de tête; **dar cabezadas** dodeliner de la tête

cabezal *nm* *(de aparato)* tête *f* de lecture; *(almohada)* traversin *m*

cabezazo *nm* *(golpe)* *(con la cabeza)* coup *m* de tête; *(en la cabeza)* coup *m* sur la tête

cabezón, -ona **1** *adj* *(de cabeza grande)* qui a une grosse tête; *(terco)* têtu(e)
   2 *nm,f* *(terco)* entêté(e) *m,f*

cabezota *Fam* **1** *adj* têtu(e) comme une mule
   2 *nmf* tête *f* de mule

cabezudo, -a **1** *adj & nm,f* cabochard(e) *m,f*
   2 *nm* = déguisement de carnaval en forme de tête géante

cabida *nf* *(de depósito)* contenance *f*; *(de lugar)* capacité *f*; *Fig* **dar c. a** admettre

cabina *nf* cabine *f*; *(en piscina)* cabine *f* de bain ☆ *c. telefónica* cabine téléphonique

cabinera *nf* *Col* hôtesse *f* de l'air

cabizbajo, -a *adj* tête basse; **miraba el suelo c.** il regardait par terre, la tête basse

cable *nm* câble *m*; *Fam* **echar un c.** filer un coup de main

cabo *nm* *(accidente geográfico)* cap *m*; *(cuerda)* cordage *m*; *Mil* brigadier *m*; *(de escuadra)* caporal *m*; *(trozo, punta)* bout *m*; *Fig* **atar cabos** faire des recoupements; **llevar algo a c.** mener qch à bien, réaliser qch; **al c. de** au bout de; *Fam* **de c. a rabo** de bout en bout ☆ *c. suelto* *(laguna)* point *m* d'interrogation; **no dejar ningún c. suelto** ne rien laisser au hasard

cabra *nf* chèvre *f*; *Fam* **está como una c.** *(chiflado)* il est complètement taré ☆ *pie* *o* *pata de c.* pied-de-biche *m*

cabrales *nm inv* = fromage bleu des Asturies au goût très fort

cabré *ver* **caber**

cabrear *muy Fam* **1** *vt* emmerder
   2 cabrearse *vpr* se foutre en rogne

cabreo *nm muy Fam* rogne *f*; **coger** *o* **agarrar un c.** se foutre en rogne

cabría *ver* **caber**

cabrito *nm* *(animal)* chevreau *m*; *muy Fam (insulto)* petite ordure *f*

cabro, -a *nm,f Chile Fam* gamin(e) *m,f*

cabrón, -ona *Vulg* **1** *adj & nm,f* enfoiré(e) *m,f*
   2 *nm* *(cornudo)* cocu *m*

cabuya *nf Col, Ven* corde *f*

caca *nf Fam (excremento)* crotte *f*; *(lenguaje infantil)* caca *m*; **es c.** *(cosa sucia)* c'est crade; *Fig* **es una c.** *(cosa mala)* c'est de la cochonnerie

cacahuate *nm Méx* cacahouète *f*

cacahuete *nm (fruto)* cacahouète *f*; *(planta)* arachide *f*

cacao *nm* cacao *m*; *(árbol)* cacaoyer *m*; *Fam (follón)* pagaille *f*; **tener un c. mental** s'emmêler les pinceaux

cacarear **1** *vt Fam (pregonar)* crier sur les toits
   2 *vi (gallina)* caqueter, glousser

cacatúa *nf (ave)* cacatoès *m ; Fam (mujer vieja)* vieille sorcière *f*

cacería *nf* partie *f* de chasse

cacerola *nf* fait-tout *m inv*

cacha *Fam* 1 *nf (muslo)* cuisse *f*
2 **cachas** *adj inv & nm inv* **está cachas, es un cachas** *(fuerte)* il est baraqué

cachalote *nm* cachalot *m*

cacharrazo *nm* grand coup *m*

cacharro *nm (recipiente)* pot *m ; (de cocina)* ustensile *m ; Fam (trasto)* truc *m ; (vehículo)* guimbarde *f ;* **fregar los cacharros** faire la vaisselle

cachaza *nf Fam* **tener c.** être mou (molle)

cachear *vt* fouiller

cachemir *nm,* **cachemira** *nf* cachemire *m*

cacheo *nm* fouille *f*

cachet [ka'tʃe] *(pl* **cachets***) nm* cachet *m*

cachetada *nf Am Fam* baffe *f*

cachete *nm (moflete)* joue *f ; (bofetada)* gifle *f ;* **dar un c.** donner une gifle

cachila *nf RP* voiture *f* d'époque *(datant d'avant 1950)*

cachirulo *nm Fam (chisme)* bidule *m ; (pañuelo)* = foulard du costume traditionnel aragonais que les hommes portent sur la tête

cachivache *nm Fam* truc *m*

cacho *nm Fam (pedazo)* bout *m ; Andes, Ven (asta)* corne *f*

cachondearse *vpr Fam* se marrer ; **c. de** se ficher de

cachondeo *nm Fam (cosa poco seria)* rigolade *f ;* **tomarse algo a c.** prendre qch à la rigolade

cachondo, -a *Fam* 1 *adj (divertido)* marrant(e) ; *(excitado)* excité(e)
2 *nm,f (gracioso)* rigolo(ote) *m,f*

cachorro, -a *nm,f (de perro)* chiot *m ; (de mamífero)* petit *m*

cacique *nm (de partido político)* élé-

phant *m ; Fig & Pey (déspota)* tyran *m*

caco *nm Fam* voleur *m*

cactus *nm inv* cactus *m*

cada *adj inv* chaque ; *(con regularidad)* tous (toutes) les ; **a c. rato** à chaque instant ; **c. cual** chacun ; **c. uno (de)** chacun (de) ; **una de c. diez personas** une personne sur dix ; **c. dos días** tous les deux jours ; **c. vez** *o* **día más** de plus en plus ; **c. vez más largo** de plus en plus long ; **¡se pone c. sombrero!** elle met de ces chapeaux !

cadáver *nm* cadavre *m ;* **por encima de mi c.** il faudra me passer sur le corps

cadavérico, -a *adj* cadavérique

cadena *nf* chaîne *f ; (de inodoro)* chasse *f* (d'eau) ; *(emisora de radio)* station *f ; (sucesión)* enchaînement *m ;* **en c.** en chaîne ; *(trabajo)* à la chaîne ; **cadenas** *(para ruedas)* chaînes *fpl ;* **a c. perpetua** à perpétuité
☆ **c. de montaje** chaîne de montage

cadencia *nf* cadence *f*

cadera *nf* hanche *f*

cadete *nm* cadet *m ; RP (recadero)* coursier *m*

Cádiz *n* Cadix

caducar [59] *vi (carnet, pasaporte, ley)* expirer ; *(alimento, medicamento)* être périmé(e)

caducidad *nf (de carnet, pasaporte, ley)* expiration *f ; (de alimento, medicamento)* péremption *f*

caduco, -a *adj* périmé(e) ; *(persona)* décati(e) ; *(fama, belleza)* éphémère ; *(ley, hoja)* caduc(uque)

caer [13] 1 *vi* tomber ; *(entender)* saisir ; *Fig (estar situado)* se trouver ; **c. en domingo** tomber un dimanche ; **¿no caes?** tu ne vois pas ? ; *Fig* **c. en algo** *(recordar)* se rappeler qch ; **¡ya caigo!** j'y suis ! ; *Fig* **dejarse c. por casa de alguien** passer chez qn ; *Fig* **su cumplido me cayó bien** son

compliment m'a fait plaisir; **el comentario le cayó mal** la remarque ne lui a pas plu; **me cae bien** je l'aime bien; **me cae mal, no me cae bien** je ne l'aime pas, il ne me revient pas; **c. lejos** être loin; **c. bajo** tomber bien bas; **estar al c.** *(persona)* être sur le point d'arriver; *(noche)* être sur le point de tomber
  2 caerse *vpr* tomber; **caerse del árbol** tomber de l'arbre; **caerse de lado** tomber sur le côté; **caerse de espaldas** tomber à la renverse

café 1 *nm* café *m* ✿ **c. descafeinado** café décaféiné; **c. instantáneo** *o* **soluble** café instantané *ou* soluble; **c. con leche** café au lait; **c. solo** café noir
  2 *adj inv (color)* couleur café

cafeína *nf* caféine *f*

cafetera *nf (aparato)* cafetière *f*; *Fam (aparato viejo)* vieux machin *m*; *(vehículo)* guimbarde *f*

cafetería *nf* snack-bar *m*

cafiche *nm CSur, Perú Fam* maquereau *m*

cafre 1 *adj* grossier(ère)
  2 *nmf* grossier personnage *m*

cagado, -a *muy Fam* **1** *nm,f (cobarde)* trouillard(e) *m,f*
  2 *nf* **cagada** *(equivocación)* connerie *f*; *(excremento)* merde *f*; *(de mosca)* chiure *f*

cagar [38] *Vulg* **1** *vi (defecar)* chier
  2 *vt (estropear)* foutre en l'air; *Fig* **la has cagado** tu t'es foutu dedans
  3 cagarse *vpr (defecar)* chier dans sa culotte; *(acobardarse)* chier dans son froc; **¡me cago en diez!** merde!

caído, -a 1 *adj Fig (decaído) (persona)* abattu(e); *(moral)* bas (basse)
  2 *nm* **los caídos** les morts *mpl* (pour la patrie)
  3 *nf* **caída** chute *f*; *(de precios, paro)* baisse *f*; *(de la noche)* tombée *f*; *(de terreno)* pente *f*

caimán *nm (animal)* caïman *m*; *Fig (persona)* vieux renard *m*

Cairo *nm* **El C.** Le Caire

caja *nf* boîte *f*; *(de mecanismos)* boîtier *m*; *(de muerto)* cercueil *m*; *(de dinero)* coffre *m*; **hacer c.** faire la caisse ✿ **c. de ahorros** caisse *f* d'épargne; **c. fuerte** *o* **de caudales** coffre-fort *m*; **c. de herramientas** boîte à outils; **c. de música** boîte à musique; **c. negra** boîte noire; **c. registradora** caisse enregistreuse; **c. torácica** cage *f* thoracique

cajero, -a *nm,f* caissier(ère) *m,f* ✿ **c.** *(automático)* distributeur *m* (automatique de billets)

cajetilla *nf (de cigarrillos)* paquet *m*

cajón *nm (en mueble)* tiroir *m*; *(caja grande)* caisse *f*; *Fam* **de c.** *(evidente)* évident(e) ✿ **c. de sastre** fourre-tout *m inv*

cajonera *nf* commode *f*

cajuela *nf Méx* coffre *m*

cal *nf* chaux *f*

cala *nf (bahía pequeña)* crique *f*; *(del barco)* cale *f*; *(de fruta)* morceau *m* (pour goûter); *(planta, flor)* arum *m*

calabacín *nm* courgette *f*

calabaza *nf* courge *f*; *(grande)* potiron *m*, citrouille *f*; *(planta, recipiente)* calebasse *f*; *Fam Fig* **dar calabazas a alguien** *(a pretendiente)* envoyer promener qn; *(en un examen)* recaler qn; *Fam Fig* **recibir calabazas** *(en un examen)* se faire recaler; *(pretendiente)* se faire jeter

calabozo *nm* cachot *m*; *(en comisaría)* dépôt *m*

calada *nf (de cigarrillo)* bouffée *f*

calado, -a 1 *adj* trempé(e)
  2 *nm (de barco)* tirant *m* d'eau; *(de puerto)* profondeur *f*; *(bordado)* broderie *f* ajourée

calamar *nm* calmar *m*, calamar *m*

calambre *nm (descarga eléctrica)* décharge *f* électrique; *(contracción muscular)* crampe *f*

calamidad *nf (desgracia)* calamité *f*;

es una c. c'est une catastrophe; **cala-midades** malheurs *mpl*

calaña *nf Pey* **de esa c.** de cet acabit

calar 1 *vt (empapar)* transpercer, passer au travers de; *Fig (persona)* percer à jour; *(tela)* ajourer; *(fruta)* entamer
2 *vi (tela, zapatos)* prendre l'eau; *Náut* avoir un tirant d'eau; *Fig (ideas, palabras, moda)* prendre; **c. en** avoir un impact sur; *Fig* **c. en lo más hondo** aller au fond des choses
3 calarse *vpr (empaparse)* se faire tremper; *(motor)* caler; *(gorro, sombrero)* s'enfoncer

calavera 1 *nf* tête *f* de mort
2 *nm Fig* tête *f* brûlée
3 *nfpl* **calaveras** *Méx (luces)* feux *mpl* arrière

calcar [59] *vt (dibujo)* décalquer; *(original)* calquer; *Fig (imitar) (movimientos)* reproduire; *(escena)* reprendre

calceta *nf* bas *m* (de laine); **hacer c.** tricoter

calcetín *nm* chaussette *f*

calcinar *vt* calciner

calcio *nm* calcium *m*

calco *nm también Fig* calque *m*; **ser un c. de** être calqué(e) sur

calcomanía *nf* décalcomanie *f*

calculador, -ora 1 *adj también Fig* calculateur(trice)
2 *nf* **calculadora** calculatrice *f*

calcular *vt (cantidades)* calculer; *(suponer)* croire; **calculo que estaremos de vuelta temprano** je crois que nous serons rentrés tôt; **le calculo sesenta años** je lui donne soixante ans

cálculo *nm* calcul *m* ☆ **c. de vesícula** calcul biliaire

caldear *vt* chauffer; *(ánimos)* échauffer

caldera *nf (recipiente)* fait-tout *m inv*; *(máquina)* chaudière *f*; *Urug (para agua)* bouilloire *f*

calderilla *nf* petite monnaie *f*

caldero *nm* chaudron *m*

caldo *nm (sopa)* bouillon *m*; *(vino, aceite)* cru *m* ☆ *Fig* **c. de cultivo** bouillon de culture

calefacción *nf* chauffage *m* ☆ **c. central** chauffage central

calefaccionar *vt CSur* chauffer *(un lieu)*

calefactor *nm* radiateur *m*

calefón *nm CSur* chauffe-eau *m inv*

caleidoscopio *nm* kaléidoscope *m*

calendario *nm* calendrier *m* ☆ **c. escolar** calendrier scolaire; **c. laboral** année *f* de travail; **c. de trabajo** planning *m*

calentador, -ora 1 *adj* chauffant(e)
2 *nm (de agua)* chauffe-eau *m inv*

calentamiento *nm (subida de temperatura)* réchauffement *m*; *(ejercicios)* échauffement *m* ☆ **c. global** réchauffement de la planète

calentar [3] **1** *vt (comida)* faire chauffer; *Fig (público)* chauffer; *Fig (pegar)* frapper; **c. agua** faire chauffer de l'eau
2 calentarse *vpr (persona)* se réchauffer; *(comida)* chauffer; *(ánimos, deportista)* s'échauffer

calentura *nf (fiebre)* température *f*; *(pupa)* bouton *m* de fièvre; **tener c.** avoir de la fièvre

calenturiento, -a *adj (con fiebre)* fiévreux(euse); *(mente)* exalté(e); *(imaginación)* débridé(e)

calesitas *nfpl CSur* manège *m* (de chevaux de bois)

calibrado *nm* calibrage *m*

calibrar *vt (medir, dar calibre)* calibrer; *Fig (juzgar)* mesurer

calibre *nm (diámetro, instrumento)* calibre *m*; *(de alambre)* jauge *f*; *Fig (tamaño, importancia)* taille *f*, importance *f*; **de mucho c.** de taille

calidad *nf* qualité *f*; **la c. humana** les qualités humaines; **de c.** de qualité;

en c. de en qualité de, en tant que ☆ **c. de vida** qualité de la vie; *la relación c.-precio* le rapport qualité-prix

cálido, -a *adj (temperatura, colores)* chaud(e); *(afectuoso)* chaleureux (euse)

caliente *adj* chaud(e); *Fig (acalorado)* passionné(e); *Fig* **en c.** à chaud; *muy Fam* **ponerse c.** *(excitarse)* s'exciter

calificación *nf (nota)* note *f*

calificar [59] *vt* qualifier; *(examen, alumno)* noter

calificativo, -a 1 *adj* qualificatif(ive) **2** *nm* **no encuentro calificativos para describir su generosidad** je ne trouve pas de mots pour décrire sa générosité; **le aplicamos el c. de imbécil** on le qualifie d'imbécile

caligrafía *nf (arte)* calligraphie *f*; *(escritura)* écriture *f*

calima, calina *nf* brume *f* de chaleur

cáliz *nm* calice *m*

calizo, -a 1 *adj* calcaire **2** *nf* **caliza** calcaire *m*

callado, -a *adj (que no habla)* réservé(e); *(en silencio)* silencieux(euse)

callar 1 *vi* se taire **2** *vt (ocultar)* taire, passer sous silence; *(secreto)* garder **3 callarse** *vpr* se taire

calle *nf* rue *f*; *(en carrera)* couloir *m*; **dejar a alguien en la c., echar a alguien a la c.** mettre qn sur le pavé, mettre qn à la porte ☆ **c. peatonal** rue piétonnière *ou* piétonne

callejear *vi* flâner

callejero, -a 1 *adj (escena)* de la rue; *(venta)* ambulant(e); **un perro c.** un chien errant **2** *nm (guía)* répertoire *m* des rues

callejón *nm* ruelle *f* ☆ *también Fig* **c. sin salida** impasse *f*

callejuela *nf* ruelle *f*

callista *nmf* pédicure *mf*

callo *nm (dureza)* durillon *m*; *(en el pie)* cor *m*; *Fam Fig* **es un c.** *(es muy feo)* il est laid comme un pou; **callos** tripes *fpl*

calma *nf* calme *m*; **estar en c.** être calme

calmante 1 *adj* calmant(e) **2** *nm* calmant *m*

calmar 1 *vt* calmer **2 calmarse** *vpr* se calmer

caló *nm (lengua)* = langue parlée par les gitans d'Espagne

calor *nm* chaleur *f*; **entrar en c.** *(persona)* se réchauffer; *(deportista)* s'échauffer; **tener c.** avoir chaud

caloría *nf* calorie *f*

calote *nm RP* escroquerie *f*

calumnia *nf* calomnie *f*

calumniar *vt* calomnier

calumnioso, -a *adj* calomnieux (euse)

caluroso, -a *adj (con calor)* chaud(e); *Fig (afectuoso)* chaleureux(euse)

calva *ver* **calvo**

calvario *nm (vía crucis)* chemin *m* de croix; *Fig (sufrimiento)* calvaire *m*

calvicie *nf* calvitie *f*

calvo, -a 1 *adj & nm,f* chauve *mf* **2** *nf* **calva** *(en la cabeza)* crâne *m* dégarni

calzada *nf* chaussée *f*

calzado *nm* chaussures *fpl*; **la industria del c.** l'industrie *f* de la chaussure

calzador *nm* chausse-pied *m*

calzar [14] **1** *vt* chausser; *(guantes)* mettre; *(llevar un calzado)* porter; *(poner cuña a)* caler; **¿qué número calza?** quelle est votre pointure? **2 calzarse** *vpr* se chausser; **calzarse unas sandalias** mettre des sandales

calzón *nm Esp (deportivo)* short *m*; *Am (calzoncillos)* slip *m*; *Am (braga)* culotte *f*

calzoncillos *nmpl (slip)* slip *m*; *(short)* caleçon *m*

cama *nf* lit *m* ; **estar en** o **guardar c.** rester au lit, garder le lit ; **hacer la c.** faire son lit ☆ *c.* **elástica** trampoline *m* ; *c.* **de matrimonio** lit double ; *c.* **nido** lit gigogne

camada *nf (crías)* portée *f*

camaleón *nm también Fig* caméléon *m*

cámara **1** *nf (sala)* chambre *f* ; *(de TV, de cine)* caméra *f* ; *(de balón, neumático)* chambre *f* à air ; **a c. lenta** au ralenti ☆ *c.* **(fotográfica)** appareil *m* photo ; *c.* **frigorífica** chambre froide ; *c.* **de gas** chambre à gaz
2 *nmf (persona)* cadreur(euse) *m,f*

camarada *nmf* camarade *mf*

camaradería *nf* camaraderie *f*

camarero, -a *nm,f (de bar, restaurante)* serveur(euse) *m,f*

camarilla *nf* bande *f (groupe)*

camarón *nm* crevette *f*

camarote *nm* cabine *f*

camba *Bol* **1** *adj* de l'Est de la Bolivie
2 *nmf* = habitant de l'Est de la Bolivie

cambalache *nm RP (tienda)* = boutique d'articles d'occasion

cambiante *adj* changeant(e)

cambiar **1** *vt* changer ; **c. algo (por)** échanger qch (contre)
2 *vi* changer (**de** de) ; **c. de parecer** changer d'avis ; **c. (de velocidades)** changer de vitesse
3 cambiarse *vpr (de ropa)* se changer ; **cambiarse de zapatos** changer de chaussures ; **cambiarse de casa** déménager

cambio *nm (variación)* changement *m* ; *(trueque)* échange *m* ; *(suelto, dinero devuelto)* monnaie *f* ; *(de acciones, divisas)* change *m* ; *Fig* **a las primeras de c.** tout d'un coup ; **a c. en** échange ; **c. (de marchas** o **velocidades)** changement de vitesse ; **en c.** *(por otra parte)* en revanche, par contre ; *(en su lugar)* à la place, en échange ☆ *c.* **de rasante** sommet *m*

de côte ; *hacer un c. de sentido* faire demi-tour ; **libre c.** libre-échange *m*

Camboya *n* le Cambodge

camboyano, -a **1** *adj* cambodgien (enne)
2 *nm,f* Cambodgien(enne) *m,f*

cambur *nm Ven* banane *f*

camelar *vt Fam* embobiner

camelia *nf* camélia *m*

camello, -a **1** *nm,f (animal)* chameau *m*, chamelle *f*
2 *nm muy Fam (traficante)* dealer *m*

camellón *nm Col, Méx* terre-plein *m* central

camelo *nm Fam* baratin *m*

camerino *nm* loge *f*

camilla *nf* brancard *m*

camillero, -a *nm,f* brancardier *m*

caminante *nmf* marcheur(euse) *m,f*

caminar **1** *vi* marcher ; *Fig (ir)* aller (**hacia** au-devant de) ; **c. hacia su ruina** courir à sa perte
2 *vt (una distancia)* parcourir

caminata *nf* trotte *f*

camino *nm* chemin *m* ; *(viaje)* route *f* ; **de c.** en chemin ; **nos pilla de c.** c'est sur le chemin ; *Fig* **abrirse c.** faire son chemin ; *Fig* **andar por mal c.** être sur la mauvaise pente ; *Fig* **quedarse a medio c.** s'arrêter en chemin

camión *nm* camion *m* ; *CAm, Méx (bus)* bus *m* ; *Fam Fig* **estar como un c.** être canon ☆ *c.* **cisterna** camion-citerne *m*

camionero, -a **1** *adj CAm, Méx* d'autobus
2 *nm,f* camionneur *m*, routier *m*

camioneta *nf* camionnette *f*

camisa *nf (prenda)* chemise *f* ; *Tec* manchon *m* ; *(de serpiente)* mue *f* ; **se mete en c. de once varas** il se mêle de ce qui ne le regarde pas ; **mudar** o **cambiar de c.** retourner sa veste ☆ *c.* **de fuerza** camisole *f* de force

camiseta *nf (ropa interior)* tricot *m* de corps; *(de verano)* tee-shirt *m*; *(de deporte)* maillot *m*

camisón *nm* chemise *f* de nuit

camorra *nf* bagarre *f*; **buscar c.** chercher la bagarre

camote *nm Andes, CAm, Méx (batata)* patate *f* douce

campamento *nm (lugar)* campement *m*; *(personas)* troupe *f*

campana *nf* cloche *f*; *(de chimenea)* hotte *f*; **doblar las campanas** sonner les cloches; *(en entierro)* sonner le glas; **oír campanas y no saber dónde** ne comprendre qu'à moitié ☆ *c. extractora de humos* hotte aspirante

campanada *nf (de campana, reloj)* sonnerie *f*; *Fig* **la c. del siglo** l'événement *m* du siècle; **ser la c.** faire sensation

campanario *nm* clocher *m*

campanilla *nf (instrumento, flor)* clochette *f*; *(úvula)* luette *f*

campanilleo *nm* tintement *m*

campante *adj Fam (tranquilo)* cool; *Fig* **estar** o **quedarse tan c.** ne pas broncher

campaña *nf* campagne *f (électorale, publicitaire)*; *RP (campo)* campagne *f*

campechano, -a *adj* simple

campeón, -ona *nm,f* champion (onne) *m,f*

campeonato *nm* championnat *m*; *Fam Fig* **de c.** d'enfer

campero, -a 1 *adj* de campagne **2** *nf* **campera** *(bota)* = sorte de botte de cheval; *RP (chaqueta)* blouson *m*

campesino, -a *adj & nm,f* paysan (anne) *m,f*

campestre *adj* champêtre

camping ['kampin] *(pl campings) nm* camping *m*; **ir de c.** faire du camping

campo *nm* champ *m*; *(campiña)* campagne *f*; *(de deporte)* terrain *m*; *(de tenis)* court *m*; *Fig (ámbito)* domaine *m*; *CSur (hacienda)* hacienda *f*; *Andes (lugar)* place *f*; **hacer campo** faire de la place; *Fig* **dejar el c. libre** laisser le champ libre ☆ *c. de batalla* champ de bataille; *c. de concentración* camp *m* de concentration; *c. de tiro* champ de tir; *c. de trabajo (de vacaciones)* chantier *m* de jeunesse; *(para prisioneros)* camp de travail; *c. visual* champ visuel

camposanto *nm* cimetière *m*

campus *nm inv* campus *m*

camuflaje *nm* camouflage *m*

camuflar *vt* camoufler

cana *nf* cheveu *m* blanc; *Fam* **echar una c. al aire** passer une folle nuit

Canadá *n* **(el) C.** le Canada

canadiense 1 *adj* canadien(enne) **2** *nmf* Canadien(enne) *m,f*

canal 1 *nm* canal *m*; *(de televisión)* chaîne *f*; *(de agua, gas)* conduite *f*; **abrir en c.** ouvrir de bas en haut; **el C. de la Mancha** la Manche **2** *nm o nf (de tejado)* gouttière *f*

canalizar [14] *vt también Fig* canaliser

canalla *nmf* canaille *f*

canalón *nm (de tejado)* gouttière *f*

canapé *nm* canapé *m*

Canarias *nfpl* **(las) C.** les Canaries *fpl*

canario, -a 1 *adj* canarien(enne) **2** *nm,f* Canarien(enne) *m,f* **3** *nm (pájaro)* canari *m*

canasta *nf (de mimbre)* corbeille *f*; *(juego de naipes)* canasta *f*; *(de baloncesto)* panier *m*

canastilla *nf (cesta)* corbeille *f*; *(de bebé)* layette *f*

canasto *nm* grande corbeille *f*

cancán *nmf*, **cancanes** *nmfpl RP* collant *m*

cancela *nf* grille *f*

cancelación *nf* annulation *f*

cancelar *vt* annuler; *(contrato, suscripción)* résilier; *(deuda)* solder;

(hipoteca) lever; *Chile, Ven (cuenta)* payer, régler

cáncer 1 *nm Med & Fig* cancer *m*
  2 *nm inv (zodiaco)* Cancer *m inv*
  3 *nmf inv (persona)* Cancer *m inv*

cancerígeno, -a *adj* cancérigène

canceroso, -a *adj & nm,f* cancéreux(euse) *m,f*

cancha *nf (de fútbol, golf)* terrain *m*; *(de tenis)* court *m*

canchero, -a *adj RP Fam* habile, débrouillard(e)

canciller *nm (de gobierno, embajada)* chancelier *m*; *(de asuntos exteriores)* ministre *m* des Affaires étrangères

cancillería *nf Am* ministère *m* des Affaires étrangères

canción *nf* chanson *f*; *Fig* ¡siempre la misma c.! toujours la même chanson! ☆ **c. de cuna** berceuse *f*

candado *nm* cadenas *m*

candela *nf (vela)* chandelle *f*; *Fam Fig* **dar c.** *(lumbre)* donner du feu

candelabro *nm* candélabre *m*

candelero *nm* chandelier *m*; *Fig* **estar en el c.** être très en vue

candente *adj (incandescente)* incandescent(e); *Fig (tema)* brûlant(e)

candidato, -a *nm,f* candidat(e) *m,f*

candidatura *nf (para un cargo)* candidature *f*; *(lista)* liste *f (de candidats)*

candidez *nf* candeur *f*

cándido, -a *adj* candide

candil *nm* lampe *f* à huile; *Méx (araña)* lustre *m*

candilejas *nfpl* feux *mpl* de la rampe; *Fig* théâtre *m*

canela *nf* cannelle *f*

canelón *nm* cannelloni *m*

cangrejo *nm* crabe *m* ☆ **c. de río** écrevisse *f*

canguro 1 *nm (animal)* kangourou *m*
  2 *nmf Fam (persona)* baby-sitter *mf*; **hacer de c.** faire du baby-sitting

caníbal *adj & nmf* cannibale *mf*

canibalismo *nm* cannibalisme *m*

canica *nf (pieza)* bille *f*; **canicas** *(juego)* billes *f*

caniche *nm* caniche *m*

canijo, -a 1 *adj Pey* rachitique
  2 *nm,f* nabot(e) *m,f*

canilla *nf CSur (grifo)* robinet *m*; *Fam (espinilla)* tibia *m*

canillita *nm Andes, RP Fam* crieur *m* de journaux

canino, -a 1 *adj* canin(e)
  2 *nm (diente)* canine *f*

canjear *vt* échanger

cano, -a *adj (pelo, barba)* blanc (blanche)

canoa *nf* canot *m*; *(de deporte)* canoë *m*

canódromo *nm* cynodrome *m*

canon *nm (norma) & Mús* canon *m*; *(modelo)* idéal *m*; *(impuesto)* redevance *f*

canónigo *nm* chanoine *m*

canonizar [14] *vt* canoniser

canoso, -a *adj* grisonnant(e)

cansado, -a *adj (fatigado)* fatigué(e); *(pesado, cargante)* fatigant(e); *Fig* **estar c. de algo** être fatigué de qch

cansador, -ora *adj CSur (que cansa)* fatigant(e); *(que aburre)* ennuyeux (euse)

cansancio *nm* fatigue *f*

cansar 1 *vt & vi* fatiguer
  2 cansarse *vpr (agotarse)* se fatiguer; *Fig* **cansarse (de algo/de hacer algo)** *(hartarse)* se lasser (de qch/de faire qch)

Cantabria *n* la Cantabrique

cantábrico, -a 1 *adj* de Cantabrique
  2 *nm* **el C.** le golfe de Gascogne

cántabro, -a 1 *adj* de Cantabrique
  2 *nm,f* = personne originaire de Cantabrique

cantaleta *nf Am (estribillo)* rengaine *f*; *Fig (regañina)* sermon *m*

cantante *adj & nmf* chanteur(euse) *m,f*

cantaor, -ora *nm,f* chanteur(euse) *m,f* de flamenco

cantar 1 *vt (canción)* chanter; *(bingo, el gordo)* annoncer; *(horas)* sonner

2 *vi* chanter; *Fam Fig (apestar)* puer; *Fam Fig* **c. (de plano)** *(confesar)* lâcher le morceau

cántaro *nm* cruche *f*

cante *nm Fam (error)* bourde *f* ☆ **c. jondo** = chant flamenco empreint d'émotion

cantegril *nm Urug (chabola)* bidonville *m*

cantera *nf (de piedra)* carrière *f*; *Fig (de profesionales)* vivier *m*

cantero *nm CSur, Cuba (de flores)* parterre *m*

cantidad 1 *nf (número, medida)* quantité *f*; *(de dinero)* somme *f*; **c. de** beaucoup de; **hay c. de gente** il y a beaucoup de monde

2 *adv Fam* vachement; **c. de bien** vachement bien

cantimplora *nf* gourde *f*

cantina *nf (de cuartel)* popote *f*; *(de estación)* buffet *m*; *(de escuela)* cafétéria *f*; *(de fábrica)* cantine *f*

cantinela *nf* rengaine *f*, couplet *m*

canto *nm (canción)* chant *m*; *(borde) (de mesa)* arête *f*; *(de moneda, libro)* tranche *f*; *(de cuchillo)* dos *m*; *(piedra)* caillou *m*; **de c.** sur le côté; *(libro)* sur la tranche ☆ **c. rodado** galet *m*

cantor, -ora *adj & nm,f* chanteur (euse) *m,f*

canturrear *vt & vi* chantonner

canutas *nfpl Fam* **pasarlas c.** en baver

canuto *nm (tubo)* tube *m*; *Fam (porro)* pétard *m*

caña *nf (de planta, bota)* tige *f*; *(de cerveza)* demi *m*; *Andes, Cuba, RP* *(aguardiente)* tafia *m*; *Fam* **darle** o **meterle c. a algo** se défoncer pour qch; **pescar con c.** pêcher à la ligne ☆ **c. de azúcar** canne *f* à sucre; **c. (de pescar)** canne à pêche

cáñamo *nm* chanvre *m*

cañería *nf* canalisation *f*

cañero, -a *nm,f Am* = ouvrier agricole qui travaille dans une plantation de canne à sucre

caño *nm* tuyau *m*

cañón *nm* canon *m*; *Geog* cañon *m*, canyon *m*; *Fam* **estar c.** être canon

caoba *nf* acajou *m*

caos *nm inv* chaos *m*

caótico, -a *adj* chaotique

CAP [kap] *nm (abrev* **Certificado de Aptitud Pedagógica***)* = certificat d'aptitude à l'enseignement, ≃ CAPES *m*

cap. *(abrev* **capítulo***)* chap.

capa *nf (manto)* cape *f*; *(baño, estrato, grupo social)* couche *f*; **andar de c. caída** *(negocio)* battre de l'aile; *(persona)* être dans une mauvaise passe ☆ **c. de ozono** couche d'ozone

capacidad *nf* capacité *f*

capacitación *nf* formation *f*

capacitar *vt* **c. a alguien para algo** *(formar)* former qn à qch; **c. a alguien para hacer algo** *(habilitar)* habiliter qn à faire qch

capar *vt* châtrer

caparazón *nm (concha)* carapace *f*; *Fig* **meterse en su c.** rentrer dans sa coquille

capataz *nm (de finca)* chef *m* d'exploitation; *(de obra)* chef *m* de chantier

capaz *adj* capable (**de** de)

capazo *nm* cabas *m*

capear *vt Fig (eludir) (dificultades)* contourner; *(compromisos)* se dérober à; *(trabajo)* fuir; *Taurom* = faire des passes avec la cape

capellán *nm* aumônier *m*

caperuza *nf* capuchon *m*

capicúa 1 *adj inv* palindrome
2 *nm inv* nombre *m* palindrome

capilar 1 *adj* capillaire
2 *nm* capillaire *m*

capilla *nf* chapelle *f* ☆ **c. ardiente** chapelle ardente

cápita: per cápita *prep* par personne; *(renta)* par habitant

capital 1 *adj (esencial)* capital(e)
2 *nm* capital *m*
3 *nf (ciudad)* capitale *f*

capitalino, -a 1 *adj* de la capitale
2 *nm,f* habitant(e) *m,f* de la capitale

capitalismo *nm* capitalisme *m*

capitalista *adj & nmf* capitaliste *mf*

capitalizar [14] *vt Econ* capitaliser; *Fig* **c. algo** *(sacarle provecho)* tirer profit de qch

capitán, -ana *nm,f* capitaine *m*

capitanear *vt* commander; *(dirigir)* mener; *(equipo deportivo)* être le capitaine de

capitanía *nf* état-major *m*; *(territorio)* région *f* militaire

capitel *nm (de columna)* chapiteau *m*

capitoste *nm Pey* caïd *m*

capitulación *nf* capitulation *f*

capitular *vi* capituler

capítulo *nm* chapitre *m*

capo *nm (de la mafia)* parrain *m*

capó *nm* capot *m*

capota *nf (de automóvil)* capote *f*

capote *nm (abrigo)* capote *f*; *(de torero)* cape *f*

capricho *nm* caprice *m*; **darse un c.** se faire un petit plaisir; **por puro c.** par pur caprice

caprichoso, -a *adj* capricieux(euse)

capricornio 1 *nm inv (zodiaco)* Capricorne *m inv*
2 *nmf inv (persona)* Capricorne *m inv*

cápsula *nf (pastilla)* gélule *f*; *(espacial) & Anat* capsule *f*

captar *vt (atraer) (simpatía)* gagner; *(atención, radio)* capter; *(entender)* saisir

captura *nf* capture *f*

capturar *vt* capturer

capucha *nf (para la cabeza)* capuche *f*; *(de bolígrafo)* capuchon *m*

capuchón *nm* capuchon *m*

capullo, -a 1 *adj & nm,f Vulg* con (conne) *m,f*
2 *nm (de flor)* bouton *m*; *(de gusano)* cocon *m*; *Fam (glande)* gland *m*

caqui 1 *adj inv (color)* kaki *inv*
2 *nm (árbol)* plaqueminier *m*; *(fruto)* kaki *m*; *(color)* kaki *m inv*

cara *nf (rostro)* visage *m*, figure *f*; *(aspecto)* tête *f*; *(lado, superficie, anverso de moneda)* face *f*; *(de edificio)* façade *f*; *Fam (osadía)* culot *m*; **c. a c.** face à face; **a c. o cruz** à pile ou face; **cruzar la c. a alguien** gifler qn; **de c.** *(sol)* dans les yeux; **de c. a** en vue de; **de c. al futuro** face à l'avenir; **decir algo a alguien a la** *o* **en c.** dire qch en face à qn; **echar en c.** jeter à la figure; **romper** *o* **partir la c. a alguien** casser la figure à qn; **tener buena/mala c.** avoir bonne/mauvaise mine; **tener c. de enfado/sueño** avoir l'air fâché(e)/fatigué(e); **tiene c. de ponerse a llover** on dirait qu'il va pleuvoir; *Fam* **tener (mucha) c., tener la c. muy dura** avoir un sacré culot; **nos veremos las caras** on se retrouvera

carabela *nf* caravelle *f*

carabina *nf (arma)* carabine *f*; *Fam Fig (acompañante)* chaperon *m*

carabinero *nm (marisco)* = grosse crevette; *Chile (policía)* agent *m* de la police militaire

Caracas *n* Caracas

caracol *nm* escargot *m*; *(concha)* coquillage *m*; *(del oído)* limaçon *m*; *(rizo)* accroche-cœur *m*

caracola *nf* conque *f*

carácter *(pl* **caracteres)** *nm* caractère

m; **(tener) buen/mal c.** (avoir) bon/ mauvais caractère

característico, -a 1 *adj* caractéristique

2 *nf* **característica** caractéristique *f*

caracterización *nf* caractérisation *f*; *(maquillaje)* grimage *m*

caracterizar [14] **1** *vt (definir)* caractériser; *(representar)* incarner; *(maquillar)* grimer

2 **caracterizarse** *vpr* **caracterizarse por** se caractériser par

caradura *Fam* **1** *adj* gonflé(e)

2 *nmf* **es un c.** il est gonflé

carajillo *nm* = café arrosé de rhum ou de cognac

carajo *nm muy Fam* **¡qué c.!** bordel!; **irse al c.** aller se faire foutre

caramba *interj (sorpresa)* ça alors!; *(enfado)* zut alors!

carambola *nf (en billar)* carambolage *m*; *Fam (casualidad)* hasard *m*; **nos encontramos de c.** nous nous sommes rencontrés par hasard

caramelizar [14] *vt* caraméliser

caramelo *nm (golosina)* bonbon *m*; *(azúcar fundido)* caramel *m*

carantoñas *nfpl* **hacer c.** faire des mamours; *Fig* faire patte de velours

caraota *nf Ven* haricot *m* (sec)

caraqueño, -a 1 *adj* de Caracas

2 *nm,f* = personne originaire de Caracas

carátula *nf (de libro)* couverture *f*; *(de disco)* pochette *f*

caravana *nf (remolque)* caravane *f*; *(de bohemios)* roulotte *f*; *(de coches)* bouchon *m*; *Urug* **caravanas** *(pendientes)* pendants *mpl* d'oreilles

caray *interj* mince!

carbón *nm (para quemar)* charbon *m*

carboncillo *nm* fusain *m*

carbonero, -a *adj & nm,f* charbonnier(ère) *m,f*

carbónico, -a *adj* carbonique

carbonilla *nf (ceniza)* escarbille *f*; *(resto de carbón)* poussier *m*

carbonizar [14] **1** *vt* carboniser

2 **carbonizarse** *vpr* être carbonisé(e)

carbono *nm* carbone *m*

carburador *nm* carburateur *m*

carburante *nm* carburant *m*

carburar *vi Fam* gazer

carca *adj & nmf Pey* réac *mf*

carcajada *nf* éclat *m* de rire; **reír a carcajadas** rire aux éclats

carcajearse *vpr* rire aux éclats; **c. de** se moquer de

carcamal *nmf Fam Pey (hombre)* vieux croulant *m*; *(mujer)* vieille peau *f*

cárcel *nf* prison *f*

carcelero, -a *nm,f* gardien(enne) *m,f* de prison

carcinoma *nm* carcinome *m*

carcoma *nf (insecto)* ver *m* à bois; *(polvo)* vermoulure *f*

carcomer *vt* ronger; *(salud)* miner

cardar *vt (lana)* carder; *(pelo)* crêper

cardenal *nm (eclesiástico)* cardinal *m*; *(hematoma)* bleu *m*

cardiaco, -a, cardíaco, -a *adj* cardiaque

cardinal *adj* cardinal(e)

cardiólogo, -a *nm,f* cardiologue *mf*

cardiovascular *adj* cardio-vasculaire

cardo *nm (planta)* chardon *m*; *Fam Fig* **es un c.** il est aimable comme une porte de prison

carecer [46] *vi* **c. de algo** manquer de qch

carencia *nf (escasez)* manque *m*; *(de vitamina, elemento)* carence *f*; **sufrir muchas carencias** manquer de beaucoup de choses

carente *adj* dépourvu(e); **c. de** dépourvu de; **c. de interés** sans intérêt

carestía *nf (precio alto)* cherté *f*

careta *nf (máscara)* masque *m*; *Fig (engaño)* façade *f* ☆ **c. antigás** masque à gaz

carey *nm (tortuga)* caret *m*; *(material)* écaille *f*

carga *nf* charge *f*; *(acción)* chargement *m*; *(cargamento)* cargaison *f*; *Fig* **volver a la c.** revenir à la charge; **de c. y descarga** *(zona)* de livraisons

cargado, -a *adj* chargé(e); *(bebida alcohólica)* tassé(e); *(tiempo, atmósfera)* lourd(e); *(café)* serré(e); *(cielo)* couvert(e); **¡qué habitación más cargada!** on étouffe dans cette pièce!

cargador, -ora *nm (de arma)* chargeur *m*

cargamento *nm* chargement *m*, cargaison *f*

cargante *adj Fam Fig* assommant (e)

cargar [38] **1** *vt* charger; *(pluma, mechero)* recharger; *(importe, factura, deuda)* faire payer; *(precio)* faire monter; *Fam Fig (molestar)* assommer; **c. algo en cuenta** mettre qch sur un compte; **lo cargaron de trabajo/de responsabilidades** ils lui ont donné beaucoup de travail/de responsabilités; **c. el ambiente** enfumer l'atmosphère

2 *vi* **c. con** *(paquete)* porter; *(costes)* prendre à sa charge; *Fig* **c. con las culpas** être tenu(e) pour responsable; *Fig* **c. las tintas** en rajouter; *Fam* **¡te la vas a c.!** tu vas y avoir droit!

3 cargarse *vpr Fam (romper)* bousiller; *Fam (suspender)* recaler; *Fam (matar)* dégommer; **se me carga el pecho** *(por el humo)* j'ai les poumons tout encrassés

cargo *nm* charge *f*; *(empleo)* poste *m*; débit *m*; *(en cuenta bancaria)* **correr a c. de** être à la charge de; **hacerse c. de** *(ocuparse de)* se charger de; *(asumir el control de)* prendre en charge; *(comprender)* se rendre compte de; **cargos** *(en juicio)* charges; **me da c. de conciencia...** ça me donne mauvaise conscience de...

cargosear *vt CSur* agacer

cargoso, -a *adj CSur* agaçant(e)

carguero *nm* cargo *m*

Caribe *nm* **el C.** la mer des Caraïbes

caricatura *nf* caricature *f*

caricaturizar *vt* caricaturer

caricia *nf* caresse *f*

caridad *nf* charité *f*

caries *nf inv* carie *f*

carillón *nm* carillon *m*

cariño *nm (afecto)* affection *f*, tendresse *f*; *(cuidado)* soin *m*; *(apelativo)* chéri(e) *m,f*; **tomar c. a alguien** prendre qn en affection

cariñoso, -a *adj* affectueux(euse)

carioca 1 *adj* carioca

2 *nmf* Carioca *mf*

carisma *nm* charisme *m*

carismático, -a *adj* charismatique

caritativo, -a *adj (persona)* charitable; *(asociación)* caritatif(ive)

cariz *nm (de asunto, acontecimiento)* tournure *f*; **tomar mal/buen c.** prendre mauvaise/bonne tournure

carlista *adj & nmf* carliste *mf*

carmesí *(pl* carmesíes*)* **1** *adj* cramoisi(e)

2 *nm* rouge *m* cramoisi

carmín 1 *adj (color)* carmin *inv*

2 *nm (color)* carmin *m*; *(lápiz de labios)* rouge *m* à lèvres

carnada *nf también Fig* appât *m*

carnal *adj (de la carne)* charnel (elle); *(tío, sobrino)* au premier degré; *(primo)* germain(e)

carnaval *nm* carnaval *m*

carnaza *nf también Fig* appât *m*

carne *nf (de persona, fruta)* chair *f*; *(alimento)* viande *f*; **en c. viva** à vif; **en c. y hueso** en chair et en os; *Fig* ser alguien de **c. y hueso** être un être de chair et de sang ☆ **c. de cerdo** porc *m*; **c. de cordero** mouton *m*; *(lechal)* agneau *m*; **c. de gallina** chair de poule; **c. picada** viande hachée; **c. de ternera** veau *m*

carné *(pl* **carnés)** *nm (documento)* carte *f* ☆ **c. de conducir** permis *m* de conduire; **c. de identidad** carte d'identité

carnear *vt Andes, RP* abattre *(un animal de boucherie)*

carnero *nm* bélier *m*

carnicería *nf (tienda)* boucherie *f*; *Fig (destrozo, masacre)* carnage *m*

carnicero, -a **1** *adj (animal)* carnassier(ère)
2 *nm,f (persona)* boucher(ère) *m,f*

cárnico, -a *adj (industria)* de la viande; *(producto)* de boucherie

carnitas *nfpl Méx* = viande hachée utilisée pour les tacos

carnívoro, -a *adj* carnivore; *(ave)* carnassier(ère)

carnoso, -a *adj* charnu(e)

caro, -a **1** *adj* cher (chère)
2 *adv* **costar/vender c.** coûter/vendre cher; **esta tienda vende c.** ce magasin est cher

carozo *nm RP* noyau *m*

carpa *nf (pez)* carpe *f*; *(de circo)* chapiteau *m*; *(para fiestas)* tente *f*; *Perú, RP (tienda)* tente *f*

carpeta *nf* chemise *f (de bureau)*

carpintería *nf (de muebles)* menuiserie *f*; *(de tejado)* charpenterie *f*

carpintero, -a *nm,f (de muebles)* menuisier *m*; *(de tejado)* charpentier *m*

carraca *nf (instrumento)* crécelle *f*; *Fig (cosa vieja)* épave *f*

carraspear *vi (hablar ronco)* parler d'une voix rauque; *(toser)* se racler la gorge

carraspera *nf* **tener c.** être enroué (e)

carrera *nf* course *f*; *(trayecto)* parcours *m*; *(estudios)* cursus *m* (universitaire); *(profesión)* carrière *f*; *(calle)* = nom de certaines rues en Espagne; *(en medias)* maille *f* filée; **echar una c.** faire la course; **en una c.** en courant; **tomar c.** prendre de l'élan; **hacer la c.** de derecho faire des études de droit ☆ **c. armamentista** o **de armamentos** course aux armements; **c. de obstáculos** course d'obstacles

carrerilla *nf* **coger** o **tomar c.** prendre de l'élan; **de c.** *(de corrido)* d'une seule traite; *(de memoria)* de A à Z

carreta *nf* charrette *f*

carretada *nf (carga de carreta)* charretée *f*; *Fam (gran cantidad)* tonne *f*

carrete *nm (de hilo, alambre)* bobine *f*; *(de fotos)* pellicule *f*; *(para pescar)* moulinet *m*; *(de máquina de escribir)* ruban *m*

carretera *nf* route *f*; **c. comarcal/nacional** route départementale/nationale; *Méx* **c. de cuota** autoroute *f* à péage

carretero, -a *adj Am* routier(ère)

carretilla *nf (carro de mano)* brouette *f*

carril *nm (de carretera)* voie *f*; *(de ferrocarril)* rail *m*; *(huella)* ornière *f* ☆ **c. bici** piste *f* cyclable; **c. bus** couloir *m* d'autobus

carrillo *nm* joue *f*; *Fig* **comer a dos carrillos** manger comme quatre

carriola *nf Méx* landau *m*

carro *nm* chariot *m*; *Andes, CAm, Carib, Méx (automóvil)* voiture *f*; *RP Fam* **¡pará el c.!** *(¡basta ya!)* eh, mollo! ☆ **c. de combate** char *m* d'assaut; *Am* **c. comedor** wagon-restaurant *m*

carrocería *nf (de automóvil)* carrosserie *f*; *(taller)* atelier *m* de carrosserie

carromato *nm (carro)* roulotte *f*; *(coche viejo)* guimbarde *f*

carroña *nf* charogne *f*

carroza 1 *nf (coche)* carrosse *m*
  2 *nmf (viejo) Fam* ringard(e) *m,f*

carruaje *nm* voiture *f*

carrusel *nm (tiovivo)* manège *m*; *(de caballos)* carrousel *m*

carta *nf (escrito)* lettre *f*; *(naipe, menú, mapa)* carte *f*; *(documento)* charte *f*; **echar una c.** poster une lettre; **c. de recomendación** lettre de recommandation; **a la c.** à la carte; **echar las cartas a alguien** tirer les cartes à qn; *Fig* **jugarse todo a una c.** mettre tous ses œufs dans le même panier; **tomar cartas en un asunto** intervenir dans une affaire ☆ *TV* **c. de ajuste** mire *f*; **dar c. blanca a alguien** donner carte blanche à qn

cartabón *nm* équerre *f*

cartapacio *nm (carpeta)* cartable *m*; *(cuaderno)* cahier *m*

cartearse *vpr* s'écrire, échanger des lettres

cartel *nm (anuncio)* affiche *f*; **prohibido fijar carteles** *(en pared)* défense d'afficher

cártel *nm* cartel *m*

cárter *nm Aut* carter *m*

cartera *nf* portefeuille *m*; *(para documentos)* porte-documents *m inv*; *(sin asa)* serviette *f*; *(de colegial)* cartable *m*; *Perú, CSur, Ven (bolso)* sac *m* à main ☆ **c. de clientes** fichier *m* (de) clients; **c. de pedidos** carnet *m* de commandes; **c. de valores** portefeuille de valeurs

carterista *nmf* pickpocket *m*

cartero, -a *nm,f* facteur(trice) *m,f*

cartílago *nm* cartilage *m*

cartilla *nf (documento)* livret *m*; *(para aprender a leer)* = premier livre de lecture ☆ **c. de ahorros** livret de caisse d'épargne; **c. militar** livret matricule; **c. de la seguridad social** carte *f* de sécurité sociale

cartografía *nf* cartographie *f*

cartomancia *nf* cartomancie *f*

cartón *nm (material)* carton *m*; *(de cigarrillos)* cartouche *f* ☆ **c. piedra** carton-pâte *m*

cartuchera *nf* cartouchière *f*

cartucho *nm (de arma)* cartouche *f*; *(de avellanas, pipas)* cornet *m*; *(de monedas)* rouleau *m*

cartulina *nf* bristol *m*

casa *nf* maison *f*; *(vivienda)* logement *m*; *(familia)* famille *f*; **en mi/tu c.** chez moi/toi; **en/a c. de mi tía** chez ma tante; **caérsele a uno la c. encima** *(estar a disgusto)* ne plus se supporter chez soi; *(tener problemas)* avoir le moral à zéro; **echar o tirar la c. por la ventana** *(derrochar)* jeter l'argent par les fenêtres; **ser de andar por c.** ne pas être génial(e) ☆ **c. adosada** maison jumelle; **c. de campo** maison de campagne; **c. consistorial** hôtel *m* de ville; **c. de huéspedes** pension *f* de famille; **c. de socorro** poste *m* de secours; **c. unifamiliar** maison individuelle

casaca *nf* casaque *f*

casado, -a 1 *adj* marié(e); **estar c. con alguien** être marié avec *ou* à qn
  2 *nm,f* marié(e) *m,f*; **los recién casados** les jeunes mariés

casamiento *nm* mariage *m*

casar 1 *vt* marier; *(cuentas)* enfiler; *(trozos)* recoller
  2 *vi* aller ensemble
  3 casarse *vpr* se marier (**con** avec)

cascabel *nm* grelot *m*

cascada *nf* cascade *f*

cascado, -a *adj Fam (estropeado)* nase; *(ronco)* éraillé(e)

cascanueces *nm inv* casse-noix *m inv*

cascar [59] **1** *vt (huevo, nuez, voz)* casser; *(vasija, plato)* fêler; *Fam (sujeto: enfermedad)* amocher; *Fam (pegar)* cogner
  2 *vi Fam (hablar)* papoter

cáscara *nf (de huevo, nuez)* coquille

f; *(de limón, naranja)* écorce *f*; *(de plátano)* peau *f*

cascarilla *nf (de arroz, maíz)* enveloppe *f*

cascarón *nm (de huevo)* coquille *f* (d'œuf); *Fig* **salir del c.** *(independizarse)* sortir de sa chrysalide

cascarrabias *nmf inv* grincheux (euse) *m,f*

casco *nm (para la cabeza)* casque *m*; *(de barco)* coque *f*; *(de caballo)* sabot *m*; *(envase)* bouteille *f* vide; *(pedazo)* éclat *m*; *Fam* **cascos** *(cabeza)* tête *f*; **ser alegre** *o* **ligero de cascos** être tête en l'air ☆ *c. antiguo (de ciudad)* vieille ville *f*; *los cascos azules* les casques bleus; *c. urbano* centre-ville *m*

caserío *nm (pueblecito)* hameau *m*; *(casa de campo)* ferme *f*

casero, -a 1 *adj (de casa) (comida)* maison *inv*; *(trabajos)* ménager (ère); *(fiesta, velada)* familial(e), de famille; *(hogareño)* casanier(ère) **2** *nm,f (propietario)* propriétaire *mf*

caserón *nm* bâtisse *f*

caseta *nf (casa pequeña)* maisonnette *f*; *(en la playa)* cabine *f*; *(de tiro)* stand *m*; *(de feria)* = tente installée dans les foires pour danser le flamenco; *(para perro)* niche *f*; ☆ *Méx* **c. de cobro** poste *m* de péage; *Méx* **c. telefónica** cabine téléphonique

casete 1 *nf (cinta)* cassette *f* **2** *nm (magnetófono)* magnétophone *m*

casi *adv* presque; **c. no dormí** je n'ai presque pas dormi; **c. se cae** il a failli tomber; **c. nunca/siempre** presque jamais/toujours

casilla *nf (de caja, armario)* casier *m*; *(de impreso, ajedrez)* case *f*; *Fam* **sacar a alguien de sus casillas** faire sortir qn de ses gonds ☆ *Andes, RP* **c. de correos** boîte *f* postale

casillero *nm* casier *m*

casimir *nm Am* = étoffe de laine mince et légère

casino *nm (para jugar)* casino *m*; *(asociación)* cercle *m*

caso *nm* cas *m*; *Der* affaire *f*; **el c. es que... le fait est que...; en el mejor/peor de los casos** dans le meilleur/pire des cas; **c. que, dado el c. que, en c. de que** au cas où; **en c. de incendio** en cas d'incendie; **en todo** *o* **cualquier c.** en tout cas; **hacer c. a** prêter attention à; **hacer c. omiso de** ne pas tenir compte de; *Fam* **no hacer** *o* **venir al c.** être hors de propos; *Fam* **ser un c.** être un cas

caspa *nf* pellicules *fpl (de cheveux)*

casquería *nf (tienda)* triperie *f*; *(productos)* abats *mpl*

casquillo *nm (de bala)* douille *f*; *(de bombilla)* culot *m*; *(de bastón)* manche *m*

cassette = **casete**

casta *nf (linaje)* lignée *f*; *(especie, calidad)* race *f*; *(en la India)* caste *f*

castaña *ver* **castaño**

castañazo *nm Fam* châtaigne *f*; **darse un c.** *(golpe)* se prendre une châtaigne; *(con vehículo)* se planter

castañetear *vi* **le castañeteaban los dientes** il claquait des dents

castaño, -a 1 *adj (color)* marron *inv*; *(pelo)* châtain; *Fig* **pasar de c. oscuro** dépasser les bornes **2** *nm (color)* marron *m inv*; *(árbol, madera)* châtaignier *m* **3** *nf* **castaña** *(fruto)* châtaigne *f*; *Fam (puñetazo)* châtaigne *f*; *Fam (borrachera)* cuite *f*; **agarrarse una castaña** prendre une cuite; **castañas asadas** marrons *mpl* chauds

castañuela *nf* castagnette *f*

castellanizar [14] *vt* hispaniser

castellano, -a 1 *adj* castillan(e) **2** *nm,f (persona)* Castillan(e) *m,f* **3** *nm (lengua)* castillan *m*, espagnol *m*

castellano-leonés, -esa 1 *adj* de Castille-León

2 *nm,f* = personne née ou habitant en Castille-León

castellano-manchego, -a 1 *adj* de Castille-La Manche

2 *nm,f* = personne née ou habitant en Castille-La Manche

castellanoparlante, castellanohablante 1 *adj* de langue castillane, hispanophone

2 *nmf (persona)* hispanophone *mf*

castidad *nf* chasteté *f*

castigador, -ora *Fam* **1** *adj* de séducteur(trice)

2 *nm,f* tombeur(euse) *m,f*

castigar [38] *vt (imponer castigo)* punir; *Dep* pénaliser; *(maltratar)* endommager, frapper; *(el cuerpo)* mortifier; *Fig (enamorar)* séduire; **le han castigado sin postre** il a été privé de dessert

castigo *nm (sanción)* punition *f*; *(sufrimiento)* épreuve *f*; *(en deporte)* pénalité *f*; **quedar sin c.** rester impuni(e)

Castilla *n* la Castille; **C. la Nueva/la Vieja** la Nouvelle-/Vieille-Castille

Castilla-La Mancha *n* la Castille-La Manche

Castilla y León *n* la Castille-León

castillo *nm* château *m*

castizo, -a *adj* pur(e); *(autor)* puriste

casto, -a *adj* chaste

castor *nm* castor *m*

castrar *vt (animal, persona)* castrer; *Fig* **c. el entendimiento** *(debilitar)* ramollir le cerveau

castrense *adj* militaire

casual *adj* fortuit(e)

casualidad *nf* hasard *m*; **dio la c. de que...** il s'est trouvé que...; **por c.** par hasard; **¡qué c.!** quelle coïncidence!

casulla *nf* chasuble *f*

cataclismo *nm también Fig* cataclysme *m*

catacumbas *nfpl* catacombes *fpl*

catador, -ora *nm,f* dégustateur (trice) *m,f*; **c. de vinos** taste-vin *m inv*

catalán, -ana 1 *adj* catalan(e)

2 *nm,f* Catalan(e) *m,f*

3 *nm (lengua)* catalan *m*

catalanismo *nm (doctrina)* = doctrine défendant les valeurs politiques, économiques et culturelles de la Catalogne; *(palabra, expresión)* mot ou expression utilisés en Catalogne

catalejo *nm* longue-vue *f*

catalizador, -ora 1 *adj Quím* catalytique; *Fig* **ser el elemento c. de** *(el impulsor)* être le détonateur de

2 *nm también Fig* catalyseur *m*

catalogar [38] *vt* cataloguer; **se le cataloga entre los mejores especialistas** on le classe parmi les meilleurs spécialistes; **c. a alguien de algo** taxer qn de qch

catálogo *nm* catalogue *m*

Cataluña *n* la Catalogne

catamarán *nm* catamaran *m*

cataplasma *nf* cataplasme *m*

catapulta *nf* catapulte *f*

catar *vt (probar)* goûter; *(saborear)* déguster

catarata *nf (de agua)* chute *f*; **cataratas** *(en los ojos)* cataracte *f*

catarro *nm* rhume *m*

catarsis *nf* catharsis *f*

catastro *nm* cadastre *m*

catástrofe *nf* catastrophe *f*

catastrófico, -a *adj* catastrophique

cátcher *(pl* **catchers)** *nm (béisbol)* catcher *m inv*

catchup *nm inv* ketchup *m inv*

cate *nm Fam* **sacar un c.** *(suspenso)* prendre une gamelle, se planter

catear *vt Fam* **he cateado las matemáticas** je me suis planté(e) *ou* pris une gamelle en maths; *Méx (registrar)* fouiller

catecismo *nm* catéchisme *m*

cátedra *nf* chaire *f*; *Fig* **sentar c.** faire autorité; *Pey* étaler sa science

catedral *nf* cathédrale *f*

catedrático, -a *nm,f (de universidad)* ≃ directeur(trice) *m,f* d'UFR; *(de instituto)* = professeur qui coordonne l'enseignement dans une matière

categoría *nf* catégorie *f*; *(posición social)* rang *m*; *(calidad)* qualité *f*; **de c.** *(persona)* de haut rang; *(artista)* grand(e); *(producto)* de qualité; *(hotel)* bon (bonne); **de primera c.** de premier choix, de qualité supérieure

categórico, -a *adj* catégorique

catequesis *nf inv* catéchèse *f*

catering ['katerin] *nm* restauration *f* collective

cateto, -a 1 *adj & nm,f Pey (palurdo)* plouc *mf*
   2 *nm Mat* côté *m*

catire, -a *adj Carib, Col* blond(e)

cátodo *nm* cathode *f*

catolicismo *nm* catholicisme *m*

católico, -a 1 *adj* catholique
   2 *nm,f* catholique *mf*

catolizar [14] *vt* convertir au catholicisme

catorce *adj num inv & nm inv* quatorze *m*; *ver también* **seis**

catorceavo, -a *adj num* quatorzième

catre *nm (cama ligera)* lit *m* de camp; *Fam (cama)* pieu *m*

cauce *nm (procedimiento)* cours *m*; *(de río)* lit *m*; *(de riego)* canal *m*

caucho *nm* caoutchouc *m*

caudal *nm (cantidad de agua)* débit *m*; *(capital)* fortune *f*; *(abundancia)* mine *f*; **tiene un c. de conocimientos** c'est un puits de science

caudaloso, -a *adj (río)* à fort débit

caudillo *nm (en la guerra)* caudillo *m*, chef *m* militaire; *(en una comunidad)* chef *m* de file

causa *nf* cause *f*; **a c. de** à cause de

causalidad *nf* causalité *f*

causante *adj* **la razón c. de** la cause de; **ser el c. de** *(la causa)* être à l'origine de

causar *vt (originar)* causer; *(placer, víctimas)* faire; *(enfermedad)* provoquer; *(perjuicio)* porter

cáustico, -a *adj también Fig* caustique

cautela *nf* précaution *f*; **con c.** avec précaution

cauteloso, -a *adj* prudent(e)

cauterizar [13] *vt* cautériser

cautivador, -ora 1 *adj* captivant(e); **una mirada cautivadora** un regard charmeur
   2 *nm,f* charmeur(euse) *m,f*

cautivar *vt (apresar)* capturer; *(seducir)* captiver

cautiverio *nm*, **cautividad** *nf* captivité *f*

cautivo, -a *adj & nm,f* captif(ive) *m,f*

cauto, -a *adj* prudent(e)

cava 1 *nm* = vin catalan fabriqué selon la méthode champenoise
   2 *nf (bodega)* cave *f*

cavar 1 *vt* creuser; *Fig* **está cavando su propia tumba** il creuse sa propre tombe
   2 *vi (con laya)* bêcher; *(con azada)* biner

caverna *nf* caverne *f*

cavernícola 1 *adj (animales)* cavernicole; *(personas)* des cavernes
   2 *nmf Hist* homme (femme) *m,f* des cavernes

caviar *nm* caviar *m*

cavidad *nf* cavité *f*

cavilación *nf* réflexion *f*

cavilar *vi* réfléchir

cayado *nm (de pastor)* houlette *f*; *(de obispo)* crosse *f*

cayo *nm* = îlot bas et sablonneux

caza 1 *nf (acción de cazar)* chasse *f*; *(animales, carne)* gibier *m*; *Fig* **dar c.**

a rattraper; *Fig* **c. de brujas** chasse aux sorcières; **salir** *o* **ir de c.** aller à la chasse ✡ **c. mayor** gros gibier; **c. menor** petit gibier
  2 *nm* avion *m* de chasse

cazabe *nm Am* galette *f* de manioc

cazabombardero *nm* chasseur *m* bombardier

cazador, -ora 1 *adj (perro)* de chasse
  2 *nm,f también Fig* chasseur(euse) *m,f*; **c. furtivo** braconnier *m*
  3 *nf* **cazadora** *(prenda)* blouson *m*

cazadotes *nm inv* coureur *m* de dot

cazalla *nf* = eau-de-vie anisée

cazar [14] *vt (animales)* chasser; *Fig (sorprender)* attraper; *Fam (conseguir)* dégoter; *Fig* **cazarlas al vuelo** comprendre au quart de tour

cazo *nm (recipiente)* casserole *f*; *(utensilio)* louche *f*

cazoleta *nf (recipiente)* cassolette *f*; *(de pipa)* fourneau *m*; *(de sostén)* bonnet *m*

cazuela *nf (recipiente)* = casserole en terre cuite; **a la c.** à la casserole

cazurro, -a 1 *adj (bruto)* abruti(e); *(obstinado)* têtu(e); *(huraño)* renfrogné(e)
  2 *nm,f (bruto)* brute *f*

c/c *(abrev* **cuenta corriente**) CC

CC OO *nfpl (abrev* **Comisiones Obreras**) = syndicat espagnol proche du parti communiste

CD *nm (abrev* **cuerpo diplomático, compact disc**) CD *m inv*

CD-ROM ['θeðe'rrom] *nm* CD-Rom *m inv*

CE *nf (abrev* **Comunidad Europea**) CE*f*

ce *nf* c *m inv*; **ce cedilla** c cédille

cebada *nf* orge *f*

cebar 1 *vt (engordar)* gaver; *(arma, anzuelo, máquina)* amorcer; *(fuego, horno)* alimenter; *RP (mate)* servir
  2 cebarse *vpr* **cebarse en** *(ensañarse con)* s'acharner sur

cebiche = **ceviche**

cebo *nm (para cazar, atraer)* appât *m*

cebolla *nf* oignon *m*

cebolleta *nf (tallo)* ciboulette *f*; *(bulbo)* petit oignon *m* (frais)

cebollino *nm (planta)* ciboule *f*; *Fam (necio)* crétin(e) *m,f*

cebra *nf* zèbre *m*

cecear *vi* zézayer

ceceo *nm* zézaiement *m (prononciation propre à certains parlers andalous)*

cecina *nf* = viande séchée et salée

cedazo *nm* tamis *m*

ceder 1 *vt* céder ✡ **ceda el paso** signal *m* de priorité
  2 *vi* céder; *(destensarse)* se détendre; *(disminuir) (dolor)* s'apaiser; *(tiempo)* s'adoucir; *(temperatura)* baisser; **c. a** céder à; **c. en** céder sur; **c. a una propuesta** accepter une proposition; **c. en sus pretensiones** en rabattre

cedilla *nf* cédille *f*

cedro *nm* cèdre *m*

cédula *nf* certificat *m* ✡ **c. de habitabilidad** = certificat garantissant l'habitabilité d'un logement; *Am* **c. (de identidad)** carte *f* d'identité

CEE *nf (abrev* **Comunidad Económica Europea**) CEE*f*

cegar [43] **1** *vt* aveugler; *(tapar) (tubo)* boucher; *(ventana, puerta)* murer
  2 *vi* être aveuglant(e)
  3 cegarse *vpr también Fig* être aveuglé(e)

cegato, -a *adj & nm,f Fam* bigleux (euse) *m,f*

ceguera *nm (de visión)* cécité *f*; *Fig (de razón)* aveuglement *m* ✡ **c. nocturna** héméralopie *f*

CEI *nf (abrev* **Confederación de Estados Independientes**) CEI*f*

ceja *nf* sourcil *m*; *(borde)* rebord *m*; *Fam Fig* **meterse algo entre c. y c.** se mettre qch dans la tête

cejar vi c. en renoncer à, abandonner; **no c. en su empeño** ne pas abandonner la partie

celador, -ora nm,f (de colegio, prisión, museo) gardien(enne) m,f; (de hospital) homme (femme) m,f à tout faire

celda nf cellule f

celebración nf (festejo) célébration f; (realización) tenue f

celebrar 1 vt (centenario, misa) célébrer; (cumpleaños, buena noticia) fêter; (reunión, junta) tenir; (partido deportivo) disputer; (elecciones) organiser; (alegrarse de) se réjouir de, se féliciter de; (alabar) louer, faire l'éloge de
2 **celebrarse** vpr (tener lugar) avoir lieu; (centenario, misa) être célébré(e)

célebre adj (famoso) célèbre

celebridad nf célébrité f

celeridad nf promptitude f

celeste adj (bóveda, cuerpos) céleste; (azul) c. bleu ciel inv

celestial adj céleste; (gloria) de Dieu; Fig (placer) divin(e)

celestina nf entremetteuse f

celibato nm célibat m

celo nm (esmero) zèle m; (cinta adhesiva) Scotch m; (devoción) ferveur f; (de animal) amours fpl; **en c.** (hembra) en chaleur; (macho) en rut; **celos** jalousie f; **dar celos a alguien** rendre qn jaloux(ouse); **tener celos de alguien** être jaloux (ouse) de qn

celofán nm Cellophane® f

celosía nf jalousie f (de fenêtre)

celoso, -a 1 adj (con celos) jaloux (ouse); **c. en su trabajo** (cumplidor) exigeant(e) dans son travail
2 nm,f (con celos) jaloux(ouse) m,f

celta 1 adj celte
2 nmf Celte mf
3 nm (lengua) celtique m

celtíbero, -a, celtibero, -a 1 adj relatif aux Celtibères
2 nm,f Celtibère mf; **los celtíberos** les Celtibères

céltico, -a adj celtique

célula nf cellule f ☆ c. fotoeléctrica cellule photoélectrique

celular adj cellulaire

celulitis nf inv cellulite f

celulosa nf cellulose f

cementerio nm (de muertos) cimetière m; (de cosas inutilizables) dépotoir m ☆ c. de automóviles o coches casse f; c. nuclear o radiactivo site m d'enfouissement

cemento nm (de construcción) ciment m; (de dientes) cément m

cena nf dîner m; **dar una c.** avoir du monde à dîner ☆ la última c. la Cène

cenagal nm (lugar) bourbier m; Fig **estar metido en un c.** être en mauvaise posture

cenagoso, -a adj bourbeux(euse)

cenar 1 vt manger au dîner; **cenó huevos** il a mangé des œufs au dîner
2 vi dîner

cencerro nm sonnaille f; Fam Fig **estar como un c.** avoir un grain

cenefa nf (de tela) liseré m; (en pared) plinthe f

cenicero nm cendrier m

ceniciento, -a 1 adj cendreux(euse)
2 nf (la) Cenicienta Cendrillon

cenit nm Astron zénith m; Fig **en el c. de** (en el apogeo) au zénith de

ceniza nf cendre f; **cenizas** (de cadáver) cendres fpl

cenizo, -a nm (mala suerte) poisse f; **ser un c.** porter la poisse

censar vt recenser

censo nm (de población) recensement m; (tributo) taxe f d'habitation ☆ c. electoral listes fpl électorales

censor, -ora nm,f censeur m ☆ c. de

cuentas auditeur(trice) *m,f*, audit *m*

censura *nf* censure *f*; *(reprobación)* condamnation *f*; **ha sido objeto de c. por...** il a été condamné pour...

censurar *vt* censurer; *(reprobar)* blâmer

centauro *nm* centaure *m*

centavo *nm* centime *m*

centella *nf (rayo)* éclair *m*; *(chispa)* étincelle *f*; *Fig* **ser una c.** *(cosa, persona)* être plus rapide que l'éclair; **como una c.** comme l'éclair

centellear *vi* scintiller

centena *nf* centaine *f*

centenar *nm* centaine *f*; **a centenares** par centaines

centenario, -a 1 *adj* centenaire
 2 *nm* centenaire *m*; **quinto c.** cinq centième anniversaire *m*

centeno *nm* seigle *m*

centésimo, -a *adj num* centième; *ver también* **sexto**

centígrado, -a *adj* centigrade; **veinte grados centígrados** vingt degrés centigrades

centigramo *nm* centigramme *m*

centilitro *nm* centilitre *m*

centímetro *nm* centimètre *m*

céntimo *nm (moneda)* centime *m*

centinela *nm* sentinelle *f*

centollo *nm* araignée *f* de mer

centrado, -a *adj* centré(e); *(persona)* équilibré(e)

central 1 *adj* central(e)
 2 *nm Dep* stoppeur *m*
 3 *nf (oficina)* maison *f* mère; *(de energía)* centrale *f* ☆ **c. nuclear** centrale nucléaire; **c. térmica** centrale thermique

centralismo *nm* centralisme *m*

centralista *adj & nmf* centraliste *mf*

centralita *nf* standard *m* (téléphonique)

centralización *nf* centralisation *f*

centralizar [14] *vt* centraliser

centrar 1 *vt* centrer; *(arma)* pointer; *(foto)* cadrer; *(persona)* stabiliser; *(mirada, atención)* attirer; **c. una novela en cuestiones sociales** axer un roman sur des problèmes sociaux; **c. la atención/la mirada en algo** fixer son attention/son regard sur qch
 2 centrarse *vpr* **centrarse en** *(concentrarse)* se concentrer sur; *(equilibrarse)* se stabiliser

céntrico, -a *adj* central(e); **un piso c.** un appartement situé en plein centre-ville

centrifugar [38] *vt* centrifuger

centrífugo, -a *adj* centrifuge

centrista *adj & nmf* centriste *mf*

centro *nm* centre *m*; *(de rebelión)* foyer *m*; *(de estudios)* établissement *m*; *(de las miradas)* cible *f*; *(de curiosidad)* objet *m*; *(de problema)* cœur *m*; **me voy al c.** *(de ciudad)* je vais en ville ☆ **c. comercial** centre commercial; **c. de enseñanza** établissement scolaire; **c. de gravedad** centre de gravité; **c. de mesa** centre de table

Centroamérica *n* l'Amérique *f* centrale

centroamericano, -a 1 *adj* d'Amérique centrale
 2 *nm,f* = personne née ou habitant en Amérique centrale

centrocampista *nmf Dep* demi *m*

céntuplo, -a 1 *adj* centuple; **la céntupla parte** le centième
 2 *nm* centuple *m*

centurión *nm* centurion *m*

ceñido, -a *adj* serré(e)

ceñir [47] **1** *vt (apretar) (ropa)* mouler; *(cinturón)* serrer; **c. por la cintura** *(abrazar)* prendre par la taille; *Fig* **c. a** *(amoldar)* limiter à, borner à
 2 ceñirse *vpr (apretarse)* serrer; **se ciñó el cinturón** il serra sa ceinture; **ceñirse a** *(amoldarse, limitarse)* s'en tenir à

ceño *nm* **fruncir el c.** froncer les sourcils

CEOE *nf (abrev* **Confederación Española de Organizaciones Empresariales)** = confédération des organisations patronales en Espagne, ≃ CNPF *m*

cepa *nf (de vid)* cep *m*; *(de árbol, familia)* souche *f*; *Fig* **un sevillano de pura c.** un Sévillan de souche

cepillar 1 *vt (con cepillo)* brosser; *(caballo)* bouchonner; *(madera)* raboter; *Fam (robar)* faucher, piquer
   2 cepillarse *vpr (pelo)* se brosser; *Fam (comida)* s'envoyer; *(trabajo)* expédier; *Fam (suspender)* étendre; *muy Fam (matar)* buter; **cepillarse los dientes** se brosser les dents

cepillo *nm (para limpiar)* brosse *f*; *(de carpintero)* rabot *m*; *(de donativos)* tronc *m* ☆ **c. de dientes** brosse à dents; **c. del pelo** brosse à cheveux; **c. de uñas** brosse à ongles

cepo *nm (para cazar)* piège *m*; *(para vehículos)* sabot *m*; *(para sujetar)* attache *f*; *(para presos)* cep *m*

ceporro *nm Fam* nouille *f*; **dormir como un c.** dormir comme un bienheureux

cera *nf* cire *f*; *(para esquíes)* fart *m* ☆ **c. depilatoria** cire dépilatoire; **c. virgen** cire vierge

cerámica *nf* céramique *f*

ceramista *nmf* céramiste *mf*

cerca 1 *nf (valla)* clôture *f*
   2 *adv (en el espacio)* près; *(en el tiempo)* proche; **vive muy c.** il habite tout près; **por aquí c.** tout près; **de c.** de près; **vivir algo de c.** connaître qch de près; **la Navidad ya está c.** Noël est proche; **c. de** près de; **vive c. de aquí** il habite près d'ici; **ganó c. de tres millones** il a gagné près de trois millions

cercado *nm (valla)* clôture *f*; *(lugar)* enclos *m*

cercanía *nf* proximité *f*; **cercanías** *(afueras)* banlieue *f*; *(alrededores)* environs *mpl* ☆ **un (tren de) cercanías** un train de banlieue

cercano, -a *adj* proche **(a** de); **vive en un pueblo c.** il habite un village voisin

cercar [59] *vt (vallar)* clôturer; *(rodear, acorralar)* encercler

cerciorarse *vpr* s'assurer; **me cercioré de que no había nadie** je me suis assuré qu'il n'y avait personne

cerco *nm (marca)* cercle *m*; *(de herida)* cerne *m*; *(mancha)* auréole *f*; *(de soldados)* haie *f*; *(de policías)* cordon *m*

cerda *nf (pelo) (de cerdo)* soie *f*; *(de caballo)* crin *m*

Cerdeña *n* la Sardaigne

cerdo, -a 1 *nm,f (animal)* porc *m*, truie *f*; *Fam Fig (persona)* cochon (onne) *m,f*
   2 *nm (carne)* porc *m*

cereal *nm* céréale *f*

cerebelo *nm* cervelet *m*

cerebral *adj* cérébral(e)

cerebro *nm (órgano, persona)* cerveau *m*; *(inteligencia)* cervelle *f*; *Fig (eminencia)* tête *f*; **utilizar el c.** faire fonctionner sa cervelle; **tiene c.** il est loin d'être bête

ceremonia *nf* cérémonie *f*

ceremonial 1 *adj* cérémoniel(elle); *(traje)* de cérémonie
   2 *nm* cérémonial *m*

ceremonioso, -a *adj (persona)* cérémonieux(euse); *(acogida, saludo)* solennel(elle)

cereza *nf* cerise *f*

cerezo *nm (árbol)* cerisier *m*; *(madera)* merisier *m*

cerilla *nf* allumette *f*

cerillo *nm CAm, Méx* allumette *f*

cerner [64] **1** *vt (cribar)* tamiser
   2 cernerse *vpr también Fig* planer

cernícalo *nm (ave)* buse *f*; *Fam (bruto)* mufle *m*

cernir = cerner

cero *nm* zéro *m*; **cortarse el pelo al c.** se faire raser; **hace cinco grados bajo c.** il fait moins cinq; *Fam* **ser un c.** a la izquierda être un zéro; *ver también* **seis**

cerquillo *nm Am* frange *f* (de cheveux)

cerrado, -a *adj* fermé(e); *(tiempo, cielo)* couvert(e); *(vegetación, lluvia)* dru(e); *(persona)* réservé(e); *(sentido, mensaje)* caché(e); *(acento, deje)* prononcé(e); *(corriente, circuito)* coupé(e); **hace una noche cerrada** il fait nuit noire; **ser muy c.** *(poco receptivo)* être étroit d'esprit

cerradura *nf* serrure *f*

cerrajería *nf* serrurerie *f*

cerrajero, -a *nm,f* serrurier *m*

cerrar 1 *vt* fermer; *(agua, gas)* couper; *(paso, carretera)* barrer; *(agujero, bote)* boucher; *Fig (conversación, contrato)* clore; *(trato)* conclure; *(herida)* refermer; **c. el desfile** fermer la marche; **c. la puerta con cerrojo** verrouiller la porte
2 *vi* fermer; **c. con llave** fermer à clé
3 cerrarse *vpr* se fermer; *(herida)* se refermer; *(debate, acto)* être clos(e); **cerrarse a** être fermé(e) à

cerrazón *nf Fig (obstinación)* entêtement *m*

cerro *nm* colline *f*; *Fig* **irse por los cerros de Úbeda** s'écarter du sujet

cerrojo *nm* verrou *m*; **echar el c.** mettre le verrou

certamen *nm* concours *m*

certero, -a *adj (tiro)* précis(e); *(opinión, juicio)* sûr(e); *(respuesta)* juste

certeza *nf* certitude *f*; **tener la c. de que...** avoir la certitude que...

certidumbre *nf* certitude *f*

certificado, -a 1 *adj (carta, paquete)* recommandé(e)
2 *nm* certificat *m* ☆ **c. médico** certificat médical

certificar [59] *vt* certifier; *Fig (inocencia)* prouver; *(sospechas)* confirmer; *(carta, paquete)* envoyer en recommandé

cerumen *nm* cérumen *m*

cervatillo *nm* faon *m*

cervecería *nf* brasserie *f*

cervecero, -a 1 *adj (industria)* de la bière; *(ciudad)* producteur(trice) de bière
2 *nm,f* brasseur(euse) *m,f*

cerveza *nf* bière *f* ☆ **c. sin alcohol** bière sans alcool; **c. de barril** bière (à la) pression; **c. negra** bière brune

cervical 1 *adj* cervical(e)
2 *nf* (vertèbre *f*) cervicale *f*

cesante 1 *adj (sin empleo)* sans emploi; *Am (en paro)* au chômage
2 *nmf* sans-emploi *mf inv*

cesantear *vt Am* renvoyer

cesar 1 *vt (destituir)* démettre de ses fonctions; *(funcionario)* révoquer
2 *vi* **c. (de hacer algo)** cesser (de faire qch); **sin c.** sans cesse, sans arrêt

cesárea *nf* césarienne *f*; **practicar una c.** faire une césarienne

cese *nm (detención, paro)* arrêt *m*; *(de la actividad, las hostilidades)* cessation *f*; *(destitución)* renvoi *m*; *(de funcionario)* révocation *f*

cesión *nf* cession *f*

césped *nm* pelouse *f*, gazon *m*; **prohibido pisar el c.** *(en letrero)* pelouse interdite

cesta *nf* panier *m*; *(de bebé)* couffin *m* ☆ **c. de la compra** panier *m* de la ménagère

cesto *nm (cesta grande)* corbeille *f*

cetrería *nf* fauconnerie *f*

cetro *nm (vara, reinado)* sceptre *m*; *Fig* **ostentar el c. de** tenir le sceptre de

ceviche *nm Andes, Méx* = plat composé de poisson ou de crustacés crus, d'oignon, de citron et de piment

cf. *(abrev* **confróntese)** cf.

Ch, ch *nf* [tʃe] *(letra)* Ch *m inv*, ch *m inv*

chabacano, -a 1 *adj* vulgaire
2 *nm Méx (árbol)* abricotier *m*; *(fruto)* abricot *m*

chabola *nf* baraque *f*; **los barrios de chabolas** les bidonvilles *mpl*

chacal *nm* chacal *m*

chacarero, -a *nm,f Andes, RP (agricultor)* fermier(ère) *m,f*

chacha *nf Fam* bonne *f*

cháchara *nf Fam* papotage *m*; **estar de c.** papoter

chacinados *nmpl RP* **venden c.** ils vendent de la charcuterie

chacra *nf Andes, RP* ferme *f*

chafar 1 *vt (aplastar)* écraser; *(peinado)* aplatir; *(ropa)* froisser; *Fig (plan, proyecto)* bouleverser; **c. la moral** saper le moral
2 chafarse *vpr (plan, proyecto)* tomber à l'eau

chaflán *nm (de edificio)* pan *m* coupé; **hacer c.** faire l'angle

chal *nm* châle *m*

chalado, -a *Fam* **1** *adj* dingue; *Fig* **estar c. por algo/alguien** être dingue de qch/qn
2 *nm,f* dingue *mf*

chaladura *nf Fam (locura)* lubie *f*; *(enamoramiento)* béguin *m*

chalar 1 *vt* rendre fou (folle)
2 chalarse *vpr* perdre la tête; **chalarse por alguien** s'enticher de qn

chalé *(pl* **chalés)** *nm* pavillon *m*; *(en el campo)* maison *f* de campagne; *(de alta montaña)* chalet *m* ☆ **c. adosado** maison jumelle

chaleco *nm* gilet *m* ☆ **c. antibalas** gilet pare-balles; **c. salvavidas** gilet de sauvetage

chalet = **chalé**

chalupa *nf Méx* tortilla *f* fourrée

chamaco, -a *nm,f CAm, Méx Fam* gamin(e) *m,f*

chamarra *nf* blouson *m*

chamba *nf Méx, Ven* boulot *m*

chambón, -ona *nm,f Am Fam* manche *m*

chamizo *nm (choza)* chaumière *f*; *Fam Pey (lugar)* taudis *m*

champa *nf CAm* tente *f*

champán, champaña *nm* champagne *m*

champiñón *nm* champignon *m* (de Paris)

champú *(pl* **champús** *o* **champúes)** *nm* shampooing *m*

chamuscar [59] **1** *vt* roussir
2 chamuscarse *vpr* se brûler

chamusquina *nf Fam* **oler a c.** sentir le roussi

chance 1 *nf Am* possibilité *f*, occasion *f*
2 *adv Méx* peut-être

chanchada *nf Am (suciedad)* saleté *f*; *(trastada)* sale coup *m*

chancho *nm Am* cochon *m*

chanchullo *nm Fam* magouille *f*

chancla, chancleta *nf (sandalia)* tong *f*

chándal *(pl* **chándals)** *nm* survêtement *m*

changa *nf Bol, CSur* petit boulot *m*

changador *nm RP* porteur *m*

changarro *nm Méx* petit magasin *m*

chanquete *nm* = alevin d'anchois préparé en friture

chantaje *nm* chantage *m* ☆ **c. emocional** chantage au sentiment

chantajear *vt* faire chanter

chantajista *nmf* maître chanteur *m*

chanza *nf* plaisanterie *f*

chao *interj Fam* ciao!, tchao!

chapa *nf (material)* plaque *f*; *(tapón)* capsule *f*; *(insignia)* badge *m*; *(del guardarropa)* jeton *m*; *Am (cerradura)* serrure *f*; *RP (matrícula)* numéro *m* d'immatriculation; *(placa)* plaque *f* d'immatriculation; **jugar a**

las chapas = jouer avec des capsules de bouteille de façon comparable au jeu de billes; **c. y pintura** tôlerie *f*

chapado, -a *adj* plaqué(e); **c. en oro** plaqué or; *Fig* **c. a la antigua** vieux jeu *inv*

chapar 1 *vt (recubrir)* plaquer; *muy Fam (cerrar)* fermer

2 *vi muy Fam (cerrar)* fermer

chaparro, -a 1 *adj* boulot(otte)

2 *nm,f* petit(e) gros (grosse) *m,f*

3 *nm* buisson *m* d'yeuses

chaparrón *nm (de agua)* averse *f*; *Fam Fig* **un c. de** *(preguntas, solicitudes)* une pluie de

chapear *vt Am (escardar)* débroussailler

chapela *nf* béret *m*

chapista *adj & nmf* tôlier *m*

chapopote *nm Carib, Méx* goudron *m*

chapotear *vi* barboter

chapucería *nf* **es una c.** ce n'est ni fait ni à faire

chapucero, -a 1 *adj (trabajo)* bâclé(e)

2 *nm,f* **ser un c.** bâcler son travail

chapulín *nm CAm, Méx* sauterelle *f*

chapurrear *vt* baragouiner

chapuza *nf (trabajo mal hecho)* travail *m* de cochon; *(trabajo ocasional)* bricole *f*

chapuzón *nm* **darse un c.** piquer une tête

chaqué *nm* jaquette *f*

chaqueta *nf (de traje)* veste *f*; *(de punto)* cardigan *m*

chaquetero, -a *adj & nm,f Fam Pey* opportuniste *mf*

chaquetón *nm* trois-quarts *m*

charanga *nf (banda)* fanfare *f*; *Fam (fiesta)* bamboula *f*

charango *nm* = instrument à cordes typique des Andes

charca *nf* mare *f*

charco *nm* flaque *f* (d'eau)

charcutería *nf* charcuterie *f*

charla *nf (conversación)* discussion *f*; **dar una c. sobre** *(conferencia)* faire un exposé sur

charlar *vi* discuter, bavarder

charlatán, -ana 1 *adj* bavard(e)

2 *nm,f (parlanchín)* bavard(e) *m,f*; *(embaucador)* baratineur(euse) *m,f*; *(vendedor)* camelot *m*

charlestón *nm* charleston *m*

charlotada *nf (payasada)* bouffonnerie *f*; *Taurom* corrida *f* bouffonne

charlotear *vi* papoter

charnego, -a *nm,f Pey* = en Catalogne, immigrant venant d'une autre région d'Espagne

charol *nm (piel)* cuir *m* verni; *Andes (bandeja)* plateau *m*; **de c.** *(zapatos)* verni(e)

charola *nf Méx* plateau *m*

charque, charqui *nm Am* bœuf *m* salé

charro, -a 1 *adj Fam* vulgaire

2 *nm,f (persona)* = personne en costume mexicain traditionnel; *(jinete)* = au Mexique, gardien de troupeaux à cheval

charrúa 1 *adj (indio)* charrua; *(uruguayo)* uruguayen(enne)

2 *nmf (indio)* Charrua *mf (ancien peuple indigène de l'Uruguay)*; *(uruguayo)* Uruguayen(enne) *m,f*

chárter *(pl* **chárteres)** **1** *adj inv* charter

2 *nm inv* charter *m*

chasca *nf Andes (de persona)* tignasse *f*

chascar [59] **1** *vt (lengua, dedos)* faire claquer

2 *vi (lengua)* claquer; *(madera)* craquer

chasco *nm (decepción)* déception *f*; **llevarse un c.** être très déçu(e)

chasis *nm inv Aut & Fot* châssis *m*

chasque, chasqui *nm Andes, RP* coursier *m*

chasquear 1 *vt (látigo, lengua)* faire claquer; *Fig (engañar)* jouer un tour à
  2 *vi (madera)* craquer

chasquido *nm (de lengua, látigo)* claquement *m*; *(de arma)* détonation *f*; *(de madera)* craquement *m*

chatarra *nf (metal, piezas)* ferraille *f*; *Fam Pey (bisutería)* camelote *f*; *Fam (monedas)* ferraille *f*, mitraille *f*

chatarrero, -a *nm,f* ferrailleur *m*

chateo *nm* **ir de c.** faire la tournée des bars

chato, -a 1 *adj (nariz)* camus(e); *(persona)* au nez camus; *(aplanado)* plat(e); *RP (mediocre)* inintéressant(e), sans intérêt
  2 *nm,f Fam (apelativo)* mon coco *m*, ma cocotte *f*; **¡chata!** *(piropo)* ma poule!
  3 *nm (de vino)* petit verre *m*

chau *interj Andes, RP Fam* salut!

chaucha 1 *nmf RP Fam (aburrido)* ennuyeux(euse)
  2 *nf Andes (patata)* pomme *f* de terre nouvelle; *RP (judía verde)* haricot *m* vert

chaucito = **chau**

chauvinista = **chovinista**

chaval, -ala *nm,f Fam* jeune *mf*; *(apelativo)* mon vieux *m*, ma vieille *f*

chaveta *nf (clavija)* clavette *f*; *Fam (cabeza)* boule *f*; *Andes, Méx (navaja)* canif *m*; **perder la c.** perdre la boule

chavo, -a *Fam* **1** *nm* **no tener un c.** ne pas avoir un radis
  2 *nm,f Méx (hombre)* mec *m*; *(mujer)* nana *f*

che, ché *interj RP Fam* eh!

checo, -a 1 *adj* tchèque
  2 *nm,f* Tchèque *mf*
  3 *nm (lengua)* tchèque *m*

chef [tʃef] *(pl* **chefs)** *nm* chef *m*, chef *m* cuisinier

chele, -a *CAm* **1** *adj (rubio)* blond(e); *(de piel blanca)* à la peau blanche
  2 *nm,f (rubio)* blond(e) *m,f*; *(de piel blanca)* = personne à la peau blanche

chelo *nm* violoncelle *m*

chepa *nf Fam* bosse *f*

cheque *nm* chèque *m*; **extender un c.** faire un chèque ☆ **c. barrado** *o* **cruzado** chèque barré; **c. en blanco** chèque en blanc; **c. (de) gasolina** = chèque dont on ne se sert que pour acheter de l'essence; **c. nominativo** chèque nominatif *ou* à ordre; **c. al portador** chèque au porteur; **c. de viaje** chèque de voyage, traveller's cheque *m*

chequear *vt (comprobar)* vérifier

chequeo *nm (médico)* bilan *m* de santé; *(comprobación)* vérification *f*

chequera *nf* carnet *m* de chèques

cheto = **concheto**

chévere *adj Andes, Carib Fam* super *inv*

chic *adj inv* chic

chica *ver* **chico**

chicano, -a 1 *adj* chicano
  2 *nm,f* Chicano *mf*
  3 *nm (lengua)* = langue des Mexicains émigrés aux États-Unis

chicarrón, -ona *nm,f* grand garçon *m*, grande fille *f*

chicha *nf Fam (para comer)* viande *f*; *(de persona)* graisse *f*; *Andes (bebida)* = boisson alcoolisée à base de maïs fermenté; *Fam* **no ser ni c. ni limonada** *o* **limoná** *(ni una cosa ni la otra)* n'être ni l'un ni l'autre

chícharo *nm CAm, Méx* petit pois *m*

chicharra *nf (insecto)* cigale *f*; *Méx, RP (timbre)* sonnette *f*

chicharro *nm (pez)* chinchard *m*

chicharrones *nmpl* ≃ rillons *mpl*

chiche *nm CSur Fam (chuchería)* babiole *f*; *CSur Fam (juguete)* jouet *m*; *CAm, Méx muy Fam (pecho)* néné *m*

chichón *nm* bosse *f*

chicle *nm* chewing-gum *m*

chico, -a 1 *adj (pequeño)* petit(e)
   2 *nm,f (niño, joven)* garçon *m*, fille *f*; *Fam* ¡mira, c.! écoute, mon vieux!
   3 *nm (recadero)* garçon *m* de courses
   4 *nf* **chica** *(criada)* bonne *f*

chicote *nm Am (látigo)* fouet *m*

chifla *nf* hacer c. a alguien *(burlarse)* se moquer de qn

chiflado, -a *Fam* **1** *adj (loco)* cinglé(e); **c. por** *(afición, persona)* dingue de
   2 *nm,f (loco)* cinglé(e) *m,f*

chiflar 1 *vt Fam* **me chiflan las patatas fritas** j'adore les frites
   2 *vi (silbar)* siffler

chiflido *nm Am* sifflement *m*

chigüín, -ina *nm,f CAm Fam* gosse *mf*

chií, chiíta *adj & nmf* chiite *mf*

chilaba *nf* djellaba *f*

chilacayote *nm Méx* = sorte de gourde

chilango, -a *adj Am* de Mexico

Chile *n* le Chili

chile *nm* piment *m*

chileno, -a 1 *adj* chilien(enne)
   2 *nm,f* Chilien(enne) *m,f*

chillar 1 *vi (gritar)* crier; *(bebé, niño)* brailler; *(chirriar)* grincer
   2 *vt Fam* **le chilló** *(le riñó)* il lui a crié dessus

chillido *nm (grito)* cri *m*; *(chirrido)* grincement *m*

chillón, -ona 1 *adj (voz, color)* criard(e); *(niños)* braillard(e)
   2 *nm,f* braillard(e) *m,f*

chilpotle *nm Méx* = piment fumé ou en conserve

chimbo, -a *adj Col, Ven (falso)* de contrefaçon; *(de mala calidad)* de mauvaise qualité

chimenea *nf* cheminée *f*

chimichurri *nm RP* = sauce à base

d'ail, de persil, d'herbes aromatiques et de vinaigre

chimpancé *nm* chimpanzé *m*

China *n* **(la) C.** la Chine

china *ver* chino

chinampa *nf Méx* = type d'île lacustre artificielle qui sert à la culture de fleurs, de fruits et de légumes, près de Mexico

chinchar *Fam* **1** *vt* taquiner
   2 chincharse *vpr* **ahora te chinchas** maintenant, tant pis pour toi

chinche 1 *nf* punaise *f (insecte)*
   2 *adj & nmf Fam Fig* enquiquineur(euse) *m,f*

chincheta *nf* punaise *f (clou)*

chinchilla *nf* chinchilla *m*

chinchón *nm* alcool *m* d'anis

chinchulín *nm Andes, RP* = tripes de mouton ou de bœuf tressées puis rôties

chingado, -a 1 *adj Fam (estropeado)* foutu(e)
   2 *nf* **chingada** *Méx Vulg* ¡vete a la chingada! va te faire foutre!

chingar [38] **1** *vt muy Fam (molestar)* emmerder; *muy Fam (estropear)* foutre en l'air; *Méx Vulg (acostarse con)* baiser
   2 *vi Vulg (copular)* baiser
   3 chingarse *vpr Vulg (emborracharse)* se bourrer la gueule

chino, -a 1 *adj* chinois(e)
   2 *nm,f (de la China)* Chinois(e) *m,f*; *Am (mestizo)* métis(isse) *m,f*
   3 *nm (lengua)* chinois *m*; *Méx (rizo)* boucle *f*; *Fig* **trabajar como un c.** travailler comme un nègre; **chinos** = jeu qui consiste à deviner combien de pièces ou de cailloux l'autre joueur cache dans sa main
   4 *nf* **china** *(piedra)* caillou *m*; *Fam (de droga)* boulette *f*

chip *(pl* **chips**) *nm Informát* puce *f*

chipirón *nm* petit calmar *m*

Chipre *n* Chypre

chiqueo nm Méx câlin m
chiquilín, -ina nm,f RP gamin(e) m,f
chiquillada nf gaminerie f
chiquillo, -a nm,f gamin(e) m,f
chiquito, -a 1 adj tout(e) petit(e)
2 nm (de vino) petit verre m
3 nfpl **chiquitas** Fig **no andarse con chiquitas** ne pas y aller par quatre chemins
chiribita nf étincelle f; Fam Fig **los ojos le hacían chiribitas** ses yeux jetaient des étincelles
chirimbolo nm Fam truc m
chirimoya nf anone f
chiringuito nm Fam (bar) buvette f; (negocio) affaire f; **montarse un c.** monter une petite affaire
chiripa nf Fam Fig **tener c.** avoir du bol; **de** o **por c.** par miracle
chirla nf petite coque f (coquillage)
chirona nf Fam **en c.** en taule
chirriar [32] vi grincer
chirrido nm grincement m
chis = chist
chisme nm (cuento) commérage m; Fam (cosa) truc m
chismorrear vi cancaner
chismoso, -a adj & nm,f cancanier(ère) m,f
chispa nf (de fuego, electricidad) étincelle f; Fig (cantidad pequeña) pincée f; Fig (agudeza) esprit m; Fam **echa chispas** il n'est pas à prendre avec des pincettes
chispazo nm (salto de la chispa) étincelle f; Fig (suceso detonante) détonateur m
chispear 1 vi (echar chispas) étinceler
2 v impersonal (llover) pleuvoter; **apenas chispeaba** il ne tombait que quelques gouttes
chisporrotear vi (leña) craquer; (fuego) crépiter; (aceite) grésiller
chist interj chut!
chistar vi **sin c.** sans broncher

chiste nm histoire f drôle, blague f; **contar chistes** raconter des histoires drôles ou des blagues ☆ **c. verde** blague cochonne
chistera nf chapeau m haut de forme
chistorra nf = saucisson typique d'Aragon et de Navarre
chistoso, -a 1 adj (persona) blagueur (euse); (suceso) drôle
2 nm,f blagueur(euse) m,f
chita: a la chita callando adv Fam (en silencio) doucement; (con disimulo) en douce
chitón interj chut!
chivar Fam **1** vt (soplar) souffler
2 chivarse vpr (niños) cafter; (delincuentes) moucharder
chivatazo nm Fam mouchardage m; **dar el c.** moucharder
chivato, -a 1 adj & nm,f Fam mouchard(e) m,f
2 nm (luz) voyant m lumineux; (alarma) sonnerie f; Ven Fam (persona importante) grosse légume f
chivito nm Urug = sandwich au steak, fromage et salade
chivo, -a nm,f chevreau m, chevrette f ☆ Fig **c. expiatorio** bouc m émissaire
chocante adj choquant(e)
chocar [59] **1** vi (colisionar) se heurter; Fig (discutir) s'accrocher; (pelear) se battre; Fig (extrañar) choquer; **c. con** o **contra** rentrer dans
2 vt (manos) taper dans; **¡choca esos cinco!, ¡chócala!** tope là!
chochear vi (de viejo) être gâteux (euse); Fam Fig **c. por alguien** (chiflarse) être gaga devant qn; **c. por algo** être dingue de qch
chocho, -a adj (viejo) gâteux(euse); Fam Fig (encariñado) gaga
choclo nm Andes, RP maïs m
choco nm (sepia) seiche f
chocolate nm (para comer, beber)

chocolat *m*; *Fam (para fumar)* shit *m*
☆ *c. blanco* chocolat blanc; *c. con leche* chocolat au lait; *c. a la taza* chocolat à cuire

chocolatina *nf* barre *f* chocolatée

chófer, chofer (*pl* **chóferes, choferes**) *nmf* chauffeur *m*

cholo, -a *nm,f Andes* = paysan indigène ou métis venu s'installer en ville

chollo *nm Fam (trabajo, situación)* bon plan *m*; *(producto, compra)* occase *f*

chomba, chompa *nf Andes, Arg* pull *m*

chompipe *nm CAm* dindon *m*

chongo *nm Méx (peinado)* chignon *m*; *(dulce)* = pain frit dans le beurre puis trempé dans le miel

chóped *nm* = sorte de mortadelle

chopo *nm* peuplier *m* noir

chopp *nm Bol, CSur, Ecuad (jarra, cerveza)* chope *f*

choque 1 *ver* **chocar**
  2 *nm (impacto)* choc *m*; *(de vehículos)* collision *f*; *Fig (disputa)* accrochage *m*

chorizar [14] *vt Fam* chourer

chorizo *nm Culin (embutido)* chorizo *m*; *Fam (ladrón)* voleur *m*

choro *nm Andes* moule *f*

chorra *muy Fam* **1** *nmf* **es un c.** *(tonto)* il est débile; **hacer el c.** faire l'andouille
  2 *nf* **tener c.** *(suerte)* avoir du pot

chorrada *nf Fam (regalo)* bricole *f*; *(palabras)* bêtise *f*

chorrear 1 *vi (gotear)* goutter; *(brotar)* couler
  2 *vt* ruisseler de; **c. sudor** ruisseler de sueur

chorro¹ *nm (de líquido)* jet *m*; *(hilo)* filet *m*; *Fig (de luz, gente, dinero)* flot *m*; **salir a chorros** couler à flots; *Fam Fig* **como los chorros del oro** impeccable

chorro², -a *nm,f RP Fam (ladrón)* voleur(euse) *m,f*

choteo *nm Fam* blague *f*; **tomar a c.** prendre à la rigolade

choto, -a *nm,f (cabrito)* chevreau *m*, chevrette *f*; *(ternero)* veau *m*; *Fam* **estar como una chota** être complètement taré(e)

chovinista *adj & nmf* chauvin(e) *m,f*

choza *nf* hutte *f*

christmas = **crismas**

chubasco *nm* averse *f*

chubasquero *nm* ciré *m*

chúcaro, -a *adj Andes, RP Fam (animal)* sauvage; *(persona)* timide

chuchería *nf (golosina)* friandise *f*; *(baratija)* babiole *f*

chucho *nm Fam* cabot *m*

chueco, -a *adj Am (mueble)* bancal(e); *(proyecto, razonamiento)* boiteux(euse), bancal(e); *(patizambo)* aux jambes arquées

chufa *nf* souchet *m*

chulada *nf (bravuconada)* vantardise *f*; *Fam (preciosidad)* bijou *m*; **¡qué c. de moto tienes!** elle est drôlement belle, ta moto!

chulear *Fam* **1** *vt* **c. a alguien** se faire entretenir par qn
  2 chulearse *vpr* frimer; **c. de** se vanter de

chulería *nf (descaro)* insolence *f*; *(valentonería)* vantardise *f*; *(salero)* charme *m*

chuleta 1 *nf (de ternera)* côtelette *f*; *(de cerdo)* côte *f*; *(en exámenes)* antisèche *f*
  2 *adj & nmf Fam (chulo)* frimeur(euse) *m,f*

chullo *nm Bol, Perú* bonnet *m* péruvien

chulo, -a 1 *adj (presumido)* vantard(e); *Fam (bonito)* chouette; *(del Madrid castizo)* typique de Madrid; **ponerse c.** *(insolente)* être insolent(e)

2 *nm,f (presumido)* vantard(e) *m,f*; *(madrileño)* = figure typique des quartiers populaires de Madrid

3 *nm muy Fam (proxeneta)* maquereau *m*

chumbera *nf* figuier *m* de Barbarie

chungo, -a *adj Fam* craignos

chuño *nm Andes, RP* amidon *m* de pomme de terre

chupa *nf Fam* cuir *m (blouson)*

chupachups *nm inv* sucette *f* ronde

chupacirios *nmf Am Fam Pey* grenouille *f* de bénitier

chupado, -a *adj (delgado)* squelettique; *Fam* **está c.** *(es fácil)* c'est du tout cuit

chupamedias *nmf Andes, RP Fam* lèche-bottes *mf inv*

chupar 1 *vt (succionar)* sucer; *(al fumar)* tirer sur; *(absorber)* absorber; *(arruinar)* soutirer

2 chuparse *vpr Fam (aguantar)* se taper; **se ha chupado siete kilómetros andando** il s'est tapé sept kilomètres à pied

chupatintas *nmf inv Pey* gratte-papier *m inv*

chupe *nm Andes, Arg* ragoût *m*

chupete *nm* tétine *f*

chupetón *nm Fam* suçon *m*

chupi *adj Fam* génial(e)

chupinazo *nm (disparo)* coup *m* de feu; *(cañonazo)* coup *m* de canon; *(en fiestas)* = coup d'envoi d'une fête; *(en fútbol)* shoot *m*; **dar un c.** shooter

churrasco *nm* grillade *f*

churrería *nf* = commerce de churros

churro *nm Culin* = long beignet cylindrique; *Fam (fracaso)* bide *m*; *Fam (cosa mal hecha)* truc *m* mal foutu; *Fam (suerte)* pot *m*

churrusco *nm* = morceau de pain roussi

churumbel *nm Fam* chérubin *m*

chusco, -a 1 *adj* cocasse

2 *nm Fam* quignon *m* (de pain)

chusma *nf* racaille *f*

chut *(pl* **chuts**) *nm Dep* shoot *m*

chutar 1 *vi (lanzar)* shooter; *Fam (funcionar)* marcher; **con eso va que chuta** c'est plus qu'il n'en faut

2 chutarse *vpr muy Fam* se shooter

chute *nm muy Fam (de heroína)* shoot *m*

CIA *nf (abrev* **Central Intelligence Agency)** CIA *f*

Cía., cía. *(abrev* **compañía)** Cie.

cianuro *nm* cyanure *m*

ciático, -a 1 *adj* sciatique

2 *nf* **ciática** sciatique *f*

cibercafé *nm* cybercafé *m*

ciberespacio *nm* cyberespace *m*

cicatero, -a *adj & nm,f* pingre *mf*

cicatriz *nf también Fig* cicatrice *f*

cicatrizar [14] *vt & vi* cicatriser

cicerone *nmf* guide *mf*

cíclico, -a *adj* cyclique; *(enseñanza, aprendizaje)* progressif(ive)

ciclismo *nm* cyclisme *m*

ciclista *adj & nmf* cycliste *mf*

ciclo *nm* cycle *m*

ciclocross *nm* cyclo-cross *m inv*

ciclomotor *nm* cyclomoteur *m*

ciclón *nm* cyclone *m*

cicloturismo *nm* cyclotourisme *m*

cicuta *nf* ciguë *f*

ciego, -a 1 *adj* aveugle; *Fig (de ira, amor)* aveuglé(e); *muy Fam (borracho)* bourré(e); *muy Fam (drogado)* défoncé(e); **quedarse c.** devenir aveugle; **c. de** aveuglé(e) par, fou (folle) de; **a ciegas** à l'aveuglette

2 *nm,f (invidente)* aveugle *mf*

3 *nm muy Fam (borrachera)* cuite *f*; *(de droga)* défonce *f*

cielo *nm* ciel *m*; **(mi) c.** *(nombre cariñoso)* mon ange; **ser un c.** être un ange; **como llovido** *o* **caído del c.**

(oportunamente) à pic; *(inesperadamente)* comme par miracle; ¡**cielos!**, ¡**c. santo!** ciel! ☆ *c. raso* faux plafond *m*

ciempiés *nm inv* mille-pattes *m inv*

cien 1 *adj num inv* cent
2 *nm inv* cent *m*; **c. mil** cent mille; **al c. por c.** à cent pour cent; **pura lana (al) c. por c.** cent pour cent pure laine; *ver también* **seis**

ciénaga *nf* marécage *m*

ciencia *nf* science *f*; **ciencias** sciences *fpl*; **a c. cierta** avec certitude ☆ *c. ficción* science-fiction *f*

cieno *nm (fango)* vase *f*; *Fig (deshonra)* boue *f*

científico, -a *adj & nm,f* scientifique *mf*

cientista *nmf CSur* **c. social** sociologue *mf*

ciento *nm* cent *m*; **c. cincuenta** cent cinquante; **cientos de miles de pesetas** des centaines de milliers de pesetas; **por c.** pour cent; *Am* **al c. por c.** à cent pour cent; *ver también* **seis**

cierne: en cierne(s) *adv* en herbe

cierre *nm* fermeture *f* ☆ *c. centralizado (en vehículo)* verrouillage *m* centralisé; *Am* **c. relámpago** *(cremallera)* fermeture Éclair®

cierto, -a 1 *adj* certain(e); **cierta tristeza** une certaine tristesse; **estar en lo c.** être dans le vrai; **lo c. es que...** c'est un fait que...; **por c.** au fait
2 *adv* certainement

ciervo, -a *nm,f* cerf *m*, biche *f*

CIF *nm (abrev* **código de identificación fiscal)** = code d'identification fiscale attribué à toute personne physique ou morale payant des impôts en Espagne

cifra *nf* chiffre *m*

cifrado, -a *adj* codé(e)

cifrar 1 *vt (codificar)* coder; *Fig* **c. algo en algo** fonder qch sur qch, placer qch dans qch

2 **cifrarse** *vpr* **cifrarse en** se chiffrer par *ou* en

cigala *nf* langoustine *f*

cigarra *nf* cigale *f*

cigarrillo *nm* cigarette *f*

cigarro *nm (cigarrillo)* cigarette *f*; *(habano)* cigare *m*

cigüeña *nf* cigogne *f*

cigüeñal *nm* vilebrequin *m*

cilantro *nm* coriandre *f*

cilindrada *nf* cylindrée *f*

cilíndrico, -a *adj* cylindrique

cilindro *nm* cylindre *m*

cima *nf (punta)* cime *f*; *Fig (apogeo)* sommet *m*

cimbrear *vt (vara, junco)* faire vibrer; *(caderas)* balancer

cimentar [3] *vt (edificio)* creuser les fondations de; *(ciudad)* fonder; *Fig (paz, unión)* cimenter

cimientos *nmpl Constr* assises *fpl*; **los c.** les fondations *fpl*; *Fig* **echar los c. de algo** *(principios)* jeter les bases de qch

cinc *nm* zinc *m*

cincel *nm* ciseau *m*

cincelar *vt* ciseler

cincha *nf* sangle *f*

cinco 1 *adj num inv* cinq
2 *nm inv* cinq *m inv*; *Fig* ¡**choca esos c.!** tope là!; *ver también* **seis**

cincuenta 1 *adj num inv* cinquante
2 *nm inv* cinquante *m*; *ver también* **sesenta**

cincuentón, -ona *nm,f* quinquagénaire *mf*

cine *nm* cinéma *m* ☆ *c. mudo* cinéma muet

cineasta *nmf* cinéaste *mf*

cineclub *nm* ciné-club *m*

cinéfilo, -a *adj & nm,f* cinéphile *mf*

cinegético, -a *adj* cynégétique

cinematográfico, -a *adj* cinématographique

cínico, -a *adj & nm,f* cynique *mf*

cinismo *nm* cynisme *m*

cinta *nf (tira)* ruban *m*; *(de imagen, sonido)* cassette *f*; *Informát* bande *f* ✰ **c. adhesiva** *(celo)* ruban adhésif; **c. de lomo** rôti *m* de porc; **c. métrica** mètre *m* à ruban; **c. transportadora** transporteur *m* à bande; *(de mercancías, personas)* tapis *m* roulant; **c. de vídeo** cassette vidéo

cintura *nf (de persona)* taille *f*; *(de traje)* ceinture *f*

cinturón *nm* ceinture *f*; *(carretera)* périphérique *m* ✰ *Am* **c. de miseria** banlieue *f* misérable; **c. de seguridad** ceinture (de sécurité)

ciprés *(pl* **cipreses)** *nm* cyprès *m*

circense *adj* de cirque

circo *nm* cirque *m*

circuito *nm* circuit *m*; *(de bicicletas)* piste *f*

circulación *nf* circulation *f*

circular¹ **1** *adj* circulaire
 2 *nf* circulaire *f*

circular² *vi* circuler; *(monedas)* être en circulation; **c. por** *(persona, líquido)* circuler dans; *(vehículos)* circuler sur

circulatorio, -a *adj* circulatoire

círculo *nm* cercle *m*; *(corro)* attroupement *m*; **círculos** *(medios)* milieux *mpl* ✰ **c. vicioso** cercle vicieux

circuncisión *nf* circoncision *f*

circundante *adj* environnant(e)

circundar *vt* entourer

circunferencia *nf Geom* circonférence *f*

circunflejo *adj* circonflexe

circunscribir **1** *vt* circonscrire
 2 circunscribirse *vpr* **circunscribirse a** s'en tenir à

circunscripción *nf (limitación)* étroitesse *f*; *(distrito)* circonscription *f*

circunscrito, -a **1** *participio ver* **circunscribir**
 2 *adj* circonscrit(e)

circunstancia *nf* circonstance *f*; *(requisito)* condition *f*; **poner cara de circunstancias** faire une figure de circonstance

circunstancial *adj (accidental)* fortuit(e)

circunvalación *nf* **(carretera de) c.** *(que rodea por completo)* (boulevard *m*) périphérique *m*; *(que rodea parcialmente)* rocade *f*

circunvalar *vt* faire le tour de

cirio *nm* cierge *m*; *Fig* **ser/montar un c.** être/faire toute une histoire

cirrosis *nf inv* cirrhose *f*

ciruela *nf* prune *f* ✰ **c. pasa** pruneau *m*

cirugía *nf* chirurgie *f* ✰ **c. estética** o **plástica** chirurgie esthétique *ou* plastique

cirujano, -a *nm,f* chirurgien(enne) *m,f*

cisco *nm Fam (alboroto)* grabuge *m*; **hecho c.** *(persona)* démoli; *(cosa)* déglingué; **tener los pies hechos c.** avoir les pieds en compote

cisma *nm* schisme *m*

cisne *nm* cygne *m*

cisterna *nf (de retrete)* chasse *f* d'eau; *(aljibe, tanque)* citerne *f*

cistitis *nf inv* cystite *f*

cita *nf (entrevista)* rendez-vous *m*; *(referencia)* citation *f*; **tener una c.** avoir rendez-vous

citación *nf* citation *f*

citar **1** *vt (mencionar)* citer; *(dar cita a)* donner rendez-vous à
 2 citarse *vpr* se donner rendez-vous

citología *nf* cytologie *f*, frottis *m*

cítrico, -a *adj (ácido)* citrique; **cítricos** agrumes *mpl*

CiU *nf (abrev* **Convergència i Unió)** = coalition nationaliste catalane

ciudad *nf* ville *f* ✰ **c. universitaria** cité *f* universitaire

ciudadanía *nf (nacionalidad)* citoyenneté *f*

ciudadano, -a 1 *adj* citadin(e)
   2 *nm,f (habitante)* citadin(e) *m,f;* *(súbdito)* citoyen(enne) *m,f*

cívico, -a *adj* civique

civil *nm* **1** *adj* civil(e)
   2 *nm* civil *m; Fam (Guardia Civil)* = membre de la Guardia Civil

civilización *nf* civilisation *f*

civilizado, -a *adj* civilisé(e)

civilizar [14] **1** *vt* civiliser
   2 civilizarse *vpr* apprendre les bonnes manières

civismo *nm (urbanidad)* civisme *m*

cizaña *nf* ivraie *f; Fig* **meter** *o* **sembrar c.** semer la zizanie

clamar 1 *vt* clamer, crier; **c. justicia** demander justice
   2 *vi* **c. a** *(implorar a)* en appeler à; **c. contra** *(protestar)* crier à; **c. contra la injusticia** crier à l'injustice

clamor *nm* clameur *f*

clamoroso, -a *adj* retentissant(e)

clan *nm* clan *m*

clandestino, -a *adj* clandestin(e)

claqué *nm* claquettes *fpl*

claqueta *nf Cine* clap *m*

clara *ver* **claro**

claraboya *nf* lucarne *f*

clarear 1 *vt* éclairer
   2 *v impersonal* **está clareando** *(amanece)* le jour se lève; **al c. el día** au point du jour

claridad *nf* clarté *f; (de agua, diamante)* pureté *f; (lucidez)* lucidité *f;* **me lo dijo con una c. meridiana** il me l'a dit très clairement

clarificar [59] *vt (aclarar)* clarifier; *(tema, misterio)* éclaircir

clarín *nm* clairon *m*

clarinete *nm (instrumento)* clarinette *f*

clarividencia *nf* clairvoyance *f*

claro, -a 1 *adj* clair(e); *(imagen)* net (nette); *(diluido)* léger(ère); *(poco tupido)* clairsemé(e); **tener la mente clara** avoir les idées claires; **una clara victoria** une franche victoire; **c. está que...** il est clair que...; **dejar c. que...** faire comprendre que...; **a las claras** clairement; **sacar en c.** tirer au clair
   2 *nm (en multitud)* vide *m; (en bosque)* clairière *f; (entre nubes)* éclaircie *f; (en pintura)* clair *m*
   3 *adv* clairement
   4 *interj* **¡c. (está)!** bien sûr!
   5 *nf* **clara** *(de huevo)* blanc *m; (bebida)* panaché *m*

clase *nf* classe *f; (manera de ser)* genre *m; (asignatura)* cours *m;* **toda c. de** toutes sortes de; **dar clases** *(profesor)* donner des cours; *(alumno)* suivre des cours ☆ **c. media** classe moyenne; **c. obrera** *o* **trabajadora** classe ouvrière; *clases particulares* cours particuliers; *las clases pasivas* les retraités *mpl;* **c. preferente** classe affaires; *primera c.* première classe; **c. turista** classe touriste

clásico, -a 1 *adj* classique; **c. de** *(característico de)* typique de
   2 *nm* classique *m*

clasificación *nf* classement *m*

clasificar [59] **1** *vt* classer
   2 clasificarse *vpr* se classer; **se clasificó para la final** il s'est qualifié pour la finale

clasista *adj & nmf* élitiste *mf*

claudicar [59] *vi (someterse)* abandonner; **c. de** *(deberes, principios)* manquer à; *(promesa, compromiso)* faillir à

claustro *nm* cloître *m; (asamblea)* réunion *f* ☆ **c. de profesores** conseil *m* de classe

claustrofobia *nf* claustrophobie *f*

cláusula *nf (artículo)* clause *f; Gram* proposition *f*

clausura *nf* clôture *f; (de local)* fermeture *f*

clausurar *vt (acto)* clôturer; *(local)* fermer

clavadista *nmf CAm, Méx* plongeur (euse) *m,f*

clavado, -a *adj (con clavos)* cloué(e); *(en punto)* sonnant(e); *Fam (inmóvil)* planté(e); **ser c. a alguien** être la copie conforme de qn; **permanecer c. en la puerta** rester planté devant la porte

clavar 1 *vt (clavo, cuchillo)* planter; *(con clavos)* clouer; *muy Fam (cobrar)* faire casquer; *Fig* **c. la mirada/la atención en** fixer son regard/son attention sur
   2 clavarse *vpr* **me clavé un cristal en el pie** je me suis planté un bout de verre dans le pied

clave 1 *adj inv* clef; **es el punto c.** c'est l'élément clef
   2 *nm (instrumento)* clavecin *m*
   3 *nf (código)* code *m*; *(solución)* & *Mús* clef *f*; **en c.** codé(e)

clavel *nm* œillet *m*

clavicémbalo, clavicordio *nm* clavecin *m*

clavícula *nf* clavicule *f*

clavija *nf Tec* & *Mús* cheville *f*; *Elec* fiche *f*

clavo *nm (pieza metálica)* clou *m*; *(de olor)* clou *m* de girofle; *Med* broche *f*; *Fig* **agarrarse a un c. ardiendo** être prêt(e) à tout; **como un c.** *(puntual)* pile à l'heure; **dar en el c.** mettre dans le mille

claxon *(pl* **cláxones)** *nm* Klaxon® *m*; **tocar el c.** klaxonner

clemencia *nf* clémence *f*

clemente *adj también Fig* clément(e)

cleptómano, -a *nm,f* kleptomane *mf*

clericó *nm RP* = boisson à base de vin blanc et de morceaux de fruits

clérigo *nm* prêtre *m*

clero *nm* clergé *m*

clic *nm Informát* clic *m*; **hacer c.** cliquer; **hacer doble c.** cliquer deux fois

cliché *nm también Fig* cliché *m*

click = **clic**

cliente, -a *nm,f* client(e) *m,f* ✰ *Informát* **sistema c. servidor** système de serveur client

clientela *nf* clientèle *f*

clima *nm también Fig* climat *m*

climatizado, -a *adj* climatisé(e)

climatología *nf* climatologie *f*

clímax *nm inv* point *m* culminant

clínico, -a 1 *adj* clinique; *(informe, material)* médical(e)
   2 *nf* **clínica** clinique *f*

clip *nm (para papel)* trombone *m*; *(para cabello)* pince *f*; *(pendiente, videoclip)* clip *m*

clítoris *nm inv* clitoris *m*

cloaca *nf* égout *m*

clonación *nf* clonage *m*

clonar *vt* cloner

cloro *nm* chlore *m*

clorofila *nf* chlorophylle *f*

cloroformo *nm* chloroforme *m*

clóset *(pl* **clósets)** *nm Am* placard *m*

club *(pl* **clubs** *o* **clubes)** *nm* club *m* ✰ **c. de fans** fan-club *m*; **c. náutico** yacht-club *m*

cm *(abrev* **centímetro)** cm

coacción *nf* pression *f*

coaccionar *vt* **c. a alguien a** *o* **para que haga algo** faire pression sur qn pour lui faire faire qch

coagular 1 *vt* coaguler; *(leche)* cailler
   2 coagularse *vpr* (se) coaguler; *(leche)* (se) cailler

coágulo *nm* caillot *m*

coalición *nf* coalition *f*

coaligar = **coligar**

coartada *nf* alibi *m*

coartar *vt* entraver; *(sentimiento)* brider

coautor, -ora *nm,f* coauteur *m*

coba *nf Fam* **dar c. a alguien** passer de la pommade à qn

cobalto *nm* cobalt *m*

cobarde *adj & nmf* lâche *mf*

cobardía *nf* lâcheté *f*

cobaya *nmf también Fig* cobaye *m*

cobertura *nf* couverture *f* ✫ **c. informativa** couverture d'un événement

cobija *nf Am (manta)* couverture *f*

cobijar 1 *vt* abriter

2 cobijarse *vpr* se réfugier; *(de la intemperie)* s'abriter

cobijo *nm* refuge *m*; *(contra la intemperie)* abri *m*; **dar c. a alguien** héberger qn

cobra *nf (serpiente)* cobra *m*

cobrador, -ora *nm,f (del autobús)* receveur(euse) *m,f*; *(de facturas, recibos)* encaisseur *m*

cobrar 1 *vt (deuda, cheque)* encaisser; *(sueldo)* toucher; **¿me cobra, por favor?** je vous dois combien, s'il vous plaît?; **me han cobrado muy caro** on m'a pris très cher; **c. importancia** prendre de l'importance; **c. afecto a alguien** prendre qn en affection

2 *vi (en el trabajo)* être payé(e); *Fam* **¡vas a c.!** tu vas t'en ramasser une!

3 cobrarse *vpr* **el accidente se cobró tres vidas** l'accident a fait trois morts

cobre *nm* cuivre *m*; *Am* sou *m*; **no tener un c.** ne pas avoir un sou

cobro *nm* encaissement *m*; **llamar a c. revertido a alguien** appeler qn en PCV

coca *nf (planta)* coca *f*; *Fam (cocaína)* coke *f*

cocaína *nf* cocaïne *f*

cocalero, -a *Bol, Perú* **1** *adj* **región cocalera** région productrice de coca; **productor cocalero** producteur *m* de coca

2 *nm,f* producteur(trice) *m,f* de coca

cocción *nf* cuisson *f*

cóccix *nm inv* coccyx *m*

cocear *vi* ruer

cocer [15] **1** *vt* cuire; **a medio c.** à mi-cuisson

2 cocerse *vpr (comida)* cuire; *Fig (plan)* se tramer

coche *nm* voiture *f*; **c. de alquiler/de bomberos/de carreras** voiture de location/de pompiers/de course; *Fam* **ir en el c. de san Fernando** aller à pinces ✫ **c. bomba** voiture piégée; **c. de caballos** voiture à chevaux; **c. cama** wagon-lit *m*; **c. celular** fourgon *m* cellulaire

cochecito *nm (de niño)* landau *m*

cochera *nf (de coches)* garage *m*; *(de autobuses, tranvías)* dépôt *m*

cochinada *nf Fam Fig (porquería, grosería)* cochonnerie *f*; *(mala jugada)* vacherie *f*

cochinillo *nm* cochon *m* de lait

cochino, -a **1** *adj (persona)* dégoûtant(e); *(tiempo)* de cochon; **¡este c. dinero!** l'argent, toujours l'argent!

2 *nm,f (animal)* cochon *m*, truie *f*

cocido *nm* pot-au-feu *m inv*

cociente *nm* quotient *m* ✫ **c. intelectual** quotient intellectuel

cocina *nf (habitación, arte)* cuisine *f*; *(electrodoméstico)* cuisinière *f*

cocinar 1 *vt* cuisiner; *Fig (tramar)* manigancer

2 *vi* faire la cuisine, cuisiner

cocinero, -a *nm,f* cuisinier(ère) *m,f*

cocker *(pl* **cockers***) nm* cocker *m*

coco *nm (fruto)* noix *f* de coco; *Fam (cabeza)* caboche *f*; *Fam (fantasma)* grand méchant loup *m*; *Fam* **comerse el c.** se prendre la tête

cocodrilo *nm* crocodile *m*

cocoliche *nm RP Fam* = mélange d'espagnol et d'italien utilisé en Argentine et en Uruguay par les immigrants italiens

cocotero *nm* cocotier *m*

cóctel *nm* cocktail *m* ✫ **c. molotov** cocktail Molotov

codazo *nm* coup *m* de coude; **abrirse paso a codazos** jouer des coudes

codearse *vpr* **c. con** fréquenter

codicia *nf* cupidité *f*; **mirar con c.** convoiter du regard

codiciar *vt* convoiter

codicioso, -a *adj* avide

codificado, -a *adj (emisión de TV)* crypté(e)

codificar [59] *vt (mensaje, emisión)* coder; *(ley)* codifier

código *nm* code *m*; *(telefónico)* indicatif *m* ☆ **c. de barras** code-barres *m*; **c. de circulación** code de la route; **c. civil** code civil; **c. de identificación fiscal** = code d'identification fiscale attribué à toute personne physique ou morale payant des impôts en Espagne; **c. penal** code pénal; **c. postal** code postal

codillo *nm* épaule *f*

codo *nm* coude *m*; **estaba de codos sobre la mesa** il était accoudé à la table; **c. con c., c. a c.** coude à coude; *Fam* **empinar el c.** lever le coude; *Fam* **hablar por los codos** être un moulin à paroles

codorniz *nf* caille *f*

coeficiente *nm* coefficient *m*; *(grado, índice)* taux *m* ☆ **c. intelectual** o **de inteligencia** quotient *m* intellectuel

coercitivo, -a *adj* coercitif(ive)

coetáneo, -a *adj* contemporain(e)

coexistir *vi* coexister

cofia *nf* coiffe *f*

cofradía *nf (religiosa)* confrérie *f*; *(no religiosa)* corporation *f*

cofre *nm (para joyas)* coffret *m*; *(arca)* coffre *m*

coger [52] **1** *vt (tomar, agarrar)* prendre; *(ladrón, pez, gripe)* attraper; *(vehículo, persona)* rattraper; *(frutos, flores)* cueillir; *(entender)* saisir; *(emisora)* capter; *(sujeto: toro)* encorner; *Am Vulg (fornicar)*

baiser; **c. el avión** prendre l'avion; **c. a alguien de** o **por la mano** prendre qn par la main; **le fui cogiendo cariño** je me suis pris d'affection pour lui; **no cogió el chiste** il n'a pas compris la blague; **me cogió la lluvia** la pluie m'a surpris; **lo cogí de buen humor** je suis bien tombé, il était de bonne humeur

2 *vi* **c. cerca/lejos (de)** être près/loin (de); **c. a la derecha/a la izquierda** prendre à droite/à gauche; **cogió y se fue** il est parti sans faire ni une ni deux

3 cogerse *vpr (agarrarse)* s'accrocher; *(pillarse, tomarse)* se prendre; **cogerse de** o **a algo** s'accrocher à qch; **cogerse los dedos con la puerta** se prendre les doigts dans la porte

cogida *nf (de torero)* coup *m* de corne

cogollo *nm (de lechuga, col)* cœur *m*

cogorza *nf Fam* cuite *f*

cogote *nm Fam (nuca)* colback *m*

cohabitar *vi* vivre ensemble; **c. con alguien** vivre avec qn

cohecho *nm* corruption *f*

coherencia *nf* cohérence *f*

coherente *adj* cohérent(e)

cohesión *nf* cohésion *f*

cohete *nm* fusée *f*; **cohetes** *(fuegos artificiales)* feux *mpl* d'artifice

cohibido, -a *adj* intimidé(e)

cohibir 1 *vt* intimider

2 cohibirse *vpr* se laisser intimider; **no te cohibas y come todo lo que quieras** ne sois pas timide, mange tout ce que tu veux

coima *nf Andes, RP Fam* pot-de-vin *m*

coincidencia *nf* coïncidence *f*

coincidir *vi* coïncider; *(versiones)* se recouper; *(fechas)* concorder; *(dos personas)* se retrouver; *(estar de acuerdo)* être d'accord; **todos coinciden en que...** tout le monde s'accorde à dire que...; **todos coinciden**

en los gustos ils ont tous les mêmes goûts

coito *nm* coït *m*

cojear *vi (persona)* boiter; *(mueble)* être bancal(e); **c. de** se ressentir de; *Fam Fig* **ya sé de qué pie cojea María** je connais les points faibles de María

cojera *nf* boiterie *f*

cojín *nm* coussin *m*

cojo, -a 1 *adj (persona)* boiteux (euse); *(mueble, razonamiento, frase)* bancal(e)

2 *nm,f* boiteux(euse) *m,f*

cojón *nm Vulg* couille *f*; **¡cojones!** *(enfado)* bordel!

cojonudo, -a *adj Vulg* super *inv*

cojudez *nf Andes muy Fam* connerie *f*

cojudo, -a *adj Andes muy Fam* con (conne) *m,f*

col *nf* chou *m* ☆ **c. de Bruselas** chou de Bruxelles

cola *nf (fila, de animal)* queue *f*; *(de vestido)* traîne *f*; *(pegamento)* colle *f*; *Am Fam (nalgas)* derrière *f*; *(bebida)* Coca *m*; *Fam (pene)* zizi *m*; **hacer c.** faire la queue; **tener o traer c.** avoir des répercussions ☆ **c. de caballo** *(peinado)* queue-de-cheval *f*; *Informát* **c. de impresión** file *f* d'attente

colaboración *nf* collaboration *f*

colaborador, -ora 1 *adj* coopératif(ive)

2 *nm,f* collaborateur(trice) *m,f* ☆ **c. externo** collaborateur externe

colaborar *vi* collaborer (**en/con** à/avec); **c. a que** contribuer à ce que

colación *nf Fig* **sacar o traer a c.** faire mention de

colado, -a 1 *adj (líquido)* filtré(e); *Fam (enamorado)* **estar c. por alguien** en pincer pour qn

2 *nf* **colada** *(ropa)* lessive *f*; **hacer la colada** faire la lessive

colador *nm* passoire *f*

colapsar 1 *vt* paralyser

2 *vi* s'effondrer

colapso *nm (desmayo)* chute *f* de tension; *(de actividad)* effondrement *m*; **provocar el c. del tráfico** paralyser la circulation

colar [63] **1** *vt (líquido)* filtrer; *(leche)* passer; *(mentira)* faire croire à; *(por sitio estrecho)* glisser, introduire

2 *vi (cosa falsa)* prendre; **su mentira no cuela** son mensonge ne prend pas; **esto no cuela** c'est louche

3 colarse *vpr (en un sitio)* se faufiler; *(en una fiesta)* s'incruster; *(en una cola)* resquiller; *Fam (por error)* se planter; *(líquido)* s'infiltrer (**por o en** dans)

colcha *nf* couvre-lit *m*

colchón *nm (de cama)* matelas *m*

colchoneta *nf (para playa)* matelas *m* pneumatique; *(en gimnasio)* tapis *m* de sol

cole *nm Fam* école *f*

colear *vi (animal)* remuer la queue; *Fig* **el asunto todavía colea** l'affaire n'est pas close

colección *nf también Fig* collection *f*

coleccionable 1 *adj (fascículo)* détachable

2 *nm (fascículo)* supplément *m* détachable

coleccionar *vt* collectionner

coleccionista *nmf* collectionneur (euse) *m,f*

colecta *nf* collecte *f*

colectividad *nf* collectivité *f*; **la c. agrícola** l'ensemble *m* des agriculteurs

colectivo, -a 1 *adj* collectif(ive)

2 *nm* ensemble *m*; **el c. médico** le corps médical; *Andes (taxi)* taxi *m* collectif; *Arg (autobús)* autobus *m*

colector *nm* collecteur *m* ☆ **c. de basuras** vide-ordures *m inv*

colega *nmf (compañero profesional)* collègue *mf*; *(abogado, médico)* confrère *m*, consœur *f*; *Fam (amigo)* pote *m*

colegiado, -a 1 *adj* inscrit(e) (à un ordre professionnel)
2 *nm (árbitro)* arbitre *m*

colegial, -ala *nm,f* écolier(ère) *m,f*

colegio *nm (de niños)* école *f*; *(de profesionales)* corporation *f*; *(de arquitectos, médicos)* ordre *m* ☆ **c. de abogados** barreau *m*; **c. electoral** bureau *m* de vote *(situé dans une école)*

cólera 1 *nm (enfermedad)* choléra *m*
2 *nf (ira)* colère *f*; **montar en c.** se mettre en colère

colérico, -a *adj (carácter)* coléreux (euse)

colesterol *nm* cholestérol *m*

coleta *nf (de pelo)* couette *f*; *Fig* **cortarse la c.** abandonner

colgado, -a 1 *adj* pendu **(de** à); *(teléfono)* raccroché(e); *Fam* **dejar c. a alguien** laisser qn en rade; *Fam* **estar c.** *(loco)* être taré(e)
2 *nm,f Fam (enganchado)* camé(e) *m,f*; *(marginado)* paumé(e) *m,f*

colgante 1 *adj* suspendu(e)
2 *nm (de pulsera, broche)* breloque *f*; *(de cadena, collar)* pendentif *m*

colgar [16] **1** *vt (suspender, ahorcar)* pendre; *(cuadro)* accrocher; *(ropa)* étendre; *(ocupación, profesión)* laisser tomber; **c. el teléfono** raccrocher; **c. algo a alguien** *(imputar)* mettre qch sur le dos à qn
2 *vi* pendre **(de** à); *(hablando por teléfono)* raccrocher
3 colgarse *vpr* se suspendre **(de** à); se pendre **(de** à); *(ahorcarse)* se pendre

colibrí *(pl* **colibríes)** *nm* colibri *m*

cólico *nm* colique *f*

coliflor *nf* chou-fleur *m*

coligar [38] *vt* allier; **c. dos países** resserrer les liens entre deux pays

colilla *nf* mégot *m*

colimba *nf Arg Fam* service *m* (militaire)

colina *nf* colline *f*

colindante *adj (país, pueblo)* limitrophe; *(casa)* voisin(e)

colirio *nm* collyre *m*

colisión *nf (de vehículos)* collision *f*; *Fig (de ideas, personas)* affrontement *m*

colisionar *vi también Fig* **c. contra** heurter

colitis *nf inv (diarrea)* diarrhée *f*

colla *Bol* **1** *adj* des hauts plateaux de Bolivie
2 *nmf* = personne originaire des hauts plateaux de Bolivie

collage *nm* collage *m*

collar *nm* collier *m*

collarín *nm* minerve *f*

colmado, -a 1 *adj* plein(e), rempli(e)
2 *nm* épicerie *f*

colmar *vt (recipiente)* remplir à ras bord; *Fig (aspiración, deseo)* combler; **c. a alguien de** *(elogios, regalos)* couvrir qn de

colmena *nf* ruche *f*

colmillo *nm (de una persona)* canine *f*; *(de animal)* croc *m*; *(de elefante)* défense *f*

colmo *nm* comble *m*

colocación *nf (acción)* placement *m*; *Fig (contratación)* placement *m*; *(empleo)* place *f*

colocado, -a *adj* placé(e); *Fam (de alcohol, drogas)* fait(e); **estar muy bien c.** *(en empresa)* avoir une bonne place

colocar [59] **1** *vt (poner)* placer; *(en una posición)* mettre; **c. a alguien en** *(dar empleo)* placer qn chez; **c. algo al revés** mettre qch à l'envers
2 colocarse *vpr (en un trabajo)* trouver une place; *Fam (con drogas)* se défoncer; *(con alcohol)* prendre une cuite

colofón *nm (culminación)* couronnement *m*

Colombia *n* la Colombie

colombiano, -a 1 *adj* colombien (enne)
   2 *nm,f* Colombien(enne) *m,f*

colon *nm* côlon *m*

colonia *nf (territorio)* colonie *f*; *(perfume)* eau *f* de Cologne; *Méx (barrio)* quartier *m*, arrondissement *m*; **colonias (de verano)** *(de niños)* colonie de vacances ☆ *Méx* **c. proletaria** bidonville *m*

colonial *adj* colonial(e)

colonización *nf* colonisation *f*

colonizador, -ora *adj & nm,f* colonisateur(trice) *m,f*

colonizar [14] *vt* coloniser

colono *nm* colon *m*

coloquial *adj* parlé(e)

coloquio *nm (conversación)* discussion *f*; *(debate)* colloque *m*

color *nm* couleur *f*; *(aspecto)* jour *m*; **de c.** de couleur; **en c.** en couleurs; *Fig* **lleno de c.** *(escena)* coloré(e); **no hay c.** il n'y a pas de comparaison possible

colorado, -a 1 *adj (rojo)* rouge; **poner c. a alguien** faire rougir qn; **ponerse c.** rougir
   2 *nm (color)* rouge *m*

colorante 1 *adj* colorant(e)
   2 *nm (para teñir)* colorant *m*

colorear *vt* colorier

colorete *nm* blush *m*, fard *m* à joues; **tener coloretes** avoir des couleurs

colorido *nm (de dibujo)* coloris *m*; *(de paisaje)* couleur *f*

colosal *adj* colossal(e)

coloso *nm Fig (cosa, persona)* géant(e) *m,f*

columna *nf* colonne *f*; *Fig (pilar)* pilier *m* ☆ **c. vertebral** colonne vertébrale

columnista *nmf* chroniqueur(euse) *m,f*

columpiar 1 *vt* balancer
   2 columpiarse *vpr* se balancer

columpio *nm* balançoire *f*; **los columpios** l'aire *f* de jeux

coma 1 *nm (estado inconsciente)* coma *m*; **en c.** dans le coma
   2 *nf (signo ortográfico)* virgule *f*

comadre *nf CAm, Méx (amiga)* amie *f*

comadreja *nf* belette *f*

comadrona *nf* sage-femme *f*

comal *nm CAm, Méx* = plat en terre cuite ou en métal utilisé pour la cuisson des tortillas

comandancia *nf (edificio)* bureau *m* du commandant

comandante *nm* commandant *m*

comando *nm (de soldados)* commando *m*; *Informát* commande *f*

comarca *nf* région *f*

comba *nf* corde *f* à sauter; **jugar a la c.** sauter à la corde

combar 1 *vt* faire ployer
   2 combarse *vpr* ployer

combate *nm* combat *m*; **fuera de c.** hors de combat

combatiente *nmf* combattant(e) *m,f*

combatir *vt & vi* combattre

combativo, -a *adj* combatif(ive)

combi *nm (frigorífico)* réfrigérateur-congélateur *m*

combinación *nf* combinaison *f*; *(bebida)* cocktail *m*; **tener buena c.** *(enlace)* ne pas avoir beaucoup de changements

combinar *vt (mezclar)* combiner; *(armonizar)* assortir; *(planificar)* organiser

combustible 1 *adj* combustible
   2 *nm* combustible *m*

combustión *nf* combustion *f*

comecocos *nm inv Fam* **ser un c.** *(difícil de comprender)* être un casse-tête

comedia *nf también Fig* comédie *f*

comediante, -a *nm,f también Fig* comédien(enne) *m,f*

comedido, -a *adj* réservé(e)

comedor *nm* salle *f* à manger ☆ *c. de empresa* restaurant *m* d'entreprise

comensal *nmf* convive *mf*

comentar *vt* commenter; **se lo comentaré** je lui en parlerai

comentario *nm* commentaire *m*; **sin c.** sans commentaire; **comentarios** *(murmuraciones)* commentaires (malveillants)

comentarista *nmf* commentateur(trice) *m,f*

comenzar [17] **1** *vt* commencer; **c. a hacer algo** commencer à faire qch; **c. haciendo algo** commencer par faire qch

2 *vi* commencer

comer 1 *vi* manger; *(al mediodía)* déjeuner

2 *vt* manger; *(energía)* consommer; *(en juegos de tablero)* prendre; **dar de c. a alguien** donner à manger à qn

3 comerse *vpr* manger; *(en juegos de tablero)* prendre; *Fam (letras, sílabas)* avaler; *(líneas, palabras)* sauter

comercial 1 *adj* commercial(e); *(zona, calle)* commerçant(e)

2 *nmf* commercial(e) *m,f*

comercializar [14] *vt* commercialiser

comerciante *nmf* commerçant(e) *m,f*

comerciar *vi* commercer; **c. con** *(persona, país, empresa)* faire du commerce avec

comercio *nm* commerce *m* ☆ *c. electrónico* commerce électronique; *c. exterior* commerce extérieur; *c. interior* commerce intérieur; *c. justo* commerce équitable; *libre c.* libre-échange *m*

comestible *adj* comestible; **comestibles** alimentation *f*

cometa 1 *nm (astro)* comète *f*

2 *nf* cerf-volant *m*

cometer *vt* commettre

cometido *nm (objetivo)* objectif *m*; *(deber)* devoir *m*

comezón *nf (picor)* démangeaison *f*; *Fig* **sentía c. por hablar** *(ganas)* ça le démangeait de parler

cómic *(pl* **cómics)** *nm* bande *f* dessinée

comicidad *nf* comique *m*

comicios *nmpl* élections *fpl*

cómico, -a 1 *adj* comique

2 *nm,f (actor)* comique *m*

comida *nf (alimento)* nourriture *f*; *(almuerzo, cena)* repas *m*; *(al mediodía)* déjeuner *m*; *(por la noche)* dîner *m*; *Am* **sólo come c. chatarra** il ne se nourrit que de cochonneries ☆ *c. casera* cuisine *f* familiale

comidilla *nf Fam* **ser la c.** être l'objet de tous les potins

comienzo *nm* commencement *m*, début *m*; **dar c.** commencer

comillas *nfpl* guillemets *mpl*; **entre c.** entre guillemets

comilona *nf (festín)* gueuleton *m*

comino *nm (especia)* cumin *m*; *Fam Fig* **me importa un c.** je m'en fiche complètement

comisaría *nf* commissariat *m*

comisario, -a *nm,f* commissaire *m*

comisión *nf (recargo, delegación)* commission *f*; **(trabajar) a c.** (travailler) à la commission ☆ *la C. Europea* la Commission européenne; *c. investigadora* commission d'enquête; *c. parlamentaria* commission parlementaire

comisura *nf* commissure *f*

comité *nm* comité *m*

comitiva *nf* cortège *m*

como 1 *adv* **(a)** *(de la manera que)* comme; **vive c. un rey** il vit comme un roi; **lo he hecho c. es debido** je l'ai fait comme il faut; **c. te lo decía ayer**

comme je te le disais hier; **es (tan) negro c. el carbón** il est noir comme du charbon; **es tan alto c. yo** il est aussi grand que moi **(b)** *(en calidad de)* comme, en tant que; **asiste a las clases c. oyente** il assiste aux cours comme auditeur libre; **c. periodista tengo una opinión muy diferente sobre el tema** en tant que journaliste j'ai un avis très différent sur le sujet **(c)** *(aproximadamente)* à peu près, environ; **me quedan c. mil pesetas** il me reste à peu près mille pesetas **2** *conj (ya que)* comme; *(si)* si; *(que)* que; **c. no llegabas, nos fuimos** comme tu n'arrivais pas, nous sommes partis; **¡c. vuelvas a hacerlo!** si jamais tu recommences!; **verás c. vas a ganar** tu vas voir que tu vas gagner; **c. que** *(que)* que; **le pareció c. que lloraban** il lui sembla qu'ils pleuraient; **c. quiera que sea** quoi qu'il en soit; **c. si** comme si

cómo 1 *adv (de qué modo, por qué motivo)* comment; *(exclamativo)* comme; **¿c. lo has hecho?** comment l'as-tu fait?; **¿c. te llamas?** comment t'appelles-tu?; **no sé c. has podido decir eso** je ne sais pas comment tu as pu dire ça; **¿a c. están los tomates?** à combien sont les tomates?; **¿c.?** *(qué dices)* comment?; **¡c. pasan los años!** comme les années passent!; **¡c. no!** bien sûr! **2** *nm* **el c. y el porqué** le comment et le pourquoi

cómoda *nf* commode *f*

comodidad *nf* **es una gran c.** c'est très pratique; **comodidades** confort *m*

comodín *nm (naipe)* joker *m*; *(cosa)* passe-partout *m inv*; *(persona)* homme *m* à tout faire

cómodo, -a *adj (confortable)* confortable; *(fácil, oportuno)* pratique; **sentirse c.** *(a gusto)* être à l'aise

comodón, -ona *adj & nm,f Fam* flemmard(e) *m,f*

comoquiera *adv (de cualquier manera)* n'importe comment; **c. que...** *(dado que)* étant donné que...; *(de cualquier manera que)* de quelque façon que...

compa *nmf Am Fam* copain *m*, copine *f*

compact disc *(pl* **compact disks, discs)** *nm (disco)* Compact Disc® *m*, disque *m* laser; *(aparato)* platine *f* laser

compacto, -a *adj* compact(e); *Fig (escritura)* serré(e)

compadecer [46] **1** *vt* avoir pitié de; **te compadezco** je compatis **2 compadecerse** *vpr* **compadecerse de alguien** plaindre qn

compadre *nm CAm, Méx* ami *m*

compadrear *vi Am Fam* crâner

compaginar *vt (combinar)* concilier

compañerismo *nm* camaraderie *f*

compañero, -a *nm,f (pareja, acompañante)* compagnon *m*, compagne *f*; *(de trabajo)* collègue *mf*; *(de estudios)* camarade *mf*; *(pareja)* pendant *m*; **he perdido el c. de este guante** j'ai perdu l'autre gant ✩ **c. de piso** colocataire *mf (d'un même appartement)*

compañía *nf (acompañamiento)* compagnie *f*; *(empresa)* société *f*; **en c. de** en compagnie de; **hacer c. a alguien** tenir compagnie à qn ✩ **c. de seguros** compagnie d'assurances

comparación *nf* comparaison *f*; **en c. con** par rapport à; **sin c. de loin**; **es el más fuerte sin c.** il est de loin le plus fort

comparar *vt* comparer **(con** à)

comparativo, -a *adj* comparatif (ive)

comparecer [46] *vi Der* comparaître; *(aparecer)* se présenter

comparsa 1 *nf (en teatro)* figurants *mpl*; *(en carnaval)* = troupe de personnes qui chantent pour critiquer les notables de leur ville ou de leur village

2 *nmf* figurant(e) *m,f*; *Fig (persona)* subalterne *mf*

compartimento, compartimiento *nm* compartiment *m* ☆ *c. estanco* sas *m*

compartir *vt* partager

compás *(pl* **compases)** *nm* compas *m*; *Mús* mesure *f*; *(ritmo)* rythme *m*; **al c.** en rythme; **llevar/perder el c.** garder/perdre le rythme; **marcar el c.** battre la mesure ☆ *Fig c. de espera* attente *f*

compasión *nf* compassion *f*

compasivo, -a *adj* compatissant(e)

compatibilizar [14] *vt* rendre compatible

compatible *adj también Informát* compatible

compatriota *nmf* compatriote *mf*

compendio *nm (libro)* précis *m*; *Fig* **es un c. de virtudes** c'est la vertu personnifiée

compenetración *nf* entente *f*

compenetrarse *vpr* se compléter

compensación *nf* compensation *f*; *(indemnización)* dédommagement *m*; **en c. (por)** en échange (de)

compensar *vt* **no me compensa (perder tanto tiempo)** *(valer la pena)* ça ne vaut pas la peine (que je perde tant de temps); **ver a sus hijos sanos le compensaba de tantos sacrificios** voir ses enfants en bonne santé le récompensait de tous ses sacrifices; **c. a alguien (de o por)** *(indemnizar)* dédommager qn (de)

competencia *nf* concurrence *f*; *(aptitud)* compétence *f*; *(atribuciones)* attributions *fpl*; **no es de mi c.** *(incumbencia)* cela n'est pas de mon ressort ☆ *Com* **c. desleal** concurrence déloyale

competente *adj* compétent(e)

competer *vi* **c. a** incomber à

competición *nf (lucha)* lutte *f*; *Dep* compétition *f*

competidor, -ora *adj & nm,f* concurrent(e) *m,f*

competir [47] *vi (personas)* être en compétition (**con** avec); *(empresas, productos)* être en concurrence (**con** avec)

competitividad *nf* compétitivité *f*

competitivo, -a *adj (capaz de competir)* compétitif(ive); *(donde hay competencias)* concurrentiel(elle); *(de la competición)* de compétition

compilar *vt también Informát* compiler

compinche *nmf Fam (cómplice)* acolyte *m*; *(amigo)* copain *m*, copine *f*

complacer [42] *vt (dar satisfacción)* rendre heureux(euse); **me complace verlo** je suis heureuse de le voir; **c. a alguien** faire plaisir à qn

complaciente *adj (amable)* prévenant(e); *(indulgente)* complaisant(e)

complejo, -a 1 *adj* complexe **2** *nm* complexe *m* ☆ *c. deportivo* complexe sportif; **c. (industrial)** complexe industriel

complementar 1 *vt* compléter **2 complementarse** *vpr* se compléter

complementario, -a *adj* complémentaire

complemento *nm* complément *m*

completar *vt* compléter

completo, -a *adj* complet(ète); **por c.** complètement, en entier

complexión *nf* constitution *f*

complicación *nf (dificultad)* complication *f*; *(complejidad)* complexité *f*

complicado, -a *adj (difícil)* compliqué(e)

complicar [59] **1** *vt (dificultar)* compliquer **2 complicarse** *vpr* se compliquer

cómplice *nmf* complice *mf*

complicidad *nf* complicité *f*; **de c.** *(mirada)* complice

complot *(pl* **complots)** *nm* complot *m*

componente *nm* composant *m*; *(persona)* membre *m*

componer [50] **1** *vt (formar, crear)* composer; *(arreglar)* arranger; *(algo roto)* réparer; *(adornar) (cosa)* décorer; *(persona)* parer

2 componerse *vpr (engalanarse)* se parer; *(mejorarse)* s'arranger, s'améliorer; **componerse de** *(estar formado por)* se composer de

comportamiento *nm* comportement *m*

comportar 1 *vt* impliquer

2 comportarse *vpr* se conduire

composición *nf* composition *f*

compositor, -ora *nm,f* compositeur(trice) *m,f*

compostura *nf (de persona)* maintien *m*; *(de rostro)* expression *f*; *(en el comportamiento)* circonspection *f*

compota *nf* compote *f*

compra *nf* achat *m*; **ir de compras** aller faire des courses; **c. a plazos** achat à tempérament; **hacer la c.** *(de comestibles)* faire ses courses; **ir a la c.** aller faire ses courses

comprador, -ora *adj & nm,f* acheteur(euse) *m,f*

comprar *vt* acheter

compraventa *nf* achat *m* et vente

comprender 1 *vt* comprendre

2 comprenderse *vpr (entre personas)* se comprendre

comprensión *nf* compréhension *f*

comprensivo, -a *adj* compréhensif(ive)

compresa *nf (para menstruación)* serviette *f* hygiénique

comprimido, -a 1 *adj* comprimé(e)

2 *nm* comprimé *m*

comprimir *vt* comprimer; *Informát* compacter

comprobante *nm (documento)* pièce *f* justificative; *(recibo)* reçu *m*

comprobar [63] *vt* vérifier

comprometer 1 *vt (poner en peligro)* compromettre; *(avergonzar)* faire honte à; *(hacer responsable)* impliquer; **c. a alguien a hacer algo** faire promettre à qn de faire qch

2 comprometerse *vpr* **comprometerse (a hacer algo/en algo)** s'engager (à faire qch/dans qch)

comprometido, -a *adj (con una idea)* engagé(e); *(difícil)* délicat(e)

compromiso *nm (obligación)* engagement *m*; *(acuerdo)* compromis *m*; **poner a alguien en un c.** mettre qn dans une situation difficile; **tengo un c.** *(estoy ocupado)* je suis pris, je ne suis pas libre ☆ **c. matrimonial** promesse *f* de mariage

compuerta *nf* vanne *f*

compuesto, -a 1 *participio ver* **componer**

2 *adj (de varias cosas)* composé(e); *(persona)* paré(e)

3 *nm* composé *m*

compulsar *vt (cotejar)* confronter avec l'original

compulsivo, -a *adj* compulsif(ive)

compungido, -a *adj* contrit(e)

computador *nm,* **computadora** *nf* ordinateur *m*

cómputo *nm* calcul *m*

comulgar [38] *vi* communier; *Fig* **c. con algo** *(con ideas)* partager qch

común *adj* commun(e); **hacer algo en c.** faire qch ensemble; **tener algo en c.** avoir qch en commun; **por lo c.** en général

comuna *nf Am (municipalidad)* commune *f*

comunero, -a *nm,f Perú, Méx* = habitant d'une communauté indigène

comunicación *nf* communication *f*; *(oficial)* allocution *f*; **ponerse en c. con alguien** se mettre en rapport avec qn; **comunicaciones** moyens *mpl* de communication

comunicado, -a 1 *adj* desservi(e) **2** *nm* communiqué *m*

comunicar [59] **1** *vt* communiquer; *(movimiento)* transmettre **2** *vi (dos cosas)* communiquer (**con** avec); *(dos regiones, ciudades)* être relié(e); *(teléfono, línea)* être occupé(e); **c. con alguien** contacter qn **3 comunicarse** *vpr (personas) (hablarse)* communiquer; *(relacionarse)* se voir; *(dos habitaciones)* communiquer; **Sevilla se comunica con Jerez por autopista** Séville est reliée à Jerez par l'autoroute

comunicativo, -a *adj* communicatif(ive)

comunidad *nf* communauté *f* ☆ *c. autónoma* communauté autonome; **C. Europea** Communauté européenne; *c. de propietarios o de vecinos* assemblée *f* des copropriétaires; **C. Valenciana** communauté autonome de Valence

comunión *nf también Fig* communion *f*; **hacer la primera c.** faire sa première communion

comunismo *nm* communisme *m*

comunista *adj & nmf* communiste *mf*

comunitario, -a *adj* communautaire

con *prep* avec; **lo ha conseguido c. su esfuerzo** il y est parvenu en faisant des efforts; **una cartera c. varios documentos** un attaché-case contenant plusieurs documents; **es amable c. todos** il est aimable avec tout le monde; **c. todo** malgré tout; **c. (todo) lo estudioso que es, le suspendieron** bien qu'il soit très studieux, il n'a pas été reçu; **c. salir a las diez vale** si nous partons à dix heures, ça va; **c. tal de que, c. que** du moment que + *indicativo*; **c. que llegue a tiempo me conformo** du moment qu'il arrive

à l'heure, je ne me plains pas; **¡mira que perder, c. lo bien que jugaste!** quel dommage que tu aies perdu, tu avais pourtant si bien joué!

conato *nm (intento)* tentative *f*; *(comienzo)* début *m*; **c. de robo** tentative de vol; **c. de incendio** début d'incendie

concatenar, concadenar *vt* enchaîner

concavidad *nf (cualidad)* concavité *f*; *(lugar)* anfractuosité *f*

cóncavo, -a *adj* concave

concebir [47] *vt & vi* concevoir

conceder *vt (dar)* accorder; *(premio)* décerner; *(asentir)* admettre

concejal, -ala *nm,f* conseiller(ère) municipal(e) *m,f*

concentración *nf* concentration *f*; *(de gente)* rassemblement *m*; *Dep* entraînement *m* ☆ *c. parcelaria* remembrement *m*

concentrar 1 *vt (reunir)* rassembler; *Quím* concentrer **2 concentrarse** *vpr (fijar la atención)* se concentrer; *(reunirse)* se rassembler

concéntrico, -a *adj* concentrique

concepción *nf* conception *f*

concepto *nm (idea)* concept *m*; *(de cuenta)* chapitre *m*; **tener un gran c. de alguien, tener a alguien en muy buen c.** avoir une haute idée de qn; **bajo ningún c.** en aucun cas; **en c. de** au titre de

concernir [25] *v impersonal* concerner; **en lo que concierne a...** en ce qui concerne...; **por lo que a mí (me) concierne** en ce qui me concerne

concertar [3] *vt (precio)* convenir de; *(entrevista, cita)* fixer; *(pacto)* conclure

concertina *nf* concertina *m*

concesión *nf* concession *f*; *(de un premio)* remise *f*; **hacer concesiones** faire des concessions

concesionario, -a *adj & nm,f* concessionnaire *mf*

concha *nf (de animales)* coquille *f*; *(de tortuga)* carapace *f*; *(material)* écaille *f*; *Ven (de frutas)* écorce *f*; *RP Vulg (vulva)* chatte *f* ☆ *CSur, Perú Vulg* **c. de su madre** salaud *m*, salope *f*

conchabarse *vpr Fam* s'acoquiner

concheto, -a *RP Fam* **1** *adj* snob
   2 *nm,f* snob *mf*

conchudo, -a *adj CSur, Perú Vulg* con (conne)

conciencia *nf* conscience *f*; **a c.** consciencieusement; **remorderle a alguien la c.** avoir mauvaise conscience

concienciar **1** *vt* faire prendre conscience à
   2 concienciarse *vpr* prendre conscience

concientizar [14] *Am* **1** *vt* faire prendre conscience à
   2 concientizarse *vpr* prendre conscience

concierto *nm Mús (obra)* concerto *m*; *(función)* concert *m*; *(acuerdo)* accord *m*; *(orden)* ordre *m*

conciliar *vt (enemigos)* réconcilier; *(varias actividades, cosas)* concilier; **c. el sueño** trouver le sommeil

concisión *nf* concision *f*

conciso, -a *adj* concis(e)

conciudadano, -a *nm,f* concitoyen (enne) *m,f*

cónclave *nm Rel* conclave *m*; *(familiar, entre amigos)* réunion *f*

concluir [34] **1** *vt (finalizar)* terminer, finir; *(sacar conclusión)* conclure
   2 *vi* finir

conclusión *nf* conclusion *f*; **en c.** pour conclure; **sacar conclusiones** tirer des conclusions

concluyente *adj* concluant(e)

concordar [63] *vi (coincidir)* concorder; *Gram* s'accorder; **c. en número y persona** s'accorder en genre et en nombre

concordia *nf* entente *f*

concretar **1** *vt (precisar)* préciser; *(reducir a lo esencial)* résumer; **c. una fecha** convenir d'une date
   2 concretarse *vpr (materializarse)* se concrétiser

concreto, -a **1** *adj* concret(ète); *(determinado)* précis(e); **en c.** *(específicamente)* précisément; **nada en c.** rien de précis
   2 *nm Am* **c. armado** béton *m* armé

concurrencia *nf (asistencia)* assistance *f*; *(de sucesos)* coïncidence *f*; *(de circunstancias)* concours *m*

concurrido, -a *adj (lugar)* fréquenté(e); *(espectáculo)* couru(e)

concurrir *vi (asistir)* assister; **c. a** *(influir)* contribuer à; *(participar)* participer à

concursante *nmf* participant(e) *m,f*

concursar *vi* concourir

concurso *nm* concours *m*; *(para una obra)* adjudication *f*; *(licitación)* appel *m* d'offres; **c. de televisión** jeu *m* télévisé; **salir a c.** être mis(e) en adjudication ☆ **c. público** adjudication

condado *nm (territorio)* comté *m*

conde, -esa *nm,f* comte *m*, comtesse *f*

condecorar *vt* décorer

condena *nf* peine *f*; **cumplir c.** purger sa peine

condenado, -a **1** *adj (a una pena)* condamné(e); *(al infierno)* damné(e); *Fam Fig (maldito)* satané(e)
   2 *nm,f (a una pena)* condamné(e) *m,f*; *(al infierno)* damné(e) *m,f*; *Fam Fig* **como un c.** *(correr, trabajar)* comme un(e) fou (folle)

condenar *vt* condamner; **c. a alguien a algo/a hacer algo** condamner qn à qch/à faire qch; **c. a** *(al fracaso, silencio)* condamner à

condensar *vt también Fig* condenser

condescendencia *nf (benevolencia)* complaisance *f; (altivez)* condescendance *f*

condescender [64] *vi* **c. a** *(con amabilidad)* consentir à; *(con desprecio)* condescendre à

condescendiente *adj* complaisant(e)

condición *nf* condition *f; (estado)* état *m;* **de c. humilde** de condition modeste; **con una sola c.** à une seule condition; **condiciones** *(aptitud)* dispositions *fpl; (circunstancias)* conditions; **condiciones atmosféricas/de vida** conditions atmosphériques/de vie; **estar en condiciones (de** o **para hacer algo)** être en état (de faire qch); **no estar en condiciones, estar en malas condiciones** *(alimento)* être avarié(e)

condicional *adj (con condiciones)* sous condition

condicionar *vt* **c. algo a algo** faire dépendre qch de qch; **condicionará su respuesta al resultado** il donnera sa réponse en fonction du résultat

condimentar *vt* assaisonner

condimento *nm* condiment *m*

condolencia *nf* condoléances *fpl;* **expresar su c. a alguien** présenter ses condoléances à qn

condominio *nm Méx (edificio)* immeuble *m* résidentiel

condón *nm Fam* capote *f,* préservatif *m*

cóndor *nm* condor *m*

conducción *nf (de vehículo, negocio)* conduite *f; (de calor, electricidad)* conduction *f*

conducir [18] **1** *vt* conduire; *(líquido)* amener; *(investigación)* mener; **tu decisión no nos condujo a nada** ta décision ne nous a menés à rien
2 *vi* conduire

conducta *nf* conduite *f*

conducto *nm* conduit *m; Fig (camino)* voie *f*

conductor, -ora 1 *adj (de calor, electricidad)* conducteur(trice)
2 *nm,f (de automóvil)* conducteur (trice) *m,f; (de camión, autobús)* chauffeur *m; (de TV)* présentateur(trice) *m,f*
3 *nm (de calor, electricidad)* conducteur *m*

conectado, -a *adj Elec* branché(e); *Informát* connecté(e)

conectar 1 *vt (enchufar)* brancher (**a** sur); *(unir)* raccorder (**con** à)
2 *vi Radio & TV* prendre l'antenne; **c. con** *(persona)* entrer en contact avec

conejillo *nm* **c. de Indias** cochon *m* d'Inde, cobaye *m*

conejo, -a *nm,f* lapin(e) *m,f*

conexión *nf (entre dos cosas)* lien *m; Elec* branchement *m; Radio & TV* liaison *f; Fig* **tener conexiones** *(amistades influyentes)* avoir des relations

confabularse *vpr* **c. para hacer algo** comploter de faire qch

confección *nf (de ropa)* confection *f,* prêt-à-porter *m; (de comida, medicamento)* préparation *f; (de lista)* établissement *m*

confeccionar *vt* confectionner; *(bebida, preparación)* préparer; *(lista)* dresser, établir

confederación *nf* confédération *f*

confederarse *vpr* se confédérer

conferencia *nf* conférence *f; (por teléfono)* communication *f* (longue distance); **dar una c.** faire une conférence; **poner una c.** téléphoner (à l'étranger)

conferir [62] *vt* conférer

confesar [3] **1** *vt* avouer; *(al cura)* confesser; **c. su ignorancia** avouer son ignorance; **c. a alguien** confesser qn
2 confesarse *vpr* se confesser

confesión *nf (de culpa, secreto)* aveu *m; (al cura)* confession *f*

confesionario *nm* confessionnal *m*

confesor *nm* confesseur *m*

confeti *nm* confettis *mpl*

confiado, -a *adj* confiant(e)

confianza *nf* confiance *f* (**en** en); **tengo c. en que se arreglarán las cosas** j'ai bon espoir que les choses s'arrangent; **de c.** de confiance; **tengo mucha c. con él** nous sommes très intimes; **nos tratamos con mucha c.** nous sommes très proches; **conmigo hay c.** nous sommes entre amis; **en c.** entre nous; **tomarse confianzas con alguien** prendre des libertés avec qn

confiar [32] **1** *vt* **c. algo a alguien** confier qch à qn

2 *vi* **c. en** *(tener fe)* avoir confiance en *ou* dans; **c. en que** *(esperar)* avoir bon espoir que

3 confiarse *vpr (despreocuparse)* être sûr(e) de soi

confidencia *nf* confidence *f*

confidencial *adj* confidentiel(elle)

confidente *nmf (amigo)* confident(e) *m,f*; *(soplón)* indicateur (trice) *m,f*

configurar *vt (formar)* donner forme à; *Informát* configurer

confinar *vt (detener)* interner; *(desterrar)* exiler; **c. en el domicilio** assigner à résidence

confirmación *nf* confirmation *f*

confirmar *vt* confirmer; **eso confirma la idea que tenía de que...** cela me conforte dans l'idée que...

confiscar [59] *vt* confisquer

confitado, -a *adj* confit(e)

confitería *nf (tienda)* confiserie *f*; *CSur (café)* café *m*

confitura *nf* confiture *f*

conflagración *nf* conflagration *f*

conflictivo, -a *adj (situación)* conflictuel(elle); *(tema, asunto)* polémique; *(persona)* contestataire

conflicto *nm* conflit *m*

confluir [34] *vi (ríos)* confluer; *(calles)* converger; *(personas)* se rejoindre

conformar 1 *vt (configurar)* adapter

2 conformarse *vpr* se contenter (**con** de); *(con suerte, destino)* se résigner (**con** à)

conforme 1 *adj* **c. a** *(acorde con)* conforme à; *(adaptado a)* adapté(e) à; **c. con** *(de acuerdo con)* d'accord avec; *(contento de)* heureux(euse) de

2 *adv (igual, según)* tel (telle) que; *(a medida que)* à mesure que; *(en cuanto)* dès que; **te lo cuento c. lo he vivido** je te le raconte tel que je l'ai vécu; **c. envejecía** à mesure qu'il vieillissait; **c. amanezca, iré** j'irai dès qu'il fera jour; **c. a** conformément à

conformidad *nf (aprobación)* consentement *m*

conformista *adj & nmf* conformiste *mf*

confort *(pl* conforts*) nm* confort *m*

confortable *adj* confortable

confrontar *vt* confronter

confundir 1 *vt (letras, números)* mélanger; *(liar)* embrouiller; **c. una cosa con otra** confondre une chose avec une autre

2 confundirse *vpr (equivocarse)* se tromper; *(liarse)* s'embrouiller; **se ha confundido** *(al teléfono)* vous faites erreur; **confundirse en** *o* **entre** *(no distinguirse)* se fondre dans

confusión *nf (estado)* confusion *f*; *(error)* erreur *f*

confuso, -a *adj* confus(e)

congelación *nf (de alimentos)* congélation *f*; *(de precios, salarios)* gel *m*

congelador *nm* congélateur *m*

congelados *nmpl* surgelés *mpl*

congelar 1 *vt (alimento)* congeler; *(a temperatura baja)* surgeler; *Fig (precios, salarios)* geler

2 congelarse *vpr también Fig* geler

congeniar *vi* sympathiser (**con** avec)

congénito, -a *adj (malformación)* congénital(e); *(enfermedad)* héréditaire; *(talento)* inné(e)

congestión *nf (nasal)* congestion *f*; **la c. del tráfico** les encombrements *mpl*

congestionar 1 *vt* bloquer
2 congestionarse *vpr* être congestionné(e); **se le congestionó la cara de rabia** son visage est devenu rouge de colère

conglomerado *nm* conglomérat *m*; *Fig (mezcla)* groupement *m*; **c. urbano** conurbation *f*

congoja *nf* angoisse *f*

congraciarse *vpr* **c. con alguien** s'attirer la sympathie de qn

congratular 1 *vt* **c. a alguien por algo** féliciter qn de *ou* pour qch
2 congratularse *vpr* **congratularse por algo** se féliciter de qch

congregación *nf* congrégation *f*

congregar [38] **1** *vt* réunir
2 congregarse *vpr* se réunir

congresista *nmf (en congreso)* congressiste *mf*; *(político)* membre *m* du Congrès

congreso *nm (reunión)* congrès *m*; **el C.** *(en Estados Unidos)* le Congrès ☆ **c. (de los diputados)** *(en España)* Chambre *f* des députés

congrio *nm* congre *m*

congruente *adj* **ser c. (con)** avoir un rapport logique (avec)

conífera *nf* conifère *m*

conjetura *nf* conjecture *f*; **hacer conjeturas** se perdre en conjectures

conjugación *nf* conjugaison *f*; *(clase de verbos)* groupe *m*

conjugar [38] *vt también Gram* conjuguer; *(ideas, opiniones)* rassembler

conjunción *nf también Fig* conjonction *f*

conjuntivitis *nf inv* conjonctivite *f*

conjunto, -a 1 *adj* conjoint(e); *(hechos, acontecimientos)* simultané(e)
2 *nm (grupo), Mat & Mús* ensemble *m*; *(de rock)* groupe *m*; *(de deporte)* tenue *f*; **en c.** dans l'ensemble

conjurar 1 *vi (conspirar)* conspirer
2 *vt (exorcizar)* conjurer; *(evitar)* parer à

conjuro *nm (exorcismo)* conjuration *f*; *(súplica)* exhortation *f*

conllevar *vt (implicar)* impliquer; *(soportar)* supporter, endurer; **c. riesgos** comporter des risques

conmemoración *nf* commémoration *f*

conmemorar *vt* commémorer

conmigo *pron personal* avec moi; **llevo/tengo algo c.** je porte/j'ai qch sur moi

conmoción *nf (física, psíquica)* commotion *f*; *(política, social)* bouleversement *m* ☆ **c. cerebral** commotion cérébrale

conmocionar *vt (física o psíquicamente)* commotionner; *(política o socialmente)* bouleverser

conmovedor, -ora *adj* émouvant(e)

conmover [41] **1** *vt (enternecer)* émouvoir; *(sacudir)* ébranler
2 conmoverse *vpr (enternecerse)* s'émouvoir; *(sacudirse)* s'ébranler

conmutador *nm Am (centralita)* standard *m*

connotación *nf* connotation *f*

cono *nm* cône *m*; **el C. Sur** le cône Sud *(zone géographique composée du Chili, de l'Argentine, de l'Uruguay et du Paraguay)*

conocedor, -ora *nm,f* connaisseur (euse) *m,f*; **ser un buen c. de...** être un fin connaisseur en...

conocer [19] **1** *vt* connaître; **c. a alguien de oídas** avoir entendu parler de qn; **c. a alguien de vista** connaître qn de vue; **darse a c.** se faire connaî- tre; **c. a alguien** *(por primera vez)* faire la connaissance de qn; **c. a al- guien (por algo)** *(reconocer)* recon- naître qn (à qch)

2 conocerse *vpr* se connaître; *(por primera vez)* faire connaissance; **conocerse de toda la vida** se connaî- tre depuis toujours; **se conoce que...** apparemment...

conocido, -a 1 *adj* connu(e)
2 *nm,f* connaissance *f*

conocimiento *nm* connaissance *f*; **perder/recobrar el c.** perdre/repren- dre connaissance; **conocimientos** connaissances; **tener muchos conoci- mientos** savoir beaucoup de choses

conque *conj* alors; **está de mal hu- mor, c. trátale con cuidado** il est de mauvaise humeur, alors sois gentil avec lui; **¿c. nos vamos o nos queda- mos?** alors, on reste ou on s'en va?

conquista *nf también Fig* conquête *f*

conquistador, -ora 1 *adj (seductor)* séducteur(trice)
2 *nm,f (de tierras)* conquérant(e) *m,f*; *Hist* conquistador *m*; *Fig (perso- na seductora)* séducteur(trice) *m,f*

conquistar *vt también Fig* conquérir

consabido, -a *adj (broma)* clas- sique; *(costumbre, paseo)* tradition- nel(elle)

consagración *nf* consécration *f*; *(de obispo, rey)* sacre *m*

consagrar 1 *vt* consacrer; *(obispo, rey)* sacrer; **c. algo a** consacrer qch à
2 consagrarse *vpr (alcanzar fama)* obtenir la consécration; **consagrarse a** *(dedicarse a)* se consacrer à

consanguinidad *nf* consanguinité *f*

consciencia = **conciencia**

consciente *adj* conscient(e)

conscripto *nm Andes, RP* conscrit *m*

consecución *nf (de un deseo, objeti- vo)* réalisation *f*; *(de un premio)* ob- tention *f*; *(de un proyecto)* réussite *f*

consecuencia *nf* conséquence *f*; **a o**

como c. de à la suite de; **actuar en c.** agir en conséquence; **tener conse- cuencias** avoir des conséquences

consecuente *adj (coherente)* consé- quent(e)

consecutivo, -a *adj* consécutif(ive)

conseguir [61] *vt* obtenir; *(objetivo)* atteindre; **c. hacer algo** réussir à faire qch

consejero, -a *nm,f (asesor)* conseil- ler(ère) *m,f*; *Pol* = ministre d'un gouvernement autonome; **Juan es un buen c.** Juan est de bon conseil

consejo *nm* conseil *m*; **dar un c.** don- ner un conseil ☆ *C. de Europa* Conseil de l'Europe; *c. de ministros* conseil des ministres

consenso *nm (acuerdo)* consensus *m*; *(consentimiento)* consentement *m*

consensuar [4] *vt* approuver à la majorité

consentimiento *nm* consentement *m*

consentir [62] **1** *vt* permettre; *(el mal, el alboroto)* tolérer; *(mimar)* gâter; **no te consiento que me repli- ques así** je ne te permets pas de me répondre de cette façon; **le consen- tía todos los caprichos** elle lui passait tous ses caprices
2 *vi* **c. en algo/en hacer algo** consen- tir à qch/à faire qch

conserje *nmf* gardien(enne) *m,f*

conserjería *nf (de edificio)* loge *f*; *(de tribunal)* conciergerie *f*

conserva *nf* conserve *f*; **en c.** en conserve

conservación *nf* conservation *f*; *(mantenimiento)* entretien *m*

conservador, -ora *adj & nm,f* con- servateur(trice) *m,f*

conservante *nm* conservateur *m* *(produit)*

conservar 1 *vt (mantener)* conser- ver; *(cartas, secreto, salud)* garder

2 conservarse *vpr (persona)* être bien conservé(e); **se conserva joven** il reste jeune

conservatorio *nm* conservatoire *m*

considerable *adj (grande)* considérable; *(importante, eminente)* remarquable

consideración *nf (valoración)* examen *m*; *(respeto)* considération *f*; **en c. a algo** compte tenu de qch; **en c. a alguien** par égard pour qn; **tratar a alguien con c.** traiter qn avec beaucoup d'égards; **de c. grave**; **hubo varios heridos de c.** plusieurs personnes ont été grièvement blessées

considerado, -a *adj (atento)* attentionné(e); *(respetado)* apprécié(e)

considerar *vt* considérer; **c. las consecuencias** mesurer les conséquences

consigna *nf* consigne *f*

consignar *vt (poner por escrito)* consigner; *(cantidad)* allouer; *(paquete) (enviar)* envoyer; *(depositar)* laisser à la consigne

consigo 1 *ver* **conseguir**
2 *pron personal (con uno mismo)* avec soi; *(con él, ella)* avec lui, avec elle; *(con usted)* avec vous; **llevar mucho dinero c.** no es prudente il n'est pas prudent d'avoir beaucoup d'argent sur soi; **lleva siempre la pistola c.** il a toujours son pistolet sur lui

consiguiente *adj* résultant(e); **recibimos la noticia con la c. pena** nous avons appris la nouvelle et en avons été peinés; **por c.** par conséquent

consistencia *nf* consistance *f*

consistente *adj* consistant(e)

consistir *vi* **c. en** consister en; *(deberse a)* reposer sur

consola *nf* también Informát console *f* ✿ **c. de videojuegos** console de jeux (vidéo)

consolación *nf* consolation *f*

consolar [63] **1** *vt* consoler
2 consolarse *vpr* se consoler

consolidar *vt* consolider

consomé *nm* consommé *m*

consonancia *nf* harmonie *f*; **en c. con** en accord avec

consonante *nf* consonne *f*

consorcio *nm* pool *m*, consortium *m*

conspiración *nf* conspiration *f*

conspirador, -ora *nm,f* conspirateur(trice) *m,f*

conspirar *vi* conspirer

constancia *nf (perseverancia) (en una empresa)* persévérance *f*; *(en las ideas, opiniones)* constance *f*; *(testimonio)* preuve *f*; **dejar c. de algo** *(probar)* prouver qch; *(dejar testimonio)* laisser un témoignage de qch; *(registrar)* inscrire qch

constante 1 *adj* constant(e)
2 *nf* constante *f* ✿ **constantes vitales** fonctions *fpl* vitales

constar *vi (información)* figurer (**en** dans); **me consta que ha llegado** je suis sûr qu'il est arrivé; **hacer c.** faire observer; **que conste que...** note que..., notez que...; **c. de** *(estar constituido por)* se composer de

constatar *vt (observar)* constater; *(comprobar)* vérifier

constelación *nf* constellation *f*

consternación *nf* consternation *f*

consternar *vt* consterner

constipado, -a 1 *adj* **estar c.** être enrhumé
2 *nm* rhume *m*

constiparse *vpr* s'enrhumer

constitución *nf* constitution *f*; *(composición)* composition *f*; **la C.** *(de un Estado)* la Constitution

constitucional *adj* constitutionnel(elle)

constituir [34] *vt* constituer; **constituye para nosotros un honor...** c'est pour nous un honneur de...

constituyente 1 *adj* constituant(e)
2 *nm* constituant *m*

constreñir *vt (oprimir)* étouffer; **c. a**

alguien a hacer algo *(obligar)* contraindre qn à faire qch

construcción *nf* construction *f*

constructivo, -a *adj* constructif (ive)

constructor, -ora 1 *adj* constructeur(trice)

2 *nm (de edificios)* constructeur *m*

construir [34] *vt* construire

consuegro, -a *nm,f* **mis consuegros** les beaux-parents de mon fils/ma fille

consuelo *nm* consolation *f*, réconfort *m*

cónsul *nm* consul *m*

consulado *nm* consulat *m*

consulta *nf* consultation *f*; *(despacho)* cabinet *m* (médical); **hacer una c. a alguien** consulter qn; **pasar c.** consulter

consultar 1 *vt (libro, persona)* consulter; *(dato, fecha)* vérifier **2** *vi* **c. con alguien** consulter qn

consultorio *nm (de médico)* cabinet *m* (de consultation); *Prensa* courrier *m* des lecteurs; *Radio* = émission durant laquelle un spécialiste répond aux questions des auditeurs; *(oficina)* bureau *m* ☆ *c. jurídico* cabinet juridique; *c. sentimental* courrier *m* du cœur

consumar *vt* consommer

consumición *nf* consommation *f*

consumidor, -ora *nm,f* consommateur(trice) *m,f*

consumir 1 *vt (producto)* consommer; *(sujeto: fuego, enfermedad)* consumer; **c. preferentemente antes de...** *(en etiqueta)* à consommer de préférence avant... **2** *vi* consommer **3 consumirse** *vpr (por la enfermedad)* être rongé(e); *(por el fuego)* être consumé(e)

consumismo *nm* surconsommation *f*

consumo *nm* consommation *f*

contabilidad *nf* comptabilité *f*; **llevar la c.** tenir la comptabilité

contabilizar [14] *vt* comptabiliser

contable *nmf* comptable *mf*

contactar *vi* **c. con alguien** contacter qn

contacto *nm* contact *m*; **perder el c. con alguien** perdre le contact avec qn

contado, -a *adj (raro)* rare; **contadas veces, en contadas ocasiones** rarement; **pagar al c.** payer comptant

contador, -ora *nm,f Am* comptable *mf* ☆ *c. público* expert-comptable *m*

contaduría *nf (oficina)* cabinet *m* d'expert-comptable; *(departamento)* service *m* comptabilité ☆ *Am c. general* = Cour *f* des comptes

contagiar 1 *vt (enfermedad)* transmettre; *(persona)* contaminer **2 contagiarse** *vpr (enfermedad)* se transmettre; *(persona)* être contaminé(e); *(risa)* se communiquer

contagio *nm* contagion *f*

contagioso, -a *adj* contagieux (euse); *(risa)* communicatif(ive)

contaminación *nf (del medio ambiente)* pollution *f*; *(contagio)* contamination *f* ☆ *c. acústica* nuisances *fpl* acoustiques, pollution sonore

contaminar *vt (el medio ambiente)* polluer; *(contagiar)* contaminer; *Fig (pervertir)* donner le mauvais exemple à

contar [63] **1** *vt (enumerar, incluir)* compter; *(narrar)* raconter; **c. a alguien entre** compter qn parmi **2** *vi* compter; **c. con** *(confiar en)* compter sur; **no contaba con esto** je ne m'attendais pas à ça; **c. con** *(tener)* avoir, disposer de; **cuenta con dos horas para hacerlo** il a deux heures pour le faire

contemplación 1 *nf* contemplation *f*

2 *nfpl* **contemplaciones** égards *mpl*; **no andarse con contemplaciones** ne pas y aller par quatre chemins; **sin contemplaciones** sans égards

contemplar *vt (mirar)* contempler; *(considerar)* envisager

contemplativo, -a *adj* contemplatif(ive)

contemporáneo, -a *adj* contemporain(e)

contención *nf Constr* soutènement *m*; *(moderación)* retenue *f*

contendiente 1 *adj (en una competición)* rival(e); **las partes contendientes** les parties *fpl* en conflit

2 *nmf (en una competición)* concurrent(e) *m,f*; *(en una guerra)* belligérant(e) *m,f*

contenedor *nm* container *m*, conteneur *m* ☆ *c. de basura* benne *f* à ordures; *c. de vidrio* container *ou* conteneur pour le recyclage du verre

contener [65] **1** *vt* contenir; *(respiración, risa)* retenir

2 **contenerse** *vpr* se retenir

contenido *nm* contenu *m*

contentar 1 *vt* faire plaisir à

2 **contentarse** *vpr* **contentarse con algo** se contenter de qch; **me contento con verlo una vez a la semana** ça me suffit de le voir une fois par semaine

contento, -a 1 *adj* content(e) **(con** de)

2 *nm* joie *f*

conteo *nm* compte *m*

contestación *nf* réponse *f*

contestador *nm* **c. (automático)** répondeur *m* (automatique)

contestar *vt & vi* répondre

contestatario, -a *adj* contestataire

contexto *nm* contexte *m*

contextualizar [14] *vt* replacer dans son contexte

contienda *nf (competición, combate)* combat *m*; *(guerra)* conflit *m*

contigo *pron personal* avec toi

contiguo, -a *adj* contigu(uë); *(casa)* voisin(e)

continencia *nf (abstinencia)* abstinence *f*; *(moderación)* modération *f*

continental *adj* continental(e)

continente *nm (geográfico)* continent *m*

contingente *nm (soldados)* contingent *m*

continuación *nf* suite *f*; **a c. ensuite**

continuar [4] **1** *vt* continuer

2 *vi* continuer; **c. haciendo algo** continuer à faire qch; **continuará** *(historia, programa)* à suivre

continuidad *nf* continuité *f*; *(permanencia)* maintien *m*

continuo, -a *adj* continu(e); *(movimiento)* perpétuel(elle); *(constante)* continuel(elle)

contonearse *vpr* se dandiner

contorno *nm (línea)* contour *m*; **contornos** *(territorio)* alentours *mpl*

contorsionarse *vpr* se contorsionner; *(de dolor)* se tordre

contorsionista *nmf* contorsionniste *mf*

contra 1 *prep* contre; **en c. (opuesto)** contre; **estar en c. de algo** être contre qch; **en c. de** *(a diferencia de)* contrairement à

2 *nm* **los pros y los contras** le pour et le contre

contraataque *nm* contre-attaque *f*

contrabajo 1 *nm (instrumento)* contrebasse *f*

2 *nmf (instrumentista)* contrebassiste *mf*

contrabandista *nmf* contrebandier (ère) *m,f*

contrabando *nm* contrebande *f*

contracción *nf* contraction *f*

contraceptivo, -a 1 *adj* contraceptif(ive)

2 *nm* contraceptif *m*

contrachapado, -a 1 *adj* contreplaqué(e)

2 *nm (madera)* contreplaqué *m*

contracorriente *nf* contre-courant *m*; *Fig* **ir a c.** aller à contre-courant

contradecir [51] **1** *vt* contredire

2 contradecirse *vpr* se contredire

contradicción *nf* contradiction *f*; **estar en c. con** être en contradiction avec

contradicho, -a *participio ver* **contradecir**

contradictorio, -a *adj* contradictoire

contraer [66] **1** *vt (encoger)* contracter; *(tomar) (acento, deje)* prendre; *(enfermedad)* attraper; **c. matrimonio (con)** se marier (avec)

2 contraerse *vpr* se contracter

contraespionaje *nm* contre-espionnage *m*

contraindicación *nf* contre-indication *f*

contralor *nm Am* inspecteur *m* des Finances

contraloría *nf Am* inspection *f* des Finances

contralto *nmf (cantante)* contralto *m ou f*

contraluz *nm* contre-jour *m*; **a c.** à contre-jour

contramaestre *nm Náut* maître *m* d'équipage; *(capataz)* contremaître(esse) *m,f*

contraofensiva *nf* contre-offensive *f*

contrapartida *nf* contrepartie *f*; **como c.** en contrepartie

contrapelo: a contrapelo *adv (acariciar)* à rebrousse-poil; *Fig (actuar)* à contrecœur

contrapesar *vt también Fig* contrebalancer

contrapeso *nm* contrepoids *m*; **servir de c.** faire contrepoids

contraponer [50] **1** *vt (oponer)* opposer; *(cotejar)* confronter

2 contraponerse *vpr* s'opposer

contraportada *nf (de revista, libro)* quatrième *f* de couverture; *(de periódico)* dernière page *f*

contraproducente *adj* contre-productif(ive)

contrapuesto, -a *participio ver* **contraponer**

contrapunto *nm Mús* contrepoint *m*; *Fig (entre cosas, personas)* note *f* d'originalité

contrariar [32] *vt* contrarier

contrariedad *nf (dificultad)* ennui *m*; *(disgusto)* contrariété *f*; *(oposición)* contradiction *f*

contrario, -a 1 *adj* contraire; *(parte)* adverse; **ser c. a algo** *(persona)* être opposé(e) à qch

2 *nm (rival)* adversaire *m*; *(opuesto)* contraire *m*; **al o por el c.** au contraire; **al c. de lo que pensaba** contrairement à ce que je pensais; **de lo c.** sinon; **todo lo c.** bien au contraire

3 *nf* **contraria: llevar la contraria** *(en lo dicho)* contredire; *(en lo hecho)* contrarier

contrarreembolso = **contrarrembolso**

contrarreloj *adj (carrera)* contre la montre

contrarrembolso *nm* livraison *f* contre remboursement

contrarrestar *vt (paliar)* neutraliser; *(contrapesar)* compenser

contrasentido *nm (interpretación)* contresens *m*; *(absurdidad)* non-sens *m inv*

contraseña *nf (palabra)* mot *m* de passe

contrastar 1 *vi* contraster

2 *vt (comprobar)* vérifier; *(hacer frente)* résister à

contraste *nm* contraste *m*; *(de caracteres)* différence *f*; **en c. con** *(a diferencia de)* contrairement à

contratar *vt (personal)* embaucher; *(detective, deportista)* engager; **c. algo con alguien** *(servicio, obra)* passer un contrat pour qch avec qn

contratiempo *nm* contretemps *m*; **tener un c.** avoir un empêchement

contratista *nmf* entrepreneur (euse) *m,f* ☆ **c. de obras** entrepreneur

contrato *nm* contrat *m* ☆ **c. basura** = contrat de travail à court terme peu favorable au salarié; **c. fijo o indefinido** contrat à durée indéterminée

contraventana *nf* contrevent *m*

contribución *nf* contribution *f*

contribuir [34] *vi* contribuer; *(pagar impuestos)* payer des impôts; **c. a** *(tomar parte)* participer à

contribuyente *nmf* contribuable *mf*

contrincante *nmf* adversaire *mf*

control *nm* contrôle *m*; *(dispositivo de funcionamiento)* commande *f* ☆ **c. de calidad** contrôle qualité; **c. remoto** télécommande *f*

controlador, -ora **1** *nm,f* contrôleur(euse) *m,f* ☆ **c. aéreo** aiguilleur *m* du ciel

2 *nm Informát* contrôleur *m* ☆ **c. de disco** contrôleur de disque

controlar **1** *vt (vigilar, dominar)* surveiller; *(comprobar)* contrôler; *(regular)* régler; *Fam* **no controlo nada de inglés** je suis nul en anglais

2 controlarse *vpr* se contrôler

controversia *nf* controverse *f*

contundencia *nf (física)* force *f*; *Fig* **con c.** *(en el ánimo)* d'un ton tranchant

contundente *adj (arma, objeto)* contondant(e); *Fig (razonamiento, argumento)* convaincant(e); *(lógica)* implacable; *(prueba)* indiscutable

contusión *nf* contusion *f*

conuco *nm Carib, Col (casa y terreno)* petite ferme *f*

convalecencia *nf* convalescence *f*

convaleciente *adj* convalescent(e)

convalidar *vt (diploma)* valider; *(decisión)* confirmer; **le convalidaron muchas asignaturas** il a obtenu l'équivalence dans beaucoup de matières

convencer [40] **1** *vt* **c. a alguien (de algo)** convaincre qn (de qch)

2 convencerse *vpr* **convencerse de algo** se convaincre de qch

convencimiento *nm* conviction *f*

convención *nf* convention *f*

convencional *adj* conventionnel (elle)

conveniencia *nf (pertinencia) (de medida, oferta)* opportunité *f*; *(de respuesta)* à-propos *m inv*; *(interés)* convenance *f*; **por su propia c.** dans son propre intérêt

conveniente *adj (beneficioso)* bon (bonne); *(pertinente)* opportun(e); *(correcto)* convenable; **sería c. asistir a la reunión** il vaudrait mieux aller à la réunion

convenio *nm* convention *f* ☆ **c. colectivo** convention collective

convenir [69] **1** *vi (ser bueno)* convenir; **conviene analizar la situación** il serait bon d'analyser la situation; **no te conviene hacerlo** tu ne devrais pas le faire; **c. en** *(acordar)* convenir de; **c. en que** *(asentir)* admettre que

2 *vt* **c. algo** convenir de qch

convento *nm* couvent *m*

convergencia *nf (de caminos)* croisement *m*; *Fig (de intereses)* convergence *f*

converger [52] *vi (físicamente)* converger; **c. en** *(dos ideas, dos opiniones)* tendre vers

conversación **1** *nf* conversation *f*

2 *nfpl* **conversaciones** *(negociaciones)* pourparlers *mpl*

conversada *nf Am* conversation *f*

conversador, -ora **1** *adj* bavard(e)

2 *nm,f* **ser un gran c.** être très bavard

conversar *vi* **c. con alguien** avoir une conversation avec qn

conversión *nf* conversion *f*

converso, -a *adj & nm,f* converti(e) *m,f*

convertir [25] **1** *vt (dinero, persona)* convertir; **c. algo en** transformer qch en; **convirtió a su hijo en una estrella** il a fait de son fils une vedette **2 convertirse** *vpr* se convertir; **convertirse en** devenir

convexo, -a *adj* convexe

convicción 1 *nf* conviction *f*; **tener la c. de que...** être convaincu(e) que... **2** *nfpl* **convicciones** convictions *fpl*

convidar 1 *vt* inviter; **c. a alguien a tomar algo** offrir un verre à qn **2** *vi* **c. a** *(incitar)* inviter à

convincente *adj* convaincant(e)

convite *nm (invitación)* invitation *f*; *(fiesta)* banquet *m*

convivencia *nf* vie *f* en commun

convivir *vi* **c. con** vivre avec; **convive con sus hermanos** il vit avec ses frères

convocar [59] *vt (asamblea, elecciones)* convoquer; *(huelga)* appeler à

convocatoria *nf (anuncio, escrito)* convocation *f*; *(de huelga)* appel *m* *(de à)*; *(de examen)* session *f*

convoy *(pl* **convoyes)** *nm* convoi *m*

convulsión *nf (de músculos)* convulsion *f*; *(política, social)* agitation *f*; *(de tierra, mar)* secousse *f*

convulsionar *vt* convulsionner, convulser

conyugal *adj* conjugal(e)

cónyuge *nmf* conjoint(e) *m,f*

coña *nf muy Fam (guasa)* connerie *f*; *(molestia)* galère *f*; **estar de c.** déconner; **¡deja de dar la c.!** arrête de m'emmerder!; **¡ni de c.!** ça ne risque pas!

coñá, coñac *(pl* **coñacs)** *nm* cognac *m*

coñazo *nm muy Fam* **dar el c.** faire chier; **ser un c.** *(persona, libro)* être chiant(e)

coño *Vulg* **1** *nm (genital)* con *m*; *(molestia)* galère *f*; **¿dónde c. está el jersey?** où est le pull, bordel?; **¿qué c. estás haciendo?** qu'est-ce que tu fous, bordel? **2** *interj (enfado)* bordel!; *(asombro)* putain!

cooperación *nf* coopération *f*

cooperante *nmf* coopérant(e) *m,f*

cooperar *vi* coopérer (**en** à)

cooperativa *nf* coopérative *f* ☆ **c. agrícola** coopérative agricole; **c. de viviendas** = coopérative créée en vue de faire construire un lotissement

coordinador, -ora *adj & nm,f* coordinateur(trice) *m,f*

coordinar *vt* coordonner; *(palabras)* aligner

copa *nf (vaso)* verre *m* (à pied); *(contenido)* verre *m*; *(de árbol)* cime *f*; *(de sombrero)* calotte *f*; *(premio)* coupe *f*; **ir de copas** sortir prendre un verre; **de c. (alta)** haut de forme; **copas** = l'une des quatre couleurs du jeu de cartes espagnol

copar *vt (acaparar)* accaparer

Copenhague *n* Copenhague

copeo *nm* **ir de c.** faire la tournée des bars

copete *nm (de ave)* huppe *f*; *(de pelo)* houppe *f*; **de alto c.** huppé(e)

copetín *nm Am* cocktail *m*

copia *nf (reproducción, acción)* copie *f*; *(de foto)* épreuve *f*; *Fig* **ser una c. de alguien** être tout le portrait de qn ☆ *Informát* **c. de seguridad** copie de sauvegarde

copiar *vt & vi* copier

copiloto *nmf* copilote *mf*

copión, -ona *nm,f* copieur(euse) *m,f*

copioso, -a *adj (comida)* copieux

(euse); *(lluvia, cabellera)* abondant(e)

copla *nf (canción)* chanson *f* populaire; *(estrofa)* couplet *m*

copo *nm* flocon *m*

copropiedad *nf* copropriété *f*

copropietario, -a *nm,f* copropriétaire *mf*

copular *vi* copuler

copulativo, -a *adj* copulatif(ive)

coquetear *vi (tratar de agradar)* minauder; *(flirtear)* jouer les aguicheurs(euses)

coqueto, -a *adj (presumido, bonito)* coquet(ette); *(que flirtea)* aguicheur(euse)

coraje *nm (valor)* courage *m*; **dar c. a alguien** *(rabia)* mettre qn en colère

coral 1 *adj (música)* choral(e)
  2 *nm (de mar)* corail *m*
  3 *nf (coro)* chorale *f*; *(composición)* choral *m*

Corán *nm* **el C.** le Coran

coraza *nf (protección)* carapace *f*; *(de soldado)* cuirasse *f*

corazón *nm* cœur *m*; *(valor, energía)* courage *m*; *(dedo)* majeur *m*; **no tener c.** ne pas avoir de cœur, être sans cœur; **tener buen c.** avoir bon cœur; **de (todo) c.** de tout cœur

corazonada *nf (intuición)* pressentiment *m*; *(impulso)* coup *m* de tête

corbata *nf* cravate *f*

corbeta *nf Náut* corvette *f*

Córcega *n* la Corse

corchea *nf Mús* croche *f*

corchete *nm (de broche)* agrafe *f*; *(a presión)* bouton-pression *m*; *(signo ortográfico)* crochet *m*

corcho *nm (material)* liège *m*; *(tapón)* bouchon *m*

córcholis *interj* nom d'une pipe!

cordel *nm* ficelle *f*

cordero, -a *nm,f también Fig* agneau *m*, agnelle *f*

cordial *adj* cordial(e)

cordialidad *nf* cordialité *f*

cordillera *nf* chaîne *f* (de montagnes); *(andina)* cordillère *f*

Córdoba *n* Cordoue

cordón *nm (cuerda)* cordon *m*; *(de zapatos)* lacet *m*; *(cable eléctrico)* fil *m*; *Am (de la vereda)* bord *m* du trottoir ☆ **c. umbilical** cordon ombilical

cordura *nf (juicio)* raison *f*; *(prudencia)* sagesse *f*

Corea *n* la Corée; **C. del Norte/Sur** la Corée du Nord/Sud

corear *vt (canción)* reprendre en chœur; *(decisiones)* approuver

coreografía *nf* chorégraphie *f*

coreógrafo, -a *nm,f* chorégraphe *mf*

corista 1 *nmf* choriste *mf*
  2 *nf (bailarina)* girl *f*

cormorán *nm* cormoran *m*

cornada *nf* coup *m* de corne

cornamenta *nf (de toro)* cornes *fpl*; *(de ciervo)* bois *mpl*; *Fam (del cónyuge engañado)* cornes *fpl*

córnea *nf* cornée *f*

corneja *nf* corneille *f*

córner *(pl* **córners)** *nm* corner *m*

corneta 1 *nf (instrumento)* cornet *m*
  2 *nmf (instrumentista)* cornettiste *mf*

cornisa *nf* corniche *f*

cornudo, -a *Fam Fig* **1** *adj (cónyuge)* cocu(e)
  2 *nm,f* cocu(e) *m,f*

coro *nm* chœur *m*; **a c.** en chœur

corona *nf* couronne *f*; *(de santos)* auréole *f*; **c. fúnebre/de laurel** couronne mortuaire/de lauriers

coronación *nf también Fig* couronnement *m*

coronar *vt* couronner; *Fig (cumbre)* atteindre

coronel *nm* colonel *m*

coronilla *nf* sommet *m* du crâne; *Fig*

estar hasta la c. en avoir par-dessus la tête

corpiño *nm (vestido)* bustier *m*; *Arg (sostén)* soutien-gorge *m*

corporación *nf* corporation *f* ☆ *corporaciones locales* municipalités *fpl*

corporal *adj* corporel(elle)

corporativo, -a *adj* corporatif(ive)

corpóreo, -a *adj* corporel(elle)

corpulencia *nf* corpulence *f*

corpulento, -a *adj* corpulent(e)

corral *nm (para los animales)* cour *f* (de ferme); *(para aves)* basse-cour *f*

correa *nf (tira)* & *Tec* courroie *f*; *(de reloj)* bracelet *m*; *(de perro)* laisse *f*; *(de bolso)* anse *f*; *(cinturón)* ceinture *f*

corrección *nf* correction *f*; **con toda c.** parfaitement ☆ *c. de pruebas* correction d'épreuves

correccional *nm* maison *f* de redressement

correctivo, -a 1 *adj* correctif(ive) **2** *nm* punition *f*; **aplicar un c. a alguien** infliger une punition à qn

correcto, -a *adj* correct(e)

corrector, -ora *adj* & *nm,f* correcteur(trice) *m,f* ☆ *Informát c. ortográfico* correcteur orthographique; *c. de pruebas* correcteur (d'épreuves)

corredor, -ora 1 *nm,f (deportista)* coureur(euse) *m,f*; *(intermediario)* courtier(ère) *m,f* ☆ *c. de bolsa o de comercio* agent *m* de change **2** *nm (pasillo)* corridor *m*

corregir [55] **1** *vt* corriger **2 corregirse** *vpr* se corriger

correlación *nf* corrélation *f*

correlativo, -a *adj (en relación)* corrélatif(ive); *(en consecución)* consécutif(ive)

correo 1 *nm (correspondencia)* courrier *m*; *(servicio)* poste *f*; **a vuelta de c.** par retour du courrier; **echar al c.** poster; **c. certificado** courrier re-

commandé; **Correos** la poste ☆ *c. comercial* prospectus *m*; *c. electrónico* courrier électronique **2** *adj* postal(e)

correoso, -a *adj (sustancia)* caoutchouteux(euse); *(pan)* mou (molle); *(carne, persona)* coriace

correr 1 *vi* courir; *(ir deprisa)* aller vite; *(vehículo)* rouler vite; *(pasar) (río, agua del grifo)* couler; *(tiempo, horas)* passer; *(propagarse) (suceso, noticia)* se propager; **a todo c.** à toute vitesse; **c. con** *(gastos)* prendre à sa charge; **c. a cargo de** être à la charge de **2** *vt (distancia)* courir; *(mesa, silla)* pousser; *(cortinas)* tirer; *(aventuras, vicisitudes)* connaître; *(riesgo)* courir; *Am muy Fam (despedir)* renvoyer **3 correrse** *vpr (desplazarse) (persona)* se pousser; *(cosa)* glisser; *(pintura, colores)* couler; *Vulg (tener un orgasmo)* jouir

correría *nf* escapade *f*

correspondencia *nf (relación)* rapport *m*; *(entre estaciones, personas)* correspondance *f*; *(correo)* courrier *m*; **mantener una c. con alguien** entretenir une correspondance avec qn

corresponder 1 *vi (pertenecer, coincidir)* correspondre (**con** à); **me lo ofreció para corresponderme** il me l'a offert pour me remercier; **te corresponde a ti hacerlo** *(te toca)* c'est à toi de le faire; **le corresponde la herencia** l'héritage lui revient **2** *vt (a un sentimiento, favor)* rendre; **él la quiere y ella le corresponde** il l'aime et elle le lui rend bien **3 corresponderse** *vpr* correspondre; **corresponderse en el amor** s'aimer

correspondiente *adj* correspondant(e)

corresponsal *nmf (de prensa)* correspondant(e) *m,f*

corretear vi *(correr) (niños)* galoper; *(ratones)* trotter; *Fam (vagar)* traîner

correveidile nmf rapporteur(euse) m,f

corrida nf *Taurom* corrida f

corrido: de corrido adv *(de memoria)* par cœur; *(de una vez)* d'un trait

corriente 1 adj courant(e); *(normal, común)* ordinaire **2** nm **estar al c. de** *(pagos)* être à jour pour; *(noticias)* être au courant de **3** nf courant m; **ir contra c.** aller à contre-courant ☆ **c. alterna** courant alternatif; **c. continua** courant continu

corro nm *(círculo)* cercle m; *(baile)* ronde f; **en c.** en rond; *Fin (en Bolsa)* corbeille f; **hacer (un) c.** alrededor de former un cercle autour de; **jugar al c.** faire la ronde

corroborar vt corroborer

corroer [57] vt corroder; *Fig (consumir)* ronger

corromper 1 vt corrompre **2 corromperse** vpr *(pudrirse)* pourrir; *(pervertirse)* se corrompre

corrosivo, -a adj *(que desgasta)* corrosif(ive); *(mordaz)* décapant(e)

corrupción nf corruption f ☆ **c. de menores** détournement m de mineur

corrusco nm quignon m de pain

corsario, -a 1 adj de corsaires **2** nm *(legal)* corsaire m; *(ilegal)* pirate m

corsé nm corset m

cortacésped *(pl* **cortacéspedes**) nm tondeuse f à gazon

cortado, -a adj **1** *(labios, manos)* gercé(e); *(nata, leche)* tourné(e); *Fam Fig (avergonzado)* timide; **quedarse c.** être décontenancé(e) **2** nm noisette f *(café)*

cortafuego nm coupe-feu m inv

cortante adj *(afilado)* coupant(e); *Fig (tajante)* cassant(e); *(viento)* cinglant(e); *(frío)* glacial(e)

cortapisa nf entrave f; **poner cortapisas a alguien** mettre des bâtons dans les roues à qn

cortar 1 vt couper; *(el césped)* tondre; *(tela)* tailler; *(labios, piel)* gercer; *(conversación)* interrompre; *(leche)* faire tourner; *(gastos)* réduire; *(poner fin a) (beca, subvención)* supprimer; *(abusos, hemorragia)* arrêter; *RP (comunicación)* couper; *Fig (avergonzar)* gêner; **se cortó la comunicación** on a été coupés; **me corta su seriedad** sa gravité me met mal à l'aise; *Fig* **c. por lo sano** couper dans le vif; *Informát* **c. y pegar** couper-coller **2** vi couper; *Fam (cesar una relación)* rompre **3 cortarse** vpr se couper; *(labios, piel)* se gercer; *(alimento) (leche)* tourner; *(mayonesa)* ne pas prendre; *Fig (turbarse)* se troubler

cortaúñas nm inv coupe-ongles m inv

corte 1 nm *(raja) (en papel, tela)* déchirure f; *(en la piel)* entaille f; *(de pelo, prenda, esquema)* coupe f; *(herida, pausa, interrupción)* coupure f; *(de tela)* coupon m; *(estilo de una obra)* ton m; *(del cuchillo)* fil m; *Fam (respuesta ingeniosa)* gifle f; *Fam (vergüenza)* honte f; **me da c. salir a la calle** j'ai honte de sortir ☆ **c. y confección** confection f; **c. de mangas** bras m d'honneur **2** nf *(palacio)* cour f; **las Cortes** = le Parlement espagnol

cortejar vt courtiser

cortejo nm cortège m ☆ **c. fúnebre** cortège funèbre

cortés *(pl* **corteses**) adj courtois(e)

cortesía nf *(modales)* politesse f; *(favor)* gentillesse f; **de c.** de politesse; **el aperitivo es c. de la casa** *(regalo)* l'apéritif vous est offert par la maison

corteza *nf (del árbol)* écorce *f*; *(de pan, queso)* croûte *f*; *Anat* cortex *m* ☆ *c. terrestre* croûte terrestre

cortijo *nm* ferme *f* (andalouse)

cortina *nf* rideau *m* ☆ *Fig c. de humo* écran *m* de fumée

cortisona *nf* cortisone *f*

corto, -a **1** *adj (en extensión, tiempo)* court(e); **una corta espera** une brève attente; *Fig* **c. (de alcances)** simplet (ette); **quedarse c.** *(al calcular)* voir trop juste; *(al relatar)* être en deçà de la vérité; **ni c. ni perezoso** sans faire ni une ni deux
    2 *nm (cortometraje)* court-métrage *m*

cortocircuito *nm* court-circuit *m*

cortometraje *nm* court-métrage *m*

cosa *nf* chose *f*; **poca c.** pas grand-chose; **cosas** *(pertenencias)* affaires *fpl*; *(instrumentos)* matériel *m*; **cosas de coser** nécessaire *m* de couture; **¡qué cosas tienes!** tu as de ces idées!; **como quien no quiere la c.** mine de rien; **como si tal c.** comme si de rien n'était; **eso es c. mía** c'est moi que ça regarde; **c. de** environ, quelque chose comme; **tuvimos que esperar c. de diez minutos** on a dû attendre environ *ou* quelque chose comme dix minutes; **o c. así** à peu près

coscorrón *nm* coup *m* sur la tête; **darse un c.** se cogner la tête

cosecha *nf* récolte *f*; *(de cereales)* moisson *f*; *Fig* **de su (propia) c.** de son cru

cosechar **1** *vt* récolter; *(cereales)* moissonner; *Fig (éxito)* obtenir
    2 *vi* faire la récolte; *(de cereales)* moissonner

coseno *nm* cosinus *m*

coser **1** *vt (con hilo)* coudre; **ser cosa de c. y cantar** être simple comme bonjour
    2 *vi* coudre

cosmético, -a **1** *adj* cosmétique
    2 *nm* cosmétique *m*

    3 *nf* **cosmética** élaboration *f* de cosmétiques

cósmico, -a *adj* cosmique

cosmopolita *adj* cosmopolite

cosmos *nm* cosmos *m*

coso *nm Taurom (plaza)* arènes *fpl*; *CSur (chisme)* truc *m*

cosquillas *nfpl* chatouilles *fpl*; **hacer c.** chatouiller, faire des chatouilles; **tengo c.** ça me chatouille; *Fig* **buscarle las c. a alguien** asticoter qn

cosquilleo *nm (agradable)* chatouillement *m*; *Fig (desagradable)* frisson *m*

costa *nf* côte *f*; **a c. de** *(a expensas de)* aux dépens de; *(a fuerza de)* au prix de; **a toda c.** à tout prix ☆ *la C. Brava* la Costa Brava; *C. de Marfil* la Côte d'Ivoire; *la C. del Sol* la Costa del Sol

costado *nm* flanc *m*; **dormir de c.** dormir sur le côté

costal *nm (saco)* sac *m (de jute)*

costanera *nf CSur* bord *m* de mer

costar [63] **1** *vt* coûter; *(tiempo)* prendre; **c. trabajo** être dur(e) *ou* difficile; **cueste lo que cueste** coûte que coûte
    2 *vi* coûter; **me cuesta mucho levantarme temprano** j'ai beaucoup de mal à me lever tôt

Costa Rica *n* le Costa Rica

costarricense **1** *adj* costaricain(e)
    2 *nmf* Costaricain(e) *m,f*

coste *nm* coût *m*; **c. de la vida** coût de la vie

costear *vt (pagar)* payer, financer; *(rentabilizar)* couvrir

costero, -a **1** *adj* côtier(ère)
    2 *nf Méx* promenade *f* de bord de mer

costilla *nf (de persona)* côte *f*; *(de animal)* côtelette *f*; *Fam Fig (cónyuge)* moitié *f*

costo *nm (coste)* coût *m*; *Fam (hachís)* haschm

costoso, -a *adj (precio)* coûteux (euse); *Fig (trabajo)* pénible; *(triunfo)* difficile

costra *nf* croûte *f*

costumbre *nf (hábito)* habitude *f*; *(práctica)* coutume *f*

costumbrismo *nm* peinture *f* des mœurs

costura *nf* couture *f* ☆ **alta c.** haute couture

costurera *nf* couturière *f*

costurero *nm* corbeille *f* à ouvrage

cota *nf (altura, nivel)* cote *f*; *(jubón)* cotte *f* ☆ **c. de mallas** cotte de mailles

cotarro *nm* **alborotar el c.** mettre la pagaille; **dirigir el c.** faire la loi

cotejar *vt* confronter *(comparer)*

cotejo *nm* confrontation *f*

cotidiano, -a *adj* quotidien(enne)

cotilla **1** *adj* cancanier(ère)
 2 *nmf Fam* commère *f*

cotillear *vi Fam* cancaner

cotilleo *nm Fam* potin *m*; **le encanta el c.** elle adore cancaner

cotillón *nm* cotillon *m*; **artículos de c.** cotillons

cotización *nf (precio) (de producto)* prix *m*; *(en Bolsa)* cours *m*; *(a la seguridad social)* cotisation *f*

cotizar [14] **1** *vt (valorar)* estimer
 2 *vi (pagar)* cotiser; *(en Bolsa)* être coté(e)
 3 cotizarse *vpr (bonos, valores)* être coté(e) (**a** à); *(valorarse)* être apprécié(e)

coto *nm (terreno)* réserve *f*; **poner c. a** *(impedir algo)* mettre le holà à ☆ **c. de caza** chasse *f* gardée

cotorra *nf (ave)* perruche *f*; *Fam Fig (persona)* pie *f*; **hablar como una c.** être bavard(e) comme une pie

COU *nm (abrev* **curso de orientación universitaria)** = année de préparation à l'entrée à l'université, ≃ terminale *f*

country ['kauntri] *nm Arg* = ensemble de résidences secondaires pour riches citadins, sous la surveillance de vigiles

coxis = **cóccix**

coyote *nm* coyote *m*

coyuntura *nf (situación)* conjoncture *f*; *(oportunidad)* occasion *f*

coyuntural *adj* conjoncturel(elle)

coz *nf* coup *m* de sabot

crack *(pl* **cracks)** *nm inv (droga)* crack *m*; *(persona muy competente)* crack *m*, as *m*

cráneo *nm* crâne *m*; **ir de c.** *(estar en un aprieto)* ne pas s'en sortir

crápula **1** *nm* débauché *m*
 2 *nf* débauche *f*

cráter *nm* cratère *m*

creación *nf* création *f*

creador, -ora *adj & nm,f* créateur (trice) *m,f*

crear *vt* créer; *(desorden, descontento)* provoquer

creatividad *nf* créativité *f*

creativo, -a *adj & nm,f* créatif(ive) *m,f*

crecer [46] **1** *vi (niños, sentimientos)* grandir; *(plantas, cabello)* pousser; *(aumentar)* augmenter, croître; *(días, noches)* allonger; *(río)* grossir; *(luna)* croître
 2 crecerse *vpr* prendre de l'assurance

creces: con creces *adv* largement

crecido, -a **1** *adj (cantidad, niño)* grand(e)
 2 *nf* **crecida** crue *f*

creciente *adj* croissant(e)

crecimiento *nm* croissance *f*; *(de precios)* augmentation *f* ☆ **c. sostenible** croissance durable

credencial *nf (pase)* laissez-passer *m inv*; **credenciales** lettres *fpl* de créance

credibilidad *nf* crédibilité *f*

crédito *nm* crédit *m*; *(confianza)*

confiance f; (en universidad) = unité d'enseignement équivalant à dix heures de cours; **a c.** à crédit; **c. al consumo** crédit à la consommation; **dar c. a una cosa** croire qch

credo nm también Fig credo m

crédulo, -a adj crédule

creencia nf (de fe) croyance f; (de opinión) conviction f

creer [37] **1** vt croire; **¡ya lo creo!** un peu!
2 vi **c. en** croire en
3 creerse vpr (considerarse) se croire; (dar por cierto) croire; **¿quién se cree que es?** pour qui se prend-il?

creíble adj crédible

creído, -a nm,f prétentieux(euse) m,f

crema nf crème f; **c. para zapatos** cirage m; **color c.** crème inv

cremación nf crémation f

cremallera nf (para cerrar) fermeture f Éclair®; Tec crémaillère f

crematístico, -a adj financier(ère)

crematorio, -a 1 adj crématoire
2 nm crématorium m

cremoso, -a adj crémeux(euse)

crepe [krep] nf crêpe f

crepitar vi crépiter

crepúsculo nm también Fig crépuscule m

crespo, -a adj crépu(e)

cresta nf crête f

Creta n la Crète

cretino, -a nm,f crétin(e) m,f

creyente nmf croyant(e) m,f

cría ver crío

criadero nm (de plantas) pépinière f; (de animales) élevage m

criadillas nfpl = testicules d'animal (taureau par exemple) utilisés en cuisine

criado, -a 1 adj élevé(e); **mal c.** mal élevé
2 nm,f domestique mf

criador, -ora 1 adj producteur (trice)
2 nm,f éleveur(euse) m,f

crianza nf (de bebé) allaitement m; (de animales, del vino) élevage m; (educación) éducation f

criar [32] **1** vt (amamantar) allaiter; (cuidar) (animales, niños) élever; (plantas) cultiver
2 criarse vpr (crecer) grandir; (reproducirse) se reproduire

criatura nf (niño) enfant m; (bebé) nourrisson m; (ser vivo) créature f

criba nf (tamiz) crible m; Fig (selección) passage m au crible

cricket = críquet

crimen nm crime m

criminal adj & nmf criminel(elle) m,f

crin nf (material) crin m; (de caballo) crinière f

crío, -a 1 nm,f gamin(e) m,f
2 nf **cría** (hijo del animal) petit m; (crianza) (de animales) élevage m; (de plantas) culture f

criollo, -a 1 adj créole
2 nm,f Créole mf

cripta nf crypte f

críptico, -a adj (persona, actitud) énigmatique; (mensaje) codé(e)

críquet nm cricket m

crisantemo nm chrysanthème m

crisis nf inv crise f; (escasez) pénurie f

crisma nf Fam **romperle la c. a alguien** (la cabeza) casser la figure à qn

crismas nm carte f de vœux

crispar 1 vt crisper; **c. los nervios a alguien** taper sur les nerfs à qn
2 crisparse vpr se crisper

cristal nm (vidrio) verre m; (vidrio fino) cristal m; (de ventana) vitre f, carreau m

cristalera nf (puerta) porte f vitrée; (ventana) baie f vitrée

cristalería nf (objetos) verrerie f; (juego de vasos) service m en cristal;

(fábrica, tienda) vitrerie *f*; **ir a la c.** aller chez le vitrier

cristalino, -a 1 *adj* cristallin(e) **2** *nm* cristallin *m*

cristalizar [14] *vi (sustancia)* cristalliser; *(asunto, plan)* se concrétiser

cristiandad *nf* chrétienté *f*

cristianismo *nm (religión)* christianisme *m*; *(fieles)* chrétienté *f*

cristiano, -a 1 *adj & nm,f* chrétien(enne) *m,f* **2** *nm Fam Fig* **hablar en c.** *(en castellano)* ≃ parler français; *(en lenguaje comprensible)* parler clairement

cristo *nm* christ *m*; **C.** Christ *m*; *Fam* **se armó un c.** il y a eu du pétard

criterio *nm (norma)* critère *m*; *(juicio)* discernement *m*; *(opinión)* avis *m*

crítica *ver* **crítico**

criticar [59] *vt* critiquer

crítico, -a 1 *adj & nm,f* critique *mf* **2** *nf* **crítica** critique *f*

criticón, -ona *adj & nm,f* critiqueur (euse) *m,f*

Croacia *n* la Croatie

croar *vi* coasser

croata 1 *adj* croate **2** *nmf* Croate *mf*

croissant [krwasan] *(pl* **croissants)** *nm* croissant *m*

crol *nm* crawl *m*; **nadar a c.** nager le crawl

cromado *adj* chromé(e)

cromo *nm (metal)* chrome *m*; *(estampa)* image *f*

cromosoma *nm* chromosome *m*

crónico, -a 1 *adj* chronique **2** *nf* **crónica** chronique *f*

cronista *nmf* chroniqueur(euse) *m,f*

cronología *nf* chronologie *f*

cronometrar *vt* chronométrer

cronómetro *nm* chronomètre *m*

croqueta *nf* croquette *f*

croquis *nm inv* croquis *m*

cross *nm inv* cross *m inv*

cruce 1 *ver* **cruzar** **2** *nm* croisement *m*; *(de carreteras, calles)* carrefour *m*; *(de teléfono)* interférence *f*; *(de electricidad)* court-circuit *m*

crucero *nm (viaje)* croisière *f*; *(de iglesia)* croisée *f* du transept

crucial *adj* crucial(e)

crucificar [59] *vt* crucifier; *Fig (perjudicar)* causer un tort irréparable à

crucifijo *nm* crucifix *m*

crucifixión *nf* crucifixion *f*

crucigrama *nm* mots croisés *mpl*

crudeza *nf (del tiempo)* rigueur *f*; *(de descripción)* crudité *f*; *(de la verdad, realidad)* dureté *f*

crudo, -a 1 *adj* cru(e); *(tiempo)* rude, rigoureux(euse); **es la cruda realidad** c'est la dure réalité; **de forma cruda** crûment; **de color c.** écru(e) **2** *nm* pétrole *m* brut, brut *m*

cruel *adj* cruel(elle)

crueldad *nf* cruauté *f*

cruento, -a *adj* sanglant(e)

crujido *nm* craquement *m*

crujiente *adj* craquant(e); *(pan, patatas fritas)* croustillant(e)

crujir *vi* craquer

crupier *nm* croupier *m*

cruz *nf* croix *f*; *(de moneda)* pile *f*; *(de ramas)* fourche *f*; *Fig (aflicción) (persona)* poids *m*; *(actividad)* calvaire *m*; **hacer c. y raya** *(con un asunto)* tourner la page; *(con una persona)* couper les ponts ☆ **la C. Roja** la Croix-Rouge

cruza *nf Am* croisement *m*

cruzado, -a *adj* croisé(e); *(atravesado)* en travers (**en** de)

cruzar [14] **1** *vt (poner en cruz, emparejar)* croiser; *(poner de través)* mettre en travers; *(calle)* traverser; *(palabras)* échanger **2 cruzarse** *vpr* **cruzarse con alguien**

croiser qn; **me crucé con ella** je l'ai croisée; **cruzarse de brazos/piernas** croiser les bras/les jambes

CSIC nm *(abrev* **Consejo Superior de Investigaciones Científicas)** = conseil supérieur de la recherche scientifique en Espagne, ≃ CNRS *m*

cta. *(abrev* **cuenta)** compte *m*

cuaderno *nm* cahier *m*

cuadra *nf (de caballos)* écurie *f*; *Am (manzana)* pâté *m* de maisons

cuadrado, -a 1 *adj* carré(e); *Fam* **estar c.** être costaud
2 *nm* carré *m*

cuadrangular *adj* quadrangulaire

cuadrar 1 *vi (información, hechos)* concorder; *(números, cuentas)* tomber juste; *(venir a medida)* convenir; **su confesión no cuadra con la declaración** ses aveux ne concordent pas avec sa déclaration; **le cuadra ese trabajo** ce travail lui convient parfaitement
2 cuadrarse *vpr Mil* se mettre au garde-à-vous

cuadrícula *nf* quadrillage *m*

cuadrilátero *nm (figura)* quadrilatère *m*; *(en boxeo)* ring *m*

cuadrilla *nf (de amigos, maleantes)* bande *f*; *(de trabajadores)* équipe *f*; *(de torero)* = équipe qui assiste le matador

cuadro *nm (pintura)* tableau *m*; *(escena)* spectacle *m*; *(figura)* carré *m*; *(de bicicleta)* cadre *m*; **a cuadros** *(tela)* à carreaux; **el c. de dirigentes** la direction ☆ **c. sinóptico** tableau synoptique

cuádruplo *nm* quadruple *m*

cuajada *nf* lait *m* caillé

cuajar 1 *vt (leche)* cailler; *(sangre)* coaguler
2 *vi (lograrse) (proyecto, acción)* aboutir; *(acuerdo)* être conclu(e); *(gustar) (moda)* prendre; *(nieve)* tenir
3 cuajarse *vpr (leche)* cailler; *(flan,*

hielo) prendre; *(sangre)* coaguler; **se le cuajaron los ojos de lágrimas** ses yeux se sont emplis de larmes

cuajo *nm (fermento)* présure *f*; **de c.** complètement; **arrancar de c.** *(árbol)* déraciner; *(pie, mano)* arracher

cual *pron relativo* **el/la c.** lequel/laquelle; **llamé a Juan, el c. dormía** j'ai appelé Juan, qui dormait; **al/a la c.** auquel/à laquelle; **la película a la c. hago referencia** le film auquel je fais référence; **Ana, a la c. veo a menudo...** Ana, que je vois souvent...; **del c., de la c.** dont; **el libro/el amigo del c. te hablé** le livre/l'ami dont je t'ai parlé; **lo c.** *(sujeto)* ce qui; *(complemento)* ce que; **está muy enfadada, lo c. entiendo perfectamente** elle est très fâchée, ce que je comprends parfaitement; **sea c. sea** quel (quelle) que soit; **sea c. sea el resultado** quel que soit le résultat

cuál *pron (interrogativo)* quel (quelle); *(especificando)* lequel (laquelle); **¿c. es la diferencia?** quelle est la différence?; **¿c. prefieres?** laquelle préfères-tu?; **no sé cuáles son mejores** je ne sais pas lesquels sont les meilleurs

cualidad *nf* qualité *f*

cualificado, -a *adj* qualifié(e)

cualitativo, -a *adj* qualitatif(ive)

cualquiera *(pl* **cualesquiera)**

> On utilise **cualquier** devant un nom singulier.

1 *adj* **(a)** *(indiferente) (antes de sustantivo)* n'importe quel (quelle); **cualquier día vendré a visitarte** un de ces jours, je viendrai te rendre visite; **en cualquier momento** n'importe quand; **en cualquier lugar** n'importe où
(b) *(ordinario) (después de sustantivo)* quelconque; **un sitio c.** un endroit quelconque
2 *pron* n'importe qui; **c. te lo dirá** n'importe qui te le dira; **c. que**

(persona) quiconque; *(cosa)* quel (quelle) que; **c. que te viera se reiría** quiconque te verrait rirait; **c. que sea la razón** quelle que soit la raison
  3 *nmf* moins *mf* que rien
  4 *nf Fam* traînée *f*
cuan *adv* **se desplomó c. largo era** il est tombé de tout son long
cuando 1 *adv* **mañana es c. me voy de vacaciones** c'est demain que je pars en vacances; **de c. en c., de vez en c.** de temps en temps
  2 *conj (de tiempo)* quand, lorsque; *(si)* si; **c. llegué a París** quand *ou* lorsque je suis arrivé à Paris; **c. tú lo dices será verdad** si c'est toi qui le dis, ça doit être vrai
cuándo 1 *adv* quand; **¿c. vienes?** quand viens-tu?; **le pregunté c. se iba** je lui ai demandé quand il partait
  2 *nm* **ignora el cómo y el c. de la operación** il ignore comment et quand se déroulera l'opération
cuantía *nf (cantidad)* quantité *f*; *(importe)* montant *m*
cuántico, -a *adj Fís* quantique; **mecánica cuántica** mécanique quantique
cuantificar [59] *vt* quantifier
cuantitativo, -a *adj* quantitatif(ive)
cuanto, -a 1 *adj (todo)* tout (toute) le (la); **despilfarra c. dinero gana** il gaspille tout l'argent qu'il gagne; **cuantas más mentiras digas, menos te creerán** plus tu raconteras de mensonges, moins on te croira
  2 *pron relativo (todo lo que)* tout ce que; **comprendo c. dice** je comprends tout ce qu'il dit; **come c. quieras** mange autant que tu voudras; **c. más se tiene, más se quiere** plus on en a, plus on en veut
  3 *adv (compara cantidades)* **c. más gordo está, más come** plus il est gros, plus il mange; **c. antes** le plus vite possible, dès que possible; **c. antes empecemos, antes acabaremos** plus vite nous commencerons, plus vite

nous finirons; **en c.** dès que + *indicativo*; **en c.** a en ce qui concerne; **en c. a tu petición** en ce qui concerne ta demande
cuánto, -a 1 *adj (interrogativo)* combien de; *(exclamativo)* que de; **¿c. pan quieres?** combien de pain veux-tu?; **no sé cuántos invitados había** je ne sais pas combien il y avait d'invités; **¡cuánta gente había!** que de gens il y avait là!; **¡cuántos libros tienes!** tu en as des livres!
  2 *pron (interrogativo)* combien; *(exclamativo)* comme; **¿c. quieres?** combien en veux-tu?; **me gustaría saber c. te costará** j'aimerais savoir combien ça va te coûter; **¡c. han cambiado las cosas!** comme les choses ont changé!; **¡c. me gusta este cuadro!** que j'aime ce tableau!
cuantos, -as *pron relativo pl (sujeto)* tous (toutes) ceux (celles) qui; *(complemento)* tous (toutes) ceux (celles) que; **dio las gracias a todos c. le ayudaron** il remercia tous ceux qui l'avaient aidé; **me gustaron cuantas vi** toutes celles que j'ai vues m'ont plu; **unos c.** quelques
cuántos, -as *pron pl* combien; **¿c. son?** combien sont-ils?; **dime cuántas quieres** dis-moi combien tu en veux; **¡c. quisieran conocerte!** combien aimeraient te connaître!
cuarenta *nm inv* quarante *m inv*; *Fam Fig* **cantar a alguien las c.** dire ses quatre vérités à qn; *ver también* **sesenta**
cuarentena *nf* quarantaine *f*; **poner en c.** *(enfermo)* mettre en quarantaine; *(noticia)* attendre pour divulguer
cuaresma *nf* carême *m*
cuartear *vt (partir en cuartos) (fruta)* couper en quartiers; *(res)* dépecer; *(agrietar)* crevasser
cuartel *nm Mil* caserne *f*; *Fig* **¡guerra sin c.!** pas de quartier!

cuartelazo *nm* putsch *m*

cuartelillo *nm (de la guardia civil)* poste *m*

cuarteto *nm* Mús quatuor *m*; *(de jazz)* quartette *m*

cuartilla *nf* feuille *f (de format A5)*

cuarto, -a **1** *adj num* quatrième; **una cuarta parte** un quart; *ver también* **sexto**

    2 *nm (parte)* quart *m*; *(sala)* pièce *f*; *(de dormir)* chambre *f*; *Fig* **ser tres cuartos de lo mismo** être du pareil au même; **cuartos** *(dinero)* sous *mpl* ☆ **c. de baño** salle *f* de bains; **c. creciente** premier quartier; **c. de estar** salle de séjour; **c. menguante** dernier quartier; *RP* **c. secreto** isoloir *m*

cuarzo *nm* quartz *m*

cuate, -a *nm,f* CAm, Méx Fam copain *m*, copine *f*

cuatrillizos, -as *nm,fpl* quadruplés (es) *m,fpl*

cuatrimestral *adj (en duración)* de quatre mois; **una revista c.** *(en frecuencia)* un magazine qui sort tous les quatre mois

cuatro **1** *adj num* quatre; *Fig* **c. fresones** *(pocos)* une poignée de fraises; *Fig* **parece que pasó hace c. días** on dirait que c'était hier; *Fam* **c. gatos** quatre pelés et un tondu; *Fig* **cayeron c. gotas** il est tombé quelques gouttes

    2 *nm inv* quatre *m inv*; *ver también* **seis**

cuatrocientos, -as *adj num inv* quatre cents; *ver también* **seiscientos**

Cuba *n* Cuba

cuba *nf* tonneau *m*; *Fig* **estar como una c.** être complètement rond(e)

cubalibre *nm* rhum-Coca *m*, Cuba-libre *m*

cubano, -a **1** *adj* cubain(e)
    2 *nm,f* Cubain(e) *m,f*

cubertería *nf* ménagère *f (couverts)*

cúbico, -a *adj* cubique; **metro c.** mètre cube

cubierto, -a **1** *participio ver* **cubrir**

    2 *adj* couvert(e); **estar/ponerse a c.** être/se mettre à l'abri

    3 *nm (para comer)* couvert *m*; *(comida)* menu *m*

    4 *nf* **cubierta** *(de libro)* couverture *f*; *(de neumático)* enveloppe *f*; *(de barco)* pont *m*

cubilete *nm* gobelet *m*

cubismo *nm* cubisme *m*

cubito *nm (de hielo)* glaçon *m*

cubo *nm (recipiente)* seau *m*; *(figura)* & Mat cube *m* ☆ **c. de (la) basura** poubelle *f*

cubrecama *nm* couvre-lit *m*

cubrir **1** *vt* couvrir; *(disimular)* cacher; *(puesto, vacante)* pourvoir; **c. sus necesidades** pourvoir à ses besoins

    2 cubrirse *vpr* se couvrir; **cubrirse de gloria** se couvrir de gloire

cucaña *nf* mât *m* de cocagne

cucaracha *nf* Zool cafard *m*

cuchara *nf (para comer)* cuillère *f*, cuiller *f*

cucharada *nf* cuillerée *f*

cucharilla *nf* petite cuillère *f*; *(en recetas de cocina)* cuillère *f* à café

cucharón *nm* louche *f*

cuchichear *vi* chuchoter

cuchilla *nf (hoja)* lame *f* ☆ **c. de afeitar** lame de rasoir

cuchillo *nm* couteau *m*

cuchitril *nm (vivienda)* taudis *m*; *(bar)* boui-boui *m*

cuclillas *nfpl* **en c.** accroupi(e); **ponerse en c.** s'accroupir

cuclillo *nm* coucou *m (oiseau)*

cuco, -a **1** *adj* Fam *(bonito)* mignon (onne); *(astuto)* futé(e)

    2 *nm* coucou *m (oiseau)*; **reloj de c.** coucou (suisse)

cucurucho *nm (de papel, barquillo)* cornet *m*; *(gorro)* cagoule *f (de penitent)*

cuello *nm (del cuerpo)* cou *m*; *(de*

objeto, prenda) col *m* ☆ *c. de botella* goulot *m*; *Fig (en carretera)* goulet *m*; *c. de cisne o vuelto* col roulé; *c. de pico* col en V

cuenca *nf (de río, región minera)* bassin *m*; *(del ojo)* orbite *f*

cuenco *nm (recipiente) (grande)* terrine *f*; *(redondo)* jatte *f*; *(pequeño)* ramequin *m*

cuenta 1 *ver* contar

2 *nf (acción de contar, de banco)* compte *m*; *(suma, división)* opération *f*; *(factura)* note *f*; *(de restaurante)* addition *f*; *(obligación, cuidado)* charge *f*; *(bolita) (de collar)* perle *f*; *(de rosario)* grain *m*; **echar cuentas** faire les comptes; **he perdido la c.** je ne sais plus où j'en suis; **me lo dijo tantas veces que perdí la c.** il me l'a dit je ne sais combien de fois; **abrir una c.** ouvrir un compte; **pagar a c.** verser un acompte; **los gastos corren de mi c.** je prends les frais à ma charge; **déjalo de mi c.** laisse-moi m'en occuper; **lo haré por mi c.** je le ferai moi-même; **a fin de cuentas** en fin de compte, tout compte fait; **ajustarle a alguien las cuentas** régler son compte à qn; **caer en la c.** comprendre; **darse c. de** se rendre compte de; **más de la c.** un peu trop; **tener en c. algo** tenir compte de qch ☆ *c. de ahorros* compte (d')épargne; *c. de ahorro vivienda* compte *ou* plan *m* d'épargne-logement; *c. atrás* compte à rebours; *c. bancaria* compte en banque *ou* bancaire; *c. de correo (electrónico)* adresse *f* électronique; *c. corriente* compte courant

cuentagotas *nm inv* compte-gouttes *m inv*; *Fig* **con c.** au compte-gouttes

cuentista *nmf (escritor)* conteur (euse) *m,f*; *(mentiroso)* menteur (euse) *m,f*

cuento *nm (fábula, narración)* conte *m*; *(mentira)* histoire *f*; **lo que me di-** ces es un c. tu me racontes des histoires; **eso no viene a c.** cela n'a rien à voir; **tener (mucho) c.** jouer la comédie; **vivir del c.** vivre sans rien faire ☆ *c. chino* histoire à dormir debout

cuerda *nf* corde *f*; *(de reloj)* ressort *m*; **dar c. a un reloj** remonter une montre; **habla como si le hubieran dado c.** il ne peut plus s'arrêter de parler; **tener mucha c., tener c. para rato** en avoir pour un moment ☆ *cuerdas vocales* cordes vocales

cuerdo, -a 1 *adj (sensato)* raisonnable, sage; **no estás muy c.** tu ne vas pas bien **2** *nm,f* sage *mf*

cueriza *nf Am Fam* trempe *f*

cuerno *nm* corne *f*; *Mús* trompe *f*; *Fam* **cuernos** cornes *fpl*; **ponerle los cuernos a alguien** faire qn cocu(e)

cuero *nm* cuir *m*; **en cueros, en cueros vivos** nu(e) comme un ver ☆ *c. cabelludo* cuir chevelu

cuerpo *nm* corps *m*; **de c. entero** *(retrato)* en pied; **de c. presente** sur son lit de mort; *Fig* **en c. y alma** corps et âme; **luchar c. a c.** lutter corps à corps; **tomar c.** prendre corps

cuervo *nm* corbeau *m*

cuesta 1 *ver* costar **2** *nf (pendiente)* côte *f*; **ir c. abajo** descendre (la côte); **ir c. arriba** monter (la côte); **llevar a cuestas** porter sur le dos; *Fig* **se le hizo c. arriba hacer este trabajo** ça lui a été pénible de faire ce travail

cuestión *nf (pregunta, asunto)* question *f*; **en c. de dinero** *(en materia de)* côté argent; **en c. de una hora** en une heure à peine

cuestionar *vt* remettre en question

cuestionario *nm* questionnaire *m*

cueva *nf* grotte *f*

cuicos *nmpl Méx Fam* flics *mpl*

cuidado 1 *nm (vigilancia)* attention *f*; *(esmero, atención)* soin *m*; **un**

genio de c. un sacré caractère ; **estar al c. de** s'occuper de ; **tener c. con** faire attention à ; *Fig* **eso me trae sin c.** je n'en ai rien à faire ☆ **cuidados intensivos** soins intensifs
  2 *interj* attention !

cuidadoso, -a *adj* soigneux(euse)

cuidar 1 *vt (vigilar)* garder ; *(ocuparse de)* s'occuper de ; *(mantener en buen estado)* prendre soin de
  2 *vi* **c. de** s'occuper de
  3 cuidarse *vpr* s'occuper de soi ; **se cuidó mucho de que no la vieran** elle a pris grand soin de ne pas être vue ; **¡cúidate!** porte-toi bien !

cuitlacoche *nm CAm, Méx* champignon *m* comestible

culata *nf* culasse *f*

culé *(pl* **culés)** *adj Dep Fam* = du Football Club de Barcelone

culebra *nf* couleuvre *f*

culebrón *nm TV* feuilleton *m* mélo

culinario, -a *adj* culinaire

culminación *nf* point *m* culminant

culminar 1 *vt* mettre un point final à
  2 *vi* culminer ; *Fig* s'achever (**con** par)

culo *nm (de personas)* derrière *m*, fesses *fpl* ; *(de objetos, líquido)* fond *m* ; *(de botella)* cul *m*

culpa *nf* faute *f* ; **tiene la c.** c'est de sa faute ; **echar la c. a alguien** rejeter la faute sur qn ; **por c. de** à cause de

culpabilidad *nf* culpabilité *f*

culpable 1 *adj* coupable ; **declarar c. a alguien** déclarer qn coupable ; **declararse c.** plaider coupable
  2 *nmf* coupable *mf* ; **tú eres el c.** c'est de ta faute

culpar *vt* **c. a alguien de algo** *(atribuir la culpa)* reprocher qch à qn ; *(acusar)* accuser qn de qch

cultismo *nm* mot *m* savant

cultivar 1 *vt* cultiver
  2 cultivarse *vpr* se cultiver

cultivo *nm* culture *f (des terres)*

culto, -a 1 *adj (persona)* cultivé(e) ; *(lengua)* soutenu(e)
  2 *nm* culte *m*

cultura *nf* culture *f*

cultural *adj* culturel(elle)

culturismo *nm Dep* musculation *f*, culturisme *m*

cumbia *nf* = danse d'origine colombienne, très populaire en Amérique latine

cumbre *nf (de montaña, punto culminante)* sommet *m* ; *Pol* conférence *f* au sommet ; **en el momento c. de su carrera** au faîte de sa carrière

cumpleaños *nm inv* anniversaire *m*

cumplido *nm (alabanza)* compliment *m* ; **sin cumplidos** sans façons

cumplidor, -ora *adj* sûr(e), digne de confiance

cumplimentar *vt (cumplir)* exécuter

cumplimiento *nm (de un deber)* accomplissement *m* ; *(de orden, contrato)* exécution *f* ; *(de ley, promesa)* respect *m* ; *(de plazo)* échéance *f*

cumplir 1 *vt (deber, misión)* accomplir ; *(orden, contrato)* exécuter ; *(promesa, palabra)* tenir ; *(ley)* respecter ; *(años)* avoir ; *(condena)* purger ; *(servicio militar)* faire ; **ha cumplido cuarenta años** il a fêté ses quarante ans
  2 *vi (plazo, garantía)* expirer ; *(persona)* faire son devoir ; **c. con alguien** s'acquitter de ses obligations envers qn ; **para** o **por c.** par courtoisie ; **c. con el deber** remplir son devoir ; **c. con la palabra** tenir parole

cúmulo *nm (de papeles, ropa)* tas *m* ; *(nube)* cumulus *m* ; *Fig (de asuntos, acontecimientos)* série *f*

cuna *nf también Fig* berceau *m*

cundir *vi (propagarse)* se répandre ; **cundió el pánico** ce fut la panique ; **esta semana me ha cundido mucho** *(me ha dado de sí)* j'ai bien rempli ma semaine ; **este jamón nos ha cundido**

mucho avec ce jambon, nous avons eu largement assez ; **me cunde más cuando estudio por la mañana** c'est le matin que je travaille le mieux

cuneta *nf (de carretera)* fossé *m*

cuña *nf (para sujetar)* cale *f*; *(para hender)* coin *m*; *(orinal)* urinal *m*; **hacer la c.** *(en esquí)* faire du chasse-neige ; *Am Fam* **tener c.** avoir du piston

cuñado, -a *nm,f* beau-frère *m*, belle-sœur *f*

cuño *nm* poinçon *m*

cuota *nf (contribución) (a entidad, club)* cotisation *f*; *(a Hacienda)* contribution *f*; *(precio, gasto)* frais *mpl*; *(cupo)* quote-part *f*; *Méx (entrada)* ticket *m*, billet *m*; *(peaje)* péage *m* ☆ **c. de mercado** part *f* de marché

cupé *nm* coupé *m*

cupido *nm Fig* coureur *m* de jupons

cupiera *ver* **caber**

cupo 1 *ver* **caber**

2 *nm (cantidad máxima) (de reclutas)* contingent *m*; *(de mercancías)* quota *m*; *(cantidad proporcional)* quote-part *f*

cupón *nm (de pedido, compra)* bon *m*; *(de lotería)* billet *m*; *(de acciones)* coupon *m*

cúpula *nf Arquit* coupole *f*; *(techo)* dôme *m*; *Fig* **la c.** *(los altos mandos)* les dirigeants *mpl*

cura 1 *nm* curé *m*

2 *nf (curación)* guérison *f*; *(tratamiento)* soin *m*

curación *nf* guérison *f*

curado, -a *adj (alimento)* sec (sèche); *(pescado)* salé(e); *(carne)* séché(e); **estoy c. de espanto** j'en ai vu d'autres

curandero, -a *nm,f* guérisseur (euse) *m,f*

curar 1 *vt (sanar)* guérir; *(alimento, material)* faire sécher

2 *vi* guérir

3 curarse *vpr* se soigner; *(sanar)* guérir; *(material, alimento)* sécher ; **curarse en salud** prendre ses précautions ; *Fig* parer à toute éventualité

curativo, -a *adj* curatif(ive)

curcuncho, -a *Andes* **1** *adj (jorobado)* bossu(e)

2 *nm (joroba)* bosse *f*; *(jorobado)* bossu *m*

curdo, -a 1 *adj* kurde

2 *nm,f* Kurde *mf*

curiosear 1 *vi* fouiner

2 *vt (libros, revistas)* parcourir

curiosidad *nf* curiosité *f*

curioso, -a *adj & nm,f* curieux(euse) *m,f*

curita *nf Am* pansement *m* adhésif

currante *adj & nmf Fam* bosseur (euse) *m,f*

currar *vi Fam* bosser

curre = **curro**

currelar = **currar**

currículum, currículo *(pl* **currícula** *o* **curriculums)** *nm* CV *m*, curriculum *m* ☆ **c. vitae** curriculum vitae

curro *nm Fam* boulot *m*

cursar *vt (estudiar)* faire des études de; *(enviar)* envoyer; *(órdenes, instrucciones)* donner; *(petición, solicitud)* présenter

cursi 1 *adj Fam (persona, modales)* snob; *(objeto, vestido)* cucul (la praline) *inv*

2 *nmf* bêcheur(euse) *m,f*

cursilería *nf (objeto)* objet *m* de mauvais goût; *(de objeto)* mauvais goût *m*; *(de persona)* manières *fpl*

cursillo *nm (curso)* stage *m*; *(conferencias)* cycle *m* de conférences

curso *nm* cours *m*; *(año académico)* année *f (scolaire ou universitaire)*; *(conjunto de estudiantes)* promotion *f*; **de c. legal** *(moneda)* ayant cours légal; **seguir su c.** suivre son cours; **en c.** en cours; **dar c. a algo** *(dar rienda suelta)* donner libre cours à qch

cursor nm Informát curseur m

curtido, -a 1 adj tanné(e)

   2 nm tannage m

curtiembre nf Andes, RP tannerie f

curtir 1 vt (piel) tanner; Fig (persona) aguerrir

   2 curtirse vpr (pieles) sécher; (persona) s'aguerrir

curva ver **curvo**

curvatura nf courbure f

curvo, -a 1 adj courbe

   2 nf **curva** courbe f; (de carretera) virage m; **las curvas** (del cuerpo) les formes fpl, les rondeurs fpl

cuscús nm inv couscous m

cúspide nf también Fig sommet m

custodia nf (vigilancia) garde f; Rel ostensoir m

custodiar vt (vigilar) garder; (proteger) veiller sur

cutáneo, -a adj cutané(e)

cúter nm (cuchilla) cutter m

cutícula nf cuticule f

cutis nm inv peau f (du visage)

cutre adj Fam (sucio, feo) miteux (euse), minable; (tacaño) radin(e)

cuyo, -a adj dont le (la); **ése es el señor c. hijo viste ayer** c'est le monsieur dont tu as vu le fils hier; **un equipo cuya principal estrella...** une équipe dont la vedette...; **el libro en cuya portada...** le livre sur la couverture duquel...; **esos son los amigos en cuya casa nos hospedamos** ce sont les amis chez qui nous avons logé

CV nm (abrev **currículum vitae**) CV m

D

D, d *nf (letra)* D *m inv*, d *m inv*
D. *(abrev* **don)** M.
dádiva *nf (regalo)* présent *m*; *(donativo)* don *m*
dado, -a 1 *adj* donné(e); **en un momento d.** à un moment donné; **ser d. a** *(sentir afición por)* être féru(e) de; *(sentir inclinación por)* être enclin(e) à; **d. que** étant donné que **2** *nm* dé *m*
daga *nf* dague *f*
daguerrotipo *nm* daguerréotype *m*
dale *interj* allez!, vas-y!
dalia *nf* dahlia *m*
dálmata *nmf (perro)* dalmatien (enne) *m,f*
daltónico, -a *adj & nm,f* daltonien (enne) *m,f*
daltonismo *nm* daltonisme *m*
dama *nf* dame *f*; **damas** dames *(jeu)* ☆ **d. de honor** *(de novia)* demoiselle *f* d'honneur; *(de reina)* dame d'honneur
damasco *nm Am (albaricoque)* abricot *m*
damisela *nf* donzelle *f*
damnificado, -a *adj & nm,f* sinistré(e) *m,f*
damnificar [59] *vt* endommager
dandi, dandy *nm* dandy *m*
danés, -esa 1 *adj* danois(e) **2** *nm,f* Danois(e) *m,f* **3** *nm (lengua)* danois *m*

danza *nf* danse *f*
danzar [14] *vi* danser; *Fig (ir de un sitio a otro)* avoir la bougeotte
danzón *nm (danza)* = danse cubaine, dérivée de la habanera; *(música)* = musique cubaine, dérivée de la habanera
dañar 1 *vt (cosechas)* endommager; *(vista)* abîmer; *Fig (reputación)* porter tort à **2 dañarse** *vpr (persona)* se faire mal; *(cosa)* s'abîmer
dañino, -a *adj (tabaco, alcohol)* nocif(ive); *(animal)* nuisible
daño *nm (dolor)* mal *m*; *(perjuicio)* dégât *m*, dommage *m*; **hacer(se) d.** (se) faire mal ☆ **daños y perjuicios** dommages et intérêts
dar [20] **1** *vt* **(a)** *(en general)* donner; **d. algo a alguien** donner qch à qn; **dame un caramelo** donne-moi un bonbon; **me dio un consejo/permiso para...** il m'a donné un conseil/la permission de...; **¿podrías darme un ejemplo?** pourrais-tu me donner un exemple?; **¿te gusta? te lo doy** ça te plaît? je te le donne; **esta fuente ya no da agua** cette source ne donne plus d'eau
  (b) *(producir) (beneficios, intereses)* rapporter
  (c) *(encender)* allumer; **todavía no nos han dado la luz/el agua** nous n'avons pas encore l'électricité/l'eau; **da la luz de la cocina** allume la lumière de la cuisine

(d) *(provocar)* faire; **d. gusto/miedo/pena** faire plaisir/peur/de la peine; **me da risa** ça me fait rire; **d. escalofríos** donner des frissons

(e) *(decir)* dire; **d. los buenos días** dire bonjour; **d. las gracias** dire merci, remercier

(f) *(película, programa)* passer; *(obra de teatro)* donner

(g) *(expresa acción)* **voy a d. un paseo** je vais me promener; **d. un grito** pousser un cri; **d. un empujón a alguien** bousculer qn

(h) *Fam (fastidiar)* **me dio la tarde con sus preguntas** il m'a enquiquinée tout l'après-midi avec ses questions

(i) *(considerar)* **d. algo por** considérer qch comme; **lo doy por hecho** c'est comme si c'était fait; **lo dieron por muerto** on l'a tenu pour mort

2 *vi* (a) *(repartir) (en naipes)* donner; *(horas)* sonner; **acaban de d. las tres** trois heures viennent juste de sonner

(b) *(golpear)* **la piedra dio contra el cristal** la pierre a heurté la vitre

(c) *(suceder)* **le dio un mareo/un ataque de nervios** il a eu un malaise/une crise de nerfs

(d) *(accionar)* **d. a** *(llave de paso)* tourner; *(botón, timbre)* appuyer sur

(e) **d. a** *(ventana, balcón)* donner sur; *(puerta)* ouvrir sur; *(fachada, casa)* être orienté(e) à

(f) **d. con** *(encontrar)* trouver; **he dado con la solución** j'ai trouvé la solution; **di con él al salir de aquí** je l'ai rencontré en sortant d'ici

(g) *(tomar costumbre)* **le ha dado por dejarse la barba** il s'est mis dans la tête de se laisser pousser la barbe

(h) **darle de comer/beber a alguien** donner à manger/boire à qn; **le da de mamar a su hijo** elle allaite son fils

(i) **d. de golpes** *(expresa repetición)* donner des coups et des coups

(j) *(ser suficiente)* **esa tela no da para una falda** il n'y a pas assez de tissu pour faire une jupe

(k) *(motivar)* **d. que pensar** donner à penser; **esa historia dio mucho que hablar** cette histoire a fait beaucoup parler les gens

(l) **d. de sí** *(ropa)* se détendre; *(calzado)* se faire; **esta tarjeta de teléfono no da para más** il n'y a plus d'unités sur cette carte de téléphone; **no doy para más** je suis épuisé

(m) **te digo que pares y tú ¡dale (que dale)!** je te dis d'arrêter et toi tu continues!

3 darse *vpr* (a) *(suceder)* arriver; **se ha dado el caso de...** il est arrivé que...

(b) *(entregarse)* **darse a** se mettre à; **darse a la bebida** s'adonner à la boisson

(c) *(golpearse)* **darse contra** se cogner contre

(d) *(tener aptitud)* **se me dan bien las matemáticas** je suis bon en mathématiques

(e) *(considerarse)* **puedes darte por suspendido** tu peux considérer que tu as échoué

(f) **dársela a alguien** *(engañar)* rouler qn; **se las da de listo** il se croit très intelligent; **se las da de valiente** il joue les durs

dardo *nm (de juego)* fléchette *f*; *Fig (comentario)* pique *f*

dársena *nf (de atraque)* dock *m*

datar 1 *vt* dater

2 *vi* **d. de** dater de, remonter à

dátil *nm* datte *f* ☆ **d. (de mar)** datte de mer

dato *nm Informát* donnée *f*; *(información)* renseignement *m* ☆ **datos personales** = nom, prénom, âge, adresse, etc

dcha. *(abrev* **derecha)** dr., dte

d. de JC., d. JC. *(abrev* **después de Jesucristo)** apr. J.-C.

de *prep*

---
de et l'article défini **el** se contractent en **del**.

(a) *(en general)* de; **el coche de mi padre** la voiture de mon père; **bebió un vaso de agua** il a bu un verre d'eau; **los libros de historia** les livres d'histoire; **una bici de carreras** un vélo de course; **vengo de mi casa** je viens de chez moi; **soy de Bilbao** je suis de Bilbao; **llorar de alegría** pleurer de joie; **es de buena familia** elle est de bonne famille; **de una sola vez** d'un trait; **el mejor de todos** le meilleur de tous; **más/menos de** plus/moins de; **de nueve a cinco** de neuf heures à cinq heures; **a las tres de la tarde** à trois heures de l'après-midi
(b) *(materia)* en; **un reloj de oro** une montre en or
(c) *(en descripciones)* **de fácil manejo** facile à utiliser; **la señora de verde** la dame en vert; **un sello de cincuenta pesetas** un timbre à cinquante pesetas
(d) *(en calidad de)* **trabaja de bombero** il est pompier; **trabaja de camarero en un hotel** il travaille comme serveur dans un hôtel
(e) *(durante)* **trabaja de noche y duerme de día** il travaille la nuit et dort le jour; **llegamos de madrugada** nous sommes arrivés à l'aube
(f) *(condición)* *(antes de infinitivo)* si; **de querer ayudarme, lo haría** s'il voulait m'aider, il le ferait
(g) *(enfatiza la cualidad)* **el idiota de tu hermano** ton idiot de frère
(h) *(después de adjetivo y antes de infinitivo)* à; **es difícil de creer** c'est difficile à croire

dé *ver* **dar**

deambular *vi* déambuler

deán *nm* doyen *m (ecclésiastique)*

debajo *adv* dessous; **d. de** sous; **d. de la cama** sous le lit; **por d. de** en dessous de, au-dessous de; **por d. de la** rodilla au-dessous du genou; **por d. del puente** sous le pont; **d. de** sous; **d. de la cama** sous le lit

debate *nm* débat *m*

debatir 1 *vt* **d. algo** débattre de qch
2 debatirse *vpr (luchar)* se débattre

debe *nm* débit *m*; **d. y haber** débit et crédit

deber¹ 1 *vt* devoir; **debo hacerlo** je dois le faire; **debes dominar tus impulsos** tu dois maîtriser tes impulsions; **deberían abolir esa ley** cette loi devrait être abolie; **d. algo a alguien** devoir qch à qn; **¿cuánto o qué le debo?** combien je vous dois?
2 *vi* **d. de** devoir; **deben de ser las siete** il doit être sept heures; **no debe de haber nadie en casa** il ne doit y avoir personne à la maison; **debe de tener más de sesenta años** elle doit avoir plus de soixante ans
3 deberse *vpr* **deberse a** *(ser consecuencia de)* être dû (due) à; *(dedicarse a)* se devoir à; **el retraso se debe a la huelga** le retard est dû à la grève; **dice que se debe a sus hijos** elle dit qu'elle se doit à ses enfants

deber² *nm* devoir *m*; **deberes** *(trabajo escolar)* devoirs

debido, -a *adj (adeudado)* dû (due); *(justo, conveniente)* nécessaire; **d. a** du fait de, en raison de; **como es d.** *(como está mandado)* comme il se doit; *(correctamente)* comme il faut, correctement

débil 1 *adj* faible; *(tras una enfermedad)* affaibli(e); **una d. mejoría** une légère amélioration
2 *nmf* faible *mf*

debilidad *nf* faiblesse *f*; **tener o sentir d. por** avoir un faible pour

debilitar 1 *vt* affaiblir
2 debilitarse *vpr* s'affaiblir

debut *(pl* **debuts)** *nm (de artista)* débuts *mpl*; *(de película)* sortie *f*; *(de obra de teatro)* première *f*

debutar *vi* débuter, faire ses débuts

década nf (años) décennie f

decadencia nf décadence f; **estar en d.** (moda) se perdre

decadente adj décadent(e); (edificio) dégradé(e)

decaer [13] vi décliner; (enfermo) s'affaiblir; (estado de salud) s'aggraver; (calidad) baisser; (entusiasmo) tomber

decaído, -a adj (desalentado) abattu(e); (debilitado) affaibli(e)

decaimiento nm (desaliento) abattement m; (falta de fuerzas) faiblesse f

decano, -a nm,f doyen(enne) m,f

decapitar vt décapiter

decena nf dizaine f

decencia nf décence f; **con d.** décemment

decenio nm décennie f

decente adj décent(e); (aseado, presentable) présentable; (precio, propina) correct(e); **una mujer d.** une femme qui se respecte

decepción nf déception f

decepcionar vt décevoir

decibelio nm décibel m

decidido, -a adj décidé(e)

decidir 1 vt décider; **d. hacer algo** décider de faire qch; **d. algo** (determinar) décider de qch
2 vi décider
3 **decidirse** vpr se décider (**por** en faveur de); **decidirse a hacer algo** se décider à faire qch

décima nf ver **décimo**

decimal 1 adj (sistema) décimal(e); **la parte d.** le dixième
2 nm décimale f

décimo, -a 1 adj num dixième; ver también **sexto**
2 nm (fracción, lotería) dixième m
3 nf **décima** (en medidas) dixième m; **una décima de segundo** un dixième de seconde; **tiene unas décimas (de fiebre)** il a un peu de fièvre

decimoctavo, -a adj num dix-huitième; ver también **sexto**

decimocuarto, -a adj num quatorzième; ver también **sexto**

decimonónico, -a adj (del siglo XIX) du XIXe (siècle); (anticuado) démodé(e)

decimonoveno, -a adj num dix-neuvième; ver también **sexto**

decimoquinto, -a adj num quinzième; ver también **sexto**

decimoséptimo, -a adj num dix-septième; ver también **sexto**

decimosexto, -a adj num seizième; ver también **sexto**

decimotercero, -a adj num treizième; ver también **sexto**

decir 1 vt dire; (lección) réciter; **¿cómo se dice...?** comment dit-on...?; **d. a alguien que haga algo** dire à qn de faire qch; **d. mucho de algo** en dire long sur qch; **se dice que...** il paraît que...; **d. que sí/no** dire oui/non; **¿diga?, ¿dígame?** (al teléfono) allô!; **d. para sí** se dire; **y dijo para sí:...** et il s'est dit:...; **el qué dirán** le qu'en-dira-t-on; **es d.** c'est-à-dire; **no me dice nada el tenis** le tennis ne me dit rien; **¡no me digas!** c'est pas vrai!
2 **decirse** vpr Fam (reflexionar) se dire

decisión nf décision f

decisivo, -a adj décisif(ive)

declamar vt déclamer

declaración nf déclaration f; (de testigo, reo) déposition f ☆ **d. del impuesto sobre la renta, d. de la renta** déclaration d'impôts sur le revenu, déclaration de revenus

declarar 1 vt déclarer
2 vi Der (ante el juez) déposer; (en un juicio) témoigner
3 **declararse** vpr se déclarer; **declararse a favor/en contra de algo** se déclarer pour/contre qch; **declararse culpable/inocente** plaider coupable/non coupable

declinar vt & vi décliner

declive nm (decadencia) déclin m; (cuesta) pente f; **en d.** en pente; Fig en déclin

decolaje nm Am décollage m

decolar vi Am décoller

decoración nf décoration f; (de teatro) décors mpl

decorado nm décor m; **el d., los decorados** (de teatro, cine) les décors

decorador, -ora nm,f décorateur (trice) m,f

decorar vt décorer

decorativo, -a adj décoratif(ive)

decoro nm (pudor) décence f; (dignidad) dignité f; **vestir con (mucho) d.** s'habiller (très) convenablement

decoroso, -a adj convenable

decrecer [46] vi décroître

decrépito, -a adj Pey (persona) décrépit(e); (civilización) décadent(e)

decretar vt décréter

decreto nm décret m; Fig **por real d.** parce que c'est comme ça ☆ **d. ley** décret-loi m

dedal nm dé m (à coudre)

dedicación nf dévouement m; **trabaja con mucha d.** il s'implique beaucoup dans son travail; **en régimen de d. exclusiva** à plein temps, à temps complet

dedicar [59] **1** vt (tiempo, dinero, energía) consacrer; (palabras) adresser; (obra, monumento) dédier; (firmar) dédicacer

2 dedicarse vpr **dedicarse a** (a una profesión) faire; (a una actividad, persona) se consacrer à; **se dedica a la fotografía** il fait de la photo; **¿a qué te dedicas?** qu'est-ce que tu fais dans la vie?; **me dedico a la enseñanza** je suis enseignant

dedicatoria nf dédicace f

dedo nm (de la mano) doigt m; (del pie) orteil m; **a d.** au hasard; **elegir a alguien a d.** désigner qn; Fam **hacer d.**

faire du stop; Fig **no tener dos dedos de frente** être bête comme ses pieds; **pillarse** o **cogerse los dedos** se brûler les doigts; **poner el d. en la llaga** mettre le doigt sur la plaie; **el d. gordo del pie** le gros orteil

deducción nf déduction f

deducir [18] vt déduire

defecar [59] vi déféquer

defecto nm défaut m; **por d.** par défaut

defectuoso, -a adj (mercancía) défectueux(euse); (trabajo) mal fait (e)

defender [64] **1** vt défendre; **d. a alguien (de)** (resguardar) protéger qn (de)

2 defenderse vpr se défendre; (resguardarse) se protéger; **se defiende del frío** il se protège du froid; Fig **se defiende en el trabajo** il se défend bien dans son travail

defensa 1 nf défense f; Der (argumentos) plaidoyer m; **en d. propia** pour se défendre ☆ **d. personal** autodéfense f

2 nmf (jugador) arrière mf

3 nfpl **defensas** Med défenses fpl

defensivo, -a 1 adj défensif(ive); (línea) de défense

2 nf **defensiva: ponerse/estar a la defensiva** se mettre/être sur la défensive

defensor, -ora nm,f (persona) défenseur m ☆ **d. del pueblo** ≃ médiateur m (de la République)

deferencia nf déférence f; **por d. a** par respect pour

deficiencia nf (defecto) défaillance f; (insuficiencia) insuffisance f

deficiente 1 adj déficient(e); (alimento) pauvre

2 nmf **d. (mental)** handicapé(e) m,f mental(e)

déficit (pl **déficits**) nm Econ déficit m; (falta) manque m

deficitario, -a adj déficitaire

definición *nf* définition *f*; *(descripción)* description *f*; *(resolución)* position *f* *(idéologique)*; **por d.** par définition ☆ **alta d.** haute définition

definir 1 *vt* définir
2 definirse *vpr* se définir; *(en política)* prendre position

definitivo, -a *adj* définitif(ive); **en definitiva** en définitive

deforestación *nf* déboisement *m*, déforestation *f*

deformación *nf* déformation *f* ☆ **d. profesional** déformation professionnelle

deformar 1 *vt también Fig* déformer
2 deformarse *vpr* se déformer

deforme *adj* difforme

defraudar *vt* *(decepcionar)* décevoir; *(estafar)* frauder; **d. a Hacienda** frauder le fisc

defunción *nf* décès *m*

degeneración *nf* *(moral)* décadence *f*; *(física)* dégénérescence *f*

degenerado, -a 1 *adj* décadent(e)
2 *nm,f* dégénéré(e) *m,f*

degenerar *vi* dégénérer (**en** en)

deglutir *vt & vi* déglutir

degollar [63] *vt* égorger

degradar 1 *vt* *(moralmente)* & *Mil* dégrader; *(de un cargo)* rétrograder
2 degradarse *vpr* se dégrader; *(caer bajo)* déchoir

degustación *nf* dégustation *f*

dejadez *nf* laisser-aller *m inv*

dejado, -a 1 *adj* négligent(e); *(aspecto)* négligé(e)
2 *nm,f* souillon *mf*

dejar 1 *vt* (a) laisser; **deja el libro en la mesa** laisse le livre sur la table; **he dejado el abrigo en el guardarropa** j'ai laissé mon manteau au vestiaire; **deja un poco de café para mí** laisse-moi un peu de café; **dejaré la llave a la portera** je laisserai la clef à la concierge; **su abuelo le dejó mucho dinero** son grand-père lui a laissé beaucoup d'argent; **déjalo, no importa** laisse (tomber), ce n'est pas grave; **¡déjame!** que tengo trabajo laisse-moi (tranquille), j'ai du travail; **deja que tu hijo venga con nosotros** laisse ton fils venir avec nous; **d. a alguien en algún sitio** déposer qn quelque part; **más vale dejarlo correr** il vaut mieux laisser courir
(b) *(prestar)* **d. algo a alguien** prêter qch à qn
(c) *(abandonar)* *(familia, trabajo, país)* quitter; *(estudios)* arrêter, abandonner; **ha dejado la bebida** il a arrêté de boire
(d) *(causar efecto)* **me ha dejado los zapatos como nuevos** il a remis mes chaussures à neuf; **me dejaste preocupado** j'étais inquiet pour toi
(e) **no d.** *(impedir)* empêcher; **sus gritos no me dejaron dormir** ses cris m'ont empêché de dormir
(f) *(omitir)* oublier; **lo copió todo, sin d. una coma** il a tout recopié à la virgule près; **d. algo por o sin hacer** ne pas faire qch; **dejó la cama sin hacer** il n'a pas fait son lit; **ha dejado por resolver…** il a laissé en suspens…
(g) *(aplazar)* **dejaremos la fiesta para cuando se encuentre bien** nous attendrons qu'il aille mieux pour faire cette fête
(h) *(esperar)* **d. que** attendre que; **dejó que terminara de llover para salir** il a attendu qu'il cesse de pleuvoir pour sortir
2 *vi* (a) *(parar)* **d. de hacer algo** arrêter *ou* cesser de faire qch; **deja de gritar** arrête de crier
(b) *(expresa promesa)* **no dejaremos de venir a verte** nous ne manquerons pas de venir te voir; **¡no dejes de escribirme!** n'oublie pas de m'écrire!
(c) **d. (mucho *o* bastante) que desear** laisser (beaucoup) à désirer
3 dejarse *vpr* (a) *(olvidar)* **dejarse algo en algún sitio** laisser *ou* oublier qch quelque part

(b) *(cesar)* ¡**déjate de tonterías!** arrête de raconter des bêtises!

(c) *(descuidarse)* se laisser aller; **se dejó mucho después del accidente** il s'est beaucoup laissé aller après l'accident; **dejarse llevar (por)** *(lo que uno lee, oye)* se laisser influencer (par); *(por la cólera)* se laisser emporter (par)

deje *nm (tonillo)* accent *m*; *Fig (sensación)* arrière-goût *m*

del *ver* de

delantal *nm* tablier *m*

delante *adv* devant; **pasar d.** passer devant; **el de d.** celui de devant; **d. de** devant; **d. de la ventana** devant la fenêtre; **d. de él** devant lui; **d. de mi casa** devant chez moi; **por d. de todos** devant tout le monde

delantero, -a 1 *adj* avant *inv*, de devant; **las ruedas delanteras** les roues avant

2 *nm,f Dep* avant *m*

3 *nf* **delantera** *Dep* ligne *f* d'attaque; **llevar la delantera a alguien** avoir de l'avance sur qn; *Fam* ¡**vaya delantera!** *(de mujer)* il y a du monde au balcon!

delatar 1 *vt* dénoncer; *Fig (sujeto: ojos, sonrisa)* trahir

2 delatarse *vpr* se trahir

delator, -ora *nm,f* délateur(trice) *m,f*

delco *nm Aut* Delco® *m*; **la tapa del d.** la tête de Delco

delegación *nf (autorización, personas)* délégation *f*; *(oficina)* agence *f*; *(de empresa privada)* filiale *f*; *(de organismo público)* office *m* régional; *Méx (distrito municipal)* arrondissement *m*; *Méx (comisaría)* commissariat *m* (de police) ✫ **d. de Hacienda** centre *m* des impôts

delegado, -a *nm,f* délégué(e) *m,f*; *Com* représentant(e) *m,f* ✫ **d. de curso** délégué de classe

delegar [38] *vt* **d. algo (en** *o* **a alguien)** déléguer qch (à qn)

deleitar 1 *vt* ravir, enchanter

2 deleitarse *vpr* **deleitarse con** *o* **en algo** prendre un immense plaisir à qch

deletrear *vt* épeler

deleznable *adj Fig (clima, libro, actuación)* exécrable; *(razón, excusa)* minable

delfín *nm* dauphin *m*

delgado, -a *adj (persona) (esbelta)* mince; *(flaca)* maigre; *(cosa)* fin(e)

deliberado, -a *adj* délibéré(e)

deliberar *vi* délibérer

delicadeza *nf* délicatesse *f*

delicado, -a *adj* délicat(e); *(educado)* attentionné(e); *(debilitado)* affaibli(e); **estar d. de salud/del estómago** avoir la santé/l'estomac fragile

delicia *nf* délice *m*; ¡**qué d.!** quel plaisir!; **estar contigo es una d.** c'est un vrai plaisir d'être avec toi; **hacer las delicias de alguien** ravir *ou* enchanter qn

delicioso, -a *adj (comida)* délicieux (euse); *(persona)* charmant(e)

delimitar *vt* délimiter

delincuencia *nf* délinquance *f* ✫ **d. juvenil** délinquance juvénile

delincuente *nmf* délinquant(e) *m,f*

delineante *nmf* dessinateur(trice) *m,f*

delinquir [22] *vi* commettre un délit

delirante *adj* délirant(e)

delirar *vi* délirer

delirio *nm* délire *m*; **tener delirios de grandeza** avoir la folie des grandeurs

delito *nm* délit *m*

delta *nm* delta *m*

demacrado, -a *adj (rostro)* émacié(e); *(cuerpo)* décharné(e)

demagogia *nf* démagogie *f*

demanda *nf* demande *f*; *Der* action *f* en justice; **presentar una d. contra alguien** poursuivre qn en justice

demandante *nmf* demandeur(eresse) *m,f*

demandar *vt* (*pedir, requerir*) demander; *Der* poursuivre; **d. a alguien por difamación** poursuivre qn en diffamation

demás 1 *adj inv* autre; **la d. gente** les autres gens

  2 *pron inv* **las d., los d.** les autres; **lo d.** le reste; **por lo d.** à part ça; **y d.** et autres

demasiado, -a 1 *adj* trop de; **d. pan** trop de pain; **demasiada comida** trop à manger

  2 *adv* trop; **habla d.** il parle trop; **va d. rápido** il va trop vite

demencia *nf* démence *f* ☆ **d. senil** démence sénile

demencial *adj* démentiel(elle)

demente *adj & nmf* dément(e) *m,f*

democracia *nf* démocratie *f*

demócrata *adj & nmf* démocrate *mf*

democrático, -a *adj* démocratique

demografía *nf* démographie *f*

demoler [41] *vt* démolir

demolición *nf* démolition *f*

demonio *nm Rel* démon *m*; *Fig* diable *m*; **¿dónde/quién demonios…?** mais bon sang, où/qui…?; **¡demonios!** flûte!

demora *nf* retard *m*

demorar 1 *vt* (*retrasar*) retarder; *Am* (*tardar*) mettre, prendre; **se demora tres días en hacerlo** ça prend trois jours; **demora una hora para vestirse** elle met une heure à s'habiller

  2 *vi Am* (*tardar*) **¡no demores!** dépêche-toi!; **d. en hacer algo** (*llevar tiempo*) mettre du temps à faire qch; (*retrasarse*) tarder à faire qch; **no demoraron en venir** ils n'ont pas tardé à venir

  3 demorarse *vpr* (*ir despacio*) s'attarder; (*llegar tarde*) être en retard

demostración *nf* démonstration *f*; (*prueba*) preuve *f*; (*de dolor, alegría*) manifestation *f*; (*exhibición*) (*deportiva*) exhibition *f*; (*de poder, riqueza*) étalage *m*

demostrar [63] *vt* (*teoría, hipótesis, verdad*) démontrer; (*alegría, impaciencia, dolor*) manifester; (*poder, riqueza*) faire étalage de; (*funcionamiento, procedimiento*) montrer

denegar [43] *vt* rejeter

denigrante *adj* (*acusación, pena*) infamant(e); (*trabajo, actividad*) dégradant(e); (*trato*) humiliant(e)

denigrar *vt* (*humillar*) humilier

denominación *nf* dénomination *f* ☆ **d. de origen** appellation *f* d'origine

denominador *nm* dénominateur *m*; **d. común** dénominateur commun

denominar 1 *vt* nommer, appeler

  2 denominarse *vpr* se nommer, s'appeler

denotar *vt* témoigner de

densidad *nf* densité *f*; *Informát* **alta/doble d.** haute/double densité; **d. de población** densité de population

denso, -a *adj* dense; (*líquido*) épais (aisse)

dentadura *nf* denture *f*; **la higiene de la d.** l'hygiène des dents ☆ **d. postiza** dentier *m*

dentera *nf* **dar d.** faire grincer des dents; *Fig* faire envie

dentífrico, -a 1 *adj* dentifrice

  2 *nm* dentifrice *m*

dentista *nmf* dentiste *mf*

dentro *adv* dedans, à l'intérieur; **quedarse d.** rester à l'intérieur; **ahí d.** là-dedans; **el bolsillo de d.** la poche intérieure; **por d.** à l'intérieur; *Fig* intérieurement; **hay que lavar el coche por d.** il faut laver l'intérieur de la voiture; **d. de** dans; **d. del sobre** dans l'enveloppe; **d. de un año** dans un an; **d. de lo posible** dans la mesure du possible; **d. de poco** d'ici peu; **d. de mi/tu/etc alma** en moi/toi/etc

denuncia nf (a la autoridad) plainte f; (de delito) dénonciation f; **presentar una d. (contra)** déposer une plainte (contre)

denunciar vt (a la autoridad) signaler; (delito) dénoncer

deparar vt (sorpresa) causer; (placer) procurer; (oportunidad) offrir; **lo que nos depara la vida** ce que la vie nous réserve

departamento nm département m; (en grandes almacenes) rayon m; (en escuela, universidad) section f; (en empresa) service m; (de cajón, maleta) compartiment m; Arg (apartamento) appartement m

departir vi converser

dependencia nf dépendance f; (departamento) service m; **dependencias** (habitaciones) pièces fpl; (edificios) dépendances

depender vi dépendre (**de** de)

dependienta nf vendeuse f

dependiente 1 adj dépendant(e) 2 nm vendeur m

depilar 1 vt épiler 2 **depilarse** vpr s'épiler

deplorable adj déplorable; (persona) lamentable

deportar vt déporter; (inmigrante) expulser

deporte nm sport m; **hacer d.** faire du sport; **practicar un d.** pratiquer un sport

deportista adj & nmf sportif(ive) m,f

deportivo, -a 1 adj sportif(ive); (conducta, comportamiento) fairplay inv; Náut (barco, puerto) de plaisance; **la ropa deportiva** les vêtements de sport 2 nm voiture f de sport

depositar 1 vt (objetos, dinero) dé-

poser; Fig **d. su confianza en alguien** placer sa confiance en qn; **d. ilusiones en alguien** entretenir des illusions sur qn 2 **depositarse** vpr (asentarse) se déposer

depositario, -a adj & nm,f dépositaire mf

depósito nm dépôt m; (de dinero) versement m; (recipiente) réservoir m; **d. de muebles** garde-meuble m; **d. de la gasolina** réservoir d'essence ☆ **d. de cadáveres** morgue f; **d. legal** dépôt légal

depravado, -a adj & nm,f dépravé(e) m,f

depreciar 1 vt déprécier 2 **depreciarse** vpr se déprécier

depredador, -ora 1 adj (animal) prédateur(trice); Fig (persona) rapace 2 nm prédateur m

depresión nf dépression f; **tener una d. nerviosa** faire une dépression nerveuse; **d. atmosférica** dépression atmosphérique

depresivo, -a 1 adj (deprimido) dépressif(ive); (deprimente) déprimant(e) 2 nm,f dépressif(ive) m,f

deprimente adj déprimant(e)

deprimido, -a adj déprimé(e)

deprimir 1 vt (desanimar) déprimer; Fig (empobrecer) appauvrir 2 **deprimirse** vpr déprimer

deprisa adv vite

depuradora nf **d. (de aguas)** usine f de retraitement des eaux usées

depurar vt (purificar) épurer; Fig (organismo, corporación) purger; (gusto) affiner

derecho, -a 1 adj droit(e); **en la fila derecha** sur la file de droite; **andar d.** se tenir droit(e) 2 adv droit; **me fui d. a la cama** je suis allé (tout) droit au lit; **ir d. al grano** aller droit au but

3 *nm* droit *m*; *(de tela, prenda)* endroit *m*; ¡**no hay d.**! ce n'est pas juste!; **reservado el d. de admisión** la direction se réserve le droit de refuser l'entrée; **d. civil/penal** droit civil/pénal; **del d.** à l'endroit; **derechos** *(tasas)* droits ☆ *derechos de aduana* droits de douane; *derechos de autor* droits d'auteur; *derechos humanos* droits de l'homme
4 *nf* **derecha** droite *f*; **a la derecha** à droite; **ser de derechas** être de droite

deriva *nf* dérive *f*; **a la d.** à la dérive

derivación *nf* dérivation *f*

derivado, -a *adj* dérivé(e)

derivar 1 *vt* dériver; *(carretera)* dévier; *(conversación)* détourner
2 *vi* dériver (**de** de); *(conversación)* dévier

dermatología *nf* dermatologie *f*

derogación *nf* dérogation *f*

derramamiento *nm* écoulement *m*; **d. de sangre** effusion *f* de sang

derramar 1 *vt* répandre; *(por accidente)* renverser; **d. lágrimas** verser des larmes
2 derramarse *vpr* se répandre

derrame *nm Med* épanchement *m*; *(de líquido)* déversement *m*; *(de sangre)* écoulement *m*

derrapar *vi* déraper

derretir [47] **1** *vt* fondre
2 derretirse *vpr* fondre; *Fam Fig* **derretirse (por alguien)** être fou (folle) (de qn)

derribar *vt (edificio)* démolir; *(árbol, avión)* abattre; *Fig (gobierno, gobernante)* renverser

derribo *nm (de edificio)* démolition *f*

derrocar [59] *vt* renverser

derrochar *vt (malgastar)* gaspiller; *(rebosar de)* déborder de; **derrocha energía** il déborde d'énergie

derroche *nm (malgasto)* gaspillage *m*; *(abundancia)* profusion *f*; *(de alegría)* explosion *f*

derrota *nf (fracaso)* échec *m*; *(militar, deportivo)* défaite *f*

derrotar *vt* battre; *(ejército)* vaincre; *Fig (desmoralizar)* accabler

derrotero *nm (camino)* chemin *m*

derrotista *adj & nmf* défaitiste *mf*

derrumbamiento *nm también Fig* effondrement *m*

derrumbar 1 *vt (físicamente)* démolir; *(moralmente)* abattre
2 derrumbarse *vpr también Fig* s'effondrer

desaborido, -a *Fam* **1** *adj* rasoir
2 *nm,f* raseur(euse) *m,f*

desabotonar 1 *vt* déboutonner
2 desabotonarse *vpr* se déboutonner; **desabotonarse el abrigo** déboutonner son manteau

desabrochar 1 *vt (ropa) (con botones)* déboutonner; *(con corchetes, broches)* dégrafer; *(cinturón)* défaire
2 desabrocharse *vpr* se déboutonner; **desabrocharse el abrigo** déboutonner son manteau

desacato *nm (desobediencia)* désobéissance *f*; *(insolencia)* manque *m* de respect; *Der* outrage *m*

desacierto *nm* maladresse *f*

desaconsejar *vt* déconseiller

desacreditar *vt* discréditer

desactivar *vt (bomba)* désamorcer

desacuerdo *nm* désaccord *m*

desafiante *adj* provocant(e)

desafiar [9] *vt* défier; **d. a alguien a que haga algo** défier qn de faire qch; **d. a alguien a una carrera** proposer à qn de faire la course

desafinar *vi (cantante)* chanter faux; *(instrumento, instrumentista)* jouer faux

desafío *nm* défi *m*

desaforado, -a *adj (apetito, ambición)* démesuré(e); *(gritos)* épouvantable

desafortunado, -a *adj (persona)*

malchanceux(euse); *(accidente, declaraciones)* malheureux(euse); **ser d.** *(no tener suerte)* ne pas avoir de chance

esagradable *adj* désagréable; *(aspecto)* déplaisant(e)

esagradar *vi* déplaire

esagradecido, -a *nm,f* ingrat(e) *m,f*

esagrado *nm* mécontentement *m*

esagraviar *vt* **d. a alguien por algo** *(por ofensa)* se faire pardonner qch par qn; *(por perjuicio)* dédommager qn de qch

esagravio *nm (por un perjuicio)* dédommagement *m*; **en d. por** en dédommagement de

esagüe *nm (cañería)* tuyau *m* d'écoulement; *(vaciado)* écoulement *m*

esaguisado *nm (destrozo)* dégâts *mpl*

esahogado, -a *adj (amplio)* spacieux(euse); *(persona)* aisé(e); *(posición, situación)* confortable

esahogar [38] **1** *vt (pena)* soulager; *(ira)* décharger
2 desahogarse *vpr (contar penas, problemas)* s'épancher (**con** auprès de); *(desfogarse)* se défouler (**con** sur)

esahogo *nm (moral)* soulagement *m*; *(económico)* aisance *f*; **tener un mayor d.** *(de espacio)* avoir plus d'espace; **vivir con d.** vivre confortablement

esahuciar *vt (inquilino)* expulser; *(enfermo)* condamner

esahucio *nm* expulsion *f*

esaire *nm* affront *m*; **hacer un d. a alguien** faire un affront à qn

esajuste *nm (de pieza)* jeu *m*; *(de máquina, conducta)* dérèglement *m*; *(entre declaraciones)* discordance *f*; *(económico)* déséquilibre *m*

esalentar [3] **1** *vt* décourager

2 desalentarse *vpr* se décourager

desaliento *nm* découragement *m*

desaliñado, -a *adj (aspecto)* négligé(e); *(pelo)* ébouriffé(e)

desaliño *nm* négligé *m*

desalmado, -a 1 *adj* sans-cœur *inv*
2 *nm,f* **es un d.** il n'a pas de cœur

desalojar *vt (por fuerza, emergencia)* (faire) évacuer; *(residentes)* déloger; *(por propia voluntad)* quitter

desambientado, -a *adj (persona)* mal à l'aise; *(cosa)* déplacé(e)

desamor *nm (falta) (de cariño)* manque *m* d'affection; *(de amor)* indifférence *f*; *(odio)* aversion *f*

desamparado, -a 1 *adj* abandonné(e), délaissé(e)
2 *nm,f* laissé(e)-pour-compte *m,f*

desamparar *vt* abandonner, délaisser

desamparo *nm (abandono)* abandon *m*; *(aflicción)* détresse *f*

desangrar 1 *vt* saigner; *Fig* ruiner
2 desangrarse *vpr (mucho)* saigner abondamment; *(totalmente)* perdre tout son sang

desanimado, -a *adj (persona)* découragé(e); **la fiesta estaba muy desanimada** il n'y avait pas d'ambiance à la fête

desanimar 1 *vt* décourager
2 desanimarse *vpr* se décourager

desánimo *nm* découragement *m*

desapacible *adj* désagréable; *(tiempo, día)* vilain(e)

desaparecer [46] *vi* disparaître

desaparecido, -a *nm,f* disparu(e) *m,f*

desaparición *nf* disparition *f*

desapego *nm* indifférence *f*

desapercibido, -a *adj* **pasar d.** passer inaperçu(e)

desaprensivo, -a *nm,f* **es un d.** il est sans scrupules

desaprobar [63] *vt* désapprouver

desaprovechar *vt* ne pas profiter

de; *(tiempo, ocasión)* perdre; *(tela, agua)* gaspiller; **he desaprovechado las vacaciones** je n'ai pas profité des vacances

desarmador *nm Méx* tournevis *m*

desarmar *vt (quitar armas a)* désarmer; *(desmontar)* démonter

desarme *nm (de armas)* désarmement *m*

desarraigar [38] *vt* déraciner; *(vicio, costumbre)* éradiquer

desarraigo *nm también Fig* déracinement *m*

desarreglar *vt (desordenar)* déranger; *(estropear)* dérégler

desarreglo *nm* désordre *m*; *(de mecanismo)* dérèglement *m*

desarrollado, -a *adj (persona)* épanoui(e); *(país)* développé(e)

desarrollar 1 *vt* développer; *(actividades, experiencias)* avoir

2 desarrollarse *vpr (crecer) (niño)* grandir; *(planta)* pousser; *(mejorar)* se développer; *(suceder)* se dérouler

desarrollo *nm* développement *m*; *(de niño, planta)* croissance *f*

desarticular *vt (mecanismo)* démonter; *Fig (organización, banda)* démanteler; *(plan)* déjouer

desasirse *vpr (librarse)* se dégager; **d. de** *(costumbre, vicio)* se défaire de

desasosegar [43] *vt* troubler; *(inquietar)* inquiéter

desasosiego *nm* trouble *m*

desastre *nm (catástrofe, fracaso)* désastre *m*; *Fig (persona inútil)* calamité *f*; **d. aéreo** catastrophe *f* aérienne

desastroso, -a *adj (devastador)* désastreux(euse); *Fam (inepto)* nul (nulle)

desatar 1 *vt* détacher; *Fig (tormenta, ira, pasiones)* déchaîner; *(lengua)* délier

2 desatarse *vpr* se détacher; *Fig*

(tormenta, violencia, pasiones) se déchaîner

desatascador *nm* débouchoir *m*

desatascar [59] *vt (lavabo, tubería)* déboucher

desatender [64] *vt (obligación, trabajo)* négliger; *(consejos)* ne pa écouter; *(ruegos)* rester sourd(e) à

desatino *nm (locura)* folie *f*; *(desacierto)* bêtise *f*

desautorizar [14] *vt (noticia, declaración)* démentir; *(huelga, manifestación)* interdire; *(desacreditar)* discréditer

desavenencia *nf (desacuerdo)* désaccord *m*; *(riña)* brouille *f*

desayunar 1 *vi* déjeuner, prendre son petit déjeuner

2 *vt* **d. algo** prendre qch au petit déjeuner

desayuno *nm* petit déjeuner *m*

desazón *nf (desasosiego)* inquiétude *f*; **causar d. a** chagriner

desazonar *vt* causer du chagrin à

desbancar [59] *vt Fig (ocupar el puesto de)* supplanter

desbandada *nf* dispersion *f*; **a la d., en d.** à la débandade

desbarajuste *nm* désordre *m*

desbaratar *vt (mecanismo)* détraquer; *(conspiración)* faire échouer; *(planes)* bouleverser; *(fortuna)* dilapider

desbloquear *vt* débloquer; *(país)* lever le blocus de

desbocado, -a *adj (caballo)* emballé(e)

desbocarse [59] *vpr (caballo)* s'emballer

desbolado, -a *RP Fam* **1** *adj* **estar d.** être désordonné(e)

2 *nm,f* **ser un d.** être désordonné

desbolar *RP Fam* **1** *vt (desordenar)* **d. algo** mettre le bazar dans qch, mettre qch sens dessus dessous; *(desbaratar)* bouleverser

2 desbolarse *vpr* se mettre à poil

desbole *nm RP Fam* bazar *m*

desbordamiento *nm también Fig* débordement *m*

desbordar 1 *vt (paciencia)* pousser à bout
2 desbordarse *vpr (lavabo, río)* déborder; *Fig (sentimiento)* se déchaîner

descabellado, -a *adj* insensé(e)

descafeinado, -a 1 *adj (sin cafeína)* décaféiné(e); *Fig (sin fuerza)* édulcoré(e)
2 *nm* décaféiné *m*

descalabrar *vt (herir)* blesser à la tête; *Fam Fig (perjudicar)* malmener

descalabro *nm* revers *m*

descalcificación *nf* décalcification *f*

descalificar [59] *vt* disqualifier; *(desprestigiar)* discréditer

descalzar [14] **1** *vt* déchausser
2 descalzarse *vpr* se déchausser

descalzo, -a *adj* pieds nus

descaminado, -a *adj* andar *o* ir d. *(caminante, excursionista)* aller dans la mauvaise direction; *Fig* se tromper

descampado *nm* terrain *m* vague

descansar *vi (reposar, dormir)* se reposer; *(cadáver, viga)* reposer; ¡que descanses! dors bien!

descansillo *nm* palier *m* (d'escalier)

descanso *nm (reposo)* repos *m*; *(alivio)* soulagement *m*; *(pausa)* pause *f*; *(en teatro, cine)* entracte *m*; *(en partido)* mi-temps *f*; tomarse un d. se reposer; ¡d.! *(a soldado)* repos!

descapotable 1 *adj* décapotable
2 *nm* décapotable *f*

descarado, -a 1 *adj* effronté(e); *(flagrante)* éhonté(e)
2 *nm,f* effronté(e) *m,f*

descarga *nf (de mercancías)* déchargement *m*; *(de electricidad, arma)* décharge *f*

descargar [38] **1** *vt* décharger; *Informát* télécharger
2 *vi (tormenta)* s'abattre
3 descargarse *vpr (batería)* se décharger; **descargarse con alguien** *(desahogarse)* se défouler sur qn

descarnado, -a *adj (persona, animal)* décharné(e); *(descripción)* cru(e)

descaro *nm* effronterie *f*

descarriarse [32] *vpr (ovejas, ganado)* s'égarer; *Fig (pervertirse)* s'écarter du droit chemin

descarrilamiento *nm* déraillement *m*

descarrilar *vi* dérailler

descartable *adj* jetable

descartar *vt (ayuda, propuesta)* rejeter; *(posibilidad)* écarter

descastado, -a *nm,f* ingrat(e) *m,f*

descendencia *nf (hijos)* descendants *mpl*; *(linaje)* origine *f*; **tener d.** avoir des enfants

descender [64] *vi (en categoría)* descendre; *(cantidad, valor, nivel)* baisser; **d. de** *(de tren, avión, linaje)* descendre de; *(derivarse de)* découler de

descenso *nm* descente *f*; *(de cantidad, valor, nivel)* baisse *f*

descentrado, -a *adj (geométricamente)* décentré(e); *(mentalmente)* désaxé(e); *(distraído)* déconcentré(e)

descentralizar [14] *vt* décentraliser

descentrar *vt (geométricamente)* décentrer; *(mentalmente)* désaxer

descifrar *vt* déchiffrer; *(misterio)* élucider; *(problema)* démêler

descodificador *nm* décodeur *m*

descojonante *adj Vulg* à pisser de rire

descolgar [16] **1** *vt* décrocher
2 descolgarse *vpr (caer)* se décrocher; **descolgarse (por algo)** se laisser glisser (le long de qch); **descolgarse de** *(separarse de)* se détacher de

descolocar *vt* changer de place

descolonización *nf* décolonisation *f*

descolorido, -a *adj* décoloré(e)

descomponer [50] **1** *vt (pudrir, dividir)* décomposer; *(estropear)* détraquer; *(desordenar)* mettre en désordre; *Fig (afectar)* bouleverser; *Fig* **eso le descompuso** *(lo enojó)* ça l'a mis hors de lui

2 descomponerse *vpr (pudrirse)* se décomposer; *Méx (averiarse)* tomber en panne; *RP (enfermarse)* tomber malade; **se descompuso** *(se irritó)* il s'est mis dans tous ses états

descomposición *nf* décomposition *f* ✩ **d. (de vientre)** diarrhée *f*

descompostura *nf (de vestimenta)* laisser-aller *m inv*; *(de comportamiento)* grossièreté *f*; *Méx (avería)* panne *f*; *RP (malestar)* malaise *m*

descompuesto, -a *participio ver* **descomponer**

descomunal *adj* énorme

desconcentrar *vt* déconcentrer

desconcertante *adj* déconcertant(e)

desconcertar [3] **1** *vt* déconcerter

2 desconcertarse *vpr* être déconcerté(e)

desconchado *nm* écaillure *f (de peinture)*

desconcierto *nm (desorden)* désordre *m*; *(desorientación, confusión)* confusion *f*

desconectar **1** *vt (aparato)* débrancher; *(línea)* couper

2 desconectarse *vpr* se détacher; **desconectarse de algo** se couper de qch

desconfianza *nf* méfiance *f*

desconfiar [32] *vi* **d. de** *(sospechar de)* se méfier de; *(no confiar en)* ne pas avoir confiance en

descongelar *vt (producto)* décongeler; *(nevera)* dégivrer; *Fig (crédi-*

tos) dégeler; *(cuenta)* débloquer; *(salarios, precios)* libérer

descongestionar *vt* décongestionner; *Fig (dejar libre)* débloquer

desconocer [19] *vt (ignorar)* ne pas connaître

desconocido, -a **1** *adj (no conocido)* inconnu(e); *(muy cambiado)* méconnaissable

2 *nm,f* inconnu(e) *m,f*

desconocimiento *nm* méconnaissance *f*

desconsiderado, -a *nm,f* malotru(e) *m,f*

desconsolar [63] *vt* affliger

desconsuelo *nm* peine *f*, douleur *f*

descontado, -a *adj* déduit(e); **dar algo por d.** considérer qch comme allant de soi; **dar por d. que** être convaincu(e) que

descontar [63] *vt Com (letra, pagaré)* escompter; **d. algo de** déduire qch de

descontento, -a **1** *adj* mécontent (e)

2 *nm* mécontentement *m*

descontrol *nm Fam* pagaille *f*

desconvocar [59] *vt* **d. una huelga** annuler un ordre de grève

descorazonador, -ora *adj* décourageant(e)

descorazonar *vt* décourager

descorchar *vt (botella)* déboucher

descorrer *vt* tirer *(rideaux, verrou)*

descortesía *nf* impolitesse *f*

descoser *vt* découdre

descosido, -a **1** *adj (tela, ropa)* décousu(e)

2 *nm* **como un d.** *(beber)* comme un trou; *(comer)* comme quatre; *(correr)* comme un dératé; *(gritar)* comme un putois; *(reír)* comme un bossu; **hablar como un d.** être un moulin à paroles

descoyuntar **1** *vt* déboîter

2 descoyuntarse *vpr* se déboîter;

se **descoyuntó el hombro** il s'est déboîté l'épaule

descrédito *nm* discrédit *m*

descreído, -a *nm,f* incroyant(e) *m,f*

descremado, -a *adj* écrémé(e)

describir *vt* décrire

descripción *nf* description *f*

descrito, -a *participio ver* describir

descuartizar [14] *vt* dépecer

descubierto, -a 1 *participio ver* descubrir
  2 *adj* découvert(e)
  3 *nm (de cuenta bancaria)* découvert *m*; *(de empresa)* déficit *m*; **al d.** *(al raso)* en plein air; *(sin protección)* à découvert; *(sin disfraz)* ouvertement

descubridor, -ora *nm,f* découvreur(euse) *m,f*

descubrimiento *nm* découverte *f*; *(de máquina, artefacto)* invention *f*; *(de estatua, placa)* inauguration *f*

descubrir 1 *vt* découvrir; *(máquina, artefacto)* inventer; *(estatua, placa)* inaugurer; *(vislumbrar)* apercevoir; *(intenciones, secreto)* dévoiler; *(culpable)* démasquer
  2 descubrirse *vpr* se découvrir; *Fig* **descubrirse ante algo** être en admiration devant qch

descuento *nm (de precio)* remise *f*, réduction *f*; *Fin* escompte *m*

descuidado, -a *adj (abandonado) (persona)* négligé(e); *(jardín, plantas)* mal entretenu(e); *(despistado)* distrait(e)

descuidar 1 *vt (desatender)* négliger
  2 *vi (no preocuparse)* ne pas s'inquiéter; **descuida, que yo me encargo** ne t'inquiète pas, je m'en occupe
  3 descuidarse *vpr (abandonarse)* se négliger, se laisser aller; *(despistarse)* ne pas faire attention

descuido *nm* négligence *f*; *(falta de atención)* inattention *f*

desde *prep* **(a)** *(tiempo)* depuis; **d. el lunes hasta el viernes** du lundi au vendredi; **d. hace mucho/un mes** depuis longtemps/un mois; **no lo veo d. el mes pasado** je ne l'ai pas vu depuis un mois; **d. ahora** dès à présent; **d. entonces** depuis; **d. entonces no lo he vuelto a ver** je ne l'ai plus revu depuis; **d. que** depuis que; **d. que murió mi madre** depuis que ma mère est morte; **d. luego** *(para confirmar)* bien sûr; *(para reprochar)* décidément; **¡d. luego, tienes cada idea!** décidément, tu as de ces idées!
  (b) *(espacio)* de; **d. aquí hasta el centro** d'ici au centre-ville

desdecir [51] **1** *vi* **d. de** *(desmerecer de)* être indigne de; *(desentonar con)* ne pas aller avec
  2 desdecirse *vpr* se dédire; **desdecirse de** revenir sur

desdén *nm* dédain *m*

desdentado, -a *adj* édenté(e)

desdeñar *vt* dédaigner

desdeñoso, -a *adj* dédaigneux (euse)

desdibujarse *vpr* s'estomper

desdicha *nf (desgracia)* malheur *m*

desdichado, -a *adj & nm,f* malheureux(euse) *m,f*

desdoblar *vt* déplier

desear *vt* désirer; *(esperar, felicitar por)* souhaiter; **desearía estar allí** je voudrais y être; **¿qué desea?** *(en tienda)* vous désirez?; **te deseo un feliz Año Nuevo** je te souhaite une bonne année; **dejar mucho/no dejar nada que d.** laisser beaucoup/ne rien laisser à désirer

desecar [59] **1** *vt* dessécher; *(pantano, río)* assécher
  2 desecarse *vpr* se dessécher; *(pantano, río)* s'assécher

desechable *adj* jetable

desechar *vt (tirar)* se débarrasser de; *(oferta, ayuda)* rejeter; *(críticas)* passer outre; *(idea)* chasser; *(sospecha)* écarter

desecho nm déchet m

desembalar vt déballer

desembarazar [14] **1** vt débarrasser **2 desembarazarse** vpr **desembarazarse de** se débarrasser de

desembarcar [59] **1** vt débarquer **2** vi débarquer **3 desembarcarse** vpr Am descendre

desembarco nm débarquement m

desembocadura nf (de río) embouchure f

desembocar [59] vi **d. en** (río) se jeter dans; (calle) déboucher sur; **la disputa desembocó en drama** la dispute a tourné au drame

desembolso nm (de dinero) versement m ☆ **d. inicial** acompte m

desembuchar vi Fam Fig (hablar) vider son sac

desempañar vt (con trapo) enlever la buée de; (electrónicamente) désembuer

desempaquetar vt (paquete) défaire; (caja) déballer

desempatar vi départager; **jugar para d.** faire la belle

desempate nm = but qui met fin à l'égalité entre les deux équipes; **el partido de d.** la belle

desempeñar 1 vt (cargo, misión) remplir; (función) exercer; (papel) jouer; **d. una joya** récupérer un bijou mis en gage **2 desempeñarse** vpr (pagar) se libérer de ses dettes; (trabajar) travailler

desempeño nm (de cargo, misión, función) exercice m

desempleado, -a nm,f chômeur (euse) m,f

desempleo nm chômage m

desempolvar vt (muebles) épousseter; Fig (recuerdos) remuer

desencadenar 1 vt (preso, perro) détacher; Fig (pasiones, furia, polémica) déchaîner; (guerra, conflicto) déclencher **2 desencadenarse** vpr se déchaîner; (guerra, conflicto) se déclencher

desencajar 1 vt déboîter **2 desencajarse** vpr se déboîter; (rostro) se décomposer

desencantar 1 vt (decepcionar) décevoir; (romper el hechizo) désenchanter **2 desencantarse** vpr déchanter

desencanto nm désenchantement m

desenchufar vt débrancher

desenfadado, -a adj (persona, conducta) décontracté(e); (comedia, programa de TV) léger(ère)

desenfado nm décontraction f

desenfocado, -a adj (imagen) flou(e); (visión) trouble

desenfrenado, -a adj (ritmo, carrera) effréné(e); (comportamiento, estilo) débridé(e); (apetito) insatiable; **un baile d.** une danse endiablée

desenfreno nm (exceso) frénésie f; (vicio) débordement m

desenfundar vt (mueble, traje) enlever la housse de; (pistola) dégainer

desenganchar 1 vt (vagón) décrocher; (caballo) dételer **2 desengancharse** vpr (soltarse) décrocher, dégager; Fam (de un vicio) décrocher

desengañar 1 vt **d. a alguien** (a una persona equivocada) ouvrir les yeux à qn; (a una persona esperanzada) faire perdre ses illusions à qn **2 desengañarse** vpr **desengáñate** détrompe-toi

desengaño nm déception f; **llevarse un d. con alguien** être déçu(e) par qn ☆ **d. amoroso** déception amoureuse

desengrasar vt dégraisser

desenlace *nm* dénouement *m*

desenmarañar *vt también Fig* démêler

desenmascarar *vt* démasquer

desenredar 1 *vt también Fig* démêler
  2 **desenredarse** *vpr* **desenredarse el pelo** se démêler les cheveux

desenrollar *vt* dérouler

desenroscar [59] *vt (tornillo, tuerca)* dévisser

desentenderse [64] *vpr (hacerse el desentendido)* faire la sourde oreille; **d. de algo** se désintéresser de qch

desenterrar [3] *vt también Fig* déterrer

desentonar *vi Mús (cantante)* chanter faux; *(instrumento)* jouer faux; *Fig (color)* détonner; *(persona, modales)* être déplacé(e)

desentrenado, -a *adj* rouillé(e); **estar d.** manquer d'entraînement

desentumecer [46] 1 *vt* dégourdir
  2 **desentumecerse** *vpr* se dégourdir

desenvoltura *nf* aisance *f*

desenvolverse [41] *vpr (asunto, proceso)* se dérouler; *(persona)* s'en tirer

desenvuelto, -a 1 *participio ver* desenvolver
  2 *adj* à l'aise; *(para arreglárselas)* débrouillard(e)

deseo *nm* désir *m*; **pedir/conceder un d.** faire/accéder à un vœu; **buenos deseos** meilleurs vœux

deseoso, -a *adj* **estar d. de algo/de hacer algo** avoir envie de qch/de faire qch

desequilibrado, -a *adj & nm,f* déséquilibré(e) *m,f*

desequilibrio *nm* déséquilibre *m*

desertar *vi* déserter

desértico, -a *adj* désertique; *(despoblado)* désert(e)

desertización *nf* désertification *f*

desertor *nm* déserteur *m*

desesperación *nf* désespoir *m*; **causar d. a alguien** désespérer qn; **con d.** désespérément; **ser una d.** être désespérant(e)

desesperado, -a 1 *adj* désespéré(e)
  2 *nf* **desesperada: actuar a la desesperada** tenter le tout pour le tout

desesperante *adj* désespérant(e)

desesperar 1 *vt* désespérer
  2 *vi* **d. de hacer algo** désespérer de faire qch
  3 **desesperarse** *vpr* se désespérer; *(irritarse, enojarse)* s'arracher les cheveux

desestabilizar [14] *vt* déstabiliser

desestatización *nf Am* privatisation *f*

desestatizar *vt Am* privatiser

desestimar *vt (despreciar)* sous-estimer; *(rechazar)* rejeter

desfachatez *nf Fam* toupet *m*

desfalco *nm* détournement *m* de fonds

desfallecer [46] *vi (debilitarse)* défaillir; *(desmayarse)* s'évanouir; **d. de** *(hambre, miedo)* mourir de; *(cansancio)* tomber de

desfallecimiento *nm (desmayo)* évanouissement *m*; *(debilidad)* malaise *m*

desfase *nm (diferencia)* décalage *m*; *(desajuste)* déphasage *m* ☆ **d. horario** décalage horaire

desfavorable *adj* défavorable

desfigurar *vt (rostro)* défigurer; *(cuerpo, verdad)* déformer

desfiladero *nm* défilé *m (en montagne)*

desfilar *vi (marchar)* défiler; *Fig (irse)* se retirer

desfile *nm* défilé *m* ☆ **d. de modelos** défilé de mode

desfogar [38] 1 *vt (irritación, mal humor)* décharger; *(pasiones)* donner libre cours à
  2 **desfogarse** *vpr* se défouler

desgana nf (falta de hambre) manque m d'appétit; **hacer algo con d.** faire qch à contrecœur

desganado, -a adj **estoy d.** (sin apetito) je n'ai pas faim; (sin ganas) je n'ai envie de rien

desgarbado, -a adj dégingandé(e)

desgarrador, -ora adj déchirant(e)

desgarrar 1 vt también Fig déchirer
2 desgarrarse vpr se déchirer; **se me desgarra el corazón** ça me fend le cœur

desgarro nm déchirure f

desgastar 1 vt user
2 desgastarse vpr s'user

desgaste nm usure f

desglosar vt découper; (gastos) ventiler

desglose nm découpage m; (de gastos) ventilation f

desgracia nf (pena) malheur m; (mala suerte) malchance f; **por d.** malheureusement; **caer en d.** tomber en disgrâce

desgraciado, -a 1 adj (triste) malheureux(euse); (suceso) funeste; **ser d.** (no tener suerte) ne pas avoir de chance
2 nm,f (triste) personne f malheureuse; (sin suerte) malheureux (euse) m,f; Pey (persona insignificante) moins que rien mf; (canalla) sale bonhomme (bonne femme) m,f

desgraciar vt (arruinar) abîmer; (afear) gâcher; (herir) esquinter; Fig (malograr) faire échouer

desgranar vt (maíz, uva) égrener; (insultos, frases) débiter; (ventajas) énumérer

desgravar vt dégrever

desgreñado, -a adj échevelé(e)

desguace nm (de coches) casse f

deshabitado, -a adj inhabité(e)

deshabituar [4] **1** vt déshabituer
2 deshabituarse vpr se déshabituer

deshacer [33] **1** vt défaire; (derretir) faire fondre; (pacto, contrato) rompre; (plan) déjouer; (organización) dissoudre; (destruir) (casa) détruire; (matrimonio) briser; (despedazar) (libro) déchirer
2 deshacerse vpr (desvanecerse) disparaître; Fig (afligirse) se désespérer; Fig **deshacerse de** (librarse de) se débarrasser de; Fig **deshacerse en** (cumplidos, insultos) se répandre en; (elogios) ne pas tarir de; (excusas) se confondre en

desharrapado, -a 1 adj déguenillé(e)
2 nm,f clochard(e) m,f

deshecho, -a 1 participio ver **deshacer**
2 adj défait(e); (derretido) fondu(e); (motor, máquina) mort(e); Fig (afligido) abattu(e)

desheredar vt déshériter

deshidratar 1 vt déshydrater
2 deshidratarse vpr se déshydrater

deshielo nm dégel m

deshilachar 1 vt effilocher
2 deshilacharse vpr s'effilocher

deshilvanado, -a adj Fig (discurso, guión) décousu(e)

deshinchar 1 vt (globo, neumático) dégonfler; (hinchazón) désenfler
2 deshincharse vpr (hinchazón) désenfler; (globo, neumático) se dégonfler; Fam Fig (pedante, presumido) s'écraser

deshojar vt (árbol, flor) effeuiller; (libro) arracher les pages de

deshollinar vt ramoner

deshonesto, -a adj (sin honradez) malhonnête; (sin pudor) indécent (e)

deshonra nf déshonneur m

deshonrar vt déshonorer

deshora: a deshora(s) adv (en momento inoportuno) au mauvais moment; (en horas poco habituales) à n'importe quelle heure

deshuesar *vt (carne)* désosser; *(fruta)* dénoyauter

deshumanizar [14] **1** *vt* déshumaniser

2 deshumanizarse *vpr* devenir inhumain(e)

desidia *nf* laisser-aller *m inv*

desierto, -a 1 *adj* désert(e); **la plaza queda desierta** le poste reste à pourvoir; **el premio ha quedado d.** le prix n'a pas été attribué; **una isla desierta** une île déserte

2 *nm* désert *m*

designar *vt (nombrar)* désigner; *(fijar, determinar)* choisir; *(fecha)*- fixer

designio *nm* dessein *m*

desigual *adj* inégal(e); *(distinto)* dépareillé(e); *(carácter, tiempo)* changeant(e); **un terreno d.** un terrain accidenté

desigualdad *nf* inégalité *f*

desilusión *nf* désillusion *f*; **llevarse una d. con** être très déçu(e) par

desilusionar 1 *vt (decepcionar)* décevoir; *(desengañar)* désillusionner

2 desilusionarse *vpr (decepcionarse)* être déçu(e); **¡desilusiónate!** *(desengáñate)* ne te fais pas d'illusions!

desinfección *nf* désinfection *f*

desinfectar *vt* désinfecter

desinflar 1 *vt (quitar aire)* dégonfler; *Fig (quitar importancia)* minimiser; *(desanimar)* démoraliser

2 desinflarse *vpr (perder aire)* se dégonfler; *(achicarse)* perdre de sa superbe

desintegración *nf* désintégration *f*; *(de grupos, organizaciones)* éclatement *m*

desintegrar 1 *vt* désintégrer

2 desintegrarse *vpr* se désintégrer

desinterés *(pl* desintereses*) nm (indiferencia)* manque *m* d'intérêt, indifférence *f*; *(generosidad)* désintéressement *m*

desinteresado, -a *adj* désintéressé(e)

desinteresarse *vpr* **d. de** *o* **por algo** se désintéresser de qch

desintoxicar [59] *vt* désintoxiquer

desistir *vi* **d. (de hacer algo)** renoncer (à faire qch)

deslave *nm Am* glissement *m* de terrain

desleal *adj* déloyal(e)

deslealtad *nf* déloyauté *f*

d esleír [56] *vt* délayer

desligar [38] **1** *vt (soltar)* détacher; *Fig* **d. algo (de)** dissocier qch (de)

2 desligarse *vpr (soltarse)* se détacher; *(de una obligación)* se dégager; *Fig* **desligarse de** *(separarse de)* se dissocier de; **desligarse de un grupo** prendre ses distances par rapport à un groupe

deslindar *vt (limitar)* délimiter; *Fig (separar)* cerner

desliz *nm* faux pas *m*; *Fig* dérapage *m*; **cometer un d.** commettre un impair; **un d. de juventud** une erreur de jeunesse

deslizar [14] **1** *vt* glisser

2 deslizarse *vpr* glisser; *(serpiente)* ramper; *(lágrimas)* couler; *(introducirse)* se glisser

deslomar 1 *vt* esquinter

2 deslomarse *vpr Fam* s'esquinter

deslucido, -a *adj (sin brillo)* terni(e); *(sin gracia)* terne

deslumbrar *vt también Fig* éblouir

desmadrarse *vpr Fam* se défouler

desmadre *nm Fam* bazar *m*

desmán *nm* excès *m*, abus *m*

desmandarse *vpr (desobedecer)* n'en faire qu'à sa tête; *(insubordinarse)* se rebeller

desmantelar *vt* démanteler; *(fábrica)* désaffecter; *(nave)* démâter

desmaquillador, -ora *adj* démaquillant(e)

desmayar 1 *vi* faiblir
  2 desmayarse *vpr* s'évanouir
desmayo *nm (físico)* évanouissement *m*; *(moral)* défaillance *f*; **sin d.**
sans relâche
desmedido, -a *adj* démesuré(e)
desmelenado, -a *adj Fam (persona)*
déchaîné(e)
desmembrar [3] **1** *vt* démembrer;
(disgregar) faire éclater
  2 desmembrarse *vpr* éclater
desmemoriado, -a 1 *adj* distrait(e);
ser d. ne pas avoir de mémoire
  2 *nm,f* ingrat(e) *m,f*
desmentir [62] *vt* démentir
desmenuzar [14] **1** *vt (trocear)* déchiqueter, réduire en charpie;
(pan) émietter; *Fig (examinar, analizar)* éplucher
  2 desmenuzarse *vpr (pan, pastel)*
s'émietter; *(roca)* s'effriter
desmesurado, -a *adj* démesuré(e)
desmitificar [59] *vt* démythifier
desmontar 1 *vt* démonter
  2 *vi (de caballo, bicicleta)* descendre
  3 desmontarse *vpr (de caballo, bicicleta, vehículo)* descendre
desmoralizar [14] **1** *vt* démoraliser
  2 desmoralizarse *vpr* se démoraliser
desmoronamiento *nm* éboulement *m*
desmoronar 1 *vt (edificio)* abattre;
(rocas) faire s'ébouler; *Fig (a una
persona)* décourager
  2 desmoronarse *vpr (edificio)* s'é-
crouler; *(rocas)* s'ébouler; *Fig (persona, imperio)* s'effondrer
desnatado, -a *adj* écrémé(e)
desnaturalizado, -a *adj* dénatu-
ré(e)
desnivel *nm (cultural, social)* clivage *m*, déséquilibre *m*; *(de terreno)*
dénivellation *f*
desnivelar 1 *vt* déséquilibrer; *(ba-*

lanza) dérégler; *(terreno)* déniveler
  2 desnivelarse *vpr* être dénive-
lé(e); *Fig (desequilibrarse)* basculer
desnucar [59] **1** *vt* briser la nuque à
  2 desnucarse *vpr* se rompre le cou
desnuclearizar [13] *vt* dénucléari-
ser
desnudar 1 *vt (persona)* déshabiller;
Fig (cosa) dépouiller
  2 desnudarse *vpr* se déshabiller
desnudez *nf* nudité *f*
desnudo, -a 1 *adj* nu(e); *(árbol,
hombro, paisaje)* dénudé(e); *(decorado)* dépouillé(e)
  2 *nm* nu *m*
desnutrición *nf* malnutrition *f*
desobedecer [46] *vt* désobéir à
desobediencia *nf* désobéissance *f*
desobediente *adj* désobéissant(e)
desocupado, -a *adj (ocioso, vacío)*
inoccupé(e); *(sin empleo)* au chômage
desocupar *vt (local) (abandonar)*
évacuer; *(dejar libre)* libérer
desodorante *nm (corporal)* déodorant *m*; *(de un local)* désodorisant *m*
desoír *vt (consejos)* ignorer
desolación *nf (destrucción)* dévas-
tation *f*; *(desconsuelo)* désolation *f*;
causar d. *(en una zona)* semer la désolation
desolador, -ora *adj (noticia)* déso-
lant(e); *(espectáculo)* affligeant(e)
desolar [80] *vt (destruir)* dévaster;
(afligir) désoler
desorbitado, -a *adj* exorbitant(e);
con los ojos desorbitados les yeux
exorbités
desorden *nm* désordre *m*
desordenado, -a *adj (persona)* dé-
sordonné(e); *(armario, habitación)*
en désordre; *Fig (vida)* déréglé(e)
desordenar *vt* mettre en désordre,
déranger; *(pelo)* décoiffer
desorganización *nf* désorganisa-
tion *f*

desorganizar [14] *vt* désorganiser

desorientar 1 *vt también Fig* désorienter

2 **desorientarse** *vpr* être désorienté(e)

despabilar = espabilar

despachar 1 *vt (mercancía, entradas)* vendre; *(cliente)* servir; *(paquete)* expédier; *Am (equipaje)* enregistrer; *Fam Fig (trabajo)* expédier; *(comida)* engloutir; *(bebida)* descendre; *(asunto)* traiter; *(negocio)* régler

2 *vi (en tienda)* servir; **d. con alguien** avoir un entretien avec qn

3 **despacharse** *vpr* **despacharse (con alguien)** *(hablar francamente)* se soulager (auprès de qn)

despacho *nm* bureau *m*; *(comunicación oficial)* dépêche *f*; *(del juez)* mandat *m* ☆ **d. de localidades** *(en teatro)* guichet *m*

despacio *adv* lentement

despampanante *adj Fam (chica)* canon *inv*

desparpajo *nm Fam* sans-gêne *m inv*

desparramar 1 *vt (líquido)* répandre; *Fig (dinero)* dilapider

2 **desparramarse** *vpr (líquido)* se répandre; *(personas, ganado)* se disperser

despecho *nm* dépit *m*

despectivo, -a *adj (despreciativo)* méprisant(e); *Gram* péjoratif(ive); **de manera despectiva** avec mépris

despedazar [14] *vt (físicamente)* dépecer; *Fig (moralmente)* briser

despedida *nf (fiesta)* soirée *f* d'adieux; **la d.** les adieux; **celebró su d. de soltera** elle a fait une fête pour enterrer sa vie de jeune fille; **celebró su d. de soltero** il a enterré sa vie de garçon

despedir [47] 1 *vt (decir adiós)* faire ses adieux à; *(echar) (de un club)* renvoyer; *(de un empleo)* licencier; *(lanzar, arrojar)* jeter; *Fig (difundir, desprender)* dégager; **fuimos a despedirle a la estación** nous sommes allés lui dire au revoir à la gare; **el volcán despedía cenizas y humo** le volcan crachait des cendres et de la fumée

2 **despedirse** *vpr (de una persona)* dire au revoir (**de** à); *(de una cosa)* dire adieu (**de** à)

despegado, -a *adj Fig* distant(e)

despegar [38] 1 *vt & vi* décoller

2 **despegarse** *vpr (etiqueta, pegatina, sello)* se décoller; *Fig* **despegarse de alguien** se détacher de qn

despegue *nm también Fig* décollage *m*

despeinar 1 *vt* décoiffer

2 **despeinarse** *vpr* se décoiffer

despejado, -a *adj* dégagé(e); *Fig* **tener la mente despejada** avoir les idées claires

despejar 1 *vt (desocupar, disipar)* dégager; *(mesa)* débarrasser; *Mat (incógnita)* isoler; *(misterio)* éclaircir

2 **despejarse** *vpr (espabilarse)* s'éclaircir les idées; *(despertarse)* se réveiller; *(tiempo)* s'éclaircir; *(cielo)* se dégager

despeje *nm (en fútbol)* dégagement *m*

despellejar *vt (animal)* dépouiller; *Fig* **d. a alguien** *(criticar)* descendre qn en flammes

despelotarse *vpr muy Fam (desnudarse)* se mettre à poil; **d. (de risa)** se tordre (de rire)

despenalización *nf* dépénalisation *f*

despensa *nf* garde-manger *m inv*

despeñadero *nm* précipice *m*

despeñar 1 *vt* précipiter, jeter

2 **despeñarse** *vpr* se précipiter

desperdiciar *vt (derrochar)* gaspiller; *(ocasión)* perdre

desperdicio *nm (derroche)* gaspillage *m*; *(de tiempo)* perte *f*; *(residuo)* déchet *m*; **no tener d.** *(comida, película)* être excellent(e) de bout en bout; *Irón* **deberías ver esa película, ¡no tiene d.!** il faut que tu voies ce film, c'est vraiment quelque chose!

desperdigar [38] **1** *vt* disperser
2 desperdigarse *vpr* se disperser

desperezarse [14] *vpr* s'étirer

desperfecto *nm (deterioro)* dégât *m*; *(imperfección)* défaut *m*; **sufrir desperfectos** être endommagé(e)

despertador *nm* réveil *m (objet)*; **poner el d.** mettre le réveil à sonner

despertar **1** *vt* réveiller; *(interés)* éveiller; *(admiración)* provoquer
2 *vi* se réveiller
3 *nm* réveil *m (action)*
4 despertarse *vpr* se réveiller

despiadado, -a *adj* impitoyable

despido *nm* licenciement *m*

despiece *nm* dépeçage *m*

despierto, -a *adj también Fig* éveillé(e)

despilfarrar *vt* gaspiller

despilfarro *nm* gaspillage *m*

despintar *vt* délaver

despiole *nm RP Fam* pagaille *f*

despistado, -a **1** *adj (distraído)* tête en l'air *inv*; **estar d.** *(confundido)* être désorienté(e) *ou* dérouté(e)
2 *nm,f* tête *f* en l'air

despistar **1** *vt (perder)* égarer; *(a la policía, a un perseguidor)* semer; *Fig (confundir)* désorienter, dérouter
2 despistarse *vpr (perderse)* s'égarer; *Fig (distraerse)* avoir un moment d'inattention

despiste *nm (distracción)* étourderie *f*; *(error)* faute *f* d'étourderie

desplante *nm (con palabras)* insolence *f*; *(con hechos)* impolitesse *f*

desplazado, -a *adj Fig* **encontrarse d.** ne pas se sentir à sa place

desplazamiento *nm* déplacement *m*

desplazar [14] **1** *vt* déplacer; *Fig (desbancar)* supplanter
2 desplazarse *vpr (viajar)* se déplacer; **tiene que desplazarse cinco kilómetros** il doit faire cinq kilomètres

desplegar [43] *vt* déployer; *(tela, periódico)* déplier

despliegue *nm también Fig* déploiement *m*

desplomarse *vpr también Fig* s'effondrer

desplumar *vt también Fig* plumer

despoblado, -a *adj* dépeuplé(e)

despojar **1** *vt* **d. a alguien de algo** dépouiller qn de qch
2 despojarse *vpr* **despojarse de** *(bienes, ropa)* se dépouiller de

despojo *nm (acción)* dépouillement *m*; **despojos** *(de animales)* abats *mpl*; *(de aves)* abattis *mpl*; *(restos mortales)* dépouille *f* (mortelle)

desposar **1** *vt* marier
2 desposarse *vpr* se marier

desposeer [37] *vt* **d. a alguien de algo** déposséder qn de qch

déspota *nmf también Fig* despote *m*

despotricar [59] *vi Fam* pester **(contra** contre)

despreciar *vt (desdeñar)* mépriser; *(rechazar)* rejeter

desprecio *nm* mépris *m*

desprender **1** *vt (soltar)* détacher; *(despegar)* décoller; *(olor)* dégager; *(luz)* diffuser
2 desprenderse *vpr (soltarse)* se détacher; *(despegarse)* se décoller; *Fig* **de sus palabras se desprende que...** ses paroles laissent entendre que...; **desprenderse de** *(librarse de, renunciar a)* se défaire de

desprendido, -a *adj (generoso)* généreux(euse), désintéressé(e)

desprendimiento *nm (separación)* détachement *m*; *Fig (generosidad)* générosité *f* ✩ **d. de retina** décollement *m* de la rétine

despreocupado, -a 1 *adj (sin preo-cupaciones)* insouciant(e); **es muy d. en el vestir** il s'habille n'importe comment
    2 *nm,f (sin preocupaciones)* insouciant(e) *m,f*

despreocuparse *vpr* **d. de** *(un asunto)* ne plus penser à; *(una persona, un negocio)* négliger

desprestigiar *vt* discréditer

desprevenido, -a *adj* **pillar d.** prendre au dépourvu; **estar d.** ne pas se méfier

desprolijo, -a *Am* **1** *adj (casa, cuaderno)* mal tenu(e); *(persona)* peu soigné(e), négligé(e)
    2 *nm,f* = personne qui se néglige

desproporcionado, -a *adj* disproportionné(e)

despropósito *nm* absurdité *f*, bêtise *f*

desprovisto, -a *adj* **d. de** dépourvu(e) de

después *adv* **(a)** *(luego)* après; **poco d.** peu après; **años/dos días d.** des années/deux jours après *ou* plus tard; **el año d.** l'année d'après; **d. de** après; **llegó d. de ti** il est arrivé après toi; **d. de comer** après le déjeuner; **d. de que** après que; **d. de que lo hice** après que je l'ai fait; **d. de que hubiese hablado** après qu'il eut parlé; **d. de todo** tout compte fait
    (b) *(más adelante) (en el tiempo)* plus tard; *(en el espacio)* plus loin; *(en una lista)* plus bas; *(entonces)* ensuite, puis; **dos filas d.** deux rangs plus loin; **llamé primero y d. entré** j'ai sonné, puis je suis entré

despuntar 1 *vt (lápiz)* épointer
    2 *vi (planta)* bourgeonner; *(flor, capullo)* éclore; *(día)* poindre; *Fig* **d. entre/por** *(persona)* se distinguer de/par; **no despunta por su inteligencia** il ne brille pas par son intelligence

desquiciar *vt (puerta, ventana)* sor-tir de ses gonds; *Fig (desequilibrar)* détraquer, perturber; *(sacar de quicio)* faire sortir de ses gonds

desquitarse *vpr (de ofensa, derrota)* se venger (**de** de), prendre sa revanche (**de** sur)

desquite *nm* revanche *f*

destacamento *nm Mil* détachement *m*

destacar [59] **1** *vt (poner de relieve)* souligner, faire remarquer; **cabe d. que…** il convient de souligner que…
    2 *vi (sobresalir)* ressortir
    3 destacarse *vpr* se distinguer (**de/por** de/par)

destajo: a destajo *adv* à la pièce; *(por un tanto)* au forfait; *Fig (sin descanso)* d'arrache-pied

destapador *nm Am* ouvre-bouteille *m*

destapar 1 *vt (quitar la tapa)* ouvrir; *(quitar la cubierta)* découvrir; *RP (desatascar)* déboucher
    2 destaparse *vpr (desarroparse)* se découvrir; *Fig (revelarse)* se montrer sous son vrai jour

destartalado, -a *adj (casa, mueble)* délabré(e); *(camión, aparato)* déglingué(e); *(desparejado)* dépareillé(e)

destello *nm (de luz, brillo)* éclat *m*; *(de estrella)* scintillement *m*; *Fig (de lucidez, esperanza)* lueur *f*

destemplado, -a *adj (enfermo)* fiévreux(euse); *(instrumento)* désaccordé(e); *(tiempo)* maussade; *(carácter)* emporté(e); *(voz, tono)* aigre

desteñir 1 *vt* déteindre sur
    2 *vi (descolorarse)* ternir

desternillarse *vpr* **d. de risa** se tordre de rire

desterrar [3] *vt (persona)* exiler; *Fig (idea)* chasser; *Fig (costumbre, hábito)* bannir

destetar *vt* sevrer

destiempo: a destiempo *adv* à contretemps

destierro *nm* exil *m*

destilación *nf* distillation *f*

destilar 1 *vt* distiller; *(pus, sangre)* suinter
2 *vi* suinter, goutter

destilería *nf* distillerie *f*

destinar *vt* destiner; *(cartas)* adresser; *(cargo, empleo)* affecter; **d. a alguien a** *(cargo, empleo)* affecter qn à; *(lugar)* envoyer qn à

destinatario, -a *nm,f* destinataire *mf*

destino *nm (sino)* destin *m*; *(rumbo, finalidad)* destination *f*; *(plaza, empleo)* affectation *f*, poste *m*; **con d. a** à destination de

destitución *nf* destitution *f*

destituir [34] *vt* destituer

destornillador *nm (herramienta)* tournevis *m*; *(bebida)* vodka-orange *f*

destornillar *vt* dévisser

destreza *nf* adresse *f*

destripar *vt (animal, persona)* étriper; *Fig (aparato, muñeco)* éventrer; *Fig* **d. un chiste** déflorer une histoire drôle

destronar *vt también Fig* détrôner

destrozar [14] *vt (romper)* mettre en pièces; *(estropear)* abîmer, détériorer; *(destruir)* détruire; *Fig (persona, carrera)* briser

destrozo *nm* dégât *m*; **ocasionar grandes destrozos** faire de gros dégâts

destrucción *nf* destruction *f*

destruir [34] *vt* détruire; *(argumento, proyecto)* démolir

desubicado, -a *nm,f Am* gaffeur (euse) *m,f*

desvaído, -a *adj (color)* pâle, passé(e); *(mirada)* vague; *(forma, contorno)* flou(e)

desvalido, -a *adj & nm,f* démuni(e) *m,f*

desvalijar *vt* dévaliser

desván *nm* grenier *m*

desvanecer [46] **1** *vt* dissiper
2 desvanecerse *vpr (desaparecer)* se dissiper; *(desmayarse)* s'évanouir

desvanecimiento *nm* évanouissement *m*

desvariar [32] *vi* délirer, divaguer

desvarío *nm (dicho)* absurdité *f*; *(hecho)* folie *f*; *(estado)* délire *m*

desvelar 1 *vt (persona)* empêcher de dormir; *(noticia, secreto)* dévoiler
2 desvelarse *vpr (no poder dormir)* ne pas pouvoir dormir; *CAm, Méx (acostarse tarde)* se coucher tard; **desvelarse por hacer algo** se donner du mal pour faire qch

desvelo *nm (insomnio)* insomnie *f*; *(esfuerzo)* effort *m*; **a pesar de nuestros desvelos...** malgré tous nos efforts...

desvencijado, -a *adj* à moitié disloqué(e)

desventaja *nf* désavantage *m*

desventura *nf* malheur *m*

desvergonzado, -a *adj & nm,f* effronté(e) *m,f*

desvergüenza *nf (atrevimiento, frescura)* effronterie *f*; *(dicho, hecho)* insolence *f*

desvestir [47] **1** *vt* dévêtir
2 desvestirse *vpr* se dévêtir

desviación *nf* déviation *f* ☆ **d. de columna** déviation de la colonne vertébrale

desviar [32] **1** *vt* détourner; *(pelota, disparo, tráfico)* dévier; *(barco)* dérouter; *(pregunta)* éluder
2 desviarse *vpr (cambiar de dirección) (conductor)* dévier; *(avión, barco)* changer de route; **desviarse del tema** faire une digression; **desviarse de un propósito** changer de cap

desvincularse *vpr* **d. de** *(amigos, grupo)* se détacher de; *(responsabilidad)* se dégager de

desvío *nm (vía)* déviation *f*

desvirtuar [4] *vt* dénaturer

desvivirse *vpr* **d.** *(por alguien/algo)* se dépenser sans compter (pour qn/qch); **d. por hacer algo** mourir d'envie de faire qch

detallar *vt* détailler

detalle *nm* détail *m*; *(amabilidad)* attention *f*; **con d.** en détail; **entrar en detalles** entrer dans les détails; **tener un d.** avoir une délicate attention

detallista 1 *adj* pointilleux(euse) 2 *nmf Com* détaillant(e) *m,f*

detectar *vt* détecter

detective *nmf* détective *mf*

detener [65] 1 *vt (arrestar, parar)* arrêter; *(retrasar)* retenir 2 **detenerse** *vpr (pararse)* s'arrêter

detenidamente *adv* attentivement

detenido, -a 1 *adj (detallado)* approfondi(e); **estar d.** *(arrestado)* être en état d'arrestation 2 *nm,f* détenu(e) *m,f*

detenimiento *nm* **con d.** avec attention

detergente *nm (para la ropa)* lessive *f*; *(para el suelo)* détergent *m*

deteriorar 1 *vt* détériorer 2 **deteriorarse** *vpr Fig (empeorar)* se détériorer, se dégrader

deterioro *nm* détérioration *f*

determinación *nf* détermination *f*; **tomar una d.** prendre une résolution

determinado, -a *adj (concreto)* certain(e); *(resuelto)* déterminé(e); **en determinados casos** dans certains cas

determinar *vt* déterminer; *(fecha)* fixer; *(causar, motivar)* être à l'origine de; **d. algo/hacer algo** *(decidir)* décider qch/de faire qch

detestar *vt* détester

detonante 1 *adj* détonant(e) 2 *nm también Fig* détonateur *m*

detractor, -ora *adj & nm,f* détracteur(trice) *m,f*

detrás *adv (en el espacio)* derrière; *(en el orden)* après, ensuite; **siéntate d.** assieds-toi derrière; **tus amigos vienen d.** tes amis nous suivent; **primero entró él y d. ella** il est entré le premier et elle après lui; **d. de** derrière; **d. de la puerta** derrière la porte; *también Fig* **estar d. de algo** être derrière qch; **decir algo por d. de alguien** dire qch dans le dos de qn; **se entra por d.** on entre par-derrière; **le vi por d.** je l'ai vu de dos

detrimento *nm* **en d. de** au détriment de

detrito *nm* détritus *m*; **detritos** *(residuos)* détritus *mpl*

deuda *nf* dette *f*; **estar en d. con alguien** avoir une dette envers qn ☆ *Econ* **d. externa** *o* **exterior** dette externe; **d. pública** dette publique

deudor, -ora *adj & nm,f* débiteur(trice) *m,f*

devaluación *nf* dévaluation *f*

devaluar [4] 1 *vt* dévaluer 2 **devaluarse** *vpr* se dévaluer

devanar 1 *vt* dévider 2 **devanarse** *vpr Fam* **devanarse los sesos** se creuser la cervelle

devaneos *nmpl (distracción)* divagations *fpl*; *(amoríos)* amourettes *fpl*

devastar *vt* dévaster

devoción *nf también Fig* dévotion *f*

devocionario *nm* missel *m*

devolución *nf* retour *m*; *(de dinero)* remboursement *m*; *(de correo)* restitution *f*, retour *m* à l'expéditeur

devolver [41] 1 *vt (restituir)* rendre; *(importe)* rembourser; *(carta, paquete)* renvoyer, retourner; *(brillo)* redonner; **d. algo a su sitio** remettre qch à sa place 2 *vi (vomitar)* rendre 3 **devolverse** *vpr Am* revenir

devorar *vt también Fig* dévorer

devoto, -a *adj (piadoso)* dévot(e); **ser muy d. (de alguien)** *(admirar)* être un(e) fervent(e) admirateur(trice) (de qn); **una imagen devota** une image pieuse

devuelto, -a *participio ver* **devolver**

di *ver* **dar, decir**

día *nm* jour *m; (tiempo, espacio de tiempo)* journée *f;* **me voy el d. ocho** je pars le huit; **¿a qué d. estamos?** quel jour sommes-nous?; **al d. siguiente** le lendemain; **a plena luz del d.** en plein jour; **d. y noche** jour et nuit; **a 60 días vista** à 60 jours de vue; **el d. de hoy/de mañana** aujourd'hui/demain; **hoy en d.** de nos jours; **todos los días** tous les jours; **un d. sí y otro no** un jour sur deux; **d. de pago** jour de paie; **d. festivo** jour férié; **d. hábil** *o* **laborable** *o* **de trabajo** jour ouvrable; **del d.** du jour; **menú del d.** plat du jour; **pan del d.** du pain frais; **un d. lluvioso** une journée pluvieuse; **todo el (santo) d.** toute la (sainte) journée; **el d. de la madre** la fête des Mères; **el d. de San Juan** la Saint-Jean; **mañana será otro d.** demain il fera jour; **poner algo al d.** mettre qch à jour; **poner alguien al d.** mettre qn au courant; **un d. es un d.** une fois n'est pas coutume; **vivir al d.** vivre au jour le jour; **pasar sus días haciendo algo** passer sa vie à faire qch; **en mis días** à mon époque, de mon temps; **¡buenos días!,** *Am* **¡buen d.!** bonjour!

diabético, -a *adj & nm,f* diabétique *mf*

diablo 1 *nm* diable *m; Fam* **¿dónde/cómo diablos...?** où/comment diable...?
2 *interj* **¡diablos!** diable!

diablura *nf* diablerie *f*

diabólico, -a *adj también Fig* diabolique

diadema *nf* serre-tête *m; (joya)* diadème *m*

diáfano, -a *adj (transparente)* diaphane; *Fig (claro)* limpide

diafragma *nm* diaphragme *m*

diagnosticar [59] *vt* diagnostiquer

diagnóstico *nm* diagnostic *m*

diagonal 1 *adj* diagonal(e)
2 *nf* diagonale *f;* **en d.** en diagonale

diagrama *nm* diagramme *m* ☆ **d. de barras** diagramme en bâtons; **d. de sectores** camembert *m*

dial *nm (de teléfono)* cadran *m*

dialecto *nm* dialecte *m*

diálisis *nf inv* dialyse *f*

dialogar [38] *vi* dialoguer

diálogo *nm* dialogue *m;* **un d. de sordos** un dialogue de sourds

diamante *nm* diamant *m;* **diamantes** *(palo de baraja)* carreau *m*

diámetro *nm* diamètre *m*

diana *nf (de dardos)* cible *f; (en cuartel)* réveil *m;* **hacer d.** *(en blanco de tiro)* faire mouche

diapasón *nm* diapason *m*

diapositiva *nf* diapositive *f*

diariero, -a *nm,f Andes, RP* vendeur(euse) *m,f* de journaux

diario, -a 1 *adj* quotidien(enne); *(actividad)* journalier(ère); **a d.** tous les jours; **ropa de d.** vêtements *mpl* de tous les jours
2 *nm* journal *m;* **d. hablado** journal radio

diarrea *nf* diarrhée *f*

dibujante *nmf* dessinateur(trice) *m,f*

dibujar *vt & vi* dessiner

dibujo *nm* dessin *m* ☆ **dibujos animados** dessins animés; **d. lineal** *o* **técnico** dessin industriel

diccionario *nm* dictionnaire *m*

dice *ver* **decir**

dicha *nf (felicidad)* bonheur *m; (suerte)* chance *f*

dicho, -a 1 *participio ver* **decir**
2 *adj* ce (cette); **o mejor d.** ou plutôt; **d. y hecho** aussitôt dit aussitôt fait
3 *nm* dicton *m*

dichoso, -a adj (feliz, afortunado) heureux(euse); (para enfatizar) maudit(e)

diciembre nm décembre m; ver también septiembre

dicotomía nf dichotomie f

dictado nm dictée f; **dictados** (órdenes) impératifs mpl

dictador, -ora nm,f dictateur m

dictadura nf dictature f

dictáfono nm Dictaphone m

dictamen nm (opinión) opinion f; (informe) rapport m; **dar un d.** donner un avis

dictar vt dicter; (sentencia, fallo) prononcer; (ley, decreto) promulguer

dictatorial adj dictatorial(e)

didáctico, -a adj didactique

diecinueve 1 adj num inv dix-neuf; **el siglo d.** le dix-neuvième siècle
2 nm inv dix-neuf m inv; ver también seis

dieciocho 1 adj num inv dix-huit; **el siglo d.** le dix-huitième siècle
2 nm inv dix-huit m inv; ver también seis

dieciséis 1 adj num inv seize; **el siglo d.** le seizième siècle
2 nm inv seize m inv; ver también seis

diecisiete 1 adj num inv dix-sept; **el siglo d.** le dix-septième siècle
2 nm inv dix-sept m inv; ver también seis

diente nm dent f; **hablar entre dientes** parler entre ses dents; Fig **hincarle el d. a algo** s'attaquer à qch; **ponerle a alguien los dientes largos** rendre qn jaloux(ouse) ☆ **d. de ajo** gousse f d'ail; **d. de leche** dent de lait; **d. de león** (planta) pissenlit m

diera ver dar

diéresis nf inv tréma m

dieron ver dar

diesel adj diesel

diestro, -a adj (hábil) adroit(e); (que usa la mano derecha) droitier (ère); Fig **a d. y siniestro** à tort et à travers

dieta 1 nf régime m; **estar/ponerse a d.** être/se mettre au régime
2 nfpl **dietas** indemnités fpl; **dietas por o de desplazamiento** indemnités de déplacement

dietético, -a 1 adj diététique
2 nf **dietética** diététique f

dietista nmf Am nutritionniste mf

diez 1 adj num inv dix
2 nm dix m; **sacar un d.** avoir dix sur dix; ver también sesenta

difamar vt diffamer

diferencia nf différence f; (de opiniones, punto de vista) différend m

diferencial 1 adj différentiel(elle); (rasgo) distinctif(ive)
2 nm (en automóvil) différentiel m

diferenciar 1 vt différencier; (los colores, las letras) reconnaître; **d. lo bueno de lo malo** distinguer le bien et le mal
2 **diferenciarse** vpr (ser distinto) se différencier (de de)

diferente 1 adj différent(e) (**de** o **a** de)
2 adv différemment

diferido nm **en d.** en différé

diferir [62] 1 vt (posponer) différer
2 vi (diferenciarse) différer (**de** de); **difiero de ti en opiniones** nous n'avons pas les mêmes opinions

difícil adj difficile; **d. de hacer** difficile à faire

dificultad nf difficulté f; **con dificultades** (empresa) en difficulté; **pasar dificultades** connaître des moments difficiles

dificultar vt rendre difficile

difuminar vt (color) estomper; (olor) dissiper; (sonido) assourdir

difundir 1 vt diffuser; (noticia) répandre

2 difundirse *vpr (propagarse)* se diffuser; *(noticia)* se répandre; *(epidemia)* se propager; *(publicación)* être diffusé(e)

difunto, -a *adj & nm,f* défunt(e) *m,f*

difusión *nf* diffusion *f*

diga *ver* **decir**

digerir [62] *vt también Fig* digérer

digestión *nf* digestion *f*

digestivo, -a *adj* digestif(ive)

digitador, -ora *nm,f Am* opérateur(trice) *m,f* de saisie, claviste *mf*

digital *adj (de los dedos)* digital(e); *Informát* numérique

digitalizar *vt Informát* numériser

digitar *vt Am* taper

dígito *nm* chiffre *m*

dignarse *vpr* **d. hacer algo** daigner faire qch

dignidad *nf* dignité *f*

dignificar [59] *vt* rendre digne

digno, -a *adj* digne **(de** de)

digo *ver* **decir**

digresión *nf* digression *f*

dije, dijera *ver* **decir**

dilapidar *vt* dilapider

dilatar 1 *vt* dilater; *(prolongar)* faire durer

2 dilatarse *vpr* se dilater

dilema *nm* dilemme *m*

diligencia *nf (esmero, prontitud)* zèle *m*; *(trámite, gestión)* démarche *f*; *(vehículo)* diligence *f*; **con d.** rapidement

diligente *adj* zélé(e)

diluir [34] **1** *vt* diluer

2 diluirse *vpr* se diluer

diluviar *v impersonal* **está diluviando** il pleut à torrents

diluvio *nm* déluge *m* ☆ **el D. Universal** le Déluge

dimensión *nf* dimension *f*; **de grandes dimensiones** aux dimensions importantes

diminutivo *nm* diminutif *m*

diminuto, -a *adj* tout(e) petit(e), minuscule

dimisión *nf* démission *f*; **presentar la d.** donner sa démission

dimitir *vi* démissionner **(de** de)

dimos *ver* **dar**

Dinamarca *n* le Danemark

dinámico, -a *adj* dynamique

dinamismo *nm* dynamisme *m*

dinamita *nf* dynamite *f*

dinamo, dínamo *nf* dynamo *f*

dinastía *nf* dynastie *f*

dineral *nm Fam* fortune *f*

dinero *nm* argent *m*; **d. negro** *o* **sucio** argent sale; **andar bien de d.** être en fonds; **un hombre de d.** un homme riche

dinosaurio *nm* dinosaure *m*

dio *ver* **dar**

diócesis *nf inv* diocèse *m*

dioptría *nf* dioptrie *f*

dios, -osa *nm,f* dieu *m*, déesse *f*; *muy Fam* **todo d.** tout le monde; **a D. gracias** grâce à Dieu; **a la buena de D.** au petit bonheur la chance; **¡D. mío!** mon Dieu!; **¡por D.!** je t'en/vous en prie!; **¡vaya por D.!** nous voilà bien!

diploma *nm* diplôme *m*

diplomacia *nf* diplomatie *f*

diplomado, -a *adj & nm,f* diplômé(e) *m,f*

diplomático, -a 1 *adj* diplomatique

2 *nm,f* diplomate *mf*

diptongo *nm* diphtongue *f*

diputación *nf (corporación)* conseil *m*; *(cargo)* députation *f* ☆ **d. provincial** conseil général

diputado, -a *nm,f* député(e) *m,f* **(por** de)

dique *nm (en río)* digue *f*; *(en puerto)* dock *m*

dirá *ver* **decir**

dirección *nf* direction *f*; *(de calle, de las agujas del reloj)* sens *m*; *(domicilio)* adresse *f*; **d. prohibida** sens

interdit; **d. única** sens unique; **en d. a
en** direction de ☆ **d. asistida** direction assistée; **d. comercial** direction
commerciale; *Informát* **d. de correo
electrónico** adresse électronique;
d. general direction générale; **D.
General de Tráfico** = organisme
chargé de la circulation routière,
dépendant du ministère de l'Intérieur espagnol; *Informát* **d. web**
adresse web

directivo, -a 1 *adj* directeur(trice);
(personal) de direction
  2 *nm,f* dirigeant(e) *m,f*
  3 *nf* **directiva** *(junta)* direction *f*;
  (norma) directive *f*

directo, -a 1 *adj* direct(e)
  2 *nm* direct *m*; **en d.** en direct
  3 *adv* tout droit, directement
  4 *nf* **directa** *(marcha)* cinquième
  (vitesse) *f*; *Fig* **poner la directa** s'y
  mettre

director, -ora *nm,f* directeur(trice)
m,f; **d. de cine** réalisateur(trice)
m,f; **d. de escena** *o* **teatro** metteur *m*
en scène; **d. de orquesta** chef *m* d'orchestre; **d. general** président-direc-
teur *m* général

directorio *nm* répertoire *m* ☆ *Informát* **d. raíz** répertoire racine; *Col,
Méx* **d. telefónico** annuaire *m* (du téléphone)

directriz *nf (principio)* ligne *f* direc-
trice; **directrices** *(normas)* directives
fpl

diría *ver* **decir**

dirigente *adj & nmf* dirigeant(e) *m,f*

dirigir [24] **1** *vt* diriger; *(obra de teatro)* mettre en scène; *(película)* réaliser; *(palabra, carta)* adresser;
(asesorar) guider; **d. algo a** *(dedicar)*
consacrer qch à
  2 dirigirse *vpr (encaminarse)* se diriger (**a** *o* **hacia** vers); **dirigirse a alguien** *(hablar, escribir)* s'adresser à
  qn

discar [59] *vt Andes, RP* composer

discernir [25] *vt* discerner

disciplina *nf* discipline *f*

discípulo, -a *nm,f* disciple *mf*

disc-jockey [dis'jokei] *(pl* **disc-joc-
keys)** *nmf* disc-jockey *mf*

disco *nm* disque *m*; *(semáforo)* feu
m; **d. rojo** feu rouge; *Fam Fig* **ser
como un d. rayado** rabâcher ☆ **d.
compacto** disque compact; **d. duro**
disque dur; **d. flexible** disque souple

discografía *nf* discographie *f*

disconformidad *nf* désaccord *m*

discontinuo, -a *adj* discontinu(e);
línea discontinua ligne *f* (blanche)
discontinue

discordante *adj* discordant(e)

discordia *nf* discorde *f*

discoteca *nf* discothèque *f*

discreción *nf* discrétion *f*; **a d.** à volonté

discrecional *adj (servicio de transporte)* spécial(e)

discrepancia *nf* divergence *f*

discrepar *vi* diverger; **d. de** être en
désaccord avec

discreto, -a *adj* discret(ète); *(cantidad)* modéré(e)

discriminación *nf* discrimination *f*;
d. racial discrimination raciale

discriminar *vt* discriminer

disculpa *nf* excuse *f*; **pedir disculpas
(por)** présenter ses excuses (pour)

disculpar *vt* excuser; **¡disculpe!** excusez-moi!, pardon!

discurrir *vi (tiempo, vida)* s'écouler;
(acto, sesión) se dérouler; *(pensar)*
réfléchir

discurso *nm* discours *m*

discusión *nf* discussion *f*

discutible *adj* discutable

discutir 1 *vi (pelearse)* se disputer;
(conversar) discuter (**de** *o* **sobre** de)
  2 *vt* **d. algo** discuter de qch

disecar [59] *vt* disséquer

disección *nf* dissection *f*

diseminar *vt* disséminer

disentir [62] *vi* ne pas être d'accord

diseñador, -ora *nm,f (de muebles, tejidos)* dessinateur(trice) *m,f*, designer *m* ☆ **d. gráfico** concepteur (trice) *m,f* graphique; **d. de modas** créateur(trice) *m,f* (de mode)

diseñar *vt (dibujar)* dessiner; *(crear)* concevoir

diseño *nm (dibujo)* dessin *m*; *(concepción)* conception *f*; **de d.** design *inv*; **ropa de d.** vêtements *mpl* griffés ☆ **d. asistido por ordenador** conception assistée par ordinateur, CAO *f*; **d. gráfico** conception graphique

disertación *nf* dissertation *f*

disfraz *nm* déguisement *m*; **de disfraces** *(baile, fiesta)* costumé(e); **un d. de bruja/gorila** un costume de sorcière/de gorille

disfrazar [14] **1** *vt* déguiser
  2 disfrazarse *vpr* se déguiser (**de** en)

disfrutar 1 *vi (sentir placer)* s'amuser; **d. de** *(comodidades)* bénéficier de; *(buena salud, favor)* jouir de
  2 *vt* profiter de

disgregar [38] **1** *vt (multitud, manifestación)* disperser; *(roca)* désagréger
  2 disgregarse *vpr (familia, manifestación)* se disperser; *(roca)* se désagréger; *(imperio)* se morceler

disgustar 1 *vt* déplaire à
  2 disgustarse *vpr* se fâcher

disgusto *nm (tristeza, pesar)* contrariété *f*; *(desinterés, incomodidad)* ennui *m*; **dar un d. a alguien** contrarier qn; **llevarse un d.** être contrarié(e); **estar a d.** être mal à l'aise; **tener un d. con alguien** *(pelearse)* s'accrocher avec qn

disidente *adj & nmf* dissident(e) *m,f*

disimular 1 *vt* dissimuler, cacher
  2 *vi (culpable)* faire l'innocent(e); *(fingir desconocimiento)* faire comme si de rien n'était

disimulo *nm* dissimulation *f*; **con d. en cachette**

disipar 1 *vt* dissiper
  2 disiparse *vpr* se dissiper

dislexia *nf* dyslexie *f*

dislocar [59] **1** *vt* démettre
  2 dislocarse *vpr* se démettre; **se me ha dislocado un codo** je me suis démis le coude

disminución *nf* diminution *f*; *(de temperatura, paga)* baisse *f*

disminuir [34] *vt & vi* diminuer

disolución *nf* dissolution *f*; *(mezcla)* solution *f*

disolvente 1 *adj* dissolvant(e)
  2 *nm* dissolvant *m*

disolver [41] **1** *vt* dissoudre
  2 disolverse *vpr* se dissoudre; *(manifestación)* se disperser

disparar 1 *vt (flecha, dardo)* lancer
  2 *vi* tirer; *(sacar una foto)* prendre une photo
  3 dispararse *vpr (arma de fuego)* partir; *(persona)* s'emporter; *(precios)* s'envoler

disparatado, -a *adj (ilógico)* absurde; *(raro)* extravagant(e); **¡qué ideas más disparatadas!** quelles drôles d'idées!

disparate *nm (comentario, acción)* bêtise *f*; *(idea)* drôle d'idée *f*; *(dineral)* fortune *f*; **costar un d.** coûter une fortune

disparidad *nf* disparité *f*

disparo *nm (de bala)* coup *m* de feu; *(de pelota, flecha)* tir *m*

dispensar *vt (disculpar)* excuser; *(honores)* rendre; *(bienvenida)* réserver; *(ayuda)* donner; **d. de** *(eximir de)* dispenser de

dispensario *nm* dispensaire *m*

dispersar 1 *vt* disperser
  2 dispersarse *vpr* se disperser

dispersión *nf* dispersion *f*; *(de objetos)* désordre *m*

disperso, -a *adj* dispersé(e)

disponer [50] 1 *vt (preparar)* disposer; *(mandar) (sujeto: persona)* décider de; *(sujeto: ley)* stipuler; **d. lo necesario para** prendre ses dispositions pour
  2 *vi* **d. de** disposer de
  3 **disponerse** *vpr* **disponerse a** s'apprêter à

disponibilidad *nf* disponibilité *f*

disponible *adj* disponible

disposición *nf* disposition *f*; **a d. de** à la disposition de; **tener d. para** avoir des dispositions pour; **estar** *o* **hallarse en d. de** être en état de

dispositivo *nm* dispositif *m* ☆ **d. intrauterino** stérilet *m*

dispuesto, -a 1 *participio ver* **disponer**
  2 *adj (listo)* prêt(e); **estar d. a algo/a hacer algo** être prêt à qch/à faire qch; **ser muy d.** avoir de bonnes dispositions

disputa *nf* dispute *f*

disputar *vt* **d. algo** *(competir)* se disputer qch; *(debatir)* discuter de qch

disquete *nm* Informát disquette *f*

disquetera *nf* Informát unité *f* de disquette

distancia *nf* distance *f*; **a d.** à distance; **se saludaron a d.** ils se sont salués de loin; **guardar las distancias** garder ses distances

distanciar 1 *vt* éloigner; *(en competición)* distancer
  2 **distanciarse** *vpr* s'éloigner

distante *adj (espacio)* éloigné(e); *(trato)* distant(e); **no está muy d.** ce n'est pas très loin

distar *vi* **ese sitio dista varios kilómetros de aquí** cet endroit est à plusieurs kilomètres d'ici; *Fig* **d. de** *(diferir de)* être loin de

diste *ver* **dar**

distender [64] *vt* distendre; *(ambiente, cuerda)* détendre

distendido, -a *adj (informal)* décontracté(e)

distinción *nf* distinction *f*; **a d. de** à la différence de

distinguido, -a *adj (destacado)* éminent(e); *(elegante)* distingué(e)

distinguir [26] 1 *vt* distinguer; **d. con** *(galardonar)* décorer de
  2 **distinguirse** *vpr* se distinguer **(por** par)

distintivo, -a 1 *adj* distinctif(ive)
  2 *nm (insignia)* badge *m*; *(característica)* signe *m* distinctif

distinto, -a *adj (diferente)* différent(e); **distintos** *(varios)* plusieurs

distorsión *nf (de imágenes, sonidos)* distorsion *f*

distracción *nf* distraction *f*

distraer [66] 1 *vt* distraire
  2 **distraerse** *vpr (entretenerse)* se distraire; *(despistarse)* être distrait(e); *(del trabajo)* se déconcentrer; **distraerse un momento** avoir un moment d'inattention

distraído, -a 1 *adj (entretenido)* amusant(e); *(despistado)* distrait(e)
  2 *nm,f* étourdi(e) *m,f*

distribución *nf* distribution *f*

distribuidor, -ora 1 *adj (entidad)* qui distribue; *(red)* de distribution
  2 *nm,f (persona)* distributeur (trice) *m,f* ☆ **d. exclusivo** représentant *m* exclusif
  3 *nm (aparato)* distributeur *m*

distribuir [34] 1 *vt* distribuer
  2 **distribuirse** *vpr* se répartir

distrito *nm* district *m* ☆ **d. postal** code *m* postal

disturbio *nm* troubles *mpl*, émeute *f*

disuadir *vt* dissuader

disuasión *nf* dissuasion *f*

disuasivo, -a, disuasorio, -a *adj* dissuasif(ive)

disuelto, -a *participio ver* **disolver**

DIU *nm (abrev* **dispositivo intrauterino)** stérilet *m*

diurético, -a 1 *adj* diurétique
  2 *nm* diurétique *m*

diurno, -a *adj* diurne
divagar [38] *vi (deambular)* errer; *(delirar)* divaguer; **d. sobre** se perdre en considérations sur
diván *nm* divan *m*
divergencia *nf también Fig* divergence *f*
divergir [24] *vi también Fig* diverger
diversidad *nf* diversité *f*
diversificar [59] **1** *vt* diversifier
2 diversificarse *vpr* se diversifier
diversión *nf* distraction *f*; **la d. no ha hecho más que empezar** la fête ne fait que commencer
diverso, -a *adj (diferente)* différent(e); *(variado)* divers(e); **diversos** *(varios)* plusieurs
divertido, -a *adj* amusant(e), drôle
divertir [62] **1** *vt* amuser
2 divertirse *vpr* s'amuser; *(con pasatiempos)* se divertir
dividendo *nm* dividende *m*
dividir **1** *vt* diviser; *(trocear)* couper en morceaux; *(repartir)* partager
2 dividirse *vpr (repartirse)* se répartir; **dividirse en** *(estar compuesto de)* se diviser en
divinidad *nf* divinité *f*
divino, -a *adj (de dioses)* divin(e); *Fig (excelente)* merveilleux(euse); *(gusto, comida)* exquis(e)
divisa *nf (moneda extranjera)* devise *f* (étrangère); *(distintivo)* insigne *m*
divisar *vt* apercevoir
división *nf* division *f*; *Fig (de opinión)* discorde *f*; **hubo d. de opiniones** les avis ont été partagés
divo, -a *nm,f (cantante de ópera)* chanteur *m* d'opéra, diva *f*; *Fig (figura)* vedette *f*
divorciado, -a *adj & nm,f* divorcé(e) *m,f*
divorciar **1** *vt (personas)* prononcer le divorce de; *Fig (cosas)* séparer
2 divorciarse *vpr* divorcer
divorcio *nm también Fig* divorce *m*

divulgación *nf (de noticia, secreto)* divulgation *f*; *(de cultura, ciencia)* vulgarisation *f*
divulgar [38] *vt (difundir) (noticia, secreto)* divulguer; *(rumor)* propager; *(cultura, ciencia)* vulgariser
dizque *adv Méx* apparemment
DNI *nm (abrev documento nacional de identidad)* = carte d'identité espagnole
do *nm* do *m inv*
dóberman *nm* doberman *m*
dobladillo *nm* ourlet *m*
doblado, -a *adj (papel, camisa)* plié(e); *(voz, película)* doublé(e)
doblaje *nm* doublage *m*
doblar **1** *vt (plegar)* plier; *(película)* doubler; *(torcer)* tordre; **d. la esquina** tourner au coin de la rue
2 *vi (girar)* tourner; **d. (a muerto)** *(campanas)* sonner le glas
3 doblarse *vpr* **doblarse a** *o* **ante algo** *(someterse)* se plier *ou* se soumettre à qch
doble **1** *adj* double; **de d. sentido** à double sens
2 *nmf (persona)* double *m*, sosie *m*
3 *nm (duplo, copia)* double *m*; **gana el d. que yo** elle gagne deux fois plus que moi; **dobles** *(en tenis)* double
4 *adv* double; **ver d.** voir double; **trabajar d.** travailler deux fois plus
doblegar [38] **1** *vt (torcer)* plier; *(someter)* faire fléchir
2 doblegarse *vpr* **doblegarse a** *(someterse a)* se plier à; **doblegarse ante/bajo** fléchir devant/sous
doblez **1** *nm (pliegue)* pli *m*
2 *nm o nf Fig (falsedad)* duplicité *f*
doce **1** *adj num inv* douze; **las d.** *(de la mañana)* midi; *(de la noche)* minuit
2 *nm inv* douze *m inv*; *ver también* **seis**
doceavo, -a *adj num* douzième; *ver también* **sexto**
docena *nf* douzaine *f*; **por docenas**

(doce a doce) à la douzaine; *(en cantidad)* beaucoup

docencia *nf* enseignement *m*

docente 1 *adj (personal)* enseignant(e); *(centro)* d'enseignement 2 *nmf* enseignant(e) *m,f*

dócil *adj (manso)* docile; *(niño)* facile

doctor, -ora *nm,f* docteur *m*; **d. en** *(en derecho, medicina)* docteur en; *(en ciencias, letras)* docteur ès

doctorado *nm* doctorat *m*

doctorar 1 *vt* délivrer un doctorat à 2 **doctorarse** *vpr* obtenir son doctorat

doctrina *nf* doctrine *f*

documentación *nf (en archivos)* documentation *f*; *(identificación personal)* papiers *mpl*

documentado, -a *adj (informado)* documenté(e); **ir d.** *(con papeles encima)* avoir ses papiers sur soi

documental 1 *adj* documentaire 2 *nm* documentaire *m*

documentalista *nmf* documentaliste *mf*

documentar 1 *vt (evidenciar)* documenter; *(petición)* fournir des documents à l'appui de; *(informar)* informer 2 **documentarse** *vpr* se documenter

documento *nm (escrito)* document *m*; *(testimonio)* témoignage *m* ☆ **d. nacional de identidad** carte *f* nationale d'identité

dogma *nm* dogme *m*

dogmático, -a *adj* dogmatique

dogo *nm* dogue *m*

dólar *nm* dollar *m*

dolarización *nf Econ* dollarisation *f*

dolarizar *vt Econ* dollariser

dolencia *nf* douleur *f*

doler [41] 1 *vi (físicamente)* faire mal; *(moralmente)* faire de la peine, faire du mal; **me duele la pierna** ma jambe me fait mal; **me duele la cabeza** j'ai mal à la tête; **me duele verte llorar** ça me fait de la peine de te voir pleurer 2 **dolerse** *vpr* **dolerse de** *o* **por** *(quejarse)* se plaindre de; *(arrepentirse)* regretter; *(apenarse)* être affligé(e) par

dolido, -a *adj* meurtri(e)

dolmen *nm* dolmen *m*

dolor *nm* douleur *f*; **d. de muelas** rage *f* de dents; **tener d. de cabeza/de estómago** avoir mal à la tête/à l'estomac

dolorido, -a *adj (físicamente)* endolori(e); *(moralmente)* peiné(e)

doloroso, -a *adj* douloureux(euse)

domador, -ora *nm,f* dompteur (euse) *m,f*

domar *vt (fieras, pasiones)* dompter; *(persona, animal)* dresser

domesticar [59] *vt (animal)* domestiquer; *(persona)* apprivoiser

doméstico, -a *adj (de casa)* ménager(ère); *(animal)* domestique

domiciliación *nf* domiciliation *f* ☆ **d. bancaria** domiciliation (bancaire)

domiciliar *vt (pago)* payer par virement bancaire

domicilio *nm* domicile *m*; **servicio a d.** service *m* à domicile ☆ **d. social** siège *m* social

dominante *adj* dominant(e); *(persona)* dominateur(trice)

dominar 1 *vt* dominer; *(conocer, controlar)* maîtriser 2 **dominarse** *vpr (contenerse)* se dominer, se maîtriser

domingo *nm* dimanche *m*; **el D. de Ramos** le dimanche des Rameaux; *ver también* **sábado**

dominguero, -a *Fam* 1 *adj* du dimanche 2 *nm,f* **es un d.** c'est un conducteur du dimanche

dominical *adj* dominical(e)

dominicano, -a 1 *adj* dominicain(e) **2** *nm,f* Dominicain(e) *m,f*

dominio *nm (control)* domination *f*; *(autoridad)* pouvoir *m*; *(territorio, ámbito)* domaine *m*; *(conocimiento)* maîtrise *f*; **ser del d. público** être connu(e) de tous; **es del d. público que...** il est de notoriété publique que...; **el d. de la Iglesia** le pouvoir de l'Église; **dominios** territoires *mpl*

dominó *nm (juego)* dominos *mpl*; *(ficha)* domino *m*

don *nm (tratamiento)* monsieur *m*; *(habilidad)* don *m*; **d. Luis García, d. Luis** monsieur Luis García, monsieur García; **tener el d. de los idiomas** avoir le don des langues; **tener el d. de los negocios** avoir le sens des affaires; **tener d. de gentes** être d'un naturel affable

donaire *nm (gracia)* grâce *f*; *(al andar)* allure *f*; *(al expresarse)* esprit *m*

donante *nmf (de cuadros, bienes)* donateur(trice) *m,f*; *(de sangre, órganos)* donneur(euse) *m,f*

donar *vt* faire don de; **d. sangre** donner du sang

donativo *nm* don *m*

doncella *nf Lit* damoiselle *f*; *(criada)* bonne *f*

donde 1 *adv* où; **el bolso está d. lo dejaste** le sac est là où tu l'as laissé; **de** *o* **desde d.** d'où; **pasaré por d. me manden** je passerai par où on me dira de passer **2** *pron* où; **ésa es la casa d. nací** c'est la maison où je suis né; **de d.** d'où; **la ciudad de d. viene** la ville d'où il vient; **ése es el camino por d. pasamos** c'est le chemin par lequel nous sommes passés

dónde *adv (interrogativo)* où; **¿d. estás?** où es-tu?; **no sé d. está** je ne sais pas où il est; **¿a d. vas?** où vas-tu?; **¿de d. eres?** d'où es-tu?; **¿por d. se va al teatro?** par où va-t-on au théâtre?

dondequiera: dondequiera que *adv* où que; **d. que estés** où que tu sois

donostiarra 1 *adj* de Saint-Sébastien **2** *nmf* = personne née ou habitant à Saint-Sébastien

dónut® *nm* beignet *m (en forme d'anneau)*

doña *nf* **d. Luisa García, d. Luisa** madame Luisa García, madame García

dopado, -a *adj* dopé(e)

dopaje = doping

dopar 1 *vt* doper **2 doparse** *vpr* se doper

doping *(pl* **dopings)** ['dopin] *nm* dopage *m*

doquier: por doquier *adv* partout

dorada *nf (pez)* daurade *f*

dorado, -a *adj (color, época)* doré(e); *Fig (edad, siglo)* d'or

dorar 1 *vt* dorer; *(alimento) (en la sartén)* faire revenir; *(en el horno)* faire dorer; *(verdad, mala noticia)* enjoliver; *Fig* **dorarle la píldora a alguien** dorer la pilule à qn **2 dorarse** *vpr* dorer

dormilón, -ona 1 *adj Fam* **es un niño d.** c'est un enfant qui dort beaucoup **2** *nm,f Fam (persona)* marmotte *f* **3** *nf* **dormilona** *Ven (prenda)* chemise *f* de nuit

dormir [27] **1** *vt* endormir; **d. la siesta** faire la sieste **2** *vi* dormir **3 dormirse** *vpr (persona)* s'endormir; *(mano, pierna)* s'engourdir; **dormirse en los laureles** s'endormir sur ses lauriers; **se me ha dormido la mano** j'ai la main tout engourdie

dormitar *vi* somnoler

dormitorio *nm* chambre *f* (à coucher); *(de colegio)* dortoir *m*

dorsal 1 *adj* dorsal(e) **2** *nm Dep* dossard *m*

dorso *nm* dos *m*; **véase al d.** voir au dos

DOS nm (abrev **disk operating system**) DOS m

dos 1 adj num inv deux; **cada d. por tres** à tout bout de champ
2 nm inv deux nm; ver también **seis**

doscientos, -as adj num inv deux cents; ver también **seiscientos**

dosificar [59] vt doser; Fig (palabras) peser

dosis nf inv también Fig dose f

dossier [do'sjer] nm inv dossier m

dotación nf dotation f; (plantilla) personnel m

dotado, -a adj **d. de** (instalación, aparato) équipé(e) de; **d. para** (persona) doué(e) pour

dotar vt doter; **d. algo de** (de material) équiper qch de; (personas) fournir le personnel nécessaire à; Fig **d. a alguien de** (sujeto: naturaleza) doter qn de

dote nf (en boda) dot f; **dotes** (dones) qualités fpl; **tener dotes para** être doué(e) pour

doy ver **dar**

Dr. (abrev **doctor**) Dr.

Dra. (abrev **doctora**) Dr.

dragar [38] vt draguer

dragón nm dragon m

drama nm drame m; Fig **hacer un d.** faire tout un cirque; Fig **hacer un d. de algo** faire un drame de qch

dramático, -a adj también Fig dramatique

dramatizar [14] vt dramatiser; (obra, poema) adapter

dramaturgo, -a nm,f dramaturge mf

drástico, -a adj (efecto, cambio) radical(e); (medida) draconien(enne), drastique

drenaje nm drainage m

drenar vt drainer

driblar vt dribbler

droga nf drogue f ✩ **d. blanda** drogue douce; **d. dura** drogue dure;

drogas sintéticas o **de diseño** drogues synthétiques

drogadicto, -a adj & nm,f toxicomane mf

drogar [38] **1** vt droguer
2 drogarse vpr se droguer

drogodependencia nf toxicomanie f

droguería nf droguerie f

dromedario nm dromadaire m

dto. (abrev **descuento**) rabais m

dual adj dual(e)

dualidad nf dualité f

dubitativo, -a adj dubitatif(ive)

Dublín n Dublin

dublinés, -esa 1 adj dublinois(e)
2 nm,f Dublinois(e) m,f

ducha nf douche f; **tomar** o **darse una d.** prendre une douche

duchar 1 vt doucher
2 ducharse vpr se doucher, prendre une douche

duda nf doute m; **no cabe d.** il n'y a pas de doute; **salir de dudas** en avoir le cœur net; **sin d.** sans doute

dudar 1 vi (vacilar) hésiter; **d. de** (desconfiar de) douter de; **d. sobre** (no estar seguro) avoir des doutes sur
2 vt douter; **dudo que venga** je doute qu'il vienne; **lo dudo** j'en doute

dudoso, -a adj (vacilante) hésitant(e); (sospechoso) douteux (euse); **es d. que...** (improbable) il n'est pas certain que...

duelo nm (combate) duel m; (sentimiento) deuil m

duende nm (personaje) lutin m; Fig (encanto) charme m

dueño, -a nm,f propriétaire mf

Duero nm **el D.** le Douro

dulce 1 adj doux (douce); (con azúcar) sucré(e)
2 nm (pastel) gâteau m; (caramelo) bonbon m; **dulces** sucreries fpl,

friandises *fpl* ☆ *d. de leche* confiture *f* de lait, = pâte à tartiner à base de lait condensé très sucré; *d. de membrillo* pâte *f* de coings

dulcificar [59] *vt Fig (suavizar)* adoucir

dulzura *nf* douceur *f*

duna *nf* dune *f*

dúo *nm* duo *m*; **a d.** en duo

duodécimo, -a *adj num* douzième; *ver también* **sexto**

duodeno *nm* duodénum *m*

dúplex *nm inv* duplex *m*

duplicado, -a 1 *adj (documento)* en double exemplaire
   2 *nm* duplicata *m*; **por d.** en double (exemplaire)

duplicar [59] **1** *vt (cantidad)* doubler; *(documento)* faire un double de
   2 duplicarse *vpr* doubler; **se ha du-**

plicado el precio le prix a doublé

duque, -esa *nm,f* duc *m*, duchesse *f*

duración *nf* durée *f*

duradero, -a *adj* durable

durante *prep* pendant, durant; **d. las vacaciones** pendant *ou* durant les vacances; **d. toda la semana** toute la semaine

durar *vi* durer; *(quedarse, subsistir)* persister

durazno *nm Am (melocotón)* pêche *f*

dúrex *nm Méx* Scotch® *m*

dureza *nf (cualidad)* dureté *f*; *(callosidad)* durillon *m*

duro, -a 1 *adj* dur(e); **ser d. de pelar** être un(e) dur(e) à cuire
   2 *nm (persona)* dur *m*; **un d.** *(moneda)* cinq pesetas; **veinte duros** cent pesetas
   3 *adv* dur; **trabajar d.** travailler dur; **pegar d.** frapper fort

E

E, e *nf (letra)* E *m inv,* e *m inv*

e

> On utilise **e** au lieu de **y** devant les mots commençant par i ou hi.

conj et; *ver también* **y** [2]

EAU *nmpl (abrev* **Emiratos Árabes Unidos)** EAU *mpl*

ebanista *nmf* ébéniste *mf*

ebanistería *nf (oficio)* ébénisterie *f*; *(taller)* atelier *m* d'ébéniste

ébano *nm* ébène *f*

ebrio, -a *adj también Fig* ivre

Ebro *nm* el E. l'Èbre *m*

ebullición *nf* ébullition *f*

eccema *nm* eczéma *m*

echar 1 *vt (tirar)* lancer; *(basura, red)* jeter; *(añadir, accionar)* mettre; *(vapor, chispas)* faire; *(carta, postal)* poster; *(expulsar)* mettre à la porte; *(en televisión, cine)* passer; **e. azúcar en el café** mettre du sucre dans son café; **e. el freno de mano** mettre le frein à main; **e. la llave** fermer à clef; **e. comida** *(a animales)* donner à manger; **los rosales echan flores** les rosiers fleurissent; **e. los dientes** faire ses dents; **e. humo** fumer; **e. diez años de prisión** condamner à dix ans de prison; **¿cuántos años le echas?** quel âge tu lui donnes?; **¿qué echan en el cine de al lado?** qu'est-ce qu'on joue au cinéma d'à côté?; **e. abajo** *(derrumbar)* abattre;

e. cuentas faire des comptes; **e. a perder** *(estropear)* abîmer; *(plan, día)* gâcher; **e. de menos** regretter; **echo de menos a mis hijos** mes enfants me manquent; **e. las cartas** tirer les cartes

2 *vi (empezar)* **e. a hacer algo** se mettre à faire qch

3 echarse *vpr (lanzarse)* se jeter; *(acostarse)* s'allonger; **echarse a un lado** *(apartarse)* se pousser; **echarse atrás** *(retroceder)* reculer; *Fig* se raviser; **echarse a perder** *(comida)* s'abîmer; *(plan, fiesta)* mal tourner

echarpe *nm* écharpe *f*

eclesiástico, -a 1 *adj* ecclésiastique

2 *nm* ecclésiastique *m*

eclipsar 1 *vt también Fig* éclipser

2 eclipsarse *vpr* s'éclipser; *Fig* diminuer

eclipse *nm* éclipse *f*

eco *nm* écho *m*; **hacerse e. de** se faire l'écho de ☆ **ecos de sociedad** échos mondains

ecografía *nf* échographie *f*

ecología *nf* écologie *f*

ecológico, -a *adj* écologique

ecologista *adj & nmf* écologiste *mf*

economato *nm* économat *m*

economía *nf* économie *f*; **e. sumergida** économie parallèle

económico, -a 1 *adj* économique; **sirven comidas económicas** on sert des repas à bas prix

2 *nfpl* **económicas** *(estudios)* sciences *fpl* économiques

economista *nmf* économiste *mf*

economizar [14] *vt también Fig* économiser

ecosistema *nm* écosystème *m*

ecu *nm (abrev* **unidad de cuenta europea**) ECU *m*, écu *m*

ecuación *nf* équation *f*

Ecuador *n* l'Équateur *m*

ecuador *nm* équateur *m*; *Fig* **pasar el e.** avoir fait la moitié du chemin

ecuánime *adj (en el juicio)* impartial(e); *(en el ánimo)* d'humeur égale

ecuatoriano, -a 1 *adj* équatorien (enne)
2 *nm,f* Équatorien(enne) *m,f*

ecuestre *adj* équestre

edad *nf* âge *m*; **¿qué e. tienes?** quel âge as-tu?; **una persona de e.** une personne âgée ☆ **e. escolar** âge scolaire; **E. Media** Moyen Âge; *Fig* **e. de oro** âge d'or; **e. del pavo** âge ingrat; **tercera e.** troisième âge

edecán 1 *nm* aide *m* de camp
2 *nf Méx* assistante *f*

edelweiss ['eðelweis] *nm inv* edelweiss *m*

edición *nf* édition *f*; **e. de bolsillo** édition de poche

edicto *nm* édit *m*

edificación *nf* construction *f*

edificante *adj* édifiant(e)

edificar [59] *vt (construir)* construire; *(aleccionar)* édifier

edificio *nm* bâtiment *m*; *(bloque)* immeuble *m*

edil *nm (concejal)* conseiller(ère) *m,f* municipal(e)

editar *vt* éditer

editor, -ora 1 *adj* éditeur(trice)
2 *nm,f (de publicación, disco)* éditeur(trice) *m,f*; *(de programa de radio, televisión)* réalisateur(trice) *m,f*
3 *nm Informát* **e. (de textos)** éditeur *m* de textes

editorial 1 *adj* éditorial(e)
2 *nm* éditorial *m*
3 *nf* maison *f* d'édition

edredón *nm* édredon *m*; **e. (nórdico)** couette *f*

educación *nf* éducation *f*; **recibió una buena e. en esa escuela** il a reçu une bonne éducation dans cette école; **es de mala e.... c'est mal élevé de...; ¡qué poca e.!** quel manque d'éducation! ☆ **e. física** éducation physique

educado, -a *adj* bien élevé(e); **mal e.** mal élevé

educador, -ora *nm,f* éducateur (trice) *m,f*

educar [59] *vt* éduquer; *(criar)* élever

edulcorante 1 *adj* édulcorant(e)
2 *nm* édulcorant *m*

edulcorar *vt* édulcorer

EE UU *nmpl (abrev* **Estados Unidos**) EU *mpl*

efectivamente *adv* effectivement

efectividad *nf* effet *m*

efectivo, -a 1 *adj (eficaz)* positif (ive); *(real)* réel(elle); **hacer e.** *(promesa, amenaza, plan)* mettre à exécution; *(sueño)* réaliser; *(deseo)* exaucer; *(dinero, crédito)* payer
2 *nm (dinero)* liquidités *fpl*, avoirs *mpl* en liquide; **no tengo e.** je n'ai pas de liquide; **en e.** en espèces; **efectivos** effectifs *mpl*

efecto *nm* effet *m*; *(artificio)* trucage *m*; *(finalidad)* but *m*; **hacer o surtir e.** être efficace; **a e. de** dans le but de; **a efectos de, para los efectos de** pour; **en e.** en effet ☆ **e. invernadero** effet de serre; *efectos especiales* effets spéciaux; *efectos personales* effets personnels; *efectos secundarios* effets secondaires

efectuar [4] **1** *vt* effectuer
2 efectuarse *vpr* avoir lieu

efeméride *nf (suceso notable)* date *f* anniversaire; **efemérides** *(notas, libro de sucesos)* éphéméride *f*

efervescencia *nf también Fig* effervescence *f*

efervescente *adj* effervescent(e)

eficacia *nf* efficacité *f*

eficaz *adj* efficace

eficiencia *nf* efficacité *f*

eficiente *adj* efficace

efímero, -a *adj* éphémère

efusión *nf* effusion *f*

efusivo, -a *adj* expansif(ive)

EGB *nf* (*abrev* **enseñanza general básica**) *Antes* = cycle d'enseignement comprenant l'école primaire et les trois premières années du secondaire

egipcio, -a 1 *adj* égyptien(enne) **2** *nm,f* Égyptien(enne) *m,f*

Egipto *n* l'Égypte *f*; **el E. antiguo** l'ancienne Égypte

egocéntrico, -a *adj & nm,f* égocentrique *mf*

egoísmo *nm* égoïsme *m*

egoísta *adj & nmf* égoïste *mf*

ególatra *adj* égotiste

egresado, -a *nm,f* Am diplômé(e) *m,f*

egresar *vi* Am obtenir son diplôme

egreso *nm* Am diplôme *m*

eh *interj* hé!

ej. (*abrev* **ejemplo**) ex.; **p. ej.** p. ex.

eje *nm* axe *m*; (*de rotación*) arbre *m*; (*de automóvil*) essieu *m*; **el E.** (*en Guerra Mundial*) l'Axe

ejecución *nf también Informát* exécution *f*

ejecutar *vt también Informát* exécuter

ejecutivo, -a 1 *adj* exécutif(ive); **la secretaría ejecutiva** le secrétariat de direction **2** *nm,f* (*profesional*) cadre *m*; **e. agresivo** jeune cadre dynamique **3** *nm* exécutif *m*

ejem *interj* hum!

ejemplar 1 *adj* exemplaire **2** *nm* exemplaire *m*

ejemplificar [59] *vt* (*ilustrar*) illustrer (par des exemples); (*dar ejemplos de*) donner des exemples de

ejemplo *nm* exemple *m*; **por e.** par exemple; **dar e.** donner l'exemple

ejercer [40] **1** *vt* exercer; **e. presión sobre** exercer une pression sur; *Fig* faire pression sur **2** *vi* exercer; **e. de** exercer la profession de

ejercicio *nm* exercice *m*

ejercitar 1 *vt* (*un derecho*) exercer **2 ejercitarse** *vpr* s'exercer (**en** à)

ejército *nm también Fig* armée *f*; **E. de Tierra/del Aire** armée de terre/de l'air

ejido *nm* Méx = sorte de coopérative agricole

ejote *nm* CAm, Méx haricot *m* vert

el, la (*mpl* **los**, *fpl* **las**)

> On utilise **el** au lieu de **la** devant les noms féminins accentués sur la première syllabe et commençant par a ou ha.

art le, la; **el libro** le livre; **la casa** la maison; **el amor** l'amour; **la vida** la vie; **el agua/hacha/águila** l'eau/la hache/l'aigle; **los niños imitan a los adultos** les enfants imitent les adultes; **el Sena/Everest** la Seine/l'Everest; **¡ahora con ustedes, el inigualable Pérez!** et voici l'inégalable Pérez!; **prefiero el grande** je préfère le grand; **se rompió la pierna** il s'est cassé la jambe; **se quitó los zapatos** il a enlevé ses chaussures; **vuelven el sábado** ils reviennent samedi; **el de** celui de; **la de** celle de; **he perdido el tren, tomaré el de las doce** j'ai raté mon train, je prendrai celui de midi; **mi hermano y el de Juan** mon frère et celui de Juan; **el que** (*sujeto*) celui qui; (*complemento*) celui que; **la que** (*sujeto*) celle qui; **el que primero llegue…** celui qui arrivera le premier…; **toma el que quieras** prends celui que tu voudras

él, ella *pron personal (sujeto)* il, elle; *(predicado y complemento)* lui, elle; **él se llama Juan** il s'appelle Juan; **el culpable es él** c'est lui le coupable; **díselo a él/ella** dis-le-lui; **voy con ella** je vais avec elle; **le hablé de él** je lui ai parlé de lui; **de él/ella** *(posesivo)* à lui/elle

elaboración *nf* élaboration *f*; **de e. casera** maison *inv*, fait(e) maison

elaborar *vt* élaborer, mettre au point; *(confeccionar)* fabriquer

elasticidad *nf (de músculo, tejido)* élasticité *f*; *(en deporte, en el carácter)* souplesse *f*

elástico, -a 1 *adj también Fig* élastique
2 *nm* élastique *m*

elección *nf (nombramiento)* élection *f*; *(opción)* choix *m*; **elecciones** élections

electo, -a *adj* élu(e)

elector, -ora *nm,f* électeur(trice) *m,f*

electorado *nm* électorat *m*

electoral *adj* électoral(e)

electricidad *nf* électricité *f* ✫ **e. estática** électricité statique

electricista *nmf* électricien(enne) *m,f*

eléctrico, -a *adj* électrique

electrificar [59] *vt* électrifier

electrizar [14] *vt también Fig* électriser

electrocutar 1 *vt* électrocuter
2 electrocutarse *vpr* s'électrocuter

electrodoméstico *nm* appareil *m* électroménager; **los electrodomésticos** l'électroménager *m*

electromagnético, -a *adj* électromagnétique

electrón *nm* électron *m*

electrónico, -a 1 *adj* électronique
2 *nf* **electrónica** électronique *f*

elefante, -a *nm,f* éléphant *m* ✫ **e. marino** éléphant de mer

elegancia *nf* élégance *f*

elegante *adj* élégant(e)

elegantoso, -a *adj Am* chic

elegía *nf* élégie *f*

elegir [55] *vt (escoger)* choisir; *(por votación)* élire

elemental *adj (básico)* élémentaire; *(obvio)* évident(e)

elemento *nm* élément *m*; *Fam (persona)* numéro *m*; **estar en su e.** être dans son élément; **¡vaya e.!** quel numéro!

elenco *nm (de artistas) (conjunto)* troupe *f*; *(reparto)* distribution *f*; *(catálogo)* liste *f*

elepé *nm* trente-trois tours *m inv*

elevación *nf* élévation *f*

elevado, -a *adj (alto)* élevé(e); *Fig (sublime)* noble

elevador *nm Andes, CAm, Méx* ascenseur *m*

elevalunas *nm inv* lève-glace *m*

elevar 1 *vt* élever; *(material, mercancía)* lever; **e. al cuadrado/al cubo** élever au carré/au cube
2 elevarse *vpr* s'élever (**a** à)

eliminar *vt* éliminer

elipse *nf* ellipse *f*

élite *nf* élite *f*

elitista *adj & nmf* élitiste *mf*

elixir *nm también Fig* élixir *m* ✫ **e. bucal** bain *m* de bouche

ella *ver* **él**

ellas *ver* **ellos**

ello *pron personal (neutro) (sujeto)* cela; **me es antipático, pero e. no impide que le hable** il m'est antipathique, mais cela ne m'empêche pas de lui parler; **no quiero hablar de e.** je ne veux pas en parler; **en e.** y; **no quiero pensar en e.** je ne veux pas y penser; **para e.** pour cela; **para e. tendremos que...** pour cela nous devrons...; **por e.** c'est pourquoi

ellos, ellas *pron personal (sujeto)* ils, elles; *(predicado y complemento)* eux, elles; **e. se llaman Juan y Manolo** ils s'appellent Juan et Manolo; **los culpables son e.** ce sont eux les coupables; **díselo a e.** dis-le-leur; **voy con ellas** je vais avec elles; **le hablé de e.** je lui ai parlé d'eux; **de e./ellas** *(posesivo)* à eux/elles

elocuencia *nf* éloquence *f*

elocuente *adj* éloquent(e)

elogiar *vt* faire l'éloge de

elogio *nm* éloge *m*

elote *nm Méx* épi *m* de maïs

El Salvador *n* le Salvador

elucidar *vt* élucider

elucubración *nf* élucubration *f*

elucubrar *vt Pey (imaginar)* échafauder; **e. sobre** *(reflexionar sobre)* méditer sur

eludir *vt* éviter; *(pregunta)* éluder; *(dificultad)* contourner; *(perseguidores)* échapper à

emanar *vi* **e. de** émaner de

emancipación *nf* émancipation *f*; *(de esclavo)* affranchissement *m*; *(de territorio)* indépendance *f*

emancipar 1 *vt* émanciper; *(esclavo)* affranchir

2 emanciparse *vpr* s'émanciper

embadurnar 1 *vt* barbouiller **(de** de)

2 embadurnarse *vpr* se barbouiller **(de** de)

embajada *nf* ambassade *f*

embajador, -ora *nm,f* ambassadeur(drice) *m,f*

embalaje *nm* emballage *m*

embalar 1 *vt* emballer

2 embalarse *vpr también Fig* s'emballer

embalsamar *vt* embaumer

embalse *nm (construcción)* barrage *m*; *(lago)* réservoir *m*

embarazada 1 *adj f* enceinte; **dejar e.** mettre enceinte; **(estar) e. de** (être) enceinte de; **quedarse e.** tomber enceinte

2 *nf* femme *f* enceinte

embarazo *nm* grossesse *f* ☆ **e. psicológico** grossesse nerveuse

embarazoso, -a *adj* embarrassant (e)

embarcación *nf (barco)* embarcation *f*

embarcadero *nm* embarcadère *m*

embarcar [59] **1** *vt (para viajar)* embarquer; *Fig* **e. a alguien en algo** embarquer qn dans qch

2 *vi* embarquer

3 embarcarse *vpr (para viajar)* s'embarquer; *Fig* **embarcarse en algo** s'embarquer dans qch

embargar [38] *vt (bienes)* saisir; *(sujeto: sentimiento)* paralyser, saisir

embargo *nm (de bienes)* saisie *f*; *(económico, de armas)* embargo *m*; **sin e.** pourtant, cependant

embarque *nm* embarquement *m*

embarrancar [59] **1** *vi* s'échouer

2 embarrancarse *vpr* s'embourber

embarullar *Fam* **1** *vt* embrouiller

2 embarullarse *vpr* s'embrouiller

embaucar [59] *vt* embobiner

embeber 1 *vt* absorber *(un líquido)*

2 embeberse *vpr (ensimismarse)* s'absorber; *Fig (empaparse)* s'imprégner

embelesar 1 *vt* captiver

2 embelesarse *vpr* être captivé(e)

embellecedor *nm* enjoliveur *m*

embellecer [46] *vt* embellir

embestida *nf* charge *f (attaque)*

embestir [47] **1** *vt* charger *(attaquer)*

2 *vi (lanzarse)* foncer; **el camión embistió contra el árbol** le camion fonça dans l'arbre

emblema *nm* emblème *m*

embobar 1 *vt* ébahir

2 embobarse *vpr* rester bouche bée

embolado *nm Fam (mentira, engaño)* bobard *m*; *(lío, follón)* pétrin *m*

embolia nf embolie f

émbolo nm piston m

embolsarse vpr empocher

embonar vt Méx Fam aller comme un gant à

emborrachar 1 vt soûler
  2 emborracharse vpr se soûler

emborronar vt (garabatear) gribouiller sur; (escribir de prisa) griffonner

emboscada nf también Fig embuscade f; **caer en/tender una e.** tomber dans/tendre une embuscade

embotellado, -a 1 adj en bouteille
  2 nm mise f en bouteilles

embotellamiento nm (de tráfico) embouteillage m

embotellar vt (líquido) mettre en bouteilles

embragar [38] vi embrayer

embrague nm embrayage m

embriagar [38] **1** vt enivrer
  2 embriagarse vpr s'enivrer

embriaguez nf ivresse f

embrión nm también Fig embryon m

embrollo nm (enredo) embrouillement m; Fig (lío) imbroglio m; (embuste) mensonge m

embromado, -a adj Andes, RP Fam casse-pieds inv

embromar vt Andes, RP Fam (fastidiar) casser les pieds à

embrujar vt ensorceler, envoûter

embrujo nm (encantamiento) ensorcellement m; (encanto) charme m

embrutecer [46] **1** vt abrutir
  2 embrutecerse vpr s'abrutir

embudo nm entonnoir m

embuste nm mensonge m

embustero, -a adj & nm,f menteur(euse) m,f

embutido nm (comida) charcuterie f

embutir vt (rellenar con carne) farcir; Fig (introducir) bourrer

emergencia nf urgence f; **en caso de e.** en cas d'urgence

emerger [52] vi émerger

emigración nf (de personas) émigration f; (de aves) migration f

emigrante adj & nmf émigrant(e) m,f

emigrar vi (persona) émigrer; (ave) migrer

eminencia nf (persona) sommité f; **Su E.** Son Éminence

eminente adj (distinguido) éminent(e); (elevado) élevé(e)

emirato nm émirat m; **los Emiratos Árabes Unidos** les Émirats arabes unis

emisión nf émission f; **e. de obligaciones** émission d'obligations

emisora nf (de radio) station f de radio; **e. radial** émetteur m

emitir vt & vi émettre

emoción nf émotion f; **¡qué e.!** chouette!

emocionante adj (conmovedor) émouvant(e), touchant(e); (apasionante) palpitant(e)

emocionar 1 vt (conmover) émouvoir, toucher; (apasionar) enflammer
  2 emocionarse vpr (conmoverse) être ému(e), être touché(e); (apasionarse) s'enflammer

emotivo, -a adj (persona) émotif (ive); (escena, palabras) émouvant (e)

empacar Am **1** vi faire ses valises
  2 vt conditionner (des aliments)

empachar 1 vt donner une indigestion à
  2 empacharse vpr avoir une indigestion

empacho nm indigestion f; Fam Fig **tener un e. de** (estar harto de) avoir une indigestion de

empadronar 1 *vt* recenser; **estoy empadronado en Madrid** je suis inscrit sur les listes électorales de Madrid

2 empadronarse *vpr* se faire recenser

empalagar [38] *vt* écœurer

empalagoso, -a *adj* écœurant(e)

empalizada *nf* palissade *f*

empalmar 1 *vt* *(cables, tubos)* raccorder; *(planes, ideas)* enchaîner; *(en fútbol)* reprendre de volée

2 *vi* *(medios de transporte)* assurer la correspondance (**con** avec); *(autopistas, carreteras)* se rejoindre; *(sucederse)* s'enchaîner; **la N6 empalma con la M-30** la N6 rejoint la M-30; **un chiste empalmaba con otro** les blagues s'enchaînaient

3 empalmarse *vpr Vulg* bander

empalme *nm* *(entre cables, tubos)* raccordement *m*; *(de carreteras)* embranchement *m*

empanada *nf* = chausson fourré à la viande ou autre ingrédient salé; *Fam* **tener una e. mental** s'emmêler les pinceaux

empanadilla *nf* = petit chausson fourré à la viande ou autre ingrédient salé

empanar *vt* paner

empantanar 1 *vt* embourber

2 empantanarse *vpr* s'embourber

empañar 1 *vt* *(cristal)* embuer; *Fig (reputación)* ternir; *Fig (felicidad)* troubler

2 empañarse *vpr* être embué(e)

empapar 1 *vt* tremper; *(tierra)* détremper

2 empaparse *vpr* *(mojarse)* être trempé(e); *(persona)* se faire tremper; **empaparse de** *(conocimientos)* s'imprégner de

empapelar *vt* *(pared)* tapisser; *Fam Fig (procesar)* traîner en justice

empaque *nm Méx* emballage *m*

empaquetar *vt* emballer

emparedado, -a 1 *adj* enfermé(e) entre quatre murs, claquemuré(e)

2 *nm* = sandwich de pain de mie

emparedar *vt* *(ocultar en la pared)* emmurer

emparejar 1 *vt* *(objetos)* assembler par paires; *(personas)* mettre deux par deux; *(nivelar)* mettre au même niveau

2 emparejarse *vpr* se mettre en couple

emparentar [3] *vi* **e. con** s'apparenter à

empastar *vt* *(muela)* plomber

empaste *nm* *(de muela)* plombage *m*

empatar 1 *vi* *(en partido)* faire match nul; *(en elecciones)* être en ballottage; **e. a dos** faire deux partout; **e. a cero** faire match nul zéro à zéro

2 *vt Andes, Ven (empalmar)* emboîter

empate *nm* *(en elecciones)* ballottage *m*; *Andes, Ven (empalme)* emboîtement *m*; *Ven Fam (persona)* petit(e) ami(e) *m,f*; *(relación)* relation *f* amoureuse; **e. a dos** deux partout; **e. a cero** match *m* nul zéro à zéro

empecinarse *vpr* se buter; **e. en una idea** avoir une idée en tête

empedernido, -a *adj* invétéré(e); **es un fumador e.** c'est un fumeur invétéré

empedrado *nm* pavement *m*

empedrar [3] *vt* paver

empeine *nm* cou-de-pied *m*; *(de zapato)* empeigne *f*

empellón *nm* bourrade *f*

empeñado, -a *adj* *(joya)* mis(e) en gage; *Fam Fig* **estar e. hasta las cejas** être criblé(e) de dettes; **estar e. en hacer algo** s'obstiner à faire qch

empeñar 1 *vt* *(joyas)* mettre en gage; *(palabra)* donner; *(honor)* engager

2 empeñarse *vpr* *(endeudarse)*

s'endetter; **empeñarse en hacer algo** *(insistir)* s'obstiner à faire qch; *(persistir)* s'efforcer de faire qch

empeño *nm (de joyas)* mise *f* en gage; *(obstinación)* acharnement *m*; **poner e. en hacer algo** mettre de l'acharnement à faire qch; **tener e. en hacer algo** tenir absolument à faire qch

empeorar *vi* empirer

empequeñecer [46] *vt (reducir de tamaño)* rapetisser; *Fig (quitar importancia)* minimiser

emperador *nm* empereur *m*; *(pez)* espadon *m*

emperatriz *nf* impératrice *f*

emperifollar *Fam* **1** *vt* pomponner
    2 emperifollarse *vpr* se mettre sur son trente et un; *(mujer)* se pomponner

emperrarse *vpr* **e. (en hacer algo)** s'entêter (à faire qch)

empezar [17] **1** *vt* commencer
    2 *vi* **e. a/por hacer algo** commencer à/par faire qch; **para e.** pour commencer

empinado, -a *adj (en pendiente)* escarpé(e)

empinar 1 *vt (vasija, jarro)* incliner *(pour boire)*; *(levantar)* dresser; **e. el codo** lever le coude
    2 empinarse *vpr (animal)* se dresser sur ses pattes de derrière; *(persona)* se mettre sur la pointe des pieds

empírico, -a *adj* empirique

emplasto *nm* emplâtre *m*

emplazamiento *nm (ubicación)* emplacement *m*; *Der* assignation *f*, mise *f* en demeure

emplazar [14] *vt (situar)* installer; *Der* assigner en justice

empleado, -a *nm,f* employé(e) *m,f*; **empleada de hogar** employée de maison

empleador, -ora *nm,f* employeur (euse) *m,f*

emplear 1 *vt* employer; *(tiempo)* mettre; **empleó mucho tiempo en hacerlo** il a mis beaucoup de temps à le faire
    2 emplearse *vpr* s'employer, s'utiliser

empleo *nm* emploi *m*; **tener un buen e.** avoir une bonne situation

emplomadura *nf RP (de diente)* plombage *m*

empobrecer [46] **1** *vt* appauvrir
    2 empobrecerse *vpr* s'appauvrir

empollar 1 *vt (huevo)* couver; *Fam (estudiar)* bûcher
    2 *vi Fam* bûcher
    3 empollarse *vpr Fam* **empollarse las matemáticas** bûcher les maths

empollón, -ona *adj & nm,f Fam* bûcheur(euse) *m,f*

empolvarse *vpr* se poudrer

emporrarse *vpr Fam* se défoncer (au haschisch)

empotrado, -a *adj* encastré(e)

empotrar *vt* encastrer

empozado, -a *adj Am (agua)* stagnant(e); **hay agua empozada en las calles** les rues sont pleines de flaques d'eau; **la ciudad está empozada** la ville est située dans une dépression

emprendedor, -ora *adj* entreprenant(e); **tener espíritu e.** être entreprenant(e)

emprender *vt* entreprendre; **e. el vuelo** s'envoler

emprendimiento *nm CSur* entreprise *f*, société *f*

empresa *nf (sociedad comercial)* entreprise *f*, société *f* ☆ **e. privada** entreprise privée; **e. de seguridad** société de gardiennage; **e. de trabajo temporal** entreprise de travail intérimaire; **pequeña y mediana e.** PME *fpl*

empresarial 1 *adj* patronal(e)
    2 *nfpl* **empresariales** études *fpl* de commerce

empresario, -a *nm,f* chef *m* d'entreprise; **pequeño e.** patron *m* d'une PME

empréstito *nm* emprunt *m*

empujar *vt* pousser; **e. a alguien a que haga algo** pousser qn à faire qch

empuje *nm (impulso)* poussée *f; (energía)* entrain *m*

empujón *nm (empellón)* grand coup *m; Fig (impulso)* effort *m;* **abrirse paso a empujones** se frayer un chemin en bousculant tout le monde

empuñadura *nf* poignée *f; (de espada)* pommeau *m*

empuñar *vt* empoigner; *(arma)* braquer

emular *vt Informát* émuler; *(rivalizar)* rivaliser avec; *(imitar)* imiter

emulsión *nf* émulsion *f*

en *prep* (**a**) *(lugar) (en el interior de)* dans; *(sobre la superficie de)* sur; *(en un punto concreto de)* à; **entraron en la habitación** ils sont entrés dans la pièce; **en el plato/la mesa** dans l'assiette/sur la table; **viven en París** ils vivent à Paris; **en casa** à la maison; **en el trabajo** au travail

(**b**) *(tiempo) (momento preciso)* en, à; *(duración)* en; **llegará en mayo** il arrivera en mai; **nació en 1940** il est né en 1940; **en Navidades/invierno** à Noël/en hiver; **en la antigüedad** dans l'Antiquité; **lo hizo en dos días** il l'a fait en deux jours

(**c**) *(medio de transporte)* en; *(modo)* en, à; **ir en tren/automóvil/avión/barco** aller en train/voiture/avion/bateau; **pagar en metálico** payer en liquide; **todo se lo gasta en ropa** elle dépense tout son argent en vêtements; **en voz baja** à voix basse; **lo conocí en su forma de hablar** je l'ai reconnu à sa façon de parler; **las ganancias se calculan en millones** les gains se chiffrent en millions; **te lo dejo en 5.000** je te le laisse à 5 000 pesetas

(**d**) *(tema, cualidad)* en; **es un experto en la materia** c'est un expert en la matière; **es doctor en medicina** il est docteur en médecine; **le supera en inteligencia** elle est plus intelligente que lui

enagua *nf* jupon *m*

enajenación *nf,* **enajenamiento** *nm* aliénation *f* ☆ **e. mental** aliénation mentale

enajenar *vt (enloquecer)* rendre fou (folle); *(extasiar)* ravir; *(propiedad)* aliéner

enaltecer [46] *vt* exalter

enamoradizo, -a *adj* **ser e.** avoir un cœur d'artichaut

enamorado, -a *adj & nm,f* amoureux(euse) *m,f*

enamorar 1 *vt* séduire
  2 enamorarse *vpr* tomber amoureux(euse) **(de** de)

enano, -a 1 *adj* nain(e)
  2 *nm,f* nain(e) *m,f; Fam* **me lo pasé como un e.** je me suis éclaté(e)

enarbolar *vt* arborer

enardecer [46] *vt* enflammer; *(ánimos)* échauffer

encabezamiento *nm (de carta, escrito)* formule *f* d'introduction

encabezar [14] *vt (lista, clasificación)* être en tête de; *(texto)* commencer; *(marcha, expedición)* être à la tête de

encabritarse *vpr (caballo, vehículo)* se cabrer; *Fam (persona)* se mettre en boule

encadenar *vt* enchaîner

encajar 1 *vt (meter)* emboîter, faire entrer; *(meter ajustando)* ajuster; *(hueso dislocado)* remettre; *(golpe)* assener; *(insultos)* lancer; *(recibir)* encaisser
  2 *vi (piezas, objetos)* s'emboîter, s'ajuster; *(declaraciones, hechos, datos)* cadrer **(con** avec); **e. (bien) en/con** aller (bien) dans/avec

encaje nm (tejido) dentelle f

encalar vt blanchir à la chaux

encallar 1 vi (barco) échouer; Fig (proceso, proyecto) stagner
2 encallarse vpr (barco) échouer; Fig (proceso, proyecto) stagner

encaminar 1 vt Fig (conducta, educación) orienter
2 encaminarse vpr **encaminarse a** o **hacia** se diriger vers

encamotarse vpr Andes, CAm, Méx Fam **e. de** s'amouracher de

encandilar 1 vt éblouir
2 encandilarse vpr être ébloui(e)

encantado, -a adj (contento) enchanté(e); (hechizado) (casa, lugar) hanté(e); **e. de conocerle** enchanté de faire votre connaissance

encantador, -ora adj charmant(e)

encantar vt (embrujar) jeter un sort à; **encantarle a alguien algo/hacer algo** adorer qch/faire qch

encanto nm (atractivo) charme m; **ser un e.** être adorable; **oye, e.** écoute, mon trésor; **encantos** charmes

encañonar vt viser

encapotado, -a adj couvert(e)

encapricharse vpr **e. con** o **de algo** s'emballer pour qch; **e. con alguien** s'enticher de qn

encapuchado, -a 1 adj masqué(e)
2 nm,f homme (femme) m,f masqué(e)

encapuchar vt encapuchonner

encaramar 1 vt jucher
2 encaramarse vpr **encaramarse a** o **en** se jucher ou se percher sur

encarar 1 vt confronter; (hacer frente a) affronter, faire face à
2 encararse vpr **encararse a** o **con** (enfrentarse a) tenir tête à

encarcelar vt emprisonner, incarcérer

encarecer [46] **1** vt (producto) faire monter le prix de
2 encarecerse vpr augmenter

encarecimiento nm (de precio, producto) augmentation f, hausse f; **con e. instamment; e. de la vida** hausse du coût de la vie

encargado, -a 1 adj **e. de algo/de hacer algo** chargé(e) de qch/de faire qch
2 nm,f responsable mf; (de negocio) gérant(e) m,f

encargar [38] **1** vt (pedir) commander; **e. a alguien de algo/que haga algo** charger qn de qch/de faire qch
2 encargarse vpr **encargarse de algo/de hacer algo** se charger de qch/de faire qch

encargo nm (pedido) commande f; (recado) commission f; **hacer un e.** passer une commande; **por e.** sur commande

encariñarse vpr **e. con** s'attacher à

encarnación nf (personificación) incarnation f

encarnado, -a 1 adj (personificado) incarné(e); (color) rouge
2 nm rouge m

encarnar vt incarner

encarnizado, -a adj acharné(e)

encarnizarse [14] vpr s'acharner (con sur)

encarrilar vt Fig (hacer ir bien) mettre sur la bonne voie

encasillar vt (clasificar) cataloguer

encasquetar 1 vt (sombrero) enfoncer sur la tête; Fam **e. algo a alguien** (trabajo, bultos) refiler qch à qn
2 encasquetarse vpr **se encasquetó la boina** il a enfoncé son béret sur sa tête

encasquillarse vpr (arma de fuego) s'enrayer

encauzar [14] vt (corriente) canaliser; Fig (orientar) orienter

encendedor nm briquet m

encender [64] **1** vt allumer; Fig (avivar) (corazón, discusión) enflammer;

(ira) provoquer; **e. la chimenea** faire du feu dans la cheminée

2 encenderse *vpr* s'allumer

encendido, -a 1 *adj* allumé(e); *Fig (deseos, mirada)* enflammé(e); *(mejillas)* en feu *inv*

2 *nm (de automóvil)* allumage *m*

encerado, -a 1 *adj* ciré(e)

2 *nm (pizarra)* tableau *m* noir

encerar *vt* cirer

encerrar [3] **1** *vt (recluir)* enfermer; *(contener)* renfermer

2 encerrarse *vpr* s'enfermer; **encerrarse en sí mismo** se renfermer *ou* se replier sur soi-même

encerrona *nf (trampa)* piège *m*

encestar 1 *vi* marquer un panier

2 *vt* rentrer (dans le panier)

enceste *nm* panier *m*

encharcar [59] **1** *vt* inonder

2 encharcarse *vpr (terreno)* être inondé

enchastrar *RP Fam* **1** *vt* saloper

2 enchastrarse *vpr* se saloper

enchastre *nm RP Fam* bazar *m*

enchilada *nf Méx* enchilada *f*

enchilado, -a *adj Méx (comida)* pimenté(e); **¿está e.?** *(debido al chile)* est-ce que c'est le piment qui le fait pleurer?; *Fam (enojado)* est-ce qu'il est en pétard?

enchilarse *vpr Méx Fam (enfadarse)* se mettre en pétard; *(debido al chile)* se brûler la bouche avec du piment

enchironar *vt Fam* coffrer

enchufar *vt (aparato)* brancher; *Fam Fig (persona)* pistonner

enchufe *nm* prise *f* (de courant); *Fam Fig (recomendación)* piston *m*; **tener e.** avoir du piston, être pistonné(e)

encía *nf* gencive *f*

encíclica *nf* encyclique *f*

enciclopedia *nf* encyclopédie *f*

encierro *nm (aislamiento)* réclusion *f*; *Taurom* = tradition selon laquelle les taureaux sont conduits à travers la ville jusqu'au toril avant la corrida; **su e. duró dos días** il s'est enfermé pendant deux jours

encima *adv (arriba)* dessus; *(además)* en plus; **ponlo e.** mets-le dessus; **yo vivo e.** je vis au-dessus; **por e.** par-dessus; *Fig* superficiellement; **leer por e.** lire en diagonale; **llevar un abrigo e.** porter un manteau; **llevar dinero e.** avoir de l'argent sur soi; **e. de** sur; **e. de la mesa** sur la table; **e. de tu casa** au-dessus de chez toi; **estar e. de alguien** être sur le dos de qn; **e. de ser guapo es gracioso** non seulement il est beau, mais en plus il est drôle; **por e. de** au-dessus de; *Fig (más que)* plus que; **por e. de la ciudad** au-dessus de la ville; **por e. de sus posibilidades** au-dessus de ses moyens; **por e. de todo** plus que tout

encina *nf* chêne *m* vert

encinta *adj f* **estar e.** être enceinte

enclaustrar 1 *vt* cloîtrer

2 enclaustrarse *vpr* se cloîtrer

enclave *nm* enclave *f*

enclenque *adj* malingre

encoger [52] **1** *vt (ropa)* faire rétrécir; *(miembro)* contracter

2 *vi* rétrécir

3 encogerse *vpr (ropa)* rétrécir; *(persona)* se recroqueviller; **encogerse de hombros** hausser les épaules

encogido, -a *adj (persona)* recroquevillé(e); *Fig (apocado)* timoré(e); **tener el corazón e.** avoir le cœur serré

encolar *vt* coller; *(pared)* encoller

encolerizar [14] **1** *vt* mettre en colère

2 encolerizarse *vpr* se mettre en colère

encomendar [3] **1** *vt* confier; **le encomiendo a Ud. a mi hijo** je vous confie mon fils

2 encomendarse *vpr* **encomendarse a** s'en remettre à

encomienda *nf Am* colis *m*

encontrado, -a *adj (opinión, postura)* opposé(e)

encontrar [63] **1** *vt (hallar)* trouver; *(persona, dificultades)* rencontrer

2 encontrarse *vpr (hallar)* trouver; *(estar)* se trouver; *Fig (de ánimo)* se sentir; **encontrarse con alguien** rencontrer qn, tomber sur qn; **encontrarse mal de salud** être en mauvaise santé

encorvar 1 *vt* courber

2 encorvarse *vpr (por la edad)* se voûter; *(por la carga)* se courber

encrespar *vt (mar)* déchaîner; *(pelo)* friser; **e. el ánimo a alguien** irriter qn

encrucijada *nf* croisement *m*; *Fig* carrefour *m*

encuadernación *nf* reliure *f*

encuadernar *vt* relier; **e. en rústica** brocher

encuadrar *vt (enmarcar)* encadrer; *(enfocar)* cadrer

encubierto, -a 1 *participio ver* encubrir

2 *adj (significado)* caché(e); *(palabras)* couvert(e); *(intento, intenciones)* secret(ète)

encubridor, -ora *nm,f* complice *mf*

encubrir *vt (delincuente)* cacher; *(delito)* être complice de; *(intenciones)* dissimuler

encuentro *nm* rencontre *f*; *(hallazgo)* trouvaille *f*; **salir al e. de alguien** *(para recibir)* aller à la rencontre de qn; *(para atacar)* s'avancer vers qn; **un e. deportivo** une rencontre sportive

encuesta *nf (de opinión)* sondage *m*; *(investigación)* enquête *f*

encuestador, -ora *nm,f* enquêteur(trice) *m,f*

encuestar *vt* interroger

endeble *adj* faible

endémico, -a *adj también Fig* endémique

endemoniado, -a 1 *adj Fam Fig (niño, vida)* infernal(e); *(tiempo, olor)* épouvantable; *(poseído)* possédé(e); **un trabajo e.** un travail ingrat

2 *nm,f* possédé(e) *m,f* du démon

enderezar [14] **1** *vt también Fig* redresser

2 enderezarse *vpr* se redresser

endeudamiento *nm* endettement *m*

endeudarse *vpr* s'endetter

endiablado, -a *adj* épouvantable

endibia = endivia

endilgar [16] *vt Fam* **e. algo a alguien** *(sermón, bronca)* infliger qch à qn; *(bulto, tarea)* refiler qch à qn

endiñar *vt Fam (golpe)* flanquer; *(trabajo)* refiler

endivia *nf* endive *f*

endocrino, -a *adj* endocrine

endomingado, -a *adj* endimanché(e)

endomingar [38] **1** *vt* endimancher

2 endomingarse *vpr* s'endimancher

endorfina *nf* endorphine *f*

endosar *vt Com* endosser; *Fig (tarea, carga)* repasser; **me endosó sus maletas** il m'a repassé ses valises

endulzar [14] *vt (con azúcar)* sucrer; *Fig (con dulzura)* adoucir

endurecer [46] *vt* durcir; *(músculos)* raffermir; *Fig (persona)* endurcir

enebro *nm* genévrier *m*

enema *nf* lavement *m*

enemigo, -a 1 *adj* ennemi(e); **ser e. de algo** détester qch

2 *nm,f* ennemi(e) *m,f*

3 *nm Mil* ennemi *m*

enemistad *nf* inimitié *f*

enemistar 1 *vt* brouiller

2 enemistarse *vpr* se brouiller

energético, -a *adj* énergétique

energía nf énergie f; (fuerza) force f ☆ **energías alternativas** énergies nouvelles

enérgico, -a adj énergique

energúmeno, -a nm,f Fig énergumène mf

enero nm janvier m; ver también **septiembre**

enervar vt (poner nervioso) énerver

enésimo, -a adj Fig (que se ha repetido) énième; **por enésima vez** pour la énième fois

enfadar 1 vt fâcher, mettre en colère

2 enfadarse vpr se fâcher, se mettre en colère

enfado nm colère f; (enemistad) brouille f

enfangar [38] **1** vt couvrir de boue
2 enfangarse vpr (con barro) se couvrir de boue; Fam Fig (en un asunto sucio) tremper

énfasis nm inv emphase f; **poner é. en algo** mettre l'accent sur qch

enfático, -a adj emphatique

enfatizar [14] vt souligner, mettre l'accent sur

enfermar 1 vt (contagiar) contaminer; Fig (irritar) rendre fou (folle)
2 vi (ponerse enfermo) tomber malade
3 enfermarse vpr (ponerse enfermo) tomber malade

enfermedad nf maladie f; (de la sociedad) mal m ☆ **e. infecciosa** maladie infectieuse; **e. venérea** maladie vénérienne

enfermería nf infirmerie f

enfermero, -a nm,f infirmier(ère) m,f

enfermizo, -a adj maladif(ive); (alimento, curiosidad) malsain(e)

enfermo, -a 1 adj malade; Fig **poner e. a alguien** (irritar) rendre qn fou (folle)
2 nm,f malade mf

enflaquecer [46] **1** vt amaigrir, faire maigrir
2 vi maigrir

enfocar [59] vt (imagen, objetivo) faire la mise au point de; (luz, focos) braquer, diriger; Fig (tema, cuestión) aborder

enfoque nm (de imagen) mise f au point; Fig (de asunto) approche f

enfrascado, -a adj e. en absorbé(e) dans

enfrascarse [59] vpr e. en (trabajo, lectura) se plonger dans

enfrentar 1 vt (hacer frente a) affronter; (poner frente a frente) mettre face à face; (oponer) opposer
2 enfrentarse vpr (luchar, en deporte) s'affronter; **enfrentarse a algo** faire face à qch; **enfrentarse a alguien** tenir tête à qn; **enfrentarse con alguien** affronter qn

enfrente adv en face; **la tienda de e.** le magasin d'en face; **e. de mi casa** en face de chez moi

enfriamiento nm refroidissement m

enfriar [32] **1** vt refroidir
2 enfriarse vpr (sentimientos, tiempo) se refroidir; (café, sopa) refroidir; (acatarrarse) attraper froid

enfundar 1 vt (arma) rengainer
2 enfundarse vpr **enfundarse el abrigo** endosser son manteau

enfurecer [46] **1** vt rendre furieux (euse)
2 enfurecerse vpr s'emporter

enfurruñarse vpr Fam (gruñir) ronchonner; (poner mala cara) bouder

engalanar 1 vt décorer
2 engalanarse vpr se faire beau (belle)

enganchar 1 vt (sujetar) (remolque, vagones) accrocher; (caballos) atteler; Fam (borrachera) prendre; Fam (empleo) décrocher; Fam Fig (persona) (atraer) mettre le grappin sur; (apresar) mettre la main sur

2 *vi Fam* **la cocaína engancha mucho** on devient très vite accro à la cocaïne; **este autor/este libro engancha mucho** quand on commence à lire cet auteur/ce livre, on ne peut plus s'arrêter
3 engancharse *vpr (prenderse)* s'accrocher; *Fam* **engancharse a** *(hacerse adicto a)* devenir accro à

enganche *nm (de caballos)* attelage *m*; *Méx (depósito)* acompte *m*

engañabobos *nm inv (cosa)* attrape-nigaud *m*; *(persona)* charlatan *m*

engañar 1 *vt* tromper; **e. el hambre** tromper la faim; **las apariencias engañan** les apparences sont trompeuses
2 engañarse *vpr (ilusionarse)* se leurrer; *(confundirse)* se tromper

engañifa *nf Fam* **hacerle una e. a alguien** mener qn en bateau

engaño *nm* tromperie *f*

engañoso, -a *adj* trompeur(euse)

engarzar [14] *vt (perlas, abalorios)* enfiler; *(piedra)* sertir; *Fig (ideas, palabras)* enchaîner

engatusar *vt Fam* embobiner

engendrar *vt también Fig* engendrer

engendro *nm (obra)* horreur *f*; *(ser deforme)* monstre *m*

englobar *vt* englober

engordar 1 *vt (animal)* engraisser; *(aves)* gaver; *Fig (arcas)* remplir; *(cuenta)* faire fructifier
2 *vi (persona)* grossir; *(alimento)* faire grossir

engorro *nm* embêtement *m*; **¡vaya un e.!** tu parles d'une partie de plaisir!

engorroso, -a *adj* pénible; *(situación)* délicat(e)

engrampadora *nf Am* agrafeuse *f*

engrampar *vt Am* agrafer

engranaje *nm* engrenage *m*; *Fig (de ideas)* enchaînement *m*; *Fig (funcionamiento)* rouages *mpl*

engranar *vt (piezas)* engrener; *Fig (ideas, palabras)* enchaîner

engrandecer [46] *vt Fig (enaltecer)* exalter; *(aumentar)* agrandir

engrasar *vt* graisser

engreído, -a *adj & nm,f* prétentieux(euse) *m,f*

engrosar [63] *vt (engordar) (persona)* faire grossir; *(texto)* augmenter; *Fig (aguas, listas)* grossir; **diez personas engrosaron nuestras filas** dix personnes sont venues grossir nos rangs

engrudo *nm* colle *f*; *Fig (comida pegajosa)* = aliment de consistance visqueuse

engullir *vt* engloutir

enhebrar *vt* enfiler

enhorabuena *nf* félicitations *fpl*; **¡e. (por...)!** félicitations (pour...)!

enigma *nm* énigme *f*

enigmático, -a *adj* énigmatique

enjabonar *vt* savonner; *Fig (dar coba)* passer de la pommade à

enjambre *nm (de abejas)* essaim *m*; *Fig (de personas)* foule *f*

enjaular *vt (en jaula)* mettre en cage; *Fam Fig (en prisión)* coffrer

enjoyar 1 *vt* parer de bijoux
2 enjoyarse *vpr* se parer de bijoux

enjuagar [38] **1** *vt* rincer
2 enjuagarse *vpr* se rincer; **enjuagarse la boca** se rincer la bouche

enjuague *nm (de ropa)* rinçage *m*
☆ **e. bucal** bain *m* de bouche

enjugar [38] *vt (lágrimas)* sécher; *Fig (deudas, déficit)* éponger

enjuiciar *vt (opinar)* porter un jugement sur; *Der (persona)* juger; *(causa)* instruire

enjuto, -a *adj (delgado)* décharné(e)

enlace 1 *ver* **enlazar**
2 *nm* liaison *f*; *(persona)* délégué(e)

m,f, responsable *mf*; *(de trenes, autocares)* correspondance *f*; **servir de e. entre** servir d'intermédiaire entre; **vía de e.** voie *f* de raccordement ☆ **e.** *(matrimonial)* mariage *m*

enlatar *vt* mettre en boîte

enlazar [14] **1** *vt* **e. algo a** o **con** *(atar)* attacher qch à; *(trabar, relacionar)* relier qch à
2 *vi (medios de transporte)* assurer la correspondance (**con** avec)

enloquecer [46] **1** *vt (volver loco)* rendre fou (folle); *Fig* **me enloquece comer** *(me gusta mucho)* j'adore manger
2 *vi* devenir fou (folle)

enlutado, -a *adj* en deuil

enmarañar *vt (enredar)* emmêler; *(complicar)* embrouiller

enmarcar [59] **1** *vt* encadrer
2 enmarcarse *vpr* s'inscrire

enmascarado, -a 1 *adj* masqué(e)
2 *nm,f* homme (femme) *m,f* masqué(e)

enmascarar *vt también Fig* masquer

enmendar [3] **1** *vt* corriger; *(daño)* réparer; *(ley, dictamen)* amender; **enmendarle la plana a alguien** *(corregirle)* reprendre qn; *(superarle)* faire mieux que qn
2 enmendarse *vpr* se corriger

enmienda *nf* amendement *m*; *(en escritos)* correction *f*; **hacer propósito de e.** prendre de bonnes résolutions

enmohecerse [46] *vpr* moisir; *Fig (cuerpo, conocimientos)* se rouiller

enmoquetar *vt* moquetter

enmudecer [46] **1** *vt* faire taire
2 *vi (perder el habla)* rester muet (ette); *(callarse)* se taire

ennegrecer [46] **1** *vt* noircir
2 ennegrecerse *vpr* se noircir; *(nublarse)* s'assombrir

ennoblecer [46] *vt (dar un título a)* anoblir; *Fig (dignificar)* ennoblir

enojar 1 *vt* irriter, mettre en colère
2 enojarse *vpr* se mettre en colère (**con** contre)

enojo *nm* colère *f*; **causar e. a alguien** *(enfadar)* irriter qn, mettre qn en colère; *(molestar)* agacer *ou* ennuyer qn

enojoso, -a *adj* irritant(e); *(palabra)* déplaisant(e)

enorgullecer [46] **1** *vt* enorgueillir
2 enorgullecerse *vpr* **enorgullecerse de** s'enorgueillir de

enorme *adj también Fig* énorme

enormidad *nf también Fig* énormité *f*

enrabiar 1 *vt* faire enrager
2 enrabiarse *vpr* se mettre en colère

enraizar [14] *vi* s'enraciner

enrarecer [46] **1** *vt* raréfier
2 enrarecerse *vpr también Fig* se raréfier

enredadera 1 *adj f* grimpant(e)
2 *nf* plante *f* grimpante

enredar 1 *vt* emmêler; *(situación, asunto)* embrouiller; *Fig* **e. a alguien en** *(implicar)* entraîner qn dans
2 *vi (hacer travesuras)* faire des bêtises; *(hurgar)* trafiquer; *(meter cizaña)* intriguer
3 enredarse *vpr* s'emmêler; *(asunto)* s'embrouiller; **enredarse en algo** *(implicarse)* se laisser entraîner dans qch; *Fam* **enredarse con alguien** avoir une aventure avec qn

enredo *nm (asunto)* imbroglio *m*; *(amoríos)* liaison *f*; **comedia de e.** ≃ comédie *f* de boulevard

enrejado *nm (de rejas)* grille *f*; *(de cañas)* treillage *m*

enrevesado, -a *adj* compliqué(e)

enriquecer [46] **1** *vt* enrichir
2 enriquecerse *vpr* s'enrichir

enrojecer [46] **1** *vt* rougir; *(persona)* faire rougir
2 *vi* rougir
3 enrojecerse *vpr (persona)* rougir; *(rostro, mejillas)* s'empourprer

enrolar 1 *vt* enrôler
  2 enrolarse *vpr* s'enrôler (**en** dans)
enrollar 1 *vt (arrollar)* enrouler; *Fam (gustar)* brancher; *Fam (liar)* embobiner
  2 enrollarse *vpr (hablar)* avoir la langue bien pendue; *(portarse bien)* être sympa; *Fam* **enrollarse con alguien** *(implicarse)* sortir avec qn; **enrollarse por teléfono** rester des heures au téléphone; **¡enróllate!** sois sympa!
enroscar [59] *vt (atornillar)* visser; *(enrollar)* enrouler
ensaimada *nf* = gâteau brioché typique de Majorque
ensalada *nf también Fig* salade *f*
ensaladera *nf* saladier *m*
ensaladilla *nf* **e. (rusa)** macédoine *f*
ensalzar [14] *vt* porter aux nues
ensambladura *nf,* **ensamblaje** *nm* assemblage *m*
ensanchar 1 *vt* élargir; *(ampliar)* agrandir
  2 ensancharse *vpr (orificio, calle)* s'élargir
ensanche *nm (de calle)* élargissement *m*; *(en la ciudad)* quartiers *mpl* neufs
ensangrentar [3] *vt* ensanglanter
ensañarse *vpr* **e. con** s'acharner contre *ou* sur
ensartar *vt (perlas, aguja)* enfiler; *(puñal, aguja)* planter
ensayar *vt (en teatro)* répéter
ensayista *nmf* essayiste *mf*
ensayo *nm (de espectáculo)* répétition *f*; *(prueba)* test *m*; *(obra literaria, en rugby)* essai *m* ✪ **e. general** répétition générale
enseguida *adv (pronto, inmediatamente)* tout de suite; *(acto seguido)* aussitôt; **e. vamos** on arrive tout de suite; **la reconoció e.** il la reconnut aussitôt
ensenada *nf* anse *f (de mer)*

enseña *nf* enseigne *f*
enseñante *nmf* enseignant(e) *m,f*
enseñanza *nf* enseignement *m*; **e. a distancia** enseignement à distance; **e. superior/universitaria** enseignement supérieur/universitaire; **primera e., e. primaria** enseignement primaire; **segunda e., e. media** enseignement secondaire
enseñar 1 *vt* apprendre; *(dar clases de)* enseigner; *(mostrar, indicar)* montrer; *(dejar ver)* laisser voir
  2 *vi* enseigner
enseres *nmpl (personales)* effets *mpl*; *(de trabajo)* matériel *m*
ensillar *vt (caballo)* seller
ensimismarse *vpr (abstraerse)* se replier sur soi-même; **e. en** *(enfrascarse)* se plonger dans
ensombrecer [46] **1** *vt* assombrir
  2 ensombrecerse *vpr* s'assombrir
ensoñación *nf* rêverie *f*
ensopar *vt Am* tremper
ensordecer [46] **1** *vt (causar sordera)* rendre sourd(e); *(sujeto: sonido)* assourdir
  2 *vi* devenir sourd(e)
ensortijar *vt (cabello)* boucler
ensuciar 1 *vt también Fig* salir
  2 ensuciarse *vpr* se salir
ensueño *nm* rêve *m*; **de e.** de rêve
entablar *vt (conversación)* engager; *(negociaciones)* entamer; *(amistad)* nouer
entallado, -a *adj (vestido, chaqueta)* cintré(e)
entallar *vt (prenda)* cintrer; *(madera)* sculpter
entarimado *nm (suelo)* plancher *m*; *(parqué)* parquet *m*; *(plataforma)* estrade *f*
ente *nm (ser)* être *m*; *(corporación)* organisme *m*, société *f* ✪ **e. público** service *m* public
entelequia *nf (fantasía)* vue *f* de l'esprit

entendederas *nfpl Fam* jugeote *f*; **ser duro** *o* **corto de e.** ne pas avoir la comprenette facile

entender 1 *vt* comprendre; *(opinar, juzgar)* penser; **¿qué entiendes tú por amistad?** qu'est-ce que tu entends par amitié?; **yo no entiendo las cosas así** je ne vois pas les choses de cette façon-là
2 *vi* **e. de** *o* **en algo** *(saber)* s'y connaître en qch
3 *nm* **a mi e.** à mon sens
4 entenderse *vpr* se comprendre; *(comunicarse)* communiquer; *(llevarse bien, ponerse de acuerdo)* s'entendre; *(tener amores)* avoir une liaison

entendido, -a 1 *adj (comprendido)* compris(e); **¡e.!** entendu!; **no se da por e.** il fait comme s'il n'était pas au courant; **ser e. en** s'y connaître en
2 *nm,f* connaisseur(euse) *m,f*

entendimiento *nm* jugement *m*; **con mucho e.** avec beaucoup de bon sens

enterado, -a *adj* averti(e); **estar e. de** être au courant de; **no se da por e.** il fait comme s'il n'était pas au courant

enterar 1 *vt* **e. a alguien de algo** informer qn de qch
2 enterarse *vpr Fam (aclararse)* piger; *(percatarse)* se rendre compte *(de* de); **enterarse de algo** *(saber, descubrir)* apprendre qch; *(informarse)* se renseigner sur qch; **me enteré de que te habías mudado** j'ai appris que tu avais déménagé; **no me entero de nada** je n'y comprends rien; **¡te vas a e.!** tu vas déguster!

entereza *nf (firmeza)* fermeté *f*; *(serenidad)* force *f* de caractère; *(honradez)* intégrité *f*

enternecer [46] **1** *vt* attendrir
2 enternecerse *vpr* s'attendrir

entero, -a 1 *adj (completo)* entier (ère); *(sereno)* fort(e); *(sin daño)* intact(e); **el pueblo e.** tout le village; **la casa entera** toute la maison; **por e. en** entier
2 *nm CSur (de trabajo)* bleu *m* de travail; *(sin mangas)* salopette *f*; *(para bebé)* grenouillère *f*

enterrador, -ora *nm,f* fossoyeur (euse) *m,f*

enterrar [3] **1** *vt también Fig* enterrer
2 enterrarse *vpr Fig* s'enterrer

entibiar 1 *vt (bebida, comida)* faire tiédir; *(ánimos, entusiasmo)* freiner; *(cariño, amistad)* affaiblir
2 entibiarse *vpr (bebida, comida)* tiédir; *(atmósfera, habitación)* se réchauffer; *(sentimiento)* s'affaiblir

entidad *nf (organismo)* organisme *m*; *(empresa)* société *f*; *Filosofía* entité *f*; *(importancia)* envergure *f*; **e. deportiva** club *m* sportif; **e. local** collectivité *f* locale; **una e. privada** une société privée; **e. bancaria** établissement *m* bancaire

entierro *nm* enterrement *m*

entoldado *nm (carpa)* tente *f*

entonación *nf* intonation *f*

entonar 1 *vt (cantar)* entonner; *(tonificar)* revigorer
2 *vi (al cantar)* chanter juste; **e. con** *(armonizar)* être assorti(e) à

entonces *adv* alors; **en** *o* **por aquel e.** en ce temps-là; **desde e.** depuis

entornar *vt (puerta)* entrebâiller; *(ojos, ventana)* entrouvrir; **ojos entornados** yeux mi-clos

entorno *nm* environnement *m*

entorpecer [46] *vt (debilitar) (miembros, mente)* engourdir; *(movimientos)* entraver; *(dificultar) (tráfico)* gêner; *(proceso, evolución)* retarder; *(camino, carretera)* encombrer

entrada *nf* entrée *f*; *(de hotel)* hall *m*; *(billete)* place *f*; *(pago)* apport *m* initial; *(ingreso)* recette *f*; **sacar una e.** prendre une place; **e. de dinero** rentrée *f* d'argent; **tener entradas**

(en la frente) avoir les tempes dégarnies; **de e.** d'entrée

entrante 1 *adj (año, mes)* prochain (e); *(presidente, gobierno)* nouveau(elle)
  2 *nm (plato)* entrée *f*; *(hueco)* renfoncement *m*

entrañable *adj (amigo, recuerdos)* cher (chère); *(amistad)* profond(e); *(carta, persona, escena)* attendrissant(e)

entrañar *vt* comporter

entrañas *nfpl (de persona, animal, Tierra)* entrailles *fpl*; *(de asunto, cuestión)* cœur *m*

entrar 1 *vi* entrer (**en** dans); *(período de tiempo)* commencer; **entró en la casa** il entra dans la maison; **entré por la ventana** je suis entré par la fenêtre; **e. en el ejército** entrer dans l'armée; **entramos en un período de...** nous entrons dans une période de...; **esto no entraba en mis cálculos** ceci n'entrait pas dans mes calculs; **e. de** être embauché(e) comme; **entró de telefonista y ahora es director** il a débuté comme standardiste et maintenant il est directeur; **este anillo no te entra** cette bague est trop petite pour toi; **no entramos todos en la cabina** *(no cabemos)* nous ne tenons pas tous dans la cabine; **entró a trabajar aquí el mes pasado** il a commencé à travailler ici le mois dernier; **le entraron ganas de hablar** il a eu envie de parler; **me está entrando frío** je commence à avoir froid; **le entró pánico** il fut pris de panique; **entró el año con buen tiempo** l'année a commencé avec du beau temps; **¿cuántas entran en un kilo?** il y en a combien dans un kilo?; *Fam* **no le entra la geometría** la géométrie, ça ne rentre pas; **no entra la tercera** *(en automóvil)* la troisième ne passe pas
  2 *vt (meter)* rentrer; *(abordar)* aborder; **entra las sillas porque está**

lloviendo rentre les chaises parce qu'il pleut; **a ése no sé por dónde entrarle** celui-là, je ne sais pas comment l'aborder

entre 1 *prep* entre; *(en medio de) (muchos)* parmi; *(cosas)* dans, au milieu de; **e. Barcelona y Madrid** entre Barcelone et Madrid; **e. la vida y la muerte** entre la vie et la mort; **e. nosotros** *(en confianza)* entre nous; **e. los mejores** parmi les meilleurs; **e. los papeles** dans les papiers; **e. los rosales** au milieu des rosiers; **e. tú y yo lo conseguiremos** à nous deux nous y arriverons; **e. una cosa y otra, nos salió carísimo** au total, ça nous est revenu très cher
  2 *adv Am* **e. más duermo, más sueño tengo** plus je dors, plus j'ai sommeil; **e. más estudies, más sabrás** plus tu étudieras, plus tu sauras de choses

entreabierto, -a *participio ver* **entreabrir**

entreabrir *vt* entrouvrir

entreacto *nm* entracte *m*

entrecomillado, -a 1 *adj* entre guillemets
  2 *nm* citation *f*

entrecortado, -a *adj* entrecoupé(e)

entrecot, entrecote *nm* entrecôte *f*

entredicho *nm* **estar en e.** être mis(e) en doute; **poner en e.** mettre en doute

entrega *nf (de llaves, dinero, premio)* remise *f*; *(de pedido, paquete)* livraison *f*; *(dedicación)* dévouement *m*; *(fascículo)* fascicule *m*; **hacer e. de algo** remettre qch

entregar [38] 1 *vt (llaves, dinero, premio)* remettre; *(pedido, paquete, persona)* livrer
  2 **entregarse** *vpr (rendirse)* se rendre; **entregarse a** *(familia, amigos, trabajo)* se consacrer à; *(vicio, bebida)* s'adonner à; *(pasión, hombre)* s'abandonner à

entreguerras: de entreguerras *adj* de l'entre-deux-guerres

entrelazar [14] *vt* entrecroiser

entremeses *nmpl* hors-d'œuvre *mpl inv*

entremeter 1 *vt* insérer
 2 entremeterse *vpr* **entremeterse en** *(inmiscuirse)* se mêler de

entremezclar 1 *vt* mélanger
 2 entremezclarse *vpr* se mêler

entrenador, -ora *nm,f* entraîneur (euse) *m,f*

entrenamiento *nm* entraînement *m*

entrenar 1 *vt* entraîner
 2 *vi* s'entraîner
 3 entrenarse *vpr* s'entraîner

entrepierna *nf* entrejambe *m*

entresacar [59] *vt (escoger)* sélectionner; *(de un texto)* tirer

entresijos *nmpl* dessous *mpl*

entresuelo *nm (piso)* entresol *m*

entretanto *adv* pendant ce temps, entre-temps

entretención *nf Am* distraction *f*

entretener [65] **1** *vt (divertir)* distraire; *(retrasar) (persona)* retarder, retenir; *(hacer olvidar) (hambre)* tromper; *(dolor)* calmer
 2 entretenerse *vpr (distraerse)* être distrait(e) (**con** par); *(divertirse)* se distraire; *(retrasarse)* s'attarder

entretenido, -a *adj (divertido)* distrayant(e); *(trabajoso)* prenant(e)

entretenimiento *nm (diversión, pasatiempo)* distraction *f*

entretiempo *nm* **de e.** *(ropa)* de demi-saison

entrever [70] *vt también Fig* entrevoir

entreverar *CSur* **1** *vt* mélanger
 2 entreverarse *vpr* s'embrouiller

entrevero *nm CSur* enchevêtrement *m*

entrevista *nf (de trabajo)* entretien

m; *(de periodista)* interview *f*; **hacer una e. a alguien** interviewer qn

entrevistar 1 *vt* interviewer
 2 entrevistarse *vpr* avoir un entretien (**con** avec)

entristecer [46] **1** *vt (persona)* attrister; *(cosa)* rendre triste
 2 entristecerse *vpr* s'attrister (**por** o **con** de)

entrometerse *vpr* **e. en** se mêler de; *(conversación)* s'immiscer dans

entrometido, -a *adj & nm,f* indiscret(ète) *m,f*

entroncar [59] *vi* **e. con** *(familia)* être apparenté(e) à

entronizar [14] *vt (en el trono)* introniser; *Fig (en una posición)* élever

entronque *nm Am (entre cables, tubos)* raccordement *m*; *(de carreteras)* embranchement *m*

entuerto *nm* tort *m*; **deshacer entuertos** jouer les redresseurs de torts

entumecer [46] **1** *vt* engourdir
 2 entumecerse *vpr* s'engourdir

entumecido, -a *adj* engourdi(e); **los dedos entumecidos** les doigts gourds

enturbiar *también Fig* **1** *vt* troubler
 2 enturbiarse *vpr* se troubler

entusiasmar 1 *vt (animar)* enthousiasmer, emballer; **me entusiasma la música** *(me gusta)* j'adore la musique
 2 entusiasmarse *vpr* s'enthousiasmer, s'emballer (**por** pour)

entusiasmo *nm* enthousiasme *m*

entusiasta 1 *adj* enthousiaste
 2 *nmf* passionné(e) *m,f*

enumeración *nf* énumération *f*

enumerar *vt* énumérer

enunciación *nf* énonciation *f*

enunciado *nm* énoncé *m*

enunciar *vt* énoncer

envainar *vt* rengainer

envalentonar 1 *vt* **e. a alguien** donner du courage à qn
 2 envalentonarse *vpr* s'enhardir

envanecer [46] 1 *vt* gonfler d'orgueil 2 **envanecerse** *vpr* **envanecerse de algo/de hacer algo** s'enorgueillir de qch/de faire qch

envanecimiento *nm* vanité *f*

envasado *nm (en botellas, paquetes)* conditionnement *m*

envasar *vt (en botellas, paquetes)* conditionner; **e. algo al vacío** emballer qch sous vide

envase *nm (envoltorio)* emballage *m*; *(botella)* bouteille *f*; *(lata)* boîte *f*; *(de yogur, mermelada)* pot *m*; **e. desechable** emballage jetable; **e. sin retorno** bouteille non consignée; **e. retornable** bouteille consignée

envejecer [46] *vt & vi* vieillir

envejecimiento *nm* vieillissement *m*

envenenamiento *nm* empoisonnement *m*

envenenar *vt* empoisonner

envergadura *nf* envergure *f*

envés *(pl* **enveses)** *nm* envers *m*

enviado, -a *nm,f* envoyé(e) *m,f* ☆ **e. especial** envoyé(e) spécial(e)

enviar [32] *vt* envoyer; **e. a alguien por algo/a hacer algo** envoyer qn chercher qch/faire qch; **e. algo por correo** poster qch

envidia *nf (admiración)* envie *f*; *(celos)* jalousie *f*; **me da e. tu nuevo vestido** je suis jalouse de ta nouvelle robe; **tener e. de** être jaloux(ouse) de

envidiar *vt (sentir admiración)* envier; *(sentir celos)* être jaloux(ouse) de

envidioso, -a *adj & nm,f* envieux(euse) *m,f*

envilecer [46] *vt* avilir

envío *nm* envoi *m*; *(paquete)* colis *m*; **el paquete se perdió en el e.** le paquet s'est perdu pendant le transport

enviudar *vi* devenir veuf (veuve)

envoltorio *nm (cartón, papel)* emballage *m*

envoltura *nf* enveloppe *f*; **poner una e. a** emballer

envolver [41] 1 *vt* envelopper; *(enrollar)* enrouler; *(engatusar)* enjôler; **e. a alguien en** *(implicar)* mêler qn à 2 **envolverse** *vpr* s'envelopper

envuelto, -a *participio ver* **envolver**

enyesar *vt* plâtrer; **tiene un brazo enyesado** il a un bras dans le plâtre

enzarzar [14] 1 *vt* envenimer; **e. a alguien en** *(discusión, pelea)* entraîner qn dans 2 **enzarzarse** *vpr* **enzarzarse en** *(pelea, negocio)* s'empêtrer dans

enzima *nf* enzyme *f*

eólico, -a *adj* **energía eólica** énergie *f* éolienne

epicentro *nm* épicentre *m*

épico, -a 1 *adj* épique 2 *nf* **épica** poésie *f* épique

epicúreo, -a *adj & nm,f* épicurien(enne) *m,f*

epidemia *nf* épidémie *f*

epidermis *nf inv* épiderme *m*

epidural 1 *adj* épidural(e) 2 *nf* épidurale *f*

epígrafe *nm* épigraphe *f*

epilepsia *nf* épilepsie *f*

epílogo *nm también Fig* épilogue *m*

episcopado *nm* épiscopat *m*

episodio *nm* épisode *m*

epístola *nf* épître *f*

epitafio *nm* épitaphe *f*

epíteto *nm* épithète *f*

época *nf* époque *f*; *(estación)* saison *f*; **de é.** *(traje, automóvil)* d'époque; *(película)* historique

epopeya *nf también Fig* épopée *f*

equidad *nf* équité *f*

equidistante *adj* équidistant(e)

equilátero, -a *adj* équilatéral(e)

equilibrado, -a *adj* équilibré(e)

equilibrar *vt* équilibrer

equilibrio *nm* équilibre *m*; **mantener/perder el e.** garder/perdre l'é-

quilibre; *Fig* **hacer equilibrios** ménager la chèvre et le chou
equilibrista *nmf* équilibriste *mf*
equino, -a *adj* chevalin(e)
equinoccio *nm* équinoxe *m*
equipaje *nm* bagages *mpl* ☆ **e. de mano** bagages à main
equipar 1 *vt* équiper (**con** *o* **de** en *ou* de)
  2 equiparse *vpr* s'équiper
equiparar 1 *vt* **e. a** *o* **con** comparer à
  2 equipararse *vpr* se comparer
equipo *nm* (*de objetos*) matériel *m*; (*de personas, jugadores*) équipe *f*; **e. de rescate** équipe de secours ☆ **e. (de sonido** *o* **de música)** chaîne *f* (hifi)
equis 1 *adj inv* X, x; **un número e. de personas** un nombre x de personnes
  2 *nf inv* x *m inv*
equitación *nf* équitation *f*
equitativo, -a *adj* équitable
equivalente 1 *adj* équivalent(e)
  2 *nm* équivalent *m*
equivaler [68] *vi* **e. a** équivaloir à
equivocación *nf* erreur *f*
equivocado, -a *adj* erroné(e)
equivocar [59] **1** *vt* **e. algo con algo** confondre qch avec qch
  2 equivocarse *vpr* se tromper (**de** de); **equivocarse con alguien** se tromper sur qn
equívoco, -a 1 *adj* équivoque
  2 *nm* (*error*) malentendu *m*
era 1 *ver* ser
  2 *nf* (*época*) ère *f*; (*para trillar*) aire *f*; (*napoleónica, gótica*) époque *f*; **e. cristiana** ère chrétienne
erario *nm* budget *m* ☆ **e. público** Trésor *m* (public)
ERASMUS (*abrev* **European Action Scheme for the Mobility of University Students**) Erasmus
erección *nf* érection *f*
erecto, -a *adj* dressé(e); (*pene*) en érection

eres *ver* ser
ergonómico, -a *adj* ergonomique
erguido, -a *adj* dressé(e)
erguir [28] **1** *vt* dresser
  2 erguirse *vpr* se dresser
erigir [24] **1** *vt* (*construir*) ériger; (*nombrar*) nommer
  2 erigirse *vpr* **erigirse en** s'ériger en
erizado, -a *adj también Fig* hérissé(e)
erizar [14] **1** *vt* hérisser
  2 erizarse *vpr* se hérisser
erizo *nm* (*mamífero*) hérisson *m*; (*de mar*) oursin *m*
ermita *nf* ermitage *m*
ermitaño, -a 1 *nm,f* ermite *m*
  2 *nm* (*cangrejo*) bernard-l'ermite *m inv*
erogación *nf Andes* (*donativo*) versement *m*; *Méx, RP* (*deuda*) remboursement *m*, paiement *m*
erogar *vt Andes* (*donar*) verser; *Méx, RP* (*rembolsar*) rembourser, payer
eros *nm inv* éros *m*
erosionar 1 *vt* éroder
  2 erosionarse *vpr* être érodé(e)
erótico, -a *adj* érotique
erotismo *nm* érotisme *m*
erradicación *nf* éradication *f*; (*de locales*) suppression *f*
erradicar [59] *vt* éradiquer
errante *adj* errant(e); (*mendigo*) vagabond(e)
errar [29] **1** *vt* (*camino, rumbo*) se tromper de; (*tiro, golpe*) manquer; **e. la vocación** rater sa vocation
  2 *vi* (*equivocarse*) faire erreur, se tromper; (*al disparar*) manquer son coup; (*vagar*) errer
errata *nf* erratum *m*, coquille *f*
erre *nf* (*letra*) r *m inv*; **e. que e.** obstinément
erróneo, -a *adj* erroné(e)
error *nm* erreur *f*; **estar en un e.** être dans l'erreur; **salvo e. u omisión** sauf

erreur ou omission; **e. de bulto** grossière erreur

ertzaina [er'tʃaina] *nmf* = membre de la police autonome basque

Ertzaintza [er'tʃaintʃa] *nf* = police autonome basque

eructar *vi* faire un rot

eructo *nm* rot *m*

erudito, -a *adj & nm,f* érudit(e) *m,f*

erupción *nf (de volcán)* éruption *f*; **en e.** en éruption ☆ *e. **cutánea** éruption cutanée

es *ver* **ser**

esa *ver* **ese**

ésa *ver* **ése**

esbelto, -a *adj* svelte

esbozar [14] *vt también Fig* ébaucher

esbozo *nm* ébauche *f*

escabeche *nm* marinade *f*; *(de pescado)* escabèche *f*; **sardinas en e.** sardines en *ou* à l'escabèche

escabechina *nf* massacre *m*

escabroso, -a *adj (superficie)* inégal(e); *(obsceno)* scabreux(euse); *(espinoso)* délicat(e); **un terreno e.** un terrain accidenté

escabullirse *vpr (escurrirse)* filer; *(escaparse)* s'éclipser; *(escaquearse)* se défiler

escacharrar *Fam* **1** *vt* bousiller; *(día, plan)* ficher en l'air
  2 escacharrarse *vpr* se détraquer; *(plan)* cafouiller

escafandra *nf* scaphandre *m*

escala *nf* échelle *f*; *(de colores)* gamme *f*; *(en un viaje)* escale *f*; *(grado)* cote *f*; **a e. 1:50.000** à l'échelle de 1/50 000; **a e. internacional** à l'échelle internationale; **a gran e.** à grande échelle; **hacer e.** faire escale; **e. de popularidad** cote de popularité ☆ *e. **musical** gamme; *e. de **valores** échelle de valeurs

escalada *nf también Fig* escalade *f*

escalador, -ora *nm,f (que escala)* grimpeur(euse) *m,f*; *(alpinista)* alpiniste *mf*; *Fam (de puestos)* jeune loup *m*, carriériste *mf*

escalafón *nm* hiérarchie *f*; *(en el trabajo)* tableau *m* d'avancement

escalar *vt* escalader; *Fam Fig* **e. puestos** *(socialmente)* grimper dans l'échelle sociale

escaldado, -a *adj* blanchi(e); *Fig (persona)* échaudé(e)

escaldar **1** *vt* blanchir; *(metal)* chauffer à blanc; *Fig (ofender)* blesser au vif
  2 escaldarse *vpr (con agua)* s'ébouillanter; *(con fuego, por el sol)* se brûler

escalera *nf* escalier *m*; *(en naipes)* quinte *f* ☆ *e. **de caracol** escalier en colimaçon; *e. **de color** quinte flush; *e. **mecánica** o **automática** Escalator® *m*

escalfar *vt (huevo)* pocher

escalinata *nf* perron *m*

escalofriante *adj* terrifiant(e)

escalofrío *nm* frisson *m*; **me dan escalofríos** j'ai des frissons

escalón *nm (peldaño)* marche *f*; *Fig (grado)* échelon *m*

escalonar *vt* échelonner

escalope *nm* escalope *f*

escama *nf (de pez, reptil)* écaille *f*; *(de jabón)* paillette *f*; *(en la piel)* squame *f*

escamar *vt (quitar escamas a)* écailler; *Fam Fig (causar recelo a)* mettre la puce à l'oreille à

escamotear *vt (hurtar)* subtiliser

escampar *v impersonal* cesser de pleuvoir

escandalizar [14] **1** *vt (indignar)* scandaliser; *(alborotar)* faire du tapage dans
  2 escandalizarse *vpr* se scandaliser; **escandalizarse por** o **de** être scandalisé(e) par

escándalo *nm* scandale *m*; *(alboroto)* tapage *m*; *(en clase)* chahut *m*; **armar un e.** faire un scandale

escandaloso, -a 1 *adj* scandaleux (euse); *(ruidoso)* tapageur(euse); *(niños)* bruyant(e) **2** *nm,f* **es un e.** il est très bruyant

Escandinavia *n* la Scandinavie

escandinavo, -a 1 *adj* scandinave **2** *nm,f* Scandinave *mf*

escáner *(pl* **escáners)** *nm* scanner *m*

escaño *nm* siège *m* (*au Parlement)*

escapada *nf (salida rápida)* escapade *f*; *(en deporte)* échappée *f*

escapar 1 *vi (de lugar)* s'échapper (de de); **e. de algo/a alguien** *(librarse)* échapper à qch/à qn **2 escaparse** *vpr (líquido, gas)* fuir; **escaparse (de algo)** *(huir)* s'échapper (de qch); **se le escapó la risa/un taco** un éclat de rire/un gros mot lui a échappé; **se le escapó el tren/la ocasión** il a manqué son train/l'occasion

escaparate *nm* vitrine *f*

escapatoria *nf (fuga)* évasion *f*; *(escapada)* escapade *f*; *Fam (pretexto)* échappatoire *f*; **no tener e.** *(persona)* être au pied du mur

escape *nm (de agua, gas)* fuite *f*; *(de automóvil)* échappement *m*; **a e.** à toute vitesse

escapulario *nm* scapulaire *m*

escaquearse *vpr Fam* se défiler; **e. de hacer algo** s'arranger pour ne pas faire qch

escarabajo *nm* scarabée *m*; *Fam (automóvil)* coccinelle *f*

escaramuza *nf* escarmouche *f*

escarbar 1 *vt (tierra)* gratter **2** *vi Fig (en vida, pasado)* fouiller

escarceos *nmpl (tentativas)* incursions *fpl*; **e. amorosos** aventures *fpl* (amoureuses)

escarcha *nf* givre *m*

escarlata 1 *adj inv* écarlate **2** *nm* écarlate *f*

escarlatina *nf* scarlatine *f*

escarmentar [3] *vi* tirer la leçon

escarmiento *nm* leçon *f (avertissement)*

escarnio *nm* raillerie *f*

escarola *nf* frisée *f*

escarpado, -a *adj* escarpé(e)

escasear *vi* manquer

escasez *nf (insuficiencia)* pénurie *f*; *(pobreza)* indigence *f*

escaso, -a *adj (insuficiente)* *(recursos, comida)* maigre; *(número, cantidad)* faible; *(poco frecuente)* rare; **andar e. de dinero** être à court d'argent; **un metro/kilo e.** à peine un mètre/kilo; **media hora escasa** une petite demi-heure

escatimar *vt (comida, medios)* rogner sur; *(esfuerzos)* ménager; **no e. algo** ne pas lésiner sur qch

escay *nm* Skaï *m*

escayola *nf* plâtre *m*

escena *nf* scène *f*; **poner en e.** mettre en scène; *Fig* **hacer una e.** faire une scène

escenario *nm (tablas)* scène *f*; *(lugar de la acción)* cadre *m*; *Fig (de suceso)* théâtre *m*; **el e. del crimen** le lieu du crime

escenificar [59] *vt* mettre en scène

escenografía *nf (arte)* scénographie *f*; *(decorados)* décors *mpl*

escepticismo *nm* scepticisme *m*

escéptico, -a *adj & nm,f* sceptique *mf*

escindir 1 *vt* scinder **2 escindirse** *vpr (partido político)* se scinder **(en en)**; *(átomo)* se diviser **(en en)**

escisión *nf (de partido político)* scission *f*; *(del núcleo)* fission *f*

esclarecer [46] *vt (asunto)* tirer au clair, élucider

esclarecimiento *nm* élucidation *f*

esclava *nf ver* **esclavo**

esclavitud *nf también Fig* esclavage *m*

esclavizar [14] *vt* réduire en esclavage ; **el vino/su trabajo lo esclaviza** il
est esclave du vin/de son travail

esclavo, -a 1 *adj & nm,f también Fig*
esclave *mf*
   2 *nf* **esclava** *(pulsera)* gourmette *f*

esclerosis *nf inv* sclérose *f* ☆ **e. múltiple** sclérose en plaques

esclusa *nf* écluse *f*

escoba *nf* balai *m*

escobilla *nf (escoba)* balayette *f*;
Am (cepillo) brosse *f*

escocedura *nf (quemadura, escozor)*
brûlure *f*; *(rojez)* irritation *f*

escocer [15] 1 *vi (herida)* brûler ; *Fig
(reprimenda)* être blessant(e)
   2 **escocerse** *vpr (piel)* être meur-
tri(e)

escocés, -esa 1 *adj* écossais(e)
   2 *nm,f* Écossais(e) *m,f*

Escocia *n* l'Écosse *f*

escoger [52] *vt* choisir

escogido, -a *adj* choisi(e)

escolar 1 *adj* scolaire
   2 *nmf* écolier(ère) *m,f*

escolarizar [14] *vt* scolariser

escoliosis *nf inv* scoliose *f*

escollo *nm también Fig* écueil *m*

escolta *nf* escorte *f*

escoltar *vt* escorter

escombros *nmpl* gravats *mpl*; **atra-
pados bajo los e.** prisonniers des décombres

esconder 1 *vt también Fig* cacher
   2 **esconderse** *vpr* se cacher ; *(gente)* fuir ; **esconderse de** *(mirada, vista)* se dérober à

escondido, -a *adj* caché(e) ; *(lugar)*
retiré(e) ; **a escondidas** en cachette

escondite *nm (lugar)* cachette *f*;
(juego) cache-cache *m inv*

escondrijo *nm* cachette *f*

escopeta *nf* fusil *m* (de chasse) ; **e. de
aire comprimido** fusil à air comprimé

escoria *nf* scorie *f*; *Fig* rebut *m*

escorpio 1 *nm inv (zodiaco)* Scorpion *m inv*
   2 *nmf inv (persona)* Scorpion *m inv*

escorpión *nm* scorpion *m*

escotado, -a *adj* décolleté(e)

escotar *vt* décolleter

escote *nm (de prendas)* encolure *f*;
(de persona) décolleté *m*; **pagar a e.**
partager les frais ; **pagamos a e.** chacun paie sa part

escotilla *nf* écoutille *f*

escozor *nm* brûlure *f*

escribanía *nf Andes, RP* étude *f* de
notaire

escribano, -a *nm,f Andes, RP* notaire *m*

escribiente *nmf* employé(e) *m,f*
aux écritures

escribir 1 *vt* écrire
   2 **escribirse** *vpr* s'écrire

escrito, -a 1 *participio ver* **escribir**
   2 *adj* écrit(e) ; **por e.** par écrit
   3 *nm* écrit *m*; *(texto)* texte *m*

escritor, -ora *nm,f* écrivain *m*

escritorio *nm (mueble)* secrétaire
m; *(habitación)* bureau *m*

escritura *nf* écriture *f*; *Der* acte *m*;
las Sagradas Escrituras les Écritures
saintes

escrúpulo *nm (duda, recelo)* scrupule *m*; *(cuidado)* méticulosité *f*;
(aprensión) dégoût *m*

escrupuloso, -a *adj* scrupuleux
(euse) ; *(aprensivo)* délicat(e)

escrutar *vt (mirar)* scruter ; **e. los
votos** *(computar)* dépouiller le
scrutin

escrutinio *nm* dépouillement *m* du
scrutin

escuadra *nf (regla)* équerre *f*; *(de
barcos)* escadre *f*; *(de soldados)* es-
couade *f*

escuadrilla *nf* escadrille *f*

escuadrón *nm* escadron *m*

escuálido, -a *adj (persona)* déchar-
né(e) ; **un rostro e.** un visage émacié

escucha *nf* écoute *f* ☆ *escuchas te-lefónicas* écoutes téléphoniques

escuchar 1 *vt también Fig* écouter
2 escucharse *vpr* s'écouter parler

escudo *nm (arma)* bouclier *m*; *(emblema)* blason *m*; *(de ciudad, familia)* armes *fpl*; *(moneda portuguesa)* escudo *m*

escudriñar *vt (mirar)* scruter; *(investigar)* fouiller dans

escuela *nf* école *f*; **e. privada/pública** école privée/publique; **e. universitaria** institut *m* universitaire; **ser de la vieja e.** être de la vieille école

escueto, -a *adj (estilo, imagen)* sobre; *(respuesta, presentación)* succinct(e)

escuincle, -a *nm,f Méx (muchacho)* gamin(e) *m,f*

esculpir *vt* sculpter

escultor, -ora *nm,f* sculpteur *m*

escultura *nf* sculpture *f*

escupidera *nf* crachoir *m*

escupir *vt & vi* cracher

escupitajo *nm* crachat *m*

escurreplatos *nm inv* égouttoir *m* (à vaisselle)

escurridizo, -a *adj (suelo)* glissant(e); *Fig (persona)* fuyant(e); *(respuesta)* évasif(ive)

escurridor *nm (colador)* passoire *f*

escurrir 1 *vt* égoutter; *(colada)* essorer; *(vaciar)* vider jusqu'à la dernière goutte
2 *vi (cosa mojada, líquido)* goutter; *(suelo)* glisser
3 escurrirse *vpr (cosa mojada)* s'égoutter; *(cosa resbaladiza)* glisser; *Fam (escabullirse)* s'esquiver

ese¹ *nf* s *m inv*; **hacer eses** *(persona)* tituber; *(vehículo)* zigzaguer

ese², esa *(mpl* **esos**, *fpl* **esas***) adj demostrativo* ce, cette, ce…-là, cette…-là; *Pey (después de sustantivo)* ce…-là, cette…-là; **¿qué es e. ruido?** qu'est-ce que c'est que ce

bruit?; **esa corbata que llevas hoy es muy bonita** la cravate que tu portes aujourd'hui est très belle; **busco precisamente e. libro** c'est précisément ce livre que je cherche; **prefiero esa casa a ésta** je préfère cette maison-là à celle-ci; **el hombre e. no me inspira confianza** cet homme-là ne m'inspire pas confiance

ése, ésa *(mpl* **ésos**, *fpl* **ésas***) pron demostrativo* celui-là, celle-là; **no tomes este diccionario, toma é.** ne prends pas ce dictionnaire-ci, prends celui-là; **dame un vaso — ¿cuál? — é. que está en la mesa** donne-moi un verre — lequel? — celui qui est sur la table; **ésa es mi idea de…** c'est l'idée que je me fais de…; *Fam Pey* **¿qué se ha creído ésa?** qu'est-ce qu'elle croit, celle-là?; **é. me ha querido timar** ce type-là a essayé de me rouler; **ni por ésas** rien n'y a fait

esencia *nf* essence *f*; *(lo principal)* essentiel *m*; **quinta e.** quintessence *f*

esencial *adj* essentiel(elle)

esfera *nf (globo)* sphère *f*; *(de reloj)* cadran *m*; *Fig (ámbito)* domaine *m*; *Fig* **las altas esferas de** les hautes sphères de

esférico, -a 1 *adj* sphérique
2 *nm (balón)* ballon *m*

esfero *nm Col* stylo *m* (à) bille

esfinge *nf* sphinx *m*

esfínter *(pl* **esfínteres***) nm* sphincter *m*

esforzar [31] **1** *vt (voz, vista)* forcer
2 esforzarse *vpr* faire des efforts; **esforzarse en** *o* **por hacer algo** s'efforcer de faire qch

esfuerzo *nm* effort *m*

esfumarse *vpr Fig* se volatiliser

esgrima *nf* escrime *f*

esgrimir *vt (arma blanca)* manier; *(amenazando)* brandir; *Fig (argumento, hecho, idea)* invoquer

esguince *nm* foulure *f*; *(con desgarro)* entorse *f*

eslabón *nm* maillon *m*, chaînon *m* ☆ *el e. perdido* le chaînon manquant

eslavo, -a 1 *adj* slave
    2 *nm,f (persona)* Slave *mf*

eslip *(pl* **eslips***) nm* slip *m*

eslogan *(pl* **eslóganes***) nm* slogan *m*

eslora *nf* longueur *f (d'un bateau)*

Eslovaquia *n* la Slovaquie

Eslovenia *n* la Slovénie

esmaltar *vt* émailler

esmalte *nm* émail *m*; *(arte)* émaillerie *f* ☆ *e. (de uñas)* vernis *m* à ongles

esmerado, -a *adj (persona)* soigneux(euse); *(trabajo, pronunciación)* soigné(e)

esmeralda 1 *nf* émeraude *f*
    2 *adj inv* (vert) émeraude *inv*

esmerarse *vpr* s'appliquer (**en algo/ en hacer algo** dans qch /à faire qch)

esmeril *nm* émeri *m*

esmerilar *vt (pulir)* polir à l'émeri

esmero *nm* soin *m*, application *f*

esmirriado, -a *adj* chétif(ive)

esmoquin *(pl* **esmóquines***) nm* smoking *m*

esnifar *vt Fam* sniffer

esnob *(pl* **esnobs***) adj & nmf* snob *mf*

eso *pron demostrativo (neutro)* cela, ça; **¿le habló usted de e. en particular?** lui avez-vous parlé de cela en particulier?; **e. me interesa** ça m'intéresse; **e. es la Torre Eiffel** ça, c'est la tour Eiffel; **e. es lo que yo pienso** c'est ce que je pense; **e. de vivir solo no me gusta** je n'aime pas l'idée de vivre seul; **¡e., e.!** c'est ça, c'est ça!; **¿cómo es e.?** comment ça se fait?; **¡e. es!** c'est ça!; **a e. de** vers; **en e.** sur ce; **y e. que...** et pourtant, ...

esófago *nm* œsophage *m*

esotérico, -a *adj* ésotérique

espabilado, -a *adj* vif (vive)

espabilar 1 *vt (despertar)* réveiller; *(despachar)* expédier; **e. a alguien** *(avispar)* dégourdir qn
    2 espabilarse *vpr (despertarse)* se réveiller; *Fam (darse prisa)* se remuer; *(avisparse)* se dégourdir

espachurrar *Fam* **1** *vt* écrabouiller
    2 espachurrarse *vpr* s'écrabouiller

espacial *adj* spatial(e)

espaciar *vt* espacer

espacio *nm* espace *m*; *(programa)* émission *f*; *(entre líneas)* interligne *m*; **no tengo mucho e.** je n'ai pas beaucoup de place; **por e. de dos años** pendant deux ans; **e. aéreo** espace aérien; **e. de tiempo** laps *m* de temps; **a doble e.** à double interligne

espacioso, -a *adj* spacieux(euse)

espada 1 *nf* épée *f*; **estar entre la e. y la pared** être pris entre deux feux; **espadas** = l'une des quatre couleurs du jeu de cartes espagnol
    2 *nm Taurom* matador *m*

espaguetis *nmpl* spaghettis *mpl*

espalda *nf* dos *m*; **caerse de espaldas** tomber à la renverse; **nadar a e.** nager le dos crawlé; **tumbarse de espaldas** s'allonger sur le dos; **por la e.** par-derrière; **cubrirse las espaldas** protéger ses arrières; **hablar de uno a sus espaldas** parler de qn dans son dos; **volver la e. a alguien** tourner le dos à qn

espaldarazo *nm* tape *f* dans le dos; *Fig* **dar un e. a alguien** *(dar apoyo a)* donner un coup de pouce à qn

espalderas *nfpl* espalier *m (de gymnastique)*

espantadizo, -a *adj* craintif(ive)

espantajo *nm* épouvantail *m*; *(para amenazar a niños)* croque-mitaine *m*

espantapájaros *nm inv* épouvantail *m*

espantar 1 *vt (ahuyentar)* faire fuir; *(asustar)* épouvanter
    2 espantarse *vpr* s'affoler; **espantarse de** *o* **por** être épouvanté(e) de ou par

espanto *nm* épouvante *f*; **¡qué e.!** quelle horreur!; *Fig* **estoy curado de espantos** j'en ai vu d'autres

espantoso, -a *adj (aterrador)* épouvantable; *Fig (enorme)* terrible; *(feísimo)* horrible

España *n* l'Espagne *f*; **la E. del siglo de oro** l'Espagne du siècle d'or

español, -ola 1 *adj* espagnol(e)
2 *nm,f* Espagnol(e) *m,f*
3 *nm (lengua)* espagnol *m*

españolada *nf Pey* espagnolade *f*

españolizar [I4] **1** *vt* hispaniser
2 **españolizarse** *vpr (persona)* prendre des habitudes espagnoles; *(palabra)* s'hispaniser

esparadrapo *nm* sparadrap *m*

esparcimiento *nm (ocio)* loisir *m*

esparcir [72] **1** *vt (aceite, noticia)* répandre; *(papeles, objetos)* éparpiller
2 **esparcirse** *vpr* se répandre

espárrago *nm* asperge *f* ✩ **espárragos trigueros** asperges sauvages

esparto *nm (planta)* alfa *m*

espasmo *nm* spasme *m*

espasmódico, -a *adj* spasmodique

espatarrarse *vpr Fam (en sillón, sofá)* s'affaler

espátula *nf* spatule *f*

especia *nf* épice *f*

especial *adj* spécial(e); *(trato)* de faveur; **en e.** *(sobre todo)* particulièrement; **uno en e.** un en particulier

especialidad *nf* spécialité *f*

especialista 1 *adj* spécialiste; **un médico e.** un spécialiste
2 *nmf (experto)* spécialiste *mf*; *(en cine)* cascadeur(euse) *m,f*

especializado, -a *adj* spécialisé(e)

especializar [I4] **1** *vt* spécialiser
2 **especializarse** *vpr* se spécialiser

especie *nf* espèce *f*; *(tipo, clase)* genre *m*; *(variedad)* sorte *f*; **pagar en e. o especies** payer en nature

especificar [59] *vt* **e. algo** spécifier qch; **e. algo a alguien** préciser qch à qn

específico, -a 1 *adj* spécifique
2 *nmpl* **específicos** *(en farmacia)* spécialités *fpl*

espécimen *(pl* **especímenes)** *nm* spécimen *m*

espectacular *adj* spectaculaire

espectáculo *nm* spectacle *m*; *Fig* **dar el e.** se donner en spectacle

espectador, -ora *nm,f* spectateur (trice) *m,f*

espectral *adj* spectral(e)

espectro *nm* spectre *m*

especulación *nf* spéculation *f*

especular *vi (mentalmente)* spéculer *(sobre* sur); *(comercialmente)* spéculer *(con o en* sur)

espejismo *nm también Fig* mirage *m*

espejo *nm (para mirarse)* glace *f*, miroir *m*

espeleología *nf* spéléologie *f*

espeluznante *adj* à donner la chair de poule

espera *nf (acción)* attente *f*; **a la e. de** *(acontecimiento)* dans l'attente de; **en e. de** *(carta, paquete)* dans l'attente de

esperanto *nm* espéranto *m*

esperanza *nf* espoir *m*; **perder la e.** perdre espoir; **tener e. de hacer algo** avoir l'espoir de faire qch ✩ **e. de vida** espérance *f* de vie

esperanzar [I4] *vt* donner de l'espoir à

esperar 1 *vt* attendre; **e. algo de alguien** attendre qch de qn; **era de e.** c'était à prévoir; **como era de e.** comme il fallait s'y attendre; **e. que** *(desear)* espérer que; **espero que sí** j'espère (bien); **e. hacer algo** espérer faire qch
2 **esperarse** *vpr (imaginarse)* s'attendre à; *(aguardar)* attendre; **no se lo esperaba** il ne s'y attendait pas; **se esperó durante una hora** il a attendu une heure

espermatozoide *nm* spermatozoïde *m*

esperpento *nm (persona)* épouvantail *m*; *(cosa)* horreur *f*

espeso, -a adj épais(aisse); *(tupido)* *(vegetación)* dense; *(bosque)* touffu(e); *(difícil de entender)* impénétrable

espesor nm épaisseur f

espesura nf *(vegetación)* fourré m; *(espesor)* épaisseur f

espía nmf espion(onne) m,f

espiar [32] vt épier

espiga nf *(de cereal)* épi m; *(en telas)* chevron m; *(de herramienta)* cheville f

espigado, -a adj grand(e) et mince

espigón nm jetée f

espina nf *(de pez)* arête f; *(de planta)* épine f; Fig **tiene una e. clavada** il en a gros sur le cœur; **me da mala e.** cela ne me dit rien qui vaille ☆ **e. dorsal** épine dorsale

espinaca nf épinard m

espinazo nm échine f

espinilla nf *(hueso)* tibia m; *(grano)* point m noir

espinoso, -a adj también Fig épineux(euse)

espionaje nm espionnage m

espiral nf spirale f; **en e.** en spirale; Econ **e. inflacionaria** spirale inflationniste

espirar vt *(aire)* exhaler

espiritismo nm spiritisme m

espíritu nm esprit m; Fig *(ánimo)* force f ☆ **el E. Santo** le Saint-Esprit

espiritual 1 adj spirituel(elle) **2** nm **e. (negro)** *(música)* negro spiritual m

espléndido, -a adj *(magnífico)* splendide; *(generoso)* prodigue

esplendor nm splendeur f

espliego nm lavande f

espoleta nf *(de proyectil)* détonateur m

espolio = expolio

espolvorear vt saupoudrer

esponja nf éponge f

esponjoso, -a adj spongieux(euse)

espontaneidad nf spontanéité f

espontáneo, -a 1 adj spontané(e) **2** nm,f = spectateur qui saute dans l'arène pour toréer

esporádico, -a adj sporadique

esport adj inv sport inv; **un traje e.** un costume sport

esposar vt passer les menottes à

esposo, -a 1 nm,f époux(ouse) m,f **2** nfpl **esposas** menottes fpl

espray *(pl esprays)* nm spray m, aérosol m

esprint *(pl esprints)* nm sprint m

espuela nf *(de jinete)* éperon m; Fig *(estímulo)* aiguillon m; Fam Fig *(última copa)* coup m de l'étrier

espuma nf *(de cerveza, jabón)* mousse f; *(para pelo)* mousse f coiffante; *(de olas, caldo)* écume f; **crecer como la e.** *(negocio)* progresser à vitesse grand V ☆ **e. de afeitar** mousse à raser

espumadera nf écumoire f

espumarajo nm écume f *(bave)*

espumoso, -a 1 adj *(mar, olas)* écumeux(euse); *(vino)* mousseux(euse); *(jabón)* moussant(e) **2** nm *(vino)* mousseux m

esputo nm expectoration f

esquech *(pl esquechs)* nm sketch m

esqueje nm bouture f

esquela nf faire-part m inv de décès

esquelético, -a adj squelettique

esqueleto nm squelette m; Fam **menear o mover el e.** guincher

esquema nm schéma m

esquemático, -a adj schématique

esquetch = esquech

esquí *(pl esquíes o esquís)* nm ski m ☆ **e. alpino** ski alpin; **e. de fondo** o **nórdico** ski de fond; **e. náutico** o **acuático** ski nautique

esquiador, -ora nm,f skieur(euse) m,f

esquiar [32] *vi* skier; **van a e. a los Alpes** ils vont faire du ski dans les Alpes

esquilar *vt* tondre *(les moutons)*

esquimal 1 *adj* esquimau(aude)
  2 *nmf* Esquimau(aude) *m,f*
  3 *nm (lengua)* esquimau *m*

esquina *nf* coin *m*; **a la vuelta de la e.** au coin de la rue; **al doblar la e.** en tournant au coin de la rue

esquirol *nm Fam* jaune *mf (briseur de grève)*

esquites *nmpl Méx* pop-corn *m inv*

esquivar *vt* éviter; *(golpe)* esquiver

esquivo, -a *adj* farouche

esquizofrenia *nf* schizophrénie *f*

esta *ver* este

ésta *ver* éste

estabilidad *nf* stabilité *f*

estabilizar [14] **1** *vt* stabiliser
  2 estabilizarse *vpr* se stabiliser

estable *adj* stable

establecer [46] **1** *vt* établir
  2 establecerse *vpr* s'établir

establecimiento *nm* établissement *m*

establo *nm* étable *f*

estaca *nf (palo puntiagudo)* pieu *m*; *(garrote)* gourdin *m*

estacada *nf (cerco)* palissade *f*; **dejar a alguien en la e.** laisser tomber qn; **quedar** *o* **quedarse en la e.** être abandonné(e) à son triste sort

estación *nf* station *f*; *(de tren)* gare *f*; *(del año, temporada)* saison *f* ✩ **e. de autobuses** gare routière; **e. emisora** station de radio; **e. de esquí** station de ski; **e. de gasolina** station-service *f*, pompe *f* à essence; **e. meteorológica** station météo; **e. de metro** station de métro; **e. de servicio** station-service; **e. de trabajo** poste *m* de travail

estacionamiento *nm* stationnement *m*; **e. indebido** *(en cartel)* stationnement interdit

estacionar 1 *vt* garer
  2 estacionarse *vpr* se garer, stationner

estacionario, -a *adj* stationnaire

estadía *nf CSur* séjour *m*

estadio *nm* stade *m*

estadista *nmf* homme (femme) *m,f* d'État

estadístico, -a 1 *adj* statistique
  2 *nf* **estadística** statistique *f*

estado *nm* état *m*; **estar en buen/mal e.** être en bon/mauvais état; **la carne está en mal e.** la viande est avariée; **e. civil** état civil; **e. de ánimo** humeur *f*; **e. de excepción** *o* **emergencia** état d'urgence; **e. de sitio** état de siège; *Fig* **estar en e. (de buena esperanza)** attendre un heureux événement; **E.** *(gobierno)* État ✩ **E. Mayor** état-major *m*; **Estados Unidos (de América)** les États-Unis *mpl* (d'Amérique)

estadounidense 1 *adj* américain(e)
  2 *nmf* Américain(e) *m,f*

estafa *nf* escroquerie *f*

estafador, -ora *nm,f* escroc *m*

estafar *vt* escroquer

estafeta *nf* bureau *m* de poste

estalactita *nf* stalactite *f*

estalagmita *nf* stalagmite *f*

estallar *vi* éclater; *(bomba)* exploser; *(cristal)* voler en éclats; **e. en sollozos/en una carcajada** éclater en sanglots/de rire

estallido *nm* explosion *f*; *(de neumático)* éclatement *m*; *(de guerra)* déclenchement *m*

estambre *nm (de flor)* étamine *f*

Estambul *n* Istanbul

estamento *nm* classe *f (de la société)*

estampa *nf (imagen impresa)* estampe *f*; *(tarjeta, retrato)* image *f*; **este niño es la e. de su padre** cet enfant est le portrait craché de son père

estampado, -a 1 *adj (tela)* imprimé(e); *(firma)* apposé(e)
2 *nm* imprimé *m*

estampar 1 *vt (imprimir) (metal)* estamper; *(tela)* imprimer; *Fam Fig (bofetada)* flanquer; *(beso)* coller;
e. su firma apposer sa signature; *Fig* **e. algo contra** fracasser qch contre;
e. a alguien contra précipiter qn contre
2 estamparse *vpr (golpearse)* se fracasser

estampida *nf* fuite *f*, débandade *f*

estampido *nm* fracas *m*

estampilla *nf Am (sello) (de correos)* timbre *m*; *(cromo)* image *f*

estancarse [59] *vpr (líquido)* stagner; *(situación, proyecto)* rester en suspens

estancia *nf (tiempo)* séjour *m*; *(habitación)* pièce *f*; *CSur (hacienda)* hacienda *f*, estancia *f*

estanciero, -a *nm,f CSur* = grand propriétaire terrien, en Amérique du Sud

estanco, -a 1 *adj* étanche
2 *nm* bureau *m* de tabac

estand *(pl* estands*)* *nm* stand *m*

estándar *(pl* estándares*)* **1** *adj* standard
2 *nm* standard *m*

estandarizar [14] *vt* standardiser

estandarte *nm* étendard *m*

estanque *nm (alberca)* étang *m*

estanquero, -a *nm,f* buraliste *mf*

estante *nm* étagère *f (planche)*

estantería *nf* étagère *f (meuble)*

estaño *nm* étain *m*

estar [30] **1** *vi* être; *(hallarse listo)* être prêt(e); **la llave está en la cerradura** la clef est dans la serrure; **¿está María?** est-ce que María est là?; **¿a qué estamos hoy?** le combien sommes-nous aujourd'hui?; **hoy estamos a 13 de julio** aujourd'hui nous sommes le 13 juillet; **el dólar está a 95 pts** le dollar est à 95 pesetas; **estaré un par de horas y me iré** je resterai une heure ou deux et je m'en irai; **estuvo toda la tarde en casa** il est resté chez lui tout l'après-midi; **el almuerzo estará a las tres** le déjeuner sera prêt à trois heures; **el problema está en la fecha** c'est la date qui pose problème; **este traje te está muy bien** cette robe te va très bien; **e. para** *(de humor)* être d'humeur à, être disposé(e) à; *(en condiciones)* être en état de; **no estoy para bromas** je ne suis pas d'humeur à plaisanter; **no estoy para jugar** je ne suis pas en état de jouer; **para eso están los amigos** les amis sont là pour ça; **e. por** *(quedar)* être à, rester à; *(a punto de)* être sur le point de; *(con ganas de)* être tenté(e) de; **esto está por hacer** ceci est à faire; **eso está por ver** ça reste à voir; **estaba por irme cuando llegaste** j'étais sur le point de partir quand tu es arrivé; **estuve por pegarle** j'ai failli le frapper; **estoy por llamarlo** je suis tenté de l'appeler

2 *v aux* **(a)** *(antes de gerundio) (expresa duración)* **estoy pintando** je suis en train de peindre, je peins; **estuvieron trabajando día y noche** ils ont travaillé jour et nuit

(b) *(antes de participio, en construcción pasiva)* être; **la exposición está organizada por el ayuntamiento** l'exposition est organisée par la mairie

3 *v copulativo* être; **¿cómo estás?** comment vas-tu?; **esta calle está sucia** cette rue est sale; **estoy a régimen** je suis au régime; **está de** *o* **como director de la agencia** il est directeur de l'agence; **están de viaje** ils sont en voyage; **hoy estoy de buen humor** aujourd'hui je suis de bonne humeur; **está que muerde porque ha suspendido** il n'est pas à prendre avec des pincettes parce qu'il a échoué

4 estarse *vpr (permanecer)* rester; **estate quieto** reste tranquille;

puedes estarte unos días aquí tu peux rester quelques jours ici

estárter (*pl* **estárters**) *nm* starter *m*

estatal *adj* de l'État; **un representante e.** un représentant de l'État; **un organismo e.** un organisme d'État; **una empresa e.** une entreprise publique

estático, -a *adj (inmóvil)* statique; **se quedó e. del pavor** il a été saisi d'effroi

estatización *nf Am* nationalisation *f*

estatizar *vt Am* nationaliser

estatua *nf* statue *f*

estatura *nf* stature *f*

estatus *nm inv* statut *m* social

estatutario, -a *adj* statutaire

estatuto *nm* statut *m*

Este, este[1] **1** *nm (punto cardinal)* est *m*; **el E. de Europa** l'est de l'Europe ☆ *los países del E.* les pays de l'Est **2** *adj (zona, frontera)* est *inv*; *(viento)* d'est

este[2]**, -a** (*mpl* **estos**, *fpl* **estas**) *adj demostrativo* ce, cette, ce...-ci, cette...-ci; **e. hombre** cet homme; **me regaló estos libros** elle m'a offert ces livres; **me gusta más esta casa que ésa** cette maison-ci me plaît plus que celle-là; **esta mañana ha llovido** ce matin il a plu; **no soporto a la niña esta** cette fille, je ne la supporte pas

éste, -a (*mpl* **éstos**, *fpl* **éstas**) *pron demostrativo (cercano en el espacio)* celui-ci, celle-ci; **aquellos cuadros están bien, aunque éstos me gustan más** ces tableaux-là sont bien mais je préfère ceux-ci; **é. es el modelo más barato** c'est *ou* voici le modèle le moins cher; **é. ha sido el día más feliz de mi vida** ça a été le plus beau jour de ma vie; *Fam Pey* **¿qué hace aquí é.?** qu'est-ce qu'il fait ici, lui *ou* celui- là?; **é. es el que me pegó** c'est lui qui m'a frappé

estela *nf (de barco)* sillage *m*; *(de*

avión) traînée *f*; *Fig* **dejar e.** *(rastro)* laisser des traces

estelar *adj (de los astros)* stellaire; *Fig (más importante)* marquant(e); **la figura e.** la vedette; **el momento e.** le moment clé

estepa *nf* steppe *f*

estera *nf* natte *f (en paille)*

estercolero *nm* tas *m* de fumier; *Fig (lugar sucio)* porcherie *f*

estéreo 1 *adj inv* stéréo *inv* **2** *nm (aparato)* chaîne *f* stéréo

estereofónico, -a *adj* stéréophonique

estereotipado, -a *adj* stéréotypé (e)

estereotipo *nm* stéréotype *m*

estéril *adj también Fig* stérile

esterilete *nm* stérilet *m*

esterilizar [14] *vt* stériliser

esterilla *nf* natte *f (de plage)*

esternón *nm* sternum *m*

esteta *nmf* esthète *mf*

estética *ver* estético

esteticista *nf* esthéticienne *f*

estético, -a *adj* **1** esthétique **2** *nf* **estética** esthétique *f*

esthéticienne = esteticista

estiércol *nm* fumier *m*

estigma *nm también Fig* stigmate *m*

estilarse *vpr Fam* se faire, être à la mode; **ya no se estila ese tipo de pantalones** ce type de pantalon ne se fait plus *ou* n'est plus à la mode

estilete *nm* stylet *m*

estilista *nmf* styliste *mf*

estilístico, -a *adj* stylistique

estilizar [14] *vt* styliser; **e. la figura** *(un vestido)* mettre les formes en valeur

estilo *nm* style *m*; **por el e. de** dans le genre de; **e. libre** *(de natación)* nage *f* libre; **e. mariposa** (brasse *f*) papillon *m*; **algo por el e.** quelque chose comme ça ☆ *e. de vida* style de vie

estilográfica *nf* stylo *m* (à) plume

estima *nf* estime *f*; **tener a alguien en mucha e.** tenir qn en grande estime

estimación *nf* *(aprecio)* estime *f*; *(valoración)* estimation *f*

estimado, -a *adj* **e. Señor** *(en carta)* cher Monsieur

estimar *vt* estimer

estimulante 1 *adj* stimulant(e) **2** *nm* stimulant *m*

estimular *vt* stimuler

estímulo *nm* *(aliciente)* stimulant *m*; *(ánimo)* stimulation *f*; *(de órgano)* stimulus *m*

estío *nm* été *m*

estipendio *nm* rétribution *f*

estipulación *nf* *(de precios)* fixation *f*; *Der* stipulation *f*

estipular *vt* stipuler

estirado, -a *adj* *(afectado)* guindé(e); *(arrogante)* hautain(e); *(extendido)* étiré(e)

estirar 1 *vt* *(alargar)* étirer; *(desarrugar, poner tenso)* tendre; *Fig (dinero, conversación)* faire durer; *Fig* **e. las piernas** se dégourdir les jambes **2** *vi* **e. de** tirer sur **3 estirarse** *vpr* *(desperezarse, agrandarse)* s'étirer; *(tumbarse)* s'étendre; *(crecer)* pousser

estirpe *nf* souche *f (lignée)*

estival *adj* estival(e)

esto *pron demostrativo (neutro)* ceci, ça; **e. es un nuevo producto** ceci est un nouveau produit; **e. no puede ser** ça n'est pas possible; **e. que acabas de decir no tiene sentido** ce que tu viens de dire n'a pas de sens; **e. de trabajar de noche no me gusta** je n'aime pas travailler la nuit; **e. es** c'est-à-dire; **el precio neto, e. es libre de impuestos, es...** le prix net, c'est-à-dire hors taxe, est de...

Estocolmo *n* Stockholm

estofa *nf* espèce *f*, sorte *f*; **de baja e.** *(gente)* de condition modeste

estofado *nm* estouffade *f*

estofar *vt* cuire à l'étouffée

estoicismo *nm* stoïcisme *m*

estoico, -a *adj* stoïque

estomacal *adj* *(del estómago)* gastrique; *(bebida)* digestif(ive); **afección e.** troubles *mpl* gastriques

estómago *nm* estomac *m*

Estonia *n* l'Estonie *f*

estop = stop

estor *nm* store *m*

estorbar 1 *vt* *(obstaculizar, molestar)* gêner; **el ruido le estorba** le bruit le gêne; **no quiero e.** je ne veux pas vous déranger **2** *vi* *(estar en medio)* bloquer le passage

estorbo *nm* gêne *f*

estornudar *vi* éternuer

estornudo *nm* éternuement *m*

estos, estas *ver* **este**

éstos, éstas *ver* **éste**

estoy *ver* **estar**

estrabismo *nm* strabisme *m*

estrado *nm* estrade *f*; *(en actos solemnes)* tribune *f*

estrafalario, -a *adj* saugrenu(e)

estragón *nm* estragon *m*

estragos *nmpl* **causar** *o* **hacer e.** faire des ravages

estrambótico, -a *adj* farfelu(e)

estrangulamiento *nm* étranglement *m*

estrangular *vt* étrangler; *(proyecto)* étouffer dans l'œuf

estraperlo *nm* marché *m* noir

Estrasburgo *n* Strasbourg

estratagema *nf* stratagème *m*

estratega *nmf* stratège *m*

estrategia *nf* stratégie *f*

estratégico, -a *adj* stratégique

estratificar [59] *vt* stratifier

estrato *nm* *Geol* strate *f*; *Fig (social)* couche *f*

estratosfera *nf* stratosphère *f*

estrechamiento *nm (de tamaño)* rétrécissement *m*; *Fig (en las relaciones)* resserrement *m*

estrechar 1 *vt (hacer estrecho)* rétrécir; *Fig (relaciones)* resserrer; *(apretar)* serrer; **e. entre sus brazos** serrer dans ses bras; **e. la mano a alguien** serrer la main à qn
  2 **estrecharse** *vpr (hacerse estrecho)* se rétrécir; *(abrazarse)* s'étreindre; *(apretarse)* se serrer

estrechez *nf* étroitesse *f*; **e. de miras** étroitesse d'esprit; *Fig* **pasar estrecheces** *(falta de dinero)* être dans la gêne

estrecho, -a 1 *adj* étroit(e); **este vestido me queda muy e.** cette robe est trop étroite pour moi
  2 *nm,f Fam* bégueule *mf*; **hacerse el e.** jouer les bégueules; **ser una estrecha** être une sainte-nitouche
  3 *nm* détroit *m*

estrella 1 *adj inv (presentador)* vedette; *(producto)* phare
  2 *nf (astro)* étoile *f*; *Fig (celebridad)* vedette *f*, star *f*; **tener buena/mala e.** être né(e) sous une bonne/mauvaise étoile; *Fig* **ver las estrellas** voir trente-six chandelles ☆ **e. fugaz** étoile filante; **e. de mar** étoile de mer

estrellado, -a *adj (cielo)* étoilé(e)

estrellar 1 *vt (arrojar)* fracasser; *(vaso, plato)* briser
  2 **estrellarse** *vpr (chocar)* se fracasser (**contra** contre); *(automóvil, avión)* s'écraser (**contra** contre); *Fig (fracasar)* s'effondrer

estremecer [46] 1 *vt (sacudir)* ébranler, faire trembler; *Fig (sujeto: amenazas)* faire frémir
  2 **estremecerse** *vpr (de horror)* frémir (**de** de); *(de miedo, frío)* trembler (**de** de)

estremecimiento *nm* frémissement *m*

estrenar 1 *vt* étrenner; *(obra de teatro)* donner la première de; *(película)* projeter pour la première fois
  2 **estrenarse** *vpr (persona)* débuter; *(película)* sortir

estreno *nm (de espectáculo)* première *f*; *(de película)* sortie *f*; *(en un empleo)* débuts *mpl*

estreñido, -a *adj* constipé(e)

estreñimiento *nm* constipation *f*

estrépito *nm (ruido)* fracas *m*; *Fig* **con gran e.** *(con ostentación)* à grand bruit

estrepitoso, -a *adj* retentissant(e)

estrés *nm inv* stress *m inv*

estresar *vt* stresser

estría *nf* vergeture *f*

estribar *vi* **e. en** reposer sur

estribillo *nm* refrain *m*; *Fam (coletilla)* tic *m* de langage

estribo *nm (de montura)* étrier *m*; *(de coche, tren)* marchepied *m*; **perder los estribos** perdre les pédales

estribor *nm* tribord *m*

estricto, -a *adj* strict(e)

estridente *adj (ruido)* strident(e); *Fig (color)* voyant(e)

estrofa *nf* strophe *f*

estropajo *nm* tampon *m* à récurer

estropear 1 *vt* abîmer; *(planes, proyecto)* faire échouer
  2 **estropearse** *vpr (averiarse)* tomber en panne; *(dañarse)* s'abîmer; *(planes, proyecto)* échouer

estropicio *nm* casse *f (dégâts)*

estructura *nf* structure *f*

estructurar *vt* structurer

estruendo *nm (ruido)* vacarme *m*; *(de trueno)* grondement *m*; *(de aplauso)* tonnerre *m*; *(confusión)* tumulte *m*

estrujar 1 *vt (papel)* froisser; *(caja, mano)* écraser; *Fig (sacar partido)* exploiter; *(sacar dinero)* saigner
  2 **estrujarse** *vpr (apretujarse)* se

serrer; **estrujarse la cabeza** se creuser la tête

estuario *nm* estuaire *m*

estucar [59] *vt* stuquer

estuche *nm (de gafas, instrumento)* étui *m*; *(de joyas)* coffret *m*; *(de lápices)* trousse *f*

estuco *nm* stuc *m*

estudiante *nmf* étudiant(e) *m,f*

estudiantil *adj* estudiantin(e); *(equipo, asociación)* d'étudiants

estudiar 1 *vt* étudier; *(lección, idioma)* apprendre; **e. derecho** faire des études de droit
2 *vi* étudier; *(para examen)* réviser; **e. para médico** faire médecine; **tengo que e. para aprobar** je dois travailler pour être reçu

estudio *nm (trabajo, análisis)* étude *f*; *(local de pintor)* atelier *m*; *(apartamento, local de fotógrafo, de cine)* studio *m*; **estar en e.** être à l'étude; **e. de mercado** étude de marché; **estudios** études; **tener estudios** avoir fait des études; **estudios primarios/secundarios** études primaires/secondaires

estudioso, -a 1 *adj* studieux(euse)
2 *nm,f* spécialiste *mf*

estufa *nf (para calentar)* poêle *m*

estupefaciente *nm* stupéfiant *m*; **brigada de estupefacientes** brigade *f* des stupéfiants

estupefacto, -a *adj* stupéfait(e)

estupendamente *adv* merveilleusement bien; **encontrarse e.** être en pleine forme

estupendo, -a *adj* formidable, magnifique

estupidez *nf* stupidité *f*; **decir/hacer una e.** dire/faire une bêtise

estúpido, -a 1 *adj* stupide
2 *nm,f* idiot(e) *m,f*

estupor *nm* stupeur *f*

esturión *nm* esturgeon *m*

estuviera *ver* **estar**

esvástica *nf* croix *f* gammée, svastika *m*

ETA *nf (abrev* **Euskadi ta Askatasuna)** *nf* ETA *f*

etapa *nf* étape *f*; **por etapas** par étapes

etarra 1 *adj* de l'ETA
2 *nmf* membre *m* de l'ETA

etc. *(abrev* **etcétera)** etc.

etcétera 1 *nm* **... y un largo e. ...** et j'en passe
2 *adv* et cetera

éter *nm* éther *m*

etéreo, -a *adj* éthéré(e)

eternidad *nf también Fig* éternité *f*

eterno, -a *adj* éternel(elle); *Fig (larguísimo)* interminable

ético, -a 1 *adj* éthique
2 *nf* **ética** *Filosofía* éthique *f*; *(educación)* morale *f* ☆ **ética profesional** conscience *f* professionnelle

etílico, -a *adj* éthylique; **en estado e.** en état d'ivresse

etimología *nf* étymologie *f*

Etiopía *n* l'Éthiopie *f*

etiqueta *nf* étiquette *f*; *Informát* label *m*; **de e.** *(cena)* habillé(e); *(visita, recibimiento)* officiel(elle); *(traje)* de soirée

etiquetar *vt* étiqueter; *Fig* **e. a alguien de** étiqueter qn comme

etnia *nf* ethnie *f*

étnico, -a *adj* ethnique

ETT *nf (abrev* **empresa de trabajo temporal)** entreprise *f* de travail intérimaire

eucalipto *nm* eucalyptus *m*

eucaristía *nf* eucharistie *f*

eufemismo *nm* euphémisme *m*

euforia *nf* euphorie *f*

eufórico, -a *adj* euphorique

eunuco *nm* eunuque *m*

eureka *interj* eurêka!

euro *nm (moneda)* euro *m*

eurocomunismo *nm* eurocommunisme *m*

euroconector *nm* prise *f* Péritel

eurodiputado, -a *nm,f* député(e) *m,f* européen(enne), eurodéputé (e) *m,f*

Europa *n* l'Europe *f*

europarlamentario, -a 1 *adj* du Parlement européen
   2 *nm,f* parlementaire *mf* européen(enne)

europeizar [14] *vt* européaniser

europeo, -a 1 *adj* européen(enne)
   2 *nm,f* Européen(enne) *m,f*

Euskadi *n* le Pays Basque

euskera 1 *adj* basque
   2 *nmf* Basque *mf*
   3 *nm (lengua)* basque *m*

eutanasia *nf* euthanasie *f*

evacuación *nf* évacuation *f*

evacuado, -a *adj & nm,f* évacué(e) *m,f*

evacuar *vt (desalojar)* évacuer; **e. (el vientre)** aller à la selle

evadir 1 *vt (responsabilidades)* fuir; *(pregunta)* éluder; **e. hacer algo** éviter de faire qch
   2 **evadirse** *vpr* s'évader

evaluación *nf* évaluation *f*; *(examen)* contrôle *m* des connaissances; *(período)* trimestre *m* ☆ **e. continua** contrôle continu

evaluar [4] *vt (valorar)* évaluer; *(alumno)* contrôler les connaissances de

evangélico, -a *adj* évangélique

evangelio *nm* évangile *m*

evaporar 1 *vt* évaporer
   2 **evaporarse** *vpr también Fig* s'évaporer

evasión *nf* évasion *f*; **e. de capitales** o **divisas** fuite *f* des capitaux

evasivo, -a 1 *adj* évasif(ive)
   2 *nf* **evasiva** échappatoire *f*; **responder con evasivas** être évasif(ive)

evento *nm* événement *m*

eventual *adj (no fijo)* temporaire; *(posible)* éventuel(elle)

eventualidad *nf (precariedad)* précarité *f*; *(imprevisto)* éventualité *f*

Everest *nm* **el E.** l'Everest *m*, le mont Everest

evidencia *nf (prueba)* preuve *f*; *(claridad)* évidence *f*; **poner algo en e.** mettre qch en évidence; **poner a alguien en e.** ridiculiser qn

evidenciar 1 *vt* mettre en évidence
   2 **evidenciarse** *vpr* être évident(e)

evidente *adj* évident(e)

evitar *vt* éviter

evocación *nf* évocation *f*

evocar [59] *vt* évoquer

evolución *nf* évolution *f*

evolucionar *vi* évoluer

evolucionismo *nm* évolutionnisme *m*

evolutivo, -a *adj* évolutif(ive)

ex 1 *nmf Fam (cónyuge)* ex *mf*
   2 *adj* ex; **un e. ministro** un ex-ministre, un ancien ministre

exacerbar *vt (agudizar)* exacerber; *(irritar)* excéder

exactitud *nf* exactitude *f*; **con e.** avec exactitude

exacto, -a *adj* exact(e); **3 metros exactos** exactement 3 mètres; **es e. a su padre** c'est le portrait craché de son père; **para ser exactos** pour être précis; **¡e.!** exactement!

exageración *nf* exagération *f*; **contar exageraciones** exagérer; **ser una e.** être exagéré(e)

exagerado, -a *adj* exagéré(e); *(precio)* excessif(ive); *(persona)* qui exagère; **es muy exagerada** elle exagère beaucoup

exagerar *vt & vi* exagérer

exaltado, -a *adj & nm,f* exalté(e) *m,f*

exaltar 1 *vt (encumbrar)* élever; *(glorificar)* exalter
   2 **exaltarse** *vpr* s'exalter

examen *nm* examen *m*; **hacer un e. de algo** examiner qch; **presentarse a un e.** se présenter à un examen ☆ *e.*

final examen final; **e.** *médico* visite *f* médicale; **e.** *oral* épreuve *f* orale, oral *m*; **e.** *parcial* partiel *m*

examinar 1 *vt (observar)* examiner; *(evaluar, interrogar)* faire passer un examen à; **e. a alguien sobre algo** interroger qn sur qch
    2 examinarse *vpr* passer un examen

exánime *adj (muerto, desmayado)* inanimé(e); *Fig (agotado)* éreinté(e); **dejar a alguien e.** épuiser qn

exasperante *adj* exaspérant(e)

exasperar 1 *vt* exaspérer
    2 exasperarse *vpr* être exaspéré(e)

excarcelar *vt* élargir *(prisionero)*

excavación *nf* excavation *f*; *(arqueológica)* fouille *f*

excavador, -ora 1 *nm,f* fouilleur (euse) *m,f* (archéologique)
    2 *nf* **excavadora** *(máquina)* pelleteuse *f*

excavar *vt* creuser; *(zona arqueológica)* fouiller

excedencia *nf (de empleados, embarazadas)* congé *m*; *(de funcionarios)* disponibilité *f*

excedente 1 *adj (empleado, embarazada)* en congé; *(funcionario)* en disponibilité
    2 *nm* excédent *m* ☆ **e. de cupo** = personne qui n'est pas recrutée pour le service militaire car les quotas sont déjà atteints
    3 *nmf (empleado)* employé(e) *m,f* en congé; *(funcionario)* fonctionnaire *mf* en disponibilité

exceder 1 *vt* dépasser; **e. a alguien** surpasser qn
    2 *vi* **e. a** o **de algo** dépasser qch
    3 excederse *vpr (pasarse de la raya)* dépasser les bornes; *(exagerar)* exagérer (**en** dans); **excederse en el peso** peser trop lourd

excelencia *nf (cualidad)* excellence *f*; **por e.** par excellence; **Su E.** Son Excellence

excelente *adj* excellent(e)

excelso, -a *adj (poeta, director)* éminent(e); *(montes)* élevé(e)

excentricidad *nf* excentricité *f*

excéntrico, -a *adj & nm,f* excentrique *mf*

excepción *nf* exception *f*; **a** o **con e. de** à l'exception de; **de e.** d'exception

excepcional *adj* exceptionnel(elle)

excepto *prep* excepté, hormis

exceptuar [4] *vt (excluir)* exclure; **no exceptúo a nadie** je n'exclus personne; **exceptuando a los chicos** les garçons exceptés; **e. a alguien de** *(obligación, tarea)* dispenser qn de

excesivo, -a *adj* excessif(ive)

exceso *nm* excès *m*; *(excedente)* excédent *m*; **habla en e.** il parle trop; **e. de peso** *(obesidad)* excès de poids; *(carga de más)* surcharge *f*; **e. de equipaje** excédent de bagages; **e. de velocidad** excès de vitesse

excipiente *nm* excipient *m*

excisión *nf* excision *f*

excitación *nf* excitation *f*

excitado, -a *adj* excité(e)

excitante 1 *adj* excitant(e), palpitant(e)
    2 *nm* excitant *m*

excitar 1 *vt (inquietar)* exciter; *(activar) (apetito)* aiguiser; *(deseos)* éveiller; *(nervios)* taper sur
    2 excitarse *vpr* s'exciter

exclamación *nf* exclamation *f*

exclamar 1 *vt* proférer
    2 *vi* s'exclamer

excluir [34] *vt* exclure; **e. a alguien de** exclure qn de

exclusión *nf* exclusion *f*

exclusivo, -a 1 *adj (único)* seul(e); *(privilegiado)* exclusif(ive)
    2 *nf* **exclusiva** exclusivité *f*; **tenemos la distribución en España en exclusiva** nous sommes les distributeurs exclusifs pour l'Espagne

excombatiente *nmf* ancien(enne) combattant(e) *m,f*

excomulgar [38] *vt* excommunier

excomunión *nf* excommunication *f*

excremento *nm* excrément *m*

exculpar *vt* e. a alguien de algo disculper qn de qch; *Der* acquitter qn de qch

excursión *nf (viaje)* excursion *f*; ir de e. faire une excursion

excursionista *nmf* excursionniste *mf*

excusa *nf* excuse *f*

excusar 1 *vt (justificar)* excuser; e. hacer algo *(evitar)* se dispenser de faire qch

  2 **excusarse** *vpr* **excusarse (con alguien por algo)** s'excuser (de qch auprès de qn)

exento, -a *adj (de curiosidad, errores)* exempt(e) (**de** de); *(de responsabilidades, obligaciones)* libéré(e) (**de** de); *(del servicio militar)* exempté(e) (**de** de); *(de impuestos)* exonéré(e) (**de** de); *(de clase)* dispensé(e) (**de** de)

exequias *nfpl* obsèques *fpl*

exfoliante 1 *adj* exfoliant(e)
  2 *nm* exfoliant *m*

exhalación *nf (emanación)* exhalaison *f*; *(suspiro)* exhalation *f*; **como una e.** *(rápido)* comme l'éclair

exhalar *vt (emanar)* exhaler; *Fig (suspiros)* pousser; *(reproches)* proférer

exhaustivo, -a *adj* exhaustif(ive)

exhausto, -a *adj (cansado)* épuisé(e)

exhibición *nf (deportiva)* exhibition *f*; *(artística)* exposition *f*; *(de fuerza)* démonstration *f*

exhibicionismo *nm también Fig* exhibitionnisme *m*

exhibir 1 *vt (cuadros, fotografías)* exposer; *(película)* projeter; *(modelos, productos)* présenter
  2 **exhibirse** *vpr* s'exhiber

exhortación *nf* exhortation *f*

exhortar *vt* e. a alguien a algo/a hacer algo exhorter qn à qch/à faire qch

exhumar *vt también Fig* exhumer

exigencia *nf* exigence *f*; **exigencias del trabajo** obligations *fpl* professionnelles

exigente *adj* exigeant(e)

exigir [24] 1 *vt* exiger
  2 *vi (pedir)* être exigeant(e)

exiguo, -a *adj* minime; *(salario)* maigre; *(habitación)* exigu(uë)

exiliado, -a *adj & nm,f* exilé(e) *m,f*

exiliar 1 *vt* exiler
  2 **exiliarse** *vpr* s'exiler

exilio *nm* exil *m*; **en el e.** en exil

eximir *vt* e. a alguien de algo exempter qn de qch

existencia *nf* existence *f*; **existencias** *(mercancía)* stocks *mpl*

existencialismo *nm* existentialisme *m*

existir *vi (ser)* exister; **existe...** il y a...; **existen varias posibilidades** il y a plusieurs possibilités

éxito *nm* succès *m*; *(libro)* best-seller *m*; *(canción)* tube *m*; *(de empresa, persona)* réussite *f*; **tener é.** avoir du succès

exitoso, -a *adj* à succès

éxodo *nm* exode *m*

exorbitante *adj* exorbitant(e)

exorcismo *nm* exorcisme *m*

exorcizar [14] *vt* exorciser

exótico, -a *adj* exotique

expandir 1 *vt (dilatar)* dilater; *(noticia, rumor)* répandre
  2 **expandirse** *vpr (rumor)* se répandre

expansión *nf* expansion *f*; *Fig (de noticia)* propagation *f*; *(recreo)* détente *f*

expansionismo *nm* expansionnisme *m*

expansivo, -a adj también Fig expansif(ive)

expatriar [32] **1** vt expatrier
2 expatriarse vpr s'expatrier

expectación nf (espera) attente f; (interés) curiosité f; (ansias) impatience f générale

expectativa nf (espera) expectative f; (posibilidad) perspective f; **estar a la e.** être dans l'expectative; **estar a la e. de** être dans l'attente de

expectorante 1 adj expectorant(e)
2 nm expectorant m

expedición nf expédition f

expedicionario, -a 1 adj expéditionnaire
2 nm,f membre m d'une expédition

expediente nm (documentación, historial) dossier m; (investigación) enquête f; **abrir e. a alguien** (castigar) prendre des sanctions contre qn; (investigar) ouvrir une enquête administrative sur qn; Fig **cubrir el e.** faire acte de présence ☆ **e. académico** dossier universitaire

expedir [47] vt (carta, paquete) expédier; (pasaporte, certificado) délivrer; (contrato) dresser

expeditivo, -a adj expéditif(ive)

expedito, -a adj (vía, camino) dégagé(e)

expeler vt expulser; (humo, calor) dégager

expendedor, -ora 1 adj distributeur(trice); **una máquina expendedora de...** un distributeur automatique de...
2 nm,f vendeur(euse) m,f; **e. de tabaco** buraliste mf
3 nm **e. automático** distributeur m (automatique)

expendeduría nf bureau m de tabac

expensas: a expensas de prep aux dépens de, aux frais de

experiencia nf expérience f

experimentado, -a adj (persona) expérimenté(e); (método) éprouvé(e)

experimentar vt (probar) expérimenter; (vivir, sentir) connaître; **e. lo que es el miedo** savoir ce qu'est la peur

experimento nm expérience f (expérimentation)

experto, -a 1 adj expert(e)
2 nm,f expert m

expiar [32] vt expier

expirar vi expirer

explanada nf esplanade f

explayarse vpr (divertirse) se distraire; **e. con alguien** (desahogarse) s'ouvrir à qn

explicación nf explication f

explicar [59] **1** vt expliquer; (asignatura) enseigner
2 explicarse vpr s'expliquer; **no me lo explico** je ne comprends pas

explicitar vt expliciter

explícito, -a adj explicite

exploración nf exploration f; (de yacimientos) prospection f; Med examen m

explorador, -ora nm,f explorateur(trice) m,f; (boy scout) scout(e) m,f

explorar vt explorer; (en yacimientos) prospecter; Med examiner

explosión nf explosion f; **hacer e.** exploser ☆ **e. demográfica** explosion démographique

explosionar 1 vt faire exploser
2 vi exploser

explosivo, -a 1 adj explosif(ive)
2 nm explosif m

explotación nf (negocio) exploitation f ☆ **e. agrícola** exploitation agricole; **e. minera** exploitation minière

explotar 1 vt exploiter
2 vi exploser

expoliar vt spolier

expolio *nm* spoliation *f*

exponente *nm Mat* exposant *m* ; *Fig (representante)* représentant(e) *m,f*

exponer [50] **1** *vt* exposer
  2 exponerse *vpr (ponerse a la vista)* s'exhiber ; *(arriesgarse)* prendre des risques ; **exponerse a** s'exposer à

exportación *nf* exportation *f*

exportar *vt* exporter

exposición *nf* exposition *f* ; *(explicación)* exposé *m*

expositor, -ora *nm,f (que exhibe)* exposant(e) *m,f* ; *Fig (que explica)* avocat(e) *m,f*

exprés *adj inv (tren, café)* express

expresamente *adv* expressément

expresar 1 *vt* exprimer
  2 expresarse *vpr* s'exprimer

expresión *nf* expression *f* ; **reducir a la mínima e.** réduire à sa plus simple expression ☆ *e. corporal* expression corporelle

expresionismo *nm* expressionnisme *m*

expresivo, -a *adj (palabras, mirada)* expressif(ive) ; *(padre, novio)* affectueux(euse)

expreso, -a 1 *adj (explícito)* formel (elle)
  2 *nm (tren, café)* express *m*
  3 *adv (intencionadamente)* exprès

exprimidor *nm* presse-agrumes *m inv*

exprimir *vt (cítrico)* presser ; *Fig (persona, noticia)* exploiter

expropiación *nf (acción)* expropriation *f* ; *(terreno)* terrain *m* exproprié

expropiar *vt* exproprier

expuesto, -a 1 *participio ver* **exponer**
  2 *adj* exposé(e) ; *(arriesgado)* dangereux(euse)

expulsar *vt* expulser ; *(humos, gases)* rejeter

expulsión *nf* expulsion *f*

exquisitez *nf (cualidad)* délicatesse *f* ; *(comida)* délice *m*

exquisito, -a *adj* exquis(e)

extasiarse [32] *vpr* s'extasier (**ante/con** devant/sur)

éxtasis *nm inv (estado)* extase *f* ; *Fam (droga)* ecstasy *m ou f*

extender [64] **1** *vt* étendre ; *(sustancia, líquido)* répandre ; *(azúcar)* saupoudrer ; *(certificado)* délivrer ; *(cheque)* libeller
  2 extenderse *vpr* s'étendre (**en/por** sur/à)

extensión *nf (superficie)* étendue *f* ; *(duración)* durée *f* ; *(de teléfono)* poste *m* ; *Informát* extension *f* ; **en toda la e. de la palabra** dans tous les sens du terme ; **por e.** par extension

extensivo, -a *adj* extensif(ive) ; **haz extensivos mis saludos a...** transmets mes salutations à...

extenso, -a *adj (llanura, miembro)* étendu(e) ; *(discurso, conversación)* long (longue)

extenuar [4] **1** *vt* exténuer
  2 extenuarse *vpr* s'exténuer

exterior 1 *adj* extérieur(e) ; *(política)* étranger(ère)
  2 *nm* extérieur *m* ; *(aspecto)* apparence *f* ; **en el e.** *(fuera)* à l'extérieur ; *(en el extranjero)* à l'étranger ; **exteriores** extérieurs

exteriorizar [14] *vt* extérioriser

exterminar *vt (aniquilar)* exterminer ; *(devastar)* dévaster

exterminio *nm* extermination *f*

externo, -a *adj* externe ; *(signo, aspecto)* extérieur(e)

extinción *nf* extinction *f*

extinguir [26] **1** *vt* éteindre ; *(raza)* exterminer ; *(afecto, entusiasmo)* tuer
  2 extinguirse *vpr* s'éteindre ; *(afecto, entusiasmo, ruido)* cesser

extinto *nm* extincteur *m*

extirpación *nf* extirpation *f*; *(de órgano, quiste)* ablation *f*; *Fig (de un mal)* éradication *f*

extirpar *vt* extirper; *(muela)* arracher; *Fig (mal)* éradiquer

extorsión *nf (molestia)* désagrément *m*, dérangement *m*; *(delito)* extorsion *f* (de fonds)

extorsionar *vt (molestar)* déranger; *(delinquir)* extorquer

extorsionista *nmf* = personne qui extorque des fonds

extra 1 *adj (calidad, producto)* supérieur(e); *(horas, trabajo, paga, gastos)* supplémentaire
2 *nmf (actor)* figurant(e) *m,f*
3 *nm (accesorio)* option *f*
4 *nf (paga)* mois *m* double

extracción *nf* extraction *f*; **e. social** *(origen)* origine *f* sociale

extracelular *adj* extracellulaire

extracto *nm* extrait *m* ☆ **e. de cuentas** relevé *m* de compte

extractor, -ora 1 *adj* d'extraction; *(industria)* de l'extraction
2 *nm* extracteur *m* ☆ **e. (de humos)** hotte *f* (aspirante)

extraditar *vt* extrader

extraer [66] *vt (sacar)* extraire; *(muela)* arracher; *(conclusiones)* tirer

extralimitarse *vpr Fig* aller trop loin; **e. en sus funciones** outrepasser ses fonctions

extranjería *nf* extranéité *f*; **ley de e.** loi *f* sur le statut des étrangers

extranjero, -a 1 *adj & nm,f* étranger(ère) *m,f*
2 *nm* **vivir en el e.** vivre à l'étranger

extrañar 1 *vt (sorprender)* étonner; **me extrañó verte aquí** j'ai été étonné de te voir ici; **¡no me extraña!** ça ne m'étonne pas!; **extraña a sus padres** *(echa de menos)* ses parents lui manquent
2 extrañarse *vpr* **extrañarse de** *(sorprenderse de)* s'étonner de

extrañeza *nf (sorpresa)* étonnement *m*; *(rareza)* extravagance *f*

extraño, -a 1 *adj (raro)* étrange; *(desconocido, ajeno)* étranger(ère); *(sorprendente)* étonnant(e)
2 *nm,f* étranger(ère) *m,f*

extraoficial *adj* officieux(euse)

extraordinario, -a 1 *adj* extraordinaire; *(hora, trabajo)* supplémentaire; *(edición, suplemento)* spécial(e)
2 *nf* **extraordinaria** *(paga)* mois *m* double

extraparlamentario, -a *adj* extraparlementaire

extraplano, -a *adj* extraplat(e)

extrapolar *vt (sacar conclusión)* déduire

extrarradio *nm* banlieue *f*, périphérie *f*

extraterrestre *adj & nmf* extraterrestre *mf*

extravagancia *nf* extravagance *f*

extravagante *adj* extravagant(e)

extraversión = extroversión

extravertido, -a = extrovertido

extraviado, -a *adj (perdido)* perdu(e); *(de vida airada)* débauché(e)

extraviar [32] **1** *vt (perder)* égarer
2 extraviarse *vpr (perderse)* s'égarer; *(desenfrenarse)* se débaucher

extravío *nm (pérdida)* perte *f*; *(desenfreno)* débauche *f*; **e. de juventud** écart *m* de jeunesse

extremado, -a *adj* extrême; *(vestido)* extravagant(e)

Extremadura *n* l'Estrémadure *f*

extremar *vt* pousser à l'extrême; *(vigilancia)* renforcer

extremaunción *nf* extrême-onction *f*

extremidad *nf* extrémité *f*; **extremidades** *(brazos, piernas)* extrémités

extremista *adj & nmf* extrémiste *mf*

extremo, -a 1 *adj* extrême; *(ideología)* extrémiste

2 *nm (en el espacio)* extrémité *f*; *(límite)* extrême *m*; **en último e.** en dernier recours; **llegar al e. de hacer algo** en arriver à faire qch
extrínseco, -a *adj* extrinsèque
extroversión *nf* extraversion *f*
extrovertido, -a *adj & nm,f* extraverti(e) *m,f*

exuberancia *nf también Fig* exubérance *f*
exuberante *adj* exubérant(e)
exultante *adj* débordant(e)
eyaculación *nf* éjaculation *f* ✿ *e. precoz* éjaculation précoce
eyacular *vi* éjaculer

F

F, f *nf (letra)* F *m inv*, f *m inv*; **el 23 F =** date de la tentative de coup d'État perpétrée le 23 février 1981 en Espagne

fa *nm* fa *m inv*

fa. *(abrev* **factura)** facture *f*

fabada *nf* = plat asturien comparable au cassoulet

fábrica *nf (establecimiento)* usine *f*; *(fabricación)* fabrication *f*; *(obra)* maçonnerie *f*; *Fig* **es una f. de mentiras** il ment comme il respire

fabricación *nf* fabrication *f*; **de f. casera** maison *inv*, fait(e) maison; **f. en serie** fabrication en série

fabricante 1 *adj* qui fabrique **2** *nmf* fabricant(e) *m,f*

fabricar [59] *vt (producir, elucubrar)* fabriquer; *(construir)* construire

fábula *nf* fable *f*

fabuloso, -a *adj* fabuleux(euse)

facción *nf Pol* faction *f*; **facciones** traits *mpl* (du visage); **tiene las facciones finas** il a les traits fins

faccioso, -a *adj & nm,f* rebelle *mf*

faceta *nf* facette *f*

facha 1 *nf* allure *f* **2** *nmf Fam Pey (fascista)* facho *mf*

fachada *nf también Fig* façade *f*

facial *adj* facial(e)

fácil *adj* facile; **ser una persona f.** être facile à vivre; **es f. que…** *(probable)* il est probable que…

facilidad *nf* facilité *f*; **tener f. de palabra** s'exprimer avec facilité; **facilidades** facilités ☆ **facilidades de pago** facilités de paiement

facilitar *vt (simplificar, posibilitar)* faciliter; *(proporcionar)* fournir; **f. la vida** faciliter la vie; **le facilitó la información** il lui a fourni le renseignement

facsímil, facsímile *nm* fac-similé *m*

factible *adj* faisable

factor *nm* facteur *m*

factoría *nf (fábrica)* usine *f*; *(colonia)* comptoir *m*

factura *nf (cuenta)* facture *f*; *Arg (bizcocho)* pâtisserie *f* (non fine); *Fig* **los excesos de su juventud le están pasando f.** il paie à présent pour les excès commis dans sa jeunesse ☆ **f. pro forma** *o* **proforma** facture pro forma

facturación *nf (en aeropuerto, estación)* enregistrement *m*; *(de empresa)* chiffre *m* d'affaires; **mostrador de f.** comptoir *m* d'enregistrement

facturar *vt (cobrar)* facturer; *(vender, ganar)* faire un chiffre d'affaires de; *(consignar)* enregistrer

facultad *nf* faculté *f*; **tener facultades para** être habilité(e) à ☆ **facultades mentales** facultés mentales

facultar *vt* autoriser; *(legalmente)* habiliter

facultativo, -a 1 *adj (opcional)* facultatif(ive); *(médico)* médical(e); *(parte)* de santé
  2 *nm,f* médecin *m*

faena *nf* travail *m*; **faenas del campo** travaux des champs; *Fig* **hacerle una (mala) f. a alguien** jouer un (mauvais) tour à qn

faenar *vi* pêcher (en mer)

fagot *nm & nmf* basson *m*

fainá *nm o nf RP* = galette à la farine de pois chiche

faisán *nm* faisan *m*

faja *nf (para la cintura)* ceinture *f*; *(de mujer, terapéutica)* gaine *f*; *(de libro, terreno)* bande *f*

fajo *nm (de billetes)* liasse *f*

fakir = faquir

falacia *nf* supercherie *f*

falangista *adj & nmf* phalangiste *mf*

falaz *adj* fallacieux(euse)

falda *nf (prenda)* jupe *f*; *(de montaña)* flanc *m*; *(de mesa camilla)* tapis *m* de table; *(de mantel)* pan *m*; **en las faldas de alguien** *(en el regazo)* sur les genoux de qn ☆ **f. pantalón** jupe-culotte *f*

faldero, -a *adj (perro)* de compagnie

faldón *nm (de chaqueta, frac)* basque *f*; *(de camisa, tejado)* pan *m*

falencia *nf CSur* défaut *m*

falla *nf Geol* faille *f*; *(defecto, fallo)* défaut *m*; **las fallas** = fêtes de la Saint-Joseph à Valence

fallar 1 *vt (sentenciar)* prononcer; *(premio)* décerner; **f. el tiro** *(equivocar)* manquer son coup
  2 *vi (fracasar)* échouer; *(flaquear) (memoria)* défaillir; *(corazón, nervios)* lâcher; *(errar)* rater; *(ceder)* céder; *(sentenciar)* rendre un jugement; **falló en la segunda pregunta** il n'a pas su répondre à la deuxième question; **fallarle a alguien** *(decepcionarle)* laisser tomber qn; **no me falles** je compte sur toi; **f. a favor/en contra** se prononcer pour/contre

fallecer [46] *vi* décéder

fallecimiento *nm* décès *m*

fallo *nm (equivocación)* erreur *f*; *(sentencia)* jugement *m*; *(de concurso)* résultat *m*; *(deficiencia)* défaillance *f*

falluto, -a *Andes, RP Fam* **1** *adj* faux (fausse)
  2 *nm,f* hypocrite *mf*

falo *nm* phallus *m*

falsear *vt (resultado)* fausser; *(hecho, palabra)* dénaturer

falsedad *nf* fausseté *f*; *(mentira)* mensonge *m*

falsete *nm* fausset *m*

falsificación *nf (acción)* falsification *f*; *(objeto falso)* faux *m*

falsificar [59] *vt* falsifier; *(firma)* contrefaire

falso, -a *adj* faux (fausse); **dar un paso en f.** faire un faux pas; **declarar en f.** faire une fausse déclaration

falta *nf (carencia)* manque *m*; *(ausencia)* absence *f*; *(imperfección)* défaut *m*; *(error, en deporte)* faute *f*; **a f. de** faute de; **hace f. pan** il faut du pain; **me haces f.** tu me manques; **echar en f. algo** remarquer l'absence de qch; **echar en f. a alguien** regretter qn ☆ **f. de educación** impolitesse *f*; **f. de ortografía** faute d'orthographe

faltante *nm Am* déficit *m*

faltar *vi (no haber)* manquer; *(quedar)* rester; *(estar ausente)* être absent(e); **f. a su palabra** manquer à sa parole; **f. a la confianza de** trahir la confiance de; **f. (el respeto) a alguien** manquer de respect à qn; **Pedro falta, creo que está enfermo** Pedro n'est pas là, je crois qu'il est malade; **faltó a la cita** il n'est pas venu au rendez-vous; **falta un mes para las vacaciones** il reste un mois jusqu'aux vacances; **sólo te falta firmar** il ne te reste plus qu'à signer; **falta mucho por hacer** il y a encore beaucoup à faire; **falta poco para que llegue** il ne va pas tarder à arriver; **faltó poco para que le matase** il s'en est fallu de peu qu'il le tue; **cuando sus padres falten** quand ses parents auront disparu; **¡no faltaba** o **faltaría más!** *(agradecimiento)* je vous en prie!; *(rechazo)* il ne manquait *ou* manquerait plus que ça!

falto, -a *adj* **f. de** dépourvu(e) de

fama *nf (popularidad)* célébrité *f*; *(reputación)* réputation *f*

famélico, -a *adj* famélique

familia *nf* famille *f*; **acaba de tener f.** il/elle vient d'avoir un bébé; **en f.** en famille ☆ **f. numerosa** famille nombreuse

familiar 1 *adj* familier(ère); *(de familia)* familial(e); **su cara me es** o **me resulta f.** son visage m'est familier
   2 *nm* parent(e) *m,f*

familiaridad *nf* familiarité *f*

familiarizar [14] **1** *vt* familiariser
   2 familiarizarse *vpr* se familiariser

famoso, -a 1 *adj (conocido)* célèbre; *Fam (bueno, excelente)* fameux (euse)
   2 *nm,f* célébrité *f*

fan (*pl* **fans**) *nmf* fan *mf*

fanático, -a *adj & nm,f* fanatique *mf*

fanatismo *nm* fanatisme *m*

fandango *nm (baile, música)* fandango *m*; *Fam (lío, jaleo)* chambard *m*

fanfarria *nf Fam (jactancia)* fanfaronnade *f*; *(de música)* fanfare *f*

fanfarrón, -ona *adj & nm,f* fanfaron(onne) *m,f*

fango *nm* boue *f*

fantasear *vi* rêvasser

fantasía *nf (imaginación)* imagination *f*; *(sueño)* chimères *fpl*; *(composición musical)* fantaisie *f*; **una joya de f.** un bijou fantaisie

fantasma 1 *nm (espectro)* fantôme *m*
   2 *nmf Fam (fanfarrón)* frimeur (euse) *m,f*

fantástico, -a *adj* fantastique

fantoche *nm (títere)* fantoche *m*; *(persona vanidosa)* vantard(e) *m,f*; **estar hecho un f.** *(un mamarracho)* avoir l'air ridicule

FAO *nf (abrev* **Food and Agriculture Organization)** FAO *f*

faquir *nm* fakir *m*

farándula *nf* **la f.** le monde du spectacle

faraón *nm* pharaon *m*

fardar *vi Fam* frimer

fardo *nm* ballot *m*

farfullar *vt & vi* bredouiller

faringe *nf* pharynx *m*

faringitis *nf inv* pharyngite *f*

farmacéutico, -a 1 *adj* pharmaceutique
   2 *nm,f* pharmacien(enne) *m,f*

farmacia *nf* pharmacie *f*; **f. de turno** o **de guardia** pharmacie de garde

fármaco *nm* médicament *m*

faro *nm* phare *m* ☆ **f. antiniebla** phare antibrouillard

farol *nm (farola)* réverbère *m*; *(linterna)* lanterne *f*; *Fam (mentira)* craque *f*; **ir de f.** raconter des craques

farola *nf* réverbère *m*

farra *nf Fam* bringue *f*

farragoso, -a *adj* embrouillé(e)

farsa *nf* farce *f*

farsante *adj & nmf* comédien(enne) *m,f*

fascículo *nm* fascicule *m*

fascinante *adj* fascinant(e)

fascinar *vt* fasciner; **me fascinan los coches deportivos** j'adore les voitures de sport

fascismo *nm* fascisme *m*

fascista *adj & nmf* fasciste *mf*

fase *nf* phase *f*

fastidiado, -a *adj (estropeado)* cassé(e); *Fam* **estar f.** *(de salud)* être mal fichu(e); **estar f. del estómago** avoir l'estomac barbouillé

fastidiar 1 *vt (estropear) (fiesta, plan)* gâcher; *(máquina, objeto)* casser; *(molestar)* ennuyer; *Fam* ¡**no (me) fastidies!** fiche-moi la paix!
  2 **fastidiarse** *vpr (estropearse)* rater; *(plan)* tomber à l'eau; *(máquina)* se casser; **te fastidias, fastídiate** *(te aguantas)* tant pis pour toi

fastidio *nm* ennui *m*; **ser un f.** être ennuyeux(euse)

fastidioso, -a *adj* ennuyeux(euse)

fastuoso, -a *adj* fastueux(euse)

fatal 1 *adj (inevitable, seductor)* fatal(e); *(muy malo)* très mauvais(e)
  2 *adv* très mal

fatalidad *nf (desgracia)* malchance *f*; *(destino)* fatalité *f*

fatalismo *nm* fatalisme *m*

fatídico, -a *adj* fatidique

fatiga *nf* fatigue *f*; **fatigas** *(dificultades)* difficultés *fpl*

fatigar [38] 1 *vt* fatiguer
  2 **fatigarse** *vpr* se fatiguer

fatigoso, -a *adj* fatigant(e)

fatuo, -a *adj (tonto)* niais(e); *(presuntuoso)* prétentieux(euse)

fauna *nf* faune *f*

favor *nm* faveur *f*; *(ayuda)* service *m*; **a f. de** en faveur de; **de f.** de faveur; **tener a** *o* **en su f.** avoir en sa faveur; **hacer un f. a alguien** *(ayuda)* rendre un service à qn; *Fam (acostarse con)* se faire qn; **por f.** s'il vous plaît

favorable *adj* favorable (**para** à); **f. para la salud** bon pour la santé; **ser f. a algo** être favorable à *ou* en faveur de qch

favorecer [46] *vt* favoriser; *(sentar bien)* avantager

favoritismo *nm* favoritisme *m*

favorito, -a *adj & nm,f* favori(ite) *m,f*

fax *nm inv* fax *m*; **mandar por f.** faxer

fayuquero, -a *nm,f CAm, Méx* contrebandier(ère) *m,f*

faz *nf* face *f*; **desaparecer de la f. de la Tierra** disparaître de la surface de la Terre

FBI *nm (abrev* Federal Bureau of Investigation*)* FBI *m*

fe *nf* foi *f*; *(confianza)* confiance *f*; *(documento)* certificat *m*; **de buena f.** de bonne foi; **digno de f.** digne de foi; **dar f. de que** certifier que ☆ **f. de erratas** errata *mpl*; **f. de vida** fiche *f* d'état civil

fealdad *nf también Fig* laideur *f*

febrero *nm* février *m*; *ver también* **septiembre**

febril *adj también Fig* fébrile

fecha *nf* date *f*; **f. de caducidad** *(de alimentos)* date limite de consommation; *(de medicamento)* date limite d'utilisation; *(de pasaporte)* date d'expiration; **f. tope** *o* **límite** date limite

fechar *vt* dater

fechoría *nf* méfait *m*

fécula *nf* fécule *f*

fecundación *nf* fécondation *f* ☆ **f. artificial** fécondation artificielle; **f. in vitro** fécondation in vitro

fecundar *vt (fertilizar)* féconder; *(hacer productivo)* fertiliser

fecundo, -a *adj* fécond(e)

federación *nf* fédération *f*

federal 1 *adj (de federación)* fédéral(e); *(federalista)* fédéraliste
  2 *nmf* fédéraliste *mf*

federar 1 *vt* fédérer
  2 **federarse** *vpr* se fédérer

federativo, -a *nm,f* membre *m* d'une fédération

fehaciente *adj (documento)* qui fait foi; *(prueba)* irréfutable

felicidad *nf* bonheur *m*; ¡**felicidades!** félicitations!; *(en cumpleaños)* joyeux anniversaire!; *(en santo)* bonne fête!; *(en Año Nuevo)* meilleurs vœux!

felicitación *nf (congratulación)*

félicitations *fpl*; *(deseo)* vœux *mpl*; *(postal)* carte *f* de vœux

felicitar *vt (congratular)* féliciter; **f. el cumpleaños/el Año Nuevo/las Navidades** souhaiter un joyeux anniversaire/une bonne année/un joyeux Noël

feligrés, -esa *nm,f* paroissien(enne) *m,f*

felino, -a 1 *adj* félin(e)
2 *nm* félin *m*

feliz *adj* heureux(euse); *(cumpleaños, Navidades)* joyeux(euse); *(Año Nuevo)* bon (bonne)

felpa *nf* coton *m* gratté; *(de toalla)* tissu-éponge *m*; **osito de f.** ours *m* en peluche

felpudo *nm* paillasson *m*

femenino, -a 1 *adj (de género, de mujer)* féminin(e); *(de hembra)* femelle
2 *nm (género)* féminin *m*

feminismo *nm* féminisme *m*

feminista *adj & nmf* féministe *mf*

fémur *(pl* **fémures)** *nm* fémur *m*

fénix *nm inv (ave)* phénix *m*

fenomenal 1 *adj (magnífico)* superbe; *(de fenómeno)* phénoménal(e)
2 *adv Fam* vachement bien; **lo pasamos f.** on s'est éclatés

fenómeno 1 *nm* phénomène *m*
2 *adv Fam* vachement bien; **lo pasamos f.** on s'est éclatés

feo, -a 1 *adj* laid(e); *(nariz, tiempo, acción)* vilain(e); *(asunto)* sale; *Fig* **ponerse f.** mal tourner
2 *nm,f* **es un f.** il est laid comme un pou; **una fea** un laideron
3 *nm (desaire)* affront *m*; **hacer un f.** faire un affront

féretro *nm* cercueil *m*

feria *nf (mercado)* foire *f*; *(fiesta popular)* fête *f* foraine; **f. (de muestras)** salon *m*; **f. del automóvil/libro** salon de l'automobile/du livre

feriado *nm Am* jour *m* férié

feriante *nmf (de fiesta popular)* forain(e) *m,f*; *(de feria de muestras)* exposant(e) *m,f*

fermentación *nf* fermentation *f*

fermentar 1 *vi* fermenter
2 *vt* faire fermenter

ferocidad *nf* férocité *f*

feromona *nf* phérormone *f*

feroz *adj (animal, bestia)* féroce; *Fig (mirada)* terrible; *(crimen, enfermedad, sufrimiento)* atroce; *(hambre)* de loup; **el lobo f.** le grand méchant loup

férreo, -a *adj (línea, vía)* ferré(e); *Fig (voluntad, disciplina)* de fer

ferretería *nf* quincaillerie *f*

ferrocarril *nm* chemin *m* de fer

ferroviario, -a 1 *adj* ferroviaire
2 *nm,f* cheminot *m*

ferry *(pl* **ferries)** *nm* ferry-boat *m*

fértil *adj* fertile

fertilidad *nf* fertilité *f*

fertilización *nf* fertilisation *f*; **f. in vitro** fertilisation in vitro

fertilizante 1 *adj* fertilisant(e)
2 *nm* engrais *m*

fertilizar [14] *vt* fertiliser

ferviente *adj* fervent(e)

fervor *nm* ferveur *f*

festejar *vt (celebrar)* fêter; **f. a alguien** *(agasajar)* être aux petits soins pour qn; **el 10 se festeja el santo patrón** le 10, nous fêtons le patron de notre ville

festejo *nm (agasajo)* petites attentions *fpl*; **festejos** *(fiestas)* festivités *fpl*

festín *nm* festin *m*

festival *nm* festival *m*

festividad *nf* fête *f*

festivo, -a *adj (de fiesta)* de fête; *(día)* férié(e); *(alegre)* enjoué(e); *(chistoso)* badin(e)

feta *nf RP* tranche *f*

fetal *adj* fœtal(e)

fetiche *nm* fétiche *m*

fetichista *adj & nmf* fétichiste *mf*

fétido, -a *adj* fétide; **una bomba féti-da** une boule puante

feto *nm* fœtus *m*; *Fam* **ser un f.** être moche comme un pou

feudal *adj* féodal(e)

feudalismo *nm* féodalisme *m*

FF AA *nfpl* (*abrev* **Fuerzas Armadas**) = forces armées espagnoles

fiable *adj* fiable

fiaca *nf RP* paresse *f*

fiador, -ora *nm,f* garant(e) *m,f*; **salir f.** se porter garant

fiambre *nm* (*comida*) charcuterie *f*; *Fam* (*cadáver*) macchabée *m*

fiambrera *nf* (*de metal*) gamelle *f*; (*de plástico*) Tupperware *m*

fiambrería *nf* charcuterie *f*

fianza *nf* caution *f*; **bajo f.** sous caution

fiar [32] **1** *vt* (*vender a crédito*) faire crédit de; (*hacerse responsable*) se porter garant(e) de

2 *vi* **ser de f.** être quelqu'un de confiance

3 fiarse *vpr* **fiarse de** avoir confiance en, se fier à; **¡no te fíes!** méfie-toi!; **se fía demasiado** il est trop naïf

fiasco *nm* fiasco *m*

FIBA *nf* (*abrev* **Federación Internacional de Baloncesto Amateur**) FIBA *f*

fibra *nf* fibre *f*; *Fig* **f. sensible** corde *f* sensible ☆ **f. óptica** fibre optique; **f. de vidrio** fibre de verre

fibroma *nm* fibrome *m*

ficción *nf* (*simulación*) comédie *f*; (*invención*) fiction *f*

ficha *nf* (*para clasificar*) fiche *f*; (*de juego, teléfono*) jeton *m*; (*del dominó*) domino *m*; (*de ajedrez*) pièce *f*

fichar **1** *vt* (*archivar*) mettre sur fiche; (*sujeto: policía*) ficher; (*jugador*) engager; *Fam* (*calar*) repérer

2 *vi* (*trabajador*) pointer; (*jugador*) signer un contrat (**por** avec)

fichero *nm* fichier *m*

ficticio, -a *adj* fictif(ive)

ficus *nm inv* ficus *m*

fidedigno, -a *adj* digne de foi; **según fuentes fidedignas...** de source sûre...

fidelidad *nf* fidélité *f*; **alta f.** haute-fidélité *f*

fideo *nm* vermicelle *m*

fiebre *nf* fièvre *f* ☆ **f. amarilla** fièvre jaune; **f. del heno** rhume *m* des foins

fiel *adj & nmf* fidèle *mf*

fieltro *nm* feutre *m* (*tissu*)

fiera 1 *nf* (*animal*) fauve *m*

2 *nmf* (*persona*) brute *f*; *Fam* (*genio*) bête *f*; **es un f. en física** c'est une bête en physique

fiero, -a *adj también Fig* féroce

fierro *nm Am* (*hierro*) fer *m*

fiesta *nf* fête *f*; (*día*) jour *m* férié; **hacer f.** être en congé; **aguar la f. a alguien** gâcher le plaisir à qn; **f. mayor** = fête du saint patron dans une localité; **la f. nacional** les courses *fpl* de taureaux; **fiestas** fêtes

FIFA *nf* (*abrev* **Federación Internacional de Fútbol Asociación**) FIFA *f*

figura *nf* figure *f*; (*tipo, físico*) silhouette *f*

figuraciones *nfpl* idées *fpl*; **son f. tuyas** tu te fais des idées

figurado, -a *adj* figuré(e)

figurar 1 *vi* (*aparecer*) figurer; (*ser importante*) être en vue

2 *vt* (*representar*) figurer; (*simular*) feindre

3 figurarse *vpr* (*imaginarse*) se figurer, s'imaginer; **¡ya me lo figuraba yo!** c'est bien ce que je pensais!

figurín *nm* dessin *m* de mode

fijación *nf* fixation *f*; (*en fotografía*) fixage *m*; **fijaciones** (*de esquí*) fixations

fijador, -ora 1 *adj* fixateur(trice)

2 *nm (de fotografía)* fixateur *m* ☆ *f.* **de pelo** *(espray)* laque *f*; *(crema)* gel *m*

fijar 1 *vt* fixer; **f. carteles** afficher; **f. (el) domicilio** se fixer; **f. la mirada/la atención en** fixer son regard/son attention sur

2 fijarse *vpr* faire attention; **no se fijó y se equivocó** il n'a pas fait attention et il s'est trompé; **fijarse en algo** *(darse cuenta)* remarquer qch; *(prestar atención)* faire attention à qch; **¡fíjate lo que me dijo!** tu te rends compte de ce qu'elle m'a dit!

fijo, -a 1 *adj* fixe; *(cliente)* fidèle

2 *adv Fam* sûr; **mañana voy f.** j'irai demain, sûr

fila *nf (hilera)* rang *m*; *(cola)* file *f*; **en f. à la file**, en file; **ponerse en f.** se mettre en rang; **en f. india** en file indienne; **filas** *(bando, partido)* rangs; **cerrar filas** serrer les rangs

filamento *nm* filament *m*

filántropo, -a *nm,f* philanthrope *mf*

filarmónico, -a *adj* philharmonique

filatelia *nf* philatélie *f*

filete *nm* bifteck *m*

filiación *nf (parentesco)* filiation *f*; *(política)* appartenance *f*

filial 1 *adj (de hijo)* filial(e); **una compañía f.** une filiale

2 *nf (empresa)* filiale *f*

filigrana *nf (en orfebrería, billetes)* filigrane *m*; *Fig (acción)* prouesse *f*; *(objeto)* bijou *m*, merveille *f*

Filipinas *n* **(las) F.** les Philippines *fpl*

film = **filme**

filmar *vt* filmer; **f. una película** tourner un film

filme *nm* film *m*

filmoteca *nf* cinémathèque *f*

filo *nm* fil *m*; *también Fig* **de doble f., de dos filos** à double tranchant; **al f. de** sur le coup de

filología *nf* philologie *f*; **estudiar f. inglesa** faire des études d'anglais

filón *nm también Fig* filon *m*

filoso, -a *adj Am* aiguisé(e)

filosofía *nf* philosophie *f*; **tomarse algo con f.** prendre qch avec philosophie

filósofo, -a *nm,f* philosophe *mf*

filtración *nf (de agua)* filtrage *m*; *(de noticia)* fuite *f*

filtrar 1 *vt* filtrer

2 filtrarse *vpr (dato, luz)* filtrer; *(agua)* s'infiltrer

filtro *nm* filtre *m*; *(pócima)* philtre *m*

fimosis *nf inv* phimosis *m*

fin *nm* fin *f*; *(objetivo)* but *m*; **dar o poner f. a algo** mettre fin à qch; **a fines de** *(semana, año)* à la fin de; **al o por f.** enfin; **a f. de cuentas, al f. y al cabo** en fin de compte; **a f. de** afin de; **en f.** enfin ☆ *f. de semana* week-end *m*

final 1 *adj* final(e)

2 *nm (término, muerte)* fin *f*; *(cabo extremo)* bout *m*; **f. feliz** happy end *m*; **a finales de** *(semana, mes)* à la fin de; **al f.** finalement; *(en espacio)* au bout

3 *nf (partido)* finale *f*

finalidad *nf* but *m*, finalité *f*

finalista *adj & nmf* finaliste *mf*

finalizar [14] **1** *vt* terminer, achever

2 *vi* se terminer, prendre fin

financiación *nf* financement *m*

financiar *vt* financer

financiero, -a 1 *adj* financier(ère)

2 *nm,f* financier *m*

3 *nf* **financiera** société *f* financière

financista *nmf Am* financier *m*

finanzas *nfpl* finance *f*; **el mundo de las f.** le monde de la finance; **mis f. están por los suelos** mes finances sont au plus bas

finca *nf (de campo)* propriété *f*; *(de ciudad)* immeuble *m*

fingir [24] **1** *vt* feindre

2 *vi* faire semblant

finiquito *nm* solde *m*

finito, -a *adj* fini(e)

finlandés, -esa 1 *adj* finlandais(e)
  2 *nm,f* Finlandais(e) *m,f*
  3 *nm (lengua)* finnois *m*

Finlandia *n* la Finlande

fino, -a 1 *adj* fin(e); *(gusto, modales)* raffiné(e); *(lenguaje)* châtié(e); *(persona)* poli(e); **tiene el oído f.** elle a l'ouïe fine; **una manta fina** une couverture légère
  2 *nm* = xérès très sec

finura *nf* finesse *f*

firma *nf* signature *f*; *(empresa)* firme *f*; **estampar una f.** apposer une signature

firmamento *nm* firmament *m*

firmar *vt* signer

firme 1 *adj* ferme; *(estable)* stable; *(sólido)* solide; **se mantuvo firme en su posición** il est resté sur ses positions; **un argumento f.** un argument de poids; **¡firmes!** garde-à-vous!
  2 *nm (de carretera)* revêtement *m*
  3 *adv* ferme

firmeza *nf* fermeté *f*; *(solidez)* solidité *f*

fiscal 1 *adj* fiscal(e)
  2 *nmf* ≃ avocat(e) *m,f* de la partie civile

fiscalizar [14] *vt (los impuestos)* soumettre à un contrôle fiscal; *Fig* **¡deja de f. mi vida!** *(controlar)* arrête de te mêler de mes affaires!

fisco *nm* fisc *m*

fisgar [38] *vi* fouiner (**en** dans)

fisgón, -ona *adj & nm,f* fouineur (euse) *m,f*

fisgonear = fisgar

físico, -a 1 *adj* physique
  2 *nm,f* physicien(enne) *m,f*
  3 *nm (complexión)* physique *m*
  4 *nf* **física** *(ciencia)* physique *f*

fisiológico, -a *adj* physiologique

fisionomía *nf* physionomie *f*

fisioterapeuta *nmf* physiothérapeute *mf*

fisonomía = fisionomía

fístula *nf* fistule *f*

fisura *nf (grieta)* fissure *f*; *Fig (defecto)* faille *f*

flacidez *nf* flaccidité *f*

flácido, -a *adj* flasque

flaco, -a 1 *adj* maigre
  2 *nm,f Am (palabra cariñosa)* mon coco *m*, ma cocotte *f*

flagelar *vt* flageller

flagelo *nm (instrumento)* fouet *m*; *Biol* flagelle *m*

flagrante *adj* flagrant(e); **en f. delito** en flagrant délit

flamante *adj (nuevo)* flambant neuf (neuve); *(vistoso)* resplendissant(e)

flambear *vt* flamber

flamenco, -a 1 *adj (de la música)* flamenco; *(de Flandes)* flamand(e)
  2 *nm,f (bailarín)* danseur(euse) *m,f* de flamenco; *(cantante)* chanteur (euse) *m,f* de flamenco; *(de Flandes)* Flamand(e) *m,f*
  3 *nm* flamenco *m*; *(ave)* flamant *m*; *(lengua)* flamand *m*

flan *nm* flan *m*; *Fig* **estar hecho** *o* **como un f.** trembler comme une feuille

flanco *nm* flanc *m*

Flandes *n* les Flandres *fpl*

flanquear *vt* flanquer

flaquear *vi (piernas)* flageoler; *(fuerzas, entusiasmo)* faiblir

flaqueza *nf* faiblesse *f*

flash [flas] *(pl* **flashes**) *nm* flash *m*; *Fam* **tener un f.** avoir un flash; *Fam* **¡qué f.!** *(impresión fuerte)* c'est dingue!

flato *nm* gaz *m*; **tener flatos** avoir des gaz

flatulento, -a *adj (alimento)* qui donne des gaz

flauta *nf* flûte *f* ☆ **f. dulce** flûte à bec; **f. travesera** flûte traversière

flecha *nf* flèche *f*; *Fig* **como una f.** comme une flèche

flechazo *nm (disparo)* coup *m* de flèche; *(herida)* blessure *f* par flèche; *Fam (de amor)* coup *m* de foudre

fleco *nm* frange *f (textile)*; **con flecos** à franges

flema *nf (mucosidad)* glaire *f*; *(tranquilidad)* flegme *m*

flemático, -a *adj (con mucosidad)* glaireux(euse); *(tranquilo)* flegmatique

flemón *nm* phlegmon *m*

flequillo *nm* frange *f (de cheveux)*

flete *nm* fret *m*

flexibilidad *nf* flexibilité *f*; *(de persona)* souplesse *f*

flexible *adj* flexible; *(persona)* souple

flexión *nf* flexion *f*

flexo *nm* lampe *f* articulée

flipar *Fam* **1** *vi* **f. (cantidad)** *(disfrutar)* s'éclater (un max); *(asombrarse)* être scié(e); *(con droga)* planer
2 *vt* botter; **me flipan los videojuegos** j'adore les jeux vidéo

flirtear *vi* flirter

flojear *vi (fuerzas)* faiblir; *(memoria)* flancher; *(calor, ventas)* baisser; *Am (holgazanear)* paresser; **f. en algo** *(no ser muy apto)* être faible en qch

flojera *nf Fam* flemme *f*

flojo, -a *adj (nudo, vendaje)* lâche; *(bebida, sonido, viento)* léger(ère); *(malo)* faible; *(trabajo)* médiocre; *Fam (persona)* mou (molle), flemmard(e); **estar f. en inglés** être faible en anglais

flor *nf* fleur *f*; **la f. (y nata)** la fine fleur; **en la f. de la edad** *o* **de la vida** dans la fleur de l'âge; **a f. de** à fleur de

flora *nf* flore *f*

florecer [46] *vi (planta)* fleurir; *(prosperar)* être florissant(e)

floreciente *adj* florissant(e)

Florencia *n* Florence

florero *nm* vase *m*

florido, -a *adj* fleuri(e)

florista *nmf* fleuriste *mf*

floristería *nf* **voy a la f.** je vais chez le fleuriste

flota *nf* flotte *f*

flotación *nf (en el agua)* flottaison *f*; *(de empresa)* flottement *m*

flotador *nm* flotteur *m*; *(para nadar)* bouée *f*

flotar *vi* flotter

flote: a flote *adv* à flot; **sacar a f.** remettre à flot, renflouer; **salir a f.** se remettre à flot, se renflouer

flotilla *nf* flottille *f*

fluctuar [4] *vi (variar)* fluctuer; *(vacilar)* hésiter

fluidez *nf* fluidité *f*; *(de relaciones)* harmonie *f*; *Fig (en el lenguaje)* aisance *f*

fluido, -a **1** *adj* fluide
2 *nm* fluide *m*; **f. (eléctrico)** courant *m* (électrique)

fluir [34] *vi* couler

flujo *nm* flux *m*; **un f. de palabras** un flot de paroles; **f. de caja** marge *f* brute d'autofinancement; **f. de lava** coulée *f* de lave

flúor *nm* fluor *m*

fluorado, -a *adj* fluoré(e)

fluorescente **1** *adj* fluorescent(e)
2 *nm* néon *m*

fluvial *adj* fluvial(e)

FM *nf (abrev* **frecuencia modulada***)* FM *f*

FMI *nm (abrev* **Fondo Monetario Internacional***)* FMI *m*

fobia *nf* phobie *f*

foca *nf (animal)* phoque *m*; *Fam Fig* **está como una f., está hecha una f.** c'est une vraie vache

foco *nm (centro)* foyer *m*; *(lámpara)* projecteur *m*; *Andes, Méx (bombilla)* ampoule *f*; **un f. de miseria** un foyer de pauvreté

fofo, -a *adj* flasque

fogata *nf* flambée *f*

fogón *nm* (*para cocinar*) fourneau *m*; (*de máquina de vapor*) chaudière *f*

fogoso, -a *adj* fougueux(euse)

fogueo *nm* **de f.** (*munición, tiro*) à blanc

foie-gras [fwa'gras] *nm inv* pâté *m* (de foie); (*en Francia*) foie gras *m*

foja *nf Am* (*folio*) feuille *f* (de papier)

folclore *nm* folklore *m*

fólder *nm Am* (*carpeta*) chemise *f* (de bureau)

folículo *nm* follicule *m*

folio *nm* (*hoja*) feuille *f* (de papier); **tamaño f.** format *m* A4

folklor = folclore

follaje *nm* feuillage *m*

follar *vi Vulg* baiser

folletín *nm* feuilleton *m*

folleto *nm* brochure *f*; (*suelto*) prospectus *m*; (*plegable*) dépliant *m*; (*explicativo*) notice *f*

follón *nm Fam* (*alboroto*) chahut *m*; (*desorden*) bazar *m*; (*pelea*) grabuge *m*; **se armó un f.** ça a fait du chahut; **¡vaya f.!** quel bazar!; **tener follones** (*líos*) avoir des histoires

fomentar *vt* encourager, développer; (*odio, guerra*) susciter

fomento *nm* (*de producción, industria*) développement *m*

fonda *nf* auberge *f*

fondear 1 *vi Náut* mouiller
2 *vt* fouiller

fondo *nm* fond *m*; (*de dinero, biblioteca, archivo*) fonds *m*; (*resistencia*) endurance *f*; *RP* (*patio*) cour *f* de derrière (*d'une maison*); **a f.** à fond; **al f. de** au fond de; **en el f.** au fond; **tener buen f.** avoir un bon fond; **tocar f.** toucher le fond; **doble f.** double fond; **a f. perdido** (*pago*) à fonds perdu ☆ **f. común** caisse *f* commune; **f. de inversión** fonds commun de placement; **f. de pensiones** caisse de

retraite; **fondos reservados** fonds secrets

fonético, -a 1 *adj* phonétique
2 *nf* **fonética** phonétique *f*

fono *nm Am Fam* téléphone *m*

fontanería *nf* plomberie *f*

fontanero, -a *nm,f* plombier *m*

football = fútbol

footing ['futin] *nm* footing *m*

forajido, -a *nm,f* hors-la-loi *m inv*

foráneo, -a *adj* étranger(ère)

forastero, -a *nm,f* étranger(ère) *m,f*

forcejear *vi* (*para soltarse*) se débattre; (*luchar*) se démener

fórceps *nm inv* forceps *m*

forense *nmf* médecin *m* légiste

forestal *adj* forestier(ère); **incendio f.** feu *m ou* incendie *m* de forêt

forfait [for'fe] (*pl* **forfaits**) *nm* forfait *m*

forja *nf* (*fragua*) forge *f*; (*forjadura*) forgeage *m*

forjar 1 *vt también Fig* forger
2 forjarse *vpr Fig* (*labrarse*) se forger

forma *nf* forme *f*; *Rel* hostie *f*; (*manera*) façon *f*; **estar en f.** être en forme; **de cualquier f., de todas formas** de toute façon; **de f. que** de façon que; **f. de pago** modalité *f* de paiement; **formas** (*silueta, modales*) formes

formación *nf* formation *f*; **f. de personal** formation interne ☆ **f. profesional** = enseignement technique

formal *adj* (*educado*) bien élevé(e); (*de confianza*) sérieux(euse); (*acusación, compromiso*) formel(elle); (*lenguaje*) soutenu(e)

formalidad *nf* formalité *f*; (*seriedad*) sérieux *m*

formalizar [14] *vt* (*situación*) régulariser; (*acuerdo, relaciones*) officialiser

formar 1 *vt* former
2 formarse *vpr* se former; **formarse una idea** se faire une idée

formatear *vt* formater

formato *nm también Informát* format *m*

fórmica® *nf* Formica® *m*

formidable *adj* formidable

formol *nm* formol *m*

fórmula *nf* formule *f* ☆ *f. uno* formule l

formular 1 *vt* formuler
  2 *vi Quím* rédiger des formules

formulario *nm* formulaire *m*

formulismo *nm* formalisme *m*

fornido, -a *adj* robuste

foro *nm* (*tribunal*) barreau *m* ; *Teatro* fond *m* de la scène ; (*debate*) forum *m* ☆ *Informát f. de discusión* groupe *m* de discussion

forofo, -a *nm,f Fam* supporter *m*

forraje *nm* fourrage *m*

forrar 1 *vt* (*libro, mueble*) couvrir ; (*ropa*) doubler
  2 forrarse *vpr Fam* se remplir les poches

forro *nm* (*de libro*) couverture *f* ; (*de mueble*) housse *f* ; (*de ropa*) doublure *f* ; *RP Fam* (*preservativo*) capote *f* ☆ *f. polar* fourrure *f* polaire

fortalecer [46] *vt* renforcer ; (*físicamente*) fortifier ; (*moralmente*) réconforter

fortaleza *nf* force *f* ; (*recinto*) forteresse *f*

fortificación *nf* fortification *f*

fortísimo, -a *superlativo ver* **fuerte**

fortuito, -a *adj* fortuit(e)

fortuna *nf* (*suerte*) chance *f* ; (*destino*) sort *m* ; (*riqueza*) fortune *f* ; *por f.* heureusement, par chance

forúnculo *nm* furoncle *m*

forzado, -a *adj* forcé(e)

forzar [31] *vt* forcer ; (*violar*) abuser de

forzoso, -a *adj* (*obligatorio*) obligatoire ; (*inevitable*) inévitable

forzudo, -a *adj & nm,f* costaud *mf*

fosa *nf* fosse *f* ☆ *f. común* fosse commune ; *fosas nasales* fosses nasales

fosfato *nm* phosphate *m*

fosforescente *adj* phosphorescent(e)

fósforo *nm* (*elemento*) phosphore *m* ; (*cerilla*) allumette *f*

fósil 1 *adj* fossile
  2 *nm* fossile *m* ; *Fam* (*viejo*) vieux fossile *m*

foso *nm* fosse *f* ; (*de fortaleza*) fossé *m* ; (*de obras*) tranchée *f* ; (*de la orquesta*) fosse *f* d'orchestre

foto *nf* photo *f* ; **sacar una f.** faire une photo

fotocomposición *nf* photocomposition *f*

fotocopia *nf* photocopie *f*

fotocopiadora *nf* photocopieuse *f*

fotocopiar *vt* photocopier

fotoeléctrico, -a *adj* photoélectrique

fotogénico, -a *adj* photogénique

fotografía *nf* photographie *f* ; **f. de carné** photo *f* d'identité

fotografiar [32] *vt* photographier

fotógrafo, -a *nm,f* photographe *mf*

fotomatón *nm* Photomaton® *m*

fotonovela *nf* roman-photo *m*

fotosíntesis *nf inv* photosynthèse *f*

foxterrier [foksteˈrrjer, foksˈterrjer] (*pl* **foxterriers**) *nm* fox-terrier *m*

FP *nf* (*abrev* **formación profesional**) = enseignement technique

frac (*pl* **fracs** *o* **fraques**) *nm* habit *m*, frac *m*

fracasar *vi* échouer

fracaso *nm* échec *m*

fracción *nf* fraction *f*

fraccionamiento *nm Méx* lotissement *m* de luxe

fraccionario, -a *adj* fractionnaire ; **la moneda fraccionaria** la petite monnaie

fractura *nf Med* fracture *f*; *Der* effraction *f*

fracturarse *vpr* se fracturer

fragancia *nf* parfum *m*, senteur *f*

fraganti: in fraganti *adv* en flagrant délit

fragata *nf* frégate *f*

frágil *adj* fragile; **una memoria f.** une mauvaise mémoire

fragilidad *nf* fragilité *f*

fragmentar *vt* fragmenter

fragmento *nm* fragment *m*

fragor *nm* fracas *m*; *(de trueno)* grondement *m*

fragua *nf* forge *f*

fraguar [ll] **1** *vt (hierro)* forger; *Fig (idea, plan)* tramer
   2 *vi (cemento, cal)* prendre
   3 fraguarse *vpr* se tramer

fraile *nm* frère *m (religieux)*

frambuesa *nf* framboise *f*

francés, -esa 1 *adj* français(e)
   2 *nm,f* Français(e) *m,f*
   3 *nm (lengua)* français *m*

franchute, -a *nm,f Fam Pey* = terme péjoratif appliqué aux Français

Francia *n* la France

franciscano, -a *adj & nm,f* franciscain(e) *m,f*

francmasonería = **masonería**

franco, -a 1 *adj* franc (franche); *(indudable)* net (nette); *Hist* franc (franque); *CSur (día)* libre; **una franca mejoría** une nette amélioration
   2 *nm,f Hist* Franc (Franque) *m,f*
   3 *nm (moneda)* franc *m*

francófono, -a *adj & nm,f* francophone *mf*

francotirador, -ora *nm,f* franc-tireur *m*

franela *nf* flanelle *f*

franja *nf (adorno)* frange *f*; *(de tierra)* bande *f*; *(de luz)* rai *m*

franquear *vt (paso, camino)* déga-ger; *(río, obstáculo)* franchir; *(carta, postal)* affranchir

franqueo *nm* affranchissement *m*

franqueza *nf (sinceridad)* franchise *f*

franquicia *nf* franchise *f (commerciale)*

franquismo *nm* franquisme *m*

frasco *nm* flacon *m*

frase *nf* phrase *f* ✿ **f. hecha** phrase toute faite

fraternidad *nf* fraternité *f*

fraterno, -a *adj* fraternel(elle)

fratricida *adj & nmf* fratricide *mf*

fraude *nm* fraude *f*; **f. fiscal** fraude fiscale

fraudulento, -a *adj* frauduleux (euse)

fray *nm* **f. Luis** frère Luis

frazada *nf Am* couverture *f* ✿ **f. eléctrica** couverture chauffante

frecuencia *nf* fréquence *f*; **con f.** fréquemment ✿ **f. modulada** modulation *f* de fréquence

frecuentar *vt* fréquenter

frecuente *adj* fréquent(e)

freezer ['friser] *nm* congélateur *m*

fregadero *nm* évier *m*

fregado, -a 1 *nm (lavado)* lavage *m*; *(de ollas)* récurage *m*; *Fam (lío)* sac *m* de nœuds; *Fam (pelea)* grabuge *m*
   2 *adj Andes Fam (difícil)* enquiquinant(e); *(fastidiado)* enquiquiné(e); *(roto)* nase

fregar [43] *vt (suelo)* laver; *(ollas)* récurer; *(frotar)* frotter; *Andes Fam (estropear)* bousiller; **f. los platos** faire la vaisselle

fregona *nf (utensilio)* balai-serpillière *m*; *Pey (criada)* bonniche *f*; *Pey (verdulera)* poissarde *f*

freidora *nf* friteuse *f*

freír [56] **1** *vt* faire frire; *Fam (molestar)* enquiquiner; *Fam (matar)* refroidir; **f. a preguntas** bombarder de questions

2 freírse *vpr (de calor)* rôtir; *(en recetes)* **se fríen las patatas** faire frire les pommes de terre

frenar 1 *vt* freiner; *(impulso, ira)* refréner
  2 *vi* freiner

frenazo *nm* coup *m* de frein; *Fig (parón)* coup *m* d'arrêt

frenesí *(pl* **frenesíes)** *nm (exaltación)* frénésie *f*; *(locura)* folie *f* furieuse

frenético, -a *adj (exaltado)* frénétique; *(furioso)* fou (folle) furieux (euse)

freno *nm* frein *m*; *(de caballerías)* mors *m*; **echar el f.** freiner; **poner f. a** mettre un frein à ☆ *f. de mano* frein à main

frente 1 *nf* front *m*
  2 *nm* front *m*; *(parte delantera)* devant *m*; **hacer f. a** *(problema)* faire face à; *(persona)* tenir tête à; **estar al f. (de)** être à la tête (de); **de f.** *(foto)* de face; *(encuentro)* nez à nez; *(accidente)* de plein fouet; *(sin rodeos)* de front; **f. a** *(enfrente de)* en face de; *(con relación a)* par rapport à; *(ante)* devant; **f. a su casa** en face de chez lui; **f. a f.** face à face ☆ *f. frío* front froid

fresa *nf (fruto, herramienta)* fraise *f*; *(planta)* fraisier *m*

fresco, -a 1 *adj* frais (fraîche); *(cara-dura)* sans-gêne *inv*; **su recuerdo permanece f. en mi memoria** je garde son souvenir intact; **quedarse tan f.** ne pas broncher
  2 *nm,f* **ser un f.** être sans-gêne
  3 *nm (frío moderado)* fraîcheur *f*; *Arte* fresque *f*; **al f.** à la fraîche; **hace f.** il fait frais; **tomar el f.** prendre le frais

frescor *nm* fraîcheur *f*

frescura *nf* fraîcheur *f*; *(descaro)* sans-gêne *m inv*

fresno *nm* frêne *m*

fresón *nm* fraise *f*

frialdad *nf (falta de calor)* froid *m*; *Fig (indiferencia)* froideur *f*

fricción *nf* friction *f*; **hacerse fricciones con** se frictionner à

friega 1 *ver* **fregar**
  2 *nf* friction *f*

friegaplatos *nm inv* lave-vaisselle *m inv*

frigider *nm Andes* réfrigérateur *m*

frigidez *nf* frigidité *f*

frigorífico, -a 1 *adj* frigorifique
  2 *nm* réfrigérateur *m*

frijol, fríjol *nm Andes, CAm, Méx* haricot *m*

frío, -a 1 *adj también Fig* froid(e)
  2 *nm* froid *m*; **en f.** à froid; **la noticia me pilló en f.** la nouvelle m'a pris de court; *Fam* **hace un f. que pela** il fait un froid de canard

friolento, -a *adj & nm,f Am* frileux(euse) *m,f*

friolero, -a 1 *adj & nm,f* frileux (euse) *m,f*
  2 *nf* **friolera** *Fam* **costar la friolera de...** coûter la bagatelle de...

frito, -a 1 *participio ver* **freír**
  2 *adj (en aceite)* frit(e); *Fam* **quedarse f.** s'endormir; *Fig* **me tiene f.** *(me exaspera)* il me tape sur les nerfs
  3 *nm* friture *f*

frívolo, -a *adj* frivole

frondoso, -a *adj* touffu(e)

frontal *adj* frontal(e)

frontera *nf (entre países)* frontière *f*; *Fig (límite)* limite *f*

fronterizo, -a *adj* frontalier(ère)

frontispicio *nm (fachada)* façade *f*; *(remate)* fronton *m*; *(de libro)* frontispice *m*

frontón *nm* fronton *m*; *(pelota vasca)* pelote *f* basque

frotar 1 *vt* frotter
  2 frotarse *vpr* se frotter

fructífero, -a *adj (esfuerzos, resultados)* fructueux(euse)

frugal *adj* frugal(e)

fruncir [72] *vt* froncer; **f. el ceño**

froncer les sourcils; **f. la boca** faire la moue

fruslería *nf* broutille *f*

frustración *nf* frustration *f*; *(desilusión)* déception *f*

frustrar 1 *vt (insaciar)* frustrer; *(desilusionar)* décevoir; *(posibilidades, planes)* faire échouer; **me frustra ver que no mejoro** ça me déçoit de voir que je ne progresse pas

2 **frustrarse** *vpr (estar insaciado)* être frustré(e); *(desilusionarse)* être déçu(e); *(planes, proyectos)* tomber à l'eau; *(intento)* échouer

fruta *nf* fruit *m*; **le gusta mucho la f.** il aime beaucoup les fruits ✩ *f. de sartén* beignet *m*

frutal 1 *adj* fruitier(ère)
2 *nm* arbre *m* fruitier

frutería *nf* **ir a la f.** aller chez le marchand de fruits

frutero, -a 1 *adj* fruitier(ère)
2 *nm,f (vendedor)* marchand(e) *m,f* de fruits
3 *nm (recipiente)* compotier *m*

frutilla *nf Andes, RP* fraise *f*

fruto *nm* fruit *m*; *Fig* **dar f.** porter ses fruits; **sacar f. de algo** tirer profit de qch ✩ *frutos secos* fruits secs

fucsia 1 *nf (planta)* fuchsia *m*
2 *adj inv* fuchsia *inv*
3 *nm inv* fuchsia *m*

fue *ver* ir, ser

fuego *nm* feu *m*; **abrir** *o* **hacer f.** ouvrir le feu, faire feu; **pegar f. a** mettre le feu à ✩ *fuegos artificiales* feu d'artifice; *f. fatuo* feu follet

fuelle *nm* soufflet *m*

fuente *nf* source *f*; *(construcción)* fontaine *f*; *(de vajilla)* plat *m*; **f. de alimentación** source d'alimentation, alimentation *f* ✩ *Col, Méx, Ven f. de soda* café *m*

fuera 1 *ver* ir, ser
2 *adv (en el exterior)* dehors; *(en otro lugar)* ailleurs; **de f.** *(extranjero)* étranger(ère); *(de otro lugar)* d'ail-

leurs; **f. de** *(excepto)* en dehors de; *Fig (alejado)* hors de; **f. de eso, me puedes pedir lo que quieras** à part ça, tu peux me demander ce que tu veux; **eso está f. de mis cálculos** je n'avais pas prévu ça; **estar f. de sí** être hors de soi; **f. de plazo** hors délai; **hacia f.** vers l'extérieur; **por f.** à l'extérieur; **pintamos la casa por f.** on a peint l'extérieur de la maison; **esta semana estaré f.** cette semaine je ne serai pas là ✩ *f. de juego* hors-jeu *m inv*; *f. de serie (publicación)* hors-série *inv*; *Fig (persona)* hors pair; *ser un f. de serie* être exceptionnel(elle)
3 *interj* dehors!

fueraborda *nm inv* hors-bord *m inv*

fuero *nm (ley especial)* privilège *m*; *(en la Edad Media)* charte *f*; *(jurisdicción)* tribunal *m*; **en su f. interno** en son for intérieur

fuerte 1 *adj* fort(e); *(material, pared, nudo)* solide; *(frío, calor, color)* intense; *(pelea, combate)* dur(e); *(malsonante)* grossier(ère); **¡qué f.!** ça alors!
2 *adv* fort
3 *nm (fortaleza)* fort *m*; **ser el f. de alguien** être le point fort de qn

fuerza 1 *ver* forzar
2 *nf* force *f*; **tener fuerzas para** être assez fort(e) pour; **tiene que irse por f.** il doit absolument partir; **fuerzas del orden público** forces de l'ordre; **a f. de** à force de; **a la f.** *(contra la voluntad)* de force; *(por necesidad)* forcément; **por la f.** par la force; **fuerzas** *(grupo de personas)* forces ✩ *f. de voluntad* volonté *f*

fuese *ver* ir, ser

fuga *nf* fuite *f*; *(de presos)* évasion *f*; *Mús* fugue *f*; **darse a la f.** s'enfuir

fugarse [38] *vpr (de cárcel)* s'évader; **su marido se fugó con otra** son mari est parti avec une autre

fugaz *adj* fugace

fugitivo, -a 1 *adj (que huye)* en fuite; **f. de la ley** o **justicia** qui fuit la justice
2 *nm,f* fugitif(ive) *m,f*

fui *ver* **ir, ser**

fulano, -a 1 *nm,f* Machin(e) *m,f*; **f. de tal** M. Untel; **un f.** un type
2 *nf* **fulana** *(prostituta)* prostituée *f*

fulgor *nm* éclat *m*

fulgurante *adj también Fig* fulgurant(e)

fullero, -a *adj & nm,f* tricheur(euse) *m,f*

fulminante *adj (enfermedad, mirada)* foudroyant(e); *(despido, cese)* immédiat(e); *(explosivo)* détonant(e)

fulminar *vt* foudroyer; **f. a alguien con la mirada** foudroyer qn du regard

fumador, -ora *nm,f* fumeur(euse) *m,f* ☆ **f. pasivo** fumeur passif

fumar *vt & vi* fumer; **f. como un carretero** fumer comme un pompier

fumigar [38] *vt* désinfecter (par fumigation)

función *nf* fonction *f*; *(de cine)* séance *f*; *(de teatro)* représentation *f*; **en f. de** en fonction de; **en f. de cuándo llegue** en fonction du moment où il arrivera ☆ **f. de tarde** matinée *f*

funcional *adj* fonctionnel(elle)

funcionalidad *nf* fonctionnalité *f*

funcionamiento *nm* fonctionnement *m*; **poner algo en f.** mettre qch en marche

funcionar *vi (aparato, máquina)* fonctionner; *(plan, actividad)* marcher; **f. con gasolina** marcher à l'essence; **no funciona** *(en letrero)* en panne

funcionario, -a *nm,f* fonctionnaire *mf*

funda *nf* étui *m*; *(de almohada)* taie *f*; *(de mueble, máquina)* housse *f*; *(de disco)* pochette *f*

fundación *nf* fondation *f*

fundador, -ora *adj & nm,f* fondateur(trice) *m,f*

fundamental *adj* fondamental(e)

fundamentalismo *nm* fondamentalisme *m*

fundamentar 1 *vt* **f. algo en** *(edificio)* asseoir qch sur; *Fig (teoría)* fonder qch sur
2 fundamentarse en *vpr (edificio)* être assis(e) sur; *Fig (teoría)* se fonder sur

fundamento *nm Fig (base)* fondement *m*; *Fig (motivo)* raison *f*; **sin f.** sans fondement; **fundamentos** *(cimientos)* fondations *fpl*

fundar 1 *vt* fonder
2 fundarse en *vpr (teoría, razones)* se fonder sur

fundición *nf (fusión)* fonte *f*; *(taller)* fonderie *f*

fundir 1 *vt* fondre; *(bombilla, aparato)* griller; *(fusible)* faire sauter; **fundieron sus intereses** ils ont uni leurs intérêts
2 fundirse *vpr (bombilla, aparato)* griller; *(fusible)* sauter; *(derretirse)* fondre; *RP (arruinarse)* être ruiné; *Fig (unirse)* se fondre

fúnebre *adj* funèbre

funeral *nm* funérailles *fpl*

funerario, -a 1 *adj* funéraire; **una empresa funeraria** une entreprise de pompes funèbres
2 *nf* **funeraria** pompes *fpl* funèbres

funesto, -a *adj* funeste

fungicida 1 *adj* fongicide
2 *nm* fongicide *m*

fungir [24] *vi Am* **f. de** faire office de

funicular 1 *adj* funiculaire
2 *nm (por tierra)* funiculaire *m*; *(por aire)* téléphérique *m*

furgón *nm* fourgon *m*

furgoneta *nf* fourgonnette *f*

furia *nf* fureur *f*; **ponerse hecho una f.** devenir fou furieux

furioso, -a *adj* furieux(euse)

furor *nm* fureur *f*; *Fig* **hacer f.** faire fureur

furtivo, -a *adj* furtif(ive); **un cazador f.** un braconnier

furúnculo = **forúnculo**

fusa *nf Mús* triple croche *f*

fusible 1 *adj* fusible
  2 *nm* fusible *m*; **se han quemado los fusibles** les plombs ont sauté

fusil *nm* fusil *m* (de guerre)

fusilar *vt* *(ejecutar)* fusiller; *Fam (plagiar)* plagier

fusión *nf* fusion *f*

fusionar 1 *vt & vi* fusionner
  2 fusionarse *vpr (empresas)* fusionner

fusta *nf* cravache *f*

fustán *nm Am (enaguas)* jupon *m*

fuste *nm (de columna)* fût *m*

fútbol, futbol *nm* football *m*

futbolín, *Am* **futbolito** *nm* baby-foot *m inv*

futbolista *nmf* footballeur(euse) *m,f*

fútil *adj* futile

futilidad *nf* futilité *f*

futón *nm* futon *m*

futuro, -a 1 *adj* futur(e)
  2 *nm (porvenir)* avenir *m*; *(tiempo verbal)* futur *m*; **en el f., piensa antes de hablar** à l'avenir, réfléchis avant de parler; *Econ* **futuros** opérations *fpl* à terme
  3 *adv Am* **a f.** plus tard

futurología *nf* futurologie *f*

G

G, g *nf (letra)* G *m inv*, g *m inv*

g *(abrev* **gramo)** g

gabacho, -a *Fam Pey* **1** *adj (francés)* franchouillard(e)
   2 *nm,f* **no me gustan los gabachos** je n'aime pas les Français

gabán *nm* pardessus *m*

gabardina *nf* gabardine *f*

gabinete *nm (habitación, ministros)* cabinet *m*; **g. de estudios** bureau *m* d'études

gacela *nf* gazelle *f*

gaceta *nf* gazette *f*

gacho, -a *adj* **con la cabeza gacha** la tête basse

gaditano, -a **1** *adj* de Cadix
   2 *nm,f* = personne née ou habitant à Cadix

gafar *vt Fam* porter la poisse à; **nos has gafado el viaje** tu nous as gâché le voyage

gafas *nfpl* lunettes *fpl* ✩ **g. de sol** lunettes de soleil

gafe *adj Fam* **ser g.** porter la poisse

gag *(pl* **gags)** *nm* gag *m*

gaita *nf* cornemuse *f*; *Fam (pesadez)* galère *f*

gajes *nmpl* **g. del oficio** inconvénients *mpl* du métier

gajo *nm (de naranja, limón)* quartier *m*; *(de uvas)* grappillon *m*

gala *nf* gala *m*; **una fiesta de g.** une soirée de gala; **un vestido de g.** une tenue de soirée; **con sus mejores galas** dans ses plus beaux atours; **hacer g. de algo** *(demostrar)* faire étalage de qch; **tener a g. algo** *(preciarse de)* être fier(ère) de qch

galáctico, -a *adj* galactique

galán *nm (hombre atractivo)* bel homme *m*; *(en teatro)* jeune premier *m* ✩ **g. de noche** *(perchero)* valet *m* de nuit

galante *adj* galant(e); **tiene fama de g.** il a une réputation de galant homme

galantear *vt* **g. a una mujer** faire la cour à une femme

galantería *nf* galanterie *f*

galápago *nm* tortue *f* d'eau douce

galardón *nm* prix *m (récompense)*

galaxia *nf* galaxie *f*

galera *nf* galère *f*

galería *nf* galerie *f*; *(para cortinas)* tringle *f*; *Fig* **hacer algo para la g.** faire qch pour la galerie ✩ **galerías (comerciales)** galerie marchande

Gales *n* le pays de Galles

galés, -esa **1** *adj* gallois(e)
   2 *nm,f* Gallois(e) *m,f*
   3 *nm (lengua)* gallois *m*

Galicia *n* la Galice

galicismo *nm* gallicisme *m*

galimatías *nm inv* galimatias *m*

gallardía *nf (valor)* bravoure *f*; *(elegancia)* prestance *f*

gallego, -a 1 *adj* galicien(enne) **2** *nm,f* Galicien(enne) *m,f*; *CSur Fam* Espagnol(e) *m,f* **3** *nm (lengua)* galicien *m*

galleta *nf (dulce)* biscuit *m*; *Fam Fig (tortazo)* baffe *f*

gallina 1 *nf (ave)* poule *f* ☆ **g. ciega** colin-maillard *m*; **g. clueca** couveuse *f* **2** *nmf Fam Fig (persona)* poule *f* mouillée

gallinero *nm también Fig* poulailler *m*

gallito *nm Fig (de un grupo)* petit chef *m*; **hacerse el g. con alguien** jouer les durs avec qn

gallo *nm (ave)* coq *m*; *(de la voz)* couac *m*; *(pez)* limande *f*; **otro g. cantaría si...** les choses seraient différentes si...

galo, -a *Hist* **1** *adj* gaulois(e); *(francés)* français(e) **2** *nm,f* Gaulois(e) *m,f*; *(francés)* Français(e) *m,f*

galón *nm (distintivo)* galon *m*; *(medida)* gallon *m*

galopar *vi* galoper

galope *nm* galop *m*; **a g. tendido** au galop

galpón *nm Am (grande)* hangar *m*; *(más pequeño)* remise *f*

gama *nf* gamme *f*

gamba *nf* crevette *f*

gamberrada *nf* acte *m* de vandalisme; **hacer gamberradas** faire des bêtises

gamberro, -a 1 *adj* **un niño g.** un garnement **2** *nm,f* voyou *m*

gammaglobulina *nf* gammaglobuline *f*

gamo *nm* daim *m*

gamonal *nm Andes, CAm, Ven* cacique *m*

gamuza *nf (animal, piel)* chamois *m*; *(paño)* peau *f* de chamois

gana *nf* envie *f* **(de** de); *(hambre)* appétit *m*; **lo hago porque me da la (real) g.** je le fais parce que ça me plaît; **no me da la g. de hacerlo** je n'ai pas envie de le faire; **me dan ganas de...** j'ai envie de...; **de buena g.** volontiers; **de mala g.** à contrecœur; **ganas** *(deseo)* envie; **tener ganas de algo/de hacer algo** avoir envie de qch/de faire qch; **quedarse con las ganas** rester sur sa faim; **comer con ganas** manger avec appétit

ganadería *nf* élevage *m*

ganado *nm* bétail *m* ☆ **g. ovino** ovins *mpl*; **g. porcino** porcins *mpl*; **g. vacuno** bovins *mpl*

ganador, -ora *adj & nm,f* gagnant(e) *m,f*

ganancias *nfpl* bénéfices *mpl*

ganar 1 *vt* gagner; *(gloria, fama)* atteindre; *(ciudad, castillo)* conquérir; **me ganas en astucia** tu es plus astucieux que moi; **gana lo justo para vivir** il gagne juste de quoi vivre **2** *vi* gagner; **ganaron por tres a uno** ils ont gagné trois à un; **gana con el trato** il gagne à être connu; **hemos ganado con el cambio** nous avons gagné au change; **ganamos en espacio** nous y avons gagné en place **3 ganarse** *vpr* **ganarse algo** gagner qch; *(merecer)* bien mériter qch; *(recibir)* recevoir qch; **ganarse a alguien** gagner la faveur de qn

ganchillo *nm* crochet *m (ouvrage)*; **hacer g.** faire du crochet

gancho *nm* crochet *m*; *(cómplice) (de vendedor)* rabatteur *m*; *(de jugador)* compère *m*; *CAm, Méx, Ven (percha)* cintre *m*; *Fam* **tener g.** *(mujer)* avoir du chien; *(vendedor, título)* être accrocheur(euse)

gandul, -ula *adj & nm,f Fam* flemmard(e) *m,f*

ganga *nf Fam* affaire *f* (en or)

ganglio *nm* ganglion *m*

gangrena *nf* gangrène *f*

gángster (*pl* **gángsters**) *nm* gangster *m*

ganso, -a *nm,f (ave)* jars *m*, oie *f*; *Fam (persona)* clown *m*; **hacer el g.** faire le clown

garabatear *vt & vi* gribouiller

garabato *nm* gribouillage *m*

garaje *nm* garage *m*

garante *nmf* garant(e) *m,f*

garantía *nf* garantie *f*; **este libro es una g. de éxito** avec ce livre, c'est le succès assuré; **con g.** sous garantie

garantizar [14] *vt* garantir; **g. algo a alguien** assurer qch à qn

garbanzo *nm* pois *m* chiche; *Fam Fig* **ser el g. negro** être la brebis galeuse

garbeo *nm Fam* balade *f*; **dar un g.** faire une balade

garbo *nm (de persona)* allure *f*; *(de escritura)* talent *m*

gardenia *nf* gardénia *m*

garete *nm Fam Fig* **ir** *o* **irse al g.** tomber à l'eau

garfio *nm* crochet *m*

gargajo *nm* crachat *m*

garganta *nf* gorge *f*

gargantilla *nf* ras-du-cou *m inv (collier)*

gárgaras *nfpl* gargarismes *mpl*; **hacer g.** faire des gargarismes; *Fam* **¡vete a hacer g.!** va te faire cuire un œuf!

gargarismo *nm* gargarisme *m*

garita *nf (de guardia)* guérite *f*

garito *nm (casa de juego)* tripot *m*; *(establecimiento)* boui-boui *m*

Garona *nm* **el G.** la Garonne

garra *nf* griffe *f*; *(de ave de rapiña)* serre *f*; **caer en las garras de alguien** tomber entre les griffes de qn; **tener g.** être accrocheur(euse)

garrafa *nf* carafe *f*

garrafal *adj (error, equivocación)* monumental(e)

garrapata *nf* tique *f*

garrapiñar *vt* praliner

garrote *nm (palo)* gourdin *m*; *(instrumento de tortura)* garrot *m*

garúa *nf Am* bruine *f*

garza *nf* héron *m*

gas (*pl* **gases**) *nm* gaz *m*; **a todo g.** à toute allure; **gases** *(en el estómago)* gaz *mpl* ☆ **g. butano** gaz butane; **g. ciudad** gaz de ville; **g. lacrimógeno** gaz lacrymogène; **g. natural** gaz naturel

gasa *nf* gaze *f*

gaseoducto *nm* gazoduc *m*, pipeline *m*

gaseoso, -a 1 *adj* gazeux(euse) **2** *nf* **gaseosa** limonade *f*

gasfitería *nf Chile, Ecuad, Perú* plomberie *f*

gasfitero, -a *nm,f Chile, Ecuad, Perú* plombier *m*

gasóleo *nm* gazole *m*

gasolina *nf* essence *f*; **poner** *o* **echar g.** prendre de l'essence ☆ **g. normal** essence ordinaire; **g. súper** super *m*

gasolinera *nf* pompe *f* à essence

gastado, -a *adj* usé(e)

gastar 1 *vt (dinero)* dépenser; *(combustible)* consommer; *(desgastar)* user; *(ponerse)* porter; **¿qué número de zapatos gastas?** quelle est ta pointure?; **g. una broma/cumplidos a alguien** faire une blague/des compliments à qn **2** *vi (persona)* dépenser **3 gastarse** *vpr (por el uso)* s'user; *(vela)* se consumer; *(dinero)* dépenser

gasto *nm* dépense *f*; **cubrir gastos** couvrir les frais; **no reparar en gastos** ne pas regarder à la dépense ☆ **g. público** dépenses publiques

gastritis *nf inv* gastrite *f*

gastronomía *nf* gastronomie *f*

gastrónomo, -a *nm,f* gastronome *mf*

gatas: a gatas *adv* à quatre pattes

gatear *vi* marcher à quatre pattes

gatillo *nm* gâchette *f*

gato, -a 1 *nm,f* chat *m*, chatte *f*; *Fam* dar g. por liebre a alguien rouler qn; buscar tres pies al g. chercher midi à quatorze heures; hay g. encerrado il y a anguille sous roche ☆ **g. montés** chat sauvage

  2 *nm (herramienta)* cric *m*

gauchada *nf RP* service *m*; **hacerle una g. a alguien** rendre un servive à qn

gaucho, -a 1 *adj RP* serviable

  2 *nm* gaucho *m*

gavilán *nm* épervier *m*

gaviota *nf* mouette *f*

gay 1 *adj inv* homo, gay

  2 *nm* homo *m*, gay *m*

gazapo *nm (animal)* lapereau *m*; *(lapsus)* lapsus *m*; *(error de imprenta)* coquille *f*

gazmoño, -a *adj* bigot(e)

gaznate *nm Fam* gosier *m*

gazpacho *nm* gaspacho *m*

GB *nf (abrev* **Gran Bretaña**) GB *f*

géiser *nm* geyser *m*

gel *nm* gel *m*

gelatina *nf (de carne)* gelée *f*; *(ingrediente)* gélatine *f*

gema *nf* gemme *f*

gemelo, -a 1 *adj & nm,f* jumeau (elle) *m,f*

  2 *nm (músculo)* mollet *m*; **gemelos** *(de camisa)* boutons *mpl* de manchette; *(prismáticos)* jumelles *fpl*

gemido *nm* gémissement *m*

géminis 1 *nm inv (zodiaco)* Gémeaux *mpl*

  2 *nmf inv (persona)* Gémeaux *m*

gemir [47] *vi* gémir

gen *nm* gène *m*

gendarme *nmf* gendarme *m*

genealogía *nf* généalogie *f*

generación *nf* génération *f*; **por g.**

espontánea par génération spontanée

generador, -ora 1 *adj* générateur (trice)

  2 *nm Elec* générateur *m*

general 1 *adj* général(e); **en g., por lo g.** en général; **hablar de algo en términos generales** parler de qch en général

  2 *nm* général *m*

generalidad *nf (mayoría)* majorité *f*; *(vaguedad)* généralité *f*

generalísimo *nm* généralissime *m*

Generalitat [jenerali'tat] *nf* = nom du gouvernement de Catalogne et de celui de la communauté de Valence

generalizar [14] 1 *vt & vi* généraliser

  2 **generalizarse** *vpr* se généraliser

generar *vt* générer

genérico, -a *adj* générique

género *nm* genre *m*; *(productos)* articles *mpl*, marchandise *f*; *(tejido)* tissu *m*; **el g. humano** le genre humain; **géneros de punto** articles en maille

generosidad *nf* générosité *f*

generoso, -a *adj* généreux(euse); *(comida)* copieux(euse)

génesis *nf inv* genèse *f*

genético, -a 1 *adj* génétique

  2 *nf* **genética** génétique *f*

genial *adj* génial(e)

genio *nm (temperamento)* caractère *m*; *(mal carácter)* mauvais caractère *m*; *(estado de ánimo)* humeur *f*; *(ser sobrenatural, persona de talento)* génie *m*; **estar de buen/mal g.** être de bonne/mauvaise humeur

genital 1 *adj* génital(e)

  2 *nmpl* **genitales** organes *mpl* génitaux

genocidio *nm* génocide *m*

gente *nf* gens *mpl*; **hay poca g.** il n'y a pas beaucoup de monde; *Fam* **es buena g.** il est sympa; *Fam* **la g. bien**

les gens comme il faut; **la g. de bien** les gens bien; **la g. menuda** les petits *mpl*; *Fam* **mi g.** les miens

gentil *adj (educado)* courtois(e); *(amable)* aimable

gentileza *nf (educación)* courtoisie *f*; *(amabilidad)* amabilité *f*; *(regalo)* attention *f*, cadeau *m*; **por g. de** grâce à l'amabilité de

gentío *nm* foule *f*

gentuza *nf Pey (mala gente)* racaille *f*

genuflexión *nf* génuflexion *f*

genuino, -a *adj* authentique; *(piel)* véritable

GEO *nm (abrev* **Grupo Especial de Operaciones***)* = brigade d'intervention spéciale de la police nationale espagnole, ≃ GIGN *m*

geografía *nf* géographie *f*

geográfico, -a *adj* géographique

geógrafo, -a *nm,f* géographe *mf*

geología *nf* géologie *f*

geólogo, -a *nm,f* géologue *mf*

geometría *nf* géométrie *f*

geranio *nm* géranium *m*

gerencia *nf* gérance *f*

gerente *nmf* gérant(e) *m,f*

geriatría *nf* gériatrie *f*

germánico, -a 1 *adj (alemán)* germanique
  2 *nm,f (alemán)* Allemand(e) *m,f*

germen *nm también Fig* germe *m*

germinar *vi también Fig* germer

gerundio *nm* gérondif *m*

gestación *nf también Fig* gestation *f*

gestar 1 *vi* être en gestation
  2 gestarse *vpr (proyecto)* être en gestation; *(cambio)* se préparer; *(revolución)* couver

gesticulación *nf* gesticulation *f*

gesticular *vi* gesticuler

gestión *nf (diligencia)* démarche *f*; *(administración)* gestion *f*; **g. de cartera** gestion de portefeuille

gestionar *vt (administrar)* gérer; *(tramitar)* faire des démarches pour; **tengo que g. mis vacaciones** il faut que j'organise mes vacances

gesto *nm* geste *m*; *(expresión)* mimique *f*; *(mueca)* grimace *f*

gestor, -ora 1 *adj* gestionnaire
  2 *nm,f* = personne faisant des démarches administratives pour le compte d'un particulier ou d'une entreprise

gestoría *nf* cabinet *m* d'affaires

giba *nf* bosse *f*

gigabyte [xiva'βait] *nm Informát* gigaoctet *m*

gigante, -a 1 *adj* géant(e)
  2 *nm,f* géant(e) *m,f*

gigantesco, -a *adj* gigantesque

gigoló [jigo'lo] *nm* gigolo *m*

gil, gila *nm,f CSur Fam* empoté(e) *m,f*

gilipollada *nf muy Fam* connerie *f*

gilipollas *adj inv & nmf inv muy Fam* con (conne) *m,f*

gimnasia *nf* gymnastique *f*; **confundir la g. con la magnesia** prendre des vessies pour des lanternes ☆ **g. rítmica** gymnastique rythmique

gimnasio *nm* gymnase *m*

gimnasta *nmf* gymnaste *mf*

gimotear *vi* pleurnicher

gincana *nf* gymkhana *m*

Ginebra *n* Genève

ginebra *nf* gin *m*

ginecología *nf* gynécologie *f*

ginecólogo, -a *nm,f* gynécologue *mf*

gin-tonic *(pl* **gin-tonics***)* [jin'tonik] *nm* gin tonic *m*

gira *nf* tournée *f*; **estar de g.** être en tournée

girar 1 *vi* tourner; *Fig* **g. en torno a** o **alrededor de** tourner autour de
  2 *vt* tourner; *(peonza)* faire tourner; *(dinero)* virer; **g. (el volante)** braquer

girasol *nm* tournesol *m*

giratorio, -a *adj (movimiento)* giratoire; *(mueble, silla)* pivotant(e); *(placa)* tournant(e); *(puerta)* à tambour *inv*

giro *nm (movimiento)* tour *m*; *(de conversación, asunto, frase)* tournure *f*; *(envío)* virement *m* ☆ *g. postal* virement postal, mandat *m*

gis *nm Méx* craie *f*

gitano, -a **1** *adj (del pueblo gitano)* gitan(e); *Fam (estafador)* roublard(e); ¡si será g. el tío este! quel arnaqueur, ce type!
2 *nm,f* Gitan(e) *m,f*

glacial *adj (viento, acogida)* glacial(e)

glaciar **1** *adj* glaciaire
2 *nm* glacier *m*

gladiador *nm* gladiateur *m*

gladiolo, gladíolo *nm* glaïeul *m*

glándula *nf* glande *f*

glasear *vt* glacer

glicerina *nf* glycérine *f*

global *adj* global(e)

globalización *nf (mundialización)* mondialisation *f*, globalisation *f*

globo *nm (esfera, planeta)* globe *m*; *(aeróstato, juguete)* ballon *m*

glóbulo *nm* globule *m* ☆ *g. blanco* globule blanc; *g. rojo* globule rouge

gloria *nf* gloire *f*; *(placer)* plaisir *m*; **es una g. verte** c'est un plaisir de te voir; **saber a g.** être exquis(e)

glorieta *nf (rotonda)* rond-point *m*; *(de casa, jardín)* tonnelle *f*

glorificar [59] *vt* glorifier

glorioso, -a *adj* glorieux(euse); *Rel* bienheureux(euse)

glosa *nf* glose *f*

glosario *nm* glossaire *m*

glotón, -ona *adj & nm,f* glouton (onne) *m,f*

glotonería *nf* gloutonnerie *f*

glúcido *nm* glucide *m*

glucosa *nf* glucose *m*

gluten *nm* gluten *m*

gnomo *nm* gnome *m*

gobernación *nf* gouvernement *m* *(direction)*; *Méx* **Ministerio de la G.** ministère *m* de l'Intérieur

gobernador, -ora **1** *adj* gouvernant(e)
2 *nm,f* gouverneur *m*

gobernanta *nf* gouvernante *f*

gobernante **1** *adj* gouvernant(e); *(partido, persona)* au pouvoir
2 *nmf* gouvernant *m*

gobernar [3] *vt* gouverner; *(casa)* tenir; *(negocios)* mener, gérer

gobiernista *Andes, Méx* **1** *adj (de la mayoría)* de la majorité
2 *nmf (del gobierno)* partisan *m* du gouvernement

gobierno *nm* gouvernement *m*; *(forma política)* régime *m*; *Náut* gouverne *f* ☆ *g. autonómico* gouvernement d'une communauté autonome; *g. central* gouvernement central; *g. civil (edificio)* préfecture *f*; *g. parlamentario* régime parlementaire

goce **1** *ver* gozar
2 *nm* jouissance *f*, plaisir *m*

gol *(pl* goles*) nm* but *m*; *Fig* **los competidores nos han metido un g.** nos concurrents ont marqué un point

goleada *nf* carton *m*

goleador, -ora *nm,f* buteur *m*

golear *vt* écraser *(l'équipe adverse)*

golf *nm* golf *m*

golfear *vi Fam (vaguear)* glandouiller

golfista *nmf* golfeur(euse) *m,f*

golfo, -a **1** *adj & nm,f* bon (bonne) *m,f* à rien
2 *nm (accidente geográfico)* golfe *m* ☆ *el g. de León* le golfe du Lion; *el g. Pérsico* le golfe Persique; *el g. de Vizcaya* le golfe de Gascogne

3 *nf* **golfa** *(mujer ligera de cascos)* traînée *f*

golondrina *nf (ave)* hirondelle *f*; *(barco)* vedette *f*

golosina *nf* friandise *f*

goloso, -a *adj & nm,f* gourmand(e) *m,f*

golpe *nm* coup *m*; *(entre vehículos)* accrochage *m*; *Fam* ¡**tiene cada g.!** *(persona)* il en sort de belles!; *(película)* il y a de ces gags!; *Fam* **no dar o pegar g.** ne pas en ficher une rame; **de g.** *(de una vez)* d'un seul coup; *(con brusquedad)* brusquement; **de g. y porrazo** sans crier gare ☆ *también Fig* **g.** *bajo* coup bas; **g.** *de Estado* coup d'État; **g.** *franco* coup franc; **g.** *de suerte* coup de chance

golpear 1 *vt & vi* frapper
2 golpearse *vpr* se cogner; **me golpeé en la cabeza** je me suis cogné la tête

golpista *adj & nmf* putschiste *mf*

golpiza *nf Am* volée *f*

goma *nf (sustancia, de borrar)* gomme *f*; *CSur (neumático)* pneu *m*; *Fam (preservativo)* capote *f*; **g. (elástica)** élastique *m* ☆ **G. 2** plastic *m*; **g. espuma** Caoutchouc Mousse *m*

gomería *nf CSur* = centre de vente et d'installation de pneus

gomina *nf* gomina *f*

góndola *nf (barco)* gondole *f*; *Andes (autobús)* autobus *m*

gondolero *nm* gondolier *m*

gong *nm* gong *m*

gonorrea *nf* blennorragie *f*

gordinflón, -ona *Fam* **1** *adj* grassouillet(ette)
2 *nm,f* gros bonhomme *m*, grosse bonne femme *f*

gordo, -a 1 *adj* gros (grosse); *Fam* **me cae g.** je ne peux pas le sentir
2 *nm,f* gros (grosse) *m,f*; *Am (palabra cariñosa)* mon coco *m*, ma co-

cotte *f*; *Fam Fig* **armar la gorda** faire une scène
3 *nm (en lotería)* gros lot *m*; *Fig Fam* **le ha tocado el g.** il a touché le gros lot

gordura *nf* excès *m* de poids

gorgorito *nm* roulade *f*

gorila *nm* gorille *m*; *Fam (guardaespaldas)* gorille *m*; *(en discoteca)* videur *m*

gorjear *vi (pájaros)* gazouiller

gorra *nf* casquette *f*; *Fam* **de g.** à l'œil ☆ **g.** *de baño* bonnet *m* de bain

gorrinada, gorrinería *nf* cochonnerie *f*; *(acción)* vacherie *f*

gorrino, -a *nm,f (animal)* goret *m*; *Fig (persona)* cochon(onne) *m,f*

gorrión *nm* moineau *m*

gorro *nm* bonnet *m*; *Fig* **estar hasta el g. (de)** en avoir par-dessus la tête (de) ☆ **g.** *de ducha* bonnet de douche

gorrón, -ona *Fam* **1** *adj* **ser g.** être un parasite
2 *nm,f* parasite *m*; *(para la comida)* pique-assiette *mf*

gorronear *vt Fam* taper; **g. cigarros** taper des cigarettes

gota *nf* goutte *f*; *(pizca) (de aire)* souffle *m*; *(de sensatez)* once *f*; **es la g. que colma el vaso** c'est la goutte d'eau qui fait déborder le vase; *Fam* **sudar la g. gorda** suer à grosses gouttes; *Fig* suer sang et eau; **no me queda ni g. de harina** il ne me reste pas un gramme de farine ☆ **g. a g.** goutte-à-goutte *m inv*; **g.** *fría* = phénomène météorologique provoquant des pluies torrentielles

gotear *vi (líquido, recipiente)* goutter

gotera *nf (filtración)* gouttière *f*; *(mancha)* tache *f* d'humidité

gótico, -a 1 *adj* gothique
2 *nm (arte)* gothique *m*

gourmet = gurmet

goyesco, -a *adj* de Goya

gozada *nf Fam* ¡es una g.! c'est le pied!

gozar [l4] *vi (disfrutar)* éprouver du plaisir; **g. con** se réjouir de; *(buena comida)* se régaler avec; **g. de** jouir de

gozne *nm* gond *m*

gozo *nm* plaisir *m*; **ser motivo de g.** être une occasion de réjouissance; *Fig* ¡mi g. en un pozo! c'est bien ma chance!

grabación *nf* enregistrement *m*

grabado *nm* gravure *f*

grabador, -ora 1 *nm,f* graveur (euse) *m,f*
2 *nf* **grabadora** magnétophone *m*

grabar 1 *vt (en piedra, en la memoria)* graver; *(sonido, datos)* enregistrer
2 **grabarse** *vpr* **grabarse en la memoria** se graver dans la mémoire

gracia 1 *nf* grâce *f*; *(humor, chiste)* drôlerie *f*; *(arte)* goût *m*; *(habilidad)* talent *m*; **no es guapo pero tiene g.** il n'est pas beau mais il a du charme; **déjate de gracias** assez plaisanté; **caer en g.** plaire; **hacer g. a alguien** faire rire qn; **(no) tener g.** (ne pas) être drôle; *Irón* **tiene g.** c'est un peu fort
2 *nfpl* **gracias** merci *m*; **dar las gracias a alguien por algo** remercier qn de qch; **gracias a** grâce à; **muchas gracias** merci beaucoup

gracioso, -a 1 *adj* drôle
2 *nm,f (persona divertida)* comique *mf*; *Pey* **algún g.** un petit plaisantin

grada *nf (peldaño)* marche *f*; *(graderío)* tribune *f*; **gradas** *(de estadio, ruedo)* gradins *mpl*

graderío *nm* tribune *f*

grado *nm* degré *m*; *(categoría)* grade *m*; *Am (curso escolar)* année *f*; *(voluntad)* gré *m*; **en g. sumo** au plus haut point; **tener el g. de doctor** avoir le titre de docteur; **de buen/mal g.** de bon/mauvais gré

graduación *nf (acción)* graduation *f*; *(título, categoría)* grade *m*; *(obtención de título)* obtention *f* d'un diplôme; **g. (alcohólica)** degré *m* d'alcool; **g. de la vista** mesure *f* de l'acuité visuelle

graduado, -a 1 *adj (gafas, termómetro)* gradué(e); *(universitario)* diplômé(e)
2 *nm,f (persona)* diplômé(e) *m,f*
3 *nm (título)* diplôme *m* ☆ **g. escolar** ≃ BEPC *m*

gradual *adj* graduel(elle)

graduar [4] 1 *vt (medir)* mesurer; *(vino, licor)* titrer; *(regular)* régler
2 **graduarse** *vpr* obtenir son diplôme (**en** de); **graduarse la vista** se faire vérifier la vue

gráfico, -a 1 *adj* graphique; *Fig (expresivo)* parlant(e)
2 *nm* graphique *m*
3 *nf* **gráfica** courbe *f (graphique)*

grafito *nm* graphite *m*

grafología *nf* graphologie *f*

grafólogo, -a *nm,f* graphologue *mf*

gragea *nf* dragée *f*

grajo *nm* freux *m*

gral. *(abrev* **general)** Gal

gramática *nf ver* **gramático**

gramatical *adj* grammatical(e)

gramático, -a 1 *adj* grammatical(e)
2 *nm,f (persona)* grammairien (enne) *m,f*
3 *nf* **gramática** grammaire *f*

gramo *nm* gramme *m*

gramófono *nm* gramophone *m*

gran *adj ver* **grande**

Granada *n (en España)* Grenade; *(en las Antillas)* la Grenade

granada *nf* grenade *f* ☆ **g. de mano** grenade à main

granate 1 *adj inv* grenat *inv*
2 *nm* grenat *m*

Gran Bretaña *n* la Grande-Bretagne

grande

> On utilise **gran** devant les noms masculins singuliers.

1 *adj* grand(e); **a lo g.** en grande pompe; **vivir a lo g.** mener grand train; *Fig & Irón* **es g. que...** *(enojoso)* c'est un peu fort que...; *Fam* **pasarlo en g.** se payer du bon temps
2 *nmf* **grandes** *(adultos)* grands *mpl*

grandeza *nf* grandeur *f*

grandioso, -a *adj* grandiose

grandullón, -ona 1 *adj* dégingandé(e)
2 *nm,f Pey* grande perche *f*

granel: a granel *adv* en vrac; *(líquido)* au litre; *(en abundancia)* à foison

granero *nm* grenier *m*

granito *nm* granit *m*

granizada *nf* grêle *f*

granizado *nm (bebida)* granité *m*

granizar [14] *v impersonal* **está granizando** il grêle

granizo *nm* grêle *f*

granja *nf* ferme *f* ☆ **g. avícola** ferme avicole; **g. escuela** = ferme que les enfants des villes visitent en classe verte

granjearse *vpr (admiración, amistad)* s'attirer

granjero, -a *nm,f* fermier(ère) *m,f*

grano *nm (de planta, arena)* grain *m*; *(en la piel)* bouton *m*; *Fig* **ir al g.** en venir au fait, aller droit au but

granuja *nmf* canaille *f*

granulado, -a *adj* granulé(e); **el azúcar g.** le sucre cristallisé

grapa *nf (para papeles)* agrafe *f*; *CSur (bebida)* eau-de-vie *f* de marc

grapadora *nf* agrafeuse *f*

grapar *vt* agrafer

grasa *nf ver* **graso**

grasiento, -a *adj* graisseux(euse)

graso, -a 1 *adj* gras (grasse)
2 *nf* **grasa** graisse *f*

gratén *nm* gratin *m*; **macarrones/patatas al g.** gratin de macaronis/de pommes de terre

gratificación *nf* gratification *f*

gratificante *adj* gratifiant(e)

gratificar [59] *vt (complacer)* récompenser

gratinado, -a *adj* gratiné(e)

gratinar *vt* gratiner

gratis 1 *adj* gratuit(e)
2 *adv (sin pagar)* gratuitement, gratis; *(sin esfuerzo)* sans peine

gratitud *nf* gratitude *f*

grato, -a *adj* agréable; **nos es g. comunicarle que...** nous avons le plaisir de vous informer que...

gratuito, -a *adj* gratuit(e)

grava *nf* gravier *m*

gravamen *nm (impuesto)* taxe *f*; *(carga)* charge *f*; *Fig (deber)* obligation *f*

gravar *vt* grever; *(con impuestos)* taxer; *Fig (empeorar)* aggraver

grave *adj* grave; *Gram* **una palabra g.** un mot accentué sur l'avant-dernière syllabe

gravedad *nf* gravité *f*

gravilla *nf* gravillon *m*

gravitar *vi Fig* **g. sobre** peser sur

gravoso, -a *adj (caro)* onéreux (euse); *(molesto)* pesant(e)

graznar *vi (cuervo, grajo)* croasser

graznido *nm (de cuervo, grajo)* croassement *m*; *Fig (de personas)* cri *m* d'orfraie

Grecia *n* la Grèce

grecorromano, -a *adj* gréco-romain(e)

gremio *nm (de un oficio)* corporation *f*; *Fam (grupo)* camp *m*

greña *nf* tignasse *f*; *Fam Fig* **andar a la g.** se crêper le chignon

gres *nm* grès *m*

gresca *nf (ruido, jaleo)* chahut *m*; *(pelea)* bagarre *f*

griego, -a 1 *adj* grec (grecque)
2 *nm,f* Grec (Grecque) *m,f*
3 *nm (lengua)* grec *m*

grieta *nf* fissure *f*; *(en la piel)* gerçure *f*

grifa *nf Fam* marie-jeanne *f inv*

grifería *nf* robinetterie *f*

grifo *nm (llave)* robinet *m*; *Perú (gasolinera)* station-service *f*

grill [gril] *(pl* **grills)** *nm* gril *m*

grillado, -a *adj & nm,f Fam* cinglé(e) *m,f*

grillete *nm* fers *mpl (de prisonnier)*

grillo *nm* grillon *m*

grima *nf* **dar g. a alguien** *(irritar)* écœurer qn; *(dar dentera)* faire grincer les dents à qn

gringo, -a *Pey* **1** *adj Esp (estadounidense)* américaine(e); *Am (extranjero)* étranger(ère) *(blanc, d'origine européenne)*
2 *nm,f Esp (estadounidense)* Américain(e) *m,f*; *Am (extranjero)* = personne d'origine européenne, non hispanophone

gripa *nf Col, Méx* grippe *f*

gripe *nf* grippe *f*

griposo, -a *adj* grippé(e)

gris *(pl* **grises) 1** *adj (color)* gris(e); *Fig (triste)* morne
2 *nm* gris *m*

gritar 1 *vi* crier
2 *vt* **g. a alguien** crier après qn

griterío *nm* cris *mpl*

grito *nm* cri *m*; **dar** *o* **pegar un g.** pousser un cri; *Fam* **a g. pelado** en hurlant

Groenlandia *n* le Groenland

grogui *adj Fam Fig* groggy *inv*; **se está quedando g.** il s'endort

grosella *nf* groseille *f*

grosería *nf* grossièreté *f*

grosero, -a 1 *adj* grossier(ère)
2 *nm,f* malotru(e) *m,f*

grosor *nm* épaisseur *f*

grosso modo *adv* grosso modo

grotesco, -a *adj* grotesque

grúa *nf (de construcción)* grue *f*; *(para vehículos)* dépanneuse *f*; **g. (municipal)** (camion *m* de la) fourrière *f*; **se le llevó el coche la g.** sa voiture a été enlevée par la fourrière

grueso, -a 1 *adj* gros (grosse); *(tela, tabla)* épais(aisse)
2 *nm (grosor)* épaisseur *f*; **el g. de** *(la mayor parte de)* le gros de

grulla *nf* grue *f*

grumo *nm* grumeau *m*

gruñido *nm* grognement *m*; *Fig* **soltar un g. a alguien** gronder qn

gruñir *vi* grogner; *Fam* râler

gruñón, -ona *Fam* **1** *adj* grognon
2 *nm,f* râleur(euse) *m,f*

grupa *nf* croupe *f*; **a la g.** en croupe

grupo *nm* groupe *m* ✡ **g. de empresas** groupement *m* d'entreprises; *Informát* **g. de noticias** newsgroup *m*, forum *m ou* groupe de discussion; **g. de presión** groupe de pression; **g. sanguíneo** groupe sanguin

gruta *nf* grotte *f*

guaca *nf Andes* tombe *f* précolombienne

guacal *nm CAm, Méx (calabaza)* calebasse *f*; *CAm, Col, Méx, Ven (jaula)* cage *f*; *(caja)* cageot *m*

guacamol, guacamole *nm* guacamole *m*, = purée d'avocat épicée typique du Mexique

guachimán *nm Am* gardien *m*

guacho, -a *nm,f Andes, RP muy Fam* bâtard(e) *m,f*

guaco *nm Andes* céramique *f* précolombienne

Guadalquivir *nm* **el G.** le Guadalquivir

guadaña *nf* faux *f*

guagua *nf Carib (autobús)* bus *m*; *Andes (niño)* bébé *m*

guajiro, -a *nm,f Cuba* paysan(anne) *m,f*

guajolote *nm CAm, Méx (pavo)* dindon *m* ; *Fig (tonto)* âne *m*

guampa *nf CSur* corne *f*

guanábana *nf* corossol *m*

guanajo *nm Carib* dindon *m*

guantazo *nm Fam* baffe *f*

guante *nm* gant *m* ; **echarle el g. a** mettre le grappin sur

guantera *nf* boîte *f* à gants

guapo, -a 1 *adj (físicamente)* beau (belle)
  2 *nm,f Fam (fanfarrón)* vantard(e) *m,f* ; **¿quién es el g. que le va a anunciar la noticia?** *(valiente)* qui est assez courageux pour lui annoncer la nouvelle?

guarache *nm Méx* = sandale de mauvaise qualité

guarangada *nf Bol, CSur* grossièreté *f*

guarango, -a *nm,f Bol, CSur* malotru(e) *m,f*

guarda 1 *nmf* gardien(enne) *m,f* ; **g. de caza** garde-chasse *m* ☆ **g. forestal** garde forestier ; **g. jurado** agent *m* de sécurité privé
  2 *nf* garde *f*

guardabarrera *nmf* garde-barrière *mf*

guardabarros *nm inv* garde-boue *m inv*

guardabosque *nmf* garde *m* forestier

guardacoches *nmf inv* gardien (enne) *m,f* de parking

guardacostas *nm inv* garde-côte *m*

guardaespaldas *nmf inv* garde *m* du corps

guardameta *nmf* gardien *m* de but

guardapolvo *nm (bata)* blouse *f*

guardar 1 *vt* garder ; *(colocar)* ranger ; *(proteger)* protéger (**de** de) ; **g. cama/silencio** garder le lit/le silence ;

Fig **g. las formas** respecter les formes ; **g. las leyes** observer les lois
  2 guardarse *vpr* **guardarse de** se garder de ; *Fig* **guardársela a alguien** garder à qn un chien de sa chienne

guardarropa 1 *nmf* employé(e) *m,f* de vestiaire
  2 *nm (armario) (público)* vestiaire *m* ; *(particular)* penderie *f* ; *(prendas)* garde-robe *f*

guardería *nf* crèche *f (établissement)*

guardia 1 *nf* garde *f* ; **estar de g.** être de garde ; **en g.** sur ses gardes ; **montar (la) g.** monter la garde ; **la vieja g.** la vieille garde ☆ **la G. Civil** ≃ la gendarmerie ; **g. municipal** *o* **urbana** police *f* municipale
  2 *nmf* agent *m* ☆ **g. civil** ≃ gendarme *m* ; **g. de tráfico** agent de police

guardián, -ana *nm,f* gardien(enne) *m,f*

guarecer [46] **1** *vt* abriter (**de** de), protéger (**de** de)
  2 guarecerse *vpr* s'abriter (**de** de)

guarida *nf (de animales)* tanière *f* ; *Fig (de malhechores)* repaire *m*

guarnecer [46] *vt* garnir (**con** de)

guarnición *nm (adorno, de comida)* garniture *f* ; *(militar)* garnison *f*

guarrada *nf Fam* cochonnerie *f* ; *(mala jugada)* tour *m* de cochon

guarrería *nf Fam (suciedad)* cochonnerie *f* ; *Fig (mala acción)* crasse *f*

guarro, -a 1 *adj* dégoûtant(e)
  2 *nm,f (animal)* cochon *m*, truie *f* ; *Fam (persona) (sucia)* cochon(onne) *m,f* ; *(mala)* pourriture *f*

guarura *nm Méx Fam* gorille *m (garde du corps)*

guasa *nf Fam (gracia)* humour *m* ; **tener g.** *(ser gracioso)* être marrant(e) ; **déjate de guasas** *(de bromas)* arrête de rigoler ; **estar de g.** être d'humeur à rigoler ; *Irón* **¡tiene g. la cosa!** elle est bonne, celle-là !

guasón, -ona *adj & nm,f* blagueur (euse) *m,f*

Guatemala *n* le Guatemala

guatemalteco, -a 1 *adj* guatémaltèque

   2 *nm,f* Guatémaltèque *mf*

guateque *nm* surprise-partie *f*

guau *interj* ouah!

guay *adj Fam* super; **¡qué g.!** super!

guayaba *nf (fruta)* goyave *f*

guayabo *nm (árbol)* goyavier *m*

Guayana *n* la Guyane

guayín *nm Méx* camionnette *f*

gubernativo, -a *adj* du gouvernement; **una orden gubernativa** un arrêté préfectoral

guepardo *nm* guépard *m*

güero, -a *adj Méx Fam* blond(e)

guerra *nf* guerre *f; (de intereses, ideas, opiniones)* conflit *m;* **declarar la g.** déclarer la guerre; *Fam* **dar g. a alguien** donner du fil à retordre à qn; *Fam* **¡mira que das g.!** ce que tu es casse-pieds! ☆ *g.* ***bacteriológica*** guerre bactériologique; *g.* ***civil*** guerre civile; *g.* ***fría*** guerre froide

guerrear *vi* faire la guerre; **los dos pueblos guerrean** les deux peuples se font la guerre

guerrero, -a 1 *adj & nm,f* guerrier (ère) *m,f*

   2 *nf* **guerrera** *(prenda)* vareuse *f*

guerrilla *nf (grupo)* groupe *m* de guérilleros; *(estrategia)* guérilla *f*

guerrillero, -a *nm,f* guérillero *m*

gueto *nm* ghetto *m*

güevón *nm Chile Vulg* connard *m*

guía 1 *nmf (persona)* guide *mf* ☆ *g.* ***turístico*** guide

   2 *nf* guide *m* ☆ *g.* ***telefónica*** annuaire *m* (du téléphone); *g.* ***turística*** guide touristique *(livre)*

guiar [32] **1** *vt* guider; *(plantas, ramas)* tuteurer

   2 guiarse *vpr* se guider (**de** *o* **por** sur)

guijarro *nm* caillou *m*

guillotina *nf (para decapitar)* guillotine *f; (para cortar)* massicot *m*

guillotinar *vt (decapitar)* guillotiner; *(cortar)* massicoter

guinda *nf* griotte *f; Fig* **la g.** *(algo bueno)* la touche finale; *(algo malo)* le comble

guindilla *nf* piment *m* rouge

Guinea *n* la Guinée

guineo *nm Andes, CAm* banane *f*

guiñapo *nm* loque *f; Fam* **estar hecho un g.** être comme une loque

guiñar *vt* **g. el ojo** faire un clin d'œil

guiño *nm* clin *m* d'œil

guiñol *nm* guignol *m*

guión *nm (esquema)* plan *m; (de cine, televisión)* scénario *m; (signo ortográfico)* trait *m* d'union

guionista *nmf* scénariste *mf*

guiri *nmf Fam* étranger(ère) *m,f*

guirigay *nm Fam (jaleo)* brouhaha *m; (lenguaje ininteligible)* charabia *m*

guirlache *nm* = amandes grillées et caramélisées

guirnalda *nf* guirlande *f*

guisa *nf* **a g. de** en guise de; **de esta g.** de cette façon

guisado *nm* ragoût *m*

guisante *nm (planta)* pois *m; (fruto)* petit pois *m*

guisar 1 *vt (cocinar)* cuisiner; *(cocer)* laisser mijoter

   2 *vi* cuisiner, faire la cuisine

   3 guisarse *vpr Fig* se tramer

guiso *nm* ragoût *m*

güisqui *nm* whisky *m*

guita *nf muy Fam (dinero)* pognon *m*

guitarra *nf* guitare *f*

guitarreada *nf RP* = réunion entre amis au cour de laquelle on chante en s'accompagnant à la guitare

guitarrista *nmf* guitariste *mf*

gula *nf* gloutonnerie *f;* **con g.** goulûment

gurí, -isa *nm,f RP Fam* gamin(e) *m,f*

guripa *nm Fam (guardia municipal)* poulet *m*

gurmet (*pl* **gurmets**) *nmf* gourmet *m*

gurú *nm* gourou *m*

gusanillo *nm Fam* **sentir un g. en el estómago** *(por el miedo)* avoir les tripes nouées; *(por el hambre)* avoir un petit creux; **matar el g.** manger un petit quelque chose

gusano *nm (animal)* ver *m*; *Cuba Pey (persona)* = réfugié cubain, depuis la révolution; *Fig (persona)* moins que rien *mf*

gustar 1 *vi (agradar)* plaire; **me gusta esa chica** cette fille me plaît; **me gusta el deporte/ir al cine** j'aime le sport/aller au cinéma

2 *vt (probar)* goûter

gustazo *nm Fam* **darse el g. de** se payer le luxe de; **¡es un g.!** c'est le pied!

gusto *nm* goût *m*; *(agrado)* plaisir *m*; **tener buen/mal g.** avoir bon/mauvais goût; **tomar g. a algo** prendre goût à qch; **con mucho g.** avec plaisir; **da g. estar aquí** ça fait plaisir d'être ici; **mucho** *o* **tanto g.** — **el g. es mío** enchanté(e) — tout le plaisir est pour moi; **estar a g.** être à son aise; **hacer algo a g.** *(de buena gana)* prendre plaisir à faire qch; *(cómodamente)* être à son aise pour faire qch

gustoso, -a *adj* **hacer algo g.** *(con placer)* faire qch avec plaisir

gutural *adj* guttural(e)

H

H, h *nf (letra)* H *m inv*, h *m inv*; *Fig* **por h o por b** pour une raison ou pour une autre

h, h. *(abrev* **hora)** h

ha 1 *ver* **haber**
2 *(abrev* **hectárea)** ha

haba *nf* fève *f*

habano, -a 1 *adj* de La Havane; **un puro h.** un havane
2 *nm (cigarro)* havane *m*

haber¹ 1 *v aux* **(a)** *(antes de verbos transitivos)* avoir; **lo he/había hecho** je l'ai/l'avais fait; **los niños ya han comido** les enfants ont déjà mangé
(b) *(antes de verbos de movimiento, de estado o permanencia)* être; **ha salido** il est sorti; **nos hemos quedado en casa** nous sommes restés à la maison
(c) *(expresa reproche)* **h. venido a la reunión** tu n'avais qu'à venir à la réunion
(d) *(expresa obligación)* **h. de hacer algo** devoir faire qch; **has de trabajar más** tu dois travailler davantage
(e) *(expresa probabilidad)* **ha de ser su hermano** ce doit être son frère
2 *vt (ocurrir)* se produire; **los accidentes habidos este verano** les accidents qui se sont produits cet été
3 *v impersonal* **(a)** *(existir, estar)* **hay mucha gente en la calle** il y a beaucoup de monde dans la rue; **había/hubo problemas** il y avait/il y a eu des problèmes; **habrá dos mil perso-**nas *(en el futuro)* il y aura deux mille personnes; *(aproximadamente)* il doit y avoir deux mille personnes; **como hay pocos** comme il y en a peu
(b) *(expresa obligación)* **h. que hacer algo** falloir faire qch; **habrá que ir a por ella** il faudra aller la chercher
(c) *(expresa probabilidad)* **han de ser las tres** il doit être trois heures
(d) *(expresiones)* **¡hay que ver qué malo es!** qu'est-ce qu'il est méchant!; **¡hay que ver cómo lo trata!** il faut voir comment il le traite!; **no hay de qué** il n'y a pas de quoi; *Fam* **¿qué hay?** ça va?
4 haberse *vpr* **habérselas con alguien** avoir affaire à qn

haber² *nm (en cuentas, contabilidad)* crédit *m*; **tener en su h.** avoir à son crédit; *Fig* avoir à son actif; **haberes** *(bienes)* avoir *m*; *(sueldo)* appointements *mpl*

habichuela *nf* haricot *m*

hábil *adj (diestro)* habile; **h. para** *(apto)* apte à; **días hábiles** jours ouvrables; **en tiempo h.** dans le délai requis

habilidad *nf (destreza)* habileté *f*; *(aptitud)* don *m*; **tener h. para algo** être doué(e) pour qch

habilitar *vt (acondicionar)* aménager; *(autorizar)* habiliter

habiloso, -a *adj Chile Fam* intelligent(e)

habitación *nf* pièce *f*; *(dormitorio)* chambre *f* ☆ **h. doble** chambre double; *h. individual* o *sencilla* o *simple* chambre individuelle

habitáculo *nm* réduit *m*; *(de vehículo)* habitacle *m*

habitante *nm* habitant(e) *m,f*

habitar *vt & vi* habiter

hábitat *(pl* **hábitats)** *nm* habitat *m*

hábito *nm* (costumbre) habitude *f*; *(traje)* habit *m*

habitual *adj* habituel(elle); *(cliente, lector)* fidèle

habituar [4] **1** *vt* **h. a alguien a** habituer qn à

2 habituarse *vpr* **habituarse a** s'habituer à; *(drogas)* s'accoutumer à

habla *nf* (idioma) langue *f*; *(facultad)* parole *f*; *(manera de hablar)* parler *m*; **quedarse sin h.** rester sans voix; **estar al h. con alguien** être en communication avec qn

hablador, -ora *adj & nm,f* bavard (e) *m,f*

habladurías *nfpl* cancans *mpl*, commérages *mpl*

hablar 1 *vi* parler (**con** à *ou* avec); **h. bien/mal de alguien** dire du bien/du mal de qn; **h. de tú/de usted a alguien** tutoyer/vouvoyer qn; **h. en voz alta/baja** parler à voix haute/basse; **¡ni h.!** pas question!

2 *vt* (idioma) parler; **h. algo con alguien** *(asunto)* discuter de qch avec qn

3 hablarse *vpr* se parler; **hace un año que no se hablan** ils ne se parlent plus depuis un an

habrá *ver* **haber**

hacendado, -a *nm,f* propriétaire *mf* terrien(enne)

hacendoso, -a *adj* travailleur(euse)

hacer [33] **1** *vt* (a) *(en general)* faire; **hizo un vestido/pastel** elle a fait une robe/un gâteau; **h. planes** faire des projets; **h. un crucigrama/una fotocopia** faire des mots croisés/une photocopie; **el árbol hace sombra** l'arbre fait de l'ombre; **le hice señas** je lui ai

fait des signes; **no hagas ruido/el tonto** ne fais pas de bruit/l'idiot; **debes h. deporte** tu dois faire du sport; **he hecho la cama** j'ai fait le lit; **me hizo daño/reír** il m'a fait mal/rire; **hizo de ella una buena cantante** il a fait d'elle une bonne chanteuse; **voy a h. teñir este traje** je vais faire teindre cette robe

(b) *(dar aspecto)* **este espejo te hace gordo** cette glace te grossit; **este peinado la hace más joven** cette coiffure la rajeunit

(c) *(convertir)* rendre; **te hará feliz** il te rendra heureuse

(d) *(representar)* **h. el papel de** jouer le rôle de

(e) *(suponer)* croire; **yo te hacía en París** je te croyais à Paris

2 *vi* (intervenir) faire; **déjame h. a mí** laisse-moi faire; **h. de** *(actuar)* jouer le rôle de; *(reemplazar)* faire office de; **h. como si** o **como que** faire comme si; **hace como si no nos viera** il fait comme s'il ne nous voyait pas; **hace como que no entiende** il fait semblant de ne pas comprendre; *Fam* **¿hace?** d'accord?; **vamos al cine, ¿te hace?** on va au cinéma, ça te dit?

3 *v impersonal* (a) *(tiempo meteorológico)* faire; **hace frío/calor** il fait froid/chaud; **hace sol** il y a du soleil; **hace buen tiempo** il fait beau

(b) *(tiempo transcurrido)* **hace una semana** il y a une semaine; **hace mucho** il y a longtemps; **mañana hará un mes que estoy aquí** demain ça fera un mois que je suis ici

4 hacerse *vpr* (a) *(guisarse, cocerse)* cuire

(b) *(convertirse)* devenir; **se hizo monja** elle est devenue bonne sœur; **se hizo rico** il est devenu riche; **hacerse viejo** se faire vieux

(c) *(resultar)* **se está haciendo tarde** il se fait tard

(d) *(imaginar)* se faire; **no te hagas ilusiones** ne te fais pas d'illusions

(e) *(simular)* **se hace el gracioso** il

fait le malin; **se hace la atrevida** elle joue les courageuses; **se hace el distraído para no saludar** il fait celui qui ne nous a pas vus pour ne pas nous dire bonjour

(**f**) *(obligar a)* **le gusta hacerse (de) rogar** elle aime se faire prier

(**g**) *(creer)* **se me hace que…** il me semble que…, je crois que…

(**h**) **hacerse con algo** *(ganar)* obtenir qch; *(proveerse en)* se procurer qch; *(controlar)* maîtriser qch

hacha *nf* hache *f*; *Fam Fig* **ser un h.** être un as

hachís *nm* haschisch *m*

hacia *prep* vers; **h. abajo/arriba** vers le bas/le haut; **h. aquí/allí** par ici/là; **h. atrás/adelante** en arrière/avant; **h. las diez** vers dix heures

hacienda *nf (finca)* exploitation *f* agricole; *(bienes)* fortune *f* ☆ *la h. pública* les Finances *fpl*

hacinar 1 *vt* entasser

2 hacinarse *vpr (gente)* s'entasser

hada *nf* fée *f* ☆ *h. madrina* bonne fée

haga *ver* hacer

Haití *n* Haïti

hala *interj (para animar)* allez!; *(para expresar sorpresa)* hou la!, ça alors!

halagador, -ora *adj & nm,f* flatteur(euse) *m,f*

halagar [38] *vt* flatter

halago *nm* flatterie *f*

halagüeño, -a *adj (noticia, perspectiva)* encourageant(e)

halcón *nm* faucon *m*

hale *interj* allez!

hálito *nm también Fig* souffle *m*

hall *(pl* **halls)** [xol] *nm* hall *m*

hallar 1 *vt* trouver

2 hallarse *vpr* se trouver; **se halla enfermo/reunido** il est malade/en réunion

hallazgo *nm* trouvaille *f*; *(descubrimiento)* découverte *f*

halo *nm (de astros, objetos)* halo *m*; *(de santos)* auréole *f*; *Fig (fama)* auréole *f*, aura *f*

halógeno, -a *adj* halogène

halterofilia *nf* haltérophilie *f*

hamaca *nf (para colgar)* hamac *m*; *(tumbona)* chaise *f* longue

hambre *nf* faim *f* (**de** de); **tener h.** avoir faim; **matar el h.** calmer sa faim

hambriento, -a *adj* affamé(e)

hamburguesa *nf* hamburger *m*

hamburguesería *nf* fast-food *m*

hampa *nf* **el h.** le milieu *(la pègre)*

hámster ['xamster] *(pl* **hámsters)** *nm* hamster *m*

hándicap ['xandikap] *(pl* **hándicaps)** *nm* handicap *m*

hangar *nm* hangar *m*

hará *ver* hacer

haraganear *vi* paresser, ne rien faire

harapiento, -a *adj* en haillons

harapo *nm* haillon *m*

hardware ['xarʋwar] *nm Informát* hardware *m*, matériel *m*

harén *nm* harem *m*

harina *nf* farine *f*; *Fig* **es h. de otro costal** c'est autre chose

harinoso, -a *adj* farineux(euse)

hartar 1 *vt (atiborrar)* gaver; *Fam (fastidiar)* fatiguer

2 hartarse *vpr (atiborrarse)* se gaver; *Fam (cansarse)* en avoir marre; **hartarse de hacer algo** *(hacerlo mucho)* faire qch du matin au soir

harto, -a 1 *adj (de comida)* repu(e); *Andes, Méx Fam (mucho)* vachement de; *Fam (cansado)* **estar h. (de)** en avoir marre (de); *Andes, Méx Fam* **hay hartos carros** il y a vachement de voitures; *Andes, Méx Fam* **vino harta gente** il est venu vachement de monde

2 *adv* **es h. evidente/difícil** c'est on ne peut plus évident/difficile; *Andes, Méx Fam (mucho)* vachement

hartón *nm* indigestion *f*; **darse un h. de llorar** pleurer toutes les larmes de son corps

hasta 1 *prep* jusqu'à; **desde aquí h. allí** d'ici jusque-là; **h. ahora** à tout de suite; **h. la vista** au revoir; **h. luego** à tout à l'heure, à plus tard; *(adiós)* au revoir; **h. mañana** à demain; **h. otra** à la prochaine; **h. pronto** à bientôt; **h. que** jusqu'à ce que
   2 *adv (incluso)* même; *Andes, CAm, Méx (sólo, recién)* **lo haremos h. fin de mes** nous ne le ferons pas avant la fin du mois

hastiar [32] **1** *vt* lasser, excéder
   2 hastiarse *vpr* **hastiarse de** se lasser de

hastío *nm* lassitude *f*; *(por la comida)* dégoût *m*

hatajo *nm* ramassis *m* (**de** de)

hatillo *nm* balluchon *m*

haya 1 *ver* **haber**
   2 *nf* hêtre *m*

haz 1 *ver* **hacer**
   2 *nm* faisceau *m*; *(de mieses)* gerbe *f*; *(de leña)* fagot *m*; *(de paja, heno)* botte *f*; **h. de rayos luminosos** faisceau lumineux

hazaña *nf* exploit *m*

hazmerreír *nm* risée *f*

he *ver* **haber**

heavy ['xebi] **1** *adj muy Fam* **¡qué h.!** la vache!
   2 *nmf Fam (persona)* fan *mf* de heavy metal
   3 *nm* **h. (metal)** heavy metal *m*

hebilla *nf* boucle *f*

hebra *nf (hilo, tabaco)* brin *m*; **de h.** *(tabaco)* à rouler; *Fam* **pegar la h.** papoter

hebreo, -a 1 *adj* hébreu (hébraïque)
   2 *nm,f* **los hebreos** les Hébreux *mpl*
   3 *nm (lengua)* hébreu *m*

hechicero, -a 1 *adj* ensorcelant(e), envoûtant(e)
   2 *nm,f* sorcier(ère) *m,f*

hechizar [14] *vt también Fig* envoûter

hechizo *nm también Fig* envoûtement *m*

hecho, -a 1 *participio ver* **hacer**
   2 *adj* fait(e); *(comida)* cuit(e); **es un trabajo mal h.** c'est un travail mal fait; *Fam* **está muy bien hecha** elle est très bien faite; **está h. todo un padrazo** c'est le père idéal; **ya es un hombre h. y derecho** il est devenu un homme; **el pastel está muy h.** le gâteau est trop cuit; **un filete bien/muy/poco h.** un steak à point/bien cuit/saignant; **a lo h., pecho** ce qui est fait est fait
   3 *nm* fait *m*; **de h.** *(en realidad)* en fait; *(efectivamente)* effectivement; *(pareja, poder)* de fait
   4 *interj* d'accord!

hechura *nf* façon *f (forme)*

hectárea *nf* hectare *m*

heder [64] *vi (oler mal)* empester

hedor *nm* puanteur *f*

hegemonía *nf* hégémonie *f*

hegemónico, -a *adj* hégémonique

helada *nf ver* **helado**

heladera *nf CSur (nevera)* réfrigérateur *m*

heladería *nf* **lo compré en la h.** je l'ai acheté chez le marchand de glaces

helado, -a 1 *adj (congelado)* gelé(e); *(tarta)* glacé(e); *Fig* **quedarse h.** avoir un choc
   2 *nm* glace *f*
   3 *nf* **helada** gelée *f*; **anoche cayó una helada** il a gelé cette nuit

helar [3] **1** *vt (convertir en hielo)* geler; *Fig (dejar atónito)* glacer
   2 *v impersonal* geler; **ayer por la noche heló** il a gelé cette nuit
   3 helarse *vpr* geler; **se han helado las plantas** les plantes ont gelé; **¡me estoy helando!** je gèle!

helecho *nm* fougère *f*

hélice *nf* hélice *f*

helicóptero *nm* hélicoptère *m*
helio *nm* hélium *m*
helvético, -a *adj* helvétique
hematoma *nm* hématome *m*
hembra *nf (animal)* femelle *f*; *(mujer)* femme *f*; *(niña)* fille *f*; *(de enchufe)* prise *f* femelle
hemeroteca *nf* bibliothèque *f* de périodiques
hemiciclo *nm* hémicycle *m*
hemisferio *nm* hémisphère *m*
hemofilia *nf* hémophilie *f*
hemorragia *nf* hémorragie *f*; **h. nasal** saignement *m* de nez
hemorroides *nfpl* hémorroïdes *fpl*
henchir [47] *vt* remplir; **h. el pecho de aire** remplir ses poumons d'air
hender [64] *vt* fendre
hendidura *nf* fente *f*
hendir [62] = hender
heno *nm* foin *m*
hepatitis *nf inv* hépatite *f*
heptágono *nm* heptagone *m*
herbicida *nm* désherbant *m*
herbívoro, -a 1 *adj* herbivore **2** *nm,f* herbivore *m*
herbolario, -a 1 *nm,f* herboriste *mf* **2** *nm* herboristerie *f*
herboristería *nf* herboristerie *f*
hercio *nm* hertz *m*
heredar *vt* hériter; **heredó un piso** il a hérité d'un appartement; **heredó una casa de su padre** il a hérité une maison de son père; **ha heredado la nariz de su madre** il a hérité du nez de sa mère
heredero, -a 1 *adj* **el príncipe h.** le prince héritier **2** *nm,f* héritier(ère) *m,f*
hereditario, -a *adj* héréditaire
hereje *nmf también Fig* hérétique *mf*
herejía *nf (doctrina, postura)* hérésie *f*
herencia *nf* héritage *m*
herido, -a 1 *adj & nm,f* blessé(e) *m,f*

2 *nf* **herida** *también Fig* blessure *f*
herir [62] *vt también Fig* blesser
hermafrodita *adj & nmf* hermaphrodite *mf*
hermanado, -a *adj (personas)* proche; *(ciudades)* jumelé(e)
hermanar 1 *vt (esfuerzos)* conjuguer; *(personas)* rapprocher; *(ciudades)* jumeler **2 hermanarse** *vpr (ciudades)* se jumeler; *(ideas, tendencias)* s'associer
hermanastro, -a *nm,f* demi-frère *m*, demi-sœur *f*
hermandad *nf (asociación)* amicale *f*; *(cofradía) (de hombres)* confrérie *f*; *(de mujeres)* communauté *f*; *(amistad)* fraternité *f*
hermano, -a *nm,f* frère *m*, sœur *f* ☆ **hermanos gemelos** o **mellizos** (frères) jumeaux *mpl*; **h. político** beau-frère *m*
hermético, -a *adj también Fig* hermétique
hermoso, -a *adj* beau (belle)
hermosura *nf* beauté *f*
hernia *nf* hernie *f*
herniarse *vpr* développer une hernie; *Fam Irón* ¡cuidado, no te vayas a **herniar!** surtout ne te fatigue pas trop!
héroe *nm* héros *m*
heroico, -a *adj* héroïque
heroína *nf* héroïne *f*
heroinómano, -a *nm,f* héroïnomane *mf*
heroísmo *nm* héroïsme *m*
herpes *nm* herpès *m*
herradura *nf* fer *m* à cheval
herramienta *nf* outil *m*
herrería *nf (taller)* forge *f*; *(oficio)* forgeage *m*; **en la h.** chez le forgeron
herrero *nm* forgeron *m*; *Prov* **en casa del h. (cuchillo de palo)** les cordonniers sont toujours les plus mal chaussés
herrumbre *nf* rouille *f*

hertz = hercio

hervidero *nm* *(de sentimientos)* bouillonnement *m*; *(de gente)* fourmilière *f*; **un h. de intrigas** un foyer d'intrigues

hervir [62] **1** *vt* faire bouillir
   2 *vi* bouillir; **h. a borbotones** bouillir à gros bouillons

hervor *nm* ébullition *f*; **dar un h. a algo** blanchir qch

heterodoxo, -a *adj & nm,f* hétérodoxe *mf*

heterogéneo, -a *adj* hétérogène

heterosexual *adj & nmf* hétérosexuel(elle) *m,f*

hexágono *nm* hexagone *m*

hez *nf también Fig* lie *f*; **heces** *(excrementos)* selles *fpl*

hibernar 1 *vi* hiberner
   2 *vt* mettre en hibernation artificielle

híbrido, -a 1 *adj* hybride
   2 *nm* hybride *m*

hice *ver* hacer

hidalgo, -a 1 *adj* de la petite noblesse
   2 *nm,f* petit(e) noble *mf*

hidratante 1 *adj* hydratant(e)
   2 *nm* hydratant *m*

hidratar *vt* hydrater

hidrato *nm* hydrate *m* ✡ **h. de carbono** glucide *m*

hidráulico, -a *adj* hydraulique

hidroavión *nm* hydravion *m*

hidrocarburo *nm* hydrocarbure *m*

hidroeléctrico, -a *adj* hydroélectrique

hidrógeno *nm* hydrogène *m*

hidrografía *nf* hydrographie *f*

hidrosoluble *adj* hydrosoluble

hiedra *nf* lierre *m*

hiel *nf también Fig* fiel *m*

hielo *nm* glace *f*; *(en carretera)* verglas *m*; *Fig* **romper el h.** rompre la glace

hiena *nf* hyène *f*

hierático, -a *adj* hiératique

hierba *nf* herbe *f*; **este tipo es mala h.** ce type c'est de la mauvaise graine; **mala h. nunca muere** mauvaise herbe croît toujours

hierbabuena *nf* menthe *f*

hierro *nm* fer *m*; *(de puñal, cuchillo)* lame *f*; **de h.** *(salud, voluntad)* de fer; **h. forjado** fer forgé

HI-FI *nf* *(abrev* **high fidelity)** hi-fi *f*

hígado *nm* foie *m*

higiene *nf* hygiène *f*

higiénico, -a *adj* hygiénique

higo *nm* figue *f*; **h. chumbo** figue de Barbarie; *Fam* **estar hecho un h.** être crevé(e); **de higos a brevas** tous les trente-six du mois

higuera *nf* figuier *m*

hijastro, -a *nm,f* beau-fils *m*, belle-fille *f* *(enfants d'un premier mariage du conjoint)*

hijo, -a *nm,f* *(descendiente)* fils *m*, fille *f*; *Fam (de una tierra)* enfant *mf*; **tiene dos hijos** elle a deux enfants; **¡ay, hija, qué mala suerte!** ma pauvre, c'est vraiment pas de chance!; **¡pues h., podrías haber avisado!** dis donc, tu aurais pu prévenir!; **h. mío** mon fils; **¡h. mío, qué tonto eres!** qu'est-ce que tu es bête, mon pauvre! ✡ **h. de papá** fils à papa; **h. político** gendre *m*; **hija política** belle-fille *f*; *Vulg* **h. de puta** o *Méx* **de la chingada** salaud *m*, salope *f*

hilar *vt* filer; *Fig* **h. muy fino** faire preuve de beaucoup de finesse

hilaridad *nf* hilarité *f*

hilatura *nf* filature *f*

hilera *nf* rangée *f*

hilo *nm* fil *m*; *Fig (de agua, sangre)* filet *m*; **h. de voz** filet de voix; **colgar** o **pender de un h.** ne tenir qu'à un fil; **mover los hilos** tirer les ficelles; **perder/seguir el h.** perdre/suivre le fil

☆ *h. dental* fil dentaire; *h. musical* fond *m* musical

hilván *nm* faufil *m*

hilvanar *vt (ropa)* faufiler, bâtir; *Fig (ideas)* relier; *Fig (discurso)* improviser

himen *nm* hymen *m*

himno *nm* hymne *m*

hincapié *nm* hacer h. en mettre l'accent sur

hincar [59] *vt* planter; *Fig* hincarle el diente a algo *(empezar)* s'attaquer à qch

hincha *nmf (seguidor)* supporter *m*

hinchado, -a *adj (de aire)* gonflé(e); *(inflamado)* enflé(e); **h.** de orgullo bouffi(e) d'orgueil

hinchar 1 *vt (inflar)* gonfler; *(exagerar)* grossir

  2 hincharse *vpr (aumentar de volumen)* enfler; *(excederse) (en comida)* se gaver; *(en trabajo)* se tuer; *Fig (persona)* hincharse de orgullo se gonfler d'orgueil

hinchazón *nf* enflure *f*

hindú *(pl* hindúes) **1** *adj (de la India)* indien(enne); *(del hinduismo)* hindou(e)

  2 *nmf (de la India)* Indien(enne) *m,f*; *(del hinduismo)* hindou(e) *m,f*

hinduismo *nm* hindouisme *m*

hinojo *nm* fenouil *m*

hipar *vi* hoqueter

hiper *nm Fam* hypermarché *m*

hiper- *prefijo Fam (muy)* hyper-; **hipercaro** hyper-cher

hiperactividad *nf* hyperactivité *f*

hipermercado *nm* hypermarché *m*

hipermetropía *nf* hypermétropie *f*

hipertensión *nf* hypertension *f*

hipertexto *nm Informát* hypertexte *m*

hípico, -a 1 *adj* hippique

  2 *nf* **hípica** hippisme *m*

hipnosis *nf inv* hypnose *f*

hipnótico, -a *adj* hypnotique

hipnotizador, -ora 1 *adj (de hipnosis)* hypnotique; *Fig (fascinador)* envoûtant(e)

  2 *nm,f* hypnotiseur(euse) *m,f*

hipnotizar [14] *vt también Fig* hypnotiser

hipo *nm* hoquet *m*; tener **h.** avoir le hoquet; *Fig* quitar el **h.** a alguien couper le souffle à qn

hipocondriaco, -a *adj & nm,f* hypocondriaque *mf*

hipocresía *nf* hypocrisie *f*

hipócrita *adj & nmf* hypocrite *mf*

hipodérmico, -a *adj* hypodermique

hipódromo *nm* hippodrome *m*

hipopótamo *nm* hippopotame *m*

hipoteca *nf* hypothèque *f*

hipotecar [59] *vt también Fig* hypothéquer

hipotecario, -a *adj* hypothécaire

hipotensión *nf* hypotension *f*

hipótesis *nf inv* hypothèse *f*

hipotético, -a *adj* hypothétique

hippy *(pl* hippys) *adj & nmf* hippie *mf*

hiriente *adj* blessant(e)

hirsuto, -a *adj (cabello)* hirsute; *Fig (persona)* revêche

hispánico, -a *adj* hispanique

hispanidad *nf (cultura)* culture *f* hispanique; *(pueblos)* monde *m* hispanique

hispanizar [14] *vt* hispaniser

hispano, -a 1 *adj (de la lengua)* espagnol(e); *(en Estados Unidos)* latino, hispanique

  2 *nm,f (en Estados Unidos)* Latino *mf*, Hispanique *mf*

Hispanoamérica *n* l'Amérique *f* latine

hispanoamericano, -a 1 *adj* hispano-américain(e)

  2 *nm,f* Hispano-Américain(e) *m,f*

hispanohablante *adj & nmf* hispanophone *mf*

histeria *nf* hystérie *f*

histérico, -a **1** *adj* hystérique; *Fam Fig* **ese ruido me pone h.** ce bruit me rend dingue **2** *nm,f* hystérique *mf*

histerismo *nm* hystérie *f*

historia *nf* histoire *f*; **h. del arte** histoire de l'art; **dejarse de historias** arrêter de raconter des histoires; **pasar a la h.** entrer dans l'histoire

historiador, -ora *nm,f* historien (enne) *m,f*

historial *nm* parcours *m*; *(de deportista, equipo)* palmarès *m* ☆ *h. médico o clínico* antécédents *mpl* médicaux; *h. profesional* parcours professionnel

histórico, -a *adj* historique; *(verdadero)* véridique

historieta *nf (chiste)* histoire *f* drôle; *(cómic)* bande *f* dessinée

hito *nm (mojón)* borne *f*; *Fig (hecho importante)* événement *m* marquant; **mirar de h. en h.** regarder fixement

hizo *ver* **hacer**

hnos. *(abrev* **hermanos)** Frères

hobby ['xoβi] *(pl* **hobbys** *o* **hobbies)** *nm* hobby *m*

hocico *nm* museau *m*; *(de puerco, de jabalí)* groin *m*; *Pey (de persona)* museau *m*; **romper los hocicos a alguien** casser la figure à qn; **te vas a romper los hocicos** tu vas te casser la figure

hockey ['xokei] *nm Dep* hockey *m* ☆ *h. sobre hielo* hockey sur glace; *h. sobre hierba* hockey sur gazon; *h. sobre patines* hockey sur patins

hogar *nm* foyer *m*; *(chimenea)* âtre *m*

hogareño, -a *adj (persona)* casanier(ère); *(ambiente)* familial(e)

hogaza *nf* miche *f*

hoguera *nf* bûcher *m*; *(de fiesta)* feu *m* de joie

hoja *nf (de plantas, papel)* feuille *f*; *(de metal)* lame *f*; *(de puerta, ventana)* battant *m* ☆ *h. de afeitar* lame de rasoir; *Informát h. de cálculo* feuille *f* de calcul, tableur *m*

hojalata *nf* fer-blanc *m*

hojaldre *nm* pâte *f* feuilletée

hojarasca *nf (hojas secas)* feuilles *fpl* mortes; *(frondosidad)* feuillage *m* épais

hojear *vt (libro)* feuilleter

hola *interj* bonjour!

Holanda *n* la Hollande

holandés, -esa **1** *adj* hollandais(e) **2** *nm,f* Hollandais(e) *m,f* **3** *nm (lengua)* hollandais *m*

holding ['xoldin] *(pl* **holdings)** *nm* holding *m*

holgado, -a *adj (ancho)* ample; *(situación económica)* aisé(e); *(victoria)* facile

holgar [16] *vi* être inutile; **huelga decir que...** inutile de dire que...

holgazán, -ana *adj & nm,f* fainéant(e) *m,f*

holgazanear *vi* traîner

holgura *nf (anchura)* ampleur *f*; *(distancia)* espace *m*; *(entre piezas)* jeu *m*; *(bienestar)* aisance *f*

hollar [63] *vt* fouler

hollín *nm* suie *f*

holocausto *nm* holocauste *m*

holograma *nm* hologramme *m*

hombre **1** *nm* homme *m*; **el h. de la calle** *o* **de a pie** l'homme de la rue; **un buen h.** un brave homme; **h. de mundo** homme du monde; **h. de palabra** homme de parole; **pobre h.** pauvre homme; **de h. a h.** d'homme à homme ☆ *h. orquesta* homme-orchestre *m*; *h. rana* homme-grenouille *m*; *Fam el h. del saco* le croque-mitaine **2** *interj (sorpresa)* tiens!; *(evidencia)* et comment!; **ven aquí h., no llores** viens ici, va, ne pleure pas; *Irón* **¡sí, h.!** c'est ça!

hombrera *nf* épaulette *f*

hombría *nf* virilité *f*

hombro *nm* épaule *f*; **a hombros** sur les épaules; **encogerse de hombros** hausser les épaules; *Fig* **arrimar el h.** donner un coup de main

hombruno, -a *adj* masculin(e); **tiene una voz hombruna** elle a la voix grave

homenaje *nm* hommage *m*; **en h. a** en hommage à; **rendir h. a alguien** rendre hommage à qn

homenajeado, -a 1 *adj* honoré(e)

2 *nm,f* = personne à laquelle il est rendu hommage

homenajear *vt* honorer

homeopatía *nf* homéopathie *f*

homicida *adj & nmf* meurtrier(ère) *m,f*

homicidio *nm* homicide *m*

homilía *nf* homélie *f*

homogéneo, -a *adj* homogène

homologar [38] *vt* homologuer; **h. con** *(equiparar)* aligner sur

homólogo, -a *adj & nm,f* homologue *mf*

homónimo, -a 1 *adj* homonyme

2 *nm* homonyme *m*

homosexual *adj & nmf* homosexuel(elle) *m,f*

homosexualidad *nf* homosexualité *f*

hondo, -a *adj* profond(e); **en lo más h. de** au plus profond de

hondonada *nf* dépression *f (du terrain)*

Honduras *n* le Honduras

hondureño, -a 1 *adj* hondurien (enne)

2 *nm,f* Hondurien(enne) *m,f*

honestidad *nf* honnêteté *f*

honesto, -a *adj* honnête

hongo *nm* champignon *m*; *(sombrero)* chapeau *m* melon

honor *nm* honneur *m*; **en h. a la verdad** pour être franc (franche); **hacer h. a** faire honneur à; **honores** *(ceremonial)* honneurs *mpl*

honorabilidad *nf* honorabilité *f*

honorable *adj* honorable

honorario, -a 1 *adj* honoraire

2 *nmpl* **honorarios** honoraires *mpl*

honorífico, -a *adj* honorifique

honra *nf* honneur *m*; **tener a mucha h. algo** se flatter de qch; **¡claro que soy ecologista, y a mucha h.!** bien sûr que je suis écologiste, et fier de l'être!

honradez *nf* honnêteté *f*

honrado, -a *adj* honnête

honrar 1 *vt* honorer (**con** de)

2 honrarse *vpr* s'honorer (**con** *o* **de** *o* **en** de)

honroso, -a *adj* honorable

hora *nf* heure *f*; *(cita)* rendez-vous *m*; **a la h.** à l'heure; **a primera h.** à la première heure; **a primera/última h. de** en début/fin de; **a última h.** au dernier moment; **dar la h.** sonner l'heure; **de última h.** de dernière heure; *(noticia, información)* de dernière minute; **en su h.** le moment venu; **¿éstas son horas de llegar?** c'est à cette heure-ci qu'on rentre?; **¿qué h. es?** quelle heure est-il?; **trabajar/ pagar por horas** travailler/payer à l'heure; **¡ya era h.!** il était temps!; **dar/pedir h.** donner/prendre rendez-vous; **tener h. en el dentista** avoir rendez-vous chez le dentiste; **llegó su h.** *(su muerte)* son heure a sonné; **a buenas horas me lo dices/lo traes** c'est maintenant que tu me le dis/tu me l'apportes; **en mala h. lo creí** mal m'en a pris de le croire; **a h. de la verdad** au moment crucial ☆ *horas extraordinarias* heures supplémentaires; *h. oficial* heure légale; *horas de oficina* heures de bureau; *RP h. pico* heure de pointe; *h. punta* heure de pointe; *horas de trabajo* heures de travail; *horas de* *visita* heures de consultation; *media h.* demi-heure *f*

horario, -a 1 *adj* horaire **2** *nm* horaire *m*; *(escolar)* emploi *m* du temps ☆ *h. comercial* heures *fpl* d'ouverture; *h. intensivo* journée *f* continue; *h. laboral* horaire de travail; *h. partido* = journée de travail en deux tranches: l'une le matin, l'autre en fin d'après-midi

horca *nf (patíbulo)* potence *f*; *(apero de labranza)* fourche *f*

horcajadas: a horcajadas *adv* à califourchon

horchata *nf* orgeat *m* (de souchet)

horizontal *adj* horizontal(e)

horizonte *nm* horizon *m*; *eso te abrirá nuevos horizontes* ceci t'ouvrira de nouveaux horizons

horma *nf (molde)* forme *f*; *(utensilio)* embauchoir *m*

hormiga *nf* fourmi *f*

hormigón *nm* béton *m*; *h. armado* béton armé

hormigonera *nf* bétonnière *f*

hormigueo *nm* **sentir h. en...** avoir des fourmis dans...

hormiguero *nm también Fig* fourmilière *f*

hormona *nf* hormone *f*

hornada *nf* fournée *f*

hornear *vt* enfourner

hornillo *nm* réchaud *m*; *(de laboratorio)* fourneau *m*

horno *nm* four *m* ☆ *alto h.* haut-fourneau *m*; *h. eléctrico* four électrique; *h. microondas* four à micro-ondes

horóscopo *nm (signo)* signe *m* (du zodiaque); *(predicción)* horoscope *m*

horquilla *nf (para el pelo)* épingle *f* à cheveux; *(de bicicleta)* fourche *f*

horrendo, -a *adj (espantoso)* horrible; *Fam (muy malo, feo)* atroce

hórreo *nm* = silo en bois sur pilotis en Galice et dans les Asturies

horrible *adj* horrible

horripilante *adj Fam (muy malo, feo)* atroce; *(espeluznante)* terrifiant(e)

horripilar *vt* terrifier

horror *nm* horreur *f*; *¡qué h.!* quelle horreur!; *los horrores de la guerra* les horreurs de la guerre; *producir h. a alguien* horrifier qn; *Fam* *me gusta horrores el chocolate* j'adore le chocolat

horrorizado, -a *adj* épouvanté(e)

horrorizar [14] **1** *vt* épouvanter **2 horrorizarse** *vpr* être épouvanté(e)

horroroso, -a *adj* horrible; *Fam (enorme)* atroce

hortaliza *nf* légume *m*

hortelano, -a *adj & nm,f* maraîcher (ère) *m,f*

hortensia *nf* hortensia *m*

hortera *adj & nmf Fam* ringard(e) *m,f*

horterada *nf Fam* *¡es una h.!* c'est d'un ringard!; *una h. de bolso* un sac hyper-ringard

horticultor, -ora *nm,f* horticulteur(trice) *m,f*

hosco, -a *adj (persona)* bourru(e)

hospedar 1 *vt* héberger **2 hospedarse** *vpr* loger; *(en un hotel)* descendre; *se hospedó en el hotel Miramar* il est descendu à l'hôtel Miramar

hospicio *nm (para niños)* orphelinat *m*; *(para pobres)* foyer *m* d'accueil

hospital *nm* hôpital *m*

hospitalario, -a *adj (de hospital)* hospitalier(ère); *(acogedor)* accueillant(e)

hospitalidad *nf* hospitalité *f*

hospitalizar [14] *vt* hospitaliser

hosquedad *nf* antipathie *f*

hostal *nm* hôtel *m*

hostelería *nf* hôtellerie *f*

hostería *nf CSur* auberge *f*

hostia 1 *nf (para comulgar)* ostie *f*; *Vulg* **dar una h. a alguien** *(una bofetada)* foutre un gnon à qn; *Vulg* **había la h. de gente** *(mucha gente)* il y avait un monde dingue; *Vulg* **pegarse una h.** *(en vehículo)* se foutre en l'air
  2 *interj Vulg* **¡h.!, ¡hostias!** putain!

hostiar [32] *vt Vulg* péter la gueule à

hostigar [38] *vt* harceler

hostil *adj* hostile

hostilidad *nf* hostilité *f*

hotel *nm* hôtel *m*

hoy *adv* aujourd'hui; **de h. en adelante** dorénavant; **h. día, h. en día, h. por h.** de nos jours

hoyo *nm* trou *m*; *Fam (sepultura)* tombe *f*

hoyuelo *nm* fossette *f*

hoz *nf* faucille *f*

huaca = guaca

huacal = guacal

huachafo, -a *adj Perú Fam* ringard(e)

huaco = guaco

huarache = guarache

huasipungo *nm Andes* = parcelle de terre qu'un propriétaire terrien accorde à un paysan pour subvenir à ses besoins

huaso, -a *Chile* 1 *nm (a caballo)* = au Chili, gardien de troupeaux à cheval
  2 *nm,f (campesino)* paysan(anne) *m,f*

hubiera *ver* haber

hucha *nf* tirelire *f*

hueco, -a 1 *adj* creux(euse)
  2 *nm* creux *m*; *(espacio vacío)* place *f*

huelga 1 *ver* holgar
  2 *nf* grève *f*; **declararse/estar en h.** se mettre/être en grève ☆ **h. general** grève générale; **h. de hambre** grève de la faim

huelguista *adj & nmf* gréviste *mf*

huella 1 *ver* hollar
  2 *nf* trace *f*; *Fig (impresión profunda)* marque *f*; **dejar h. en** marquer ☆ **h. dactilar** empreinte *f* digitale

huérfano, -a *adj & nm,f* orphelin(e) *m,f*

huerta *nf (de verduras)* plaine *f* maraîchère; *(de árboles frutales)* verger *m*; *(tierra de regadío)* = plaines maraîchères irriguées de Valence et de Murcie

huerto *nm (de verduras)* jardin *m* potager, potager *m*; *Fam Fig* **llevarse a alguien al h.** *(convencer)* convaincre qn; *(acostarse con)* coucher avec qn

hueso *nm (del cuerpo)* os *m*; *(de fruta)* noyau *m*; *Fam (persona)* peau *f* de vache; *Fam (asignatura)* bête *f* noire; *Méx Fam* sinécure *f*; **estar en los huesos** n'avoir que la peau sur les os

huésped, -eda *nm,f* hôte *m*, hôtesse *f*; *(de un hotel)* client(e) *m,f*

huesudo, -a *adj* osseux(euse)

hueva *nf* œufs *mpl (de poisson)*

huevada *nf Andes muy Fam* connerie *f*

huevo *nm* œuf *m*; *Vulg* **huevos** *(testículos)* couilles *fpl*; *Vulg* **¡y un h.!** mon cul!; *Vulg* **un h. de gente** un monde dingue ☆ **h. duro** œuf dur; **h. frito** œuf sur le plat; **h. pasado por agua,** *Am* **h. a la copa** o **tibio** œuf à la coque; **huevos al plato** = œufs sur le plat accompagnés de chorizo; **huevos revueltos** œufs brouillés

huevón, -ona *Chile Vulg* 1 *nm,f* flemmard(e) *m,f*
  2 *nm* connard *m*

huida *nf* fuite *f*; *(de preso)* évasion *f*

huidizo, -a *adj* fuyant(e); *(animal)* farouche

huipil *nm CAm, Méx (tela)* = toile traditionnelle brodée; *(ropa)* = vêtement traditionnel (robe ou chemisier) porté par les Indiennes

huir [34] **1** *vi (escapar)* s'enfuir; *(evitar)* fuir; **h. de algo/alguien** fuir qch/qn
2 *vt* fuir

huitlacoche = cuitlacoche

hule *nm* toile *f* cirée; *(de bebé)* alaise *f*

humanidad *nf* humanité *f*; **humanidades** sciences *fpl* humaines

humanismo *nm* humanisme *m*

humanitario, -a *adj* humanitaire

humanizar [14] **1** *vt* humaniser
2 humanizarse *vpr* s'humaniser

humano, -a 1 *adj* humain(e)
2 *nm* homme *m*

humareda *nf* nuage *m* de fumée

humear *vi* fumer

humedad *nf* humidité *f*

humedecer [46] **1** *vt* humecter; *(ropa para planchar)* humidifier
2 humedecerse *vpr* s'humecter

húmedo, -a *adj* humide

humidificar [59] *vt* humidifier

humildad *nf* humilité *f*

humilde *adj* humble

humillación *nf* humiliation *f*

humillado, -a *adj* humilié(e)

humillante *adj* humiliant(e)

humillar 1 *vt* humilier
2 humillarse *vpr* s'humilier

humita *nf Andes, Arg* = pâte à base de purée de maïs, de fromage, de piment et d'oignon, cuite à la vapeur dans une enveloppe d'épi de maïs

humo *nm* fumée *f*; **aquí hay mucho h.** c'est très enfumé ici; *Fig* **bajarle a alguien los humos** rabaisser ses prétentions à qn; *Fig* **tener (unos) humos** prendre de grands airs; *Fig* **se le han subido los humos** ça lui est monté à la tête

humor *nm* humeur *f*; *(gracia)* humour *m*; **buen/mal h.** bonne/mauvaise humeur; **un programa de h.** une émission humoristique ☆ *h. negro* humour noir

humorista *nmf (cómico)* comique *mf*; *(dibujante, autor)* humoriste *mf*

humorístico, -a *adj* humoristique

humus *nm inv (del suelo)* humus *m*; *(crema de garbanzos)* hoummos *m*

hundimiento *nm (naufragio)* naufrage *m*; *(ruina)* effondrement *m*

hundir 1 *vt* plonger; *(barco)* couler; *(garras, uñas)* planter; *(terreno)* provoquer l'effondrement de; *Fig (persona)* anéantir
2 hundirse *vpr (objeto)* couler; *(submarino)* plonger; *(techo, persona)* s'effondrer

húngaro, -a 1 *adj* hongrois(e)
2 *nm,f* Hongrois(e) *m,f*
3 *nm (lengua)* hongrois *m*

Hungría *n* la Hongrie

huracán *nm* ouragan *m*

huraño, -a *adj* farouche

hurgar [38] **1** *vi* fouiller
2 hurgarse *vpr* **hurgarse la nariz** se mettre les doigts dans le nez

hurón *nm (animal)* furet *m*; *Fig (persona)* ours *m*

hurra *interj* hourra!

hurtadillas: a hurtadillas *adv* en cachette

hurtar *vt* dérober

hurto *nm* larcin *m*

husmear 1 *vt (olfatear)* flairer
2 *vi (curiosear)* fureter

huso *nm* fuseau *m* ☆ *h. horario* fuseau horaire

huy *interj (dolor)* aïe!; *(sorpresa)* oh là là!

I

I, i *nf (letra)* I *m inv*, i *m inv*
iba *ver* **ir**
ibérico, -a *adj* ibérique
íbero, -a 1 *adj* ibère
 2 *nm,f* Ibère *mf*
 3 *nm (lengua)* ibère *m*
iberoamericano, -a 1 *adj* latino-américain(e)
 2 *nm,f* Latino-Américain(e) *m,f*
iceberg *(pl* **icebergs)** *nm* iceberg *m*
Icona *nm (abrev* **Instituto Nacional para la Conservación de la Naturaleza)** = organisme espagnol de protection de la nature
icono *nm* icône *f*
iconoclasta *adj & nmf* iconoclaste *mf*
I+D ['imas'de] *(abrev de* **investigación y desarrollo)** R&D *f*
id *ver* **ir**
ida *nf* aller *m*; **un billete de i. y vuelta** un billet aller-retour
idea *nf* idée *f*; *(propósito, plan)* intention *f*; *(conocimiento)* notion *f*; **a mala i.** avec l'intention de nuire; **cambiar de i.** changer d'avis; **con la i. de** avec l'intention de; **no tener ni i. de algo** *(suceso)* ne pas avoir la moindre idée de qch; *(asignatura, tema)* ne rien y connaître en qch ☆ *i. fija* idée fixe
ideal 1 *adj* idéal(e)
 2 *nm* idéal *m*; **ideales** idéaux *mpl*
idealista *adj & nmf* idéaliste *mf*

idealizar [14] *vt* idéaliser
idear *vt* concevoir
ideario *nm* idéologie *f*
ídem *adv* idem; *Fam* **í. de í.** kif-kif *inv*
idéntico, -a *adj* identique (**a** à)
identidad *nf* identité *f*
identificación *nf* identification *f*
identificar [59] **1** *vt (reconocer)* identifier
 2 identificarse *vpr* **identificarse con** *(persona)* s'identifier à; *(idea)* se sentir proche de
ideología *nf* idéologie *f*
ideólogo, -a *nm,f* idéologue *mf*
idílico, -a *adj* idyllique
idilio *nm* idylle *f*
idioma *nm* langue *f*
idiosincrasia *nf* idiosyncrasie *f*
idiota *adj & nmf* idiot(e) *m,f*
idiotez *nf* idiotie *f*
ido, -a *adj (loco)* fou (folle); *(abstraído)* distrait(e)
idolatrar *vt* idolâtrer
ídolo *nm* idole *f*
idóneo, -a *adj* idéal(e); *(persona)* indiqué(e); *(palabra, respuesta)* bon (bonne)
iglesia *nf* église *f*; **la I.** l'Église
iglú *(pl* **iglúes)** *nm* igloo *m*
ignición *nf (de motor)* allumage *m*
ignorancia *nf* ignorance *f*
ignorante *adj & nmf* ignorant(e) *m,f*

ignorar *vt* ignorer

igual 1 *adj (idéntico, parecido)* pareil (eille); *(liso, constante)* égal(e); **dos libros iguales** deux livres pareils; **llevan jerseys iguales** ils portent le même pull; **i. que** le même que; **mi lápiz es i. que el tuyo** j'ai le même crayon que toi; **su hija es i. que ella** sa fille est comme elle; **A más B es i. a C** A plus B égale C

2 *nmf* égal(e) *m,f*; **sin i.** sans égal(e) **3** *adv (de la misma manera)* de la même façon; *(posiblemente)* peut-être; *Andes, RP (aun así)* quand même; **al i. que** de la même façon que; **por i.** de la même façon; **repartió el dinero por i.** il a distribué l'argent à parts égales; **i. viene** il viendra peut-être; **me da i. salir o quedarme** ça m'est égal de sortir ou de rester là; **es i. a la hora que vengas** viens quand tu veux, ça n'a pas d'importance; *Andes, RP* **quedó probada su inocencia, pero lo mataron i.** son innocence avait été prouvée mais ils l'ont tué quand même

igualado, -a *adj* **estar i.** être à égalité; **están muy igualados** ils sont quasiment à égalité

igualar 1 *vt (sueldos, terreno)* égaliser; **i. algo/a alguien a** *o* **con** mettre qch/qn sur le même plan que; **i. a alguien en** égaler qn en; **nadie le iguala en generosidad** sa générosité n'a pas d'égale

2 *vi (empatar)* égaliser **3 igualarse** *vpr* être égal(e); **igualarse a** *o* **con alguien** se comparer à qn

igualdad *nf* égalité *f*; **en i. de condiciones** à conditions égales ☆ *i. de oportunidades* égalité des chances

igualitario, -a *adj* égalitaire

igualmente *adv (también)* également; **recuerdos a tus padres — i.** mon bon souvenir à tes parents — et aux tiens aussi; **¡que te diviertas mucho! — ¡i.!** amuse-toi bien! — toi aussi!; **encantado (de conocerla) — i.** enchanté (de faire votre connaissance) — moi de même

iguana *nf* iguane *m*

ikurriña *nf* = drapeau officiel du Pays basque espagnol

ilegal *adj* illégal(e)

ilegible *adj* illisible

ilegítimo, -a *adj* illégitime

ileso, -a *adj* indemne; **el conductor salió** *o* **resultó i.** le conducteur est sorti indemne de l'accident

ilícito, -a *adj* illicite

ilimitado, -a *adj* illimité(e)

ilógico, -a *adj* illogique

iluminación *nf* éclairage *m*; *(en fiestas)* illuminations *fpl*; **esta calle tiene poca i.** cette rue est peu éclairée

iluminar 1 *vt* illuminer; *(dar luz, clarificar)* éclairer

2 iluminarse *vpr (calle)* être éclairé(e); *(rostro, mirada)* s'illuminer, s'éclairer

ilusión *nf* illusion *f*; *(esperanza)* rêve *m*; *(confianza)* espoir *m*; *(emoción)* joie *f*; **hacerse** *o* **forjarse ilusiones** se faire des illusions; **¡qué i. verte!** quel plaisir de te voir!; **me hace (mucha) i. que vengas** ça me fait (très) plaisir que tu viennes ☆ *i. óptica* illusion d'optique

ilusionar 1 *vt (emocionar)* ravir; **i. a alguien** *(esperanzar)* donner de faux espoirs à qn; **me ilusiona verte** je suis ravi(e) de te voir

2 ilusionarse *vpr (emocionarse)* se réjouir (**con** de); *(esperanzarse)* se faire des illusions (**con** sur)

ilusionista *nmf* illusionniste *mf*

iluso, -a *adj & nm,f* naïf(ïve) *m,f*

ilusorio, -a *adj* illusoire

ilustración *nf (estampa)* illustration *f*; *(cultura)* instruction *f*; *Hist* **la I.** le siècle des Lumières

ilustrado, -a *adj (publicación)* illustré(e); *(persona)* instruit(e)

ilustrador, -ora *nm,f* illustrateur (trice) *m,f*

ilustrar *vt* illustrer; *(educar)* instruire

ilustrativo, -a *adj* illustratif(ive)

ilustre *adj* illustre; **el muy i. señor alcalde** monsieur le maire

imagen *nf* image *f*; **ser la viva i. de alguien** être tout le portrait de qn; **a i. y semejanza de** à l'image de

imaginación *nf (facultad)* imagination *f*; **pasar por la i. de alguien** venir à l'esprit *ou* à l'idée de qn; **imaginaciones** *(idea falsa)* idées *fpl*; **son imaginaciones tuyas** tu te fais des idées

imaginar 1 *vt* imaginer
  2 **imaginarse** *vpr* s'imaginer

imaginario, -a *adj* imaginaire

imaginativo, -a *adj* imaginatif(ive)

imán *nm (para atraer)* aimant *m*; *(jefe musulmán)* imam *m*

imbécil *adj & nmf* imbécile *mf*

imbecilidad *nf* imbécillité *f*

imberbe *adj* imberbe

imborrable *adj (recuerdo)* ineffaçable, indélébile

imbuir [34] *vt* inculquer

imitación *nf* imitation *f*; *(de obra literaria)* plagiat *m*; **joya de i.** bijou *m* fantaisie; **piel de i.** imitation cuir

imitador, -ora *nm,f* imitateur(trice) *m,f*; **es una imitadora de...** elle imite...

imitar *vt* imiter

impaciencia *nf* impatience *f*

impacientar 1 *vt* impatienter
  2 **impacientarse** *vpr* s'impatienter

impaciente *adj* impatient(e) (**por** de)

impactar *vt (golpear)* frapper; *Fig (afectar)* toucher

impacto *nm* impact *m*; *(emocional)* choc *m*; **causar un gran i. en alguien** faire un choc à qn

impagado, -a 1 *adj* impayé(e)
  2 *nm* impayé *m*

impar *adj (número)* impair(e)

imparable *adj* imparable

imparcial *adj* impartial(e)

imparcialidad *nf* impartialité *f*

impartir *vt (clases)* donner; *(conocimientos)* transmettre; **i. justicia** rendre la justice

impase, impasse [im'pas] *nm* impasse *f*

impasible *adj* impassible

impávido, -a *adj (impasible)* impassible; *(valiente)* impavide

impecable *adj* impeccable

impedido, -a 1 *adj* handicapé(e); **estar i. de** avoir perdu l'usage de
  2 *nm,f* handicapé(e) *m,f*

impedimento *nm* empêchement *m*

impedir [47] *vt (imposibilitar)* empêcher; *(dificultar)* gêner; **i. a alguien hacer algo** empêcher qn de faire qch; **nada te lo impide** rien ne t'en empêche

impenetrable *adj también Fig* impénétrable

impensable *adj* impensable

impepinable *adj Fam* indiscutable

imperante *adj* dominant(e)

imperar *vi* régner, dominer

imperativo, -a 1 *adj* impératif(ive)
  2 *nm* impératif *m*

imperceptible *adj* imperceptible

imperdible *nm* épingle *f* de nourrice

imperdonable *adj* impardonnable

imperfección *nf* imperfection *f*

imperfecto, -a 1 *adj* imparfait(e)
  2 *nm* imparfait *m*

imperial *adj* impérial(e)

imperialismo *nm* impérialisme *m*

imperio *nm* empire *m*; *(mandato)* règne *m*

imperioso, -a *adj* impérieux(euse)

impermeabilizar [14] *vt* imperméabiliser

impermeable 1 *adj* imperméable
  2 *nm* imperméable *m*

impersonal *adj* impersonnel(elle)

impertinencia *nf* impertinence *f*

impertinente 1 *adj & nmf* impertinent(e) *m,f*
 2 *nmpl* **impertinentes** face-à-main *m*

imperturbable *adj* imperturbable

ímpetu *nm (empuje)* force *f*; *(energía)* énergie *f*

impetuoso, -a 1 *adj (olas, viento, ataque)* violent(e); *(ritmo)* soutenu(e); *(persona)* impulsif(ive), impétueux(euse)
 2 *nm,f* impulsif(ive) *m,f*

impío, -a *adj* impie

implacable *adj* implacable

implantar 1 *vt* implanter; *(prótesis)* poser
 2 implantarse *vpr* s'implanter

implicación *nf* implication *f*

implicancia *nf RP* conséquence *f*

implicar [59] **1** *vt* impliquer
 2 implicarse *vpr* **implicarse en** intervenir dans, se mêler de

implícito, -a *adj* implicite

implorar *vt* implorer

imponente *adj (edificio, montaña)* imposant(e); *(obra, espectáculo)* impressionnant(e); **¡estás i. con ese abrigo!** tu es superbe dans ce manteau!

imponer [50] **1** *vt* imposer; **i. respeto/silencio** imposer le respect/le silence
 2 *vi* en imposer
 3 imponerse *vpr* s'imposer

impopular *adj* impopulaire

importación *nf* importation *f*

importador, -ora *adj & nm,f* importateur(trice) *m,f*

importancia *nf* importance *f*; **dar i. a algo** accorder de l'importance à qch; **no tiene i.** ça n'a pas d'importance; **quitar i. a algo** relativiser qch; *Fig* **darse i.** se donner de l'importance, faire l'important(e)

importante *adj* important(e)

importar 1 *vt* importer; *(sujeto: factura)* s'élever à; *(sujeto: artículo, mercancía)* valoir
 2 *vi (preocupar)* importer; **eso a ti no te importa** ça ne te regarde pas; **me importas mucho** tu comptes beaucoup pour moi; **no me importa** ça m'est égal; **nos importa saber...** il est important pour nous de savoir...; **¿y a ti qué te importa?** qu'est-ce que ça peut te faire?; **¿te importa que venga contigo?** ça t'ennuie si je viens avec toi?
 3 *v impersonal* avoir de l'importance; **no importa** ça ne fait rien; **¡qué importa si llueve!** ça ne fait rien s'il pleut!

importe *nm (de factura)* montant *m*; *(de mercancía)* prix *m*

importunar 1 *vt* importuner
 2 *vi* être importun(e)

importuno, -a = **inoportuno**

imposibilidad *nf* impossibilité *f*

imposibilitado, -a *adj* paralysé(e); **estar i. para hacer algo** être inapte à faire qch; **verse i. para o de hacer algo** se voir dans l'impossibilité de faire qch

imposibilitar *vt* **i. a alguien (para) hacer algo** empêcher qn de faire qch, mettre qn dans l'impossibilité de faire qch

imposible *adj* impossible

imposición *nf (acción de imponer)* fait *m* d'imposer; *(obligación)* contrainte *f*; *(tributo)* imposition *f*; *(de dinero en cuenta)* dépôt *m*

impostor, -ora *nm,f (suplantador)* imposteur *m*; *(calumniador)* calomniateur(trice) *m,f*

impotencia *nf* impuissance *f*

impotente 1 *adj* impuissant(e)
 2 *nm* impuissant *m*

impracticable *adj (irrealizable)* irréalisable; *(intransitable)* impraticable; **el buceo es i. sin aletas** on ne peut pas faire de plongée sans pal-mes

imprecisión *nf* imprécision *f*

impreciso, -a *adj* imprécis(e)

impregnar 1 *vt* imprégner

    2 impregnarse *vpr* s'imprégner (**de** de)

imprenta *nf* imprimerie *f*

imprescindible *adj* indispensable

impresentable 1 *adj* **estás i.** tu n'es pas présentable

    2 *nmf* **es un i.** il n'est pas sortable

impresión *nf* impression *f*; *(huella)* marque *f*; *(en barro)* empreinte *f*; **cambiar impresiones** échanger des impressions; **causar (una) buena/ma-la i.** faire bonne/mauvaise impres-sion; **dar la i. de** donner l'impression de; **tener la i. de que** *o* **que** avoir l'im-pression que ☆ *i.* **digital** *o* **dactilar** empreinte digitale

impresionable *adj* impressionnable

impresionante *adj* impression-nant(e)

impresionar 1 *vt* impressionner; *(sonidos, discurso)* enregistrer

    2 *vi* **esta película impresiona mucho** ce film est très impressionnant

    3 impresionarse *vpr* être impres-sionné(e)

impresionismo *nm* impression-nisme *m*

impreso, -a 1 *participio ver* imprimir

    2 *adj* imprimé(e)

    3 *nm (formulario)* imprimé *m*

impresor, -ora 1 *nm,f* imprimeur *m*

    2 *nf* **impresora** *Informát* impri-mante *f* ☆ *impresora de chorro de tinta* imprimante à jet d'encre; *im-presora láser* imprimante laser

imprevisible *adj* imprévisible

imprevisto, -a 1 *adj* imprévu(e)

    2 *nm* imprévu *m*; **salvo imprevistos** sauf imprévu; **imprevistos** *(gastos)* faux frais *mpl*

imprimir *vt & vi* imprimer

improbable *adj* improbable

improcedente *adj (fuera de lugar)* inopportun(e); *(comentario)* hors de propos; *(petición, reclamación)* irrecevable; *Der* irrégulier(ère)

improperio *nm* injure *f*

impropio, -a *adj (inadecuado)* inap-proprié(e); *(vocabulario)* impropre; *(extraño)* inhabituel(elle); **es i. de el-la** ça ne lui ressemble guère

improvisación *nf* improvisation *f*

improvisar *vt* improviser

improviso: de improviso *adv* à l'im-proviste

imprudencia *nf* imprudence *f* ☆ *i. temeraria* imprudence

imprudente *adj & nmf* impru-dent(e) *m,f*

impúdico, -a *adj* impudique

impuesto, -a 1 *participio ver* impo-ner

    2 *nm* impôt *m*, taxe *f* ☆ *i. municipal* impôts locaux; *i. sobre la renta* im-pôt sur le revenu; *i. sobre el valor añadido* taxe sur la valeur ajoutée

impugnar *vt* contester

impulsar *vt* pousser; *(promocionar)* stimuler, développer; **i. a alguien a algo/a hacer algo** pousser qn à qch/à faire qch

impulsivo, -a *adj & nm,f* impulsif (ive) *m,f*

impulso *nm* impulsion *f*; *(fuerza, arrebato)* élan *m*; **obedecer a sus im-pulsos** obéir à ses impulsions; **tener un i. de generosidad** avoir un élan de générosité; **tomar i.** prendre de l'élan

impulsor, -ora 1 *adj* moteur(trice)

    2 *nm,f* promoteur(trice) *m,f*

impune *adj* impuni(e); **quedar i.** res-ter impuni(e)

impunidad *nf* impunité *f*; **con la más absoluta i.** en toute impunité

impureza *nf* impureté *f*

impuro, -a *adj* impur(e)

imputación *nf* imputation *f*

imputar *vt* imputer

inabarcable *adj* trop vaste

inacabable *adj* interminable

inaccesible *adj* inaccessible

inaceptable *adj* inacceptable

inactividad *nf* inactivité *f*

inactivo, -a *adj* inactif(ive)

inadaptado, -a *adj & nm,f* inadapté(e) *m,f*

inadecuado, -a *adj* inadéquat(e)

inadmisible *adj* inadmissible

inadvertido, -a *adj* inaperçu(e); **pasar i.** passer inaperçu

inagotable *adj* inépuisable

inaguantable *adj* insupportable

inalámbrico *adj* sans fil *inv*

inalcanzable *adj* inaccessible

inalterable *adj* inaltérable; *(carácter)* imperturbable

inamovible *adj* inamovible

inanición *nf* malnutrition *f*; **morir de i.** mourir de faim

inanimado, -a *adj* inanimé(e)

inapetencia *nf* manque *m* d'appétit

inapreciable *adj (incalculable)* inappréciable, inestimable; *(nimio)* insignifiant(e); *(diferencia)* imperceptible

inapropiado, -a *adj* inapproprié(e); *(comportamiento, actitud)* déplacé(e)

inasequible *adj (por el precio)* inabordable; *(inalcanzable)* inaccessible

inaudible *adj* inaudible

inaudito, -a *adj* inouï(e)

inauguración *nf* inauguration *f*; *(de congreso)* cérémonie *f* d'ouverture; *(de carretera)* mise *f* en service

inaugurar *vt* inaugurer

inca 1 *adj* inca

  2 *nmf* Inca *mf*

incaico, -a *adj* inca

incalculable *adj* incalculable

incalificable *adj* inqualifiable

incandescente *adj* incandescent(e)

incansable *adj* infatigable

incapacidad *nf* incapacité *f*; **i. laboral** incapacité de travail

incapacitado, -a 1 *adj* inapte **(para** à)

  2 *nm,f* handicapé(e) *m,f*

incapacitar *vt* **i. para** empêcher de; *(para trabajar)* rendre inapte à

incapaz *adj* incapable **(de** de); **es i. de matar una mosca** il ne ferait pas de mal à une mouche; *Der* **declarar i. a alguien** frapper qn d'incapacité; **ser i. para** *(no tener talento para)* ne pas être doué(e) pour

incario *nm Andes* époque *f* inca

incautación *nf* saisie *f*

incautarse *vpr* **i. de** saisir; *(apoderarse de)* s'emparer de

incauto, -a *adj & nm,f* naïf(ive) *m,f*

incendiar 1 *vt* incendier

  2 incendiarse *vpr* prendre feu

incendiario, -a *adj & nm,f* incendiaire *mf*

incendio *nm* incendie *m* ☆ **i. forestal** incendie de forêt; **i. provocado** incendie volontaire

incentivar *vt* stimuler

incentivo *nm* incitation *f*; **un trabajo sin incentivos** un travail peu motivant

incertidumbre *nf* incertitude *f*

incesto *nm* inceste *m*

incidencia *nf (repercusión)* incidence *f*; *(suceso)* incident *m*

incidente *nm* incident *m*

incidir *vi* **i. en** *(caer en, dar en)* tomber dans; *(insistir)* mettre l'accent sur; *(influir)* avoir une incidence sur; **i. en repeticiones** se répéter

incienso *nm* encens *m*

incierto, -a *adj (dudoso)* incertain(e); *(falso)* faux (fausse)

incineración *nf* incinération *f*

incinerar vt incinérer

incipiente adj naissant(e)

incisión nf incision f

incisivo, -a 1 adj también Fig incisif(ive)
   2 nm (diente) incisive f

inciso nm (en un discurso) parenthèse f

incitar vt i. a alguien a algo/a hacer algo inciter qn à qch/à faire qch

inclemencia nf (del clima) rigueur f; (de persona) dureté f

inclinación nf (desviación) inclinaison f; (de terreno) pente f; (afición, saludo) inclination f; **sentir i. por** avoir un penchant pour

inclinar 1 vt incliner; **i. la cabeza** (para saludar) incliner la tête; (para leer) pencher la tête; **i. a alguien a hacer algo** pousser qn à faire qch; Fig **i. la balanza a favor de** faire pencher la balance en faveur de
   2 inclinarse vpr (doblarse) se pencher; **inclinarse (ante)** (para saludar) s'incliner (devant); Fig **inclinarse por** (preferir) pencher pour; Fig **inclinarse a** (tender a) être enclin(e) à

incluir [34] vt (poner dentro) inclure; (contener) comprendre

inclusive adv y compris; **hasta la página 9 i.** jusqu'à la page 9 incluse

incluso, -a 1 adj inclus(e)
   2 adv même; **invitó a todos, i. a tu hermano** il a invité tout le monde, même ton frère; **i. nos invitó a cenar** il nous a même invités à dîner

incógnito, -a 1 adj inconnu(e); **de i.** incognito
   2 nf **incógnita** (enigma) mystère m; (de ecuación) inconnue f

incoherencia nf incohérence f

incoherente adj incohérent(e)

incoloro, -a adj incolore

incomible adj immangeable

incomodar 1 vt (molestar) gêner; (sujeto: situación) mettre mal à l'aise
   2 incomodarse vpr (enojarse) se fâcher (**por** à cause de)

incomodidad nf **ser una i.** (no ser confortable) ne pas être confortable; (no ser adecuado) ne pas être pratique

incómodo, -a adj (molesto) gênant(e); **ser i.** (no confortable) ne pas être confortable; (inadecuado) ne pas être pratique; **sentirse i.** se sentir mal à l'aise

incomparable adj incomparable

incompatible adj incompatible

incompetencia nf incompétence f

incompetente adj incompétent(e)

incompleto, -a adj incomplet(ète)

incomprendido, -a nm,f incompris(e) m,f

incomprensible adj incompréhensible

incomprensión nf incompréhension f

incomunicado, -a adj isolé(e)

inconcebible adj inconcevable

inconcluso, -a adj inachevé(e)

incondicional adj & nmf inconditionnel(elle) m,f

inconexo, -a adj décousu(e)

inconformismo nm non-conformisme m

inconfundible adj caractéristique, reconnaissable entre tous (tou es)

incongruente adj incongru(e); (relato) incohérent(e)

inconsciencia nf también Fig inconscience f

inconsciente 1 adj & nmf inconscient(e) m,f
   2 nm **el i.** l'inconscient m

inconsecuente 1 adj inconséquent(e)
   2 nmf **ser un i.** être inconséquent

inconsistente adj inconsistant(e)

inconstante adj inconstant(e)

inconstitucional *adj* inconstitutionnel(elle)

incontable *adj (cantidad)* innombrable; **un número i. de** un nombre incalculable de

incontinencia *nf* incontinence *f*

incontrolable *adj* incontrôlable

inconveniencia *nf (despropósito)* inconvenance *f*; **ser una i.** être un inconvénient

inconveniente 1 *adj (dicho, conducta)* déplacé(e); *(ropa, estilo)* inconvenant(e)

2 *nm (desventaja)* inconvénient *m*; *(pega, obstáculo)* problème *m*; **poner inconvenientes** faire des difficultés

incordiar *vt Fam* casser les pieds à

incordio *nm Fam (persona)* casse-pieds *mf inv*; *(situación)* corvée *f*

incorporación *nf* incorporation *f*

incorporar 1 *vt (añadir)* incorporer; *(levantar)* redresser; **i. los huevos a la masa** incorporer les œufs à la pâte

2 incorporarse *vpr (levantarse)* se redresser; **incorporarse a algo** *(a equipo)* entrer à qch; *(a grupo)* se joindre à qch; *(a trabajo)* commencer qch

incorrección *nf* incorrection *f*

incorrecto, -a *adj* incorrect(e)

incorregible *adj* incorrigible

incorruptible *adj (material)* imputrescible; *(persona)* incorruptible

incredulidad *nf* incrédulité *f*

incrédulo, -a *adj & nm,f* incrédule *mf*, sceptique *mf*

increíble *adj* incroyable

incrementar 1 *vt* accroître

2 incrementarse *vpr* s'accroître, augmenter

incremento *nm* accroissement *m*; *(de temperaturas)* hausse *f*

increpar *vt (reprender)* blâmer; *(insultar)* injurier

incriminar *vt* incriminer

incrustar 1 *vt* enfoncer; *(diamantes, nácar)* incruster

2 incrustarse *vpr (adherirse)* s'incruster; *(dos objetos, vehículo)* s'encastrer; *Fig* **aquella imagen se le incrustó en la memoria** cette image s'est gravée dans sa mémoire

incubación *nf (de huevos, enfermedad)* incubation *f* ☆ *i. artificial* incubation artificielle; *período de i. (de enfermedad)* période *f* d'incubation

incubadora *nf* couveuse *f*

incubar *vt* couver

inculcar [59] *vt* **i. algo a alguien** inculquer qch à qn

inculpar *vt* inculper (**de** de)

inculto, -a 1 *adj* inculte

2 *nm,f* ignorant(e) *m,f*

incultura *nf* inculture *f*

incumbencia *nf* ressort *m*; **no es de mi i.** ce n'est pas de mon ressort; **eso no es asunto de tu i.** cela ne te regarde pas

incumbir *vi* incomber (**a** à)

incumplimiento *nm (de ley)* non-respect *m*; *(de orden)* non-exécution *f*; **i. de su palabra/su deber** manquement *m* à sa parole/son devoir ☆ *i. de contrato* non-respect de contrat

incumplir *vt (ley, contrato)* ne pas respecter; *(orden)* ne pas exécuter; *(deber, palabra)* manquer à; *(promesa)* ne pas tenir

incurable *adj* incurable

incurrir *vi* **i. en** *(falta, delito)* commettre; *(desprecio, odio, ira)* encourir, s'exposer à

incursión *nf* incursion *f*

incursionar *vi Am* faire une/des incursion(s) (**en** dans)

indagación *nf* investigation *f*

indagar [38] **1** *vt (orígenes, causas)* rechercher

2 *vi* enquêter

indecencia *nf* indécence *f*

indecente adj (impúdico) indécent (e); (indigno) infect(e)

indecible adj indicible, inexprimable

indecisión nf indécision f

indeciso, -a adj indécis(e); **estar i. sobre algo** ne pas arriver à se décider sur qch

indefenso, -a adj sans défense

indefinido, -a adj indéfini(e); **un contrato i.** un contrat à durée indéterminée

indeleble adj indélébile

indemne adj indemne

indemnización nf indemnisation f; (compensación) indemnité f

indemnizar [14] vt indemniser (**por** de)

independencia nf indépendance f

independentista adj & nmf indépendantiste mf

independiente adj indépendant(e)

independizar [14] **1** vt rendre indépendant(e); **i. a un país** accorder son indépendance à un pays

2 independizarse vpr (persona) s'émanciper; (país) accéder à l'indépendance; **independizarse de** devenir indépendant(e) de

indeseable adj indésirable

indestructible adj indestructible

indeterminado, -a adj indéterminé(e); **por un tiempo i.** pour une durée indéterminée; **el artículo i.** l'article indéfini

indexar vt Informát indexer

India n **(la) l.** l'Inde f

indicación nf indication f; (señal, gesto) signe m; **pedir/dar indicaciones** (para llegar a un sitio) demander son/indiquer le chemin

indicador, -ora 1 adj indicateur (trice)

2 nm indicateur m ☆ **i. económico** indicateur économique; **i. de velocidad** compteur m de vitesse

indicar [59] vt indiquer; (sujeto: médico) prescrire; **i. algo con la mirada** indiquer qch du regard

indicativo, -a 1 adj indicatif(ive)

2 nm indicatif m

índice nm indice m; (de natalidad, alcohol, incremento) taux m; (alfabético, de autores, obras, dedo) index m; (de temas, capítulos) table f des matières; (de una biblioteca) catalogue m ☆ **í. de precios al consumo** indice des prix à la consommation

indicio nm indice m (signe)

Índico nm el **í.** l'océan m Indien

indiferencia nf indifférence f

indiferente adj indifférent(e); **me es i.** ça m'est indifférent

indígena adj & nmf indigène mf

indigencia nf indigence f, dénuement m

indigente adj & nmf indigent(e) m,f

indigestarse vpr (de comida) avoir une indigestion; **i. de** se donner une indigestion de; Fam Fig **se me ha indigestado esa chica** je ne peux plus encaisser cette fille; **se me ha indigestado la novela** ce roman me sort par les yeux

indigestión nf indigestion f

indigesto, -a adj también Fig indigeste

indignación nf indignation f

indignar 1 vt indigner

2 indignarse vpr s'indigner (**por/con** devant/contre)

indigno, -a adj indigne (**de** de)

indio, -a 1 adj indien(enne)

2 nm,f Indien(enne) m,f; Fig **hacer el i.** faire le pitre

indirecto, -a 1 adj indirect(e)

2 nf **indirecta** sous-entendu m; **lanzar una indirecta** (criticar) lancer une pique; (insinuar) glisser une allusion

indisciplina nf indiscipline f

indiscreción *nf* indiscrétion *f*; **si no es i.** si cela n'est pas indiscret

indiscreto, -a *adj* indiscret(ète)

indiscriminado, -a *adj (golpe)* donné(e) au hasard; *(matanza)* aveugle; **de modo i.** sans faire le détail

indiscutible *adj* indiscutable

indispensable *adj* indispensable

indisponer [50] **1** *vt (enfermar)* indisposer; *(enemistar)* brouiller **2 indisponerse** *vpr (enfermar)* se sentir mal; *(enemistarse)* se brouiller (**con** avec)

indisposición *nf (trastorno)* indisposition *f*

indispuesto, -a 1 *participio ver* **indisponer** **2** *adj* souffrant(e)

indistinto, -a *adj* indistinct(e); **es i.** *(indiferente)* peu importe ☆ **cuenta indistinta** compte *m* joint *ou* commun

individual *adj (personal)* individuel (elle); *(habitación)* individuel(elle), pour une personne; *(cama)* à une place; *(prueba, competición)* simple; **individuales** *(en tenis)* simple *m*; **individuales masculinos/femeninos** simple messieurs/dames

individualismo *nm* individualisme *m*

individualizar [14] *vi* individualiser; **no quiero i.** je ne veux nommer personne

individuo, -a *nm,f (hombre)* individu *m*; *(mujer)* femme *f*

indocumentado, -a 1 *adj (ignorante)* ignare; **salió i.** *(sin documentación)* il est sorti sans ses papiers **2** *nm,f (ignorante)* ignare *mf*

índole *nf* nature *f*; **ser de í. pacífica** être d'un naturel pacifique; **de toda í.** de toutes sortes

indolencia *nf* indolence *f*

indoloro, -a *adj* indolore

indómito, -a *adj (animal)* indomp-

té(e); *Fig (persona, carácter)* indomptable

Indonesia *n* l'Indonésie *f*

inducir [18] *vt* induire; **i. a error** induire en erreur; **i. a alguien a algo/a hacer algo** *(incitar)* inciter qn à qch/ à faire qch

inductor, -ora 1 *adj* inducteur(trice) **2** *nm,f* instigateur(trice) *m,f* **3** *nm* inducteur *m*

indudable *adj* indubitable; **es i. que...** il ne fait aucun doute que...

indulgencia *nf* indulgence *f*

indultar *vt* gracier

indulto *nm (total)* grâce *f*; *(parcial)* remise *f* de peine

indumentaria *nf* costume *m*

industria *nf* industrie *f* ☆ **la i. automotriz** l'industrie automobile; *i. pesada* industrie lourde; *i. punta* industrie de pointe

industrial 1 *adj* industriel(elle) **2** *nmf* industriel(elle) *m,f*

industrializar [14] **1** *vt* industrialiser **2 industrializarse** *vpr* s'industrialiser

inédito, -a *adj* inédit(e)

INEF *nm (abrev* **Instituto Nacional de Educación Física)** = institut national espagnol de formation des professeurs d'éducation physique, ≃ INSEP *m*

inefable *adj* ineffable

ineficaz *adj* inefficace

ineficiente *adj* inefficace

ineludible *adj* inévitable, incontournable

INEM *nm (abrev* **Instituto Nacional de Empleo)** = institut national espagnol pour l'emploi, ≃ ANPE *f*; **oficina del I.** ≃ ANPE

ineptitud *nf* inaptitude *f*

inepto, -a 1 *adj* inepte **2** *nm,f* incapable *mf*

inequívoco, -a *adj* évident(e), manifeste

inercia *nf* inertie *f*; *Fig* **hacer algo por i.** faire qch par habitude

inerme *adj (sin armas, defensa)* désarmé(e)

inerte *adj* inerte

inescrutable *adj* impénétrable

inesperado, -a *adj* inespéré(e), inattendu(e)

inestable *adj* instable

inevitable *adj* inévitable

inexacto, -a *adj* inexact(e)

inexistencia *nf* inexistence *f*

inexperiencia *nf* inexpérience *f*

inexperto, -a *adj* inexpérimenté(e)

inexpresivo, -a *adj* inexpressif(ive)

infalible *adj* infaillible

infame *adj* infâme

infamia *nf* infamie *f*

infancia *nf* enfance *f*

infante, -a *nm,f (hijo del rey)* infant(e) *m,f*

infantería *nf* infanterie *f*

infanticidio *nm* infanticide *m*

infantil *adj (medicina, comportamiento)* infantile; *(lenguaje, juego)* enfantin(e); *(programa, libro, calzado)* pour enfants

infarto *nm* infarctus *m*; **i. (de miocardio)** infarctus (du myocarde); *Fam* **casi le dio un i.** il a failli avoir une attaque

infatigable *adj* infatigable

infección *nf* infection *f*

infeccioso, -a *adj* infectieux(euse)

infectar 1 *vt* infecter
2 infectarse *vpr* s'infecter

infeliz 1 *adj (desgraciado)* malheureux(euse); *Fig (ingenuo)* brave
2 *nmf* **un pobre i.** *(ingenuo)* un homme trop brave

inferior *adj & nmf* inférieur(e) *m,f* (a à)

inferioridad *nf* infériorité *f*

inferir [62] *vt (deducir)* conclure; *(ocasionar)* faire, causer; **infiero**

que es hora de marcharse j'en conclus qu'il est temps de partir; **i. una herida a alguien** blesser qn

infernal *adj* infernal(e)

infestar *vt (corromper)* contaminer; *(sujeto: animales dañinos)* infester; *Fig (sujeto: anuncios, carteles)* envahir

infición *nf Méx* pollution *f*

infidelidad *nf* infidélité *f*

infiel *adj & nmf* infidèle *mf*

infiernillo *nm* réchaud *m*

infierno *nm* enfer *m*; **en el quinto i.** au diable (vauvert); **¡vete al i.!** va au diable!

infiltrado, -a 1 *adj* infiltré(e)
2 *nm,f* **los infiltrados** les espions

infiltrar 1 *vt* infiltrer; *Fig (ideas)* inculquer
2 infiltrarse *vpr* s'infiltrer **(en** dans)

ínfimo, -a *adj* infime

infinidad *nf* **una i. de** une infinité de; **en i. de ocasiones** à maintes reprises

infinitivo, -a 1 *adj* infinitif(ive)
2 *nm* infinitif *m*

infinito, -a 1 *adj* infini(e); **infinitas cartas** un nombre infini de lettres
2 *nm* infini *m*

inflación *nf* inflation *f*

inflamable *adj* inflammable

inflamación *nf* inflammation *f*

inflamar 1 *vt también Fig* enflammer
2 inflamarse *vpr* s'enflammer

inflar 1 *vt (con aire)* gonfler; *Fig (exagerar)* grossir
2 inflarse *vpr (hartarse)* se gaver **(de** de)

inflexible *adj (material)* rigide; *Fig (carácter, actitud)* inflexible

inflexión *nf* inflexion *f*

infligir [24] *vt* infliger

influencia *nf* influence *f*; **de i.** *(persona)* influent(e)

influenciar *vt* influencer

influir [34] *vi* **i. en** *(tener efecto en)*

influer sur; *(tener influencia sobre)* avoir de l'influence sur

influjo *nm* influence *f*

influyente *adj* influent(e)

información *nf (conocimiento)* information *f*, renseignement *m*; *(noticia)* information *f*; *(oficina)* bureau *m* d'information; *(en aeropuerto)* comptoir *m* d'information; *(en tienda)* accueil *m*; *(telefónica)* renseignements *mpl* ☆ *i. deportiva* résultats *mpl* sportifs; *i. meteorológica* bulletin *m* météorologique

informal *adj (irresponsable)* peu sérieux(euse); *(reunión)* informel (elle); *(ropa, estilo)* décontracté(e)

informante *nmf* informateur(trice) *m,f*

informar 1 *vt* informer; *i. a alguien de algo* informer qn de qch
2 **informarse** *vpr* s'informer (**de** de), se renseigner (**sobre** sur)

informático, -a 1 *adj* informatique
2 *nm,f (persona)* informaticien (enne) *m,f*
3 *nf* **informática** *(ciencia)* informatique *f*

informativo, -a 1 *adj (publicidad)* informatif(ive); *(artículo, cursillo)* instructif(ive); *(boletín, revista)* d'information
2 *nm (noticias)* journal *m*, informations *fpl*

informatizar [14] *vt* informatiser

informe 1 *adj* informe
2 *nm* rapport *m*; **informes** *(de un empleado)* références *fpl*

infortunio *nm* infortune *f*

Infovía® *nf Informát* = réseau informatique espagnol reliant les utilisateurs d'Internet à leur fournisseur d'accès

infracción *nf* infraction *f*

infraestructura *nf* infrastructure *f*

infrahumano, -a *adj* inhumain(e)

infranqueable *adj* infranchissable

infrarrojo, -a *adj* infrarouge

infravalorar 1 *vt* sous-estimer
2 **infravalorarse** *vpr* se sous-estimer

infrecuente *adj* peu fréquent(e)

infringir [24] *vt* enfreindre

infundado, -a *adj* infondé(e)

infundir *vt (miedo, temor)* inspirer; *(valor, ánimos)* insuffler

infusión *nf* infusion *f*

infuso, -a *adj* infus(e); *Hum* **por ciencia infusa** par l'opération du Saint-Esprit

ingeniar 1 *vt* inventer
2 **ingeniarse** *vpr* **ingeniárselas para hacer algo** s'arranger *ou* se débrouiller pour faire qch

ingeniería *nf (ciencia)* génie *m*; **estudia i.** il fait des études d'ingénieur ☆ *i. genética* génie génétique

ingeniero, -a *nm,f* ingénieur *m* ☆ *i. de caminos, canales y puertos* ingénieur des ponts et chaussées; *i. industrial* ingénieur de fabrication; *i. de sistemas* ingénieur système; *i. de sonido* ingénieur du son; *i. de telecomunicaciones* ingénieur des télécommunications

ingenio *nm (inteligencia)* esprit *m*, ingéniosité *f*; *(máquina)* engin *m*

ingenioso, -a *adj* ingénieux(euse)

ingenuidad *nf* ingénuité *f*

ingenuo, -a *adj & nm,f* ingénu(e) *m,f*; **¡no seas i.!** ce que tu peux être naïf!

ingerir [62] *vt* ingérer

Inglaterra *n* l'Angleterre *f*

ingle *nf* aine *f*

inglés, -esa 1 *adj* anglais(e)
2 *nm,f* Anglais(e) *m,f*
3 *nm (lengua)* anglais *m*

ingratitud *nf* ingratitude *f*

ingrato, -a *adj* ingrat(e)

ingravidez *nf* apesanteur *f*; **en estado de i.** en apesanteur

ingrediente *nm* ingrédient *m*

ingresar 1 *vt (cheque)* déposer, remettre; *(dinero líquido)* déposer, verser
  2 *vi* être admis(e); **i. cadáver en el hospital** être mort(e) à son arrivée à l'hôpital

ingreso *nm (en un lugar)* admission *f*; *(de dinero)* dépôt *m*, versement *m*; *(de cheque)* remise *f*; **ingresos** *(personales)* revenus *mpl*; *(comerciales)* recettes *fpl*

inhabilitar *vt (incapacitar)* déclarer inapte; *(prohibir)* interdire

inhabitable *adj* inhabitable

inhalador *nm* inhalateur *m*

inhalar *vt* inhaler

inherente *adj* **i. a** inhérent(e) à

inhibir 1 *vt* inhiber
  2 inhibirse *vpr* être intimidé(e); **inhibirse de** *(responsabilidades, compromisos)* se dérober à

inhóspito, -a *adj* inhospitalier(ère)

inhumación *nf* inhumation *f*

inhumano, -a *adj* inhumain(e)

iniciación *nf* initiation *f*; *(de suceso, curso)* début *m*

inicial 1 *adj* initial(e)
  2 *nf (letra)* initiale *f*

inicializar [14] *vt Informát* initialiser

iniciar 1 *vt* commencer; **i. a alguien en algo** initier qn à qch
  2 iniciarse *vpr (empezar)* commencer; **iniciarse en el estudio de algo** s'initier à (l'étude de) qch

iniciativa *nf* initiative *f* ☆ **i. privada** initiative privée

inicio *nm* début *m*

inigualable *adj* inégalable

ininteligible *adj* inintelligible

ininterrumpido, -a *adj* ininterrompu(e)

injerencia *nf* ingérence *f*

injertar *vt* greffer

injerto *nm* greffe *f*

injuria *nf* injure *f*

injuriar *vt* injurier

injurioso, -a *adj* injurieux(euse)

injusticia *nf* injustice *f*; **¡qué i.!** c'est vraiment injuste!

injustificado, -a *adj* injustifié(e)

injusto, -a *adj* injuste

inmadurez *nf* immaturité *f*

inmaduro, -a *adj (fruta)* pas mûr(e); *(persona)* immature

inmediaciones *nfpl* abords *mpl*

inmediatamente *adv* immédiatement

inmediato, -a *adj (contiguo)* adjacent(e); *(cercano)* voisin(e); *(instantáneo)* immédiat(e); **de i.** immédiatement

inmejorable *adj* exceptionnel(elle)

inmensidad *nf* immensité *f*; *Fig* multitude *f*

inmenso, -a *adj* immense

inmersión *nf* immersion *f*

inmerso, -a *adj (en líquido)* immergé(e) **(en** dans); *(en lectura)* plongé(e) **(en** dans)

inmigración *nf* immigration *f*

inmigrante *nmf (establecido)* immigré(e) *m,f*; *(recién llegado)* immigrant(e) *m,f*

inmigrar *vi* immigrer

inminente *adj* imminent(e)

inmiscuirse [34] *vpr* s'immiscer **(en** dans)

inmobiliario, -a 1 *adj* immobilier(ère); **la propiedad inmobiliaria** l'immobilier *m*
  2 *nf* **inmobiliaria** société *f* immobilière

inmoral *adj* immoral(e)

inmortal *adj* immortel(elle)

inmortalizar [14] *vt* immortaliser

inmóvil *adj* immobile

inmovilizar [14] *vt* immobiliser

inmueble 1 *adj* immeuble
  2 *nm* immeuble *m*

inmundicia *nf* saleté *f*, crasse *f*; **inmundicias** immondices *fpl*

inmundo, -a *adj* immonde

inmune *adj* immunisé(e); *(exento)* exempt(e); *también Fig* **ser i. a algo** être immunisé contre qch

inmunidad *nf* immunité *f* ☆ **i. diplomática** immunité diplomatique

inmunizar [14] *vt* immuniser

inmunodeficiencia *nf* immunodéficience *f*

inmutar 1 *vt* impressionner

  2 inmutarse *vpr* **no inmutarse** rester imperturbable

innato, -a *adj* inné(e)

innecesario, -a *adj* inutile

innovación *nf* innovation *f*

innovador, -ora *adj & nm,f* innovateur(trice) *m,f*, novateur(trice) *m,f*

innovar *vt* innover

innumerable *adj* innombrable

inocencia *nf* innocence *f*

inocentada *nf* = plaisanterie faite traditionnellement le 28 décembre

inocente *adj & nmf* innocent(e) *m,f*

inodoro, -a 1 *adj* inodore

  2 *nm* cuvette *f* des W-C

inofensivo, -a *adj* inoffensif(ive)

inolvidable *adj* inoubliable

inoperante *adj* *(medida)* inopérant(e); *(persona)* inefficace

inopia *nf* **estar en la i.** être dans les nuages

inoportuno, -a *adj* inopportun(e)

inorgánico, -a *adj* inorganique

inoxidable *adj* inoxydable

inquebrantable *adj* inébranlable

inquietar 1 *vt* inquiéter

  2 inquietarse *vpr* s'inquiéter

inquieto, -a *adj* *(preocupado)* inquiet(ète); *(agitado)* agité(e)

inquietud *nf* inquiétude *f*; **inquietudes** centres *mpl* d'intérêt

inquilino, -a *nm,f* locataire *mf*

inquirir [5] *vt* s'enquérir de

inquisición *nf* *(indagación)* enquête *f*; **la I.** l'Inquisition *f*

inquisidor, -ora 1 *adj* inquisiteur (trice)

  2 *nm* inquisiteur *m*

inri *nm* *Fam Fig* **para más i.** pour couronner le tout

insaciable *adj* insatiable

insalubre *adj* insalubre

Insalud *nm* *(abrev* **Instituto Nacional de la Salud)** = organisme gouvernemental espagnol chargé de la santé

insatisfacción *nf* insatisfaction *f*

insatisfecho, -a *adj* *(descontento)* insatisfait(e); **está i. con la comida** *(no saciado)* il n'est pas rassasié

inscribir 1 *vt* inscrire; **i. a alguien en** *(escuela, curso)* inscrire qn à; *(registro civil, lista)* faire inscrire qn sur

  2 inscribirse *vpr* s'inscrire; **inscribirse en** *(lista, registro)* s'inscrire sur; *(escuela, club)* s'inscrire à

inscripción *nf* inscription *f*

inscrito, -a 1 *participio ver* **inscribir**

  2 *adj* inscrit(e)

insecticida 1 *adj* insecticide

  2 *nm* insecticide *m*

insecto *nm* insecte *m*

inseguridad *nf* insécurité *f* ☆ **i. ciudadana** insécurité urbaine

inseguro, -a *adj* *(proyecto, resultado)* incertain(e); *(lugar, artefacto)* dangereux(euse); **es i.** *(persona)* il n'est pas sûr de lui

inseminación *nf* insémination *f* ☆ **i. artificial** insémination artificielle

insensatez *nf* stupidité *f*

insensato, -a *adj* ridicule

insensible *adj* insensible

inseparable *adj* inséparable

insertar *vt* insérer

inservible *adj* inutilisable

insidioso, -a *adj* insidieux(euse)

insigne *adj* éminent(e)

insignia *nf (distintivo)* insigne *m*; *(bandera)* pavillon *m*

insignificante *adj* insignifiant(e)

insinuar [4] **1** *vt* insinuer
2 insinuarse *vpr (declararse)* faire des avances; *(dejarse ver)* poindre

insípido, -a *adj también Fig* insipide

insistencia *nf* insistance *f*

insistir *vi* insister (**en** sur)

insociable *adj* insociable

insolación *nf* insolation *f*

insolencia *nf* insolence *f*

insolente *adj & nmf* insolent(e) *m,f*

insolidario, -a *adj* non solidaire

insólito, -a *adj* insolite

insoluble *adj* insoluble

insolvencia *nf* insolvabilité *f*

insolvente *adj* insolvable

insomnio *nm* insomnie *f*

insondable *adj* insondable

insonorizar [14] *vt* insonoriser

insoportable *adj* insupportable

insostenible *adj* insoutenable

inspección *nf* inspection *f* ✿ *i. de calidad* contrôle *m* de qualité

inspeccionar *vt* inspecter

inspector, -ora *nm,f* inspecteur (trice) *m,f*; **i. de Hacienda** inspecteur des impôts

inspiración *nf* inspiration *f*

inspirar **1** *vt* inspirer
2 inspirarse *vpr* trouver l'inspiration; **no escribe si no se inspira** il n'écrit pas s'il n'est pas inspiré; **inspirarse en** s'inspirer de

instalación *nf* installation *f*; **instalaciones** équipements *mpl* ✿ *i. eléctrica* installation électrique

instalar **1** *vt* installer
2 instalarse *vpr* s'installer

instancia *nf (solicitud)* requête *f*; *Der* instance *f*; **a instancias de** sur la requête de; *Fig* **en última i.** en dernier ressort

instantáneo, -a 1 *adj* instantané(e)
2 *nf* **instantánea** instantané *m*

instante *nm* instant *m*; **a cada i.** à chaque instant; **al i.** à l'instant; **en un i.** en un instant

instar *vt* **i. a alguien a que haga algo** prier instamment qn de faire qch

instaurar *vt* instaurer

instigar [38] *vt* inciter

instintivo, -a *adj* instinctif(ive)

instinto *nm* instinct *m*

institución *nf* institution *f*

institucionalizar [14] *vt* institutionnaliser

instituir [34] *vt* instituer

instituto *nm (corporación)* institut *m*; *(de enseñanza)* lycée *m* ✿ *i. de Bachillerato o Enseñanza Media* établissement *m* d'enseignement secondaire; *i. de belleza* institut de beauté; *i. de Formación Profesional* lycée technique

institutriz *nf* institutrice *f*

instrucción *nf* instruction *f*; **instrucciones** *(de uso)* mode *m* d'emploi

instructivo, -a *adj* instructif(ive)

instructor, -ora *nm,f* moniteur (trice) *m,f*; *(militar)* instructeur *m*

instruido, -a *adj* instruit(e)

instruir [34] *vt* instruire

instrumental 1 *adj* instrumental(e)
2 *nm* instruments *mpl*

instrumentista *nmf* instrumentiste *mf*

instrumento *nm* instrument *m* ✿ *i. de cuerda* instrument à cordes; *i. de precisión* instrument de précision; *i. de viento* instrument à vent

insubordinado, -a 1 *adj* insubordonné(e); *(niño, actitud)* rebelle
2 *nm,f* rebelle *mf*

insubordinar 1 *vt* soulever
2 insubordinarse *vpr* se soulever, se rebeller

insubstancial = insustancial

insuficiencia *nf* insuffisance *f* ✿ *i.* **cardiaca** insuffisance cardiaque; *i.* **renal** insuffisance rénale

insuficiente 1 *adj* insuffisant(e) **2** *nm (nota)* mention *f* insuffisant

insufrible *adj Fig* insupportable

insular *adj & nmf* insulaire *mf*

insulina *nf* insuline *f*

insulso, -a *adj también Fig* fade, insipide

insultar *vt* insulter

insulto *nm* insulte *f*

insumiso, -a 1 *adj* insoumis(e) **2** *nm,f (rebelde)* rebelle *mf*; *(que no va a la mili)* insoumis(e) *m,f*

insuperable *adj (inmejorable)* imbattable; *(sin solución)* insurmontable

insurrección *nf* insurrection *f*

insustancial *adj (insípido)* fade; *Fig (sin interés)* creux (creuse)

intachable *adj* irréprochable

intacto, -a *adj* intact(e)

integral 1 *adj (total, sin refinar)* intégral(e); *(pan, arroz)* complet(ète); **ser parte i. de algo** faire partie intégrante de qch **2** *nf Mat* intégrale *f*

integrante 1 *adj* **los países integrantes de la OTAN** les pays membres de l'OTAN **2** *nmf* membre *m*

integrar 1 *vt* intégrer; *(componer)* composer; **los capítulos que integran el libro** les chapitres qui composent le livre **2 integrarse** *vpr* s'intégrer (**en** dans)

integridad *nf también Fig* intégrité *f*

integrismo *nm* intégrisme *m*

íntegro, -a *adj (completo)* intégral(e); *Fig (honrado)* intègre

intelecto *nm* intellect *m*

intelectual *adj & nmf* intellectuel (elle) *m,f*

inteligencia *nf (entendimiento)* intelligence *f*; **los servicios de i.** les services *mpl* secrets ✿ *i.* **artificial** intelligence artificielle

inteligente *adj* intelligent(e)

inteligible *adj* intelligible

intemperie *nf* **a la i.** dehors; *(dormir)* à la belle étoile

intempestivo, -a *adj (llegada, intervención)* intempestif(ive); *(proposición, visita)* inopportun(e); *(comentario)* déplacé(e); **a horas intempestivas** à des heures indues

intemporal *adj* intemporel(elle)

intención *nf* intention *f*; **con buena/mala i.** dans une bonne/mauvaise intention; **tener la i. de hacer algo** avoir l'intention de faire qch

intencionado, -a *adj* intentionnel (elle)

intendencia *nf Chile, Col (de región)* conseil *m* régional; *Ecuad, Méx (policía)* préfecture *f* de police; *RP (municipio)* mairie *f*

intendente, -a *nm,f Chile, Col (regional)* conseiller *m* régional; *Ecuad, Méx (jefe de policía)* préfet *m* de police; *RP (alcalde)* maire *m*

intensidad *nf* intensité *f*

intensificar [59] **1** *vt* intensifier **2 intensificarse** *vpr* s'intensifier

intensivo, -a *adj* intensif(ive) ✿ **jornada intensiva** journée continue

intenso, -a *adj* intense

intentar *vt* essayer, tenter; **i. hacer algo** essayer *ou* tenter de faire qch

intento *nm* tentative *f*

interactivo, -a *adj Informát* interactif(ive)

intercalar *vt (fichas, hojas)* intercaler; *(capítulos, episodios)* insérer

intercambio *nm* échange *m*

interceder *vi* intercéder; **i. por alguien** intercéder en faveur de qn

interceptar *vt (carta, conversación)* intercepter; *(carretera)* barrer

interés *nm* intérêt *m*; **tener i. en algo** tenir à qch; **tiene i. en que vengamos** il tient à ce que nous venions; **tener i. por algo** être intéressé(e) par qch; **tiene i. por comprar el cuadro** il est intéressé par l'achat du tableau ☆ *i.* **compuesto** intérêts composés; *intereses creados* intérêts communs; *i. simple* intérêts simples

interesado, -a 1 *adj* intéressé(e) (**en** o **por** par)
    2 *nm,f* personne *f* intéressée

interesante *adj* intéressant(e)

interesar 1 *vt* **i. a alguien en algo** intéresser qn à qch; **me interesa la arqueología** l'archéologie m'intéresse, je m'intéresse à l'archéologie; **no me interesa invertir ahora** ce n'est pas dans mon intérêt d'investir maintenant
    2 *vi* être intéressant(e); **el asunto no interesa** le sujet n'est pas intéressant
    3 interesarse *vpr* s'intéresser (**por** à); **se interesó por tu salud** il s'est inquiété de ta santé

interfaz, interface (*pl* **interfaces**) *nm* o *nf* Informát interface *f*

interferencia *nf* interférence *f*

interferir [62] **1** *vt* (*tráfico*) bloquer
    2 *vi* **i. en** interférer dans; (*asuntos, problemas*) se mêler de

interfono *nm* Interphone *m*

interino, -a 1 *adj* intérimaire; **el presidente i.** le président par intérim
    2 *nm,f* intérimaire *mf*
    3 *nf* **interina** femme *f* de ménage

interior 1 *adj* intérieur(e); **la ropa i.** les sous-vêtements *mpl*
    2 *nm* intérieur *m*; **en mi i.** au fond de moi-même

interiorismo *nm* architecture *f* d'intérieur

interiorizar [14] *vt* intérioriser

interjección *nf* interjection *f*

interlocutor, -ora *nm,f* interlocuteur(trice) *m,f*

intermediario, -a *adj* & *nm,f* intermédiaire *mf*

intermedio, -a 1 *adj* intermédiaire
    2 *nm* intermède *m*; **la película tuvo tres intermedios** il y a eu trois coupures publicitaires pendant le film

interminable *adj* interminable

intermitente 1 *adj* intermittent(e)
    2 *nm* clignotant *m*

internacional *adj* international(e)

internado, -a *nm* internat *m*

internar 1 *vt* interner; (*en hospital*) hospitaliser
    2 internarse *vpr* **internarse en** (*un lugar*) s'enfoncer dans; (*un tema*) se plonger dans

internauta *nmf* Informát internaute *mf*

Internet *nf* Internet *m*; **está en I.** il est sur Internet ou sur l'Internet

interno, -a 1 *adj* interne; (*política*) intérieur(e); **los alumnos internos** les internes
    2 *nm,f* (*alumno*) interne *mf*; (*preso*) interné(e) *m,f*
    3 *nm RP* poste *m*; **comuníqueme con el i. 333** passez-moi le poste 333

interpelación *nf* interpellation *f*

interpolar *vt* intercaler

interponer [50] **1** *vt* interposer; Der **i. un recurso** interjeter appel
    2 interponerse *vpr* (*entre dos*) s'interposer; **interponerse en** (*asuntos, vida*) se mêler de

interpretación *nf* interprétation *f*

interpretar *vt* interpréter

intérprete 1 *nmf* interprète *mf*
    2 *nm* Informát interpréteur *m*

interpuesto, -a *participio ver* **interponer**

interrelación *nf* relation *f*

interrogación *nf* interrogation *f*

interrogante *nm* (*incógnita*) interrogation *f*; (*signo de interrogación*) point *m* d'interrogation

interrogar [38] *vt* interroger

interrogatorio *nm* interrogatoire *m*

interrumpir 1 *vt* interrompre
2 interrumpirse *vpr* s'interrompre; **el programa se interrumpió** l'émission a été interrompue

interrupción *nf* interruption *f* ☆ *i. voluntaria del embarazo* interruption volontaire de grossesse

interruptor *nm* interrupteur *m*

intersección *nf* intersection *f*

interurbano, -a *adj* interurbain(e)

intervalo *nm* intervalle *m*; **en el i. de un mes** en l'espace d'un mois

intervención *nf* intervention *f* ☆ *i. quirúrgica* intervention chirurgicale

intervencionista *adj & nmf* interventionniste *mf*

intervenir [69] **1** *vi* intervenir (**en** dans); **i. en un debate** participer à un débat
2 *vt* (*operar*) opérer; (*teléfono*) mettre sur écoutes; (*armas, droga*) saisir; (*cuentas*) contrôler

interventor, -ora *nm,f* (*contable*) contrôleur *m* de gestion; (*revisor*) contrôleur(euse) *m,f*; (*en elecciones*) scrutateur(trice) *m,f*

intestino, -a 1 *adj* intestin(e)
2 *nm* intestin *m* ☆ *i. delgado* intestin grêle; *i. grueso* gros intestin

intimar *vi* sympathiser (**con** avec)

intimidación *nf* intimidation *f*

intimidad *nf* intimité *f*; **en la i.** dans l'intimité; **intimidades** (*asuntos privados*) vie *f* privée

intimidar 1 *vt* intimider
2 intimidarse se laisser intimider

íntimo, -a 1 *adj* intime
2 *nm,f* intime *mf*

intolerable *adj* intolérable

intolerancia *nf* intolérance *f*

intoxicación *nf* intoxication *f*; **i. alimenticia** intoxication alimentaire

intoxicar [59] **1** *vt* intoxiquer
2 intoxicarse *vpr* s'intoxiquer

intranquilizar [14] **1** *vt* inquiéter
2 intranquilizarse *vpr* s'inquiéter

intranquilo, -a *adj* (*preocupado*) inquiet(ète); (*nervioso*) agité(e)

intranscendente = intrascendente

intransferible *adj* (*derecho, cargo*) intransmissible; (*cuenta*) non transférable

intransigente *adj* intransigeant(e)

intransitable *adj* impraticable

intrascendente *adj* insignifiant(e)

intravenoso, -a *adj* intraveineux (euse); **por vía intravenosa** par voie intraveineuse

intrépido, -a *adj* intrépide

intriga *nf* (*curiosidad*) curiosité *f*; (*género*) suspense *m*; (*trama, maquinación*) intrigue *f*; **de i.** à suspense; **tener i. por** être curieux(euse) de

intrigar [38] *vt & vi* intriguer

intrincado, -a *adj* inextricable; (*asunto, problema*) compliqué(e); **un camino i.** un chemin tortueux

intríngulis *nm inv Fam* hic *m inv*

intrínseco, -a *adj* intrinsèque

intro *nm Informát* touche *f* entrée

introducción *nf* introduction *f*

introducir [18] **1** *vt* introduire (**en** dans)
2 introducirse *vpr* s'introduire (**en** dans)

intromisión *nf* intrusion *f*

introspectivo, -a *adj* introspectif (ive)

introvertido, -a *adj & nm,f* introverti(e) *m,f*

intruso, -a *adj & nm,f* intrus(e) *m,f*

intuición *nf* intuition *f*

intuir [34] *vt* avoir l'intuition de, pressentir

intuitivo, -a *adj* intuitif(ive)

inundación *nf* inondation *f*

inundar 1 *vt* inonder; *Fig* envahir
2 inundarse *vpr* être inondé(e) (**de** de); *Fig* être envahi(e) (**par**)

inusitado, -a adj (palabra, lenguaje) inusité(e); (frío, comportamiento) inhabituel(elle)

inútil 1 adj (cosa, acción) inutile; (persona) (incapaz) maladroit(e); (incapacitada) invalide; **sus intentos resultaron inútiles** ses efforts ont été inutiles
2 nmf (incapaz) incapable mf; (incapacitado) invalide mf

inutilidad nf (cualidad) inutilité f; (incapacidad) invalidité f; **esta máquina es una i.** cette machine ne sert à rien

inutilizar [14] vt rendre inutilisable

invadir vt también Fig envahir

invalidez nf (incapacidad) invalidité f ☆ **i. permanente** incapacité f permanente; **i. temporal** incapacité temporaire

inválido, -a adj & nm,f invalide mf

invariable adj invariable

invasión nf invasion f

invasor, -ora 1 adj el país i. fue sancionado le pays agresseur a été sanctionné
2 nm,f envahisseur m

invectiva nf invective f

invención nf invention f

inventar 1 vt inventer
2 inventarse vpr inventer; **se inventó una excusa** il a inventé une excuse

inventario nm inventaire m

inventiva nf imagination f

invento nm invention f

inventor, -ora nm,f inventeur (trice) m,f

invernadero nm serre f

inverosímil adj invraisemblable

inversión nf (del orden) inversion f; (de dinero, tiempo) investissement m; **una mala i.** un mauvais placement

inverso, -a adj inverse; **a la inversa** à l'inverse

inversor, -ora adj & nm,f investisseur(euse) m,f

invertebrado, -a 1 adj (animal) invertébré(e); Fig (sin organización) non structuré(e)
2 nmpl **invertebrados** invertébrés mpl

invertido, -a nm,f (homosexual) homosexuel(elle) m,f

invertir [62] vt (orden) inverser; (dinero) investir; (tiempo) mettre; **invierto mucho tiempo en ese proyecto** je consacre beaucoup de mon temps à ce projet

investidura nf investiture f

investigación nf (estudio) recherche f; (seguimiento) investigation f; (indagación) enquête f ☆ **i. y desarrollo** recherche et développement

investigador, -ora 1 adj **un centro i.** (que estudia) un centre de recherche; **una comisión investigadora** (que indaga) une commission d'enquête
2 nm,f (estudioso) chercheur(euse) m,f; (detective) enquêteur(euse) m,f

investigar [38] **1** vt (estudiar) faire des recherches sur; (indagar) rechercher, enquêter sur
2 vi (estudiar) faire de la recherche; (indagar) enquêter

investir [47] vt **i. a alguien con algo** (cargo) investir qn de qch; (grado, título) décerner qch à qn; (medalla) décorer qn de qch

inveterado, -a adj (costumbre) ancré(e)

inviable adj infaisable

invidente 1 adj aveugle
2 nmf non-voyant(e) m,f

invierno nm hiver m

invisible adj invisible

invitación nf invitation f

invitado, -a adj & nm,f invité(e) m,f

invitar vt inviter; **i. a alguien a (hacer) algo** inviter qn à (faire) qch; **lo invitó a una copa** il lui a offert un verre; **yo invito** c'est moi qui régale; Fig **i. a**

(incitar) inviter à; **el sol invita a pasear** le soleil invite à la promenade

in vitro *adv* in vitro

invocar [59] *vt* invoquer

involución *nf Fig (de situación)* régression *f*

involucrar 1 *vt* **i. en** impliquer dans **2 involucrarse** *vpr* **involucrarse en** être impliqué(e) dans

involuntario, -a *adj* involontaire

invulnerable *adj* invulnérable

inyección *nf (acción)* injection *f*; *(de medicamento)* piqûre *f*; **poner una i. a alguien** faire une piqûre à qn

inyectar 1 *vt* injecter **2 inyectarse** *vpr* s'injecter; **se inyecta insulina** il se fait des piqûres d'insuline

iodo = yodo

ion *nm* ion *m*

IPC *nm (abrev* **índice de precios al consumo)** IPC *m*

ipso facto *adv* sur-le-champ

ir [35] **1** *vi* **(a)** *(en general)* aller; **voy a Madrid/al cine** je vais à Madrid/au cinéma; **iremos en coche/en tren/andando** nous irons en voiture/en train/à pied; **todavía va al colegio** il va encore à l'école; **nuestra parcela va de aquí hasta el mar** notre terrain va d'ici à la mer; **sus negocios van mal** ses affaires vont mal; **¡vamos!** on y va!; **ir a mejor/a peor** aller mieux/ moins bien

(b) *(antes de gerundio) (expresa duración gradual)* **voy mejorando mi estilo** j'améliore mon style; **su estado va empeorando** son état se dégrade

(c) *(expresa intención, opinión)* **ir a hacer algo** aller faire qch; **voy a llamarlo ahora mismo** je vais l'appeler tout de suite

(d) *(funcionar)* marcher, fonctionner

(e) *(vestir)* être; **ir de azul/en camiseta/con corbata** être en bleu/en tee-shirt/en cravate

(f) *(estar)* **iba hecho un pordiosero** on aurait dit un mendiant; **iba muy borracho** il était complètement soûl

(g) **irle bien a alguien** *(vacaciones, tratamiento)* faire du bien à qn; *(ropa)* aller (bien) à qn; **le va fatal el color negro** le noir ne lui va pas du tout

(h) *(referirse)* **lo que he dicho no va con** o **por nadie en particular** ce que je viens de dire ne vise personne en particulier

(i) *(ser correspondiente)* **eso va por lo que tú me hiciste** ça c'est en retour de ce que tu m'as fait

(j) *(buscar)* **ir por** aller chercher

(k) *(alcanzar)* **ir por** en être à; **ya va por el cuarto vaso de vino** il en est déjà à son quatrième verre de vin

(l) *(con valor enfático)* **ir y hacer algo** aller faire qch, se mettre à faire qch; **fue y se lo contó todo** il est allé tout lui raconter

(m) *(tratar)* **i. de** parler de; **¿de qué va la película?** de quoi parle le film?

(n) *(presumir)* **i. de** faire le (la); **va de intelectual cuando en verdad no sabe nada** il fait l'intello alors qu'en réalité il ne sait rien

(o) *(apostar)* **van 1.000 pts que no lo haces** je te parie 1 000 pesetas que tu ne le fais pas

(p) *(expresiones)* **ni me va ni me viene** ça ne me fait ni chaud ni froid; **¡qué va!** tu parles!; **es el no va más** c'est le nec plus ultra

2 irse *vpr* s'en aller, partir; **se ha ido de viaje/a comer** il est parti en voyage/manger; **como sigas me voy** si tu continues je m'en vais; **esta mancha no se va** cette tache ne part pas; **¡vete!** va-t'en!

IRA *nm (abrev* **Irish Republican Army)** IRA *f*

ira *nf* colère *f*

iracundo, -a *adj* coléreux(euse); **se puso i.** il est devenu furieux

Irak = Iraq

Irán n (el) I. l'Iran m

Iraq n (el) I. l'Irak m

iraquí (pl **iraquíes**) 1 adj irakien (enne)
  2 nmf Irakien(enne) m,f

irascible adj irascible

iris nm inv iris m

Irlanda n l'Irlande f; **I. del Norte** l'Irlande du Nord

irlandés, -esa 1 adj irlandais(e)
  2 nm,f Irlandais(e) m,f

ironía nf ironie f; **por una curiosa i., ...** par une curieuse ironie du sort, ...

irónico, -a adj ironique

ironizar [14] 1 vt tourner en dérision
  2 vi ironiser (**sobre** sur)

IRPF nm (abrev **Impuesto sobre la Renta de las Personas Físicas**) = impôt sur le revenu des personnes physiques en Espagne

irracional adj irrationnel(elle)

irradiar vt (luz, energía) irradier; Fig (alegría, felicidad) rayonner de; **i. simpatía** respirer la gentillesse

irreal adj irréel(elle)

irreconocible adj méconnaissable

irrecuperable adj irrécupérable

irreflexión nf irréflexion f

irreflexivo, -a adj irréfléchi(e)

irrefutable adj irréfutable

irregular adj irrégulier(ère)

irregularidad nf irrégularité f

irrelevante adj (sin importancia) insignifiant(e); (sin significado) qui n'est pas pertinent(e)

irremediable adj irrémédiable

irreparable adj irréparable

irresistible adj irrésistible

irrespetuoso, -a adj irrespectueux (euse)

irrespirable adj irrespirable

irresponsable adj & nmf irresponsable mf

irrestricto, -a adj Am total(e)

irreverente adj irrévérencieux (euse)

irreversible adj irréversible

irrevocable adj irrévocable

irrigar [38] vt irriguer

irrisorio, -a adj dérisoire

irritable adj irritable

irritar 1 vt irriter
  2 **irritarse** vpr s'irriter

irrompible adj incassable

irrumpir vi **i. en** faire irruption dans

irrupción nf irruption f

isla nf île f ☆ **las islas Baleares** les (îles) Baléares fpl; **las islas Canarias** les (îles) Canaries fpl; **las islas Fidji** les îles Fidji; **las islas Malvinas** les (îles) Malouines; **la I. de Pascua** l'île de Pâques

islam nm **el I.** l'Islam m

islamismo nm (religión) islam m; (movimiento) islamisme m

islandés, -esa 1 adj islandais(e)
  2 nm,f Islandais(e) m,f
  3 nm (lengua) islandais m

Islandia n l'Islande f

isleño, -a adj & nm,f insulaire mf

islote nm îlot m

isótopo Quím 1 adj isotopique
  2 nm isotope m

Israel n Israël

israelí (pl **israelíes**) 1 adj israélien (enne)
  2 nmf Israélien(enne) m,f

istmo nm isthme m

itacate nm Méx paquet m

Italia n l'Italie f

italiano, -a 1 adj italien(enne)
  2 nm,f Italien(enne) m,f
  3 nm (lengua) italien m

ítem nm (cosa) objet m; Der article m; Informát élément m (d'information)

itinerante adj itinérant(e)

itinerario nm itinéraire m

ITV *nf (abrev* **inspección técnica de vehículos)** = contrôle technique des véhicules en Espagne

IVA *nm (abrev* **impuesto sobre el valor añadido)** TVA *f*

izar [14] *vt* hisser

izda. *(abrev* **izquierda)** gche, g.

izquierdo, -a 1 *adj* gauche ; *(fila, botón, carril)* de gauche

2 *nf* **izquierda** gauche *f* ; *(mano)* main *f* gauche ; *Dep (pie)* gauche *m* ; **a la izquierda** à gauche ; **de izquierdas** de gauche

J

J, j *nf (letra)* J *m inv,* j *m inv*

ja *interj* ha!

jabalí, -ina *nm,f* sanglier *m,* laie *f*

jabalina *nf Dep* javelot *m*

jabón *nm* savon *m ; Fam Fig* dar **j. a
alguien** passer de la pommade à qn

jabonera *nf* porte-savon *m*

jaca *nf (caballo)* bidet *m ; (yegua)* jument *f*

jacal *nm Méx* hutte *f*

jacinto *nm* jacinthe *f*

jactarse *vpr* **j. de** se vanter de

jacuzzi [ja'kusi] *(pl* **jacuzzis)** *nm*
Jacuzzi® *m*

jadear *vi* haleter

jadeo *nm* halètement *m*

jaguar *(pl* **jaguars)** *nm* jaguar *m*

jaiba *nf CAm, Carib, Méx* crabe *m*

jalar *vt Am* tirer

jalea *nf* gelée *f* ✩ **j. real** gelée royale

jaleo *nm Fam (alboroto)* raffut *m ;
(lío)* histoire *f ; (desorden)* pagaille *f ;*
armar j. *(alboroto)* faire du raffut; **se
ha metido en un j. muy gordo** il s'est
embarqué dans une sale histoire

jalonar *vt también Fig* jalonner

Jamaica *n* la Jamaïque

jamás *adv* jamais; **la mejor novela que
j. se haya escrito** le meilleur roman jamais écrit; *Fig* **j. de los jamases** jamais au grand jamais

jamón *nm* jambon *m* ✩ **j. serrano**
jambon de montagne *ou* cru; *j. (de)*

York jambon blanc

Japón *n* **(el)** J. le Japon

japonés, -esa 1 *adj* japonais(e)
2 *nm,f* Japonais(e) *m,f*
3 *nm (lengua)* japonais *m*

jaque *nm* échec *m* ✩ **j. mate** échec
et mat

jaqueca *nf* migraine *f*

jarabe *nm* sirop *m ; Fam* ¡**lo que nece-
sitas es j. de palo!** ce qu'il te faut,
c'est une bonne correction!

jarana *nf (juerga)* java *f ; (alboroto)*
bagarre *f ;* **estar** *o* **irse de j.** faire la java

jaranero, -a *adj & nm,f* noceur
(euse) *m,f*

jardín *nm* jardin *m* ✩ **j. botánico** jardin botanique; *j.* **de infancia** jardin
d'enfants

jardinera *ver* **jardinero**

jardinería *nf* jardinage *m*

jardinero, -a 1 *nm,f* jardinier(ère)
m,f
2 *nf* **jardinera** jardinière *f ;* **a la jardinera** *(ternera)* jardinière *inv*

jarra *nf (para servir)* carafe *f ; (de cerveza)* chope *f ;* **de** *o* **en jarras** les
poings sur les hanches

jarro *nm* pichet *m ; Fig* **fue como un j.
de agua fría** ça a fait l'effet d'une
douche froide

jarrón *nm* vase *m*

jaspeado, -a *adj* jaspé(e)

jauja *nf Fam* pays *m* de cocagne; ¡esto es j.! c'est Byzance!

jaula *nf* cage *f*

jauría *nf* meute *f*

jazmín *nm* jasmin *m*

jazz [jas] *nm* jazz *m*

JC (*abrev* Jesucristo) J-C

jeep [jip] (*pl* jeeps) *nm* Jeep *f*

jefatura *nf* direction *f*

jefe, -a *nm,f* chef *m* ☆ *j. de estación* chef de gare; *j. de Estado* chef d'État; *j. de estudios* conseiller *m* d'éducation; *j. de gobierno* chef de gouvernement

jengibre *nm* gingembre *m*

jerarquía *nf* hiérarchie *f*; **la alta j.** les hauts dignitaires *mpl*

jerárquico, -a *adj* hiérarchique

jerez *nm* xérès *m*

jerga *nf* jargon *m*

jerigonza *nf* (*galimatías*) charabia *m*; (*jerga*) jargon *m*

jeringa *nf* seringue *f*

jeringuilla *nf* seringue *f* ☆ *j. hipodérmica* seringue hypodermique

jeroglífico, -a 1 *adj* hiéroglyphique
   2 *nm* (*carácter*) hiéroglyphe *m*; (*juego*) rébus *m*

jerséi (*pl* jerséis), **jersey** (*pl* jerseys) *nm* pull *m*

Jerusalén *n* Jérusalem

jesuita 1 *adj* jésuite
   2 *nm* jésuite *m*

jesús *interj Esp* (*tras estornudo*) à tes/vos souhaits!; (*sorpresa*) ça alors!

jet [jet] (*pl* jets) *nm* (*avión*) jet *m* ☆ *j. lag* = fatigue due au décalage horaire

jeta *muy Fam* **1** *nf* (*cara*) gueule *f*; **tener (mucha) j.** être gonflé(e)
   2 *nmf* ¡es un j.! il a un culot monstre!

jet-set [jet'set] *nf* jet-set *f*

jevo, -a *nm,f Carib Fam* (*hombre*) jeune mec *m*; (*mujer*) jeune nana *f*

jibia *nf* seiche *f*

jícama *nf CAm, Méx* dolique *m* tubéreux

jícara *nf CAm, Méx* = récipient fait avec une calebasse

jilguero *nm* chardonneret *m*

jilipollada = gilipollada

jilipollas = gilipollas

jinete *nmf* cavalier(ère) *m,f*

jinetera *nf Cuba* prostituée *f*

jirafa *nf* girafe *f*

jirón *nm* (*andrajo*) lambeau *m*; *Perú* avenue *f*; **hecho jirones** en lambeaux

jitomate *nm CAm, Méx* tomate *f*

JJ OO *nmpl* (*abrev* juegos olímpicos) JO *mpl*

jockey = yoquey

jocoso, -a *adj* cocasse

joda *nf RP Fam* (*fastidio*) poisse *f*; ¡qué j.! quelle poisse!; (*juerga*) bringue *f*; **irse de j.** faire la bringue

joder *Vulg* **1** *vi* (*copular*) baiser; (*fastidiar*) faire chier; ¡no jodas! (*incredulidad*) tu déconnes!
   2 *vt* (*fastidiar*) emmerder; (*estropear*) niquer
   3 *interj* putain!

jofaina *nf* bassine *f*

jogging ['jogin] *nm* jogging *m*

jolgorio *nm* fête *f*

jolín, jolines *interj Fam* (*asombro*) la vache!; (*fastidio*) mince!

Jordania *n* la Jordanie

jordano, -a 1 *adj* jordanien(enne)
   2 *nm,f* Jordanien(enne) *m,f*

jornada *nf* journée *f* ☆ *j. intensiva* journée continue; *media j.* mi-temps *m inv*; *j. partida* = journée de travail en deux tranches: l'une le matin, l'autre en fin d'après-midi; *j. de trabajo* journée de travail

jornal *nm* salaire *m* journalier

jornalero, -a *nm,f* journalier(ère) *m,f*

joroba *nf* bosse *f*

jorobado, -a 1 *adj (con joroba)* bossu(e); *Fam (fastidiado)* mal fichu (e); **tengo el estómago j.** j'ai l'estomac en piteux état
2 *nm,f* bossu(e) *m,f*

jorobar *Fam* **1** *vt (molestar)* embêter; *(estropear)* bousiller
2 jorobarse *vpr (aguantarse)* faire avec; **se ha jorobado la tele** la télé est bousillée; **¡pues te jorobas!** il va pourtant falloir!

jorongo *nm Méx (manta)* couverture *f*; *(poncho)* poncho *m* (mexicain)

joropo *nm* = danse nationale du Venezuela

jota *nf (letra)* j *m inv*; *(baile, música)* = chanson et danse populaires espagnoles avec accompagnement de castagnettes; *Fam* **no entiendo ni j.** *o* **una j. de inglés** je ne comprends pas un mot d'anglais; *Fam* **no ver ni j.** *(por mala vista)* n'y voir que dalle

joven 1 *adj* jeune
2 *nmf* jeune homme *m*, jeune fille *f*

jovial *adj* jovial(e)

joya *nf (adorno)* bijou *m*; *Fig (persona)* perle *f*; *(cosa)* bijou *m*

joyería *nf* bijouterie *f*, joaillerie *f*

joyero, -a 1 *nm,f* bijoutier(ère) *m,f*, joaillier(ère) *m,f*
2 *nm* coffret *m* à bijoux

juanete *nm* oignon *m (au pied)*

jubilación *nf* retraite *f* ✫ **j. anticipada** retraite anticipée

jubilado, -a *adj & nm,f* retraité(e) *m,f*

jubilar 1 *vt* mettre à la retraite; *Fig (empleado, ropa)* mettre au placard
2 jubilarse *vpr* prendre sa retraite

júbilo *nm* jubilation *f*

judía *nf* haricot *m* ✫ **j. blanca** haricot blanc; **j. verde** *o* **tierna** haricot vert

judicial *adj* judiciaire

judío, -a 1 *adj* juif(ive)
2 *nm,f* Juif(ive) *m,f*

judo = yudo

judoka = yudoka

juego *nm* jeu *m*; **estar/poner en j.** être/mettre en jeu; *Dep* **estar (en) fuera de j.** être hors jeu; *Fig* être hors circuit; **hacer j. con** aller avec; **zapatos a j. con...** des chaussures assorties à... ✫ **j. de azar** jeu de hasard; **j. de café** service *m* à café; **j. de manos** tour *m* de passe-passe; **juegos olímpicos** jeux Olympiques; **j. de palabras** jeu de mots; **j. de sábanas** parure *f* de lit

juerga *nf Fam* bringue *f*; **irse** *o* **estar de j.** faire la bringue

juerguista *Fam* **1** *adj* **es muy j.** il adore faire la fête
2 *nmf* fêtard(e) *m,f*

jueves *nm inv* jeudi *m*; *Fig* **no es nada del otro j.** ça n'a rien d'extraordinaire ✫ **J. Santo** jeudi saint; *ver también* **sábado**

juez, -eza *nm,f* juge *m* ✫ **j. de línea** *(en fútbol, rugby)* juge de touche; *(en tenis)* juge de ligne; **j. de paz** juge d'instance

jugada *nf (en deporte)* action *f*; **ha sido una buena j. de...** quelle belle action de...!; *Fig* **hacer una mala j. a alguien** jouer un mauvais tour à qn

jugador, -ora *adj & nm,f* joueur (euse) *m,f*

jugar [36] **1** *vi* jouer; **j. al balón/a las cartas** jouer au ballon/aux cartes; **j. limpio/sucio** être loyal/déloyal; *Fig* **j. con alguien** se ficher de qn
2 *vt (partido, partida)* faire; **j. un partido de fútbol** faire un match de foot
3 jugarse *vpr (echar a suertes)* parier; *(arriesgar)* jouer; **te estás jugando el puesto** tu es en train de jouer ton poste; **se jugó la vida para salvarla** il a risqué sa vie pour la sauver; *Fig* **jugársela a alguien** faire un coup bas à qn

jugarreta *nf Fam* sale coup *m*

juglar nm jongleur m *(poète-musicien du Moyen Âge)*, ménestrel m

jugo nm jus m; *(gástrico)* suc m; *Fig* **un artículo con mucho j.** un article très fouillé; **sacar j. a** tirer parti de

jugoso, -a adj *(con jugo)* juteux (euse); *Fig (interesante)* fouillé(e)

juguete nm jouet m; **un robot de j.** un robot miniature; **una vajilla de j.** une dînette

juguetear vi jouer; **deja de j. con las llaves** arrête de t'amuser avec les clefs

juguetería nf magasin m de jouets

juguetón, -ona adj joueur(euse)

juicio nm *(razón)* jugement m; *(pleito)* procès m; **llevar a alguien a j.** intenter un procès à qn; **(no) estar en su (sano) j.** (ne pas) avoir toute sa tête; **perder el j.** perdre la raison ☆ **el J. Final** le Jugement dernier

juicioso, -a adj *(persona)* sensé(e); *(acción)* judicieux(euse)

julepe nm *RP Fam* frousse f

julio nm *(mes)* juillet m; *Fís* joule m; *ver también* **septiembre**

jumbo nm jumbo-jet m

junco nm *(planta)* jonc m; *(embarcación)* jonque f

jungla nf jungle f

junio nm juin m; *ver también* **septiembre**

junta nf *(reunión, órgano)* assemblée f; *(unión)* joint m ☆ **j. (general) de accionistas** assemblée (générale) des actionnaires; **j. de culata** joint de culasse; **j. directiva** comité m directeur; **j. militar** junte f (militaire)

juntar 1 vt *(unir)* réunir; *(manos)* joindre; *(personas, fondos)* rassembler

2 juntarse vpr *(reunirse) (personas)* s'assembler; *(ríos, caminos)* se re-

joindre; *Fam (convivir)* vivre ensemble; **juntarse a** *(arrimarse a)* se rapprocher de

junto, -a adj *(reunido)* ensemble *(próximo)* côte à côte inv; **nunca había visto tanta gente junta** je n'avais jamais vu autant de gens réunis; **rezaba con las manos juntas** elle priait les mains jointes; **tenía los ojos juntos** il avait les yeux rapprochés; **j. a** à côté de, près de; **j. con** avec

juntura nf jointure f

Júpiter n *(dios, planeta)* Jupiter

jurado, -a 1 adj *(declaración)* sous serment inv; **guardia j.** vigile m

2 nm *(tribunal)* jury m; *(miembro)* juré m; *(vigilante)* vigile m

juramento nm *(promesa)* serment m; *(blasfemia)* juron m; **bajo j.** sous serment ☆ **j. hipocrático** serment d'Hippocrate

jurar 1 vt *(prometer)* jurer; **j. por... que** jurer sur... que; **j. por Dios que** jurer devant Dieu que; **j. la Constitución** jurer de respecter la constitution; *Fam* **jurársela** o **jurárselas a alguien** jurer de se venger de qn

2 vi *(blasfemar)* jurer

jurel nm chinchard m

jurídico, -a adj juridique

jurisdicción nf *(poder, autoridad)* autorité f; *Der* juridiction f; **estar fuera de la j. de alguien** ne pas être de la compétence de qn

jurisdiccional adj juridictionnel (elle)

jurisprudencia nf jurisprudence f

jurista nmf juriste mf

justicia nf justice f; **hacer j. a** faire ou rendre justice à; **es de j. que...** c'est justice que...; **tomarse alguien la j. por su mano** se faire justice

justicialismo nm *Arg Pol* justicialisme m

justicialista adj *Arg Pol* justicialiste

justiciero, -a *adj & nm,f* justicier (ère) *m,f*

justificación *nf* justification *f*

justificante *nm* justificatif *m*

justificar [59] **1** *vt* justifier

   2 justificarse *vpr* se justifier

justo, -a 1 *adj* juste; **tendremos la luz justa para...** nous aurons juste assez de lumière pour...; **estar** *o* **venir j.** être juste

   2 *nm Rel* **los justos** les justes *mpl*

   3 *adv* juste; **j. a tiempo** juste à temps; **j. ahora iba a llamarte** j'allais justement t'appeler

juvenil 1 *adj (de jóvenes)* juvénile; *Dep* cadet(ette)

   2 *nmf Dep* cadet(ette) *m,f*

juventud *nf* jeunesse *f*; **la j.** les jeunes *mpl*

juzgado *nm* tribunal *m* ☆ **j. de guardia** = tribunal où une permanence est assurée

juzgar [38] *vt* juger; **a j. por (cómo)** à en juger par (la façon dont)

K

K, k *nf (letra)* K *m inv*, k *m inv*
kafkiano, -a *adj* kafkaïen(enne)
kaki = caqui
karaoke *nm* karaoké *m*
kárate *nm* karaté *m*
katiusca, katiuska *nf* botte *f* en caoutchouc
Kenia *n* le Kenya
kermés [ker'mes] *nm o nf Am* kermesse *f*
ketchup ['ketʃup] *nm* ketchup *m*
kg *(abrev* **kilogramo(s))** kg
kibutz = quibutz
kilo *nm (peso)* kilo *m*; *Fam (millón)* million *m* de pesetas
kilogramo *nm* kilogramme *m*
kilometraje *nm* kilométrage *m*
kilométrico, -a *adj (distancia, billete)* kilométrique; *Fig (largo)* interminable
kilómetro *nm* kilomètre *m*; **kilóme-** tros por hora kilomètres (à l')heure; **k. cuadrado** kilomètre carré
kilovatio *nm* kilowatt *m*; **k. hora** kilowattheure *m*
kimono = quimono
kínder *nm Andes, Méx* crèche *f*
kiosco = quiosco
kiwi *(pl* **kiwis)** *nm* kiwi *m*
kleenex® ['klines, 'klineks] *nm inv* Kleenex® *m*
km *(abrev* **kilómetro(s))** km
km/h *(abrev* **kilómetros por hora)** km/h
kurdo, -a 1 *adj* kurde
 2 *nm,f* Kurde *mf*
Kuwait [ku'bait] *n (país)* le Koweït; *(ciudad)* Koweït
kuwaití [kubai'ti] *(pl* **kuwaitíes) 1** *adj* koweïtien(enne)
 2 *nmf* Koweïtien(enne) *m,f*

L

L, l *nf (letra)* L *m inv*, l *m inv*
l *(abrev* **litro**) l
la¹ *nm Mús* la *m inv*
la² *ver* **el, lo**
laberinto *nm* labyrinthe *m*
labia *nf Fam* bagout *m*; **tener mucha l.** avoir du bagout
labial 1 *adj* labial(e)
  2 *nf* labiale *f*
labio *nm* lèvre *f* ☆ *l. leporino* bec-de-lièvre *m*
labor *nf (trabajo)* travail *m*; *(de costura, punto)* ouvrage *m*; **profesión: sus labores** profession: femme au foyer; **no estar por la l.** *(ser reacio)* être réfractaire; **tierra de l.** terre *f* arable
laborable 1 *adj (día)* ouvrable
  2 *nm* jour *m* ouvrable
laboral *adj (jornada, condiciones)* de travail; *(accidente, derecho)* du travail
laboratorio *nm* laboratoire *m* ☆ *l. de idiomas o lenguas* laboratoire de langues
laborioso, -a *adj (difícil)* laborieux (euse); *(trabajador)* travailleur (euse)
laborista *adj & nmf* travailliste *mf*
labrador, -ora 1 *nm,f* cultivateur (trice) *m,f*
  2 *nm (perro)* labrador *m*
labranza *nf* culture *f*; **una casa de l.** une ferme

labrar 1 *vt (cultivar)* cultiver; *(arar)* labourer; *(metal)* travailler
  2 labrarse *vpr (futuro, porvenir)* se préparer
labriego, -a *nm,f* cultivateur(trice) *m,f*
laburar *vi RP Fam (trabajar)* bosser
laburo *nm RP Fam (trabajo)* boulot *m*
laca *nf (para el pelo, para muebles)* laque *f* ☆ *l. de uñas* vernis *m* (à ongles)
lacar [59] *vt* laquer
lacayo *nm* laquais *m*
lacerar *vt (cuerpo, rostro)* lacérer; *Fig (persona)* blesser, meurtrir; *(honor, reputación)* salir; *(corazón)* déchirer
lacio, -a *adj (cabello)* raide; *(piel, planta)* flétri(e); *Fig (sin fuerza)* abattu(e)
lacón *nm* = épaule de porc salée
lacónico, -a *adj* laconique
lacra *nf* fléau *m*; **las lacras de la sociedad** les plaies *fpl* de la société
lacre *nm* cire *f* à cacheter
lacrimógeno, -a *adj (gas)* lacrymogène; *Fig (película, novela)* qui fait pleurer
lacrimoso, -a *adj (con lágrimas)* larmoyant(e); *(triste)* mélodramatique
lactancia *nf* allaitement *m* ☆ *l. artificial* allaitement artificiel

lactante *nmf* nourrisson *m*

lácteo, -a *adj (producto, industria)* laitier(ère)

lactosa *nf* lactose *m*

ladear 1 *vt* **l. la cabeza** pencher la tête (de côté)

2 ladearse *vpr* s'écarter

ladera *nf* versant *m*

ladino, -a 1 *adj* rusé(e)

2 *nm (dialecto)* ladino *m*, judéo-espagnol *m*

3 *nm,f CAm, Méx (mestizo)* métis(isse) *m,f*; *(hispanohablante)* Indien(enne) *m,f* hispanophone

lado *nm (costado)* côté *m*; *(lugar)* endroit *m*; **a ambos lados** des deux côtés; **al l. (de)** *(cerca)* à côté (de); **de al l.** d'à côté; **la casa de al l.** la maison d'à côté; **de l.** de côté; **dormir de l.** dormir sur le côté; **en el l. (de)** sur le côté (de); **en el l. de abajo/arriba** en bas/haut; **en algún l.** quelque part; **en algún otro l.** ailleurs; **dejar de l., dejar a un l.** *(prescindir)* laisser de côté; **por un l...., por otro l....** d'un côté..., d'un autre côté...; **por todos lados** de tous (les) côtés

ladrar *vi (sujeto: perro)* aboyer; *Fig (sujeto: persona)* brailler

ladrido *nm (de perro)* aboiement *m*; *Fig (de persona)* braillement *m*

ladrillo *nm (de arcilla)* brique *f*; *Fam Fig* **es un l.** *(aburrido, pesado)* c'est ennuyeux comme la pluie

ladrón, -ona 1 *adj & nm,f* voleur (euse) *m,f*

2 *nm (para varios enchufes)* prise *f* multiple

lagartija *nf* petit lézard *m*

lagarto, -a *nm,f* lézard *m*

lago *nm* lac *m*

lágrima *nf* larme *f*; **hacer saltar las lágrimas** faire pleurer; **llorar a l. viva** pleurer à chaudes larmes

lagrimal 1 *adj* lacrymal(e)

2 *nm* larmier *m*

laguna *nf (de agua)* lac *m*; *Fig (omisión, olvido)* lacune *f*

La Habana *n* La Havane

La Haya *n* La Haye

laico, -a *adj & nm,f* laïque *mf*

lama *nm* lama *m*

La Mancha *n* la Manche *(región d'Espagne)*

lamentable *adj (desgraciado)* regrettable; *(malo)* lamentable

lamentar 1 *vt* regretter; *(víctimas, desgracias)* déplorer; **lamentamos comunicarle...** nous sommes au regret de vous informer...

2 lamentarse *vpr* se lamenter (**de** *o* **por** sur)

lamento *nm* lamentation *f*

lamer 1 *vt* lécher; *Fam Fig* **lamerle el culo a alguien** lécher les bottes à qn

2 lamerse *vpr* se lécher; *Fig* **lamerse las heridas** panser ses blessures

lamido, -a 1 *adj (flaco)* décharné(e)

2 *nf* **lamida** coup *m* de langue

lámina *nf (plancha)* lame *f*; *(rodaja)* tranche *f*; *(dibujo, grabado)* planche *f*

laminar *vt (hacer láminas)* laminer; *(cubrir con láminas)* stratifier

lámpara *nf* lampe *f*; *Fam Fig (mancha)* tache *f* ☆ **l. de pie** lampadaire *m*

lamparón *nm Fam Fig* grosse tache *f*

lampiño, -a *adj (sin barba)* imberbe; *(sin vello)* lisse

lamprea *nf* lamproie *f*

lana 1 *nf* laine *f*; **de l.** en laine ☆ *pura l. virgen* pure laine vierge

2 *nm Am Fam* fric *m*

lance 1 *ver* **lanzar**

2 *nm (en juego)* coup *m*; *(en fútbol)* phase *f* de jeu; *(acontecimiento)* circonstance *f*; *(riña)* altercation *f*; **un l. difícil** un moment difficile

lanceta *nf Am* dard *m*

lancha *nf (embarcación) (grande)* chaloupe *f*; *(pequeña)* barque *f* ☆ **l.**

motora barque à moteur; *l. neumá-tica* canot *m* pneumatique; *l. salva-vidas* canot de sauvetage

land rover® [lan'rrober] (*pl* **land rovers**) *nm* Land Rover *f*

langosta *nf (crustáceo)* langouste *f*; *(insecto)* criquet *m*

langostino *nm* bouquet *m (grosse crevette)*

languidecer [46] *vi* languir

languidez *nf (debilidad)* fragilité *f*; *(falta de ánimo)* langueur *f*

lánguido, -a *adj (débil)* fragile; *(falto de ánimo)* alangui(e)

lanilla *nf (pelillo)* poil *m*; *(tejido)* lainage *m* fin

lanolina *nf* lanoline *f*

lanza *nf (arma)* lance *f*

lanzadera *nf* **l. espacial** navette *f* spatiale

lanzado, -a *adj* **ser l.** *(atrevido)* ne pas avoir froid aux yeux; *Fig* **ir l.** *(rápido)* foncer

lanzagranadas *nm inv* lance-grenades *m inv*

lanzamiento *nm* lancement *m*; *(deporte)* lancer *m*; *(de objeto)* jet *m* ☆ *l. de disco* lancer du disque; *l. de jabalina* lancer du javelot; *l. de martillo* lancer du marteau; *l. de peso* lancer du poids

lanzar [14] **1** *vt* lancer; *(suspiro, grito, queja)* pousser

2 lanzarse *vpr (tirarse)* se jeter; *(empezar)* se lancer; **lanzarse sobre alguien** *(abalanzarse)* se précipiter sur qn

lapa *nf (molusco)* patelle *f*; *Fam Fig (persona)* pot *m* de colle; **pegarse como una l.** être collant(e)

La Paz *n* La Paz

lapicera *nf CSur* stylo *m* ☆ *l. fuente* stylo (à) plume

lapicero *nm (lápiz)* crayon *m*; *Andes (bolígrafo)* stylo *m* (à) bille

lápida *nf* **l. (mortuoria)** pierre *f* tombale

lapidar *vt* lapider

lapidario, -a *adj* lapidaire

lápiz *nm* crayon *m* ☆ *l. de labios* crayon à lèvres; *l. de ojos* crayon pour les yeux; *Informát l. óptico* crayon optique

lapso *nm* laps *m*; **en el l. de...** en l'espace de...

lapsus *nm inv (al hablar)* lapsus *m*; *(al actuar)* impair *m*

larga *ver* **largo**

largar [38] **1** *vt (aflojar)* larguer; *Fam (dinero, cosa)* filer; *Fam (bofetada)* flanquer; *Fam (discurso, sermón)* débiter; **el soplón lo largó todo** l'indic a lâché le morceau

2 *vi muy Fam (hablar)* tchatcher

3 largarse *vpr Fam* ficher le camp, se tirer

largavistas *nm inv Am* jumelles *fpl*

largo, -a 1 *adj* long (longue); *(alto)* grand(e); **una hora larga** une bonne heure

2 *nm* longueur *f*; **siete metros de l.** sept mètres de long; **pasar de l.** passer sans s'arrêter; **a lo l. de** *(en el espacio)* le long de; *(en el tiempo)* tout au long de; **la cosa va para l.** ce n'est pas demain la veille

3 *adv (extensamente)* longuement; **hablar l. y tendido de algo** parler en long et en large de qch

4 *interj* **¡l. (de aquí)!** hors d'ici!

5 *nf* **larga: a la larga** à la longue; **está aprendiendo y, a la larga, piensa trabajar** pour le moment il apprend et, à long terme, il pense travailler; **dar largas a algo** faire traîner qch (en longueur); **dar** *o* **poner las largas** *(luces de automóvil)* se mettre en pleins phares

largometraje *nm* long-métrage *m*

larguero *nm (de cama, puerta)* montant *m*; *(de portería)* barre *f* transversale

largura *nf* longueur *f*

laringe *nf* larynx *m*

laringitis *nf inv* laryngite *f*

La Rioja *n* La Rioja

larva *nf* larve *f*

las *ver* el, lo

lasaña *nf* lasagnes *fpl*

lascivo, -a 1 *adj* concupiscent(e)
  2 *nm,f* ser un l. être un obsédé

láser *nm inv* laser *m*

lástima *nf (compasión)* pitié *f*, peine *f*; *(disgusto, decepción)* dommage *m*; **dar l.** faire de la peine; **¡qué l.!** quel dommage!; **hecho una l.** en piteux état

lastimar 1 *vt (herir)* faire mal à; *Fig (ofender)* blesser
  2 lastimarse *vpr* **lastimarse (la pierna/el brazo)** se faire mal (à la jambe /au bras)

lastimoso, -a *adj* déplorable

lastre *nm (peso)* lest *m*; *Fig (estorbo)* fardeau *m*; **su pasado es un l. para su carrera** son passé fait obstacle à sa carrière; **soltar l.** lâcher du lest

lata *nf (envase)* boîte *f* (de conserve); *(de bebida)* cannette *f*; **una l. de aceite** un bidon d'huile; *Fam* **es una l.** *(un fastidio) (cosa)* c'est casse-pieds; *(persona)* c'est un(e) casse-pieds; **¡qué l.!** quelle barbe!; **¡deja ya de dar la l.!** arrête de me/ nous/*etc* casser les pieds

latente *adj* latent(e)

lateral 1 *adj* latéral(e)
  2 *nm (lado)* côté *m*; *Dep (jugador)* ailier *m*

látex *nm inv* latex *m*

latido *nm (palpitación)* battement *m*

latifundio *nm* latifundium *m*

latifundista *nmf* grand(e) propriétaire *mf* foncier(ère)

latigazo *nm (golpe)* coup *m* de fouet; *(chasquido)* claquement *m* de fouet; *Fam* **pegarse un l.** *(trago)* s'en jeter un (derrière la cravate)

látigo *nm (para pegar)* fouet *m*

latín *nm* latin *m*; *Fig* **sabe (mucho) l.** il est malin comme un singe

latinajo *nm Fam* latin *m* de cuisine

latino, -a 1 *adj* latin(e)
  2 *nm,f* Latin(e) *m,f*

Latinoamérica *n* l'Amérique *f* latine

latinoamericano, -a 1 *adj* latino-américain(e)
  2 *nm,f* Latino-Américain(e) *m,f*

latir *vi (palpitar)* battre

latitud *nf* latitude *f*; **latitudes** *(región)* latitudes

latón *nm* laiton *m*

latoso, -a *Fam* **1** *adj* barbant(e)
  2 *nm,f* raseur(euse) *m,f*

laúd *nm* luth *m*

laurel *nm* laurier *m*; **laureles** lauriers; *Fig* **dormirse en los laureles** s'endormir sur ses lauriers

lava *nf* lave *f*

lavabo *nm (objeto)* lavabo *m*; *(habitación)* toilettes *fpl*

lavadero *nm* lavoir *m*

lavado *nm* lavage *m* ☆ **l. de cerebro** lavage de cerveau; **l. de estómago** lavage d'estomac; **l. en seco** nettoyage *m* à sec

lavadora *nf* lave-linge *m inv*; **poner la l.** mettre une lessive en route

lavanda *nf* lavande *f*

lavandería *nf* blanchisserie *f*

lavaplatos 1 *nmf inv (persona)* plongeur(euse) *m,f*
  2 *nm inv (máquina)* lave-vaisselle *m inv*

lavar 1 *vt* laver; **l. y marcar** shampooing et brushing; **l. su honor** sauver son honneur; **l. en seco** nettoyer à sec
  2 lavarse *vpr* se laver; **lavarse la cara** se laver la figure

lavativa *nf (utensilio)* poire *f* à lavement; *(acción)* lavement *m*

lavatorio *nm Col, CSur* lavabo *m*

lavavajillas *nm inv* lave-vaisselle *m inv*

laxante 1 *adj* laxatif(ive); *(relajante)* relaxant(e)
2 *nm* laxatif *m*

lazada *nf* nœud *m*

lazarillo *nm (persona)* guide *m* d'aveugle; **(perro) l.** chien *m* d'aveugle

lazo *nm (atadura)* nœud *m* ; *(para el pelo)* ruban *m* ; *(de vaquero)* lasso *m* ; *Fig* **lazos** *(vínculos)* liens *mpl*

le

> On utilise **se** au lieu de **le** lorsque celui-ci est un pronom objet indirect placé devant lo, la, los ou las.

pron personal (complemento indirecto) (a él, ella) lui; *(a usted, ustedes)* vous; *(complemento directo) (a él)* le; *(a usted)* vous; **le di una manzana** je lui ai donné une pomme; **le tengo miedo** j'ai peur de lui (d'elle); **le dije que no** *(a usted)* je vous ai dit non; **le gusta leer** il (elle) aime lire; **añádele sal a las patatas** rajoute du sel dans les pommes de terre; **le vi ayer** je l'ai/vous ai vu hier

leal 1 *adj* fidèle **(a** à)
2 *nmf* loyaliste *mf*

lealtad *nf* loyauté *f* **(a** envers)

leasing ['lisin] *nm* leasing *m*

lección *nf* leçon *f* ; **dar a alguien una l. de algo** donner une leçon de qch à qn; **servir de l. a alguien** servir de leçon à qn

lechal *adj* de lait

leche *nf* lait *m* ; *Fam* **a toda l.** *(muy deprisa)* à toute pompe; *muy Fam* **¡una l.!** mon cul!; *muy Fam* **¡eres la l.!** tu te fais pas chier, toi!; *muy Fam* **pegar una l. a alguien** *(una bofetada)* foutre une baffe à qn; *muy Fam* **pegarse** *o* **darse una l.** *(tener un accidente)* se foutre en l'air; *muy Fam* **estar de mala l.** être d'une humeur de cochon; *muy Fam* **tener mala l.** avoir un foutu caractère ☆ **l. condensada** lait concentré; **l. descremada** *o* **desnatada**

lait écrémé; **l. entera** lait entier; **l. limpiadora** *(para la piel)* lait de toilette; **l. merengada** = boisson sucrée à base de lait, de blanc d'œuf et de cannelle

lechería *nf* Anticuado laiterie *f*, crémerie *f*

lechero, -a *adj & nm,f* laitier(ère) *m,f*

lecho *nm (cama)* lit *m* ; *(de mar, lago, canal)* fond *m* ; *(capa)* couche *f*

lechón *nm* cochon *m* de lait

lechosa *nf* Carib papaye *f*

lechuga *nf (planta)* laitue *f*

lechuza *nf* chouette *f*

lectivo, -a *adj (día, jornada)* de classe; *(año)* scolaire

lector, -ora *nm,f* lecteur(trice) *m,f* ☆ *Informát* **l. óptico** lecteur optique

lectorado *nm* poste *m* de lecteur (trice); **hacer un l.** être lecteur(trice)

lectura *nf* lecture *f* ; *(de tesis)* soutenance *f* ; *(de contador)* relevé *m* ☆ **l. óptica** lecture optique

leer [37] **1** *vt* lire; **l. algo de corrido** lire qch d'un trait
2 *vi* lire; *Fig* **l. entre líneas** lire entre les lignes

legado *nm* Der legs *m* ; *Fig (de una generación)* héritage *m* ; *(persona)* légat *m* ; *(cargo diplomático)* légation *f*

legajo *nm* dossier *m*

legal *adj* légal(e); *Fam (persona)* réglo; **un médico l.** un médecin légiste

legalidad *nf* légalité *f*

legalizar [14] *vt* légaliser

legaña *nf* chassie *f*

legañoso, -a *adj* chassieux(euse)

legar [38] *vt* léguer

legendario, -a *adj* légendaire

legible *adj* lisible

legión *nf* légion *f* ; **la L.** la Légion; **L. de Honor** Légion d'honneur

legionario, -a 1 *adj* de la Légion
2 *nm* légionnaire *m*

legislación *nf* législation *f*

legislar *vi* légiférer

legislatura *nf (periodo)* législature *f*

legitimar *vt (hacer legal)* légitimer; *(certificar)* authentifier

legítimo, -a *adj* légitime; *(oro, cuero)* véritable; *(obra)* authentique

lego, -a 1 *adj (profano)* profane; *(seglar)* laïque

   2 *nm,f (profano)* profane *mf*; *(seglar)* laïc (laïque) *m,f*

legua *nf* lieue *f*; *Fig* **se ve a la l.** ça saute aux yeux ☆ **l. marina** lieue marine

legumbre *nf* légume *m*

lehendakari *nm* = président du gouvernement autonome du Pays basque espagnol

leitmotiv [leitmo'tif] *nm* leitmotiv *m*

lejanía *nf* éloignement *m*; **en la l.** dans le lointain

lejano, -a *adj* lointain(e); *Fig (ausente)* distrait(e); **estar l.** être loin; **no está muy l. el día en que me hartará** je ne vais pas tarder à en avoir assez de lui

lejía *nf* (eau *f* de) Javel *f*

lejos *adv* loin; **a lo l.** au loin; **de** o **desde l.** de loin; **l. de** loin de; **l. de mejorar…** loin de s'améliorer…

lelo, -a *adj & nm,f* niais(e) *m,f*

lema *nm (norma)* devise *f*

lencería *nf (ropa interior)* lingerie *f*; *(de hogar)* linge *m*; *(tienda) (de ropa de hogar)* magasin *m* de blanc; *(de ropa interior)* boutique *f* de lingerie

lengua *nf* langue *f*; *Fig* **írsele a alguien la l., irse de la l.** ne pas tenir sa langue; *Fig* **morderse la l.** se mordre la langue; *Fig* **tirar a alguien de la l.** tirer les vers du nez à qn; *Fam* **ir/llegar con la l. fuera** être/arriver à bout de souffle ☆ **l. materna** langue maternelle; *Fig* **l. de víbora** o **viperina** langue de vipère

lenguado *nm* sole *f*

lenguaje *nm* langage *m* ☆ **l. cifrado** langage codé; **l. coloquial** langue *f* parlée; **l. corporal** langage du corps; *Informát* **l. máquina** langage machine; *Informát* **l. de programación** langage de programmation

lengüeta *nf* languette *f*

lengüetazo *nm,* **lengüetada** *nf* coup *m* de langue

lente 1 *nf* lentille *f* ☆ **lentes de contacto** verres *mpl* de contact

   2 *nmpl* **lentes** *(gafas)* lunettes *fpl*

lenteja *nf* lentille *f*

lentejuela *nf* paillette *f*

lentilla *nf* lentille *f* (de contact)

lentitud *nf* lenteur *f*; **con l.** lentement

lento, -a 1 *adj* lent(e); **a fuego l.** à feu doux

   2 *adv* lentement

leña *nf (madera)* bois *m* (de chauffage); *Fam Fig* **dar l. a alguien** *(pegar)* flanquer une volée à qn; *Fig* **echar l. al fuego** jeter de l'huile sur le feu

leñador, -ora *nm,f* bûcheron(onne) *m,f*

leño *nm* bûche *f*; **dormir como un l.** dormir comme une souche

leo 1 *nm inv (zodiaco)* Lion *m*

   2 *nmf inv (persona)* Lion *m inv*

león, -ona *nm,f (animal)* lion *m*, lionne *f* ☆ **l. marino** otarie *f*

leonera *nf (jaula)* cage *f* aux lions; *Fam Fig (habitación)* bazar *m*

leonino, -a *adj* léonin(e); *(piel)* de lion

leopardo *nm* léopard *m*

leotardos *nmpl (medias)* collant *m* (épais)

lépero, -a *adj CAm, Méx Fam (vulgar)* grossier(ère); *(astuto)* rusé(e)

lepra *nf* lèpre *f*

leproso, -a *adj & nm,f* lépreux (euse) *m,f*

lerdo, -a *adj & nm,f* empoté(e) *m,f*

les

> On utilise **se** au lieu de **les** lorsque celui-ci est un pronom objet indirect placé devant lo, la, los ou las.

pron personal pl (complemento indirecto) (a ellos, ellas) leur; *(a ustedes)* vous; *(complemento directo) (a ellos, ellas)* les; *(a ustedes)* vous; **l. he mandado un regalo** je leur/vous ai envoyé un cadeau; **l. he dicho lo que sé** je vous ai dit ce que je sais; **l. tengo miedo** j'ai peur d'eux (d'elles); **l. vi ayer** je les/vous ai vus (vues) hier

lesbiana *nf* lesbienne *f*

lesera *nf Chile Fam* bêtise *f*

lesión *nf* lésion *f*; *Fig (perjuicio)* dommage *m*; *(a la honradez)* atteinte *f*

lesionado, -a *adj & nm,f* blessé(e) *m,f*

lesionar 1 *vt (cuerpo)* blesser; *Fig (perjudicar)* léser
2 lesionarse *vpr* **lesionarse el brazo** se blesser au bras

letal *adj* mortel(elle)

letargo *nm* léthargie *f*; *(de animales)* hibernation *f*

letón, -ona 1 *adj* letton(onne)
2 *nm,f* Letton(onne) *m,f*
3 *nm (lengua)* letton *m*

Letonia *n* la Lettonie

letra *nf (signo, sentido)* lettre *f*; *(manera de escribir)* écriture *f*; *(estilo)* caractères *mpl*; *(de una canción)* paroles *fpl*; **dice mucho más de lo que la l. expresa** cela en dit plus long qu'il n'est écrit; *Fig* **a la l., al pie de la l.** à la lettre, au pied de la lettre; **letras** lettres ☆ *Com* **l. de cambio** traite *f*, lettre de change; **l. de imprenta** *o* **de molde** caractères d'imprimerie; **l. mayúscula** capitale *f*; **l. minúscula** minuscule *f*; **l. negrita** *o* **negrilla** caractères gras

letrado, -a 1 *adj* lettré(e)
2 *nm,f* avocat(e) *m,f*

letrero *nm* écriteau *m*

letrina *nf* latrines *fpl*

leucemia *nf* leucémie *f*

leucocito *nm* leucocyte *m*

levadura *nf* levure *f* ☆ **l. de cerveza** levure de bière

levantamiento *nm* soulèvement *m*; *(supresión)* levée *f* ☆ **l. de pesas** haltérophilie *f*

levantar 1 *vt* lever; *(peso, polvareda)* soulever; *(desmontar)* démonter; *(erigir, alzar)* élever; *(algo caído)* relever; *(acta, plano)* dresser; **l. el campamento** lever le camp; **l. el tono** hausser le ton; **l. el ánimo** remonter le moral; **l. a alguien contra** *(sublevar)* monter qn contre
2 levantarse *vpr* se lever; *(subir, erguirse)* s'élever; *(sublevarse)* se soulever

levante *nm (este)* levant *m*; *(viento)* vent *m* d'est; **L.** Levant *m (región d'Espagne)*

levantino, -a 1 *adj* levantin(e)
2 *nm,f* Levantin(e) *m,f*

levar *vt* **l. anclas** lever l'ancre

leve *adj* léger(ère); *(enfermedad)* bénin(igne); *(delito)* petit(e); *(pecado)* véniel(elle)

levedad *nf* légèreté *f*; *(de enfermedad)* bénignité *f*; *(de delito, pecado)* petitesse *f*

levitar *vi* léviter

léxico *nm* lexique *m*

ley *nf* loi *f*; *(de un metal)* titre *m*; **ser de buena l.** être digne de confiance; **l. de la oferta y de la demanda** loi de l'offre et de la demande; **con todas las de la l.** en bonne et due forme; **regirse por la l. del embudo** avoir deux poids, deux mesures; **leyes** *(derecho)* droit *m*

leyenda *nf* légende *f*; **la l. negra** la légende noire

liar [32] **1** *vt (atar)* lier; *(paquete)* ficeler; *(envolver)* envelopper; *(cigarrillo)* rouler; *Fam Fig (enre●r)* embrouiller; **I. a alguien en un asunto** mêler qn à une histoire
2 liarse *vpr (enredarse)* s'embrouiller; **liarse en** *(una discusión)* se lancer dans; *Fam* **se lió con María** *(sentimentalmente)* il est sorti avec María

libanés, -esa 1 *adj* libanais(e)
2 *nm,f* Libanais(e) *m,f*

Líbano *nm* **el L.** le Liban

libélula *nf* libellule *f*

liberación *nf* libération *f*; *(de hipoteca)* levée *f*

liberado, -a *adj* libéré(e)

liberal 1 *adj* libéral(e)
2 *nmf* libéral(e) *m,f*

liberalismo *nm* libéralisme *m*

liberar 1 *vt* libérer; **I. de algo a alguien** *(eximir)* dispenser qn de qch
2 liberarse *vpr* se libérer **(de** de)

libertad *nf* liberté *f*; **dejar** *o* **poner a alguien en I.** remettre qn en liberté; **tener I. para hacer algo** être libre de faire qch; **tomarse la I. de hacer algo** prendre la liberté de faire qch ☆ *I. condicional* liberté conditionnelle; *I. de expresión* liberté d'expression; *I. bajo fianza* liberté sous caution; *I. de imprenta* o *prensa* liberté de la presse

libertar *vt* libérer

libertino, -a *adj & nm,f* libertin(e) *m,f*

Libia *n* la Libye

libido *nf* libido *f*

libio, -a 1 *adj* libyen(enne)
2 *nm,f* Libyen(enne) *m,f*

libra 1 *nf (unidad de peso, moneda)* livre *f*; *(zodiaco)* Balance *f*; *Fam (cien pesetas)* cent pesetas *fpl* ☆ *I. esterlina* livre sterling; *I. irlandesa* livre irlandaise
2 *nmf inv (persona)* Balance *f inv*

librador, -ora *nm,f Com* tireur (euse) *m,f*

libramiento *nm*, **libranza** *nf Com* tirage *m*

librar 1 *vt (eximir)* dispenser; *(entablar)* livrer; *Com* tirer
2 *vi (no trabajar)* être en congé
3 librarse *vpr* **librarse de algo** *(obligación)* se dispenser de qch; **como tú fuiste a la reunión, él se libró** comme tu as été à la réunion, lui s'en est dispensé; **librarse de alguien** se débarrasser de qn; **de buena te libraste** tu l'as échappé belle

libre *adj* libre; **I. de** libre de; *(impuestos)* exonéré(e) de; **I. de hipotecas** non hypothéqué(e); **I. del servicio militar** dégagé(e) des obligations militaires; **estudiar por I.** être candidat(e) libre

librecambio *nm* libre-échange *m*

librepensador, -ora 1 *adj* librepenseur(euse); **una persona librepensadora** un libre-penseur
2 *nm,f* libre-penseur(euse) *m,f*

librería *nf (tienda)* librairie *f*; *(mueble)* bibliothèque *f*

librero, -a 1 *adj* du livre
2 *nm,f* libraire *mf*
3 *nm CAm, Méx (mueble)* bibliothèque *f*

libreta *nf (para escribir)* carnet *m*; *Com* livre *m* de comptes ☆ *I. de ahorros* livret *m* de caisse d'épargne

libretista *nmf Am* scénariste *mf*

libreto *nm (de ópera)* livret *m*; *Am (guión)* scénario *m*

libro *nm* livre *m*; **llevar los libros** tenir les livres ☆ *I. de bolsillo* livre de poche; *I. de cocina* livre de cuisine *ou* de recettes; *I. de escolaridad* livret *m* scolaire; *I. de familia* livret de famille; *I. de reclamaciones* livre des réclamations; *I. de texto* manuel *m* scolaire

liceísta *nmf Am* lycéen(enne) *m,f*

licencia *nf (autorización)* permission *f*; *Com* licence *f*; *(confianza)* liberté f ☆ **l. de armas** permis m de port d'armes; **l. de obras** permis de construire; **l. poética** licence poétique

licenciado, -a adj & nm,f diplômé(e) m,f (en en)

licenciar 1 vt (soldado) libérer **2 licenciarse** vpr = obtenir son diplôme de fin de second cycle; (soldado) être libéré(e)

licenciatura nf = diplôme sanctionnant quatre années d'études supérieures en Espagne, ≃ maîtrise f

licencioso, -a adj licencieux(euse)

liceo nm Am lycée m

lícito, -a adj licite

licor nm liqueur f

licuadora nf centrifugeuse f

licuar [4] vt passer au mixer

líder 1 adj qui occupe la première place **2** nmf leader m

liderato, liderazgo nm (primer puesto) première place f; (dirección) leadership m

lidia nf combat m taurin

lidiar 1 vi (luchar) lutter (con contre) **2** vt combattre

liebre nf lièvre m

lienzo nm toile f

lifting ['liftin] nm lifting m

liga nf (de medias) jarretière f; (de estados, personas) ligue f; (de fútbol) championnat m

ligadura nf ligature f; (atadura, vínculo) lien m ☆ **l. de trompas** ligature des trompes

ligamento nm ligament m

ligar [38] **1** vt (unir) lier; (paquete) ficeler; Med ligaturer **2** vi Fam **l. (con alguien)** draguer (qn)

ligazón nf liaison f; (entre dos hechos) rapport m

ligereza nf légèreté f; (error) erreur f

ligero, -a 1 adj léger(ère) **2** nf **ligera: a la ligera** à la légère

light adj inv (comida) allégé(e); (refresco, tabaco) light inv

ligón, -ona adj & nm,f Fam dragueur(euse) m,f

liguero, -a 1 adj (en deporte) du championnat **2** nm porte-jarretelles m inv

lija[1] nf (pez) roussette f

lija[2] nf (papel de) l. papier m de verre

lijar vt passer au papier de verre

lila 1 nf (planta) lilas m **2** adj inv (color) lilas **3** nm (color) couleur f lilas

liliputiense adj & nmf Fam lilliputien(enne) m,f

Lima n Lima

lima nf lime f; Fam **comer como una l.** manger comme quatre

limaco nm limace f

limar vt (pulir) limer; (perfeccionar) polir

limeño, -a 1 adj de Lima **2** nm,f = personne originaire de Lima

limitación nf limitation f; **l. de edad** limite f d'âge

limitado, -a adj limité(e)

limitar 1 vt limiter; (terreno) délimiter **2** vi confiner (con à ou avec) **3 limitarse** vpr **limitarse a** se borner à

límite 1 adj inv limite **2** nm limite f; **dentro de un l.** dans la limite ou les limites du raisonnable

limítrofe adj limitrophe

limón nm citron m

limonada nf citronnade f; (refresco) rafraîchissement m

limonero nm citronnier m

limosna nf aumône f; **dar/pedir l.** faire/demander l'aumône

limpiabotas nmf inv cireur(euse) m,f de chaussures

limpiacristales *nm inv (líquido)* produit *m* pour les vitres

limpiador, -ora *nm,f (persona)* employé(e) *m,f* du service de nettoyage; *(en casa)* personne *f* qui fait le ménage; *(mujer)* femme *f* de ménage

limpiamente *adv (con destreza)* adroitement; *(honradamente)* proprement

limpiaparabrisas *nm inv* essuie-glace *m*

limpiar *vt (lavar, robar)* nettoyer

limpieza *nf (cualidad)* propreté *f*; *(acción)* nettoyage *m*; *Fig (destreza)* adresse *f*; *Fig (honradez)* honnêteté *f* ☆ *Fig* **l. étnica** nettoyage *ou* purification *f* ethnique

limpio, -a *adj (sin suciedad, pulcro)* propre; *(claro)* net (nette); *(honrado)* honnête; *(sin mezcla)* pur(e); **un cielo l.** un ciel dégagé; **un asunto l.** une affaire claire; **estar l.** *(de culpa)* avoir la conscience tranquille; **poner en l.** mettre au propre; **sacar en l.** tirer au clair; *Fam* **dejar l. a alguien** *(sin dinero)* dépouiller qn; *Fig* **a grito l.** à grands cris; *Fig* **a puñetazo l.** à grands coups de poing

linaje *nm* lignage *m*

linaza *nf* linette *f*

lince *nm* lynx *m*; *Fig* **ser un l. para algo** avoir le génie de qch

linchar *vt* lyncher

lindar *vi* **l. con algo** *(espacio)* être contigu(uë) à qch; *(conceptos)* rejoindre qch; **l. con el ridículo** friser le ridicule

lindero *nm* limite *f*

lindo, -a *adj* joli(e); *Fig* **de lo l.** joliment

línea *nf* ligne *f*; *(fila)* rangée *f*; *(de personas)* file *f*; *(relación familiar)* lignée *f*; **cortar la l. (telefónica)** couper la ligne (téléphonique); **guardar la l.** garder la ligne; **en la misma l.** sur le même plan; **en líneas generales** en

gros ☆ **líneas aéreas** lignes aériennes; **l. continua** ligne continue; **l. de puntos** pointillé *m*; **l. recta** ligne droite

lineamiento *nm RP* lignes *fpl* directrices

linfático, -a *adj & nm,f* lymphatique *mf*

lingote *nm* lingot *m*

lingüista *nmf* linguiste *mf*

lingüístico, -a 1 *adj* linguistique **2** *nf* **lingüística** linguistique *f*

linier *(pl* liniers*) nm* juge *m* de touche

linimento *nm* liniment *m*

lino *nm* lin *m*

linterna *nf* lampe *f* de poche

linyera *nmf RP Fam* clodo *mf*

lío *nm (paquete)* ballot *m*; *Fam Fig (enredo)* embrouillamini *m*; *Fam Fig (jaleo)* vacarme *m*; *Fam Fig (amorío)* aventure *f*; **hacerse un l.** s'emmêler les pinceaux; **meterse en un l.** s'embarquer dans une sale histoire

liposucción *nf* liposuccion *f*

lipotimia *nf* lipothymie *f*

liquen *nm* lichen *m*

liquidación *nf Com (de factura)* règlement *m*; *(de existencias)* liquidation *f*; *(de inversión)* réalisation *f*

liquidar *vt* liquider; *(cuenta)* solder, fermer; *(gastar rápidamente)* engloutir; *(zanjar)* régler

liquidez *nf* liquidité *f*

líquido, -a 1 *adj* liquide; *(disponible)* liquide; *(neto)* net (nette) **2** *nm* liquide *m*; *(capital)* liquidité *f*

lira *nf (instrumento)* lyre *f*; *(moneda)* lire *f*

lírico, -a 1 *adj* lyrique **2** *nm,f* auteur *m* lyrique **3** *nf* **lírica** poésie *f* lyrique

lirio *nm* iris *m*

lirón *nm* loir *m*; *Fig* **dormir como un l.** dormir comme un loir

lis *nf* iris *m*

Lisboa n Lisbonne
lisboeta 1 adj lisbonnais(e)
  2 nmf Lisbonnais(e) m,f
lisiado, -a adj & nm,f estropié(e) m,f
liso, -a 1 adj lisse; (terreno) plat(e); (no estampado) uni(e); **200 metros lisos** 200 mètres plat; **lisa y llanamente** tout simplement
  2 nm,f Andes, CAm, Ven effronté(e) m,f
lisonja nf flatterie f
lisonjear vt flatter
lista nf (enumeración) liste f; (en restaurante) carte f; (de tela, papel) bande f; (de madera) latte f; (banda, tira) rayure f; **pasar l.** faire l'appel ☆ **l. de boda** liste de mariage; **l. de correos** poste f restante; **l. de espera** liste d'attente; **l. de precios** tarifs mpl
listado nm Informát listing m
listar vt CSur faire la liste de
listín nm (de teléfonos) annuaire m
listo, -a adj (astuto) malin(igne); (despabilado) dégourdi(e); (preparado) prêt(e); **pasarse de l.** vouloir faire le (la) malin(igne); **¡todo l.!** tout est prêt!
listón nm (para marcos) baguette f; Fig **poner el l. muy alto** placer la barre très haut
litera nf (cama) lit m (superposé); (de tren, barco) couchette f; (vehículo) litière f
literal adj littéral(e)
literario, -a adj littéraire
literato, -a nm,f écrivain m
literatura nf littérature f
litigar [38] vi être en litige
litigio nm litige m
litografía nf lithographie f
litoral 1 adj littoral(e)
  2 nm littoral m
litro nm litre m
Lituania n la Lituanie
lituano, -a 1 adj lituanien(enne)

  2 nm,f Lituanien(enne) m,f
  3 nm (lengua) lituanien m
liturgia nf liturgie f
liviano, -a adj léger(ère)
lívido, -a adj livide
living ['liβin] nm Andes, RP salle f de séjour
Ll, ll nf (letra) l m mouillé
llaga nf plaie f
llagarse [38] vpr se couvrir de plaies
llama nf (de fuego) flamme f; (animal) lama m
llamada nf appel m; (en un libro) renvoi m; **hacer una l.** téléphoner ☆ **l. a cobro revertido** appel en PCV; **l. interurbana** communication f interurbaine; **l. a larga distancia** communication vers l'étranger; **l. urbana** communication locale
llamado nm Am (de teléfono) appel m
llamamiento nm appel m
llamar 1 vt appeler; **l. (por teléfono) a alguien** téléphoner à qn; **l. de tú/usted a alguien** tutoyer/vouvoyer qn; **l. a alguien a juicio** appeler qn à comparaître
  2 vi (a la puerta) frapper; (con timbre) sonner; (por teléfono) téléphoner
  3 llamarse vpr (tener por nombre) s'appeler
llamarada nf flambée f
llamativo, -a adj voyant(e)
llamear vi flamber
llanero, -a 1 Ven nm (a caballo) = au Venezuela, gardien de troupeaux à cheval
  2 nm,f (del llano) habitant(ante) des plaines; Ven (campesino) paysan(anne) m,f
llaneza nf simplicité f
llano, -a 1 adj (liso) plat(e); (natural, sencillo) simple; (sin rango) modeste; **el pueblo l.** le petit peuple; **una palabra llana** un paroxyton, un

mot accentué sur l'avant-dernière syllabe

2 nm (llanura) plaine f

llanta nf (en rueda) jante f; Am (rueda) roue f

llanto nm pleurs mpl, larmes fpl

llanura nf plaine f

llave nf clef f, clé f; (del gas, agua) robinet m; (de la electricidad) interrupteur m; (signo ortográfico) accolade f; **bajo l.** sous clef; **echar la l.** fermer à clef; Com **l. en mano** clefs en main ☆ **l. de contacto** clef de contact; **l. inglesa** clef anglaise; **l. maestra** passe-partout m inv; **l. de paso** robinet d'arrêt

llavero nm porte-clefs m inv

llavín nm petite clef f

llegada nf arrivée f

llegar [38] **1** vi (acudir) arriver; (sobrevenir) venir; (bastar) suffire; **l. de viaje** rentrer de voyage; **al l. la noche** à la nuit tombante; **l. a** o **hasta algo** (durar, alcanzar) atteindre qch, arriver à qch; **no llegó a la cima** il n'a pas atteint le sommet; **el abrigo le llega hasta la rodilla** son manteau lui arrive au genou; **no llegará a mañana** il ne passera pas la nuit; **no me llega para pagar** je n'ai pas assez pour payer; **l. a (ser) algo** (lograr) devenir qch; **llegarás a ser presidente** tu deviendras président; **¡si llego a saberlo!** si j'avais su!; **l. a hacer algo** (atreverse) en arriver à faire qch

2 llegarse vpr **me llegué a su casa** je suis passé chez lui

llenar 1 vt (ocupar, rellenar) remplir (**de** de); (tapizar) couvrir (**de** de); (satisfacer) combler; **l. a alguien de** (indignación, alegría) remplir qn de; (consejos, alabanzas) abreuver qn de; (favores) combler qn de

2 llenarse (colmarse) se remplir (**de** de); (cubrirse) se couvrir (**de** de); **ya me he llenado** (de comida) je n'ai plus faim

lleno, -a adj plein(e); Fam (regordete) potelé(e); **tener la casa llena** avoir beaucoup de monde chez soi; **l. de** (colmado con) plein(e) de; (cubierto con) couvert(e) de; (saciado) repu(e); **estoy l.** (de comida) je n'en peux plus; **de l.** en plein

llevadero, -a adj supportable

llevar 1 vt (a) (peso, prenda) porter; (carga) transporter; **llevaba un saco en las espaldas** il portait un sac sur le dos; **lleva un traje nuevo/gafas** elle porte une nouvelle robe/des lunettes; **el avión llevaba carga** l'avion transportait des marchandises

(b) (acompañar) emmener; **llevo a Juan a su casa** j'emmène Juan chez lui; **nos llevó al teatro** il nous a emmenés au théâtre; **llévenos al hospital** conduisez-nous à l'hôpital

(c) (depositar, causar) apporter; **le llevé un regalo** je lui ai apporté un cadeau; (vehículo, caballo) conduire

(d) (inducir) **l. a alguien a algo/a hacer algo** conduire ou amener qn à qch/à faire qch; **lo llevaron a la victoria/a dejar la carrera** ils l'ont conduit à la victoire/à abandonner ses études

(e) (ocuparse de) (cuentas, casa) tenir; (negocio) diriger, mener

(f) (tener) avoir; **llevas las manos sucias** tu as les mains sales; **no llevo dinero** je n'ai pas d'argent sur moi

(g) (soportar) supporter; **lleva su enfermedad con resignación** elle supporte sa maladie avec résignation; **lleva mal la soltería** il vit mal le célibat

(h) (mantener) **l. el paso** marcher au pas

(i) (haber pasado tiempo) **lleva dos años aquí** ça fait deux ans qu'il est là; **llevo una hora esperándote** ça fait une heure que je t'attends

(j) (ocupar tiempo) prendre; **me llevó un día hacer esta tarta** ça m'a pris une journée de faire ce gâteau

(k) (sobrepasar en) **me lleva dos años** il a deux ans de plus que moi; **mi hijo**

me **lleva dos centímetros** mon fils me dépasse de deux centimètres
2 *vi* (**a**) *(conducir)* **l. a** mener à (**b**) *(antes de participio) (tener)* **lleva leída media novela** il en est à la moitié du roman
3 llevarse *vpr* (**a**) *(tomar)* emporter, prendre; *(arrastrar)* emporter; **los ladrones se llevaron todo** les voleurs ont tout emporté; **alguien se ha llevado mi bolso** quelqu'un a pris mon sac; **la riada se ha llevado la carretera** la crue a emporté la route
(**b**) *(premio)* remporter
(**c**) *(acercar)* porter; **se llevó la copa a los labios** elle porta le verre à ses lèvres
(**d**) *(recibir)* avoir; **¡me llevé un susto!** j'ai eu une de ces peurs!
(**e**) *(entenderse)* **llevarse bien/mal (con alguien)** s'entendre bien/mal (avec qn)
(**f**) *(estar de moda)* se porter
(**g**) *Mat* retenir

llorar 1 *vi (con lágrimas)* pleurer; *Fam* **llorarle a alguien** *(quejarse)* pleurnicher auprès de qn
2 *vt* pleurer

lloriquear *vi* pleurnicher

lloro *nm* pleurs *mpl*

llorón, -ona 1 *adj* pleurnicheur (euse); *(bebé)* qui pleure beaucoup
2 *nm,f* pleurnicheur(euse) *m,f*

lloroso, -a *adj (persona)* en pleurs; *(ojos, voz)* larmoyant(e)

llover [41] **1** *v impersonal* pleuvoir
2 *vi Fig* pleuvoir; **le llueven las ofertas** il est submergé de propositions; *Fig* **ha llovido mucho desde entonces** il est passé beaucoup d'eau sous les ponts depuis

llovizna *nf* bruine *f*

lloviznar *v impersonal* bruiner

lluvia *nf* pluie *f* ☆ **l. ácida** pluies acides

lluvioso, -a *adj* pluvieux(euse)

lo, la *(pl* **los, las**) **1** *pron personal (persona, cosa)* le, la, l'; *(a usted)* vous; **no lo/la conozco** je ne le/la connais pas; **la quiere** il l'aime; **los vi** je les ai vus; **la invito a mi fiesta** *(a usted)* je vous invite à ma soirée
2 *art det (neutro)* **lo antiguo me gusta más que lo moderno** je préfère l'ancien au moderne; **lo mejor/peor** le mieux/pire; **perdona por lo de ayer** je suis désolé pour ce qui s'est passé hier; **lo que** ce que; **acepté lo que me ofrecieron** j'ai accepté ce qu'on m'a offert

loa *nf (alabanza)* louange *f*

loable *adj* louable

loar *vt* louer

lobato = **lobezno**

lobby ['lobi] *(pl* **lobbies**) *nm* lobby *m*

lobezno *nm* louveteau *m*

lobo, -a *nm,f* loup *m*, louve *f* ☆ **l. de mar** loup de mer; **l. marino** *(foca)* otarie *f*

lóbrego, -a *adj* lugubre

lóbulo *nm* lobe *m*

local 1 *adj* local(e)
2 *nm (edificio)* local *m*; *(sede)* siège *m* ☆ **l. comercial** locaux commerciaux; **l. de ensayo** local de répétition

localidad *nf (población)* localité *f*; *(asiento, billete)* place *f*; **no hay localidades** *(en letrero)* complet

localismo *nm (sentimiento)* esprit *m* de clocher; *(expresión, palabra)* régionalisme *m*

localizar [14] **1** *vt* localiser; *(persona, objeto)* trouver; *(por teléfono)* joindre
2 localizarse *vpr* être localisé(e)

loción *nf (líquido)* lotion *f*; *(masaje)* friction *f*

loco, -a 1 *adj* fou (folle); **estar l. de** *o* **por** *o* **con** être fou de; **l. de atar** *o* **de remate** fou à lier; **a lo l.** *(conducir)* comme un(e) fou (folle); *(responder, trabajar)* n'importe comment; **¡ni l.!** jamais de la vie!

2 *nm,f* fou (folle) *m,f*
3 *nm Chile (molusco)* ormeau *m*

locomoción *nf* locomotion *f*; **los gastos de l.** les frais de transport

locomotor, -ora *o* **-triz 1** *adj* locomoteur(trice)
2 *nf* **locomotora** locomotive *f*

locuaz *adj* loquace

locución *nf* locution *f*

locura *nf* folie *f*; **con l.** à la folie

locutor, -ora *nm,f* présentateur (trice) *m,f*

locutorio *nm (en convento, cárcel)* parloir *m* ☆ **l. (telefónico)** cabines *fpl* téléphoniques

lodo *nm* boue *f*

logaritmo *nm* logarithme *m*

lógico, -a 1 *adj* logique; **es l. que…** *(es comprensible)* c'est logique que…
2 *nm,f* logicien(enne) *m,f*
3 *nf* **lógica** logique *f*; **tener lógica** être logique

logístico, -a 1 *adj* logistique
2 *nf* **logística** logistique *f*

logopeda *nmf* orthophoniste *mf*

logotipo *nm* logo *m*

logrado, -a *adj* réussi(e)

lograr *vt* obtenir; **l. su objetivo** atteindre son objectif; **l. hacer algo** réussir à faire qch

logro *nm* réussite *f*

Loira *nm* **el L.** la Loire

loma *nf* colline *f*

lombriz *nf* **l. (de tierra)** ver *m* de terre; **l. (intestinal)** ver

lomo *nm* dos *m*; *(carne) (de cerdo)* échine *f*; *(de vaca)* bavette *f*; **a lomos de un burro** à dos d'âne

lona *nf (tela)* toile *f* de bâche; *(en deporte)* tapis *m*

loncha *nf* tranche *f*

lonche *nm Col, Méx (bocadillo)* sandwich *m*; *Perú (merienda)* goûter *m*

lonchería *nf Méx* cafétéria *f*

londinense 1 *adj* londonien(enne)
2 *nmf* Londonien(enne) *m,f*

Londres *n* Londres

longaniza *nf* saucisse *f* sèche

longitud *nf (dimensión)* longueur *f*; *(en geografía)* longitude *f*; **de 10 metros de l.** de 10 mètres de long ☆ **l. de onda** longueur d'onde

longitudinal *adj* longitudinal(e)

lonja *nf (loncha)* tranche *f*; *(edificio oficial)* bourse *f* de commerce ☆ **l. de pescado** halle *f* aux poissons

loro *nm (animal)* perroquet *m*; *Fam Fig (charlatán)* moulin *m* à paroles; *muy Fam* **estar al l.** *(alerta)* ouvrir l'œil

los *ver* **el, lo**

losa *nf* dalle *f* ☆ *RP* **l. radiante** chauffage *m* par le sol

loseta *nf* carreau *m*

lote *nm* lot *m*; *(de una herencia)* part *f*; *Am (de tierra)* lot *m*, parcelle *f* de terrain; *Informát* **tratamiento por lotes** traitement *m* par lots; *Fam* **darse o pegarse el l.** se peloter

loteamiento *nm Am* morcellement *m (d'un terrain)*

lotería *nf* loterie *f*; *(tienda)* = kiosque à billets de loterie; **jugar a la l.** jouer à la loterie; **le tocó la l.** il a gagné à la loterie ☆ **l. primitiva** ≃ Loto *m*

lotización *nf Ecuad, Perú* = **loteamiento**

loza *nf (material)* faïence *f*; *(objetos)* vaisselle *f*

lozanía *nf* vigueur *f*, fraîcheur *f*

lozano, -a *adj* vigoureux(euse); *(persona)* qui respire la santé

LSD *nm (abrev* **lysergic diethylamide)** LSD *m*

lubina *nf* bar *m*, loup *m* de mer

lubricante 1 *adj* lubrifiant(e)
2 *nm* lubrifiant *m*

lubricar [59] *vt* lubrifier

lucero *nm (astro)* étoile *f* (brillante)

lucha *nf* lutte *f* ☆ *l. de clases* lutte des classes; *l. libre* lutte libre

luchar *vi* lutter, se battre (**contra/por** contre/pour)

lucidez *nf* lucidité *f*

lúcido, -a *adj* lucide

luciérnaga *nf* ver *m* luisant

lucimiento *nm* éclat *m*

lucir [39] **1** *vi (brillar)* briller; *(estrellas)* luire; *(compensar)* profiter; *(dar prestigio)* faire de l'effet; **trabajé mucho pero no me ha lucido** j'ai beaucoup travaillé pour rien; *Am* **esas ropas lucen limpias** ces vêtements ont l'air propres

   2 *vt (valor, ingenio)* faire preuve de; *(joyas, ropa)* porter; **l. las piernas** montrer ses jambes

   3 lucirse *vpr* briller (**en** à); *Fam & Irón* **¡te has lucido!** bravo!

lucrativo, -a *adj* lucratif(ive)

lucro *nm* gain *m*

lucubrar 1 *vt Pey (imaginar)* échafauder

   2 *vi* **l. sobre** *(reflexionar)* méditer sur

lúcuma *nf Andes* canistel *m*

lúdico, -a *adj* ludique

ludopatía *nf* dépendance *f* aux jeux

luego 1 *adv (justo después)* ensuite; *(más tarde)* tout à l'heure; *Am (pronto)* rapidement; **primero aquí y l. allí** d'abord ici et ensuite là-bas; **primero dijo que no, pero l. aceptó** il a d'abord dit non et puis il a accepté; **cenamos y l. nos acostamos** on a dîné et on s'est couchés tout de suite après

   2 *conj (así que)* donc; **pienso, l. existo** je pense donc je suis; *Am Fam* **l. l.** *(inmediatamente)* tout de suite; *(de vez en cuando)* de temps en temps

lugar *nm* lieu *m*; *(sitio, emplazamiento)* endroit *m*; *(posición, puesto)* place *f*; **en el l. del crimen** sur les lieux du crime; **en este l. había una**

iglesia à cet endroit, il y avait une église; **en un l. apartado** dans un endroit retiré; **la gente del l.** les gens du coin; **ocupar el segundo l.** être à la deuxième place; **dejar las cosas en su l.** laisser les choses à leur place; **dar l. a** donner lieu à; **en l. de** au lieu de; **en tu l., no lo haría** à ta place, je ne le ferais pas; **fuera de l.** hors de propos; **no deja l. a dudas** cela ne fait aucun doute; **si ha l.** s'il y a lieu; **tener l.** avoir lieu ☆ *l. común* lieu commun

lugareño, -a *adj & nm,f* villageois(e) *m,f*

lúgubre *adj* lugubre

lujo *nm* luxe *m*; **con todo l. de detalles** avec un grand luxe de détails; **un artículo de l.** un produit de luxe; *Fig* **un piso de l.** un splendide appartement

lujoso, -a *adj* luxueux(euse)

lujuria *nf* luxure *f*

lumbago *nm* lumbago *m*

lumbar *adj* lombaire

lumbre *nf (fuego)* feu *m*; *Fig (resplandor)* éclat *m*

lumbrera *nf Fam* **no ser ninguna l.** ne pas être une lumière

luminoso, -a *adj también Fig* lumineux(euse)

luna *nf (astro)* Lune *f*; *(espejo, cristal)* glace *f*; **estar en la l.** être dans la lune ☆ *l. llena* pleine lune; *l. de miel* lune de miel; *l. nueva* nouvelle lune

lunar 1 *adj* lunaire

   2 *nm (en la piel)* grain *m* de beauté; *(en telas)* pois *m*; **de** o **con** o **a lunares** à pois

lunático, -a *adj & nm,f* désaxé(e) *m,f*

lunes *nm inv* lundi *m*; *ver también* **sábado**

lupa *nf* loupe *f*

lustrabotas *nm inv*, **lustrador** *nm Am* cireur *m* de chaussures

lustradora *nf Andes, RP* cireuse *f*

lustrar *vt* astiquer; *(zapatos)* faire briller

lustre *nm también Fig* éclat *m*

lustro *nm* lustre *m*; *Fig* **hace lustros que no lo veo** il y a des lustres que je ne l'ai pas vu

lustroso, -a *adj* brillant(e)

luto *nm* deuil *m*; **vestir** *o* **ir de l.** porter le deuil

luxación *nf* luxation *f*

Luxemburgo *n* le Luxembourg

luxemburgués, -esa 1 *adj* luxembourgeois(e)

2 *nm,f* Luxembourgeois(e) *m,f*

luz *nf* lumière *f*; *(electricidad)* électricité *f*; *(de automóvil)* phare *m*; *(destello)* scintillement *m*; **pagar el recibo de la l.** payer la facture d'électricité; **se ha ido la l.** il y a une panne de courant; **cortar la l.** couper le courant; **encender/apagar la l.** allumer/éteindre la lumière; **darle luces a alguien** faire un appel de phares à qn; **luces de carretera** *o* **largas** feux *mpl* de route, phares; **luces de cruce** *o* **cortas** feux de croisement, codes *mpl*; **luces de posición** *o* **situación** feux de position, veilleuses *fpl*; **despedir luces** étinceler; **dar a l.** accoucher; **sacar a la l.** révéler; *(libro)* publier; **luces** *(inteligencia)* intelligence *f*; **de pocas luces** sans grande intelligence

lycra *nf* Lycra® *m*

M

M, m *nf (letra)* M *m inv*, m *m inv*

m *(abrev* **metro(s))** m

macabro, -a *adj* macabre

macana *nf CSur Fam (disparate)* bêtise *f*

macanear *vi CSur Fam (decir)* dire des bêtises; *(hacer)* faire des bêtises

macarra 1 *nm,f Fam (chulo, matón)* loubard(e) *m,f*
 2 *nm (de prostitutas)* maquereau *m*

macarrones *nmpl* macaronis *mpl*

macedonia *nf* m. **(de frutas)** macédoine *f* de fruits

macerar *vt* faire macérer

maceta *nf (tiesto)* pot *m*; *(con planta)* pot *m* de fleurs; *(herramienta)* petit maillet *m*

macetero *nm* cache-pot *m*

machaca *nmf Fam (pesado)* cassepieds *mf inv*; *(trabajador)* homme (femme) *m,f* à tout faire

machacar [59] **1** *vt (triturar)* piler; *Fam Fig (insistir)* rabâcher; *Fam Fig (estudiar)* potasser; *(vencer)* écraser
 2 *vi Fig (insistir)* insister; *(sobre un tema)* rabâcher

machete *nm* machette *f*

machista *adj & nmf* machiste *mf*

macho 1 *adj* mâle; *Fig (hombre)* macho
 2 *nm* mâle *m*; *Fig (hombre)* macho *m*; *(pieza)* pièce *f* mâle; *Elec* prise *f* mâle

3 *interj Fam* **¡oye, m.!** eh, mon vieux!

macizo, -a 1 *adj (oro, madera)* massif(ive); *Fam Fig* **estar m.** *(persona)* être canon *inv*
 2 *nm (de montañas, de flores)* massif *m*

macramé *nm* macramé *m*

macro *nf Informát* macro-instruction *f*

macrobiótico, -a 1 *adj* macrobiotique
 2 *nf* **macrobiótica** macrobiotique *f*

macuto *nm* sac *m* à dos

madeja *nf* pelote *f*; **m. de lana** pelote de laine

madera *nf* bois *m*; *(tabla)* planche *f*; **de m. en bois**; *Fig* **tener m. de** avoir l'étoffe de; **tocar m.** toucher du bois

madero *nm (tabla)* madrier *m*; *Fig (necio)* bûche *f*; *muy Fam (policía)* flic *m*

madrastra *nf* belle-mère *f (marâtre)*

madre *nf* mère *f*; *Méx muy Fam Fig* **me vale m.** je m'en fous complètement; **¡m. mía!** mon Dieu! ☆ **m. de alquiler** mère porteuse; **m. política** belle-mère *f*; **m. soltera** mère célibataire

Madrid *n* Madrid

madriguera *nf* tanière *f*; *(de conejo)* terrier *m*

madrileño, -a 1 *adj* madrilène
 2 *nm,f* Madrilène *mf*

madrina *nf también Fig* marraine *f*

madroño *nm (árbol)* arbousier *m*; *(fruto)* arbouse *f*

madrugada *nf* matin *m*; **la una de la m.** une heure du matin

madrugador, -ora *adj* matinal(e)

madrugar [38] *vi (levantarse)* se lever tôt

madrugón *nm Fam* **darse** *o* **pegarse un m.** se lever aux aurores

madurar *vt & vi* mûrir

madurez *nf* maturité *f*

maduro, -a *adj* mûr(e)

maestría *nf* maîtrise *f*

maestro, -a 1 *adj* maître (maîtresse); **una viga maestra** une poutre maîtresse; **una pared maestra** un mur porteur; **un golpe m.** un coup de maître

  2 *nm,f (de escuela)* maître *m*, maîtresse *f*; *Méx (de universidad)* professeur *m* d'université

  3 *nm (sabio, director)* maître *m*; *(compositor, director)* maestro *m*

  ☆ **m. de ceremonias** maître de cérémonie

mafia *nf* mafia *f*

mafioso, -a 1 *adj* mafieux(euse)

  2 *nm,f* mafioso *m*

magdalena *nf* madeleine *f*; **llorar como una m.** pleurer comme une madeleine

magia *nf* magie *f*; *(de persona)* charme *m*

mágico, -a *adj* magique

magisterio *nm* = formation universitaire préparant à l'enseignement dans le primaire

magistrado, -a *nm,f* magistrat *m*

magistral *adj* magistral(e)

magistratura *nf* magistrature *f*

  ☆ **m. de trabajo** conseil *m* de prud'hommes

magma *nm* magma *m*

magnánimo, -a *adj* magnanime

magnate *nm* magnat *m*

magnético, -a *adj también Fig* magnétique

magnetismo *nm también Fig* magnétisme *m*

magnetizar [14] *vt* magnétiser

magnetófono *nm* magnétophone *m*

magnicidio *nm* assassinat *m (d'une personne haut placée)*

magnífico, -a *adj* magnifique

magnitud *nf (medida)* grandeur *f*; *(de estrella)* magnitude *f*; *(importancia)* ampleur *f*

magnolia *nf* magnolia *m*

mago, -a *nm,f (prestidigitador)* magicien(enne) *m,f*; *(en cuentos)* enchanteur(eresse) *m,f*

Magreb *nm* **el M.** le Maghreb

magrebí 1 *adj* maghrébin(e)

  2 *nmf* Maghrébin(e) *m,f*

magro, -a 1 *adj* maigre

  2 *nm (carne)* maigre *m*

magulladura *nf* meurtrissure *f*

magullar *vt (piel)* meurtrir; *(fruta)* taler

mahometano, -a *adj & nm,f* musulman(e) *m,f*

mahonesa *nf* mayonnaise *f*

maicena *nf* Maïzena *f*

mailing ['meilin] *nm* mailing *m*

maillot [ma'jot] *(pl* **maillots***) nm (de ciclista)* maillot *m*; *(de ballet)* justaucorps *m*; *(de gimnasia)* body *m*

  ☆ **m. amarillo** maillot jaune

maître ['metre] *nm* maître *m* d'hôtel

maíz *nm* maïs *m*

majadero, -a *nm,f* idiot(e) *m,f*

majareta *adj & nmf Fam* cinglé(e) *m,f*

majestad *nf* majesté *f*

majestuoso, -a *adj* majestueux (euse)

majo, -a *adj (simpático)* gentil(ille); *(bonito)* mignon(onne)

mal 1 *adj ver* **malo**

2 *nm* mal *m*; **el m.** le mal; **no hay m. que por bien no venga** à quelque chose malheur est bon; **echarle a alguien m. de ojo** jeter le mauvais œil à qn ✩ **m. de altura** *o* **montaña** mal des hauteurs *ou* des montagnes
3 *adv* mal; **encontrarse m.** se sentir mal; **hiciste m. en decírselo** tu n'aurais pas dû le lui dire; **oír/ver m.** entendre/voir mal; **oler m.** sentir mauvais; *Fam Fig* sembler louche; **saber m.** avoir mauvais goût; *Fig* déplaire; **salir m.** être raté(e); **me ha salido m. la tarta** j'ai raté le gâteau; **sentar m. a alguien** *(ropa)* aller mal à qn; *(comida)* ne pas réussir à qn; *(comentario, actitud)* ne pas plaire à qn; *Fig* **m. parado** mal en point; **ir de m. en peor** aller de mal en pis; **no estaría m. que...** ça serait bien que...

malabar, malabarismo *nm también Fig* **hacer malabarismos** jongler

malabarista *nmf* jongleur(euse) *m,f*

malacostumbrado, -a *adj* gâté(e)

malacostumbrar *vt* donner de mauvaises habitudes à; *(niño)* gâter

Málaga *n* Malaga

malaria *nf* malaria *f*

Malasia *n* la Malaisie

malcriado, -a *adj & nm,f* mal élevé(e) *m,f*

maldad *nf* méchanceté *f*

maldecir [51] **1** *vt* maudire
2 *vi* médire

maldición *nf* malédiction *f*

maldito, -a *adj* maudit(e); **¡maldita sea!** bon sang!

maleable *adj también Fig* malléable

maleante *adj & nmf* délinquant(e) *m,f*

malecón *nm* jetée *f*

maleducado, -a *adj & nm,f* mal élevé(e) *m,f*

maleficio *nm* maléfice *m*

malentendido *nm* malentendu *m*

malestar *nm (dolor físico)* douleur *f*;

Fig (molestia) malaise *m*; **sentir m. general** avoir mal partout

maleta *nf* valise *f*; **hacer** *o* **preparar la m.** faire ses valises

maletero *nm* coffre *m*

maletín *nm* mallette *f*; *(portafolios)* attaché-case *m*

malévolo, -a *adj* malveillant(e)

maleza *nf (malas hierbas)* mauvaises herbes *fpl*; *(espesura)* broussailles *fpl*

malformación *nf* malformation *f*

malgastar *vt* gaspiller

malhablado, -a 1 *adj* grossier(ère)
2 *nm,f* **es un m.** il parle comme un charretier

malhechor, -ora 1 *adj* malfaisant(e)
2 *nm,f* malfaiteur *m*

malhumorado, -a *adj* de mauvaise humeur

malicia *nf (maldad)* méchanceté *f*; *(picardía)* malice *f*

malicioso, -a *adj (malo, malintencionado)* mauvais(e); *(pícaro)* malicieux(euse)

maligno, -a *adj (persona)* malveillant(e); *(tumor)* malin(igne)

malla *nf (tejido)* maille *f*; *(red)* filet *m*; *CSur (traje de baño)* maillot *m* de bain une pièce; **mallas** caleçon *m* *(de fille)*

Mallorca *n* Majorque

mallorquín, -ina 1 *adj* majorquin(e)
2 *nm,f* Majorquin(e) *m,f*

malo, -a

> On utilise **mal** devant les noms masculins singuliers.

1 *adj* mauvais(e); *(malicioso)* méchant(e); *(enfermo)* malade, souffrant(e); *(travieso)* vilain(e); *(difícil)* dur(e); **una comida mala** un mauvais repas; **un resultado m.** un mauvais résultat; **pasar un mal rato** passer un mauvais quart d'heure; **es m. para los idiomas** il est mauvais en langues; **ser m. para la salud** être mauvais pour la santé; **ser m. con alguien** être méchant avec qn; **lo m. es que...** le problème, c'est que...; **estar m.** être malade; **ponerse m.** tomber malade; **salió m. de...** il ne s'est pas bien tiré de...; **estar de malas** être de mauvaise humeur; **por las malas** *(a la fuerza)* de force ☆ *mal humor* mauvaise humeur; **estar de mal humor** être de mauvaise humeur

2 *nm,f (de película)* méchant(e) *m,f*

malograr 1 *vt (desaprovechar)* gâcher; *(oportunidad)* rater; *(estropear)* endommager; *Andes (romper)* casser

2 **malograrse** *vpr (fracasar)* tourner court; *(morir)* mourir prématurément; *(estropearse)* être endommagé(e); *Andes (romperse)* se casser; *(vehículo, máquina)* tomber en panne

malpensado, -a *nm,f* **ser un m.** avoir l'esprit mal tourné

malsonante *adj* grossier(ère)

Malta *n* Malte

malta *nf* malt *m*

maltratar *vt (pegar, insultar)* maltraiter; *(estropear)* abîmer

maltrato *nm* mauvais traitements *mpl*

maltrecho, -a *adj* en piteux état

malva 1 *nf (flor)* mauve *f*; *Fam Fig* **estar criando malvas** avoir passé l'arme à gauche

2 *adj inv* mauve

3 *nm (color)* mauve *m*

malvado, -a *adj & nm,f* méchant(e) *m,f*

malversación *nf* malversation *f* ☆ *m. de fondos* détournement *m* de fonds

malversar *vt* détourner

Malvinas *nfpl* **las M.** les Malouines *fpl*

malviviente *nmf RP* délinquant(e) *m,f*

malvivir *vi* vivre pauvrement

mama *nf (órgano) (de animal)* mamelle *f*; *(de mujer)* sein *m*

mamá *(pl* **mamás)** *nf* maman *f*; *Am Fam* **m. grande** mamie *f*

mamadera *nf Am (biberón)* biberon *m*

mamar 1 *vt* téter; *Fig (aprender)* apprendre au berceau

2 *vi* téter; **dar de m.** donner la tétée

mamarracho *nm Fam (imbécil)* pauvre type *m*; *(cosa ridícula)* mocheté *f*; **estar hecho un m.** *(un fantoche)* avoir l'air d'un clown

mambo *nm* mambo *m*

mamey *nm CAm, Carib, Méx* abricot *m* de Saint-Domingue

mamífero, -a 1 *adj* mammifère

2 *nm* mammifère *m*

mamografía *nf* mammographie *f*

mamotreto *nm Pey (libro)* pavé *m*; *(mueble, objeto)* mastodonte *m*

mamporro *nm Fam* gnon *m*; **darse un m.** se foutre un gnon

mamut *(pl* **mamuts)** *nm* mammouth *m*

manada *nf (de caballos, vacas)* troupeau *m*; *(de lobos)* bande *f*; *(de ciervos)* harde *f*; *(de gente)* horde *f*

Managua *n* Managua

manantial *nm* source *f*

manazas *adj inv & nmf inv* empoté(e) *m,f*

mancha *nf* tache *f*

manchar 1 *vt* tacher; *Fig (deshonrar)* souiller

2 **mancharse** *vpr (ensuciarse)* se tacher

manchego, -a 1 *adj* de la Manche *(región d'Espagne)*

2 *nm* = fromage au lait de brebis typique de la Manche

mancillar *vt (el honor)* souiller

manco, -a 1 *adj (sin brazo, mano)* manchot(e); *Fig (incompleto)* boiteux(euse)

2 *nm,f* manchot(e) *m,f*

mancorna, mancuerna *nf Am* bouton *m* de manchette

mandado, -a 1 *nm,f* envoyé(e) *m,f*; *Fam* **yo sólo soy un m.** je ne suis qu'un sous-fifre **2** *nm (recado)* commission *f*

mandamás *nmf Fam (jefe)* grand patron *m*; *(persona influyente)* grand manitou *m*

mandamiento *nm* commandement *m*

mandar 1 *vt (enviar, encargar)* envoyer; *(dirigir) (ejército)* commander; *(país)* diriger; **el profesor nos mandó un trabajo para casa** le professeur nous a donné un travail à faire à la maison; **m. hacer algo** faire faire qch; *Fam* **m. a alguien a paseo** *o* **a la porra** envoyer balader qn **2** *vi Pey (dar órdenes)* commander; *Fam* **¿mande?** pardon?

mandarín *nm* mandarin *m*

mandarina *nf* mandarine *f*

mandatario, -a *nm,f* mandataire *mf*

mandato *nm* mandat *m*; *(mandamiento)* ordre *m* ☆ **m. judicial** mandat (de justice)

mandíbula *nf* mâchoire *f*; *Fam* **reír a m. batiente** se tenir les côtes

mandil *nm* tablier *m*

Mandinga *n Am* le diable

mando *nm* commandement *m*; *(jefe)* cadre *m*; *(dispositivo)* commande *f*; **estar al m. de** diriger, commander; **los mandos** les dirigeants *mpl*; **mandos intermedios** cadres moyens ☆ **m. a distancia** télécommande *f*

mandolina *nf* mandoline *f*

mandón, -ona 1 *adj* autoritaire **2** *nm,f* petit chef *m*; **es una mandona** elle veut mener tout le monde à la baguette

mandril *nm* mandrill *m*

manecilla *nf (del reloj)* aiguille *f*

manejable *adj (vehículo)* maniable

manejar 1 *vt* manier; *Fig (dirigir)* mener; *(negocios)* gérer; *Am (vehículo)* conduire; **m. a alguien a su antojo** mener qn par le bout du nez **2 manejarse** *vpr (moverse)* se déplacer; *(desenvolverse)* se débrouiller

manejo *nm* maniement *m*; *Fig (dirección)* conduite *f*; *(de negocio, empresa)* gestion *f*; **de fácil m.** facile à utiliser; *Fig* **manejos** *(intrigas)* manigances *fpl*

manera *nf (modo)* manière *f*; **de cualquier m.** *(sin cuidado)* n'importe comment; *(sea como sea)* de toute façon; **de ninguna m., en m. alguna** *(refuerza una negación)* en aucune façon; *(respuesta exclamativa)* jamais de la vie; **de todas maneras** de toute façon; **en cierta m.** d'une certaine manière; **de m. que** de telle sorte que; **no hay m.** il n'y a pas moyen; **maneras** *(modales)* manières *fpl*

manga *nf* manche *f*; *(filtro)* chausse *f*; *(medidor de viento)* manche *f* à air; *(de pastelería)* poche *f* à douille; *(manguera)* tuyau *m*; **en mangas de camisa** en manches de chemise; **m. corta/larga** manche courte/longue; **ser de m. ancha, tener m. ancha** avoir les idées larges; *Fig* **tener** *o* **guardar algo en la m.** avoir un atout en réserve

mangar [38] *vt Fam* piquer

mango *nm (asa)* manche *m*; *(árbol)* manguier *m*; *(fruta)* mangue *f*; *RP Fam (dinero)* fric *m*, blé *m*; *RP Fam* **no tiene un m.** il n'a pas un rond; **estoy sin un m.** je n'ai pas un rond

mangonear *vi Fam (entrometerse)* fourrer son nez partout; *(mandar)* mener tout le monde à la baguette

mangosta *nf* mangouste *f*

manguero, -a 1 *nm,f (de Managua)* = habitant de Managua **2** *nf* **manguera** tuyau *m* d'arrosage; *(de bombero)* lance *f* d'incendie

maní   314   manopla

maní (*pl* **maníes**) *nm Andes, CAm, Carib, RP* cacah(o)uète *f*

manía *nf* manie *f*; *(afición exagerada)* folie *f*; **la m. de los videojuegos** la folie des jeux vidéo; *Fam* **tomar m. a alguien** *(ojeriza)* prendre qn en grippe ☆ *m.* **persecutoria** manie *ou* délire *m* de persécution

maniaco, -a, maníaco, -a 1 *adj* maniaque *(malade)*
    2 *nm,f* maniaque *mf (malade)* ☆ *m.* **sexual** maniaque sexuel(elle)

maniatar *vt* attacher les mains de

maniático, -a *adj & nm,f* maniaque *mf*; *Fam Fig* **un m. del fútbol** un dingue de foot

manicomio *nm* asile *m* (d'aliénés)

manicuro, -a 1 *nm,f* manucure *mf*
    2 *nf* **manicura** manucure *f*

manido, -a *adj (tema)* rebattu(e)

manifestación *nf* manifestation *f*

manifestar [3] **1** *vt (mostrar)* manifester; *(decir)* déclarer
    2 manifestarse *vpr (por la calle)* manifester; *(hacerse evidente)* se manifester

manifiesto, -a 1 *adj (evidente)* manifeste; **poner de m.** mettre en évidence
    2 *nm (escrito)* manifeste *m*

manillar *nm* guidon *m*

maniobra *nf* manœuvre *f*

maniobrar *vi* manœuvrer

manipulación *nf* manipulation *f*

manipular *vt* manipuler; *(información, resultado)* trafiquer

maniquí (*pl* **maniquíes**) **1** *nm (de sastre)* mannequin *m*
    2 *nmf (modelo)* mannequin *m*; *Fig (títere)* pantin *m*

manirroto, -a 1 *adj* dépensier(ère)
    2 *nm,f* panier *m* percé

manitas 1 *adj inv* **es muy m.** il est très habile de ses mains
    2 *nmf inv* bricoleur(euse) *m,f*; **ser**

un m. être bricoleur; **hacer m. se faire des caresses**

manito *nm Méx Fam* pote *m*

manivela *nf* manivelle *f*

manjar *nm* mets *m*; **es un m. de dioses** c'est divin

mano 1 *nf* main *f*; *(de animal)* patte *f* de devant; *(de cerdo)* pied *m*; *(de pintura)* couche *f*; *(de juegos)* partie *f*; *RP* **calle de una sola m.** rue *f* à sens unique; **calle de doble m.** rue *f* à double sens; **a m.** *(cerca)* sous la main; *(sin máquina)* à la main; **a m. armada** à main armée; **dar** *o* **estrechar la m. a alguien** serrer la main à qn; **a m. derecha/izquierda** à droite/gauche; **tiene buenas manos para el bricolaje** il est bon bricoleur; **necesitamos manos para descargar** on a besoin de bras pour décharger; **tiene m. en el ministerio** *(tiene influencia)* il a le bras long au ministère; **echar** *o* **tender una m. a alguien** donner un coup de main à qn; **bajo m.** en sous-main; **caer en manos de alguien** tomber entre les mains de qn; **con las manos cruzadas, m. sobre m.** les bras croisés; **con las manos en la masa** la main dans le sac; **de primera m.** de première main; **de segunda m.** d'occasion; **m. a m.** en tête à tête; **¡manos a la obra!** au travail!; **¡manos arriba!, ¡arriba las manos!** haut les mains!; **tener m. izquierda** savoir y faire ☆ *m.* **de obra** main-d'œuvre *f*
    2 *nm CAm, Méx Fam (amigo)* pote *m*

manojo *nm (de espárragos, rábanos)* botte *f*; *(de flores)* bouquet *m*; *(de pelo)* touffe *f*; *(de llaves)* trousseau *m*; *Fig* **ser un m. de nervios** être un paquet de nerfs

manoletina *nf Taurom* = passe inventée par le torero espagnol Manolete; *(zapato)* ballerine *f*

manómetro *nm* manomètre *m*

manopla *nf (guante)* moufle *f*; *(de aseo)* gant *m* de toilette

manosear *vt* tripoter

manotazo *nm* claque *f*

mansalva: a mansalva *adv (en abundancia)* en quantité

mansión *nf* demeure *f*

manso, -a *adj (apacible)* paisible, doux (douce); *(domesticado)* docile; *Chile (enorme)* énorme

manta 1 *nf (abrigo)* couverture *f*; *(pez)* raie *f* manta; *Ven (vestido)* = robe typique des paysannes vénézuéliennes; *Fig* **liarse la m. a la cabeza** sauter le pas, se jeter à l'eau
   2 *nmf Fam (persona)* bon (bonne) *m,f* à rien

manteca *nf (grasa animal)* graisse *f*; *(mantequilla)* beurre *m* ☆ **m. de cacao** beurre de cacao; **m. de cerdo** saindoux *m*

mantecado *nm (de Navidad)* gâteau *m* au saindoux; *(helado)* glace *f* à la vanille

mantel *nm* nappe *f*

mantelería *nf* linge *m* de table

mantener [65] **1** *vt* maintenir; *(sustentar, tener)* entretenir; *(aguantar)* soutenir; **mantengo que...** je maintiens *ou* je soutiens que...; **m. la cabeza alta** garder la tête haute; **m. a distancia** *o* **a raya** tenir à distance; **m. a una familia** entretenir une famille; **m. relaciones/una conversación** entretenir des relations/une conversation; **m. una promesa** tenir sa promesse; **m. en buen estado** entretenir; **m. un edificio** soutenir un bâtiment
   2 mantenerse *vpr* **mantenerse con** *o* **de** *(sustentarse)* vivre de; **mantenerse derecho/en pie** *(permanecer)* se tenir droit/debout; **mantenerse joven** rester jeune; **mantenerse en el poder** rester au pouvoir

mantenimiento *nm* entretien *m*; *(de material)* maintenance *f*; **de m.** *(gimnasia)* d'entretien

mantequilla *nf* beurre *m*

mantilla *nf (de mujer)* mantille *f*; *(de bebé)* lange *m*; **estar en mantillas** *(persona)* être un(e) néophyte; *(plan)* en être à ses débuts

mantis *nf inv* **m. (religiosa)** mante *f* (religieuse)

manto *nm (prenda)* grande cape *f*; *Fig (que oculta)* voile *m*; *(terrestre)* manteau *m*

mantón *nm* châle *m* ☆ **m. de Manila** = châle de soie brodé

manual 1 *adj* manuel(elle)
   2 *nm (libro)* manuel *m*

manualidades *nfpl* travaux *mpl* manuels

manubrio *nm* manivelle *f*; *CSur (manillar)* guidon *m*

manufacturar *vt* manufacturer

manuscrito, -a 1 *adj* manuscrit(e)
   2 *nm* manuscrit *m*

manutención *nf (sustento)* entretien *m*; *(alimento)* nourriture *f*; **tener para su m.** avoir de quoi se nourrir

manzana *nf (fruta)* pomme *f*; *(grupo de casas)* pâté *m* de maisons

manzanilla *nf (planta, infusión)* camomille *f*; *(vino)* = vin doux; **aceitunas de m.** = type de petites olives

manzano *nm* pommier *m*

maña *nf (destreza)* habileté *f*; *(astucia)* ruse *f*; **darse m. para** *(dársele bien)* être doué(e) pour; *(conseguir hacer)* faire tout ce que l'on peut pour; **más vale m. que fuerza** plus fait douceur que violence

mañana 1 *nf* matin *m*; *(período de tiempo)* matinée *f*; **a las dos de la m.** à deux heures du matin; **a la m. siguiente** le lendemain matin; **por la m.** le matin; **toda la m.** toute la matinée
   2 *nm (futuro)* lendemain *m*, avenir *m*
   3 *adv* demain; **¡hasta m.!** à demain!; **m. por la m.** demain matin; **pasado m.** après-demain

mañanitas *nfpl Méx* = chanson de fête ou d'anniversaire mexicaine

mañoco *nm Col, Ven* farine *f* de manioc

mañoso,-a *adj* adroit(e) de ses mains

mapa *nm* carte *f*; **borrar del m.** rayer de la carte; **desaparecer del m.** disparaître de la circulation ☆ *Informát* **m. de bits** image *f* bitmap *ou* en mode point

mapache *nm* raton *m* laveur

mapamundi *nm* mappemonde *f*

mapuche *nmf (indio)* Mapuche *mf*

maqueta *nf* maquette *f*

maquiavélico, -a *adj* machiavélique

maquila *nf Am* montage *m*, assemblage *m*

maquiladora *nf Am* usine *f* de montage *ou* d'assemblage

maquilar *vt Am* monter, assembler

maquillaje *nm* maquillage *m*

maquillar 1 *vt también Fig* maquiller **2 maquillarse** *vpr* se maquiller

máquina *nf* machine *f*; *CAm, Cuba (vehículo)* voiture *f*; **hecho a m.** fait à la machine; **escribir** *o* **pasar a m.** taper à la machine; **a toda m.** à fond de train ☆ **m. de coser** machine à coudre; **m. de escribir** machine à écrire; **m. de fotos** *o* **fotográfica** appareil *m* photo; **m. tragaperras** *o Am* **tragamonedas** machine à sous; **m. de vapor** machine à vapeur

maquinación *nf* machination *f*

maquinal *adj* machinal(e)

maquinar *vt* manigancer; **m. algo contra alguien** tramer qch contre qn

maquinaria *nf* machinerie *f*; *(de reloj)* mécanisme *m*; *Fig (organismo)* machine *f* ☆ **m. agrícola** matériel *m* agricole

maquinilla *nf* **m. (de afeitar)** rasoir *m*; **m. eléctrica** rasoir électrique

maquinista *nmf (de tren)* mécanicien *m*

mar *nm o nf* mer *f*; **alta m.** haute mer; **a mares** *(llorar)* à chaudes larmes; **la m. de** drôlement; **es la m. de inteligente** il est drôlement intelligent; **m. adentro** au large ☆ **el m. Báltico** la mer Baltique; **el m. Cantábrico** le golfe de Gascogne *(partie sud)*; **el m. Caribe** la mer des Caraïbes; **el m. Mediterráneo** la mer Méditerranée; **el m. Muerto** la mer Morte; **el m. Negro** la mer Noire; **el m. del Norte** la mer du Nord; **el m. Rojo** la mer Rouge

marabunta *nf (de hormigas)* invasion *f* de fourmis; *Fig (muchedumbre)* foule *f*

maraca *nf* maraca *f*

maracuyá *nf Am* fruit *m* de la passion

marajá *nm* maharaja *m*; **vivir como un m.** vivre comme un pacha

maraña *nf (maleza)* broussaille *f*; *Fig (enredo)* enchevêtrement *m*

maratón *nm* marathon *m*

maravilla *nf (objeto extraordinario)* merveille *f*; *(asombro)* émerveillement *m*; *(planta)* souci *m*; **a las mil maravillas, de m.** à merveille; **una m. de niño** un amour de petit garçon; **una m. de carretera** une route superbe; **venir de m.** tomber à pic

maravillar 1 *vt (gustar)* émerveiller; *(asombrar)* stupéfier **2 maravillarse** *vpr (admirarse)* s'émerveiller; *(asombrarse)* être stupéfait(e)

maravilloso, -a *adj* merveilleux (euse)

marca *nf (señal)* trace *f*; *(distintivo)* marque *f*; *(récord, puntuación)* score *m*; **batir una m.** battre un record; **de m.** de marque ☆ **m. de fábrica** marque; **m. registrada** marque déposée

marcado, -a 1 *adj* marqué(e); *(animales)* marqué(e) au fer rouge **2** *nm (peinado)* mise *f* en plis; *(señalado)* marquage *m*

marcador *nm (tablero)* tableau *m* d'affichage; *(para libro)* marque-page *m*; *Am (rotulador)* stylo-feutre *m*

marcaje *nm (en deporte)* marquage *m*

marcapasos *nm inv* stimulateur *m* cardiaque, pacemaker *m*

marcar [59] **1** *vt* marquer; *(indicar)* indiquer; *(resaltar)* faire ressortir; *(número de teléfono)* composer; **la falda le marca las caderas** sa jupe lui moule les hanches; **m. la diferencia** faire la différence

2 *vi* marquer

marcha *nf* marche *f*; *(salida, abandono)* départ *m*; *(de vehículo)* vitesse *f*; *Fam (animación)* ambiance *f*; **a toda m.** à toute vitesse; **en m.** *(máquina)* en marche; *(asuntos)* en cours; **poner en m.** *(máquina)* mettre en marche; *(negocio)* mettre en route; **sobre la m.** au fur et à mesure; **m. atrás** marche arrière; *Fig* **dar m. atrás** faire marche arrière; **hay mucha m.** il y a beaucoup d'ambiance; **ir de m.** faire la bringue ☆ **m. fúnebre** marche funèbre; **m. nupcial** marche nuptiale

marchante, -a *nm,f Méx (cliente)* client(e) *m,f*

marchar 1 *vi (andar, funcionar)* marcher; *(irse)* partir

2 marcharse *vpr* s'en aller, partir; **se marchó** il est parti

marchitar 1 *vt* faner

2 marchitarse *vpr* se faner; *(perder fuerza)* s'étioler

marchito, -a *adj* fané(e); *(debilitado)* étiolé(e)

marchoso, -a *adj Fam* qui bouge

marcial *adj* martial(e)

marco *nm* cadre *m*; *(de puerta, ventana)* encadrement *m*; *(moneda)* mark *m*; *(portería)* buts *mpl*

marea *nf* marée *f* ☆ **m. alta** marée haute; **m. baja** marée basse; **m. negra** marée noire

marear 1 *vt (causar mareo)* faire tourner la tête à; *Fam (fastidiar)* assommer

2 marearse *vpr (sentir mareo)* avoir la tête qui tourne; *(en barco)* avoir le mal de mer; *(en vehículo)* avoir mal au cœur

marejada *nf (en el mar)* houle *f*; *Fig (agitación)* effervescence *f*; **hay m.** la mer est houleuse

maremoto *nm* raz *m* de marée

mareo *nm (malestar)* mal *m* au cœur; *(en barco)* mal *m* de mer; *Fam (fastidio)* plaie *f*

marfil *nm* ivoire *m*

margarina *nf* margarine *f*

margarita *nf* marguerite *f*; **deshojar la m.** effeuiller la marguerite

margen 1 *nm* marge *f*; **al m. en** marge; **m. de error** marge d'erreur; **dar m. a alguien para hacer algo** donner à qn l'occasion de faire qch; **mantenerse al m. de algo** se tenir en marge de qch

2 *nf (orilla)* rive *f*

marginación *nf* marginalisation *f*

marginado, -a 1 *adj* marginalisé(e)

2 *nm,f* marginal(e) *m,f*

maría *nf Fam (mujer sencilla)* bobonne *f*

marica *nm Fam Pey* pédale *f*

maricón *nm muy Fam Pey (homosexual)* pédé *m*; *(odioso)* salopard *m*

mariconera *nf Fam* sac *m* d'homme

marido *nm* mari *m*

marihuana *nf* marijuana *f*

marimacho *nm Fam Pey* virago *f*

marina *ver* **marino**

marinero, -a 1 *adj (barrio, pueblo)* de marins; *(buque)* marin(e)

2 *nm* marin *m*

marino, -a 1 *adj (del mar)* marin(e)

2 *nm* marin *m*

3 *nf* **marina** marine *f* ☆ **marina mercante** marine marchande

marioneta *nf* marionnette *f*; **marionetas** *(teatro)* marionnettes

mariposa *nf* papillon *m*; *(candela, luz)* veilleuse *f*; **nadar a m.** nager la brasse papillon *ou* le papillon

mariposear *vi* papillonner

mariquita 1 *nf (insecto)* coccinelle *f*
2 *nm Fam Pey (homosexual)* tante *f*

marisco *nm* el m., **los mariscos** les fruits *mpl* de mer

marisma *nf* marais *m* littoral

marisquería *nf (restaurante)* restaurant *m* de fruits de mer

marítimo, -a *adj* maritime

marketing ['marketin] *nm* marketing *m*

mármol *nm* marbre *m*; *Fig* **de m.** de marbre

marmota *nf* marmotte *f*; **dormir como una m.** dormir comme un loir

marqués, -esa *nm,f* marquis(e) *m,f*

marquesina *nf* marquise *f (auvent)*; *(de autobús)* Abribus *m*

marranada *nf Fam (porquería)* cochonnerie *f*; *(mala jugada)* saloperie *f*

marrano, -a *nm,f (animal)* cochon *m*, truie *f*; *Fam (sucio)* cochon (onne) *m,f*; *Fam (sin escrúpulos)* salaud *m*, salope *f*

marrón 1 *adj* marron *inv*
2 *nm* marron *m*

marroquí *(pl* **marroquíes) 1** *adj* marocain(e)
2 *nmf* Marocain(e) *m,f*

Marruecos *n* le Maroc

Marte *n (dios, planeta)* Mars

martes *nm* mardi *m*; **m. y trece** ≃ vendredi treize; *ver también* **sábado**

martiano, -a *Am* **1** *adj* = qui se rapporte à José Martí
2 *nm,f* partisan *m* de José Martí

martillear, martillar *vt* marteler

martillero, -a *nm,f CSur* commissaire-priseur *m*

martillo *nm (herramienta)* marteau

m; *Col (subasta)* vente *f* aux enchères ☆ **m. neumático** marteau-piqueur *m*

mártir *nmf* martyr(e) *m,f*; **hacerse el m.** jouer les martyrs

martirio *nm* martyre *m*

martirizar [14] *vt también Fig* martyriser

maruja *nf Fam* bobonne *f*

marxismo *nm* marxisme *m*

marxista *adj & nmf* marxiste *mf*

marzo *nm* mars *m*; *ver también* **septiembre**

mas *conj* mais; **hace mucho tiempo de eso, m. todavía lo recuerdo** il y a bien longtemps de cela, mais je m'en souviens encore

más 1 *adv* (a) *(comparativo)* plus; **m.... que...** plus... que...; **Ana es m. joven que tú** Ana est plus jeune que toi; **tiene dos años m. que yo** elle a deux ans de plus que moi; **Juan es m. alto** Juan est plus grand; **necesito m. tiempo** j'ai besoin de plus de temps; **m. de** plus de; **tengo m. de 100 pts** j'ai plus de 100 pesetas; **de m. de** *ou* **en trop**; **hay 1.000 pts de m.** il y a 1 000 pesetas de *ou* en trop
(b) *(superlativo)* **el/la/lo m.** le/la/le plus; **es la m. lista de la clase** c'est la plus intelligente de la classe
(c) *(en frases negativas)* **no quiero m.** je n'en veux plus; **ni un vaso m.** pas un verre de plus
(d) *(con pron interrogativo e indefinido)* **¿qué/quién m.?** quoi/qui d'autre?; **no vendrá nadie m.** personne d'autre ne viendra
(e) *(indica repetición)* encore; **quiero m. pastel** je veux encore du gâteau
(f) *(indica preferencia)* mieux; **m. vale que nos vayamos** il vaut mieux que nous partions
(g) *(indica intensidad)* **¡es m. tonto!** il est tellement bête!; **¡qué día m. bonito!** quelle belle journée!

(h) *(indica suma)* plus
(i) *(expresiones)* **el que m. y el que menos** tout un chacun; **no estaba contento, es m.**, estaba furioso il n'était pas content, je dirais même qu'il était furieux; **no trabaja bien, es m., ahora mismo se lo digo** il ne travaille pas bien, d'ailleurs je vais le lui dire tout de suite; **m. bien** plutôt; **m. o menos** plus ou moins; **m. y m. de plus en plus**, toujours plus; **¿qué m. da?** qu'est-ce que ça peut faire?; **sin m. (ni m.)** comme ça, sans raison; **por m. que insistas no te lo diré** tu auras beau insister, je ne te le dirai pas
2 *nm inv* plus *m*; **es lo m. que puedo hacer** c'est tout ce que je peux faire

masa *nf* masse *f*; *(de harina)* pâte *f*; *Am (pastelillo)* petit gâteau *m*; **las masas** *(el pueblo)* les masses

masacre *nf* massacre *m*

masaje *nm* massage *m*

masajista *nmf* masseur(euse) *m,f*

mascar [59] *vt* mâcher

máscara *nf* masque *m* ☆ **m. antigás** masque à gaz

mascarilla *nf* masque *m*

mascota *nf* mascotte *f*

masculino, -a *adj* masculin(e)

mascullar *vt* marmonner

masificación *nf* massification *f*; **la m. de las aulas** les classes surchargées

masilla *nf* mastic *m*

masivo, -a *adj* massif(ive)

masón, -ona *nm,f* franc-maçon (onne) *m,f*

masonería *nf* franc-maçonnerie *f*

masoquista *adj & nmf* masochiste *mf*

mass media, mass-media *nmpl* mass media *mpl*

máster *(pl* **másters)** *nm* mastère *m*

masticar [59] *vt* mâcher; *Fig* ruminer

mástil *nm (palo)* mât *m*; *(de instrumentos de cuerda)* manche *m*

mastín *nm* mâtin *m*

mastodonte *nm (gigante)* mastodonte *m*

masturbación *nf* masturbation *f*

masturbar 1 *vt* masturber
2 masturbarse *vpr* se masturber

mata *nf (arbusto)* buisson *m*; *(matojo)* touffe *f*; **m. de pelo** touffe de cheveux

matadero *nm* abattoir *m*

matador, -ora 1 *adj Fam (feo)* monstrueux(euse); *(agotador)* tuant(e)
2 *nm* matador *m*

matambre *nm RP* = bœuf mariné, farci de légumes et d'œufs durs, rôti, servi froid en début de repas

matamoscas *nm inv (raqueta)* tapette *f* (à mouches); *(papel)* papier *m* tue-mouches

matanza *nf (masacre)* tuerie *f*; *(del cerdo)* abattage *m*

matar 1 *vt* tuer; *(esperanzas)* briser; *(color)* adoucir; *(sello)* oblitérer; *(redondear)* arrondir; **matarlas callando** agir en douce
2 matarse *vpr* se tuer; *(unos a otros)* s'entre-tuer; *Fig* **matarse a trabajar** se tuer au travail *ou* à la tâche

matarratas *nm inv (veneno)* mort-aux-rats *f inv*; *Fig (bebida)* tord-boyaux *m inv*

matasellos *nm inv* cachet *m*

mate 1 *adj inv* mat(e)
2 *nm (ajedrez)* mat *m*; *(en baloncesto)* smash *m*; *(planta, bebida)* maté *m*; *Andes (té)* tisane *f*, infusion *f*

matemático, -a 1 *adj* mathématique
2 *nm,f* mathématicien(enne) *m,f*
3 *nfpl* **matemáticas** mathématiques *fpl*

materia *nf* matière *f*; **en m. de** en

matière de ☆ **m. prima** matière première

material 1 *adj* matériel(elle); *(real)*
véritable

  2 *nm (materia)* matière *f; (de
fabricación, construcción)* matériau
m; *(instrumentos)* matériel *m* ☆ *m.*
bélico o **de guerra** matériel de
guerre

materialismo *nm* matérialisme *m*

materialista *adj & nmf* matérialiste
mf

materializar [l4] **1** *vt* matérialiser
  2 materializarse *vpr* se matérialiser

maternal *adj* maternel(elle)

maternidad *nf* maternité *f*

materno, -a *adj* maternel(elle)

matinal *adj* matinal(e)

matiz *nm* nuance *f*

matizar [l4] *vt* nuancer; *Fig (distinguir)* détailler; *Fig* **m. con** *(dar tono
especial)* teinter de

matojo *nm* buisson *m*

matón, -ona *Fam* **1** *nm,f* brute *f*
  2 *nm* gorille *m*

matorral *nm (arbusto)* buisson *m*;
(maleza) fourré *m*

matraca *nf (instrumento)* crécelle *f*;
Fam **dar la m.** rabâcher

matriarcado *nm* matriarcat *m*

matrícula *nf (inscripción)* inscription *f; (documento)* certificat *m*
d'inscription; *(de vehículo)* plaque *f*
d'immatriculation ☆ *m. de honor*
20 sur 20

matricular 1 *vt (alumno)* inscrire;
(vehículo) immatriculer
  2 matricularse *vpr* s'inscrire

matrimonial *adj* matrimonial(e)

matrimonio *nm (unión)* mariage *m*;
(pareja) couple *m* (marié); **contraer
m.** se marier ☆ *m. de conveniencia*
mariage de convenance

matriz 1 *nf* matrice *f; (de talonario)*
souche *f*

  2 *adj* mère; **la casa m.** la maison
mère

matrona *nf (comadrona)* sage-
femme *f*

matutino, -a *adj* matinal(e); *(prensa)* du matin

maullar *vi* miauler

maullido *nm* miaulement *m*

mausoleo *nm* mausolée *m*

maxilar 1 *adj* maxillaire
  2 *nm* maxillaire *m*

máxima *ver* **máximo**

máxime *adv* à plus forte raison

máximo, -a 1 *adj* maximal(e); **el m.
responsable** le plus haut responsable
  2 *nm* maximum *m*; **como m.** au
maximum
  3 *nf* **máxima** *(sentencia, principio)*
maxime *f; (temperatura)* tempéra-
ture *f* maximale

mayo *nm* mai *m*; *ver también* **septiembre**

mayonesa *nf* mayonnaise *f*

mayor 1 *adj* **(a)** *(comparativo) (de tamaño, importancia)* plus grand(e)
(que que); *(de edad)* plus âgé(e)
(que que); *(de número)* supérieur(e)
(que à); **su hermano es dos años m.**
son frère a deux ans de plus
  (b) *(superlativo)* **el/la m....** le plus
grand.../la plus grande...; **el m. de
sus hermanos** le plus âgé de ses frères;
el m. número de pasajeros le plus grand
nombre de passagers; **de m. importancia** de la plus haute importance
  (c) *(adulto)* grand(e); *(anciano)*
âgé(e); **m. de edad** majeur(e)
  (d) *Mús* **en do m.** en do majeur
  (e) **al por m.** *(compra, venta)* en
gros; *(comercio, precios)* de gros
  2 *nmf* **el/la m.** l'aîné/l'aînée *m,f*
  3 *nm Mil* major *m*; **mayores** *(adultos)* grandes personnes *fpl*

mayordomo *nm* majordome *m*

mayoreo *nm Am* gros *m*; **al m.** *(compra, venta)* en gros; *(comercio, precios)* de gros

mayoría *nf* majorité *f*; **la m. de** la plupart de ☆ **m. de edad** majorité

mayorista 1 *adj* de gros
   2 *nmf* grossiste *mf*

mayoritario, -a *adj* majoritaire

mayúsculo, -a 1 *adj (error)* monumental(e); *(esfuerzo, sorpresa)* énorme
   2 *nf* **mayúscula** majuscule *f*

maza *nf* massue *f*

mazapán *nm* massepain *m*

mazazo *nm también Fig* coup *m* de massue

mazmorras *nf* oubliettes *fpl*

mazo *nm (martillo)* maillet *m*; *(conjunto)* paquet *m*; *(de billetes, papeles)* liasse *f*

mazorca *nf* **m. (de maíz)** épi *m* de maïs

me *pron personal* me; *(en imperativo)* moi; **viene a verme** il vient me voir; **me quiere** il m'aime; **me lo dio** il me l'a donné; **me tiene miedo** il a peur de moi; **¡mírame!** regarde-moi!; **¡no me mires!** ne me regarde pas!; **¡no me digas que no!** ne me dis pas non!; **me gusta leer** j'aime lire; **me encuentro mal** je me sens mal

meandro *nm* méandre *m*

mear *muy Fam* **1** *vi* pisser
   2 mearse *vpr* pisser; *Fig* **mearse (de risa)** se pisser dessus (de rire)

mecachis *interj Fam* zut!

mecánico, -a 1 *adj* mécanique
   2 *nm,f* mécanicien(enne) *m,f*
   3 *nf* **mecánica** mécanique *f*

mecanismo *nm* mécanisme *m*

mecanizar [14] *vt* mécaniser; *(pieza)* usiner

mecanografía *nf* dactylographie *f*

mecanógrafo, -a *nm,f* dactylo *mf*

mecapal *nm CAm, Méx* sangle *f* de porteur

mecedora *nf* fauteuil *m* à bascule

mecenas *nmf inv* mécène *m*

mecer [40] **1** *vt* bercer
   2 mecerse *vpr* se balancer

mecha *nf* mèche *f*; *Fam* **aguantar m.** encaisser; *Fam* **a toda m.** à fond la caisse

mechero *nm* briquet *m*

mechón *nm* mèche *f*

medalla 1 *nf* médaille *f*
   2 *nmf* médaillé(e) *m,f*; **fue m. de oro** il a remporté la médaille d'or

medallón *nm* médaillon *m*

media *nf (promedio)* moyenne *f*; *Am (calcetín)* chaussette *f*; **al dar la m.** *(hora)* à la demie; **medias** *(prenda)* bas *mpl*; **a medias** *(pagar)* moitié moitié; *(hacer, creer)* à moitié

mediación *nf* médiation *f*; **por m. de** par l'intermédiaire de

mediado, -a *adj (recipiente)* à moitié plein(e) *ou* vide; **mediada la noche** au milieu de la nuit; **a mediados de** vers le milieu de; **a mediados de enero** vers la mi-janvier

medialuna *nf Am* croissant *m*

mediano, -a 1 *adj* moyen(enne)
   2 *nf* **mediana** *(de autopista)* terre-plein *m* central

medianoche *(pl* **mediasnoches***) nf (hora)* minuit *m*; *(bollo)* = petit sandwich rond

mediante *prep* grâce à

mediar *vi* **media un kilómetro entre las dos casas** il y a un kilomètre entre les deux maisons; **entre los dos edificios media un jardín** un jardin sépare les deux maisons; **m. en favor de alguien** intercéder en faveur de qn

mediatizar [14] *vt (influenciar)* influencer; *(coartar)* limiter

medicación *nf (indicación)* prescription *f* (médicale); *(administración)* administration *f* (de médicaments); *(medicamentos)* traitement *m*

medicamento *nm* médicament *m*

medicar [59] **1** *vt* donner des médicaments à
   2 medicarse *vpr* prendre des médicaments

medicina nf (ciencia) médecine f; (medicamento) médicament m

medicinal adj médicinal(e)

medición nf mesure f (action)

médico, -a 1 adj médical(e) 2 nm,f médecin m; **ir al m.** aller chez le docteur ☆ **m. de cabecera** o **de familia** médecin de famille

medida nf mesure f; **a (la) m.** (ropa) sur mesure; **a la m. de** à la mesure de; **en cierta m.** dans une certaine mesure; **en la m. de lo posible** dans la mesure du possible; **tomar la m. de algo** mesurer qch; **tomar medidas** (disposiciones) prendre des mesures; **a m. que** au fur et à mesure que; **medidas** (del cuerpo) mensurations fpl

medidor nm Am compteur m (de gaz, d'eau, d'électricité)

medieval adj médiéval(e)

medievo nm Moyen Âge m

medio, -a 1 adj (mitad de) demi(e); (mediano) moyen(enne); **media docena** une demi-douzaine; **un kilo y m.** un kilo et demi; **el español m.** l'Espagnol m moyen; Fig **m. pueblo estaba allí** presque tous les habitants du village étaient là; Fig **a media luz** dans la pénombre 2 adv à moitié; **m. borracha** à moitié soûle; **a m. hacer** à moitié fait(e) 3 nm (mitad) moitié f; (centro, ambiente) milieu m; (sistema, manera) moyen m; (jugador) demi m; **en medios bien informados** dans les milieux bien informés; **en m. de** au milieu de; Fig **ponerse por (en) m.** s'interposer; **por m. de** (persona) par l'intermédiaire de; **por todos los medios** par tous les moyens; **quitar de en m. a alguien** (apartar) écarter qn; (matar) se débarrasser de qn; **medios** moyens mpl; **medios de comunicación** o **de información** médias mpl; **medios de transporte** moyens de transport ☆ **m. ambiente** environnement m

medioambiental adj de l'environnement

mediocre adj médiocre

mediodía (pl mediodías) nm (hora, sur) midi m; **al m.** à midi

medioevo = medievo

medir [47] 1 vt mesurer; Fig (sopesar) peser 2 **medirse** vpr se mesurer; **medirse al hablar** mesurer ses paroles; **medirse con** (competir con) se mesurer à ou avec

meditar vt & vi méditer

mediterráneo, -a 1 adj méditerranéen(enne) 2 nm,f Méditerranéen(enne) m,f 3 nm **el M.** la Méditerranée

médium nmf inv médium m

médula nf moelle f; (de problema, cosa) cœur m ☆ **m. espinal** moelle épinière

medusa nf méduse f

megabyte [mega'bait] (pl megabytes) nm Informát mégaoctet m

megafonía nf (técnica) sonorisation f; (aparatos) haut-parleurs mpl

megáfono nm haut-parleur m

mejicano = mexicano

Méjico = México

mejilla nf joue f

mejillón nm moule f

mejor 1 adj (comparativo y superlativo) meilleur(e); **el m. pianista** le meilleur pianiste; **la m. alumna** la meilleure élève; **m. que** meilleur(e) que; **estar m.** aller mieux; **(es) m. que...** (preferible) il vaut mieux que...; **m. dicho** plus exactement; **tiene dos primos o m. dicho un primo y una prima** il a deux cousins ou, plus exactement, un cousin et une cousine 2 nmf **el m.** le meilleur; **la m.** la meilleure; **lo m. es que...** la meilleure c'est que...; **a lo m.** peut-être; **a lo m. viene** il viendra peut-être

3 *adv (comparativo)* mieux; *(superlativo)* le mieux; **ahora veo m. (que antes)** je vois mieux maintenant (qu'avant); **el que la conoce m.** celui qui la connaît le mieux; **¡m. para ella!** tant mieux pour elle!

mejora *nf (progreso)* amélioration *f*; *(aumento)* augmentation *f*

mejorar 1 *vt* améliorer; *(sueldo)* augmenter; **este medicamento lo mejoró** ce médicament lui a fait du bien; **m. una oferta** faire une meilleure offre
2 *vi (enfermo)* aller mieux; *(tiempo)* s'améliorer; *(situación, país)* évoluer; **el país ha mejorado mucho** la situation économique du pays s'est beaucoup améliorée
3 mejorarse *vpr* s'améliorer; *(enfermo)* aller mieux; **¡que te mejores!** guéris vite!

mejoría *nf* amélioration *f*

mejunje *nm también Fig* mixture *f*

melancolía *nf* mélancolie *f*

melancólico, -a *adj & nm,f* mélancolique *mf*

melaza *nf* mélasse *f*

melena *nf (de persona)* longue chevelure *f*; *(de león)* crinière *f*

melenudo, -a *adj & nm,f Pey* chevelu(e) *m,f*

mella *nf Fig* **hacer m. en alguien** faire beaucoup d'effet à qn

mellado, -a *adj (cuchillo, plato)* ébréché(e); *(boca, persona)* édenté(e)

mellizos, -as *nm,fpl* faux jumeaux *mpl*, fausses jumelles *fpl*

melocotón *nm* pêche *f* ☆ **m. en almíbar** pêches au sirop

melodía *nf* mélodie *f*

melódico, -a *adj* mélodique

melodioso, -a *adj* mélodieux(euse)

melodrama *nm* mélodrame *m*; *Fig* drame *m*; **montar un m.** faire un drame

melómano, -a *nm,f* mélomane *mf*

melón *nm (fruto)* melon *m*; *Fam Fig (persona)* cruche *f*

melopea *nf Fam* cuite *f*

meloso, -a *adj (dulce)* sucré(e); *Fig (empalagoso)* mielleux(euse)

membrana *nf* membrane *f*

membresía *nf Am* nombre *m* d'adhérents

membrete *nm* en-tête *m*

membrillo *nm* coing *m*

memela *nf Méx* = sorte de tortilla

memo, -a *adj & nm,f* niais(e) *m,f*

memorable *adj* mémorable

memoria *nf* mémoire *f*; *(disertación, informe)* mémoire *m*; *(de empresa)* rapport *m*; *(lista)* inventaire *m*; **de m.** par cœur; **hacer m. (de algo)** essayer de se rappeler (qch); **traer algo a la m.** rappeler qch; **memorias** *(biografía)* Mémoires *mpl* ☆ *Informát* **m. caché** mémoire cache; **m. RAM** mémoire RAM *ou* vive; **m. ROM** mémoire ROM *ou* morte

memorizar [14] *vt* mémoriser

menaje *nm* articles *mpl* pour la maison; **m. de cocina** ustensiles *mpl* de cuisine

mención *nf* mention *f*; **hacer m. de** faire mention de

mencionar *vt* mentionner

menda *Fam* **1** *pron (el que habla)* bibi
2 *nm (uno cualquiera)* type *m*

mendicidad *nf* mendicité *f*

mendigar [38] *vt & vi* mendier

mendigo, -a *nm,f* mendiant(e) *m,f*

mendrugo *nm* quignon *m* (de pain); *Fam (idiota)* andouille *f*

menear 1 *vt (mover)* remuer; *(cabeza)* hocher; *(caderas)* balancer; *Fig (activar)* relancer
2 menearse *vpr (moverse)* bouger; *(darse prisa, espabilarse)* se remuer; *Fam* **se va a llevar un disgusto de no te menees** je ne te dis pas la déception qu'il va avoir

meneo *nm* mouvement *m*; *(de cabeza)* hochement *m*; *(de caderas)* balancement *m*; *Fam* **dar un m.** 🍴 **algo** secouer qch

menester *nm Anticuado* **es m. que...** il faut que...; **menesteres** *(asuntos)* occupations *fpl*

menestra *nf* jardinière *f* (de légumes)

mengano, -a *nm,f* untel *m*, unetelle *f*

menguante *adj* décroissant(e)

menguar [11] **1** *vi* diminuer; *(luna)* décroître
2 *vt* diminuer

meningitis *nf inv* méningite *f*

menisco *nm* ménisque *m*

menopausia *nf* ménopause *f*

menor 1 *adj* (**a**) *(comparativo)* *(de tamaño)* plus petit(e) (**que** que); *(de edad)* plus jeune (**que** que); *(de número)* inférieur(e) (**que** à); **mi hermano m.** mon petit frère; **de m. importancia** de moindre importance
(**b**) *(superlativo)* **el/la m.** *(de tamaño, número)* le plus petit/la plus petite; *(de edad)* le/la plus jeune; *(de importancia)* le/la moindre
(**c**) *(joven, de poca importancia)* & *Mús* mineur(e); **ser m. de edad** être mineur(e); **un problema m.** un problème mineur; **en do m.** en do mineur; **al por m.** au détail
2 *nmf (de edad)* mineur(e) *m,f*; **el m.** *(hijo, hermano)* le cadet; **la m.** *(hija, hermana)* la cadette

Menorca *n* Minorque

menos 1 *adv* (**a**) *(comparativo)* *(cualidad, intensidad)* moins; *(cantidad)* moins de; **m. gordo** moins gros; **hace m. frío** il fait moins froid; **m. manzanas** moins de pommes; **m. de** moins de; **m. de diez** moins de dix; **m.... que...** *(cualidad, intensidad)* moins... que...; *(cantidad)* moins de... que...; **hace m. calor que ayer** il fait moins chaud qu'hier; **tiene m. li-**

bros que tú elle a moins de livres que toi; **tengo dos años m. que tú** j'ai deux ans de moins que toi; **de m.** de *ou* en moins; **hay 100 pts de m.** il y a 100 pesetas de *ou* en moins
(**b**) *(superlativo)* **el/la/lo m.** le/la/le moins; **lo m. posible** le moins possible
(**c**) *(expresa resta)* moins; **tres m. dos igual a uno** trois moins deux égale un; **son las dos m. diez** il est deux heures moins dix
(**d**) *(expresiones)* **al m., por lo m.** au moins; **a m. que** à moins que; **es lo de m.** ce n'est pas le plus important; **¡m. mal!** heureusement!; **venir a m.** déchoir
2 *nm inv (mínimo)* moins *m*; **es lo m. que puedo hacer** c'est la moindre des choses
3 *prep (excepto)* sauf

menoscabar *vt (fama, honra)* entamer; *(derechos, intereses)* porter atteinte à

menospreciar *vt (despreciar)* mépriser; *(infravalorar)* sous-estimer

mensaje *nm* message *m*

mensajero, -a *nm,f (de mensajes)* messager(ère) *m,f*; *(de paquetes)* coursier(ère) *m,f*

menso, -a *nm,f Méx* idiot(e) *m,f*

menstruación *nf* menstruation *f*

menstruar [4] *vi* avoir ses règles

mensual *adj* mensuel(elle)

mensualidad *nf (sueldo)* mois *m* de salaire; *(pago)* mensualité *f*

menta *nf* menthe *f*; **de m.** à la menthe

mental *adj* mental(e)

mentalidad *nf* mentalité *f*

mentalizar [14] **1** *vt (persuadir)* convaincre; **m. a alguien de que** *o* **para que** faire prendre conscience à qn que
2 mentalizarse *vpr* se préparer (psychologiquement); **mentalizarse de que** se faire à l'idée que

mentar [3] *vt* mentionner; *Fam*
mentarle la madre a alguien traiter
qn de tous les noms

mente *nf (inteligencia)* esprit *m*;
(propósito) intention *f*

mentecato, -a *nm,f* sot (sotte) *m,f*

mentir [62] *vi* mentir

mentira *nf (falsedad)* mensonge *m*;
aunque parezca m. aussi étrange que
cela puisse paraître; **de m.** faux
(fausse); **es m.** ce n'est pas vrai; **un
reloj de m.** une fausse montre; **parece m. que...** c'est incroyable
que...; **parece m. cómo pasa el tiempo**
c'est fou comme le temps passe

mentirijillas: de mentirijillas *adv*
Fam pour rire

mentiroso, -a *adj & nm,f* men-
teur(euse) *m,f*

mentón *nm* menton *m*

menú *(pl menús) nm* menu *m* ☆ *m.*
del día menu du jour

menudencia *nf* broutille *f*

menudeo *nm Am* vente *f* au détail

menudillos *nmpl (de ave)* abattis
mpl

menudo, -a *adj (pequeño, insignificante)* menu(e); ¡**menuda suerte he
tenido!** j'ai eu une de ces chances!;
¡**m. lío!** tu parles d'un pétrin!; ¡**m. artista!** quel grand artiste!; **a m.** souvent

meñique *nm* petit doigt *m*

meollo *nm* cœur *m*; **el m. del asunto**
le cœur du problème

mercader *nmf* marchand(e) *m,f*

mercadería *nf* marchandise *f*

mercadillo *nm* petit marché *m* aux
puces

mercado *nm* marché *m* ☆ *m. de*
abastos marché de gros; *m. bursátil*
marché financier; *m. común* marché commun; *m. de trabajo* marché
de l'emploi *ou* du travail

mercancía *nf* marchandise *f*

mercante *adj* marchand(e)

mercantil *adj* commercial(e)

mercenario, -a 1 *adj* mercenaire
2 *nm,f* mercenaire *m*

mercería *nf* mercerie *f*

MERCOSUR *nm* Mercosur *m*, = marché commun composé de l'Argentine, de l'Uruguay, du Paraguay et
du Brésil

Mercurio *n (dios, planeta)* Mercure

mercurio *nm* mercure *m*

merecedor, -ora *adj* méritant(e);
ser m. de algo mériter qch

merecer [46] **1** *vt* mériter; **merece la
pena...** ça vaut la peine de...
2 *vi* faire reconnaître ses mérites

merecido *nm* **recibirá su m.** il aura ce
qu'il mérite

merendar [3] **1** *vi* goûter
2 *vt* **m. algo** manger qch au goûter

merendero *nm Esp* buvette *f*

merengue 1 *nm (dulce)* meringue *f*;
(baile) = danse typique de certains
pays des Caraïbes, notamment de
la République dominicaine
2 *nmf Fam (seguidor del Real Madrid)* = supporter du club de football du Real Madrid

meretriz *nf* péripatéticienne *f*

meridiano, -a 1 *adj* méridien(enne); *(exposición)* au sud; *Fig* **una verdad meridiana** une vérité éclatante
2 *nm* méridien *m*

meridional 1 *adj* méridional(e)
2 *nmf* personne *f* du sud

merienda 1 *ver* **merendar**
2 *nf* goûter *m*; *Fam* **una m. de negros**
une pagaille

mérito *nm* mérite *m*; **de m.** de valeur; **hacer méritos para** tout faire
pour

merluza *nf (pez)* merlu *m*, colin *m*;
Fam (borrachera) cuite *f*

mermar 1 *vi* diminuer
2 *vt* réduire; *(fortuna)* entamer

mermelada *nf* confiture *f*

mero, -a 1 *adj* seul(e); **el m. hecho**

de... le simple *ou* seul fait de...; **por m. placer** par pur plaisir

2 *nm (pez)* mérou *m*

merodear *vi* rôder

mes *nm* mois *m*; *Fig* **tener el m.** avoir ses règles

mesa *nf* table *f*; **bendecir la m.** bénir le repas; **poner/quitar la m.** mettre/débarrasser la table ☆ **m. camilla** = petite table ronde équipée d'un brasero; **m. de despacho** *u* **oficina** bureau *m*; **m. directiva** conseil *m* d'administration; **m. de mezclas** table de mixage; **m. redonda (coloquio)** table ronde

mesada *nf Am (mensualidad)* mensualité *f*; *RP (encimera)* plan *m* de travail

mesero, -a *nm,f Col, Méx* serveur (euse) *m,f*

meseta *nf* plateau *m*

mesías *nm* messie *m*; **el M.** le Messie

mesilla *nf* **m. (de noche)** table *f* de nuit

mesón *nm* auberge *f*

mesonero, -a *nm,f Chile, Ven* serveur(euse) *m,f*

mestizo, -a 1 *adj* métis(isse); *(animal, planta)* hybride

2 *nm,f* métis(isse) *m,f*; *(animal, planta)* hybride *m*

mesura *nf* mesure *f*; **con m.** *(moderación)* avec mesure

meta *nf (objetivo, fin)* but *m*; *(llegada)* ligne *f* d'arrivée; **fijarse una m.** se fixer un but ☆ **m. volante (en ciclismo)** sprint *m* de bonification

metabolismo *nm* métabolisme *m*

metacrilato *nm* méthacrylate *m*

metafísico, -a *adj* métaphysique

metáfora *nf* métaphore *f*

metal *nm (material)* métal *m*; *Mús* **los metales** les cuivres *mpl*

metálico, -a 1 *adj* métallique

2 *nm* **pagar en m.** payer en liquide

metalurgia *nf* métallurgie *f*

metamorfosis *nf inv* métamorphose *f*

metate *nm CAm, Méx* = pierres utilisées pour broyer le grain

metedura *nf Fam* **m. de pata** gaffe *f*

meteorito *nm* météorite *f*

meteoro *nm* météore *m*

meteorología *nf* météorologie *f*

meteorológico, -a *adj* météorologique

meteorólogo, -a *nm,f* météorologue *mf*

meter 1 *vt* **(a)** *(introducir)* mettre; **m. algo/a alguien en algo** mettre qch/qn dans qch; **m. la llave en la cerradura** mettre la clef dans la serrure; **m. dinero en el banco** mettre de l'argent à la banque; **¡en menudo lío nos ha metido!** il nous a mis dans un beau pétrin!; **lo metieron en la cárcel** on l'a mis en prison; **me metió en la asociación** il m'a fait entrer dans l'association

(b) *(causar)* **¡no me metas prisa!** ne me bouscule pas!; **m. miedo a alguien** faire peur à qn; **no metáis tanto ruido** ne faites pas tant de bruit

(c) *Fam (decir)* **nos metió el mismo rollo** il nous a sorti le même baratin; **m. una bronca a alguien** engueuler qn

(d) *Fam (imponer)* **le han metido diez años de cárcel** il en a pris pour dix ans

(e) *Fam (asestar)* flanquer; **le metió un puñetazo** il lui a flanqué un coup de poing

2 meterse *vpr* **(a)** *(ponerse)* se mettre; **no sabía dónde meterme** je ne savais plus où me mettre; **me metí en la cama a las diez** je me suis mis au lit à dix heures

(b) *(entrar)* entrer; **se metió en el cine** il entra dans le cinéma

(c) *(en frase interrogativa) (estar)* passer; **¿dónde se ha metido?** où est-il passé?

(d) **meterse a** *(dedicarse a)* devenir; **se metió a periodista** il est devenu journaliste

(e) *(entrometerse)* **meterse en** se mêler de; **¡no te metas (por medio)!** mêle-toi de ce qui te regarde!

(f) meterse con alguien *(atacar)* s'en prendre à qn; *(incordiar)* taquiner qn

metiche *nmf Am* fouineur(euse) *m,f*

meticuloso, -a *adj* méticuleux (euse)

metido, -a *adj* **andar** *o* **estar m. en** *(asuntos)* être mêlé(e) à; *(trabajo)* être pris(e) par

metódico, -a *adj* méthodique

método *nm* méthode *f*

metodología *nf* méthodologie *f*

metomentodo *nmf Fam* **ser un m.** fourrer son nez partout

metralla *nf* mitraille *f*

metralleta *nf* mitraillette *f*

métrico, -a *adj* métrique

metro *nm (medida)* mètre *m*; *(transporte)* métro *m*

metrópoli *nf,* **metrópolis** *nf inv* métropole *f*

metropolitano, -a *adj* métropolitain(e)

mexicano, -a [mexi'kano] **1** *adj* mexicain(e)
2 *nm,f* Mexicain(e) *m,f*

México ['mexiko] *n* le Mexique; **M. (distrito federal)** Mexico (DF)

mezcal *nm* mescal *m*

mezcla *nf* mélange *m*; *(de sonido)* mixage *m*

mezclar 1 *vt* mélanger (**con** à); *Fig* **m. a alguien en algo** *(implicar)* mêler qn à qch
2 mezclarse *vpr (combinarse)* se mélanger (**con** à); **mezclarse con** *o* **entre** se mêler à; **mezclarse en** *(intervenir)* se mêler de

mezquino, -a *adj* mesquin(e)

mezquita *nf* mosquée *f*

mg *(abrev* **miligramo(s))** mg

mi¹ *nm Mús* mi *m inv*

mi² *(pl* **mis)** *adj posesivo* mon (ma); **mis libros** mes livres

mí *pron personal (después de prep)* moi; **no se fía de mí** il n'a pas confiance en moi; **¡a mí qué!** et alors!; **para mí que...** *(yo creo que)* à mon avis...; **para mí que no viene** à mon avis il ne viendra pas; **por mí** s'il ne tient qu'à moi; **por mí no hay inconveniente** en ce qui me concerne, je n'y vois pas d'inconvénient

mía *ver* **mío**

miaja *nf* miette *f*

miau *nm* miaou *m*

miche *nm Andes* tafia *m*

michelines *nmpl Fam* bourrelets *mpl*

mico *nm (mono)* ouistiti *m*; *Fam (persona)* macaque *m*; *Fig* **me volví m. para hacerlo** ça m'a rendu chèvre

micro *nm Fam (micrófono)* micro *m*; *Arg, Chile (microbús)* minibus *m*

microbio *nm* microbe *m*

microbiología *nf* microbiologie *f*

microbús *nf (autobús)* minibus *m*; *Méx (taxi)* taxi *m* collectif

microfilm *(pl* **microfilms), microfilme** *nm* microfilm *m*

micrófono *nm* microphone *m*

microondas *nm inv* micro-ondes *m inv*

microscópico, -a *adj* microscopique

microscopio *nm* microscope *m*

miedo *nm* peur *f*; **dar m.** faire peur; **le da m. la oscuridad** il a peur du noir; **temblar de m.** trembler de peur; **tener m. a algo/a hacer algo** *(asustarse)* avoir peur de qch/de faire qch; *Fig* **tener m. de** avoir peur de; **tengo m. de que se entere** j'ai peur qu'il ne l'apprenne; *Fam Fig* **de m.** *(estupendamente)* super-bien

miedoso, -a *adj & nm,f* peureux (euse) *m,f*

miel *nf* miel *m*

miembro *nm* membre *m* ☆ **m. (viril)** membre (viril)

mientras 1 *conj* pendant que; **puedo leer m. escucho música** je peux lire pendant que j'écoute de la musique; **m. no se pruebe lo contrario** jusqu'à preuve du contraire; **m. esté aquí** tant que je serai là; **m. que** *(por el contrario)* alors que
2 *adv* **m. (tanto)** pendant ce temps; **arréglate y, m. (tanto), yo hago las maletas** prépare-toi, pendant ce temps je fais les valises

miércoles *nm inv* mercredi *m*; **M. de Ceniza** le mercredi des Cendres; *ver también* **sábado**

mierda *nf muy Fam* merde *f*; **de m.** *(cosa)* de merde; **una modelo de m.** une connasse de mannequin; **hay mucha m. aquí** *(suciedad)* c'est franchement dégueulasse ici; **irse a la m.** *(para rechazar)* aller se faire foutre; *(arruinarse)* partir en couilles; **mandar a la m.** envoyer se faire foutre

mies *nf* moisson *f*; **segar la m.** moissonner

miga *nf (de pan)* mie *f*; **migas** *(restos)* miettes *fpl*; *(plato)* = pain émietté, imbibé de lait et frit; *Fam* **hacer buenas/malas migas con** faire bon/mauvais ménage avec; *Fam Fig* **tener m.** être trapu(e)

migra *nf Méx Pey* police *f* des frontières américaine *(à la frontière mexicaine)*

migración *nf* migration *f*

migraña *nf* migraine *f*

migratorio, -a *adj* migratoire; **un ave migratoria** un oiseau migrateur

mijo *nm* millet *m*

mil 1 *adj num* mille; **m. gracias** mille fois merci; **m. excusas** mille excuses
2 *nm* mille *m inv*; **miles** *(gran cantidad)* milliers *mpl*; *ver también* **seis**

milagro *nm* miracle *m*; **de m.** par miracle

milagroso, -a *adj* miraculeux(euse)

milanesa *nf RP, Ven* filet *m* de bœuf pané

milenario, -a *adj* millénaire

milenio *nm* millénaire *m*; *Fam Fig* **hace milenios que no la veo** ça fait des lustres que je ne l'ai pas vue

milésimo, -a 1 *adj num* millième; *ver también* **sexto**
2 *nf* **milésima** millième *m*

mili *nf Fam* service *m* (militaire); **hacer la m.** faire son service

milicia *nf (profesión)* carrière *f* des armes; *(grupo armado)* milice *f*

miliciano, -a 1 *adj* de l'armée
2 *nm,f* milicien(enne) *m,f*

milico *nm Andes, RP Fam Pey (soldado)* soldat *m*; *(policía)* flic *m*

miligramo *nm* milligramme *m*

milímetro *nm* millimètre *m*; *Fig* **al m.** au quart de poil

militante 1 *adj* militant(e); *Fig* engagé(e)
2 *nmf* militant(e) *m,f*

militar¹ *adj & nmf* militaire *mf*

militar² *vi* militer

militarizar [14] *vt* militariser

milla *nf (1,609 kilómetros)* mile *m* ☆ **m. (marina)** mille *m* (marin)

millar *nm* millier *m*

millón *nm* million *m*; **un m. de** un million de; *Fig* des milliers de; **un m. de gracias** mille fois merci; **costar/ganar millones** coûter/gagner des millions; **tener millones** être riche à millions

millonario, -a *adj & nm,f* millionnaire *mf*

millonésimo, -a 1 *adj num* millionième; **es la millonésima vez que...** c'est la énième fois que...; *ver también* **sexto**
2 *nf* **millonésima** millionième *m*

milpa *nf CAm, Méx* champ *m* de maïs

mimado, -a *adj (niño)* gâté(e)

mimar *vt* gâter

mimbre *nm* osier *m*

mímica *nf (gestos, señas)* geste *m*; *Teatro* mime *m*

mimo nm (cariño) câlin m; (actor, espectáculo) mime m; **con tanto m.**, este niño está maleducado on a tellement gâté cet enfant qu'il est mal élevé

mimosa nf mimosa m

mimoso, -a adj câlin(e)

mina nf mine f; Fig (persona) perle f; también Fig **m. de oro** mine d'or

minar vt miner

mineral 1 adj (de la tierra) minéral(e)
  2 nm minerai m

minería nf (técnica) extraction f minière; (sector) industrie f minière

minero, -a 1 adj minier(ère)
  2 nm,f mineur m

miniatura nf miniature f; (reproducción) modèle m réduit; **en m.** en miniature

minicadena nf minichaîne f

mini disk, mini disc nm inv mini CD m inv

minifalda nf minijupe f

minifundio nm petite propriété f

minigolf (pl **minigolfs**) nm minigolf m

mínimo, -a 1 adj (muy pequeño) minime; (menor) moindre; **la temperatura mínima** la température minimale; **no tengo la más mínima idea** je n'en ai pas la moindre idée; **como m.** au minimum; **como m. podrías haber...** tu aurais pu au moins...; **en lo más m.** le moins du monde
  2 nm (límite) minimum m
  3 nf **mínima** (temperatura) température f minimale

ministerio nm ministère m; (conjunto de magistrados) parquet m; **el M. de Asuntos Exteriores** le ministère des Affaires étrangères

ministro, -a nm,f ministre m; **el m. de Asuntos Exteriores** le ministre des Affaires étrangères ☆ **primer m.** Premier ministre

minoría nf minorité f ☆ **minorías étnicas** minorités ethniques

minorista 1 adj au détail
  2 nmf détaillant(e) m,f

minoritario, -a adj minoritaire

minucia nf (pequeñez) vétille f; (detalle) détail m; **reparar en minucias** se perdre dans les détails

minuciosidad nf minutie f

minucioso, -a adj minutieux(euse)

minúsculo, -a 1 adj minuscule
  2 nf **minúscula** minuscule f

minusvalía nf (física) handicap m

minusválido, -a adj & nm,f handicapé(e) m,f (physique)

minuta nf (factura) honoraires mpl; (menú) carte f; RP (comida) = plat qui se prépare rapidement

minutero nm aiguille f des minutes

minuto nm minute f

mío, mía (mpl **míos**, fpl **mías**) **1** adj posesivo à moi; **este libro es m.** ce livre est à moi; **un amigo m.** un de mes amis; **no es asunto m.** ça ne me regarde pas; **no es culpa mía** ce n'est pas (de) ma faute
  2 pron posesivo **el m.** le mien; **la mía** la mienne; **aquí guardo lo m.** c'est là que je range mes affaires; Fam **ésta es la mía** à moi de jouer; Fam **lo mío es el teatro** mon truc c'est le théâtre; **los míos** (mi familia) les miens mpl

miope 1 adj myope; Fig obtus(e)
  2 nmf myope mf

miopía nf myopie f

mira nf mire f; Fig **con miras a** en vue de; **tener altas miras** viser haut

mirado, -a 1 adj (prudente) réfléchi(e); **ser m. en algo** faire attention à qch; **bien m.** tout bien considéré
  2 nf **mirada** regard m; **apartar la mirada** détourner le regard; **dirigir o lanzar la mirada a/hacia** jeter un regard sur/vers; **fulminar con la mirada** foudroyer du regard; **levantar la mirada** lever les yeux

mirador nm (balcón) bow-window m; (para ver un paisaje) belvédère m

miramiento nm égard m; **sin miramientos** sans égards

mirar 1 vt regarder; (considerar) penser; **¡mira!** regarde!; **m. de cerca/de lejos** regarder de près/de loin; Fig **m. algo por encima** jeter un coup d'œil à qch; **de mírame y no me toques** très fragile; Fig **si bien se mira** si l'on y regarde de près; **mira bien lo que haces** fais attention à ce que tu fais; **mira si vale la pena** vois si cela vaut la peine; **m. bien/mal a alguien** avoir une bonne/mauvaise opinion de qn; **mira, yo creo que...** écoute, je crois que...; **mira, mira** (sorpresa) tiens, tiens

2 vi regarder; **m. al norte/sur** être orienté(e) au nord/sud; **m. a** (calle, patio) donner sur; **m. por alguien/por algo** (cuidar) veiller sur qn/à qch

3 mirarse vpr se regarder

mirilla nf judas m (de porte)

mirlo nm merle m

mirón, -ona 1 adj Fam curieux (euse); **un tío m.** un voyeur

2 nm,f (voyeur) voyeur(euse) m,f; (curioso) curieux(euse) m,f; (en la calle) badaud(e) m,f

mirra nf myrrhe f

misa nf messe f; **oír o ir a m.** aller à la messe; Fam Fig **esto va a m.** c'est tout vu; Fam Fig **no sabe de la m. la mitad** il n'est au courant de rien

misal nm (de fiel) missel m; (del sacerdote) bréviaire m

misántropo, -a nm,f misanthrope mf

miscelánea nf mélange m; Méx (tienda) petite épicerie f

miserable 1 adj misérable; **una cantidad m.** une misère; **un sueldo m.** un salaire de misère

2 nmf (tacaño) avare mf; (ruin) misérable mf

miseria nf misère f; (tacañería)

avarice f; **le pagan una m.** il est payé une misère

misericordia nf miséricorde f; **pedir m.** demander miséricorde

mísero, -a adj (pobre) misérable; **no nos ofreció ni un m. café** il ne nous a même pas offert un malheureux café

misil nm missile m

misión nf mission f

misionero, -a adj & nm,f missionnaire mf

misiva nf missive f

mismo, -a 1 adj même; **el m. piso** le même appartement; **del m. color** de la même couleur; **en este m. cuarto** dans cette même chambre; **en su misma calle** dans sa propre rue; **el rey m.** le roi lui-même; **mí/ti/etc m.** moi-/toi-/etc même; Fam **¡tú m.!** à toi de voir!

2 pron **el m.** le même; **se prohibe la entrada al edificio al personal ajeno al m.** (en letrero) accès interdit aux personnes étrangères à l'établissement; **lo m. (que)** la même chose (que); **dar o ser lo m.** être du pareil au même; **me da lo m.** cela m'est égal; Fig **estamos en las mismas** on n'est pas plus avancés

3 adv **hoy m.** aujourd'hui même; **ahora m.** tout de suite; **encima/detrás m.** juste au-dessus/derrière; **mañana m.** dès demain

misógino, -a adj & nm,f misogyne mf

misterio nm mystère m

misterioso, -a adj mystérieux (euse)

místico, -a 1 adj & nm,f mystique mf

2 nf mística mystique f

mitad nf (parte) moitié f; (medio) milieu m; **a m. de precio** à moitié prix; **a m. del camino** à mi-chemin; **m. hombre, m. animal** mi-homme, mi-bête; **cortar/partir por la m.** couper/partager en deux; **m. y m.**

moitié moitié; **en m. de la reunión** au milieu de la réunion

mítico, -a *adj* mythique

mitificar [59] *vt* mythifier; *Fig* idéaliser

mitigar [38] *vt (dolor, ansiedad)* calmer

mitin *(pl* **mítines)** *nm* meeting *m* (politique)

mito *nm (leyenda)* mythe *m*; *(personaje) (fabuloso)* personnage *m* mythique; *(famoso)* grande figure *f*; **¡es puro m.!** c'est un mythe!; **un m. de la Historia** une grande figure de l'Histoire

mitología *nf* mythologie *f*

mitote *nm Méx Fam (bulla)* grabuge *m*

mixteca *nmf* Indien(enne) *m,f* du Mexique

mixto, -a *adj* mixte

ml *(abrev* **mililitro(s))** ml

mm *(abrev* **milímetro(s))** mm

moai *nm Chile* moai *m (statue de l'île de Pâques)*

mobiliario *nm* mobilier *m*

mocasín *nm* mocassin *m*

mochila *nf* sac *m* à dos

mochuelo *nm (ave)* hibou *m*

moción *nf (proposición)* motion *f*; *(acción)* mouvement *m* ☆ *m. de censura* motion de censure; *m. de confianza* question *f* de confiance

moco *nm* crotte *f* de nez; **mocos** morve *f*; **limpiarse los mocos** se moucher; *Fam* **no es m. de pavo** ce n'est pas rien

mocoso, -a *nm,f Fam Pey* morveux(euse) *m,f*

moda *nf* mode *f*; **estar de m.** être à la mode; **estar pasado de m.** être démodé

modal 1 *adj* modal(e)

  2 *nmpl* **modales** manières *fpl*; **tener buenos/malos modales** avoir des/ne pas avoir de manières

modalidad *nf (tipo)* forme *f*

modelar *vt (figura, adorno)* modeler; *Fig (carácter)* former

modelo 1 *adj* modèle

  2 *nm* modèle *m* ☆ *m. matemático* modèle mathématique

  3 *nmf (de artista)* modèle *m*; *(de moda, publicidad)* mannequin *m*

módem *(pl* **modems)** *nm Informát* modem *m*

moderación *nf* modération *f*

moderado, -a *adj & nm,f* modéré(e) *m,f*

moderador, -ora 1 *adj* modérateur(trice)

  2 *nm,f (de debate, reunión)* animateur(trice) *m,f*

moderar 1 *vt (velocidad, aspiraciones)* modérer; *(debate, reunión)* animer

  2 moderarse *vpr* se modérer

modernismo *nm* modernisme *m*; *(en arquitectura, arte)* modern style *m inv*, Art *m* nouveau

modernizar [14] **1** *vt* moderniser

  2 modernizarse *vpr* se moderniser

moderno, -a *adj* moderne

modestia *nf* modestie *f*; **falsa m.** fausse modestie

modesto, -a *adj* modeste

módico, -a *adj* modique

modificar [59] *vt* modifier

modisto, -a *nm,f (que diseña)* couturier(ère) *m,f*; *(que cose)* tailleur *m*, couturière *f*

modo *nm (manera)* façon *f*, manière *f*; *(estilo)* mode *m*; **el m. que tienes de comer** ta façon de manger; **hazlo del m. que quieras** fais-le comme tu veux; **a m. de** *(a manera de)* en guise de; **modos** manières; **buenos/malos modos** bonnes/mauvaises manières; **de todos modos** de toute façon *ou* manière; **en cierto m.** d'une certaine façon *ou* manière; **de m. que** *(de manera que)* de façon que; *(así* *que)* alors; **lo hizo de m. que…** il a fait en sorte que… ☆ **m. de empleo** mode d'emploi; **m. de vida** mode de vie

modorra *nf Fam* **me entra la m.** je ferais bien un petit somme

modoso, -a *adj* sage

modular *vt* moduler

módulo *nm* module *m*

mofarse *vpr* se moquer (**de** de)

mofeta *nf* mouffette *f*

moflete *nm* grosse joue *f*

mogollón *Fam* **1** *nm (lío)* bordel *m*; **un m. de** *(muchos)* un tas de
2 *adv* vachement; **me gustó m.** ça m'a vachement plu

mohair [mo'er] *nm* mohair *m*

moho *nm (hongo)* moisi *m*; *(herrumbre)* rouille *f*

mohoso, -a *adj (con hongo)* moisi(e); *(oxidado)* rouillé(e)

mojado, -a *adj* mouillé(e)

mojar **1** *vt* mouiller; *(pan)* tremper
2 mojarse *vpr* se mouiller; **el traje no puede mojarse** ce costume n'est pas lavable

mojigato, -a **1** *adj (beato)* prude; *(hipócrita)* faux (fausse)
2 *nm,f (beato)* prude *mf*; *(hipócrita)* petit(e) saint(e) *m,f*

mojón *nm* borne *f*

molar¹ *nm* molaire *f*

molar² *muy Fam* **1** *vt* brancher; **¿te molaría ir al cine?** ça te brancherait d'aller au ciné?; **¡cómo me mola ese chico!** ce garçon me plaît vachement!
2 *vi* être vachement classe

molcajete *nm Méx* mortier *m*

molde *nm* moule *m*

moldeado *nm (de pelo)* mise *f* en plis; *(de figura, cerámica)* moulage *m*

moldear *vt (con molde)* mouler; *(escultura, carácter)* modeler

mole **1** *nf* masse *f*

2 *nm Méx (salsa)* = sauce au piment, au chocolat et aux épices; *(plato)* = ragoût à la sauce au piment, au chocolat et aux épices

molécula *nf* molécule *f*

moler [41] *vt (grano)* moudre; *Fam (cansar)* crever

molestar **1** *vt (fastidiar)* gêner; *(distraer)* déranger; *(doler)* faire mal à; *(ofender)* vexer; **me molesta hacer…** ça m'ennuie de faire…
2 molestarse *vpr (incomodarse)* se déranger; *(ofenderse)* se vexer; **molestarse por** se déranger pour; **molestarse en hacer algo** prendre la peine de faire qch; **no te molestes, yo lo haré** ne t'embête pas avec ça, je vais le faire

molestia *nf (incomodidad)* gêne *f*, dérangement *m*; *(malestar)* ennui *m*; **si no es demasiada m.** si cela ne vous dérange pas trop; **tomarse la m. de hacer algo** prendre la peine de faire qch

molesto, -a *adj (incómodo)* gêné(e); **ser m.** *(incordiante)* être gênant(e); **estar m.** *(enfadado)* être fâché(e)

molido, -a *adj* moulu(e); *Fam* **estar m.** être crevé(e)

molinero, -a *adj & nm,f* meunier (ère) *m,f*

molinillo *nm* moulin *m* à café

molino *nm* moulin *m* ☆ **m. de viento** moulin à vent

molla *nf (parte blanda)* chair *f*; *(gordura)* graisse *f*

molleja *nf (de res)* ris *m*; *(de ave)* gésier *m*

mollera *nf Fam Fig (juicio)* **no le cabe en la m. que…** il n'arrive pas à se mettre dans le crâne que…

molusco *nm* mollusque *m*

momentáneo, -a *adj* momentané(e)

momento *nm* moment *m*; **no para ni un m.** il n'arrête pas une seconde; **a cada m.** tout le temps; **al m.** à l'instant; **de m., por el m.** pour le moment; **desde el m. (en) que** *(tiempo)* dès l'instant où; *(causa)* du moment que; **de un m. a otro** d'un moment à l'autre; **por momentos** à vue d'œil

momia *nf* momie *f*

mona *ver* **mono**

Mónaco *n* **(el principado de) M.** (la principauté de) Monaco

monada *nf (gracia)* pitrerie *f*; **es una m.** *(persona)* elle est mignonne; *(cosa)* c'est mignon

monaguillo *nm* enfant *m* de chœur

monarca *nm* monarque *m*

monarquía *nf* monarchie *f*

monárquico, -a 1 *adj* monarchique; *(partidario)* monarchiste
2 *nm,f* monarchiste *mf*

monasterio *nm* monastère *m*

Moncloa *nf* **la M.** = résidence du chef du gouvernement espagnol

monda *nf (acción)* épluchage *m*; *(piel)* épluchure *f*; *Fam* **ser la m.** *(gracioso)* être tordant(e)

mondadientes *nm inv* cure-dent *m*

mondadura *nf (piel)* épluchure *f*

mondar 1 *vt* éplucher, peler
2 mondarse *vpr Fam* **mondarse (de risa)** se tordre (de rire)

moneda *nf (pieza)* pièce *f* (de monnaie); *(divisa)* monnaie *f*; *Fig* **ser m. corriente** être monnaie courante ☆ **m. extranjera** monnaie étrangère; **m. única** monnaie unique

monedero, -a 1 *nm,f* monnayeur *m*
2 *nm* porte-monnaie *m* ☆ **m. electrónico** porte-monnaie électronique

monegasco, -a 1 *adj* monégasque
2 *nm,f* Monégasque *mf*

monería *nf* singerie *f*

monetario, -a *adj* monétaire

mongólico, -a *adj & nm,f (enfermo)* mongolien(enne) *m,f*

mongolismo *nm* mongolisme *m*

monigote *nm (muñeco, persona)* pantin *m*; *(dibujo)* bonhomme *m*

monitor, -ora 1 *nm,f* moniteur (trice) *m,f*
2 *nm Informát* moniteur *m*

monja *nf* religieuse *f*

monje *nm* moine *m*

mono, -a 1 *adj* mignon(onne)
2 *nm,f* singe *m*, guenon *f*; *Fig* **ser el último m.** être la cinquième roue du carrosse
3 *nm (prenda) (con peto)* salopette *f*; *(con mangas)* bleu *m* de travail; *(de esquí)* combinaison *f*; *Fam (de drogadicto)* manque *m*
4 *nf* **mona** *Fam (borrachera)* cuite *f*

monobloque *nm Arg* ensemble *m* d'immeubles résidentiels

monóculo *nm* monocle *m*

monografía *nf* monographie *f*

monólogo *nm* monologue *m*

monopatín *nm* skateboard *m*, planche *f* à roulettes

monopolio *nm* monopole *m*

monopolizar [14] *vt* monopoliser

monosílabo, -a 1 *adj* monosyllabe
2 *nm* monosyllabe *m*; **responder con monosílabos** répondre par monosyllabes

monoteísmo *nm* monothéisme *m*

monotonía *nf* monotonie *f*

monótono, -a *adj* monotone

monóxido *nm Quím* monoxyde *m*; **m. de carbono** monoxyde de carbone

monseñor *nm* monseigneur *m*

monserga *nf Fam* **no me vengas con monsergas** ne me raconte pas d'histoires; **no son más que monsergas** ce ne sont que des baliverses

monstruo 1 *adj inv (grande)* énorme; *(prodigioso)* phénoménal(e)
2 *nm* monstre *m*; *Fig (prodigio)* dieu *m*, génie *m*

monstruosidad *nf* monstruosité *f*

monstruoso, -a *adj* monstrueux (euse)

monta *nf (importancia)* importance *f*; **de poca m.** de second ordre

montacargas *nm inv* monte-charge *m*

montaje *nm (de obra de teatro, película)* montage *m*; *(obra de teatro)* réalisation *f*; *(farsa)* coup *m* monté

montante *nm* montant *m* ☆ *Com* **montantes compensatorios** montants compensatoires

montaña *nf* montagne *f* ☆ *m. rusa* montagnes russes

montañero, -a *nm,f* randonneur (euse) *m,f*

montañismo *nm* randonnée *f*

montañoso, -a *adj* montagneux (euse)

montar 1 *vt* monter; *(nata)* fouetter; **m. el piso** monter son ménage 2 *vi* monter (**a** à); **m. en** *(bicicleta)* monter à; *(avión)* monter dans; **m. a** *(sumar)* s'élever à 3 **montarse** *vpr* **montarse en** *(caballo, bicicleta)* monter sur; *(avión, automóvil)* monter dans; *Fam* **montárselo** se débrouiller

monte *nm (elevación)* mont *m*, montagne *f*; *(bosque)* bois *mpl* ☆ *m. de piedad* mont-de-piété *m*

montepío *nm* fonds *m* de secours

montés, -esa *adj* sauvage

montevideano, -a 1 *adj* de Montevideo 2 *nm,f* Montévidéen(enne) *m,f* *(personne originaire de Montevideo)*

Montevideo *n* Montevideo

montículo *nm* monticule *m*

monto *nm* montant *m*

montón *nm* tas *m*; **a** *o* **en m.** en bloc; **hay de eso a montones** il y en a des tas; **ganar a montones** gagner des mille et des cents; **un hombre del m.** monsieur Tout-le-Monde

montuno, -a *Andes* 1 *adj* farouche 2 *nm,f* timide *mf*

montura *nf (de gafas, caballo)* monture *f*; *(arreos)* harnais *m*; *(silla)* selle *f*

monumental *adj* monumental(e)

monumento *nm* monument *m*

monzón *nm* mousson *f*

moña *nf Fam (borrachera)* cuite *f*; *(adorno)* ruban *m*

moño *nm (peinado)* chignon *m*; *Am (lazo)* nœud *m*; *Fig* **estar hasta el m. en** avoir ras le bol

moquear *vi (persona)* avoir le nez qui coule

moqueta *nf* moquette *f*

mora *nf* mûre *f*

morada *nf* demeure *f*

morado, -a 1 *adj* violet(ette); *Fam Fig* **pasarlas moradas** en voir de toutes les couleurs; *Fam Fig* **ponerse m.** s'empiffrer 2 *nm (color)* violet *m*; *(cardenal)* bleu *m*

moral 1 *adj* moral(e); **un ejemplo m.** un exemple de moralité 2 *nf (ética)* morale *f*; *(ánimo)* moral *m*; **levantar la m. a alguien** remonter le moral à qn 3 *nm* mûrier *m* noir

moraleja *nf* morale *f* (d'une fable)

moralizar [14] *vi* moraliser

moratón *nm* bleu *m* *(hématome)*

morbo *nm Fam* **me da m.** je ressens un plaisir morbide

morboso, -a *adj* morbide

morcilla *nf* boudin *m* noir; *Fam Fig* **¡que te/le/etc den m.!** va te/allez vous/etc faire voir!

mordaz *adj* acerbe

mordaza *nf* bâillon *m*

mordedura *nf* morsure *f*

morder [41] 1 *vt* mordre; *(fruta)* croquer; **está que muerde** elle est d'une humeur de chien 2 *vi* mordre 3 **morderse** *vpr* se mordre

mordida *nf Méx Fam* bakchich *m*

mordisco *nm (mordedura)* morsure *f*; *(trozo)* morceau *m*; **dar un m. en algo** mordre dans qch; *(en fruta)* croquer dans qch

mordisquear vt (objeto) mordiller; (refrigerio) grignoter

moreno, -a 1 adj (pelo, piel) brun(e); (por el sol) bronzé(e); (pan, arroz) complet(ète); **ponerse m.** bronzer; **azúcar m.** sucre m roux **2** nm,f brun(e) m,f

morera nf mûrier m blanc

moretón = moratón

morfina nf morphine f

morgue nf morgue f

moribundo, -a adj & nm,f moribond(e) m,f

morir [27] **1** vi mourir **2 morirse** vpr mourir (**de** de)

mormón, -ona adj & nm,f mormon(e) m,f

moro, -a 1 adj Hist maure; Pey (árabe) arabe; Fam (machista) macho **2** nm,f Hist Maure mf; Pey (árabe) Arabe mf; **no hay moros en la costa** il n'y a rien à craindre **3** nm Fam (machista) macho m; **Moros y Cristianos** = fête traditionnelle du Levant

morocho, -a 1 adj Andes, RP (pelo) noir(e); (persona) aux cheveux noirs; Ven (mellizo) jumeau(elle) **2** nm,f Andes, RP (moreno) = personne qui a les cheveux noirs; Ven (mellizo) jumeau(elle) m,f

moronga nf CAm, Méx boudin m noir

moroso, -a 1 adj **es un cliente m.** ce client a un arriéré **2** nm,f mauvais(e) payeur(euse) m,f

morrear muy Fam **1** vt bécoter **2** vi se bécoter **3 morrearse** vpr se bécoter

morriña nf mal m du pays

morro nm (hocico) museau m; Fam (labios) lèvres fpl; Fam (de vehículo) avant m; (de avión) nez m; Fam (caradura) culot m; **¡qué m. tiene!** il a un de ces culots!; **estar de morros** bouder

morsa nf morse m (animal)

morse nm morse m (code)

mortadela nf mortadelle f

mortaja nf linceul m

mortal adj & nmf mortel(elle) m,f

mortalidad nf mortalité f

mortero nm mortier m

mortífero, -a adj mortel(elle); (epidemia) meurtrier(ère)

mortificar [59] **1** vt mortifier; Fig (torturar) tourmenter **2 mortificarse** vpr se mortifier; (torturarse) se tourmenter

mortuorio, -a adj mortuaire; (cortejo) funèbre

mosaico nm mosaïque f

mosca nf mouche f; Fam **estar m.** (enfadado) faire la tête; (con sospechas) se douter de quelque chose; Fam **por si las moscas** au cas où; Fam **¿qué m. te/le/etc ha picado?** quelle mouche t'a/l'a/etc piqué? ☆ **m. muerta** sainte-nitouche f; **m. tsetsé** mouche tsé-tsé

moscardón nm mouche f bleue; Fam Fig (persona) casse-pieds m inv

moscatel nm muscat m (vin doux)

moscón nm (insecto) grosse mouche f; Fam Fig (persona) casse-pieds m inv

moscovita 1 adj moscovite **2** nmf Moscovite mf

Moscú n Moscou

mosquear Fam **1** vt (enfadar) vexer; (hacer sospechar) mettre la puce à l'oreille à **2 mosquearse** vpr (enfadarse) se fâcher; (sospechar) se douter de quelque chose

mosquetero nm mousquetaire m

mosquetón nm mousqueton m

mosquitero nm moustiquaire f

mosquito nm moustique m

mosso d'esquadra nm = membre de la police autonome catalane

mostacho nm moustache f

mostaza *nf* moutarde *f*

mosto *nm (zumo)* jus *m* de raisin; *(residuo)* moût *m*

mostrador *nm* comptoir *m* ☆ *m. de información* accueil *m*

mostrar [63] **1** *vt* montrer; *(inteligencia, liberalidad)* faire preuve de **2 mostrarse** *vpr* se montrer

mota *nf (partícula)* poussière *f*

mote *nm (nombre)* surnom *m*; *Andes (maíz)* maïs *m* bouilli

motel *nm* motel *m*

motín *nm (del pueblo)* émeute *f*; *(de soldados, presos)* mutinerie *f*

motivación *nf* motivation *f*

motivar *vt* motiver

motivo *nm (causa)* raison *f*, motif *m*; *(de obra literaria)* sujet *m*; *Arte* motif *m*; **con m. de** *(para celebrar)* à l'occasion de; *(a causa de)* en raison de; **por este m.** pour cette raison

moto *nf* moto *f*

motocicleta *nf* motocyclette *f*

motociclismo *nm* motocyclisme *m*

motociclista *nmf* motocycliste *mf*

motocross *nm inv* motocross *m*

motonáutico, -a **1** *adj* motonautique **2** *nf* **motonáutica** motonautisme *m*

motoneta *nf Am* scooter *m*

motonetista *nmf Am* scootériste *mf*

motor, -ora *o* **-triz** **1** *adj* moteur (trice) **2** *nm* moteur *m* ☆ *m. de arranque* contact *m*; *m. de reacción* moteur à réaction **3** *nf* **motora** bateau *m* à moteur

motorismo *nm* motocyclisme *m*

motorista *nmf* motocycliste *mf*

motriz *ver* **motor**

mousse *nm inv o nf inv (de limón, de chocolate)* mousse *f*

movedizo, -a *adj (pieza, panelete)*

amovible; *(arena, terreno)* mouvant(e)

mover [41] **1** *vt (accionar)* faire marcher; *(cambiar de sitio)* déplacer; *(agitar)* remuer; *(suscitar)* provoquer; **m. las masas** remuer les foules; **m. la curiosidad** provoquer la curiosité; **m. a piedad/risa** faire pitié/rire; *Fig* **m. a alguien a algo/a hacer algo** *(incitar)* pousser qn à qch/à faire qch; *Informát* **m. un fichero** déplacer un fichier **2 moverse** *vpr (ponerse en movimiento, agitarse)* bouger; *(trasladarse)* se déplacer; *(darse prisa)* se secouer; **moverse en/entre** évoluer dans/parmi

movido, -a **1** *adj* agité(e); *(conversación, viaje)* mouvementé(e); *(foto, imagen)* flou(e) **2** *nf* **movida** *Fam (problema)* histoire *f* ☆ *m. (madrileña)* = mouvement de renouveau culturel qui eut lieu à Madrid au cours des années quatre-vingts

móvil **1** *adj* mobile **2** *nm (juguete)* mobile *m*; *(teléfono)* téléphone *m* mobile

movilidad *nf* mobilité *f*

movilizar [14] *vt* mobiliser

movimiento *nm* mouvement *m* ☆ *m. sísmico* secousse *f* sismique

moviola *nf* visionneuse *f*

mozárabe *adj & nmf* mozarabe *mf*

mozo, -a **1** *adj* jeune **2** *nm,f (joven)* jeune homme *m*, jeune fille *f*; *Perú, RP (camarero)* serveur(euse) *m,f*; **es buen m.** il est beau garçon **3** *nm (camarero)* garçon *m*; *(criado)* domestique *m*; *(soldado)* appelé *m*

mu *nm (mugido)* meuglement *m*; *Fig* **no decir ni m.** ne pas piper mot

mucamo, -a *nm,f Andes, RP* domestique *mf*

muchachada *nf Am* marmaille *f*

muchacho, -a *nm,f* garçon *m*, fille *f*

muchedumbre *nf* foule *f*

mucho, -a 1 *adj* beaucoup de ; **mucha gente** beaucoup de gens; **muchos meses** plusieurs mois; **m. tiempo** longtemps; **hace m. calor** il fait très chaud; **tengo mucha hambre** j'ai très faim

  2 *pron* **muchos piensan que...** beaucoup de gens pensent que...; **tener m. que contar** avoir beaucoup de choses à raconter

  3 *adv* beaucoup; *(largo tiempo)* longtemps; *(frecuentemente)* souvent; **trabaja m.** il travaille beaucoup; **se divierte m.** il s'amuse bien; **m. antes/después** bien avant/après; **m. más/menos** beaucoup *ou* bien plus/moins; **m. mejor** beaucoup *ou* bien mieux; **lo sé desde hace m.** je le sais depuis longtemps; **viene m. por aquí** il vient souvent par ici; **como m.** *(como máximo)* (tout) au plus; *(en todo caso)* à la limite; **con m. de** loin; **ni m. menos** loin de là; **por m. que insistas...** tu auras beau insister...

mucosidad *nf* mucosité *f*

muda *nf (de plumas, piel, voz)* mue *f*; *(ropa)* linge *m* de rechange

mudanza *nf (cambio)* changement *m*; *(de casa)* déménagement *m*; **estar** *o* **andar de m.** déménager

mudar 1 *vt* changer
  2 *vi* **m. de** changer de; **m. de casa** déménager; **m. de plumas/piel/voz** muer
  3 mudarse *vpr* **mudarse (de casa)** déménager; **mudarse (de ropa)** se changer

mudéjar *adj & nmf* mudéjar(e) *m,f*

mudo, -a 1 *adj* muet(ette); **cine m.** cinéma *m* muet
  2 *nm,f* muet(ette) *m,f*

mueble *nm* meuble *m* ☆ **m. bar** bar *m*

mueca *nf* grimace *f*; *(de disgusto)* moue *f*

muela 1 *ver* **moler**
  2 *nf (diente)* molaire *f*; *(piedra)* meule *f*; **tener dolor de muelas** avoir mal aux dents ☆ **m. del juicio** dent *f* de sagesse

muelle *nm (de colchón, reloj)* ressort *m*; *(de puerto)* quai *m*

muérdago *nm* gui *m*

muermo *nm* Fam *(cosa, situación)* barbe *f*; *(persona)* casse-pieds *mf inv*; **tener m.** être ramollo

muerte *nf* mort *f*; *(homicidio)* meurtre *m*; **a m.** *(luchar, odiar)* à mort; **de mala m.** minable

muerto, -a 1 *participio ver* **morir**
  2 *adj* mort(e); **estar m. de miedo/de frío/de hambre** être mort de peur/de froid/de faim; **medio m.** *(cansado)* mort (de fatigue)
  3 *nm,f* mort(e) *m,f*; **hacer el m.** *(en el agua)* faire la planche

muesca *nf* encoche *f*; *(corte)* entaille *f*

muestra 1 *ver* **mostrar**
  2 *nf (pequeña cantidad)* échantillon *m*; *(modelo)* modèle *m*; *(exposición)* exposition *f*; **para m. (basta) un botón** un exemple suffit; **dar muestras de** *(inteligencia, prudencia)* faire preuve de; *(cariño, simpatía)* donner des marques de; *(cansancio)* donner des signes de

muestrario *nm* échantillonnage *m*; *(de colores)* nuancier *m*

muestreo *nm (para encuesta)* échantillonnage *m*

mugido *nm* mugissement *m*

mugir [24] *vi (vaca)* meugler

mugre *nf* Fam crasse *f*

mugriento, -a Fam **1** *adj* crasseux (euse)
  2 *nm,f* = personne crasseuse

mujer *nf* femme *f* ☆ **m. de la limpieza** femme de ménage

mujeriego *nm* coureur *m* de jupons

mujerzuela *nf* Pey grue *f*

mulato, -a *adj & nm,f* mulâtre *mf*

muleta *nf (para andar)* béquille *f*; *Fig* soutien *m*; *(de torero)* muleta *f*

mullido, -a *adj* moelleux(euse)

mulo, -a 1 *nm,f* mulet *m*, mule *f*
2 *nf* **mula** *Fam Fig (bruto)* brute *f*; *(testarudo)* tête *f* de mule

multa *nf* amende *f*

multar *vt* condamner à une amende

multicopista *nf* machine *f* à polycopier

multimedia *adj inv* multimédia

multimillonario, -a *adj & nm,f* multimillionnaire *mf*

multinacional *nf* multinationale *f*

múltiple *adj* multiple

multiplicación *nf* multiplication *f*

multiplicar [59] 1 *vt & vi* multiplier
2 **multiplicarse** *vpr* se multiplier; *(esforzarse)* être partout à la fois

múltiplo *nm* multiple *m*

multipropiedad *nf* multipropriété *f*

multitud *nf* multitude *f*; **una m. de cosas** une foule de choses

multitudinario, -a *adj* **una manifestación multitudinaria** une manifestation de masse

multiuso *adj inv* à usages multiples

mundanal *adj* de ce monde; **lejos del m. ruido** loin de la foule

mundano, -a *adj* mondain(e); *(del mundo)* de ce monde

mundial 1 *adj* mondial(e)
2 *nm* **el m., los mundiales** la coupe du monde

mundo *nm* monde *m*; *(experiencia)* expérience *f*; **el otro m.** l'autre monde; **el tercer m.** le tiers-monde; **todo el m.** tout le monde; **hombre/mujer de m.** homme/femme du monde; **venir al m.** venir au monde

munición *nf* munition *f*

municipal 1 *adj* municipal(e)
2 *nmf* policier *m* (municipal)

municipio *nm (división territorial)* commune *f*; *(ayuntamiento)* municipalité *f*; **el m.** *(los habitantes)* les administrés *mpl*

muñeco, -a 1 *nm,f (juguete)* poupée *f*
2 *nm Fig* marionnette *f* ☆ **m. de nieve** bonhomme *m* de neige
3 *nf* **muñeca** *(articulación)* poignet *m*; *Andes, RP Fam (enchufe)* piston *m*

muñequera *nf* poignet *m*

muñón *nm* moignon *m*

mural 1 *adj* mural(e)
2 *nm* peinture *f* murale

muralla *nf* muraille *f*; *(defensiva)* rempart *m*

murciélago *nm* chauve-souris *f*

murmullo *nm* murmure *m*

murmuración *nf* médisance *f*

murmurador, -ora 1 *adj* médisant(e)
2 *nm,f* mauvaise langue *f*

murmurar 1 *vt* murmurer
2 *vi* murmurer; *Fig (quejarse)* marmonner; **m. de** o **sobre** *(criticar)* dire du mal de

muro *nm* mur *m*

mus *nm inv* = jeu de cartes espagnol

musa *nf* muse *f*

musaraña *nf* musaraigne *f*; *Fig* **pensar en las musarañas** être dans la lune

muscular *adj* musculaire

musculatura *nf* musculature *f*

músculo *nm* muscle *m*

musculoso, -a *adj* musculeux(euse); *(fuerte)* musclé(e)

museo *nm* musée *m*

musgo *nm* mousse *f*

música *ver* **músico**

musical *adj* musical(e); **un instrumento m.** un instrument de musique

music-hall *(pl* music-halls) ['musik'xol] *nm* music-hall *m*

músico, -a 1 *adj* musical(e)

2 *nm,f* musicien(enne) *m,f*
3 *nf* **música** musique *f*; *Fam* ¡vete con la música a otra parte! va voir ailleurs si j'y suis!
musitar *vt* murmurer
muslo *nm* cuisse *f*
mustio, -a *adj (marchito)* fané(e); *(triste)* morne
musulmán, -ana *adj & nm,f* musulman(e) *m,f*
mutación *nf* mutation *f*
mutante 1 *adj* mutant(e)
2 *nm* mutant *m*
mutar *vt (funcionarios)* muter
mutilado, -a *adj & nm,f* mutilé(e) *m,f*
mutilar *vt* mutiler

mutismo *nm* mutisme *m*
mutua *ver* **mutuo**
mutual *nf Arg, Chile, Perú* mutuelle *f*
mutualidad *nf (asociación)* mutuelle *f*
mutualista *nf Urug* mutuelle *f*
mutuo, -a 1 *adj* mutuel(elle)
2 *nf* **mutua** mutuelle *f* ☆ *mutua de seguros* société *f* mutualiste
muy *adv* très; **m. cerca/lejos** très près/loin; **m. de mañana** de très bon matin; **eso es m. de ella** c'est elle tout craché; **¡el m. tonto!** quel idiot!; **por m. cansado que esté...** il a beau être fatigué...

N

N, n *nf (letra)* N *m inv*, n *m inv*; **el 20 N**
= le 20 novembre 1975, date de la
mort du général Franco

nabo *nm* navet *m*

nácar *nm* nacre *f*

nacer [42] *vi* naître; *(río)* prendre sa
source; *(sol)* se lever; **nació en Granada** il est né à Grenade; **ha nacido
cantante** c'est un chanteur-né; **ha
nacido para trabajar** il est fait pour le
travail

nacido, -a 1 *adj* né(e)
2 *nm,f* **los nacidos en enero/en Valencia** les personnes nées en janvier/à
Valence; *Fig* **ser un mal n.** être un
odieux personnage ☆ **un recién n.**
un nouveau-né

naciente *adj* naissant(e); *(nuevo)*
jeune; **el sol n.** le soleil levant; **la república n.** la jeune république

nacimiento *nm* naissance *f*; *(de río)*
source *f*; *(belén)* crèche *f*; **de n.** de
naissance

nación *nf* nation *f*; *(territorio)* pays
m ☆ **las Naciones Unidas** les Nations unies

nacional 1 *adj* national(e)
2 *nmf Hist* **los nacionales** les natio-
nalistes *mpl (partisans de Franco)*

nacionalidad *nf* nationalité *f*; **doble
n.** double nationalité

nacionalismo *nm* nationalisme *m*

nacionalista *adj & nmf* nationaliste
mf

nacionalizar [14] **1** *vt (empresa)* nationaliser; *(persona)* naturaliser
2 nacionalizarse *vpr* se faire naturaliser

nada 1 *pron* rien; **no quiero n.** je ne
veux rien; **antes de n.** avant tout; **de
n.** *(respuesta a gracias)* de rien, je
t'en/vous en prie; **un regalito de n.**
un petit cadeau de rien du tout; **no
dijo n. de n.** il n'a rien dit du tout; **n.
más** c'est tout; **no quiero n. más** je ne
veux rien d'autre; **como si n.** comme
si de rien n'était; **¡de eso n.!, ¡n. de
eso!** pas question!
2 *adv (en absoluto)* du tout; *(poco)*
peu; **no me gusta n.** ça ne me plaît
pas du tout; **no hace n. que salió** il est
sorti à l'instant même; **n. más** à peine;
n. más irte llamó tu padre tu étais à
peine parti que ton père a appelé
3 *nf* **la n.** le néant

nadador, -ora *adj & nm,f* nageur
(euse) *m,f*

nadar *vi* nager; *Fig* **n. en deudas** être
criblé(e) de dettes; *Fig* **n. en dinero**
rouler sur l'or; *Fig* **n. en la abundancia**
nager dans l'opulence

nadería *nf* rien *m*; **se enfada por na-
derías** un rien l'irrite

nadie 1 *pron* personne; **n. más** plus
personne; **n. me lo ha dicho** personne ne me l'a dit; **no ha llamado n.**
personne n'a téléphoné
2 *nm* **ser un don n.** être un zéro

nado: a nado *adv* à la nage

nafta *nf RP (gasolina)* essence *f*

naftalina *nf* naphtaline *f*; **bolas de n.** boules *fpl* de naphtaline

nahua *Méx* **1** *adj* nahua
2 *nmf* Nahua *mf*

naíf *adj inv Arte* naïf(ive)

nailon *nm* Nylon® *m*

naipe *nm* carte *f* (à jouer)

nalga *nf* fesse *f*

nana *nf (canción)* berceuse *f*; *Méx (niñera)* garde *f* d'enfants

napa *nf* cuir *m* souple

naranja **1** *adj inv* orange *inv*
2 *nm (color)* orange *m*
3 *nf (fruto)* orange *f*; *Fam* **¡naranjas de la china!** tu peux/il peut/*etc* toujours courir! ☆ *Fam Fig* **media n.** moitié *f (conjoint)*

naranjada *nf* orangeade *f*

naranjo *nm* oranger *m*

narciso *nm (flor)* narcisse *m*; **es un n.** il est narcissique

narcótico, -a **1** *adj* narcotique
2 *nm* narcotique *m*

narcotizar [14] *vt* administrer des narcotiques à

narcotraficante *nmf* trafiquant(e) *m,f* de drogue, narcotrafiquant(e) *m,f*

narcotráfico *nm* trafic *m* de stupéfiants

nardo *nm* nard *m*

narigudo, -a *adj* **¡es tan n.!** il a un si grand nez!

nariz *nf* nez *m*; *Fig* **estar hasta las narices** en avoir par-dessus la tête; *Fam* **en sus propias narices** sous son nez; *Fam* **lo harás por narices** tu vas le faire, il n'y a pas à tortiller; *Fig* **meter las narices en algo** fourrer son nez dans qch; *Fam* **¡narices!** tu peux/il peut/*etc* toujours courir!

narración *nf* narration *f*; *(cuento, relato)* récit *m*

narrador, -ora *nm,f* narrateur (trice) *m,f*

narrar *vt* raconter

narrativo, -a **1** *adj* narratif(ive)
2 *nf* **narrativa** *(género literario)* roman *m*

NASA *nf (abrev* **National Aeronautics and Space Administration)** NASA *f*

nasal *adj* nasal(e); *(voz)* nasillard(e)

nata *nf* crème *f*; **n. batida** *o* **montada** crème fouettée; *Fig* **la (flor y) n. de...** la fine fleur de...

natación *nf* natation *f*

natal *adj* natal(e)

natalicio *nm (día)* jour *m* de naissance; *(cumpleaños)* anniversaire *m*

natalidad *nf* natalité *f*

natillas *nfpl* crème *f* renversée

nativo, -a **1** *adj* natif(ive); *(país, ciudad, pueblo)* natal(e); **ser n. de** être originaire de; **un profesor n. de inglés** un professeur d'anglais de langue maternelle anglaise
2 *nm,f* natif(ive) *m,f*

nato, -a *adj (de nacimiento)* né(e); **es un músico n.** c'est un musicien-né

natural **1** *adj* naturel(elle); *(luz)* du jour; **esa reacción es n. en él** cette réaction est naturelle chez lui; **ser n. de** *(nativo)* être originaire de
2 *nmf (persona)* natif(ive) *m,f*
3 *nm (índole)* naturel *m*; **al n.** au naturel

naturaleza *nf* nature *f*; **por n.** par *ou* de nature ☆ **n. muerta** nature morte

naturalidad *nf* naturel *m*; **con toda n.** tout naturellement

naturalización *nf* naturalisation *f*

naturalizar [14] **1** *vt* naturaliser
2 naturalizarse *vpr* se faire naturaliser

naturista *nmf* naturiste *mf*

naufragar [38] *vi (barco, persona)* faire naufrage; *Fig (negocio)* couler; *Fig (asunto, proyecto)* échouer

naufragio *nm también Fig* naufrage *m*

náufrago, -a adj & nm,f naufragé(e) m,f

náusea nf nausée f; **tener náuseas** avoir la nausée; **me da náuseas** ça me donne la nausée

nauseabundo, -a adj (olor) nauséabond(e); (comportamiento, actitud) écœurant(e)

náutico, -a 1 adj nautique
2 nmpl **náuticos** (zapatos) chaussures fpl de bateau
3 nf **náutica** navigation f

navaja nf (cuchillo) couteau m (à lame pliante); (pequeño) canif m; (molusco) couteau m

navajero, -a nm,f = personne armée d'un couteau

naval adj naval(e)

Navarra n la Navarre

navarro, -a 1 adj navarrais(e)
2 nm,f Navarrais(e) m,f

nave nf (barco) navire m; (vehículo) vaisseau m; (de iglesia) nef f; (almacén) hangar m; Fig **quemar las naves** brûler ses vaisseaux ☆ **n. espacial** vaisseau spatial

navegación nf navigation f

navegador nm Informát navigateur m

navegante 1 adj navigant(e); **un pueblo n.** un peuple de navigateurs
2 nmf navigateur(trice) m,f

navegar [38] vi naviguer; **n. por Internet** naviguer sur l'Internet

Navidad nf Noël m; **¡Feliz N.!** joyeux Noël!; **las Navidades** les fêtes fpl de Noël

navideño, -a adj de Noël

naviero, -a 1 adj (compañía, empresa) de navigation
2 nm (armador) armateur m
3 nf **naviera** (compañía) compagnie f maritime

navío nm vaisseau m

nazi adj & nmf nazi(e) m,f

nazismo nm nazisme m

neblina nf brume f

nebulosa ver **nebuloso**

nebulosidad nf nébulosité f

nebuloso, -a 1 adj nébuleux(euse)
2 nf **nebulosa** Astron nébuleuse f

necedad nf sottise f

necesario, -a adj nécessaire; **no es n. que venga** il n'est pas nécessaire qu'il vienne; **es n. hacerlo** il faut le faire; **es n. que le ayudes** il faut que tu l'aides; **si fuera n.** si nécessaire

neceser nm nécessaire m (de toilette)

necesidad nf (menester) besoin m; (imperativo) nécessité f; **en caso de n.** en cas de besoin; **sentir la n. de** éprouver le besoin de; **de (primera) n.** de première nécessité; **por n.** par nécessité; **no hay n. de...** il n'est pas nécessaire de...; **hacer sus necesidades** (fisiológicas) faire ses besoins; **pasar necesidades** (estrecheces) être dans le besoin

necesitado, -a adj & nm,f nécessiteux(euse) m,f

necesitar vt avoir besoin de; **necesito ayuda/verte** j'ai besoin d'aide/de te voir; **necesito que me digas...** j'ai besoin que tu me dises...; **se necesita empleada** (en anuncio) on demande une employée

necio, -a adj & nm,f idiot(e) m,f; Méx, Ven (pesado) casse-pieds mf

necrología nf nécrologie f

néctar nm nectar m

nectarina nf nectarine f

neerlandés, -esa 1 adj néerlandais(e)
2 nm,f Néerlandais(e) m,f
3 nm (lengua) néerlandais m

nefasto, -a adj néfaste

negación nf négation f; (rechazo) refus m

negado, -a 1 adj **soy n. para el latín** je suis nul (nulle) en latin
2 nm,f incapable mf

negar [43] **1** *vt (desmentir)* nier; *(denegar)* refuser; **n. el saludo/la palabra a alguien** refuser de saluer qn/ de parler à qn
2 negarse *vpr* refuser; **no me pude n.** je n'ai pas pu refuser; **negarse a hacer algo** refuser de *ou* se refuser à faire qch
negativo, -a 1 *adj* négatif(ive)
2 *nm Fot* négatif *m*
3 *nf* **negativa** *(rechazo)* refus *m*
negligencia *nf* négligence *f*
negligente *adj* négligent(e)
negociable *adj* négociable
negociación *nf* négociation *f*
negociado *nm CSur* transaction *f* véreuse
negociante 1 *adj* commerçant(e)
2 *nmf (comerciante)* commerçant (e) *m,f; Fig* **ser un n.** *(interesado)* être âpre au gain
negociar 1 *vi (comerciar)* faire du commerce; *(discutir)* négocier (**con** avec)
2 *vt* négocier
negocio *nm* affaire *f; (establecimiento)* commerce *m;* **hacer n.** gagner de l'argent; **ser un buen n.** être rentable, rapporter; **n. sucio** affaire louche
negra *ver* **negro**
negrero, -a 1 *adj (de esclavos)* négrier(ère); *Fig (déspota)* tyrannique
2 *nm,f también Fig* négrier *m*
negrita, negrilla *nf* caractères *mpl* gras, gras *m*
negro, -a 1 *adj* noir(e); *(tabaco, cerveza)* brun(e); *(futuro, porvenir)* sombre; *Fam (furioso)* furax; **el mercado n.** le marché noir; **me pone n.** ça me tape sur les nerfs; *Fam* **pasarlas negras** en baver
2 *nm,f* Noir(e) *m,f; Fig* **trabajar como un n.** travailler comme un nègre
3 *nm (color)* noir *m; Fig (trabajador anónimo)* larbin *m; (de escritor)* nègre *m*

4 *nf* **negra** *Mús* noire *f; Fig Fam* **tener la negra** avoir la poisse
negrura *nf* noirceur *f*
nene, -a *nm,f Fam (bebé)* bébé *m; (niño)* petit garçon *m,* petite fille *f*
nenúfar *nm* nénuphar *m*
neocelandés, -esa 1 *adj* néo-zélandais(e)
2 *nm,f* Néo-Zélandais(e) *m,f*
neoclasicismo *nm* néoclassicisme *m*
neófito, -a *nm,f (aprendiz)* néophyte *mf*
neolítico, -a 1 *adj* néolithique
2 *nm* néolithique *m*
neologismo *nm* néologisme *m*
neón *nm* néon *m*
neoyorquino, -a 1 *adj* new-yorkais(e)
2 *nm,f* New-Yorkais(e) *m,f*
neozelandés, -esa = **neocelandés**
Nepal *nm* **el N.** le Népal
Neptuno *n (dios, planeta)* Neptune
nervio *nm* nerf *m; (de planta)* nervure *f;* **hacer algo con n.** faire qch avec énergie; **tener n.** avoir du nerf; **nervios** *(nerviosismo)* nerfs; **tener nervios** être nerveux(euse); **tener un ataque de nervios** avoir une crise de nerfs; **poner los nervios de punta a alguien** taper sur les nerfs à qn; **tener los nervios de punta** avoir les nerfs à vif
nerviosismo *nm* nervosité *f*
nervioso, -a *adj* nerveux(euse); *(irritado)* énervé(e); **ponerse n.** s'énerver
neto, -a *adj* net (nette)
neumático, -a 1 *adj* pneumatique; *(cámara)* à air
2 *nm* pneu *m*
neumonía *nf* pneumonie *f*
neurálgico, -a *adj* névralgique; *Fig* **un centro n.** un point névralgique
neurastenia *nf* neurasthénie *f*
neurología *nf* neurologie *f*

neurona *nf* neurone *m*

neurosis *nf inv* névrose *f*

neurótico, -a 1 *adj (trastorno, comportamiento)* névrotique; *(persona)* névrosé(e) 2 *nm,f* névrosé(e) *m,f*

neutral *adj* neutre

neutralidad *nf* neutralité *f*

neutralizar [14] *vt* neutraliser

neutro, -a *adj* neutre

neutrón *nm* neutron *m*

nevado, -a 1 *adj* enneigé(e) 2 *nf* **nevada** chute *f* de neige

nevar [3] *v impersonal* neiger

nevera *nf* réfrigérateur *m*; *(portátil)* glacière *f*

nevisca *nf* légère chute *f* de neige

nexo *nm* lien *m*

ni 1 *conj* ni; **ni... ni... ni... ni...**; **ni de día ni de noche** ni le jour ni la nuit; **no canto ni bailo** je ne chante pas et ne danse pas non plus; **ni uno ni otro** ni l'un ni l'autre; **ni un/una...** même pas un/une...; **no comió ni una manzana** il n'a même pas mangé une pomme; **no dijo ni una palabra** il n'a pas dit un traître mot; **ni que...** comme si...; **¡ni que lo conocieras!** comme si tu le connaissais!; **¡ni pensarlo!, ¡ni hablar!** pas question! 2 *adv* même pas; **ni tiene tiempo para comer** il n'a même pas le temps de manger; **no quiero ni pensarlo** je ne veux même pas y penser

Nicaragua *n* le Nicaragua

nicaragüense 1 *adj* nicaraguayen (enne) 2 *nmf* Nicaraguayen(enne) *m,f*

nicho *nm (en muro)* niche *f*; *(en mercado)* créneau *m*

nicky = niqui

nicotina *nf* nicotine *f*

nido *nm* nid *m*

niebla *nf también Fig* brouillard *m*

nieto, -a *nm,f* petit-fils *m*, petite-fille *f*; **nietos** petits-enfants *mpl*

nieve *nf* neige *f*; *Méx (helado)* sorbet *m*; **nieves** *(nevada)* chutes *fpl* de neige ☆ **nieves perpetuas** neiges éternelles

NIF *nm (abrev* **número de identificación fiscal)** = numéro d'identification attribué en Espagne à toute personne physique et utilisé à des fins fiscales

Nilo *nm* **el N.** le Nil

nimiedad *nf (cualidad)* insignifiance *f*; *(dicho, hecho)* vétille *f*

nimio, -a *adj* insignifiant(e)

ninfa *nf* nymphe *f*

ninfómana *adj & nf* nymphomane *f*

ninguno, -a 1 *adj*

On utilise **ningún** devant les noms masculins singuliers.

aucun(e); **en ningún lugar** nulle part; **ningún libro** aucun livre; **ninguna mujer** aucune femme; **no tiene ningunas ganas de estudiar** il n'a aucune envie de travailler; **no tiene ninguna gracia** ce n'est pas drôle du tout; **no es ningún especialista** ce n'est vraiment pas un spécialiste 2 *pron* aucun(e) (**de** de); **n. funciona** aucun ne marche; **no vino n.** personne n'est venu; **n. de ellos lo vio** aucun d'eux *ou* d'entre eux ne l'a vu; **ninguna de las calles** aucune des rues

niña *ver* niño

niñera *nf* garde *f* d'enfants

niñería *nf* enfantillage *m*

niñez *nf (infancia)* enfance *f*

niño, -a 1 *adj (crío)* petit(e); **ser muy n.** *(joven)* être très jeune 2 *nm,f (crío)* enfant *mf*, petit garçon *m*, petite fille *f*; *(bebé)* bébé *m*; *(joven)* gamin(e) *m,f*; **de n.** quand j'étais petit; **los niños** les enfants; **n. prodigio** enfant prodige; **estar como un n. con zapatos nuevos** être heureux comme un roi; **si no escribes a máquina, ¿qué ordenador ni qué n.**

muerto te voy a regalar? tu ne sais même pas taper à la machine, pourquoi diable veux-tu que je t'offre un ordinateur? ☆ *n.* **bien** enfant de bonne famille; *Fig n.* **bonito** chouchou *m*; *n.* **de teta** *o* **pecho** nourrisson *m*

3 *nf* **niña** *(del ojo)* pupille *f*; *Fig* **la niña de sus ojos** la prunelle de ses yeux

nipón, -ona 1 *adj* nippon(onne)
2 *nm,f* Nippon(onne) *m,f*

níquel *nm* nickel *m*

niquelar *vt* nickeler

niqui *nm Esp* tee-shirt *m*

níspero *nm (fruto)* nèfle *f*; *(árbol)* néflier *m*

nitidez *nf* netteté *f*

nítido, -a *adj* net (nette); *(agua, explicación)* clair(e)

nitrato *nm* nitrate *m*

nitrógeno *nm* azote *m*

nivel *nm* niveau *m*; **a n. europeo** au niveau européen; **al n. de** à la hauteur de; **al n. del mar** au niveau de la mer ☆ *n.* **de vida** niveau de vie

nivelación *nf* nivellement *m*

nivelar *vt* niveler; *(balanza)* équilibrer

no *(pl* **noes)** **1** *nm* non *m inv*; **un no rotundo** un non catégorique
2 *adv* **(a)** *(en respuestas)* non; **¿te gusta?** —**no** ça te plaît? —non; **estás de acuerdo ¿no?** tu es d'accord, non?
(b) *(en forma negativa)* ne… pas; **no tengo hambre** je n'ai pas faim; **¿no vienes?** tu ne viens pas?; **creo que no** je ne crois pas; **no quiero nada** je ne veux rien; **no hemos visto a nadie** nous n'avons vu personne; **no fumadores** non-fumeurs; **¿por qué no?** pourquoi pas?; **todavía no** pas encore; **¡a que no te atreves!** je parie que tu ne le fais pas!
(c) *(expresiones)* **no bien** à peine; **no bien llegó a casa…** à peine arrivé chez lui…; **¡cómo no!** bien sûr!; **no sólo…** **sino que** non seulement…

mais…; **no sólo se equivoca, sino que encima es testarudo** non seulement il a tort mais en plus il s'entête; **¡pues no!**, **¡que no!**, **¡eso sí que no!** certainement pas!

nobiliario, -a *adj* nobiliaire

noble *adj & nmf* noble *mf*

nobleza *nf* noblesse *f*

noche *nf* nuit *f*; *(atardecer)* soir *m*; **esta n. ceno en casa** ce soir je dîne à la maison; **de n.** la nuit; *(trabajo)* de nuit; **es de n.** il fait nuit; **hacer n. en** passer la nuit à; **por la n.** la nuit; **ayer por la n.** hier soir; **se ha hecho de n.** la nuit est tombée; **de la n. a la mañana** du jour au lendemain; **¡buenas noches!** *(despedida)* bonne nuit!; *(saludo)* bonsoir!

Nochebuena *nf* nuit *f* de Noël

nochero, -a *nm,f CSur* gardien(enne) *m,f* de nuit

Nochevieja *nf* nuit *f* de la Saint-Sylvestre

noción *nf* notion *f*; **tener nociones de…** avoir des notions de…

nocivo, -a *adj* nocif(ive)

noctámbulo, -a *adj & nm,f* noctambule *mf*

nocturno, -a *adj* nocturne; *(clase)* du soir; *(tren, trabajo)* de nuit

nodriza *nf* nourrice *f*

nogal *nm* noyer *m*

nómada *adj & nmf* nomade *mf*

nombramiento *nm* nomination *f*

nombrar *vt* nommer

nombre *nm* nom *m*; *Fig (fama)* renom *m*; **n. (de pila)** prénom *m*; **en n. de** au nom de; **n. artístico** *(de actor)* nom de scène; *(de escritor)* nom de plume; **n. completo, n. y apellido** noms et prénoms

nomenclatura *nf* nomenclature *f*

nómina *nf (registro)* liste *f* du personnel; *(hoja)* feuille *f* de paie; *(pago)* paie *f*; **estar en n.** faire partie du personnel

nominal *adj* nominal(e)

nominar *vt* nommer

non 1 *adj* impair(e)
2 *nm* nombre *m* impair; *Fam* **decir que nones** dire que non

nonagésimo, -a *adj num* quatre-vingt-dixième; *ver también* **sexto**

nordeste = noreste

nórdico, -a 1 *adj (del norte)* nord *inv*; *(escandinavo)* nordique
2 *nm,f* Nordique *mf*

Noreste, noreste 1 *adj* nord-est *inv*
2 *nm* nord-est *m inv*

noria *nf (para agua)* noria *f*; *(de feria)* grande roue *f*

norirlandés, -esa 1 *adj* d'Irlande du Nord
2 *nm,f* Irlandais(e) *m,f* du Nord

norma *nf (reglamento)* règle *f*; *(industrial)* norme *f*; **por n. en règle générale**; **tener por n. hacer algo** avoir pour habitude de faire qch; **n. de conducta** ligne *f* de conduite

normal *adj* normal(e); *(gasolina)* ordinaire

normalidad *nf* normalité *f*; **volver a la n.** revenir à la normale

normalizar [l4] **1** *vt* normaliser
2 **normalizarse** *vpr* redevenir normal(e)

Normandía *n* la Normandie

normativo, -a 1 *adj* normatif(ive)
2 *nf* **normativa** réglementation *f*

Noroeste, noroeste 1 *adj* nord-ouest *inv*
2 *nm* nord-ouest *m inv*

Norte, norte 1 *nm* nord *m inv*; **el N. de Europa** le nord de l'Europe
2 *adj (zona, frontera)* nord *inv*; *(viento)* du nord

Norteamérica *n* l'Amérique *f* (du Nord)

norteamericano, -a 1 *adj* nord-américain(e), américain(e)
2 *nm,f* Américain(e) *m,f*

Noruega *n* la Norvège

noruego, -a 1 *adj* norvégien(enne)
2 *nm,f* Norvégien(enne) *m,f*
3 *nm (lengua)* norvégien *m*

nos *pron personal* nous; **viene a vernos** il vient nous voir; **n. lo dio** il nous l'a donné; **vistámonos** habillons-nous; **n. queremos** nous nous aimons

nosotros, -as *pron personal* nous; **n. mismos** nous-mêmes; **entre n.** entre nous

nostalgia *nf* nostalgie *f*

nota *nf* note *f*; **sacar buenas notas** avoir de bonnes notes; **tomar n. de algo** prendre note de qch; *Fam* **dar la n.** se faire remarquer

notable 1 *adj (meritorio)* remarquable; *(considerable)* notable
2 *nm (calificación)* mention *f* bien; *(persona)* notable *m*

notar 1 *vt (advertir)* remarquer; *(percibir)* sentir, trouver; **la noto molesta** je la sens gênée; **n. calor/frío** trouver qu'il fait chaud/froid
2 **notarse** *vpr* se voir

notaría *nf (oficina)* étude *f* (de notaire)

notario, -a *nm,f* notaire *m*

noticia *nf* nouvelle *f*; **las noticias** *(en radio, televisión)* les informations *fpl*

noticiero *nm Am* bulletin *m* d'informations

notificación *nf* notification *f*

notificar [59] *vt* notifier

notoriedad *nf* notoriété *f*

notorio, -a *adj* notoire

novatada *nf (broma)* bizutage *m*; *(error de principiante)* erreur *f* de débutant; **pagar la n.** faire les frais de son inexpérience

novato, -a *adj & nm,f* débutant(e) *m,f*

novecientos, -as *adj num* neuf cents; *ver también* **seiscientos**

novedad *nf* nouveauté *f*; *(cambio)* nouveau *m*; **sin n.** rien de nouveau; **novedades** nouveautés

novel *adj* débutant(e)

novela *nf* roman *m* ☆ *n.* *policíaca* roman policier; *n.* **radial** feuilleton *m* radiophonique; *n.* *rosa* roman d'amour

novelar *vt* romancer

novelesco, -a *adj* romanesque

novelista *nmf* romancier(ère) *m,f*

noveno, -a *adj num* neuvième; *ver también* **sexto**

noventa 1 *adj num inv* quatre-vingt-dix

　2 *nm inv* quatre-vingt-dix *m inv*; *ver también* **sesenta**

noviar *vi CSur, Méx* **n. con alguien** sortir avec qn; **están noviando** ils sortent ensemble

noviazgo *nm* fiançailles *fpl*

noviembre *nm* novembre *m*; *ver también* **septiembre**

novillada *nf Taurom* = course de jeunes taureaux

novillo, -a *nm,f* jeune taureau *m*, génisse *f*; *Fam Fig* **hacer novillos** faire l'école buissonnière

novio, -a *nm,f (informal)* copain *m*, copine *f*; *(prometido)* fiancé(e) *m,f*; *(recién casados)* jeune marié(e) *m,f*; **los novios** les mariés *mpl*

nubarrón *nm* gros nuage *m*

nube *nf* nuage *m*; *Fig* colère *f* passagère; *Fig (multitud)* nuée *f*; **estar en las nubes** être dans les nuages; *Fam* **estar por las nubes** *(ser caro)* coûter les yeux de la tête; **poner algo/a alguien por las nubes** porter qch/qn aux nues; **vivir en las nubes** ne pas avoir les pieds sur terre

nublado, -a *adj (mirada)* brouillé(e); **está n.** le temps est couvert

nublar 1 *vt (cielo)* assombrir; *Fig (mente)* obscurcir

　2 **nublarse** *vpr (tiempo)* se couvrir; *(ojos)* se voiler; *Fig* **se le nubló la razón** il a perdu son sang-froid

nuca *nf* nuque *f*

nuclear *adj* nucléaire

núcleo *nm* noyau *m* ☆ *n. de población* agglomération *f*

nudillo *nm* jointure *f* des doigts; **llamar con los nudillos** *(a la puerta)* frapper

nudismo *nm* nudisme *m*

nudo *nm* nœud *m*; **hacérsele a alguien un n. en la garganta** avoir la gorge nouée

nudoso, -a *adj* noueux(euse)

nuera *nf* belle-fille *f*

nuestro, -a *(mpl* **nuestros***, fpl* **nuestras)** 1 *adj posesivo* notre; **n. padre** notre père; **nuestros libros** nos livres; **este libro es n.** ce livre est à nous; **un amigo n.** un de nos amis; **no es asunto n.** ça ne nous regarde pas; **no es culpa nuestra** ce n'est pas (de) notre faute

　2 *pron posesivo* **el n.** le nôtre; **la nuestra** la nôtre; *Fam* **ésta es la nuestra** à nous de jouer; *Fam* **lo n. es el teatro** notre truc c'est le théâtre; **los nuestros** *(nuestra familia)* les nôtres *mpl*

nueva *ver* **nuevo**

Nueva York *n* New York

Nueva Zelanda *n* la Nouvelle-Zélande

nueve 1 *adj num inv* neuf

　2 *nm inv* neuf *m inv*; *ver también* **seis**

nuevo, -a 1 *adj* nouveau(elle); *(no usado)* neuf (neuve); **el año n.** le nouvel an; **de n.** de *ou* à nouveau; **ser n. en** être nouveau dans

　2 *nm,f* nouveau(elle) *m,f*

　3 *nf* **nueva** nouvelle *f*; **buena nueva** bonne nouvelle

nuez *nf (fruto)* noix *f*; *(en la garganta)* pomme *f* d'Adam ☆ *n. moscada* noix (de) muscade

nulidad *nf* nullité *f*

nulo, -a *adj* nul (nulle); **es n. para la música** il est nul en musique

núm. *(abrev* **número)** n°

numeración *nf (acción)* numérota-tion*f; (sistema)* chiffres *mpl*, numé-ration*f*

numeral *adj* numéral(e)

numerar 1 *vt* numéroter; *(contar)* compter
2 **numerarse** *vpr (personas)* se compter

numérico, -a *adj* numérique

número *nm (cantidad)* nombre *m*; *(en serie, espectáculo, publicación)* numéro *m*; *(cifra)* chiffre *m*; *(talla) (de ropa)* taille *f; (de zapatos)* poin-ture *f; (de lotería)* billet *m* (de lote-rie); *(de la guardia civil)* membre *m* de la garde civile; **un gran n. de...** un grand nombre de...; **en números ro-jos** en rouge, à découvert; **hacer nú-meros** faire les comptes; **montar el n.** faire son numéro ☆ **n. de matrícula** numéro d'immatriculation; **n. pri-mo** nombre premier; **n. redondo** chiffre rond; **n. de teléfono** numéro de téléphone

numeroso, -a *adj* nombreux(euse)

nunca *adv* jamais; **n. me hablas** tu ne me parles jamais; **no llama n.** il n'ap-pelle jamais; **n. jamás** *o* **más** jamais plus

nupcial *adj* nuptial(e)

nupcias *nfpl* noces *fpl*; **casarse en se-gundas n.** con alguien épouser qn en secondes noces

nutria *nf* loutre *f*

nutrición *nf* nutrition *f*

nutricionista *nmf Am* diététicien (enne) *m,f*

nutrido, -a *adj (alimentado)* nour-ri(e); *Fig (numeroso)* nombreux (euse)

nutrir 1 *vt* nourrir (**de** *o* **con** de); *Fig* alimenter (**de** en)
2 **nutrirse** *vpr* **nutrirse de** *o* **con** *(ali-mentarse)* se nourrir de; *Fig (pro-veerse)* se fournir en

nutritivo, -a *adj* nutritif(ive)

nylon = **nailon**

Ñ

Ñ, ñ *nf (letra)* Ñ *m inv,* ñ *m inv (lettre de l'alphabet espagnol)*

ñandú *(pl* ñandúes) *nm* nandou *m*

ñandutí *nm RP* = type de dentelle, typique du Paraguay

ñapa *nf Ven* **compré seis rosas y me dieron una de ñ.** j'ai acheté six roses et ils m'en ont donné une gratuite

ñato, -a *Andes, RP* **1** *adj (nariz)* ca-mus; **su hija es muy ñata** sa fille a le nez camus

2 *nm,f* = personne qui a le nez ca-mus

ñoñería, ñoñez *nf* niaiserie *f*

ñoño, -a *adj (recatado)* timoré(e); *(soso) (estilo)* mièvre; *(apariencia)* cucul *inv*

ñudo: al ñudo *adv RP Fam* en vain

O

O, o (*pl* **oes**) *nf (letra)* O *m inv*, o *m inv*
o

> On utilise **u** devant les mots commençant par o ou ho.

conj ou; **rojo o verde** rouge ou vert; **25 o 30** 25 ou 30; **10 ó 30** 10 ou 30; **uno u otro** l'un ou l'autre; **o sea (que)** autrement dit

oasis *nm inv también Fig* oasis *f*

obcecar [59] **1** *vt* aveugler
  2 obcecarse *vpr* **obcecarse en** *(empeñarse)* s'obstiner à; **obcecarse con o por** *(cegarse)* être aveuglé(e) par

obedecer [46] **1** *vt* obéir à
  2 *vi* obéir; **calla y obedece** tais-toi et obéis; **o. a** *(estar motivado por)* être dû (due) à

obediencia *nf* obéissance *f*

obediente *adj* obéissant(e)

obertura *nf* ouverture *f*

obesidad *nf* obésité *f*

obeso, -a *adj & nm,f* obèse *mf*

óbice *nm* **no ser ó. para** ne pas être un obstacle à

obispo *nm* évêque *m*

objeción *nf* objection *f* ✩ **o. de conciencia** objection de conscience

objetar 1 *vt* objecter; **si no tiene nada que o.** si vous n'y voyez pas d'inconvénient
  2 *vi* être objecteur de conscience

objetividad *nf* objectivité *f*

objetivo, -a 1 *adj* objectif(ive)
  2 *nm* objectif *m*

objeto *nm* objet *m*; **ser o. de faire** l'objet de; **al o con o. de hacer algo** dans le but *ou* l'intention de faire qch ✩ **objetos perdidos** objets trouvés

objetor, -ora *nm,f* **o. (de conciencia)** objecteur *m* de conscience

oblicuo, -a *adj* oblique

obligación *nf* obligation *f*

obligado, -a *adj* obligatoire; **es o. llevar corbata** le port de la cravate est obligatoire

obligar [38] **1** *vt* **o. a alguien a hacer algo** obliger qn à faire qch
  2 obligarse *vpr* **obligarse a hacer algo** s'engager à faire qch

obligatorio, -a *adj* obligatoire

obnubilar *vt* obnubiler

oboe 1 *nm (instrumento)* hautbois *m*
  2 *nmf (persona)* hautboïste *mf*

obra *nf* œuvre *f*; *(lugar)* chantier *m*; *(reforma)* travaux *mpl*; **cerrado por obras** *(en letrero)* fermé pour travaux; **por o. de, por o. y gracia de** grâce à; **por o. y gracia del Espíritu Santo** par l'opération du Saint-Esprit ✩ **o. de arte** œuvre d'art; **o. de caridad** œuvre de charité; **o. de consulta** ouvrage *m* de référence; **o. maestra** chef-d'œuvre *m*; **obras públicas** travaux publics; **o. de teatro** pièce *f* de théâtre

obrar *vi* agir; **el documento obra en poder del notario** le notaire est en possession du document

obrero, -a *adj & nm,f* ouvrier(ère) *m,f*

obscenidad *nf* obscénité *f*

obsceno, -a *adj* obscène

obscurecer = oscurecer

obscuridad = oscuridad

obscuro = oscuro

obsequiar *vt* offrir; **o. a alguien con algo** offrir qch à qn

obsequio *nm* cadeau *m*

observación *nf (examen, contemplación)* observation *f*; *(comentario)* remarque *f*

observador, -ora *adj & nm,f* observateur(trice) *m,f*

observancia *nf* observance *f*

observar *vt* observer; *(advertir)* remarquer; **se observa una cierta mejora** on observe une légère amélioration

observatorio *nm* observatoire *m*

obsesión *nf* obsession *f*

obsesionar 1 *vt* obséder
2 obsesionarse *vpr* être obsédé(e) **(con** par)

obsesivo, -a *adj* obsédant(e), obsessionnel(elle)

obseso, -a *adj & nm,f* obsédé(e) *m,f*

obstaculizar [14] *vt (obstruir)* gêner; *Fig (impedir)* faire obstacle à

obstáculo *nm* obstacle *m*

obstante: no obstante *adv* néanmoins

obstetricia *nf* obstétrique *f*

obstinado, -a *adj* obstiné(e)

obstinarse *vpr* s'obstiner **(en** dans); **o. en hacer algo** s'obstiner à faire qch

obstrucción *nf* obstruction *f*

obstruir [34] **1** *vt (bloquear)* obstruer; *Fig (obstaculizar)* empêcher
2 obstruirse *vpr* s'obstruer, se boucher

obtener [65] **1** *vt* obtenir
2 obtenerse *vpr* s'obtenir

obturar *vt* obturer

obtuso, -a 1 *adj (ángulo, persona)* obtus(e); *(sin punta)* émoussé(e)
2 *nm,f Fig* **es un o.** il est obtus

obús *(pl* obuses) *nm (cañón)* obusier *m*; *(proyectil)* obus *m*

obviar *vt (inconveniente, problema)* parer à; *(dificultad, obstáculo)* contourner

obvio, -a *adj* évident(e)

oca *nf (animal)* oie *f*; *(juego)* jeu *m* de l'oie

ocasión *nf* occasion *f*; **con o. de** à l'occasion de; **de o.** d'occasion; **en alguna o. cierta o.** une fois; **en algunas ocasiones** parfois; **artículos de o.** articles *mpl* en solde

ocasional *adj* occasionnel(elle)

ocasionar *vt* causer

ocaso *nm (anochecer)* crépuscule *m*; *Fig (decadencia)* déclin *m*

occidental 1 *adj* occidental(e)
2 *nmf* Occidental(e) *mf*

occidente *nm* occident *m*; **el sol se pone por o.** le soleil se couche à l'ouest; **(el) O.** l'Occident

OCDE *nf (abrev* **Organización para la Cooperación y el Desarrollo Económico)** OCDE *f*

Oceanía *n* l'Océanie *f*

oceánico, -a *adj (del océano)* océanique; *(de Oceanía)* océanien(enne)

océano *nm* océan *m* ☆ **el o. (Glacial) Antártico** l'océan Antarctique; **el o. (Glacial) Ártico** l'océan (Glacial) Arctique; **el o. Atlántico** l'océan Atlantique; **el o. Índico** l'océan Indien; **el o. Pacífico** l'océan Pacifique

ochenta 1 *adj num inv* quatre-vingts; **o. y tres años** quatre-vingt-trois ans
2 *nm inv* quatre-vingts *m inv*; *ver también* **sesenta**

ocho 1 *adj num inv* huit; **le da igual o. que ochenta** ça ne lui fait ni chaud ni froid
2 *nm inv* huit *m inv*; *ver también* **seis**
ochocientos, -as *adj num* huit cents; *ver también* **seiscientos**
ocio *nm* loisirs *mpl*; **el tiempo de o.** le temps libre
ocioso, -a *adj* oisif(ive); *(inútil)* oiseux(euse); **el miércoles es un día o.** le mercredi est une journée peu remplie
oclusión *nf* occlusion *f*
ocre 1 *nm (color)* ocre *m*
2 *adj inv (color)* ocre *inv*
octágono *nm* octogone *m*
octano *nm* octane *m*
octava *ver* **octavo**
octavilla *nf (de propaganda)* tract *m*
octavo, -a 1 *adj num* huitième; *ver también* **sexto**
2 *nm* huitième *m*; **octavos de final** huitièmes de finale
3 *nf* **octava** *Mús* octave *f*
octeto *nm Informát* octet *m*
octogenario, -a *adj & nm,f* octogénaire *mf*
octubre *nm* octobre *m*; *ver también* **septiembre**
ocular *adj* oculaire
oculista *nmf* oculiste *mf*
ocultar 1 *vt* cacher
2 ocultarse *vpr* se cacher
ocultismo *nm* occultisme *m*
oculto, -a *adj (escondido)* caché(e); *Fig (poderes, ciencias)* occulte; **lo o.** *(lo sobrenatural)* les puissances *fpl* occultes
ocupación *nf* occupation *f*; *(empleo)* profession *f*; **o. ilegal de viviendas** occupation illégale de logements
ocupado, -a *adj* occupé(e)
ocupante *adj & nmf* occupant(e) *m,f*
ocupar 1 *vt* occuper; *(dar trabajo)* employer; *CAm, Méx (usar)* utiliser

2 ocuparse *vpr* **ocuparse de** *(encargarse de)* s'occuper de
ocurrencia *nf (idea)* idée *f*; *(dicho gracioso)* trait *m* d'esprit
ocurrente *adj* spirituel(elle) *(drôle)*
ocurrir 1 *vi* arriver; **aquí ocurre algo extraño** il se passe quelque chose de bizarre ici; **¿qué te ocurre?** qu'est-ce qui t'arrive?
2 ocurrirse *vpr* **no se me ocurre ninguna solución** je ne vois aucune solution; **¡ni se te ocurra!** tu n'as pas intérêt!; **¿se te ocurre algo?** tu as une idée?; **se me ocurre que podríamos salir** et si on sortait?
oda *nf* ode *f*
odiar *vt* haïr; *(comida)* détester; **o. a muerte a alguien** haïr qn à mort
odio *nm* haine *f*; **tener o. a alguien/algo** haïr qn/qch
odioso, -a *adj* odieux(euse); *(lugar, tiempo)* détestable
odisea *nf* odyssée *f*; *Fig* épopée *f*
odontología *nf* odontologie *f*
odontólogo, -a *nm,f* dentiste *mf*, odontologiste *mf*
OEA *nf (abrev* **Organización de Estados Americanos)** OEA *f*
Oeste, oeste 1 *nm (zona)* ouest *m inv*; *(viento)* vent *m* d'ouest; **el O. de Europa** l'ouest de l'Europe; **el lejano o.** le Far West
2 *adj (zona, frontera)* ouest *inv*; *(viento)* d'ouest
ofender 1 *vt* offenser
2 *vi* faire offense
3 ofenderse *vpr* se vexer
ofensa *nf* offense *f*; *(delito)* outrage *m*
ofensivo, -a 1 *adj (injurioso)* offensant(e); *(de ataque)* offensif(ive)
2 *nf* **ofensiva** offensive *f*
oferta *nf* offre *f*; *(rebaja)* promotion *f*; **la o. y la demanda** l'offre et la demande; **de o. en o.** en promotion
☆ **o. pública de adquisición** offre

publique d'achat; ***ofertas de trabajo*** offres d'emploi

ofertar *vt* faire une promotion sur

office ['ofis] *nm inv* office *m (d'une cuisine)*

oficial¹ 1 *adj* officiel(elle)
2 *nm (militar)* officier *m*; **o. (administrativo)** *(funcionario)* employé *m* (administratif)

oficial², -ala *nm,f* apprenti(e) *m,f* qualifié(e)

oficialismo *nm Am* = soutien inconditionnel du parti au pouvoir

oficialista *adj Am* de la majorité (gouvernementale)

oficiar 1 *vt (misa, ceremonia)* célébrer
2 *vi (sacerdote)* officier; **o. de** *(actuar de)* faire office de

oficina *nf* bureau *m* ☆ **o. de empleo** agence *f* pour l'emploi, ≃ ANPE *f*; **o. de turismo** office *m* du tourisme

oficinista *nmf* employé(e) *m,f* de bureau

oficio *nm (profesión)* métier *m*; *Rel* office *m*; *(función)* fonction *f*; **ser del o.** être du métier; **no tener o. ni beneficio** être un(e) bon (bonne) à rien

oficioso, -a *adj* officieux(euse)

ofimática *nf* bureautique *f*

ofrecer [46] **1** *vt* offrir; *(fiesta, posibilidad)* donner; *(perspectivas)* ouvrir; *(particularidad, aspecto)* présenter
2 ofrecerse *vpr* **ofrecerse a** *o* **para hacer algo** s'offrir pour faire qch; **¿qué se le ofrece?** *(en bar)* qu'est-ce que je vous sers?

ofrecimiento *nm* offre *f*; **o. de** *o* **para** offre de

ofrenda *nf* offrande *f*

oftalmología *nf* ophtalmologie *f*

oftalmólogo, -a *nm,f* ophtalmologiste *mf*

ofuscar [59] **1** *vt también Fig* aveugler

2 ofuscarse *vpr* se troubler; **ofuscarse con** être obnubilé(e) par

ogro *nm* ogre *m*; *Fig* monstre *m*

oh *interj* oh!

oída: de oídas *adv* par ouï-dire

oído *nm (órgano)* oreille *f*; *(sentido)* ouïe *f*; **aguzar el o.** tendre l'oreille; **de o.** d'oreille; **hacer oídos sordos** faire la sourde oreille; **prestar oídos a algo** *(creer)* prêter foi à qch; **ser duro de o.** être dur d'oreille; **ser todo oídos** être tout ouïe; **tener (buen) o.** avoir de l'oreille; **tener mal o., no tener o.** ne pas avoir d'oreille

oír [44] *vt* entendre; *(atender)* écouter; **¡oigan, por favor!** votre attention s'il vous plaît!; *Fam* **¡oye!** écoute!; **como quien oye llover** autant parler à un mur

OIT *nf (abrev* **Organización Internacional del Trabajo)** OIT *f*

ojal *nm* boutonnière *f*

ojalá *interj* j'espère bien!; **¡o. lo haga!** *(expresa esperanza)* pourvu qu'il le fasse!; **¡o. estuviera aquí!** *(expresa añoranza)* si seulement il était là!

ojeada *nf* coup *m* d'œil; **echar** *o* **dar una o. (a)** jeter un coup d'œil (à)

ojear *vt* regarder

ojera *nf* cerne *m*; **tener ojeras** avoir des cernes *ou* les yeux cernés

ojeriza *nf Fam* **tener o. a alguien** avoir une dent contre qn

ojeroso, -a *adj* **estar o.** avoir les yeux cernés

ojete *nm (para cordones)* œillet *m*; *Vulg (ano)* trou *m* de balle

ojo 1 *nm (órgano)* œil *m*; *(de aguja)* chas *m*; *(de cerradura)* trou *m*; **andar con (mucho) o.** faire (bien) attention; **a o. (de buen cubero)** au jugé; **a ojos vistas** à vue d'œil; *Fam* **comerse con los ojos a alguien** dévorer qn des yeux; **echar el o. a** jeter son dévolu sur; **en un abrir y cerrar de ojos** en un clin d'œil; **mirar** *o* **ver con buenos/malos ojos** voir d'un bon/mauvais œil;

no pegar o. ne pas fermer l'œil; *Prov*
o. por o., diente por diente œil pour
œil, dent pour dent; **ojos que no ven,**
corazón que no siente loin des yeux,
loin du cœur; **tener (buen) o.** avoir le
coup d'œil; **ojos rasgados** yeux bridés; **ojos saltones** yeux globuleux
☆ **o. de buey** œil-de-bœuf *m*; **o. de**
pez *(lente)* fish-eye *m*
  2 *interj* attention!
ojota *nf Andes (sandalia de cuero)*
sandale *f* en cuir; *RP (sandalia de*
goma) sandale *f* en caoutchouc
OK [o'kei] *interj* OK!
okupa *nmf muy Fam* squatter *m*
ola *nf* vague *f*; **la nueva o.** la nouvelle
vague; **hacer la o.** faire la ola, = ovationner une équipe en se levant à
tour de rôle afin de produire un mouvement comparable à une vague
ole, olé *interj* bravo!
oleada *nf también Fig* vague *f*
oleaje *nm* houle *f*
óleo *nm* huile *f*
oleoducto *nm* oléoduc *m*, pipeline
m
oler [45] **1** *vt* sentir
  2 *vi* sentir; **huele bien/mal** ça sent
bon/mauvais; **huele a lavanda/taba-**
co ça sent la lavande/le tabac; *Fig* **al-**
go me huele mal il y a quelque chose
de louche
  3 olerse *vpr* **olerse algo** *(sospechar)*
flairer qch
olfatear *vt también Fig* flairer
olfato *nm (sentido)* odorat *m*; *Fig*
(sagacidad) flair *m*
oligarquía *nf* oligarchie *f*
oligoelemento *nm* oligoélément *m*
olimpiada, olimpíada *nf* olym-
piade *f*; **las olimpiadas** les jeux *mpl*
Olympiques
olímpicamente *adv Fam* **pasar o. de**
algo se ficher royalement de qch
olisquear *vt* renifler
oliva *nf* olive *f*

olivar *nm* oliveraie *f*
olivo *nm* olivier *m*
olla *nf* marmite *f*; *muy Fam (cabeza)*
caillou *m*, citron *m* ☆ **o. a presión** o
exprés autocuiseur *m*, Cocotte-Mi-
nute® *f*
olmo *nm* orme *m*
olor *nm* odeur *f* (**a** de)
oloroso, -a 1 *adj* odorant(e)
  2 *nm* = grand cru de Jerez
OLP *nf (abrev* **Organización para la Li-**
beración de Palestina) OLP *f*
olvidadizo, -a *adj* tête en l'air *inv*
olvidar 1 *vt* oublier
  2 olvidarse *vpr* oublier; **olvidarse de**
hacer algo oublier de faire qch
olvido *nm* oubli *m*; **caer en el o.** tomber dans l'oubli
ombligo *nm* nombril *m*; **se cree el o.**
del mundo il se prend pour le nombril
du monde
omisión *nf* omission *f*
omitir *vt* omettre
ómnibus *nm Urug* autobus *m*
omnipotente *adj* omnipotent(e);
se cree o. il se croit tout-puissant
omnipresente *adj* omniprésent(e)
omnívoro, -a *adj & nm,f* omnivore
mf
omoplato, omóplato *nm* omoplate *f*
OMS *nf (abrev* **Organización Mundial**
de la Salud) OMS *f*
ONCE *nf (abrev* **Organización Nacional**
de Ciegos Españoles) = association
nationale espagnole d'aide aux
aveugles et aux handicapés qui organise notamment une loterie
once 1 *adj num inv* onze
  2 *nm inv* onze *m inv*; *ver también*
seis
onceavo, -a *adj num* onzième; **on-**
ceava parte onzième *m*; *ver también*
sexto
onda *nf* onde *f*; *(del pelo, tela)* ondulation *f*; *Fam* **buena/mala o.** bon/

mauvais feeling; *Am Fam* ¿qué o.? comment ça va? ☆ **o. corta** ondes courtes; **o. larga** grandes ondes; **o. media** ondes moyennes

ondear *vi* ondoyer

ondulación *nf* ondulation *f*

ondulado, -a *adj* ondulé(e)

ondular *vt & vi* onduler

ONG *nf inv* (*abrev* **Organización no Gubernamental**) ONG *f*

ónice *nm o nf* onyx *m*

onírico, -a *adj* onirique

ónix = onice

on-line [on'laɪn] *adj inv Informát* en ligne *inv*

onomástico, -a 1 *adj* onomastique 2 *nf* **onomástica** (*día del santo*) fête *f*; (*ciencia*) onomastique *f*

onomatopeya *nf* onomatopée *f*

ONU *nf* (*abrev* **Organización de las Naciones Unidas**) ONU *f*

onza *nf* (*unidad de peso*) once *f*; (*de chocolate*) carré *m*

OPA *nf* (*abrev* **oferta pública de adquisición**) OPA *f*

opaco, -a *adj* opaque

ópalo *nm* opale *f*

opción *nf* (*elección*) choix *m*; *Com* option *f*; **dar o. a algo** (*dar derecho*) donner droit à qch; **tener o. a algo** avoir droit à qch ☆ **o. de compra** option d'achat; **o. de venta** option de vente

opcional *adj* optionnel(elle), facultatif(ive); **la radio es o.** la radio est en option

ópera *nf* opéra *m* ☆ **ó. prima** première œuvre *f*

operación *nf* opération *f*; **o. retorno** = opération de régulation de la circulation routière en période de retour de vacances

operador, -ora *nm,f* (*de máquina*) opérateur(trice) *m,f* ☆ **o. de cámara** opérateur de prises de vues; **o. turístico** tour-opérateur *m*

operar 1 *vt* opérer; **o. a alguien de algo** opérer qn de qch 2 *vi* opérer; (*hacer operaciones matemáticas*) faire des opérations 3 **operarse** *vpr* (*en quirófano*) se faire opérer (**de** de); (*producirse*) s'opérer

operario, -a *nm,f* ouvrier(ère) *m,f*

operativo, -a 1 *adj* opérationnel(elle) 2 *nm Am* opération *f* (*le plus souvent policière ou militaire*)

opereta *nf* opérette *f*

opinar 1 *vt* penser 2 *vi* donner son avis *ou* son opinion (**sobre** sur); **o. bien de** penser du bien de

opinión *nf* (*parecer*) opinion *f*, avis *m*; **expresar** *o* **dar su o.** donner son avis *ou* son opinion; **tener buena/mala o. de alguien** avoir une bonne/mauvaise opinion de qn ☆ **la o. pública** l'opinion publique

opio *nm* opium *m*

opíparo, -a *adj* copieux(euse); **una comida opípara** un festin

oponente *nmf* opposant(e) *m,f*; (*en deporte*) adversaire *mf*

oponer [50] 1 *vt* opposer 2 **oponerse** *vpr* s'opposer (**a** à)

oporto *nm* (*vino*) porto *m*

oportunidad *nf* (*ocasión*) occasion *f*; (*conveniencia*) opportunité *f*; (*posibilidad*) chance *f*; **aprovechar la o.** profiter de l'occasion; **dar otra o. a alguien** redonner une chance à qn; **oportunidades** promotions *fpl*

oportunismo *nm* opportunisme *m*

oportunista *adj & nmf* opportuniste *mf*

oportuno, -a *adj* opportun(e); **es o. decírselo ahora** il convient de le lui dire maintenant

oposición *nf* opposition *f*; (*obstáculo*) résistance *f*; (*examen*) concours *m*; **o. a** concours de recrutement de; **o. a cátedra** ≃ concours de l'agrégation

opositor, -ora *nm,f (a un cargo)* candidat(e) *m,f*

opresión *nf (represión, ahogo)* oppression *f; (de un botón)* pression *f*

opresivo, -a *adj* oppressif(ive)

opresor, -ora 1 *adj* oppresseur; **una política opresora** une politique d'oppression
  2 *nm,f* oppresseur *m*

oprimir *vt (botón)* presser; *(reprimir)* opprimer; *Fig (ahogar)* oppresser

optar *vi* **o. por algo** *(escoger)* choisir qch; **o. por hacer algo** choisir de faire qch; **o. a** *(aspirar a)* aspirer à

optativo, -a 1 *adj* optionnel(elle)
  2 *nf* **optativa** *(asignatura)* option *f*

óptico, -a 1 *adj* optique
  2 *nm,f* opticien(enne) *m,f*
  3 *nf* **óptica** *también Fig* optique *f*; **en la óptica** *(tienda)* chez l'opticien

optimismo *nm* optimisme *m*

optimista *adj & nmf* optimiste *mf*

óptimo, -a 1 *superlativo ver* **bueno**
  2 *adj* optimal(e); *(temperatura)* optimum

opuesto, -a 1 *participio ver* **oponer**
  2 *adj* opposé(e)

opulencia *nf* opulence *f*

opulento, -a *adj* opulent(e)

oración *nf (rezo)* prière *f; (frase)* proposition *f*

oráculo *nm* oracle *m*

orador, -ora *nm,f* orateur(trice) *m,f*

oral *adj* oral(e)

órale *interj Méx Fam (de acuerdo)* d'accord!; *(¡venga!)* allez!

orangután *nm* orang-outan *m*

orar *vi* prier

oratorio, -a 1 *adj* oratoire
  2 *nf* **oratoria** art *m* oratoire

órbita *nf* orbite *f; Fig (ámbito)* sphère *f* d'influence; **entrar/poner en ó.** entrer en/mettre sur orbite

orca *nf* orque *f*

orden *(pl* **órdenes)** 1 *nm* ordre *m;* **problemas de o. económico** des problèmes d'ordre économique; **del o. de** de l'ordre de; **en o.** en ordre; **por o.** par ordre; **sin o. ni concierto** *(hablar)* à tort et à travers ☆ **o. público** ordre public
  2 *nf* ordre *m;* **¡a la o.!** à vos ordres!; **por o. de** par ordre de ☆ **o. de arresto** mandat *m* d'arrêt; **o. del día** ordre du jour; *Fig* **estar a la o. del día** être monnaie courante

ordenado, -a *adj* ordonné(e)

ordenador *nm* ordinateur *m* ☆ **o. personal** ordinateur personnel; **o. portátil** ordinateur portable

ordenanza 1 *nm (empleado)* employé *m* de bureau
  2 *nf* règlement *m*

ordenar 1 *vt* ordonner; *(habitación, papeles)* ranger; *Am (solicitar)* commander; **o. alfabéticamente** classer par ordre alphabétique
  2 **ordenarse** *vpr* **ordenarse sacerdote** être ordonné prêtre

ordeñar *vt* traire

ordinal *adj* ordinal(e)

ordinariez *nf (cualidad)* vulgarité *f; (acción, expresión)* grossièreté *f*

ordinario, -a 1 *adj (común, normal)* ordinaire; *(vulgar)* grossier(ère), vulgaire
  2 *nm,f* **ser un o.** être vulgaire

orégano *nm* origan *m*

oreja *nf* oreille *f;* **con las orejas gachas** la queue entre les jambes; **orejas de soplillo** oreilles en feuilles de chou

orejera *nf* oreillette *f*

orfanato *nm* orphelinat *m*

orfebre *nmf* orfèvre *mf*

orfebrería *nf* orfèvrerie *f*

orfelinato = **orfanato**

orgánico, -a *adj* organique

organigrama *nm* organigramme *m*

organillo *nm* orgue *m* de Barbarie

organismo *nm* organisme *m*

organista *nmf* organiste *mf*

organización *nf* organisation *f*

organizar [14] **1** *vt* organiser
2 organizarse *vpr* s'organiser

órgano *nm* (elemento) organe *m*;
(instrumento musical) orgue *m*

orgasmo *nm* orgasme *m*

orgía *nf* orgie *f*

orgullo *nm* (satisfacción) fierté *f*;
(soberbia) orgueil *m*

orgulloso, -a 1 *adj* (satisfecho) fier
(fière); (soberbio) orgueilleux
(euse); **estar o. de** être fier de
2 *nm,f* orgueilleux(euse) *m,f*

orientación *nf* orientation *f*; *Fig*
(información) indication *f*; **sentido
de la o.** sens *m* de l'orientation ☆ *o.
sexual* préférences *fpl* sexuelles

oriental 1 *adj* (del oriente) orien-
tal(e); *Am* (de Uruguay) uruguayen
(enne)
2 *nmf* (del oriente) Oriental(e) *m,f*;
Am (de Uruguay) Uruguayen(enne)
m,f

orientar 1 *vt* orienter
2 orientarse *vpr* s'orienter

oriente *nm* orient *m*; **el sol sale por o.**
le soleil se lève à l'est; **(el) O.** l'Orient
☆ **el Lejano** o **Extremo O.** l'Extrême-
Orient *m*; **el O. Medio** le Moyen-
Orient; **el O. Próximo** le Proche-
Orient

orificio *nm* orifice *m*

origen *nm* origine *f*; **de o. español**
d'origine espagnole; **dar o. a** (originar) être à l'origine de

original 1 *adj* original(e); (del origen) originel(elle); **el pecado o.** le péché originel
2 *nm* original *m*

originalidad *nf* originalité *f*

originar 1 *vt* provoquer, être à l'origine de
2 originarse *vpr* (incendio) se déclarer; (tormenta) éclater

originario, -a *adj* (inicial, primitivo)

original(e); **ser o. de** (proceder de)
être originaire de

orilla *nf* bord *m*; (de campo, bosque)
lisière *f*

orín *nm* rouille *f*; **orines** urines *fpl*

orina *nf* urine *f*

orinal *nm* pot *m* de chambre

orinar 1 *vt & vi* uriner
2 orinarse *vpr* **orinarse en la cama/
encima** faire pipi au lit/dans sa culotte

oriundo, -a *adj* **o. de** originaire de

orla *nf* (borde) bordure *f*; (de cuadro)
passe-partout *m inv*; (fotografía) =
tableau comportant les photos des
étudiants et des professeurs d'une
même promotion

ornamentación *nf* ornementation
f

ornamento *nm* ornement *m*

ornitología *nf* ornithologie *f*

ornitólogo, -a *nm,f* ornithologue *mf*

ornitorrinco *nm* ornithorynque *m*

oro *nm* or *m*; **de o.** en or; **un reloj de o.**
une montre en or; **un corazón de o.**
un cœur d'or; **un marido de o.** un mari
en or; *Fig* **estar cargado de o.** être riche comme Crésus; **guardar algo
como o. en paño** conserver précieu-
sement qch; **hacerse de o.** faire fortune; *Prov* **no es o. todo lo que reluce**
tout ce qui brille n'est pas or; **prometer el o. y el moro** promettre monts
et merveilles; **oros** = l'une des quatre couleurs du jeu de cartes espagnol ☆ *o. negro* (petróleo) or noir

orografía *nf* orographie *f*

orquesta *nf* orchestre *m*

orquestar *vt también Fig* orchestrer

orquídea *nf* orchidée *f*

ortiga *nf* ortie *f*

ortodoncia *nf* orthodontie *f*; **hacerse la o.** se faire redresser les dents

ortodoxia *nf* orthodoxie *f*

ortodoxo, -a *adj & nm,f* orthodoxe
mf

ortografía nf orthographe f

ortopedia nf orthopédie f

ortopédico, -a adj orthopédique

oruga nf chenille f

orujo nm marc m

orzuelo nm orgelet m

os pron personal vous; **viene a ver os** il vient vous voir; **os lo dio** il vous l'a donné; **levantaos** levez-vous; **no os peleéis** ne vous disputez pas; **¿cuándo os conocisteis?** quand vous êtesvous connus?

osadía nf audace f

osado, -a adj audacieux(euse)

osamenta nf (esqueleto) ossature f; (huesos) ossements mpl

osar vi oser

oscilación nf oscillation f; (de temperaturas) fluctuation f

oscilar vi osciller

oscurecer [46] **1** vt obscurcir, assombrir; Fig (mente) troubler; Fig (deslucir) faire de l'ombre à

2 v impersonal **está oscureciendo** il commence à faire nuit

3 oscurecerse vpr s'obscurcir, s'assombrir

oscuridad nf obscurité f

oscuro, -a adj obscur(e); (color) foncé(e); Fig (cielo, futuro) sombre; **a oscuras** dans le noir

óseo, -a adj osseux(euse)

Oslo n Oslo

oso, -a nm,f ours m, ourse f ☆ **o. de felpa** o **de peluche** ours en peluche; **o. hormiguero** fourmilier m; **o. panda** panda m; **o. polar** ours polaire

ostensible adj ostensible; **hicieron o. su desacuerdo** ils ont manifesté leur désaccord

ostentación nf ostentation f; **hacer o. de** (bienes) faire étalage de

ostentar vt (récord) détenir; (título) porter; (exhibir) arborer

ostentoso, -a adj somptueux(euse)

osteópata nmf ostéopathe mf

ostión nm Chile (vieira) coquille f Saint-Jacques; Méx (ostra) grosse huître f

ostra nf huître f; Fam Fig **aburrirse como una o.** s'ennuyer comme un rat mort; Fam **¡ostras!** la vache!

OTAN nf (abrev **Organización del Tratado del Atlántico Norte**) OTAN f

OTI nf (abrev **Organización de Televisiones Iberoamericanas**) = association regroupant toutes les chaînes de télévision de langue espagnole d'Amérique latine

otitis nf inv otite f

otoñal adj automnal(e)

otoño nm también Fig automne m

otorgamiento nm (de privilegio) octroi m; (de premio) attribution f; (de contrato) passation f

otorgar [38] vt (privilegio) octroyer; (premio) attribuer; (poderes) conférer; **o. su apoyo/el perdón** accorder son soutien/son pardon

otorrino, -a nm,f Fam oto-rhino mf

otorrinolaringología nf oto-rhino-laryngologie f

otro, -a 1 adj autre; **o. chico** un autre garçon; **la otra calle** l'autre rue; **otros tres goles** trois autres buts; **el o. día** l'autre jour

2 pron un(e) autre; **dame o.** donnem'en un autre; **el o., la otra** l'autre; **¡hasta otra!** à la prochaine!; **no fui yo, fue o.** ce n'était pas moi, c'était quelqu'un d'autre; **otros habrían abandonado** d'autres que moi/lui/ etc auraient abandonné

output ['autput] (pl **outputs**) nm Informát sortie f

ovación nf ovation f

ovacionar vt ovationner, faire une ovation à

oval adj ovale

ovalado, -a adj ovale

ovario nm ovaire m

oveja *nf* brebis *f* ☆ *o. **negra*** brebis galeuse

overbooking [oβer'βukin] *nm* sur-réservation *f*; *(en aviones)* surréservation *f*, surbooking *m*

overol *(pl overoles) nm Am (con peto)* salopette *f*; *(con mangas)* bleu *m* de travail; *(de esquí)* combinaison *f*

ovillo *nm* pelote *f*; *Fig* **hacerse un o.** se pelotonner

ovino, -a *adj* ovin(e)

ovíparo, -a *adj & nm,f* ovipare *mf*

ovni *nm (abrev* **objeto volador no identificado)** ovni *m*

ovulación *nf* ovulation *f*

ovular *vi* ovuler

óvulo *nm* ovule *m*

oxidación *nf* oxydation *f*

oxidar 1 *vt* rouiller; *Quím* oxyder
2 oxidarse *vpr* rouiller, se rouiller; *Quím* s'oxyder; *Fig* se rouiller

óxido *nm Quím* oxyde *m*; *(herrumbre)* rouille *f*

oxigenado, -a *adj* oxygéné(e); *(pelo)* décoloré(e)

oxigenar 1 *vt* oxygéner
2 oxigenarse *vpr* s'oxygéner

oxígeno *nm* oxygène *m*

oyente *nmf (de radio)* auditeur (trice) *m,f*; *(alumno)* auditeur (trice) *m,f* libre

ozono *nm* ozone *m*

P

P, p *nf (letra)* P *m inv*, p *m inv*

p. = pág.

pabellón *nm* pavillon *m*

paceño, -a 1 *adj* de La Paz

  2 *nm,f* = personne originaire de La Paz

pacer [42] *vi* paître

pachá (*pl* pachás) *nm* pacha *m*; *Fam Fig* **vivir como un p.** vivre comme un pacha

Pachamama *nf Andes* = déesse de la terre dans la religion des Incas

pachanga *nf Fam* java *f*

pacharán *nm* (liqueur *f* de) prunelle *f*

pachorra *nf Fam* **tener p.** être pépère

pachucho, -a *adj Fam* **estar p.** être mal fichu(e)

paciencia *nf* patience *f*; **perder la p.** perdre patience

paciente *adj & nmf* patient(e) *m,f*

pacificación *nf* pacification *f*

pacificar [59] *vt* pacifier

pacífico, -a 1 *adj* pacifique; *(tranquilo)* paisible

  2 *nm* **el P.** le Pacifique

pacifismo *nm* pacifisme *m*

pacifista *adj & nmf* pacifiste *mf*

pack (*pl* packs) *nm* pack *m*

paco, -a *nm,f Andes, Pan Fam* flic *m*

pacotilla: de pacotilla *adj* de pacotille

pactar 1 *vt (acuerdo)* conclure; **p. hacer algo** se mettre d'accord pour faire qch

  2 *vi* **p. con el enemigo/el diablo** pactiser avec l'ennemi/le diable

pacto *nm* pacte *m*; **hacer/romper un p.** conclure/rompre un pacte

padecer [46] 1 *vt (sufrir) (enfermedad, frío)* souffrir de; *(injusticias, abusos)* subir; *(aguantar)* supporter; **p. un cáncer** souffrir d'un cancer; **padeció todas sus impertinencias** elle a supporté toutes ses impertinences

  2 *vi* souffrir; **p. de** *(enfermedad)* souffrir de

padecimiento *nm* souffrance *f*

pádel *nm* = jeu similaire au tennis où l'on peut faire rebondir la balle sur les murs placés en bout de terrain

padrastro *nm (pariente)* beau-père *m (second mari de la mère)*; *(pellejo)* envie *f*

padrazo *nm Fam* papa *m* gâteau

padre 1 *nm* père *m*; *Fam* **de p. y muy señor mío** de tous les diables; **padres** *(padre y madre)* parents *mpl*; *(antepasados)* pères

  2 *adj Fam (grande)* terrible; *Méx (estupendo)* génial(e); **un susto p.** une peur bleue

padrenuestro *nm* Notre Père *m*; **saberse algo como el p.** savoir qch sur le bout des doigts

padrino *nm (de bautismo)* parrain *m*; *(en acto solemne)* témoin *m*; *Fig (protector)* protecteur *m*; **los padrinos** *(padrino y madrina)* le parrain et la marraine

padrísimo, -a *adj Méx Fam* génial(e)

padrón *nm (censo)* recensement *m*

padrote *nm Méx Fam* maquereau *m*

paella *nf* paella *f*

paellera *nf* poêle *f* à paella

pág. *(abrev* **página)** p.

paga *nf* paie *f*; **p. extra** *o* **extraordinaria** treizième mois *m*

pagadero, -a *adj* payable

pagano, -a *adj &nm,f* païen(enne) *m,f*

pagar [38] **1** *vt* payer; *Fig* **p. algo a alguien** payer qn de retour pour qch; **p. con su vida** payer de sa vie; *Fam* **me las pagarás** tu me le paieras; **el que la hace la paga** qui casse les verres les paie
2 *vi* payer

pagaré *nm Com* billet *m* à ordre ☆ **p. del Tesoro** bon *m* du Trésor

página *nf* page *f* ☆ **las páginas amarillas** les pages jaunes; *Informát* **p. web** page web

pago *nm (dinero)* paiement *m*; **de p.** payant(e); *Fig* **¿éste es el p. que me das?** c'est comme ça que tu me remercies?; **en p. de** en remerciement de; **por estos pagos** *(por aquí)* par ici ☆ **p. por visión** télévision *f* à péage

pagoda *nf* pagode *f*

paila *nf Am (sartén)* poêle *f*; **a la p.** *(huevos)* au plat

paipai *(pl* **paipais)**, **paipay** *(pl* **paipays)** *nm* éventail *m* en palme

pair: au pair [o'per] *nf* jeune fille *f* au pair

país *nm* pays *m* ☆ **los Países Bajos** les Pays-Bas *mpl*; **los países Bálticos** les pays Baltes; *países desarrollados* pays développés; *países subde-*

sarrollados pays sous-développés; *países en vías de desarrollo* pays en voie de développement

paisaje *nm* paysage *m*

paisajista *adj & nmf* paysagiste *mf*

paisano, -a 1 *nm,f* compatriote *mf*; *RP (campo)* campagnard(e) *m,f*
2 *nm* civil *m*; **de p.** en civil

paja *nf* paille *f*; *Fig (relleno)* remplissage *m*; *Vulg* **hacerse una p.** *(masturbarse)* se branler

pajar *nm* grenier *m* à foin

pájara *nf Fig* garce *f*

pajarería *nf* oisellerie *f*; **en la p.** chez l'oiselier

pajarita *nf (corbata)* nœud *m* papillon; *(de papel)* cocotte *f* en papier

pájaro *nm (ave)* oiseau *m*; *Fig (hombre astuto)* vieux renard *m*; *Fig* **matar dos pájaros de un tiro** faire d'une pierre deux coups ☆ **p. bobo** manchot *m*; **p. carpintero** pivert *m*

paje *nm* page *m*

pajilla, pajita *nf* paille *f (pour boire)*

Pakistán *n* le Pakistan

pakistaní *(pl* **pakistaníes) 1** *adj* pakistanais(e)
2 *nmf* Pakistanais(e) *m,f*

pala *nf (herramienta)* pelle *f*; *(de ping-pong)* raquette *f*; *(de remo, hélice)* pale *f* ☆ **p. mecánica** *o* **excavadora** pelle mécanique

palabra *nf* mot *m*; *(aptitud, derecho, promesa)* parole *f*; **de p.** de vive voix; **tomar la p. a alguien** prendre qn au mot; **dar/quitar la p. a alguien** donner/couper la parole à qn; **no tener p.** ne pas avoir de parole; **en una p.** en un mot ☆ **p. de honor** parole d'honneur

palabrería *nf* paroles *fpl* en l'air

palabrota *nf* gros mot *m*

palacete *nm* petit palais *m*; *(en ciudad)* hôtel *m* particulier

palacio *nm* palais *m* ☆ **p. de congresos** palais des congrès

palada *nf (cantidad)* pelletée *f*; *(movimiento) (de pala)* coup *m* de pelle

paladar *nm* palais *m*

paladear *vt* savourer

palanca *nf (barra, mando)* levier *m*; *(trampolín)* plongeoir *m* ☆ **p. de cambio** levier de (changement de) vitesse

palangana *nf* cuvette *f*

palco *nm* loge *f*

paleografía *nf* paléographie *f*

paleolítico, -a 1 *adj* paléolithique
   2 *nm* paléolithique *m*

Palestina *n* la Palestine

palestino, -a 1 *adj* palestinien (enne)
   2 *nm,f* Palestinien(enne) *m,f*

paleta *nf (instrumento)* petite pelle *f*; *(de albañil)* truelle *f*; *(de cocina)* spatule *f*; *(de pintor)* palette *f*; *(de hélice, remo)* pale *f*; *Méx (helado)* glace *f* en bâtonnet

paletilla *nf (omoplato)* omoplate *f*; *(de cordero)* épaule *f*; *(de cerdo)* palette *f*

paleto, -a *adj & nm,f* plouc *mf*

paliar *vt (dolor, pena)* apaiser; *(error, problema)* pallier

palidecer [46] *vi* pâlir

palidez *nf* pâleur *f*

pálido, -a *adj* pâle

palillero *nm* porte-cure-dents *m inv*

palillo *nm (mondadientes)* cure-dent *m*; *(para tambor, arroz)* baguette *f*; *Fig* **estar hecho un p.** *(delgado)* être maigre comme un clou

palique *nm Fam* causette *f*; **estar de p.** papoter

paliza *nf Fam (golpes, derrota)* raclée *f*; *(rollo)* plaie *f*; *Fig* **el viaje en autobús fue una p.** le voyage en bus a été crevant; **dar la p. a alguien** rebattre les oreilles à qn

palma *nf (de mano)* paume *f*; *(palmera)* palmier *m*; *(hoja, triunfo)* palme *f*; **conocer algo como la p. de la mano** connaître qch comme sa poche; *Fig* **llevarse la p.** remporter la palme; **palmas** *(aplausos)* applaudissements *mpl*; **batir palmas** applaudir

palmada *nf (golpe)* tape *f*; *(aplauso)* applaudissement *m*; **dar palmadas** frapper dans ses mains; **dar palmadas en la espalda a alguien** taper dans le dos de qn

Palma de Mallorca *n* Palma (de Majorque)

palmar *Fam* **1** *vt* **palmarla** crever
   2 *vi* crever

palmarés *nm* palmarès *m*

palmera *nf (árbol, pastel)* palmier *m*

palmito *nm (árbol)* palmier *m* nain; *(para comer)* cœur *m* de palmier; *Fam Fig (rostro)* minois *m*; **tener p.** *(atractivo)* avoir du charme

palmo *nm (medida)* empan *m*; **un p. de** un bout de; **estamos a un p. de casa** nous sommes à deux pas de la maison; **p. a p.** point par point, minutieusement; **dejar a alguien/quedarse con un p. de narices** laisser qn/rester le bec dans l'eau

palmotear *vi* battre des mains

palmoteo *nm* applaudissement *m*

palo *nm* bâton *m*; *(de escoba)* manche *m*; *(poste de portería)* poteau *m*; *(de golf)* club *m*; *(madera)* bois *m*; *(golpe)* coup *m* (de bâton); *(mástil)* mât *m*; *(de baraja)* couleur *f*; *Fam Fig (pesadez)* galère *f*; *Fam* **dar un p. a alguien** *(decepcionar)* décevoir qn; *(criticar)* descendre qn; *Fam* **llevarse un p.** se prendre une gamelle; *Fam* **es un p.** c'est la galère; **a p. seco** *(bebida)* sec (sèche); *(comida)* sans rien, tout(e) seul(e)

paloma *ver* **palomo**

palomar *nm* pigeonnier *m*

palomilla *nf (polilla)* teigne *f*; *(tornillo)* papillon *m*

palomitas *nfpl* **p. (de maíz)** pop-corn *m inv*

palomo, -a 1 *nm,f* pigeon(onne) *m,f*

2 *nf* **paloma** colombe *f* ☆ *paloma mensajera* pigeon voyageur

palote *nm (trazo)* bâton *m*

palpable *adj también Fig* palpable

palpar 1 *vt (tocar)* palper; *Fig (percibir)* sentir
2 *vi* tâtonner

palpitación *nf* palpitation *f*

palpitante *adj* palpitant(e)

palpitar *vi (corazón)* palpiter; *Fig* **en sus palabras palpitaba su emoción** ses paroles trahissaient son émotion

palta *nf Andes, RP* avocat *m (fruit)*

paludismo *nm* paludisme *m*

palurdo, -a *adj & nm,f Fam* balourd(e) *m,f*

pamela *nf* capeline *f*

pampa *nf* pampa *f*

pamplina *nf Fam Fig* baliverne *f*, bêtise *f*; **no hace más que contar pamplinas** il ne raconte que des bêtises

pan *nm* pain *m*; *(de oro, plata)* feuille *f*; **a p. y agua** au pain sec et à l'eau; **contigo p. y cebolla** avec toi j'irais jusqu'au bout du monde; **es p. comido** c'est du gâteau; *Fig* **estar a p. y agua de dinero** être à court d'argent; **estar a p. y cuchillo** être logé(e) et nourri(e); **llamar al p. p. y al vino vino** appeler un chat un chat; **ser el p. nuestro de cada día** être monnaie courante; **ser más bueno que el p.** être la bonté même ☆ *RP* **p. dulce** = sorte de cake que l'on consomme à Noël; **p. integral** pain complet; *Arg* **p. lactal** pain de mie; **p. de molde** *o* **inglés** pain de mie; **p. rallado** chapelure *f*

pana *nf* velours *m* côtelé

panacea *nf* panacée *f*

panadería *nf* boulangerie *f*

panadero, -a *nm,f* boulanger(ère) *m,f*

panal *nm* rayon *m (d'une ruche)*

Panamá *n* le Panama

panameño, -a 1 *adj* panaméen (enne)
2 *nm,f* Panaméen(enne) *m,f*

pancarta *nf* pancarte *f*

panceta *nf* lard *m*, poitrine *f* de porc

pancho, -a 1 *adj Fam* pépère, peinard(e); **se quedó tan p.** ça ne lui a fait ni chaud ni froid
2 *nm RP (comida)* hot dog *m*

páncreas *nm inv* pancréas *m*

panda[1] *nm (oso)* panda *m*

panda[2] *nf* bande *f (d'amis)*

pandereta *nf* tambour *m* de basque

pandero *nm (instrumento)* tambour *m* de basque; *Fam (trasero)* popotin *m*

pandilla *nf* bande *f (d'amis)*

panecillo *nm* petit pain *m*

panegírico, -a 1 *adj* **un discurso p.** un panégyrique
2 *nm* panégyrique *m*

panel *nm* panneau *m*; **p. de mandos** tableau *m* de commandes

panera *nf* corbeille *f* à pain

pánfilo, -a 1 *adj* niais(e)
2 *nm,f* idiot(e) *m,f*

panfleto *nm* pamphlet *m*; *(propaganda)* tract *m*

pánico *nm* panique *f*; **tenerle p. a** avoir une peur panique de

panificadora *nf* boulangerie *f* (industrielle)

panocha *nf* épi *m (de maïs)*

panorama *nm* panorama *m*

panorámico, -a 1 *adj* panoramique
2 *nf* **panorámica** *(vista)* vue *f* panoramique; *(en cine)* panoramique *m*

panqueque *nm Am* crêpe *f*

pantaletas *nfpl Méx, Ven (bragas)* culotte *f*

pantalla *nf* écran *m*; *(de lámpara)* abat-jour *m inv*; **la pequeña p.** le petit écran ☆ **p. acústica** enceinte *f* acoustique; **p. de cristal líquido** écran à cristaux liquides

pantalón *nm* p., **pantalones** pantalon *m*; *Fam Fig* **bajarse los pantalones ante** se déculotter devant; *Fig* **llevar los pantalones** *(mandar)* porter la culotte ☆ **pantalones cortos** short *m*; **p. pitillo** pantalon cigarette; **p. vaquero** *o* **tejano** jean *m*

pantano *nm (ciénaga)* marais *m*; *(embalse)* retenue *f* d'eau

pantanoso, -a *adj (con pantanos)* marécageux(euse); *Fig (difícil)* épineux(euse)

panteísmo *nm* panthéisme *m*

panteón *nm* panthéon *m*

pantera *nf* panthère *f*

pantimedias *nfpl Méx* collants *mpl*

pantorrilla *nf* mollet *m*

pantufla *nf* pantoufle *f*

panty *(pl* **pantys**) *nm* collant *m*

panza *nf* panse *f*

panzada *nf* **darse una p.** *(en el agua)* faire un plat; *Fam* **darse una p. de comer** s'en mettre plein la panse; **darse una p. de reír** se payer une bonne partie de rigolade

pañal *nm* couche *f*; **pañales** *(de niño)* langes *mpl*; *Fig* **en pañales** à ses débuts; **aún estoy en pañales** je suis encore débutant; **el proyecto está en pañales** le projet en est à ses débuts

paño *nm (tela)* drap *m*; *(trapo)* chiffon *m*; *Fig* **venir con paños calientes** prendre des gants; **estar en paños menores** être en petite tenue ☆ **p. de cocina** torchon *m* (de cuisine)

pañoleta *nf* fichu *m*

pañuelo *nm (de nariz)* mouchoir *m*; *(de adorno)* foulard *m*; *Fam* **¡el mundo es un p.!** que le monde est petit! ☆ **p. de papel** mouchoir en papier

Papa *nm* **el P.** le pape

papa *nf* pomme de terre *f*; *Fam Fig* **ni p.** rien du tout; **no sé ni p. de cocina** je n'y connais rien en cuisine

papá *nm Fam* papa *m*; **papás** *(papá y mamá)* parents *mpl* ☆ **P. Noel** père *m* Noël

papachar = apapachar

papacho = apapacho

papada *nf (de persona)* double menton *m*

papagayo *nm (animal)* perroquet *m*; *Ven (cometa)* cerf-volant *m*

papalote *nm CAm, Méx* cerf-volant *m*

papamoscas *nm inv* gobe-mouches *m inv*

papanatas *nm inv* o *nf inv Fam* ballot *m*

papaya *nf (fruta)* papaye *f*

papear 1 *vi muy Fam* bouffer
   2 papearse *vpr* bouffer

papel *nm (material, documento)* papier *m*; *(de actor)* rôle *m*; **desempeñar** *o* **hacer el p. de** jouer le rôle de; *Fam Fig* **perder los papeles** perdre les pédales; *Fig* **ser p. mojado** ne pas être valable; **papeles** *(documentos)* papiers ☆ **p. de aluminio** *o* **de plata** papier (d')aluminium; **p. carbón** papier carbone; **p. celofán** Cellophane® *f*; *Chile* **p. confort** papier hygiénique; *Informát* **p. continuo** papier continu; **p. de embalar** *o* **de embalaje** papier d'emballage; **p. de fumar** papier à cigarettes; **p. higiénico** papier toilette; **p. de lija** papier de verre; **p. moneda** papier-monnaie *m*; **p. pintado** papier peint; *Cuba, Méx, Ven* **p. sanitario** papier hygiénique; **p. secante** papier buvard; *Ven* **p. tualé** papier hygiénique

papeleo *nm* paperasserie *f*

papelera *ver* papelero

papelería *nf* papeterie *f*

papelero, -a 1 *adj & nm,f* papetier(ère) *m,f*
   2 *nf* **papelera** *(cesto, cubo)* corbeille *f* à papier; *(fábrica)* papeterie *f*

papeleta *nf (boleto)* billet *m*; *(de votación)* bulletin *m* de vote; *(de* *notas)* bulletin *m* de notes; *Fig* ¡vaya **p.! *(situación engorrosa)* quelle tuile!

paperas *nfpl* oreillons *mpl*

papi *nm Fam* papa *m*

papilla *nf (alimento)* bouillie *f*; **hecho p.** *(cansado)* à ramasser à la petite cuillère; *(destrozado)* réduit(e) en bouillie

papiro *nm* papyrus *m*

paquete *nm* paquet *m*; **ir de p.** *(en moto)* monter derrière; **un p. de medidas** *(conjunto)* un train de mesures; *Fam* **ser un p.** être nul (nulle); *Fam* **me ha tocado el p. de...** *(cosa fastidiosa)* c'est moi qui me suis tapé la corvée de... ☆ **p. bomba** colis *m* piégé; **p. postal** colis postal; *Informát* **p.** *(de programas o de software)* progiciel *m*; **p. turístico** voyage *m* organisé

Paquistán = Pakistán

par 1 *adj* pair(e); *(igual)* égal(e)

 2 *nm (de zapatos, guantes)* paire *f*; *(título)* pair *m*; **dentro de un p. de días** dans deux jours; **lo hizo un p. de veces** il l'a fait deux ou trois fois; **tomar un p. de copas** prendre un ou deux verres; **a la p.** *(simultáneamente)* en même temps; *(a igual nivel)* au même niveau; *Fin* au pair; **abierto de p. en p.** grand ouvert; **sin p.** hors pair

para *prep* pour; **es p. ti** c'est pour toi; **es malo p. la salud** c'est mauvais pour la santé; **sale p. distraerse** elle sort pour se distraire; **te lo digo p. que lo sepas** je te le dis pour que tu le saches; **está muy espabilado p. su edad** il est très éveillé pour son âge; **¿p. qué?** pour quoi faire?; **vete p. casa** rentre à la maison; **salir p. Madrid** partir pour Madrid; **échate p. el lado** mets-toi sur le côté; **tiene que estar hecho p. mañana** ça doit être fait pour demain; **queda leche p. dos días** il reste du lait pour deux jours; **la cena está lista p. servir** le dîner est prêt à être servi; **p. mí** *(en mi opinión)* pour moi, à mon avis

parábola *nf* parabole *f*

parabólico, -a 1 *adj* parabolique

 2 *nf* **parabólica** *(antena)* antenne *f* parabolique

parabrisas *nm inv* pare-brise *m inv*

paracaídas *nm inv* parachute *m*

paracaidista *nmf* parachutiste *mf*

parachoques *nm inv* pare-chocs *m inv*

parada *ver* parado

paradero *nm (de persona)* point *m* de chute; *Andes (parada de autobús)* arrêt *m*; **desconozco su p.** j'ignore où il se trouve; **se encuentra en p. desconocido** on ignore où il se trouve

paradisiaco, -a, paradisíaco, -a *adj* paradisiaque

parado, -a 1 *adj (inmóvil)* arrêté(e); *(indeciso)* timide; *(sin empleo)* au chômage; *Am (de pie)* debout; **salió bien/mal p.** il s'en est bien/mal tiré; **quedarse p.** rester interdit(e)

 2 *nm,f (desempleado)* chômeur(euse) *m,f*

 3 *nf* **parada** arrêt *m* ☆ **parada de autobús** arrêt d'autobus; **parada discrecional** arrêt facultatif; **parada de taxis** station *f* de taxis

paradoja *nf* paradoxe *m*

paradójico, -a *adj* paradoxal(e)

parador *nm (mesón)* relais *m* ☆ **p. nacional** = grand hôtel géré par l'État

parafernalia *nf (de persona)* attirail *m*; *(de acto, ceremonia)* tralala *m*

parafrasear *vt* paraphraser

paráfrasis *nf inv* paraphrase *f*

paragolpe *nm RP* pare-chocs *m inv*

paraguas *nm inv* parapluie *m*

Paraguay *n* **(el) P.** le Paraguay

paraguayo, -a 1 *adj* paraguayen (enne)

 2 *nm,f* Paraguayen(enne) *m,f*

paragüero *nm* porte-parapluies *m inv*

paraíso nm paradis m ☆ **p. fiscal** paradis fiscal; **el p. terrenal** le paradis sur terre

paraje nm endroit m; (región) contrée f

paralela ver paralelo

paralelismo nm parallélisme m

paralelo, -a 1 adj parallèle
2 nm parallèle m; **en p.** en parallèle
3 nf **paralela** parallèle f; **paralelas** barres fpl parallèles

parálisis nf inv paralysie f ☆ **p. cerebral** paralysie cérébrale

paralítico, -a adj & nm,f paralytique mf

paralizar [l4] **1** vt paralyser
2 paralizarse vpr (extremidades) être paralysé(e); (obra) être arrêté(e)

parámetro nm paramètre m

páramo nm (terreno yermo) plateau m dénudé; (lugar solitario) endroit m isolé

parangón nm comparaison f; **sin p.** sans pareil(eille)

paranoia nf paranoïa f; **ahora le ha dado la paranoia de que…** maintenant il s'est mis dans l'idée que…

paranormal adj paranormal(e)

parapente nm parapente m

parapetarse vpr se retrancher (**tras** derrière)

parapeto nm parapet m; (barricada) barricade f

parapléjico, -a adj & nm,f paraplégique mf

parapsicología nf parapsychologie f

parar 1 vi arrêter; (tren) s'arrêter; (alojarse) descendre; **no para de llover** il n'arrête pas de pleuvoir; **sin p.** sans arrêt; **fue a p. a la cárcel** il a atterri en prison; **¿dónde iremos a p.?** où en arrivera-t-on?; **ir a p. a manos de** tomber entre les mains de
2 vt Am (levantar) lever

3 pararse vpr s'arrêter; Am (ponerse de pie) se lever; Méx, Ven (salir de la cama) sortir du lit, se lever

pararrayos nm inv paratonnerre m

parasicología = parapsicología

parásito, -a 1 adj parasite
2 nm parasite m; **parásitos** (interferencias) parasites

parasol nm parasol m

parcela nf parcelle f; Fig domaine m

parche nm (para tapar) (en tejido) pièce f; (en neumático) Rustine® f; (chapuza) rafistolage m; (arreglo provisional) solution f provisoire

parchís nm inv petits chevaux mpl

parcial 1 adj (no total) partiel(elle); (no ecuánime) partial(e)
2 nm (examen) partiel m

parcialidad nf partialité f

parco, -a adj (persona) sobre; (sueldo, comida) maigre; **p. en** avare de

pardillo, -a adj & nm,f Fam (ingenuo) poire f

pardo, -a 1 adj brun(e)
2 nm brun m

parecer [46] **1** nm (opinión) avis m; (apariencia) allure f; **es de buen p.** elle a un physique agréable
2 vi **un perro que parece un lobo** un chien qui ressemble à un loup
3 v copulativo avoir l'air, paraître; **pareces cansado** tu as l'air fatigué; **parece más grande** elle paraît plus grande
4 v impersonal **me/te/etc parece** il me/te/etc semble; **¿qué te parece?** qu'en penses-tu?; **me parece que…** j'ai l'impression que…; **me parece muy bien** je trouve ça très bien; **¿te parece?** ça te va?; **parece que…** on dirait que…; **al p.** apparemment; **parece ser que…** il semble que…
5 parecerse vpr se ressembler; **se parecen en los ojos** ils ont les mêmes yeux

parecido, -a 1 adj (semejante) semblable (**a** à); **los hermanos son**

parecidos les frères se ressemblent; **ser mal p.** être laid(e)

2 *nm* ressemblance *f*

pared *nf* mur *m*; *(en montaña)* paroi *f*

paredón *nm* mur *m* épais; *(de fusilamiento)* mur *m* des fusillés

parejo, -a 1 *adj* pareil(elle); **estar p.** être quitte

2 *nf* **pareja** *(par)* paire *f*; *(de novios)* couple *m*; *(miembro del par)* partenaire *mf*; *(en baile)* cavalier(ère) *m,f*; **la pareja de este calcetín** la deuxième chaussette ☆ *pareja de hecho* couple vivant maritalement

parentela *nf* parenté *f (famille)*

parentesco *nm* lien *m* de parenté

paréntesis *nm inv* parenthèse *f*; **entre p.** entre parenthèses; **hacer un p.** faire une pause

pareo *nm* paréo *m*

paria *nmf también Fig* paria *m*

parida *nf Fam* ânerie *f*

pariente, -a 1 *nm,f (familiar)* parent(e) *m,f*

2 *nf* **parienta** *Fam (cónyuge)* moitié *f*

parihuela *nf Méx* **p. de mariscos** = plat de poisson et coquillages en sauce

parir 1 *vi (animal)* mettre bas; *(mujer)* accoucher; *Fam* **poner algo/a alguien a p.** descendre qch/qn en flammes

2 *vt (animal)* mettre bas; *(mujer)* accoucher de

París *n* Paris

parisino, -a 1 *adj* parisien(enne)

2 *nm,f* Parisien(enne) *m,f*

parking ['parkin] *nm* parking *m*

parlamentar *vi* parlementer

parlamentario, -a *adj & nm,f* parlementaire *mf*

parlamento *nm* parlement *m*

parlanchín, -ina *adj & nm,f* bavard(e) *m,f*

parlante *adj* parlant(e)

parlotear *vi Fam* papoter, bavasser

parmesano *nm* parmesan *m*

paro *nm (desempleo)* chômage *m*; *(parada)* arrêt *m*; **quedarse en p.** perdre son travail ☆ **p. *cardiaco*** arrêt cardiaque; **p. *estructural*** chômage structurel; **p. *de imagen*** arrêt sur image

parodia *nf* parodie *f*

parodiar *vt* parodier

parpadear *vi (pestañear)* cligner des yeux, battre des paupières; *(luz)* vaciller; *(intermitente)* clignoter; *(estrella)* scintiller

párpado *nm* paupière *f*

parque *nm* parc *m* ☆ **p. *acuático*** parc aquatique; **p. *de atracciones*** parc d'attractions; **p. *de bomberos*** caserne *f* des pompiers; **p. *eólico*** parc d'éoliennes; **p. *nacional*** parc national; **p. *zoológico*** parc zoologique

parqué *nm* parquet *m*

parqueadero *nm Am* parking *m*

parquear *vt Am* garer

parquet *(pl* **parquets)** = **parqué**

parquímetro *nm* parcmètre *m*

parra *nf* treille *f*

parrafada *nf (monólogo)* laïus *m*; **echar una p. con alguien** discuter avec qn

párrafo *nm* paragraphe *m*

parranda *nf Fam (juerga)* virée *f*; *(banda)* = petit orchestre de village

parricidio *nm* parricide *m*

parrilla *nf (utensilio)* gril *m*; *(sala de restaurante)* grill *m*; **a la p.** au gril ☆ **p. *(de salida)*** grille *f* de départ

parrillada *nf (plato)* = assortiment de viandes ou de poissons grillés; *(restaurant)* grill *m*

párroco *nm* curé *m* (de la paroisse)

parronal *nm Chile* vignoble *m*

parroquia *nf* paroisse *f*; *(clientela)* clientèle *f*

parroquiano, -a *nm,f (feligrés)* paroissien(enne) *m,f*; *(cliente)* client(e) *m,f*

parsimonia *nf (calma)* lenteur *f*; *(moderación)* parcimonie *f*

parte 1 *nm (informe)* rapport *m*; **dar p. de algo a alguien** informer qn de qch ☆ **p. facultativo** *o* **médico** bulletin *m* de santé; **p. meteorológico** bulletin *m* météorologique

2 *nf (trozo)* partie *f*; *(porción, lugar)* part *f*; *(lado)* côté *m*; **en p.** en partie; **por partes** peu à peu; **vayamos por partes** procédons par ordre; **la mayor p. de la gente** la plupart des gens; **en alguna p.** quelque part; **por ninguna p.** nulle part; **por todas partes** partout; **estar** *o* **ponerse de p. de alguien** être *ou* se mettre du côté de qn; *Fig* **los tengo de mi p.** ils sont de mon côté; **por p. de madre/padre** du côté maternel/paternel; **de p. de** de la part de; **¿de p. de quién?** c'est de la part de qui?; **por mi p.** pour ma part; **por otra p.** d'autre part; **tener** *o* **tomar p. en algo** prendre part à qch; **partes** *(genitales)* parties intimes

partero, -a *nm,f Am* obstétricien(enne) *m,f*

parterre *nm* parterre *m*

partición *nf* partage *m*; *(de territorio)* partition *f*

participación *nf (colaboración)* participation *f*; *Econ* intéressement *m*; *(de lotería)* billet *m*; *(comunicación)* faire-part *m inv*

participante *adj & nmf* participant(e) *m,f*

participar 1 *vi (colaborar)* participer (en à); **p. de** *o* **en** *(beneficiarse)* prendre part à; **p. de algo** *(compartir)* partager qch; **participo de tus ideas** je partage tes idées

2 *vt* **p. algo a alguien** faire part de qch à qn

partícipe 1 *adj* **hacer p. de algo a alguien** *(comunicar)* faire part de qch à qn

2 *nmf* participant(e) *m,f*

partícula *nf* particule *f*

particular 1 *adj* particulier(ère); *(no público)* privé(e); **en p.** en particulier

2 *nm* particulier *m*

3 *nm (asunto)* sujet *m*

particularizar [14] **1** *vt (caracterizar)* particulariser; *(pormenorizar)* détailler

2 *vi (pormenorizar)* entrer dans les détails; **p. en alguien** *(personalizar)* viser qn en particulier

partida *ver* **partido**

partidario, -a 1 *adj* partisan; **es partidaria de...** elle est partisan de...; **es p. de cerrar la fábrica** il est pour la fermeture de l'usine *ou* partisan de fermer l'usine

2 *nm,f* partisan *m*

partidista *adj* partisan(e)

partido, -a 1 *adj (roto)* cassé(e); *(rajado)* fendu(e)

2 *nm* parti *m*; *(de deporte)* match *m*; **buen/mal p.** *(novio)* bon/mauvais parti; **sacar p. de** tirer parti de; **tomar p. por** prendre parti pour ☆ **p. amistoso** match amical

3 *nf* **partida** *(marcha)* départ *m*; *(en juego)* partie *f*; *(documento)* acte *m*; *(de mercancía)* lot *m*; *(de factura)* poste *m* ☆ **partida de nacimiento** *(original)* acte de naissance; *(copia)* extrait *m* d'acte de naissance

partir 1 *vt (romper)* casser; *(cortar)* couper; *(repartir)* partager

2 *vi (marchar)* partir (**hacia** pour); **p. de** *(basarse en)* partir de; **p. de cero** partir de zéro; **a p. de** à partir de

3 partirse *vpr* se casser; **partirse en dos** se casser en deux; **partirse en mil pedazos** se casser en mille morceaux; *Fam* **partirse (de risa)** être plié(e) (de rire)

partitura *nf* partition *f*

parto *nm (animal)* mise *f* bas; *(humano)* accouchement *m*; **estar de p.** être en travail

parvulario *nm* école *f* maternelle

pasa *nf* *(fruta)* raisin *m* sec

pasable *adj* passable

pasabocas *nmpl* *Col* tapas *fpl*

pasacalle *nm* marche *f*; *Am* *(pancarta)* = affiche publicitaire en toile tendue de part et d'autre d'une rue

pasada *ver* pasado

pasadizo *nm* passage *m*

pasado, -a 1 *adj* *(anterior)* dernier (ère); *(podrido)* périmé(e); *(fruta)* blet (blette); **el año p.** l'année dernière; **p. un año** un an plus tard; **lo p., p. está** le passé c'est le passé
2 *nm* passé *m*
3 *nf* **pasada: dar una pasada de pintura** *(mano)* donner un coup de peinture; *Fam* **tu moto nueva es una pasada** *(es extraordinaria)* ta nouvelle moto est vraiment géniale; **de pasada** en passant ☆ **mala pasada** mauvais tour *m*

pasaje *nm* passage *m*; *(pasajeros)* passagers *mpl*; *(de barco, avión)* billet *m*

pasajero, -a *adj* & *nm,f* passager (ère) *m,f*

pasamano *nf*, **pasamanos** *nf inv* *(barandilla)* main *f* courante

pasamontañas *nm inv* passe-montagne *m*

pasante *nmf* *Am* stagiaire *mf*

pasapalos *nmpl* *Méx, Ven* tapas *fpl*

pasaporte *nm* passeport *m*

pasapuré, pasapurés *nm inv* presse-purée *m inv*

pasar 1 *vt* **(a)** *(en general)* passer; **pásame la sal** passe-moi le sel; **p. la frontera** passer la frontière; **me ha pasado su catarro** il m'a passé son rhume; **pasó dos años en Roma** elle a passé deux années à Rome; **lo pasó muy mal** il a passé un mauvais moment; **p. droga** passer de la drogue; **p. una película** passer un film; **p. la harina por el tamiz** passer la farine au tamiz; **ya hemos pasado las Navidades** Noël est déjà passé

(b) *(llevar adentro)* **p. a alguien** faire entrer qn

(c) *(cruzar)* traverser

(d) *(admitir)* tolérer; **p. algo a alguien** passer qch à qn; **le pasa todos sus caprichos** elle lui passe tous ses caprices

(e) *(padecer)* **está pasando una depresión** elle fait une dépression; **están pasando problemas económicos** ils ont des problèmes financiers en ce moment; **p. frío/hambre** avoir froid/faim; *Fam* **pasarlas canutas** en baver

(f) *(aprobar)* réussir

(g) *(sobrepasar)* **ya ha pasado los treinta** il a plus de trente ans

(h) *(adelantar)* dépasser
2 *vi* **(a)** *(en general)* passer; **pasé por la oficina** je suis passé au bureau; **pasan los días y...** les jours passent et...; **pasó el frío** le froid est passé; **p. de... a...** passer de... à...; **pasó de la alegría a la tristeza** il est passé de la joie à la tristesse; **ha pasado de presidente a secretario** de président, il est passé secrétaire; **p. a** passer à; **pasemos a otra cosa** passons à autre chose; **p. de largo** passer sans s'arrêter

(b) *(entrar)* entrer; **¡pase!** entrez!

(c) *(suceder)* se passer, arriver; **cuéntame lo que pasó** raconte-moi ce qui s'est passé; **¿cómo pasó?** comment est-ce arrivé?; **pase lo que pase** quoi qu'il arrive

(d) *(conformarse)* **p. sin algo** se passer de qch

(e) *Fam* *(prescindir)* **paso de ir al cine** je n'ai aucune envie d'aller au cinéma; **paso de política** la politique, je n'en ai rien à faire; **pasa de él** elle ne l'aime pas

(f) *(tolerar)* **p. por algo** supporter qch

3 pasarse *vpr* **(a)** *(acabarse, emplear tiempo)* passer; **¿se te ha pasado el dolor?** est-ce que la douleur est passée?; **se pasaron el día**

hablando ils ont passé la journée à parler

 (b) *(ocasión)* **se le pasó su oportunidad** il a laissé passer sa chance

 (c) *(estropearse) (comida natural)* se gâter; *(comida envasada, medicamentos)* être périmé(e)

 (d) *(cambiar de bando)* **pasarse a** passer à; **pasarse al otro bando** changer de camp

 (e) *(olvidar)* **se me pasó decirle que...** j'ai oublié de lui dire que...

 (f) *(no fijarse)* **no se le pasa nada** rien ne lui échappe

 (g) *Fam (propasarse)* aller trop loin; **se pasa mucho con su hermana** il va vraiment trop loin avec sa sœur

 (h) *(divertirse o aburrirse)* **¿qué tal te lo estás pasando?** alors, tu t'amuses?; **pasárselo bien** bien s'amuser; **se lo pasó muy mal en la fiesta** elle ne s'est pas amusée du tout à la soirée

pasarela *nf (de embarque)* passerelle *f; (de desfile)* podium *m*

pasatiempo *nm* passe-temps *m inv;* **pasatiempos** *(en revista)* rubrique *f* jeux

Pascua *nf (de judíos)* Pâque *f; (de cristianos)* Pâques *m;* **... y santas Pascuas** ... un point c'est tout; **Pascuas (Navidad)** Noël *m;* **¡felices Pascuas!** joyeux Noël!; **de Pascuas a Ramos** tous les trente-six du mois

pascualina *nf RP, Ven* = tarte aux épinards et au fromage

pascuense *nmf* habitant(e) *m,f* de l'île de Pâques

pase *nm (permiso)* laissez-passer *m inv; (de película, diapositivas)* projection *f; (en deporte)* passe *f* ☆ **p. de modelos** défilé *m* de mode

pasear 1 *vi* se promener (**por** dans)

 2 *vt* promener (**por** dans)

 3 pasearse *vpr* se promener (**por** dans)

paseo *nm* promenade *f;* **dar un p., ir de p.** faire une promenade, aller se promener; *Fam* **mandar** *o* **enviar a al-**

guien a p. envoyer promener *ou* balader qn

pasillo *nm* couloir *m*

pasión *nf* passion *f;* **la P.** la Passion

pasividad *nf* passivité *f*

pasivo, -a 1 *adj* passif(ive)

 2 *nm* passif *m*

pasma *nf muy Fam* **la p.** les flics *mpl*

pasmado, -a 1 *adj (asombrado)* ébahi(e); *(atontado)* hébété(e)

 2 *nm,f* **¡no te quedes como un p.!** ne reste pas là à gober les mouches!

pasmar 1 *vt* ébahir

 2 pasmarse *vpr* s'ébahir

pasmo *nm* stupéfaction *f; Fam* **te va a dar un p.** *(de frío)* tu vas attraper froid

pasmoso, -a *adj* stupéfiant(e)

paso *nm* passage *m; (al andar)* pas *m; (en procesiones)* char *m;* **abrir** *o* **abrirse p.** se frayer un chemin; **¡abran p.!** laissez passer!; **ceder el p.** céder le passage; **dar un p.** faire un pas; *Fig* **dar un p. en falso** faire un faux pas; **prohibido el p.** *(en letrero)* défense d'entrer; **a cada p.** à tout moment; **a dos** *o* **cuatro pasos** à deux pas; **p. a p.** pas à pas; **salir del p.** se tirer d'affaire; **de p.** au passage ☆ **p. de cebra** passage clouté; **p. elevado** passerelle *f;* **p. a nivel** passage à niveau; *Fig* **p. obligado** passage obligé; **p. de peatones** passage (pour) piétons; **mal p.** *(mal momento)* mauvaise passe *f*

pasodoble *nm* paso doble *m inv*

pasota *adj & nmf Fam* je-m'en-foutiste *mf*

pasta *nf (masa)* pâte *f; (espagueti, macarrones)* pâtes *fpl; (pastelillo)* sablé *m; (de libro)* reliure *f; Fam (dinero)* fric *m; Fam* **ser de buena p.** être bonne pâte ☆ **p. dentífrica** *o* **de dientes** dentifrice *m*

pastar *vi* paître

pastel *nm (dulce)* gâteau *m; (de carne, verduras)* tourte *f; (de pescado)* pain *m*, terrine *f*; *Fig* **repartirse el p. se partager le gâteau; colores p.** couleurs *fpl* pastel, pastels *mpl*

pastelería *nf* pâtisserie *f*

pasteurizado, -a *adj* pasteurisé(e)

pastiche *nm* pastiche *m*

pastilla *nf* *(de chocolate)* tablette *f*; *(píldora)* pilule *f*; *(de freno)* plaquette *f*; **p. de jabón** savonnette *f*; *Fam* **a toda p.** à toute pompe

pasto *nm* *(acción, lugar)* pâturage *m*; *(alimento)* pâture *f*; *Am (hierba)* herbe *f*; **ser p. para la crítica** alimenter la critique.; *Fam* **gastar a todo p.** dépenser sans compter

pastón *nm muy Fam* **valer un p.** valoir un fric fou

pastor, -ora 1 *nm,f* berger(ère) *m,f* **2** *nm (sacerdote)* pasteur *m*; *(perro)* chien *m* de berger ☆ **p. alemán** berger *m* allemand

pastoso, -a *adj* pâteux(euse)

pata 1 *nf (de animal, persona)* patte *f*; *(de mueble)* pied *m*; **a cuatro patas** à quatre pattes; *Fam* **a la p. coja** à cloche-pied; *Fam* **estirar la p.** claquer; **meter la p.** faire une gaffe; **poner/estar patas arriba** mettre/être sens dessus dessous; *Fam* **tener mala p.** avoir la poisse ☆ **p. de gallo** *(arrugas)* patte-d'oie *f*; *(tejido)* pied-de-poule *m*; **p. negra** = jambon de pays de première qualité **2** *nm Perú (amigo)* copain *m*

patada *nf* coup *m* de pied; *Fam Fig* **tratar a alguien a patadas** traiter qn comme un chien; *Fam Fig* **a patadas** en pagaille

patagón, -ona *nm,f* Indien(enne) *m,f* de Patagonie

patalear *vi* gigoter; *(en el suelo)* trépigner

pataleo *nm (movimiento)* gesticulation *f*; *(en el suelo)* trépignement *m*; *Fig* **siempre nos queda el derecho al p.** rien ne nous empêche de nous plaindre

pataleta *nf Fam* cirque *m*; **armó una p. il a fait tout un cirque**

patán *adj m & nm Fam* rustre *m*

patata *nf* pomme de terre *f*; **patatas fritas** frites *fpl*; *(de bolsa)* chips *fpl*

patatús *nm inv Fam* **le dio un p.** il a piqué une crise

paté *nm* pâté *m*

patear 1 *vt (dar un puntapié a)* donner un coup de pied à; *(pisotear)* piétiner; *(recorrer) (ciudad)* faire à pied **2** *vi (patalear)* trépigner; *Fam Fig (andar)* se démener **3 patearse** *vpr Fam* **se ha pateado la ciudad** *(la ha recorrido)* il a fait toute la ville à pied

patentado, -a *adj* breveté(e)

patente 1 *adj* manifeste **2** *nf (de invento)* brevet *m*; *(autorización)* patente *f*; *CSur (número)* numéro *m* d'immatriculation; *(placa)* plaque *f* d'immatriculation; *(impuesto)* vignette *f*

paternal *adj* paternel(elle)

paternalismo *nm* paternalisme *m*

paternidad *nf* paternité *f*

paterno, -a *adj* paternel(elle)

patético, -a *adj* pathétique

patetismo *nm* pathétisme *m*; **escenas de gran p.** des scènes extrêmement pathétiques

patíbulo *nm* gibet *m*, potence *f*

patidifuso, -a *adj Fam* soufflé(e)

patilla *nf (de gafas)* branche *f*; **patillas** *(de pelo)* pattes *fpl*; *(de barba)* favoris *mpl*

patín *nm (calzado)* patin *m*; *(juguete)* trottinette *f*; *(embarcación)* pédalo *m* ☆ **p. de cuchilla** patin à glace; **p. en línea** patin en ligne; **p. de ruedas** patin à roulettes

pátina *nf* patine *f*

patinaje *nm* patinage *m* ☆ **p. artístico** patinage artistique; **p. sobre hielo** patinage sur glace

patinar *vi* patiner; *Fam Fig (equivocarse)* se planter

patinazo *nm (resbalón)* glissade *f*; *(de vehículo)* dérapage *m*; *Fam Fig (error)* bourde *f*

patinete *nm* trottinette *f*

patio *nm* cour *f*; *(de casa española)* patio *m* ☆ *p. (de butacas)* orchestre *m*; *p. interior* cour intérieure; *p. de recreo* cour de récréation

patitieso, -a *adj Fam (de frío)* frigorifié(e); *(de sorpresa)* baba *inv*

pato, -a *nm,f* canard *m*, cane *f*; *Fig* **pagar el p.** payer les pots cassés

patológico, -a *adj* pathologique

patoso, -a *adj & nm,f Fam* pataud(e) *m,f*

patota *nf RP, Ven* bande *f* de voyous

patraña *nf* mensonge *m*

patria *nf* patrie *f* ☆ *p. potestad* autorité *f* parentale

patriarca *nm* patriarche *m*

patrimonio *nm* patrimoine *m*; **declarar algo p. histórico** déclarer qch monument historique ☆ *el p. nacional* le patrimoine national

patriota *adj & nmf* patriote *mf*

patriotismo *nm* patriotisme *m*

patrocinador, -ora 1 *adj* **la empresa patrocinadora** le sponsor
2 *nm,f* sponsor *m*

patrocinar *vt (en publicidad)* sponsoriser; *(respaldar) (proyecto)* parrainer; *(candidatura)* appuyer

patrocinio *nm (en publicidad)* parrainage *m*; *(respaldo)* appui *m*; **bajo el p. de** sous le patronage de

patrón, -ona 1 *nm,f* patron(onne) *m,f*
2 *nm (de barco, costura)* patron *m*; *(referencia)* étalon *m*; *Fig* **estar cortados por el mismo p.** être faits sur le même moule ☆ *p. monetario* étalon monétaire

patronal 1 *adj* patronal(e)
2 *nf (de empresa)* direction *f*; *(de país)* patronat *m*

patronato *nm* patronage *m*; *(de beneficiencia)* fondation *f*

patrono, -a *nm,f* patron(onne) *m,f*

patrulla *nf* patrouille *f* ☆ *p. urbana* îlotiers *mpl*

patrullar 1 *vt* patrouiller dans
2 *vi* patrouiller

patrullero *nm CSur* voiture *f* de police

patuco *nm* chausson *m (de bébé)*

paulatino, -a *adj (lento)* lent(e); *(gradual)* progressif(ive)

pausa *nf* pause *f*

pausado, -a *adj* calme; *(modales, voz)* posé(e)

pauta *nf* règle *f*; *(en papel)* ligne *f*; *(modelo)* modèle *m*

pava *ver* **pavo**

pavada *nf Perú, RP (cosa sin importancia)* bricole *f*; *(dicho o hecho sin importancia)* bêtise *f*

pavimentación *nf* revêtement *m*

pavimento *nm* revêtement *m*; *(con ladrillos)* pavé *m*

pavo, -a 1 *adj Fam Pey* godiche
2 *nm,f (ave)* dindon *m*, dinde *f*; *Fam Pey (tonto)* âne *m* ☆ *p. real* paon *m*
3 *nf* **pava** *Arg (para agua)* bouilloire *f*

pavonearse *vpr Pey* prendre de grands airs; **p. de** se vanter de

pavor *nm* épouvante *f*; *(colectivo)* panique *f*

pay *nm Chile, Méx, Ven* tarte *f*

payasada *nf (de payaso)* clownerie *f*; *(de niño)* pitrerie *f*; **hacer payasadas** faire le pitre

payaso, -a 1 *adj* **ser p.** faire le clown
2 *nm,f* clown *m*

payés, -esa *nm,f* paysan(anne) *m,f (en Catalogne et aux Baléares)*

payo, -a *nm,f* gadjo *mf*

paz *nf* paix *f*; **¡déjame en p.!** laisse-moi tranquille!; **estar** *o* **quedar en p.** être quittes; **hacer las paces** faire la paix; **que en p. descanse, que descanse en p.** qu'il/elle repose en paix; **tu hermana, que en p. descanse, era...** ta sœur, paix à son âme, était...

PC nm (abrev **personal computer**) PC m

PD (abrev **posdata**) PS

peaje nm péage m

peana nf socle m

peatón nm piéton(onne) m,f

pecado nm péché m; **sería un p. tirar toda esa comida** ce serait un crime de jeter toute cette nourriture; **pecados capitales** péchés capitaux

pecador, -ora 1 adj **los hombres pecadores** les pécheurs mpl

2 nm,f pécheur(eresse) m,f

pecaminoso, -a adj condamnable

pecar [59] vi pécher; **pecó de prudente** il a péché par excès de prudence

pecera nf aquarium m; (redonda) bocal m (à poissons)

pecho nm poitrine f; (de animal) poitrail m; (mama) sein m; Fig (interior) cœur m; **dar el p.** donner le sein; **a lo hecho, p.** ce qui est fait est fait; **a p. desnudo** (luchar) à mains nues; **tomarse algo a p.** prendre qch à cœur

pechuga nf (de ave) blanc m; Fam (de mujer) nichons mpl

pecoso, -a adj **ser p.** avoir des taches de rousseur

pectoral adj pectoral(e)

peculiar adj particulier(ère)

peculiaridad nf particularité f

pedagogía nf pédagogie f

pedagogo, -a nm,f pédagogue mf

pedal nm pédale f; Fam (borrachera) cuite f

pedalear vi pédaler

pedante adj & nmf pédant(e) m,f

pedantería nf pédanterie f

pedazo nm morceau m; **hacer pedazos** mettre en morceaux; Fig briser; Fam **p. de animal** o **de bruto** espèce f d'imbécile

pedestal nm (base) piédestal m; Fig **poner a alguien en un p.** mettre qn sur un piédestal

pediatra nmf pédiatre mf

pediculo, -a nm,f pédicure mf

pedido nm commande f; **hacer un p.** passer une commande

pedigrí (pl pedigríes o pedigrís), **pedigree** [peði'gri] (pl pedigrees) nm pedigree m

pedir [47] **1** vt (solicitar) demander; (requerir) avoir besoin de; **p. a alguien que haga algo** demander à qn de faire qch; **p. a alguien (en matrimonio)** demander qn en mariage; **p. prestado** emprunter; **esta planta pide sol** cette plante a besoin de soleil

2 vi (mendigar) mendier

pedo muy Fam **1** nm (ventosidad) pet m; (borrachera) cuite f; **tirarse un p.** péter; **agarrarse un p.** prendre une cuite

2 adj inv **estar p.** être bourré(e)

pedrada nf coup m de pierre ou de caillou; **a pedradas** à coups de pierres ou de cailloux

pedrisco nm grêle f

pedrusco nm grosse pierre f

peeling ['pilin] nm peeling m

pega nf (obstáculo) difficulté f; **poner pegas a** mettre des obstacles à; **de p.** faux (fausse)

pegadizo, -a adj (música) chantant(e); Fig (contagioso) contagieux (euse)

pegajoso, -a adj también Fig collant(e)

pegamento nm colle f

pegar [38] **1** vt coller; (golpear) frapper; (dar una paliza) battre; (golpe, bofetada) donner; (grito) pousser; **p. un susto** faire peur; **p. saltos** faire des bonds; **p. tiros** tirer des coups de feu; **p. algo a alguien** (enfermedad) passer qch à qn

2 vi (adherir) coller; (golpear) frapper; (sol) taper; **p. con algo** (armoni-

zar) aller avec qch; **el verde y el rosa no pegan** le vert et le rose ne vont pas ensemble

3 pegarse *vpr (adherirse)* coller; *(arroz, guiso)* attacher; *(pelearse)* se battre; *(golpes, puñetazos)* se donner; *Fig (contagiarse)* s'attraper; **pegarse (un golpe) con** o **contra algo** se cogner contre qch; **se me pegó su acento** j'ai attrapé son accent; **esta música se pega muy fácilmente** c'est un air que l'on retient très facilement; *Pey* **pegarse a alguien** coller qn, se coller à qn; *Fam Fig* **pegársela a alguien** *(engañar)* entuber qn; *(a marido, mujer)* faire qn cocu(e)

pegatina *nf* autocollant *m*

pegote *nm Fam (añadido)* fioritures *fpl; (chapuza)* bricolage *m; (mentira)* blague *f; (masa pegajosa)* emplâtre *m*

peinado *nm* coiffure *f*

peinar **1** *vt (desenredar)* peigner; *(arreglar)* coiffer; *Fig (registrar)* ratisser

2 peinarse *vpr (desenredarse)* se peigner; *(arreglarse)* se coiffer

peine *nm* peigne *m; Fam Fig* **enterarse de** o **saber lo que vale un p.** comprendre sa douleur

p.ej. *(abrev* **por ejemplo)** p. ex.

Pekín *n* Pékin

pela *nf Fam (peseta)* peseta *f;* **no tengo ni una p.** je n'ai pas un rond; **pelas** *(dinero)* fric *m*, pognon *m*

peladilla *nf* dragée *f*

pelado, -a **1** *adj (cabeza)* tondu(e); *(montaña, fruta)* pelé(e); *(verdura, patata)* épluché(e); *(árbol, habitación, campo)* dénudé(e); *Fam (sin dinero)* fauché(e); **tengo la espalda pelada** j'ai le dos qui pèle; *Fam* **quinientos pelados** cinq cents tout rond

2 *nm,f Andes Fam (niño)* gamin(e) *m,f,* gosse *mf; (adolescente)* ado *mf; Méx Fam (pobre)* miséreux(euse) *m,f*

3 *nm Esp* coupe *f* de cheveux

pelagatos *nmf inv Fam Pey* pauvre type *m,* pauvre fille *f*

pelaje *nm* pelage *m*

pelar **1** *vt (pelo)* tondre; *(fruta)* peler; *(verduras, patatas)* éplucher; *Fam Fig (dejar sin dinero)* plumer; *Fam* **hace un frío que pela** il fait un froid de canard

2 pelarse *vpr (piel)* peler; *(persona)* se faire couper les cheveux

peldaño *nm* marche *f; (de escalera de mano)* échelon *m*

pelea *nf (a golpes)* bagarre *f; (en boxeo)* combat *m; (riña)* dispute *f*

pelear **1** *vi* se battre; *(reñir)* se disputer

2 pelearse *vpr (a golpes)* se battre; *(reñir)* se disputer

pelele *nm Fam Pey (persona)* marionnette *f; (prenda de bebé)* grenouillère *f; (muñeco)* pantin *m*

peletería *nf (oficio)* pelleterie *f;* **en la p.** *(tienda)* chez le fourreur

peliagudo, -a *adj Fig* épineux(euse)

pelicano, pelícano *nm* pélican *m*

película *nf (de cine)* film *m; (capa fina, de fotografía)* pellicule *f; Fam (historia increíble)* roman *m; Fig* **de p.** du tonnerre ☆ **p. del Oeste** western *m;* **p. de terror** o **miedo** film d'épouvante; **p. de vídeo** cassette *f* vidéo *(film)*

peligro *nm* danger *m;* **correr p.** courir un danger; **correr p. de** courir le risque de; **fuera de p.** hors de danger; **p. de muerte** *(en letrero)* danger de mort

peligroso, -a *adj* dangereux(euse)

pelín *nm Fam* **un p.** un tantinet; **es un p. largo** c'est un poil trop long

pelirrojo, -a *adj & nm,f* roux (rousse) *m,f*

pellejo *nm* peau *f; (padrastro)* envie *f; Fam* **expuso su p.** il a risqué sa peau

pellizcar [59] *vt* pincer; *(pan)* grignoter

pellizco *nm (en la piel) (acción)* pincement *m*; *(marca)* pinçon *m*; **un p. de sal** *(un poco)* une pincée de sel; *Fam Fig* **un buen p.** *(de dinero)* un joli paquet

pelma *Fam* **1** *adj* lourd(e)
  2 *nmf* casse-pieds *mf inv*

pelmazo, -a *adj & nm,f* = **pelma**

pelo *nm* poil *m*; *(cabello)* cheveu *m*; **el p.** *(de persona)* les cheveux; *(de animal)* le pelage; **a contra p.** à rebrousse-poil; **con pelos y señales** dans les moindres détails; **montar a caballo a p.** monter à cru; *Fam* **no tener pelos en la lengua** ne pas mâcher ses mots; *Fam* **no verle el p. a alguien** ne plus voir qn; *Fam* **se le pusieron los pelos de punta** ses cheveux se sont dressés sur sa tête; **por los pelos** de justesse; **no se mató por un p.** il s'en est fallu d'un cheveu qu'il ne se tue; **ser (un) hombre de p. en pecho** être un homme, un vrai; *Fam* **tomar el p. a alguien** *(burlarse de)* se payer la tête de qn; *(engañar)* faire marcher qn

pelota **1** *nf* ballon *m*; *(pequeña)* balle *f*; *(esfera)* boule *f*; *Fam* **hacer la p. a alguien** cirer les pompes à qn; *muy Fam* **en pelotas** à poil ☆ **p. vasca** pelote *f* basque
  2 *nmf Fam* lèche-bottes *mf inv*

pelotera *nf Fam* engueulade *f*

pelotón *nm* peloton *m*; *Fig (de gente)* horde *f* ☆ **p. de ejecución** peloton d'exécution

pelotudo, -a *adj RP Fam* crétin(e)

peluca *nf* perruque *f*

peluche *nm* peluche *f*

peludo, -a *adj* poilu(e)

peluquería *nf (establecimiento)* salon *m* de coiffure; *(oficio)* coiffure *f*; **ir a la p.** aller chez le coiffeur

peluquero, -a *nm,f* coiffeur(euse) *m,f*

peluquín *nm* postiche *m*

pelusa **1** *nf (vello)* duvet *m*; *(de tela)* peluche *f*; *(de polvo)* mouton *m*

  2 *nmf Chile Fam (niño)* gamin(e) *m,f* des rues

pelvis *nf inv* bassin *m*

pena *nf* peine *f*; *CAm, Carib, Col, Méx (vergüenza)* honte *f*; **dar p.** faire de la peine; **(no) valer** *o* **merecer la p. (hacer algo)** (ne pas) valoir la peine (de faire qch); **no vale la p. molestarse** ce n'est pas la peine de se déranger; **es una p.** c'est dommage; **¡qué p.!** quel dommage!; *CAm, Carib, Col, Méx* **me da p.** j'ai honte; **a duras penas** à grand-peine ☆ **p. capital** peine capitale; **p. de muerte** peine de mort

penacho *nm (de pájaro)* huppe *f*; *(adorno)* aigrette *f*

penal **1** *adj* pénal(e)
  2 *nm* maison *f* d'arrêt

penalidad *nf* peine *f*

penalización *nf* pénalité *f*

penalti, penalty *nm* penalty *m*; *Fam* **se casó de p.** elle s'est mariée en cloque

pendejo, -a *nm,f RP muy Fam (adolescente)* ado *mf*; *Am Fam (estúpido)* débile *mf*

pender *vi (colgar)* pendre (**de** à); *Fig (estar pendiente)* être en suspens; *Fig* **p. sobre** *(amenaza)* peser sur

pendiente **1** *adj (sin hacer)* en suspens; **tener una asignatura p.** avoir une matière à repasser; *Fig* **tener una cuenta p.** avoir une affaire à régler; **estar p. de** *(juicio, respuesta)* être dans l'attente de; **está muy p. de sus hijos** *(atenta)* elle s'occupe beaucoup de ses enfants
  2 *nm* boucle *f* d'oreille
  3 *nf* pente *f*

pendón, -ona **1** *nm,f Fam (vago)* glandeur(euse) *m,f*; **estar hecho un p.** passer sa vie dehors
  2 *nm (bandera)* bannière *f*; *Fam (mujer)* traînée *f*

péndulo *nm* pendule *m*; *(de reloj)* balancier *m*

pene *nm* pénis *m*

penetración *nf* pénétration *f*

penetrante *adj* pénétrant(e); *(voz, grito)* perçant(e); **un dolor p.** une douleur aiguë

penetrar 1 *vi* pénétrer (**en** dans); **el frío penetra en los huesos** le froid pénètre les os
2 *vt* pénétrer

penicilina *nf* pénicilline *f*

península *nf* péninsule *f*; *(pequeña)* presqu'île *f*; **la p. Ibérica** la péninsule Ibérique

peninsular 1 *adj* péninsulaire
2 *nmf* **los peninsulares** les Espagnols *mpl* du continent

penitencia *nf* pénitence *f*

penitenciaría *nf* pénitencier *m*

penoso, -a *adj (trabajo)* pénible; *(acontecimiento)* douloureux(euse); *(espectáculo)* affligeant(e); *CAm, Carib, Col, Méx (vergonzoso)* timide

pensador, -ora *nm,f* penseur(euse) *m,f*

pensamiento *nm (idea, flor)* pensée *f*; *(mente)* esprit *m*

pensar [3] 1 *vi* penser (**en** à); *(reflexionar)* réfléchir; **dar que p.** donner à réfléchir
2 *vt* penser; *(reflexionar)* réfléchir à; **piensa lo que te he dicho** réfléchis à ce que je t'ai dit; **no pienso decírtelo** je n'ai pas envie de te le dire
3 **pensarse** *vpr* **tengo que pensármelo** je dois y réfléchir

pensativo, -a *adj* pensif(ive)

pensión *nf* pension *f* ☆ **p. alimenticia** o **alimentaria** pension alimentaire; **p. completa** pension complète; **p. (de jubilación)** retraite *f*; **media p.** demi-pension *f*

pensionista *nmf (minusválido)* pensionné(e) *m,f*; *(jubilado)* retraité(e) *m,f*; *(en pensión, colegio)* pensionnaire *mf*

pentágono *nm* pentagone *m*

pentagrama *nm Mús* portée *f*

penthouse [pent'¥aus] *nm CSur, Ven* = appartement de standing au dernier étage d'un immeuble

penúltimo, -a *adj & nm,f* avant-dernier(ère) *m,f*

penumbra *nf* pénombre *f*; **en p.** dans la pénombre

penuria *nf* pénurie *f*

peña *nf (roca)* rocher *m*; *(grupo de personas)* bande *f* (d'amis); *(asociación)* club *m*

peñasco *nm* rocher *m*

peñón *nm* rocher *m* ☆ **el P. (de Gibraltar)** le rocher de Gibraltar

peón *nm (obrero)* manœuvre *m*; *(en ajedrez)* pion *m*; *(juguete)* toupie *f*

peonza *nf* toupie *f*

peor 1 *adj* **(a)** *(comparativo)* pire (**que** que); **tú eres malo pero él es p.** tu es méchant mais lui est encore pire; **su letra es p. que la tuya** son écriture est pire que la tienne; **soy p. alumno que mi hermano** je suis plus mauvais élève que mon frère
(b) *(superlativo)* **el p.** le plus mauvais; **la p.** la plus mauvaise; **el p. alumno de la clase** le plus mauvais élève de la classe; **los peores recuerdos de su vida** les plus mauvais souvenirs de sa vie
2 *nmf* **el/la p.** le/la pire; **lo p. es que...** le pire c'est que...; **Juan es el p. del equipo** Juan est le plus mauvais de l'équipe
3 *adv (comparativo y superlativo)* **es p. todavía** c'est encore pire; **es cada vez p.** c'est de pire en pire; **cada día escribe p.** il écrit de plus en plus mal; **hoy ha dormido p. que ayer** aujourd'hui il a dormi moins bien qu'hier; **si se lo dices será mucho p.** si tu le lui dis ce sera bien pire; **estar p.** *(enfermo)* aller plus mal; **p. que nunca** pire que jamais; **¡p. para él!** tant pis pour lui!; **el que canta p.** celui qui chante le plus mal

pepa *nf Perú, Ven* pépin *m*

pepenador, -ora *nm,f CAm, Méx* = personne qui fait les poubelles

pepián *nm CAm, Méx* = sauce à base de pépins de citrouille, de maïs et de piment

pepinillo *nm* cornichon *m*

pepino *nm* concombre *m*; *Fam* **importarle algo a alguien un p.** se ficher de qch comme de l'an quarante

pepita *nf (de fruta)* pépin *m*; *(de oro)* pépite *f*

pequeñez *nf (cualidad)* petitesse *f*; *Fig (insignificancia)* broutille *f*

pequeño, -a 1 *adj* petit(e)
2 *nm,f (niño)* petit(e) *m,f*; **de p. no comía nada** quand j'étais petit, je ne mangeais rien; **los pequeños** les petits

pequinés *nm (perro)* pékinois *m*

pera 1 *nf* poire *f*; *Am (barbilla)* menton *m*; *Fig* **pedir peras al olmo** demander la lune; *Fam Fig* **¡este tío es la p.!** c'est quelque chose ce type!
2 *adj inv Fam (pijo)* snobinard(e); **un niño p.** un fils à papa

peral *nm* poirier *m*

percance *nm* incident *m*

percatarse *vpr* **p. de** s'apercevoir de

percebe *nm* pouce-pied *m*; *Fam (persona)* cloche *f*

percepción *nf* perception *f*

perceptible *adj (por los sentidos)* perceptible; *Com* recouvrable

percha *nf (de armario)* cintre *m*; *(de pared, perchero)* portemanteau *m*; *(para pájaros)* perchoir *m*

perchero *nm* portemanteau *m*

percibir *vt* percevoir

percusión *nf* percussion *f*

percutor, percusor *nm* percuteur *m*

perdedor, -ora *adj & nm,f* perdant(e) *m,f*

perder [64] **1** *vt* perdre; *(tren, autobús, ocasión)* rater, manquer; **p. el conocimiento** perdre connaissance; **p. el juicio** perdre la tête; **p. el tiempo** perdre son temps; **p. la esperanza** perdre espoir; **sus malas compañías le perderán** ses mauvaises fréquentations le perdront
2 *vi* perdre; *(decaer)* baisser; *(dejar escapar aire, agua)* fuir; **echarse a p.** *(alimento)* se gâter
3 perderse *vpr* se perdre; *(desorientarse)* s'y perdre; **se me han perdido las gafas** j'ai perdu mes lunettes; **¡tú te lo pierdes!** tant pis pour toi!; *Fig* **se pierde por ella** il ferait n'importe quoi pour elle

perdición *nf* perte *f*; **eso fue su p.** ça l'a mené à sa perte

pérdida *nf* perte *f*; *(escape)* fuite *f*; **pérdidas** pertes; *(daños)* dégâts *mpl*

perdidamente *adv* éperdument

perdido, -a 1 *adj* perdu(e); *Fam* **me he puesto p.** je me suis tout sali; **p. de barro** couvert(e) de boue; *Fam* **loco p.** fou à lier; *Fam* **tonto p.** bête comme ses pieds
2 *nm,f* débauché(e) *m,f*

perdigón *nm (munición)* plomb *m* (de chasse); *(pájaro)* perdreau *m*; *(de saliva)* postillon *m*

perdiz *nf* perdrix *f*

perdón *nm* pardon *m*; **es, con p., un pedazo de imbécil** c'est, si vous me permettez l'expression, un bel imbécile; **no tener p.** être impardonnable; **¡p.!** pardon!

perdonar *vt* pardonner; **te perdono tus críticas** je te pardonne tes critiques; **¡perdona!** excuse-moi!, pardon!; **perdone que le moleste** excusez-moi *ou* pardon de vous déranger; **p. algo a alguien** *(eximir de)* faire grâce de qch à qn; *(deuda, obligación)* libérer qn de qch

perdonavidas *nmf inv Fam* **ir de p.** faire le (la) fanfaron(onne)

perdurable *adj (que dura siempre)*

éternel(elle); *(que dura mucho)* durable

perdurar *vi (durar mucho) (tiempo, efecto)* durer; *(recuerdo, idea, tradición)* persister

perecedero, -a *adj* périssable

perecer [46] *vi* périr

peregrinación *nf* pèlerinage *m*; *Fig (con idas y venidas)* pérégrination *f*

peregrino, -a 1 *adj (ave)* migrateur(trice); *Fig (extraño, extraordinario)* bizarre, étonnant(e)
2 *nm,f (persona)* pèlerin *m*

perejil *nm* persil *m*

perenne *adj (planta, árbol)* vivace; *(follaje, hoja)* persistant(e); *(continuo)* perpétuel(elle)

pereza *nf* paresse *f*; **me da p. ir a pie** je ne me sens pas le courage d'y aller à pied

perezoso, -a *adj & nm,f* paresseux (euse) *m,f*

perfección *nf* perfection *f*; **a la p.** à la perfection

perfeccionar 1 *vt* perfectionner
2 perfeccionarse *vpr* se perfectionner

perfeccionista *adj & nmf* perfectionniste *mf*

perfecto, -a *adj* parfait(e)

pérfido, -a *adj* perfide

perfil *nm* profil *m*; *(característica)* trait *m*; **de p.** de profil

perfilar 1 *vt (dibujar)* profiler; *Fig (detallar)* affiner
2 perfilarse *vpr* se profiler; *Fig* **perfilarse como** apparaître comme

perforación *nf* perforation *f*; *(de pozo)* forage *m*

perforar 1 *vt* perforer; *(pozo)* forer
2 perforarse *vpr* **perforarse las orejas** se faire percer les oreilles

perfumar 1 *vt* parfumer
2 perfumarse *vpr* se parfumer

perfume *nm* parfum *m*

perfumería *nf* parfumerie *f*

pergamino *nm* parchemin *m*

pericia *nf* habileté *f*

periferia *nf* périphérie *f*

periférico, -a 1 *adj* périphérique
2 *nm Informát* périphérique *m*; *CAm, Méx (carretera)* boulevard *m* périphérique

perifollos *nmpl Fam* fanfreluches *fpl*

perífrasis *nf inv* périphrase *f*

perilla *nf (barba)* bouc *m*; **venir de p.** tomber très bien

perímetro *nm* périmètre *m*

periódico, -a 1 *adj* périodique
2 *nm* journal *m*

periodismo *nm* journalisme *m*

periodista *nmf* journaliste *mf*

periodo, período *nm* période *f*; *(menstrual)* règles *fpl*; **le vino el p.** elle a eu ses règles

peripecia *nf* péripétie *f*

peripuesto, -a *adj Fam* tiré(e) à quatre épingles

periquete *nm Fam* **en un p.** en un clin d'œil

periquito *nm* perruche *f*

peritaje *nm* expertise *f*

perito *nm (experto)* expert *m*; *(ingeniero técnico)* ingénieur *m* technique ☆ **p. mercantil** expert-comptable *m*; **p. tasador** commissaire-priseur *m*

perjudicar [59] *vt* nuire à; *(moralmente)* porter préjudice à; **p. la salud** nuire à la santé

perjudicial *adj* nuisible (**para** à)

perjuicio *nm (moral)* préjudice *m*; *(material)* dégât *m*; **ir en p. de** porter préjudice à; **sin p. de** sans préjudice de

perjurar *vi (jurar en falso)* se parjurer; **jurar y p.** jurer ses grands dieux

perla *nf* perle *f*; *Fig* **venir de perlas** bien tomber

perlado, -a *adj (con perlas)* perlé(e); *Fig* **tenía la frente perlada de sudor**

des gouttes de sueur perlaient sur son front

permanecer [46] *vi* rester, demeurer; **p. despierto/mudo** rester éveillé/muet

permanencia *nf (duración)* permanence *f*; **su p. en el país...** son séjour dans le pays...; **la p. de las tropas en...** le maintien des troupes dans...

permanente 1 *adj* permanent(e)
   2 *nf* permanente *f*

permeable *adj* perméable

permisible *adj* tolérable; **el rechazo es p.** il est permis de refuser

permisivo, -a *adj* permissif(ive)

permiso *nm* permission *f*; *(documento)* permis *m*; **con p., ¿me deja pasar?** pardon, pouvez-vous me laisser passer?; **estar de p.** être en permission; **pedir p. para hacer algo** demander la permission de faire qch ☆ **p. de conducir** permis de conduire

permitir 1 *vt* permettre; **¿me permite?** vous permettez?
   2 permitirse *vpr* se permettre; **no poder permitirse algo** ne pas pouvoir se permettre qch; **permitirse el lujo de hacer algo** s'offrir le luxe de faire qch

pernicioso, -a *adj* pernicieux(euse)

pero 1 *conj* mais; **un alumno inteligente p. vago** un élève intelligent mais paresseux; **p. ¿cómo quieres que yo lo sepa?** mais comment veux-tu que je le sache?
   2 *nm* mais *m*; **no hay p. que valga** il n'y a pas de mais qui tienne; **poner peros a** trouver à redire à

perol *nm* marmite *f*

peroné *nm* péroné *m*

perorata *nf* laïus *m*

perpendicular 1 *adj* perpendiculaire
   2 *nf* perpendiculaire *f*

perpetrar *vt* perpétrer

perpetuar [4] **1** *vt* perpétuer
   2 perpetuarse *vpr* se perpétuer

perpetuo, -a *adj* perpétuel(elle); *(amor, nieves)* éternel(elle)

perplejo, -a *adj* perplexe

perra *ver* perro

perrera *ver* perrero

perrería *nf Fam* ¡no le hagas perrerías al niño! n'embête pas le petit!; ¡han hecho una p. contigo! ils t'ont bien arrangé!

perrero, -a 1 *nm,f (persona)* employé(e) *m,f* de la fourrière *(pour chiens)*
   2 *nf* **perrera** *(lugar)* chenil *m*; *(vehículo)* fourgon *m* de la fourrière *(pour chiens)*

perro, -a 1 *nm,f* chien *m*, chienne *f*; *Fam Pey (malvado)* peau *f* de vache; **andar como el p. y el gato** s'entendre comme chien et chat; **ser p. viejo** être un vieux renard ☆ **p. caliente** hot dog *m*; **p. callejero** chient errant; **p. lazarillo** chien d'aveugle; **p. lobo** chien-loup *m*; **p. pastor** chien de berger; **p. policía** chien policier
   2 *adj Fam (muy malo)* de chien; **¡qué vida más perra!** quelle chienne de vie!
   3 *nf* **perra** *Fam (rabieta)* colère *f*; **agarrar** *o* **coger una perra** faire une colère; **no tener (ni) una perra** ne pas avoir un rond; **está con la perra de irse** il n'a qu'une idée en tête, c'est de partir

perruno, -a *adj* canin(e)

persecución *nf (seguimiento)* poursuite *f*; *(acoso)* persécution *f*

perseguir [61] *vt* poursuivre; *Fig (felicidad)* rechercher; **p. a alguien** *(atormentar)* persécuter qn

perseverante *adj* persévérant(e)

perseverar *vi* persévérer (**en** dans)

persiana *nf* store *m*; *(postigo)* persienne *f*

persistente *adj* persistant(e); *(persona)* tenace

persistir *vi* persister (**en** dans); **p. en hacer algo** persister à faire qch

persona *nf* personne *f*; **en p. en** personne; **ser buena p.** être quelqu'un de bien; **en p. en personne**; **p. mayor** grande personne

personaje *nm* personnage *m*

personal 1 *adj* personnel(elle)
 2 *nm (trabajadores)* personnel *m*; *Fam* **¡cuánto p.!** quel peuple!
 3 *nf (en deporte)* faute *f* personnelle

personalidad *nf* personnalité *f*

personalizar [l4] *vi* viser quelqu'un en particulier; **sin p.** sans citer de nom

personarse *vpr* se présenter

personero, -a *nm,f Am* porte-parole *mf inv*

personificar *vt* personnifier

perspectiva *nf* perspective *f*; **en p. en** perspective

perspicacia *nf* perspicacité *f*

perspicaz *adj* perspicace

persuadir 1 *vt* persuader; **p. a alguien para que haga algo** persuader qn de faire qch
 2 persuadirse *vpr* **persuadirse (de/ de que)** se persuader (de/que)

persuasión *nf* persuasion *f*

persuasivo, -a *adj* persuasif(ive)

pertenecer [46] *vi* **p. a** appartenir à

perteneciente *adj* **p. a** appartenant à; **ser p. a** appartenir à

pertenencia *nf* appartenance *f*; **pertenencias** *(enseres)* biens *mpl*

pértiga *nf (vara)* perche *f*; **salto de p.** saut *m* à la perche

pertinaz *adj (terco)* obstiné(e); *(persistente)* persistant(e)

pertinente *adj (adecuado)* pertinent(e); *(relativo)* approprié(e)

pertrechar 1 *vt (de alimentos)* ravitailler; *(de instrumentos)* équiper
 2 pertrecharse *vpr* **pertrecharse de algo** *(de alimentos)* se ravitailler en qch; *(de instrumentos)* s'équiper de qch

pertrechos *nmpl (militares)* équipement *m*; *Fig (utensilios)* attirail *m*

perturbación *nf* perturbation *f*; *(emoción, alteración)* trouble *m*

perturbado, -a *adj & nm,f* déséquilibré(e) *m,f*

perturbador, -ora *adj & nm,f* perturbateur(trice) *m,f*

perturbar *vt* perturber; *(impresionar, conmover, alterar)* troubler; **p. el orden público** troubler l'ordre public

Perú *n* **(el) P.** le Pérou

peruano, -a 1 *adj* péruvien(enne)
 2 *nm,f* Péruvien(enne) *m,f*

perversión *nf* perversion *f*

perverso, -a *adj* pervers(e)

pervertido, -a *nm,f* pervers(e) *m,f*

pervertir [62] **1** *vt* pervertir
 2 pervertirse *vpr* se pervertir

pesa *nf* poids *m*; *(en deporte)* haltère *m*; *Fam* **hacer pesas** faire des haltères

pesadez *nf* lourdeur *f*; *(aburrimiento, fastidio)* ennui *m*; **¡qué p. de película!** quelle barbe, ce film!; **es una p.** c'est pénible

pesadilla *nf* cauchemar *m*; **tener pesadillas** faire des cauchemars

pesado, -a 1 *adj* lourd(e); *(trabajoso)* pénible; *(aburrido)* ennuyeux (euse); *(molesto)* assommant(e); **¡qué pesada eres!** *(cuánto tardas)* ce que tu es longue!
 2 *nm,f* casse-pieds *mf inv*

pesadumbre *nf* chagrin *m*

pésame *nm* condoléances *fpl*; **dar el p.** présenter ses condoléances

pesar 1 *nm (tristeza)* chagrin *m*; *(arrepentimiento)* regret *m*; **a p. de** malgré; **a p. de todo** malgré tout; **a p. mío** malgré moi; **a p. de que** bien que; **saldré a p. de que llueve** je sortirai bien qu'il pleuve
 2 *vt* peser
 3 *vi* peser; *(causar tristeza)* causer

du chagrin; **este paquete pesa** ce paquet pèse lourd; **le pesa tanta responsabilidad** toutes ces responsabilités lui pèsent; **me pesa haberlo hecho** je regrette de l'avoir fait; **mal que le pese** qu'il le veuille ou non
  4 pesarse *vpr* se peser

pesca *nf* pêche *f*; **ir de p.** aller à la pêche ☆ **p. de altura** pêche hauturière; **p. de bajura** pêche côtière; **p. submarina** pêche sous-marine

pescadería *nf* poissonnerie *f*

pescadilla *nf* merlan *m*

pescado *nm* poisson *m* ☆ **p. azul** poisson gras; **p. blanco** poisson maigre

pescador, -ora *nm,f* pêcheur(euse) *m,f*

pescar [59] **1** *vt (peces)* pêcher; *Fam Fig (enfermedad)* choper; *Fam Fig (empleo)* dégoter; *Fam Fig (ladrón)* cueillir; *Fam Fig (entender)* piger
  2 *vi* pêcher

pescuezo *nm* cou *m*

pese: pese a *prep* malgré; **es muy activo p. a su edad** il est très actif malgré son âge; **p. a todo** malgré tout

pesebre *nm (para animales)* mangeoire *f*; *(de Navidad)* crèche *f*

pesero *nm* *CAm, Méx* taxi *m* collectif

peseta *nf* peseta *f*

pesetero, -a *adj* rapiat(e)

pesimismo *nm* pessimisme *m*

pesimista *adj & nmf* pessimiste *mf*

pésimo, -a **1** *superlativo ver* **malo**
  2 *adj* très mauvais(e)

peso *nm* poids *m*; *(balanza)* balance *f*; *(moneda)* peso *m*; **tiene un kilo de p.** ça pèse un kilo; **campeón en diferentes pesos** champion dans différentes catégories; **de p.** *(importante)* de poids; **pagar algo a p. de oro** payer qch à prix d'or; **quitar un p. de encima a alguien** ôter un poids à qn ☆ **p. bruto** poids brut; **p. muerto** poids mort; **p. neto** poids net

pespunte *nm* point *m* arrière

pesquero, -a **1** *adj (barco)* de pêche; *(pueblo)* de pêcheurs; *(industria)* de la pêche
  2 *nm* bateau *m* de pêche

pesquisa *nf* recherche *f*, enquête *f*

pestaña *nf (de párpado)* cil *m*; *(saliente)* bord *m*; *(de papel)* languette *f*

pestañear *vi* cligner des yeux; *Fig* **sin p.** sans sourciller

peste *nf (enfermedad)* peste *f*; *Fam (mal olor)* infection *f*; *(plaga)* invasion *f*; **echar pestes (de)** pester (contre); **ser una p.** *(una molestia)* être infernal(e)

pesticida **1** *adj* pesticide
  2 *nm* pesticide *m*

pestilencia *nf (mal olor)* odeur *f* pestilentielle

pestillo *nm* verrou *m*; **correr** *o* **echar el p.** mettre le verrou

petaca **1** *nf (para tabaco)* blague *f* (à tabac); *(para bebidas)* flasque *f*; *Méx (maleta)* valise *f*; *Fam* **hacer la p.** *(como broma)* faire un lit en portefeuille
  2 *nfpl* **petacas** *Méx Fam* fesses *fpl*

pétalo *nm* pétale *m*

petanca *nf* pétanque *f*

petardo *nm (cohete)* pétard *m*; *Fam (de hachís)* pétard *m*; *Fam* **un p. de película** *(un aburrimiento)* un film rasoir; *Fam* **ser un p.** être rasoir

petate *nm (bolsa)* balluchon *m*; *(de soldado)* paquetage *m*; **liar el p.** *(marcharse)* faire son balluchon

petición *nf (acción)* demande *f*; *(escrito)* pétition *f*; **a p. de** à la demande de ☆ **p. de mano** demande en mariage

petiso, -a, petizo, -a *adj Am Fam* court(e) sur pattes

peto *nm (prenda)* salopette *f*; *(de prenda)* bavette *f*

petrificar [59] *vt también Fig* pétrifier

petrodólar *nm* pétrodollar *m*

petróleo *nm* pétrole *m*

petrolero, -a 1 *adj* pétrolier(ère)
  2 *nm* pétrolier *m*

petrolífero, -a *adj* pétrolifère

petulante *adj* arrogant(e)

petunia *nf* pétunia *m*

peyorativo, -a *adj* péjoratif(ive)

pez 1 *nm* poisson *m*; *Fig* **estar como p. en el agua** être comme un poisson dans l'eau; *Fig* **estar p. (en algo)** être nul (nulle) (en qch), nager complètement (en qch) ☆ **p. *espada*** espadon *m*; *Fam Fig* **p. *gordo*** gros bonnet *m*
  2 *nf* poix *f*

pezón *nm* (*de pecho*) mamelon *m*

pezuña *nf* (*de animal*) sabot *m*; *Fam* (*pie*) panard *m*

piadoso, -a *adj* (*religioso*) pieux (euse); **ser p.** (*compasivo*) avoir bon cœur

pianista *nmf* pianiste *mf*

piano *nm* piano *m* ☆ **p. de cola** piano à queue

pianola *nf* piano *m* mécanique

piar [32] *vi* piailler

PIB *nm* (*abrev* **producto interior bruto**) PIB *m*

pibe, -a *nm,f RP Fam* gosse *mf*

pica *nf* pique *f*; *Fig* **poner una p. en Flandes** réussir l'impossible; **picas** (*palo de baraja*) pique *m*

picada *nf RP* tapas *fpl*

picadero *nm* (*de caballos*) manège *m*

picadillo *nm* (*de carne*) hachis *m*; (*de verdura*) julienne *f*; *Chile* (*tapas*) tapas *fpl*; *Fam* **hacer p. a alguien** mettre qn en bouillie

picado, -a 1 *adj* piqué(e); (*carne, verdura*) haché(e); (*hielo*) pilé(e); (*muela*) carié(e); *Fig* (*enfadado*) vexé(e); **un cutis p. de...** un visage marqué par...; **p. de polilla** mangé(e) aux mites

  2 *nm* **descender en p.** descendre en piqué; *Fig* **caer en p.** (*ventas, precios*) chuter

picador, -ora *nm,f* picador *m*; (*de caballos*) dresseur(euse) *m,f* de chevaux; (*minero*) piqueur *m*

picadora *nf* hachoir *m*

picadura *nf* piqûre *f*; (*marca*) marque *f*; (*de tabaco*) tabac *m* haché; **tener una p. en un diente** avoir une dent cariée

picante 1 *adj* (*comida*) piquant(e); *Fig* (*chiste, historia*) grivois(e)
  2 *nm* piment *m*

picantería *nf Andes* petit restaurant *m*

picapica *nm o nf* = bonbon pétillant; **polvos de p.** (*que hacen estornudar*) poudre *f* à éternuer; (*que pican*) poil *m* à gratter

picaporte *nm* (*aldaba*) heurtoir *m*; (*manivela*) poignée *f*

picar [59] **1** *vt* piquer; (*escocer*) gratter; (*cortar*) hacher; (*comer*) (*sujeto: ave*) picorer; (*sujeto: persona*) grignoter; (*piedra*) concasser; (*hielo*) piler; *Fig* (*enojar*) titiller; (*ofender*) vexer; (*billete*) (*sujeto: revisor*) poinçonner; (*en el aparato*) composter; **me picó una avispa** une guêpe m'a piqué; **p. la curiosidad** piquer la curiosité

  2 *vi* piquer; (*pez*) mordre; (*escocer*) gratter; (*comer*) (*ave*) picorer; (*persona*) grignoter; (*sol*) brûler; *Fig* (*dejarse engañar*) se faire avoir; **¿pican?** ça mord?

  3 picarse *vpr* (*ropa*) se miter; (*vino*) se piquer; *Fig* (*enfadarse*) se fâcher; (*ofenderse*) se vexer; (*mar*) s'agiter; (*oxidarse*) se rouiller; *Fam* (*inyectarse droga*) se piquer; **se me ha picado una muela** j'ai une dent gâtée

picardía 1 *nf* (*astucia*) malice *f*; (*travesura*) espièglerie *f*; (*atrevimiento*) effronterie *f*; **picardías** (*prenda*) nuisette *f*

pícaro, -a *nm,f (astuto)* malin(igne) *m,f*; *(travieso)* coquin(e) *m,f*; *(en novela)* = héros de la littérature espagnole des XVIᵉ et XVIIᵉ siècles caractérisé par son espièglerie; **ser un p.** *(obsceno)* être grivois

picarón *nm Chile, Perú* = biscuit nappé de sirop

picatoste *nm* croûton *m*

picha *nf muy Fam* zizi *m*; **hacerse la p. un lío** s'emmêler les pinceaux

pichichi *nmf* = meilleur buteur d'un championnat de football

pichincha *nf Bol, RP Fam* occase *f*

pichón *nm* pigeonneau *m*

pickles ['pikles] *nmpl RP* pickles *mpl*

picnic *(pl picnics) nm* pique-nique *m*

pico *nm (de pájaro)* bec *m*; *(saliente)* coin *m*; *(punta)* pointe *f*; *(herramienta, montaña)* pic *m*; *Fam (boca)* caquet *m*; *Fam* **cerrar el p.** fermer son caquet, la fermer; **y p.** *(cantidad indeterminada)* et quelques; **a las cinco y p.** à cinq heures et quelques

picor *nm* démangeaison *f*

picoso, -a *adj Méx* piquant(e)

picotear *vt (sujeto: ave)* picorer; *Fig (comer)* grignoter

pictórico, -a *adj* pictural(e)

pie *nm* pied *m*; *(de escrito)* bas *m*; **a p.** à pied; **al p. de la página** au bas de la page; **dar el p.** donner la réplique; **al p. de la letra** au pied de la lettre; **andar con pies de plomo** y aller doucement; **buscarle (los) tres pies al gato** chercher midi à quatorze heures; **con buen p.** du bon pied; **dar p. a alguien para que haga algo** donner l'occasion à qn de faire qch; **de** o **en p.** debout; **de pies a cabeza** des pieds à la tête; **en p. de guerra** sur le pied de guerre; **levantarse con el p. izquierdo** se lever du pied gauche; **no tener ni pies ni cabeza** n'avoir ni queue ni tête; *Fig (propuesta)* ne pas tenir debout; **pararle los pies a alguien** remettre qn à sa place; **seguir en p.**

(oferta, proposición) être toujours valable; *(edificio)* être toujours debout

piedad *nf (compasión)* pitié *f*; *(religiosidad)* piété *f*

piedra *nf* pierre *f*; **poner la primera p.** poser les bases; *Fig* **quedarse de p.** tomber de haut, ne pas en revenir ☆ **p. pómez** pierre ponce; **p. preciosa** pierre précieuse

piel *nf* peau *f*; *(cuero)* cuir *m*; **jugarse la p.** risquer sa vie; *Fig* **la p. de toro** l'Espagne *f*; **una cazadora de p.** un blouson en cuir; **un abrigo de p.** un manteau de fourrure ☆ **p. roja** Peau-Rouge *mf*

pierna *nf (de persona)* jambe *f*; *(de ave, perro)* patte *f*; *(de cordero)* gigot *m*

pieza *nf* pièce *f*; **p. de recambio** o **repuesto** pièce détachée; *Fig* **dejar/quedarse de una p.** laisser/rester sans voix

pifiar *vt Fam* **pifiarla** gaffer

pigmentación *nf* pigmentation *f*

pigmento *nm* pigment *m*

pijama *nm* pyjama *m*

pijo, -a *adj & nm,f Fam* snobinard(e) *m,f*

pila *nf* pile *f*; *(fregadero)* évier *m*; *Fam (montón)* montagne *f*; **tiene una p. de deudas** il a une montagne de dettes

pilar *nm también Fig* pilier *m*

píldora *nf* pilule *f*; **tomar la p.** prendre la pilule; *Fig* **dorar la p. a alguien** dorer la pilule à qn

pileta *nf RP (piscina)* piscine *f*; *(en baño)* lavabo *m*; *(en cocina)* évier *m*

pillaje *nm* pillage *m*

pillar 1 *vt* attraper; *(atropellar)* renverser; *Fam (sorprender)* surprendre; *(aprisionar)* coincer; *(dedos)* pincer; *(chiste, explicación)* saisir; **me pilló en pijama** il m'a surpris en pyjama

2 *vi* **me pilla de paso** c'est sur mon chemin; **me pilla lejos** c'est loin de chez moi
 3 pillarse *vpr* se coincer; *(un dedo)* se pincer
pillo, -a *adj & nm,f Fam* coquin(e) *m,f*
pilotar *vt* piloter
piloto 1 *nm (conductor)* pilote *m*; *(indicador luminoso) (de aparato)* voyant *m* lumineux; *(de vehículo)* feu *m*; *CSur (impermeable)* imperméable *m* ☆ *p. automático* pilote automatique
 2 *adj inv (granja, instituto)* pilote; *(piso)* témoin
piltrafa *nf (resto)* reste *m*; *Fam (persona débil)* loque *f*
pimentón *nm* paprika *m*; *Ven (pimiento morrón)* poivron *m*
pimienta *nf* poivre *m*
pimiento *nm* piment *m* ☆ *p. morrón* poivron *m*
pimpollo *nm (de planta)* rejeton *m*; *Fam Fig* ¡vaya p.! *(persona atractiva)* quel canon!; **está hecho un p.** il est devenu beau gosse
pinacoteca *nf (museo)* pinacothèque *f*; *(galería)* galerie *f (de peinture)*
pinar *nm* pinède *f*
pincel *nm (instrumento)* pinceau *m*; *Fig (estilo)* touche *f*
pinchadiscos *nmf inv* disc-jockey *m*
pinchar 1 *vt* piquer; *(rueda, globo)* crever; *Fam Fig (irritar)* asticoter; *Fam Fig (incitar)* tanner; *Fam (teléfono)* mettre sur écoutes; **ése ni pincha ni corta** il compte pour du beurre
 2 *vi (rueda)* crever; *(barba)* gratter
 3 pincharse *vpr* se piquer; *(rueda)* crever; *(inyectarse)* se faire faire une piqûre; *Fam (droga)* se piquer
pinchazo *nm* piqûre *f*; *(de neumático)* crevaison *f*
pinche 1 *nmf* aide-cuisinier(ère) *m,f*
 2 *adj Méx Fam* satané(e)

pincho *nm (espina)* épine *f*; *(varilla)* pique *f*; *(aperitivo)* amuse-gueule *m* ☆ *p. moruno* = brochette de viande de porc
pinga *nf Andes, Méx, Ven Vulg* quéquette *f*
pingajo *nm Fam Pey* **ir hecho un p.** être tout déguenillé
ping-pong [pin'pon] *nm* ping-pong *m*
pingüinera *nf Arg, Chile* colonie *f* de pingouins
pingüino *nm* pingouin *m*
pinitos *nmpl también Fig* **hacer sus p.** faire ses premiers pas
pino *nm* pin *m*; *Fam Fig* **en el quinto p.** à perpète; **hacer el p.** faire l'équilibre sur les mains
pinole *nm CAm, Méx* farine *f* de maïs grillée
pinta *nf (lunar)* tache *f*; *Fig (aspecto)* air *m*; *(unidad de medida)* pinte *f*; **con pintas blancas** tacheté(e) de blanc; **la comida tiene buena p.** le repas a l'air bon; ¡vaya pintas que lleva! il a une de ces allures!
pintado, -a 1 *adj (coloreado)* peint(e); *(maquillado)* maquillé(e); **recién p.** *(en letrero)* peinture fraîche; **me va que ni p.** *(ropa)* ça me va comme un gant
 2 *nf* **pintada** *(escrito)* graffiti *m*; *(ave)* pintade *f*
pintalabios *nm inv* rouge *m* à lèvres
pintar 1 *vt* peindre; *Fig (describir)* dépeindre
 2 *vi* **p. bien/mal** *(bolígrafo, rotulador)* écrire bien/mal; **aquí no pinto nada** je n'ai rien à faire ici; ¿qué pinto yo en este asunto? qu'est-ce que j'ai à voir là-dedans?
 3 pintarse *vpr (maquillarse)* se maquiller; **pintárselas uno solo para algo** ne pas avoir son pareil pour qch
pintor, -ora *nm,f* peintre *m* ☆ *p. de brocha gorda* peintre en bâtiment; *p. colorista* coloriste *mf*

pintoresco, -a *adj* pittoresque; *Fig (extravagante)* haut(e) en couleur

pintura *nf* peinture *f*; **p. al óleo** peinture à l'huile; **no puedo verlo ni en p.** je ne peux pas le voir en peinture

pinza *nf* pince *f*; *(para tender la ropa)* pince *f* à linge

piña *nf (tropical)* ananas *m*; *(del pino)* pomme *f* de pin; *Fig* **reaccionar como una p.** faire bloc; *Fam* **dar una p. a alguien** *(un golpe)* flanquer un coup à qn

piñata *nf* = récipient suspendu que des enfants aux yeux bandés brisent à coups de bâton pour y récupérer des friandises

piñón *nm* pignon *m*; *Fig* **están a partir un p.** ils sont comme les deux doigts de la main

pío, -a 1 *adj* pieux(euse)
2 *nm* pépiement *m*; *Fig* **no decir ni p.** ne pas piper

piojo *nm* pou *m*

piola *adj RP (cuerda)* corde *f*; *RP Fam (astuto)* malin(igne)

piolín *nm RP* ficelle *f*

pionero, -a *nm,f* pionnier(ère) *m,f*

pipa *nf (para fumar)* pipe *f*; *(semilla)* pépin *m*; *(de girasol)* graine *f* de tournesol; *(tonel)* tonneau *m*; *Am (camión)* camion-citerne *m*; *Fam* **pasarlo** *o* **pasárselo p.** s'éclater

pipí *nm Fam* pipi *m*; **hacer p.** faire pipi

pipián = **pepián**

pique *nm (rivalidad)* concurrence *f*; **tener un p. con alguien** *(un enfado)* être en froid avec qn; **irse a p.** *(barco, plan)* couler

piquete *nm* piquet *m*; *(grupo armado)* peloton *m*

pirado, -a *adj Fam* cinglé(e)

piragua *nf* pirogue *f*; *(en deporte)* canoë *m*

piragüismo *nm* canoë-kayak *m (discipline)*

pirámide *nf* pyramide *f*

piraña *nf* piranha *m*

pirañita *nmf Perú* gamin(e) *m,f* des rues

pirarse *vpr Fam* se casser

pirata 1 *adj también Fig* pirate
2 *nmf* pirate *m* ☆ **p. informático** pirate informatique

piratear *vt & vi* pirater

pirindolo *nm* machin *m*

Pirineos *nmpl* **los P.** les Pyrénées *fpl*

piripi *adj Fam* pompette

piro *nm Fam* **darse el p.** se barrer

pirómano, -a *nm,f* pyromane *mf*

piropear *vt Fam* faire du plat à

piropo *nm Fam* compliment *m*

pirotecnia *nf* pyrotechnie *f*

pirrar *Fam* **1** *vt* **me pirra el marisco** j'adore les fruits de mer
2 pirrarse *vpr Fam* **pirrarse por algo** être fana de qch; **pirrarse por alguien** s'enticher de qn

pirueta *nf* pirouette *f*; *Fig* **hacer piruetas con** jongler avec

piruleta *nf* sucette *f (plate et ronde)*

pirulí *(pl* **pirulís***) nm* sucette *f*

pis *nm Fam* pipi *m*; **hacer p.** faire pipi; **hacerse p.** *(tener ganas)* avoir une envie pressante

pisada *nf* pas *m*

pisapapeles *nm inv* presse-papiers *m inv*

pisar *vt (con el pie)* marcher sur; *(pedal, acelerador)* appuyer sur; *también Fig* **p. a alguien** marcher sur les pieds à qn; *Fig* **p. una idea a alguien** couper l'herbe sous le pied à qn; *Fig* **venir pisando fuerte** être prometteur(euse)

piscifactoría *nf* élevage *m* piscicole

piscina *nf* piscine *f*

piscis 1 *nm inv (zodiaco)* Poissons *mpl*
2 *nmf inv (persona)* Poissons *m inv*

pisco *nm Chile, Perú* eau-de-vie *f* de marc; **p. sauer** = cocktail à l'eau-de-

vie de marc, au jus de citron et au
sucre

piso *nm (vivienda)* appartement *m*;
(planta) étage *m*; *(suelo)* sol *m*; *(capa)* couche *f*

pisotear *vt (con el pie)* piétiner; *Fig
(humillar)* rabaisser

pisotón *nm Fam* **me dieron un p.**
quelqu'un m'a marché sur le pied

pista *nf* piste *f* ☆ **p. de esquí** piste de
ski; **p. de hielo** patinoire *f*; **p. de tenis** court *m* de tennis

pistacho *nm* pistache *f*

pisto *nm* ratatouille *f*

pistola *nf (arma, pulverizador)* pistolet *m*; *(de grapas)* agrafeuse *f*
☆ **p. de agua** pistolet à eau

pistolero, -a 1 *nm,f* tueur(euse) *m,f*
2 *nf* **pistolera** étui *m* de revolver

pistón *nm* piston *m*

pitada *nf Am* taffe *f*

pitar 1 *vt* siffler
2 *vi (tocar el pito)* siffler; *(vehículo)*
klaxonner; *Fam (funcionar)* rouler;
Am Fam (fumar) fumer; **salir/irse/
venir pitando** sortir/partir/venir en
quatrième vitesse

pitido *nm (de silbato)* coup *m* de sifflet; *(de cláxon)* coup *m* de Klaxon®;
(de aparato electrónico) bip *m*

pitillo *nm (cigarro)* cigarette *f*; *Col,
Ven (pajita)* paille *f*

pito *nm (silbato)* sifflet *m*; *(de vehículo)* Klaxon® *m*; *Fam (cigarrillo)*
clope *f*; *Fam (pene)* zizi *m*; *Fam* **me
importa un p.** je m'en fiche comme
de l'an quarante

pitón 1 *nm (cuerno)* corne *f*; *(pitorro)*
bec *m* (verseur)
2 *nf (serpiente)* python *m*

pitonisa *nf* voyante *f*

pitorrearse *vpr Fam* **p. de** se ficher de

pitorreo *nm Fam* rigolade *f*

pitorro *nf* bec *m* (verseur)

pivote, pívot *(pl* **pivots)** *nmf (en deporte)* pivot *m*

píxel *nm* pixel *m*

pizarra *nf (material)* ardoise *f*; *(encerado)* tableau *m*

pizarrón *nm Am* tableau *m* (noir)

pizca *nf Fam* **una p. de** un petit
peu de; **una p. de sal** une pincée de
sel; **no veo ni p.** je n'y vois que dalle;
no me gusta ni p. je n'aime pas ça du
tout

pizza ['pitsa] *nf* pizza *f*

pizzería [pitse'ria] *nf* pizzeria *f*

placa *nf* plaque *f*; *Méx (matrícula)*
plaque *f* d'immatriculation ☆ **p. solar** panneau *m* solaire; **p. de vitrocerámica** table *f* de cuisson en
vitrocéramique

placar *nm RP* armoire *f* encastrée

placenta *nf* placenta *m*

placentero, -a *adj* plaisant(e)

placer *nm* plaisir *m*

plácido, -a *adj* placide

plafón *nm (lámpara)* plafonnier *m*

plaga *nf* fléau *m*; *(epidemia)* épidémie *f*; *Fig (gran cantidad)* invasion *f*

plagado, -a *adj* rempli(e); **p. de deudas** criblé de dettes

plagar [38] *vt* **p. de** remplir de

plagiar *vt (copiar)* plagier; *Andes
(secuestrar)* kidnapper

plagio *nm* plagiat *m*

plan *nm* plan *m*; **¿qué planes tienes?**
(para pasar el tiempo) qu'est-ce que
tu comptes faire?; *Fam* **le salió un p.**
(un ligue) elle s'est fait draguer; *Fam*
lo dijo en p. serio il a dit ça sérieusement; **lo dijo en p. de broma** il a dit ça
pour rire; *Fam* **¡menudo p.!** tu parles
d'un amusement! ☆ **p. de pensiones
o de jubilación** plan d'épargne retraite

plana *ver* **plano**

plancha *nf (para planchar)* fer *m* à
repasser; *(acción)* repassage *m*;
(para cocinar) gril *m*; *(placa)* plaque
f; *(de madera)* planche *f*; *Fam (metedura de pata)* gaffe *f*; *(en fútbol)*

tacle *m*; *(carrocería)* tôle *f*; **a la p.** grillé(e)

planchado *nm* repassage *m*

planchar *vt* repasser

plancton *nm* plancton *m*

planeador *nm* planeur *m*

planear 1 *vt (hacer planes)* projeter; *(preparar)* planifier
  2 *vi (hacer planes)* faire des projets; *(en el aire)* planer

planeta *nm* planète *f*

planetario, -a *adj* planétaire

planicie *nf* plaine *f*

planificación *nf* planification *f* ✩ **p. familiar** planning *m* familial

planificar [59] *vt* planifier

planilla *nf Am* formulaire *m*

planisferio *nm* planisphère *m*

plano, -a 1 *adj (llano)* plat(e)
  2 *nm* plan *m*; *también Fig* **en primer p.** au premier plan; *también Fig* **en segundo p.** à l'arrière-plan; *Fig* **de p.** en plein; **el sol da de p. en la terraza** le soleil donne en plein sur la terrasse; **caerse de p.** tomber de tout son long
  3 *nf* **plana** *(página)* page *f*; **una ilustración a toda plana** une illustration pleine page

planta *nf* plante *f*; *(piso)* étage *m*; *(fábrica)* usine *f* ✩ **p. baja** rez-de-chaussée *m inv*; **p. depuradora** station *f* d'épuration

plantación *nf* plantation *f*

plantado, -a *adj* planté(e); *Fam Fig* **dejar p. a alguien** laisser tomber qn; *Fig* **ser bien p.** être bien de sa personne

plantar 1 *vt* planter; *Fam (asestar, poner)* flanquer; *Fam (despedir)* flanquer dehors; *Fam (abandonar)* plaquer; *Fam* **le plantó cuatro frescas** il lui a sorti ses quatre vérités
  2 plantarse *vpr* se planter; **en cinco minutos te plantas ahí** tu y es en cinq minutes; **plantarse en algo** *(en una*

actitud) ne pas démordre de qch; **me planto** *(en juego de naipes)* servi(e)

planteamiento *nm (enfoque)* approche *f*; *(exposición)* exposé *m*

plantear 1 *vt (problema, cuestión)* poser; *(posibilidad, cambio)* envisager
  2 plantearse *vpr (problema, cuestión)* se poser; *(posibilidad, cambio)* envisager

plantel *nm (conjunto)* groupe *m*

plantilla *nf (de una empresa)* personnel *m*; *(suela interior)* semelle *f*; *(modelo)* patron *m*

plantón *nm Fam* **dar un p. a alguien** poser un lapin à qn

plaqueta *nf (de la sangre)* plaquette *f*; *(baldosa)* carreau *m* de faïence *(revêtement de sol)*

plasmar 1 *vt Fig (reflejar)* exprimer; *(modelar)* façonner
  2 plasmarse *vpr* se concrétiser

plasta 1 *adj & nmf Fam* enquiquineur(euse) *m,f*
  2 *nf (cosa blanda)* bouillie *f*

plástico, -a 1 *adj* plastique
  2 *nm (material)* plastique *m*; *Fam (tarjetas de crédito)* cartes *fpl* de crédit
  3 *nf* **plástica** plastique *f*

plastificar [59] *vt* plastifier

plastilina *nf* pâte *f* à modeler

plata *nf* argent *m*; *(objetos de plata)* argenterie *f*; *Am (dinero)* argent *m*; **p. de ley** argent titré; *Fam* **hablar en p.** parler franchement

plataforma *nf* plate-forme *f*; *Fig (punto de partida)* tremplin *m* ✩ **p. continental** plate-forme continentale; **p. petrolífera** plate-forme pétrolière

plátano *nm (fruta)* banane *f*; *(árbol) (tropical)* bananier *m*; *(de sombra)* platane *m*

platea *nf* parterre *m*

plateado, -a *adj* argenté(e)

plática *nf CAm, Méx* conversation *f*

platicar [59] *CAm, Méx* **1** *vi* discuter
2 *vt* raconter

platillo *nm (plato pequeño)* soucoupe *f*; *(de balanza)* plateau *m*; **platillos** *(instrumento)* cymbale *f* ☆ *p. volante* soucoupe volante

platina *nf* platine *f*

platino *nm* platine *m*; *Aut* **platinos** vis *fpl* platinées

plato *nm* assiette *f*; *(comida)* plat *m*; *(de tocadiscos)* platine *f*; *(de balanza, bicicleta)* plateau *m*; **lavar los platos** faire la vaisselle; *Fig* **pagar los platos rotos** payer les pots cassés; *Fig* **el p. fuerte de la historia es que...** le meilleur c'est que... ☆ *p. combinado* plat garni; *p. hondo o sopero* assiette creuse *ou* à soupe; *p. llano* assiette plate; *p. de postre* assiette à dessert; *primer p.* entrée *f*; *segundo p., p. fuerte* plat de résistance

plató *nm (de televisión)* plateau *m*

platónico, -a *adj* platonique

platudo, -a *adj Am Fam* friqué(e)

plausible *adj* plausible

playa *nf* plage *f*; *Am* **p. de estacionamiento** *(aparcamiento)* parking *m*

play-back ['pleibak] *(pl play-backs)* *nm* play-back *m*

play-boy [plei'boi] *(pl play-boys)* *nm* play-boy *m*

playero, -a **1** *adj* de plage
2 *nf* **playera** *CAm, Méx (camiseta)* tee-shirt *m*
3 *nfpl* **playeras** chaussures *fpl* en toile

plaza *nf* place *f*; *(puesto de trabajo)* poste *m*; *(mercado)* marché *m*; *(zona, población)* zone *f*; *(fortificación)* place *f* forte ☆ *p. de toros* arènes *fpl*

plazo *nm (de tiempo)* délai *m*; *(de dinero)* versement *m*; **p. de inscripción** dates *fpl* d'inscription; **a corto/largo p.** à court/long terme; **a plazos** à crédit

plazoleta *nf* petite place *f*

plebe *nf* plèbe *f*

plebeyo, -a *adj & nm,f* plébéien (enne) *m,f*

plebiscito *nm* plébiscite *m*

plegable *adj* pliant(e)

plegar [43] **1** *vt* plier
2 plegarse *vpr* **plegarse a algo** se plier à qch

plegaria *nf* prière *f*

pleito *nm* procès *m*; *Am (conflicto)* dispute *f*

plenario, -a *adj* plénier(ère)

plenilunio *nm* pleine lune *f*

plenitud *nf* plénitude *f*

pleno, -a **1** *adj* plein(e); **en p.** *(en medio de)* en plein; *(en su totalidad)* au grand complet; **en p. día** en plein jour; **en plena forma** en pleine forme; **miembro de p. derecho** membre *m* de plein droit
2 *nm (reunión)* séance *f* plénière; **acertar el p.** *(en juego de azar)* avoir tous les bons numéros

pletórico, -a *adj* **p. de** plein(e) de

pliego *nm (hoja)* feuille *f* (de papier); *(documento)* pli *m*; **p. de condiciones** cahier *m* des charges

pliegue *nm* pli *m*

plisado *nm (acción)* plissage *m*; *(resultado)* plissé *m*

plomería *nf Méx, RP, Ven* plomberie *f*

plomero *nm Méx, RP, Ven* plombier *m*

plomizo, -a *adj* de plomb; **un cielo p.** un ciel de plomb

plomo *nm* plomb *m*; *Fam (pelmazo)* casse-pieds *mf inv*; *Fam* **caer a p.** tomber comme une masse

plotter *(pl plotters) nm Informát* traceur *m*

pluma *nf* plume *f*; *Fig (escritor)* homme *m* de plume; *Carib, Méx (bolígrafo)* stylo *m*; **tener mucha p.** *(amaneramiento)* être très maniéré(e)

plum-cake (*pl* **plum-cakes**) [pluŋ'-keik] *nm* cake *m*

plumero *nm* plumeau *m*; *Fam Fig* **vérsele a alguien el p.** voir venir qn

plumier (*pl* **plumiers**) *nm* plumier *m*

plumífero *nm Fam* (*anorak*) doudoune *f*

plumilla *nf* plume *f* (*de stylo*)

plumón *nm* (*de ave*) duvet *m*

plural 1 *adj* pluriel(elle)
2 *nm* pluriel *m*

pluralidad *nf* pluralité *f*

pluralismo *nm* pluralisme *m*

pluriempleo *nm* cumul *m* d'emplois

plus (*pl* **pluses**) *nm* prime *f* (*gratification*)

pluscuamperfecto *nm* plus-que-parfait *m*

plusmarca *nf* record *m*

plusvalía *nf* plus-value *f*

Plutón *n* (*dios, planeta*) Pluton

pluvial *adj* pluvial(e)

PNB *nm* (*abrev* **producto nacional bruto**) PNB *m*

población *nf* population *f*; (*acción*) peuplement *m*; (*ciudad pequeña*) localité *f*; *Chile* (*chabola*) bidonville *m* ☆ **p. activa** population active

poblado, -a 1 *adj* (*habitado*) peuplé(e); *Fig* (*barba, cejas*) fourni(e)
2 *nm* village *m*

poblador, -ora *nm,f* habitant(e) *m,f*

poblar [63] **1** *vt* peupler
2 poblarse *vpr* se peupler

pobre 1 *adj* pauvre; **¡p. hombre!** pauvre homme!; **¡p. de mí/ti/etc!** pauvre de moi/toi/etc!
2 *nmf* pauvre *mf*

pobreza *nf* pauvreté *f*; **p. de** (*de cosas materiales*) manque *m* de

pocho, -a *adj* (*persona*) patraque; (*fruta*) blet (blette); *Méx Fam* américanisé(e)

pochoclo *nm Arg* pop-corn *m inv*

pocilga *nf* también *Fig* porcherie *f*

pocillo *nm Am* (*taza*) tasse *f*; (*jarra*) chope *f*

pócima *nf* (*brebaje*) potion *f*; *Pey* **este cóctel es una p.** ce cocktail est imbuvable

poción *nf* potion *f*

poco, -a 1 *adj* peu de; **p. trabajo** peu de travail; **de poca importancia** de peu d'importance; **dame unos pocos días** donne-moi quelques jours; **las vacantes son pocas** les places sont rares
2 *pron* peu; **han aprobado pocos** il y en a peu qui ont réussi; **tengo muy pocos** j'en ai très peu; **tengo amigos, pero pocos** j'ai des amis, mais j'en ai peu; **unos pocos** quelques-uns *mpl*; **un p. (de)** un peu (de); **un p. de paciencia** un peu de patience; **al p. de hacer algo** peu après avoir fait qch
3 *adv* (*con escasez*) peu; **come p.** il mange peu; **está p. salado** ce n'est pas très salé; **por p.** pour un peu; **por p. lo consigo** j'ai failli réussir; **por p. se desmaya** pour un peu, il s'évanouissait; **tardaré p.** je ne serai pas long; **al p. de llegar** peu après son arrivée; **dentro de p.** bientôt, sous peu; **llegará dentro de p.** il arrivera bientôt; **hace p. (tiempo)** il n'y a pas longtemps; **p. a p.** peu à peu; **¡p. a p.!** doucement!

podadora *nf Am* tondeuse *f* à gazon

podar *vt* (*árboles*) élaguer; (*vides, rosales*) tailler

poder¹ [49] **1** *vt* pouvoir; (*tener más fuerza que*) battre; **a mí no hay quien me pueda** je suis le (la) plus fort(e)
2 *vi* pouvoir; **puedo pagarme el viaje** je peux me payer le voyage; **puede ejercer su carrera** il peut exercer son métier; **no podemos abandonarlo** nous ne pouvons pas l'abandonner; **puede estallar la guerra** la guerre peut éclater; **podías habérmelo dicho** tu aurais pu me le dire; **p. con** (*dominar*) venir à bout de; **ella sola no podrá con la corrección de pruebas**

(realizar) elle ne pourra pas corriger les épreuves toute seule ; **no p. con algo/con alguien** *(no soportar)* ne pas supporter qch/qn ; **no puedo más** je n'en peux plus ; **¿se puede?** on peut entrer ? ; **lloró hasta más no p.** il a pleuré tant qu'il a pu

3 *v impersonal (ser posible)* **puede que llueva** il va peut-être pleuvoir, il se peut qu'il pleuve ; **¿vendrás mañana? — puede** tu viendras demain ? — c'est possible *ou* peut-être

poder² *nm* pouvoir *m* ; *(capacidad)* puissance *f* ; *(autorización)* pouvoir *m*, procuration *f* ; **estar en el/hacerse con el p.** être au/prendre le pouvoir ; **un detergente de un gran p. limpiador** un détergent très puissant ; **estar en p. de alguien** être entre les mains de qn ; **dar poderes a alguien** donner procuration à qn ; **por poderes** par procuration ☆ **p. adquisitivo** pouvoir d'achat ; **p. ejecutivo** pouvoir exécutif ; **p. judicial** pouvoir judiciaire ; **p. legislativo** pouvoir législatif ; **poderes públicos** pouvoirs publics

poderío *nm (poder)* puissance *f*

poderoso, -a *adj* puissant(e)

podio, podium *nm* podium *m*

podólogo, -a *nm,f* podologue *mf*

podrá, podría *ver* **poder**

podrido, -a 1 *participio ver* **pudrir**
 2 *adj (putrefacto)* pourri(e) ; *RP (persona)* **estoy p.** j'en ai marre

poema *nm* poème *m*

poesía *nf* poésie *f*

poeta *nm* poète *m*

poético, -a *adj* poétique

poetisa *nf* poétesse *f*

póker = **póquer**

polaco, -a 1 *adj* polonais(e)
 2 *nm,f* Polonais(e) *m,f*
 3 *nm (lengua)* polonais *m*

polar *adj* polaire

polarizar [14] **1** *vt (atención, luz)* polariser ; *Fig (asunto, cuestión)* centrer

2 polarizarse *vpr* **polarizarse en** se polariser sur ; *(asunto, cuestión)* être centré(e) sur

polaroid® *nf inv* Polaroid® *m*

polca *nf* polka *f*

polea *nf* poulie *f*

polémico, -a *adj* polémique
 2 *nf* **polémica** polémique *f*

polemizar [14] *vi* polémiquer (**sobre** sur)

polen *nm* pollen *m*

polenta *nf* polenta *f*

poleo *nm* menthe *f* forte

polera *nf Chile, Perú* tee-shirt *m*

poli *Fam* **1** *nmf* flic *m*
 2 *nf* **la p.** les flics *mpl*

poliamida *nf* polyamide *m*

policía 1 *nmf* policier *m*, femme *f* policier
 2 *nf* police *f*

policiaco, -a, policíaco, -a *adj* policier(ère)

policial *adj* policier(ère) ; *(furgón, redada)* de police

policromado, -a *adj Arte* polychrome

polideportivo, -a 1 *adj* omnisports
 2 *nm* palais *m* omnisports

poliedro *nm* polyèdre *m*

poliéster *nm inv* polyester *m*

polietileno *nm* polyéthylène *m*

polifacético, -a *adj* éclectique

poligamia *nf* polygamie *f*

polígamo, -a *adj & nm,f* polygame *mf*

poligloto, -a, políglota, -a *adj & nm,f* polyglotte *mf*

polígono *nm* polygone *m* ; *(superficie de terreno)* zone *f* ☆ **p. industrial** zone industrielle ; **p. de tiro** polygone de tir

polilla *nf* mite *f*

polímero *nm* polymère *m*

polio *nf* polio *f*

poliomielitis *nf inv* poliomyélite *f*

polipiel *nf* similicuir *m*

pólipo *nm* polype *m*

politécnico, -a 1 *adj* polytechnique **2** *nf* **politécnica** = école supérieure d'enseignement technique

politeísmo *nm* polythéisme *m*

político, -a 1 *adj* politique ; **el hermano p.** le beau-frère ; **la familia política** la belle-famille **2** *nm* homme *m* politique **3** *nf* **política** politique *f*

politizar [14] **1** *vt* politiser **2 politizarse** *vpr (debate, conflicto)* se politiser ; *(persona)* participer à la vie politique

polivalente *adj* polyvalent(e)

póliza *nf (de seguros)* police *f* ; *(sello)* timbre *m* fiscal

polizón *nm* passager *m* clandestin

polla *ver* **pollo**

pollera *nf Andes (indígena)* = type de jupe longue portée par les Indiennes ; *RP (occidental)* jupe *f*

pollería *nf* **en la p.** chez le volailler

pollito *nm* poussin *m*

pollo, -a 1 *nm,f (cría de la gallina)* poussin *m* **2** *nm* poulet *m* ; *Fam (joven)* jeunot *m* **3** *nf* **polla** *Vulg* bite *f*

polo *nm* pôle *m* ; *(helado)* glace *f (à l'eau)* ; *(camisa)* polo *m* ; *(deporte) (con caballos)* polo *m* ; *(acuático)* water-polo *m* ; *Fig* **ser polos opuestos** être tout le contraire l'un de l'autre ☆ **p. negativo** pôle négatif ; **p. norte** pôle Nord ; **p. positivo** pôle positif ; **p. sur** pôle Sud

pololear *vi Chile Fam* **p. con alguien** sortir avec qn ; **están pololeando** ils sortent ensemble

pololo, -a *nm,f Chile Fam* petit(e) ami(e) *m,f*

Polonia *n* la Pologne

poltrona *nf* bergère *f (fauteuil)*

polución *nf* pollution *f*

polvareda *nf* nuage *m* de poussière ; *Fig* **levantar una gran p.** provoquer des remous

polvera *nf* poudrier *m*

polvo *nm (partículas en el aire)* poussière *f* ; *(de producto pulverizado)* poudre *f* ; **limpiar** *o* **quitar el p.** faire la poussière *ou* les poussières ; **en p.** en poudre ; *Vulg* **echar un p.** tirer un coup ; *Fam* **estar hecho p.** *(cansado)* être vanné ; *(estropeado)* être fichu ; *(deprimido)* être au trente-sixième dessous ; *Fam* **hacer p. algo** bousiller qch ; **polvos** *(maquillaje)* poudre ☆ **polvos de talco** talc *m*

pólvora *nf* poudre *f*

polvoriento, -a *adj* poussiéreux (euse)

polvorín *nm* poudrière *f*

polvorón *nm* = petit gâteau de consistance friable, à base de farine, de suif et d'amandes, que l'on mange à Noël

pomada *nf* pommade *f*

pomelo *nm (árbol)* pamplemoussier *m* ; *(fruto)* pamplemousse *m*

pomo *nm (de puerta, cajón)* bouton *m*

pompa *nf* pompe *f (cérémonial)* ☆ **p. de jabón** bulle *f* de savon ; **pompas fúnebres** pompes funèbres

pompas *nfpl Méx Fam* derrière *m*

pompis *nm inv Fam* derrière *m*

pompón *nm* pompon *m*

pomposo, -a *adj* pompeux (euse)

pómulo *nm (mejilla)* pommette *f*

ponchar *CAm, Méx* **1** *vt* crever **2 poncharse** *vpr* crever

ponche *nm* punch *m (boisson)*

poncho *nm* poncho *m*

ponderar *vt (alabar)* porter aux nues ; *(considerar)* examiner ; *(en estadística)* pondérer

ponencia *nf (conferencia)* communication *f* ; *(informe)* rapport *m*

ponente *nmf (en congreso)* intervenant(e) *m,f*
poner [50] **1** *vt* (**a**) *(en general)* mettre; ¿dónde has puesto el libro? où as-tu mis le livre?; **pon vinagre en la ensalada** mets du vinaigre dans la salade; **lo pones de mal humor** tu le mets de mauvaise humeur; **puso toda su voluntad en ello** il y a mis toute sa volonté; **pon la radio** mets la radio; **ponle el abrigo** mets-lui son manteau; **p. a régimen** mettre au régime
(**b**) *(cambiar el humor de)* rendre; **p. triste** rendre triste
(**c**) *(mostrar)* faire; **¡no pongas esa cara!** ne fais pas cette tête!
(**d**) *(contribuir)* **ya he puesto mi parte** j'ai déjà payé ma part; **p. algo de su parte** y mettre du sien
(**e**) *(calificar, tratar)* **p. a alguien de** traiter qn de
(**f**) *(deberes)* donner
(**g**) *(telegrama, fax)* envoyer; **p. una conferencia** appeler à l'étranger; **¿me pones con él?** tu me le passes?
(**h**) *(en cine, televisión)* passer; *(en teatro)* donner
(**i**) *(instalar)* **están poniendo el gas y la luz** on installe le gaz et l'électricité; **han puesto su casa con mucho gusto** ils ont arrangé leur maison avec beaucoup de goût
(**j**) *(montar)* ouvrir; **han puesto una tienda** ils ont ouvert un magasin
(**k**) *(llamar)* appeler; **le pusieron Mario** ils l'ont appelé Mario
(**l**) *(suponer)* **pon que..., pongamos que...** mettons *ou* admettons que...
(**m**) *(sujeto: ave)* pondre
2 *vi (ave)* pondre
3 ponerse *vpr* (**a**) *(colocarse)* se mettre; **ponerse de pie** se mettre debout
(**b**) *(ropa, galas, maquillaje)* mettre
(**c**) *(estar de cierta manera)* devenir; **se puso rojo de ira** il est devenu rouge de colère; **¡no te pongas así!** ne te mets pas dans un état pareil!

(**d**) *(iniciar acción)* **ponerse a hacer algo** se mettre à faire qch
(**e**) *(de salud)* **ponerse bien** se rétablir; **ponerse malo** *o* **enfermo** tomber malade
(**f**) *(llenarse)* **se ha puesto de barro hasta las rodillas** il s'est couvert de boue jusqu'aux genoux
(**g**) *(sujeto: astro)* se coucher
(**h**) *Col, Ven Fam (tener la impresión de que)* **se me pone que...** j'ai l'impression que...
pongo *ver* **poner**
poni, poney ['poni] *nm* poney *m*
poniente *nm (occidente)* couchant *m*; *(viento)* vent *m* d'ouest
ponqué *nm Col, Ven* gâteau *m*
pontífice *nm* pontife *m*; **sumo p.** souverain *m* pontife
pop *adj* pop *inv*
popa *nf* poupe *f*
popote *nm Méx* paille *f (pour boire)*
populacho *nm Pey* populace *f*
popular *adj* populaire
popularidad *nf* popularité *f*
popularizar [14] **1** *vt* populariser
2 popularizarse *vpr* devenir populaire
popurrí *(pl* **popurrís**) *nm* pot-pourri *m*
póquer *nm* poker *m*
por *prep* (**a**) *(causa)* à cause de; **se enfadó p. tu culpa** elle s'est fâchée à cause de toi
(**b**) *(finalidad)* pour; **lo hizo p. complacerte** il l'a fait pour te faire plaisir; **lo hizo p. ella** il l'a fait pour elle
(**c**) *(medio, modo, agente)* par; **p. escrito** par écrit; **p. mensajero/fax** par coursier/fax; **lo agarraron p. el brazo** ils l'ont pris par le bras; **huevos p. docenas** des œufs à la douzaine; **el récord fue batido p. el atleta** le record a été battu par l'athlète
(**d**) *(tiempo aproximado)* **p. abril** en avril, dans le courant du mois d'avril

(e) *(tiempo concreto)* **p. la mañana/ tarde/noche** le matin/l'après-midi/ la nuit; **p. unos días** pour quelques jours

(f) *(lugar)* **había papeles p. el suelo** il y avait des papiers par terre; **entramos en África p. Tánger** nous sommes entrés en Afrique par Tanger; **¿p. dónde vive?** où habite-t-il?; **pasar p. la aduana** passer la douane; **p. el bosque/la calle** dans la forêt/la rue

(g) *(a cambio de)* **lo ha comprado p. poco dinero** il l'a acheté pour une petite somme; **cambió la bicicleta p. la moto** il a échangé son vélo contre une moto

(h) *(en lugar de)* pour; **él lo hará p. mí** il le fera pour moi

(i) *(valor distributivo)* **tocan a dos p. cabeza** il y en a deux par personne; **20 km p. hora** 20 km à l'heure

(j) *(elección)* pour; **votó p. mí** elle a voté pour moi

(k) *(en multiplicación)* fois; **tres p. tres...** trois fois trois...

(l) *(en busca de)* **baja p. tabaco** descends chercher des cigarettes; **vino a p. los libros** il est venu chercher les livres

(m) *(aún sin)* **la mesa está p. poner** la table n'est pas (encore) mise

(n) *(a punto de)* **estar p. hacer algo** être sur le point de faire qch; **estuvo p. llamarte** elle a failli t'appeler

(o) *(concesión)* **p. mucho que llores, no arreglarás nada** tu auras beau pleurer, cela ne changera rien

porcelana *nf* porcelaine *f*

porcentaje *nm* pourcentage *m*

porche *nm* porche *m*

porcino, -a *adj* porcin(e)

porción *nf* portion *f*; *(de botín, pastel)* part *f*

pordiosero, -a *nm,f* mendiant(e) *m,f*

porfía *nf (disputa)* discussion *f*; *(insistencia)* obstination *f*; **a p.** avec obstination, obstinément

porfiar [32] *vi (insistir)* insister lourdement; **siempre está porfiando** *(discutiendo)* il faut toujours qu'il discute; **p. en** *(empeñarse en)* s'obstiner à

pormenor *nm* détail *m*

porno *adj Fam* porno

pornografía *nf* pornographie *f*

pornográfico, -a *adj* pornographique

poro *nm* pore *m*

poroso, -a *adj* poreux(euse)

poroto *nm Andes, RP* haricot *m*

porque *conj (ya que)* parce que; *(para que)* pour que; **¡p. sí/no!** parce que!

porqué *nm* **el p. de...** le pourquoi de...

porquería *nf* cochonnerie *f*

porra *nf (palo)* massue *f*; *(de policía)* matraque *f*; *(churro)* = beignet fin et long; *Fam* **mandar a alguien a la p.** envoyer balader qn; *Fam* **¡porras!** mince!, nom d'un chien!; *Fam* **¿qué porras quieres?** mais qu'est-ce que tu veux, bon sang?

porrada *nf Fam* **una p. de** un tas de

porrazo *nm* coup *m*

porro *nm Fam (canuto)* joint *m*; *Am (puerro)* poireau *m*

porrón *nm* = flacon en verre pour boire le vin à la régalade

portaaviones = portaviones

portada *nf (de libro, revista)* couverture *f*; *(de periódico)* une *f*; *(fachada)* façade *f*

portador, -ora 1 *adj* porteur(euse) **2** *nm,f* porteur(euse) *m,f*; **al p.** au porteur

portaequipajes *nm inv (maletero)* coffre *m* à bagages; *(soporte)* galerie *f*

portafolios *nm inv*, **portafolio** *nm Esp (para papeles)* portedocuments *m inv*; *Am (bolso)* cartable *m*

portal *nm (pieza)* entrée *f*; *(puerta)* portail *m*; *(belén)* crèche *f*; *Informát* portail *m*

portamaletas *nm inv Am* coffre *m* à bagages

portapapeles *nm inv Informát* presse-papiers *m inv*

portar 1 *vt* porter

2 portarse *vpr* se comporter; ¡**pórtate bien!** sois sage!; **los niños se han portado bien** les enfants se sont bien tenus; **siempre se ha portado bien conmigo** il (elle) a toujours été très correct(e) avec moi

portátil *adj* portatif(ive); *(ordenador)* portable

portaviones *nm inv* porte-avions *m inv*

portavoz *nmf* porte-parole *mf inv*

portazo *nm* **dar un p.** claquer la porte

porte *nm (prestancia)* allure *f*; *(transporte)* port *m*; **p. debido/pagado** port dû/payé

portento *nm* prodige *m*

portentoso, -a *adj* prodigieux (euse)

porteño, -a 1 *adj* de Buenos Aires

2 *nm,f* = personne originaire de Buenos Aires

portería *nf (de edificio)* loge *f* (du gardien); *(en deporte)* buts *mpl*; **se ocupa de la p.** c'est la gardienne de l'immeuble

portero, -a *nm,f (de edificio)* gardien(enne) *m,f*; *(en deporte)* gardien *m* de but ☆ **p. automático** Interphone® *m*

pórtico *nm* portique *m*

portillo *nm (abertura)* brèche *f*; *(puerta pequeña)* guichet *m*

portuario, -a *adj* portuaire

Portugal *n* le Portugal

portugués, -esa 1 *adj* portugais(e)

2 *nm,f* Portugais(e) *m,f*

3 *nm (lengua)* portugais *m*

porvenir *nm* avenir *m*

posada *nf (fonda)* auberge *f*; **dar p. a alguien** *(hospedar)* héberger qn

posaderas *nfpl Fam* fesses *fpl*

posar 1 *vt & vi* poser

2 posarse *vpr (pájaro, insecto, avión)* se poser; *(partículas, polvo)* se déposer

posavasos *nm inv* dessous *m* de verre

posdata *nf* post-scriptum *m inv*

pose *nf* pose *f (attitude)*

poseedor, -ora 1 *adj* **ser p. de algo** posséder qch

2 *nm,f* possesseur *m*; *(de récord, armas)* détenteur(trice) *m,f*

poseer [37] *vt* posséder

poseído, -a *adj & nm,f* possédé(e) *m,f*

posesión *nf* possession *f*

posesivo, -a *adj* possessif(ive)

poseso, -a *adj & nm,f* possédé(e) *m,f*

posgraduado, -a *adj & nm,f* = titulaire d'un diplôme de troisième cycle

posguerra *nf* après-guerre *m ou f*

posibilidad *nf* possibilité *f*; **hay posibilidades de que…, cabe la p. de que…** il est possible que…; **tiene posibilidades de éxito** il a des chances de réussir

posibilitar *vt* permettre

posible *adj* possible; **hacer p.** rendre possible; **haré (todo) lo p.** je ferai (tout) mon possible; **lo antes p.** le plus tôt possible

posición *nf* position *f*; **tiene una buena p.** il a une belle situation

posicionarse *vpr* se prononcer; **p. a favor de…** se prononcer en faveur de…

positivo, -a *adj* positif(ive)

posmoderno, -a *adj & nm,f* postmoderne *mf*

poso *nm* dépôt *m (d'un liquide)*; **p. de café** marc *m* de café

posponer [50] vt (relegar) faire passer après; (aplazar) reporter

pospuesto, -a participio ver **posponer**

posta: a posta adv exprès

postal 1 adj postal(e)
  2 nf carte f postale

postdata = **posdata**

poste nm poteau m

póster (pl **pósters**) nm poster m

postergar [38] vt (retrasar) repousser; (relegar) reléguer

posteridad nf postérité f

posterior adj (en el espacio) arrière; (en el tiempo) ultérieur(e); **la puerta p.** la porte de derrière

posteriori: a posteriori adv a posteriori

posterioridad nf **con p.** par la suite

postgraduado, -a = **posgraduado**

postguerra = **posguerra**

postigo nm (contraventana) volet m

postín nm ostentation f; **de p.** luxueux(euse)

post-it® nm inv Post-it® m inv

postizo, -a 1 adj faux (fausse)
  2 nm postiche m

postor, -ora nm,f enchérisseur (euse) m,f; **vender algo al mejor p.** vendre qch au plus offrant

postrar 1 vt abattre
  2 postrarse vpr se prosterner

postre 1 nm dessert m
  2 nf **a la p.** en définitive

postrero, -a

On utilise **postrer** devant les noms masculins singuliers.

adj dernier(ère)

postrimerías nfpl fin f; **en las p. de** à la fin de

postulado nm postulat m

postular 1 vt (afirmar) affirmer; (donativos, fondos) collecter; Am (nombrar) sélectionner
  2 postularse vpr Am se présenter;

se postuló para las elecciones il s'est présenté aux élections

póstumo, -a adj posthume

postura nf (posición) posture f; (actitud) attitude f; (en subasta) offre f; **en una p. incómoda** en mauvaise posture

potable adj potable

potaje nm (guiso) = plat de légumes secs

potasio nm potassium m

potencia nf puissance f; **en p.** (potencialmente) potentiellement; (potencial) en puissance

potencial 1 adj potentiel(elle)
  2 nm potentiel m; (tiempo verbal) conditionnel m

potenciar vt favoriser; **este clima potencia la agricultura** ce climat est favorable à l'agriculture

potentado, -a nm,f potentat m

potente adj puissant(e)

potra ver **potro**

potrero nm Am (prado) herbage m

potro, -a 1 nm,f poulain m, pouliche f
  2 nm cheval-d'arçons m
  3 nf **potra** Fam (suerte) pot m; **tener potra** avoir de la veine ou du pot

pozo nm (hoyo) puits m

pozole nm Méx ragoût m de porc au maïs

PP nm (abrev **Partido Popular**) = parti politique espagnol de droite

práctica ver **práctico**

practicante 1 adj pratiquant(e)
  2 nmf (religioso) pratiquant(e) m,f; (auxiliar médico) aide-soignant(e) m,f

practicar [59] **1** vt (ejercitarse en) pratiquer; (hacer) faire; **p. la natación** faire de la natation
  2 vi s'exercer

práctico, -a 1 adj pratique
  2 nm Náut pilote m
  3 nf **práctica** pratique f; **en la práctica** dans la pratique; **llevar algo a la**

práctica, poner algo en práctica mettre qch en pratique; **prácticas** *(en empresa)* stage *m*

pradera *nf* prairie *f*

prado *nm* pré *m*

Praga *n* Prague

pragmático, -a *adj* pragmatique

praliné *nm (crema)* praliné *m*

preacuerdo *nm* accord *m* de principe

preámbulo *nm* préambule *m*

precalentar [3] *vt* préchauffer

precario, -a *adj* précaire

precaución *nf* précaution *f*; **tomar precauciones** prendre des précautions

precaver *vt* prévenir

precavido, -a *adj* prévoyant(e)

precedente 1 *adj* précédent(e)
  2 *nm* précédent *m*; **sentar p.** créer *ou* établir un précédent

preceder *vt* précéder

preceptivo, -a *adj* obligatoire

precepto *nm (norma)* précepte *m*; *(mandato)* disposition *f*

preciado, -a *adj* précieux(euse)

preciarse *vpr* se vanter; **para cualquier médico que se precie...** pour tout médecin qui se respecte...

precintar *vt* sceller

precinto *nm Der* scellé *m*; *(acción)* pose *f* des scellés; **un p. de garantía** = un système de fermeture qui garantit la fraîcheur du produit

precio *nm* prix *m*; **al p. de** au prix de; *Fig* **no tener p.** être sans prix, ne pas avoir de prix ☆ **p. de fábrica** *o* **coste** prix coûtant, prix de revient; **p. de venta (al público)** prix (public) de vente

preciosidad *nf (cosa o persona)* merveille *f*

precioso, -a *adj (bonito)* ravissant(e), adorable; *(valioso)* précieux(euse)

precipicio *nm* précipice *m*

precipitación *nf* précipitation *f*; **precipitaciones** précipitations

precipitado, -a *adj* précipité(e)

precipitar 1 *vt* précipiter
  2 precipitarse *vpr* se précipiter

precisar *vt (determinar)* préciser; *(necesitar)* avoir besoin de; **precisa tu colaboración** il a besoin de ta collaboration

precisión *nf* précision *f*

preciso, -a *adj (determinado, conciso)* précis(e); **es p. que vengas** il faut que tu viennes

precocinado, -a *adj* précuit(e); **un plato p.** un plat cuisiné

preconcebido, -a *adj* préconçu(e)

preconcebir [47] *vt* concevoir à l'avance

preconizar [14] *vt* préconiser

precoz *adj* précoce

precursor, -ora *nm,f* précurseur *m*

predecesor, -ora *nm,f* prédécesseur *m*

predecir [51] *vt* prédire

predestinado, -a *adj* prédestiné(e)

predestinar *vt* prédestiner

predeterminación *nf* prédétermination *f*

predeterminar *vt* prédéterminer

prédica *nf* prêche *m*

predicado *nm (de oración)* prédicat *m*

predicador, -ora *nm,f* prédicateur (trice) *m,f*

predicar [59] *vt & vi* prêcher; **es como p. en el desierto** c'est prêcher dans le désert

predicción *nf* prédiction *f*; **la p. del tiempo** les prévisions *fpl* météorologiques

predicho *participio ver* **predecir**

predilección *nf* prédilection *f*

predilecto, -a *adj* préféré(e)

predisponer [50] *vt* prédisposer

predisposición *nf* prédisposition *f* (a à)

predispuesto, -a 1 *participio ver* predisponer 2 *adj* prédisposé(e); **estar p. contra** être prédisposé contre

predominante *adj* prédominant (e)

predominio *nm* prédominance *f*

preelectoral *adj* préélectoral(e)

preeminente *adj* prééminent(e)

preescolar 1 *adj* préscolaire 2 *nm* maternelle *f (cycle)*

prefabricado, -a *adj* préfabriqué (e)

prefabricar [59] *vt* préfabriquer

prefacio *nm* préface *f*

preferencia *nf (predilección)* préférence *f*; *(ventaja)* priorité *f*; **tener p.** *(vehículos)* avoir la priorité

preferente *adj* préférentiel(elle)

preferible *adj* préférable; **es p. echar limón a vinagre** il vaut mieux mettre du citron que du vinaigre

preferir [62] *vt* préférer; **p. algo a algo** préférer qch à qch; **prefiere el calor al frío** elle préfère la chaleur au froid; **prefiero aburrirme a salir con ella** je préfère m'ennuyer plutôt que de sortir avec elle

prefijo *nm (de palabra)* préfixe *m*; *(de teléfono)* indicatif *m*

pregón *nm (discurso)* discours *m*; *(anuncio)* avis *m* (au public)

pregonar *vt (anunciar)* rendre public(ique); *Fig (contar)* crier sur les toits

pregunta *nf* question *f*; **hacer una p.** poser une question

preguntar 1 *vt* demander 2 *vi* **p. por alguien** *(interesarse)* demander des nouvelles de qn; **p. por algo/alguien** *(solicitar)* demander qch/qn 3 **preguntarse** *vpr* se demander

prehistoria *nf* préhistoire *f*

prehistórico, -a *adj* préhistorique

prejuicio *nm* préjugé *m*

preliminar 1 *adj* préliminaire 2 *nm* préliminaire *m*

preludio *nm* prélude *m*

premamá *adj* de grossesse

prematrimonial *adj* prénuptial(e)

prematuro, -a *adj* prématuré(e)

premeditación *nf* préméditation *f*; **con p. y alevosía** avec préméditation

premeditar *vt* préméditer

premiar *vt* récompenser

premio *nm (recompensa)* prix *m*; *(en lotería)* lot *m*; **p. gordo** gros lot

premisa *nf (supuesto)* hypothèse *f*

premonición *nf* prémonition *f*

premura *nf (escasez)* manque *m*; **con p.** *(con urgencia)* à la hâte

prenatal *adj* prénatal(e)

prenda *nf (vestido)* vêtement *m*; *(garantía)* gage *m*; *(virtud)* qualité *f*; **p. de abrigo** vêtement chaud; *Fam* **no soltar p.** ne pas desserrer les dents *ou* lèvres

prendar 1 *vt* charmer 2 **prendarse** *vpr* **prendarse de** s'éprendre de

prender 1 *vt (objeto, brazo)* saisir; *(persona)* arrêter; *(sujetar)* accrocher, attacher; *(con alfiler)* épingler; *(encender)* allumer; **p. fuego a** mettre le feu à 2 *vi* prendre; *Fig* **p. en** *(propagarse)* gagner; **el desaliento prendió en el equipo** le découragement a gagné l'équipe 3 **prenderse** *vpr* prendre feu

prendido, -a *adj* accroché(e); **quedar p. de** être sous le charme de

prensa *nf* presse *f*; **p. del corazón** presse du cœur

prensar *vt* presser

preñado, -a 1 *adj Fig (lleno)* rempli(e); **p. de** empreint(e) de 2 *adj f* **preñada** *(hembra)* pleine; *Fam (mujer)* enceinte

preocupación *nf* souci *m*

preocupado, -a *adj* inquiet(ète); **p. por su hijo** inquiet pour son fils; **p. por saber los resultados** anxieux (euse) de connaître les résultats

preocupar 1 *vt (inquietar)* inquiéter; **no le preocupa lo que piensen los demás** *(importar)* il se moque de ce que pensent les autres

  2 preocuparse *vpr (inquietarse)* s'inquiéter; **preocuparse por alguien** s'inquiéter pour qn; **preocuparse por algo** se préoccuper *ou* s'inquiéter de qch; **¡no te preocupes!** ne t'en fais pas!, ne t'inquiète pas!; **preocuparse de** *(encargarse)* veiller à

preparación *nf* préparation *f*; *(conocimientos, cultura)* bagage *m*

preparado, -a 1 *adj (dispuesto)* prêt(e); *(entendido)* compétent(e); **preparados, listos, ¡ya!** à vos marques, prêts, partez!

  2 *nm* préparation *f*

preparar 1 *vt* préparer

  2 prepararse *vpr* se préparer (**a** *o* **para** à)

preparativo, -a 1 *adj* préparatoire

  2 *nmpl* **preparativos** préparatifs *mpl*

preparatorio, -a *adj* préparatoire

preponderar *vi* être prépondérant(e)

preposición *nf* préposition *f*

prepotente *adj (engreído)* arrogant(e); *(poderoso)* tout(e)-puissant(e)

prerrogativa *nf* prérogative *f*

presa *nf (víctima)* proie *f*; *(dique)* barrage *m*; **ser p. del pánico** être en proie à la panique

presagiar *vt (futuro, felicidad)* prédire; *(tormenta, problemas)* présager

presagio *nm* présage *m*

presbiteriano, -a *nm,f* presbytérien (enne) *m,f*

prescindir *vi* **p. de** *(renunciar a)* se passer de; *(omitir)* faire abstraction de

prescribir 1 *vt* prescrire

  2 *vi (caducar)* se prescrire; **prescribe** il y a prescription

prescripción *nf (finalización)* prescription *f*; **p. (facultativa)** prescription médicale

prescrito, -a *participio ver* **prescribir**

presencia *nf* présence *f*; *(aspecto)* allure *f*; **buena p.** bonne présentation; **en p. de** en présence de; **hacer acto de p.** faire acte de présence; **p. de ánimo** présence d'esprit

presenciar *vt* assister à; *(crimen, delito)* être témoin de

presentación *nf* présentation *f*; **tiene buena p.** c'est bien présenté

presentador, -ora *nm,f* présentateur(trice) *m,f*

presentar 1 *vt* présenter; **me presentó sus excusas** il m'a présenté ses excuses

  2 presentarse *vpr* se présenter; **presentarse a un examen** se présenter à un examen

presente 1 *adj* présent(e); **el p. mes** le mois courant; **tener algo p.** ne pas oublier qch

  2 *nmf (en un lugar)* personne *f* présente

  3 *nm (regalo)* présent *m*

  4 *nf (carta)* présente *f*

presentimiento *nm* pressentiment *m*

presentir [62] *vt* pressentir

preservar *vt* préserver

preservativo *nm* préservatif *m*

presidencia *nf* présidence *f*

presidenciable *nmf* Am présidentiable *mf*

presidencial *adj* présidentiel(elle)

presidente, -a *nm,f* président(e) *m,f*

presidiario, -a *nm,f* prisonnier(ère) *m,f*

presidio *nm* prison *f*

presidir *vt (ser presidente)* présider ; *(sujeto : sentimiento)* présider à

presión *nf* pression *f* ; **hacer p. sobre** faire pression sur ; **a p.** *(envase, spray)* sous pression ☆ **p. arterial** o **sanguínea** pression artérielle ; **p. fiscal** pression fiscale, poids *m* de l'impôt

presionar *vt* **p. algo** appuyer sur qch ; *Fig* **p. a alguien** *(coaccionar)* faire pression sur qn

preso, -a *adj & nm,f* prisonnier(ère) *m,f*

prestación *nf* prestation *f* ☆ **p. social sustitutoria** service *m* civil ; **prestaciones** *(de vehículo, máquina)* performances *fpl*

prestado, -a *adj* prêté(e) ; **pedir** o **tomar p.** emprunter

prestamista *nmf* prêteur(euse) *m,f* (sur gages)

préstamo *nm* prêt *m* ; **pedir un p.** faire un emprunt

prestar 1 *vt* prêter ; **p. crédito a** croire à ; **p. oídos** prêter l'oreille ; **p. servicio** rendre service

2 prestarse *vpr (ofrecerse)* se proposer ; **se prestó a ayudarme** il s'est proposé pour m'aider ; **prestarse a** *(participar)* se prêter à ; **esto se presta a confusión** cela prête à confusion

presteza *nf* **con p.** promptement

prestidigitador, -ora *nm,f* prestidigitateur(trice) *m,f*

prestigio *nm* prestige *m*

prestigioso, -a *adj* prestigieux (euse)

presto, -a *adj (dispuesto)* prêt(e)

presumible *adj* **es p. que...** il est probable que...

presumido, -a *adj & nm,f* prétentieux(euse) *m,f*

presumir 1 *vt (suponer)* présumer **2** *vi (jactarse)* s'afficher ; *(ser vani-*

doso) être prétentieux(euse) ; **presume de guapa** elle se croit belle

presunción *nf* présomption *f*

presunto, -a *adj* présumé(e) ; **el p. asesino** l'assassin présumé

presuntuoso, -a *adj & nm,f* prétentieux(euse) *m,f*

presuponer [50] *vt* présupposer

presupuesto, -a 1 *participio ver* **presuponer**
  2 *nm (estimación)* devis *m* ; *(dinero disponible)* budget *m* ; *(suposición)* présupposé *m*

pretencioso, -a *adj & nm,f* prétentieux(euse) *m,f*

pretender *vt (afirmar)* prétendre ; *(solicitar) (plaza, cargo)* postuler à ou pour ; **p. hacer algo** *(intentar)* chercher à faire qch ; **p. algo** *(aspirar a)* aspirer à qch ; **p. hacer algo** avoir l'intention de faire qch ; **p. a alguien** *(cortejar)* faire la cour à qn

pretendido, -a *adj* prétendu(e)

pretendiente 1 *nmf (aspirante)* candidat(e) *m,f* **(a à)** ; *(a un trono)* prétendant(e) *m,f* **(a à)**
  2 *nm (de una mujer)* prétendant *m*

pretensión *nm* prétention *f* ; **sus pretensiones son excesivas** ses prétentions sont exagérées

pretérito, -a 1 *adj* passé(e)
  2 *nm* passé *m* ☆ **p. indefinido** passé simple ; **p. perfecto** passé composé

pretexto *nm* prétexte *m*

prevalecer [46] *vi* prévaloir ; **p. sobre** l'emporter sur

prevaricación *nf* prévarication *f*

prevención *nf (impedimento)* prévention *f* ; *(medida)* disposition *f*

prevenido, -a *adj* **ser p.** *(previsor)* être prévoyant(e) ; **estar p.** *(avisado)* être prévenu(e) ; **hombre p. vale por dos** un homme averti en vaut deux

prevenir [69] *vt (tratar de evitar, avisar)* prévenir ; *(prever)* prévoir ;

p. de prévenir de; **p. a alguien contra** mettre qn en garde contre; *Prov* **más vale p. que curar** mieux vaut prévenir que guérir

preventivo, -a *adj* préventif(ive)

prever [70] *vt* prévoir

previo, -a *adj* préalable; **previa consulta del médico** après consultation du médecin

previsible *adj* prévisible

previsión *nf* prévision *f*; *Andes, RP (social)* sécurité *f* sociale; **en p. de** en prévision de

previsor, -ora *adj* prévoyant(e)

previsto, -a 1 *participio ver* **prever**
2 *adj* prévu(e)

prieto, -a *adj (apretado)* serré(e); *Méx Fam (moreno)* brun(e), basané(e)

prima *ver* **primo**

primacía *nf (superioridad)* primauté *f*; *(prioridad)* priorité *f*

primar 1 *vi* primer (**sobre** sur)
2 *vt* primer

primario, -a *adj* primaire

primates *nmpl* primates *mpl*

primavera *nf también Fig* printemps *m*

primaveral *adj* printanier(ère)

primer *ver* **primero**

primera *ver* **primero**

primerizo, -a 1 *adj (principiante)* débutant(e); **ser primeriza** *(embarazada)* attendre son premier enfant
2 *nm,f* débutant(e) *m,f*

primero, -a

On utilise **primer** devant les noms masculins singuliers.

1 *adj* premier(ère); **lo p.** le plus important; **lo p. es lo p.** procédons par ordre
2 *nm,f* premier(ère) *m,f*; **es el p. de la clase** c'est le premier de la classe
3 *adv (en primer lugar)* d'abord; **p. acaba y luego ya veremos** finis d'abord

et on verra après; **p.... que...** *(antes)* plutôt... que...; **p. morir que traicionar** plutôt mourir que trahir
4 *nm (piso)* premier (étage) *m*; *(curso)* première année *f*; **a primeros de** au début de; **a primeros de año** en début d'année
5 *nf* **primera** *(velocidad, clase)* première *f*; *Fam* **de primera** de première; **en este restaurante se come de primera** on mange super bien dans ce restaurant

primicia *nf (de noticia)* primeur *f*

primitivo, -a 1 *adj* primitif(ive)
2 *nf* **primitiva** ≃ Loto *m*

primo, -a 1 *nm,f (pariente)* cousin(e) *m,f*; *Fam (tonto)* poire *f*; **hacer el p.** se faire avoir ☆ **p. carnal** o **hermano** cousin germain
2 *nf* **prima** prime *f*

primogénito, -a *adj & nm,f* aîné(e) *m,f*

primor *nm (preciosidad)* merveille *f*; *(esmero)* soin *m*; **¡tu bebé es un p.!** ton bébé est un amour!; **con p.** avec soin

primordial *adj* primordial(e)

primoroso, -a *adj (delicado)* ravissant(e); *(diestro)* habile

princesa *nf* princesse *f*

principado *nm (territorio)* principauté *f*

principal 1 *adj* principal(e)
2 *nm (piso)* = étage situé entre le rez-de-chaussée et le premier; *(jefe)* chef *m*

príncipe *nm* prince *m*; **p. azul** prince charmant

principiante, -a *adj & nm,f* débutant(e) *m,f*

principio *nm (comienzo)* début *m*; *(fundamento, ley)* principe *m*; **al p.** au début; **a principios de** au début de; **en un p.** à l'origine; **en p.** en principe; **principios** principes

pringar [38] **1** *vt (ensuciar)* tacher (de graisse); *Fam Fig* **p. a alguien en**

un **asunto** *(comprometerlo)* faire tremper qn dans une affaire

2 *vi Fam* trimer

3 pringarse *vpr (ensuciarse)* se tacher *(de graisse)*; *Fig (comprometerse)* se salir les mains

pringoso, -a *adj (grasiento)* graisseux(euse); *(pegajoso)* poisseux (euse)

pringue 1 *ver* **pringar**

2 *nm (grasa)* graisse *f*; *(suciedad)* crasse *f*

priori: a priori *adv* a priori

prioridad *nf* priorité *f*

prioritario, -a *adj* prioritaire

prisa *nf* hâte *f*; **a** *o* **de p.** vite; **correr p.** être urgent(e); **¿te corre p.?** c'est pressé?; **darse p.** se dépêcher; **meter p. a alguien** bousculer *ou* faire se dépêcher qn; **tener p.** être pressé(e)

prisión *nf (cárcel)* prison *f*; *(encarcelamiento)* emprisonnement *m*

prisionero, -a *nm,f* prisonnier(ère) *m,f*

prisma *nm* prisme *m*; *Fig (punto de vista)* angle *m*

prismáticos *nmpl* jumelles *fpl*

privación *nf* privation *f*

privado, -a *adj* privé(e); **en p.** en privé

privar 1 *vt* **p. a alguien/algo de algo** priver qn/qch de qch; **p. a alguien de hacer algo** *(prohibir)* interdire à qn de faire qch

2 *vi (estar de moda)* être à la mode; *Fam (beber)* picoler; **le privan los bombones** il raffole des chocolats

3 privarse *vpr* **privarse de** se priver de

privativo, -a *adj Der* privatif(ive)

privatizar [13] *vt* privatiser

privilegiado, -a 1 *adj (favorecido)* privilégié(e); *(extraordinario)* exceptionnel(elle)

2 *nm,f (afortunado)* privilégié(e) *m,f*

privilegiar *vt* privilégier

privilegio *nm* privilège *m*

pro 1 *prep* pour

2 *nm* pour *m*; **el p. y el contra, los pros y los contras** le pour et le contre; **en p. de** pour, en faveur de

proa *nf (de barco)* proue *f*; *(de avión)* nez *m*

probabilidad *nf* probabilité *f*

probable *adj* probable

probador *nm* cabine *f* d'essayage

probar [63] **1** *vt (demostrar, indicar)* prouver; *(ensayar)* essayer; *(degustar, catar)* goûter

2 *vi* **p. a hacer algo** essayer de faire qch

3 probarse *vpr (ropa)* essayer

probeta *nf* éprouvette *f*

problema *nm* problème *m*

problemático, -a 1 *adj* problématique

2 *nf* **problemática** problématique *f*

procedencia *nf (origen)* origine *f*; *(punto de partida)* provenance *f*; *(pertinencia)* bien-fondé *m*

procedente *adj* **p. de** *(originario de)* *(gente)* originaire de; *(tren, avión)* en provenance de; **no ser p.** *(no ser oportuno)* être malvenu(e)

proceder 1 *nm* façon *f* d'agir

2 *vi (actuar)* procéder **(con** avec); *(ser oportuno)* convenir; **p. de** *(derivarse)* venir de; **p. de** *(tener origen en) (persona)* être originaire de; *(cosas)* provenir de; **p. a** *(empezar)* procéder à

procedimiento *nm (método)* procédé *m*; *Der* procédure *f*

procesado, -a *nm,f* accusé(e) *m,f*

procesador *nm Informát* processeur *m* ☆ **p. de textos** système *m* de traitement de texte

procesar *vt (en juicio)* poursuivre; *Informát* traiter·

procesión *nf* procession *f*

proceso *nm (fenómeno, operación)*

processus *m*; *(método)* procédé *m*; *(intervalo)* espace *m*; *(judicial)* procédure *f*

proclamar 1 *vt* proclamer
2 **proclamarse** *vpr (nombrarse)* se proclamer; *(conseguir un título)* être proclamé(e)

proclive *adj* **p. a** enclin(e) à

procreación *nf* procréation *f*

procrear *vt & vi* procréer

procurador, -ora *nm,f* procureur *m*

procuraduría *nf Méx* ministère *m* de la Justice

procurar 1 *vt (intentar)* s'efforcer de, essayer de; *(proporcionar)* procurer
2 **procurarse** *vpr (conseguir)* se procurer

prodigar [38] 1 *vt* prodiguer
2 **prodigarse** *vpr (exhibirse)* se montrer; **prodigarse en** *(atenciones, regalos)* se répandre en

prodigio *nm* prodige *m*

prodigioso, -a *adj* prodigieux (euse)

pródigo, -a *adj & nm,f* prodigue *mf*

producción *nf* production *f*; **p. en serie** production en série

producir [18] 1 *vt* produire
2 **producirse** *vpr (ocurrir)* se produire

productividad *nf* productivité *f*

productivo, -a *adj* productif(ive)

producto *nm* produit *m* ☆ **p. interior bruto** produit intérieur brut; **p. nacional bruto** produit national brut

productor, -ora 1 *adj & nm,f* producteur(trice) *m,f*
2 *nf* **productora** *(de cine)* maison *f* de production

proeza *nf* prouesse *f*

prof. *(abrev* **profesor)** Pr.

profanar *vt* profaner

profano, -a *adj & nm,f* profane *mf*

profecía *nf (predicción)* prophétie *f*

proferir [5] *vt* proférer

profesar *vt (ideas)* professer; *(religión)* pratiquer

profesión *nf* profession *f*

profesional *adj & nmf* professionnel(elle) *m,f*

profesionalizar [14] *vt* professionnaliser

profesionista *adj & nmf Méx* professionnel(elle) *m,f*

profesor, -ora *nm,f* professeur *m*; **p. particular** professeur particulier

profesorado *nm (conjunto)* corps *m* enseignant; *(cargo)* professorat *m*

profeta *nm* prophète *m*

profetisa *nf* prophétesse *f*

profetizar [14] *vt* prophétiser

profilaxis *nf inv* prophylaxie *f*

prófugo, -a *adj & nm,f* fugitif(ive) *m,f*

profundidad *nf* profondeur *f*

profundizar [14] 1 *vt* approfondir
2 *vi* **p. en algo** *(cuestión, tema)* approfondir qch

profundo, -a *adj* profond(e)

profusión *nf* profusion *f*

progenitor, -ora *nm,f* géniteur (trice) *m,f*; **progenitores** géniteurs

programa *nm también Informát* programme *m*; *(de televisión, radio)* émission *f*

programación *nf* programmation *f*

programador, -ora *nm,f Informát* programmeur(euse) *m,f*

programar *vt* programmer

progre *adj & nmf Fam* gaucho *mf*

progresar *vi* progresser

progresión *nf* progression *f*; *(mejora)* progrès *m* ☆ **p. aritmética** progression arithmétique; **p. geométrica** progression géométrique

progresista *adj & nmf* progressiste *mf*

progresivo, -a *adj* progressif(ive)

progreso *nm* progrès *m*; **hacer progresos** faire des progrès

prohibición *nf* interdiction *f*

prohibido, -a *adj* interdit(e); **p. aparcar** défense de stationner; **p. fumar** défense de fumer; **prohibida la entrada** entrée interdite; **dirección prohibida** sens interdit

prohibir *vt* interdire; **p. a alguien hacer algo** interdire à qn de faire qch; **se prohibe el paso** *(en letrero)* accès interdit

prohibitivo, -a *adj (precio)* prohibitif(ive)

prójimo *nm* prochain *m*

prole *nf* progéniture *f*

proletariado *nm* prolétariat *m*

proletario, -a *adj & nm,f* prolétaire *mf*

proliferación *nf* prolifération *f*

proliferar *vi* proliférer

prolífico, -a *adj* prolifique

prolijo, -a *adj (persona)* prolixe; *(explicación, descripción)* interminable

prólogo *nm* prologue *m*; *(de una obra)* préface *f*, avant-propos *m inv*

prolongación *nf (acción)* prolongation *f*; *(de carretera, calle)* prolongement *m*

prolongado, -a *adj* prolongé(e)

prolongar [38] **1** *vt* prolonger
  2 prolongarse *vpr* se prolonger

promedio *nm* moyenne *f*

promesa *nf (compromiso)* promesse *f*; *Fig (persona)* espoir *m*

prometer 1 *vt* promettre; **prometió venir** il a promis de venir
  2 *vi* promettre
  3 prometerse *vpr* se fiancer

prometido, -a 1 *nm,f* fiancé(e) *m,f*
  2 *adj* **lo p.** *(lo dicho)* ma/ta/*etc* promesse; **lo p. es deuda** chose promise chose due

prominente *adj (abultado)* proéminent(e); *Fig (ilustre)* éminent(e)

promiscuo, -a *adj* dissolu(e)

promoción *nf* promotion *f*; **de p.** *(partido)* de barrage

promocionar 1 *vt (en publicidad)* faire la promotion de; *(en empresa)* promouvoir
  2 promocionarse *vpr* se faire valoir

promotor, -ora 1 *adj* **la empresa promotora** le sponsor
  2 *nm,f* promoteur(trice) *m,f* ☆ **promotora inmobiliaria** société *f* de promotion immobilière

promover [41] *vt (iniciar)* promouvoir; *(ocasionar)* être à l'origine de

promulgar [38] *vt* promulguer

pronombre *nm* pronom *m*

pronosticar [59] *vt* pronostiquer; *(el tiempo)* prévoir

pronóstico *nm* pronostic *m*; *(del tiempo)* prévision *f*; **p. reservado** pronostic réservé

pronto, -a 1 *adj* prompt(e); **una pronta curación** un prompt rétablissement
  2 *adv (rápidamente)* vite; *(dentro de poco)* bientôt; *(temprano)* tôt; **ven p.** viens vite; **¡hasta p.!** à bientôt!; **tan p. como** dès que + *indicativo*; **salimos p.** nous sommes partis tôt; **de p.** soudain; **por lo p.** pour le moment
  3 *nm Fam* saute *f* d'humeur

pronunciación *nf* prononciation *f*

pronunciado, -a *adj* prononcé(e)

pronunciamiento *nm (sublevación)* putsch *m*; *(del juez)* prononcé *m*

pronunciar 1 *vt* prononcer; *(realzar)* souligner
  2 pronunciarse *vpr (definirse)* se prononcer (**sobre** sur); *(sublevarse)* se soulever

propagación *nf* propagation *f*

propaganda *nf* propagande *f*; *(prospectos, anuncios)* publicité *f*; **p. electoral** propagande électorale

propagar [38] **1** *vt* propager
  2 propagarse *vpr* se propager

propano *nm* propane *m*

propasarse *vpr (excederse)* dépasser les bornes; **p. con alguien** *(abusar)* abuser de la gentillesse de qn; *(sexualmente)* faire des avances à qn

propensión *nf* propension *f*, tendance *f*; *(a enfermar)* prédisposition *f*

propenso, -a *adj* **p. a** sujet(ette) à; **ser p. a creer que...** être porté(e) à croire que...

propiciar *vt* favoriser

propicio, -a *adj* propice

propiedad *nf* propriété *f*; *(exactitud)* justesse *f*; **con p.** correctement ☆ **p. privada** propriété privée; **p. pública** propriété publique

propietario, -a *nm,f (de bienes)* propriétaire *mf*; *(de cargo)* titulaire *mf*

propina *nf* pourboire *m*; *Fig* **de p.** *(por añadidura)* par-dessus le marché

propinar *vt (golpes, paliza)* administrer

propio, -a *adj* propre; *(natural)* vrai(e); *(en persona)* lui-même, elle-même; **tiene vehículo p.** il a son propre véhicule; **por tu p. bien** pour ton bien; **p. de** propre à; **no es p. de él** ça ne lui ressemble pas; **p. para** *(apropiado)* approprié(e) à; **el garaje está en la propia casa** le garage est dans la maison même; **el p. compositor** le compositeur lui-même

proponer [50] **1** *vt* proposer **2 proponerse** *vpr* se proposer

proporción *nf* proportion *f*; **de grandes proporciones** grand(e)

proporcionado, -a *adj* proportionné(e)

proporcionar *vt (información, datos)* fournir; *(alegría, tristeza)* apporter, donner; *(ajustar)* proportionner

proposición *nf* proposition *f*; **proposiciones deshonestas** propositions malhonnêtes

propósito *nm (intención)* intention *f*; *(objetivo)* but *m*; **tener el p. de** avoir l'intention de; **a p.** *(adecuado)* approprié(e); *(adrede)* exprès; *(por cierto)* à propos; **a p. de** à propos de

propuesto, -a 1 *participio ver* **proponer** **2** *nf* **propuesta** proposition *f*

propugnar *vt* soutenir, défendre; **p. una reforma** défendre une réforme

propulsar *vt (impeler)* propulser; *Fig (promover)* encourager

propulsión *nf* propulsion *f*; **p. a chorro** propulsion par jet de gaz *ou* à réaction

propulsor, -ora 1 *adj (hélice, rueda)* propulsif(ive); *(gas, mecanismo)* propulseur; *(fuerza)* de propulsion **2** *nm,f* promoteur(trice) *m,f* **3** *nm* propulseur *m*

prórroga *nf* prorogation *f*; *(de servicio militar)* report *m* d'appel; *(en deporte)* prolongation *f*

prorrogar [38] *vt (contrato, término)* proroger; *(plazo, decisión)* reporter

prorrumpir *vi* **p. en** *(sollozos)* éclater en; *(lágrimas)* fondre en

prosa *nf* prose *f*

prosaico, -a *adj* prosaïque

proscrito, -a *adj & nm,f* proscrit(e) *m,f*

proseguir [61] **1** *vt* poursuivre **2** *vi* continuer

proselitismo *nm* prosélytisme *m*

prospección *nf* prospection *f*

prospecto *nm* prospectus *m*; *(de medicamento)* notice *f*

prosperar *vi (mejorar)* prospérer; *(en el trabajo)* réussir; *(propuesta, idea)* être retenu(e)

prosperidad *nf* prospérité *f*; *(éxito)* réussite *f*

próspero, -a *adj* prospère

próstata *nf* prostate *f*

prostíbulo *nm* maison *f* close

prostitución nf prostitution f
prostituir [34] **1** vt prostituer
   2 prostituirse vpr se prostituer
prostituta nf prostituée f
protagonismo nm présence f
protagonista nmf protagoniste mf;
   (de novela) héros m, héroïne f; (actor) acteur(trice) m,f principal(e);
   (papel) personnage m principal
protagonizar [14] vt (obra, película)
   jouer le rôle principal dans; Fig (sujeto: suceso) faire la une de; (sujeto:
   personas) être l'acteur(trice) de
protección nf protection f ☆ **p. civil**
   la Protection civile
proteccionismo nm protectionnisme m
protector, -ora adj & nm,f protec-
   teur(trice) m,f ☆ **p. labial** baume m à
   lèvres; Informát **p. de pantalla** (salvapantallas) économiseur m d'écran
proteger [52] **1** vt protéger
   2 protegerse vpr se protéger
protege-slips nm inv protège-slip
   m
protegido, -a adj & nm,f protégé(e)
   m,f
proteína nf protéine f
protésico, -a nm,f **p. dental** prothé-
   siste mf dentaire
prótesis nf inv prothèse f
protesta nf protestation f
protestante adj & nmf protes-
   tant(e) m,f
protestar vi protester (**contra** o **por**
   contre); Com **p. una letra** dresser un
   protêt
protocolo nm protocole m ☆ Informát **p. de comunicación** protocole
   de communication
prototipo nm (modelo) archétype
   m; (primer ejemplar) prototype m
protuberancia nf protubérance f
provecho nm profit m; (rendimiento) efficacité f; ¡buen p.! bon appétit!; de p. (persona) valable; (lectura,

consejo) utile; sacar p. de algo tirer
   profit ou profiter de qch
provechoso, -a adj profitable
proveedor, -ora nm,f fournisseur
   (euse) m,f ☆ Informát **p. de (acceso
   a) Internet** fournisseur d'accès
proveer [37] **1** vt fournir; (de víveres) approvisionner (**de** en); (puesto,
   vacante) pourvoir
   2 proveerse vpr **proveerse de** se
   fournir en; (de víveres) s'approvisionner en
provenir [69] vi **p. de** (en el espacio)
   provenir de; (en el tiempo) dater de
Provenza n la Provence
proverbial adj proverbial(e)
proverbio nm proverbe m
providencia nf (medida) disposi-
   tion; Der décision f judiciaire; (orden) ordonnance f; la P. la Providence
providencial adj también Fig provi-
   dentiel(elle)
provincia nf province f; (división
   administrativa) département m; ser
   de provincias être un(e) provin-
   cial(e)
provinciano, -a adj & nm,f Pey pro-
   vincial(e) m,f
provisión nf (suministro) provision
   f; (disposición) mesure f
provisional adj provisoire; (presidente, alcalde) par intérim
provisorio, -a adj Am provisoire
provisto, -a participio ver **proveer**
provocación nf provocation f
provocar [59] vt provoquer; Col,
   Méx, Perú, Ven ¿te provoca hacerlo?
   (te apetece) ça te dit de le faire?
provocativo, -a adj provocant(e)
proximidad nf proximité f; proximi-
   dades environs mpl
próximo, -a adj proche; (siguiente)
   prochain(e); el domingo p. dimanche prochain; el p. año l'année prochaine

proyección *nf* projection *f*; *Fig (alcance, trascendencia)* rayonnement *m*; **de p. internacional** d'envergure internationale

proyectar *vt* projeter

proyectil *nm* projectile *m*

proyecto *nm* projet *m*; **p. de investigación** *(de un grupo)* projet de recherche; *(de una persona)* mémoire *m* ☆ **p. de ley** projet de loi

proyector *nm* projecteur *m*

prudencia *nf* prudence *f*; **con p.** *(comer, beber)* avec modération

prudente *adj* prudent(e); **a una hora p.** à une heure raisonnable

prueba 1 *ver* **probar**
    2 *nf (demostración, manifestación)* preuve *f*; *(trance, examen, de deporte)* épreuve *f*; *(comprobación)* essai *m*; *(médica)* analyse *f*; **a p. de** a l'épreuve de; **a toda p.** à toute épreuve; **en** o **como p. de** comme preuve de; **poner a p.** *(persona)* mettre à l'épreuve; *(cosa)* tester ☆ **p. de acceso a la universidad** examen *m* d'entrée à l'université; **p. del embarazo** test *m* de grossesse; *Fig* **p. de fuego** épreuve du feu; **p. del sida** test du sida

pseudónimo *nm* pseudonyme *m*

psicoanálisis *nm inv* psychanalyse *f*

psicoanalista *nmf* psychanalyste *mf*

psicodélico, -a *adj* psychédélique

psicología *nf* psychologie *f*

psicológico, -a *adj* psychologique

psicólogo, -a *nm,f* psychologue *mf*

psicomotor, -ora *adj* psychomoteur(trice)

psicópata *nmf* psychopathe *mf*

psicosis *nf inv* psychose *f*

psicosomático, -a *adj* psychosomatique

psicotécnico, -a 1 *adj* psychotechnique

2 *nm,f* psychotechnicien(enne) *m,f*
3 *nm (prueba)* test *m* psychotechnique

psicoterapia *nf* psychothérapie *f*

psicotrópico, -a *adj* psychotrope

psiquiatra *nmf* psychiatre *mf*

psiquiátrico, -a 1 *adj* psychiatrique
    2 *nm* hôpital *m* psychiatrique

psíquico, -a *adj* psychique

PSOE *nm (abrev* **Partido Socialista Obrero Español)** = parti socialiste espagnol

PSS *nf (abrev* **Prestación Social Sustitutoria)** service *m* civil

pta. *(abrev* **peseta)** pta

púa *nf (de planta, erizo)* piquant *m*; *(de peine)* dent *f*; *(para guitarra)* médiator *m*

pub [paβ, paf] *(pl* **pubs)** *nm* bar *m*

pubertad *nf* puberté *f*

pubis *nm inv* pubis *m*

publicación *nf* publication *f*

publicar [59] *vt* publier

publicidad *nf* publicité *f*

publicitario, -a *adj & nm,f* publicitaire *mf*

público, -a 1 *adj* public(ique); **en p.** en public; **hacer p.** *(escándalo, noticia)* rendre public
    2 *nm* public *m*

publirreportaje *nm (anuncio de televisión)* film *m* publicitaire; *(en una revista)* publireportage *m*

pucha *interj Andes, RP Fam* ¡**p.!**, ¡**puchas!** punaise!

puchero *nm (para guisar)* marmite *f*; *(comida)* pot-au-feu *m inv*; **hacer pucheros** faire la moue

pucho *nm CSur Fam (colilla)* mégot *m*; *(cigarrillo)* cigarette *f*

pudding = **pudin**

púdico, -a *adj* pudique

pudiente *adj & nmf* nanti(e) *m,f*

pudin *(pl* **púdines)** *nm* pudding *m*; **p. de pescado** terrine *f* de poisson

pudor *nm* pudeur *f*; *(timidez)* retenue *f*

pudoroso, -a *adj* pudique; *(tímido)* réservé(e)

pudrir 1 *vt* pourrir
  2 pudrirse *vpr* pourrir

pueblerino, -a *adj & nm,f (de pueblo)* villageois(e) *m,f*; *Pey (paleto)* plouc *mf*

pueblo *nm (población)* village *m*; *(nación, proletariado)* peuple *m*

puedo *ver* **poder**

puente *nm* pont *m*; *(en castillo)* pont-levis *m*; *(aparato dental)* bridge *m*; **hacer p.** faire le pont ☆ *p. aéreo* pont aérien

puenting *nm* saut *m* à l'élastique

puerco, -a 1 *adj* dégoûtant(e)
  2 *nm,f (animal)* porc *m*, truie *f*; *Fam Fig (persona) (sucia)* cochon (onne) *m,f*; *(malintencionada)* dégueulasse *mf*

puercoespín *nm* porc-épic *m*

puericultor, -ora *nm,f* puériculteur(trice) *m,f*

pueril *adj* puéril(e)

puerro *nm* poireau *m*

puerta *nf* porte *f*; *(exterior)* porte-fenêtre *f*; *(en deporte)* buts *mpl*; **a las puertas de** à deux doigts de; **a p. cerrada** à huis clos

puerto *nm* port *m*; *(de montaña)* col *m*; **p. deportivo** port de plaisance ☆ *Informát* **p. paralelo** port parallèle; **p. (en) serie** port série

Puerto Rico *n* Porto Rico, Puerto Rico

puertorriqueño, -a 1 *adj* portoricain(e)
  2 *nm,f* Portoricain(e) *m,f*

pues *conj (dado que, porque)* car; *(así que)* donc; *(enfático)* eh bien; **te decía, p., que...** je te disais donc que...; **¡p. ya está!** eh bien voilà!; **¡p. claro!** mais bien sûr!

puesto, -a 1 *participio ver* **poner**

2 *adj* **ir muy p.** être bien habillé(e); *Fam* **estar muy p. en algo** en connaître un rayon en qch; **p. que** puisque
  3 *nm (lugar)* poste *m*; *(en fila, clasificación)* place *f*; *(tenderete)* étal *m*; **p. (de trabajo)** poste (de travail); **p. de periódicos** kiosque *m* à journaux ☆ *p. de socorro* poste de secours
  4 *nf* **puesta** *(acción)* mise *f*; *(de ave)* ponte *f* ☆ *puesta al día* mise à jour; *puesta en escena* mise en scène; *puesta en marcha* mise en marche; *puesta a punto* mise au point; *puesta de sol* coucher *m* de soleil

puf *(pl* **pufs)** *nm* pouf *m*

púgil *nm* pugiliste *m*

pugna *nf también Fig* lutte *f*

pugnar *vi también Fig* se battre (**por** pour)

puja *nf (en subasta) (acción)* enchère *f*; *(cantidad)* mise *f*

pujar *vi (subastar)* enchérir; *Fig (esforzarse)* lutter (**por** pour)

pulcro, -a *adj* soigné(e)

pulga *nf* puce *f*; *Fig* **tener malas pulgas** avoir mauvais caractère

pulgada *nf* pouce *m (mesure)*

pulgar *nm* pouce *m*

pulgón *nm* puceron *m*

pulimentar *vt* polir

pulir 1 *vt (alisar)* polir; *(perfeccionar)* peaufiner
  2 pulirse *vpr (gastarse)* engloutir

pulmón *nm* poumon *m*; *Fam Fig* **tener pulmones** avoir du coffre

pulmonía *nf* pneumonie *f*

pulóver *nm RP* pull-over *m*

pulpa *nf* pulpe *f*

púlpito *nm* chaire *f*

pulpo *nm (animal)* poulpe *m*; *(correa elástica)* tendeur *m*; *Fam* **ser un p.** avoir les mains baladeuses

pulque *nm CAm, Méx* pulque *m (boisson alcoolisée à base de jus d'agave fermenté)*

pulquería *nf CAm, Méx (bar)* = bar

où l'on sert du pulque; *(tienda)* =
boutique où l'on vend du pulque

pulsación *nf* pulsation *f*

pulsador *nm* bouton *m*

pulsar *vt (botón, tecla)* appuyer sur;
(cuerdas) gratter; *(asunto, opinión)*
sonder

pulsera *nf* bracelet *m*

pulso *nm (latido)* pouls *m*; *(de fuerza)* bras *m* de fer; *Fig (prudencia)*
doigté *m*; **a p.** à la force du poignet;
tener buen p. *(firmeza)* avoir la main
sûre; **tomar el p. a alguien** prendre le
pouls à qn

pulular *vi* pulluler

pulverizador, -ora 1 *adj* **un aparato
p.** un pulvérisateur
2 *nm* pulvérisateur *m*

pulverizar [14] *vt también Fig* pulvériser

puma *nm* puma *m*

puna *nf Andes, Arg* mal *m* des hauteurs *ou* des montagnes

punción *nf* ponction *f*

punk [paŋk] *(pl* **punks)** *adj & nmf*
punk *mf*

punta *nf* pointe *f*; *(de lengua, dedos)*
bout *m*; *(del pan)* croûton *m*; **sacar p.
a un lápiz** tailler un crayon; **a p. de
pistola** sous la menace d'un revolver; *Fam* **a p. pala** à la pelle; **de p. en
blanco** tiré(e) à quatre épingles; **tener algo en la p. de la lengua** avoir
qch sur le bout de la langue

puntada *nf (pespunte)* point *m*;
(agujero) trou *m*; *RP, Ven (dolor)*
douleur *f* vive

puntaje *nm CSur* ponctuation *f*

puntal *nm (madero)* étai *m*; *Fig
(apoyo)* soutien *m*

puntapié *nm* coup *m* de pied

puntera *ver* **puntero**

puntería *nf (destreza)* adresse *f* (au
tir); *(orientación)* visée *f*

puntero, -a 1 *adj* de pointe
2 *nm* baguette *f*

3 *nm,f CSur Dep* ailier *m*
4 *nf* **puntera** *(de zapato, calcetín)*
bout *m*

puntiagudo, -a *adj* pointu(e)

puntilla *nf* dentelle *f* rapportée; *también Fig* **dar la p.** donner l'estocade; **de
puntillas** sur la pointe des pieds

puntilloso, -a *adj* pointilleux(euse)

punto *nm* point *m*; *(lugar)* lieu *m*;
(estado) stade *m*; *(grado de color)*
nuance *f*; *(pizca, toque)* pointe *f*;
(objetivo) but *m*; **estar a p.** être au
point; **llegar a p.** arriver à point; **dos
puntos** deux points; **en p.** pile; **a las
cinco en p.** à cinq heures pile; **estando las cosas en este p….** les choses en
étant arrivées là…; **al p.** immédiatement; **hasta cierto p.** jusqu'à un certain point; **hacer p.** tricoter, faire du
tricot; **poner p. final a algo** mettre un
point final à qch; *Fam* **¡qué p.!** super!, génial! ✩ **p. cardinal** point cardinal; **p. y coma** point-virgule *m*; **p.
de confluencia** point de rencontre;
p. culminante point culminant; **p.
muerto** point mort; **p. de partida**
point de départ; **p. de reunión** lieu
de rencontre; *(en aeropuerto, estación)* point de rencontre; **puntos
suspensivos** points de suspension;
p. (de sutura) point (de suture); **p.
de venta** point de vente; **p. de vista**
point de vue

puntuación *nf (calificación)* note *f*;
(en concurso, competiciones) classement *m*; *(ortográfica)* ponctuation *f*

puntual *adj* ponctuel(elle); *(exacto,
detallado)* circonstancié(e)

puntualidad *nf (en el tiempo)* ponctualité *f*; *(exactitud)* précision *f*

puntualizar [14] *vt* préciser

puntuar [4] **1** *vt (calificar)* noter;
(escrito) ponctuer
2 *vi (calificar)* noter; *(entrar en el
cómputo)* compter (**para** pour)

punzada *nf (pinchazo)* piqûre *f*; *(dolor intenso)* élancement *m*

punzante *adj (objeto)* pointu(e); *(dolor, herida)* lancinant(e); *Fig (humor, broma)* caustique

punzar [14] *vt (pinchar)* piquer

punzón *nm* poinçon *m*

puñado *nm* poignée *f*; *Fig* **a puñados** en pagaille

puñal *nm* poignard *m*

puñalada *nf* coup *m* de poignard

puñeta *muy Fam* **1** *nf (tontería)* connerie *f*; **hacer la p. a alguien** *(hacer una jugarreta)* faire une crasse à qn; **mandar a hacer puñetas** envoyer balader
 2 *interj* merde!

puñetazo *nm* coup *m* de poing

puñetero, -a *muy Fam* **1** *adj (persona, cosa)* foutu(e); **tu p. marido** ton foutu mari
 2 *nm,f* emmerdeur(euse) *m,f*

puño *nm (mano cerrada)* poing *m*; *(de manga)* poignet *m*; *(empuñadura)* poignée *f*; **de su p. y letra** de sa propre main; **morderse los puños de hambre** avoir l'estomac dans les talons; **morderse los puños de rabia** écumer de rage; **tener a alguien en un p.** avoir qn sous sa botte

pupa *nf (erupción)* bouton *m*; *Fam* **hacerse p.** *(daño)* se faire bobo

pupilo, -a **1** *nm,f (discípulo)* élève *mf*; *(huérfano)* pupille *mf*
 2 *nf* **pupila** pupille *f*

pupitre *nm* pupitre *m*

puré *nm* purée *f*; *Fam* **estar hecho p.** être HS

pureza *nf* pureté *f*; *(integridad)* droiture *f*

purga *nf también Fig* purge *f*

purgante **1** *adj* purgatif(ive)
 2 *nm* purgatif *m*

purgar [38] **1** *vt* purger; *(alma)* purifier; *(pecados)* expier
 2 purgarse *vpr* se purger

purgatorio *nm* purgatoire *m*

purificar [59] *vt* purifier

puritano, -a *adj & nm,f* puritain(e) *m,f*

puro, -a **1** *adj* pur(e); *(íntegro)* droit(e)
 2 *nm* cigare *m*; *Fam* **meter un p. a alguien** *(una regañina)* passer un savon à qn

púrpura *adj inv (color)* pourpre

purpurina *nf* paillettes *fpl*

pus *nm* pus *m*

pusilánime *adj* pusillanime

putada *nf Vulg* saloperie *f*; **¡qué p.!** quelle connerie!

puteada *nf CSur Fam* gros mot *m*

putear **1** *vt Esp Vulg (fastidiar)* faire chier; *CSur muy Fam (insultar)* insulter
 2 *vi Vulg (ir de putas)* aller voir les putes; *CSur muy Fam (jurar)* jurer

puto, -a *Vulg* **1** *adj* **este p....** ce putain de...; **de puta madre** *(cantar, cocinar)* hyper-bien; *(persona, película)* génial(e)
 2 *nm,f* prostitué *m*, pute *f*

puzzle ['puθle], **puzle** *nm* puzzle *m*

PVC *nm (abrev* **cloruro de polivinilo***)* PVC *m*

PVP *nm (abrev* **precio de venta al público***)* ppv *m*

PYME *nf (abrev* **Pequeña y Mediana Empresa***)* PME *f*

pyrex® *nm* Pyrex® *m*

pza. *(abrev* **plaza***)* Pl., pl.

Q

Q, q *nf (letra)* Q *m inv*, q *m inv*

q.e.p.d. *(abrev* que en paz descanse) RIP

que 1 *pron relativo* (**a**) *(sujeto)* qui; **la moto q. me gusta** la moto qui me plaît; **ese hombre es el q. me lo compró** c'est cet homme qui me l'a acheté; **el q. más y el q. menos** tout un chacun

(**b**) *(complemento directo)* que; **el hombre q. conociste ayer...** l'homme que tu as rencontré hier...; **no ha leído el libro q. le regalé** il n'a pas lu le livre que je lui ai offert

(**c**) *(complemento indirecto)* **ése es el chico al q. hablé** c'est le jeune homme à qui j'ai parlé; **la señora a la q. fuiste a ver** la dame que tu es allé voir

(**d**) *(complemento circunstancial)* **la playa a la q. fui de vacaciones** la plage où j'ai passé mes vacances; **(en) q.** où; **el día en q. fui era soleado** il faisait beau le jour où j'y suis allé

2 *conj* que; **es importante q. me escuches** il est important que tu m'écoutes; **me ha confesado q. me quiere** il m'a avoué qu'il m'aime; **es más rápido q. tú** il est plus rapide que toi; **me lo pidió tantas veces q. se lo di** il me l'a demandé tant de fois que je le lui ai donné; **ven aquí q. te vea** viens ici que je te voie; **espero q. te diviertas** j'espère que tu t'amuseras; **quiero q. lo hagas** je veux que tu le fasses; **déjalo, q. está durmiendo** laisse-le, il dort; **¡q. te diviertas!** amuse-toi bien!; **¿q. no quieres?, pues no pasa nada** tu ne veux pas?, ce n'est pas grave; **estaban charla q. charla** ils ne faisaient que bavarder; **es que...** c'est-à-dire que...

qué 1 *adj* quel (quelle); **¿q. hora es?** quelle heure est-il?; **¿q. libros?** quels livres?; **¡q. día!** quelle journée!

2 *pron* que; **¿q. quieres?** que veux-tu?; **no sé q. hacer** je ne sais pas quoi faire; **¿q. te dijo?** qu'est-ce qu'il t'a dit?; **¿q.?** *(¿cómo?)* quoi?

3 *adv* que; **¡q. tonto eres!** que tu es bête!; **¡y q.!** et alors!; **q. de** que de; **¡q. de gente hay aquí!** que de monde!; **¿q. tal?** comment ça va?

Quebec *n* (**el**) **Q.** le Québec

quebequés, -esa 1 *adj* québécois(e)

2 *nm,f* Québécois(e) *m,f*

quebradero *nm* **q. de cabeza** tracas *m*

quebradizo, -a *adj* cassant(e); *Fig (débil)* fragile

quebrado, -a 1 *adj (camino, terreno)* accidenté(e); *(número)* fractionnaire; **la voz quebrada** la voix cassée; **una línea quebrada** une ligne brisée

2 *nm (fracción)* fraction *f*

quebrantahuesos *nm inv* gypaète *m*

quebrantar 1 *vt (incumplir) (ley)*

enfreindre; *(palabra, compromiso)* ne pas tenir; *(obligación)* ne pas remplir; *(romper)* casser; *Fig (debilitar)* briser

2 quebrantarse *vpr (romperse)* se casser; *(debilitarse)* décliner, s'affaiblir

quebrar [3] **1** *vt (romper)* casser
2 *vi (empresa)* faire faillite
3 quebrarse *vpr (romperse)* se casser; *(voz)* se briser; **quebrarse una pierna** se casser une jambe; **se le quebró la voz** sa voix se brisa

quechua 1 *adj* quechua
2 *nmf* **los quechuas** les Quechua *mpl*
3 *nm (lengua)* quechua *m*

quedar 1 *vi* **(a)** *(permanecer, haber aún, faltar)* rester; **el cuadro quedó sin acabar** le tableau est resté inachevé; **quedan tres manzanas** il reste trois pommes; **nos quedan dos días para...** il nous reste deux jours pour...; **queda mucho por hacer** il reste beaucoup à faire; **¿cuánto queda para León?** il reste combien jusqu'à León?

(b) *(mostrarse)* **quedó como un imbécil** il s'est comporté comme un imbécile; **q. bien/mal (con alguien)** faire bonne/mauvaise impression (à qn); **q. en ridículo** se ridiculiser

(c) *(llegar a ser, resultar)* **la fiesta ha quedado perfecta** la fête a très bien tourné

(d) *(sentar)* **q. bien/mal a alguien** aller bien/mal à qn

(e) *(citarse)* **q. con alguien** prendre rendez-vous avec qn

(f) *Fam (estar situado)* **¿por dónde queda eso?** ça se trouve où, ça?

(g) *(acordar)* **q. en** convenir de; **q. en que** convenir que; **¿en qué quedamos?** alors, qu'est-ce qu'on décide?

2 *v impersonal* **por mí que no quede** je ferai tout mon possible; **que no quede por falta de dinero** il ne faut pas que l'argent soit un problème

3 quedarse *vpr (permanecer)*- rester; *(ponerse)* devenir; **se quedó ciego** il est devenu aveugle; **quedarse con algo** *(retener)* garder qch; **quédese con el cambio** gardez la monnaie; *Fam* **quedarse con alguien** *(burlarse de)* se payer la tête de qn

quedo, -a 1 *adj* tranquille; **con voz queda** posément
2 *adv* doucement; **hablar q.** parler tout bas

quehacer *nm* travail *m*; **quehaceres domésticos** travaux *mpl* ménagers

queja *nf* plainte *f*; **tener q. de** avoir à se plaindre de

quejarse *vpr (lamentarse)* se plaindre (**de/a** de/à); **q. de vicio** se plaindre sans raison

quejica *nmf Pey (que llora)* pleurnichard(e) *m,f*; **ser un q.** *(que se queja)* se plaindre sans arrêt

quejido *nm* gémissement *m*

quejoso, -a *adj* mécontent(e); **estar q. de** se plaindre de

quemado, -a *adj* brûlé(e); *(fusible)* grillé(e); **estar q.** *(harto)* en avoir assez; *(agotado)* être mort(e) de fatigue

quemador *nm* brûleur *m*

quemadura *nf* brûlure *f*

quemar 1 *vt* brûler; *(fusible)* fondre; *(motor)* griller; *Fig (malgastar)* dilapider; *Fam Fig (desgastar)* user
2 *vi* brûler; *Fig (desgastar)* user
3 quemarse *vpr* brûler; *(fusible)* griller; *Fig (hartarse)* en avoir assez; *Fig (desgastarse)* s'user; **me quemé con café hirviendo** je me suis brûlé avec du café bouillant; **me quemé la mano** je me suis brûlé la main; **se quemó en la playa** elle a pris un coup de soleil à la plage; **se le quemó el arroz** il a fait brûler le riz

quemarropa: a quemarropa *adv (disparar)* à bout portant; *(preguntar, contestar)* à brûle-pourpoint

quemazón *nf* brûlure *f*; *(picor)* démangeaison *f*

quena *nf Andes, Arg* quena *f (flûte indienne droite)*

quepa *ver* caber

quepo *ver* caber

queque *nm Andes* gâteau *m*

querella *nf (acusación)* plainte *f*; *(discordia)* querelle *f*; **presentar una q.** déposer une plainte

querellarse *vpr* déposer une plainte (**contra** contre)

querer [53] **1** *vt* (a) *(desear)* vouloir; **quiero pan** je veux du pain; **quiere hacerse abogado** il veut devenir avocat; **¿cuánto quiere por esa chaqueta?** combien voulez-vous pour cette veste?; **¿tú quieres que me enfade?** tu veux vraiment que je me fâche?; **q. que alguien haga algo** vouloir que qn fasse qch; **como quien no quiere la cosa** mine de rien (b) *(amar)* aimer; **quien bien te quiere te hará llorar** qui aime bien châtie bien **2** *vi* vouloir; **ven cuando quieras** viens quand tu veux *ou* voudras; **q. decir** vouloir dire; **queriendo** *(con intención)* exprès; **sin q.** sans faire exprès; **q. es poder** vouloir c'est pouvoir **3** *v impersonal (haber atisbos)* **hace días que quiere llover** depuis plusieurs jours, on dirait qu'il va pleuvoir **4** *nm* amour *m* **5 quererse** *vpr* s'aimer

querido, -a 1 *adj* cher(ère) **2** *nm,f* amant *m*, maîtresse *f*; **¡ven, querida!** viens, chérie!

quesadilla *nf Méx* = tortilla fourrée de viande en sauce ou de légumes au fromage, repliée en chausson puis frite au saindoux

quesera *ver* quesero

quesería *nf* fromagerie *f*

quesero, -a 1 *adj & nm,f* fromager(ère) *m,f* **2** *nf* **quesera** cloche *f* à fromage

quesito *nm* portion *f* de fromage à tartiner

queso *nm* fromage *m* ☆ **q. de bola** fromage de Hollande; **q. manchego** = fromage au lait de brebis typique de la Manche; **q. en porciones** fromage à tartiner en portions; **q. rallado** fromage râpé

quibutz [ki'buts] *(pl* **quibutzs**) *nm* kibboutz *m*

quichua = quechua

quicio *nm* encadrement *m (de porte, fenêtre)*; *Fig* **sacar de q. a alguien** mettre qn hors de soi, faire sortir qn de ses gonds; *Fig* **sacar las cosas de q.** exagérer

quiebra 1 *ver* quebrar **2** *nf (ruina)* faillite *f*; *Fig (pérdida)* effondrement *m*; **ir a la q.** faire faillite

quiebro *nm (ademán)* écart *m*; *(de la voz)* trille *m*

quien 1 *pron relativo* (a) *(sujeto)* qui; **fue mi hermano q. me lo explicó** c'est mon frère qui me l'a expliqué; **eran sus hermanas quienes le ayudaron** ce sont ses sœurs qui l'ont aidé (b) *(complemento)* **son ellos a quienes quiero conocer** ce sont eux que je voudrais connaître; **era de Pepe de q. no me fiaba** c'est à Pepe que je ne faisais pas confiance **2** *pron indef* (a) *(sujeto)* celui (celle) qui; **q. lo quiera que luche por ello** que celui qui le veut se batte pour l'avoir; **quienes quieran verlo que se acerquen** que ceux qui veulent le voir s'approchent (b) *(complemento)* **apoyaré a quienes considere oportuno** je soutiendrai ceux que je jugerai bon de soutenir; **vaya con q. quiera** allez avec qui bon vous semble; **q. más q. menos** tout un chacun

quién *pron* qui; **¿q. es ese hombre?** qui est cet homme?; **no sé q. viene** je ne sais pas qui vient; **¿a quiénes has invitado?** qui as-tu invité?; **dime**

con q. vas a ir dis-moi avec qui tu vas y aller; **¿q. es?** *(en la puerta)* qui est là?; *(al teléfono)* qui est à l'appareil?; **¡q. pudiera verlo!** si seulement je pouvais le voir!

quienquiera *(pl* **quienesquiera)** *pron* quiconque; **q. que venga...** quiconque viendra...

quieto, -a *adj* tranquille; **¡estate q.!** tiens-toi tranquille!, sois sage!; **¡q. todo el mundo!** que personne ne bouge!

quietud *nf* tranquillité *f; Literario (sosiego)* quiétude *f*

quijada *nf* mâchoire *f*

quijote *nm Pey* doux rêveur *m;* **Don Q.** Don Quichotte

quijotesco, -a *adj* chimérique

quilate *nm* carat *m*

quilla *nf (de barco)* quille *f; (de ave)* bréchet *m*

quillango *nm Arg, Chile* couverture *f* en fourrure

quilo = **kilo**

quilogramo = **kilogramo**

quilombo *nm CSur muy Fam (burdel, lío)* bordel *m*

quilometraje = **kilometraje**

quilométrico, -a = **kilométrico**

quilómetro = **kilómetro**

quimera *nf* chimère *f*

quimérico, -a *adj* chimérique

químico, -a **1** *adj* chimique
   2 *nm,f* chimiste *mf*
   3 *nf* **química** chimie *f*

quimioterapia *nf* chimiothérapie *f*

quimono *nm* kimono *m*

quina *nf* quinquina *m; Fam* **ser más malo que la q.** être mauvais comme une teigne; *Fig* **tragar q.** avaler des couleuvres

quincalla *nf* quincaillerie *f (objets)*

quince **1** *adj num inv* quinze; **el siglo q.** le quinzième siècle
   2 *nm inv* quinze *m inv; ver también* **seis**

quinceañero, -a **1** *adj* **un chico q.** un garçon de quinze ans
   2 *nm,f* adolescent(e) *m,f* (de quinze ans)

quinceavo, -a *adj num* quinzième; *ver también* **sexto**

quincena *nf* quinzaine *f*

quincenal *adj* bimensuel(elle)

quincho *nm RP (techo)* toit *m* de chaume; *(en jardín, playa)* = abri avec un toit de chaume

quiniela *nf (boleto)* bulletin *m* (de loterie); *(combinación)* combinaison *f;* **la q.** le loto sportif ☆ **q. hípica** PMU *m*

quinientos, -as *adj num inv* cinq cents; *ver también* **seiscientos**

quinina *nf* quinine *f*

quinqué *nm* quinquet *m*

quinquenio *nm (periodo)* quinquennat *m; (paga)* = augmentation de salaire quinquennale

quinqui *nmf Fam* loubard(e) *m,f*

quinta *ver* **quinto**

quintaesencia *nf inv* quintessence *f*

quintal *nm* quintal *m; Fig* **pesar un q.** peser une tonne

quinteto *nm* quintette *m*

quintillizos, -as *nm,fpl* quintuplés (es) *m,fpl*

quinto, -a **1** *adj num* cinquième; *ver también* **sexto**
   2 *nm (parte)* cinquième *m; (soldado)* appelé *m*
   3 *nf* **quinta** *(finca)* maison *f* de campagne; *(promoción)* promotion *f;* **somos de la misma quinta** nous sommes de la même année

quintuplicar [59] **1** *vt (multiplicar)* quintupler; *(rebasar)* être cinq fois supérieur(e) à
   2 quintuplicarse *vpr* quintupler

quiosco *nm* kiosque *m* ☆ **q. de música** kiosque à musique; **q. de periódicos** kiosque à journaux

quiosquero, -a *nm,f* marchand(e) *m,f* de journaux

quipu *nm Andes* quipu *m*, quipo *m*

quiquiriquí (*pl* **quiquiriquíes**) *nm* cocorico *m*

quirófano *nm* bloc *m* opératoire

quiromancia *nf* chiromancie *f*

quiromasaje *nm* chiropractie *f*

quiropráctico, -a *nm,f* chiropraticien(enne) *m,f*

quirúrgico, -a *adj* chirurgical(e)

quisque *nm Fam* cada *o* todo q. chacun(e); **que cada q. se las arregle** que chacun se débrouille

quisquilla *nf* crevette *f* grise

quisquilloso, -a *adj* (*detallista*) pointilleux(euse); (*susceptible*) chatouilleux(euse)

quiste *nm* kyste *m*

quitaesmalte *nm* dissolvant *m* (*pour ongles*)

quitamanchas *nm inv* détachant *m*

quitanieves *nm inv* chasse-neige *m inv*

quitar 1 *vt* enlever; (*desconectar*) éteindre; (*impedir*) empêcher; **q. al-**go a alguien (*despojar, robar*) prendre qch à qn; **q. tiempo** prendre du temps; **de quita y pon** amovible; **q. el sueño** empêcher de dormir; **esto no quita que...** il n'empêche que...; **quitando el queso me gusta todo** à part le fromage, j'aime tout

2 quitarse *vpr* (*apartarse*) se pousser; (*ropa*) enlever, retirer; (*sujeto: mancha*) partir; **me quito la chaqueta** j'enlève ma veste; **quitarse la vida** se donner la mort

quitasol *nm* parasol *m*

quite *nm* (*en esgrima*) parade *f*; *Fig* **estar al q.** être sur le qui-vive

quiteño, -a 1 *adj* de Quito

2 *nm,f* = personne originaire de Quito

Quito *n* Quito

quizá, quizás *adv* peut-être; **q. llueva mañana** peut-être pleuvra-t-il demain; **q. no lo sepas** tu ne le sais peut-être pas; **q. sí/no** peut-être que oui/non

R

R, r nf (letra) R m inv, r m inv

rábano nm radis m; Fig **me importa un r.** je m'en fiche comme de l'an quarante

rabia nf rage f; **me da r.** ça m'énerve; Fig **tenerle r. a alguien** en vouloir à qn

rabiar vi (enfadarse) enrager, se mettre en colère; **no me hagas r.** ne m'oblige pas à me mettre en colère; **está rabiando de dolor** il souffre le martyre

rabieta nf Fam **tener una r.** piquer une crise

rabillo nm Fig **mirar con el r. del ojo** regarder du coin de l'œil

rabino nm rabbin m

rabioso, -a adj enragé(e); (tono, voz) rageur(euse); (excesivo) furieux(euse); (chillón) criard(e)

rabo nm queue f

rácano, -a adj & nm,f pingre mf

racha nf (ráfaga) rafale f; (época) vague f; Fig **estar de r.** avoir la chance de son côté; **mala r.** mauvaise passe f; Fig **a rachas** par à-coups

racial adj racial(e)

racimo nm (de uvas) grappe f; (de plátanos) régime m

raciocinio nm (facultad) raison f; (razonamiento) raisonnement m

ración nf (porción) part f; (cantidad fija) ration f; (en bar, restaurante) petite assiette f

racional adj (ser) doué(e) de raison; (método, número) rationnel(elle)

racionalizar [14] vt rationaliser

racionar vt rationner

racismo nm racisme m

racista adj & nmf raciste mf

radar nm radar m

radiación nf (rayos, radiactividad) radiation f; (acción) rayonnement m

radiactividad nf radioactivité f

radiactivo, -a adj radioactif(ive)

radiador nm radiateur m

radial adj (estructura) radial(e); Am (emisión, cadena) de radio

radiante adj (sol, persona) radieux (euse); **r. de alegría** rayonnant(e) de joie

radiar [14] vt (noticias, programa) radiodiffuser

radical 1 adj radical(e)
2 nm radical m

radicalizar [14] **1** vt radicaliser
2 radicalizarse vpr se radicaliser

radicar [59] vi **r. en** (consistir) résider dans; (estar situado en) se trouver à

radio 1 nm (de rueda, de circunferencia) rayon m; (hueso) radius m; (elemento químico) radium m; **r. de acción** rayon d'action
2 nf radio f; **oír algo por la r.** entendre qch à la radio; Fam Fig **por r. macuto** par le téléphone arabe

radioactividad = radiactividad
radioactivo, -a = radiactivo
radioaficionado, -a *nm,f* radio-amateur *m*
radiocasete, radiocassette *nm* radiocassette *f*
radiocontrol *nm* radiocommande *f*
radiodespertador *nm* radio-réveil *m*
radiodifusión *nf* radiodiffusion *f*
radioescucha *nmf inv* auditeur (trice) *m,f*; *(en barco)* radio *m*
radiofónico, -a *adj* radiophonique
radiograbador *nm CSur* radiocassette *f*
radiografía *nf* radiographie *f*
radiotaxi *nm* radio-taxi *m*
radioteléfono *nm* radiotéléphone *m*
radioterapia *nf* radiothérapie *f*
radioyente *nmf* auditeur(trice) *m,f*
raer [54] *vt* racler
ráfaga *nf* rafale *f*; *(con los faros)* appel *m* de phares
rafting *nm* rafting *m*
raído, -a *adj* râpé(e) *(vêtement)*
raigambre *nf (tradición)* tradition *f*; *(estirpe)* souche *f*; **de profunda r.** profondément ancré(e)
raíl, rail *nm* rail *m*
raíz *(pl* raíces) *nf* racine *f*; *(causa)* origine *f*; **a r. de** à la suite de; **cortar de r.** *(mal, problema)* éradiquer; **echar raíces** prendre racine ☆ *r. cuadrada* racine carrée
raja *nf (de melón, sandía)* tranche *f*; *(grieta) (en madera, pared)* fissure *f*; *(en cristal)* fêlure *f*
rajado, -a *nm,f Fam* dégonflé(e) *m,f*
rajar 1 *vt (partir) (madera, pared)* fissurer; *(cristal)* fêler; *muy Fam (apuñalar)* étriper; **el mármol está rajado** le marbre est fendu; **tiene el labio rajado** il a la lèvre fendue
2 rajarse *vpr (partirse) (madera,* pared) se fissurer; *(cristal)* se fêler; *(mármol)* se fendre; *Fam (echarse atrás)* se dégonfler
rajatabla: a rajatabla *adv* à la lettre
ralea *nf Pey* engeance *f*; **de su misma r.** du même acabit
ralentí *nm* ralenti *m*
rallado, -a 1 *adj* râpé(e) ☆ *pan r.* chapelure *f*
  2 *nm* râpage *m*
rallador *nm* râpe *f*
ralladura *nf* râpure *f*
rallar *vt* râper
rally ['rali] *(pl* **rallys**) *nm* rallye *m*
RAM *nf (abrev* **random access memory)** RAM *f inv*
rama *nf* branche *f*; *Fam Fig* **andarse por las ramas** tourner autour du pot
ramaje *nm* branchage *m*
ramal *nm (de carretera, ferrocarril)* embranchement *m*; *(de escalera)* volée *f*
ramalazo *nm (ataque)* crise *f*; *Fam* **tener r.** *(ser afeminado)* être efféminé
rambla *nf (avenida)* promenade *f*
ramera *nf Fam* catin *f*
ramificación *nf* ramification *f*
ramificarse [59] *vpr* se ramifier (**en** en)
ramillete *nm* bouquet *m*
ramo *nm (de flores)* bouquet *m*; *(actividad)* branche *f*
rampa *nf (para subir y bajar)* rampe *f*; *(cuesta)* côte *f* ☆ *r. de lanzamiento* rampe de lancement
rana *nf* grenouille *f*; *Fam* **salir r.** être très décevant(e)
ranchero, -a 1 *nm,f* fermier(ère) *m,f*
  2 *nf* **ranchera** *(canción)* = chanson populaire mexicaine; *(vehículo)* break *m*
rancho *nm (granja)* ranch *m*; *Fam (comida)* popote *f*; *Am (choza)* cahute *f*; *Ven* **ranchos** bidonville *m*

rancio, -a *adj* *(pasado)* rance; *(vino)* aigre; *(antiguo)* ancien(enne); **de r. abolengo** de vieille souche

rango *nm* rang *m*

ranking ['rraŋkin] *nm* classement *m*

ranura *nf* rainure *f*; *(para monedas)* fente *f*

rap *nm* *(música)* rap *m*

rapar 1 *vt* raser
   2 raparse *vpr* *(uno mismo)* se raser; *(en la peluquería)* se faire raser

rapaz, -aza 1 *nm,f* *(muchacho)* garçonnet *m*, fillette *f*
   2 *adj* *(que roba)* voleur(euse)
   3 *nf* **rapaza** *(ave)* rapace *m*

rape *nm* *(pez)* baudroie *f*; *(pescado)* lotte *f*; **al r.** *(corte de pelo)* (à) ras

rapé *nm* tabac *m* à priser

rapidez *nf* rapidité *f*; **con r.** rapidement

rápido, -a 1 *adj* rapide
   2 *adv* vite; **¡no tan r.!** pas si vite!
   3 *nm* *(tren)* rapide *m*; **rápidos** *(de río)* rapides

rapiña *nf* *(robo)* rapine *f*

rappel ['rapel] *nm* *(deporte)* rappel *m*

rapsodia *nf* rhapsodie *f*

raptar *vt* enlever, kidnapper

rapto *nm* *(secuestro)* enlèvement *m*; *(ataque)* accès *m*

raqueta *nf* raquette *f*

raquítico, -a 1 *adj* rachitique; *Fig (pequeño, escaso)* maigre
   2 *nm,f* rachitique *mf*

rareza *nf* *(cosa poco común, poco frecuente)* rareté *f*; *(curiosidad)* curiosité *f*; *(extravagancia)* bizarrerie *f*

raro, -a *adj* *(extraño, extravagante)* bizarre; *(excepcional, escaso)* rare; **¡qué animal más r.!** quel drôle d'animal!; **lo veo rara vez** je le vois rarement

ras *nm* **a** *o* **al r.** à ras bord; **a r. de** au ras de; **a r. de suelo** *o* **tierra** à ras de terre, au ras du sol

rasante 1 *adj* *(luz, tiro)* rasant(e); *(vuelo)* en rase-mottes
   2 *nf* inclinaison *f* ☆ **cambio de r.** haut *m* d'une côte

rascacielos *nm inv* gratte-ciel *m inv*

rascar [59] **1** *vt* gratter; *(con espátula)* racler
   2 *vi* gratter
   3 rascarse *vpr* se gratter

rasgar [38] **1** *vt* déchirer
   2 rasgarse *vpr* se déchirer

rasgo *nm* trait *m*; *(de heroísmo)* acte *m*; **rasgos** *(de rostro, letra)* traits; **a grandes rasgos** à grands traits

rasguear *vt* gratter

rasguñar 1 *vt* égratigner; *(con uñas)* griffer
   2 rasguñarse *vpr* s'égratigner; *(con uñas)* se griffer

rasguño *nm* égratignure *f*; **sin un r.** sans une égratignure

raso, -a 1 *adj* *(mano)* plat(e); *(lleno)* plein(e); *(cucharada)* ras(e); *(cielo)* dégagé(e); *(vuelo)* en rase-mottes; **en campo r.** en rase campagne; **muy r.** très bas
   2 *nm* satin *m*; **al r.** à la belle étoile

raspa *nf* arête *f*

raspadura *nf* *(señal)* éraflure *f*; *(acción)* grattage *m*

raspar 1 *vt* *(rascar)* gratter, racler; *(sujeto: vino)* râper; *(rasar)* frôler
   2 *vi* gratter

rasposo, -a *adj* râpeux(euse); *(piel, prenda)* rêche

rastras: a rastras *adv también Fig* **llevar algo/a alguien a r.** traîner qch/qn

rastreador, -ora *adj* **un perro r.** un limier

rastrear 1 *vt* *(seguir las huellas de)* suivre à la trace; *Fig (buscar pistas en)* *(sujeto: persona)* ratisser; *(sujeto: reflector, foco)* balayer
   2 *vi* *Fig (indagar)* enquêter

rastrero, -a *adj* *(planta)* rampant(e); *(persona)* vil(e)

rastrillo *nm (en jardinería)* râteau *m*; *(mercado)* petit marché *m* aux puces; *(benéfico)* vente *f* de charité

rastro *nm (huella)* trace *f*; *(mercado)* marché *m* aux puces; **sin dejar r.** sans laisser de traces

rastrojo *nm* chaume *m*

rasurar 1 *vt* raser
2 rasurarse *vpr* se raser

rata 1 *adj & nmf Fam* radin(e) *m,f*
2 *nf* rat *m*

ratero, -a *nm,f* voleur(euse) *m,f*

ratificar [59] **1** *vt* ratifier
2 ratificarse *vpr* **ratificarse en** s'en tenir à

rato *nm* moment *m*; **al (poco) r. (de)** juste après; **hace un r.** ça fait un moment; **mucho r.** longtemps; **pasar el r.** passer le temps; **pasar un mal r.** passer un mauvais moment; *Fig* **a ratos** par moments; **eso tiene para r.** ce n'est pas demain la veille

ratón *nm también Informát* souris *f*

ratonera *nf (trampa)* souricière *f*; *(madriguera)* trou *m* de souris

raudal *nm (de agua)* torrent *m*; *Fig (montón)* flot *m*; **correr a raudales** couler à flots; **gana dinero a raudales** il gagne énormément d'argent

raudo, -a *adj* rapide

raviolis *nmpl* raviolis *mpl*

raya *nf (pez, línea)* raie *f*; *(raspadura, de color)* rayure *f*; *(de animal)* zébrure *f*; *(de pantalón)* pli *m*; *(de cocaína)* ligne *f*; *Fig (límite)* limite *f*; *(guión)* tiret *m*; **a rayas** à rayures; **mantener o tener a r. a alguien** tenir la bride haute à qn; **pasarse de la r.** dépasser les bornes *ou* les limites

rayado, -a *adj* rayé(e)

rayar 1 *vt* rayer; *(trazar rayas)* tirer des traits sur
2 *vi* **r. en algo** *(aproximarse a algo)* friser qch; **raya en lo ridículo** ça frise le ridicule; **al r. el alba** à l'aube
3 rayarse *vpr* se rayer

rayo 1 *ver* **raer**
2 *nm (de luz)* rayon *m*; *(relámpago)* foudre *f*; *Fam* **¡que le parta un r.!** qu'il aille se faire fiche!; *Fig* **ser un r.** être rapide comme l'éclair ☆ **r. láser** rayon laser; **r. X** rayon X; **rayos infrarrojos** rayons infrarouges; **rayos ultravioleta** rayons ultraviolets; **rayos uva** UV *mpl*

rayuela *nf RP* marelle *f*

raza *nf* race *f*; *Perú Fam (cara)* culot *m*; **de r.** de race

razón *nf* raison *f*; *(información)* renseignements *mpl*; **dar la r. a alguien** donner raison à qn; **en r. de** *o* **a** en raison de; **tener r.** avoir raison; **y con r.** non sans raison; **r. de ser** raison d'être; **r. aquí** *(en letrero)* adressez-vous ici pour plus de renseignements; **a r. de** à raison de

razonable *adj* raisonnable

razonamiento *nm* raisonnement *m*

razonar 1 *vt (argumentar)* justifier
2 *vi (pensar)* raisonner

re *nm Mús* ré *m inv*

reacción *nf* réaction *f*; **a r.** à réaction ☆ **r. en cadena** réaction en chaîne

reaccionar *vi* réagir

reaccionario, -a *adj & nm,f* réactionnaire *mf*

reacio, -a *adj* réticent(e); **r. a algo** réfractaire à qch; **r. a** *o* **en hacer algo** peu enclin(e) à faire qch

reactivación *nf* réactivation *f*; *(de la economía)* relance *f*

reactor *nm (propulsor)* réacteur *m*; *(avión)* avion *m* à réaction

readmitir *vt* réadmettre; *(a despedidos)* reprendre

reafirmar 1 *vt* réaffirmer
2 reafirmarse *vpr* s'affirmer; **reafirmarse en** *(opinión, creencia)* être conforté(e) dans

reajuste *nm (cambio)* réaménagement *m*; *(económico)* rajustement *m*; **r. ministerial** remaniement *m* ministériel

real *adj (verdadero)* réel(elle); *(de monarquía)* royal(e)

realce *nm (esplendor)* éclat *m*; *(en pintura)* rehaut *m*; *(en arquitectura, escultura)* relief *m*; **dar r. a** donner de l'éclat à

realeza *nf (monarcas)* royauté *f*; *(magnificencia)* faste *m*

realidad *nf* réalité *f*; **en r.** en réalité ☆ **r. virtual** réalité virtuelle

realista *adj & nmf* réaliste *mf*

realización *nf* réalisation *f*

realizador, -ora *nm,f* réalisateur (trice) *m,f*

realizar [14] **1** *vt* réaliser; *(esfuerzo, inversión)* faire

2 realizarse *vpr* se réaliser; *(en un trabajo)* s'épanouir

realmente *adv* réellement; **está r. enfadado** il est vraiment fâché

realquilado, -a 1 *adj* sous-loué(e) **2** *nm,f* sous-locataire *mf*

realquilar *vt* sous-louer

realzar [14] *vt* rehausser

reanimar *vt (físicamente)* revigorer; *(moralmente)* réconforter; *(resucitar)* réanimer

reanudar 1 *vt (amistad, conversación)* renouer; *(trabajo, clases)* reprendre

2 reanudarse *vpr (amistad)* se renouer; *(trabajo, clases)* reprendre

reaparición *nf* réapparition *f*

rearme *nm* réarmement *m*

reaseguro *nm* réassurance *f*

reavivar *vt* raviver

rebaja *nf* réduction *f*; **rebajas** soldes *mpl*; **comprar algo de rebajas** acheter qch en solde; **estar de rebajas** solder; **ir de rebajas** faire les soldes

rebajado, -a *adj (precio)* réduit(e); *(mercancía)* soldé(e), en solde; *(humillado)* rabaissé(e)

rebajar 1 *vt (precio)* baisser; *(mer-*

cancía) solder; *(persona)* rabaisser; *(intensidad)* atténuer; *(altura)* abaisser; **le rebajo 100 pts** je vous fais une réduction de 100 pesetas

2 rebajarse *vpr* se rabaisser; **rebajarse a hacer algo** s'abaisser à faire qch

rebanada *nf* tranche *f*

rebanar *vt (pan)* couper (en tranches); *(cortar)* sectionner

rebañar *vt (con pan)* saucer; **siempre rebaña la cazuela** il finit toujours les restes dans la casserole

rebaño *nm* troupeau *m*

rebasar *vt* dépasser

rebatir *vt* réfuter

rebeca *nf* cardigan *m*

rebelarse *vpr* se rebeller

rebelde *adj & nmf* rebelle *mf*

rebeldía *nf* révolte *f*; *Der* **en r.** par contumace

rebelión *nf* rébellion *f*

rebenque *nm CSur* fouet *m*

reblandecer [46] **1** *vt* ramollir **2 reblandecerse** *vpr* se ramollir

rebobinar *vt* rembobiner

rebosante *adj* débordant(e) (**de** de)

rebosar *vi* déborder; **r. de** déborder de

rebotar *vi* rebondir

rebote *nm* rebond *m*; **de r.** par ricochet

rebozado, -a *adj* enrobé(e) de pâte à frire

rebozar [14] *vt* enrober de pâte à frire

rebozo *nm Am* châle *m*

rebuscado, -a *adj (complicado)* recherché(e); *(fingido)* affecté(e)

rebuznar *vi* braire

recabar *vt (pedir)* réclamer; *(conseguir)* obtenir

recadero, -a *nm,f* coursier(ère) *m,f*

recado *nm (mensaje)* message *m*; *(encargo, diligencia)* course *f*

recaer [13] *vi* retomber; *(enfermo)* rechuter; **r. en** *(vicio, error)* retomber dans; **r. sobre** *(culpa, responsabilidad)* retomber sur

recaída *nf* rechute *f*

recalcar [59] *vt* insister sur

recalcitrante *adj* récalcitrant(e)

recalentar [3] **1** *vt (volver a calentar)* réchauffer; *(motor)* surchauffer

  2 recalentarse *vpr* surchauffer

recámara *nf (de arma de fuego)* magasin *m*; *CAm, Col, Méx (dormitorio)* chambre *f*

recamarera *nf CAm, Col, Méx* bonne *f*

recambio *nm (pieza)* pièce *f* de rechange; *(de bolígrafo)* recharge *f*; **de r.** de rechange; **una rueda de r.** une roue de secours

recapacitar *vi* réfléchir

recapitulación *nf* récapitulation *f*

recapitular *vt* récapituler

recargado, -a *adj* surchargé(e)

recargar [38] **1** *vt (volver a cargar)* recharger; *(aumentar)* majorer; **r. algo/a alguien de algo** surcharger qch/qn de qch

  2 recargarse *vpr Méx* s'appuyer (**contra** contre)

recargo *nm (en pago)* majoration *f*

recatado, -a *adj (decente)* pudique; *(reservado)* réservé(e)

recato *nm (decencia)* pudeur *f*; *(miramiento)* prudence *f*; **no tener r. en** n'avoir aucun scrupule à

recauchutar *vt* rechaper

recaudación *nf (acción)* recouvrement *m*; *(cantidad)* recette *f*

recaudador, -ora *nm,f* receveur (euse) *m,f*; *(de impuestos)* percepteur *m*

recaudar *vt (impuestos, pagos)* recouvrer; *(donativos)* collecter

recaudo *nm* **a buen r.** sous bonne garde

recelar *vi* se méfier (**de** de)

recelo *nm (suspicacia)* méfiance *f*

receloso, -a *adj (suspicaz)* méfiant (e)

recepción *nf* réception *f*

recepcionista *nmf* réceptionniste *mf*

receptáculo *nm* réceptacle *m*

receptivo, -a *adj* réceptif(ive)

receptor, -ora 1 *adj* récepteur(trice)

  2 *nm,f* receveur(euse) *m,f*

  3 *nm (aparato)* récepteur *m*

recesión *nf* récession *f*

receta *nf (de cocina)* recette *f*; *(para medicamento)* ordonnance *f*

rechazar [14] *vt (propuesta, petición, transplante)* rejeter; *(enemigo)* repousser

rechazo *nm (negativa)* refus *m*; *(de transplante, propuesta)* rejet *m*

rechinar *vi* grincer

rechistar *vi* rechigner

rechoncho, -a *adj Fam* rondouillard(e)

rechupete: de rechupete *adv Fam (comida)* **está de r.** c'est succulent

recibidor *nm (vestíbulo)* entrée *f*

recibimiento *nm* accueil *m*

recibir 1 *vt* recevoir; *(dar la bienvenida, acoger)* accueillir; **r. una carta/invitados** recevoir une lettre/des invités

  2 *vi* **el médico recibe los lunes** le médecin reçoit le lundi

  3 recibirse *vpr Am* = obtenir son diplôme de fin de second cycle

recibo *nm (acción)* réception *f*; *(documento)* reçu *m*; *(de alquiler, luz)* quittance *f*

reciclaje *nm* recyclage *m*

reciclar *vt* recycler

recién *adv* récemment; **r. edificado** récemment construit; **los r. casados** les jeunes mariés; **los r. llegados** les nouveaux venus; **un r. nacido** un nouveau-né

reciente *adj* récent(e); *(pan, pintura, sangre)* frais (fraîche)

recinto *nm* enceinte *f*

recio, -a *adj (persona)* robuste; *(viga, pared)* solide; *(voz, tela)* fort(e); **un tiempo r.** un temps rigoureux

recipiente *nm* récipient *m*

reciprocidad *nf* réciprocité *f*

recíproco, -a *adj* réciproque

recital *nm* récital *m*; *(de rock)* concert *m*

recitar *vt* réciter

reclamación *nf* réclamation *f*

reclamar **1** *vt* réclamer
2 *vi (protestar)* déposer une réclamation (**contra** contre)

reclamo *nm (publicidad)* réclame *f*; *(pito, de ave)* appeau *m*; *Am (queja)* réclamation *f*; *(reivindicación)* revendication *f*

reclinar **1** *vt (asiento)* incliner; **r. algo contra** appuyer qch contre
2 reclinarse *vpr* s'incliner; **reclinarse sobre** s'appuyer sur

recluir [34] **1** *vt* enfermer
2 recluirse *vpr* s'enfermer, se cloîtrer

reclusión *nf (encarcelamiento)* réclusion *f*; *Fig (encierro)* prison *f*

recluso, -a *nm,f* prisonnier(ère) *m,f*

recluta *nm* recrue *f*

reclutamiento *nm* recrutement *m*; **r. (obligatorio)** conscription *f*

recobrar **1** *vt (dinero, salud)* recouvrer; **r. el aliento/conocimiento** reprendre haleine/connaissance
2 recobrarse *vpr* récupérer; **recobrarse de** se remettre de

recochineo *nm Fam* **me roba y encima, con r.** il me vole, et par-dessus le marché, il se fiche de moi

recodo *nm (de camino)* détour *m*; *(de río)* coude *m*

recogedor *nm* pelle *f (à poussière)*

recoger [52] **1** *vt* ramasser; *(habitación)* ranger; *(reunir, albergar)* recueillir; *(cosechar, obtener)* récolter; **r. la mesa** débarrasser la table; **pasó a recogerme** il est passé me prendre
2 recogerse *vpr (retirarse)* aller se coucher; *(a meditar)* se recueillir; **recogerse el pelo** attacher ses cheveux

recogido, -a **1** *adj (lugar)* tranquille; *(cabello)* attaché(e)
2 *nf* **recogida** *(de frutas, cereales)* récolte *f*; *(de basuras)* ramassage *m*

recogimiento *nm (concentración)* recueillement *m*; *(retiro)* retraite *f*; **vivir en total r.** vivre complètement retiré(e)

recolección *nf (de frutas, cereales)* récolte *f*; *(de fondos)* collecte *f*

recolector, -ora **1** *adj* **país r.** pays producteur de denrées agricoles
2 *nm,f* cueilleur(euse) *m,f*

recomendación *nf* recommandation *f*; *(informes)* références *fpl*; **por r. de alguien** sur la recommandation *ou* les conseils de qn

recomendado, -a **1** *adj Am (correspondencia)* recommandé(e)
2 *nm,f* **es un r. de** il a été recommandé par

recomendar [3] *vt* recommander

recompensa *nf* récompense *f*

recompensar *vt* récompenser

recomponer [50] *vt* réparer

recompuesto, -a *participio ver* **recomponer**

reconciliación *nf* réconciliation *f*

reconciliar **1** *vt* réconcilier
2 reconciliarse *vpr* se réconcilier

reconcomerse *vpr* **r. de envidia** être dévoré(e) de jalousie; **r. de preocupación** se ronger d'inquiétude

recóndito, -a *adj (escondido)* retiré(e); **lo más r. de** *(lo más íntimo)* le tréfonds de

reconfortar *vt* réconforter

reconocer [19] **1** *vt* reconnaître; *(examinar)* examiner
2 reconocerse *vpr* se reconnaître

reconocido, -a adj (admitido) reconnu(e); (agradecido) reconnaissant(e)

reconocimiento nm reconnaissance f ☆ **r. (médico)** examen m médical; Informát **r. óptico de caracteres** reconnaissance optique des caractères

reconquista nf reconquête f; **la R.** la Reconquista

reconstituyente nm reconstituant m

reconstruir [34] vt reconstruire; (suceso) reconstituer

reconversión nf reconversion f

recopilación nf compilation f; (libro) recueil m

recopilar vt (documentos) compiler; (datos) rassembler

récord (pl **récords**) nm record m; **batir/establecer un r.** battre/établir un record

recordar [63] vt rappeler; (acordarse de) se rappeler, se souvenir de; **te recuerdo que tienes que madrugar** je te rappelle que tu dois te lever tôt; **me recuerda a un amigo mío** il me rappelle un ami à moi; **recuerdo mis primeras vacaciones** je me souviens de ou je me rappelle mes premières vacances; **si mal no recuerdo** si je me souviens bien

recordatorio nm (aviso) rappel m; (estampa) image f commémorative

recorrer vt parcourir

recorrida nf Am (recorrido) parcours m

recorrido nm (trayecto) parcours m

recortar 1 vt (cortar) (lo que sobra) couper; (figura) découper; Fig (sueldo, presupuesto) réduire
    2 recortarse vpr (perfilarse) se découper

recorte nm (de revista) coupure f; Fig (de gastos, presupuesto) réduction f; (en deporte) dribble m; **hacer un r.** dribbler; **r. de prensa** coupure de presse

recostar [63] 1 vt appuyer
    2 recostarse vpr s'appuyer

recoveco nm (rincón) recoin m; (curva) détour m; Fig (del alma, corazón) repli m

recrear 1 vt (entretener) amuser, distraire; (reproducir) recréer
    2 recrearse vpr (entretenerse) se distraire; (regodearse) se délecter

recreativo, -a adj (velada, momento) agréable; (sociedad, centro) de loisirs; **una máquina recreativa** un jeu d'arcade

recreo nm (entretenimiento) loisir m; (en colegio) récréation f

recriminar vt (acusar) récriminer; **r. a alguien por algo** (reprender) reprocher qch à qn

recrudecer [46] 1 vi redoubler
    2 recrudecerse vpr s'intensifier

recta ver **recto**

rectal adj rectal(e)

rectángulo, -a 1 adj rectangle
    2 nm rectangle m

rectificar [59] vt rectifier; (enmendar) corriger

rectitud nf rectitude f; Fig (moral) droiture f

recto, -a 1 adj (derecho) droit(e); (justo, verdadero) juste
    2 nm Anat rectum m
    3 adv tout droit
    4 nf **recta** droite f; **la recta final** la dernière ligne droite

rector, -ora 1 adj directeur(trice)
    2 nm,f recteur m

recuadro nm encadré m

recubrir vt recouvrir

recuento nm dénombrement m, décompte m; **r. de votos** dépouillement m du scrutin

recuerdo 1 ver **recordar**
    2 nm souvenir m; **¡(dale) recuerdos a tu hermano!** bien des choses à ton frère!

recuperación nf (de lo perdido)

récupération *f*; *(de la salud)* rétablissement *m*; *(de la economía)* redressement *m*; *(examen)* rattrapage *m*

recuperar 1 *vt* récupérer; *(horas de trabajo, examen)* rattraper; **r. fuerzas** reprendre des forces

2 recuperarse *vpr* **recuperarse de** *(enfermo)* se remettre de; *(de una crisis)* se relever de

recurrente *adj (repetido)* récurrent(e)

recurrir *vi (ante tribunal)* faire appel; **r. a** avoir recours à

recurso *nm (medio)* recours *m*; *Der* pourvoi *m*; **recursos** ressources *fpl* ☆ **r. (de apelación)** appel *m*; **recursos naturales** ressources naturelles; **recursos propios** fonds *mpl* propres

red *nf* réseau *m*; *(malla)* filet *m*; *Fig* **caer en las redes de alguien** être pris(e) dans les filets de qn ☆ **r. de carreteras** *o* **viaria** réseau routier

redacción *nf* rédaction *f*

redactar *vt* rédiger

redactor, -ora *nm,f* rédacteur (trice) *m,f*

redada *nf* coup *m* de filet

redención *nf (rescate)* rachat *m*; *(de pecados)* rédemption *f*

redil *nm* enclos *m*; *Fig* **volver al r.** rentrer au bercail

redimir 1 *vt* racheter; *(librar)* libérer

2 redimirse *vpr (de un castigo)* se racheter; *(de una obligación)* se dispenser

rédito *nm* intérêt *m*

redituable *adj Méx, RP* rentable

redoblar 1 *vt* redoubler; **r. la vigilancia** redoubler d'attention

2 *vi* battre le tambour; *(campanas)* sonner

redomado, -a *adj* fieffé(e); **un mentiroso r.** un fieffé menteur

redondear *vt* arrondir

redondel *nm* rond *m*

redondo, -a *adj (circular, esférico)* rond(e); *(ventajoso)* excellent(e); *(rotundo)* catégorique; *(cantidad)* tout rond; **a la redonda** à la ronde; *Fig* **caerse r.** s'écrouler; *Fig* **salir r.** être parfait(e)

reducción *nf* réduction *f*

reducido, -a *adj* réduit(e); *(rendimiento)* faible; *(casa, espacio)* petit(e)

reducir [18] **1** *vt* réduire; *(tropas, rebeldes)* soumettre

2 *vi (cambiar de marcha)* ralentir

3 reducirse *vpr* **reducirse a** *(limitarse a)* se réduire à; **tanta palabrería se reduce a que...** *(equivale a)* tout ce verbiage revient à dire que...

reducto *nm* bastion *m*

redundancia *nf* redondance *f*

redundante *adj* redondant(e)

redundar *vi* **r. en beneficio/perjuicio de alguien** tourner à l'avantage/au désavantage de qn

reeditar *vt* rééditer

reelección *nf* réélection *f*

reembolsar 1 *vt* rembourser

2 reembolsarse *vpr* être remboursé(e)

reembolso *nm* remboursement *m*

reemplazar [14] *vt* remplacer

reemplazo *nm* remplacement *m*; *(de soldados)* contingent *m*; **soldados de r.** appelés *mpl*

reemprender *vt* reprendre

reencarnación *nf* réincarnation *f*

reencuentro *nm* retrouvailles *fpl*

reestreno *nm* reprise *f*; **película de r.** reprise

reestructurar *vt* restructurer

refacción *nf Am (reparación)* réparation *f*; *Chile, Méx (recambio)* pièce *f* détachée

refaccionar *vt Am* réparer

referencia *nf* référence *f*; *(a una palabra)* renvoi *m*; **con r. a** en ce qui concerne; **referencias** *(informes)* références

referéndum *(pl* **referéndums)** *nm* référendum *m*

referente *adj* r. a algo concernant qch; **en lo r. a...** en ce qui concerne...

referir [62] **1** *vt (narrar)* rapporter **2 referirse** *vpr* **referirse a** *(aludir a)* parler de; *(remitirse a)* se référer à; *(relacionarse con)* se rapporter à; **¿a qué te refieres?** de quoi parles-tu?; **por lo que se refiere a...** en ce qui concerne...

refilón: de refilón *adv (de lado)* de biais; *Fig (de pasada)* en passant; **dar de r.** frôler

refinado, -a *adj* raffiné(e)

refinamiento *nm* raffinement *m*

refinar *vt* raffiner

refinería *nf* raffinerie *f*

reflejar *también Fig* **1** *vt* refléter **2 reflejarse** *vpr* se refléter

reflejo, -a 1 *adj* réfléchi(e); *(dolor, movimiento)* réflexe **2** *nm* reflet *m; (reacción)* réflexe *m;* **tener buenos reflejos** avoir de bons réflexes; **reflejos** *(tinte de pelo)* balayage *m*

reflexión *nf* réflexion *f*

reflexionar *vi* réfléchir

reflexivo, -a *adj* réfléchi(e)

reflujo *nm* reflux *m*

reforma *nf* réforme *f; (de local, habitación)* rénovation *f;* **cerrado por reformas** *(en letrero)* fermé pour travaux; **r. agraria** réforme agraire

reformar 1 *vt* réformer; *(local, casa)* rénover **2 reformarse** *vpr* s'amender

reformatorio *nm* centre *m* d'éducation surveillée

reforzar [31] *vt* renforcer

refractario, -a *adj* réfractaire

refrán *nm* proverbe *m*

refregar [43] *vt (frotar)* frotter; *(cacerolas, cacharros)* récurer; *Fig (restregar)* narguer; *Fig* **r. algo a alguien en las narices** jeter qch à la figure de qn

refrescante *adj* rafraîchissant(e)

refrescar [59] **1** *vt* rafraîchir; **r. la memoria a alguien** rafraîchir la mémoire à qn **2** *vi* se rafraîchir **3 refrescarse** *vpr (beber, mojarse)* se rafraîchir; *(salir)* prendre le frais

refresco *nm (bebida)* rafraîchissement *m*

refriega 1 *ver* **refregar 2** *nf (pelea)* bagarre *f; (militar)* échauffourée *f*

refrigeración *nf (de alimentos)* réfrigération *f; (de máquinas)* refroidissement *m; (aire acondicionado)* climatisation *f*

refrigerador, -ora 1 *adj* réfrigérant(e) **2** *nm (de alimentos)* réfrigérateur *m; (de máquinas)* refroidisseur *m*

refrigerar *vt (alimentos)* réfrigérer; *(máquina)* refroidir; *(local)* climatiser

refrigerio *nm (refresco)* rafraîchissement *m; (tentempié)* collation *f*

refuerzo *nm (pieza)* renfort *m; (acción)* renforcement *m;* **refuerzos** *(apoyo)* renforts

refugiado, -a *adj & nm,f* réfugié(e) *m,f*

refugiar 1 *vt* donner refuge à **2 refugiarse** *vpr* se réfugier; **refugiarse de** se mettre à l'abri de

refugio *nm* refuge *m; (contra un ataque)* abri *m* ✿ **r. antiaéreo** abri antiaérien; **r. atómico** abri antiatomique; **r. de montaña** refuge (de montagne)

refulgir [24] *vi* resplendir

refunfuñar *vi* ronchonner

refutar *vt* réfuter

regadera *nf* arrosoir *m*; *Col, Méx, Ven (ducha)* douche *f*; *Fam* **estar como una r.** être complètement siphonné(e)

regadío *nm* terres *fpl* irriguées

regalado, -a *adj (barato)* donné(e); *(agradable)* agréable; **precio r.** prix *m* sacrifié

regalar *vt* offrir; **le regaló flores** il lui a offert des fleurs; **r. a alguien con algo** offrir qch à qn; **nos regaló con sus últimos poemas** il nous a offert ses derniers poèmes

regaliz *nm* réglisse *f*

regalo *nm (obsequio)* cadeau *m*; *(placer)* régal *m*; **de r.** en cadeau

regalón, -ona *adj CSur Fam* gâté(e)

regañadientes: a regañadientes *adv Fam* en rechignant

regañar 1 *vt (reprender)* gronder
2 *vi (pelearse)* se disputer

regañina *nf (reprensión)* réprimande *f*; *(enfado)* dispute *f*

regar [43] *vt también Fig* arroser

regata *nf* régate *f*

regatear 1 *vt (en deporte)* dribbler; **no ha regateado esfuerzos** il n'a pas ménagé sa peine
2 *vi (discutir el precio)* marchander

regateo *nm* marchandage *m*

regazo *nm* giron *m*

regeneración *nf (de tejido, órgano)* régénération *f*; *(de persona)* réhabilitation

regenerar 1 *vt (tejido, órgano)* régénérer; *(persona)* réhabiliter
2 regenerarse *(tejido, órgano)* se régénérer; *(persona)* se réhabiliter

regentar *vt* diriger; *(almacén, café)* tenir

regente 1 *adj* régent(e)
2 *nmf (de un país)* régent(e) *m,f*; *(administrador)* gérant(e) *m,f*
3 *nm Méx (alcalde)* maire *m*

reggae ['rege] *nm* reggae *m*

regidor, -ora *nm,f (concejal)* conseiller(ère) *m,f* municipal(e); *(de cine, televisión)* régisseur *m*

régimen *(pl* **regímenes)** *nm* régime *m*; *(de colegio, instituto)* règlement *m*; **estar a r.** être au régime; **Antiguo r.** Ancien Régime; **r. de vida** style *m* de vie

regimiento *nm también Fig* régiment *m*

regio, -a *adj también Fig* royal(e)

región *nf* région *f*

regir [55] **1** *vt* régir; *(país, nación)* diriger; *(negocio)* tenir
2 *vi (ley)* être en vigueur; *Fig (estar cuerdo)* avoir toute sa tête
3 regirse *vpr* **regirse por** se fier à, suivre

registrado, -a *adj (grabado)* enregistré(e); *(patentado)* déposé(e); *Méx (correspondencia)* recommandé(e)

registradora *nf Am* caisse *f* enregistreuse

registrar 1 *vt* enregistrer; *(nacimiento, defunción)* déclarer; *(patente)* déposer; *(inspeccionar)* fouiller
2 *vi* fouiller
3 registrarse *vpr (matricularse)* s'inscrire; *(suceder)* se produire

registro *nm* registre *m*; *(inspección)* fouille *f*; *(de la policía)* perquisition *f*; *(señal)* signet *m* ☆ **r. civil** état *m* civil; **r. de la propiedad** conservation *f* des hypothèques

regla *nf (norma)* règle *f*; *Fam (menstruación)* règles *fpl*; **en r.** en règle; **por r. general** en règle générale

reglamentación *nf* réglementation *f*

reglamentar *vt* réglementer

reglamentario, -a *adj* réglementaire

reglamento *nm* règlement *m*

reglar *vt* régler

regocijar 1 *vt* réjouir
2 regocijarse *vpr* se réjouir (**con** o **de** de)

regocijo *nm* joie *f*

regodeo *nm* délectation *f*

regordete *adj* rondelet(ette)

regresar 1 *vi* rentrer, retourner
2 *vt Am (devolver)* rendre
3 regresarse *vpr Am (volver)* rentrer, retourner

regresión *nf* régression *f*; *(de exportaciones, ventas)* recul *m*

regresivo, -a *adj* régressif(ive)

regreso *nm* retour *m*

reguero *nm (de agua, sangre)* flot *m*; *(de pólvora)* traînée *f*

regulación *nf* contrôle *m*; *(de mecanismo, reloj)* réglage *m*

regulador, -ora *adj* régulateur (trice)

regular¹ 1 *adj (reglado, uniforme)* régulier(ère); *(mediocre)* moyen (enne); *(moderado)* raisonnable; **por lo r.** habituellement
2 *adv* comme ci comme ça

regular² *vt* régler; *(reglamentar)* contrôler

regularidad *nf* régularité *f*; **con r.** régulièrement

regularizar [l4] **1** *vt* régulariser
2 regularizarse *vpr* se mettre en règle

regusto *nm* arrière-goût *m*; *Fig (semejanza)* air *m*

rehabilitación *nf* réhabilitation *f*; *(de enfermo)* rééducation *f*

rehabilitar *vt* réhabiliter; *(enfermo)* rééduquer

rehacer [33] **1** *vt* refaire
2 rehacerse *vpr (recuperarse)* se remettre

rehén *(pl* rehenes) *nm* otage *m*

rehogar [38] *vt* faire revenir

rehuir [34] *vt* fuir; **rehuyó contestarme** il a refusé de me répondre

rehusar *vt & vi* refuser

reimpresión *nf* réimpression *f*

reina *nf (monarca)* reine *f*; *(en naipes)* dame *f*; *(apelativo)* ma belle; **ven aquí, mi r.** viens là, ma belle

reinado *nm* règne *m*

reinante *adj (persona, monarquía)* régnant(e); *Fig (frío, calor)* qui règne

reinar *vi* régner

reincidir *vi* récidiver; **r. en** *(falta, error)* retomber dans

reincorporar 1 *vt* réintégrer
2 reincorporarse *vpr* **reincorporarse a** *(trabajo)* reprendre

reinicializar [l3] *vt Informát* réinitialiser

reino *nm* royaume *m*; *(animal, vegetal)* règne *m*

Reino Unido *nm* **el R.** le Royaume-Uni

reinserción *nf* réinsertion *f*

reintegrar 1 *vt (dinero)* restituer; *(timbrar)* mettre un timbre fiscal sur
2 reintegrarse *vpr* **reintegrarse a** *(puesto)* réintégrer; *(sociedad)* se réinsérer dans

reintegro *nm (reincorporación)* réintégration *f*; *(en banco)* retrait *m*; *(de gastos, préstamos)* remboursement *m*; *(en lotería)* remboursement *m* du billet

reír [56] **1** *vi* rire
2 *vt* rire de; **le ríe todas las gracias** il rit de toutes ses plaisanteries
3 reírse *vpr* rire; **reírse con** *o* **de algo** rire de qch; **reírse de alguien** se moquer de qn

reiterar 1 *vt* réaffirmer; *(solicitud)* réitérer
2 reiterarse *vpr* **reiterarse en** réaffirmer

reiterativo, -a *adj* répétitif(ive); **un discurso r.** un discours plein de répétitions

reivindicación *nf* revendication *f*

reivindicar [59] *vt* revendiquer

reivindicativo, -a *adj* revendicatif(ive)

reja *nf* grille *f*; **estar entre rejas** être derrière les barreaux

rejilla *nf (enrejado)* grillage *m*; *(de cocina, horno)* grille *f*; *(de silla)* cannage *m*

rejoneador, -ora *nm,f* = torero à cheval

rejoneo *nm* corrida *f* à cheval

rejuntarse *vpr Fam* se mettre à la colle

rejuvenecer [46] **1** *vt & vi* rajeunir
   2 rejuvenecerse *vpr* rajeunir

relación *nf* relation *f*; *(enumeración)* liste *f*; *(descripción)* récit *m*; *(informe)* rapport *m*; **con r. a, en r. con** en ce qui concerne; **tener r. con alguien** fréquenter qn; **relaciones** *(contactos)* relations *fpl* ☆ **r. precio-calidad** rapport qualité-prix; **relaciones públicas** relations publiques

relacionar **1** *vt (vincular)* mettre en relation
   2 relacionarse *vpr* **relacionarse con alguien** fréquenter qn

relajación *nf (reposo)* relaxation *f*; *Fig (de la moral)* relâchement *m*

relajar **1** *vt (músculo, moral)* relâcher
   2 relajarse *vpr (descansar)* se détendre

relajo *nm Am Fam (alboroto)* foire *f*

relamer **1** *vt* lécher
   2 relamerse *vpr (los labios)* se pourlécher; *Fig* **relamerse (de gusto)** *(deleitarse)* se réjouir

relamido, -a *adj (artificial)* affecté(e); *(pulcro)* soigné(e)

relámpago *nm* éclair *m*; *Fig* **como un r.** comme un éclair

relampaguear *vi* étinceler

relatar *vt (suceso)* relater; *(historia)* raconter

relatividad *nf* relativité *f*

relativo, -a *adj (no absoluto)* relatif(ive); **r. a algo** *(concerniente)* concernant qch; **en lo r. a** en ce qui concerne

relato *nm (exposición)* rapport *m*; *(narración)* récit *m*; *(cuento)* nouvelle *f*

relax *nm inv (relajación)* relaxation *f*; *(bienestar)* détente *f*; *(sección de periódico)* petites annonces *fpl* roses

relegar [38] *vt* reléguer (**a** à)

relente *nm* fraîcheur *f* nocturne

relevante *adj* éminent(e); *(información)* important(e)

relevar *vt (sustituir)* relayer; **r. a alguien de** *(trabajo, obligación)* dispenser qn de; **r. a alguien de su cargo** relever qn de ses fonctions

relevo *nm (sustituto)* relève *f*; **tomar el r.** prendre la relève; **(carrera de) relevos** course *f* de relais

relieve *nm* relief *m*; *Fig* **poner de r.** mettre en relief ☆ **bajo r.** bas-relief *m*

religión *nf* religion *f*

religioso, -a *adj & nm,f* religieux (euse) *m,f*

relinchar *vi* hennir

reliquia *nf* relique *f*; *Fig (recuerdo)* souvenir *m*

rellano *nm (de escalera)* palier *m*

rellenar *vt* remplir; *(agujeros)* boucher; *(pimiento, pavo)* farcir

relleno, -a **1** *adj (pimiento, pavo)* farci(e); *(tarta, pastel)* fourré(e); **estar r.** *(persona)* être enveloppé(e)
   2 *nm (de pimiento, pavo)* farce *f*; *(de tarta, pastel)* garniture *f*; *Fig* remplissage *m*

reloj *nm* horloge *f*; *(de pulsera)* montre *f*; *Fig* **hacer algo contra r.** faire qch dans l'urgence ☆ **r. de arena** sablier *m*; **r. despertador** réveil *m*; **r. digital** montre à affichage digital; **r. (de pared)** pendule *f*; **r. de pulsera** montre-bracelet *f*

relojería *nf* horlogerie *f*

relojero, -a *nm,f* horloger(ère) *m,f*

reluciente *adj* brillant(e)

relucir [39] *vi* briller; *Fam Fig* **sacar algo a r.** mettre qch sur le tapis

remachar *vt (machacar)* river; *Fig (recalcar)* appuyer

remache *nm (remachado)* rivetage *m*; *(clavo)* rivet *m*

remanente *nm* reste *m*; *(de cuenta bancaria)* solde *m* positif

remangar [38] **1** *vt* retrousser
  2 remangarse *vpr* retrousser ses manches

remanso *nm* nappe *f* d'eau dormante; *Fig* **r. de paz** havre *m* de paix

remar *vi* ramer

rematado, -a *adj (acabado)* achevé(e); *Fig (incurable)* fini(e); **ser un loco r.** être fou à lier

rematar 1 *vt (acabar, matar)* achever; *(adjudicar)* adjuger; *(vender)* liquider; **r. el pase** *(en deporte)* tirer au but; *Fig* **para r.** *(para colmo)* pour couronner le tout
  2 *vi (en deporte)* tirer au but

remate *nm (fin)* fin *f*; *Fig (colofón)* couronnement *m*; *(en subasta)* adjudication *f*; *(en deporte)* tir *m* au but; **de r.** complètement; **loco de r.** fou à lier

rembolso = **reembolso**

remedar *vt (imitar)* imiter; *Fig (por burla)* singer

remediar *vt (mal, problema)* remédier à; *(daño)* réparer; *(peligro)* éviter

remedio *nm* solution *f*; *(consuelo)* réconfort *m*; *(medicina)* remède *m*; **como último r.** en dernier recours; **no hay** *o* **queda más r. que…** il n'y a pas d'autre solution que de…; **no tiene más r.** il n'a pas le choix; **¡qué r.!** qu'est-ce qu'on peut y faire?; **sin r.** *(inevitablemente)* forcément

rememorar *vt* remémorer

remendar [3] *vt* raccommoder; *(con parches)* rapiécer; *(zapato)* réparer

remero, -a 1 *nm,f* rameur(euse) *m,f*
  2 *nf* **remera** *RP (prenda)* tee-shirt *m*

remesa *nf (de mercancía)* envoi *m*

remeter 1 *vt* remettre; **r. las sábanas** border le lit
  2 remeterse *vpr (camisa)* rentrer dans son pantalon/sa jupe

remiendo *nm (parche)* pièce *f*; *(acción)* raccommodage *m*; *(con parches)* rapiéçage *m*; *Fam (apaño)* rafistolage *m*; **hacer un r. en algo** rafistoler qch

remilgado, -a *adj* minaudier(ère); **ser r. comiendo** faire la fine bouche

remilgo *nm* minauderie *f*; **hacerle remilgos a algo** faire des manières pour manger/accepter/*etc* qch

reminiscencia *nf* réminiscence *f*

remise [re'mis] *nm RP* voiture *f* de location avec chauffeur

remisero, -a *nm,f RP* chauffeur *m* de voiture de location

remiso, -a *adj* réticent(e); **ser r. a hacer algo** n'avoir guère envie de faire qch

remite *nm* **el r.** le nom et l'adresse de l'expéditeur

remitente *nmf* expéditeur(trice) *m,f*

remitir 1 *vt (enviar)* expédier; *(traspasar)* transmettre
  2 *vi (disminuir)* s'apaiser; *(fiebre)* baisser; **r. a** *(en texto)* renvoyer à
  3 remitirse *vpr* **remitirse a** *(atenerse a)* s'en remettre à; *(referirse a)* se reporter à

remo *nm (pala)* rame *f*; *(deporte)* aviron *m*

remoción *nf Am (de objetos)* enlèvement *m*, ramassage *m*; *(de heridos)* transport *m*

remodelar *vt (edificio)* rénover; *(ley, gabinete)* remanier

remojar *vt (humedecer)* faire tremper; *(pan)* tremper; *Fam (festejar)* arroser

remojo *nm* **poner en r.** faire tremper

remolacha *nf* betterave *f* ☆ **r. azucarera** betterave sucrière

remolcador, -ora 1 *adj* remorqueur (euse); **un barco r.** un remorqueur **2** *nm* remorqueur *m*

remolcar [59] *vt* remorquer

remolino *nm* tourbillon *m*; *(de agua)* remous *m*; *Fig (de gente)* foule *f*; *(de pelo)* épi *m*

remolón, -ona 1 *adj* lambin(e) **2** *nm,f* **hacerse el r.** lambiner

remolque *nm (acción)* remorquage *m*; *(vehículo)* remorque *f*; **ir a r. de** être remorqué(e) par; *Fig* être dans le sillage de

remontar 1 *vt (pendiente, montaña)* gravir; *(río, posiciones)* remonter; *(obstáculo, desgracia)* surmonter; **r. el vuelo** s'élever **2 remontarse** *vpr (aves, aviones)* s'élever; **remontarse a** *(gastos)* s'élever à; *Fig (en el tiempo)* remonter à

remonte *nm* remontée *f* mécanique

rémora *nf Fam Fig (obstáculo)* handicap *m*

remorder [41] *vt* **me remuerde la conciencia por no haber ido** j'ai mauvaise conscience de ne pas y être allé

remordimiento *nm* remords *m*

remoto, -a *adj (en el tiempo, espacio)* lointain(e); *Fig (improbable)* minime; **no tengo ni la más remota idea de ello** je n'en ai pas la moindre idée

remover [41] **1** *vt* remuer; *(muebles, objetos)* déplacer; *(pasado)* fouiller dans **2 removerse** *vpr* s'agiter

remplazar [14] = **reemplazar**

remplazo = **reemplazo**

remuneración *nf* rémunération *f*

remunerar *vt (pagar)* rémunérer; *(recompensar)* récompenser

renacer [42] *vi* renaître

renacimiento *nm* renaissance *f*; **el R.** la Renaissance

renacuajo *nm* têtard *m*; *Fam Fig (niño)* bout de chou *m*

renal *adj* rénal(e)

rencilla *nf* querelle *f*

rencor *nm* rancune *f*; **guardar r. a alguien (por)** garder rancune à qn (de)

rencoroso, -a *adj & nm,f* rancunier (ère) *m,f*

rendición *nf* reddition *f*

rendido, -a *adj (agotado)* épuisé(e); **caer r. ante** tomber à genoux devant; **un r. admirador** un fervent admirateur

rendija *nf* fente *f*

rendimiento *nm* rendement *m*

rendir [47] **1** *vt (vencer)* soumettre; *(ofrecer)* rendre; *(cansar)* épuiser; **r. homenaje/culto a** rendre hommage/ un culte à **2** *vi (tener rendimiento)* être performant(e); *(negocio)* rapporter, être rentable; **me rinde mucho el tiempo** j'en fais beaucoup en peu de temps **3 rendirse** *vpr* se rendre (**a** à); *(desanimarse)* abandonner; **rendirse ante la evidencia** se rendre à l'évidence

renegado, -a 1 *adj* apostat(e) **2** *nm,f* renégat(e) *m,f*

renegar [43] **1** *vt* **negar y r. algo** nier fermement qch **2** *vi Fam (gruñir)* ronchonner; **r. de algo/alguien** renier qch/qn

Renfe *nf (abrev* **Red Nacional de los Ferrocarriles Españoles**) = réseau public espagnol des chemins de fer, $\simeq$ SNCF *f*

renglón *nm (línea)* ligne *f*; *Fig* **a r. seguido** aussitôt après

rengo, -a *adj Andes, RP* boiteux (euse) *m,f*

renguear *vi Andes, RP* boiter

reno *nm* renne *m*

renombre *nm* renom *m*; **de r.** de renom

renovación *nf* renouvellement *m*; *(reforma, actualización)* rénovation *f*

renovar [63] *vt* renouveler; *(carné, pasaporte)* faire renouveler; *(reformar, actualizar)* rénover; *(innovar)* donner une nouvelle dimension à

renquear *vi* clopiner; *Fig* vivoter

renta *nf (ingresos)* revenu *m*; *(alquiler)* loyer *m*; *(pensión)* rente *f*; **vivir de las rentas** vivre de ses rentes ☆ *r. fija* revenu fixe; *r. per cápita o por habitante* revenu par habitant; *r. pública* dette *f* publique; *r. variable* revenu variable; *r. vitalicia* rente viagère

rentable *adj* rentable

rentar 1 *vt (rendir)* rapporter; *Am (alquilar)* louer
   2 *vi* rapporter

rentista *nmf* rentier(ère) *m,f*

renuncia *nf* renoncement *m*

renunciar *vi* renoncer; *(rechazar)* refuser qch; **r. a algo** renoncer à

reñido, -a *adj (desavenido)* brouillé(e); *(batalla, lucha)* serré(e); **están reñidos** ils sont brouillés; **estar r. con algo** *(ser opuesto a)* être incompatible avec qch

reñir [47] **1** *vt (persona, perro)* gronder; *(batalla, combate)* livrer
   2 *vi (enfadarse)* se disputer

reo, -a *nm,f* inculpé(e) *m,f*

reojo *nm* **mirar de r.** regarder du coin de l'œil

repantingarse [38] *vpr* se vautrer

reparación *nf* réparation *f*

reparador, -ora *adj (descanso, sueño)* réparateur(trice)

reparar 1 *vt* réparer
   2 *vi (advertir)* **r. en algo** remarquer qch; **no r. en gastos** ne pas regarder à la dépense

reparo *nm (pega)* objection *f*; **no tener reparos en hacer algo** ne pas avoir de scrupules à faire qch; *Fam* **me da r.** je n'ose pas

repartición *nf* répartition *f*

repartidor, -ora 1 *adj* distributeur (trice)
   2 *nm,f* livreur(euse) *m,f*

repartir 1 *vt (dividir)* partager; *(entregar)* livrer; *(correo, cartas, órdenes)* distribuer; *(esparcir)* étaler; *(asignar)* répartir; **r. justicia** rendre la justice
   2 repartirse *vpr (dividirse)* se partager

reparto *nm (de actores, distribución)* distribution *f*; *(división)* partage *m*; *(de mercancía)* livraison *f*; *(asignación)* répartition *f*; *(adjudicación de papeles)* casting *m*; **r. de beneficios** partage des bénéfices

repasador *nm RP* torchon *m*

repasar *vt (revisar)* réviser, revoir; *(recoser)* recoudre

repaso *nm (revisión)* révision *f*; *Fam (reprimenda)* savon *m*

repatear *vt Fam* dégoûter

repatriar [32] **1** *vt* rapatrier
   2 repatriarse *vpr* rentrer dans son pays

repecho *nm* raidillon *m*

repelente *adj* repoussant(e); *(niño)* odieux(euse)

repeler *vt (rechazar)* repousser; *(repugnar)* dégoûter

repelús *nm* **dar r.** donner le frisson

repente: de repente *adv* tout à coup

repentino, -a *adj* soudain(e)

repercusión *nf* répercussion *f*; **su película tuvo gran r. en el público** son film a eu un grand retentissement dans le public

repercutir *vi* **r. en** se répercuter sur

repertorio *nm* répertoire *m*

repesca *nf Fam* repêchage *m*

repetición *nf* répétition *f*

repetir [47] **1** *vt* répéter; **r. curso** redoubler; **r. algo** *(en comida)* reprendre de qch

2 *vi* redoubler; *(alimento)* donner des renvois; *(comensal)* se resservir
3 repetirse *vpr* se répéter

repicar [59] **1** *vt (campanas)* sonner; *(tambor)* battre
  2 *vi (campanas)* carillonner; *(tambor)* battre

repipi *adj* cucul (la praline) *inv*

repiqueteo *nm (de campanas, timbre)* carillon *m*; *(de tambor)* roulement *m*; *Fig (de persona, lluvia)* tambourinement *m*

repisa *nf (estante)* tablette *f*

replantear 1 *vt* réexaminer
  2 replantearse *vpr* réexaminer

replegar [43] **1** *vt* replier
  2 replegarse *vpr (tropas)* se replier

repleto, -a *adj* **r. de** plein(e) de; **estoy r.** je suis repu(e); **el autobús estaba r.** l'autobus était plein à craquer

réplica *nf* réplique *f*; *(respuesta)* réponse *f*; **el derecho de r.** le droit de réponse

replicar [59] *vt* répliquer

repliegue *nm* repli *m*

repoblación *nf* repeuplement *m*
☆ **r. forestal** reboisement *m*

repoblar [63] **1** *vt* repeupler
  2 repoblarse *vpr (de gente)* se repeupler

repollo *nm* chou *m* (pommé)

reponer [50] **1** *vt (volver a poner)* remettre; *(en empleo, cargo)* rétablir; *(sustituir)* remplacer; *(obra)* reprendre; *(película, programa)* repasser; *(replicar)* répondre
  2 reponerse *vpr* se remettre (**de** de); **tardó en reponerse** *(de una impresión)* il a mis du temps à s'en remettre

reportaje *nm* reportage *m* ☆ **r. gráfico** reportage photo

reportar 1 *vt (beneficios)* rapporter; *Méx (denunciar)* signaler; *(informar)* faire un rapport sur; *(asuntos)* parler de

2 reportarse *vpr Andes, CAm, Méx* se présenter; **al llegar a la oficina se reportó a su jefe** en arrivant au bureau il est allé se présenter à son chef

reporte *nm Méx (informe)* rapport *m*; *(noticia)* nouvelle *f*; **recibí reportes de mi hermano** j'ai eu des nouvelles de mon frère; **el r. del tiempo** le bulletin météorologique

reportero, -a *nm,f*, **repórter** *nmf* reporter *m* ☆ **r. gráfico** reporter-photographe *m*

reposado, -a *adj* posé(e); *(decisión)* réfléchi(e)

reposar *vi* reposer; *(descansar)* se reposer

reposera *nf CSur* chaise *f* longue

reposición *nf* reprise *f*

reposo *nm* repos *m*

repostar *vt* **r. combustible** se ravitailler en carburant; **r. gasolina** prendre de l'essence

repostería *nf* pâtisserie *f*

reprender *vt* réprimander

reprensión *nf* réprimande *f*

represa *nf (embalse)* retenue *f* d'eau

represalia *nf* représailles *fpl*; **tomar represalias** exercer des représailles

representación *nf* représentation *f*; **en r. de** en tant que représentant(e) de

representante 1 *adj* **ser r. de algo** être représentatif(ive) de qch
  2 *nmf* représentant(e) *m,f*; *(de artista)* agent *m*; **r. de** *(vendedor)* représentant en

representar *vt* représenter; *(aparentar)* paraître; *(obra)* jouer; **no r. su edad** ne pas faire son âge

representativo, -a *adj* représentatif(ive); **r. de** représentatif de

represión *nf (política)* répression *f*; *(psicológica)* refoulement *m*

reprimenda *nf* réprimande *f*

reprimir 1 *vt* réprimer; *(grito)* retenir

2 reprimirse *vpr* réprimer ses envies

reprobar [63] *vt (criticar)* réprouver; *Am (suspender)* échouer à

reprochar 1 *vt* reprocher
2 reprocharse *vpr* se reprocher

reproche *nm* reproche *m*

reproducción *nf* reproduction *f*

reproducir [18] **1** *vt* reproduire; *(discurso)* restituer
2 reproducirse *vpr* se reproduire

reproductor, -ora *adj* reproducteur(trice)

reptil *nm* reptile *m*

república *nf* république *f*

República Checa *nf* République *f* tchèque

República Dominicana *nf* République *f* dominicaine

republicano, -a *adj & nm,f* républicain(e) *m,f*

repudiar *vt* repousser; *(sujeto: marido)* répudier

repudio *nm* répudiation *f*

repuesto, -a 1 *participio ver* **reponer**
2 *adj* remis(e)
3 *nm* pièce *f* de rechange; **(rueda de) r.** roue *f* de secours

repugnancia *nf* répugnance *f*

repugnante *adj* répugnant(e)

repugnar *vt* répugner à; **este olor me repugna** cette odeur me répugne; **me repugna este tipo de película** j'ai horreur de ce genre de film

repujar *vt* repousser *(graver)*

repulsa *nf (ante medidas, política)* rejet *m* (**ante** de); *(ante violencia, crimen)* réprobation *f* (**ante** face à)

repulsión *nf (aversión)* répulsion *f*

repulsivo, -a *adj* repoussant(e)

repuntar *vi Am (persona)* se remettre; *(negocio)* reprendre

reputación *nf* réputation *f*; **tener buena/mala r.** avoir bonne/mauvaise réputation

repunte *nm Am (recuperación)* reprise *f*; *(aumento)* augmentation *f*; **un r. en las ventas** une reprise des ventes

requemado, -a *adj* brûlé(e)

requerimiento *nm (demanda)* requête *f*; *Der (orden)* sommation *f*; *(aviso)* mise *f* en demeure

requerir [62] **1** *vt (necesitar)* exiger, demander
2 requerirse *vpr (ser necesario)* falloir; **se requiere la nacionalidad española** la nationalité espagnole est exigée

requesón *nm* caillebotte *f*

requisito *nm* condition *f* requise

res *nf* tête *f* de bétail

resabio *nm (sabor)* arrière-goût *m*; *Fig (costumbre)* mauvaise habitude *f*

resaca *nf (de las olas)* ressac *m*; *Fam (de borrachera)* gueule *f* de bois; *Fam* **tengo r.** j'ai la gueule de bois

resalado, -a *adj (simpático)* très gracieux(euse)

resaltar 1 *vi (destacar)* ressortir; *(persona)* se distinguer; *(balcón, cornisa)* faire saillie
2 *vt (destacar)* faire ressortir

resarcir [72] **1** *vt* dédommager (**de** de)
2 resarcirse *vpr* **resarcirse de** se dédommager de

resbalada *nf Am* glissade *f*

resbaladizo, -a *adj* glissant(e)

resbalar 1 *vi* glisser; *(suelo, calzada)* être glissant(e)
2 *vt Fam Fig* **me resbala** je n'en ai rien à fiche
3 resbalarse *vpr* glisser

resbalón *nm* **dar** o **pegar un r.** glisser

rescatar *vt* sauver; *(objeto)* récupérer; *(rehén, secuestrado)* délivrer; *(mediante pago)* racheter

rescate *nm (de persona en peligro)* sauvetage *m*; *(de rehén, secuestrado)* délivrance *f*, libération *f*; *(dinero)* rançon *f*

rescindir *vt* résilier

rescisión *nf* résiliation *f*

rescoldo *nm (brasa)* dernières braises *fpl*; Fig *(de un sentimiento)* restes *mpl*

resecar [59] **1** *vt* dessécher
 2 resecarse *vpr* se dessécher

reseco, -a *adj* desséché(e); *(piel, pan)* très sec (sèche)

resentido, -a 1 *adj* estar r. con alguien en vouloir à qn
 2 *nm,f* es un r. il est aigri

resentimiento *nm* ressentiment *m*

resentirse [62] *vpr (ofenderse)* s'offenser; **r. de** *(sentir molestias)* se ressentir de; **su salud se resiente** sa santé s'en ressent

reseña *nf* compte rendu *m*

reseñar *vt* faire le compte rendu de

reserva 1 *nf* réserve *f*; *(de hotel, tren)* réservation *f*; *(discreción)* discrétion *f*; **reservas** *(energía, recursos)* réserves; **con reservas** sous toutes réserves ☆ **r. natural** réserve naturelle
 2 *nmf (jugador)* remplaçant(e) *m,f*
 3 *nm* un r. del 81 *(vino)* un millésime 81

reservado, -a 1 *adj* réservé(e)
 2 *nm (en tren)* compartiment *m* réservé; *(en restaurante)* salon *m* particulier

reservar 1 *vt* réserver
 2 reservarse *vpr* se réserver; **me reservo para el postre** je me réserve pour le dessert

resfriado, -a 1 *adj* enrhumé(e)
 2 *nm* rhume *m*

resfriar [32] **1** *vt* refroidir
 2 resfriarse *vpr (constiparse)* prendre froid

resfrío *nm RP, Ven* rhume *m*

resguardar 1 *vt* r. de protéger de
 2 resguardarse *vpr* **resguardarse de** se mettre à l'abri de

resguardo *nm (documento)* reçu *m*; *(de envío certificado)* récépissé *m*; *(protección)* abri *m*

residencia *nf (lugar)* lieu *m* de résidence; *(casa, establecimiento)* résidence *f*; *(hospital)* hôpital *m*; *(periodo de formación)* internat *m*; *(permiso para extranjeros)* permis *m* de séjour ☆ **r. universitaria** résidence universitaire

residencial *adj* résidentiel(elle)

residente 1 *adj* los extranjeros residentes en España les étrangers résidant en Espagne
 2 *nmf* résident(e) *m,f*; *(médico)* interne *mf*

residir *vi* r. en résider; **reside en la calle Sargenta, número 1** il réside au numéro 1 de la rue Sargenta; **r. en** *(radicar)* résider dans

residuo *nm* résidu *m*; **residuos radiactivos** déchets *m* radioactifs

resignación *nf* résignation *f*

resignarse *vpr* se résigner (a à)

resina *nf* résine *f*

resistencia *nf* résistance *f*; **oponer gran r. a** opposer une farouche résistance à

resistente *adj* résistant(e)

resistir 1 *vt (tolerar)* supporter; *(oponer resistencia ante)* résister
 2 *vi* résister (a à)
 3 resistirse *vpr* résister (a à); **no hay hombre que se le resista** aucun homme ne lui résiste; **me resisto a creerlo** je me refuse à le croire; **se le resisten las matemáticas** il a beaucoup de mal en mathématiques

resol *nm* réverbération *f* du soleil

resollar [63] *vi* souffler

resolución *nf* résolution *f*; **de mucha r.** *(persona)* résolu(e); **para la r. de algo** pour résoudre qch

resolver [41] **1** *vt (solucionar)* résoudre; **con ese gol el partido estaba resuelto** ce but a décidé de l'issue du match; **r. hacer algo** *(decidir)* résoudre de faire qch

2 resolverse *vpr (solucionarse)* être résolu(e); **resolverse a hacer algo** *(decidirse)* se résoudre à faire qch

resonancia *nf* résonance *f*; *Fig (de noticia)* retentissement *m* ☆ *r. magnética* résonance magnétique

resonar [63] *vi* résonner

resoplar *vi* haleter; *Fig (por enfado)* grogner

resoplido *nm* halètement *m*; **dar resoplidos** *(gruñir)* grogner

resorte *nm* ressort *m*; *Fig* **los resortes del poder** les rênes du pouvoir

respaldar 1 *vt* soutenir, appuyer
2 respaldarse *vpr* **respaldarse en** *(un asiento)* s'adosser à; *Fig (apoyarse)* reposer sur

respaldo *nm (de asiento)* dossier *m*; *Fig (apoyo)* soutien *m*, appui *m*

respectar *v impersonal* **por** *o* **en lo que respecta a...** en ce qui concerne...

respectivo, -a *adj* respectif(ive); **sus respectivos padres** leurs parents respectifs; **en lo r. a...** en ce qui concerne...

respecto *nm* **al r., a este r.** à ce sujet; **(con) r. a, r. de** au sujet de, en ce qui concerne

respetable *adj* respectable

respetar *vt* respecter

respeto *nm* respect *m*; **faltar al r. a alguien** manquer de respect à qn; **por r. a** par respect pour

respetuoso, -a *adj* respectueux (euse)

respingo *nm* **dar un r.** *(animal)* ruer

respingón, -ona *adj* **una nariz respingona** un nez en trompette

respiración *nf* respiration *f*; **r. asistida** respiration assistée

respirar 1 *vt* respirer
2 *vi* respirer; *Fig* **no dejar r. a alguien** ne pas laisser respirer qn

respiratorio, -a *adj* respiratoire

respiro *nm (descanso)* répit *m*; *(alivio)* soulagement *m*; **necesitar un r.** avoir besoin de souffler

resplandecer [46] *vi (brillar)* resplendir; *Fig (destacar)* briller

resplandeciente *adj* resplendissant(e)

resplandor *nm* éclat *m*

responder 1 *vt (contestar)* répondre à
2 *vi (replicar)* répondre; **r. a** *(contestar, corresponder)* répondre à; *(tratamiento)* réagir à; **r. a alguien** répondre à qn; **r. a una pregunta** répondre à une question; **r. a una necesidad** répondre à un besoin; **r. de algo/por alguien** répondre de qch/de qn

respondón, -ona *adj & nm,f* insolent(e) *m,f*

responsabilidad *nf* responsabilité *f*

responsabilizar [14] **1** *vt* responsabiliser; *(culpar)* faire porter la responsabilité à
2 responsabilizarse *vpr* **responsabilizarse de algo** assumer la responsabilité de qch

responsable 1 *adj* responsable (**de** de); **hacerse r. de algo** *(secuestro, atentado)* revendiquer qch
2 *nmf* responsable *mf*

respuesta *nf* réponse *f*; **en r. a** en réponse à

resquebrajar 1 *vt* fendiller; *(pared)* fissurer; *(vajilla, hielo)* fêler
2 resquebrajarse *vpr* se fendiller; *(vajilla, hielo)* se fêler; *Fig* **la sociedad se está resquebrajando** la société est en train de s'effondrer

resquicio *nm (abertura)* fente *f*; *(de puerta)* entrebâillement *m*; *Fig (de esperanza)* lueur *f*

resta *nf* soustraction *f*

restablecer [46] **1** *vt* rétablir
2 restablecerse *vpr (curarse)* se rétablir; *(reimplantarse)* être rétabli(e)

restallar 1 *vt* faire claquer
  2 *vi* claquer

restante *adj* restant(e); **los restantes años de mi vida** les années qu'il me reste à vivre; **lo r.** le reste

restar 1 *vt* soustraire; *Fig (importancia, méritos)* ôter, enlever; *Fig (autoridad)* affaiblir; **r. dramatismo** dédramatiser
  2 *vi (faltar)* rester

restauración *nf* restauration *f*

restaurante *nm* restaurant *m*

restaurar *vt* restaurer

restitución *nf* restitution *f*

restituir [34] *vt (devolver)* restituer; **r. la salud a alguien** remettre qn sur pied; **r. algo a su estado inicial** rendre qch à son état initial

resto *nm* reste *m*; **restos** restes
  ☆ *restos mortales* dépouille *f* mortelle

restregar [43] **1** *vt* frotter
  2 restregarse *vpr (manos)* se frotter

restricción *nf (reducción)* restriction *f*; *(de agua, alimentos)* rationnement *m*

restrictivo, -a *adj* restrictif(ive)

restringir [24] *vt* restreindre; *(agua, alimentos)* rationner

resucitar *vt & vi* ressusciter

resuello *nm* souffle *m*; **llegó sin (un) r.** il est arrivé complètement essoufflé *ou* à bout de souffle

resuelto, -a 1 *participio ver* resolver
  2 *adj* résolu(e)

resultado *nm* résultat *m*; **dar r.** donner des résultats

resultante *adj* résultant(e); **r. de** qui résulte de

resultar 1 *vi* **(a)** *(ocurrir como consecuencia)* résulter; **¿qué resultará de todo esto?** que ressortira-t-il de tout cela?
  (b) *(ser)* **me resulta difícil** ça m'est difficile; **r. un éxito** être réussi(e);

nuestro equipo resultó vencedor finalement, notre équipe a gagné; **el viaje resultó largo** le voyage a été long; **resultó ser su primo** il s'est avéré que c'était son cousin; **resultó ser inexacto** on a découvert que c'était faux; **dos personas resultaron heridas** deux personnes ont été blessées
  (c) *(salir bien)* réussir; **el experimento ha resultado** l'expérience a réussi
  (d) *(costar)* revenir; **nos resultó caro** ça nous est revenu cher
  2 *v impersonal* **resulta que…** *(sucede que)* il se trouve que…

resultas: de resultas de *prep* à la suite de

resumen *nm* résumé *m*; **en r.** en résumé

resumir 1 *vt* résumer
  2 resumirse *vpr* **resumirse en** se résumer à

resurgir [24] *vi* ressurgir

resurrección *nf* résurrection *f*

retablo *nm* retable *m*

retaguardia *nf (tropa)* arrière-garde *f*; *(parte trasera)* arrière *m*

retahíla *nf* kyrielle *f*

retal *nm* coupon *m* de tissu

retar *vt* lancer un défi à; **r. a alguien a hacer algo** défier qn de faire qch

retardar *vt* retarder

retardo *nm* retard *m*

rete- *prefijo Méx Fam* très

retén *nm* **r. (de bomberos)** piquet *m* d'incendie; *Am (prisión)* maison *f* de correction

retención *nf* rétention *f*; *(en el sueldo)* retenue *f*; **retenciones** *(de tráfico)* embouteillage *m* ☆ *r. fiscal* prélèvement *m* fiscal

retener [65] *vt* retenir; **la empresa me retiene parte del salario** l'entreprise me retient une partie de mon salaire; **los piratas del aire retienen a 24 pasajeros** les pirates de l'air retiennent 24 passagers en otage

reticente *adj* réticent(e)

retina *nf* rétine *f*

retintín *nm (ironía)* ton *m* moqueur

retirado, -a 1 *adj* retiré(e); *(jubilado)* retraité(e)
2 *nm,f (jubilado)* retraité(e) *m,f*
3 *nf* **retirada** retrait *m*; *(de ejército vencido)* retraite *f*; **batirse en retirada** battre en retraite; *Fig* assurer ses arrières

retirar 1 *vt* retirer; *(jubilar)* mettre à la retraite; **r. su candidatura** retirer sa candidature; **retiro lo dicho** je retire ce que j'ai dit
2 retirarse *vpr (aislarse, marcharse)* se retirer; *(jubilarse)* prendre sa retraite; *Mil* battre en retraite; *(apartarse)* s'écarter

retiro *nm* retraite *f*

reto *nm* défi *m*

retocar [59] *vt* retoucher; *(dar el último toque a)* mettre la dernière main à

retoño *nm* rejeton *m*

retoque *nm* retouche *f*

retorcer [15] **1** *vt (torcer)* tordre; *Fig (tergiversar)* déformer
2 retorcerse *vpr (contraerse)* se tordre (**de** de)

retorcido, -a *adj (torcido)* tordu(e); *Fig (rebuscado)* alambiqué(e); *Fig (malintencionado)* retors(e)

retórico, -a 1 *adj* rhétorique; **una figura retórica** une figure de rhétorique
2 *nf* **retórica** rhétorique *f*

retornar 1 *vt (devolver)* rendre
2 *vi* **r. a** *(regresar)* retourner à

retorno *nm también Informát* retour *m*; **r. de carro** retour chariot

retortijón *nm* crampe *f* d'estomac

retozar [14] *vi* batifoler

retractarse *vpr* se rétracter; **r. de** *(lo dicho)* revenir sur

retraer [66] **1** *vt (encoger)* rétracter
2 retraerse *vpr (encogerse)* se rétracter; *(retroceder)* se replier; **retraerse de** *(aislarse, apartarse)* se retirer de, s'écarter de

retraído, -a *adj (tímido)* renfermé(e)

retransmisión *nf* retransmission *f*

retransmitir *vt* retransmettre

retrasado, -a 1 *adj* en retard; *(mental)* attardé(e)
2 *nm,f* **r. (mental)** attardé(e) *m,f*

retrasar 1 *vt* retarder; *(hora, fecha)* reculer; *(viaje, proyecto)* repousser
2 *vi (reloj)* retarder
3 retrasarse *vpr (llegar tarde)* être en retard; *(no estar al día)* prendre du retard; *(aplazarse)* être retardé(e); *(reloj)* retarder

retraso *nm* retard *m*; **llegar con r.** arriver en retard

retratar *vt (fotografiar)* photographier; *(dibujar)* faire le portrait de; *Fig (reflejar)* dépeindre

retrato *nm* portrait *m*; **ser alguien el vivo r. de alguien** être le portrait vivant de qn; *Fig* **su novela es un r. de la sociedad de la época** son roman est une photographie de la société de l'époque ☆ **r. robot** portrait-robot *m*

retrete *nm (taza)* cuvette *f* des W-C; *(cuarto)* toilettes *fpl*

retribución *nf* rétribution *f*

retribuir [34] *vt* rétribuer

retro *adj* rétro *inv*

retroactivo, -a *adj* rétroactif(ive); **con carácter r.** à effet rétroactif

retroceder *vi* reculer; **no retrocede ante nada** il ne recule devant rien; **r. en el tiempo** remonter dans le temps

retroceso *nm* recul *m*; *(en enfermedad)* aggravation *f*

retrógrado, -a *adj* rétrograde

retroproyector *nm* rétroprojecteur *m*

retrospectivo, -a 1 *adj* rétrospectif(ive)

2 *nf* **retrospectiva** rétrospective *f*

retrotraer [66] **1** *vt (relato)* faire remonter

2 retrotraerse *vpr (al pasado)* remonter

retrovisor *nm* rétroviseur *m*

retumbar *vi (hacer ruido)* retentir; *(trueno)* gronder; *(cañón)* tonner; *(resonar)* résonner

reuma, reúma *nm ou nf* rhumatisme *m*

reumatismo *nm* rhumatisme *m*

reunificación *nf* réunification *f*

reunificar [59] **1** *vt* réunifier

2 reunificarse *vpr* être réunifié(e)

reunión *nf* réunion *f*

reunir 1 *vt* réunir; *(datos)* rassembler

2 reunirse *vpr (congregarse)* se réunir

revalidar *vt* **r. su título** confirmer son titre

revalorizar [14] **1** *vt* revaloriser

2 revalorizarse *vpr (aumentarse el valor)* prendre de la valeur; *(restituirse el valor)* reprendre de la valeur

revancha *nf* revanche *f*

revelación *nf* révélation *f*

revelado *nm* développement *m*

revelador, -ora *adj* révélateur(trice)

revelar 1 *vt* révéler; *(fotografías)* développer

2 revelarse *vpr* se révéler; **se reveló como un gran músico** il s'est révélé être un grand musicien

reventa *nf* revente *f*

reventar [3] **1** *vt (explotar)* faire éclater, crever; *(con explosivos)* faire sauter; *Fam (cansar)* crever; *Fam (destrozar)* démolir; *Fam* **su manera de hablar me revienta** *(me fastidia)* il a une façon de parler qui me tue

2 *vi (explotar)* éclater, exploser; *Fam (morir)* crever; *Fam Fig* **r. por**

hacer algo *(desear)* crever d'envie de faire qch

3 reventarse *vpr (explotar)* éclater; *Fam (cansarse)* se crever; **me reviento a trabajar** je me tue au travail

reventón *nm* éclatement *m*; **tuve un r.** mon pneu a éclaté; *Fam* **darse** *o* **pegarse un r.** se crever

reverberar *vi (sonido)* résonner; **r. sobre** *o* **en** *(luz, calor)* se réverbérer sur

reverdecer [46] *vi (planta, campo)* reverdir; *Fig (renacer)* se ranimer

reverencia *nf* révérence *f*

reverenciar *vt* révérer

reverendo *nm* révérend *m*

reverente *adj* révérencieux(euse); **un r. silencio** un silence respectueux

reversa *nf Méx* marche *f* arrière

reversible *adj* réversible

reverso *nm* revers *m*; **el r. de la hoja** le verso

revertir [62] *vi* **r. en beneficio de** tourner à l'avantage de; **r. a** *(volver)* revenir à

revés *nm* revers *m*; *(de papel)* dos *m*; *(de tela)* envers *m*; **los reveses de la vida** les revers de fortune; **al r.** à l'envers; **comemos primero y luego vamos al cine o lo hacemos al r.** nous mangeons d'abord et nous allons au cinéma après ou nous faisons l'inverse; **lo entiende todo al r.** il comprend tout de travers; **al r. de lo que piensas...** contrairement à ce que tu penses...; **del r.** à l'envers

revestimiento *nm* revêtement *m*

revestir [47] **1** *vt* revêtir (**de** de); **r. importancia** revêtir de l'importance

2 revestirse *vpr* **revestirse de** *(paciencia, valor)* s'armer de

revisar *vt* réviser; *(cuentas)* vérifier; *(salud, vista)* faire un bilan de; *(vehículo)* faire réviser

revisión *nf* révision *f*; *(de cuentas)*

vérification *f* ☆ *r. médica* examen *m* médical

revisor, -ora *nm,f (en tren, autobús)* contrôleur(euse) *m,f*

revista 1 *ver* **revestir**
  2 *nf* revue *f*; **pasar r. a algo** passer qch en revue ☆ *r. del corazón* magazine *m* people

revistero *nm* porte-revues *m inv*

revivir 1 *vi (resucitar)* revivre; *Fig (sentimiento)* se ranimer
  2 *vt (recordar)* revivre

revocar [59] *vt* révoquer; *(sentencia)* casser

revolcar [67] **1** *vt* rouler; *(persona)* faire tomber; **el niño revolcó sus juguetes en el barro** l'enfant a traîné ses jouets dans la boue
  2 revolcarse *vpr* se rouler

revolotear *vi (pájaro)* voleter; *(hoja, papel)* voltiger

revoltijo, revoltillo *nm* fouillis *m*

revoltoso, -a *adj* turbulent(e)

revolución *nf* révolution *f*; *(vuelta)* tour *m*

revolucionar *vt (perturbar)* bouleverser; *(transformar)* révolutionner

revolucionario, -a *adj & nm,f* révolutionnaire *mf*

revolver [41] **1** *vt (dar vueltas a)* remuer; *(desorganizar)* mettre sens dessus dessous; *Fig* **r. el estómago o las tripas** *(dar asco)* soulever le cœur
  2 *vi* **r. en** fouiller dans
  3 revolverse *vpr (en sillón, cama)* remuer; **revolverse contra alguien** se retourner contre qn

revólver *nm* revolver *m*

revuelo *nm (agitación)* trouble *m*

revuelto, -a 1 *participio ver* **revolver**
  2 *adj (desordenado)* sens dessus dessous; *(alborotado)* troublé(e); *(clima)* instable; *(aguas, mar)* agité(e); **tengo el estómago r.** j'ai l'estomac barbouillé

3 *nm* œufs *mpl* brouillés; **r. de espárragos** œufs brouillés aux asperges
  4 *nf* **revuelta** *(disturbio)* révolte *f*; *(curva)* détour *m*

revulsivo, -a 1 *adj Fig* stimulant(e)
  2 *nm Fig* **servir de r. a** donner un coup de fouet à

rey *nm* roi *m*; **los Reyes** le roi et la reine; **los Reyes Magos** les Rois mages

reyerta *nf* rixe *f*

rezagado, -a 1 *adj* **andar o ir r.** être à la traîne
  2 *nm,f* retardataire *mf*

rezar [14] **1** *vt* dire, faire
  2 *vi (orar)* prier (**por** pour)

rezo *nm* prière *f*

rezumar 1 *vt (transpirar)* laisser filtrer; *Fig (manifestar)* déborder de
  2 *vi* suinter

ría 1 *ver* **reír**
  2 *nf* ria *f*

riachuelo *nm* ruisseau *m*

riada *nf (crecida)* crue *f*; *(inundación)* inondation *f*; *Fig (multitud)* flot *m*

ribera *nf* rive *f*; *(de mar)* rivage *m*

ribete *nm* liseré *m*; *Fig (atisbo)* touche *f*; **tiene ribetes de artista** il a un côté artiste

ricino *nm* ricin *m*

rico, -a 1 *adj* riche (**en** en); *(sabroso)* délicieux(euse); *(simpático)* adorable; *Fam* **¡oye r.!** écoute, mon vieux!
  2 *nm,f* riche *mf*; **los ricos** les riches; **nuevo r.** nouveau riche

rictus *nm* rictus *m*

ridiculez *nf (tontería)* chose *f* ridicule; *(nimiedad)* bêtise *f*, rien *m*

ridiculizar [14] *vt* ridiculiser

ridículo, -a 1 *adj* ridicule
  2 *nm* ridicule *m*; **hacer el r.** se ridiculiser

riego *nm* arrosage *m*; *(de campos)* irrigation *f*; **r. sanguíneo** irrigation

riel *nm* rail *m*

rienda *nf (de caballería)* rêne *f*; *Fig* **dar r. suelta a** laisser libre cours à; *Fig* **riendas** *(dirección)* rênes

riesgo *nm* risque *m*; **a r. de hacer algo** au risque de faire qch; **a todo r.** *(seguro, póliza)* tous risques; **correr (el) r. de hacer algo** courir le risque de faire qch, risquer de faire qch

riesgoso, -a *adj Am* risqué(e)

rifa *nf* tombola *f*

rifar 1 *vt* tirer au sort
2 rifarse *vpr Fig* **rifarse algo** se disputer qch

rifle *nm* carabine *f*

rigidez *nf* rigidité *f*; *(severidad)* rigueur *f*; *(inexpresividad)* impassibilité *f*

rígido, -a *adj* rigide; *(inexpresivo)* figé(e); **volverse r.** *(cera, sustancia)* se solidifier

rigor *nm* rigueur *f*; **de r.** de rigueur; **en r.** à proprement parler

riguroso, -a *adj* rigoureux(euse)

rimar 1 *vi* rimer
2 *vt* faire rimer

rimbombante *adj (grandilocuente)* ronflant(e); *(ostentoso)* tapageur (euse)

rímel *nm* Rimmel® *m*

rincón *nm* coin *m*; *(lugar alejado)* recoin *m*

rinconera *nf* meuble *m* d'angle

ring *nm* ring *m*

rinoceronte *nm* rhinocéros *m*

riña 1 *ver* reñir
2 *nf* dispute *f*

riñón *nm* rein *m*; *Fig* **costar** *o* **valer un r.** valoir les yeux de la tête; **riñones** *(región lumbar)* reins

riñonera *nf (pequeño bolso)* banane *f*

río *nm* fleuve *m*; *(afluente)* rivière *f*; *Fig (abundancia)* flot *m*; **r. abajo** en aval; **r. arriba** en amont

rioja *nm* = vin de la région espagnole de La Rioja

rioplatense 1 *adj* de la région du Río de la Plata
2 *nmf* = personne originaire de la région du Río de la Plata

riqueza *nf* richesse *f*; **tener r. vitamínica** être riche en vitamines

risa *nf* rire *m*; **¡qué r.!** quelle rigolade!; **tomar algo a r.** prendre qch à la rigolade

risotada *nf* éclat *m* de rire

ristra *nf* chapelet *m*; **r. de ajos** chapelet d'ail; **r. de insultos** chapelet d'injures

risueño, -a *adj (alegre)* rieur(euse); *(próspero)* souriant(e)

ritmo *nm* rythme *m*

rito *nm* rite *m*

ritual 1 *adj* rituel(elle)
2 *nm* rituel *m*

rival *adj & nmf* rival(e) *m,f*

rivalidad *nf* rivalité *f*

rivalizar [14] *vi* **r. con alguien** rivaliser avec qn; **r. en algo** *(generosidad, belleza)* rivaliser de qch

rizado, -a 1 *adj (pelo)* frisé(e); *(mar)* moutonneux(euse)
2 *nm* frisure *f*

rizar [14] **1** *vt* friser; *Fig* **r. el rizo** *(complicar)* compliquer inutilement les choses; *Fig* **para r. el rizo hizo un doble salto mortal** et comme si ce n'était pas déjà assez difficile, il a fait un double saut périlleux
2 rizarse *vpr (pelo)* (faire) friser; *(mar)* moutonner

rizo *nm (de pelo)* boucle *f*; *(acrobacia aérea)* looping *m*; **tener rizos en el pelo** avoir les cheveux bouclés

robar *vt (hurtar)* voler; *(embelesar)* ravir; *(en cartas, dominó, damas)* piocher; *Fig* **en ese restaurante te roban** *(cobran caro)* ce sont des voleurs dans ce restaurant

roble *nm* chêne *m* (rouvre); *Fig* **estar hecho un r.** être fort comme un chêne

robo *nm* vol *m*

robot *nm* robot *m* ☆ *r. de cocina* robot ménager

robótica *nf* robotique *f*

robustecer [46] **1** *vt* fortifier
  2 robustecerse *vpr (persona)* prendre des forces

robusto, -a *adj* robuste

roca *nf* roche *f*

roce 1 *ver* rozar
  2 *nm (rozamiento)* frottement *m*; *(ligero)* frôlement *m*; *(marca)* éraflure *f*; *(en la piel)* égratignure *f*; *(fricción)* friction *f*; *(desavenencia)* heurt *m*; **tener un r.** con alguien *(una desavenencia)* s'accrocher avec qn

rociar [32] **1** *vt (con gotas)* asperger; *(con líquido)* arroser
  2 *v impersonal* **ha rociado** il y a eu de la rosée

rocío *nm* rosée *f*

rock *(pl* rocks*),* **rock and roll** *(pl* rocks and roll*) nm* rock *m* ☆ *r. duro* hard rock *m inv*

rockero, -a 1 *adj* rock *inv*
  2 *nm,f* rockeur(euse) *m,f*

rocoso, -a *adj* rocheux(euse)

rodaballo *nm* turbot *m*

rodado, -a *adj (tráfico, tránsito)* routier(ère)

rodaja *nf* tranche *f*; *(de limón, salchichón)* rondelle *f*; **en rodajas** *(chorizo, tomate)* en rondelles

rodaje *nm (de película)* tournage *m*; *(de vehículo)* rodage *m*

rodapié *nm* plinthe *f*

rodar [63] **1** *vi (dar vueltas)* rouler; *(hacer una película)* tourner; **rodó escaleras abajo** il a dégringolé l'escalier; **r. por** *(deambular)* errer dans; **r. por medio mundo** rouler sa bosse
  2 *vt (película)* tourner

rodear 1 *vt* entourer (**con** de); *(con tropas, policías)* cerner; *(dar la vuelta a)* faire le tour de; **r. un tema** *(eludir)* tourner autour d'un sujet
  2 rodearse *vpr* **rodearse de** s'entourer de

rodeo *nm* détour *m*; *(espectáculo, reunión de ganado)* rodéo *m*; **no andar** *o* **ir con rodeos** ne pas y aller par quatre chemins; *Fig* **dar rodeos** tourner autour du pot

rodilla *nf* genou *m*; **de rodillas** à genoux

rodillera *nf* genouillère *f*

rodillo *nm* rouleau *m*; *(de máquina de escribir)* chariot *m*

rodríguez *nm Fam* **en agosto, me quedo de r.** au mois d'août, je suis célibataire

roedor, -ora 1 *adj* rongeur(euse)
  2 *nmpl* **roedores** rongeurs *mpl*

roer [57] *vt* ronger

rogar [16] *vt* **r. a alguien (que) haga algo** prier qn de faire qch; **hacerse (de) r.** se faire prier

rojizo, -a *adj* rougeâtre

rojo, -a 1 *adj* rouge; **el color r.** le rouge
  2 *nm,f* rouge *mf*
  3 *nm (color)* rouge *m*; **al r. vivo** *(incandescente)* chauffé(e) au rouge; *Fig (ánimos, persona)* chauffé(e) à blanc

rol *(pl* roles*) nm (papel)* rôle *m*; *Náut* rôle *m* d'équipage; **juegos de r.** *(de fantasía)* jeux *mpl* de rôle

rollizo, -a *adj* potelé(e)

rollo *nm (cilindro)* rouleau *m*; *(de película)* bobine *f*; *(de fotos)* pellicule *f*; *Fam (embuste)* bobard *m*; *Fam (pelmazo)* casse-pieds *mf inv*; *Fam* **r. (patatero)** baratin *m*, tchatche *f*; *Fam* **cascar** *o* **soltar un r. a alguien** tenir la jambe à qn; *Fam* **tener mucho r.** être un moulin à paroles; *Fam* **cortar el r. a alguien** couper le sifflet à qn; *Fam* **no sé de qué va el r.** je ne sais pas de quoi ça cause; *Fam* **hay buen r. aquí** *(buen ambiente)* c'est sympa ici; *Fam* **meterse en el r.** se mettre dans le coup; *Fam* **ser un r.** *(una pe-*

sadez) être gonflant(e); *Fam* **¡qué r.!** quelle barbe! ☆ *r. de primavera* rouleau de printemps

ROM *nf (abrev* **read only memory)** ROM *f inv*

Roma *n* Rome

romance 1 *adj* roman(e)
  2 *nm (aventura)* idylle *f*

románico, -a 1 *adj* roman(e)
  2 *nm* roman *m*

romano, -a 1 *adj* romain(e)
  2 *nm,f* Romain(e) *m,f*

romanticismo *nm* romantisme *m*

romántico, -a *adj* romantique

rombo *nm* losange *m*

romería *nf (peregrinación)* pèlerinage *m; (fiesta)* fête *f* patronale; *Fig (multitud)* procession *f*

romero, -a 1 *nm,f* pèlerin *m*
  2 *nm* romarin *m*

romo, -a *adj (punta)* émoussé(e)

rompecabezas *nm inv (juego)* puzzle *m; Fig (problema)* casse-tête *m inv*

rompeolas *nm inv* brise-lames *m inv*

romper 1 *vt (partir)* casser; *(papel, tela)* déchirer; *(desgastar) (zapato)* abîmer; *(camisa)* user; *(relaciones, compromiso, contrato)* rompre; **¡rompan filas!** rompez les rangs!; **r. el corazón a alguien** briser le cœur à qn; **r. el silencio** rompre le silence; *Fig* **r. el hielo** briser la glace
  2 *vi (terminar relación)* rompre **(con** avec**)**; *(olas)* se briser; **r. a hacer algo** se mettre à faire qch; **r. a llorar** éclater en sanglots
  3 romperse *vpr (partirse)* se casser; *(ropa)* se trouer; **se ha roto una pierna** il s'est cassé une jambe; **se rompió el jarrón** le vase s'est cassé

rompevientos *nm inv Am (anorak)* coupe-vent *m inv; RP (suéter)* pull *m* à col roulé

rompimiento *nm Am* rupture *f*

ron *nm* rhum *m*

roncar [59] *vi* ronfler

roncha *nf (en la piel)* bouton *m; (de insecto)* piqûre *f*

ronco, -a *adj (afónico)* enroué(e); *(bronco)* rauque; **me he quedado r.** je me suis cassé la voix

ronda *nf (de vigilancia)* ronde *f; (calle)* boulevard *m* périphérique; *Fam (de bebidas)* tournée *f; (en ciclismo, en juego)* tour *m*

rondar 1 *vt (vigilar)* faire une ronde dans; *(desgracia, enfermedad)* guetter; *(rayar en)* avoisiner; *(cortejar)* faire la cour à
  2 *vi (dar vueltas, vagar)* rôder; **me ronda una idea por la cabeza** j'ai une idée qui me trotte dans la tête

ronquera *nf* enrouement *m*

ronquido *nm* ronflement *m*

ronronear *vi* ronronner

ronroneo *nm* ronronnement *m*

roña 1 *adj & nmf Fam* radin(e) *m,f*
  2 *nf (suciedad)* crasse *f; Fam (tacañería)* radinerie *f; (del ganado)* gale *f*

roñoso, -a 1 *adj (sucio)* crasseux (euse); *Fam (tacaño)* radin(e)
  2 *nm,f Fam* radin(e) *m,f*

ropa *nf* vêtements *mpl*; **quitarse la r.** se déshabiller ☆ *r. blanca* linge *m* (blanc); *r. interior* sous-vêtements *mpl; (femenina)* dessous *mpl; r. sucia* linge sale

ropaje *nm (vestidura)* tenue *f*

ropero *nm* penderie *f*

rosa 1 *nf (flor)* rose *f;* **estar (fresco) como una r.** être frais comme une rose ☆ *r. de los vientos* rose des vents
  2 *adj inv (color)* rose
  3 *nm (color)* rose *m*

rosado, -a 1 *adj* rose
  2 *nm (vino)* rosé *m*

rosal *nm* rosier *m*

rosario *nm (objeto)* chapelet *m; (de desgracias)* suite *f; (rezo)* rosaire *m*

rosca *nf (de tornillo)* filet *m*; *(forma de anillo)* anneau *m*; *(de pan, bizcocho)* couronne *f*; *Fig* **pasarse de r.** dépasser les bornes; *Fam Fig* **no comerse una r.** ne pas arriver à lever

rosco *nm* couronne *f (de pain, de brioche)*; *Fam Fig* **no comerse un r.** ne pas faire une touche

roscón *nm* brioche *f* en couronne; **r. de Reyes** = brioche aux fruits que l'on mange pour la fête des Rois, ≃ galette *f* des Rois

rosetón *nm* rosace *f*

rosquilla *nf* = petit gâteau sec en forme d'anneau; *Fam* **venderse como rosquillas** se vendre comme des petits pains

rosticería *nf Méx* rôtisserie *f (restaurant)*

rostro *nm* visage *m*

rotación *nf (giro)* rotation *f*; *(alternancia)* roulement *m*

rotativo, -a **1** *adj* rotatif(ive)
  2 *nm* journal *m*
  3 *nf* **rotativa** rotative *f*

rotisería *nf CSur* rôtisserie *f (boutique)*

roto, -a **1** *participio ver* **romper**
  2 *adj* cassé(e); *(tela, papel)* déchiré(e); *Fig (vida, corazón)* brisé(e); *Fig (exhausto)* éreinté(e)
  3 *nm,f Chile* ouvrier(ère) *m,f*
  4 *nm (en tela)* accroc *m*

rotonda *nf (plaza)* rond-point *m*

rotoso, -a *adj Andes, RP Fam* déguenillé(e)

rótula *nf* rotule *f*

rotulador *nm* feutre *m*; *(grueso)* marqueur *m*; *(fluorescente)* surligneur *m*

rótulo *nm (letrero)* écriteau *m*; *(comercial)* enseigne *f*

rotundo, -a *adj* catégorique; *(fracaso, éxito)* total(e)

rotura *nf* rupture *f*; *(de hueso)* fracture *f*; *(en tela)* déchirure *f*

roulotte [ru'lot] *nf* caravane *f*

rozadura *nf (señal)* éraflure *f*; *(herida)* écorchure *f*

rozamiento *nm (fricción)* frottement *m*

rozar [14] **1** *vt (tocar)* frôler; *(raspar)* érafler; *(herir)* écorcher; *Fig (aproximarse a)* friser; **roza los cuarenta** il n'est pas loin des quarante ans
  2 *vi* **r. con** toucher; *Fig* **esa cuestión roza con lo jurídico** cette question touche au juridique
  3 **rozarse** *vpr* se frôler; *(herirse)* s'écorcher; *Fig* **rozarse con alguien** *(tratar)* fréquenter qn

ruana *nf Am* = poncho ouvert sur le devant

rubeola, rubéola *nf* rubéole *f*

rubí *(pl* **rubís** *o* **rubíes)** *nm* rubis *m*

rubio, -a **1** *adj* blond(e); **cerveza rubia** bière *f* blonde
  2 *nm,f* blond(e) *m,f*

rubor *nm (vergüenza)* honte *f*; *(sonrojo)* rougeur *f*; **causar r. a alguien** faire rougir qn; **el r. encendió su rostro** son visage s'empourpra

ruborizar [14] **1** *vt* faire rougir
  2 **ruborizarse** *vpr* rougir

rúbrica *nf (de firma)* paraphe *m*; *(título)* rubrique *f*

rubricar [59] *vt (firmar)* parapher; *Fig (confirmar)* confirmer

rudeza *nf (tosquedad)* rudesse *f*; *(grosería)* grossièreté *f*

rudimentario, -a *adj* rudimentaire

rudimentos *nmpl* rudiments *mpl*

rudo, -a *adj (tosco, brusco)* rude; *(grosero)* grossier(ère)

rueda **1** *ver* **rodar**
  2 *nf (pieza)* roue *f*; *(corro)* cercle *m*; *(para bailar)* ronde *f*; *Fig* **ir sobre ruedas** marcher comme sur des roulettes ☆ **r. delantera** roue avant; **r. de prensa** conférence *f* de presse; **r. de reconocimiento** = présentation de suspects en vue d'identification; **r.**

de repuesto roue de secours; **r. tra-sera** roue arrière

ruedo *nm* arène *f*

ruego *nm* prière *f (demande)*; **ruegos y preguntas** questions *fpl (à la fin d'une réunion)*

rufián *nm (bribón)* crapule *f*

rugby *nm* rugby *m*

rugido *nm (de animal, persona)* rugissement *m*; *(de tripas)* gargouillement *m*

rugir [24] *vi* rugir; *(tripas)* gargouiller

rugoso, -a *adj (áspero)* rugueux (euse); *(con arrugas)* fripé(e)

ruido *nm* bruit *m*; *Prov* **mucho r. y pocas nueces** beaucoup de bruit pour rien

ruidoso, -a *adj* bruyant(e); *Fig* tapageur(euse)

ruin *adj (vil)* vil(e); *(avaro)* pingre

ruina *nf* ruine *f*; **dejar en la r.** ruiner; **estar en la r.** être ruiné(e); **ser la r. de alguien** *(perdición)* mener qn à sa perte; **estar hecho una r.** *(un desastre)* être une loque; **ruinas** ruines

ruinoso, -a *adj (poco rentable)* ruineux(euse); *(edificio)* en ruine

ruiseñor *nm* rossignol *m*

ruleta *nf* roulette *f (jeu)* ☆ **r. rusa** roulette russe

ruletear *vi CAm, Méx* conduire un taxi

ruletero *nm CAm, Méx* chauffeur *m* de taxi

rulo *nm (para el pelo)* bigoudi *m*

ruma *nf Andes, Ven* tas *m*

Rumanía, Rumania *n* la Roumanie

rumano, -a 1 *adj* roumain(e)
2 *nm,f* Roumain(e) *m,f*
3 *nm (lengua)* roumain *m*

rumba *nf* rumba *f*

rumbo *nm (de barco)* cap *m*; *Fig (orientación)* direction *f*; *(de los acontecimientos)* tournure *f*; **ir con r. a** faire route vers; *Fig* **perder el r.** *(persona)* perdre le nord; **poner r. a** mettre le cap sur; **con r. a** en direction de

rumiante 1 *adj* ruminant(e)
2 *nm* ruminant *m*

rumiar *vt & vi también Fig* ruminer

rumor *nm (chisme)* rumeur *f*; *(de voces)* brouhaha *m*; *(de agua)* grondement *m*; **circula el r. de que…** le bruit court que…

rumorearse *v impersonal* **se rumorea que…** le bruit court que…

runrún *nm (ruido)* ronflement *m*; *(chisme)* bruit *m*

rupestre *adj* rupestre

ruptura *nf* rupture *f*

rural *adj* rural(e); *(médico, cura)* de campagne

Rusia *n* la Russie

ruso, -a 1 *adj* russe
2 *nm,f* Russe *mf*
3 *nm (lengua)* russe *m*

rústico, -a 1 *adj (del campo)* de campagne; *(finca, propiedad)* rural(e); *(mobiliario)* rustique; *(tosco)* fruste
2 *nf* **rústica: en rústica** broché(e)

ruta *nf* route *f*; *Fig* chemin *m*

rutina *nf* routine *f*

rutinario, -a *adj* routinier(ère)

S

S, s *nf (letra)* S *m inv*, s *m inv*

S. *(abrev* **san**) St; *(abrev* **Sur**) S

s *(abrev* **segundo**) s; *(abrev* **siglo**) s.

s. *(abrev* **siguiente**) suivant(e)

S.A. *nf (abrev* **sociedad anónima**) SA *f*

sábado *nm* samedi *m*; **¿qué día es hoy? — (es) s.** quel jour sommes-nous, aujourd'hui? **— (nous sommes) samedi; cada dos sábados, un s. sí y otro no** un samedi sur deux; **cada s., todos los sábados** tous les samedis; **te llamo el s.** je t'appelle samedi; **el próximo s., el s. que viene** samedi prochain; **el s. pasado** samedi dernier; **el s. por la mañana/la tarde/la noche** samedi matin/après-midi/soir; **en s.** le samedi; **caer en s.** tomber un samedi; **nací en s.** je suis né un samedi; **este s.** *(pasado)* samedi dernier; *(próximo)* samedi prochain; **¿trabajas los sábados?** tu travailles le samedi?; **trabajar un s.** travailler un samedi; **un s. cualquiera** n'importe quel samedi

sábana *nf* drap *m*; *Fig* **se le han pegado las sábanas** il a eu une panne d'oreiller

sabandija *nf (animal)* bestiole *f*; *Fam Fig (persona)* minable *mf*

sabañón *nm* engelure *f*

sabático, -a *adj* sabbatique

saber [58] **1** *nm* savoir *m*

2 *vt* savoir; *(entender de)* s'y connaître en; **ya lo sé** je le sais bien; **lo supe ayer** je l'ai su hier; **s. hacer algo** savoir faire qch; **sabe montar en bici** il sait faire du vélo; **hacer s. algo a alguien** faire savoir qch à qn; **a s.** à savoir; **sabe mucha física** il s'y connaît en physique; **que yo sepa** que je sache; **¡y yo que sé!** je n'en sais rien, moi!

3 *vi* **s. a** *(tener sabor a)* avoir un goût de; **no s. a nada** n'avoir aucun goût; **s. bien/mal** avoir bon/mauvais goût; *Fig* **s. mal a alguien** *(disgustar)* ne pas plaire à qn; *(entristecer)* faire de la peine à qn; **s. de algo** s'y connaître en qch; *(tener noticias)* être au courant de qch; **s. de algo** *(tener noticias)* avoir des nouvelles de qn; *Fig* **eso me sabe a disculpa** ça sent l'excuse; *Fam* **¡vete a s.!** va savoir!

4 saberse *vpr* savoir; **me lo sé de memoria** je le sais par cœur

sabiduría *nf (conocimientos)* savoir *m*; *(prudencia)* sagesse *f*

sabiendas: a sabiendas *adv* sciemment; **a s. de que** en sachant que…

sabihondo, -a 1 *adj* pédant(e)

2 *nm,f* grosse tête *f*

sabio, -a 1 *adj* savant(e); **una sabia decisión** une sage décision

2 *nm,f* savant(e) *m,f*

sabiondo, -a = **sabihondo**

sablazo *nm* coup *m* de sabre; *Fam Fig* **dar un s. a alguien** *(de dinero)* taper *(de l'argent à)* qn

sable *nm* sabre *m*

sablear *vi Fam* taper de l'argent

sabor *nm (gusto)* goût *m*; *Fig (estilo)* saveur *f*; **un s. a** un goût de

saborear *vt* savourer

sabotaje *nm* sabotage *m*

sabotear *vt* saboter

sabrá *ver* saber

sabroso, -a *adj (gustoso)* délicieux (euse); *Fig (propuesta, negocio)* intéressant(e); *(cantidad)* substantiel(elle); *Fig (historia, cotilleo)* savoureux(euse)

sabueso *nm también Fig* limier *m*

saca *nf* sac *m* ☆ *s. de correos* sac postal

sacacorchos *nm inv* tire-bouchon *m*

sacapuntas *nm inv* taille-crayon *m*

sacar [59] **1** *vt (poner fuera, hacer salir)* sortir; *(lengua, conclusión, jugo)* tirer; *(quitar)* enlever, retirer; *(buenas notas)* avoir; *(premio)* gagner; *(foto, billete)* prendre; *(dinero)* retirer; *(copia)* faire; *(carné, pasaporte)* se faire faire; *(sonsacar)* soutirer; *(resolver)* résoudre; *(deducir)* déduire, conclure; *(en deporte)* lancer; **sacó el pañuelo del bolsillo** il a sorti son mouchoir de sa poche; **nos sacó algo de comer** il nous a donné quelque chose à manger; **s. a bailar** inviter à danser; **s. adelante** *(hijos)* élever; *(negocio)* faire prospérer; **s. el pecho** bomber le torse; **s. una muela** arracher une dent; **s. en claro** *o* **limpio** tirer au clair; **lo sacaron en televisión** il est passé à la télévision; **sacó tres minutos a su rival** il a pris une avance de trois minutes sur son rival; **s. de banda** faire la remise en jeu

2 *vi (en deporte)* lancer; *(con la raqueta)* servir

3 sacarse *vpr (conseguir)* avoir; **sacarse el carné (de conducir)** passer son permis (de conduire)

sacarina *nf* saccharine *f*

sacerdote, -tisa *nm,f* prêtre *m*, prêtresse *f*

saciar **1** *vt* assouvir; *(aspiraciones)* répondre à; **s. la sed** étancher sa soif

2 saciarse *vpr (persona)* se rassasier; **su sed de venganza no se sacia con nada** rien n'étanche sa soif de vengeance

saco *nm* sac *m*; *Am (chaqueta)* veste *f* ☆ **s. de dormir** sac de couchage

sacramento *nm* sacrement *m*

sacrificar [59] **1** *vt* sacrifier; *(animal)* abattre

2 sacrificarse *vpr* se sacrifier (**por** pour)

sacrificio *nm también Fig* sacrifice *m*

sacrilegio *nm también Fig* sacrilège *m*

sacristán, -ana *nm,f* sacristain *m*, sacristine *f*

sacristía *nf* sacristie *f*

sacro, -a *adj (sagrado)* sacré(e)

sacudida *nf* secousse *f*; *Fig* choc *m* ☆ **s. eléctrica** décharge *f* (électrique)

sacudir **1** *vt* secouer; *Fam (pegar)* flanquer une volée à

2 sacudirse *vpr Fig (librarse de)* se débarrasser de

sádico, -a *adj & nm,f* sadique *mf*

sadismo *nm* sadisme *m*

sadomasoquismo *nm* sadomasochisme *m*

saeta *nf (flecha)* flèche *f*; *(de reloj)* aiguille *f*

safari *nm (expedición)* safari *m*; *(parque)* parc *m* animalier ☆ **s. fotográfico** safari-photo *m*

saga *nf* saga *f*

sagacidad *nf* sagacité *f*

sagaz *adj* sagace

sagitario **1** *nm inv (zodiaco)* Sagittaire *m inv*

2 *nmf inv (persona)* Sagittaire *m inv*

sagrado, -a *adj* sacré(e)

Sahara, Sáhara *nm* **el (desierto del) S.** le Sahara

sal *nf* sel *m*; *Fig (garbo, en el habla)* piquant *m*; *Fig* **la s. de la vida** le sel de la vie; **sales** *(para reanimar, para baño)* sels ☆ **s. gorda** gros sel; **s. de mesa** sel fin *ou* de table

sala *nf* salle *f*; *(de tribunal)* salle *f* (d'audience); *(conjunto de magistrados)* chambre *f* ☆ **s. de espera** salle d'attente; **s. (de estar)** salle de séjour, séjour *m*; **s. de fiestas** salle de bal

saladito *nm RP* petit-four *m* salé

salado, -a *adj (con sal)* salé(e); *(con demasiada sal)* trop salé(e); *Fig (gracioso)* drôle; *Am (desgraciado)* malchanceux(euse)

salamandra *nf* salamandre *f*

salame *nm CSur (picado fino)* salami *m*; *(picado grueso)* saucisson *m* sec

salami *nm* salami *m*

salar *vt* saler

salarial *adj* salarial(e); *(aumento)* de salaire

salario *nm* salaire *m*; **s. mínimo (interprofesional)** salaire minimum, ≃ SMIC *m*

salchicha *nf* saucisse *f*

salchichón *nm* saucisson *m*

salchichonería *nf Méx* charcuterie *f*

saldar **1** *vt (cuenta, producto)* solder; *(deuda)* s'acquitter de; *Fig (diferencias, cuestión)* régler
2 saldarse *vpr* **saldarse con** *(acabar con)* se solder par

saldo *nm (de cuenta)* solde *m*; *(de deudas)* règlement *m*; *Fig (resultado)* bilan *m*; *Fig* **la iniciativa tuvo un s. positivo** l'initiative a eu un résultat positif; **saldos** *(restos de mercancías)* soldes ☆ **s. acreedor** solde créditeur; **s. deudor** solde débiteur

salero *nm (recipiente)* salière *f*; *Fig (gracia)* charme *m*

salida *nf* sortie *f*; *(del sol)* lever *m*; *Dep & (de tren, avión)* départ *m*; *(de carrera)* débouchés *mpl*; *(solución)* issue *f*; *(pretexto)* échappatoire *f*; *(ocurrencia)* trait *m* d'esprit; **s. de emergencia** *o* **de incendios** sortie *ou* issue de secours; **tener mucha s.** *(productos)* s'écouler facilement; **s. de tono** remarque *f* déplacée

salido, -a **1** *adj (saliente)* saillant(e)
2 *nm,f Fam* **es un s.** il est porté sur la chose, c'est un chaud lapin

saliente **1** *adj (que sobresale)* saillant(e); *Fig (importante)* principal(e); *(presidente, gobierno)* sortant(e); **tener los ojos salientes** avoir les yeux globuleux
2 *nm (en construcción)* saillie *f*

salino, -a *adj* salin(e)

salir [60] **1** *vi* **(a)** *(en general)* sortir; **salió a la calle** il est sorti; **Juan sale mucho con sus amigos** Juan sort souvent avec ses amis; **s. de** sortir de; **salgo del hospital** je sors de l'hôpital; **s. de la crisis** sortir de la crise
(b) *(tren, barco)* partir; *(avión)* décoller; *(persona)* partir (**de/para** de/. pour); **s. corriendo** partir en courant; **s. de viaje** partir en voyage
(c) *(ser novios)* **s. con alguien** sortir avec qn; **María y Pedro están saliendo** María et Pedro sortent ensemble
(d) *(resultar)* **s. elegido/premiado** être élu/recompensé; **salió elegida mejor actriz** elle a été élue meilleure actrice; **s. bien/mal** réussir/échouer; **el pastel te ha salido muy bien** ton gâteau est très réussi; **el plan les ha salido mal** leur plan a échoué; **el postre me ha salido mal** mon dessert est raté; **s. ganando** bien s'en tirer; *(con dinero)* y gagner; **s. perdiendo** être désavantagé(e); *(con dinero)* y perdre
(e) *(en sorteo)* être tiré(e)
(f) *(resolverse)* **el problema no me sale** je n'arrive pas à résoudre ce problème; **nunca me salen los crucigramas** je n'arrive jamais à faire les mots croisés
(g) *(costar)* revenir (**a** *o* **por** à); **s. caro** revenir cher; *Fig* coûter cher

(**h**) *(proceder)* **s. de** venir de; **de la uva sale el vino** le raisin donne le vin

(**i**) *(surgir) (sol)* se lever; *(planta, diente)* pousser

(**j**) *(aparecer) (publicación)* paraître; *(producto)* sortir

(**k**) *(en imagen, prensa)* **¡qué bien sales en la foto!** tu es très bien sur la photo!; **mi vecina salió en la tele** ma voisine est passée à la télé; **la noticia sale en los periódicos** la nouvelle est dans les journaux

(**l**) *(presentarse) (ocasión, oportunidad)* se présenter

(**m**) *Informát (de un programa)* quitter

(**n**) *(tener una ocurrencia)* **nunca se sabe por dónde va a s.** on ne sait jamais ce qu'il va sortir

(**o**) *(parecerse)* **s. a alguien** ressembler à qn

(**p**) *(sobresalir)* ressortir

(**q**) *Fam* **porque me sale/no me sale de las narices** parce que j'en ai/je n'en ai pas envie

(**r**) **s. adelante** s'en sortir; *(proyecto)* aboutir, se concrétiser

2 salirse *vpr (de lugar)* sortir (**de** de); *(gas, líquido)* s'échapper (**por** par); *(rebosar)* déborder; **el agua se salió de la bañera** la baignoire a débordé; **salirse de** *(asociación, carretera)* quitter; **salirse del tema** s'écarter du sujet; **salirse con la suya** arriver à ses fins

salitre *nm* salpêtre *m*

saliva *nf* salive *f*

salmo *nm* psaume *m*

salmón 1 *adj (color)* (rose) saumon *inv*

2 *nm (pez)* saumon *m*

3 *nm inv (color)* (rose *m*) saumon *m*

salmonelosis *nf inv* salmonellose *f*

salmonete *nm* rouget *m*

salmuera *nf* saumure *f*

salobre *adj* saumâtre

salón *nm* salon *m*; *(local)* salle *f* ☆ **s.**

de actos salle de conférences; **s. de belleza** institut *m* de beauté

salpicadera *nf Méx* garde-boue *m inv*

salpicadero *nm* tableau *m* de bord

salpicadura *nf* éclaboussure *f*

salpicar [59] *vt (rociar)* éclabousser; *Fig* **s. algo con algo** parsemer qch de qch

salpimentar [3] *vt* saupoudrer de sel et de poivre

salsa *nf* sauce *f*; *(de carne)* jus *m*; *Fig (interés)* attrait *m*; *(música, baile)* salsa *f* ☆ **s. bechamel** o **besamel** sauce béchamel; **s. mayonesa** o **mahonesa** sauce mayonnaise; **s. rosa** sauce cocktail

salsera *nf* saucière *f*

saltamontes *nm inv* sauterelle *f*

saltar 1 *vt* sauter; *(hacer estallar)* faire sauter

2 *vi* sauter; *(al agua)* plonger; *(botón)* tomber; *(levantarse, reaccionar bruscamente)* bondir; *(desparramarse)* jaillir; *(romperse)* se casser; **s. a** *(terreno, pista)* arriver sur; **s. de un tema a otro** passer du coq à l'âne; **s. a la comba** sauter à la corde; **s. 10 metros** faire un saut de 10 mètres; **s. sobre** *(abalanzarse)* sauter sur; **han saltado los plomos** les plombs ont sauté; **salta a la vista que...** on voit tout de suite que...

3 saltarse *vpr* sauter; *(no respetar)* ignorer; *(semáforo, stop)* brûler; **se me ha saltado un botón** j'ai perdu un bouton

salteado, -a *adj (en la sartén)* sauté(e)

salteador, -ora *nm,f* **s. (de caminos)** bandit *m* (de grands chemins)

saltear *vt (asaltar)* attaquer; *(en la sartén)* faire sauter

saltimbanqui *nmf* saltimbanque *mf*

salto *nm* saut *m*; *(al agua)* plongeon *m*; *Fig (diferencia)* écart *m*; *Fig (omisión)* trou *m*; *(despeñadero)* précipice *m*; **dar** *o* **pegar un s.** faire un saut; *Fig (asustarse)* faire un bond; *(progresar)* faire un bond en avant; **vivir a s. de mata** vivre au jour le jour ☆ **s. de agua** chute *f* d'eau; **s. de altura** saut en hauteur; **s. de longitud** saut en longueur

saltón, -ona *adj (diente)* en avant; **tener los ojos saltones** avoir les yeux globuleux

salubre *adj* salubre

salud 1 *nf* santé *f*; **estar bien/mal de s.** être en bonne/mauvaise santé; **beber a la s. de alguien** boire à la santé de qn
    2 *interj (para brindar)* à la tienne/vôtre!; *(tras estornudo)* à tes/vos souhaits!

saludable *adj* sain(e); *Fig (provechoso)* salutaire

saludar 1 *vt (a una persona)* saluer; **saluda a Ana de mi parte** dis bonjour à Ana de ma part; **le saluda atentamente** *(en cartas)* recevez l'expression de mes sentiments distingués
    2 saludarse *vpr* se saluer; **no saludarse** *(estar enemistados)* ne plus se dire bonjour

saludo *nm* salut *m*; **Ana te manda saludos** *(en cartas)* je te transmets le bonjour d'Ana; *(al teléfono)* tu as le bonjour d'Ana; **dirigir un s. a alguien** saluer qn; **un s. afectuoso** *(en cartas)* affectueusement

salva *nf (militar)* salve *f*; **una s. de aplausos** une salve d'applaudissements

salvación *nf (rescate)* secours *m*; *(de las almas)* salut *m*; **no tener s.** *(enfermo)* être perdu(e)

salvado *nm* son *m (de céréales)*

salvador, -ora 1 *adj* salvateur(trice)
    2 *nm,f* sauveur *m*

salvadoreño, -a 1 *adj* salvadorien(enne)
    2 *nm,f* Salvadorien(enne) *m,f*

salvaguardar *vt* sauvegarder

salvaje 1 *adj* sauvage; *(brutal)* violent(e)
    2 *nmf* sauvage *mf*

salvamanteles *nm inv* dessous-de-plat *m inv*

salvamento *nm* sauvetage *m*

salvapantallas *nm inv Informát* économiseur *m* d'écran

salvar 1 *vt* sauver; *(obstáculo)* franchir; *(dificultad)* surmonter; **salvando algunos detalles...** *(exceptuando)* excepté quelques détails...
    2 salvarse *vpr* **salvarse de** *(librarse de)* réchapper de

salvavidas 1 *adj inv* de sauvetage *inv*
    2 *nm inv (flotador)* bouée *f* de sauvetage

salvedad *nf* exception *f*; **con la s. de que...** excepté que...

salvia *nf* sauge *f*

salvo, -a 1 *adj* sauf (sauve)
    2 *adv* sauf; **s. que llueva** sauf s'il pleut; **hablaron todos, s. él** ils ont tous parlé sauf lui
    3 *nm* **estar a s.** être en sûreté; **su honor está a s.** son honneur est sauf; **poner algo a s.** mettre qch à l'abri

salvoconducto *nm* sauf-conduit *m*

samba *nf* samba *f*

san *adj* saint; **s. José** saint Joseph

sanar 1 *vt* guérir
    2 *vi* guérir; **no he sanado del todo** je ne suis pas totalement guéri

sanatorio *nm* clinique *f*; *(en la montaña)* sanatorium *m*

sanción *nf* sanction *f*

sancionar *vt* sanctionner

sancocho *nm Andes, Ven* = ragoût fait avec de la viande, des bananes plantains et du manioc

sandalia *nf* sandale *f*

sándalo *nm* santal *m*

sandez *nf* sottise *f*

sandía *nf* pastèque *f*

sándwich (*pl* **sándwiches** *o* **sand-wichs**) *nm* sandwich *m* (de pain de mie)

saneamiento *nm* assainissement *m*

sanear *vt* assainir

sangrar 1 *vi* saigner; **s. por la nariz** saigner du nez

   2 *vt* saigner; *(árbol)* gemmer

sangre *nf* sang *m*; **llevar algo en la s.** avoir qch dans le sang; **no llegó la s. al río** ça n'a pas été plus loin ☆ **s. fría** sang-froid *m*; **a s. fría** de sang-froid

sangría *nf (de sangre)* saignée *f*; *(bebida)* sangria *f*; *Informát* retrait *m*, renfoncement *m*

sangriento, -a *adj* sanglant(e); *(despiadado, cruel)* sanguinaire

sanguijuela *nf también Fig* sangsue *f*

sanguinario, -a *adj* sanguinaire

sanguíneo, -a *adj* sanguin(e)

sanidad *nf (servicio)* santé *f*; *(salubridad)* hygiène *f*; **trabajar en s.** travailler dans le secteur médical; **el ministerio de s.** le ministère de la Santé ☆ **s. privada** système *m* de santé privé; **s. (pública)** santé publique

sanitario, -a 1 *adj* sanitaire

   2 *nm,f (persona)* professionnel (elle) *m,f* de la santé

   3 *nmpl* **sanitarios** *(instalación)* sanitaires *mpl*

sano, -a *adj* sain(e); **s. y salvo, sana y salva** sain(e) et sauf (sauve); *(entero)* intact(e)

San Salvador *n* San Salvador

Santa Clos *n Méx* le père Noël

santería *nf Am (tienda)* magasin *m* d'objets pieux; *(afro)* = culte afrocubain, mélange de catholicisme et de religions africaines

santero, -a *nm,f Am* guérisseur (euse) *m,f*

Santiago de Chile *n* Santiago du Chili

Santiago de Compostela *n* Saint-Jacques-de-Compostelle

santiaguino, -a 1 *adj* de Santiago du Chili

   2 *nm,f* = personne originaire de Santiago du Chili

santiamén *nm Fam* **en un s.** en un clin d'œil

santidad *nf* sainteté *f*; **una vida de s.** une vie de saint(e); **Su S.** sa Sainteté

santificar [59] *vt* sanctifier

santiguarse [11] *vpr* se signer

santo, -a 1 *adj* saint(e); *Fam (beneficioso)* miraculeux(euse); **todo el s. día** toute la sainte journée; **hace su santa voluntad** il fait ses quatre volontés

   2 *nm,f también Fig* saint(e) *m,f*

   3 *nm (onomástica)* fête *f*; *Fam Fig (ilustración, foto)* image *f*; **¿a s. de qué?** en quel honneur?; **se le fue el s. al cielo** il a perdu le fil (de ses pensées); **no es s. de mi devoción** *(cosa)* ce n'est pas ma tasse de thé; *(persona)* il/elle ne me plaît guère ☆ **s. y seña** mot *m* de passe

Santo Domingo *n* Saint-Domingue

santoral *nm (libro de vidas de santos)* hagiographie *f*; *(onomástica)* martyrologe *m*

santuario *nm* sanctuaire *m*

saña *nf (furia)* rage *f*; **con s.** rageusement

sapo *nm* crapaud *m*

saque 1 *ver* **sacar**

   2 *nm (en fútbol, baloncesto)* remise *f* en jeu; *(en tenis, bádminton)* service *m* ☆ **s. de banda** (remise en) touche *f*; **s. de esquina** corner *m*

saquear *vt (rapiñar)* piller, mettre à sac; *Fam (vaciar)* faire une razzia sur

saqueo *nm* pillage *m*

sarampión *nm* rougeole *f*

sarao *nm (fiesta)* fête *f*

sarcasmo *nm* sarcasme *m*

sarcástico, -a *adj* sarcastique

sarcófago *nm* sarcophage *m*

sardana *nf* sardane *f*

sardina *nf* sardine *f*; *Fig* **ir como sardinas en canasta** *o* **en lata** être serrés comme des sardines

sardónico, -a *adj* sardonique

sargento 1 *nmf* sergent *m*; *Pey (persona autoritaria)* gendarme *m*
2 *nm (herramienta)* serre-joint *m*

sarna *nf* gale *f*; *Fig* **s. con gusto no pica** quand on aime ça... (on n'en voit pas les inconvénients)

sarpullido *nm* éruption *f* cutanée

sarro *nm* tartre *m*

sarta *nf* chapelet *m (d'objets)*; *(de desdichas)* série *f*; **dijo una s. de tonterías/mentiras** il a débité un chapelet d'âneries/de mensonges

sartén *nf (utensilio)* poêle *f*; *Fig* **tener la s. por el mango** tenir les rênes

sastre, -a *nm,f* tailleur *m*, couturière *f*

sastrería *nf* **ir a la s.** aller chez le tailleur

Satanás *n* Satan

satélite 1 *adj* satellite ☆ **ciudad s.** ville *f* satellite
2 *nm* satellite *m*

satén *nm* satin *m*

satinado, -a *adj* satiné(e)

sátira *nf* satire *f*

satírico, -a 1 *adj* satirique
2 *nm,f* persifleur(euse) *m,f*; *(escritor)* satiriste *mf*

satirizar [14] *vt* railler, faire la satire de

satisfacción *nf* satisfaction *f*; *Fig (gusto)* luxe *m*; **tener cara de s.** avoir un air satisfait; **darse la s. de** s'offrir le luxe de

satisfacer [33] *vt* satisfaire; *(deuda)* honorer; *(pregunta)* répondre à; *(requisitos)* remplir; **s. una duda** lever un doute

satisfactorio, -a *adj* satisfaisant(e)

satisfecho, -a 1 *participio ver* **satisfacer**
2 *adj (complacido)* satisfait(e); *(al comer)* repu(e); **darse por s.** s'estimer heureux(euse)

saturar 1 *vt* saturer
2 saturarse *vpr* être saturé(e)

Saturno *n (dios, planeta)* Saturne

sauce *nm* saule *m* ☆ **s. llorón** saule pleureur

sauna *nf* sauna *m*

savia *nf (de planta)* sève *f*

saxofón, saxo 1 *nm* saxophone *m*
2 *nmf* saxophoniste *mf*

saxofonista *nmf* saxophoniste *mf*

saxófono = **saxofón**

sazón *nf (madurez)* maturité *f*; *(sabor)* goût *m*; **estar en s.** être mûr(e); **a la s.** à ce moment-là, à cette époque

sazonado, -a *adj* assaisonné(e)

sazonar *vt* assaisonner

scout [es'kaut] *(pl* **scouts)** *nm* scout (e) *m,f*

se *pron personal* **(a)** *(reflexivo)* se; *(usted mismo, ustedes mismos)* vous; **se pasea** il se promène; **se divierte** il s'amuse; **se están bañando, están bañándose** ils se baignent; **hay que lavarse todos los días** il faut se laver tous les jours; **siéntese** asseyez-vous; **¡que se diviertan!** amusez-vous bien!
(b) *(recíproco)* **se tutean** ils se tutoient; **se quieren** ils s'aiment
(c) *(construcción pasiva)* **se ha suspendido la reunión** la réunion a été suspendue
(d) *(impersonal)* on; **se habla inglés** *(en letrero)* on parle anglais; **desde aquí se ve bien** on voit bien d'ici; **se prohíbe fumar** *(en letrero)* interdiction de fumer
(e) *(complemento indirecto)* *(a él, ella)* lui; *(a ellos, ellas)* leur; *(a usted, ustedes)* vous; **cómpraselo** achète-le-lui/leur; **se lo dije, pero no me**

hicieron caso je le leur ai dit, mais ils ne m'ont pas écouté; **si usted quiere, yo se las mandaré** si vous voulez, je vous les enverrai

sé ver **saber, ser**

sebo nm graisse f; (para jabón, velas) suif m

secador nm séchoir m ☆ s. (de pelo) sèche-cheveux m inv

secadora nf séchoir m ☆ s. de ropa sèche-linge m inv

secar [59] **1** vt (ropa, lágrimas) sécher; (planta, piel) dessécher; (enjugar) essuyer
  2 secarse vpr sécher; (río, fuente) s'assécher; (planta, piel) se dessécher; **secarse el pelo** se sécher les cheveux

sección nf (en tienda, almacén) rayon m; (en empresa) service m; (de periódico, revista) pages fpl; (subdivisión) section f; (dibujo) coupe f; **s. deportiva** pages sportives

seccionar vt sectionner

secesión nf sécession f

seco, -a adj sec (sèche); (río, lago) à sec; **lavar en s.** nettoyer à sec; **parar en s.** s'arrêter net; **dejar s. a alguien** (pasmar) couper le souffle à qn; **a secas** tout court; **se llama Juan a secas** il s'appelle Juan tout court

secretaría nf secrétariat m; Am (ministerio) ministère m

secretario, -a nm,f secrétaire mf; Am (ministro) ministre mf ☆ s. de dirección secrétaire de direction

secreto, -a 1 adj secret(ète); **en s.** en secret
  2 nm secret m

secta nf secte f

sector nm secteur m; (de partido) courant m; **un s. de la opinión pública** une partie de l'opinion publique ☆ s. privado secteur privé; **s. público** secteur public

secuaz nmf Pey acolyte m

secuela nf séquelle f

secuencia nf séquence f; (de temas) série f

secuestrador, -ora nm,f ravisseur (euse) m,f; (de avión) pirate m de l'air

secuestrar vt (persona) enlever; (barco, avión) détourner; (periódico, publicación, bienes) saisir

secuestro nm (de persona) enlèvement m; (de avión, barco) détournement m; (de periódico, publicación) saisie f

secular 1 adj (seglar) séculier(ère); (centenario) séculaire
  2 nm séculier m

secundar vt (proyecto) appuyer, soutenir; (persona) seconder

secundario, -a adj secondaire

sed 1 ver **ser**
  2 nf también Fig soif f

seda nf soie f; **como la s.** comme sur des roulettes ☆ s. dental fil m dentaire

sedal nm ligne f (pour pêcher)

sedante 1 adj (relajante) apaisant(e); (medicamento) sédatif(ive)
  2 nm sédatif m

sede nf siège m (résidence, diocèse) ☆ la Santa S. le Saint-Siège

sedentario, -a adj sédentaire

sedición nf sédition f

sediento, -a adj assoiffé(e); Fig **s. de** (deseoso) assoiffé(e) de

sedimentar 1 vt déposer
  2 sedimentarse vpr se déposer

sedimento nm (poso) dépôt m; Geol sédiment m; Fig (huella) traces fpl

sedoso, -a adj soyeux(euse)

seducción nf séduction f

seducir [18] vt (atraer) séduire; (persuadir) enjôler

seductor, -ora 1 adj séduisant(e)
  2 nm,f séducteur(trice) m,f

segador, -ora 1 nm,f (agricultor) moissonneur(euse) m,f

2 *nf* **segadora** *(máquina)* moissonneuse *f*; *(herramienta)* faucheuse *f*

segar [43] *vt (mieses)* moissonner; *(hierba)* faucher; *Fig (cortar) (cabezas)* couper; *(vidas)* faucher; *(ilusiones)* briser

seglar 1 *adj* séculier
2 *nm* séculier *m*

segmentar *vt* segmenter

segmento *nm* segment *m*

segregación *nf (discriminación)* ségrégation *f*; *(secreción)* sécrétion *f*
☆ *s. racial* ségrégation raciale

segregar [38] *vt (separar)* séparer; *(secretar)* sécréter

seguido, -a 1 *adj (continuo)* continu(e); *(consecutivo)* de suite, d'affilée; **diez años seguidos** dix ans de suite; **se comió quince pasteles seguidos** il a mangé quinze gâteaux d'affilée; **tener hijos seguidos** avoir des enfants rapprochés; **en seguida** tout de suite
2 *adv* tout droit; *Am (frecuentemente)* souvent

seguidor, -ora *nm,f* adepte *mf*; *(de equipo)* supporter *m*

seguimiento *nm* suivi *m*

seguir [61] **1** *vt* suivre; *(reanudar, continuar)* poursuivre; **alguien nos seguía** quelqu'un nous suivait; **seguí tus instrucciones** j'ai suivi tes instructions; **sigue unos cursos de…** elle suit des cours de…; **la enfermedad sigue su curso** la maladie suit son cours
2 *vi (sucederse)* suivre; *(continuar)* continuer; *(estar todavía)* être toujours; **s. a algo** suivre qch; **la primavera sigue al invierno** le printemps suit l'hiver; **sigue por este camino** continue dans cette voie; **sigue haciendo frío** il continue à faire froid; **sigue enferma/soltera** elle est toujours malade/célibataire; **debes s. intentándolo** il faut que tu continues d'essayer
3 seguirse *vpr (deducirse)* s'ensuivre

según 1 *prep (de acuerdo con)* selon, d'après; *(dependiendo de)* suivant, selon; **s. ella, ha sido un éxito** selon elle, ça a été un succès; **s. yo/tú/etc** d'après moi/toi/etc; **s. la hora que sea** suivant l'heure (qu'il sera); **s. los casos** selon les cas
2 *adv (como)* comme; *(a medida que)* (au fur et) à mesure que; **todo permanecía s. lo había dejado** tout était comme il l'avait laissé; **s. nos acercábamos, el ruido aumentaba** à mesure que nous approchions, le bruit s'amplifiait; **¿te gusta la música? — s.** tu aimes la musique? — ça dépend; **lo intentaré s. esté de tiempo** j'essaierai en fonction du temps que j'aurai; **s. parece** à ce qu'il paraît

segunda *ver* **segundo**

segundero *nm* trotteuse *f*

segundo, -a 1 *adj num* deuxième, second(e); **primos segundos** cousins au second degré; *ver también* **sexto**
2 *nm* seconde *f*
3 *nf* **segunda** *(velocidad, clase)* seconde *f*; **ir con segundas** *(discurso, palabras)* être plein(e) de sous-entendus

seguramente *adv* sûrement, probablement

seguridad *nf (protección)* sécurité *f*; *(fiabilidad)* sûreté *f*; *(certidumbre, confianza)* assurance *f*; **de s.** *(cinturón, cerradura)* de sécurité; **con s.** avec certitude; **s. en sí mismo** confiance *f* en soi ☆ *s. ciudadana* sécurité; *S. Social* Sécurité sociale

seguro, -a 1 *adj* sûr(e); **ir sobre s.** ne prendre aucun risque; **tener por s. que** être sûr(e) *ou* certain(e) que
2 *nm (contrato)* assurance *f*; *(dispositivo)* sûreté *f*; *(de pistola)* cran *m* de sûreté; *Fam (Seguridad Social)* Sécu *f*; *CAm, Méx (imperdible)* épingle *f* de nourrice ☆ *s. de vida* assurance-vie *f*
3 *adv* sûrement; **s. que vendrá** il va venir, c'est sûr

seis 1 *adj num inv* six; **s. personas** six personnes; **tiene s. años** il a six ans; **página s.** page six; **estamos a día s.** nous sommes le six
2 *nm inv* six *m*; **el s. de agosto** le six août; **calle Mayor (número) s.** six, calle Mayor; **s. por s.** *(en multiplicación)* six fois six; **el s. de diamantes** le six de carreau
3 *pron num* six; **somos s.** nous sommes six; **vinieron s.** ils sont venus à six; **los s.** tous les six
4 *nfpl* **las s.** six heures; **son las s.** il est six heures

seiscientos, -as *adj num inv* six cents; **s. veinte** six cent vingt; **página s.** page six cent

seísmo, sismo *nm* séisme *m*

selección *nf* sélection *f*; *(de personal)* recrutement *m* ☆ **s. nacional** équipe *f* nationale; **s. natural** sélection naturelle

seleccionador, -ora 1 *adj* de sélection
2 *nm,f (del equipo nacional)* sélectionneur(euse) *m,f*

seleccionar *vt* sélectionner

selectividad *nf (examen)* = examen d'entrée à l'université

selectivo, -a *adj* sélectif(ive)

selecto, -a *adj (excelente)* de choix; *(escogido)* choisi(e); **la gente selecta** les gens bien

self-service [self'serβis] *(pl* **self-services)** *nm* self-service *m*

sellar *vt (estampar)* tamponner; *(timbrar)* timbrer; *(lacrar, precintar)* sceller

sello *nm (de correos)* timbre *m*; *(tampón)* tampon *m*; *(sortija)* chevalière *f*; *(lacre, impresión)* sceau *m*; *Fig* **tener un s. personal** *(carácter)* avoir un certain cachet; **tener el s. de** porter la marque de ☆ **s. discográfico** label *m* (de disques)

selva *nf* jungle *f*; *(bosque)* forêt *f* ☆ **s. tropical** forêt tropicale

semáforo *nm* feu *m*

semana *nf* semaine *f*; **entre s.** en semaine ☆ **s. laboral** semaine de travail; **S. Santa** Pâques *m*; **la S. Santa** la semaine sainte

semanada *nf Am* argent *m* de poche *(distribué chaque semaine)*

semanal *adj* hebdomadaire

semanario, -a 1 *adj* hebdomadaire
2 *nm (publicación semanal)* hebdomadaire *m*

semántico, -a 1 *adj* sémantique
2 *nf* **semántica** sémantique *f*

semblante *nm* mine *f (expression)*

semblanza *nf (descripción)* portrait *m*; *(reseña)* notice *f* biographique

sembrado, -a 1 *adj Fig* **s. de trampas** *(lleno)* semé(e) d'embûches
2 *nm* semis *m*

sembrar [3] *vt* semer; *Fig (llenar)* couvrir **(de** *o* **con** de); *Fig* **s. el pánico** semer la panique

semejante 1 *adj (parecido)* semblable **(a** à); *(tal)* pareil(eille); **dos casos semejantes** deux cas semblables; **nunca ha habido s. cola** il n'y a jamais eu une queue pareille
2 *nm* semblable *m*

semejanza *nf* ressemblance *f*

semejar 1 *vi* ressembler
2 semejarse *vpr* se ressembler

semen *nm* sperme *m*

semental 1 *adj* **un toro s.** un taureau étalon; **un caballo s.** un étalon
2 *nm* étalon *m*

semestral *adj* semestriel(elle)

semestre *nm* semestre *m*

semiconductor *nm* semi-conducteur *m*

semicorchea *nf Mús* demi-croche *f*

semidesnatado, -a *adj* demi-écrémé(e)

semifinal *nf* demi-finale *f*

semifusa *nf Mús* quadruple croche *f*

semilla *nf (simiente)* graine *f*; *Fig* **ser la s. de algo** *(el origen)* être à l'origine de qch; **ser la s. de la discordia** semer la discorde

seminario *nm* séminaire *m*

semiseco, -a *adj* demi-sec(sèche)

semítico, -a *adj* sémitique

sémola *nf* semoule *f*

Sena *nm* **el S.** la Seine

senado *nm* sénat *m*; **el S.** le Sénat

senador, -ora *nm,f* sénateur *m*

sencillez *nf* simplicité *f*

sencillo, -a 1 *adj* simple
  2 *nm* CAm, Méx Fam *(cambio)* petite monnaie *f*

senda *nf (camino)* sentier *m*; *(medio, método)* voie *f*

senderismo *nm* randonnée *f*

sendero *nm* sentier *m*

sendos, -as *adj* chacun un(e), chacune un(e); **Pedro y Juan llevaban s. paquetes** Pedro et Juan portaient chacun un paquet; **ellas llevaban sendos paraguas** elles portaient chacune un parapluie

senectud *nf* vieillesse *f*

Senegal *n* **(el) S.** le Sénégal

senegalés, -esa 1 *adj* sénégalais(e)
  2 *nm,f* Sénégalais(e) *m,f*

senil *adj* sénile

seno *nm* sein *m*; *(concavidad)* poche *f*; *Mat & Anat* sinus *m*; **tiene grandes senos** elle a beaucoup de poitrine; *Fig* **en el s. de** au sein de ☆ **s. materno** ventre *m* de la mère

sensación *nf* sensation *f*; *(efecto, premonición)* impression *f*; **tener la s. de que** avoir le sentiment *ou* l'impression que

sensacional *adj* sensationnel(elle)

sensacionalista *adj* à sensation *inv*

sensatez *nf* bon sens *m*

sensato, -a *adj* sensé(e)

sensibilidad *nf* sensibilité *f*

sensibilizar [14] *vt* sensibiliser

sensible *adj* sensible; *(delicado)* délicat(e)

sensiblero, -a *adj* *Pey* mièvre; *(persona)* trop sensible

sensitivo, -a *adj* sensitif(ive)

sensor *nm* capteur *m*

sensorial *adj* sensoriel(elle)

sensual *adj* sensuel(elle)

sentado, -a *adj (en asiento)* assis(e); *(prudente)* réfléchi(e); **dar algo por s.** considérer qch comme acquis; **dejar s. que** établir que

sentar [3] **1** *vt también Fig* asseoir
  2 *vi (ropa, peinado)* aller; **ese vestido te sienta bien** cette robe te va bien; **el negro le sienta fatal** le noir ne lui va pas du tout; **s. bien/mal a alguien** *(clima, vacaciones, comida)* réussir/ne pas réussir à qn; **un descanso te sentará bien** ça te fera du bien de te reposer; **el clima húmedo me sienta mal** le climat humide ne me réussit pas; **s. bien/mal a alguien** *(comentario, acción)* plaire/déplaire à qn *Fig* **s. la cabeza** se ranger
  3 sentarse *vpr (en asiento)* s'asseoir

sentencia *nf* sentence *f*

sentenciar *vt Der* condamner **(a** à); *Fig* **antes de entrar al examen ya estaba sentenciado** avant même de commencer l'examen il savait qu'il n'avait aucune chance; **estar sentenciado al fracaso** être voué à l'échec

sentido, -a 1 *adj (sentimiento)* sincère; **ser muy s.** être très susceptible
  2 *nm* sens *m*; *(conocimiento)* connaissance *f*; **no tiene s. que vengas ahora** ça ne sert à rien que tu viennes maintenant; **de s. único** à sens unique; **quedarse sin s., perder el s.** perdre connaissance ☆ **doble s.** double sens; **s. común** sens commun; **s. del humor** sens de l'humour; **sexto s.** sixième sens; **sin s.** non-sens *m inv*

sentimental *adj & nmf* sentimental(e) *m,f*

sentimentaloide 1 *adj* à l'eau de rose
  2 *nmf* **ser un s.** être fleur bleue

sentimiento *nm* sentiment *m*; **le acompaño en el s.** croyez à toute ma sympathie ☆ *s. de culpabilidad* sentiment de culpabilité

sentir [62] **1** *nm* sentiment *m*
2 *vt (percibir, apreciar)* sentir; *(ruido)* entendre; *(hambre, calor)* avoir; *(cariño, lástima)* éprouver, ressentir; *(lamentar)* regretter; **s. vergüenza** éprouver de la honte; **lo siento (mucho)** je suis (vraiment) désolé(e); **te lo digo como lo siento** je te le dis comme je le pense
3 *vi* **el verano ya se deja s.** ça sent déjà l'été; **sin s.** sans m'en/t'en/*etc* rendre compte
4 sentirse *vpr* se sentir; **sentirse cansado** se sentir fatigué; **sentirse superior** se croire supérieur(e); **sentirse forzado a hacer algo** se sentir obligé de faire qch

seña 1 *nf (gesto)* signe *m*; *(contraseña)* consigne *f*; **hablar por señas** parler par gestes; **hacer señas (a alguien)** faire des signes (à qn)
2 *nfpl* **señas** *(dirección)* adresse *f*, coordonnées *fpl*

señal *nf* signe *m*; *(aviso)* signal *m*; *(del teléfono)* tonalité *f*; *(huella, cicatriz)* marque *f*; *(adelanto)* acompte *m*, arrhes *fpl*; **en s. de** en signe de; **eso es s. de que...** c'est la preuve que...; *Fig* **dar señales de vida** donner signe de vie ☆ *s. sonora* signal sonore; *la s. de stop* le stop; *s. (de tráfico)* panneau *m* (de signalisation)

señalado, -a *adj* important(e); **un día s.** un grand jour

señalar *vt (marcar, decir)* signaler; *(apuntar)* montrer; *(indicar, anunciar)* indiquer; *(con marcas)* marquer; *(determinar)* fixer; **no señales al señor con el dedo** ne montre pas le monsieur du doigt; **hemos señalado la fecha de...** nous avons fixé la date de...

señalero *nm Urug* clignotant *m*

señalización *nf* signalisation *f*
señalizar [14] *vt* signaliser
señor, -ora 1 *adj (refinado)* distingué(e); *Fam (en aposición)* (gran) beau (belle)
2 *nm (tratamiento, hombre)* monsieur *m*; *(caballero)* gentleman *m*; *(de feudo)* seigneur *m*; **el s.** Gutiérrez M. Gutiérrez; **los señores Gutiérrez** M. et Mme Gutiérrez; **el s. presidente** M. le président; **Muy s. mío** *(en cartas)* Cher Monsieur; **señores, siéntense** asseyez-vous, messieurs; **es todo un s.** c'est un vrai gentleman; **como el s. no está...** comme Monsieur n'est pas là...; **el s. de la casa** le maître de maison
3 *nf* **señora** *(tratamiento)* madame *f*; *(esposa)* femme *f*; **la señora Pérez** Mme Pérez; **la señora presidenta** Mme le président; **¡señoras y señores!** mesdames, mesdemoiselles, messieurs!; **Estimada señora** *(en cartas)* Chère Madame; **¿señora o señorita?** madame ou mademoiselle?; **como la señora no está...** comme Madame n'est pas là...; **la señora de la casa** la maîtresse de maison

señoría *nf* **su s.** *(juez)* Votre Honneur
señorial *adj (majestuoso)* majestueux(euse); *(del señorío)* seigneurial(e)

señorito, -a 1 *adj Pey* **es muy s.** il aime bien se faire servir
2 *nm Anticuado (hijo del amo)* = fils de propriétaires terriens; *Fam Pey (niñato)* fils *m* à papa; **el s. monsieur**
3 *nf* **señorita** *(soltera)* demoiselle *f*; *(tratamiento)* mademoiselle *f*; **la señorita Gutiérrez** mademoiselle Gutiérrez; **¡señorita!** *(maestra)* maîtresse!

señuelo *nm (reclamo)* appeau *m*; *Fig (trampa)* leurre *m*

sepa *ver* **saber**

separación *nf* séparation *f*; *(espacio)* écart *m* ☆ *s. de bienes* séparation de biens

separado, -a 1 *adj (divorciado)* séparé(e); **estar s. de** *(alejado)* être loin de
2 *nm,f* personne *f* séparée

separar 1 *vt* séparer; *(reservar)* mettre de côté; **los pantalones están separados por tallas** les pantalons sont rangés par taille; **s. algo de** *(apartar)* éloigner qch de
2 separarse *vpr* se séparer **(de** de); *(apartarse)* s'éloigner **(de** de)

separatismo *nm* séparatisme *m*

separo *nm Méx* cellule *f (de prison)*

sepelio *nm* obsèques *fpl*

sepia *nf (molusco)* seiche *f*

septentrional 1 *adj* septentrional(e)
2 *nmf* habitant(e) *m,f* du Nord

septiembre *nm* septembre *m*; **el 1 de s.** le 1er septembre; **uno de los septiembres más lluviosos de la última década** l'un des mois de septembre les plus pluvieux de la dernière décennie; **a mediados de s.** à la mi-septembre; **a principios/finales de s.** au début/à la fin du mois de septembre, début/fin septembre; **el pasado/próximo (mes de) s.** en septembre dernier/prochain; **en pleno s.** en plein mois de septembre; **en s.** en septembre; **este s. (pasado/ próximo)** en septembre (dernier/ prochain); **para s.** en septembre; **entrará en el colegio para s.** il fera sa rentrée scolaire en septembre; **lo quiero para s.** je le veux pour le mois de septembre

séptimo, -a *adj num* septième; *ver también* **sexto**

sepulcral *adj (del sepulcro)* funéraire; *Fig (voz, silencio)* sépulcral(e)

sepulcro *nm* tombeau *m*

sepultar *vt* inhumer; *Fig* ensevelir

sepultura *nf (enterramiento)* inhumation *f*; *(fosa)* sépulture *f*; **dar s. a alguien** inhumer qn; **recibir s.** être inhumé(e)

sepulturero, -a *nm,f* fossoyeur (euse) *m,f*

sequedad *nf* sécheresse *f*

sequía *nf* sécheresse *f*

séquito *nm (comitiva)* suite *f*; *(secuela)* conséquence *f*

ser 1 *v aux* être; **fue visto por un testigo** il a été vu par un témoin
2 *v copulativo* être; **es muy guapo** il est très beau; **soy abogado** je suis avocat; **es un amigo** c'est un ami; **es de la familia** il est de la famille; **él es del Consejo Superior** il est membre du Conseil supérieur; **este trapo es para limpiar los cristales** c'est le chiffon qui sert à nettoyer les vitres; **este libro no es para niños** ce n'est pas un livre pour les enfants; **s. de** *(estar hecho de)* être en; *(ser originario de)* être de; *(pertenecer a)* être à; **el reloj es de oro** la montre est en or; **yo soy de Madrid** je suis de Madrid; **es de mi hermano** c'est à mon frère
3 *vi* être; *(suceder, ocurrir)* être, avoir lieu; **¿cuánto es?** c'est combien?; **somos tres** nous sommes trois; **lo importante es decidirse** l'important c'est de se décider; **es la tercera vez que…** c'est la troisième fois que…; **hoy es martes** aujourd'hui on est mardi; **mañana es 15 de julio** demain c'est le 15 juillet; **¿qué hora es?** quelle heure est-il?; **son las tres de la tarde** il est trois heures de l'après-midi; **¿qué es de ti?** qu'est-ce que tu deviens?; **la conferencia era esta mañana** la conférence a eu lieu ce matin; **¿cómo fue el accidente?** comment l'accident est-il arrivé?; **allí fue donde nació** c'est là qu'il est né; **dos y dos son cuatro** deux et deux font quatre; **a no s. que** à moins que; **de no s. por ti me hubiera ahogado** si tu n'avais pas été là je me serais noyé; **no es nada** ce n'est rien; **se ha dado un golpe, pero no es nada** il s'est cogné, mais ce n'est rien; **no es para menos** il y a de quoi; **pinchamos y por si fuera**

poco nos quedamos sin gasolina nous avons crevé et, comme si ça ne suffisait pas, nous sommes tombés en panne d'essence

4 *v impersonal* **(a)** *(expresa tiempo)* **es de día** il fait jour ; **es muy tarde** il est très tard

(b) *(antes de infinitivo)* *(expresa necesidad, posibilidad)* **es de desear que...** il est souhaitable que... ; **era de esperar** on pouvait s'y attendre ; **es de suponer que...** on peut supposer que...

(c) *(antes de 'que')* *(expresa motivo)* **es que ayer no vine porque estaba enfermo** je ne suis pas venu hier parce que j'étais malade ; **como sea** coûte que coûte

5 *nm (ente)* être *m*

Serbia *n* la Serbie

serbio, -a 1 *adj* serbe

2 *nm,f* Serbe *mf*

serenar 1 *vt (persona)* apaiser

2 serenarse *vpr* se calmer ; *(tiempo)* s'améliorer

serenata *nf* sérénade *f* ; *Fig* **dar la s. a alguien** *(fastidiar)* casser les pieds à qn

serenidad *nf (de persona)* sérénité *f* ; *(de noche, mar)* calme *m*

sereno, -a 1 *adj (persona)* serein(e) ; *(atmósfera, cielo)* clair(e) ; *(mar)* calme

2 *nm Antes (vigilante)* = personne qui était chargée de surveiller les rues et d'ouvrir les portes des immeubles la nuit, à Madrid en particulier

serial *nm* feuilleton *m*

serie *nf* série *f* ; **con airbag de s.** avec coussin gonflable en série ; **fuera de s.** hors série ; **en s.** en série ; *Informát* série *inv*

seriedad *nf* sérieux *m*

serio, -a *adj* sérieux(euse) ; *(color)* sévère ; *(ropa)* strict(e) ; **en s.** sérieusement

sermón *nm* sermon *m*

seropositivo, -a *adj & nm,f* séropositif(ive) *m,f*

serpentear *vi* serpenter

serpentina *nf* serpentin *m*

serpiente *nf* serpent *m*

serranía *nf* région *f* montagneuse

serrano, -a 1 *adj (de la sierra)* montagnard(e)

2 *nm,f* montagnard(e) *m,f*

serrar [3] *vt* scier

serrín *nm* sciure *f*

serrucho *nm* scie *f* (égoïne)

servicial *adj* serviable

servicio *nm* service *m* ; *(aseo)* toilettes *fpl* ; *(turno)* garde *f* ; **prestar un s.** rendre un service ; **estar de s.** *(soldado)* être de garde ☆ **s. doméstico** domestiques *mpl* ; **s. de mesa** service de table ; **s. militar** service militaire ; **s. público** service public ; **s. de té** service à thé ; **s. de urgencias** service des urgences

servidor, -ora 1 *nm,f (yo)* **este pastel lo ha hecho un s.** ce gâteau c'est moi qui l'ai fait ; **su seguro s.** *(en cartas)* votre dévoué serviteur

2 *interj* présent !

3 *nm Informát* serveur *m*

servidumbre *nf (criados)* domestiques *mpl* ; *(de vicio, pasión)* dépendance *f* ; *(condición de siervo)* servitude *f*

servil *adj* servile

servilleta *nf* serviette *f* de table

servilletero *nm* porte-serviettes *m inv* ; *(aro)* rond *m* de serviette

servir [47] **1** *vt (comida, bebida)* servir ; *(ser útil a)* être utile à ; **sírvanos dos cervezas** deux bières s'il vous plaît ; **¿te sirvo más?** je t'en ressers ? ; **¿en qué puedo servirle?** en quoi puis-je vous être utile ?

2 *vi* servir ; **una tabla le servía de mesa** une planche lui servait de table ; **s. para** servir à ; **no sirve para**

nada ça ne sert à rien; **no sirve para estudiar** il n'est pas fait pour les études

3 servirse *vpr (comida, bebida)* se servir; **sírvete...** sers-toi...; **servirse de** *(utilizar)* se servir de; **sírvase sentarse** veuillez vous asseoir

servofreno *nm* servofrein *m*

sésamo *nm* sésame *m*

sesenta 1 *adj num inv* soixante; **los (años) s.** les années soixante; **s. hombres** soixante hommes; **s. y dos** soixante-deux; **página s.** page soixante
2 *nm inv* soixante *m inv*

sesera *nf Fam (cabeza)* caboche *f*; *Fig (inteligencia)* jugeote *f*

sesión *nf* séance *f*; *(de teatro)* représentation *f*; **un cine de s. continua** un cinéma permanent

seso *nm* cervelle *f*; *Fam (sensatez)* jugeote *f*; *Fam* **sorber el s.** *o* **los sesos a alguien** tourner la tête à qn

sesudo, -a *adj Fam* **es muy s.** c'est une tête

set *(pl* **sets)** *nm (juego)* set *m*

seta *nf* champignon *m*

setecientos, -as *adj num inv* sept cents; *ver también* **seiscientos**

setenta 1 *adj num inv* soixante-dix
2 *nm inv* soixante-dix *m inv*; *ver también* **sesenta**

setiembre = **septiembre**

seto *nm* haie *f*

seudónimo = **pseudónimo**

Seúl *n* Séoul

severidad *nf* sévérité *f*

severo, -a *adj* sévère

Sevilla *n* Séville

sevillano, -a 1 *adj* sévillan(e)
2 *nm,f* Sévillan(e) *m,f*
3 *nf* **sevillana** = danse populaire andalouse

sex-appeal [seksa'pil] *nm inv* sex-appeal *m*

sexi *(pl* **sexis)** *adj* sexy *inv*

sexista *adj & nmf* sexiste *mf*

sexo *nm* sexe *m* ☆ *s. débil* sexe faible

sexólogo, -a *nm,f* sexologue *mf*

sex-shop [sek'ʃop] *(pl* **sex-shops)** *nm* sex-shop *m*

sexteto *nm (musical)* sextuor *m*

sexto, -a *adj num* sixième; **Carlos s.** Charles six; **el s. piso** le sixième étage; **el s. de la clase** le sixième de la classe; **llegó el s.** il est arrivé sixième ☆ *s. sentido* sixième sens *m*

sexual *adj* sexuel(elle)

sexualidad *nf* sexualité *f*

sexy = **sexi**

shock [ʃok] *nm* choc *m* (psychologique)

shorts [ʃorts] *nm (pantalón corto)* short *m*

show [ʃou] *(pl* **shows)** *nm* show *m*; *Fam* **montar un s.** faire tout un cirque

si¹ *(pl* **sís)** *nm Mús* si *m inv*

si² *conj* si, s' *(delante de 'i')*; **¿y si fuéramos a verlo?** et si on allait le voir; **si viene, me voy** s'il vient je m'en vais; **me pregunto si lo sabe** je me demande s'il le sait; **¡pero si no he hecho nada!** mais je n'ai rien fait!; **si ya sabía yo que...** je savais bien que...

sí 1 *adv (afirmación)* oui; *(tras pregunta negativa)* si; **¿vendrás? — sí** tu viendras? — oui; **¿no te lo dijo? — ¡sí!** il ne te l'a pas dit? — si!; **¡claro que sí!** mais bien sûr!; **¡sí que me gusta** elle me plaît vraiment; **¡a que no lo haces! — ¡a que sí!** je parie que tu ne le fais pas! — chiche!; **¿por qué lo quieres? — ¡porque sí!** pourquoi tu le veux? — parce que!; **me voy de viaje — ¿sí?** je pars en voyage — ah bon?
2 *pron personal (él)* lui; *(ella)* elle; *(ellos)* eux; *(ellas)* elles; *(usted, ustedes)* vous; **cuando uno piensa en sí mismo** quand on pense à soi; **decir para sí (mismo)** se dire; **de por sí** en soi
3 *nm* oui *m*; **dar el sí** donner son approbation

siamés, -esa 1 *adj* siamois(e)
  2 *nm,f (de Siam)* Siamois(e) *m,f*;
(gemelo) siamois(e) *m,f*
  3 *nm (gato)* siamois *m*

sibarita *adj & nmf* sybarite *mf*

Siberia *n* la Sibérie

Sicilia *n* la Sicile

sicoanálisis = psicoanálisis

sicodélico, -a = psicodélico

sicología = psicología

sicomotor, -ora *o* **-triz** = psicomotor

sicópata = psicópata

sicosis = psicosis

sicosomático, -a = psicosomático

sida *nm (abrev* **síndrome de inmuno-deficiencia adquirida)** sida *m*

sidecar [siðeˈkar] *nm* side-car *m*

siderurgia *nf* sidérurgie *f*

siderúrgico, -a *adj* sidérurgique

sidra *nf* cidre *m*

siembra *nf* semailles *fpl*

siempre *adv* toujours; *CAm, Méx, Ven (sin duda)* vraiment; **como/desde s.** comme/depuis toujours; **de s.** habituel(elle); **lo de s.** comme d'habitude; **somos amigos de s.** nous sommes amis depuis toujours; **para s.** pour toujours; **para s.jamás** à jamais; *CAm, Méx, Ven* **¿s. nos vemos mañana?** on se voit toujours demain?; **s. que** *(cada vez que)* chaque fois que; *(con tal de que)* pourvu que, à condition que; **s. que vengo** chaque fois que je viens; **s. que seas bueno** à condition que tu sois gentil; **s. y cuando, s. que** pourvu que

sien *nf* tempe *f*

sierra 1 *ver* serrar
  2 *nf (herramienta)* scie *f*; *(de montañas)* sierra *f*, chaîne *f* de montagnes; *(región montañosa)* montagne *f*; **en la s.** à la montagne

siervo, -a *nm,f* serf *m*, serve *f*

siesta *nf* sieste *f*; **dormir** *o* **echarse la s.** faire la sieste

siete 1 *adj num inv* sept

  2 *nm inv* sept *m inv*; *ver también* seis
  3 *nf Am Fam* **¡la gran s.!** purée!

sífilis *nf inv* syphilis *f*

sifón *nm* siphon *m*; *(agua carbónica)* eau *f* de Seltz

sigilo *nm* discrétion *f*; **con mucho s.** *(en secreto)* en grand secret; *(en silencio)* très discrètement

sigiloso, -a *adj* discret(ète)

sigla *nf* sigle *m*

siglo *nm* siècle *m*; **el s. veinte** le vingtième siècle; **hace siglos que no te veo** ça fait des siècles que je ne t'ai pas vu; **por los siglos de los siglos** pour la vie

significación *nf* signification *f*; *(importancia)* portée *f*

significado, -a 1 *adj* important(e)
  2 *nm (sentido)* signification *f*

significar [59] **1** *vt* signifier
  2 *vi* **significa mucho para mí** *(tiene mucha importancia)* cela représente beaucoup pour moi

significativo, -a *adj (revelador)* significatif(ive); *(mirada, gesto)* éloquent(e); *(importante)* important(e)

signo *nm* signe *m* ☆ **s. de exclamación** *o* **de admiración** point *m* d'exclamation; **s. de interrogación** point d'interrogation; **s. del zodiaco** signe du zodiaque

siguiente 1 *adj* suivant(e); **a la mañana s.** le lendemain matin; **al día s.** le lendemain
  2 *nmf* suivant(e) *m,f*; **¡el s.!** au suivant!; **lo s.** la chose suivante

sílaba *nf* syllabe *f*

silbar *vt & vi* siffler

silbato *nm* sifflet *m*

silbido, silbo *nm* sifflement *m*; *(para abuchear)* sifflet *m*; *(con silbato)* coup *m* de sifflet

silenciador *nm* silencieux *m*

silenciar *vt* passer sous silence; *(escándalo)* étouffer

silencio *nm* silence *m*; **estar en s.** être silencieux(euse); **guardar s. (sobre algo)** garder le silence (sur qch); **romper el s.** rompre le silence

silencioso, -a *adj* silencieux(euse)

silicona *nf* silicone *f*

silicosis *nf inv* silicose *f*

silla *nf (asiento)* chaise *f*; *(de montar)* selle *f*; *(de prelado)* siège *m* ☆ **s. eléctrica** chaise électrique; **s. de ruedas** fauteuil *m* roulant

sillín *nm* selle *f (de bicyclette)*

sillón *nm* fauteuil *m*

silueta *nf* silhouette *f*

silvestre *adj* sauvage

simbólico, -a *adj* symbolique

simbolizar [14] *vt* symboliser

símbolo *nm* symbole *m*

simétrico, -a *adj* symétrique

simiente *nf* semence *f*

símil *nm* similitude *f*

similar *adj* semblable (**a** à)

similitud *nf* similitude *f*

simio, -a *nm,f* singe *m*, guenon *f*

simpatía *nf* sympathie *f*; **tener** o **sentir s. por** avoir de la sympathie pour

simpático, -a *adj* sympathique

simpatizante *adj & nmf* sympathisant(e) *m,f*

simpatizar [14] *vi* sympathiser; **s. con** *(persona)* sympathiser avec; *(teoría, idea)* adhérer à; **enseguida simpaticé con ellos** nous avons tout de suite sympathisé

simple 1 *adj* simple; *(bobo)* simplet (ette)

2 *nmf* niais(e) *m,f*

simplemente *adv* simplement

simpleza *nf* simplicité *f*; *(tontería)* bêtise *f*

simplicidad *nf* simplicité *f*

simplificar [59] *vt* simplifier

simplista 1 *adj (idea)* simpliste; **ser s.** avoir des raisonnements simplistes

2 *nmf* **ser un/una s.** avoir des raisonnements simplistes

simposio, simposium *nm* symposium *m*

simulacro *nm* simulacre *m*

simulador, -ora 1 *adj* simulateur (trice)

2 *nm* simulateur *m*

simular *vt* simuler; **s. hacer algo** feindre de faire qch

simultáneo, -a *adj* simultané(e)

sin *prep* sans; **s. sal** sans sel; **s. parar** sans arrêt; **s. alcohol** non alcoolisé(e); **s. embargo** cependant; **estamos s. vino** nous n'avons plus de vin; **está s. terminar/hacer** ce n'est pas fini/fait; **s. que nadie se enterara** sans que personne le sache

sinagoga *nf* synagogue *f*

sincerarse *vpr* se confier (**con** à)

sinceridad *nf* sincérité *f*; **con s.** sincèrement

sincero, -a *adj* sincère

síncope *nm* syncope *f*

sincronía *nf (simultaneidad)* synchronisme *m*; *(sincronización)* synchronisation *f*

sincronización *nf* synchronisation *f*

sincronizar [14] *vt* synchroniser

sindical *adj* syndical(e)

sindicalismo *nm* syndicalisme *m*

sindicalista *adj & nmf* syndicaliste *mf*

sindicar *vt Andes, RP, Ven* inculper

sindicato *nm* syndicat *m*

síndrome *nm* syndrome *m* ☆ **s. de abstinencia** syndrome de sevrage; **s. de Down** trisomie *f* 21, syndrome de Down

sinfín *nm* **un s. de** une infinité de; **un s. de problemas** des problèmes à n'en plus finir

sinfonía *nf* symphonie *f*

sinfónico, -a *adj* symphonique

singani *nm Bol* eau-de-vie *f* de raisin

Singapur *n* Singapour

single ['singel] *nm* 45-tours *m inv*; *CSur (habitación)* chambre *f* pour une personne, chambre *f* individuelle

singular 1 *adj* singulier(ère); *(único)* unique
   2 *nm* singulier *m*; **en s.** au singulier

singularidad *nf* singularité *f*; **tener la s. de** avoir la particularité de

siniestro, -a 1 *adj (perverso)* sinistre; *(desgraciado)* funeste
   2 *nm* sinistre *m*

sinnúmero *nm* **un s. de** un nombre incalculable de

sino *conj (para contraponer)* mais; *(para exceptuar)* sauf; **no es azul, s. verde** ce n'est pas bleu mais vert; **no sólo es listo, s. también trabajador** non seulement il est intelligent, mais en plus il est travailleur; **nadie lo sabe s. él** personne ne le sait sauf lui; **no podemos hacer nada s. esperar** nous ne pouvons rien faire d'autre que d'attendre; **no hace s. hablar** il ne fait que parler; **no quiero s. que se haga justicia** je veux seulement que justice soit faite

sinónimo, -a 1 *adj* synonyme
   2 *nm* synonyme *m*

sinopsis *nf inv* résumé *m*; *(de película)* synopsis *m*

sinóptico, -a *adj* synoptique

síntesis *nf inv* synthèse *f*; **en s.** en résumé

sintético, -a *adj* synthétique

sintetizador, -ora 1 *adj* de synthèse
   2 *nm* synthétiseur *m*

sintetizar [14] *vt* synthétiser

síntoma *nm* symptôme *m*

sintonía *nf (música)* indicatif *m*; *(de radio) (ajuste)* réglage *m*; *(estación)* fréquence *f*; *Fig (compenetración)* entente *f*; *Fig* **estamos en s.** nous sommes sur la même longueur d'onde

sintonizar [14] **1** *vt* **sintoniza Radio Nacional** mets Radio Nacional
   2 *vi Fig (compenetrarse)* être sur la même longueur d'onde; **sintonizan con Radio Nacional** vous écoutez Radio Nacional; *Fig* **s. con alguien en algo** s'entendre avec qn sur qch

sinuoso, -a *adj (camino)* sinueux (euse); *Fig (maniobras, conducta)* tortueux(euse)

sinvergüenza 1 *adj* effronté(e)
   2 *nmf* crapule *f*

sionismo *nm* sionisme *m*

siquiatra = psiquiatra

siquiátrico, -a = psiquiátrico

síquico, -a = psíquico

siquiera 1 *conj (aunque)* même si; **ven s. por pocos días** viens ne serait-ce que quelques jours
   2 *adv (por lo menos)* au moins; **dime s. su nombre** dis-moi au moins son nom; **ni (tan) s.** même pas; **ni (tan) s. me saludaron** ils ne m'ont même pas dit bonjour

sirena *nf* sirène *f*

Siria *n* la Syrie

sirimiri *nm* bruine *f*

sirio, -a 1 *adj* syrien(enne)
   2 *nm,f* Syrien(enne) *m,f*

sirviente, -a *nm,f* domestique *mf*

sisa *nf (de prenda)* emmanchure *f*

sisar 1 *vt (dinero)* grappiller (à droite à gauche); *(prenda)* échancrer
   2 *vi* grappiller

siseo *nm (abucheo)* sifflets *mpl*

sísmico, -a *adj* sismique

sismo = seísmo

sistema *nm* système *m*; **proceder/ trabajar con s.** procéder/travailler avec méthode; **por s.** systématiquement ☆ *Informát* **s. operativo** système d'exploitation; **s. planetario** o **solar** système solaire

sistemático, -a *adj* systématique

sistematizar [14] *vt* systématiser

sitiar *vt (cercar)* assiéger; *Fig (acorralar)* traquer

sitio *nm (lugar)* endroit *m*; *(asiento, hueco)* place *f*; *(cerco)* siège *m*; *Méx (de taxi)* station *f*; **hacer s. a alguien** faire de la place à qn ☆ *Informát* **s. Web** site *m* Web

situación *nf* situation *f*; **estar en s. de** *(económica)* être en mesure de; **no estar en s. de pedir nada** ne pas être en position de demander quoi que ce soit

situado, -a *adj (ubicado)* situé(e); **estar bien s.** *(acomodado)* avoir une bonne situation

situar [4] **1** *vt* situer; *(colocar)* placer
2 situarse *vpr* se situer; *(colocarse)* se placer; *(enriquecerse)* se faire une situation

S.L. *nf (abrev* **sociedad limitada)** SARL *f*

slip = **eslip**

SME *nm (abrev* **sistema monetario europeo)** SME *m*

s/n *(abrev* **sin número)** = indique qu'il n'y a pas de numéro dans une adresse

so 1 *prep* **so pena/pretexto de** sous peine/prétexte de
2 *adv Fam* **¡so tonto!** espèce d'idiot!
3 *interj* ho! *(pour arrêter un cheval)*

sobaco *nm* aisselle *f*

sobado, -a 1 *adj (ropa, tejido)* élimé(e); *Fig (tema, argumento)* rebattu(e)
2 *nm* = brioche à l'huile

sobar 1 *vt* tripoter
2 *vi muy Fam (dormir)* pioncer

soberanía *nf* souveraineté *f*

soberano, -a 1 *adj* souverain(e); *Fig (paliza, tontería)* magistral(e)
2 *nm,f* souverain(e) *m,f*

soberbio, -a 1 *adj (arrogante)* prétentieux(euse); *Fig (magnífico)* superbe; *Fig (grande)* énorme
2 *nm,f* prétentieux(euse) *m,f*
3 *nf* **soberbia** *(arrogancia)* orgueil *m*; *(magnificencia)* splendeur *f*

sobón, -ona *adj Fam* collant(e)

sobornar *vt* soudoyer

soborno *nm (acción)* corruption *f*; *(dinero, regalo)* pot-de-vin *m*

sobra *nf* excédent *m*; **estar de s.** être en trop; **lo sabes de s.** tu le sais parfaitement; **tengo motivos de s. para...** je n'ai que trop de raisons de...; **tenemos comida de s.** *(mucha)* nous avons à manger plus qu'il n'en faut; **sobras** restes *mpl*

sobrado, -a *adj* en trop; **tener sobrada paciencia** avoir de la patience à revendre; **tener tiempo s.** avoir largement le temps; **andar** *o* **estar s.** *(de dinero)* être très à l'aise financièrement

sobrante 1 *adj* restant(e)
2 *nm* excédent *m*

sobrar *vi* rester; *(estar de más)* être de trop; **nos sobra comida** il nous reste à manger; **sobra algo** *(hay de más)* il y a quelque chose en trop; **tú te callas porque aquí sobras** toi tais-toi parce que tu es de trop ici

sobrasada *nf* = saucisson pimenté typique de Majorque

sobre¹ *nm (para cartas)* enveloppe *f*; *(de alimentos)* sachet *m*; *Fam (cama)* pieu *m*; **irse al s.** se pieuter

sobre² *prep (encima de, acerca de)* sur; *(por encima de)* au-dessus de; *(alrededor de)* vers; **el libro está s. la mesa** le livre est sur la table; **una conferencia s. el desarme** une conférence sur le désarmement; **fracaso s. fracaso** échec sur échec; **el pato vuela s. el lago** le canard vole au-dessus du lac; **llegarán s. las diez** ils arriveront vers dix heures

sobrecarga *nf* surcharge *f*

sobrecargar [38] *vt* surcharger

sobrecargo *nmf (en barco)* subrécargue *m*; *(en avión)* = responsable des hôtesses et des stewards

sobrecoger [52] **1** *vt (sujeto: noticia)* saisir d'effroi; *(sujeto: ruido)* faire sursauter

2 sobrecogerse *vpr (sobresaltar)* sursauter; *(asustarse)* être saisi(e) d'effroi

sobredosis *nf inv* overdose *f*

sobreentender = sobrentender

sobremesa *nf* en la s. après le repas; *Informát* de s. de bureau

sobrenatural *adj* surnaturel(elle)

sobrenombre *nm* surnom *m*

sobrentender 1 *vt* sous-entendre
2 sobrentenderse *vpr* être sous-entendu(e)

sobrepasar *vt* dépasser (**en** en)

sobrepeso *nm* excédent *m* de bagages

sobreponer [50] **1** *vt* superposer; *Fig* **s. a** *(anteponer)* faire passer avant
2 sobreponerse *vpr Fig* **sobreponerse a algo** surmonter qch

sobreproteger [52] *vt* surprotéger

sobrepuesto, -a *participio ver* **sobreponer**

sobresaliente 1 *adj* saillant(e); *Fig (destacado)* remarquable
2 *nm* mention *f* très bien

sobresalir [60] *vi (en tamaño)* dépasser; *(en construcción)* faire saillie; *Fig* **s. (entre los demás)** *(en importancia)* se distinguer (des autres)

sobresaltar 1 *vt* faire sursauter
2 sobresaltarse *vpr* sursauter

sobresalto *nm* sursaut *m*

sobrestimar *vt* surestimer

sobresueldo *nm* **sacar un s.** arrondir ses fins de mois

sobretiempo *nm Andes (trabajo)* heures *fpl* supplémentaires; *(fútbol)* prolongation *f*

sobretodo *nm* pardessus *m*

sobrevalorar 1 *vt* surestimer
2 sobrevalorarse *vpr* se surestimer

sobrevenir [69] *vi* survenir

sobrevivir *vi* survivre (**a** à)

sobrevolar [63] *vt* survoler

sobriedad *nf* sobriété *f*

sobrino, -a *nm,f* neveu *m*, nièce *f*

sobrio, -a *adj* sobre; *(comida)* frugal(e)

socarrón, -ona *adj* sournois(e); *(cara, sonrisa)* narquois(e)

socavar *vt (excavar)* creuser; *Fig (debilitar)* saper

socavón *nm (en la carretera)* nid-de-poule *m*

sociable *adj* sociable

social *adj* social(e)

socialdemócrata *adj & nmf* social(e)-démocrate *m,f*

socialismo *nm* socialisme *m*

socialista *adj & nmf* socialiste *mf*

sociedad *nf* société *f*; **de s.** mondain(e) ☆ **alta s.** haute société; **s. anónima** société anonyme; **s. de consumo** société de consommation; **s. (de responsabilidad) limitada** société à responsabilité limitée

socio, -a *nm,f (en negocio)* associé(e) *m,f*; *(de club, asociación)* membre *m* ☆ **s. capitalista** commanditaire *m*

sociología *nf* sociologie *f*

sociólogo, -a *nm,f* sociologue *mf*

socorrer *vt* secourir

socorrismo *nm* secourisme *m*

socorrista *nmf* secouriste *mf*

socorro 1 *nm* secours *m*; **venir en s. de** venir au secours de
2 *interj* au secours!

soda *nf* soda *m*

sodio *nm* sodium *m*

soez *adj* grossier(ère)

sofá *(pl* **sofás***) nm* canapé *m*; **s. cama** canapé-lit *m*

sofisticación *nf* sophistication *f*

sofisticado, -a *adj* sophistiqué(e)

sofocar [59] **1** *vt* étouffer; *Fig (avergonzar)* faire rougir
2 sofocarse *vpr (ahogarse)* étouffer; *Fig (avergonzarse)* rougir; *(irritarse)* rougir de colère

sofoco *nm (ahogo)* étouffement *m*; *Fig (vergüenza)* honte *f*; *Fig* **se llevó un s.** *(un disgusto)* il était vert de rage

sofreír [56] *vt* faire revenir

sofrito, -a 1 *participio ver* **sofreír**
   2 *nm* = friture d'oignons et de tomates

software ['sofwer] *nm inv* logiciel *m*; **paquete de s.** logiciel

soga *nf* corde *f*; *Fig* **estar con la s. al cuello** avoir le couteau sous la gorge

sois *ver* **ser**

soja *nf* soja *m*

sol¹ *nm Mús* sol *m inv*

sol² *nm* soleil *m*; *Fig (ángel, ricura)* amour *m*; *(en plaza de toros)* = place côté soleil dans l'arène; *(moneda)* sol *m*; **hace s.** il fait beau; **tomar el s.** prendre le soleil; *Fam* **de s. a s.** du matin au soir; **no dejar a alguien ni a s. ni a sombra** ne pas lâcher qn d'une semelle

solamente *adv* seulement

solapa *nf (de prenda)* revers *m*; *(de sobre, libro)* rabat *m*

solapar *vt Fig* dissimuler

solar 1 *adj* solaire
   2 *nm* terrain *m* (à bâtir)

solario, solárium *(pl* **solariums**) *nm* solarium *m*

solaz *nm (recreo)* distraction *f*; *(alivio)* soulagement *m*

solazar [14] **1** *vt (divertir)* distraire; *(aliviar)* soulager
   2 solazarse *vpr* se distraire

soldado *nm* soldat *m*; **s. raso** simple soldat

soldador, -ora 1 *nm,f* soudeur (euse) *m,f*
   2 *nm* fer *m* à souder

soldar [63] *vt* souder

soleado, -a *adj* ensoleillé(e)

soledad *nf* solitude *f*

solemne *adj* solennel(elle); *Fig (enorme)* monumental(e)

solemnidad *nf* solennité *f*

soler [81] *vi* **suele cenar tarde** en général il dîne tard; **aquí suele hacer mucho frío** il fait généralement très froid ici; **solíamos ir a la playa todos los días** nous allions à la plage tous les jours

solera *nf (tradición)* cachet *m*; *(del vino)* lie *f*; **de s.** élevé en fût

solfeo *nm* solfège *m*

solicitar *vt (pedir)* demander; *(por escrito)* solliciter; **estar muy solicitado** *(persona)* être très sollicité

solícito, -a *adj* prévenant(e)

solicitud *nf* demande *f*; *(de admisión, inscripción)* dossier *m*; *(atención)* empressement *m*

solidaridad *nf* solidarité *f*

solidario, -a *adj* solidaire

solidarizarse [14] *vpr* se solidariser

solidez *nf* solidité *f*

solidificar [59] **1** *vt* solidifier
   2 solidificarse *vpr* se solidifier

sólido, -a 1 *adj* solide
   2 *nm* solide *m*

soliloquio *nm* soliloque *m*

solista *adj & nmf* soliste *mf*

solitario, -a 1 *adj* solitaire
   2 *nm,f* solitaire *mf*
   3 *nm (diamante)* solitaire *m*; *(juego de naipes)* réussite *f*

sollozar [14] *vi* sangloter

sollozo *nm* sanglot *m*

solo, -a 1 *adj* seul(e); **lo haré yo s.** je le ferai tout(e) seul(e); **a solas** tout(e) seul(e); *Fam Fig* **estar más s. que la una** être tout(e) seul(e)
   2 *nm (musical)* solo *m*
   3 *adv* = **sólo**

sólo *adv* seulement; **s. te pido que me ayudes** je te demande seulement de m'aider; **s. quiere verte a ti** il ne veut voir que toi; **no s.... sino (también)...** non seulement... mais encore...; **s. con oírlo, me saca de quicio** rien que de l'entendre, ça me met hors de moi; **quisiera ir, s. que no puedo** j'aimerais y aller, seulement je ne peux pas

solomillo *nm (de vaca)* aloyau *m*; *(de cerdo)* filet *m*

soltar [63] **1** *vt* lâcher; *(pájaro)* libérer; *(preso)* relâcher; *(pelo)* détacher; *(nudo)* défaire; **no sueltes la cuerda** ne lâche pas la corde; **s. un perro** lâcher un chien; **suelta cada palabrota...** il sort de ces gros mots...; *Fam* **no suelta ni un duro** il ne lâche pas un centime; **s. las amarras** larguer les amarres

2 soltarse *vpr (desatarse)* se détacher; **el niño se soltó de la mano de su madre** l'enfant a lâché la main de sa mère; **soltarse en** se débrouiller en; **se va soltando en inglés** il commence à se débrouiller en anglais; **soltarse a hacer algo** commencer à faire qch

soltero, -a *adj & nm,f* célibataire *mf*

solterón, -ona *nm,f* vieux garçon *m*, vieille fille *f*

soltura *nf* aisance *f*; **hablar con s.** s'exprimer avec aisance

soluble *adj* soluble

solución *nf* solution *f*; **sin s. de continuidad** sans transition

solucionar *vt* résoudre

solvencia *nf (económica)* solvabilité *f*

solventar *vt (pagar)* acquitter; *(resolver)* venir à bout de

solvente *adj (económicamente)* solvable

somalí *(pl* **somalíes)** **1** *adj* somalien (enne)

2 *nmf* Somalien(enne) *m,f*

Somalia *n* la Somalie

sombra *nf* ombre *f*; *(en plaza de toros)* = place située à l'ombre dans l'arène; **dar s.** faire de l'ombre; *Fig* **no hay ni s. de...** il n'y a pas l'ombre de...; *Fig* **permanecer en la s.** rester dans l'ombre; **tiene mala s.** *(mala*

suerte) il n'a pas de chance; **tener mala s.** *(mala idea)* avoir mauvais esprit; **sólo ve sombras y problemas** *(inquietudes)* il ne voit que le mauvais côté des choses ☆ **sombras chinescas** ombres chinoises; **s. de ojos** ombre à paupières

sombrero *nm* chapeau *m*; *Fig* **quitarse el s. ante alguien** tirer son chapeau à qn

sombrilla *nf* ombrelle *f*; *(grande)* parasol *m*

sombrío, -a *adj* sombre

somero, -a *adj* sommaire

someter 1 *vt* soumettre

2 someterse *vpr* se soumettre; **someterse a algo** *(conformarse)* se soumettre à qch; *(operación, interrogatorio)* subir qch

somier *(pl* **somieres** *o* **somiers)** *nm* sommier *m*

somnífero, -a 1 *adj* somnifère

2 *nm* somnifère *m*

somos *ver* **ser**

son 1 *ver* **ser**

2 *nm (sonido)* son *m*; *(estilo)* façon *f*; *(música)* = danse afro-cubaine; *Fig* **vengo en s. de paz** je ne suis pas là pour me battre

sonado, -a *adj (éxito, escándalo)* retentissant(e); *Fam (loco)* timbré(e); *(atontado)* sonné(e); **un evento muy s.** un événement dont on a beaucoup parlé *ou* qui a fait grand bruit

sonajero *nm* hochet *m*

sonambulismo *nm* somnambulisme *m*

sonámbulo, -a *adj & nm,f* somnambule *mf*

sonar¹ *nm* sonar *m*

sonar² [63] **1** *vi* sonner; *(letra)* se prononcer; *(ser conocido)* être connu(e); *Fam (parecer)* avoir l'air; *(ser familiar)* dire quelque chose; **así** *o* **tal como suena** comme je vous le dis; **suena raro** ça a l'air bizarre; **suena a falso** ça sonne faux; **me**

suena ça me dit quelque chose; **no me suena su nombre** son nom ne me dit rien

2 *vt* **s. los mocos** *o* **la nariz a alguien** moucher qn

3 sonarse *vpr* **sonarse (la nariz** *o* **los mocos)** se moucher

sonda *nf* sonde *f* ☆ **s. espacial** sonde spatiale

sondear *vt* sonder

sondeo *nm* sondage *m*

sonido *nm* son *m*

sonoridad *nf* sonorité *f*

sonoro, -a *adj* sonore

sonotone® *nm* prothèse *f* auditive

sonreír [56] **1** *vi* sourire

2 sonreírse *vpr* sourire; *(dos personas)* se sourire

sonriente *adj* souriant(e)

sonrisa *nf* sourire *m*

sonrojar 1 *vt* faire rougir

2 sonrojarse *vpr* rougir

sonrojo *nm* honte *f*

sonrosado, -a *adj (mejilla)* rose

sonsacar [59] *vt (conseguir)* soutirer; *(hacer decir)* faire avouer

sonso, -a *adj Am Fam* crétin(e)

soñador, -ora *adj & nm,f* rêveur (euse) *m,f*

soñar [63] **1** *vt* rêver; **soñé que te ibas** j'ai rêvé que tu t'en allais; **¡ni soñarlo!** aucune chance!

2 *vi* rêver (**con** de); **s. despierto** rêver tout éveillé

soñoliento, -a *adj* somnolent(e)

sopa *nf (guiso)* soupe *f*; *(pedazo de pan en sopa)* = morceau de pain que l'on trempe dans la soupe; *(en huevo)* mouillette *f*; **encontrarse a alguien hasta en la s.** tomber sur qn à tous les coins de rue; **estar como una s.** être trempé(e) comme une soupe

sopapo *nm Fam* claque *f*

sope *nm Méx* = tortilla fourrée de viande, de haricots et de sauce pimentée

sopero, -a 1 *adj (cuchara)* à soupe; *(plato)* creux(euse)

2 *nf* **sopera** soupière *f*

sopesar *vt (calcular el peso de)* soupeser; *Fig (valorar)* peser

sopetón: de sopetón *adv* brutalement; *(decir, contestar)* de but en blanc

soplar 1 *vt* souffler; *(apartar)* souffler sur; *(hinchar)* gonfler; *Fam Fig (denunciar)* donner; *Fam Fig (hurtar)* faucher

2 *vi* souffler; *Fam (beber)* picoler; *Fam* **me sopló las respuestas** il m'a soufflé les réponses

3 soplarse *vpr Fam* se siffler

soplete *nm* chalumeau *m*

soplido *nm* souffle *m*

soplo *nm* souffle *m*; *Fig* **en un s.** *(en un instante)* en un instant; *(pasar)* à toute vitesse; *Fam* **dar el s.** *(el chivatazo)* vendre la mèche

soplón, -ona *nm,f Fam* mouchard(e) *m,f*

soponcio *nm Fam* **le ha dado un s.** ça lui a fichu un coup

sopor *nm* torpeur *f*

soporífero, -a *adj* soporifique

soportar 1 *vt* supporter

2 soportarse *vpr* se supporter

soporte *nm Informát & (apoyo)* support *m*; *Fig* soutien *m*

soprano *nmf* soprano *mf*

sor *nf* **s. Ana** sœur Ana

sorber *vt* boire; *(haciendo ruido)* aspirer bruyamment; *(tragar)* absorber; *Fig* **s. las palabras de alguien** boire les paroles de qn

sorbete *nm* sorbet *m*

sorbo *nm* gorgée *f*; **beber a sorbos** boire à petites gorgées

sordera *nf* surdité *f*

sórdido, -a *adj* sordide

sordo, -a 1 *adj* sourd(e)

2 *nm,f* sourd(e) *m,f*; *Fam* **estar más s. que una tapia** être sourd comme un pot; **hacerse el s.** faire la sourde oreille; **no hay peor s. que el que no quiere oír** il n'est pire sourd que celui qui ne veut pas entendre

sordomudo, -a *adj & nm,f* sourd(e)-muet(ette) *m,f*

sorna *nf* **con s.** sur un ton sarcastique

soroche *nm Andes* mal *m* des hauteurs *ou* des montagnes

sorprendente *adj* surprenant(e)

sorprender 1 *vt* surprendre; **me sorprende que...** ça m'étonne que...; **lo sorprendimos robando** on l'a surpris en train de voler

2 sorprenderse *vpr* être surpris(e); **no se sorprende de nada** elle ne s'étonne de rien

sorpresa *nf* surprise *f*; **llevarse una s.** avoir une surprise; **de** *o* **por s.** par surprise

sorpresivo, -a *adj* inattendu(e)

sortear 1 *vt (rifar)* tirer au sort; *Fig (obstáculo)* éviter; *(dificultad)* surmonter

2 sortearse *vpr* **sortearse algo** tirer qch au sort

sorteo *nm* tirage *m* au sort

sortija *nf* bague *f*

sortilegio *nm* sortilège *m*

SOS *nm inv* SOS *m*

sosa *nf* soude *f*

sosegado, -a *adj* calme

sosegar [43] **1** *vt* calmer
2 sosegarse *vpr* se calmer

sosería *nf* gaucherie *f*

sosiego *nm* calme *m*

soslayo: de soslayo *adv* de biais, de côté; *(mirar)* du coin de l'œil

soso, -a *adj (sin sal)* fade; *(sin gracia)* insipide

sospecha *nf* soupçon *m*

sospechar 1 *vt* soupçonner (**que** que); **s. algo** se douter de qch
2 *vi* **s. de alguien** soupçonner qn

sospechoso, -a *adj & nm,f* suspect(e) *m,f*

sostén *nm* soutien *m*; *(sujetador)* soutien-gorge *m*

sostener [65] **1** *vt* soutenir; *(conversación)* tenir; *(familia, correspondencia)* entretenir
2 sostenerse *vpr* se tenir; **sostenerse en pie** tenir debout

sostenido, -a *adj (persistente)* soutenu(e); *Mús* dièse

sota *nf* valet *m (carte à jouer)*

sotana *nf* soutane *f*

sótano *nm (piso)* sous-sol *m*; *(pieza)* cave *f*

soterrar [3] *vt también Fig* enterrer, enfouir

soufflé [su'fle] *(pl* **soufflés)** *nm* soufflé *m*

soviético, -a 1 *adj* soviétique
2 *nm,f* Soviétique *mf*

soy *ver* **ser**

soya *nf Am* soja *m*

spaghetti = **espaguetis**

sport = **esport**

spot *(pl* **spots)** *nm* spot *m*

spray = **espray**

sprint = **esprint**

squash [es'kuaʃ] *nm inv* squash *m*

Sr. *(abrev* **señor)** M.

Sra. *(abrev* **señora)** Mme

Sres. *(abrev* **señores)** MM.

Srta. *(abrev* **señorita)** Mlle

Sta. *(abrev* **santa)** Ste

stand = **estand**

status = **estatus**

Sto. *(abrev* **santo)** St

stock [es'tok] *(pl* **stocks)** *nm* stock *m*

stop [es'top] *nm* stop *m*

strip-tease [es'triptis] *nm inv* strip-tease *m*

su *(pl* **sus)** *adj posesivo (de él, de ella)* son (sa); *(de ellos, de ellas)* leur; *(de usted, de ustedes)* votre; **sus libros** *(de él, ella)* ses livres; *(de ellos, ellas)* leurs livres; *(de usted, ustedes)* vos livres

suave *adj* doux (douce)

suavidad *nf* douceur *f*

suavizante 1 *adj* adoucissant(e)
2 *nm (de ropa)* adoucissant *m*; *(de pelo)* après-shampooing *m*

suavizar [14] *vt* adoucir

subacuático, -a *adj* sous-marin(e)

subalterno, -a *adj & nm,f* subalterne *mf*

subasta *nf (venta pública)* vente *f* aux enchères; *(contrata pública)* appel *m* d'offres

subastar *vt* vendre aux enchères

subcampeón, -ona *adj & nm,f Dep* second(e) *m,f (d'un championnat)*

subconsciente 1 *adj* subconscient (e)
2 *nm* subconscient *m*

subcutáneo, -a *adj* sous-cutané(e)

subdesarrollado, -a *adj* sous-développé(e)

subdesarrollo *nm* sous-développement *m*

subdirector, -ora *nm,f* sous-directeur(trice) *m,f*

subdirectorio *nm Informát* sous-répertoire *m*

súbdito, -a *nm,f (subordinado)* sujet(ette) *m,f; (ciudadano)* ressortissant(e) *m,f*

subdividir 1 *vt* subdiviser
2 subdividirse *vpr* se subdiviser

subestimar 1 *vt* sous-estimer
2 subestimarse *vpr* se sous-estimer

subido, -a 1 *adj (fuerte) (sabor, olor)* fort(e); *(color)* vif (vive); *Fam* **estar de un imbécil s.** avoir de la bêtise à revendre; **tener el guapo s.** être en beauté; *Irón* se croire beau (belle); *Fam* **ser s. (de tono)** *(atrevido)* être osé(e)
2 *nf* **subida** montée *f; (ascensión)* ascension *f; (aumento)* hausse *f*

subir 1 *vi* monter; *(precio, calidad)* augmenter; **s. a** monter à; *(a montaña)* faire l'ascension de; *(a vehículo)* monter dans

2 *vt* monter; *(precio, peso)* augmenter; *(producto)* augmenter le prix de; *(alzar, levantar)* remonter; **s. el tono** hausser le ton
3 subirse *vpr (calcetines)* remonter; *(jersey, camisa)* relever; **subirse a** *(caballo, silla)* monter sur; *(árbol)* grimper à; *(vehículo)* monter dans; **el taxi paró y me subí** le taxi s'est arrêté et je suis monté; **subirse los pantalones** remonter son pantalon; *Fam* **se le subió a la cabeza el éxito** son succès lui est monté à la tête; *Fig* **subirse por las paredes** être comme fou (folle)

súbito, -a *adj* soudain(e); **de s.** soudain

subjetividad *nf* subjectivité *f*

subjetivo, -a *adj* subjectif(ive)

subjuntivo *nm* subjonctif *m*

sublevación *nf* soulèvement *m*

sublevar 1 *vt (amotinar)* soulever; *(indignar)* révolter
2 sublevarse *vpr (amotinarse)* se soulever

sublimación *nf* sublimation *f*

sublime *adj* sublime

subliminal *adj* subliminal(e)

submarinismo *nm* plongée *f* sous-marine

submarinista 1 *adj (técnica, lenguaje)* de plongée sous-marine
2 *nmf* plongeur(euse) *m,f* (sous-marin(e))

submarino, -a 1 *adj* sous-marin(e)
2 *nm* sous-marin *m*

subnormal *adj & nmf* débile *mf*

suboficial *nm* sous-officier *m*

subordinado, -a *adj & nm,f* subordonné(e) *m,f*

subordinar 1 *vt* subordonner
2 subordinarse *vpr* se subordonner (a à)

subproducto *nm* sous-produit *m*

subrayar *vt* souligner

subsanar *vt (solucionar)* résoudre; *(corregir)* réparer

subscribir = suscribir

subscripción = suscripción

subscriptor, -ora = suscriptor

subsecretario, -a nm,f (de secretario) secrétaire mf adjoint(e); (de ministro) sous-secrétaire mf

subsidiario, -a adj (ayuda) subventionnel(elle); (medida) complémentaire; Der subsidiaire

subsidio nm subvention f; (de desempleo, familiar) allocation f

subsiguiente adj consécutif(ive)

subsistencia 1 nf (vida) subsistance f; (conservación) survie f
2 nfpl **subsistencias** (medios) moyens mpl de subsistance; (reservas) vivres mpl

subsistir vi subsister

substancia = sustancia

substancial = sustancial

substancioso, -a = sustancioso

substantivo = sustantivo

substitución = sustitución

substituir [34] = sustituir

substituto, -a = sustituto

substracción = sustracción

substraer [66] = sustraer

subsuelo nm sous-sol m

subte nm Arg Fam métro m

subterfugio nm subterfuge m

subterráneo, -a 1 adj souterrain (e)
2 nm souterrain m

subtítulo nm sous-titre m

suburbio nm (extrarradio) banlieue f; **los suburbios** (barrios pobres) les banlieues défavorisées

subvencionar vt subventionner

subversión nf subversion f

subversivo, -a adj subversif(ive)

subyacer vi être sous-jacent(e)

subyugar [38] vt (someter) soumettre; Fig (cautivar) subjuguer

succionar vt (sujeto: raíces) absorber; (sujeto: bebé) sucer

sucedáneo, -a 1 adj de remplacement
2 nm succédané m, ersatz m

suceder 1 v impersonal (ocurrir) arriver; **suceda lo que suceda** quoi qu'il arrive; **¿qué le sucede?** qu'est-ce qui vous arrive?
2 vt (sustituir) succéder à
3 vi **s. a** (venir después) succéder à; **a la guerra sucedieron años terribles** des années terribles suivirent la guerre

sucesión nf succession f; (matemática) suite f

sucesivamente adv successivement; **y así s.** et ainsi de suite

sucesivo, -a adj successif(ive); **en lo s.** à l'avenir

suceso nm (acontecimiento) événement m; (hecho delictivo) fait m divers

sucesor, -ora nm,f successeur m

suciedad nf saleté f

sucinto, -a adj (explicación, relato) succinct(e); Fam Fig (taparrabos, biquini) riquiqui inv

sucio, -a adj sale; (color, trabajo) salissant(e); (negocio) malhonnête; **en s.** au brouillon

suculento, -a adj succulent(e)

sucumbir vi succomber (**a** à)

sucursal nf succursale f

sudadera nf (prenda) sweat-shirt m

Sudáfrica n l'Afrique f du Sud

sudafricano, -a 1 adj sud-africain(e)
2 nm,f Sud-Africain(e) m,f

Sudamérica n l'Amérique f du Sud

sudamericano, -a 1 adj sud-américain(e)
2 nm,f Sud-Américain(e) m,f

sudar 1 vi (transpirar) suer; (pared) suinter
2 vt (empapar) tremper de sueur; Fam **s. la gota gorda** suer à grosses gouttes; Fam **para ganar esta carrera,**

vas a tener que sudarla *(trabajar mucho)* tu vas en baver pour gagner cette course

Sudeste, sudeste 1 *adj* sud-est *inv* **2** *nm* sud-est *m inv* ☆ *S. asiático* Asie *f* du Sud-Est

Sudoeste, sudoeste 1 *adj* sud-ouest *inv* **2** *nm* sud-ouest *m inv*

sudor *nm (transpiración)* sueur *f*; *Fam* **le costó muchos sudores** *(esfuerzo)* il en a bavé

sudoroso, -a, sudoriento, -a *adj* en sueur

Suecia *n* la Suède

sueco, -a 1 *adj* suédois(e) **2** *nm,f* Suédois(e) *m,f* **3** *nm (lengua)* suédois *m*

suegro, -a *nm,f* beau-père *m*, belle-mère *f*; **suegros** beaux-parents *mpl*

suela *nf* semelle *f*

sueldo *nm* salaire *m*; *(de funcionario)* traitement *m*; **a s.** *(asesino)* à gages

suelo *nm* sol *m*; **caer al s.** tomber par terre; **por el s.** par terre; **echar por el s. un plan** faire tomber un projet à l'eau; *Fam* **estar por los suelos** *(producto)* être donné(e); *(persona)* avoir le moral à zéro; **poner** *o* **tirar a alguien por los suelos** traîner qn dans la boue

suelto, -a 1 *adj (no sujeto) (pelo)* détaché(e); *(cordones)* défait(e); *(hoja)* volant(e); *(ropa)* ample; *(separado)* à l'unité, à la pièce; *(nudo)* lâche; *(estilo)* qui coule; **andar s.** *(fiera)* être en liberté; *(ladrón, preso)* courir; **¿tienes algo s.?** *(dinero)* est-ce que tu as de la monnaie?; **la chaqueta y la falda se venden sueltas** la veste et la jupe sont vendues séparément; **tengo unos ejemplares sueltos de la revista** j'ai quelques numéros de cette revue; **el arroz salió s.** le riz n'a pas collé; **está muy s. en inglés** il parle couramment anglais;

tener el estómago s. avoir la diarrhée **2** *nm (dinero)* (petite) monnaie *f*

sueño *nm* sommeil *m*; *(ensueño, ambición)* rêve *m*; *Fam (cosa bonita)* bijou *m*; **tener s.** avoir sommeil; **en sueños** en rêve; **tener un s.** faire un rêve

suero *nm* sérum *m*; *(de la leche)* petit-lait *m*

suerte *nf (fortuna)* chance *f*; *(azar)* hasard *m*; *(destino)* sort *m*; *(clase, manera)* sorte *f*; *Taurom* = nom donné aux actions exécutées au cours des tercios ou étapes de la corrida; **por s.** heureusement; **tener s.** avoir de la chance; **tener mala s.** ne pas avoir de chance; **de s.** par hasard; **de esa s.** de la sorte; **de s. que** de sorte que

suéter *(pl* **suéteres***) nm* pull *m*

suficiencia *nf (capacidad)* aptitude *f*; *(presunción)* suffisance *f*

suficiente 1 *adj* suffisant(e) **2** *nm (nota)* mention *f* passable **3** *adv* assez; **¿has comido s.?** tu as assez mangé?

sufragar [38] *vt (gastos)* supporter; *(campaña)* financer

sufragio *nm* suffrage *m*

sufrido, -a *adj (tejido)* résistant(e); *(color)* peu salissant(e); *(persona)* qui supporte beaucoup sans rien dire; **hacerse el s.** *(el resignado)* jouer les martyrs

sufrimiento *nm* souffrance *f*

sufrir 1 *vt (enfermedad)* souffrir de; *(accidente, heridas)* être victime de; *(desgracias)* subir; *(operación, pérdida)* subir **2** *vi (padecer)* souffrir **(de** de); **s. del corazón** être malade du cœur

sugerencia *nf* suggestion *f*

sugerente *adj* suggestif(ive)

sugerir [62] *vt* suggérer

sugestión *nf* suggestion *f*

sugestionar 1 *vt (influir)* persuader; *(obsesionar)* faire peur à

2 sugestionarse *vpr (obsesionarse)* prendre peur; *(persuadirse)* faire de l'autosuggestion

sugestivo, -a *adj* suggestif(ive); *(atractivo)* séduisant(e)

suiche *nm* Col, Méx, Ven interrupteur *m*

suicida 1 *adj* suicidaire; **una operación s.** une opération suicide
   2 *nmf* suicidaire *mf*

suicidarse *vpr* se suicider

suicidio *nm* suicide *m*

suite [swit] *nf* suite *f (d'hôtel)*

Suiza *n* la Suisse

suizo, -a 1 *adj* suisse
   2 *nm,f* Suisse *mf*
   3 *nm* pain *m* au lait

sujeción *nf (atadura)* fixation *f*; *(sometimiento)* assujettissement *m*

sujetador *nm* soutien-gorge *m*

sujetar 1 *vt* tenir; *(sostener)* retenir; *(someter)* assujettir, soumettre; *(dominar)* maîtriser; *(atar)* attacher; **sujeta los papeles con un clip** attache les papiers avec un trombone
   2 sujetarse *vpr* **sujetarse de** *o* **a** *(agarrarse)* se tenir à; **sujetarse a** *(someterse)* se soumettre à; *(dieta)* s'astreindre à

sujeto, -a 1 *adj (agarrado)* fixé(e); **s. a** *(expuesto)* exposé(e) à
   2 *nm* sujet *m*; *(persona)* individu *m*

sulfamida *nf* sulfamide *m*

sulfato *nm* sulfate *m*

sulfurar 1 *vt (encolerizar)* mettre hors de soi
   2 sulfurarse *vpr* être hors de soi

sulfuro *nm* sulfure *m*

sultán, -ana *nm,f* sultan(e) *m,f*

suma *nf* somme *f*; *(operación matemática)* addition *f*; **en s.** en somme

sumamente *adv* extrêmement

sumar 1 *vt* additionner; *(elevarse a)* s'élever à; **tres y dos suman cinco** trois plus deux font cinq
   2 sumarse *vpr (añadirse)* s'ajouter

(a à); **sumarse a** *(incorporarse a)* se joindre à

sumario, -a 1 *adj* sommaire
   2 *nm (de juicio)* instruction *f*; *(índice)* sommaire *m*; *(resumen)* résumé *m*

sumergible *adj* submersible; *(reloj, cámara)* étanche

sumergir [24] **1** *vt* submerger; *(con fuerza)* plonger
   2 sumergirse *vpr (hundirse)* plonger; *Fig* **sumergirse en** *(sumirse)* se plonger dans

sumidero *nm* puisard *m*; *(de alcantarilla)* bouche *f* d'égout

suministrador, -ora *adj* & *nm,f* fournisseur(euse) *m,f*

suministrar *vt* fournir

suministro *nm* fourniture *f*; *(de agua, electricidad)* distribution *f*

sumir 1 *vt* plonger
   2 sumirse *vpr* **sumirse en** se plonger dans

sumisión *nf* soumission *f*

sumiso, -a *adj* soumis(e)

sumo, -a *adj (supremo)* suprême; *(gran)* extrême; **a lo s.** tout au plus, au maximum; **con s. cuidado** avec le plus grand soin

suntuoso, -a *adj* somptueux(euse)

supeditar 1 *vt* faire dépendre de; **estar supeditado a** dépendre de
   2 supeditarse *vpr* **supeditarse a** se soumettre à

súper 1 *adj* Fam super
   2 *nm* Fam supermarché *m*
   3 *nf (gasolina)* super *m*

super- *prefijo* Fam *(muy)* super-; **superfácil** super-facile

superar 1 *vt (aventajar, adelantar)* dépasser; *(problema, dificultad)* surmonter
   2 superarse *vpr* se surpasser

superávit *nm inv* excédent *m*

superdotado, -a *adj* & *nm,f* surdoué(e) *m,f*

superficial *adj también Fig* superficiel(elle)

superficie *nf* surface *f*; *(extensión, apariencia)* superficie *f*

superfluo, -a *adj* superflu(e)

superior, -ora 1 *adj* supérieur(e); *Fig (excelente)* de premier ordre
2 *nm,f (de convento)* père supérieur *m*, mère supérieure *f*
3 *nm (jefe)* supérieur *m* (hiérarchique)

superioridad *nf* supériorité *f*

superlativo, -a *adj (belleza, grado)* extrême; *Gram* superlatif(ive)

supermercado *nm* supermarché *m*

superpoblación *nf* surpeuplement *m*

superponer [50] *vt* superposer

superpotencia *nf* superpuissance *f*

superpuesto, -a *participio ver* **superponer**

supersónico, -a *adj* supersonique

superstición *nf* superstition *f*

supersticioso, -a *adj* superstitieux (euse)

supervisar *vt* superviser; *(empresa, cuentas)* contrôler, inspecter

supervisor, -ora *nm,f (de examen)* surveillant(e) *m,f*; *(que supervisa)* superviseur *m*; *(que inspecciona)* inspecteur(trice) *m,f*

supervivencia *nf* survie *f*; *(de usos y costumbres)* survivance *f*

superviviente *adj & nmf* survivant(e) *m,f*, rescapé(e) *m,f*

supiera *ver* **saber**

suplantar *vt* supplanter

suplementario, -a *adj* supplémentaire

suplemento *nm* supplément *m*; **s. dominical** supplément du dimanche

suplente 1 *adj* suppléant(e); **un jugador s.** un remplaçant
2 *nmf* suppléant(e) *m,f*; *(actor)* doublure *f*; *(jugador)* remplaçant(e) *m,f*

supletorio, -a 1 *adj* d'appoint
2 *nm (teléfono)* deuxième poste *m*

súplica *nf (ruego)* supplication *f*; *Der & (escrito)* requête *f*

suplicar [59] *vt (rogar)* supplier; **s. a alguien que haga algo** supplier qn de faire qch; **s. (a un tribunal)** se pourvoir (devant un tribunal)

suplicio *nm también Fig* supplice *m*; **su vida es un s.** sa vie est un calvaire

suplir *vt (substituir)* remplacer; *(compensar)* suppléer à; **s. algo (con)** compenser qch (par); **su generosidad suple su mal genio** sa générosité compense son mauvais caractère

supo *ver* **saber**

suponer [50] **1** *vt* supposer; *(significar)* représenter; *(conjeturar)* imaginer; **supongamos que…** supposons *ou* admettons que…; **lo suponía** je m'en doutais
2 *nm* **es un s.** c'est une simple supposition
3 **suponerse** *vpr* s'imaginer, supposer

suposición *nf* supposition *f*

supositorio *nm* suppositoire *m*

supremacía *nf* suprématie *f*

supremo, -a *adj* suprême; *Fig (situación)* décisif(ive)

supresión *nf* suppression *f*

suprimir *vt* supprimer

supuesto, -a 1 *participio ver* **suponer**
2 *adj* prétendu(e); *(culpable, asesino)* présumé(e); **un nombre s.** un faux nom; **dar algo por s.** tenir qch pour acquis; **por s.** bien sûr
3 *nm* hypothèse *f*; **en el s. de que…** en supposant *ou* admettant que…

supurar *vi* suppurer

Sur, sur 1 *nm* sud *m inv* **el S. de Europa** le sud de l'Europe
2 *adj (zona, frontera)* sud *inv*; *(viento)* du sud

Suramérica = **Sudamérica**

suramericano, -a = **sudamericano**

surcar [59] *vt (recorrer)* sillonner ; *(tierra)* creuser des sillons dans

surco *nm* sillon *m* ; *(en camino)* ornière *f* ; *(en piel)* ride *f*

sureño, -a 1 *adj* du sud
    2 *nm,f* habitant(e) *m,f* du Sud

sureste = sudeste

surf, surfing *nm* surf *m*

surgir [24] *vi* surgir ; *(brotar)* jaillir ; **si surge la oportunidad** si l'occasion se présente

suroeste = sudoeste

surrealismo *nm* surréalisme *m*

surtido, -a 1 *adj (abastecido)* approvisionné(e) ; **s. en** qui offre un grand choix de ; **unas pastas surtidas** *(variadas)* un assortiment de petits gâteaux
    2 *nm (de prendas, tejidos)* choix *m* ; *(de pastas, bombones)* assortiment *m*

surtidor *nm (de fuente)* jet *m* d'eau ; **s. (de gasolina)** pompe *f* (à essence)

surtir 1 *vt* **s. a alguien en** *(proveer)* fournir qn en ; **s. efecto** avoir de l'effet
    2 *vi* jaillir
    3 surtirse *vpr* **surtirse de** *(proveerse de)* se fournir en

susceptible *adj* susceptible

suscitar *vt* susciter

suscribir 1 *vt* souscrire ; *(acuerdo, pacto)* souscrire à
    2 suscribirse *vpr* **suscribirse a** *(publicación)* s'abonner à

suscripción *nf (a publicación, canal de televisión)* abonnement *m*

suscriptor, -ora *nm,f (a publicación, canal de televisión)* abonné(e) *m,f*

susodicho, -a *adj* susdit(e)

suspender *vt (cancelar)* suspendre ; **s. a alguien en un examen** refuser qn à un examen ; **s. un examen** rater un examen

suspense *nm* suspense *m*

suspensión *nf* suspension *f* ; *(de empleos, pagos)* suppression *f*

suspenso, -a 1 *adj (no aprobado)* refusé(e) ; *Fig (desconcertado)* interloqué(e) ; **en s.** en suspens
    2 *nm* **tener un s.** rater une matière

suspicacia *nf* méfiance *f*

suspicaz *adj* soupçonneux(euse)

suspirar *vi* soupirer ; *Fig* **s. por** *(persona)* soupirer après ; *(viaje, objeto)* avoir une folle envie de

suspiro *nm (aspiración)* soupir *m* ; *Fig* **en un s.** *(en un instante)* en un clin d'œil

sustancia *nf* substance *f* ☆ **s. gris** matière *f* grise

sustancial *adj* substantiel(elle) ; *(medidas, cambio)* important(e)

sustancioso, -a *adj* substantiel (elle)

sustantivo, -a 1 *adj (importante)* substantiel(elle)
    2 *nm (nombre)* substantif *m*

sustentar *vt* soutenir ; *(persona, familia)* nourrir

sustento *nm (alimento)* nourriture *f* ; *(apoyo)* soutien *m*

sustitución *nf (cambio)* remplacement *m*

sustituir [34] *vt* remplacer (**por** par)

sustituto, -a *nm,f* remplaçant(e) *m,f*

susto *nm* peur *f* ; **dar** *o* **pegar un s. a alguien** faire une frayeur à qn

sustracción *nf (robo)* vol *m* ; *(resta)* soustraction *f*

sustraer [66] **1** *vt (restar)* soustraire ; *(robar)* voler, subtiliser
    2 sustraerse *vpr* se soustraire (**a** *o* **de** à)

susurrar 1 *vt* chuchoter
    2 *vi Fig (viento, agua)* murmurer

susurro *nm* chuchotement *m*

sutil *adj* subtil(e) ; *(tejido, línea)* fin(e)

sutileza *nf* subtilité *f*

sutura *nf* suture *f*

suyo, -a *(mpl* **suyos,** *fpl* **suyas) 1** *adj*

posesivo *(de él)* à lui; *(de ella)* à elle; *(de ellos)* à eux; *(de ellas)* à elles; *(de usted, ustedes)* à vous; **este libro es s.** ce livre est à lui/à elle/*etc*; **un amigo s.** un de ses/leurs/vos amis; **no es asunto s.** ça ne le/la/les/vous regarde pas; **no es culpa suya** ce n'est pas (de) sa/votre/leur faute; *Fam Fig* **es muy s.** il est spécial

2 *pron posesivo* **el s.** *(de él, de ella)* le sien; *(de usted, de ustedes)* le vôtre; *(de ellos, de ellas)* le leur; **la suya** *(de*

él, *de ella)* la sienne; *(de usted, de ustedes)* la vôtre; *(de ellos, de ellas)* la leur; **de s.** en soi; *Fam* **hacer de las suyas** faire des siennes; **hacer s./suya** faire sien/sienne; *Fam* **lo s. es el teatro** son truc c'est le théâtre; **los suyos** *(de él, ella)* les siens; *(de usted, ustedes)* les vôtres; *(de ellos, ellas)* les leurs; **las suyas** *(de él, ella)* les siennes; *(de usted, ustedes)* les vôtres; *(de ellos, ellas)* les leurs

T

T, t *nf (letra)* T *m inv*, t *m inv*

t *(abrev* **tonelada, tomo)** t.

tabacalero, -a 1 *adj* du tabac; **un establecimiento t.** un magasin d'articles pour fumeurs

2 *nf* **Tabacalera** = régie espagnole des tabacs, ≃ SEITA *f*

tabaco *nm* tabac *m*; *(cigarrillos)* cigarettes *fpl*; **¿tienes t.?** tu as une cigarette? ☆ **t. negro** tabac brun; **t. rubio** tabac blond

tábano *nm* taon *m*

tabarra *nf Fam* barbe *f*; **dar la t. a alguien** tanner qn

taberna *nf* bistrot *m*

tabernero, -a *nm,f* patron(onne) *m,f* de bistrot

tabique *nm* cloison *f* ☆ **t. nasal** cloison nasale

tabla 1 *nf (de madera, de surf)* planche *f*; *(para cortar)* planche *f* à découper; *(de metal)* plaque *f*; *(de estantería)* étagère *f*; *(de falda, camisa)* pli *m*; *(esquema, gráfico)* tableau *m*; *(lista, catálogo)* table *f* ☆ **t. de materias** table des matières; **t. de multiplicar** table de multiplication; **t. de planchar** planche à repasser; **t. de quesos** plateau *m* de fromages

2 *nfpl* **tablas** *(en teatro)* planches *fpl*; *Fig* **tiene muchas tablas** *(es profesional)* il a du métier; **quedar en** *o* **hacer tablas** *(en ajedrez, juego)* faire partie nulle

tablao *nm* = sorte de cabaret où sont données des représentations de flamenco

tablero *nm (tabla)* planche *f*; *(de resultados)* panneau *m* ☆ **t. (de ajedrez)** échiquier *m*; **t. (de damas)** damier *m*; **t. (de mandos)** tableau *m* de bord

tableta *nf (de chocolate)* tablette *f*

tablón *nm* planche *f* ☆ **t. (de anuncios)** panneau *m* d'affichage

tabú *(pl* **tabúes** *o* **tabús) 1** *adj* tabou(e)

2 *nm* tabou *m*

tabulador *nm* tabulateur *m*

tabular 1 *vt (valores, cifras)* disposer en tableau; *(texto)* tabuler

2 *vi (con máquina, ordenador)* mettre des tabulations

taburete *nm* tabouret *m*

tacañería *nf* avarice *f*

tacaño, -a *adj & nm,f* avare *mf*

tacataca, tacatá *nm* trotteur *m* *(pour bébés)*

tacha *nf (defecto)* défaut *m*; **sin t.** irréprochable

tachar *vt (lo escrito)* barrer; **t. lo que no proceda** rayer la mention inutile; *Fig* **t. a alguien de algo** *(acusar)* taxer qn de qch

tacho *nm CSur* seau *m*

tachón *nm (tachadura)* rature *f*

tachuela *nf* punaise *f (clou)*

tácito, -a *adj* tacite

taciturno, -a *adj* taciturne

taco *nm (para tornillo)* cheville *f*; *(cuña)* cale *f*; *(de billetes)* liasse *f*; *Fam Fig (palabrota)* gros mot *m*; *Fam Fig (montón)* tas *m*; *(de billar)* queue *f*; *(de papel)* pile *f*; *(de jamón, queso)* cube *m*; *(de bota de fútbol)* crampon *m*; *Am (tacón)* talon *m*; *CAm, Méx* = crêpe de maïs farcie; *muy Fam* **tiene treinta tacos** *(años)* il a trente balais

tacón *nm* talon *m (de chaussure)*; **de t. (alto)** à talons (hauts)

táctico, -a 1 *adj* tactique
2 *nm,f* tacticien(enne) *m,f*
3 *nf* **táctica** tactique *f*

tacto *nm* toucher *m*; *Fig (delicadeza)* tact *m*

TAE ['tae] *nf (abrev* **tasa anual equivalente)** TEG *m*

tailandés, -esa 1 *adj* thaïlandais(e)
2 *nm,f* Thaïlandais(e) *m,f*
3 *nm (lengua)* thaï *m*

Tailandia *n* la Thaïlande

taimado, -a *adj (astuto)* rusé(e); *(disimulado)* sournois(e)

Taiwán [tai'wan] *n* Taïwan

tajada *nf (rodaja)* tranche *f*; *Fam Fig (borrachera)* cuite *f*

tajante *adj Fig (tono, decisión)* catégorique

Tajo *nm* **el T.** le Tage

tajo *nm (corte, herida)* estafilade *f*; *Fam (trabajo)* turbin *m*; *(acantilado)* ravin *m*

tal 1 *adj* tel (telle); *(semejante)* tel (telle), pareil(eille); **t. cosa jamás se ha visto** on n'a jamais vu une chose pareille; **en tales condiciones** dans de telles conditions; **lo dijo con t. seguridad que...** il l'a dit avec une telle assurance que...; **mañana a t. hora** demain à telle heure; **te ha llamado un t. Rodríguez** un certain *ou* dénommé Rodríguez t'a appelé
2 *pron* **que si t. que si cual, t. y cual, t.**

y t. ceci, cela; **ser t. para cual** être faits l'un pour l'autre; **y t.** *(coletilla)* et ainsi de suite
3 *adv* **¿qué t.?** comment ça va?; **t. cual** tel (telle) quel (quelle); **con t. (de) que** pourvu que, du moment que; **con t. de que volvamos pronto llegaré a tiempo** pourvu que l'on revienne tôt, je serai à l'heure; **t. (y) como** comme

tala *nf (de árboles)* abattage *m*

taladradora *nf* perceuse *f*; *(de papel)* perforeuse *f*

taladrar *vt* percer

taladro *nm (taladradora)* perceuse *f*; *(agujero)* trou *m*

talante *nm (humor)* humeur *f*; **de buen t.** *(disposición)* de bonne grâce

talar *vt (árboles)* abattre

talco *nm* talc *m*

talego *nm (de tela)* sac *m*; *muy Fam (dinero)* 1000 pesetas; *Vulg (cárcel)* tôle *f*

talento *nm* talent *m*; **ser un t. de la música** être doué(e) en musique

Talgo *nm (abrev* **tren articulado ligero de Goicoechea Oriol)** = train espagnol aux essieux à écartement variable

talismán *nm* talisman *m*

talla *nf* taille *f*; *(estatuilla)* statuette *f*; *Fig (importancia)* envergure *f*; **¿qué t. usas?** quelle taille fais-tu?; **dar la t.** être à la hauteur

tallado, -a *adj (madera)* sculpté(e); *(piedras preciosas)* taillé(e)

tallar *vt (piedra)* tailler; *(madera)* sculpter; *(persona)* mesurer

tallarín *nm* tagliatelle *f*

talle *nm (cintura)* taille *f*

taller *nm* atelier *m*; *(de reparación de vehículos)* garage *m*; **llevar la moto al t.** amener sa moto au garage

tallo *nm* tige *f*; *(brote)* pousse *f*; *(de hierba)* brin *m*

talón *nm* talon *m*; *(cheque)* chèque *m*; **un zapato sin t.** une chaussure ouverte derrière; *Fig* **pisarle a alguien los talones** être sur les talons de qn ☆ *Fig* **t. de Aquiles** talon d'Achille; **t. bancario** chèque bancaire; **t. en blanco** chèque en blanc; **t. conformado** chèque certifié

talonario *nm (de cheques)* carnet *m* de chèques, chéquier *m*

tamal *nm CAm, Méx* = boule de farine de maïs diversement farcie, enveloppée dans des feuilles de maïs ou de bananier puis cuite à la vapeur ou au four

tamaño, -a 1 *adj (semejante)* pareil (eille); **nunca he visto t. atrevimiento** je n'ai jamais vu (une) pareille audace **2** *nm* taille *f*; **de gran t.** de grande taille; **de t. natural** grandeur nature

tambalearse *vpr* chanceler; *(borracho)* tituber; *(barco)* tanguer

también *adv* aussi; *(además)* de plus; **a mí t. me gusta** moi aussi j'aime ça

tambo *nm CSur* élevage *m* laitier

tambor *nm* tambour *m*; *(de pistola)* barillet *m*

tamiz *nm* tamis *m*; *Fig* **pasar por el t.** passer qch au crible

tamizar [14] *vt (cribar)* tamiser; *Fig (seleccionar)* trier

tampoco *adv* non plus; **no quiere salir, yo t.** il ne veut pas sortir, moi non plus; **yo t. lo veo** moi non plus je ne le vois pas; **no quiere ir al cine ni t. comer fuera** il ne veut ni aller au cinéma ni aller au restaurant

tampón *nm* tampon *m*

tan *adv (mucho)* si; **t. grande/deprisa** si grand/vite; **¡qué película t. larga!** qu'est-ce qu'il est long, ce film!; **t.... que...** tellement... que...; **es t. tonto que no se entera** il est tellement bête qu'il ne comprend rien; **t.... como...** aussi... que...; **es t. listo como su hermano** il est aussi intelligent que son frère; **t. sólo** seulement; *ver también* **tanto**

tanatorio *nm* funérarium *m*

tanda *nf (grupo)* groupe *m*; *(de trabajo)* équipe *f*; *(serie)* série *f*; **t. de palos** volée *f* de coups

tándem *(pl* **tándemes)** *nm (bicicleta)* tandem *m*; *(de actores)* duo *m*

tanga *nm* string *m*

tangente 1 *adj* tangent(e) **2** *nf* tangente *f*; *Fig* **salirse por la t.** prendre la tangente

tangible *adj* tangible

tango *nm* tango *m*

tanguería *nf RP* = local où l'on danse le tango

tanguero, -a *nm,f RP* amateur *m* de tango

tanque *nm (vehículo militar)* tank *m*; *(vehículo cisterna)* citerne *f*; *(depósito)* réservoir *m*; *(de cerveza)* chope *f*

tantear 1 *vt (sopesar)* évaluer; *(proyectos, soluciones)* examiner de près; *Fig (persona)* sonder; *(contrincante, rival)* mesurer; **t. el terreno** tâter le terrain **2** *vi (andar a tientas)* tâtonner; *(en juego)* compter les points

tanteo *nm (prueba)* essai *m*; *(puntuación)* score *m*

tanto, -a 1 *adj (gran cantidad, cantidad indeterminada)* tant de, tellement de; **¡tiene tantos libros!** il a tant de livres!; **tiene tantas ganas de verte que...** il a tellement envie de te voir que...; **nos daban tantas pesetas al día** on nous donnait tant de pesetas par jour; **y tantos** et quelques; **tiene cincuenta y tantos años** elle a cinquante ans et quelques; **t.... como...** autant de... que... **2** *pron (gran cantidad)* autant; *(cantidad por determinar)* tant; **tienes muchos vestidos, yo no tantos** tu as beaucoup de robes, moi je n'en ai pas autant; **había mucha gente aquí, allí no tanta** il y avait beaucoup de monde ici, il n'y en avait pas autant là-bas; **otro t.** autant; **le ocurrió otro t.** il lui est arrivé la même chose; **supongamos que vengan tantos...** supposons qu'il en vienne tant...; **a tantos de** *(mes)* le tant; **entre t.** *(mientras)* pendant ce temps, entre-temps; **por (lo) t.** par conséquent

3 *nm* **marcar un t.** *(punto)* marquer un point; *(gol)* marquer un but; **es un t. a su favor** c'est un avantage qu'il a; **apuntarse un t. (a favor)** marquer des points; **márcate un t. y déjame salir** sois sympa et laisse-moi sortir; **t. por ciento** pourcentage *m*; **estar al t.** *(al corriente)* être au courant; *(atento)* ouvrir l'œil

4 *adv (gran cantidad)* autant; **no me sirvas t.** ne m'en sers pas autant; **t. que** tant que, tellement que; **lo quiere t. que...** elle l'aime tant que...; **de eso hace t. que...** il y a si longtemps de cela que...; **t. como** autant que; **¡y t.!** et comment!; **t. mejor/peor** tant mieux/pis; **en t. que** pendant que; **t. (es así) que** tant et si bien que; **un t.** *(bastante)* quelque peu

5 *nfpl* **tantas** *Fam* **llegar a las tantas** arriver très tard

tañido *nm (de campana)* tintement *m*

tapa *nf (para cerrar)* couvercle *m*; *(en bar)* = petite quantité d'olives, d'anchois, de tortilla, etc., servie comme amuse-gueule; *(portada) (de libro)* couverture *f*; *(de tacón)* talon *m*; *Am (de botella)* bouchon *m*

tapadera *nf (tapa)* couvercle *m*; *Fig (para encubrir)* couverture *f*

tapado *nm CSur* grand manteau *m*

tapar 1 *vt* couvrir; *(cerrar) (botella, agujero)* boucher; *(baúl, boca)* fermer; *(no dejar ver)* cacher

2 taparse *vpr* se couvrir; **taparse la boca** mettre la main devant sa bouche

taparrabos *nm inv* cache-sexe *m*

tapete *nm* napperon *m*; *(de juegos)* tapis *m*; *(alfombra)* tapis; *Fig* **poner algo sobre el t.** mettre qch sur le tapis

tapia *nf* mur *m* (de clôture)

tapiar *vt (obstruir)* murer; *(cercar)* clôturer

tapicería *nf (tela, oficio)* tapisserie *f*; **en la t.** *(tienda)* chez le tapissier

tapir *nm* tapir *m*

tapiz *nm (para la pared)* tapisserie *f*

tapizar [14] *vt (mueble)* recouvrir; *(pared)* tapisser

tapón *nm* bouchon *m*; *Fam (hombre)* petit bout *m* d'homme; *(mujer)* petit bout *m* de femme; *(en baloncesto)* contre *m*; *Am (fusible)* fusible *m*; **poner un t. a alguien** contrer qn

taponar 1 *vt* boucher

2 taponarse *vpr* se boucher

tapujo *nm* **hablar sin tapujos** parler clair

taquería *nf Méx* = magasin de tacos

taquicardia *nf* tachycardie *f*

taquigrafía *nf* sténographie *f*

taquilla *nf (ventanilla)* guichet *m*; *(casillero)* casier *m*; *(recaudación)* recette *f*

taquillero, -a 1 *adj (artista, espectáculo)* qui fait recette; *(película)* qui fait beaucoup d'entrées

2 *nm,f* guichetier(ère) *m,f*

tara *nf* tare *f*

tarado, -a 1 *adj (defectuoso)* défectueux(euse); *(tonto)* taré(e)

2 *nm,f* taré(e) *m,f*

tarántula *nf* tarentule *f*

tararear *vt* fredonner

tardanza *nf* retard *m*

tardar *vi* **t. en hacer algo** *(llevar tiempo)* mettre du temps à faire qch; *(retrasarse)* tarder à faire qch; **tardó un año en hacerlo** il a mis un an à le faire; **tardo dos minutos** j'en ai pour deux minutes; **no tardaron en venir** ils n'ont pas tardé à venir; **a más t.** au plus tard

tarde 1 *nf (hasta las siete)* après-midi *m ou f; (después de las siete)* soir *m*; **vendré por la t.** je viendrai dans l'après-midi/dans la soirée; **de t. en t.** de temps à autre; **muy de t. en t.** très rarement; **¡buenas tardes!** *(hasta las siete)* bonjour!; *(después de las siete)* bonsoir!

2 *adv* tard; *(en demasía)* trop tard; **hoy saldré t.** aujourd'hui, je sortirai tard; **t. o temprano** tôt ou tard; **ya es t. para...** il est trop tard pour...; **se está haciendo t.** il commence à se faire tard; **más vale t. que nunca** mieux vaut tard que jamais

tardío, -a *adj* tardif(ive)

tardón, -ona *nm,f Fam* **es un t.** *(impuntual)* il est toujours en retard; *(lento)* il est lent

tarea *nf (trabajo)* travail *m; (misión)* tâche *f; (deberes escolares)* devoirs *mpl*; **tareas domésticas** tâches ménagères

tarifa *nf* tarif *m* ☆ **t. nocturna** tarif de nuit

tarima *nf* estrade *f*

tarjeta *nf* carte *f* ☆ **t. amarilla** carton *m* jaune; **t. de crédito** carte de crédit; *Informát* **t. de expansión** carte d'extension; *Informát* **t. gráfica** carte graphique; *Informát* **t. plana** tarif *m* forfaitaire; **t. postal** carte postale; **t. roja** carton rouge; *Informát* **t. de sonido** carte son *ou* sonore; **t. de visita** carte de visite

tarot *nm* tarot *m*

tarrina *nf* barquette *f*

tarro *nm (recipiente)* pot *m; muy Fam (cabeza)* crâne *m*, ciboulot *m*; **estar mal del t.** être complètement fêlé(e)

tarta *nf* gâteau *m; (plana)* tarte *f;* **una t. de chocolate** un gâteau au chocolat

tartaja *Fam* **1** *adj* ser t. être bègue
2 *nmf* **ser un t.** être bègue

tartaleta *nf* tartelette *f*

tartamudear *vi* bégayer

tartamudeo *nm* bégaiement *m*

tartamudo, -a *adj & nm,f* bègue *mf*

tartana *nf Fam (automóvil)* guimbarde *f*

tartera *nf (fiambrera)* gamelle *f*

tarugo *nm Fam (necio)* abruti *m; (de madera)* gros morceau *m* de bois; *(de pan)* quignon *m* de pain

tarumba *adj Fam* **volverse t.** devenir dingue

tasa *nf (índice)* taux *m; (precio, impuesto)* taxe *f* ☆ **t. de desempleo** *o* **paro** taux de chômage; **t. de importación** taxe à l'importation; **tasas académicas** droits *mpl* d'inscription (à l'université)

tasación *nf* taxation *f*

tasar *vt (valorar)* expertiser; *(fijar precio)* taxer

tasca *nf* bistrot *m*

tata *nm Am Fam* papa *m*

tatarabuelo, -a *nm,f* trisaïeul(e) *m,f*

tatuaje *nm* tatouage *m*

tatuar [4] **1** *vt & vi* tatouer
2 tatuarse *vpr* se faire tatouer

taurino, -a *adj* taurin(e)

tauro 1 *nm inv (zodiaco)* Taureau *m inv*
2 *nmf inv (persona)* Taureau *m inv*

tauromaquia *nf* tauromachie *f*

taxativo, -a *adj* strict(e)

taxi *nm* taxi *m*

taxidermista *nmf* taxidermiste *mf*

taxímetro *nm* compteur *m* de taxi

taxista *nmf* chauffeur *m* de taxi

taza *nf (para beber)* tasse *f; (de retrete)* cuvette *f*

tazón *nm* bol *m*

te¹ *nf (letra)* t *m inv*

te² *pron personal* te; *Fam (impersonal)* on; **vengo a verte** je viens te voir; **te quiero** je t'aime; **te lo dio** il te l'a donné; **te tiene miedo** il a peur de toi; **¡mírate!** regarde-toi!; **¡no te pierdas!** ne te perds pas!; **te gusta leer** tu aimes lire; **te crees muy listo** tu te crois très malin; **si te dejas pisar, estás perdido** si on se laisse marcher sur les pieds, on est perdu

té *nm* thé *m*

teatral *adj* théâtral(e)

teatro *nm* théâtre *m*; **es todo t.** *(fingimiento)* c'est de la comédie

tebeo *nm* bande *f* dessinée

techo *nm (cara interior, tope)* plafond *m*; *(tejado, hogar)* toit *m*; **bajo t.** sous un toit ☆ **t. artesonado** plafond à caissons; **t. solar** *(en automóvil)* toit ouvrant *(vitre)*

techumbre *nf* toiture *f*

tecla *nf* touche *f* ☆ *Informát* **t. de función** touche de fonction

teclado *nm* clavier *m* ☆ **t. expandido** clavier étendu; **t. numérico** pavé *m* numérique

teclear *vi (en máquina)* taper

tecleo *nm (en máquina)* frappe *f*

técnico, -a 1 *adj* technique
  2 *nm,f* technicien(enne) *m,f*
  3 *nf* **técnica** technique *f*

Tecnicolor *nm* Technicolor® *m*

tecnócrata 1 *adj* technocratique
  2 *nmf* technocrate *mf*

tecnología *nf* technologie *f* ☆ **t. punta** technologie de pointe

tecnológico, -a *adj* technologique

tecolote *nm CAm, Méx* hibou *m*

tedio *nm* ennui *m*

tedioso, -a *adj* ennuyeux(euse)

Tegucigalpa *n* Tegucigalpa

tegucigalpense *nmf* = personne originaire de Tegucigalpa

Teide *nm* **el T.** le pic de Teide

teja *nf* tuile *f*; **color t.** (rouge) brique *inv*

tejado *nm* toit *m*

tejanos *nmpl (pantalones)* jean *m*

tejemaneje *nm Fam (maquinación)*

manigance *f*; *(ajetreo)* remue-ménage *m inv*

tejer 1 *vt* tisser; *(labor de punto)* tricoter; *(labor de ganchillo)* faire au crochet; *(mimbre, esparto)* tresser; *Fig (idear)* tramer
  2 *vi (hacer punto)* tricoter; *(hacer ganchillo)* faire du crochet

tejido *nm* tissu *m*

tejo *nm (árbol)* if *m*; *Fam Fig* **tirarle los tejos a alguien** poursuivre qn de ses assiduités

tejón *nm* blaireau *m*

tel. *(abrev* **teléfono)** tél.

tela *nf* tissu *m*; *(tejido basto, cuadro)* toile *f*; *Fam* **tener (mucha) t.** *(ser complicado)* être un vrai casse-tête; **¡vaya t.!** c'est coton!; *Fam* **tener t. de trabajo** avoir du pain sur la planche; **poner en t. de juicio** remettre en cause ☆ **t. de araña** toile d'araignée; **t. metálica** grillage *m*

telar *nm (máquina)* métier *m* à tisser; **telares** *(fábrica)* usine *f* textile

telaraña *nf* toile *f* d'araignée

tele *nf Fam* télé *f*

telearrastre *nm* remonte-pente *m*

telebanca *nf* banque *f* en ligne

telebasura *nf Fam* télé-poubelle *f*

telecomedia *nf* sitcom *m ou f*

telecomunicaciones *nfpl* télécommunications *fpl*

telediario *nm* journal *m* télévisé

teledirigido, -a *adj* téléguidé(e)

teléf. = tel.

telefax *nm* télécopieur *m*

teleférico *nm* téléphérique *m*

telefilme, telefilm *(pl* telefilms) *nm* téléfilm *m*

telefonear 1 *vi* téléphoner
  2 telefonearse *vpr* s'appeler *(au téléphone)*

telefónico, -a 1 *adj* téléphonique
  2 *nf* **Telefónica** = compagnie nationale espagnole du téléphone, ≃ France Télécom

telefonillo *nm (portero automático)* Interphone® *m*

telefonista *nmf* standardiste *mf*

teléfono *nm* téléphone *m* ; *(número)* numéro *m* de téléphone ; **colgar el t.** raccrocher (le téléphone) ; **hablar a alguien por t.** avoir qn au téléphone ; **llamar por t.** téléphoner ☆ *t. inalámbrico* téléphone sans fil ; *t. móvil* téléphone portable ; *t. público* téléphone public

telegráfico, -a *adj* télégraphique

telégrafo *nm (medio, aparato)* télégraphe *m*

telegrama *nm* télégramme *m*

telele *nm Fam* **le dio un t.** *(se desmayó)* il a tourné de l'œil ; *(se sorprendió)* ça lui a fichu un coup

telemando *nm* télécommande *f*

telemarketing *nm* télévente *f*

telemática *nf* télématique *f*

telenovela *nf* feuilleton *m* télévisé

telepatía *nf* télépathie *f*

telescópico, -a *adj* télescopique

telescopio *nm* télescope *m*

telesilla *nm* télésiège *m*

telespectador, -ora *nm,f* téléspectateur(trice) *m,f*

telesquí *(pl* **telesquís** *o* **telesquíes)** *nm* téléski *m*

teletexto *nm* télétexte *m*

teletipo *nm* Télétype® *m*

teletrabajador, -ora *nm,f* télétravailleur(euse) *m,f*

teletrabajo *nm* télétravail *m*

televendedor, -ora *nm,f* télévendeur(euse) *m,f*

televidente *nmf* téléspectateur(trice) *m,f*

televisar *vt* téléviser

televisión *nf* télévision *f* ; **ver la t.** regarder la télévision ☆ *t. por cable* télévision par câble ; *t. en color* télévision couleurs ; *t. digital* télévision numérique ; *t. privada* télévision privée ; *t. pública* télévision publique

televisor *nm* téléviseur *m*

télex *nm inv* télex *m*

telón *nm* rideau *m* ☆ *Fig t. de acero* rideau de fer ; *Fig t. de fondo* toile *f* de fond

telonero, -a *nm,f* première partie *f* *(d'un spectacle, d'un concert)*

tema *nm (asunto)* sujet *m* ; *(lección)* leçon *f* ; *(musical)* thème *m* ; **un t. de los Beatles** une chanson des Beatles

temario *nm* programme *m*

temático, -a **1** *adj* thématique ; *(parque)* à thème

    2 *nf* **temática** thème *m*

temblar [3] *vi* trembler ; **t. de frío/de miedo** trembler de froid/de peur

tembleque *nm* tremblement *m*

temblor *nm* tremblement *m* ☆ *t. de tierra* tremblement de terre

tembloroso, -a *adj* tremblant(e)

temer **1** *vt* craindre ; **teme el agua/a su madre** il a peur de l'eau/de sa mère ; **temo que se vaya** je crains qu'il ne s'en aille

    2 *vi* avoir peur, craindre ; **teme por sus hijos** il a peur pour ses enfants ; **no temas** n'aie pas peur, ne crains rien

    3 temerse *vpr* craindre ; **me temo lo peor** je crains le pire ; **me lo temía** je m'en doutais

temerario, -a *adj* téméraire ; *(juicio, acusación)* hâtif(ive)

temeridad *nf (valor)* témérité *f* ; **es una t.** *(insensatez)* c'est de l'inconscience

temeroso, -a *adj (receloso)* peureux(euse) ; *(temible)* effrayant(e)

temible *adj* redoutable

temor *nm* crainte *f* ; **por t. a** *o* **de** par crainte de

temperamental *adj (con carácter)* qui a du tempérament ; *(impulsivo)* lunatique

temperamento *nm* tempérament *m*

temperatura *nf* température *f*; **tomar la t. a alguien** prendre la température à qn ☆ **t. ambiente** o **ambiental** température ambiante; **t. máxima** température maximale; **t. mínima** température minimale

tempestad *nf* tempête *f*

tempestuoso, -a *adj* orageux (euse); *Fig (persona)* tempétueux (euse)

templado, -a *adj (agua, bebida, comida)* tiède; *(clima, zona)* tempéré(e); *(persona, carácter)* modéré(e)

templanza *nf (moderación)* tempérance *f*; **tener t.** *(serenidad)* savoir garder son calme

templar 1 *vt (entibiar)* faire tiédir; *(calmar) (ánimos, nervios)* calmer; *(metal)* tremper
  2 *vi (tiempo, temperatura)* s'adoucir
  3 **templarse** *vpr (tiempo, temperatura)* se radoucir; *(líquido)* tiédir

temple *nm (pintura para paredes)* peinture *f* à l'eau; *Arte* détrempe *f*; **tener t.** *(serenidad)* savoir garder son calme

templo *nm* temple *m*; *(católico)* église *f*

temporada *nf* saison *f*; *(de exámenes)* période *f*; **de t.** *(fruta)* de saison; *(trabajo, actividad)* saisonnier (ère); **una t.** *(periodo indefinido)* un certain temps, quelque temps ☆ **t. alta** haute saison; **t. baja** basse saison; **t. media** intersaison *f*

temporal 1 *adj* temporel(elle); *(provisional)* temporaire
  2 *nm (tormenta)* tempête *f*; *Fig* **capear el t.** affronter des tempêtes

temporario, -a *adj Am* temporaire, provisoire

temporero, -a 1 *adj* temporaire
  2 *nm,f* travailleur(euse) *m,f* temporaire

temporizador *nm* minuterie *f*

temprano, -a 1 *adj* précoce; **a horas tempranas** de bonne heure; **frutas/verduras tempranas** primeurs *fpl*
  2 *adv* tôt; **por la mañana t.** tôt le matin

ten *ver* **tener**

tenacidad *nf* ténacité *f*

tenacillas *nfpl* pincettes *fpl*; *(para el pelo)* fer *m* à friser

tenaz *adj* tenace

tenaza *nf (herramienta)* tenailles *fpl*; *(de crustáceos)* pince *f*

tendedero *nm* étendoir *m*

tendencia *nf* tendance *f* (**a** à)

tendencioso, -a *adj* tendancieux (euse)

tender [64] 1 *vt (tumbar)* étendre; *(extender, tramar)* tendre; *(puente, vía férrea)* construire; **t. la ropa** étendre le linge; **t. la mano** tendre la main; **t. una trampa** tendre un piège; *Am* **t. la cama** faire le lit; **t. la mesa** mettre la table
  2 *vi* **t. a** tendre à; *(color)* tirer sur
  3 **tenderse** *vpr* s'étendre

tenderete *nm* étalage *m*

tendero, -a *nm,f* petit(e) commerçant(e) *m,f*; *(de comestibles)* épicier (ère) *m,f*

tendido, -a 1 *adj* étendu(e); *(extendido)* tendu(e)
  2 *nm (instalación)* pose *f*; *(gradas)* gradins *mpl* ☆ **t. eléctrico** ligne *f* électrique

tendón *nm* tendon *m*

tendrá *ver* **tener**

tenebroso, -a *adj* sombre; *Fig* ténébreux(euse)

tenedor¹ *nm* fourchette *f*

tenedor², -ora *nm,f Com* détenteur(trice) *m,f* ☆ **t. de libros** comptable *mf*

teneduría *nf Com* comptabilité *f*

tenencia *nf* détention *f*; **t. ilícita de armas** détention d'armes

tener [65] **1** *v aux* (a) *(antes de participio)* *(haber)* avoir; **teníamos pensado ir al teatro** nous avions pensé aller au théâtre; **tengo leído medio libro** j'ai lu la moitié du livre

(b) *(antes de participio o adj)* *(mantener)* **me tuvo despierto** ça m'a tenu éveillé; **eso la tiene entretenida** ça l'occupe

(c) *(expresa obligación)* **t. que** devoir; **tengo que irme** je dois partir, il faut que je parte; **tenemos que salir a cenar juntos** il faut que nous allions dîner ensemble

2 *vt* (a) *(en general)* avoir; **tiene mucho dinero** il a beaucoup d'argent; **tengo un hermano mayor** j'ai un frère aîné; **¿cuántos años tienes?** quel âge as-tu?; **tengo hambre** j'ai faim; **tiene buen corazón** il a bon cœur; **le tiene lástima** il a pitié de lui; **tendrá una sorpresa** il aura une surprise; **t. un niño** avoir un enfant; **t. huéspedes** avoir des invités; **hoy tengo clase** j'ai cours aujourd'hui; **tiene algo que decirnos** il a quelque chose à nous dire

(b) *(medir)* faire; **la sala tiene cuatro metros de largo** le salon fait quatre mètres de long

(c) *(sujetar, agarrar)* tenir

(d) *(estar)* **aquí tiene su cambio** voici votre monnaie; **aquí me tienes** me voici

(e) *(para desear)* **¡que tengas un buen viaje!** bon voyage!; **¡que tengan unas felices Navidades!** joyeux Noël!

(f) *(valorar, considerar)* **t. a alguien por** o **como** tenir qn pour; **t. algo por** o **como** considérer qch comme; **ten por seguro que lloverá** tu peux être sûr qu'il pleuvra

(g) *Am (llevar)* **tengo tres años aquí** ça fait trois ans que je suis ici

(h) *(expresiones)* **conque ¿ésas tenemos? ¿te niegas a hacerlo?** alors comme ça, tu ne veux pas le faire?; **no las tiene todas consigo** il n'en mène pas large; **le ruego tenga a bien mandarme...** je vous prie de bien vouloir m'envoyer...; **t. lugar** avoir lieu; **t. presente algo/alguien** se souvenir de qch/qn; **t. que ver con** avoir à voir avec

3 tenerse *vpr* **tenerse de pie** *(borracho)* tenir debout; *(niño)* se tenir debout; **tenerse por algo/alguien** *(considerarse)* se prendre pour qch/qn

Tenerife *n* Tenerife, Ténériffe

tenia *nf* ténia *m*

teniente *nm* lieutenant *m*

tenis *nm inv* tennis *m* ☆ **t. de mesa** tennis de table

tenista *nmf* joueur(euse) *m,f* de tennis

tenor *nm* ténor *m*; **a t. de** compte tenu de

tensar *vt* tendre

tensión *nf* tension *f*; **alta t.** haute tension ☆ **t. (arterial)** tension (artérielle); **t. nerviosa** tension nerveuse

tenso, -a *adj* tendu(e)

tentación *nf* tentation *f*; **ser una t.** être tentant(e); **tener la t. de** être tenté(e) de

tentáculo *nm* tentacule *m*

tentador, -ora *adj* tentant(e)

tentar [3] *vt* tenter; *(tocar)* tâter

tentativa *nf* tentative *f*; **t. de asesinato** tentative de meurtre

tentempié *nm* *(comida)* en-cas *m inv*

tenue *adj* *(lluvia, tela)* fin(e); *(voz)* faible; *(dolor)* léger(ère); *(hilo, luz)* ténu(e)

teñir [47] **1** *vt* teindre **(de** en)

2 teñirse *vpr* **teñirse el pelo** se teindre les cheveux; **teñirse de rubio/moreno** se teindre en blond/brun

teocalli *nm Méx* teocalli *m* *(temple aztèque)*

teología *nf* théologie *f* ☆ **t. de la liberación** théologie de la libération

teólogo, -a *nm,f* théologien(enne) *m,f*

teorema nm théorème m

teoría nf théorie f; **en t.** en théorie

teórico, -a 1 adj théorique

  2 nm,f (persona) théoricien(enne) m,f

teorizar [l4] vi théoriser

tepache nm Méx = boisson à base de canne à sucre ou d'ananas fermenté, et de cassonade

tequila nm ou nf tequila f

terapéutico, -a adj thérapeutique

terapia nf thérapie f ☆ **t. de grupo** thérapie de groupe; **t. ocupacional** thérapie occupationnelle

tercer ver **tercero**

tercera ver **tercero**

tercermundista adj du tiers-monde; (política, actitud) tiers-mondiste

tercero, -a

On utilise **tercer** devant les noms masculins singuliers.

  1 adj num troisième; **la tercera edad** le troisième âge; ver también **sexto**

  2 nm (piso) troisième m; (de primaria) quatrième f; (de universidad) troisième année f; (mediador) tiers m, tierce personne f

  3 nf **tercera** (marcha) troisième f; **a la tercera va la vencida** le troisième coup est toujours le bon

terceto nm (musical) trio m

terciar 1 vi (mediar) intervenir, s'interposer; (participar) participer (**en** à)

  2 terciarse vpr se présenter; **si se tercia** si l'occasion se présente

terciario, -a adj tertiaire

tercio nm (tercera parte) tiers m; Taurom = nom donné à chacune des trois étapes de la corrida

terciopelo nm velours m

terco, -a adj & nm,f entêté(e) m,f

tereré nm Arg, Par = maté froid additionné de jus de citron

tergal nm Tergal® m

tergiversación nf déformation f

tergiversar vt déformer

termal adj thermal(e); **aguas termales** eaux fpl thermales

termas nfpl thermes mpl

térmico, -a adj thermique

terminación nf (finalización) achèvement m; (parte final) extrémité f; (de nombre, verbo) terminaison f

terminal 1 adj final(e); **en fase t.** (enfermo, enfermedad) en phase terminale

  2 nm Informát terminal m; **t. videotexto** terminal vidéotex

  3 nf (de aeropuerto) terminal m; (de autobuses) terminus m

terminante adj (tajante) catégorique, formel(elle); (prueba) concluant(e)

terminar 1 vt terminer, finir; **t. un trabajo** terminer un travail; **t. la carrera** finir ses études

  2 vi (acabar) se terminer, finir; (pareja) rompre; **las vacaciones terminan** les vacances se terminent; **t. con** en finir avec; **hemos terminado con este tema** nous en avons fini avec ce sujet; **terminó de conserje en...** il a fini concierge dans...; **t. de/por hacer algo** finir de/par faire qch; **t. en** se terminer en; **terminó en pelea** ça s'est terminé en bagarre

  3 terminarse vpr (finalizar) se terminer; **se ha terminado el butano** il n'y a plus de gaz

término nm (fin) fin f; (plazo) délai m; (lugar, posición) plan m; (palabra, en ecuación) terme m; **poner t. a algo** mettre un terme à qch; **en el t. de** dans un délai de; **en primer t.** au premier plan; Fig **en último t.** en dernier recours; **la estación de t.** le terminus; **t. medio** juste milieu m; **por t. medio** en moyenne; **términos** (palabras) termes; **los términos del contrato** les termes du contrat; **en**

términos generales en règle générale ☆ **t. (municipal)** commune f

terminología nf terminologie f

termita nf termite m

termo nm Thermos® f

termómetro nm thermomètre m; **poner el t. a alguien** prendre la température à qn

termostato nm thermostat m

ternasco nm agneau m de lait

ternero, -a 1 nm,f (animal) veau m, génisse f
2 nf **ternera** (carne) veau m

terno nm (traje) complet m

ternura nf tendresse f

terquedad nf entêtement m

terracota nf terre f cuite

terral nm Andes nuage m de poussière

Terranova n Terre-Neuve

terraplén nm terre-plein m

terráqueo, -a adj (globo) terrestre

terrateniente nmf propriétaire mf terrien(enne)

terraza nf terrasse f; (balcón) balcon m

terremoto nm tremblement m de terre

terrenal adj terrestre

terreno, -a 1 adj terrestre
2 nm terrain m; Fig (ámbito) domaine m; **ganar t.** (imponerse) gagner du terrain; **preparar el t. (para)** préparer le terrain (pour) ☆ **t. (de juego)** terrain (de jeu)

terrestre adj terrestre

terrible adj terrible

terrícola nmf terrien(enne) m,f

terrier nm terrier m

territorial adj territorial(e)

territorio nm territoire m

terrón nm (de tierra) motte f; (de azúcar) morceau m

terror nm terreur f; **de t.** (película) d'horreur; **dar t. a alguien** terrifier qn

terrorífico, -a adj terrifiant(e)

terrorismo nm terrorisme m

terrorista adj & nmf terroriste mf

terroso, -a adj terreux(euse)

terso, -a adj (piel, superficie) lisse

tersura nf (de piel) douceur f

tertulia nf = réunion informelle au cours de laquelle un thème particulier est abordé; Fam **estar de t.** papoter

tesina nf ≃ mémoire m de maîtrise

tesis nf inv thèse f

tesón nm persévérance f

tesorería nf trésorerie f

tesorero, -a nm,f trésorier(ère) m,f

tesoro nm trésor m; Fig (persona valiosa) perle f; Fig **ven aquí, t.** viens ici, mon trésor ☆ **T. Público** Trésor public

test (pl tests) nm test m ☆ **t. del embarazo** test de grossesse

testaferro nm prête-nom m

testamentario, -a 1 adj testamentaire
2 nm,f exécuteur(trice) m,f testamentaire

testamento nm testament m ☆ **Antiguo T.** Ancien Testament; **Nuevo T.** Nouveau Testament

testar vi faire un testament

testarudo, -a adj & nm,f têtu(e) m,f

testear vt CSur tester

testículo nm testicule m

testificar [59] **1** vt témoigner; **su contestación testifica su buena fe** sa réponse témoigne de sa bonne foi
2 vi témoigner

testigo 1 nmf témoin m ☆ **t. de Jehová** Témoin de Jéhovah; **t. ocular** o **presencial** témoin oculaire
2 nm (en carreras de relevos) témoin m

testimonial adj testimonial(e)

testimoniar vt & vi témoigner

testimonio nm témoignage m; Fig

como t. de en témoignage de; **dar t. de algo** témoigner de qch; **falso t.** faux témoignage

teta *nf Fam (de mujer)* nichon *m*; *(de animal)* tétine *f*

tétanos *nm inv* tétanos *m*

tetera *nf* théière *f*

tetero *nm Col, Ven* biberon *m*

tetilla *nf (de macho)* mamelon *m*

tetina *nf* tétine *f*

tetrabrik® *(pl* **tetrabriks)** *nm* brique *f (contenant)*

tetrapléjico, -a *adj & nm,f* tétraplégique *mf*

tétrico, -a *adj* lugubre

textil 1 *adj* textile
   2 *nm* textile *m*

texto *nm* texte *m*

textual *adj* textuel(elle)

textura *nf* texture *f*

tez *nf* teint *m*

ti *pron personal (después de prep)* toi; **pienso en ti** je pense à toi; **me acordaré de ti** je me souviendrai de toi

tianguis *nm inv Méx* marché *m*

Tíbet *nm* **el T.** le Tibet

tibetano, -a 1 *adj* tibétain(e)
   2 *nm,f* Tibétain(e) *m,f*

tibia *nf* tibia *m*

tibieza *nf* tiédeur *f*; *Fig* froideur *f*

tibio, -a *adj (agua, infusión)* tiède; *Fig (relaciones, sentimiento)* froid(e)

tiburón *nm* requin *m*; *Fig* raider *m*

tic *nm* tic *m*

ticket = **tíquet**

tictac *nm* tic-tac *m inv*

tiempo *nm* temps *m*; *(edad)* âge *m*; *(en partido, juego)* mi-temps *f*; **al poco t.** peu de temps après; **¿qué t. tiene tu hijo?** quel âge a ton fils?; **a t.** à temps; **aún estás a t. de hacerlo** tu as encore le temps de le faire; **a un t., al mismo t.** en même temps; **con el t.** avec le temps; **con t.** à l'avance; **del t.** *(fruta)* de saison; *(bebida)* à

température ambiante; **no me va a dar t. a hacerlo** je ne vais pas avoir le temps de le faire; **ganar t.** gagner du temps; **hace buen/mal t.** il fait beau/mauvais; **hace t. que...** il y a longtemps que...; **perder el t.** perdre son temps; **tener t. para** avoir le temps de; **todo el t.** tout le temps; **tomarse su t.** prendre son temps; **trabajar a t. completo/parcial** travailler à temps plein *ou* complet/partiel ☆ *Informát* **t. de acceso** temps d'accès; **t. libre** temps libre

tienda 1 *ver* **tender**
   2 *nf* magasin *m* ☆ **t. (de campaña)** tente *f* (de camping)

tiene *ver* **tener**

tientas: a tientas *adv* à tâtons

tierno, -a *adj* tendre; **pan t.** du pain frais

tierra *nf* terre *f*; *(patria)* pays *m*, terre *f* natale; **caer a t.** tomber à terre; **t. firme** terre ferme; **quedarse en t.** rater son train/avion/*etc*; **tomar t.** atterrir; **la T.** la Terre ☆ **t. firme** terre ferme; **T. del Fuego** la Terre de Feu; **T. Santa** Terre sainte

tierral = **terral**

tieso, -a *adj* raide; *Fig (engreído)* guindé(e); *Fam Fig (sin dinero)* fauché(e)

tiesto *nm (maceta)* pot *m*; *(con flores)* pot *m* de fleurs; *(trasto)* vieillerie *f*

tifoideo, -a *adj* typhoïde

tifón *nm* typhon *m*

tifus *nm inv* typhus *m*

tigre, -esa *nm* tigre *m*, tigresse *f*; *Fam Fig* **oler a t.** sentir le fauve

tijera *nf* ciseaux *mpl*; **unas tijeras** une paire de ciseaux

tijereta *nf (insecto)* perce-oreille *m*

tila *nf (infusión)* tilleul *m*

tildar *vt* **t. de** taxer de

tilde *nf (signo ortográfico)* tilde *m*; *(acento gráfico)* accent *m* écrit

tilín *nm* **t. t.** dring dring; *Fam Fig* **hacer t. a alguien** taper dans l'œil à qn

tilma *nf Méx (poncho)* poncho *m*; *(manta)* couverture *f*

tilo *nm* tilleul *m*

timar *vt Fam (engañar)* arnaquer, rouler; **t. a alguien 10.000 pts** escroquer qn de 10 000 pesetas

timbal *nm (de orquesta)* timbale *f*

timbrar *vt* timbrer

timbre *nm (aparato)* sonnette *f*; *(de documentos, voz)* timbre *m*; **tocar el t.** sonner

timidez *nf* timidité *f*

tímido, -a *adj & nm,f* timide *mf*

timo *nm (estafa)* escroquerie *f*; *Fam (engaño)* arnaque *f*

timón *nm* gouvernail *m*; *(del piloto)* manche *m* (à balai); *Andes (volante)* volant *m*; *Fig* **llevar el t. de** diriger

timonel *nm* timonier *m*

timorato, -a *adj* timoré(e)

tímpano *nm* tympan *m*

tina *nf (tinaja)* jarre *f*; *(recipiente grande)* bac *m*; *CAm, Col, Méx (bañera)* baignoire *f*

tinaja *nf* jarre *f*

tinglado *nm (cobertizo)* hangar *m*; *(armazón)* estrade *f*; *Fig (lío)* pagaille *f*; *Fam* **armar un t.** faire la foire

tinieblas *nfpl* ténèbres *fpl*; **estar en las t.** être dans le noir; *Fig* être dans le brouillard

tino *nm (puntería, habilidad)* adresse *f*; *Fig (moderación)* modération *f*; *Fig (juicio)* discernement *m*; **tener t.** avoir l'œil; **sin t.** sans mesure

tinta *nf* encre *f*; *Fig* **medias tintas** demi-mesures *fpl*; **de buena t.** de source sûre ☆ **t. china** encre de Chine

tinte *nm* teinture *f*; *(tintorería)* teinturerie *f*; *Fig (tono)* teinte *f*

tintero *nm* encrier *m*

tintinear *vi* tinter

tinto, -a 1 *adj* rouge

2 *nm (vin m)* rouge *m*; *Col, Ven (café)* café *m* noir ☆ **t. de verano** = vin rouge avec limonade et glaçons

tintorera *nf* requin *m* bleu

tintorería *nf* teinturerie *f*

tiña 1 *ver* **teñir**

2 *nf (enfermedad)* teigne *f*

tío, -a *nm,f (familiar)* oncle *m*, tante *f*; *Fam (individuo)* mec *m*, nana *f*; **oye, t., ¿tienes un cigarro?** eh, t'aurais pas une cigarette? ☆ **t. abuelo** grand-oncle *m*; **tía abuela** grand-tante *f*

tiovivo *nm* manège *m*

tipazo *nm Fam* **¡vaya t. que tiene!** elle est sacrément bien foutue!

tipear *Am* **1** *vt* taper

2 *vi* taper à la machine

típico, -a *adj* typique; **el t. español** l'Espagnol type

tipificar [59] *vt (normalizar)* classer; *(simbolizar)* être caractéristique de; **esa chica tipifica la mujer moderna** cette fille est le type même de la femme moderne

tiple *nmf (cantante)* soprano *mf*

tipo, -a 1 *nm,f muy Fam* type *m*, nana *f*

2 *nm (clase)* type *m*; **todo t. de** toutes sortes de; *Fam* **tener buen t.** être bien fait(e) ☆ **t. (de interés)** taux *m* d'intérêt

tipográfico, -a *adj* typographique

tipógrafo, -a *nm,f* typographe *mf*

tíquet *(pl* tíquets) *nm* ticket *m*; *(de espectáculo)* billet *m*; **t. (de compra)** ticket de caisse

tiquismiquis *adj inv & nmf inv Fam (maniático)* pinailleur(euse) *m,f*

tira *nf (banda)* bande *f*; *(de cuero)* lanière *f*; *(de viñetas)* bande *f* dessinée; *Méx Fam* **la t.** *(la policía)* les flics *mpl*; *Fam* **la t. de...** une tripotée de...

tirabeque *nm* mange-tout *m inv*

tirabuzón *nm (rizo)* anglaise *f*

tirachinas nm inv lance-pierre m

tirado, -a 1 adj Fam (barato) donné(e); (fácil) fastoche; Fam **dejar t. a alguien** (abandonado, plantado) laisser qn en rade

2 nf **tirada** (lanzamiento) lancer m; (de libro, revista) tirage m; Fam **hay una tirada** (distancia) ça fait un bout de chemin; **de** o **en una tirada** d'une (seule) traite

tirador, -ora 1 nm,f (persona) tireur (euse) m,f

2 nm (de cajón, puerta) poignée f; (de campanilla) cordon m

tiraje nm Am tirage m

tiranía nf tyrannie f

tirano, -a 1 adj tyrannique

2 nm,f tyran m

tirante 1 adj también Fig tendu(e); **estar tirantes** (personas) être en froid

2 nm (de delantal, vestido) cordon m; **tirantes** (de pantalones) bretelles fpl

tirantez nf tension f

tirar 1 vt jeter; (lanzar) lancer; (dejar caer) faire tomber; (líquido) renverser; (disparar) tirer; Fig (dinero) dilapider; (derribar) abattre; (atraer) attirer; **t. papeles al suelo/a la basura** jeter des papiers par terre/à la poubelle; **t. cohetes/piedras** lancer des pétards/des pierres; **t. un cañonazo** tirer un coup de canon; **t. abajo** (edificio) abattre; (puerta) enfoncer; **me tira la vida en el campo** j'irais bien vivre à la campagne; **t. a gol** shooter

2 vi tirer; Fam (funcionar) marcher; (en deporte) shooter; **t. del pelo** tirer les cheveux; **t. de la cuerda** tirer sur la corde; **el ciclista tiraba del pelotón** le cycliste menait le peloton; **la chaqueta me tira de la manga** cette veste me serre aux manches; **el juego del tira y afloja** le marchandage; **la patria/familia tira mucho** on aime toujours son pays/sa famille; **el camión no tira** le camion n'avance

pas; **t. a la derecha** prendre à droite; **tira por este camino** prends ce chemin; Fam **¡vamos tirando!** on fait aller!; **un marrón tirando a gris** un marron qui tire sur le gris; **este programa tira a hortera** cette émission est un peu ringarde

3 tirarse vpr (lanzarse, arrojarse) se jeter; (tumbarse) s'étendre; **tirarse de cabeza al agua** plonger la tête la première; **se tiró del cuarto piso** il a sauté du quatrième étage; Fam **se tiró el día leyendo** il a passé sa journée à lire

tirita nf pansement m

tiritar vi grelotter

tiritera, tiritona nf grelottement m

tiro nm tir m; (disparo, estampido) coup m (de feu); (balazo, herida) balle f; (alcance) portée f; (de chimenea) tirage m; (de pantalón) entrejambe m; (de caballos) attelage m; **pegar un t. a alguien** tirer sur qn; **t. al blanco** tir à la cible; **un fusil de cinco tiros** un fusil à cinq coups; **un t. en el corazón** une balle dans le cœur; **pegarse un t.** se tirer une balle; **a t. de bala** à portée de tir; Fig **estar/ponerse a t. de** (de persona) être/se mettre à la portée de; **ni a tiros** pour rien au monde; Fam **sentar como un t. a alguien** (comida) ne vraiment pas réussir à qn; **le sentó como un t. que le dijeras eso** il n'a vraiment pas digéré que tu lui dises ça; **vestirse** o **ponerse de tiros largos** se mettre sur son trente et un

tiroides nm inv thyroïde f

tirón nm (muscular) crampe f; (robo) vol m à l'arraché; **dar un t.** tirer; **dar tirones** (en el pelo) tirer les cheveux; **de un t.** d'un trait

tirotear 1 vt tirer sur

2 vi tirailler

tiroteo nm fusillade f

tirria nf Fam **tenerle t. a alguien** ne pas pouvoir blairer qn

titánico, -a adj (trabajo) de titan

títere nm (marioneta) marionnette f; Fig (monigote) pantin m; Fig **no dejar t. con cabeza** (criticar) n'épargner personne; **títeres** (guiñol) spectacle m de marionnettes

Titicaca n **el lago T.** le lac Titicaca

titilar vi (temblar) trembloter; (estrella, luz) scintiller

titiritero, -a nm,f (de títeres) marionnettiste mf; (de circo) acrobate mf

titubeante adj hésitant(e)

titubear vi (dudar) hésiter; (al hablar) bafouiller

titubeo nm hésitation f; **sin titubeos** sans hésiter

titulado, -a adj & nm,f diplômé(e) m,f (**en** en)

titular¹ **1** adj & nmf titulaire mf
   2 nm (de periódico) gros titre m

titular² **1** vt (llamar) intituler
   2 titularse vpr (llamarse) s'intituler; (licenciarse) obtenir un diplôme (**en** de)

título nm titre m; (de educación) diplôme m; **a t. de** à titre de ☆ **t. de propiedad** titre de propriété

tiza nf craie f; (de billar) bleu m

tiznar **1** vt tacher de noir
   2 tiznarse vpr se tacher de noir

tizne nm ou nf suie f

tizón nm tison m

tlapalería nf Méx quincaillerie f

toalla nf serviette f (de toilette, de plage); (tejido) tissu-éponge m; Fig **arrojar** o **tirar la t.** jeter l'éponge

toallero nm porte-serviette m

tobillera nf chevillère f

tobillo nm cheville f

tobogán nm toboggan m

toca nf (de monja) coiffe f

tocadiscos nm inv tourne-disque m

tocado, -a **1** adj (chiflado) timbré(e); (fruta) gâté(e)
   2 nm (prenda, peinado) coiffure f

tocador nm (mueble) coiffeuse f; (habitación) cabinet m de toilette

tocar [59] **1** vt toucher; (instrumento) jouer de; (asunto, tema) aborder; Fig (dignidad, honor) porter atteinte à; **no toques eso** ne touche pas à ça; **toca la guitarra/el piano** il joue de la guitare/du piano; **tocar el amor propio de alguien** blesser qn dans son amour-propre
   2 vi (corresponder) (en reparto) revenir; **t. a** o **con algo** (estar próximo) toucher qch; **le tocó un premio** il a gagné un prix; **t. a su fin** toucher à sa fin; **te toca hacerlo** c'est à toi de le faire; **por lo que a mí me toca** en ce qui me concerne; **t. de cerca** toucher de près; **le ha tocado la lotería** il a gagné à la loterie; **le ha tocado sufrir mucho** il a beaucoup souffert; **hemos comido y ahora nos toca pagar** maintenant que nous avons mangé, il faut payer
   3 tocarse vpr (casas, cables) se toucher; **tocarse el pelo** se passer la main dans les cheveux

tocayo, -a nm,f homonyme mf

tocho Fam **1** adj (grande) maous (ousse)
   2 nm (libro) pavé m

tocino nm lard m ☆ **t. de cielo** = flan riche en jaunes d'œuf

tocología nf obstétrique f

todavía adv (aún) encore; (con todo, encima) pourtant; **t. no** pas encore; **t. no lo sabe** il ne le sait pas encore; **y t. se queja** et par-dessus le marché, il se plaint

todo, -a **1** adj tout(e); **t. el mundo** tout le monde; **toda España** toute l'Espagne; **t. el día** toute la journée; **todos los días/los lunes** tous les jours/les lundis; **un vestido t. sucio** une robe toute sale; **está t. preocupado** il est très inquiet; **es t. un hombre** c'est un homme, un vrai; **ya es toda una mujer** c'est une vraie femme maintenant; **es t. un éxito** c'est un vrai succès ☆ **t. terreno** véhicule *m* tout-terrain

2 *pron (todas las cosas)* tout; **lo ha vendido t.** il a tout vendu; **t. es culpa mía** tout est de ma faute; **está en t.** il pense à tout; **no del t.** pas tout à fait; **todos** *(todas las personas)* tous *mpl*; **han venido todas** elles sont toutes venues; **todos me lo dicen** tout le monde me le dit

3 *nm* tout *m*

4 *adv* tout, entièrement; **con t.** malgré tout, néanmoins; **sobre t.** surtout

todopoderoso, -a *adj* tout(e)-puissant(e)

tofu *nm* tofu *m*

toga *nf* toge *f*; **hacerse la t.** *(en el pelo)* se faire une mise en plis

Tokio *n* Tokyo

toldo *nm* store *m*; *(de camión)* bâche *f*

Toledo *n* Tolède

tolerado, -a *adj (película)* tous publics

tolerancia *nf* tolérance *f*

tolerante *adj* tolérant(e)

tolerar *vt* tolérer

toma *nf* prise *f*; *(en cine)* prise *f* de vues; *Fam* **un t. y daca** un marchandage ☆ **t. de corriente** prise de courant; **t. de posesión** *(de cargo)* prise de possession; *(de gobierno, presidente)* investiture *f*

tomadura *nf Fam* **es una t. de pelo** on se fout de nous

tomar 1 *vt* prendre; *Am (beber)* boire; **¿qué quieres t.?** qu'est-ce que tu prends?; **t. a alguien por imbécil** prendre qn pour un imbécile; **me tomó por mi hermano** il m'a pris pour mon frère; **t. cariño a alguien** prendre qn en affection; **t. prestado** emprunter; **¡toma!** *(al dar algo)* tiens!; *(expresa sorpresa)* ah, bon!; *Fam* **tomarla con alguien** prendre qn en grippe

2 *vi Am (beber alcohol)* boire; **t. a la derecha/izquierda** *(encaminarse)* prendre à droite/gauche

3 tomarse *vpr (comer, beber)* prendre; **tomarse una cerveza** prendre une bière; **tomarse algo bien/a mal** bien/mal prendre qch; **tomarse algo en serio** prendre qch au sérieux

tomate *nm (hortaliza)* tomate *f*; *(en calcetín)* trou *m*; *Fam (jaleo)* pagaille *f*; **como un t.** *(colorado)* rouge comme une tomate ☆ **t. frito** sauce *f* tomate

tómbola *nf* tombola *f*

tomillo *nm* thym *m*

tomo *nm (volumen)* tome *m*

ton: sin ton ni son *adv* sans rime ni raison

tonada *nf* air *m*

tonalidad *nf* tonalité *f*; *(de color)* teinte *f*

tonel *nm (recipiente)* tonneau *m*; *Fig* **como un t.** gros (grosse) comme une barrique

tonelada *nf* tonne *f*

tonelaje *nm (de buque)* tonnage *m*

tóner *nm* toner *m*

tónico, -a 1 *adj* tonique

2 *nm (reconstituyente)* fortifiant *m*; *(cosmético)* lotion *f* tonique

3 *nf* **tónica** *(tendencia)* ton *m*; *Mús* tonique *f*; *(bebida)* Schweppes® *m*; *Fig* **marcar la tónica** donner le ton

tonificante *adj* tonifiant(e)

tonificar [59] *vt* tonifier

tono *nm* ton *m*; *(muscular)* tonus *m*; *Fam* **darse t.** rouler des mécaniques; **fuera de t.** hors de propos

tonsura *nf* tonsure *f*

tontear *vi (hacer el tonto)* faire l'idiot(e); **t. (con alguien)** *(coquetear)* flirter (avec qn)

tontería *nf (estupidez)* bêtise *f*; *(cosa sin valor)* bricole *f*; **decir cuatro tonterías** dire trois mots; **hacer una t.** faire une bêtise

tonto, -a 1 *adj* bête, idiot(e) **2** *nm,f* imbécile *mf*; **hacer el t.** faire l'idiot; **hacerse el t.** faire l'innocent; **ser un t.** être bête; **a tontas y a locas** à tort et à travers

tontorrón, -ona *adj & nm,f* bêta(asse) *m,f*

top (*pl* **tops**) *nm* (*prenda de vestir*) haut *m*

topacio *nm* topaze *f*

topadora *nf CSur* bulldozer *m*

topar 1 *vi* **t. con** (*encontrarse con*) tomber sur **2 toparse** *vpr* **toparse con** (*persona*) tomber sur; (*cosa*) heurter

tope 1 *adj inv* (*límite*) maximal(e); **la fecha t.** la date butoir **2** *adv* **muy** *Fam* (*muy*) super **3** *nm* (*pieza*) butoir *m*; (*punto máximo*) limite *f*; (*obstáculo*) frein *m*; **poner t. a algo** mettre un frein à qch; **a t.** (*de velocidad, intensidad*) à fond; *Fam* (*lleno*) plein(e) à craquer

topetazo *nm* (*colisión*) choc *m*

tópico, -a 1 *adj* (*manido*) banal(e); (*medicamento*) topique, à usage local **2** *nm* banalité *f*, cliché *m*

topless ['toples] *nm inv* **hacer t.** faire du monokini

topo *nm también Fig* taupe *f*

topografía *nf* topographie *f*

topógrafo, -a *nm,f* topographe *mf*

topónimo *nm* toponyme *m*

toque 1 *ver* **tocar** **2** *nm* coup *m*; (*matiz*) touche *f*; **dar los últimos toques a algo** mettre la dernière main à qch; *Fam* **dar un t. a alguien** (*llamar*) appeler qn; (*por teléfono*) passer un coup de fil à qn; (*amonestar*) mettre qn en garde ☆ **t. de diana** coup de clairon; **t. de difuntos** glas *m*; **t. de queda** couvre-feu *m*

toquetear *vt Fam* tripoter

toquilla *nf* châle *m*

torácico, -a *adj* thoracique

tórax *nm inv* thorax *m*

torbellino *nm* tourbillon *m*

torcedura *nf* (*torsión*) torsion *f*; (*de tobillo*) entorse *f*

torcer [15] **1** *vt* (*doblar*) tordre; **t. la esquina** tourner au coin de la rue **2** *vi* (*girar*) tourner **3 torcerse** *vpr* (*dislocarse*) se tordre; (*ir mal*) mal tourner; **me torcí el dedo** je me suis tordu le doigt; **me tuerzo al escribir** je n'écris pas droit

torcido, -a *adj* (*doblado*) tordu(e); (*mal colocado*) de travers

tordo *nm* (*ave*) grive *f*

torear 1 *vt* (*lidiar*) combattre; *Fig* (*eludir*) (*persona*) éviter; (*peligro*) esquiver; (*burlarse de*) taquiner **2** *vi* (*lidiar*) toréer

toreo *nm* (*arte*) tauromachie *f*

torero, -a 1 *nm,f* (*persona*) torero *m*; *Fig* **saltarse algo a la torera** ignorer qch **2** *nf* **torera** (*prenda*) boléro *m*

tormenta *nf también Fig* orage *m*

tormento *nm* (*congoja*) tourment *m*; (*tortura*) torture *f*

tormentoso, -a *adj* orageux(euse)

tornado *nm* tornade *f*

tornar 1 *vt* (*convertir*) transformer **2** *vi* **t. a** (*regresar*) retourner à **3 tornarse** *vpr* (*convertirse*) devenir

torneado, -a *adj* (*cerámica*) fait(e) au tour; (*forma*) bien fait(e); **tener las piernas torneadas** avoir les jambes galbées

torneo *nm* tournoi *m*

tornillo *nm* vis *f*; *Fam Fig* **le falta un t.** il lui manque une case

torniquete *nm* (*en brazo, pierna*) garrot *m*; (*en entrada*) tourniquet *m*

torno *nm* (*de alfarero*) tour *m*; (*de carpintero*) toupie *f*; (*de dentista*) roulette *f*; **en t. a** (*alrededor de*) autour de; (*aproximadamente*) environ

toro *nm* taureau *m*; **toros** *(lidia)* corrida *f*; *Fig* **nos va a pillar el t.** nous allons être en retard

toronja *nf* pamplemousse *m*

torpe *adj* maladroit(e); *(falto de inteligencia)* lent(e); **ser t. para algo** ne pas être très doué(e) pour qch

torpedear *vt* torpiller

torpedero *nm* torpilleur *m*

torpedo *nm* torpille *f*

torpeza *nf* maladresse *f*; *(falta de inteligencia)* lenteur *f*

torre *nf* tour *f*; *(de iglesia)* clocher *m* ☆ **t. de control** tour de contrôle; *Fig* **t. de marfil** tour d'ivoire

torrefacto, -a *adj* torréfié(e)

torrencial *adj* torrentiel(elle)

torrente *nm* torrent *m*; *Fig (de gente, palabras)* flot *m*

torreta *nf (de vigilancia)* tourelle *f*; *(eléctrica)* pylône *m*

torrezno *nm* lardon *m*

tórrido, -a *adj* torride

torrija *nf* tranche *f* de pain perdu

torsión *nf* torsion *f*

torso *nm* torse *m*

torta *nf* galette *f*; *Col, RP (tarta)* gâteau *m* à la crème; *Fam (bofetada)* baffe *f*; **dar** o **pegar una t. a alguien** flanquer une baffe à qn; *Fam* **ni t. que dalle**; **no veo ni t.** j'y vois que dalle

tortazo *nm Fam (bofetada)* baffe *f*; **darse** o **pegarse un t.** prendre une gamelle; *(con vehículo)* se planter

tortícolis *nf inv* torticolis *m*

tortilla *nf (de huevos)* omelette *f*; *Méx* = crêpe de maïs épaisse servant de base à la cuisine mexicaine; **t. (a la) española** o **de patatas** omelette espagnole; **t. a la francesa** omelette nature

tórtola *nf* tourterelle *f*

tortolitos *nmpl Fam (enamorados)* tourtereaux *mpl*

tortuga *nf* también *Fig* tortue *f*

tortuoso, -a *adj* tortueux(euse)

tortura *nf* torture *f*

torturar 1 *vt* torturer
2 torturarse *vpr* se tourmenter

tos *nf* toux *f* ☆ **t. ferina** coqueluche *f*

tosco, -a *adj* grossier(ère); *(utensilio, construcción)* rudimentaire; *Fig (inculto)* rustre

toser *vi* tousser

tosquedad *nf* grossièreté *f*; *(de persona)* manque *m* de raffinement

tostado, -a 1 *adj* grillé(e); *(color)* foncé(e); *(tez)* hâlé(e)
2 *nf* **tostada** tranche *f* de pain grillé; **tostadas** pain *m* grillé

tostador *nm,* **tostadora** *nf* grille-pain *m inv*

tostar [63] **1** *vt (dorar, calentar)* faire griller; *(broncear)* brunir
2 tostarse *vpr (broncearse)* se faire bronzer

tostón *nm (picatoste)* croûton *m* frit; *Fam Fig (aburrimiento, rollo)* plaie *f*

total 1 *adj* total(e); *Fam (estupendo)* génial(e)
2 *nm (suma)* total *m*; *(totalidad, conjunto)* totalité *f*; **en t.** au total; **el t. del grupo** la totalité du groupe
3 *adv Fam (en conclusión)* bref; *(de todas formas)* de toute manière; **t. que me fui** bref, je suis parti; **t. no podemos hacer nada** de toute manière, on ne peut rien y faire

totalidad *nf* totalité *f*

totalitario, -a *adj* totalitaire

totalizar [14] *vt (persona)* faire le total de, totaliser; *(cifras)* se monter à; **los gastos totalizan 10.000 pts** les frais se montent à 10 000 pesetas

tótem *(pl* **tótems** o **tótemes)** *nm* totem *m*

tour [tur] *(pl* **tours)** *nm (turístico)* voyage *m* ☆ **t. operador** tour-opérateur *m*

tóxico, -a 1 *adj* toxique
2 *nm* produit *m* toxique, toxique *m*

toxicómano, -a *adj & nm,f* toxicomane *mf*

toxina *nf* toxine *f*

tozudo, -a *adj & nm,f* têtu(e) *m,f*

traba *nf Fig (estorbo)* obstacle *m*; **poner trabas a alguien** mettre des bâtons dans les roues à qn

trabajador, -ora 1 *adj* travailleur (euse)
  2 *nm,f* travailleur(euse) *m,f* ☆ **t. eventual** travailleur occasionnel; **t. temporal** travailleur temporaire

trabajar 1 *vi* travailler; *(en película, obra)* jouer; **trabaja de** o **como camarero** il est garçon de café
  2 *vt* travailler

trabajo *nm* travail *m*; *(empleo)* emploi *m*; *Fig (esfuerzo)* efforts *mpl*; **hacer un buen t.** faire du bon travail; **costar mucho t.** demander beaucoup d'efforts ☆ **trabajos manuales** travaux manuels

trabajoso, -a *adj (difícil)* laborieux (euse); *(molesto)* pénible

trabalenguas *nm inv* = mot ou phrase difficile à prononcer

trabar 1 *vt (sujetar)* attacher; *(unir)* assembler; *(obstaculizar)* entraver; *(salsa)* lier; *(iniciar) (lucha, conversación)* engager; *(cerrar)* verrouiller; **t. amistad con** se lier d'amitié avec
  2 trabarse *vpr (enredarse)* s'emmêler; **se le trabó la lengua** sa langue a fourché

trabazón *nf Fig (de ideas, argumentos)* enchaînement *m*

traca *nf* chapelet *m* de pétards

tracción *nf* traction *f* ☆ **t. a las cuatro ruedas** quatre roues motrices; **t. delantera** traction avant

tractor, -ora 1 *adj* moteur(trice)
  2 *nm* tracteur *m*

tradición *nf* tradition *f*

tradicional *adj* traditionnel(elle); *(persona)* traditionaliste

tradicionalismo *nm* traditionalisme *m*

traducción *nf* traduction *f* ☆ **t. automática** traduction automatique; **t. directa** version *f*; **t. inversa** thème *m*; **t. simultánea** interprétation *f* simultanée

traducir [18] **1** *vt* traduire (**de/a** de/en)
  2 traducirse *vpr (a otro idioma)* se traduire (**por** par); *Fig* **traducirse en** *(ocasionar)* provoquer

traductor, -ora *nm,f* traducteur (trice) *m,f*

traer [66] **1** *vt (trasladar) (cosa)* apporter; *(persona)* amener; *(de un sitio) (cosa)* rapporter; *(persona)* ramener; *(provocar)* causer; **el periódico trae un artículo interesante** il y a un article intéressant dans le journal; **t. algo entre manos** manigancer qch; **t. de cabeza a alguien** rendre la vie impossible à qn
  2 traerse *vpr Fam Fig* **el examen se las trae** l'examen n'est pas piqué des vers; **este niño se las trae** cet enfant est impossible

traficar [59] *vi* faire du trafic (**con** o **en** de)

tráfico *nm (circulación)* circulation *f*; *(comercio ilegal)* trafic *m* ☆ **t. de influencias** trafic d'influence

tragaluz *nm* lucarne *f*

tragaperras *nf inv* machine *f* à sous

tragar [38] **1** *vt (ingerir, creer)* avaler; *(absorber)* engloutir; *Fam Fig (soportar) (cosa)* se taper; *Fam (consumir mucho)* pomper; *Fam (comer mucho)* avaler; *Fam Fig* **no (poder) t. a alguien** ne pas pouvoir encadrer qn
  2 tragarse *vpr (ingerir, creer)* avaler; *(absorber)* engloutir; *(orgullo, lágrimas)* ravaler; *Fam Fig* **no se tragan** *(no se soportan)* ils ne peuvent pas s'encadrer

tragedia *nf* tragédie *f*

trágico, -a *adj* tragique

trago *nm (de líquido)* gorgée *f; Fam (copa)* verre *m;* **de un t.** d'un trait; *Fam Fig* **pasar un mal t.** *(un disgusto)* passer un mauvais quart d'heure

tragón, -ona *adj & nm,f Fam* goinfre *mf*

traición *nf* trahison *f;* **a t.** en traître

traicionar *vt* trahir

traicionero, -a *adj & nm,f* traître (esse) *m,f*

traidor, -ora *adj & nm,f* traître (esse) *m,f*

trailer ['trailer] *(pl* **trailers)** *nm (de película)* bande-annonce *f; (de camión)* semi-remorque *f; Am (caravana)* caravane *f*

traje *nm (vestido de mujer)* robe *f* ☆ **t. de baño** maillot *m* de bain; **t. (de chaqueta)** *(de mujer)* tailleur *m; (de hombre)* costume *m;* **t. de luces** habit *m* de lumière

trajeado, -a *adj (vestido)* habillé(e); *Fam (arreglado)* sapé(e)

trajín *nm Fam Fig (ajetreo)* remueménage *m inv*

trajinar *vi Fam Fig* s'activer

trama *nf (de hilos)* trame *f; (de obra)* intrigue *f; Fig (confabulación)* machination *f*

tramar *vt* tramer

tramitar *vt (pasaporte, permiso)* faire des démarches pour obtenir; *(venta, préstamo)* s'occuper de

trámite *nm (diligencia)* démarche *f; (papeleo)* formalité *f;* **de t.** de routine

tramo *nm (de carretera)* tronçon *m; (de pared)* pan *m; (de escalera)* volée *f*

trampa *nf* piège *m; (en suelo)* trappe *f; Fig (deuda)* dette *f;* **hacer trampas** tricher

trampear *vi Fam (estafar)* magouiller; *(ir tirando)* vivoter

trampilla *nf* trappe *f*

trampolín *nm* tremplin *m; (de piscina)* plongeoir *m*

tramposo, -a *adj & nm,f (en el juego)* tricheur(euse) *m,f; (moroso)* mauvais(e) payeur(euse) *m,f*

tranca *nf (de puerta, ventana)* barre *f* de fer; *(palo)* trique *f; Fam (borrachera)* cuite *f;* **a trancas y barrancas** tant bien que mal

trancar 1 *vt (asegurar)* verrouiller
2 trancarse *vpr Am (atorarse)* se coincer; **la llave se trancó en la cerradura** la clé s'est coincée dans la serrure

trancazo *nm (golpe)* coup *m* de trique; *Fam Fig* **pillar un t.** *(gripe)* choper la crève

trance *nm (apuro)* mauvais pas *m; (estado hipnótico)* transe *f;* **pasar (por) un mal t.** passer un mauvais moment

tranquilidad *nf* tranquillité *f,* calme *m*

tranquilizante 1 *adj (relajante)* apaisant(e); *(medicamento)* tranquillisant(e)
2 *nm* tranquillisant *m*

tranquilizar [14] **1** *vt (calmar)* tranquilliser, calmer; *(dar confianza)* rassurer
2 tranquilizarse *vpr (calmarse)* se tranquilliser; *(tomar confianza)* se rassurer

tranquillo *nm Fam Esp* **cogerle el t. a algo** se faire à qch

tranquilo, -a *adj* tranquille; *(mar, viento, negocio)* calme; *(despreocupado)* insouciant(e); *Fam* **tú t.** (ne) t'inquiète pas; **quedarse tan t.** rester de marbre

transacción *nf* transaction *f*

transar *Am* **1** *vi (negociar)* trouver un compromis; *(transigir)* céder
2 *vt (finanzas)* négocier

transatlántico, -a 1 *adj* transatlantique
2 *nm* transatlantique *m*

transbordador nm (barco) ferry m
☆ **t. (espacial)** navette f spatiale

transbordar 1 vt transborder
2 vi changer de train

transbordo nm changement m ; **hacer t.** changer de train

transcendencia nf Fig importance f ; **tener una gran t.** être d'une grande importance

transcendental adj (meditación) transcendantal(e) ; **de t. importancia** très important(e) ; **una decisión t.** une décision capitale

transcendente adj (hecho, suceso) marquant(e) ; Filosofía transcendant(e)

transcender [64] **1** vt (sobrepasar) dépasser
2 vi (extenderse) se propager ; **t. a** s'étendre à

transcribir vt transcrire

transcurrir vi (tiempo) s'écouler ; (acontecimiento, acción) se passer

transcurso nm **en el t. de** (cena, reunión) au cours de ; (día, año) dans le courant de

transeúnte nmf (paseante) passant(e) m,f ; (transitorio) personne f de passage

transexual adj & nmf transsexuel (elle) m,f

transferencia nf (de fondos) virement m ; (cesión) transfert m

transferir [62] vt (fondos) virer ; (ceder) transférer

transfigurar vt transfigurer

transformación nf transformation f

transformador, -ora 1 adj transformateur(trice) ; (industria, sistema) de transformation
2 nm transformateur m

transformar 1 vt **t. algo/a alguien en** transformer qch/qn en
2 **transformarse** vpr (cambiar) se transformer (**en** en) ; (mejorar) être transformé(e)

transfronterizo, -a adj transfrontalier(ère)

tránsfuga nmf transfuge mf

transfusión nf transfusion f

transgénico, -a 1 adj transgénique
2 nmpl **transgénicos** aliments mpl transgéniques

transgredir [78] vt transgresser

transgresor, -ora nm,f contrevenant(e) m,f

transición nf transition f ; Pol **la t. =** nom donné à la période de l'histoire espagnole qui a suivi le franquisme

transido, -a adj (de frío) transi(e) ; (de dolor, pena) accablé(e)

transigente adj tolérant(e)

transigir [24] vi transiger (**con** sur)

transistor nm transistor m

transitar vi passer ; (vehículo) circuler

tránsito nm (circulación) circulation f, passage m ; (transporte) transit m

transitorio, -a adj transitoire

translúcido, -a adj translucide

transmisible adj transmissible

transmisión nf transmission f

transmisor, -ora 1 adj (aparato) de transmission ; (estación) émetteur (trice)
2 nm (de radio) émetteur m

transmitir 1 vt transmettre ; (por radio, televisión) diffuser
2 **transmitirse** vpr se transmettre

transoceánico, -a adj transocéanique

transparencia nf (claridad) transparence f ; (para una conferencia) transparent m

transparentarse vpr être transparent(e) ; Fig (manifestarse) transparaître

transparente adj transparent(e) ; Fig (manifiesto, evidente) clair(e)

transpiración nf transpiration f

transpirar vi transpirer

transpirenaico, -a *adj* transpyrénéen(enne)

transplantar *vt* transplanter

transplante *nm* greffe *f*; **t. de órganos** greffe d'organes

transponer [50] **1** *vt (cambiar)* déplacer
  2 transponerse *vpr (adormecerse)* s'assoupir; *(ocultarse)* disparaître; *(sol)* se coucher

transportador, -ora 1 *adj (cinta)* transporteur(euse)
  2 *nm (para transportar)* transporteur *m*; *(para medir ángulos)* rapporteur *m*

transportar 1 *vt* transporter
  2 transportarse *vpr (embelesarse)* être transporté(e) (**con** de)

transporte *nm* transport *m* ☆ **t. público** o **colectivo** transports en commun

transportista *nmf* transporteur *m*

transvase *nm (de líquido)* transvasement *m*; *(de río)* dérivation *f*

transversal *adj* transversal(e)

tranvía *nm* tramway *m*

trapecio *nm* trapèze *m*

trapecista *nmf* trapéziste *mf*

trapero, -a *nm,f* chiffonnier(ère) *m,f*

trapicheo *nm* *Fam (negocio sucio)* magouille *f*; *(tejemaneje)* manigance *f*

trapo *nm* chiffon *m*; **t. (de cocina)** torchon *m*; **poner a alguien como un t.** traiter qn de tous les noms; *Fam* **hablar de trapos** *(ropa)* parler chiffons; **sacar los trapos sucios (a relucir)** déballer sa vie privée

tráquea *nf* trachée *f*

traqueteo *nm (de tren)* secousses *fpl*

tras *prep (después de)* après; *(detrás de, en pos de)* derrière; **t. su intervención...** suite à son intervention...; **día t. día** jour après jour; **una mentira** **t. otra** mensonge sur mensonge; **andar t. alguien** être à la recherche de qn; **andar t. algo** courir après qch

trasatlántico, -a = transatlántico

trasbordador = transbordador

trasbordar = transbordar

trasbordo = transbordo

trascendencia = transcendencia

trascendental = transcendental

trascendente = transcendente

trascender = transcender

trascribir = transcribir

trascurrir = transcurrir

trascurso = transcurso

trasegar [43] *vt (desordenar)* déranger; *(transvasar)* transvaser

trasero, -a 1 *adj* de derrière; *(asiento, rueda)* arrière *inv*
  2 *nm Fam* derrière *m*

trasferencia = transferencia

trasferir = transferir

trasfigurar = transfigurar

trasfondo *nm* fond *m*; *(de palabras, obra)* sens *m* profond

trasformación = transformación

trasfusión = transfusión

trasgredir = transgredir

trasgresor, -ora = transgresor

trashumante *adj* transhumant(e)

trasiego *nm (movimiento)* remue-ménage *m inv*

traslación *nf (de astro)* translation *f*; *(cambio de lugar)* déplacement *m*

trasladar 1 *vt (desplazar)* déplacer; *(viajeros, herido)* transporter; *(empleado, funcionario)* muter; *(empresa, local, preso)* transférer; *(reunión, fecha)* reporter
  2 trasladarse *vpr (desplazarse)* se déplacer; *(empresa, local)* être transféré(e); **trasladarse (de piso)** *(mudarse)* déménager

traslado *nm (desplazamiento)* déplacement *m*; *(de viajeros, víveres, herido)* transport *m*; *(de preso)* transfert m; (mudanza) déménagement m; (de empleado, funcionario) mutation f

traslúcido, -a = translúcido

trasluz nm **al t.** par transparence

trasmisión = transmisión

trasmisor, -ora = transmisor

trasmitir = transmitir

trasnochar vi se coucher à des heures impossibles

trasoceánico, -a = transoceánico

traspapelar 1 vt égarer
2 traspapelarse vpr s'égarer

trasparencia = transparencia

trasparentarse = transparentarse

trasparente = transparente

traspasar vt (atravesar) transpercer; (cruzar) (camino, río) traverser; (puerta) franchir; (negocio) céder; (jugador) transférer; Fig (límite) dépasser; (ley, precepto) transgresser; **se traspasa** (en letrero) bail à céder

traspaso nm (de negocio) cession f; (precio) reprise f; (de comercio) pas-de-porte m inv; (de jugador) transfert m

traspié (pl **traspiés**) nm faux pas m; también Fig **dar un t.** faire un faux pas

traspiración = transpiración

traspirar = transpirar

trasplantar = transplantar

trasplante = transplante

trasponer = transponer

trasportar = transportar

trasquilar vt (esquilar) tondre; (el pelo) couper n'importe comment

trastabillar vi Am chanceler

trastada nf (travesura) mauvais tour m

traste nm (de guitarra) touchette f; CSur Fam (trasero) derrière m; Fig **irse al t.** tomber à l'eau; Andes, CAm, Carib, Méx **trastes** affaires

fpl; Méx **fregar los trastes** faire la vaisselle

trastero nm débarras m

trastienda nf arrière-boutique f

trasto nm (utensilio inútil) vieillerie f; Fam Fig (niño travieso) polisson (onne) m,f; **trastos** (pertenencias) affaires fpl; Fam **tirarse los trastos a la cabeza** s'engueuler

trastocar [67] **1** vt (desordenar) mettre en désordre
2 trastocarse vpr (enloquecer) perdre la tête

trastornado, -a adj bouleversé(e); **tener la mente trastornada** être dérangé(e)

trastornar 1 vt (volver loco) faire perdre la tête à; (inquietar) tourmenter; (alterar) bouleverser; (molestar) déranger
2 trastornarse vpr (volverse loco) perdre la tête

trastorno nm trouble m; (alteración) bouleversement m; (molestia) dérangement m

trastrocar [67] vt (cambiar de orden) (papeles) mélanger; (alterar) modifier; (cambiar de sentido) déformer

trasvase = transvase

trasversal = transversal

tratable adj (persona) aimable

tratado nm traité m

tratamiento nm traitement m; (título) titre m ☆ **t. de textos** traitement de texte

tratar 1 vt traiter; (negociar) négocier; **t. a alguien de tú** tutoyer qn; **t. a alguien de usted** vouvoyer qn
2 vi **t. de** o **sobre** (versar) traiter de; **t. con alguien** fréquenter qn; **t. de hacer algo** essayer de faire qch
3 tratarse vpr (relacionarse) se fréquenter; **tratarse con alguien** fréquenter qn; **¿de qué se trata?** de quoi s'agit-il?; **se trata de...** il s'agit de...

tratativas nfpl CSur négociations fpl

trato nm (acuerdo) accord m, pacte m; (comportamiento, conducta) traitement m; (relación) fréquentation f; **de t. agradable** (d'un commerce) agréable; **no quiero tratos con ellos** je ne veux pas avoir affaire à eux; **cerrar** o **hacer un t.** conclure un marché; **¡t. hecho!** marché conclu!

trauma nm traumatisme m

traumatizar [14] **1** vt traumatiser
   2 traumatizarse vpr être traumatisé(e)

traumatología nf traumatologie f

través 1 a través de prep (de un lado a otro de) en travers de; (por entre) à travers, au travers de; (por medio de) par l'intermédiaire de
   2 de través adv de travers

travesaño nm (pieza) traverse f; (palo de portería) barre f transversale

travesía nf (viaje) traversée f; (calle) passage m

travestido, travestí (pl **travestís**) nm travesti m

travesura nf espièglerie f

traviesa nf traverse f

travieso, -a adj espiègle

trayecto nm trajet m; **final de t.** terminus m

trayectoria nf (de proyectil) trajectoire f; (de persona) parcours m

traza nf (aspecto) air m

trazado nm tracé m

trazar [14] vt (dibujar) tracer; (indicar, describir) évoquer; (plan) concevoir; **t. un paralelo entre** établir un parallèle entre

trazo nm trait m

trébol nm trèfle m; **tréboles** (palo de baraja) trèfle m

trece 1 adj num inv treize
   2 nm inv treize m inv; **seguir en sus t.** s'obstiner; ver también **seis**

treceavo, -a adj num treizième; ver también **sexto**

trecho nm **un buen t.** (espacio) un bon bout de chemin; (tiempo) un bon bout de temps

tregua nf trêve f

treinta 1 adj num inv trente
   2 nm inv trente m inv; ver también **sesenta**

treintena nf trentaine f

tremendo, -a adj terrible; **tomar(se) algo a la tremenda** prendre qch au tragique

trémulo, -a adj (luz) vacillant(e); (voz) chevrotant(e)

tren nm train m; **muy Fam estar como un t.** être canon; Fig **perder el t. de algo** passer à côté de qch ☆ **t. de alta velocidad** train à grande vitesse; **t. de aterrizaje** train d'atterrissage; **t. de carga** train de marchandises; **t. de cercanías** train de banlieue; **t. expreso** train express; **t. de lavado** portique m de lavage automatique; **t. de vida** train de vie

trenca nf duffle-coat m

trenza nf tresse f

trenzar [14] vt tresser

trepa nmf Fam Pey **ser un t.** avoir les dents qui rayent le parquet

trepador, -ora adj **una planta trepadora** une plante grimpante

trepar vi (subir) grimper; Fam Fig (medrar) grimper dans l'échelle sociale; **t. a los árboles** grimper aux arbres

trepidante adj (frenético) trépidant(e)

trepidar vi trépider

tres 1 adj num inv trois; Fig **ni a la de t.** pour rien au monde ☆ **t. en raya** (juego) morpion m
   2 nm inv trois m; ver también **seis**

trescientos, -as adj num inv trois cents; ver también **seiscientos**

tresillo nm = salon comprenant un canapé et deux fauteuils assortis

treta nf (engaño) ruse f

triangular adj triangulaire

triángulo nm triangle m; Fam **t. amoroso** triangle amoureux

tribu nf (de pueblos) tribu f; Fam Fig (familia numerosa) smala f; **t. urbana** = ensemble des personnes qui suivent une mode spécifique (punks, rockers, etc.)

tribulación nf tribulation f

tribuna nf tribune f

tribunal nm tribunal m; (de orden superior) cour f; (de examen) jury m; **llevar a alguien a los tribunales** traîner qn devant les tribunaux

tributar vt (respeto, admiración) témoigner; **t. un homenaje a** rendre hommage a

tributario, -a adj fiscal(e)

tributo nm (impuesto) contribution f; Fig (contrapartida) tribut m; **dedicar un t. de admiración a alguien** témoigner de l'admiration à qn

triciclo nm tricycle m

tricornio nm tricorne m

tricotar vt & vi tricoter

tricotosa nf machine f à tricoter

tridimensional adj tridimensionnel(elle)

trifulca nf Fam bagarre f

trigésimo, -a adj num trentième; ver también **sexto**

trigo nm blé m

trigonometría nf trigonométrie f

trigueño, -a Ven 1 adj (pelo) noir(e); (persona) aux cheveux noirs

2 nm,f (moreno) = personne qui a les cheveux noirs

trillado, -a adj Fig rebattu(e)

trillar vt battre

trillizos, -as nm,fpl triplés(es) m,fpl

trilogía nf trilogie f

trimestral adj trimestriel(elle)

trimestre nm trimestre m

trinar vi faire des trilles; Fam Fig **está que trina** il est fou furieux

trincar [59] Fam 1 vt (detener) pincer

2 vi (beber) picoler

trinchar vt découper

trinchera nf tranchée f

trineo nm (pequeño) luge f; (grande) traîneau m

Trinidad nf **la (Santísima) T.** la (Sainte) Trinité

Trinidad y Tobago n Trinité-et-Tobago

trino nm trille m

trío nm trio m; (de naipes) brelan m

tripa nf (intestino) tripes fpl; Fam (barriga) ventre m; Fam Fig **hacer de tripas corazón** prendre son courage à deux mains; Fig **tripas** (de máquina, objeto) intérieur m

triple 1 adj triple

2 nm triple m; **el t. de gente** trois fois plus de gens

triplicado nm triplicata m; **por t.** en triple exemplaire

triplicar [59] 1 vt tripler

2 **triplicarse** vpr tripler

trípode nm trépied m

tríptico nm Arte triptyque m; (folleto) dépliant m

tripulación nf équipage m

tripulante nmf membre m de l'équipage

tripular vt (conducir) piloter

tris nm inv Fig **estar en un t. de...** être à deux doigts de...

triste adj triste; (humilde) (persona) pauvre; (sueldo) maigre; Fig **ni un t. regalo** même pas un malheureux cadeau

tristeza nf tristesse f

triturador nm (de basura) broyeur m; (de papeles) déchiqueteuse f (de bureau)

triturar vt broyer; (almendras) piler

triunfador, -ora 1 adj victorieux (euse)

2 nm,f (en competición) vainqueur

m; **ese hombre es un t.** cet homme a réussi dans la vie

triunfal *adj* triomphal(e)

triunfar *vi (vencer)* triompher (**sobre** de); *(tener éxito)* réussir

triunfo *nm* triomphe *m*; *(en encuentro, elecciones)* victoire *f*; *(en la vida)* réussite *f*; *(en juegos de naipes)* atout *m*

trivial *adj* banal(e)

trivialidad *nf* banalité *f*

trivializar [14] *vt* banaliser

trizas *nfpl* **hacer t.** *(cosa)* casser en mille morceaux; *(persona)* anéantir

trocar [67] *vt (intercambiar)* échanger; **t. algo en algo** *(transformar)* transformer qch en qch

trocear *vt* couper en morceaux

troche: a troche y moche *adv (en abundancia)* généreusement

trofeo *nm* trophée *m*

troglodita *nmf (cavernícola)* troglodyte *mf*; *Fam (bárbaro, tosco)* abruti(e) *m,f*

trola *nf Fam* mensonge *m*; **meter trolas** raconter des salades

trolebús *nm* trolleybus *m*

trolero, -a *nm,f Fam* menteur(euse) *m,f*

tromba *nf* trombe *f*; **t. de agua** trombe d'eau

trombón *nm* trombone *m* ☆ **t. de varas** trombone à coulisse

trombosis *nf inv* thrombose *f*

trompa *nf* trompe *f*; *Fam (borrachera)* cuite *f*; **pillar** *o* **agarrar una t.** prendre une cuite

trompazo *nm* coup *m*

trompeta *nf* trompette *f*

trompetista *nmf* trompettiste *mf*

trompicón *nm (tropezón)* faux pas *m*; *Fig* **a trompicones** par à-coups

trompo *nm (juego)* toupie *f*

tronado, -a 1 *adj Fam (persona)* cinglé(e); *(radio, télé)* pété(e)

2 *nf* **tronada** coups *mpl* de tonnerre

tronar [63] **1** *v impersonal* tonner

2 *vi (resonar)* tonner; *(gritos)* résonner; *Méx Fam (fracasar)* échouer

3 *vt Méx Fam (fusilar)* mettre douze balles dans la peau à; *(fracasar)* rater

troncal *adj (carretera)* principal(e); *(asignatura)* obligatoire

tronchar 1 *vt* casser; *Fig* briser

2 troncharse *vpr Fam* **troncharse (de risa)** être plié(e) en quatre

tronco, -a 1 *nm* tronc *m*; **dormir como un t., estar hecho un t.** dormir comme une souche

2 *nm,f Fam* mon vieux *m*, ma vieille *f*

trono *nm* trône *m*

tropa *nf* troupe *f*; *Fig (multitud)* armée *f*

tropecientos, -as *adj inv Fam* une foultitude de

tropel *nm (de personas)* cohue *f*; *(de cosas)* tas *m*; **en t.** en désordre

tropezar [17] **1** *vi (al caminar)* trébucher

2 tropezarse *vpr Fam (encontrarse)* se retrouver; **tropezarse con alguien** tomber sur qn

tropezón *nm* faux pas *m*; **tropezones** *(en la sopa)* = morceaux de viande, de pain, etc. mélangés à la soupe

tropical *adj* tropical(e)

trópico *nm* tropique *m* ☆ **t. de Cáncer** tropique du Cancer; **t. de Capricornio** tropique du Capricorne

tropiezo *nm (tropezón, falta)* faux pas *m*; *Fig (impedimento)* difficulté *f*, embûche *f*

troquel *nm (molde)* coin *m*, étampe *f*; *(cuchilla)* massicot *m*

trotamundos *nmf inv* globe-trotter *mf*

trotar *vi (caballo)* trotter; *Fam Fig (andar mucho)* cavaler

trote *nm (de caballo)* trot *m*; **al t.** au trot; *Fam* **ya no estoy para (esos) trotes** j'ai passé l'âge

troupe [trup, 'trupe] *nf* troupe *f*

trovador *nm* troubadour *m*

trozar *vt Am (carne)* découper; *(res, tronco)* débiter

trozo *nm* bout *m*; **cortar algo en trozos** couper qch en morceaux

trucar [59] *vt* truquer; *(motor, mecanismo)* trafiquer

trucha *nf (pez)* truite *f*

truco *nm* truc *m*; **pillar el t.** prendre le coup

truculento, -a *adj* terrifiant(e)

trueno *nm* coup *m* de tonnerre; **truenos** coups de tonnerre

trueque 1 *ver* **trocar**
  2 *nm* troc *m*

trufa *nf* truffe *f*

truhán, -ana *nm,f* filou *m*

truncar [59] *vt Fig (carrera, ilusiones)* briser; *(planes)* faire échouer; *(frase, texto)* tronquer

trusa *nf Méx (calzoncillo)* slip *m*; *(braga)* culotte *f*

tu *(pl* **tus)** *adj posesivo* ton, ta; **tus libros** tes livres

tú *pron personal (sujeto)* tu; *(predicado)* toi; **tú te llamas Juan** tu t'appelles Juan; **el culpable eres t.** c'est toi le coupable; **de tú a tú** d'égal à égal; **hablar** *o* **tratar de tú a alguien** tutoyer qn

tuareg 1 *adj inv* touareg *inv*
  2 *nmf inv* Touareg *mf inv*

tuba *nf* tuba *m*

tubérculo *nm* tubercule *m*

tuberculosis *nf inv* tuberculose *f*

tubería *nf (cañería)* tuyau *m*; *(tubo)* conduite *f*

tubo *nm (de desagüe)* tuyau *m*; *(recipiente)* tube *m*; *muy Fam* **por un t.** *(muchos)* en pagaille ☆ **t. digestivo** tube digestif; **t. de ensayo** tube à essai; **t. de escape** pot *m* d'échappement

tuerca *nf* écrou *m*

tuerto, -a *adj & nm,f* borgne *mf*

tuétano *nm* moelle *f*; **hasta los tuétanos** profondément; **calarse hasta los tuétanos** être trempé(e) jusqu'aux os

tufillo *nm* mauvaise odeur *f*

tufo *nm (mal olor)* puanteur *f*; *(emanación)* relent *m*

tugurio *nm* boui-boui *m*; *(vivienda)* taudis *m*

tul *nm* tulle *m*

tulipa *nf* tulipe *f (lampe)*

tulipán *nm* tulipe *f (fleur)*

tullido, -a *adj & nm,f (minusválido)* infirme *mf*

tumba *nf* tombe *f*; *Fam* **a t. abierta** à tombeau ouvert; *Fig* **ser una t.** être muet(ette) comme une tombe

tumbar 1 *vt (derribar)* faire tomber; *(extender, acostar)* allonger; *Fam Fig (en examen)* coller; *(en competición)* battre
  2 tumbarse *vpr* s'allonger

tumbo *nm* cahot *m*; *Fig* **dando tumbos** cahin-caha

tumbona *nf (de colchoneta)* transat *m*; *(de tela)* chaise *f* longue

tumor *nm* tumeur *f*

tumulto *nm (disturbio)* tumulte *m*; *(alboroto)* cohue *f*

tumultuoso, -a *adj (conflictivo)* tumultueux(euse); *(turbulento)* houleux(euse)

tuna *nf* = petit orchestre d'étudiants; *CAm, Méx (fruta)* figue *f* de Barbarie

tunante, -a *nm,f* canaille *f*

tunda *nf Fam* raclée *f*

tunecino, -a 1 *adj* tunisien(enne)
  2 *nm,f* Tunisien(enne) *m,f*

túnel *nm* tunnel *m* ☆ **el T. del Canal de la Mancha** le tunnel sous la Manche; **t. de lavado** station *f* de lavage automatique

Túnez *n (capital)* Tunis; *(país)* la Tunisie

túnica *nf* tunique *f*

tuntún: al (buen) tuntún *adv* au petit bonheur

tupé *nm* toupet *m*; *(de roquero)* banane *f*

tupido, -a *adj (bosque, follaje)* dense

tupperware [taper'wer] *nm* Tupperware® *m*

turba *nf (carbón)* tourbe *f*; *Pey (muchedumbre)* peuple *m*

turbación *nf (desconcierto)* trouble *m*; *(azoramiento)* embarras *m*

turbante *nm* turban *m*

turbar 1 *vt* troubler
   2 turbarse *vpr* se troubler

turbina *nf* turbine *f*

turbio, -a *adj* trouble; *Fig (negocio)* louche

turbo *nm* turbo *m*

turbulencia *nf* turbulence *f*; *(alboroto)* tumulte *m*

turbulento, -a *adj* turbulent(e); *(confuso)* agité(e)

turco, -a 1 *adj* turc (turque)
   2 *nm,f* Turc (Turque) *m,f*
   3 *nm (lengua)* turc *m*

turismo *nm* tourisme *m*; *(automóvil)* voiture *f* de tourisme ☆ **t. rural** tourisme rural *ou* vert

turista *nmf* touriste *mf*

turístico, -a *adj* touristique

turnarse *vpr* se relayer

turno *nm (tanda)* tour *m*; *(de trabajo)* équipe *f*; **el gracioso de t.** le rigolo de service

turquesa 1 *nf (mineral)* turquoise *f*
   2 *adj inv (color)* turquoise *inv*
   3 *nm (color)* turquoise *m*

Turquía *n* la Turquie

turrón *nm* touron *m (confiserie de Noël semblable au nougat)*

tururú *interj Fam* tu peux/il peut/ *etc* toujours courir!

tute *nm (juego de naipes)* = jeu de cartes semblable au whist; *Fam Fig (trabajo)* boulot *m*; **darse un t.** donner un coup de collier

tutear 1 *vt* tutoyer
   2 tutearse *vpr* se tutoyer

tutela *nf* tutelle *f*; **tener la t. de alguien** avoir qn sous sa tutelle

tutelar 1 *adj* tutélaire
   2 *vt (persona)* avoir la tutelle de

tutor, -ora *nm,f* tuteur(trice) *m,f*; *(profesor) (privado)* précepteur (trice) *m,f*; *(de un curso)* professeur *m* principal

tutoría *nf* tutelle *f*

tutti frutti, tuttifrutti *nm* tutti frutti *m*

tutú *(pl tutús)* *nm* tutu *m*

tuviera *ver* tener

tuyo, -a *(mpl tuyos, fpl tuyas)* **1** *adj posesivo* à toi; **este libro es t.** ce livre est à toi; **un amigo t.** un de tes amis; **no es asunto t.** ça ne te regarde pas; **no es culpa tuya** ce n'est pas (de) ta faute
   2 *pron posesivo* **el t.** le tien; **la tuya** la tienne; *Fam* **ésta es la tuya** à toi de jouer; *Fam* **lo t. es el teatro** ton truc c'est le théâtre; **tú a lo t.** occupe-toi de tes affaires; **los tuyos** *(tu familia)* les tiens *mpl*

TV *nf (abrev* **televisión***)* TV *f*

U

U, u (*pl* **úes**) *nf* (*letra*) U *m inv*, u *m inv*

u

> On utilise **u** au lieu de **o** devant les mots commençant par o ou ho.

conj ou ; *ver también* **o**

ubicación *nf* emplacement *m*

ubicar [59] **1** *vt* placer ; (*edificio*) situer

2 ubicarse *vpr* se situer

ubre *nf* mamelle *f* ; (*de vaca*) pis *m*

Ucrania *n* l'Ukraine *f*

ucraniano, -a 1 *adj* ukrainien(enne)
2 *nm,f* Ukrainien(enne) *m,f*

Ud. (*abrev* **usted**) vous (*vouvoiement d'une personne*)

Uds. (*abrev* **ustedes**) vous (*vouvoiement de plusieurs personnes*)

UE *nf* (*abrev* **Unión Europea**) UE *f*

UEFA *nf* (*abrev* **Unión de Asociaciones Europeas de Fútbol**) UEFA *f*

uf *interj* oh là là !

ufano, -a *adj* (*persona*) fier(ère) ; (*planta*) beau (belle)

Uganda *n* l'Ouganda *m*

UGT *nf* (*abrev* **Unión General de los Trabajadores**) = syndicat espagnol proche du PSOE

ujier *nm* huissier *m* ; (*portero*) portier *m*

ukelele *nm* ukulélé *m*

úlcera *nf* ulcère *m* ☆ **ú. gástrica** o **de estómago** ulcère à l'estomac

ulcerarse *vpr* s'ulcérer

ulterior *adj* ultérieur(e)

últimamente *adv* ces derniers temps

ultimar *vt* (*preparativos*) mettre la dernière main à ; (*tratado*) conclure ; *Am* (*matar*) assassiner

ultimátum (*pl* **ultimátums**) *nm* ultimatum *m*

último, -a 1 *adj* dernier(ère) ; **su última película** son dernier film ; **el ú. piso** le dernier étage

2 *nm,f* **el ú.** le dernier ; **la última** la dernière ; **llegar el ú.** arriver dernier ; **éste ú.** ce dernier ; **por ú.** enfin, finalement

3 *nf* **última: estar en las últimas** (*muriéndose*) être à l'article de la mort ; *Fam* (*de dinero, provisiones*) être presque à sec ; *Fam* **ir a la última** être à la dernière mode

ultra *adj & nmf* extrémiste *mf* de droite

ultra- *prefijo* ultra- ; *Fam* hyper-

ultraderecha *nf* extrême droite *f*

ultraizquierda *nf* extrême gauche *f*

ultrajar *vt* outrager

ultraje *nm* outrage *m*

ultraligero *nm* ULM *m*

ultramar *nm* pays *mpl* d'outre-mer ; **de u.** d'outre-mer

ultramarino, -a 1 *adj* d'outre-mer
2 *nmpl* **ultramarinos:** (tienda de) ultramarinos épicerie *f*

ultranza: a ultranza 1 *adj* convaincu(e)
   2 *adv* à tout prix
ultrasonido *nm* ultrason *m*
ultratumba *nf* **de u.** d'outre-tombe
ultravioleta *adj* *inv* ultraviolet (ette)
ulular *vi* *(búho)* ululer; *(viento)* hurler
umbilical *adj* ombilical(e)
umbral *nm* seuil *m*; **en el u.** *o* **los umbrales de** au seuil de
un, una 1 *art*

On utilise **un** au lieu de **una** devant les noms féminins accentués sur la première syllabe et commençant par a ou ha.

   un hombre/amor un homme/amour; **una mujer/mesa** une femme/table; **un águila** un aigle; **un hacha** une hache
   2 *ver* **uno**
unánime *adj* unanime
unanimidad *nf* unanimité *f*; **por u.** à l'unanimité
unción *nf* onction *f*
undécimo, -a *adj num* onzième; *ver también* **sexto**
UNED *nf* (*abrev* **Universidad Nacional de Educación a Distancia**) = université nationale espagnole d'enseignement à distance
ungüento *nm* onguent *m*
únicamente *adv* uniquement
único, -a *adj (solo)* seul(e); *(excepcional)* unique; **es lo ú. que deseo** c'est la seule chose que je souhaite; **es hijo ú.** il est fils unique
unicornio *nm* licorne *f*
unidad *nf* unité *f* ☆ *Informát* **u. de CD-ROM** lecteur *m* de CD-ROM; *Informát* **u. central (de proceso)** unité centrale (de traitement); *Informát* **u. de disco** lecteur de disquettes; *TV* **u. móvil** unité mobile

unido, -a *adj* uni(e)
unifamiliar *adj (vivienda)* individuel(elle)
unificar [59] *vt (juntar)* unir; *(equiparar)* unifier
uniformar *vt (igualar)* uniformiser; *(personal)* mettre un uniforme à
uniforme 1 *adj* uniforme
   2 *nm* uniforme *m*; **ir de u.** porter l'uniforme
uniformidad *nf* uniformité *f*
uniformizar [14] *vt* uniformiser
unilateral *adj* unilatéral(e)
unión *nf* union *f*; *(suma, adherimiento)* jonction *f*; **la U. Europea** l'Union européenne
unir 1 *vt* unir; *(piezas)* assembler; *(comunicar) (ciudades)* relier; *(salsa, problemas)* lier; *(acercar)* rapprocher; **u. a dos personas en matrimonio** unir deux personnes par les liens du mariage
   2 unirse *vpr* s'unir; *(carreteras, ríos)* se rejoindre; **unirse a** *(amigo, invitado)* se joindre à
unisex *adj* *inv* unisexe
unísono: al unísono *adv* à l'unisson
unitario, -a *adj* unitaire
universal *adj* universel(elle)
universidad *nf* université *f*
universitario, -a 1 *adj* universitaire
   2 *nm,f (estudiante)* étudiant(e) *m,f* à l'université; *(graduado)* diplômé(e) *m,f* de l'université
universo *nm* univers *m*
unívoco, -a *adj* univoque
uno, una

On utilise **un** au lieu de **uno** devant les noms masculins singuliers.

   1 *adj* **(a)** *(indefinido)* un (une); **un día volveré** je reviendrai un jour; **unos, unas** des; **había unos coches mal aparcados** il y avait des voitures mal garées; **me voy unos días a Madrid** je vais passer quelques jours à

Madrid; **vinieron unas diez personas** une dizaine de personnes sont venues

(b) *(numeral)* un (une); **un hombre, un voto** un homme, une voix

2 *pron* **(a)** *(indefinido)* un (une), des *pl*; **toma u.** prends-en un; **unos, unas** quelques-uns, quelques-unes; **tienes muchas manzanas, dame unas** tu as beaucoup de pommes, donnem'en quelques-unes; **un/una de** l'un/l'une de; **u. de ellos** l'un d'eux; **unas son buenas, otras malas** certaines sont bonnes, d'autres mauvaises; *Fam* **ayer hablé con u. que te conoce** hier j'ai parlé à un type qui te connaît; **lo sé porque me lo han contado unos** je le sais parce qu'on me l'a raconté

(b) *(yo)* on; **entonces es cuando se da u. cuenta de...** c'est alors qu'on se rend compte de...

(c) a una *(en armonía)* comme un seul homme; *(a la vez)* en chœur; **como u. más** comme tout le monde; **de u. en u., u. por u.** un par un; **más de u.** plus d'un; **una de dos** de deux choses l'une; **una que otra vez** de temps à autre; **u. a otro** l'un l'autre; **u. a u.** un à un; **u. de tantos** un parmi tant d'autres; **unos cuantos** quelquesuns; **u. tras otro** l'un après l'autre

3 *nm* un *m*; *ver también* **seis**

4 *nf* **una** *(hora)* **la una** une heure

untar 1 *vt* **u. con** *(pan, tostadas)* tartiner de; *(cuerpo)* enduire de; **u. una tostada con mantequilla** étaler du beurre sur une tartine; *Fam Fig* **u. a alguien** *(sobornar)* graisser la patte à qn

2 untarse *vpr (embadurnarse)* **untarse la piel/cara con o de** s'enduire la peau/le visage de

untuoso, -a *adj (graso)* gras (grasse); *(cremoso)* onctueux(euse)

uña *nf (de persona)* ongle *m*; *(de animal)* griffe *f*; *Fig* **con uñas y dientes** *(agarrarse)* désespérément; *(defender)* bec et ongles; *Fig* **ser u. y carne**

être comme les deux doigts de la main

uperisado, -a, uperizado, -a *adj* UHT

Urales *nmpl* **los U.** l'Oural *m*

uralita *nf* Fibrociment® *m*

uranio *nm* uranium *m*

Urano *n (dios)* Ouranos; *(planeta)* Uranus

urbanidad *nf* civilité *f*

urbanismo *nm* urbanisme *m*

urbanización *nf (acción)* urbanisation *f*; *(zona residencial)* lotissement *m*

urbanizar [14] *vt* urbaniser

urbano, -a 1 *adj* urbain(e)

2 *nm,f* agent *m* de police

urbe *nf* grande ville *f*

urdir *vt* tramer

urgencia *nf* urgence *f*; **con u.** d'urgence; **una u. de** un besoin urgent de; **urgencias** *(en hospital)* urgences

urgente *adj* urgent(e)

urgir [24] *v impersonal* **urge que** il est urgent que; **me urge** j'en ai besoin rapidement; **me urge hacerlo** il faut que je le fasse le plus vite possible

urinario, -a 1 *adj* urinaire

2 *nm* urinoirs *mpl*

urna *nf* urne *f*; *(de museo)* vitrine *f*; **acudir a la urnas** *(ir a votar)* se rendre aux urnes

urogallo *nm* coq *m* de bruyère

urólogo, -a *nm,f* urologue *mf*

urraca *nf* pie *f*

urticaria *nf* urticaire *f*

Uruguay *n* **(el) U.** l'Uruguay *m*

uruguayo, -a 1 *adj* uruguayen (enne)

2 *nm,f* Uruguayen(enne) *m,f*

usado, -a *adj (utilizado)* usagé(e); *(vehículo)* d'occasion; *(palabra)* usité(e); *(gastado)* usé(e)

usanza *nf* **a la antigua u.** à l'ancienne, comme autrefois

usar 1 *vt* utiliser, se servir de ; *(prenda, gafas)* porter ; **en invierno usa medias** en hiver, elle porte des collants
  2 usarse *vpr* s'utiliser ; *(palabra, expresión)* s'employer ; *(prenda)* se porter

usina *nf RP* **u. eléctrica** centrale *f* électrique ; **u. nuclear** centrale nucléaire

uso *nm* usage *m* ; *(empleo)* utilisation *f* ; **hacer u. de** *(utilizar)* faire usage de ; **usos y costumbres** us *mpl* et coutumes ☆ **u. de razón** l'âge *m* de raison

usted *pron personal* vous *(vouvoiement d'une personne)* ; **ustedes** vous *(vouvoiement de plusieurs personnes)* ; **me gustaría hablar con u.** j'aimerais vous parler ; **¿cómo están ustedes?** comment allez-vous ? ; **de u., de ustedes** *(posesivo)* à vous ; **hablar** *o* **tratar de u. a alguien** vouvoyer qn

usual *adj* habituel(elle)

usuario, -a *nm,f (de transportes, servicios)* usager *m* ; *(de máquina, ordenador)* utilisateur(trice) *m,f*

usufructo *nm* usufruit *m*

usufructuario, -a *adj & nm,f* usufruitier(ère) *m,f*

usura *nf* usure *f*

usurero, -a *nm,f* usurier(ère) *m,f*

usurpar *vt* usurper

utensilio *nm* ustensile *m*

útero *nm* utérus *m*

útil 1 *adj* utile
  2 *nm* outil *m*, instrument *m*

utilidad *nf (cualidad)* utilité *f* ; *(beneficio)* profit *m*

utilitario, -a 1 *adj* fonctionnel(elle)
  2 *nm (automóvil)* petite voiture *f*

utilización *nf* utilisation *f*

utilizar [14] *vt* utiliser

utopía *nf* utopie *f*

utópico, -a *adj* utopique

uva *nf* raisin *m* ; *Fig* **tener mala u.** avoir un sale caractère ; **uvas de la suerte** = les douze grains de raisin que l'on mange le 31 décembre aux douze coups de minuit

UVI *nf (abrev* **unidad de vigilancia intensiva)** unité *f* de soins intensifs ; **estar en la U.** être en réanimation

uy *interj (dolor)* aïe ! ; *(sorpresa)* oh !

V

V, v *nf (letra)* V *m inv*, v *m inv*; **v doble** *(letra)* w *m inv*

va *ver* **ir**

vaca *nf (animal)* vache *f*; *(carne)* bœuf *m*; *Fam* **estar como una v.** *(gordo)* être gros (grosse) comme une vache

vacaciones *nfpl* vacances *fpl*; **estar/ irse de v.** être/partir en vacances; **veinticinco días de v. al año** vingt-cinq jours de congé par an

vacacionista *nmf Méx* vacancier (ère) *m,f*

vacante 1 *adj* vacant(e)
2 *nf* poste *m* vacant

vaciar [32] *vt (recipiente)* vider; *(dejar hueco)* évider

vacilación *nf (duda)* hésitation *f*; *(oscilación, tambaleo)* vacillement *m*

vacilante *adj (que duda)* hésitant (e); *(luz)* vacillant(e); *(paso)* chancelant(e)

vacilar 1 *vi (dudar)* hésiter; *(luz)* vaciller; *(tambalearse)* chanceler
2 *vt Fam (tomar el pelo a)* faire marcher; **¡no me vaciles!** ne te fiche pas de moi!

vacilón, -ona 1 *adj & nm,f Fam (chulo)* crâneur(euse) *m,f*; *(bromista)* farceur(euse) *m,f*; *CAm, Carib, Méx (fiestero)* fêtard(e) *m,f*
2 *nm CAm, Carib, Méx (fiesta)* fête *f*

vacío, -a 1 *adj* vide; *(frase, discurso)* creux(euse); *(persona)* superficiel (elle); *(no ocupado)* libre
2 *nm* vide *m*; **al v.** sous vide; **caer al v.** tomber dans le vide; **hacer el v. a alguien** faire comme si qn n'existait pas

vacuna *nf* vaccin *m*

vacunar 1 *vt* vacciner
2 vacunarse *vpr* se faire vacciner

vacuno, -a 1 *adj* bovin(e)
2 *nm* **el v.** les bovins *mpl*; **carne de v.** viande *f* bovine

vadear *vt (río, arroyo)* passer à gué

vado *nm (en acera)* bateau *m*; *(de río)* gué *m* ☆ **v. permanente** *(en señal)* sortie *f* de véhicules

vagabundear *vi* vagabonder, errer (**por** dans)

vagabundo, -a 1 *adj (perro)* errant(e)
2 *nm,f* vagabond(e) *m,f*

vagancia *nf (holgazanería)* fainéantise *f*; *(vagabundeo)* vagabondage *m*

vagar [38] *vi (errar)* errer (**por** dans); *(pasear)* flâner (**por** dans)

vagina *nf* vagin *m*

vago, -a 1 *adj (holgazán)* feignant(e); *(impreciso)* flou(e), vague
2 *nm,f (holgazán)* feignant(e) *m,f*

vagón *nm* wagon *m*; **v. restaurante** wagon-restaurant *m*

vagoneta *nf* wagonnet *m*

vaguedad nf (imprecisión) imprécision f; **responder con vaguedades** rester dans le vague

vaguería nf Fam (holgazanería) fainéantise f

vahído nm étourdissement m; **me dio un v.** j'ai eu un étourdissement

vaho nm (vapor) vapeur f; (en cristales) buée f

vaina nf (de guisantes, judías) cosse f; (funda) étui m; Ven Fam Fig **¡qué v.!** quelle barbe!

vainilla nf (fruto) vanille f; (planta) vanillier m

vaivén nm (balanceo) va-et-vient m inv; Fig **los vaivenes** (altibajos) les hauts et les bas

vajilla nf vaisselle f

vale 1 nm bon m; (comprobante) reçu m; Méx, Ven Fam (amigo) pote m; (entrada gratuita) billet m gratuit; **v. de regalo** chèque-cadeau m
  2 interj d'accord!, OK!; **¡v. (ya)!** ça suffit!

valedero, -a adj valable

valentía nf (valor) courage m; (hazaña) haut fait m

valer [68] **1** vi valoir; (precio) coûter; (ser válido) être valable; **¿cuánto vale?** combien ça coûte?; **no vale nada** ça ne vaut rien; **este libro vale por mil** ce livre en vaut mille; **más vale que te vayas** il vaut mieux que tu t'en ailles; **hacerse v.** se faire valoir; **es un chico que vale** c'est un garçon bien; **v. para algo** servir à qch; **¿para qué vale?** à quoi ça sert?; **eso aún vale** c'est encore valable; **¿vale?** d'accord?; **¡vale!** d'accord!, OK!
  2 vt valoir; **vale la pena** ça (en) vaut la peine
  3 valerse vpr **valerse de** (servirse) se servir de; **valerse por sí mismo** se débrouiller tout(e) seul(e)

valeroso, -a adj courageux(euse)

valía nf valeur f

validar vt valider

validez nf validité f; **dar v. a algo** valider qch

válido, -a adj valable

valiente 1 adj (valeroso) courageux (euse); Irón **¡v. jefe!** tu parles d'un chef!
  2 nmf (valeroso) brave mf

valija nf Am valise f ☆ **v. diplomática** valise diplomatique

valioso, -a adj précieux(euse)

valla nf (cerca) clôture f; (en atletismo) haie f ☆ **v. publicitaria** panneau m publicitaire

vallar vt clôturer

valle nm vallée f

valón, -ona 1 adj wallon(onne)
  2 nm,f Wallon(onne) m,f

valor nm valeur f; (valentía) courage m; Fam **un joven v.** un jeune talent; **valores** valeurs

valoración nf évaluation f

valorar 1 vt évaluer; (mérito, cualidad) apprécier; **v. positivamente** considérer comme positif(ive); **estar valorado en** être estimé à
  2 valorarse vpr s'estimer

vals (pl valses) nm valse f

valuar [4] vt évaluer, estimer

válvula nf soupape f ☆ Fig **v. de escape** soupape de sécurité

vampiresa nf Fam vamp f

vampiro nm vampire m

vanagloriarse vpr se vanter (de de)

vandalismo nm vandalisme m

vándalo nm (salvaje) vandale m

vanguardia nf avant-garde f; Fig **ir a la v. de** être à l'avant-garde de

vanidad nf vanité f

vanidoso, -a adj & nm,f vaniteux (euse) m,f

vano, -a adj vain(e); (presuntuoso) vaniteux(euse); **en v.** en vain

vapor nm vapeur f; (barco) bateau m à vapeur, vapeur m; **al v.** à la vapeur;

de v. *(máquina, barco)* à vapeur; *(baño)* de vapeur

vaporizador *nm* vaporisateur *m*

vaporoso, -a *adj (fino)* vaporeux (euse)

vapulear *vt (golpear)* rouer de coups; *(zarandear)* houspiller; *(reñir, criticar)* fustiger

vaquero, -a **1** *adj (ropa)* en jean; **pantalón v.** jean *m*
  2 *nm,f* vacher(ère) *m,f*; **una película de vaqueros** un western
  3 *nmpl* **vaqueros** *(pantalón)* jean *m*

vara *nf (palo)* bâton *m*; *(tallo)* tige *f*; *Taurom* pique *f*

variable **1** *adj* variable; *(carácter, humor)* changeant(e)
  2 *nf* variable *f*

variación *nf* variation *f*; *Fig (cambio)* changement *m*

variante **1** *adj* variable
  2 *nf (diferencia, versión)* variante *f*; *(de carretera)* déviation *f*; *(en quiniela)* = pari sur un match nul ou sur la victoire de l'équipe adverse
  3 *nfpl* **variantes** petits légumes *mpl* au vinaigre

variar [32] **1** *vt (modificar)* changer; *(dar variedad)* varier
  2 *vi (cambiar)* varier; *Irón* **para v.** pour changer

varicela *nf* varicelle *f*

varicoso, -a *adj* variqueux(euse)

variedad *nf* variété *f*; **variedades** variétés

varilla *nf (barra larga)* baguette *f*; *(en automóvil)* jauge *f*; *(tira larga) (de paraguas, corsé)* baleine *f*

variopinto, -a *adj* bigarré(e); *Fig* varié(e)

varios, -as **1** *adj pl (diferente)* divers(es); *(algunos)* plusieurs
  3 *pron pl (algunos)* plusieurs

varita *nf* baguette *f* ☆ **v. mágica** baguette magique

variz *nf* varice *f*; **tener varices** avoir des varices

varón *nm (hombre)* homme *m*; *(chico)* garçon *m*

varonil *adj* viril(e)

Varsovia *n* Varsovie

vasallo, -a *nm,f* vassal(e) *m,f*

vasco, -a **1** *adj* basque
  2 *nm,f* Basque *mf*
  3 *nm (lengua)* basque *m*

vascular *adj* vasculaire

vasectomía *nf* vasectomie *f*

vaselina *nf* vaseline *f*

vasija *nf* pot *m*

vaso *nm* verre *m*; *(vena)* vaisseau *m*
  ☆ **vasos sanguíneos** vaisseaux sanguins

vástago *nm (descendiente)* descendant *m*; *(brote)* rejet *m*; *(varilla)* tige *f*

vasto, -a *adj* vaste

váter = **wáter**

vaticano, -a *adj* du Vatican; **el V.** le Vatican

vaticinar *vt* prédire

vatio *nm* watt *m*

vaya **1** *ver* **ir**
  2 *interj (expresa sorpresa)* ça alors!; **¡v. con las huelgas otra vez!** *(expresa contrariedad)* zut! encore des grèves!; **¡v. moto!** *(para enfatizar)* ouah! la moto!; **¡v. tontería!** quelle idiotie!

VB *(abrev* **visto bueno)** lu et approuvé

Vd. = **Ud.**

Vda. *(abrev* **viuda)** vve

Vds. = **Uds.**

ve *ver* **ir**

véase *ver* **ver**

vecinal *adj (relaciones, trato)* de voisinage; **un camino v.** un chemin vicinal

vecindad *nf* voisinage *m*; *Méx (pensión)* = maison ou appartement divisé en plusieurs logements

vecindario *nm (vecindad)* voisins *mpl*, voisinage *m*; *(habitantes)* habitants *mpl*

vecino, -a 1 *adj* voisin(e); **ser v. de** *(habitante de)* être domicilié(e) à
2 *nm,f (de casa, calle)* voisin(e) *m,f*; *(de barrio, localidad)* habitant(e) *m,f*

vector *nm* vecteur *m*

veda *nf (prohibición)* interdiction *f*, défense *f*; *(temporada)* fermeture *f*; **levantar la v.** *(de caza)* déclarer l'ouverture de la chasse; *(de pesca)* déclarer l'ouverture de la pêche

vedar *vt* interdire

vedette [be'đet] *nf (de teatro revista)* artiste *f* de music-hall; *(estrella)* vedette *f*

vega *nf* plaine *f* fertile

vegetación *nf* végétation *f*

vegetal 1 *adj* végétal(e); **sandwich v.** = sandwich au pain de mie garni de salade
2 *nm* végétal *m*

vegetar *vi* végéter

vegetariano, -a *adj & nm,f* végétarien(enne) *m,f*

vehemencia *nf (pasión)* véhémence *f*; *(irreflexión)* impulsion *f*

vehemente *adj (apasionado)* véhément(e); *(irreflexivo)* impulsif(ive)

vehículo *nm* véhicule *m*

veinte 1 *adj num inv* vingt; **el siglo v.** le vingtième siècle
2 *nm inv* vingt *m inv*; *ver también* **sesenta**

veinteavo, -a *adj num* vingtième

veintena *nf* vingtaine *f*

veinticinco 1 *adj num inv* vingt-cinq
2 *nm inv* vingt-cinq *m inv*; *ver también* **seis**

veinticuatro 1 *adj num inv* vingt-quatre
2 *nm inv* vingt-quatre *m inv*; *ver también* **seis**

veintidós 1 *adj num inv* vingt-deux
2 *nm inv* vingt-deux *m inv*; *ver también* **seis**

veintinueve 1 *adj num inv* vingt-neuf
2 *nm inv* vingt-neuf *m inv*; *ver también* **seis**

veintiocho 1 *adj num inv* vingt-huit
2 *nm inv* vingt-huit *m inv*; *ver también* **seis**

veintiséis 1 *adj num inv* vingt-six
2 *nm inv* vingt-six *m inv*; *ver también* **seis**

veintisiete 1 *adj num inv* vingt-sept
2 *nm inv* vingt-sept *m inv*; *ver también* **seis**

veintitrés 1 *adj num inv* vingt-trois
2 *nm inv* vingt-trois *m inv*; *ver también* **seis**

veintiuno, -a 1 *adj num inv* vingt et un(e); **el siglo v.** le vingt et unième siècle
2 *nm inv* vingt et un *m inv*; *ver también* **seis**

vejación *nf* humiliation *f*

vejestorio *nm Pey* vieux fossile *m*

vejez *nf* vieillesse *f*

vejiga *nf* vessie *f*

vela *nf (para dar luz)* bougie *f*; *(de barco)* voile *f*; *(vigilia)* veille *f*; **estar en v.** être éveillé(e); **pasar la noche en v.** passer une nuit blanche; *Fam* **velas** *(mocos)* chandelles *fpl*; *Fig* **estar a dos velas** être fauché(e)

velada *nf* veillée *f*; *(social)* soirée *f*

velado, -a *adj* voilé(e)

velador *nm Am (mueble)* table *f* de nuit; *(luz)* veilleuse *f*; *Méx, Ven (centinela)* gardien *m* de nuit

velar 1 *vi* veiller (**por** sur)
2 *vt (enfermo, muerto)* veiller; *(ocultar)* voiler
3 velarse *vpr (foto, carrete)* se voiler

velatorio *nm (acto)* veillée *f* funèbre

velcro® *nm* Velcro® *m*

veleidad *nf (inconstancia)* inconstance *f*; *(antojo, capricho)* velléité *f*

velero, -a 1 *adj* à voiles
 2 *nm* voilier *m*

veleta 1 *nf* girouette *f*
 2 *nmf Fam* girouette *f*

vello *nm* duvet *m*

velloso, -a *adj* duveteux(euse)

velo *nm* voile *m*; **correr un (tupido) v. sobre** jeter un voile sur ☆ **v. del paladar** voile du palais

velocidad *nf* vitesse *f*; **de alta v.** à grande vitesse; **v. punta** vitesse de pointe

velocímetro *nm* compteur *m* de vitesse

velódromo *nm* vélodrome *m*

velomotor *nm* cyclomoteur *m*

veloz *adj* rapide

ven *ver* **venir**

vena *nf* veine *f*; **tener v. de pintor** avoir des dispositions pour la peinture; **si le da la v. lo hará** si ça lui chante, il le fera

venado *nm* gros gibier *m*; **carne de v.** venaison *f*

vencedor, -ora 1 *adj* victorieux (euse)
 2 *nm,f* vainqueur *m*

vencejo *nm* martinet *m* (oiseau)

vencer [40] **1** *vt* vaincre; *(dificultad, obstáculo)* surmonter; *(aventajar)* battre; *(en deporte)* mener; **v. por tres puntos** mener par trois points; **v. a alguien a algo** battre qn à qch
 2 *vi* *(ganar)* vaincre; *(terminar) (contrato, plazo)* expirer; *(deuda, pago)* arriver à échéance
 3 vencerse *vpr* **vencerse (con el peso)** s'affaisser (sous le poids)

vencido, -a 1 *adj (derrotado)* vaincu(e); *Com* arrivé(e) à échéance; *(caducado)* périmé(e); **darse por v.** s'avouer vaincu
 2 *nm,f* vaincu(e) *m,f*

vencimiento *nm (término) (de contrato, plazo)* expiration *f*; *(de pago,*

deuda) échéance *f*; *(inclinación)* affaissement *m*

venda *nf* bandage *m*

vendaje *nm* bandage *m*

vendar *vt* bander

vendaval *nm* vent *m* violent

vendedor, -ora *nm,f* vendeur (euse) *m,f* ☆ **v. ambulante** vendeur (euse) ambulant(e)

vender 1 *vt* vendre
 2 venderse *vpr* se vendre; **se vende** *(en letrero)* à vendre

vendimia *nf (cosecha)* vendange *f*; *(periodo)* vendanges *fpl*

vendrá *ver* **venir**

Venecia *n* Venise

veneno *nm* poison *m*; *(de animales)* venin *m*

venenoso, -a *adj (seta)* vénéneux (euse); *(serpiente)* venimeux(euse)

venerable *adj* vénérable

veneración *nf* vénération *f*

venerar *vt* vénérer

venéreo, -a *adj* vénérien(enne)

venezolano, -a 1 *adj* vénézuélien (enne)
 2 *nm,f* Vénézuélien(enne) *m,f*

Venezuela *n* le Venezuela

venga *ver* **venir**

venganza *nf* vengeance *f*

vengar [38] **1** *vt* venger
 2 vengarse *vpr* se venger (**de** de)

vengativo, -a *adj* vindicatif(ive)

vengo *ver* **venir**

venia *nf* permission *f*

venial *adj (pecado)* véniel(elle); *(falta, delito)* mineur(e)

venida *nf* venue *f*

venidero, -a *adj* à venir

venir [69] **1** *vi* **(a)** *(en general)* venir; **vino a las doce** il est venu à midi; **esta palabra viene del latín** ce mot vient du latin; **no me vengas con historias** ne viens pas me raconter d'histoires **(b)** *(llegar)* arriver; **ya vienen los tu-**

ristas les touristes arrivent; **el año que viene** l'année prochaine

(c) *(hallarse, estar)* être; **su foto viene en primera página** sa photo est en première page; **el texto viene en inglés** le texte est en anglais

(d) *(acometer)* **me viene sueño** je commence à avoir sommeil; **le vinieron ganas de reír** il eut envie de rire

(e) *(ropa, zapato)* **v. a alguien** aller à qn; **¿qué tal te viene?** comment ça te va?; **el abrigo le viene pequeño** ce manteau est trop petit pour lui; **v. clavado a alguien** aller comme un gant à qn

(f) *(convenir)* **me viene bien/mal** ça m'arrange/ne m'arrange pas; **me viene mejor mañana** ça m'arrange mieux demain

(g) *(aproximarse)* **viene a ser lo mismo** ça revient au même; **nos vino a costar** o **salir...** ça nous est revenu à...

(h) *(expresiones)* **¿a qué viene esto?** qu'est-ce que c'est que ça?; *Fam* **v. al pelo, v. rodado** tomber à pic; **v. a menos** *(negocio)* couler; *(persona)* déchoir; **v. a parar en** se solder par; **v. a ser** revenir à

2 *v aux* **(a)** *(antes de gerundio) (persistir)* **las peleas vienen sucediéndose desde hace tiempo** les bagarres se succèdent depuis un certain temps déjà

(b) *(antes de participio) (estar)* **los cambios vienen motivados por la presión de la oposición** les changements sont dus aux pressions exercées par l'opposition

3 venirse *vpr (venir)* venir; **se ha venido solo** il est venu tout seul; **venirse abajo** *(edificio)* s'écrouler; *(negocio)* couler; *(proyectos)* tomber à l'eau

venta *nf (transacción)* vente *f*; *(posada)* auberge *f*; **estar a la** o **en v.** être en vente ☆ **v. al contado** vente au comptant; **v. por correo** o **por correspondencia** vente par correspon-

dance; **v. a domicilio** vente à domicile; **v. a plazos** vente à crédit

ventaja *nf* avantage *m*; **llevar v. a alguien** avoir de l'avance sur qn

ventajoso, -a *adj* avantageux (euse)

ventana *nf también Informát* fenêtre *f*; **las ventanas (de la nariz)** les narines *fpl*

ventanal *nm* baie *f* vitrée

ventanilla *nf (taquilla)* guichet *m*; *(de tren, sobre)* fenêtre *f*; *(de vehículo)* vitre *f*; *(de avión)* hublot *m*

ventilación *nf* aération *f*, ventilation *f*

ventilador *nm* ventilateur *m*

ventilar 1 *vt (airear)* aérer, ventiler; *(resolver)* tirer au clair

2 ventilarse *vpr (airearse)* être aéré(e); *Fam (terminar)* liquider

ventisca *nf* tempête *f* de neige

ventolera *nf (viento)* rafale *f*; *Fam (idea extravagante)* idée *f* abracadabrante; **le dio la v. y se marchó** il est parti sur un coup de tête

ventosa *nf* ventouse *f*

ventosidad *nf* vents *mpl*

ventoso, -a *adj* venteux(euse)

ventrílocuo, -a *nm,f* ventriloque *mf*

ventura *nf (suerte)* chance *f*; *(casualidad)* hasard *m*; *(dicha)* félicité *f*; **a la (buena) v.** au hasard; **buena/mala v.** bonne/mauvaise fortune

Venus *n* Vénus

ver [70] **1** *vi* voir; **¿a v.?** *(mirar con interés)* fais/faites voir?; **¡a v!** *(confirmación)* évidemment!; **a v. qué pasa** on verra bien; **dejarse v.** se montrer; **eso está por v.** ça reste à voir; **ya veremos** on verra

2 *vt (en general)* voir; *(televisión)* regarder; **desde casa vemos el mar** depuis chez nous on voit la mer; **¿has visto esa película?** as-tu vu ce film?; **fue a v. a unos amigos** il est allé voir des amis; **ya veo que estás de mal**

humor je vois bien que tu es de mauvaise humeur ; **ya veo lo que quieres decir** je vois ce que tu veux dire ; **veo que tendré que irme sola** je vois qu'il faudra que je parte seule ; **cada cual tiene su manera de v. las cosas** chacun a sa façon de voir les choses ; **esto lo veremos más adelante** nous verrons ça plus tard ; **¡hay que v. lo tonto que es!** qu'est-ce qu'il peut être bête! ; *Fam* **no poder v. algo/a alguien (ni en pintura)** ne pas pouvoir voir qch/qn (en peinture) ; **por lo visto, por lo que se ve** apparemment ; **v. venir a alguien** voir venir qn

3 *nm* **estar de buen v.** avoir belle allure

4 verse *vpr* se voir ; **nos vemos a veces** on se voit de temps en temps ; **ya me veo haciéndole la maleta** je me vois déjà en train de faire sa valise ; **él ya se ve en la cumbre de su carrera** il se voit déjà au sommet de sa carrière ; **nunca se ha visto nada igual** on n'a jamais vu une chose pareille ; **véase anexo 1** voir annexe I

vera *nf (orilla)* bord *m* ; *Fig* **a la v. de** aux côtés de, auprès de

veracidad *nf* véracité *f*

veraneante 1 *adj* en vacances
2 *nmf* estivant(e) *m,f*

veranear *vi* passer ses grandes vacances (**en** à)

veraneo *nm* grandes vacances *fpl*, vacances *fpl* d'été

veraniego, -a *adj (clima, temporada)* estival(e) ; *(vestido, traje)* d'été

veranillo *nm Am* = période de chaleur pendant l'hiver austral ; **v. de San Juan** = période de chaleur au cours de l'hiver austral, aux alentours du 24 juin

verano *nm* été *m*

veras: de v. *loc adv (verdaderamente)* vraiment ; *(en serio)* sérieusement

veraz *adj* véridique

verbal *adj* verbal(e)

verbena *nf (fiesta)* = fête populaire nocturne ; *(planta)* verveine *f*

verbo *nm* verbe *m*

verdad 1 *nf* vérité *f* ; **a decir v....**, **la v. es que...** à vrai dire…, en fait… ; **de v.** *(en serio)* sérieusement ; *(realmente)* vraiment ; **es v. que...** c'est vrai que… ; **está bueno, ¿v.?** c'est bon, n'est-ce pas? ; *Fig* **cantarle** *o* **decirle a alguien cuatro verdades** dire ses quatre vérités à qn
2 *adj (auténtico)* vrai(e)

verdadero, -a *adj* vrai(e) ; *(auténtico)* véritable

verde 1 *adj* vert(e) ; *Fig (obsceno)* cochon(onne) ; *Fig (inexperto)* jeune ; *(proyecto)* prématuré(e) ; **poner v. a alguien** descendre qn (en flammes)
2 *nm (color)* vert *m* ; **los Verdes** les Verts *mpl* ☆ **v. botella** vert bouteille

verdor *nm (color)* couleur *f* verte ; *(vigor)* verdeur *f*

verdoso, -a *adj* verdâtre

verdugo *nm* bourreau *m* ; *(pasamontañas)* cagoule *f*

verdulería *nf* **ir a la v.** aller chez le marchand de légumes

verdulero, -a *nm,f* marchand(e) *m,f* de légumes

verdura *nf* légume *m* ; **me gusta la v.** j'aime les légumes

vereda *nf (sendero)* sentier *m* ; *Andes, RP (acera)* trottoir *m*

veredicto *nm* verdict *m*

vergonzoso, -a 1 *adj (deshonroso)* honteux(euse) ; *(tímido)* timide
2 *nm,f* timide *mf*

vergüenza *nf* honte *f* ; *(dignidad)* dignité *f* ; **¿no te da v. hacer eso?** tu n'as pas honte de faire cela? ; **me da v. cantar** j'ai honte de chanter ; **me daba v. ajena mirarla** j'avais honte pour elle ; **¡es una v.!** c'est une honte! ; **vergüenzas** *(genitales)* parties *fpl* honteuses

verídico, -a *adj (cierto)* véridique; *Fig (verosímil)* réel(elle); **un hecho v.** un fait réel

verificar [59] **1** *vt* vérifier; *(aparato, máquina)* tester; *(llevar a cabo)* effectuer

  2 verificarse *vpr (tener lugar)* avoir lieu; *(resultar cierto)* se réaliser

verja *nf* grille *f*

vermú *(pl* vermús*)*, **vermut** *(pl* vermuts*) nm (licor)* vermouth *m*; *(aperitivo)* apéritif *m*; *Andes, RP (sesión vespertina)* matinée *f*

verosímil *adj* vraisemblable

verruga *nf* verrue *f*

versado, -a *adj* versé(e) **(en** dans**)**

Versalles *n* Versailles

versar *vi* **v. sobre** traiter de, porter sur

versátil *adj (persona)* versatile; *(máquina)* polyvalent(e)

versículo *nm (de la Biblia)* verset *m*

versión *nf* version *f*; **en v. original** version originale

verso *nm (género)* vers *m*; *(poema)* poème *m*; **en v.** en vers

vértebra *nf* vertèbre *f*

vertebrado, -a 1 *adj* vertébré(e)

  2 *nmpl* **vertebrados** vertébrés *mpl*

vertebral *adj* vertébral(e)

vertedero *nm (de basura)* décharge *f*

verter [64] **1** *vt (derramar)* renverser; *(vaciar)* verser; *Fig (decir) (ideas, pensamientos)* exprimer; *(calumnias, infundios)* débiter

  2 verterse *vpr (derramarse)* se renverser

vertical 1 *adj* vertical(e)

  2 *nf (línea)* verticale *f*

vértice *nm* sommet *m*

vertido *nm* déchet *m*; **v. de residuos** évacuation *f* d'effluents ☆ **vertidos radiactivos** déchets radioactifs

vertiente *nf (de montaña)* versant *m*; *(de tejado)* pente *f*; *Fig (de problema)* aspect *m*

vertiginoso, -a *adj* vertigineux (euse)

vértigo *nm (mareo)* vertige *m*; *también Fig* **dar v.** donner le vertige; *Fig* **de v.** *(velocidad, altura)* vertigineux(euse)

vesícula *nf* vésicule *f* ☆ **v. biliar** vésicule biliaire

vespertino, -a *adj* vespéral(e); *(diario)* du soir

vestíbulo *nm (de edificio, hotel)* hall *m*; *(de oficina)* entrée *f*

vestido, -a 1 *adj* habillé(e)

  2 *nm (indumentaria)* vêtement *m*; *(prenda femenina)* robe *f*

vestidura *nf* vêtement *m*; *(de sacerdote)* habit *m*; *Fam Fig* **se rasga las vestiduras** il en fait tout un plat

vestigio *nm (resto, señal)* vestige *m*; *Fig (huella)* trace *f*

vestimenta *nf* vêtements *mpl*

vestir [47] **1** *vt* habiller; *(llevar puesto)* porter; *Fig* **vestía su maldad de ingenuidad** *(sentimiento, defecto)* il cachait sa méchanceté sous le masque de l'innocence

  2 *vi (llevar ropa)* s'habiller **(de** en**)**; **v. mucho** *(ser elegante)* faire très habillé; *Fig (estar bien visto)* faire bien

  3 vestirse *vpr* s'habiller; **vestirse de hada** se déguiser en fée

vestuario *nm* vestiaire *m*; *(de actores)* loge *f*; *(vestimenta)* garde-robe *f*; *(en teatro)* costumes *mpl*

veta *nf* veine *f (filon, marbrure)*

vetar *vt* mettre son veto à

veteranía *nf* ancienneté *f*

veterano, -a 1 *adj (que tiene ancianidad)* ancien(enne); *(soldado)* vieux (vieille); *(experto)* chevronné(e)

  2 *nm,f* vétéran *m*, ancienne *f*

veterinario, -a 1 *adj & nm,f* vétérinaire *mf*

  2 *nf* **veterinaria** *(ciencia)* médecine *f* vétérinaire

veto *nm* veto *m*; **poner v. a algo** mettre son veto à qch

vez *nf* fois *f*; *(turno)* tour *m*; **¿has estado allí alguna v.?** tu y es déjà allé?; **a la v. (que)** en même temps (que); **cada v. (que)** chaque fois (que); **cada v. más** de plus en plus; **cada v. menos** de moins en moins; **cada v. la veo más feliz** je la trouve de plus en plus heureuse; **de una v.** d'un seul coup; **de una v. para siempre** *o* **por todas** une (bonne) fois pour toutes; **¡cállate de una v.!** une bonne fois pour toutes, tais-toi!; **muchas veces** *(repetidamente)* plusieurs fois; *(con frecuencia)* souvent; **otra v.** encore une fois; **pocas veces, rara v.** rarement; **por última v.** une dernière fois; **una v.** une fois; **una v. más** une fois de plus; **una y otra v.** à plusieurs reprises; **pedir la v.** demander son tour; **érase una v....** il était une fois...; **a veces** parfois; **de v. en cuando** de temps en temps; **en v. de** au lieu de; **tal v.** peut-être; **una v. que** une fois que

vía 1 *nf* voie *f*; **por v. aérea** par avion; **por v. marítima** par bateau; **por v. terrestre** par voie de terre; **v. única** voie à sens unique; **dar v. libre** laisser le champ libre; **en vías de** *(de desarrollo, extinción)* en voie de; *(de negociación)* en cours de ☆ **v. de comunicación** voie de communication; **v. férrea** voie ferrée; **V. Láctea** Voie lactée; **v. pública** voie publique; **vías respiratorias** voies respiratoires

2 *prep (pasando por)* via; *(por)* par; **v. Bruselas** via Bruxelles; **v. satélite** par satélite

viabilidad *nf* viabilité *f*; *(de proyecto)* faisabilité *f*

viable *adj* Fig *(posible)* viable

viaducto *nm* viaduc *m*

viajante *nmf* voyageur(euse) *m,f* de commerce

viajar *vi* voyager

viaje *nm* voyage *m*; *Fam Fig (golpe)* beigne *f*; **¡buen v.!** bon voyage!; **un v. relámpago** un voyage éclair; **estar de v.** *(profesional)* être en déplacement; **ir de v.** partir en voyage ☆ **v. de ida** aller *m*; **v. de ida y vuelta** voyage aller-retour; **v. de novios** voyage de noces; **v. de vuelta** retour *m*

viajero, -a 1 *adj* **una persona viajera** un grand voyageur
  2 *nm,f* voyageur(euse) *m,f*; **¡viajeros al tren!** en voiture!

vial *adj* routier(ère)

vianda *nf Am (comida)* = repas que l'on apporte sur son lieu de travail; *(recipiente)* = boîte dans laquelle on transporte son déjeuner

viandante *nmf (peatón)* piéton(onne) *m,f*; *(transeúnte)* passant(e) *m,f*

viario, -a *adj* routier(ère)

víbora *nf* vipère *f*

vibración *nf* vibration *f*

vibrante *adj (oscilante)* vibrant(e); *Fig (escena, espectáculo)* émouvant(e); *(voz, público)* ému(e)

vibrar *vi* vibrer

vibratorio, -a *adj* vibratoire

vicaría *nf* vicariat *m*; *(residencia)* presbytère *m*; **pasar por la v.** *(casarse)* aller à l'autel

vicario *nm* vicaire *m*

vicepresidente, -a *nm,f* vice-président(e) *m,f*

viceversa *adv* **y v.** et vice versa

viciado, -a *adj (aire, atmósfera)* vicié(e); *(con mala costumbre)* qui a pris une mauvaise habitude

viciar 1 *vt (pervertir)* corrompre; *(niño)* gâter; *Fig (adulterar) (texto, aire)* vicier; *(alimento)* frelater; *(deformar)* déformer
  2 viciarse *vpr (habituarse)* être dépendant(e) **(con** de); *(deformarse)* se déformer

vicio *nm* vice *m*; *(mala costumbre)* mauvaise habitude *f*; *(defecto físico)* défaut *m*; **quejarse** *o* **llorar de v.** se plaindre sans raison; *Fam Fig* **de v.** *(muy bien)* vachement bien

vicioso, -a 1 *adj (pervertido)* vicieux (euse); *(defectuoso)* défectueux (euse)
 2 *nm,f* vicieux(euse) *m,f*

vicisitudes *nfpl (avatares)* vicissitudes *fpl*

víctima *nf* victime *f*; **ser v. de** être victime de

victimar *vt Am* tuer

victimario, -a *nm,f Am* assassin *m*, tueur(euse) *m,f*

victoria *nf* victoire *f*; *Fig* **cantar v.** crier victoire

victorioso, -a *adj* victorieux(euse)

vicuña *nf* vigogne *f*

vid *nf* vigne *f*

vid. *(abrev* **véase)** v.

vida *nf* vie *f*; *(duración)* durée *f* de vie; **de por v.** à vie; **en v. de** du vivant de; **¡en mi v. he visto cosa igual!** je n'ai jamais vu une chose pareille!; **estar con v.** être en vie; **ganarse la v.** gagner sa vie; **llevar una v. de perros** avoir une vie de chien; **pasar a mejor v.** quitter ce monde; *Fig* **pasarse la v. haciendo algo** passer sa vie à faire qch; **perder la v.** perdre la vie

vidente *nmf* voyant(e) *m,f*

vídeo, video 1 *nm (técnica)* vidéo *f*; *(filmación)* film *m* vidéo; *(aparato)* *(reproductor)* magnétoscope *m*; *(filmador)* caméra *f* vidéo; *(cinta)* bande *f* vidéo; **v. doméstico** film vidéo amateur
 2 *adj inv* vidéo *inv*

videocámara *nf* Caméscope® *m*

videocasete *nm* cassette *f* vidéo, vidéocassette *f*

videoclip *nm* vidéo-clip *m*

videoclub *(pl* **videoclubs** *o* **videoclubes)** *nm* vidéoclub *m*

videoconferencia *nf* vidéoconférence *f*, visioconférence *f*

videojuego *nm* jeu *m* vidéo

videotexto, videotex *nm inv* vidéotex *m*

vidriero, -a 1 *nm,f* vitrier *m*
 2 *nf* **vidriera** *(ventana)* baie *f* vitrée; *(puerta)* porte *f* vitrée; *(de iglesia)* vitrail *m*

vidrio *nm (material)* verre *m*; *(de ventana)* carreau *m*

vidrioso, -a *adj (material, aspecto)* fragile; *Fig (tema, asunto)* épineux (euse); *Fig (ojos)* vitreux(euse)

vieira *nf* coquille *f* Saint-Jacques

viejo, -a 1 *adj* vieux (vieille); **un hombre v.** un vieil homme; **hacerse v.** se faire vieux
 2 *nm,f (anciano)* vieux (vieille) *m,f*; *Fam* **mis viejos** *(mis padres)* mes vieux; *RP, Ven Fam* **¡mi v.!** *(apelativo cariñoso)* mon vieux! ✩ *Chile* **V. de Pascua** *o* **Pascuero** père *m* Noël; **v. verde** vieux cochon *m*
 2 *nf* **vieja** *Col Fam (mujer)* nana *f*

Viena *n* Vienne

viene *ver* **venir**

vienés, -esa 1 *adj* viennois(e)
 2 *nm,f* Viennois(e) *m,f*

viento *nm (aire)* vent *m*; **hace v.** il y a du vent; **contra v. y marea** contre vents et marées; **ir v. en popa** marcher merveilleusement bien; **beber los vientos por** brûler de désir pour; **gritar algo a los cuatro vientos** crier qch sur tous les toits; *Fam* **irse** *o* **largarse con v. fresco** débarrasser le plancher; **mis esperanzas se las llevó el v.** mes espoirs se sont envolés

vientre *nm* ventre *m*; **hacer de v.** aller à la selle

viera *ver* **ver**

viernes *nm inv* vendredi *m* ✩ **V. Santo** vendredi saint; *ver también* **sábado**

Vietnam *n* **(el) V.** le Viêt Nam

vietnamita 1 *adj* vietnamien(enne) **2** *nmf* Vietnamien(enne) *m,f*

viga *nf* poutre *f*

vigencia *nf* validité *f*; **estar/entrar en v.** être/entrer en vigueur

vigente *adj* (*ley*) en vigueur; (*uso, moda*) actuel(elle)

vigésimo, -a *adj num* vingtième

vigía 1 *nf* tour *f* de guet **2** *nmf* guetteur *m*; (*en barco*) vigie *f*

vigilancia *nf* (*cuidado*) surveillance *f*; (*servicio*) service *m* de surveillance

vigilante 1 *nmf* gardien(enne) *m,f* ☆ **v. nocturno** veilleur *m* de nuit **2** *adj* vigilant(e)

vigilar 1 *vt* surveiller; (*banco, museo*) assurer la surveillance de **2** *vi* faire attention

vigilia *nf* veille *f*; *Rel* vigile *f*; **las preocupaciones lo tienen en continua v.** les soucis l'empêchent de dormir

vigor *nm* vigueur *f*; (*moral*) courage *m*; (*energía*) énergie *f*; **estar en v.** (*ley*) être en vigueur

vigorizar [14] *vt* (*fortalecer*) fortifier; *Fig* (*animar*) réconforter

vigoroso, -a *adj* vigoureux(euse)

vikingo, -a 1 *adj* viking **2** *nm,f* **los vikingos** les Vikings *mpl*

vil *adj* (*despreciable*) méprisable; (*sin valor*) vil(e); *Hum* **el v. metal** l'argent

vileza *nf* bassesse *f*

villa *nf* (*población*) ville *f*; (*casa*) villa *f* ☆ *Arg* **v. miseria** bidonville *m*

villancico *nm* chant *m* de Noël

villano, -a *nm,f* (*plebeyo*) roturier (ère) *m,f*; (*malvado*) scélérat(e) *m,f*

vilo: en vilo *adv* (*suspendido*) en l'air; **estar en v.** être sur des charbons ardents; **estar en v. por saber algo** mourir d'impatience de savoir qch

vinagre *nm* vinaigre *m*

vinagrera *nf* vinaigrier *m*; **vinagreras** huilier *m*

vinagreta *nf* vinaigrette *f*

vinculación *nf* lien *m*

vincular 1 *vt* (*enlazar*) lier **2** **vincularse** *vpr* se lier

vínculo *nm* (*lazo*) lien *m*

vinícola *adj* vinicole

vinicultura *nf* viniculture *f*

viniera *ver* **venir**

vinilo *nm* vinyle *m*

vino 1 *ver* **venir** **2** *nm* vin *m* ☆ **v. blanco** vin blanc; **v. dulce** vin doux; **v. de mesa** vin de table; **v. rosado** vin rosé; **v. seco** vin sec; **v. tinto** vin rouge

viña *nf* vigne *f*

viñedo *nm* vignoble *m*

viñeta *nf* (*de tebeo*) dessin *m*; (*de libro*) illustration *f*

viola *nf* viole *f*

violación *nf* (*de ley, derechos*) violation *f*; (*abuso sexual*) viol *m*

violador, -ora *nm,f* violeur(euse) *m,f*

violar *vt* violer

violencia *nf* (*agresividad, fuerza*) violence *f*; **me causa v. pedirle dinero** (*incomodidad*) cela me gêne de lui demander de l'argent

violentar 1 *vt* (*incomodar*) gêner **2** **violentarse** *vpr* (*incomodarse*) être gêné(e)

violento, -a *adj* violent(e); **estar/sentirse v.** (*incómodo*) être/se sentir gêné(e); **ser v.** être gênant(e)

violeta 1 *nf* (*flor*) violette *f* **2** *adj inv* (*color*) violet(ette) **3** *nm* (*color*) violet *m*

violín *nm* (*instrumento*) violon *m*

violinista *nmf* violoniste *mf*

violón *nm* (*instrumento*) contrebasse *f*

violoncelista = **violonchelista**

violoncelo = **violonchelo**

violonchelista *nmf* violoncelliste *mf*

violonchelo *nm (instrumento)* violoncelle *m*

viperino, -a *adj* de vipère; *(crítica, comentario)* venimeux(euse)

viraje *nm* virage *m*; *Fig (cambio)* tournant *m*

virar *vt & vi* virer

virgen 1 *adj & nf* vierge *f*
  2 *nf* **Virgen la V.** la Vierge

virginidad *nf* virginité *f*

virgo 1 *nm (virginidad)* virginité *f*
  2 *nm inv (zodiaco)* Vierge *f inv*
  3 *nmf inv (persona)* Vierge *f inv*

virguería *nf Fam* **ser una v.** être du cousu main; **hacer virguerías** faire des merveilles

vírico, -a *adj* viral(e)

viril *adj* viril(e)

virilidad *nf* virilité *f*

virrey *nm* vice-roi *m*

virtual *adj* virtuel(elle); *(posible)* potentiel(elle)

virtud *nf* vertu *f*; **tener la v. de** *(la capacidad)* avoir la vertu de; *(el don)* avoir le don de; **en v. de** en vertu de

virtuoso, -a 1 *adj (honrado)* vertueux(euse)
  2 *nm,f (genio)* virtuose *mf*

viruela *nf (enfermedad)* variole *f*; *(pústula)* pustule *f*

virulé: a la virulé *adj (torcido)* de travers; **ojo a la v.** œil *m* au beurre noir

virulencia *nf* virulence *f*

virus *nm inv también Informát* virus *m*

viruta *nf* copeau *m*

visa *nf Am* visa *m*

visado *nm* visa *m*

víscera *nf* viscère *m*

visceral *adj* viscéral(e); *(carácter)* impulsif(ive)

viscoso, -a 1 *adj* visqueux(euse)
  2 *nf* **viscosa** viscose *f*

visera *nf* visière *f*; *(gorra)* casquette *f*; *(de automóvil)* pare-soleil *m inv*

visibilidad *nf* visibilité *f*

visible *adj* visible; **estar v.** *(presentable)* être visible

visigodo, -a 1 *adj* wisigothique
  2 *nm,f* Wisigoth(e) *m,f*

visillo *nm* voilage *m*

visión *nf* vision *f*; *(de santo, Virgen)* apparition *f*; *(vista)* vue *f*; *(lucidez)* sens *m*; **tener v. de futuro** voir loin; **ver visiones** avoir des visions ☆ **v. de conjunto** vue d'ensemble

visionar *vt* visionner

visionario, -a *adj & nm,f* visionnaire *mf*

visita *nf* visite *f*; *(visitante)* visiteur(euse) *m,f*; **tener visitas** avoir de la visite; **pasar v.** examiner (les malades)

visitante *adj & nmf* visiteur(euse) *m,f*

visitar *vt (a amigo, pariente)* rendre visite à; *(cliente, lugar)* visiter; *(sujeto: médico)* examiner

vislumbrar 1 *vt* apercevoir, distinguer; *Fig* entrevoir
  2 **vislumbrarse** *vpr* se distinguer; *Fig* se dessiner

visón *nm* vison *m*

víspera *nf (día anterior)* veille *f*; **en vísperas de** à la veille de

vista *nf (sentido, panorama)* vue *f*; *(ojos)* yeux *mpl*; *(mirada)* regard *m*; *Der* audience *f*; **a primera** *o* **simple v.** à première vue; **estar a la v.** être en vue; **operar a alguien de la v.** opérer qn des yeux; **no tener mucha v.** *(poco perspicaz)* ne pas être très malin (igne); **fijar la v. en algo** fixer qch; **conocer a alguien de v.** connaître qn de vue; *Fig* **hacer la v. gorda** fermer les yeux; **¡hasta la v.!** à la prochaine!; **perder de v.** perdre de vue; **saltar a la v.** sauter aux yeux; **con vistas al mar** avec vue sur la mer; **a la v.** *(en evidencia)* en vue; *Fig (intenciones)* clair(e); *Fin* à vue; **con vistas a** dans l'intention de; **una reforma con**

vistas a… une réforme visant à…; **en v. de** vu, compte tenu de; **en v. de que** étant donné que ☆ **v. cansada** hypermétropie *f*

vistazo *nm* coup *m* d'œil; **echar** *o* **dar un v.** jeter un coup d'œil

visto, -a 1 *participio ver* ver
  2 *adj* **estar bien/mal v.** être bien/mal vu(e); **estar muy v.** être banal(e); **v. bueno (y conforme)** lu et approuvé; **por lo v.** apparemment; **v. que** vu que, puisque ☆ **v. bueno** approbation *f*

vistoso, -a *adj* voyant(e)

visual *adj* visuel(elle)

visualizar [14] *vt* visualiser; *(imaginar)* imaginer; *Informát* afficher

vital *adj* vital(e); *(persona)* plein(e) de vitalité

vitalicio, -a *adj (renta, pensión)* viager(ère); *(cargo)* à vie

vitalidad *nf* vitalité *f*

vitamina *nf* vitamine *f*

vitaminado, -a *adj* vitaminé(e)

vitamínico, -a *adj* **un complejo v.** un complexe vitaminé

viticultor, -ora *nm,f* viticulteur (trice) *m,f*

viticultura *nf* viticulture *f*

vitorear *vt* acclamer

vítreo, -a *adj* vitreux(euse)

vitrina *nf (mueble)* vitrine *f (meuble); Am (escaparate)* vitrine *f*

vitro: in vitro *adv* in vitro

vitrocerámica *nf* **cocina (de) v.** table *f* de cuisson en vitrocéramique

vituperar *vt* blâmer; *(obras)* décrier

viudedad *nf (viudez)* veuvage *m*; *(pensión)* pension *f* de veuve

viudo, -a *adj & nm,f* veuf (veuve) *m,f*

viva 1 *nm* vivat *m*
  2 *interj* hourra!; **¡v. España!** vive l'Espagne!

vivac = **vivaque**

vivacidad *nf* vivacité *f*

vivales *nmf inv* petit(e) malin(igne) *m,f*

vivamente *adv* vivement; *(relatar, describir)* de façon vivante

vivaque *nm* bivouac *m*

vivaz *adj (despierto)* vif (vive)

vivencia *nf* expérience *f* (vécue), vécu *m*

víveres *nmpl* vivres *mpl*

vivero *nm (de plantas)* pépinière *f*; *(de peces, moluscos)* vivier *m*

viveza *nf* vivacité *f*

vividor, -ora *nm,f Pey* viveur(euse) *m,f*; *(a expensas de otros)* parasite *m*

vivienda *nf* logement *m* ☆ **v. de protección oficial** HLM *m*

viviente *adj* vivant(e)

vivir 1 *vt (experimentar)* vivre
  2 *vi* vivre; *(residir)* habiter; **vivo en Barcelona** j'habite à Barcelone; **v. para ver** qui vivra verra

vivito, -a *adj Fam Fig* **estar v. y coleando** se porter comme un charme

vivo, -a 1 *adj* vif (vive); *(existente, expresivo)* vivant(e); **un olor v.** une odeur forte; **una ciudad viva** une ville très animée; **estar v.** être en vie; **en v.** *(en directo)* en direct; *(en persona)* en chair et en os
  2 *nm,f* **los vivos** les vivants *mpl*

vizconde, -esa *nm,f* vicomte(esse) *m,f*

V.O. *nf (abrev* **versión original**) VO *f*

vocablo *nm* mot *m*

vocabulario *nm* vocabulaire *m*

vocación *nf* vocation *f*

vocal 1 *adj* vocal(e)
  2 *nmf (de junta, consejo)* membre *m*
  3 *nf* voyelle *f*

vocalista *nmf* chanteur(euse) *m,f*

vocalizar [14] *vi (al hablar)* articuler

vocear 1 *vt (gritar)* crier; *(anunciar)* proclamer; *(mercancía)* vendre à la criée; *(pregonar)* crier sur les toits
  2 *vi (gritar)* crier

vociferar *vi* vociférer

vodka ['boðka] *nm ou nf* vodka *f*

vol. *(abrev* **volumen)** vol.

volado, -a *adj Fam* **estar v.** être dingue

volador, -ora *adj* volant(e)

volandas: en volandas *adv* **llevar en v.** soulever

volante 1 *adj* volant(e)
    2 *nm* volant *m*; *(del médico)* lettre *f*; **estar** *o* **ir al v.** être au volant

volar [63] **1** *vt (hacer explotar)* faire sauter
    2 *vi* voler; *Fam (desaparecer)* s'évaporer; *Fig (correr)* se dépêcher; **v. a** *(una altura)* voler à; *(un lugar)* voler vers; **echar(se) a v.** s'envoler; **el tiempo vuela** on ne voit pas passer le temps; **me voy volando** je me dépêche; **hacer algo volando** faire qch en vitesse
    3 volarse *vpr* s'envoler; **se me voló el sombrero** mon chapeau s'est envolé

volátil *adj (inconstante)* versatile; *(que se evapora)* volatil(e)

volatilizar [14] **1** *vt* volatiliser
    2 volatilizarse *vpr* se volatiliser

vol-au-vent = **volován**

volcán *nm* volcan *m*

volcánico, -a *adj* volcanique

volcar [67] **1** *vt* renverser; *(vaciar)* vider; *(verter)* verser
    2 *vi (vehículo)* se retourner; *(barco)* chavirer
    3 volcarse *vpr (caerse)* se renverser; *(barco)* chavirer; *(esforzarse)* se démener; **volcarse con** *o* **en** se dévouer à

volea *nf (en deporte)* volée *f*

voleibol *nm* volley-ball *m*

voleo *nm* volée *f*; *Fam* **a** *o* **al v.** *(arbitrariamente)* au petit bonheur

volován *nm* vol-au-vent *m inv*

volquete *nm* camion *m* à benne

voltaje *nm* voltage *m*

voltear 1 *vt Am (derribar)* renverser; *Andes, Méx, Ven (volver)* **v. la cara** tourner la tête; **v. la espalda a alguien** tourner le dos à qn
    2 *vi Méx (torcer)* tourner
    3 voltearse *vpr Andes, CAm, Carib, Méx (volverse)* se retourner; *(volcarse)* se renverser

voltereta *nf* culbute *f*; *(en gimnasia)* roulade *f*; **dar volteretas** faire des galipettes ☆ **v. lateral** roue *f*

voltio *nm* volt *m*

voluble *adj (persona)* versatile

volumen *nm* volume *m*; **a todo v.** à fond; **subir/bajar el v.** monter/baisser le son ☆ **v. de negocios** *o* **ventas** chiffre *m* d'affaires

voluminoso, -a *adj* volumineux (euse)

voluntad *nf* volonté *f*; **a v.** à volonté; **buena/mala v.** bonne/mauvaise volonté; **contra la v. de alguien** contre la volonté de qn; **por mi/tu/etc propia v.** de mon/ton/etc plein gré; **por v. propia** de sa propre initiative; **v. de hierro** volonté de fer

voluntariado *nm* bénévolat *m*

voluntario, -a *adj & nm,f* volontaire *mf*

voluntarioso, -a *adj* **ser v.** avoir de la volonté

voluptuoso, -a *adj* voluptueux (euse)

volver [41] **1** *vt (dar la vuelta a)* retourner; *(cabeza, espalda)* tourner; *(convertir)* rendre; **lo volvió loco** il l'a rendu fou
    2 *vi (venir, regresar)* revenir; *(ir de nuevo)* retourner; **vuelve, no te vayas** reviens, ne t'en va pas; **volvamos a nuestro tema** revenons à notre sujet; **v. en sí** revenir à soi; **no pienso v. allí** je n'ai pas l'intention de retourner là-bas; **v. a hacer/leer** refaire/relire; **volvió a mirar** il regarda de nouveau; **vuelve a llover** il recommence à pleuvoir; **no vuelvas a pro-**

nunciar esa palabra ne prononce plus jamais ce mot

3 volverse *vpr (darse la vuelta)* se retourner; *(convertirse en)* devenir; **volverse a** *(ir de vuelta)* retourner à; **volverse de** *(venir de vuelta)* revenir de; **se ha vuelto muy cursi** elle est devenue très snob; **volverse atrás** *(desdecirse)* faire machine arrière; **volverse contra** o **en contra de alguien** se retourner contre qn

vomitar *vt & vi* vomir

vomitera *nf* vomi *m*; **le entró una v.** il a été pris de vomissements

vómito *nm (acción)* vomissement *m*; *(sustancia)* vomi *m*

voraz *adj* vorace; *(pasión)* dévorant(e)

vos *pron personal Andes, CAm, Carib, RP (tú) (sujeto)* tu; *(objeto)* toi

vosotros, -as *pron personal* vous

votación *nf (acción)* vote *m*; *(efecto)* élection *f*; **por v.** par voie de scrutin ☆ **v. a mano alzada** vote à main levée

votante *nmf* votant(e) *m,f*

votar 1 *vt* voter

2 *vi* voter; **v. en blanco** voter blanc; **v. por** *(emitir un voto)* voter pour; *(estar a favor)* être pour

voto *nm (sufragio)* voix *f*; *(consulta)* vote *m*; *(derecho a votar)* droit *m* de vote; *(ruego)* vœu *m*; **contar los votos** faire le décompte des voix ☆ **v. de castidad** vœu de chasteté; **v. de censura** vote de censure; **v. de confianza** vote de confiance; **tiene mi v. de confianza** j'ai toute confiance en lui

voy *ver* ir

voz *nf también Gram* voix *f*; *(grito)* cri *m*; **alzar** o **levantar la v. a alguien** élever la voix devant qn; **a media v.** à mi-voix; **en v. alta/baja** à voix haute/basse; **no tener ni v. ni voto** ne pas avoir voix au chapitre; **v. de la conciencia** voix de la conscience;

v. en off voix off; **a voces** en criant; **dar voces** pousser des cris; **corre la v. de que...** le bruit court que...; **llevar la v. cantante** mener la danse

vudú *nm* vaudou *m*

vuelco *nm* chute *f*; *Fig* revirement *m*; **dar un v.** *(vehículo)* se retourner; *Fig* **le dio un v. el corazón** ça lui a fait un coup au cœur

vuelo *nm* vol *m*; **al v.** *(agarrar)* au vol; *Fig (captar)* du premier coup; **alzar** o **emprender** o **levantar el v.** *(despegar)* s'envoler; *Fig (independizarse)* voler de ses propres ailes; **una falda con (mucho) v.** une jupe (très) large ☆ **v. chárter** vol charter; **v. libre** vol libre; **v. sin motor** vol sans moteur; **v. regular** vol régulier

vuelta *nf* tour *m*; *(regreso)* retour *m*; *(dinero sobrante)* monnaie *f*; *(curva)* tournant *m*; *(cara opuesta)* dos *m*; *(cambio, avatar)* renversement *m*; *(de pantalón, manga)* revers *m*; **dar media v.** faire demi-tour; **dar la v. al mundo** faire le tour du monde; **dar vueltas** tourner; **dar una v.** faire un tour; **a la v.** au retour; **estar de v.** être de retour; **dar la v.** rendre la monnaie; **dar la v. a algo** retourner qch; **darle la v. a la página** tourner la page; **dar(se) la v.** se retourner; **a la v. de la esquina** au coin de la rue; **a v. de correo** par retour du courrier; *Fam* **dar la v. a la tortilla** renverser la vapeur; **darle vueltas a algo** tourner et retourner qch dans sa tête; **no tiene v. de hoja** c'est comme ça et pas autrement; *Fam* **poner a alguien de v. y media** *(insultar)* traiter qn de tous les noms; *(reñir)* sonner les cloches à qn ☆ **v. de campana** *(en automóvil)* tonneau *m*; **v. ciclista** tour cycliste

vuelto, -a 1 *participio ver* **volver**

2 *adj* **de cuello v.** *(jersey)* à col roulé

3 *nm Am (vuelta)* monnaie *f*

vuestro, -a *(mpl* **vuestros,** *fpl* **vuestras) 1** *adj posesivo* votre; **vuestros libros** vos livres; **un amigo v.** un de vos amis; **no es asunto v.** ça ne vous regarde pas; **no es culpa vuestra** ce n'est pas (de) votre faute

2 *pron posesivo* **el v.** le vôtre; **la vuestra** la vôtre; *Fam* **ésta es la vuestra** à vous de jouer; *Fam* **lo v. es el teatro** votre truc c'est le théâtre; **los vuestros** *(vuestra familia)* les vôtres *mpl*

vulgar *adj* vulgaire; *(común)* banal(e); *(día, objeto)* ordinaire

vulgaridad *nf* vulgarité *f*; **decir**

vulgaridades *(decir groserías)* dire des grossièretés; *(decir trivialidades)* dire des banalités

vulgo *nm Pey* **el v.** *(la plebe)* le peuple; *(los profanos)* le commun des mortels

vulnerable *adj* vulnérable

vulnerar *vt (nombre, reputación)* porter atteinte à; *(ley, norma)* violer

vulva *nf* vulve *f*

W

W, w *nf (letra)* W *m inv,* w *m inv*

walkie-talkie ['walki'talki] *(pl* **wal-kie-talkies)** *nm* talkie-walkie *m*

walkman ['walman] *(pl* **walkmans)** *nm* Walkman® *m*

wáter ['bater] *(pl* **wáteres)** *nm* W-C *mpl*

waterpolo [water'polo] *nm* water-polo *m*

watio = vatio

WC *nm (abrev* **water closet)** W-C *mpl*

web [web] *Informát* **1** *nf (World Wide Web)* la w. le web

2 *nm o nf (página web)* page *f* web

western ['wester] *(pl* **westerns)** *nm (película)* western *m*

whisky *nm* whisky *m*

windsurf ['winsurf, win'surf], **windsurfing** [win'surfin] *nm* **hacer w.** faire de la planche à voile

WWW *nf (abrev* **World Wide Web)** world wide web *m inv*

X

X, x *nf (letra)* X *m inv*, x *m inv*; **la se-ñora X** madame X

xenofobia *nf* xénophobie *f*

xilofón, xilófono *nm* xylophone *m*

Y

Y, y nf (letra) Y m inv, y m inv
y

On utilise **e** devant les mots commençant par i ou hi.

conj et; **un café y un pastel** un café et un gâteau; **sabía que no lo conseguiría y seguía intentándolo** il savait qu'il n'y parviendrait pas et pourtant il continuait à essayer; **¡hay restaurantes y restaurantes!** il y a restaurant et restaurant!; **tras horas y horas de espera** après des heures et des heures d'attente; **¿y tu mujer? ¿dónde está?** et ta femme, où est-elle?

ya 1 adv (**a**) (denota pasado) déjà; **ya en 1950** en 1950, déjà; **ya me lo habías contado** tu me l'avais déjà raconté

(**b**) (ahora) maintenant; (inmediatamente) tout de suite; **¿nos vamos ya o dentro de un rato?** on part tout de suite ou dans un moment?; **hay que hacer algo ya** il faut faire quelque chose tout de suite; **ya no** plus maintenant

(**c**) (denota futuro) **ya te llamaré** je t'appellerai; **ya nos habremos ido** nous serons déjà partis

(**d**) (finalmente) **ya hay que hacer algo** il est temps de faire quelque chose

(**e**) (refuerza al verbo) **ya entiendo** je comprends; **ya lo sé** je sais bien; **¡ya era hora!** il était temps!; **¡ya está!** ça y est!; **ya veremos** on verra bien; **¡ya voy!** j'arrive!

(**f**) **ya que** puisque; **ya que has venido...** puisque tu es venu...

2 conj (distributiva) **ya llegue tarde, ya llegue temprano...** que j'arrive tôt ou que j'arrive tard...

3 interj **¡ya!** (asentimiento) je sais!; (es suficiente) merci!; (por fin) enfin!; (por supuesto) évidemment!; **¡ya, ya!** bon, bon!

yacaré nm Andes, RP caïman m

yacer [71] vi (estar tumbado) être étendu(e); (estar enterrado) gésir; **aquí yace** (en tumba) ci-gît

yacimiento nm (minero) gisement m ☆ **y. (arqueológico)** site m archéologique; **y. de petróleo** gisement pétrolier

yanqui 1 adj Hist yankee; Fam américain(e)
2 nmf Hist Yankee mf; Fam Amerloque mf

yapa = ñapa

yarará nf Bol, RP bothrops m

yate nm yacht m

yedra = hiedra

yegua nf jument f

yema nf (de huevo) jaune m; (de planta) bourgeon m; (de dedo) bout m; (dulce) = confiserie au jaune d'œuf et au sucre

Yemen n (el) Y. le Yémen

yemení (pl yemeníes), **yemenita 1** adj yéménite
2 nmf Yéménite mf

yen *nm* yen *m*

yerba *nf (césped)* herbe *f* ☆ *RP* **y. mate** feuilles *fpl* de maté torréfiées

yerbatero *nm Am* guérisseur *m*

yermo, -a *adj (estéril)* inculte; *(despoblado)* désert(e)

yerno *nm* gendre *m*

yeso *nm (mineral)* gypse *m*; *(polvo, escultura)* plâtre *m*

yeti *nm* yéti *m*

yeyé *(pl* **yeyés)** *adj* yé-yé *inv*

yo 1 *pron personal (sujeto)* je; *(predicado)* moi; **yo me llamo Juan** je m'appelle Juan; **el culpable soy yo** c'est moi le coupable; **yo que tú/él**/*etc* à ta/sa/*etc* place
  2 *nm Psi* **el yo** le moi

yodo *nm* iode *m*

yoga *nm* yoga *m*

yogur, yogurt *(pl* **yogurts)** *nm* yaourt *m*

yogurtera *nf* yaourtière *f*

yonqui *nmf Fam* junkie *mf*

yoquey *(pl* **yoqueys)** *nm* jockey *mf*

yoyó *nm* Yo-Yo® *m inv*

yuca *nf (planta)* yucca *m*; *(mandioca)* manioc *m*

yudo *nm* judo *m*

yudoka *nmf* judoka *mf*

yugo *nm* joug *m*

Yugoslavia *n* la Yougoslavie; **la ex Y.** l'ex-Yougoslavie

yugoslavo, -a 1 *adj* yougoslave
  2 *nm,f* Yougoslave *mf*

yugular *adj & nf* jugulaire *f*

yunque *nm* enclume *f*

yuppie *(pl* **yuppies)** *nmf* yuppie *mf*

yute *nm* jute *m*

yuxtaponer [50] *vt* juxtaposer

yuxtaposición *nf* juxtaposition *f*

yuxtapuesto, -a *participio ver* **yuxtaponer**

yuyo *nm Andes, RP (hierba medicinal)* plante *f* médicinale; *(hierba mala)* mauvaise herbe *f*

Z

Z, z *nf (letra)* Z *m inv*, z *m inv*

zacate *nm CAm, Méx* foin *m*

zafarrancho *nm Náut* branle-bas *m inv*; **z. de combate** branle-bas de combat

zafio, -a *adj* grossier(ère)

zafiro *nm* saphir *m*

zaga *nf* **ir a la z.** être à la traîne; *Fig* **no irle a la z. a alguien** n'avoir rien à envier à qn

zaguán *nm* entrée *f (vestibule)*

zalamería *nf* flatterie *f*

zalamero, -a *adj & nm,f* enjôleur (euse) *m,f*

zamarra *nf* blouson *m* (fourré)

zambo, -a 1 *adj (mestizo)* métis (isse) *(d'Amérindien et de Noir)*; *Esp (rodillas, persona)* cagneux(euse) *m,f*
2 *nm,f (mestizo)* métis(isse) *m,f* d'Amérindien et de Noir

zambomba *nf* = tambour percé d'une baguette

zambullir 1 *vt* plonger
2 zambullirse *vpr* **zambullirse en** *(agua)* plonger dans; *(actividad)* se plonger dans

zampar *Fam* **1** *vt* bouffer
2 zamparse *vpr* s'enfiler

zanahoria *nf* carotte *f*

zanca *nf (de ave)* patte *f*

zancada *nf* enjambée *f*

zancadilla *nf* **poner una** *o* **la z. a alguien** *(hacer tropezar)* faire un cro-che-pied à qn; *Fig (engañar)* tendre un piège à qn; *(dificultar)* mettre des bâtons dans les roues à qn

zancadillear *vt* faire un croche-pied à; *Fig* tirer dans les pattes à

zanco *nm* échasse *f*

zancudo, -a 1 *adj (persona)* qui a de longues jambes; *(animal)* haut(e) sur pattes; **un ave zancuda** un échassier
2 *nm Am* moustique *m*

zángano, -a 1 *nm,f Fam* flemmard(e) *m,f*
2 *nm* faux bourdon *m*

zanja *nf* tranchée *f*

zanjar *vt (asunto, discusión)* trancher; *(dificultad, problema)* résoudre

zapallito *nm Andes, RP (calabacín)* courgette *f*

zapallo *nm Andes, RP (calabaza)* calebasse *f*

zapata *nf (cuña)* taquet *m*; *(de freno)* mâchoire *f*

zapateado *nm* = danse espagnole rythmée par des coups de talon

zapatear *vi* taper des pieds; *(en baile)* = marquer le rythme en donnant des coups de talon

zapatería *nf (taller)* cordonnerie *f*; *(tienda)* magasin *m* de chaussures

zapatero, -a *nm,f (fabricante, vendedor)* chausseur *m*; **z. (de viejo** *o* **remendón)** cordonnier(ère) *m,f*

zapatilla *nf* chausson *m* ☆ **z. de ballet** chausson de danse; **z. (de deporte)**

chaussure *f* de sport, tennis *m* ou *f*
zapato *nm* chaussure *f*
zapear *vi Fam* zapper
zapping ['θapin] *nm inv* zapping *m*; hacer z. zapper
zar *nm* tsar *m*
zarandear *vt* secouer
zarcillo *nm* boucle *f* d'oreille
zarina *nf* tsarine *f*
zarpa *nf* griffe *f*
zarpar *vi* appareiller
zarpazo *nm* coup *m* de griffe
zarrapastroso, -a *adj Fam* peu soigné(e)
zarza *nf* ronce *f*
zarzal *nm* ronces *fpl*
zarzamora *nf (fruto)* mûre *f*; *(arbusto)* mûrier *m*
zarzuela *nf* zarzuela *f (drame lyrique espagnol)*; *(plato)* = plat de poisson et coquillages en sauce
zas *interj* vlan!
zepelín *nm* zeppelin *m*
zigzag *(pl* **zigzags***) nm* zigzag *m*
zigzaguear *vi* zigzaguer
zinc *nm* zinc *m*
zíper *nm CAm, Carib, Méx* fermeture *f* Éclair®
zócalo *nm (de pared)* plinthe *f*; *(de pedestal)* socle *m*; *(de edificio)* soubassement *m*
zoco *nm* souk *m*
zodiacal *adj* zodiacal(e)
zodiaco, zodíaco *nm* zodiaque *m*
zombi, zombie *nmf también Fig* zombie *m*
zona *nf* zone *f*; z. verde espace *m* vert
zonzo = sonso
zoo *nm* zoo *m*
zoología *nf* zoologie *f*
zoológico, -a 1 *adj* zoologique; *(tratado, tema)* de zoologie
   2 *nm* zoo *m*

zoólogo, -a *nm,f* zoologiste *mf*
zoom [θum] *(pl* **zooms***) nm Fot* zoom *m*
zopenco, -a *adj & nm,f* crétin(e) *m,f*
zoquete 1 *adj & nmf* abruti(e) *m,f*
   2 *nm Am (calcetín)* chaussette *f*
zorro, -a 1 *adj* ser z. être rusé(e) comme un renard; *muy Fam* no tengo ni zorra (idea) je n'en sais absolument rien
   2 *nm,f* renard(e) *m,f*; *Fig* un z. viejo un vieux renard
   3 *nm (piel)* renard *m*
zozobra *nf Fig* angoisse *f*
zozobrar *vi (barco)* sombrer, faire naufrage; *Fig (fracasar)* échouer; *(negocio)* couler
zueco *nm (zapato)* sabot *m*
zulo *nm* planque *f*, cache *f*
zulú *(pl* **zulúes***) 1 adj* zoulou(e)
   2 *nmf* Zoulou(e) *m,f*
zumbar 1 *vi (abeja)* bourdonner; *(motor)* ronfler; *Fam Fig (correr)* filer
   2 *vt Fam (pegar)* flanquer une raclée à
zumbido *nm (de abeja)* bourdonnement *m*; *(de motor)* ronflement *m*
zumo *nm* jus *m*; z. de naranja jus d'orange
zurcido *nm (acción)* reprisage *m*; *(remiendo)* reprise *f*
zurcir [72] *vt* repriser; *Fam* ¡anda y que te zurzan! va te faire voir!
zurdo, -a 1 *adj (mano, ojo)* gauche; *(persona)* gaucher(ère)
   2 *nm,f (persona)* gaucher(ère) *m,f*
   3 *nf* **zurda** *(mano)* main *f* gauche; *(pie)* pied *m* gauche
zurra *nf Fam* raclée *f*
zurrar *vt (piel)* tanner; *Fam (pegar)* flanquer une raclée à
zurrón *nm* gibecière *f*
zutano, -a *nm,f* Untel (Unetelle) *m,f*